Código de
Contratación
del **Sector Público**

Concordado y anotado;
incluye consultas El Consultor

Julio Castelao Simón

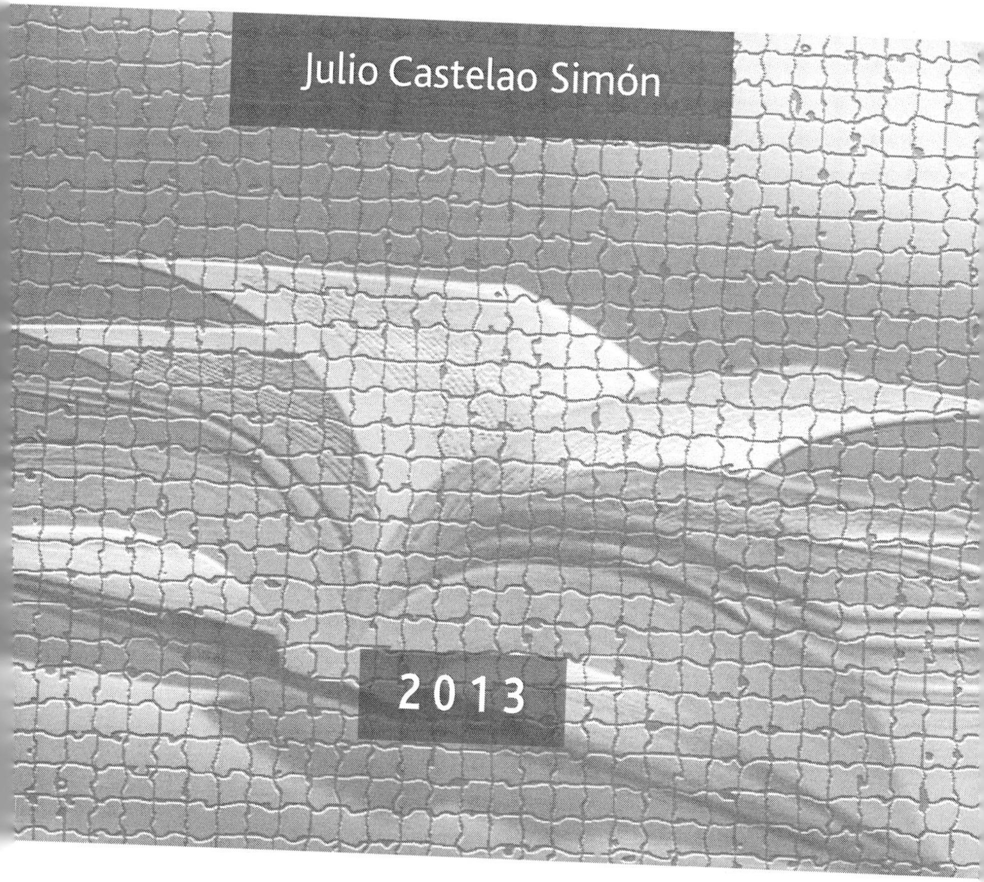

2013

Código de Contratación del Sector Público – 2013

Concordado y anotado; incluye consultas El Consultor

Autor

Julio Castelao Simón

Abogado. Bufete Castelao Estudios Jurídicos

Consejero Delegado WKE: Salvador Fernández López • Directora General WKE: Rosalina Díaz Valcárcel • Director de Publicaciones WKE LOCAL: Fernando Castro Abella • Directora de Desarrollo de Negocio WKE LOCAL: Lourdes Bernal Rióboó

Coordinación editorial: Isabel Aylagas Rodríguez
Diseño de la portada: Raquel Fernández Cestero

1.ª edición enero 2013

EL CONSULTOR DE LOS AYUNTAMIENTOS (LA LEY)
C/ Collado Mediano, 9
28230 - Las Rozas (Madrid)
Tel.: 902 250 500 - Fax: 902 42 00 12

© Wolters Kluwer España, S.A., 2013

El editor y los autores no aceptarán responsabilidades por las posibles consecuencias ocasionadas a las personas naturales o jurídicas que actúen o dejen de actuar como resultado de alguna información contenida en esta publicación.

El texto de las resoluciones judiciales contenido en las publicaciones y productos de Wolters Kluwer España, S.A., es suministrado por el Centro de Documentación Judicial del Consejo General del Poder Judicial (Cendoj), excepto aquellas que puntualmente nos han sido proporcionadas por parte de los gabinetes de comunicación de los órganos judiciales colegiados. El Cendoj es el único organismo legalmente facultado para la recopilación de dichas resoluciones. El tratamiento de los datos de carácter personal contenidos en dichas resoluciones es realizado directamente por el citado organismo, desde julio de 2003, con sus propios criterios en cumplimiento de la normativa vigente sobre el particular, siendo por tanto de su exclusiva responsabilidad cualquier error o incidencia en esta materia.

ISBN edición gráfica: 978-84-7052-646-6
Depósito Legal: M-276-2013
Printed in Spain.
Impreso por Wolters Kluwer España, S.A.

"A mi padre, maestro, amigo"

SUMARIO

PRESENTACIÓN

¿Quiere la mejor herramienta posible para trabajar en el mundo de la Contratación Pública? La tiene en sus manos, compre el libro.

El Código de Contratación clarifica el panorama legislativo actual. El eje principal de la obra lo constituyen las versiones vigentes del Texto refundido de la Ley de Contratos del Sector Público (TRLCSP), y de la demás normativa vigente aplicable en materia de contratación:

— Ley 31/2007, de 30 de octubre, sobre procedimientos de contratación en los sectores del agua, la energía, los transportes y los servicios postales.

— Ley 32/2006, de 18 de octubre, reguladora de la subcontratación en el Sector de la Construcción.

— Real Decreto 817/2009, de 8 de mayo, por el que se desarrolla parcialmente la Ley 30/2007, de 30 de octubre, de Contratos del Sector Público.

— Real Decreto 1098/2001, de 12 de octubre, por el que se aprueba el Reglamento general de la Ley de Contratos de las Administraciones Públicas.

El Código incorpora una **completa y extensísima anotación** efectuada sobre el articulado **del TRLCSP,** a fin de permitir una adecuada interpretación de tal norma básica y fundamental. Así, el autor facilita los criterios interpretativos de los Tribunales, de las Juntas Consultivas de Contratación Estatal y Autonómicas y, siendo en ello la **única obra que lo hace,** con las consultas contestadas por la Redacción de El Consultor.

El TRLCSP está concordado con la LCSP (Ley 30/2007) y con el TRLCAP (RDLeg. 2/2000), lo que permite al autor enlazar los preceptos vigentes con la abundante doctrina y jurisprudencia relativa a los preceptos de los que trae causa.

En resumidas cuentas, este libro es la mejor herramienta para cualquier profesional que tenga que interpretar el TRLCSP: Funcionarios, Jueces, Abogados, Profesores...

Julio Castelao Simón es Abogado en ejercicio integrante del bufete Castelao Estudios Jurídicos, que encabeza Julio Castelao Rodríguez, prestigioso jurista que es, además de padre del autor, colaborador y miembro del Consejo de Redacción de El Consultor y autor a su vez de algunas de nuestras obras fundamentales. Castelao Simón es Abogado especialista en Urbanismo y Derecho Local desde 2008.

Estamos convencidos de que la obra será un éxito de ventas, como siempre suelen serlo los libros que incorporan una utilidad práctica para los profesionales del mundo local, pero para rubricar dicha creencia, como siempre, dependemos del veredicto que con su adquisición nos den nuestros lectores y amigos.

Fernando Castro Abella
Director de Publicaciones
Enero 2013

INTRODUCCIÓN

La Ley 30/2007, de 30 de octubre, de Contratos del Sector Público, y su Reglamento, ya discutidos desde su promulgación, han sufrido muchas modificaciones y enmiendas, por lo que se hizo aconsejable la elaboración de un texto único en el que se incluyeran debidamente aclaradas y armonizadas, todas las disposiciones aplicables a la contratación del sector público.

Nace, así, el Real Decreto Legislativo 3/2011, de 14 de noviembre, que ha aprobado el texto refundido de la Ley de Contratos del Sector Público. La base fundamental, como es lógico, es la Ley 30/2007. El texto refundido no modifica en lo fundamental el contenido de los artículos de la Ley pero sí su orden, por lo que en esta obra se incluyen concordancias normativas que hacen referencia a la situación de cada artículo en vigor en la Ley 30/2007 y en el anterior Texto refundido del año 2000. Con respecto a dicho texto refundido, el actual se caracteriza, sobre todo por su identificación con la normativa europea, teniendo en cuenta que se trata de un texto que ha de operar en un contexto jurídico altamente mediatizado por normas supranacionales, que lo condicionan. La trasposición de las Directivas Europeas ha hecho que se abandone la tradicional división del texto legal en Parte General y Parte Especial, dando paso a un Título Preliminar y cinco Libros, con sus Títulos y Capítulos, que se dedican a regular la configuración general de la contratación del sector público y los elementos estructurales de los contratos, la preparación de estos contratos, la selección del contratista y la adjudicación de los contratos, los efectos, cumplimiento y extinción de los contratos administrativos, y la organización administrativa para la gestión de la contratación.

Tanto las concordancias jurisprudenciales como los informes y dictámenes de las Juntas Consultivas de Contratación Administrativa recogidas en esta obra son las más modernas que se pueden encontrar en la actualidad. Tanto unas como otras tienen una antigüedad máxima de cuatro años, es decir, que traen causa de la Ley que da sentido al Texto

Refundido y hasta nuestros días. Hay sentencias e informes que podrían ser interesantes con fechas anteriores, pero, además de estar reflejadas en otras obras, hemos considerado que son más útiles para el profesional las que se refieren en exclusiva al texto refundido y a su Ley madre.

Asimismo la doctrina citada en el libro corresponde a obras actuales, algunas de ellas recientísimas, y que se refieren básicamente al texto refundido, aunque en algunos casos, por su interés, hemos mantenido algunas dedicadas a la Ley 30/2007.

Pero sin duda, lo más importante y novedoso que ofrecemos en esta obra, está en las consultas. Se trata de preguntas formuladas a las distintas revistas y bases de datos de El Consultor de los Ayuntamientos y Juzgados, y las respuestas ofrecidas por el equipo de profesionales que atiende a dichas peticiones. Dicho equipo está formado por los profesionales más reputados del sector de contratación administrativa, por lo que las preguntas y respuestas se convierten en una extraordinaria herramienta práctica sobre los temas del día a día de los contratos del sector público. Puede verse en dichas respuestas la altura intelectual y rigor jurídico del equipo al que hemos hecho referencia, siendo, por tanto, un paso más adelante de lo que de un simple comentario de artículos se puede esperar.

Esperamos, pues, con la publicación de este libro, que los profesionales de la contratación pública, estén en el lado que estén, puedan aprovecharse, no sólo de unas concordancias de cada artículo del texto refundido, sino también de unas consultas prácticas que se pueden ajustar en la realidad a las situaciones más habituales y cuya respuesta no siempre queda muy clara en el propio texto articulado, teniendo que acudir al consejo de expertos, lo cual hemos plasmado aquí con la mayor claridad y fidelidad al texto de que hemos sido capaces.

El deseo del autor es contribuir a clarificar, simplificar y ayudar a navegar en un texto articulado que, como refundido que es, se trata de una respuesta jurídica no siempre bien conseguida, a los operadores jurídicos, tanto de las administraciones públicas como a los particulares o empresas que contratan con ellas y que, por tanto, puedan disponer de una herramienta que facilite su trabajo. Ojalá sirva para el fin pretendido.

§ 1. Real Decreto Legislativo 3/2011, de 14 de noviembre, por el que se aprueba el Texto Refundido de la Ley de Contratos del Sector Público

BOE 16 noviembre 2011

LA LEY 21158/2011

La disposición final trigésima segunda de la Ley 2/2011, de 4 de marzo (LA LEY 3603/2011), de Economía Sostenible, autoriza al Gobierno para elaborar, en el plazo de un año a partir de la entrada en vigor de esta Ley, un texto refundido en el que se integren, debidamente regularizados, aclarados y armonizados, la Ley 30/2007, de 30 de octubre (LA LEY 10868/2007), de Contratos del Sector Público, y las disposiciones en materia de contratación del sector público contenidas en normas con rango de ley, incluidas las relativas a la captación de financiación privada para la ejecución de contratos públicos. Dicha habilitación tiene su razón de ser en la seguridad jurídica, como puso de manifiesto el Consejo de Estado en su dictamen de 29 de abril de 2010, al recomendar la introducción, en el texto del anteproyecto de modificación de la Ley 30/2007, de 30 de octubre (LA LEY 10868/2007), sometido a dictamen, de una disposición final que habilitara al gobierno para la realización de un texto refundido, con el alcance que se estimara por conveniente. Efectivamente, la sucesión de leyes que han modificado por diversos motivos la Ley 30/2007 (LA LEY 10868/2007) unido a la existencia de otras normas en materia de financiación privada para la ejecución de contratos públicos incluidas en otros textos legislativos, pero de indudable relación con los preceptos que regulan los contratos a los que se refieren, aconsejan la elaboración de un texto único en el que se incluyan debidamente aclaradas y armonizadas, todas las disposiciones aplicables a la contratación del sector público.

© El Consultor de los Ayuntamientos

1

La disposición final trigésima segunda de la Ley 2/2011, de 4 de marzo (LA LEY 3603/2011), de Economía Sostenible, autoriza al Gobierno para elaborar, en el plazo de un año a partir de la entrada en vigor de esta Ley, un texto refundido en el que se integren, debidamente regularizados, aclarados y armonizados, la Ley 30/2007, de 30 de octubre (LA LEY 10868/2007), de Contratos del Sector Público, y las disposiciones en materia de contratación del sector público contenidas en normas con rango de ley, incluidas las relativas a la captación de financiación privada para la ejecución de contratos públicos. Dicha habilitación tiene su razón de ser en la seguridad jurídica, como puso de manifiesto el Consejo de Estado en su dictamen de 29 de abril de 2010, al recomendar la introducción, en el texto del anteproyecto de modificación de la Ley 30/2007, de 30 de octubre (LA LEY 10868/2007), sometido a dictamen, de una disposición final que habilitara al gobierno para la realización de un texto refundido, con el alcance que se estimara por conveniente. Efectivamente, la sucesión de leyes que han modificado por diversos motivos la Ley 30/2007 (LA LEY 10868/2007) unido a la existencia de otras normas en materia de financiación privada para la ejecución de contratos públicos incluidas en otros textos legislativos, pero de indudable relación con los preceptos que regulan los contratos a los que se refieren, aconsejan la elaboración de un texto único en el que se incluyan debidamente aclaradas y armonizadas, todas las disposiciones aplicables a la contratación del sector público.

La disposición final trigésima segunda de la Ley 2/2011, de 4 de marzo (LA LEY 3603/2011), de Economía Sostenible, autoriza al Gobierno para elaborar, en el plazo de un año a partir de la entrada en vigor de esta Ley, un texto refundido en el que se integren, debidamente regularizados, aclarados y armonizados, la Ley 30/2007, de 30 de octubre (LA LEY 10868/2007), de Contratos del Sector Público, y las disposiciones en materia de contratación del sector público contenidas en normas con rango de ley, incluidas las relativas a la captación de financiación privada para la ejecución de contratos públicos. Dicha habilitación tiene su razón de ser en la seguridad jurídica, como puso de manifiesto el Consejo de Estado en su dictamen de 29 de abril de 2010, al recomendar la introducción, en el texto del anteproyecto de modificación de la Ley 30/2007, de 30 de octubre (LA LEY 10868/2007), sometido a dictamen, de una disposición final que habilitara al gobierno para la realización de un texto refundido, con el alcance que se estimara por conveniente. Efectivamente, la sucesión de leyes que han modificado por diversos motivos la Ley 30/2007 (LA LEY 10868/2007) unido a la existencia de otras normas en materia de financiación privada para la ejecución de contratos públicos incluidas en otros textos legislativos, pero de indudable relación con los preceptos que regulan los contratos a los que se refieren, aconsejan la elaboración de un texto único en el que se incluyan debidamente aclaradas y armonizadas, todas las disposiciones aplicables a la contratación del sector público.

La disposición final trigésima segunda de la Ley 2/2011, de 4 de marzo (LA LEY 3603/2011), de Economía Sostenible, autoriza al Gobierno para elaborar, en el plazo de un año a partir de la entrada en vigor de esta Ley, un texto refundido en el que se integren, debidamente regularizados, aclarados y armonizados, la Ley 30/2007, de 30 de octubre (LA LEY 10868/2007), de Contratos del Sector Público, y las disposiciones en materia de contratación del sector público contenidas en normas con rango de ley, incluidas las relativas a la captación de financiación privada para la ejecución de contratos públicos. Dicha habilitación tiene su razón de ser en la seguridad jurídica, como puso de manifiesto el Consejo de Estado en su dictamen de 29 de abril de 2010, al recomendar la introducción, en el texto del anteproyecto de modificación de la Ley 30/2007, de 30 de octubre (LA LEY 10868/2007), sometido a dictamen, de una disposición final que habilitara al gobierno para la realización de un texto refundido, con el alcance que se estimara por conveniente. Efectivamente, la sucesión de leyes que han modificado por diversos motivos la Ley 30/2007 (LA LEY 10868/2007) unido a la existencia de otras normas en materia de financiación privada para la ejecución de contratos públicos incluidas en otros textos legislativos, pero de indudable relación con los preceptos que regulan los contratos a los que se refieren, aconsejan la elaboración de un texto único en el que se incluyan debidamente aclaradas y armonizadas, todas las disposiciones aplicables a la contratación del sector público.

De acuerdo con la citada habilitación se ha procedido a elaborar el texto refundido, siguiendo los criterios que a continuación se exponen.

En primer lugar, se ha procedido a integrar en un texto único todas las modificaciones introducidas a la Ley 30/2007, de 30 de octubre (LA LEY 10868/2007), a través de diversas Leyes modificatorias de la misma, que han dado una nueva redacción a determinados preceptos o han introducido nuevas disposiciones. Dichas Leyes son las siguientes: el Real Decreto-ley 6/2010, de 9 de abril (LA LEY 6879/2010), de medidas para el impulso de la recuperación económica y el empleo; el Real Decreto-ley 8/2010, de 20 de mayo (LA LEY 10524/2010), por el que se adoptan medidas extraordinarias para la reducción del déficit público; la Ley 14/2010, de 5 de julio (LA LEY 14177/2010), de infraestructuras y los servicios de información geográfica en España; la Ley 15/2010, de 5 de julio (LA LEY 14178/2010), de modificación de la Ley 3/2004, de 29 de diciembre (LA LEY 1704/2004), por la que se establecen medidas de lucha contra la morosidad en las operaciones comerciales; la Ley 34/2010, de 5 de agosto (LA LEY 16740/2010), de modificación de las Leyes 30/2007, de 30 de octubre (LA LEY 10868/2007), de Contratos del Sector Público, 31/2007, de 30 de octubre, sobre procedimientos de contratación en los sectores del agua, la energía, los transportes y los servicios postales, y 29/1998, de 13 de julio, reguladora de la Jurisdicción Contencioso-Administrativa para adaptación a la normativa comunitaria de las dos primeras; la Ley 35/2010, de 17 de septiembre (LA LEY 19023/2010), de medidas urgentes para la reforma del mercado de trabajo; la Ley 2/2011, de 4 de marzo, de 4 de marzo, de Economía Sostenible; el Real Decreto-ley 5/2011, de 29 de abril (LA LEY 8963/2011), de medidas para la regularización y control del empleo sumergido y fomento de la rehabilitación de viviendas; la Ley 24/2011, de 1 de agosto (LA LEY 15915/2011), de Contratos del Sector Público en los ámbitos de la Defensa y la Seguridad, y la Ley 26/2011, de 1 de agosto (LA LEY 15917/2011), de adaptación normativa a la Convención internacional sobre los Derechos de las Personas con Discapacidad.

En segundo lugar, siguiendo el mandato del legislador, se ha procedido a integrar en el texto las disposiciones vigentes relativas a la captación de financiación privada para la ejecución de contratos públicos. Por una parte, en materia de contrato de concesión de obras públicas, se han integrado las disposiciones sobre financiación contenidas en el todavía vigente Capítulo IV del Título V del Libro II, comprensivo de los artículos 253 a 260, ambos inclusive, del Texto Refundido de la Ley de Contratos de las Administraciones Públicas, aprobado por Real Decreto Legislativo 2/2000, de 16 de junio (LA LEY 2206/2000), que por esta disposición se deroga en su totalidad. Por otra, para el contrato de colaboración público-privada se incluyen en el texto las previsiones contenidas en la Ley 2/2011, de 4 de marzo, incluyendo las relativas a la colaboración público-privada bajo fórmulas institucionales.

4

Como consecuencia de todo ello, se ha procedido a ajustar la numeración de los artículos y, por lo tanto, las remisiones y concordancias entre ellos, circunstancia ésta que se ha aprovechado, al amparo de la delegación legislativa, para ajustar algunos errores padecidos en el texto original. Igualmente, se ha revisado la parte final de la Ley, eliminando disposiciones e incluyendo otras motivadas por el tiempo transcurrido desde la aprobación de la Ley 30/2007 (LA LEY 10868/2007) y sus modificaciones.

En su virtud, a propuesta de la Vicepresidenta del Gobierno de Asuntos Económicos y Ministra de Economía y Hacienda, de acuerdo con el Consejo de Estado y previa deliberación del Consejo de Ministros en su reunión del día 11 de noviembre de 2011,

DISPONGO:

Artículo único *Aprobación del Texto Refundido de la Ley de Contratos del Sector Público*

Se aprueba el Texto Refundido de la Ley de Contratos del Sector Público (LA LEY 10868/2007), cuyo texto se inserta a continuación.

Disposición adicional única *Remisiones normativas*

Las referencias normativas efectuadas en otras disposiciones a la Ley 30/2007, de 30 de octubre (LA LEY 10868/2007), de Contratos del Sector Público y al Real Decreto Legislativo 2/2000, de 16 de junio (LA LEY 2206/2000), por el que se aprueba el Texto Refundido de la Ley de Contratos de las Administraciones Públicas, se entenderán efectuadas a los preceptos correspondientes del Texto Refundido que se aprueba.

Disposición derogatoria única *Derogación normativa*

Quedan derogadas todas las disposiciones de igual o inferior rango que se opongan a la presente Ley y, en particular, las siguientes:

1. La Ley 30/2007, de 30 de octubre (LA LEY 10868/2007), de Contratos del Sector Público.

2. El Capítulo IV del Título V del Libro II, comprensivo de los artículos 253 a 260, ambos inclusive, del Texto Refundido de la Ley de Contratos de las Administraciones Públicas, aprobado por Real Decreto Legislativo 2/2000, de 16 de junio (LA LEY 2206/2000).

3. La disposición adicional séptima de la Ley 13/2003, de 23 de mayo (LA LEY 919/2003), Reguladora del contrato de Concesión de Obras Públicas.

4. El artículo 16 del Real Decreto-ley 8/2010, de 20 de mayo (LA LEY 10524/2010), por el que se adoptan medidas extraordinarias para la reducción del déficit público.

5. Los artículos 37 (LA LEY 3603/2011) y 38 de la Ley 2/2011, de 4 de marzo (LA LEY 3603/2011), de Economía Sostenible.

Disposición final única *Entrada en vigor*

El presente Real Decreto Legislativo y el Texto Refundido que aprueba entrarán en vigor al mes de su publicación en el «Boletín Oficial del Estado.»

TEXTO REFUNDIDO DE LA LEY DE CONTRATOS DEL SECTOR PÚBLICO

📖 **Doctrina**

«Suma y sigue: el Real Decreto Legislativo 3/2011, de 14 de noviembre, por el que se aprueba el Texto Refundido de la Ley de Contratos del Sector Público». José Antonio Moreno Molina y A. Patricia Domínguez Alonso. Publicado en *Diario LA LEY* el 10 de enero de 2012 [LA LEY 21916/2011].

TÍTULO PRELIMINAR

Disposiciones generales

CAPÍTULO I

Objeto y ámbito de aplicación de la Ley

Artículo 1 *Objeto y finalidad*

La presente Ley tiene por objeto regular la contratación del sector público, a fin de garantizar que la misma se ajusta a los principios de libertad de acceso a las licitaciones, publicidad y transparencia de los procedimientos, y no discriminación e igualdad de trato entre los candidatos, y de asegurar, en conexión con el objetivo de estabilidad presupuestaria y control del gasto, una eficiente utilización de los fondos destinados a la realización de obras, la adquisición de bienes y la contratación de servicios mediante la exigencia de la definición previa de las necesidades a satisfacer, la salvaguarda de la libre competencia y la selección de la oferta económicamente más ventajosa.

Es igualmente objeto de esta Ley la regulación del régimen jurídico aplicable a los efectos, cumplimiento y extinción de los contratos administrativos, en atención a los fines institucionales de carácter público que a través de los mismos se tratan de realizar.

Concordancias a todo el artículo

➡ **Concordancias normativas**

Artículo 1 de la LCSP 30/2007 y artículo 11 del TRLCAP RDL 2/2000.

Véase art. 123 de la presente Ley.

📖 **Doctrina**

— *Texto Refundido de la Ley de Contratos del Sector Público. Estudio sistemático* .José Antonio Moreno Molina, Francisco Pleite Guadamillas. Editorial LA LEY, Madrid, 2012.

— «Administración contratante» Koninckx Frasquet, Amparo; Martínez Morales, José Luis. Esta doctrina forma parte del libro *Aspectos prácticos y novedades de la contratación pública. En especial en la administración local*, edición n.º 2, Editorial LA LEY, Madrid, 2012.

— «Antecedentes». Vicente Iglesias, José Luis. Esta doctrina forma parte del libro *Comentarios a la Ley 30/2007 de 30 de octubre, de Contratos del Sector Público*, Editorial LA LEY, Madrid, julio 2008. [LA LEY 5950/2010].

✉ **Consultas**

• **Servicio de apoyo a la actividad inspectora de la Administración**

El Ayuntamiento desea contratar a una empresa para que aflore la deuda oculta. ¿Cómo fijamos el precio? ¿Qué procedimiento debemos seguir?

[05/06/2012. EC 1317/2012]

Contestación

No se concreta el objeto del contrato, aunque entendemos que deberá estar en el ámbito del art. 10 del Real Decreto Legislativo 3/2011, de 14 de noviembre (LA LEY 21158/2011) (BOE del 16), por el que se aprueba el texto refundido de la Ley de Contratos del Sector Público (TRLCSP

(LA LEY 21158/2011)), que define el contrato de servicios como aquellos «cuyo objeto son prestaciones de hacer consistentes en el desarrollo de una actividad o dirigidos a la obtención de un resultado distinto a una obra de suministro». La ambigüedad de esta definición intenta paliarse con una remisión a las categorías a que se remite este precepto enumeradas en el anexo II de la Ley.

No obstante, las funciones del colaborador deberán ser definidas salvando, evidentemente, las administrativas relacionadas con el ejercicio de autoridad. Se recomienda la lectura de la STS Castilla y León de 22 de mayo de 2007 (LA LEY 138276/2007) (LA LEY 138276/2007), en relación a un recurso para la anulación de los pliegos que rigieron la contratación de una empresa colaboradora en la recaudación, en la que se afirma que «es lo cierto que no se precisa hasta dónde ha de llegar esta colaboración y si se analiza todo el ámbito material de la misma, se llega más bien a la conclusión de que la sedicente colaboración llega mucho más lejos, produciendo en realidad un auténtico desplazamiento en el ejercicio de funciones públicas que han de ser objeto de gestión directa»; anulando el acuerdo de aprobación de los pliegos.

A la hora de establecer el precio de estas colaboraciones, no debemos dejarnos llevar por las propuestas que las empresas traen a nuestras entidades locales; que en su mayor parte se instrumentan como un porcentaje de la deuda que se investigue. Esto es, el resultado de la investigación no va a ser la recaudación que de los datos proporcionados por el adjudicatario podamos obtener (téngase en cuenta que algunas liquidaciones podremos realizarlas de varios ejercicios), sino que se contrata la entrega de unos datos que, tras notificar la liquidación, pueden resultar incluso erróneos, o irrealizables económicamente por la razón que sea (devengo no significa caja), y sobre esa actividad es sobre la que hay que establecer un precio.

Lo que debemos realizar es una valoración seria del trabajo que van a realizar, sobre la base de conocer el estado en el que se encuentran los padrones municipales, y el grado de error que pueden contener. Las cifras de recaudación voluntaria y ejecutiva de los últimos cinco años podrán darnos una idea de esta situación; teniendo en cuenta, si es posible explotar ese dato, el número de notificaciones edictales que se realizan de la providencia de apremio, y el porcentaje que ello supone sobre el total de obligados tributarios. Otro dato a tener en cuenta es la comparación del número de contribuyentes en los listados cobratorios de agua, basura e IBI, para contrastar su homogeneidad. Con estos datos, deberíamos estar en condiciones de calcular un precio unitario por cada expediente, que nos permita hacer un alta en un padrón: determinando, de manera detallada, la información que ha de contener cada expediente que se entregue. Dependiendo de cómo pueda tratarse esa información, el precio puede ser superior: si la información debe ser posteriormente mecanizada por los propios servicios municipales, que liquidarán, aprobarán las liquidaciones y notificarán las deudas pendientes, el precio será menor que si la información puede ser trasladada a los sistemas municipales por el adjudicatario.

Debe tenerse la cautela, también, de recoger en el pliego, entre las obligaciones del adjudicatario, la de emitir informes en relación con las eventuales alegaciones que puedan presentarse a las futuras liquidaciones, que conllevarán la emisión de facturas de abono, en caso de probarse tras el recurso, que el alta no podía ser tramitada. Para ello, también en el pliego, se recogerá la obligación del adjudicatario de estudiar las ordenanzas municipales que se le entreguen; para determinar con absoluta precisión el hecho imponible de estas, recabando la información necesaria del servicio municipal que corresponda.

Téngase en cuenta, también en relación con el pliego, que el Ayuntamiento deberá facilitar la totalidad de las listas cobratorias a investigar al adjudicatario; por lo que deberá respetarse lo recogido en la Ley Orgánica 15/1999, de 13 de diciembre (LA LEY 4633/1999) (BOE del 14), de Protección de Datos de Carácter Personal, en este tipo de relaciones.

En cuanto al modo de contratar este tipo de servicios, alguna propuesta para este tipo de contratos es que con los resultados de la recaudación se generen recursos para la contratación. Evidentemente, la necesidad de crédito presupuestario previamente a la contratación es una obligación legal (el art. 32.2 TRLCSP (LA LEY 21158/2011) sanciona su falta o insuficiencia con la nulidad administrativa), que no puede quedar condicionada a futuros ingresos (en el mismo sentido, véase EC 106/2012). Por lo tanto, la Entidad Local deberá conocer qué cantidad de crédito es posible destinar a esta contratación; haciendo una reserva del importe indicado y adjudicando las tareas con precios unitarios, que se irán facturando a medida que se entreguen los trabajos de acuerdo a las especificaciones del pliego. Para la contratación de estos servicios a precios unitarios pueden usarse las normas previstas en el Capítulo II del Título II del Libro III para los acuerdos marco celebrados con un único empresario (que el art. 9 TRLCSP (LA LEY 21158/2011) considera obligatorias para los contratos de suministro a precio unitario) o tramitar el procedimiento que corresponda según la cuantía de la reserva a realizar.

• **Compatibilidad para contratar a un antiguo empleado municipal para el asesoramiento en la redacción del Plan General de Ordenación Municipal.**

¿Es correcto el rechazo en el procedimiento negociado sin publicidad de las ofertas de contratistas «no invitados» o deben aceptarse y negociarse todas las presentadas?

[08/06/2009. EC 1700/2009]

Contestación

En el procedimiento negociado, el art. 161 de la Ley 30/2007, de 30 de octubre (BOE del 31), de Contratos del Sector Público (LCSP), distingue los supuestos en los que se requiere publicidad de la licitación y en los que no se requiere publicidad. Para los primeros establece el apartado 3 que serán de aplicación al procedimiento negociado, en los casos en que se proceda a la publicación de anuncios de licitación, las normas contenidas en los arts. 147 a 150, ambos inclusive. No obstante, en caso de que se decida limitar el número de empresas a las que se invitará a negociar, deberá tenerse en cuenta lo señalado en el apartado 1 del artículo siguiente.

En los supuestos en que no se requiere publicidad la concurrencia se cumple, según la ley, con la solicitud de ofertas, estableciendo el art. 162.1 que en el procedimiento negociado será necesario solicitar ofertas, al menos, a tres empresas capacitadas para la realización del objeto del contrato, siempre que ello sea posible. Y añade en el apartado 5 que en el expediente deberá dejarse constancia de las invitaciones cursadas, de las ofertas recibidas y de las razones para su aceptación o rechazo.

Por tanto, en el denominado procedimiento negociado sin publicidad basta con que el órgano de contratación solicite ofertas al menos a tres empresas capacitadas para la realización del objeto del contrato y si una empresa no ha sido invitada para que presente oferta no puede hacerlo, ya que no se trata de un procedimiento abierto donde cualquier empresa pueda presentar oferta una vez publicado el anuncio de licitación.

Por tanto, está motivado el rechazo de la proposición presentada, ya que la presentación de proposición requiere un acto previo de legitimación que en el caso del procedimiento negociado sin publicidad es la solicitud expresa de la oferta.

En cuanto al art. 1 de la Ley, debe señalarse que establece los principios generales, tales como garantizar que la misma se ajusta a los principios de libertad de acceso a las licitaciones, publicidad y transparencia de los procedimientos, y no discriminación e igualdad de trato entre los candidatos, y de asegurar una eficiente utilización de los fondos destinados a la realización de obras, la adquisición de bienes y la contratación de servicios mediante la exigencia de la definición previa de las necesidades a satisfacer, la salvaguarda de la libre competencia y la selección de la oferta económicamente más ventajosa. Pero esto solo son principios generales, pues luego la norma atendiendo, por ejemplo, al importe de los contratos, va especificando cuál debe ser la concurrencia mínima, y en el procedimiento negociado establece que cuando sea posible al menos habrá de solicitarse oferta a tres empresas capacitadas. Sin embargo, en procedimientos de contratación en los que la Ley considera que no es necesaria la concurrencia no requiere siquiera la existencia de varios oferentes, como ocurre en los contratos menores, en los que en la mayoría de los casos se trata de supuestos de lo que tradicionalmente se denominaban adjudicación directa, y en los que no existe ninguna concurrencia.

•¿Concurre incompatibilidad para contratar a un antiguo empleado municipal (gerente de urbanismo) para el asesoramiento en la redacción del Plan General de Ordenación Municipal?

[30/12/2008 EC 4006/2008]

Contestación

Entendemos, aunque no se aclara en la consulta, que el supuesto de hecho se refiere a la licitación de un contrato de servicios [art. 10 en relación con el Anexo II, categoría 12, de la Ley 30/2007, de 30 de octubre (EC 3697/2007), de Contratos del Sector Público (LCSP)] para el asesoramiento en la redacción del Plan General de Ordenación Urbana. Se plantearía si en esta licitación puede concurrir un profesional que había ocupado las funciones de Gerente de Urbanismo, imaginamos que con una relación laboral temporal, puede que de alta dirección dada la denominación, durante un breve periodo de tiempo y cuya relación de servicios con el municipio ha finalizado. Se trataría de determinar si concurre causa de incompatibilidad para ser adjudicatario de un contrato administrativo cuando concurre una circunstancia como la descrita.

La posible causa de incompatibilidad sería la señalada en el art. 49.1.f) LCSP [cuyo precedente es el art. 20.1 e) del Real Decreto Legislativo 2/2000, de 16 de junio, TRLCAP]:

> «No podrán contratar con el sector público las personas en quienes concurra alguna de las circunstancias siguientes: (...) f) Estar incursa la persona física o los administradores de la persona jurídica en alguno de los supuestos de la Ley 5/2006, de 10 de abril, de regulación de los conflictos de intereses de los miembros del Gobierno y de los altos cargos de la Administración General del Estado, de la Ley 53/1984, de 26 de diciembre, de incompatibilidades del personal al servicio de las Administraciones públicas o tratarse de cualquiera de los cargos electivos regulados en la Ley Orgánica 5/1985, de 19 de junio, del Régimen Electoral General, en los términos establecidos en la misma. La prohibición alcanzará a las personas jurídicas en cuyo capital participen, en los términos y cuantías establecidas en la legislación citada, el personal y los altos cargos de cualquier Administración Pública, así como los cargos electos al servicio de las mismas. La prohibición se extiende igualmente, en ambos casos, a los cónyuges, personas vinculadas con análoga relación de convivencia afectiva y descendientes de las personas a que se refieren los párrafos anteriores, siempre que, respecto de los últimos, dichas personas ostenten su representación legal».

Este artículo prohibiría que una persona física (como es el caso planteado) pueda ser adjudicataria de un contrato administrativo si concurriese en ella alguna causa de incompatibilidad. El tema en concreto ha sido objeto de respuesta en Informe 8/2003 de la Comisión Permanente de la Junta Consultiva de Contratación Administrativa de la Generalidad de Cataluña de 18 de julio de 2003 (lógicamente en aquel momento referido al art. 20.1.e TRLCAP). Este órgano consultivo entiende que la Ley 53/1984, de 26 de diciembre, de Incompatibilidades del Personal al Servicio de las Administraciones Públicas [a la que se remite el art. 49.1.f) LCSP], se aplica al personal al servicio de las corporaciones locales (art. 2.c) y no establece ninguna prohibición para contratar con las administraciones públicas una vez se ha dejado de ocupar un puesto de trabajo adscrito a una Administración pública. De este modo una persona física podría ser licitadora y adjudicataria de un contrato administrativo de consultoría y asistencia (hoy servicios) si, cuando participa en la licitación pública correspondiente, no tiene relación jurídica de prestación de servicios con la administración que licita el contrato. Y concluye que «...no es causa de prohibición de contratar haber desarrollado con anterioridad al momento de la licitación servicios o prestaciones para la administración contratante, si estos servicios o prestaciones ya han finalizado».

No obstante lo anterior en la obra Contratación del Sector Público Local (Tomo I, págs. 581 a 583, VV.AA, El Consultor, 2008) se mantiene lo siguiente: el art. 12.1.a) de la Ley 53/1984 prohíbe específicamente al personal al servicio de las administraciones públicas: «El desempeño de actividades privadas, incluidas las de carácter profesional, sea por cuenta propia o bajo la dependencia o al servicio de Entidades o particulares, en los asuntos en que esté interviniendo, haya intervenido en los dos últimos años o tenga que intervenir por razón del puesto público». Entiende el autor en esta obra que este apartado del art. 12 permitiría aplicar esta causa de incompatibilidad a actividades privadas realizadas incluso una vez extinguido el vínculo que existía con la administración pública que saca a licitación ese contrato de servicios. Para ello se apoya en la STS de 24 de enero de 1995 (LA LEY 5939/1995) cuando anula la adjudicación de un contrato de consultoría y asistencia a una empresa por que uno de los consejeros había sido asesor de la administración que adjudicaba.

Sin embargo esta sentencia, y la interpretación que hace del art. 12.1.a) de la Ley 53/1984, hemos de ponerla en relación con el hoy vigente art. 45.1 LCSP para entender en todo caso la concurrencia de esa causa de incompatibilidad:

> «Art. 45.1. Sin perjuicio de lo dispuesto en relación con la adjudicación de contratos a través de un procedimiento de diálogo competitivo, no podrán concurrir a las licitaciones empresas que hubieran participado en la elaboración de las especificaciones técnicas o de los documentos preparatorios del contrato siempre que dicha participación pueda provocar restricciones a la libre concurrencia o suponer un trato privilegiado con respecto al resto de las empresas licitadoras».

Partiendo de la interpretación restrictiva que debe darse a las causas de incompatibilidad para contratar con la administración pública dado que supone una restricción al principio de libre concurrencia, deberíamos entender que si el entonces Gerente de Urbanismo participó en aquel momento en la elaboración de los documentos que hoy sirven de base para la licitación del contrato de servicios al que licita, aunque haya finalizado su relación de servicios con la administración, concurriría en causa de incompatibilidad para contratar. Podríamos entender incluso que si aquella relación laboral supone una posición de privilegio del hoy licitante, de modo que goza de un mejor conocimiento del objeto contractual al que licita, lo que le coloca en una posición de supremacía a la hora de formular su oferta respecto al resto de licitadores, podría incurrir en causa de incompatibilidad.

Por ello, es preciso conjugar la interpretación restrictiva de la causa de incompatibilidad con los principios de objetividad (ponderación de todos los intereses en juego que la norma ordena proteger), imparcialidad (prohibición de preferencias o disfavores no amparados en norma concreta alguna) y la preservación de la moralidad administrativa [«la administración debe comportarse de tal modo que desaparezca cualquier sombra de favoritismos en beneficio de cierto (ciertos) contratista (o contratistas)». STS de 17 de febrero de 1992 (LA LEY 4695/1992)] con el principio de libre concurrencia a las licitaciones (art. 1 LCSP).

✍ **Informes de la Junta Consultiva de Contratación Administrativa**

Informe 65/2009, de 23 de julio de 2010, de la Junta Consultiva de Contratación Administrativa. «Procedimiento negociado; empresas capacitadas.»

Informe 66/2009, de 23 de julio de 2010, de la Junta Consultiva de Contratación Administrativa. «Competencia de la Junta Consultiva de Contratación Administrativa. Contratos patrimoniales; adquisición de un edificio en construcción. Aplicación de un concurso de proyectos.»

Artículo 2 *Ámbito de aplicación*

1. Son contratos del sector público y, en consecuencia, están sometidos a la presente Ley en la forma y términos previstos en la misma, los contratos onerosos, cualquiera que sea su naturaleza jurídica, que celebren los entes, organismos y entidades enumerados en el artículo 3.

2. Están también sujetos a la presente Ley, en los términos que en ella se señalan, los contratos subvencionados por los entes, organismos y entidades del sector público que celebren otras personas físicas o jurídicas en los supuestos previstos en el artículo 17, así como los contratos de obras que celebren los concesionarios de obras públicas en los casos del artículo 274.

3. La aplicación de esta Ley a los contratos que celebren las Comunidades Autónomas y las entidades que integran la Administración Local, o los organismos dependientes de las mismas, así como a los contratos subvencionados por cualquiera de estas entidades, se efectuará en los términos previstos en la disposición final segunda.

Concordancias a todo el artículo

➡ **Concordancias normativas**

Artículo 2 de la LCSP 30/2007 y artículo 2 del TRLCAP RDL 2/2000.

✍ **Informes de la Junta Consultiva de Contratación Administrativa**

Informe 4/2010, de 26 de marzo, de la Junta Consultiva de Contratación Administrativa de la Generalidad de Cataluña (Comisión Permanente) Asunto: Posibilidad que el Consorcio Agencia de Ecología Urbana de Barcelona concurra a licitaciones públicas convocadas por otras administraciones públicas LA LEY 203/2010 CONTRATACIÓN ADMINISTRATIVA. LICITACIONES PÚBLICAS. Posibilidad de que un organismo de derecho público participe en una licitación de otra administración pública, sin que exista ninguna prohibición legal al respecto, excepto en el caso que los primeros tengan respecto de éstos la consideración de medio propio o servicio técnico, en los términos del artículo 24.6. Análisis del caso concreto de la consulta, relativa a la Agencia de Ecología Urbana de Barcelona.

Informe 23/2009, de 4 de noviembre, de la Junta Consultiva de Contratación Administrativa de la Comunidad Autónoma de Aragón, sobre Naturaleza jurídica del concierto con una Mutua de Accidentes de Trabajo y Enfermedades Profesionales de la protección de las contingencias de accidentes de trabajo y enfermedades profesionales.

Informe 4/2010, de 10 de septiembre, de la Junta Consultiva de Contratación Administrativa de la Comunidad de Madrid, sobre oferta económica con valor anormal o desproporcionado, en un contrato de servicios del servicio madrileño de salud.

✉ **Consultas**

• Las sociedades mercantiles participadas en más del 50% por las entidades locales se consideran sector público y por tanto les será de aplicación la LCSP. ¿Qué alcance tiene para una sociedad municipal de capital íntegramente municipal la disposición final duodécima, en relación con la disposición transitoria séptima de la LCSP, que establece la aplicación anticipada de la delimitación del ámbito subjetivo de aplicación de la ley?

[30/01/2008 EC 177/2008]

Contestación

Una de las principales innovaciones que introduce la nueva Ley 30/2007, de 30 de octubre, de Contratos del Sector Público (EC 3697/2007), es precisamente su ámbito de aplicación. De hecho ya la denominación de la ley indica que va a afectar a entidades a las que hasta ahora no afectaba, ya que la ley pasa de ser de contratos de las administraciones públicas a contratos del sector público, término mucho más amplio. En este sentido, y en lo que aquí interesa, el art. 2, al definir su ámbito, indica que «son contratos del sector público y, en consecuencia, están sometidos a la presente ley en la forma y términos previstos en la misma, los contratos onerosos, cualquiera que sea su naturaleza jurídica, que celebren los entes, organismos y entidades enumerados en el art. 3». Artículo 3 que delimita el ámbito subjetivo de aplicación de la Ley, y que en su apartado 1 letra d) establece que a los efectos de esta Ley, se considera que forman parte del sector público las sociedad mercantiles en cuyo capital social la participación, directa o indirecta, de entidades de las mencionadas en las letras a) a f) (entre otras, las entidades que integran la administración local), sea superior al 50%.

Esto significa que a partir de la entrada en vigor de la nueva ley de contratos del sector público será aplicable a las sociedades mercantiles de estas características. Ahora bien, entendemos que no van a ser pocas las dificultades de su aplicación práctica ya que precisamente las sociedades mercantiles, en su concepción actual, carecen de órganos de control que puedan velar por la aplicación de una normativa administrativa que, en principio, choca con la forma de actuar de una empresa mercantil.

No obstante, la disposición final duodécima de la nueva ley establece una excepción a la entrada en vigor en el plazo de seis meses, disponiendo que en los supuestos previstos en la disposición transitoria séptima entrará en vigor al día siguiente de su publicación.

La citada disposición transitoria séptima, bajo la rúbrica «Aplicación anticipada de la delimitación del ámbito subjetivo de aplicación de la Ley», recoge realmente dos supuestos de aplicación anticipada:

— Una meramente subjetiva en el apartado 1.

— Y otra que incluye elementos objetivos, ya que se está refiriendo a determinados tipos de contratos.

En particular, en su caso, por los datos que nos aporta entendemos que sería aplicable la letra c del apartado 1 que señala que «los entes, organismos y entidades que, según el art. 3.1 de esta Ley, pertenezcan al sector público, y no tengan la consideración de administraciones públicas o de poderes adjudicadores conforme a las letras anteriores, sujetarán su contratación a lo establecido en la disposición adicional sexta de la Ley de contratos de las Administraciones Públicas». Disposición adicional sexta que contiene los principios de contratación del sector público, estableciendo que «las sociedades mercantiles y las fundaciones del sector público a que se refiere el apartado 1 del artículo 2, para los contratos no comprendidos en él, así como las restantes sociedades mercantiles en cuyo capital sea mayoritaria la participación directa o indirecta de las Administraciones públicas o de sus organismos autónomos o entidades de derecho público, se ajustarán en su actividad contractual a los principios de publicidad y concurrencia, salvo que la naturaleza de la operación a realizar sea incompatible con estos principios.»

Es decir, se le aplica el denominado, hasta ahora, en el Texto Refundido de la Ley de Contratos de las Administraciones Públicas (TR LCAP), aprobado por Real Decreto Legislativo 2/2000, de 16 de junio (EC 2287/2000), tercer nivel, esto es, deben sujetar su actuación contractual a los principios de publicidad y concurrencia, sin que ello comporte la exigencia de que la selección del contratista se sujete a la publicidad en el boletín oficial, ni a los procedimientos o formas de adjudicación de los contratos que regulan los arts. 73 a 75 TR LCAP.

Puede ser también aplicable el apartado 2 de las disposición transitoria séptima si concurren en los contratos las circunstancias que se detallan en el mismo.

☞ **Concordancias Jurisprudenciales**

Tribunal Superior de Justicia del Principado de Asturias, Sala de lo Contencioso-administrativo, Sección 1.ª, Sentencia de 30 Sep. 2011, rec. 116/2009

[LA LEY 196303/2011]

COMPETENCIA JUDICIAL. Falta de jurisdicción de la Sala de lo contencioso-administrativo por ser competencia de la jurisdicción civil. El objeto del recurso lo constituye la impugnación de la encomienda o encomiendas realizadas por la Consejería de Administraciones Públicas a una empresa pública para la instalación y puesta en funcionamiento de la TDT en aquellos centros o emplazamientos de difusión de televisión de titularidad pública, así como la convocatoria de los procedimientos de licitación para la contratación de la extensión de la cobertura de la TDT desde centros de radiodifusión. Competencia de la jurisdicción civil para conocer de cuantas cuestiones litigiosas afecten a la preparación y adjudicación de los contratos privados que se celebren por los entes y entidades que no tengan el carácter de Administración Pública, siempre que estos contratos no estén sujetos a regulación armonizada.

Artículo 3 *Ámbito subjetivo*

1. A los efectos de esta Ley, se considera que forman parte del sector público los siguientes entes, organismos y entidades:

a) La Administración General del Estado, las Administraciones de las Comunidades Autónomas y las Entidades que integran la Administración Local.

📖 Doctrina

«La regulación en la LCSP». Koninckx Frasquet, Amparo; Palomar Olmeda, Alberto. Esta doctrina forma parte del libro *Aspectos prácticos y novedades de la contratación pública. En especial en la administración local,* 2.ª ed. Editorial LA LEY, Madrid, 2012.

b) Las entidades gestoras y los servicios comunes de la Seguridad Social.

c) Los organismos autónomos, las entidades públicas empresariales, las Universidades Públicas, las Agencias Estatales y cualesquiera entidades de derecho público con personalidad jurídica propia vinculadas a un sujeto que pertenezca al sector público o dependientes del mismo, incluyendo aquellas que, con independencia funcional o con una especial autonomía reconocida por la Ley, tengan atribuidas funciones de regulación o control de carácter externo sobre un determinado sector o actividad.

d) Las sociedades mercantiles en cuyo capital social la participación, directa o indirecta, de entidades de las mencionadas en las letras a) a f) del presente apartado sea superior al 50 por 100.

e) Los consorcios dotados de personalidad jurídica propia a los que se refieren el artículo 6.5 de la Ley 30/1992, de 26 de noviembre (LA LEY 3279/1992), de Régimen Jurídico de las Administraciones Públicas y del Procedimiento Administrativo Común, y la legislación de régimen local.

f) Las fundaciones que se constituyan con una aportación mayoritaria, directa o indirecta, de una o varias entidades integradas en el sector público, o cuyo patrimonio fundacional, con un carácter de permanencia, esté formado en más de un 50 por 100 por bienes o derechos aportados o cedidos por las referidas entidades.

g) Las Mutuas de Accidentes de Trabajo y Enfermedades Profesionales de la Seguridad Social.

h) Cualesquiera entes, organismos o entidades con personalidad jurídica propia, que hayan sido creados específicamente para satisfacer necesidades de interés general que no tengan carácter industrial o mercantil, siempre que uno o varios sujetos pertenecientes al sector público financien mayoritariamente su actividad, controlen su gestión, o nombren a más de la mitad de los miembros de su órgano de administración, dirección o vigilancia.

✍ Informes de la Junta Consultiva de Contratación Administrativa

Informe 44/2009, de 26 de febrero de 2010, de la Junta Consultiva de Contratación Administrativa. «Aplicación de la Ley de contratos del sector público a las Juntas de Compensación urbanísticas.»

[LA LEY 174/2010]

URBANISMO. JUNTA DE COMPENSACIÓN. No tiene la consideración de entidad del Sector Público y, por consiguiente, no le es de aplicación la LCSP ni sus disposiciones complementarias o de desarrollo. No se cumplen todos los requisitos exigidos en la Ley para incluir a las Juntas de Compensación dentro del sector público, dado que aunque sí se trata de una entidad con personalidad jurídica propia y naturaleza claramente administrativa y pública, su financiación no recae sobre entidades del sector público, sino que corre a cargo exclusivamente de los propietarios adheridos a las mismas y su control o gobierno es asumido por los órganos de representación de los propietarios, en los cuales a lo sumo habrá un representante del Ayuntamiento.

Informe 1/2008, de 14 de febrero de 2008, Junta Consultiva de Contratación Administrativa de la Generalidad de Cataluña. Grado de sujeción del Consejo Catalán de la Producción Agraria Ecológica a la normativa de contratos.

Instrucción 3/2008, de 21 de abril 2008, de la Comisión Consultiva de Contratación Administrativa de Andalucía, sobre la aplicación de la Ley de Contratos del Sector Público a las entidades de derecho público del artículo 6. 1. b) de la Ley General de la Hacienda Pública de la Comunidad Autónoma de Andalucía.

Informe 6/2008, de 10 de julio de 2008, de la Junta Consultiva de Contratación Administrativa de la Comunidad de Madrid, sobre aplicación de la ley 30/2007, de 30 de octubre, de contratos del sector público al ente público hospital universitario de Fuenlabrada.

i) Las asociaciones constituidas por los entes, organismos y entidades mencionados en las letras anteriores.

➡ **Concordancias normativas**

Véase la Disposición adicional primera del RDL 20/2012, de 13 de julio, de medidas para garantizar la estabilidad presupuestaria y de fomento de la competitividad. Medidas en relación con los trabajadores de las empresas de servicios contratadas por la Administración.

Los entes, organismos y entidades que forman parte del sector público de acuerdo con el artículo 3.1 del texto refundido de la Ley de Contratos del Sector Público, aprobado por Real Decreto legislativo 3/2011, de 14 de noviembre, dictarán en sus respectivos ámbitos de competencias las instrucciones pertinentes para la correcta ejecución de los servicios externos que hubieran contratado, de manera que quede clarificada la relación entre los gestores de la Administración y el personal de la empresa contratada, evitando, en todo caso, actos que pudieran considerarse como determinantes para el reconocimiento de una relación laboral, sin perjuicio de las facultades que la legislación de contratos del sector público reconoce al órgano de contratación en orden a la ejecución de los contratos. A tal fin lo citados entes, organismos y entidades dictarán antes del 31 de diciembre de 2012 las instrucciones pertinentes para evitar actuaciones que pudieran considerarse como determinantes para el reconocimiento de una relación laboral.

En el supuesto de que en virtud de sentencia judicial los trabajadores de las empresas se convirtieran en personal laboral de la Administración, el salario a percibir será el que corresponda a su clasificación profesional de acuerdo con el convenio colectivo aplicable al personal laboral de la Administración, siendo necesario informe favorable de los órganos competentes para hacer cumplir las exigencias de las leyes presupuestarias.

☞ **Concordancias Jurisprudenciales**

Tribunal Administrativo Central de Recursos Contractuales, Resolución de 13 Oct. 2011, rec. 206/2011 N.º de esolución: 240/2011

[LA LEY 211679/2011]

CONTRATO ADMINISTRATIVO DE SERVICIOS. Adjudicación del contrato de servicios necesarios para la organización, comercialización, gestión y ejecución de los turnos de vacaciones de diversa duración durante la temporada. RECURSO ESPECIAL EN MATERIA DE CONTRATACIÓN. Inadmisión. No concurran en la Sociedad Estatal para la Gestión de la Innovación y la Tecnología Turísticas las circunstancias que exige la Ley para su consideración como poder adjudicador. La entidad ha sido creada para satisfacer necesidades de interés general de carácter industrial y mercantil. Una cosa es la potestad pública de planificación, desarrollo y coordinación de las políticas turísticas del Estado y otra distinta las actuaciones materiales de ejecución de las mismas, actuaciones en las que quedan enmarcadas las funciones y actividades que los Estatutos de SEGITTUR atribuyen a esta sociedad, que se sitúa en un mismo plano que las empresas privadas. Actúa en áreas de actividad económica en las que la competencia es plena, y los precios de los bienes y servicios de la Sociedad no se fijan por órganos del poder público, sino que se establecen atendiendo a las leyes de la oferta y la demanda.

Tribunal Administrativo Central de Recursos Contractuales, Resolución de 16 Feb. 2011, rec. 014/2011. N.º de Resolución: 032/2011

[LA LEY 14642/2011]

CONTRATO ADMINISTRATIVO DE CONSULTORÍA Y ASISTENCIA. Pliego de cláusulas particulares que ha de regir la contratación, por procedimiento abierto, de los trabajos de consultoría y asistencia técnica al proceso de expropiaciones de los bienes y derechos afectados por las obras de ampliación y mejora del sistema de abastecimiento de una Mancomunidad de Aguas. RECURSO ESPECIAL EN MATERIA DE CONTRA-TACIÓN. Estimación parcial. Nulidad de la exigencia de acreditación del cumplimiento de normas de gestión medioambiental. Visto el objeto del contrato, actuaciones de carácter técnico, es totalmente innecesario que las empresas licitadoras deban disponer de normas de gestión medioambiental. Su exigencia supone una discriminación de unas empresas frente a otras, lo cual afecta claramente al Principio de concurrencia consagrado en la contratación pública.

Tribunal Supremo, Sala Cuarta, de lo Social, Sentencia de 20 Sep. 2010, rec. 17/2010. Ponente: García Sánchez, Juan Francisco. Jurisdicción: SOCIAL

[LA LEY 188149/2010]

JURISDICCIÓN SOCIAL. CONFLICTO COLECTIVO. Radiotelevisión Española. Competencia del orden jurisdiccional social para resolver acerca del incumplimiento del Convenio Colectivo en relación sobre la inclusión en el pliego de condiciones de los concursos públicos la subrogación de trabajadores de las empresas de servicios, en el caso del cambio de la titularidad de la contrata. Sin embargo, no puede entrar a conocer de la anulación formal de la resolución administrativa que aprobó la modificación mencionada.

2. Dentro del sector público, y a los efectos de esta Ley, tendrán la consideración de Administraciones Públicas los siguientes entes, organismos y entidades:

a) Los mencionados en las letras a) y b) del apartado anterior.

b) Los Organismos autónomos.

c) Las Universidades Públicas.

d) Las entidades de derecho público que, con independencia funcional o con una especial autonomía reconocida por la Ley, tengan atribuidas funciones de regulación o control de carácter externo sobre un determinado sector o actividad, y

e) las entidades de derecho público vinculadas a una o varias Administraciones Públicas o dependientes de las mismas que cumplan alguna de las características siguientes:

1.ª Que su actividad principal no consista en la producción en régimen de mercado de bienes y servicios destinados al consumo individual o colectivo, o que efectúen operaciones de redistribución de la renta y de la riqueza nacional, en todo caso sin ánimo de lucro, o

2.ª que no se financien mayoritariamente con ingresos, cualquiera que sea su naturaleza, obtenidos como contrapartida a la entrega de bienes o a la prestación de servicios.

✍ Informes de la Junta Consultiva de Contratación Administrativa

Informe 9/2009, de 3 de julio, de la Comisión Permanente de la Junta Consultiva de Contratación Administrativa de la Generalidad de Cataluña, sobre el alcance del artículo 8.2 de la Ley 30/2007, de 30 de octubre, de contratos del sector público, consideración de los consorcios como medios propios o servicios técnicos y nivel de sujeción de los consorcios a la Ley 30/2007, de 30 de octubre.

[LA LEY 2818/2009]

CONSORCIOS. Contrato de gestión de servicios públicos. Alcance del artículo 8.2 de la Ley 30/2007 de Contratos del Sector Público. Referencia normativa a fórmulas de gestión directa, excluyendo de la aplicación de la Ley la gestión de un servicio cuando sea asumido por una entidad de derecho público o por una sociedad de derecho privado cuyo capital pertenezca totalmente a la Administración titular del servicio. Los consorcios tendrán la consideración de Administración Pública cuando concurran alguno de los criterios funcionales previstos en la LCSP, tales como: que no tengan atribuidas operaciones de redistribución de la renta o realicen actividades de prestación o de gestión de servicios sin competir en el mercado o cuando sus ingresos provengan de aportaciones efectuadas con cargo a los presupuestos de las administraciones públicas o de los entes, organismos o entidades dependientes o vinculados. Necesidad de análisis individualizado, caso por caso, para determinar el nivel de sujeción de los consorcios a la LCSP. Los consorcios pueden tener la consideración de medio propio o servicio técnico siempre y cuando concurran los requisitos que exige la LCSP, a la luz de la jurisprudencia del TJCE, tales como: que la Administración ejerza un control análogo al que ejerce sobre sus propios servicios, que el ente instrumental realice la parte esencial de la actividad para la Administración matriz, y que el capital del ente instrumental sea de titularidad totalmente pública.

Informe 2/2009 de la junta consultiva de contratación administrativa sobre la sujeción del ente público radiotelevisión canaria a la ley de contratos del sector público, y, en su caso, su consideración a los efectos de dicha ley. [grupo 1.1]

[LA LEY 678/2009]

RADIODIFUSIÓN Y TELEVISIÓN. NORMATIVA APLICABLE EN MATERIA DE CONTRATACIÓN. Ente público de radio televisión autonómica creado para la gestión del servicio público de radiodifusión y televisión y considerado Administración Pública a los efectos del ámbito subjetivo de aplicación de la Ley de Contratos del Sector Público. Se constituye como persona jurídica pública institucional, dependiente de la Administración de la Comunidad Autónoma, sometida a las normas de Derecho público, y no perceptora de contraprestación por los servicios de radio y televisión que presta. Gestiona los servicios públicos de radiodifusión y televisión a través de empresas públicas en forma de sociedades anónimas que ostentan la condición de poderes adjudicadores por satisfacer necesidades de interés general que no tienen carácter industrial o mercantil. Delimitación de la categoría de la entidad pública empresarial constituyendo, como elementos determinantes, la condición de organismo público regulado por el derecho privado y la finalidad de gestión de servicios o la producción de bienes de interés público susceptibles de contraprestación. El ente público de radio y televisión autonómica no constituye entidad pública empresarial por no reunir los requisitos exigidos a dicha categoría.

No obstante, no tendrán la consideración de Administraciones Públicas las entidades públicas empresariales estatales y los organismos asimilados dependientes de las Comunidades Autónomas y Entidades locales.

☞ **Concordancias Jurisprudenciales**

Tribunal Superior de Justicia de Madrid, Sala de lo Social, Sección 2.ª, Sentencia de 27 Oct. 2009, rec. 4275/2009

[LA LEY 258153/2009]

PERSONAL LABORAL DE LA ADMINISTRACIÓN. Despido improcedente. Entidad de derecho público con personalidad jurídica propia, vinculada o dependiente del Ministerio de cultura cuyo ámbito de aplicación está incluido dentro del artículo 2 del EBEP.

f) Los órganos competentes del Congreso de los Diputados, del Senado, del Consejo General del Poder Judicial, del Tribunal Constitucional, del Tribunal de Cuentas, del Defensor del Pueblo, de las Asambleas Legislativas de las Comunidades Autónomas y de las instituciones autonómicas análogas al Tribunal de Cuentas y al Defensor del Pueblo, en lo que respecta a su actividad de contratación.

g) Las Diputaciones Forales y las Juntas Generales de los Territorios Históricos del País Vasco en lo que respecta a su actividad de contratación.

3. Se considerarán poderes adjudicadores, a efectos de esta Ley, los siguientes entes, organismos y entidades:

a) Las Administraciones Públicas.

b) Todos los demás entes, organismos o entidades con personalidad jurídica propia distintos de los expresados en la letra a) que hayan sido creados específicamente para satisfacer necesidades de interés general que no tengan carácter industrial o mercantil, siempre que uno o varios sujetos que deban considerarse poder adjudicador de acuerdo con los criterios de este apartado 3 financien mayoritariamente su actividad, controlen su gestión, o nombren a más de la mitad de los miembros de su órgano de administración, dirección o vigilancia.

c) Las asociaciones constituidas por los entes, organismos y entidades mencionados en las letras anteriores.

☞ **Concordancias Jurisprudenciales**

Tribunal Administrativo Central de Recursos Contractuales, Resolución de 13 Oct. 2011, rec. 206/2011. N.º de Resolución: 240/2011. N.º de Recurso: 206/2011

[LA LEY 211679/2011]

CONTRATO ADMINISTRATIVO DE SERVICIOS. Adjudicación del contrato de servicios necesarios para la organización, comercialización, gestión y ejecución de los turnos de vacaciones de diversa duración durante la temporada. RECURSO ESPECIAL EN MATERIA DE CONTRATACIÓN. Inadmisión. No concurran en la Sociedad Estatal para la Gestión de la Innovación y la Tecnología Turísticas las circunstancias que exige la Ley para su consideración como poder adjudicador. La entidad ha sido creada para satisfacer necesidades de interés general de carácter industrial y mercantil. Una cosa es la potestad pública de planificación, desarrollo y coordinación de las políticas turísticas del Estado y otra distinta las actuaciones materiales de ejecución de las mismas, actuaciones en las que quedan enmarcadas las funciones y actividades que los Estatutos de SEGITTUR atribuyen a esta sociedad, que se sitúa en un mismo plano que las empresas privadas. Actúa en áreas de actividad económica en las que la competencia es plena, y los precios de los bienes y servicios de la Sociedad no se fijan por órganos del poder público, sino que se establecen atendiendo a las leyes de la oferta y la demanda.

Tribunal Administrativo Central de Recursos Contractuales, Resolución de 24 Feb. 2011, rec. 009/2011. N.º de Resolución: 036/2011. N.º de Recurso: 009/2011

[LA LEY 14637/2011]

CONTRATO ADMINISTRATIVO DE OBRAS. De construcción de un palacio de exposiciones y congresos en localidad castellanoleonesa. Adjudicación por procedimiento abierto. RECURSO ESPECIAL EN MATERIA DE CONTRATACIÓN. Inadmisión. Por incompetencia del TACRC. Aunque el contrato ha sido financiado en más de un 50% con fondos procedentes de subvenciones otorgadas por el M.º Industria, Turismo y Comercio y por la Consejería de Fomento de la Junta de Castilla y León, el contrato no es subvencionado. La entidad que lo adjudica es un poder adjudicador por sí misma, y a lo sumo debe considerarse como un contrato cofinanciado por diversas Administraciones, siquiera se haya utilizado la fórmula de la subvención a la hora de articular el título jurídico de entrega de los fondos con objeto de garantizar en mejor forma la inversión. La competencia para resolver el recurso administrativo previo corresponde al propio órgano de contratación, sin perjuicio de la posibilidad de interponer contra la resolución que se dicte recurso contencioso-administrativo, que en esta ocasión llevará aparejada la suspensión del acto impugnado.

✍ **Informes de la Junta Consultiva de Contratación Administrativa**

Informe 5/2008, sobre si una sociedad mercantil pública ostenta o no la condición de poder adjudicador [Grupos 1.1 y 1.3] Junta Consultiva de Contratación Administrativa del Gobierno de Canarias

[LA LEY 1792/2008]

ENCOMIENDAS DE GESTIÓN. Poder adjudicador. Condición de poder adjudicador de una sociedad mercantil pública que desarrolla la actividad de promoción de viviendas de protección oficial. Criterios interpretativos del TJCE que permiten concretar el concepto de actividad de interés general de carácter industrial o mercantil como requisito a tener en cuenta para que un organismo integrante del sector público deba o no ser considerado poder adjudicador. La actividad desarrollada por la entidad consultante no se clasifica como mercantil por ser su objeto principal la satisfacción del interés general y no los beneficios económicos que pudiera generar. Conforme a la doctrina jurisprudencial del TJCE un ente que realice actividades de interés general de carácter no mercantil, y que reúna los restantes requisitos establecidos en la Ley para ser considerado como poder adjudicador, mantendrá tal consideración aunque también realice otras actividades que puedan ser consideradas como mercantiles, no alterando tal consideración, el hecho de que la actividades de interés general de carácter no mercantil constituyan una parte relativamente poco importante del conjunto de actividades desarrolladas por la entidad de que se trate.

Informe 4/2008, de 7 de julio de 2008, de la Junta Consultiva de Contratación Administrativa de la Generalidad de Cataluña, Régimen de contratación de las sociedades mercantiles locales de capital íntegramente público. Régimen de contratación de la sociedad mercantil Santa Oliva Gestión Urbanística Municipal, sociedad anónima municipal (SOGUM, SAM)

[LA LEY 644/2008]

SOCIEDAD MERCANTIL LOCAL. Régimen jurídico de los poderes adjudicadores que no tienen la consideración de administraciones públicas.

Informe 5/2008, de 7 de julio de 2008, de la Junta Consultiva de Contratación Administrativa de la Generalidad de Cataluña, Consideración de poder adjudicador de la Sociedad Privada Municipal Viladecans Mediterránea, SA

[LA LEY 643/2008]

CONTRATOS ADMINISTRATIVOS. Delimitación de los entes que se consideran poderes adjudicadores por la Ley de Contratación del Sector Público.

✉   **Consultas**

• **Aplicabilidad del Real Decreto-Ley en el sector público local**

¿Las medidas recogidas en el Real Decreto-Ley 8/2010 (LA LEY 10524/2010) son de aplicación a entidades a las que pertenece el Ayuntamiento (como consorcios) así como a sociedades mercantiles en cuyo capital social la participación del Ayuntamiento es inferior al 50%?.

[13/09/2010 EC 2673/2010]

Contestación

Es complejo pronunciarse con rotundidad sobre la cuestión planteada, ya que debemos tener en cuenta, por un lado, lo que pretende la norma y, por otro, las posibilidades de aplicación práctica que nos ofrece.

En la exposición de motivos del Real Decreto-Ley 8/2010 (LA LEY 10524/2010), de 20 de mayo (BOE del 24), por el que se adoptan medidas extraordinarias para la reducción del déficit público, encontramos sus objetivos. Se indica, en su primer punto, que, en el primer capítulo, se recogen las disposiciones encaminadas a reducir, con criterios de progresividad, la masa salarial del sector público en un 5%; a pesar que el punto II comienza refiriéndose a las Administraciones Públicas, en la tercera línea encontramos de nuevo la referencia al sector público, por lo que la obligatoriedad a la que se hace alusión en el tercer párrafo de este punto, ha de entenderse como a todo lo que pueda ser controlado por cada una de estas Administraciones y no únicamente a sus presupuestos, ya que se pretende hacer extensivo a todo el empleo público dependiente de esas Administraciones, entendemos, por lo tanto, que a todo el sector público. Además, en el capítulo VI se adoptan medidas con el fin de garantizar la contribución de las Entidades locales al esfuerzo de consolidación fiscal y de mejora de control de la gestión económica.

En el artículo segundo de la norma, que modifica el apartado 2 del art. 22 de la Ley 26/2009, de 23 de diciembre, claramente se pone de manifiesto que el ámbito subjetivo de la norma afecta al sector público (concretamente, la medida del art. 2 al personal). La dificultad radica en delimitar con precisión el concepto de sector público, para lo que nos ayudaremos de la doctrina y jurisprudencia del Tribunal de Justicia de las Comunidades Europeas y de otra documentación relacionada con la capacidad de contratación de las entidades dependientes de las Administraciones Públicas y su naturaleza pública o privada, ya que esos antecedentes han determinado la orientación del legislador nacional en cuanto a las definiciones de los organismos y entes públicos, plasmadas en la Ley 30/2007, de 30 de octubre (LA LEY 10868/2007) (BOE del 31), de Contratos del Sector Público (LCSP).

En cuanto a los consorcios, la doctrina mayoritariamente se pronuncia a favor de la naturaleza instrumental de gestión y no territorial de estos entes, que en cualquier caso se regirán por la legislación local, autonómica o estatal que se determine en sus estatutos, según la naturaleza de sus integrantes, de los que dependen. En todo caso, y como tales entres instrumentales —y en la medida en que sus integrantes sean solo Administraciones, o si no lo son, se les puedan aplicar los criterios que incluiremos más adelante para las sociedades mercantiles— forman parte del sector público y se rigen por normativa pública. Puede consultarse a este respecto a Ángel Ballesteros Fernández en su Manual de Administración Local, El Consultor 2006, páginas 920 y 921. Asimismo, el Tribunal Supremo, en su Sentencia de 30 de abril de 1999 (LA LEY 5558/1999) (LA LEY 5558/1999), afirma que «la circunstancia de que los consorcios no vengan incluidos como entidades locales en el art. 3 LBRL no impide la caracterización como ente local del Consorcio para el servicio de extinción de incendios.»

En cuanto a las sociedades mercantiles, con participación municipal por debajo del cincuenta por ciento, hemos de tener en cuenta la reiterada jurisprudencia del Tribunal de Justicia de las Comunidades Europeas, en relación con la consideración de poder adjudicador y por lo tanto integrante del sector público de estos entes. Para estar sometida al Derecho Comunitario, una entidad debe cumplir tres requisitos acumulativos (sentencias Mannesmann Anlagenbau Austria y otros, apartados 20 y 21, y de 15 de mayo de 2003, Comisión/España, C-214/00 (LA LEY 87073/2003), Rec. pág. 1-0000, apartado 52):

— Debe ser un organismo creado para satisfacer necesidades de interés general que no tengan carácter industrial o mercantil.

— Dotado de personalidad jurídica.

— Cuya actividad dependa estrechamente del Estado, de los entes territoriales o de otros organismos de Derecho público.

Para que pueda calificarse, de acuerdo al apartado 3 del art. 3, como poder adjudicador, la nueva LCSP únicamente ha precisado algo más el requisito de la dependencia (también sobre la base de los pronunciamientos anteriormente citados), indicando que ha de cumplirse al menos una de las tres siguientes exigencias: 1) que una o varias Administraciones o poderes adjudicadores financien mayoritariamente su actividad; 2) que una o varias Administraciones o poderes adjudicadores controlen su gestión; y 3) que una o varias Administraciones Públicas o uno o varios poderes adjudicadores nombren a más de la mitad de los miembros del órgano de administración, dirección o vigilancia.

La conclusión de todo este cuerpo de doctrina europea es que la existencia o la ausencia de una necesidad de interés general que no tenga carácter industrial o mercantil ha de apreciarse teniendo en cuenta todos los elementos jurídicos y fácticos pertinentes, de acuerdo a la interpretación jurisprudencial, tales como las circunstancias que hayan rodeado la creación del organismo de que se trate y las condiciones en que ejerce su actividad; incluidas, en particular, la falta de competencia en el mercado, la falta de ánimo de lucro como objetivo principal, la no asunción de los riesgos derivados de dicha actividad, así como la eventual financiación pública de la actividad de que se trate. El estatuto de derecho privado de esa entidad no constituye un criterio que pueda excluir su calificación como entidad adjudicadora en el sentido de la Directiva, ni tampoco la titularidad del capital exclusivamente.

Por lo tanto, tal y como plantea la Instrucción de la Abogacía del Estado 1/2008, de 5 de febrero, sobre contratación de las fundaciones del sector público estatal, sociedades mercantiles del Estado y entidades públicas empresariales dependientes de la Administración General del Estado, la calificación de la entidad a los efectos de la aplicación de la LCSP deberá ser casuística (indica expresamente que a pesar de la personificación mercantil, habrá de estarse al objeto y fin, de acuerdo con lo que resulte de sus estatutos). Será posible su consideración como poder adjudicador siempre que:

— Su actividad encaje en la prestación de un servicio público, lo que la Sentencia Mannesmann citada conceptúa como «obligaciones o misiones de servicio público o de interés económico general», que en principio responderían a las que corresponden a la sociedad mercantil cuestionada.

— A eso añadiremos, de acuerdo a las conclusiones de la jurisprudencia comunitaria, también recogidas en el Informe de la Abogacía del Estado ya citado, el análisis de todos los elementos jurídicos y fácticos relacionados con su funcionamiento. Debemos buscar para estar ante un poder adjudicador: falta de concurrencia de ánimo de lucro, falta de competencia en el mercado (o si los precios se fijan no por concurrencia de la libre oferta y demanda, sino que existen precios tasados que no pueden superarse), y falta de asunción de los riesgos de la actividad (si existen mecanismos ordinarios previstos para compensar las pérdidas o incluso recapitalizaciones en caso de ser las pérdidas asumidas por la entidad), para concluir que la entidad satisface necesidades de interés general, que responderán al ámbito competencial de la Administración de que se trate, estando posiblemente reguladas las prestaciones a obtener por los ciudadanos y otros aspectos relacionados con la prestación del servicio, de modo previo o en la norma constitutiva del ente.

Deberá ser, por lo tanto, una exégesis individualizada de cada caso, a la luz de los criterios expuestos, la que permita afirmar si una entidad pertenece o no al sector público, sin que existan requisitos, como la titularidad o no del 50% del capital, que limiten esa posible naturaleza pública.

En cuanto a las normas del Capítulo VI, sus normas sí que parecen destinadas a las Entidades locales, si bien, abarcan también a sus entidades dependientes clasificadas en el sector de Administraciones Públicas (art. 14.2 del Real Decreto-Ley 8/2010 (LA LEY 10524/2010)).

• **Contrato privado sujeto a regulación armonizada a celebrar por sociedad anónima provincial**

Una sociedad anónima, perteneciente a la Diputación, pretende celebrar un contrato de servicios informáticos cuyo importe es de 400.000 euros ¿sería correcto considerarlo contrato de naturaleza privada sujeto a regulación armonizada?

[27/01/2009. EC 336/2009]

Contestación

Con arreglo al art. 3.3.b) de la Ley 30/2007, de 30 de octubre (BOE del 31), de Contratos del Sector Público (LCSP), se considerarán poderes adjudicadores, a efectos de esta Ley: «Todos los demás entes, organismos o entidades con personalidad jurídica propia distintos de los expresados en la letra a) que hayan sido creados específicamente para satisfacer necesidades de interés general que no tengan carácter industrial o mercantil, siempre que uno o varios sujetos que deban considerarse poder adjudicador de acuerdo con los criterios de este apartado 3 financien mayoritariamente su actividad, controlen su gestión, o nombren a más de la mitad de los miembros de su órgano de administración, dirección o vigilancia». Como señala Silvia Ballesteros Arribas en la obra de esta editorial Contratación del Sector Público Local (El Consultor 2008), en este apartado ya no se habla de entidades de derecho público, por lo que el concepto comprende a las entidades empresariales, sociedades mercantiles de servicio público, y fundaciones públicas que hayan sido creadas específicamente para satisfacer necesidades de interés general que no tengan carácter industrial o mercantil, siempre que se den las circunstancias que el mismo precepto señala.

Por otra parte, el art. 20.1 de la misma LCSP dispone que tendrán la consideración de contratos privados los celebrados por los entes, organismos y entidades del sector público que no reúnan la condición de Administraciones Públicas. Añadiendo que los contratos privados se regirán, en cuanto a su preparación y adjudicación, en defecto de normas específicas, por la presente Ley y sus disposiciones de desarrollo, aplicándose supletoriamente las restantes normas de derecho administrativo o, en su caso, las normas de derecho privado, según corresponda por razón del sujeto o entidad contratante.

En cuanto a los contratos sujetos a regulación armonizada, dispone el art. 13.1 que son contratos sujetos a una regulación armonizada los contratos de colaboración entre el sector público y el sector privado, en todo caso, y los contratos de obras, los de concesión de obras públicas, los de suministro, y los de servicios comprendidos en las categorías 1 a 16 del Anexo II, cuyo valor estimado, calculado conforme a las reglas que se establecen en el artículo 76, sea igual o superior a las cuantías que se indican en los artículos siguientes, siempre que la entidad contratante tenga el carácter de poder adjudicador. En este sentido, como señala José Luis Vicente Iglesias en la obra Comentarios a la Ley 30/2007, de 30 de octubre, de Contratos del Sector Público (La Ley, 2008): «Especifica el precepto que en estos casos la entidad contratante debe tener el carácter de poder adjudicador, con lo que el espectro del sujeto contratante es más amplio que el que se deriva del concepto contractual de Administración Pública. Y de donde se deduce que el contrato sujeto a regulación armonizada podrá tener carácter administrativo cuando sea celebrado por una Administración Pública, pero también podrá tener carácter privado cuando lo celebre un poder adjudicador que no tenga la condición de Administración Pública. De nuevo comprobamos la importancia que tiene identificar nítidamente los sujetos contratantes para poder determinar con claridad el régimen jurídico aplicable a los contratos que celebren.»

En definitiva, el contrato sujeto a regulación armonizada podrá tener carácter privado cuando lo celebre un poder adjudicador que no tenga la condición de Administración Pública, como es el caso de las sociedades anónimas de servicio público.

Por último, los importes a los que habrá que estar es a los determinados en el art. 16 LCSP, que se refiere a los contratos de servicios comprendidos en las categorías 1 a 16 del Anexo II; y los servicios de informática pertenecen a la categoría 7.ª de dicho Anexo.

En conclusión, si partimos de que la sociedad tiene la consideración de poder adjudicador, de que dicho contrato tiene la naturaleza de contrato privado, y de que excede de los límites fijados en el art. 16 LCSP, habrá que concluir que se trata de un contrato de carácter privado sujeto a regulación armonizada, al que se aplicará la LCSP para su preparación y adjudicación.

• **Concepto de poder adjudicador en la ley de contratos del sector público**

¿Son las sociedades anónimas municipales poderes adjudicadores según la LCSP?

Contratación Administrativa Práctica, N° 78, Sección Usted Pregunta, Septiembre 2008, pág. 12, Editorial LA LEY

[LA LEY 1035/2008]

Respuesta

Tal y como se desprende del art. 3.3.b) (LA LEY 10868/2007) LCSP, para que un ente, organismo o entidad que no sea Administración Pública tenga la condición de poder adjudicador es necesario que cumpla los siguientes tres requisitos:

a) Estar dotado de personalidad jurídica propia.

b) Haber sido creado específicamente para satisfacer necesidades de interés general que no tengan carácter industrial o mercantil.

c) Que uno o varios sujetos que tengan la condición de poder adjudicador financien mayoritariamente su actividad, controlen su gestión, o nombren a más de la mitad de los miembros de su órgano de administración, dirección o vigilancia.

En el supuesto objeto de esta consulta es evidente que las empresas en cuestión cumplen los requisitos a) y c), habida cuenta de que se trata de sociedades anónimas cuyo capital es cien por cien municipal.

Por tanto, la principal duda que se puede plantear es si dichas empresas cumplen el requisito b), o lo que es lo mismo, han sido creadas específicamente para satisfacer necesidades de interés general que no tengan carácter industrial o mercantil.

Para responder a esta cuestión hay que partir necesariamente de la jurisprudencia del Tribunal de Justicia de las Comunidades Europeas. El concepto de poder adjudicador pertenece al Derecho comunitario y, por consiguiente, ha de recibir en toda la Comunidad una interpretación autónoma y uniforme [STJCE 27-2-2003 (LA LEY 41727/2003)]. En este sentido, el criterio que ha adoptado el Tribunal de Justicia es dotar a este concepto de una interpretación tanto funcional como amplia.

Así, por ejemplo, el Tribunal ha considerado que en determinados casos en los que los entes gestionan servicios públicos se da el requisito de satisfacción de necesidades de interés general (entre otras, STJCE 12-12-2002). Incluso se ha afirmado que las actividades dirigidas a la organización de ferias, exposiciones y otras iniciativas similares satisfacen necesidades de interés general (STJCE 1-2-2001). En función de esta interpretación amplia del interés general, se incluirían en él las actividades de las dos empresas objeto de esta consulta.

Determinar si las necesidades que satisface el ente u organismo, además de ser de interés general, tiene carácter industrial o mercantil es el paso argumental que mayores dificultades plantea. Y ello porque para averiguar si en un concreto supuesto concurre este requisito el Tribunal de Justicia utiliza de manera unas veces simultánea y otras alternativa distintos criterios indiciarios, de tal manera que la solución es necesariamente casuística. En efecto, para negar el carácter industrial o mercantil de una actividad, se atiende a parámetros tales como la inexistencia de una competencia desarrollada, ausencia de ánimo de lucro y ausencia de riesgo en la actividad. En cualquier caso, aunque la actividad que realiza el ente público sea también desarrollada por empresas privadas, ello implica que la actividad tiene carácter industrial o mercantil.

En los dos supuestos planteados, independientemente de la eventualidad de que estas empresas municipales generen beneficios, lo más probable es que el ánimo de lucro no haya sido el objetivo principal de su creación. Además, tampoco parece fácil que gestionen su actividad asumiendo los riesgos económicos, pues en principio resulta poco probable que el Ayuntamiento en cuestión permita que en determinado momento puedan llegar a una situación de insolvencia económica (sobre este criterio, *vid.* STJCE de 22 de mayo de 2003). En estas condiciones, es descartable que la actividad de dichas empresas tenga carácter industrial o mercantil.

En conclusión, es posible afirmar que tanto la sociedad anónima municipal cuyo objeto social es la gestión de un hospital municipal y de una residencia de ancianos municipal, como la sociedad anónima municipal dedicada a la gestión de los aparcamientos municipales, tienen la condición de poder adjudicador.

• **Tipos de contratos que pueden celebrar los poderes adjudicadores**

¿Está al alcance de los poderes públicos la celebración de los contratos administrativos típicos?

Actualidad Administrativa, N° 3, Sección Consultas, Quincena del 1 al 15 Febrero 2009, pág. 372, tomo 1, Editorial LA LEY

[LA LEY 4/2009]

Respuesta

Los importantes cambios sistemáticos que ha aportado la LCSP a la clásica regulación de nuestro tradicional Derecho de los contratos públicos tienen una trascendental influencia desde el punto de vista sustantivo. De hecho, para determinar el régimen jurídico de un específico contrato hay que partir de las distintas diferenciaciones que establece la Ley; tipo de ente del sector público de que se trate (Administraciones Públicas, poderes adjudicadores y resto del sector público), contratos sometidos a regulación armonizada/contratos no sometidos a regulación armonizada; tipos contractuales, etc. Sólo una vez que se ha calificado al órgano de contratación y al contrato conforme a estos criterios es posible construir la regulación de cada contrato público concreto.

La primera duda que plantea es la relativa a determinar si los poderes adjudicadores pueden celebrar contratos de obras, de concesión de obra pública, de gestión de servicios públicos y de colaboración entre el sector público y el sector privado. Es decir, si está a su alcance la celebración de los contratos administrativos típicos.

Según el art. 5.1 (LA LEY 10868/2007) LCSP, los contratos de obras, concesión de obras públicas, gestión de servicios públicos, suministro, servicios o colaboración entre el sector público y el sector privado que celebren los entes, organismos y entidades pertenecientes al sector público «se calificarán» de acuerdo con las normas contenidas en los arts. 6 (LA LEY 10868/2007) a 12 (LA LEY 10868/2007) de la Ley. Por tanto, dado que el precepto se refiere a todos los «entes, organismos y entidades del sector público», en una lectura literal parece que el precepto no impide a los poderes adjudicadores que no son Administraciones Públicas celebrar estos tipos contractuales. Sólo en el caso de los contratos de gestión de servicios públicos y en los de colaboración entre el sector público y el sector privado se exige la presencia de una Administración [arts. 8 (LA LEY 10868/2007) y 11 (LA LEY 10868/2007) LCSP].

Ahora bien, según el art. 20.1 (LA LEY 10868/2007) LCSP son contratos privados todos los contratos celebrados por los entes del sector público que no sean Administraciones Públicas, y por tanto, también los calificados como contratos de obras, concesión de obras públicas, suministros y servicios. Estos contratos, según establece el art. 20.2 (LA LEY 10868/2007) LCSP, se regirán, en cuanto a su preparación y adjudicación, en defecto de normas específicas por la LCSP y sus disposiciones de desarrollo. En cuanto a sus efectos y extinción, estos contratos se regirán por el Derecho privado.

Por tanto, si un poder adjudicador que no sea Administración Pública celebra un contrato cuyo objeto coincide con los definidos en los arts. 6 (LA LEY 10868/2007) a 12 (LA LEY 10868/2007) LCSP se calificará según estos preceptos. Ahora bien, para determinar los efectos de esta «calificación» es preciso hacer una distinción entre el régimen sustantivo de estos contratos («efectos y extinción») y preparación y adjudicación.

Comenzando con el contenido jurídico del contrato, tal y como establece el art. 20 (LA LEY 10868/2007) LCSP, el régimen sustantivo (efectos, cumplimiento y extinción) de estos contratos se rige por el Derecho privado. Lo que impera, por tanto, es el principio de libertad de pactos, y probablemente por ello sea el jurisdiccional civil el competente para resolver las controversias que surjan entre las partes [art. 21.2 (LA LEY 10868/2007) LCSP].

Así, por ejemplo, por lo que a los efectos de los contratos se refiere, la revisión de precios de la LCSP sólo se aplica a los contratos celebrados por las Administraciones Públicas [art. 75.3 (LA LEY 10868/2007) LCSP]. Si el contrato público es celebrado por un ente del sector público distinto, su régimen es el que eventualmente se pacte en el contrato.

Por tanto, los poderes adjudicadores que no sean Administraciones Públicas podrán celebrar contratos «asimilables» a los contratos administrativos típicos. Tendrán su mismo objeto, pero su régimen jurídico no es de la LCSP. Bien es verdad que las partes podrán pactar un régimen jurídico más o menos parecido al que establece la LCSP, pero a la hora de intentar trasladar el régimen de los contratos administrativos a la contratación privada existen preceptos que están fuera del juego de la libre autonomía de la voluntad de las partes.

En el concreto supuesto que se plantea en la consulta, no parece que una personificación privada pueda otorgar un contrato de concesión de obra pública, ya que la legislación patrimonial impide que estas personificaciones privadas puedan ser titulares de bienes demaniales.

2) A la preparación y adjudicación de los contratos calificados como contratos de obras, concesión de obras públicas, suministros y servicios, y que hayan sido celebrados por entes del sector público que no tengan la condición de Administración Pública, sí se les aplica la LCSP. Ahora bien, el régimen normativo no es desde luego muy denso. En el caso de la preparación de estos contratos, la regulación es la siguiente;

Si se trata de poderes adjudicadores que no tengan la condición de Administración Pública [art. 3.3 (LA LEY 10868/2007) LCSP], se aplicará sólo el art. 121 (LA LEY 10868/2007) LCSP, en relación con el establecimiento de prescripciones técnicas y preparación de pliegos.

El resto de entes del sector público no están sometidos siquiera a dicho precepto.

Concordancias a todo el artículo

➡ Concordancias normativas

Véanse artículos 2, 44, 176, 250.1, 277.2, Disposición Transitoria 7.ª, Disposición Adicional 25.ª y Disposición Adicional 33.ª de la LCSP 30/2007.

📑 **Informes de la Junta Consultiva de Contratación Administrativa**

Informe 5/2011, de 14 de septiembre, de la Comisión Consultiva de Contratación Admva de la Junta de Andalucía, sobre sujeción de la Sociedad Andaluza de Valoración de la Biomasa, S.A. a la Ley de Contratos del Sector Público.

[LA LEY 1204/2011]

NORMATIVA APLICABLE. Ámbito subjetivo. Análisis del artículo 3 LCSP. Consideración de la sociedad mercantil Sociedad Andaluza de Valoración de la Biomasa, S.A. como una entidad que forma parte del sector público, sometida al ámbito de aplicación de la LCSP, y considerada poder adjudicador, sujetándose en las contrataciones que realice a las previsiones que a tal efecto establece dicha Ley. Forma parte del sector público dado que el 64% del capital social pertenece a agencias de la Administración de la Junta de Andalucía y del Estado. No es una Administración Pública, dado que su régimen jurídico es el propio de una Sociedad Anónima. Cumple todos los requisitos exigidos legalmente para considerarla poder adjudicador, dado que tiene personalidad jurídica, su objeto social se concreta en realizar una actividad de fomento en al ámbito de la CA Andalucía, actividad que no tiene una finalidad industrial o mercantil, y existe influencia dominante de una Administración, dado el porcentaje antes referenciado de participación en el capital social.

Informe 3/2009, de 28 de mayo, de la Comisión Permanente de la Junta Consultiva de Contratación Administrativa de la Generalidad de Cataluña, sobre ámbito de aplicación subjetivo de la Ley 30/2007, de 30 de octubre, de contratos del sector público.

[LA LEY 2293/2009]

NORMATIVA APLICABLE. Ámbito subjetivo de aplicación. Análisis de los diferentes supuestos contemplados en el artículo 3 de la LCSP con identificación de los criterios esenciales de determinación de los diferentes niveles de sujeción, teniendo en cuenta las singularidades del sector público de la Administración autonómica. La finalidad última es que los operadores jurídicos, en general, y aquéllos que tienen encomendada la tarea de asesoramiento jurídico de los órganos de contratación, en particular, puedan concretar, en cada caso, cuál es el nivel de sujeción que les corresponde. Análisis de diversos conceptos y de su alcance: sector público, Administración Pública; poder adjudicador. Concreción del resto de entes y organismos del sector público que no tienen la condición de poder adjudicador o de Administración Pública.

Informe 4/2008, de 17 de diciembre. Prohibiciones de contratar. Aplicabilidad del artículo 49.1 f de la Ley de Contratos del Sector Público

[LA LEY 1799/2008]

PROHIBICIONES DE CONTRATAR. Aplicación del artículo 49.1 f de la LCSP, que regula la prohibición de contratar con el sector público por motivos de incompatibilidad o de contradicción de intereses, a la Comunidad Autónoma de las Illes Balears y a sus entes locales, así como a los entes públicos instrumentales dependientes de los mismos o vinculados a ellos y a los consorcios en que participen. Conforme a la Ley las personas que quieran contratar con el sector público no pueden encontrarse incursas en ninguna prohibición de contratar. De la lectura de los preceptos de la Ley y la Directiva comunitaria 2004/18/CE sobre coordinación de los procedimientos de adjudicación de los contratos públicos de obras, de suministro y de servicios, la citada prohibición lo es para contratar con todos los entes del sector público que se incluyen en el ámbito subjetivo de la Ley con arreglo a la normativa comunitaria, y no únicamente con las Administraciones Públicas.

Informe 21/2008, de 28 de julio de 2008, de la Junta Consultiva de Contratación Administrativa, Imposibilidad de formar convenios de colaboración entre una Corporación y una empresa para la ejecución de una obra

[LA LEY 650/2008]

Informe 21/08, de 28 de julio de 2008, de la Junta Consultiva de Contratación Administrativa relativo a la imposibilidad de formar convenios de colaboración entre una Corporación y una empresa para la ejecución de una obra.

📖 **Doctrina**

— *Texto Refundido de la Ley de Contratos del Sector Público. Estudio sistemático.* José Antonio Moreno Molina, Francisco Pleite Guadamillas. Editorial LA LEY, Madrid, 2012.

— «Ámbito de aplicación». Escrihuela Morales, Javier. Esta doctrina forma parte del libro *La Contratación del Sector Público*, 4.ª ed., editado por El Consultor de los Ayuntamientos y de los Juzgados, Madrid, 2012.

— «Ámbito subjetivo». Vicente Iglesias, José Luis. Esta doctrina forma parte del libro *Comentarios a la Ley 30/2007 de 30 de octubre, de Contratos del Sector Público*, Editorial LA LEY, Madrid, Julio 2008. LA LEY 6264/2010.

— «El ámbito de aplicación subjetivo del nuevo recurso». Koninckx Frasquet, Amparo; Lesmes Serrano, Carlos. Esta doctrina forma parte del libro *Aspectos prácticos y novedades de la contratación pública. En especial en la administración local*», 2.ª ed., Editorial LA LEY, Madrid, 2012.

⊠ **Consultas**

• **Aplicabilidad del Real Decreto-Ley en el sector público local**

¿Las medidas recogidas en el Real Decreto-Ley 8/2010 (LA LEY 10524/2010) son de aplicación a entidades a las que pertenece el Ayuntamiento (como consorcios) así como a sociedades mercantiles en cuyo capital social la participación del Ayuntamiento es inferior al 50%?

[13/09/2010 EC 2673/2010]

Contestación

Es complejo pronunciarse con rotundidad sobre la cuestión planteada, ya que debemos tener en cuenta, por un lado, lo que pretende la norma y, por otro, las posibilidades de aplicación práctica que nos ofrece.

En la exposición de motivos del Real Decreto-Ley 8/2010 (LA LEY 10524/2010), de 20 de mayo (BOE del 24), por el que se adoptan medidas extraordinarias para la reducción del déficit público, encontramos sus objetivos. Se indica, en su primer punto, que, en el primer capítulo, se recogen las disposiciones encaminadas a reducir, con criterios de progresividad, la masa salarial del sector público en un 5%; a pesar que el punto II comienza refiriéndose a las Administraciones Públicas, en la tercera línea encontramos de nuevo la referencia al sector público, por lo que la obligatoriedad a la que se hace alusión en el tercer párrafo de este punto, ha de entenderse como a todo lo que pueda ser controlado por cada una de estas Administraciones y no únicamente a sus presupuestos, ya que se pretende hacer extensivo a todo el empleo público dependiente de esas

Administraciones, entendemos, por lo tanto, que a todo el sector público. Además, en el capítulo VI se adoptan medidas con el fin de garantizar la contribución de las Entidades locales al esfuerzo de consolidación fiscal y de mejora de control de la gestión económica.

En el artículo segundo de la norma, que modifica el apartado 2 del art. 22 de la Ley 26/2009, de 23 de diciembre, claramente se pone de manifiesto que el ámbito subjetivo de la norma afecta al sector público (concretamente, la medida del art. 2 al personal). La dificultad radica en delimitar con precisión el concepto de sector público, para lo que nos ayudaremos de la doctrina y jurisprudencia del Tribunal de Justicia de las Comunidades Europeas y de otra documentación relacionada con la capacidad de contratación de las entidades dependientes de las Administraciones Públicas y su naturaleza pública o privada, ya que esos antecedentes han determinado la orientación del legislador nacional en cuanto a las definiciones de los organismos y entes públicos, plasmadas en la Ley 30/2007, de 30 de octubre (LA LEY 10868/2007) (BOE del 31), de Contratos del Sector Público (LCSP).

En cuanto a los consorcios, la doctrina mayoritariamente se pronuncia a favor de la naturaleza instrumental de gestión y no territorial de estos entes, que en cualquier caso se regirán por la legislación local, autonómica o estatal que se determine en sus estatutos, según la naturaleza de sus integrantes, de los que dependen. En todo caso, y como tales entres instrumentales —y en la medida en que sus integrantes sean solo Administraciones, o si no lo son, se les puedan aplicar los criterios que incluiremos más adelante para las sociedades mercantiles— forman parte del sector público y se rigen por normativa pública. Puede consultarse a este respecto a Ángel Ballesteros Fernández en su Manual de Administración Local, El Consultor 2006, páginas 920 y 921. Asimismo, el Tribunal Supremo, en su Sentencia de 30 de abril de 1999 (LA LEY 5558/1999) (LA LEY 5558/1999), afirma que «la circunstancia de que los consorcios no vengan incluidos como entidades locales en el art. 3 LBRL no impide la caracterización como ente local del Consorcio para el servicio de extinción de incendios.»

En cuanto a las sociedades mercantiles, con participación municipal por debajo del cincuenta por ciento, hemos de tener en cuenta la reiterada jurisprudencia del Tribunal de Justicia de las Comunidades Europeas, en relación con la consideración de poder adjudicador y por lo tanto integrante del sector público de estos entes. Para estar sometida al Derecho Comunitario, una entidad debe cumplir tres requisitos acumulativos (sentencias Mannesmann Anlagenbau Austria y otros, apartados 20 y 21, y de 15 de mayo de 2003, Comisión/España, C-214/00 (LA LEY 87073/2003), Rec. pág. 1-0000, apartado 52):

— Debe ser un organismo creado para satisfacer necesidades de interés general que no tengan carácter industrial o mercantil.

— Dotado de personalidad jurídica.

— Cuya actividad dependa estrechamente del Estado, de los entes territoriales o de otros organismos de Derecho público.

Para que pueda calificarse, de acuerdo al apartado 3 del art. 3, como poder adjudicador, la nueva LCSP únicamente ha precisado algo más el requisito de la dependencia (también sobre la base de los pronunciamientos anteriormente citados), indicando que ha de cumplirse al menos una de las tres siguientes exigencias: 1) que una o varias Administraciones o poderes adjudicadores financien mayoritariamente su actividad; 2) que una o varias Administraciones o poderes adjudicadores controlen su gestión; y 3) que una o varias Administraciones Públicas o uno o varios poderes adjudicadores nombren a más de la mitad de los miembros del órgano de administración, dirección o vigilancia.

La conclusión de todo este cuerpo de doctrina europea es que la existencia o la ausencia de una necesidad de interés general que no tenga carácter industrial o mercantil ha de apreciarse teniendo en cuenta todos los elementos jurídicos y fácticos pertinentes, de acuerdo a la interpretación jurisprudencial, tales como las circunstancias que hayan rodeado la creación del organismo de que se trate y las condiciones en que ejerce su actividad; incluidas, en particular, la falta de competencia en el mercado, la falta de ánimo de lucro como objetivo principal, la no asunción de los riesgos derivados de dicha actividad, así como la eventual financiación pública de la actividad de que se trate. El estatuto de derecho privado de esa entidad no constituye un criterio que pueda excluir su calificación como entidad adjudicadora en el sentido de la Directiva, ni tampoco la titularidad del capital exclusivamente.

Por lo tanto, tal y como plantea la Instrucción de la Abogacía del Estado 1/2008, de 5 de febrero, sobre contratación de las fundaciones del sector público estatal, sociedades mercantiles del Estado y entidades públicas empresariales dependientes de la Administración General del Estado, la calificación de la entidad a los efectos de la aplicación de la LCSP deberá ser casuística (indica expresamente que a pesar de la personificación mercantil, habrá de estarse al objeto y fin, de acuerdo con lo que resulte de sus estatutos). Será posible su consideración como poder adjudicador siempre que:

— Su actividad encaje en la prestación de un servicio público, lo que la Sentencia Mannesmann citada conceptúa como «obligaciones o misiones de servicio público o de interés económico general», que en principio responderían a las que corresponden a la sociedad mercantil cuestionada.

— A eso añadiremos, de acuerdo a las conclusiones de la jurisprudencia comunitaria, también recogidas en el Informe de la Abogacía del Estado ya citado, el análisis de todos los elementos jurídicos y fácticos relacionados con su funcionamiento. Debemos buscar para estar ante un poder adjudicador: falta de concurrencia de ánimo de lucro, falta de competencia en el mercado (o si los precios se fijan no por concurrencia de la libre oferta y demanda, sino que existen precios tasados que no pueden superarse), y falta de asunción de los riesgos de la actividad (si existen mecanismos ordinarios previstos para compensar las pérdidas o incluso recapitalizaciones en caso de ser las pérdidas asumidas por la entidad), para concluir que la entidad satisface necesidades de interés general, que responderán al ámbito competencial de la Administración de que se trate, estando posiblemente reguladas las prestaciones a obtener por los ciudadanos y otros aspectos relacionados con la prestación del servicio, de modo previo o en la norma constitutiva del ente.

Deberá ser, por lo tanto, una exégesis individualizada de cada caso, a la luz de los criterios expuestos, la que permita afirmar si una entidad pertenece o no al sector público, sin que existan requisitos, como la titularidad o no del 50% del capital, que limiten esa posible naturaleza pública.

En cuanto a las normas del Capítulo VI, sus normas sí que parecen destinadas a las Entidades locales, si bien, abarcan también a sus entidades dependientes clasificadas en el sector de Administraciones Públicas (art. 14.2 del Real Decreto-Ley 8/2010 (LA LEY 10524/2010)).

• **Naturaleza jurídica de un contrato de arrendamiento de bar**

La gestión de la estación de autobuses de nuestra localidad ha sido adjudicada por la Generalitat de Catalunya a una Sociedad Municipal cuyo capital es íntegramente del Ayuntamiento. Dentro de la estación de autobuses hay un bar que se debe explotar. El contrato de arrendamiento

del bar que la sociedad municipal concesionaria firme con el particular. ¿Es un contrato privado de arrendamiento?. ¿Es un contrato administrativo especial pues está dentro del servicio público de la estación?

Contratación Administrativa Práctica, N° 98, Sección Usted Pregunta, Junio 2010, Editorial LA LEY

[LA LEY 837/2010]

Respuesta

Antes de nada conviene precisar que para establecer el régimen jurídico de aplicación en la actividad contractual de las sociedades mercantiles locales (1) se debe comenzar señalando que éste es el establecido con carácter general para todas las sociedades que son consideradas Sector Público en el ámbito contractual por la Ley 30/2007, de 30 de octubre, de Contratos del Sector Público.

De conformidad con lo dispuesto en esa Ley, cuando la participación, directa o indirecta [de las entidades señaladas en los apartados a) (LA LEY 10868/2007) a f) (LA LEY 10868/2007) del art. 3.1] en el capital social es superior al 50%, se entiende que la concreta sociedad forma parte del Sector Público, los contratos que realiza son contratos del Sector Público y, en consecuencia, están sometidos a la misma, en la forma y los términos previstos en ésta, tal y como determina el art. 2, apartado 1.º (LA LEY 10868/2007).

Por lo tanto, en el caso que nos ocupa, el régimen jurídico de aplicación en la actividad contractual de esta sociedad mercantil local es el establecido con carácter general para todas las sociedades que son consideradas Sector Público en el ámbito contractual por la LCSP.

Y, por ello debemos acudir a su articulado, en concreto al artículo 20, apartado 1 (LA LEY 10868/2007), párrafo 1 de la LCSP que dispone que todos los contratos de las sociedades mercantiles locales, sean o no poderes adjudicadores, tienen la consideración de contratos privados.

En consecuencia, el mencionado contrato de la gestión del bar es un contrato privado.

• Naturaleza jurídica del contrato de cesión de uso de equipos a cambio de pago de una cantidad

Una empresa, dedicada al comercio de material sanitario, es propietaria de una serie de equipos médicos, los cuales tiene previsto instalar

en distintos hospitales del sector público. Actualmente no existe ningún otro equipo de similares características en el mercado, aunque es posible que este situación no dure mucho tiempo y en el futuro aparezcan otros. Económicamente, la operación se configura como de cesión de uso de equipo a cambio del pago de una cantidad fija mensual, para lo cual se firmará el oportuno contrato entre el Hospital y la empresa en el que se regulará el precio, duración e incluso retirada del equipo en caso de incumplimiento por parte del Hospital. La consulta es: ¿a qué legislación está sometida esta relación? ¿a la legislación mercantil, siendo competentes los Juzgados civiles? o por el contrario, está sujeta a la legislación de contratos del sector público y en todo caso a los tribunales contencioso-administrativos.

Contratación Administrativa Práctica, Nº 96, Sección Usted Pregunta, Abril 2010, Editorial LA LEY

[LA LEY 364/2010]

Respuesta

Para responder a esta cuestión vamos a examinar si la Ley 30/2007 de Contratos del Sector Público (LCSP) es de aplicación por razón del sujeto, un hospital público, y por razón del objeto, un contrato de cesión de uso contra pago de una cantidad.

1) Desde el punto de vista subjetivo la LCSP es de aplicación a las entidades que forman parte del sector público que enumera el artículo 3 (LA LEY 10868/2007) de la ley, señalando que forman parte del sector público:

a) La Administración General del Estado, las Administraciones de las Comunidades autónomas y las Entidades que integran la Administración Local.

b) Las entidades gestoras y los servicios comunes de la seguridad social.

c) Los organismos autónomos, entidades públicas empresariales, Universidades Públicas, Agencias Estatales y cualesquiera otras entidades de Derecho público con personalidad jurídica propia vinculadas a un sujeto que pertenezca al sector público o dependientes del mismo.

d) Las sociedades mercantiles en cuyo capital social la participación directa o indirecta de entidades pública sea superior al cincuenta por ciento.

e) Los consorcios dotados con personalidad jurídica propia.

f) Las fundaciones con aportación mayoritaria de una de las entidades integradas en el sector público.

g) Las Mutuas de accidentes de trabajo y Enfermedades profesionales de la Seguridad Social.

h) Cualesquiera otros entes, organismos y entidades con personalidad jurídica creados para satisfacer necesidades de interés general siempre que uno o varios sujetos del sector público financien mayoritariamente su actividad.

i) La asociaciones constituidas por los anteriores organismos.

Por todo ello podemos deducir que el hospital público pertenece al sector público, aunque si está configurado como una entidad pública empresarial no tendrá consideración de Administración pública; pero sí que le es de aplicación la Ley de Contratos del Sector Público.

Desde un punto de vista objetivo vemos que la LCSP señala expresamente, en su artículo 2.1 (LA LEY 10868/2007), que tienen la consideración de contratos públicos todos aquellos contratos de carácter oneroso cualquiera que sea su naturaleza jurídica que celebren los entes, organismos y entidades que enumera el artículo 3 de la LCS

Por todo ello podemos concluir que un contrato de cesión de uso de equipos a cambio de pago de una cantidad estará regido por la LCSP y sometido a la jurisdicción contencioso-administrativa y a la fiscalización del correspondiente órgano de control externo de la Comunidad Autónoma y del Tribunal de Cuentas en lo que hace a su fiscalización económica y de legalidad o enjuiciamiento contable

- **Preparación y adjudicación de los contratos privados**

Se plantea la duda de si una empresa municipal incluida en el artículo 3.1 d) de la LCSP, y cuyos contratos tienen el carácter privado (art. 20.1) se tiene que regir en la preparación y adjudicación del contrato (art. 20.2) por la LCSP, cuando el objeto del contrato es el arrendamiento del servicio de Fisioterapia, en la que la empresa municipal factura los ingresos del profesional (que le abona a final de mes) y le retiene un porcentaje del ingreso obtenido por el profesional. Y en caso afirmativo, ¿se toma como valor del contrato el importe de la facturación que por el servicio

de fisioterapia perciba el profesional o el porcentaje de los ingresos que recibe la empresa municipal?.

Contratación Administrativa Práctica, Nº 93, Sección Usted Pregunta, Enero 2010, Editorial LA LEY

[LA LEY 4176/2009]

Respuesta

El contrato a que se refiere la consulta es un contrato celebrado por un ente público de la Administración Local y con la consideración de contrato privado que se rige, en cuanto a su preparación y adjudicación, por las normas concretas de contratación pública que sean de aplicación y en su defecto, por las disposiciones de la Ley 30/2007 de Contratos del Sector Público (LCSP) y normativa de desarrollo, siendo de aplicación además con carácter supletorio las restantes normas de Derecho administrativo aplicables a las empresas municipales, como disponen los artículos 3 (LA LEY 10868/2007) y 20 de la LCSP (LA LEY 10868/2007). Por otra parte, el contrato que se menciona no se encuentra incluido en el listado de negocios excluidos que recoge el artículo 4 (LA LEY 10868/2007) de la citada Ley.

En este caso, el precio del contrato tiene un precio cierto expresado en euros que puede determinarse de diversos modos. Como nos encontramos ante un contrato de servicios puede determinarse por unidades de tiempo como se ha hecho, figurando todo ello en el pliego.

Con respecto al cálculo del valor del contrato el criterio es el que establece el artículo 76 de la LCSP (LA LEY 10868/2007) que dispone que el valor estimado de los contratos vendrá determinado por el importe total, sin incluir el Impuesto sobre el valor añadido, pagadero según las estimaciones del órgano de contratación, debiendo tener en dicho importe total estimado las eventuales prórrogas del contrato; el mismo precepto incluye normas para calcular el valor estimado de los contratos de servicios en que no se haya especificado un precio total distinguiendo que no se haya especificado un precio total, si tienen una duración determinada o no se encuentre fijada en relación a un periodo de tiempo.

• **Contratación de las obras de urbanización por las Juntas de Compensación. Poder adjudicador a efectos de aplicación de la LCSP**

¿Se debe exigir que en las bases de actuación de las Juntas de Compensación conste expresamente su condición de poder adjudicador, a

los efectos de la sujeción a la LCSP de la contratación de las obras de urbanización?

[03/12/2009 EC 3581/2009]

Contestación

La inscripción en el Registro de Entidades Urbanísticas tiene carácter constitutivo y, a partir de ella, la entidad nace y adquiere plena personalidad jurídica para el cumplimiento de sus fines. La entidad urbanística colaboradora, como afirma Tomás Ramón Fernández, constituye una figura típica de auto administración o gestión de funciones administrativas por los interesados. Asumen, por delegación, la gestión burocrática de funciones públicas; y se constituye en un auténtico agente descentralizado, siendo un ejemplo de administración corporativa semejante a los colegios profesionales, cámaras, cofradías de pescadores y federaciones deportivas. Todo ello lo expresa con notoria claridad la STS de 11 de marzo de 1989 (EC 75/1991).

Consideraba Ángel Ballesteros Fernández que las Juntas de Compensación, bajo la vigencia de la Ley 13/1995, de 18 de mayo (BOE del 19), de contratos de las Administraciones Públicas y del Texto Refundido de la Ley de Contratos de las Administraciones Públicas (TR LCAP), aprobado por Real Decreto Legislativo 2/2000, de 16 de junio (BOE del 21), no estaban sujetas a la normativa de contratación, pues ni son organismos autónomos locales, ni son financiadas ni participadas mayoritariamente por la Administración actuante, y aunque su actividad administrativa está sujeta a control administrativo, éste no hace desfigurar su carácter de ente asociativo de base privada. Bajo la vigencia de la Ley de Contratos del Estado y el Reglamento de Contratación de las Corporaciones Locales, la jurisprudencia entendió que, aunque las Juntas son entes administrativos, su actividad sólo estaba sujeta al Derecho administrativo en cuanto realizan, por delegación o encomienda, actividades públicas; entendiendo que la urbanización es una actividad privada de los propietarios que dará lugar a que, una vez realizada, se entreguen a la Administración los terrenos de cesión obligatoria (STS de 30 de octubre de 1989).

No obstante, y especialmente a partir de la publicación de la Directiva Europea de Contratos (Directiva 2004/18/CE, de 31 de marzo), la polémica entre quienes se postulan a favor de la sujeción de la contratación de las obras de urbanización, por la Junta de Compensación, a las reglas y procedimientos de contratación administrativa, y quienes se postulan o defienden la no sujeción, se ha acentuado.

Los primeros, después de analizar las características de las Juntas de Compensación, deducían que éstas pueden considerarse poder adjudicador conforme al art. 1.º de la Directiva 37/1993; lo que obviamente reiteran a partir de la publicación de la Directiva 2004/18/CE.

Los segundos todavía defienden la no sujeción de la contratación de las obras de urbanización por la Junta de Compensación, a las reglas y procedimientos de la contratación administrativa, lo que les parece forzado a pesar de la STSJUE de 12 de julio de 2001, recaída en el asunto Scala de Milán. Entienden que la Junta de Compensación tiene una naturaleza compleja, ya que de un lado ejerce funciones públicas, y por otro, también está sujeta al derecho privado en cuanto lleva a cabo actuaciones de este carácter. En tal sentido, como ha declarado el Tribunal Supremo, no toda la actividad que gestiona la Junta tiene naturaleza administrativa, ni consecuentemente se somete al Derecho administrativo en su totalidad. A su juicio la STSJUE citada no es aplicable al caso ni tiene relación alguna con el asunto, como pone de manifiesto la STSJ de Madrid de 6 de junio de 2006 (ponente, Martín Corredera).

El art. 3.1 de la Ley 30/2007, de 30 de octubre (BOE del 31), de Contratos del Sector Público (LCSP) enumera las entidades que se consideran incluidas en su ámbito de aplicación y, por lo tanto, sometidas a la normativa sobre contratación pública. El citado precepto delimita de forma amplia los entes, organismos y entidades que forman parte del sector público y que quedan, por tanto, sujetos a la normativa de contratación. Para garantizar la plena adecuación de la legislación española a la normativa comunitaria, la letra h) del art. 3.1 LCSP funciona como cláusula de cierre del sistema, y somete a la LCSP: «Cualesquiera entes, organismos, o entidades con personalidad jurídica propia que hayan sido creados específicamente para satisfacer necesidades de interés general, que no tengan carácter industrial o mercantil, siempre que uno o varios sujetos pertenecientes al sector público financien mayoritariamente su actividad, controlen su gestión o nombren más de la mitad de miembros de su órgano de Administración, dirección o vigilancia». No obstante, el Consejo de Estado, en su Dictamen 514/2006 de 25 de mayo de 2006, sobre el Anteproyecto de la LCSP, señala que la redacción del art. 3 no recoge con la necesaria claridad la delimitación de los poderes adjudicadores que realiza el art. 1.9 de la Directiva 2004/18/CE.

De todo ello se deduce que, para resolver la cuestión de la calificación eventual de una entidad de derecho privado como organismo de derecho público, lo procedente es comprobar únicamente si la entidad de que se trata cumple los tres requisitos del art. 3.1 LCSP, sin que el estatuto de derecho privado de la entidad constituya un criterio que pueda excluir por sí solo su calificación como poder adjudicador. Lo importante es la actividad y no la personalidad.

Ahora bien, nos encontramos en un punto en el que la legislación de contratación del sector público y la comunitaria se deben incardinar y reflejar en la legislación urbanística autonómica; lo que, evidentemente, como regla no se hace. Únicamente, al hablar del sistema de compensación básica, el Reglamento de la Ley de Urbanismo de Cataluña, aprobado por Decreto 305/2006, de 18 de julio (DOGC del 24), en su art. 172.1 sí habla de ello; pero permite eludir la concurrencia por acuerdo unánime de los propietarios.

En conclusión, creemos que la LCSP ha supuesto un avance importante para inclinarnos por la tesis de que las Juntas de Compensación, a pesar de su naturaleza jurídico privada y de que parte de su actividad también lo es, constituyen un poder adjudicador; e igualmente, las Entidades Urbanísticas de Conservación pueden encajar dentro de la definición comunitaria de Poder adjudicador. Pero no cabe duda de que ésta es una cuestión que deben dejar claras las respectivas leyes urbanísticas de cada Comunidad Autónoma. Mientras no lo hagan, seguiremos con la diversidad de opiniones y con la resistencia de las Juntas de Compensación. Al Ayuntamiento corresponde decidir si modifican las Bases obligando a someter la contratación de las obras a la LCSP.

• Diferencias en el régimen jurídico aplicable a los contratos de ayuntamiento y de sociedad municipal

¿Qué diferencias existen entre la actuación contractual de un ayuntamiento y de una sociedad de capital íntegramente municipal?

[21/07/2009 EC 2178/2009]

Contestación

El art. 3 de la Ley 30/2007, de 30 de octubre (BOE del 31), de Contratos del Sector Público (LCSP), al regular el ámbito subjetivo de aplicación de la ley, señala en su apartado 1 letra d) que a los efectos de esta Ley se considera que forman parte del sector público los siguientes entes, organismos y entidades: d) Las sociedades mercantiles en cuyo capital social la participación, directa o indirecta, de entidades de las mencionadas en las letras a) a f) del presente apartado sea superior al 50 por ciento.

Sin embargo, esto no quiere decir ni mucho menos que le sea aplicable íntegramente la LCSP; muy al contrario, y como puso de manifiesto el Consejo de Estado en su dictamen al anteproyecto de ley, aunque la ley se titule de contratos del «sector público», realmente el grueso de la norma sigue regulando los contratos administrativos de las Administraciones Públicas, estableciendo sólo una serie de normas que son aplicables a los entes que forman parte del sector público pero que no tienen la consideración de administración pública, distinguiendo según tenga la consideración o no de poderes adjudicadores según establece el propio artículo 3.

Y para ello vamos a poner dos ejemplos muy clarificadores. En primer lugar los arts. 19 y 20 cuando regulan los contratos que tiene la consideración de contratos administrativos y contratos privados. Para definir los primeros establece el art. 19 que tendrán carácter administrativo los contratos siguientes, siempre que se celebren por una Administración Pública:

a) Los contratos de obra, concesión de obra pública, gestión de servicios públicos, suministro y servicios, así como los contratos de colaboración entre el sector público y el sector privado. No obstante, los contratos de servicios comprendidos en la categoría 6 del Anexo II y los que tengan por objeto la creación e interpretación artística y literaria y los de espectáculos comprendidos en la categoría 26 del mismo Anexo no tendrán carácter administrativo.

b) Los contratos de objeto distinto a los anteriormente expresados, pero que tengan naturaleza administrativa especial por estar vinculados al giro o tráfico específico de la Administración contratante o por satisfacer de forma directa o inmediata una finalidad pública de la específica competencia de aquélla, siempre que no tengan expresamente atribuido el carácter de contratos privados conforme al párrafo segundo del artículo 20.1, o por declararlo así una Ley.

Y a la hora de regular los contratos privados, el art. 20.1 señala que tendrán la consideración de contratos privados los celebrados por los entes, organismos y entidades del sector público que no reúnan la condición de Administraciones Públicas. Es decir, los contratos celebrados por una sociedad mercantil, al carecer del carácter de administración pública, no es un contrato administrativo, sino que se trata de un contrato privado.

El segundo ejemplo que vamos a poner es en lo referente a las normas sobre selección del contratista y adjudicación de los contratos, recogido en el Libro II de la Ley. Si nos fijamos, este Libro en su Titulo I se refiere a la Adjudicación de los contratos, y se divide en dos capítulos. El primero, muy prolijo, regula los procedimientos de adjudicación de los contratos de las administraciones públicas y recoge los arts. 122 a 172. En tanto que el segundo capítulo, con la rúbrica de «adjudicación de otros contratos del sector público», se incluyen solo los arts. 173 a 178, en los que se distingue según se trate de contratos de entes que tengan la consideración de poderes adjudicadores y no sean administraciones públicas, contratos de otros entes que no tengan la consideración de poderes adjudicadores y contratos subvencionados. Pues bien, en este caso, al no ser una sociedad mercantil un poder adjudicador, por tener carácter industrial o mercantil, les sería aplicable únicamente el art. 176, en el que se establecen unos principios generales que deben regir en la adjudicación de estos contratos.

Por tanto, se puede concluir que existen muchas diferencias en el régimen jurídico aplicable según si el contrato lo adjudica una administración pública o una sociedad mercantil de capital íntegramente público.

• En los contratos no sujetos a regulación armonizada se entenderán cumplidas las exigencias derivadas del principio de publicidad con la inserción de la información relativa a la licitación de los contratos cuyo importe supere los 50.000 euros en el perfil del contratante de la entidad

¿Es legal que una empresa de capital íntegramente municipal licite unas obras por importe superior a 232.000 euros (IVA incluido) por un procedimiento que no sea el abierto y siguiendo las disposiciones del art. 175 LCSP?

[07/04/2009 EC 1112/2009]

Contestación

Lo primero que debe hacerse es comprobar si esa sociedad mercantil tiene la consideración de poder adjudicador conforme a lo establecido en el art. 3 de la Ley 30/2007, de 30 de octubre (BOE del 31), de Contratos del Sector Público (LCSP), para ello tiene que cumplir los siguientes requisitos:

1. Tener personalidad jurídica y no ser administración pública, lo que parece que cumple la sociedad mercantil de capital íntegramente local.

2. Haber sido creada para satisfacer necesidades de interés general que no tengan carácter industrial o mercantil, lo que, en principio se cumple si se han creado para gestionar de forma directa un servicio público.

3. Que en su funcionamiento concurra alguna de las siguientes circunstancias:

a) Que la actividad esté mayoritariamente financiada por la entidad local.

b) Que la gestión esté sometida a control por parte de la entidad local.

c) Que el órgano de administración, de dirección o de vigilancia esté compuesto por miembros de los cuales más de la mitad sean nombrados por la entidad local.

En la práctica, en la mayoría de las sociedades locales concurren estas circunstancias, por lo que podemos colegir que, genéricamente, se podrían considerar poderes adjudicadores en el sentido que señala la LCSP. No obstante, singularmente habrían de analizarse los correspondientes estatutos o normas de creación para su determinación exacta.

Como sabemos, el grado de aplicación de la LCSP a los poderes adjudicadores es más reducido que la estricta Administración Pública.

Siguiendo a David Blanquer, la estructura de aplicación de la LCSP respondería al siguiente esquema:

Clarificado que las sociedades mercantiles se consideran poderes adjudicadores, sus contratos tendrán naturaleza privada y se subdividirán en contratos sujetos a regulación armonizada y no sujetos a regulación armonizada.

Los contratos de derecho privado que celebren tales poderes, cuando se trate de contratos sujetos a regulación armonizada están sujetos a un procedimiento de carácter administrativo para la selección del contratista y la adjudicación del contrato.

Para el resto de contratos, estrictamente, no será necesario seguir los procedimientos y reglas establecidos en la LCSP, aunque habrá de darse fiel cumplimiento a los principios comunitarios que rigen la contratación del sector público.

En cuanto a la adjudicación de los contratos, específicamente para las sociedades locales que tengan el carácter de poderes adjudicadores, regirá lo dispuesto en los arts. 173 a 175 LCSP, modulándose al respecto el capítulo primero del libro III (arts. 122 a 172).

Distinguiéndose claramente los contratos sujetos a una regulación armonizada y los no sujetos.

A) Contratos sujetos a regulación armonizada

Para determinar según las cuantías los contratos sujetos a regulación armonizada respecto de las sociedades urbanísticas locales se habrá de estar a los umbrales comunitarios, conforme a los siguientes límites:

Obras y concesión de obras públicas: 5.278.000 euros.

Suministros: 211.000 euros.

Servicios: 211.000 euros.

Subvencionado: 211.000 euros.

Resto de contratos: Adjudicación sometida a las instrucciones de contratación del artículo 175 LCSP.

Adquisición y disposición de bienes inmuebles: Se modulará a la legislación patrimonial correspondiente de la Comunidad Autónoma, en su caso, y con carácter subsidiario a la del Estado.

Para los contratos sujetos a regulación armonizada, los correspondientes pliegos han de sujetarse a las previsiones de la LCSP, con las especificaciones al articulado al que remite el art. 174 LCSP.

Si por razones de urgencia resultara impracticable el cumplimiento de los plazos mínimos establecidos, será de aplicación lo previsto en el art. 96.2 b) sobre reducción de plazos a la mitad, salvo las excepciones detalladas y las menciones específicas de aplicación a los contratos sujetos a regulación armonizada.

B) Contratos no sujetos a regulación armonizada

Conforme establece el art. 175 LCSP en la adjudicación de contratos no sujetos a regulación armonizada serán de aplicación las siguientes disposiciones:

a) La adjudicación estará sometida, en todo caso, a los principios de publicidad, concurrencia, transparencia, confidencialidad, igualdad y no discriminación.

b) Los órganos competentes de las entidades a que se refiere esta sección aprobarán unas instrucciones, de obligado cumplimiento en el ámbito interno de las mismas, en las que se regulen los procedimientos de contratación de forma que quede garantizada la efectividad de los principios enunciados en la letra anterior y que el contrato es adjudicado a quien presente la oferta económicamente más ventajosa. Estas instrucciones deben ponerse a disposición de todos los interesados.

En el ámbito del sector público estatal, la aprobación de las instrucciones requerirá el informe previo de la Abogacía del Estado.

c) Se entenderán cumplidas las exigencias derivadas del principio de publicidad con la inserción de la información relativa a la licitación de los contratos cuyo importe supere los 50.000 euros en el perfil del contratante de la entidad, sin perjuicio de que las instrucciones internas de contratación puedan arbitrar otras modalidades alternativas o adicionales de difusión.

Por lo tanto, consideramos que al tratarse de una sociedad mercantil, si tiene la consideración de poder adjudicador bastará que cumpla lo establecido en el citado art. 175 LCSP, al tratarse de un contrato no sujeto a regulación armonizada.

• **Régimen jurídico de contratación aplicable a las juntas de compensación y entidades de conservación**

El régimen jurídico de las contrataciones de las Entidades Urbanísticas Colaboradoras de la Administración municipal creadas al amparo de la legislación urbanística ha sido un tema controvertido desde una primera conceptuación defensora de su actuación al margen de las normas de contratación de las Administraciones Públicas hasta entendimiento de su total sujeción tras la Jurisprudencia comunitaria generada con motivo del

enjuiciamiento en ese nivel jurisdiccional de la legislación urbanística de la Comunidad valenciana.

En la actualidad y tras la vigencia desde el pasado mes de mayo de la nueva Ley de Contratos del Sector Público se nos plantea para operar con seguridad jurídica, en este ámbito, de los distintos niveles de sujeción a las normas de contratación pública que se establecen en la Ley 30/2007, de 30 de octubre, de Contratación del Sector Público, cuál corresponde a las Entidades Urbanísticas colaboradoras de la Administración en el ámbito urbanístico, fundamentalmente, y aunque nos estamos refiriendo en mayor medida a las Juntas de Compensación también hacemos extensiva la cuestión a las Entidades de Conservación que en concreto en nuestro Municipio generaliza el Planeamiento General a los Polígonos Industriales y a todos los ámbitos de uso terciarios.

Contratación Administrativa Práctica, Nº 85, Sección Usted Pregunta, Abril 2009, Editorial LA LEY

[LA LEY 836/2009]

Respuesta

El régimen jurídico de contratación aplicable a las entidades urbanísticas a que se refiere la consulta es el de la Ley 30/2007 de Contratos del Sector Público, ya que su artículo 3 (LA LEY 10868/2007)dispone que a estos efectos forman parte del sector público cualesquiera entes, organismos o entidades creados específicamente para satisfacer necesidades de interés general, como corresponde a las entidades urbanísticas colaboradoras de la administración en dicho ámbito material y que en muchos casos pueden aplicar la figura del contrato de colaboración entre el sector público y privado, una de las nuevas modalidades contractuales de la Ley Contratos del Sector Público. Se trata de contratos en los que una Administración Pública, por ejemplo un ayuntamiento, encarga a una entidad de Derecho privado, por un periodo determinado, la realización de una actuación global o integrada que, además de la financiación de inversiones u obras, etc., comprenda alguna de las siguientes actuaciones:

— Gestión integral del mantenimiento de de instalaciones complejas.

— Construcción, instalación o transformación de obras, equipos, sistemas y productos o bienes complejos, así como su mantenimiento, actualización o renovación, explotación o gestión.

— La fabricación de bienes y prestación de servicios que incorporen tecnología específicamente desarrollada con el propósito de aportar soluciones más avanzadas y económicamente más ventajosas que las que haya en el mercado.

— Otras prestaciones de servicios ligadas al desarrollo de la administración del servicio público o actuación de interés general que le haya sido encomendado.

Estos contratos de colaboración entre el sector público y privado constituyen una categoría contractual cuyo objeto principal es garantizar la realización de una prestación determinada mediante aportación de un capital privado pero lo que caracteriza a esta figura contractual es la realización de una actuación global integrada.

La Ley 30/2007 regula la contratación del Sector público y en su virtud tiene un ámbito subjetivo de aplicación que abarca las entidades que forman parte de aquel y este es el caso de las entidades que son objeto de la consulta.

☞ **Concordancias Jurisprudenciales**

Tribunal Administrativo Central de Recursos Contractuales, Resolución de 13 Oct. 2011, rec. 206/2011

[LA LEY 211679/2011]

CONTRATO ADMINISTRATIVO DE SERVICIOS. Adjudicación del contrato de servicios necesarios para la organización, comercialización, gestión y ejecución de los turnos de vacaciones de diversa duración durante la temporada. RECURSO ESPECIAL EN MATERIA DE CONTRATACIÓN. Inadmisión. No concurran en la Sociedad Estatal para la Gestión de la Innovación y la Tecnología Turísticas las circunstancias que exige la Ley para su consideración como poder adjudicador. La entidad ha sido creada para satisfacer necesidades de interés general de carácter industrial y mercantil. Una cosa es la potestad pública de planificación, desarrollo y coordinación de las políticas turísticas del Estado y otra distinta las actuaciones materiales de ejecución de las mismas, actuaciones en las que quedan enmarcadas las funciones y actividades que los Estatutos de SEGITTUR atribuyen a esta sociedad, que se sitúa en un mismo plano que las empresas privadas. Actúa en áreas de actividad económica en las que la competencia es plena, y los precios de los bienes y servicios de la Sociedad no se fijan por órganos del poder público, sino que se establecen atendiendo a las leyes de la oferta y la demanda.

Tribunal Administrativo Central de Recursos Contractuales, Resolución de 30 Mar. 2011, rec. 066/2011

[LA LEY 14708/2011]

CONTRATO ADMINISTRATIVO DE SERVICIOS. De redacción del proyecto básico y de ejecución de obras, proyecto de actividades, y estudio de seguridad y salud, así como dirección facultativa y coordinación en materia de seguridad y salud de las obras de construcción de un parador. Conformidad a Derecho de la exclusión de una sociedad mercantil de la licitación, así como la adjudicación provisional a otra sociedad mercantil, de un contrato de servicios, por no ajustarse la proposición de la recurrente a las condiciones del pliego de prescripciones técnicas y sí hacerlo la adjudicataria. La documentación acreditativa de los trabajos de los componentes del equipo técnico no se adaptaba a lo exigido en el pliego, pues no se trataba de actas o certificados de final de obra o bien certificados de colegios profesionales o de entes del sector público.

Tribunal Administrativo Central de Recursos Contractuales, Resolución de 16 Feb. 2011, rec. 014/2011

[LA LEY 14642/2011]

CONTRATO ADMINISTRATIVO DE CONSULTORÍA Y ASISTENCIA. Pliego de cláusulas particulares que ha de regir la contratación, por procedimiento abierto, de los trabajos de consultoría y asistencia técnica al proceso de expropiaciones de los bienes y derechos afectados por las obras de ampliación y mejora del sistema de abastecimiento de una Mancomunidad de Aguas. RECURSO ESPECIAL EN MATERIA DE CONTRATACIÓN. Estimación parcial. Nulidad de la exigencia de acreditación del cumplimiento de normas de gestión medioambiental. Visto el objeto del contrato, actuaciones de carácter técnico, es totalmente innecesario que las empresas licitadoras deban disponer de normas de gestión medioambiental. Su exigencia supone una discriminación de unas empresas frente a otras, lo cual afecta claramente al Principio de concurrencia consagrado en la contratación pública.

Tribunal Administrativo Central de Recursos Contractuales, Resolución de 24 Feb. 2011, rec. 009/2011

[LA LEY 14637/2011]

CONTRATO ADMINISTRATIVO DE OBRAS. De construcción de un palacio de exposiciones y congresos en localidad castellanoleonesa. Adjudicación por procedimiento abierto. RECURSO ESPECIAL EN MATERIA DE CONTRATACIÓN. Inadmisión. Por incompetencia del TACRC. Aunque el contrato ha sido financiado en más de un 50% con fondos procedentes de subvenciones otorgadas por el M.º Industria, Turismo y Comercio y por la Consejería de Fomento de la Junta de Castilla y León, el contrato no es subvencionado. La entidad que lo adjudica es un poder adjudicador por sí misma, y a lo sumo debe considerarse como un contrato cofinanciado por diversas Administraciones, siquiera se haya utilizado la fórmula de la subvención a la hora de articular el título jurídico de entrega de los fondos con objeto de garantizar en mejor forma la inversión. La competencia para resolver el recurso administrativo previo corresponde al propio órgano de contratación, sin perjuicio de la posibilidad de interponer contra la resolución que se dicte recurso contencioso-administrativo, que en esta ocasión llevará aparejada la suspensión del acto impugnado.

Tribunal Superior de Justicia de Galicia, Sala de lo Social, Sentencia de 15 Mar. 2011, rec. 23/2010

[LA LEY 47937/2011]

CONVENIO COLECTIVO DE TRABAJO. Contenido. Económico. Remuneraciones y salarios. PERSONAL LABORAL DE LA ADMINISTRACIÓN. Retribuciones. Masa salarial y límite presupuestario.

Tribunal Supremo, Sala Cuarta, de lo Social, Sentencia de 20 Sep. 2010, rec. 17/2010

[LA LEY 188149/2010]

JURISDICCIÓN SOCIAL. CONFLICTO COLECTIVO. Radiotelevisión Española. Competencia del orden jurisdiccional social para resolver acerca del incumplimiento del Convenio Colectivo en relación sobre la inclusión en el pliego de condiciones de los concursos públicos la subrogación de trabajadores de las empresas de servicios, en el caso del cambio de la titularidad de la contrata. Sin embargo, no puede entrar a conocer de la anulación formal de la resolución administrativa que aprobó la modificación mencionada.

Tribunal Superior de Justicia de Cataluña, Sala de lo Social, Sentencia de 24 Nov. 2009, rec. 26/2009

[LA LEY 295745/2009]

JURISDICCIÓN LABORAL. Impugnación del pliego de condiciones de un contrato de servicio de mantenimiento de instalaciones de centros y edificios de la Corporación RTVE. Incompetencia de jurisdicción e inadecuación de procedimiento. La competencia para el enjuiciamiento corresponde al Orden Contencioso-administrativo, al tratarse de una cuestión que afecta a un contrato del sector público. Naturaleza jurídica de la Corporación RTVE.

Tribunal Superior de Justicia de Madrid, Sala de lo Social, Sección 2.ª, Sentencia de 27 Oct. 2009, rec. 4275/2009

[LA LEY 258153/2009]

PERSONAL LABORAL DE LA ADMINISTRACIÓN. Despido improcedente. Entidad de derecho público con personalidad jurídica propia, vinculada o dependiente del Ministerio de cultura cuyo ámbito de aplicación está incluido dentro del artículo 2 del EBEP.

Artículo 4 *Negocios y contratos excluidos*

1. Están excluidos del ámbito de la presente Ley los siguientes negocios y relaciones jurídicas:

a) La relación de servicio de los funcionarios públicos y los contratos regulados en la legislación laboral.

b) Las relaciones jurídicas consistentes en la prestación de un servicio público cuya utilización por los usuarios requiera el abono de una tarifa, tasa o precio público de aplicación general.

c) Los convenios de colaboración que celebre la Administración General del Estado con las entidades gestoras y servicios comunes de la Seguridad Social, las Universidades Públicas, las Comunidades Autónomas, las Entidades locales, organismos autónomos y restantes entidades públicas, o los que celebren estos organismos y entidades entre sí, salvo que, por su naturaleza, tengan la consideración de contratos sujetos a esta Ley.

✍ **Informes de la Junta Consultiva de Contratación Administrativa**

Informe 3/2008, de 17 de octubre de 2008, de la Junta Consultiva de Contratación Administrativa de la Generalidad de Cataluña, de proyecto de decreto por el cual se regula la prestación farmacéutica, a cargo del Servicio Catalán de la Salud, de las personas ingresadas en centros residenciales.

Informe 8/2008, de 29 de enero de 2009, de la Comisión Permanente de la Junta Consultiva de Contratación Administrativa. Convenios. Contratos de servicios. Falta de competencia para emitir el informe

> d) Los convenios que, con arreglo a las normas específicas que los regulan, celebre la Administración con personas físicas o jurídicas sujetas al derecho privado, siempre que su objeto no esté comprendido en el de los contratos regulados en esta Ley o en normas administrativas especiales.

➡ **Concordancias normativas**

Véase O [ARAGÓN] 11 mayo 2009, del Departamento de Obras Públicas, Urbanismo y Transportes, sobre convocatoria y selección de entidades financieras y régimen de los convenios de colaboración que se suscriban entre las mismas y el Gobierno de Aragón, para la financiación de las actuaciones previstas en el DL 1/2009, 14 abril, por el que se aprueba el plan especial de dinamización del sector de la vivienda y se autoriza la prestación de avales por el Gobierno de Aragón («B.O.A». 15 mayo).

✍ **Informes de la Junta Consultiva de Contratación Administrativa**

Informe 8/2008, de 29 de enero de 2009, de la Comisión Permanente de la Junta Consultiva de Contratación Administrativa. Convenios. Contratos de servicios. Falta de competencia para emitir el informe.

Informe 2/2010, de 1 de junio, de la Junta Consultiva de Contratación Administrativa de Madrid, sobre calificación de los negocios jurídicos a suscribir para la ejecución de las medidas judiciales acordadas en los procedimientos de declaración de responsabilidad penal de los menores.

> e) Los convenios incluidos en el ámbito del artículo 346 del Tratado de Funcionamiento de la Unión Europea (LA LEY 6/1957) que se concluyan en el sector de la defensa.

f) Los acuerdos que celebre el Estado con otros Estados o con entidades de derecho internacional público.

g) Los contratos de suministro relativos a actividades directas de los organismos de derecho público dependientes de las Administraciones públicas cuya actividad tenga carácter comercial, industrial, financiero o análogo, si los bienes sobre los que versan han sido adquiridos con el propósito de devolverlos, con o sin transformación, al tráfico jurídico patrimonial, de acuerdo con sus fines peculiares, siempre que tales organismos actúen en ejercicio de competencias específicas a ellos atribuidas por la Ley.

📖 Doctrina

— *Texto Refundido de la Ley de Contratos del Sector Público. Estudio sistemático.* José Antonio Moreno Molina, Francisco Pleite Guadamillas. Editorial LA LEY, Madrid, 2012.

— «Los contratos de suministro». Escrihuela Morales, Javier. Esta doctrina forma parte del libro *La Contratación del Sector Público*, 4.ª ed., editado por El Consultor de los Ayuntamientos y de los Juzgados, Madrid, 2012.

h) Los contratos y convenios derivados de acuerdos internacionales celebrados de conformidad con el Tratado de Funcionamiento de la Unión Europea (LA LEY 6/1957) con uno o varios países no miembros de la Comunidad, relativos a obras o suministros destinados a la realización o explotación conjunta de una obra, o relativos a los contratos de servicios destinados a la realización o explotación en común de un proyecto.

i) Los contratos y convenios efectuados en virtud de un acuerdo internacional celebrado en relación con el estacionamiento de tropas.

j) Los contratos y convenios adjudicados en virtud de un procedimiento específico de una organización internacional.

k) Los contratos relativos a servicios de arbitraje y conciliación.

l) Los contratos relativos a servicios financieros relacionados con la emisión, compra, venta y transferencia de valores o de otros instrumentos financieros, en particular las operaciones relativas a la gestión financiera del Estado, así como las operaciones destinadas a la obtención de fondos o capital por los entes, organismos y entidades del sector público, así como los servicios prestados por el Banco de España y las operaciones de tesorería.

m) Los contratos por los que un ente, organismo o entidad del sector público se obligue a entregar bienes o derechos o prestar algún servicio, sin perjuicio de que el adquirente de los bienes o el receptor de los servicios, si es una entidad del sector público sujeta a esta Ley, deba ajustarse a sus prescripciones para la celebración del correspondiente contrato.

✍ **Informes de la Junta Consultiva de Contratación Administrativa**

Informe 2/2011, de 28 de julio, de la Comisión Permanente de la Junta Consultiva de Contratación Administrativa. Ámbito de aplicación objetivo de la Ley 30/2007, de 30 de octubre, de Contratos del Sector Público. Los ensayos clínicos.

n) Los negocios jurídicos en cuya virtud se encargue a una entidad que, conforme a lo señalado en el artículo 24.6, tenga atribuida la condición de medio propio y servicio técnico del mismo, la realización de una determinada prestación. No obstante, los contratos que deban celebrarse por las entidades que tengan la consideración de medio propio y servicio técnico para la realización de las prestaciones objeto del encargo quedarán sometidos a esta Ley, en los términos que sean procedentes de acuerdo con la naturaleza de la entidad que los celebre y el tipo y cuantía de los mismos, y, en todo caso, cuando se trate de contratos de obras, servicios o suministros cuyas cuantías superen los umbrales establecidos en la Sección 2.ª del Capítulo II de este Título Preliminar, las entidades de derecho privado deberán observar para su preparación y adjudicación las reglas establecidas en los artículos 137.1 y 190.

✍ **Informes de la Junta Consultiva de Contratación Administrativa**

Informe 1/2010, de 21 de julio de 2010, de la Junta Consultiva de Contratación Administrativa. Los encargos de gestión. Algunas consideraciones sobre los encargos de gestión regulados en los artículos 4.1 n y

24 de la Ley 30/2007, de 30 de octubre, de Contratos del Sector Público. Distinción con las encomiendas o encargos de gestión de la Ley 30/1992, de 26 de noviembre, de Régimen Jurídico de las Administraciones Públicas y del Procedimiento Administrativo Común

Junta Consultiva de Contractació Administrativa (Illes Balears)

[LA LEY 34/2011]

CONTRATOS ADMINISTRATIVOS. Encargos de gestión regulados en la LCSP. Distinción con las encomiendas o encargos de gestión de la LRJAP-PAC. Aplicación de la doctrina de la lex posterior y el principio de la ley especial respecto de la ley general, para resolver el conflicto entre estas normas. Modificación del art. 15 LRJAP-PAC por la LCSP, en el sentido de que este precepto ya no puede incluir encargos de gestión de carácter meramente contractual, ya que su ámbito ha quedado circunscrito a las actividades o actuaciones materialmente ajenas a la contratación pública. Los encargos de gestión deben adoptar la forma oportuna de acuerdo con la naturaleza de la entidad y del órgano concreto que efectúa el encargo —si lo hace una Administración pública, a efectos de la LRJAP-PAC será un acto administrativo— y tienen que comunicarse al ente instrumental que los debe cumplir, sin que sea necesaria la formalización ni la publicación, de ningún convenio o acuerdo entre la entidad que efectúa el encargo y la entidad destinataria de éste. En los encargos de gestión de la LCSP —arts. 4.1 n) y 24 aps. 1 a 5— debe concurrir una causa justa que justifique el mismo, que debe verificarse caso por caso, muy especialmente en los casos en que, dada la naturaleza jurídica del ente que recibe el encargo, se altere el régimen contractual. La entidad receptora debe disponer de los medios materiales y técnicos adecuados para ejecutar, al menos, la mayor parte o una parte significativa de la prestación objeto del encargo, sin perjuicio de que para poder llevar a cabo tales prestaciones pueda celebrar algún contrato con un tercero.

Informe 5/2010, de 7 de julio, de la Comisión Consultiva de Contratación Administrativa de la Junta de Andalucía, sobre diversas cuestiones relativas a las encomiendas de gestión entre una Administración Local y un medio propio y servicio técnico perteneciente a la misma.

[LA LEY 1292/2010]

CONTRATOS ADMINISTRATIVOS. Encomiendas o cargos de gestión entre una Administración Local y un medio propio y servicio técnico perteneciente a la misma. Figura no circunscrita a ninguna tipología especial de contratos, por lo que a través de ella se podrían instrumentalizar relaciones jurídicas similares a las previstas para cualquier contrato típico previsto en la LCSP y, entre ellos, el contrato de obras, siempre que las actuaciones se encuentren dentro del objeto social de la entidad mercantil. Distinción con la técnica organizativa genérica de «actuaciones por la propia Administración», tanto por su diferente regulación jurídica, como por el hecho de que el límite a la contratación del 50 % previsto, sólo es aplicable a esta técnica, pero no a las encomiendas de gestión. Realización por las entidades instrumentales de la parte esencial de su actividad para los poderes adjudicadores de los que son medios propios.

Informe 6/2010, de 28 de julio, de la Junta Consultiva de Contratación Administrativa de la Generalidad de Cataluña (Comisión Permanente) Asunto: Ejecución de obras y fabricación de bienes muebles por la Administración, ejecución de servicios con la colaboración de empresarios particulares y encargos a medios propios y servicios técnicos. Límites a la contratación de colaboradores particulares por parte de los entes, organismos o entidades que tienen la condición de medio propio y servicio técnico de un poder adjudicador.

[LA LEY 1289/2010]

CONTRATOS ADMINISTRATIVOS DE OBRAS Y SERVICIOS. Ejecución. Parecer favorable a que los entes, organismos y entidades que tengan la consideración de medio propio y servicio técnico de un poder adjudicador, además de poder ser sujetos receptores de los encargos regulados en la legislación contractual, también pueden ser utilizados como medios propios en la ejecución de obras, la fabricación de bienes muebles y la realización de servicios por la propia Administración. El límite relativo al hecho que la colaboración de empresarios particulares no puede superar el 50 % del importe total del proyecto, sólo opera en los supuestos de ejecución de obras por la Administración cuando concurren los supuestos habilitantes de que la Administración tiene montadas fábricas, arsenales, maestranzas o servicios técnicos o industriales suficientemente aptos para la realización de la prestación, o de que tiene elementos auxiliares utilizables, cuyo empleo suponga una economía superior al 5 % del importe del presupuesto del contrato o más celeridad en su ejecución. Los límites a la contratación de empresarios por parte de los entes instrumentales que tengan la consideración de medio propio y servicio técnico de la

Administración y sean receptores de encargos, están determinados por la naturaleza jurídica de estos entes y por la tipología de encargo que reciban.

Informe 65/2007, de 29 de enero de 2009. «Consideración de medio propio de un Ayuntamiento y de sus organismos autónomos de una sociedad municipal y procedimiento de encomienda de gestión». Clasificaciones de los informes: 18. Otras cuestiones de carácter general.

Junta Consultiva de Contratación Administrativa

[LA LEY 388/2009]

ENCOMIENDA DE GESTIÓN. Cumplimiento de los requisitos legales para considerar a una empresa municipal que presta el servicio de ayuda a domicilio como medio propio de un organismo autónomo, en su condición de poder adjudicador, creado por el Ayuntamiento para el desarrollo y la prestación de los servicios sociales municipales. La relación de control que ejerce el poder adjudicador sobre el medio propio no es una relación contractual sino de instrucciones unilaterales de ejecución. Formalización de la prestación profesional del servicio entre el organismo autónomo y la empresa municipal mediante una encomienda de gestión en la que se concrete la prestación a ejecutar determinando honorarios o tarifas en concepto de remuneración de la prestación.

Informe 4/2008, de 15 de mayo, de la Junta consultiva de Contratación Administrativa de Aragón, sobre la posibilidad de que los contratos de servicios y suministros que celebre la Universidad de Zaragoza y que tengan por objeto prestaciones o productos necesarios para la ejecución de proyectos de investigación, desarrollo e innovación tecnológica, pueden quedar excluidos del sometimiento a la LCSP al amparo de la previsión del artículo 4. 1. q) de la misma.

Informe 21/2008, de 28 de julio de 2008, de la Junta Consultiva de Contratación Administrativa, Imposibilidad de formar convenios de colaboración entre una Corporación y una empresa para la ejecución de una obra.

Informe 12/2010, de 3 de noviembre, de la Junta Consultiva de Contratación Administrativa de la Comunidad Autónoma de Aragón, sobre posibilidad de pago del precio de una obra pública de un Ayuntamiento mediante la cesión de terrenos integrantes del Patrimonio Público del Suelo.

Dictamen 1593/2010, de 26 de enero de 2011, del Consejo Consultivo de Castilla y León, relativo al expediente de resolución de contrato suscrito entre el Ayuntamiento de xxxxx y la empresa qqqqq, S.L.

📖 Doctrina

— *Texto Refundido de la Ley de Contratos del Sector Público. Estudio sistemático.* José Antonio Moreno Molina, Francisco Pleite Guadamillas. Editorial LA LEY, Madrid, 2012.

— «Las encomiendas de gestión en la Ley de Contratos del Sector Público» Juan Manuel Galán del Fresno Interventor y Auditor del Estado. *Contratación Administrativa Práctica*, N.º 90, Sección Reflexiones, octubre 2009, pág. 29, Editorial LA LEY. [LA LEY 15702/2009]. En este artículo se trata sobre todo de explicar qué es una encomienda de gestión y cuáles son las posibilidades de utilizarla dentro del marco jurídico que contempla la Ley de Contratos del Sector Público. En primer lugar, se explica que esta figura está regulada tanto en la Ley de Régimen Jurídico de las Administraciones Públicas y del Procedimiento Administrativo Común y en la Ley de Contratos del Sector Público, y que ambas regulaciones no son contradictorias, sino que hay que cohesionarlas para lograr una adecuada interpretación de esta figura jurídica. En segundo lugar, se estudia la especial casuística que presentan los organismos públicos, según la regulación que de los mismos hace la Ley de Organización y Funcionamiento de la Administración General del Estado. En tercer lugar, se citan tres ejemplos de «entes instrumentales». Por último se definen y se enumeran las características que deben reunir.

o) Las autorizaciones y concesiones sobre bienes de dominio público y los contratos de explotación de bienes patrimoniales distintos a los definidos en el artículo 7, que se regularán por su legislación específica salvo en los casos en que expresamente se declaren de aplicación las prescripciones de la presente Ley.

✍ Informes de la Junta Consultiva de Contratación Administrativa

Informe 10/2010, de 15 de septiembre, de la Junta Consultiva de Contratación Administrativa de la Comunidad Autónoma de Aragón, sobre Procedimiento para la adjudicación de un contrato patrimonial. Necesidad de pliego de condiciones. Las prohibiciones de contratar del artículo 49 LCSP y los contratos patrimoniales celebrados por una entidad local.

p) Los contratos de compraventa, donación, permuta, arrendamiento y demás negocios jurídicos análogos sobre bienes inmuebles, valores negociables y propiedades incorporales, a no ser que recaigan sobre programas de ordenador y deban ser calificados como contratos de suministro o servicios, que tendrán siempre el carácter de contratos privados y se regirán por la legislación patrimonial. En estos contratos no podrán incluirse prestaciones que sean propias de los contratos típicos regulados en la Sección 1.ª del Capítulo II del Título Preliminar, si el valor estimado de las mismas es superior al 50 por 100 del importe total del negocio o si no mantienen con la prestación característica del contrato patrimonial relaciones de vinculación y complementariedad en los términos previstos en el artículo 25; en estos dos supuestos, dichas prestaciones deberán ser objeto de contratación independiente con arreglo a lo establecido en esta Ley.

✍ Informes de la Junta Consultiva de Contratación Administrativa

Informe 25/2008, 3 de noviembre de 2008. Pliego de Cláusulas Administrativas Particulares del contrato administrativo especial de coubicación de equipamientos de telecomunicaciones para la prestación de servicios de telecomunicaciones.

Junta Consultiva de Contratación Administrativa de la Comunidad Autónoma de Aragón

[LA LEY 975/2008]

PLIEGO DE CLÁUSULAS ADMINISTRATIVAS PARTICULARES. Utilización de pliegos tipo de la comunidad autónoma correspondiente en el caso de un contrato para la ubicación de equipamientos para la prestación de servicios de telecomunicaciones mediante procedimiento negociado sin publicidad. CONTRATOS PRIVADOS. Conforme a las prescripciones de la Ley 30/2007, de 30 de octubre, de Contratos del sector Público, se trata de un contrato de arrendamiento, de naturaleza privada que se regirá por la legislación patrimonial. Justificación de la utilización del procedimiento negociado para seleccionar al contratista que facilite el emplazamiento para la ubicación de dichos equipamientos, pero de acuerdo con la legislación patrimonial autonómica al tratarse de un contrato privado.

Informe 7/009, de fecha 30 de septiembre de 2009. Cuestiones que pueden ser sometidas a informe de la junta superior de contratación administrativa. Exclusión de los contratos patrimoniales.

Informe 11/2010, de 23 de julio de 2010, de la Junta Consultiva de Contratación Administrativa. «Dudas de si el retraso en la ejecución de viviendas libres o de protección pública es causa de resolución automática de los contratos. Efectos sobre las obras realizadas.»

Informe 10/2010, de 15 de septiembre, de la Junta Consultiva de Contratación Administrativa de la Comunidad Autónoma de Aragón, sobre Procedimiento para la adjudicación de un contrato patrimonial. Necesidad de pliego de condiciones. Las prohibiciones de contratar del artículo 49 LCSP y los contratos patrimoniales celebrados por una entidad local.

📖 **Doctrina**

— «Régimen jurídico aplicable a los procedimientos y formas de adjudicación de los contratos patrimoniales celebrados por una entidad local». Pleite Guadamillas, Francisco. *Contratación Administrativa Práctica*, N.º 86, Mayo 2009, Editorial LA LEY. [LA LEY 11661/2009]. Se plantea cual es el régimen jurídico aplicable a los procedimientos y formas de adjudicación de los contratos patrimoniales celebrados por una entidad local, teniendo en cuenta lo dispuesto en el artículo en 4.1, letra p), de la Ley de Contratos del Sector Público.

q) Los contratos de servicios y suministro celebrados por los Organismos Públicos de Investigación estatales y los Organismos similares de las Comunidades Autónomas que tengan por objeto prestaciones o productos necesarios para la ejecución de proyectos de investigación, desarrollo e innovación tecnológica o servicios técnicos, cuando la presentación y obtención de resultados derivados de los mismos esté ligada a retornos científicos, tecnológicos o industriales susceptibles de incorporarse al tráfico jurídico y su realización haya sido encomendada a equipos de investigación del Organismo mediante procesos de concurrencia competitiva.

✍ **Informes de la Junta Consultiva de Contratación Administrativa**

Informe 2/2008, de 27 de marzo de 2008, de la Junta Consultiva de Contratación Administrativa de Aragón, sobre el alcance del ámbito subjetivo de aplicación de la Ley 30/2007, de 31 de octubre, de Contratos del Sector Público y régimen de contratación aplicable al Centro de Investigación y Tecnología Agroalimentaria de Aragón (CITA).

Informe 2/2010, de 17 de febrero de 2010, de la Junta Consultiva de Contratación Administrativa de la Comunidad Autónoma de Aragón, sobre exclusión del ámbito de aplicación de la Ley 30/2007, de 30 de octubre, de Contratos del Sector Público, de los contratos celebrados por el Instituto Tecnológico de Aragón por los que se incorpora a un consorcio formado para la preparación y presentación de proyectos de investigación a las convocatorias de la Unión Europea, en virtud de las previsiones del artículo 4.1.q)

r) Los contratos de investigación y desarrollo remunerados íntegramente por el órgano de contratación, siempre que éste comparta con las empresas adjudicatarias los riesgos y los beneficios de la investigación científica y técnica necesaria para desarrollar soluciones innovadoras que superen las disponibles en el mercado. En la adjudicación de estos contratos deberá asegurarse el respeto a los principios de publicidad, concurrencia, transparencia, confidencialidad, igualdad y no discriminación y de elección de la oferta económicamente más ventajosa.

➡ Concordancias normativas

Letra r) del número 1 del artículo 4 introducido por el apartado uno de la disposición final decimosexta de la Ley 2/2011, de 4 de marzo, de Economía Sostenible («B.O.E». 5 marzo).

☞ Concordancias Jurisprudenciales

Dirección General de los Registros y del Notariado, Resolución de 5 Dic. 2011

[LA LEY 265226/2011]

CORPORACIONES LOCALES. Bienes patrimoniales municipales. Adquisición por adjudicación directa en concurso público. Inscripción mediante certificación administrativa del acuerdo del pleno y del decreto de adjudicación. Se deniega. Necesaria formalización de escritura pública. Aplicación al iter administrativo previo a la definitiva adjudicación del contrato de la legislación administrativa, y de la civil a la formalización y generación de efectos que haya de producir dicho contrato. Al tratarse de la adjudicación de un inmueble mediante precio (compraventa), el título formal adecuado para su inscripción es la escritura pública notarial.

Tribunal Superior de Justicia de La Rioja, Sala de lo Contencioso-administrativo, Sentencia de 18 Abr. 2011, rec. 329/2010

[LA LEY 83003/2011]

CONTRATO ADMINISTRATIVO DE OBRAS. La LCSP excluye de su ámbito de aplicación los convenios que celebre la Administración autonómica con las entidades locales, por lo que la aplicación del convenio suscrito entre el Ayuntamiento recurrente y la Comunidad Autónoma, habrá de regirse por sus propias disposiciones.

Audiencia Nacional, Sala de lo Contencioso-administrativo, Sección 3.ª, Sentencia de 17 Feb. 2011, rec. 906/2008

[LA LEY 3988/2011]

AYUDAS A LA FORMACIÓN CONTINUA. El requerimiento de reintegro formulado por la administración del Estado debió ser motivado, bien se apliquen los principios derivados de la legislación contractual del sector público, bien la normativa reguladora de las subvenciones o, en todo caso, la normativa básica administrativa. Procede que la Administración del Estado dicte nuevo acuerdo resolviendo motivadamente, a la vista de las alegaciones formuladas en vía administrativa por el Ayuntamiento.

Tribunal Superior de Justicia del País Vasco, Sala de lo Contencioso-administrativo, Sección 2.ª, Sentencia de 17 Mar. 2010, rec. 644/2009. Ponente: Ruiz Ruiz, Angel.N.º de Sentencia: 186/2010 N.º de Recurso: 644/2009

[LA LEY 211773/2010]

EMPRESAS PÚBLICAS. CA País Vasco. Impugnación del Decreto 50/2009, de 24 Feb., de modificación del Decreto por el que se adscribe a la Sociedad Anónima Pública NEIKER, Instituto Vasco de Investigación y Desarrollo Agrario, parte de la gestión del Servicio de Semillas y Plantas de Vivero, y del Decreto por el que se adscribe la gestión del Servicio de Investigación Agroalimentaria a la Sociedad Pública AZTI A. B., por el cambio de naturaleza jurídica de sociedad pública a fundación pública. Revisión y adaptación respecto de la reversión de los servicios, en caso de pérdida de la condición de sociedad pública. Modificación sustancial de la cláusula de salvaguardia de empleo, en caso de la pérdida de la condición de sociedad pública. DISPOSICIONES DE CARÁCTER GENERAL. Potestad reglamentaria y control judicial. Obligatoriedad de la negociación en la regulación y modificación de las condiciones de trabajo, exceptuada en cuanto no es un supuesto de regulación de circunstancias que repercutan en la forma en la que desempeña el trabajo, en puestos de trabajo determinados. Inexistencia de expresa cesión o sucesión por una fundación del sector público. Inexistencia de desviación de poder y no exclusión de la cláusula de salvaguardia de retorno a la Administración Vasca.

Tribunal Superior de Justicia de La Rioja, Sala de lo Contencioso-administrativo, Sentencia de 14 Jun. 2010, rec. 141/2009

[LA LEY 141389/2010]

URBANISMO. Régimen urbanístico del suelo. Instrumentos de intervención en el mercado del suelo. -- Régimen urbanístico del suelo. Actuaciones de transformación urbanística. -- Planeamiento urbanístico. Estudios de detalle. Generalidades. -- Planeamiento urbanístico. Proyectos de urbanización. Generalidades. -- Planeamiento urbanístico. Proyectos de urbanización. Finalidad. -- Planeamiento urbanístico. Programas de actuación urbanística. Generalidades.

Audiencia Nacional, Sala de lo Contencioso-administrativo, Sección 5.ª, Sentencia de 3 Mar. 2010, rec. 1215/2008. Ponente: Gil Ibáñez, José Luis. N.º de Recurso: 1215/2008

[LA LEY 6205/2010]

CONTRATOS ADMINISTRATIVOS. Convenios de colaboración para la implantación y utilización en España de sistema de recuperación de vehículos robados. ACTO ADMINISTRATIVO. Revisión de oficio. Conformidad a derecho de la denegación. Inexistencia de nulidad de pleno derecho por la omisión del procedimiento. El Convenio no constituye un «acto administrativo» estricto sensu, dado que a su producción ha contribuido la declaración de la Administración y, también, la de una persona jurídica privada. Se trata de una figura convencional, calificable como negocio jurídico, pero distinta de la contractual. El objeto del Convenio no está comprendido en ninguno de los contratos regulados en la Ley o en normas administrativas especiales, sin que tampoco el examen de sus estipulaciones permita inferir una figura contractual. Lo perseguido con el Convenio es que la persona jurídico privada y la Administración actúen coordinadamente en la función de localización de vehículos, una vez activada la correspondiente señal y presentada la oportuna denuncia.

Audiencia Provincial de Huelva, Sección 2.ª, Auto de 19 May. 2008, rec. 109/2008

[LA LEY 228595/2008]

ADMINISTRACIÓN LOCAL. Entidades locales. Actividades y servicios. COMPETENCIA JUDICIAL. Civil. Civil objetiva. Por razón de la materia. PRÉSTAMO. Simple préstamo. PROCESO CIVIL. Procesos especiales. Proceso monitorio. Competencia. PROCESO CONTENCIOSO-ADMINISTRATIVO. Regulación.

⊠ **Consultas**

• **Naturaleza de la contratación de la explotación de quiosco en bien demanial**

¿Cuál es el mejor modo de licitar la explotación de un bar-cafetería, situado en un parque municipal clasificado como bien demanial?

[05/06/2012   EC 1309/2012]

Contestación

Las prestaciones objeto de estos contratos son de una naturaleza tal que su calificación es difícil muchas veces de encajar en los tipos contractuales; habiendo sido objeto de numerosos informes de los órganos consultivos.

Hasta la publicación de la Ley 30/2007, de 30 de octubre (LA LEY 10868/2007) (BOE del 31), de Contratos del Sector Público (LCSP), la Junta Consultiva de Contratación Administrativa mantuvo que «reiterando criterios anteriores los servicios de cafetería y comedor deben configurarse como contratos administrativos especiales» [Informes de la Junta Consultiva de Contratación del Ministerio de Economía y Hacienda de 10 de julio de 1991 (expediente 14/1991), de 7 de marzo de 1996 (expediente 5/1996), de 6 de julio de 2000 (expediente 67/1999) y de 29 de junio de 2006 (expediente 24/2005)]. No obstante, para estos casos, la JCCA (Informe 38/2005, de 26 de octubre de 2005) consideraba que la figura de los contratos menores no resultaba aplicable a los contratos administrativos especiales; por resultar incompatible con el régimen jurídico tal como resultaba del art. 8 de la Ley de Contratos de las Administraciones

Públicas. Esta figura aún se sigue utilizando, y como ejemplo reciente puede consultarse el BOCYL de 14 de mayo de 2012, en el que aparece el anuncio de la licitación de la Cafetería-Restaurante y máquinas expendedoras de la Junta de Castilla y León.

Sin embargo, la regulación que la LCSP (LA LEY 10868/2007) hizo de los contratos típicos y de los administrativos especiales hizo que sus relaciones se reinterpretaran. Así, el Informe 19/2008, de la Junta Consultiva de Contratación Administrativa de Aragón (LA LEY 970/2008), afirma que «en una primera observación de carácter sustantivo podemos comprobar cómo de la actual regulación de la categoría del contrato administrativo especial se desprende el carácter residual del mismo, primando la tipificación». La Junta concluye que estamos, por tanto, ante prestaciones que deben ser calificadas como contratos de servicios; estableciendo: «que los contratos cuyo objeto es la prestación de servicios de bar, cafetería y comedor en las instalaciones clasificadas como «bares», «cafeterías» y «comedores», deben entenderse incluidos en la categoría 17 «Servicios de hostelería y restaurante» del Anexo II de la LCSP (LA LEY 10868/2007) relativo a los contratos de servicios». En ese mismo sentido, el Informe 9/2009, de la Junta Superior de Contratación administrativa de la Generalitat Valenciana.

Doctrinalmente existen varios autores que mantienen esta misma tesis. Así Pilar *Jiménez Rius*, (*Vademécum de la Administración Local. Las 1.040 preguntas y respuestas esenciales*, El Consultor 2011), señala lo siguiente: «De acuerdo con el régimen vigente en la actualidad, el art. 10 de la LCSP (LA LEY 10868/2007) dispone que son contratos de servicios aquellos cuyo objeto son prestaciones de hacer consistente en el desarrollo de una actividad o dirigidas a la obtención de un resultado distinto de una obra o un suministro. A efectos de aplicación de esta Ley, los contratos de servicios se dividen en las categorías enumeradas en el Anexo II, recogiendo en su apartado 17 los contratos que tienen por objeto los servicios de cafetería y hostelería. Por lo que en principio, no cabe duda de que el contrato de cafetería mencionado es un contrato de servicios». También Isabel *Gallego Córcoles*, (Contratación Administrativa Práctica, n.º 100, de 2010, completado con otro en el número siguiente de esa revista), cuestiona la anterior ampliación del objeto de los contratos administrativos especiales.

Sin embargo, hemos de tener en cuenta que la Junta Consultiva de Contratación Administrativa ha publicado más recientemente dos informes en los que afirma su carácter de concesión de servicios. En el Informe 49/2009, de 26 de febrero de 2010, en relación a la calificación de un contrato cuyo objeto es la construcción dentro de un bien de dominio público de las instalaciones precisas para explotar un servicio de hostelería, la Junta Consultiva de Contratación Administrativa dictamina que el contrato es una concesión de servicios, afirmando que «la prestación del servicio de restauración constituye el objeto fundamental del contrato, siendo meramente accesorio el hecho de que deba acondicionarse el recinto para la prestación del mismo». En la misma línea, el Informe 32/10, de 24 de noviembre de 2010, del mismo órgano consultivo, sobre calificación de un contrato cuyo objeto es la cesión a un particular de las instalaciones construidas sobre terrenos de dominio público con objeto de que proceda a la explotación de una serie de servicios destinados al público, concluye que dicho negocio jurídico es una concesión de servicios.

Sigue, de esta manera, la línea de la Jurisprudencia Comunitaria (las conclusiones del Abogado General presentadas el 2 de junio de 2009 en el Asunto C-196/08 recogen las definiciones del contrato de servicios y de la concesión de servicios, en un intento de distinguir estas figuras con límites a veces difíciles de precisar), afirmando que «es evidente que el objeto de cualquier concesión de servicios podrá ser prestado a través de un contrato de servicios, pero no todos los que son susceptibles de constituir el objeto de un contrato de servicios pueden serlo de una concesión de servicios» (Informe 32/10, de 24 de noviembre de 2010). Son, por tanto, dos figuras muy similares, y la auténtica distinción entre ambas será que el pliego de condiciones traspase el riesgo de la demanda en la explotación al contratista, cuando la modalidad de retribución convenida consista en el derecho del prestador a explotar su propia prestación y suponga que éste asume el riesgo vinculado a la explotación de los servicios de que se trata. En esta misma línea pueden consultarse la sentencia de 7 de diciembre de 2000, Telaustria y Telefonadress, C-324/1998 (LA LEY 223868/2000), Rec.p. I-10745, apartado 58, y el auto de 30 de mayo de 2002, Buchhändler-Vereinigung, C-358/00, Rec. p. I-4685, apartados 27 y 28, así como la sentencia Parking Brixen, apartado 40.

Por ello, la JCCA en su informe de 12/2010, de 23 de julio, afirma que los contratos administrativos especiales serán subsidiarios de los contratos de servicios y de gestión de servicios públicos: dado un objeto contractual, si en el planteamiento para su licitación existe traslación del riesgo de la demanda (su retribución se establece de un modo cierto, variable e independientemente del grado de utilización del servicio por los usuarios) en la explotación de la actividad de la que se trate estaremos ante un contrato de gestión de servicios públicos. Si no se cumplen las anteriores condiciones, pero se trata de una actividad de las relacionadas en el anexo II del TRLCSP (LA LEY 21158/2011), podremos calificarlo como contrato de servicios, y sólo en el caso en que no sea posible ni uno ni otro, el contrato de que se trate puede ser calificado como administrativo especial (si está vinculado al giro o tráfico propio de la Administración).

En cuanto a la figura de la concesión demanial, no debemos olvidar que, paradójicamente, y a pesar de que el art. 26.1.b de la Ley 7/1985, de 2 de abril (LA LEY 847/1985) (BOE del 3), Reguladora de las Bases del Régimen Local (LRBRL (LA LEY 847/1985)) recoge el servicio de mercado como obligatorio en todos los municipios de más de 5.000 habitantes, es poco frecuente que se realice un expediente de contratación de su gestión de manera indirecta; siendo la figura más utilizada para su organización la concesión demanial para la actividad de que se trata. Con esta concesión, la vinculación del Ayuntamiento con la actividad se limita a un control genérico del cumplimiento, por parte del concesionario, de las obligaciones que se le impongan en la concesión.

Además, las concesiones demaniales no padecen las gravosas consecuencias que puede implicar para el Ayuntamiento un contrato de gestión de servicios públicos, a través del principio de mantenimiento del equilibrio económico del contrato. También hay que recordar que es más sencillo tramitar una concesión demanial que una concesión de servicio público; ya que no exigen todos los actos preparatorios precisos para la gestión indirecta de un servicio público (municipalización, reglamento del servicio, estudio económico, pliegos técnico y administrativo, etc.). Sería importante plantearse, en este momento en el que se plantea el cierre de las competencias municipales y su mantenimiento en los estrictos términos de lo que pueda financiar sin duplicidades, si el ejercicio de la actividad empresarial en estos ámbitos de la restauración en directa competencia con el sector privado no será un lujo prescindible.

En relación con los mercados municipales, la jurisprudencia unas veces ha caracterizado y tipificado esta relación como contrato de arrendamiento y otras como concesión demonial. En principio, la tesis predominante, reflejada en la STS de 24 de noviembre de 1978, afirmaba que «los denominados permisos de ocupación de los puestos del mercado no alcanzan ni con mucho la categoría de concesiones administrativas, sino de simple arrendamiento de locales o bancas del mercado sujetos al régimen arrendaticio general con las especialidades inherentes al carácter público del arrendador y de la instalación afecta a un servicio público». No obstante, la jurisprudencia posterior cambia de interpretación, y ya la STS de 21 de febrero de 1979 (Ponente: Díaz Eimil) declaró que las especificidades propias del contrato lo apartan del ámbito civil y le confieren una naturaleza claramente administrativa al otorgarse carácter administrativo a aquellos contratos que se refieren o afectan a un servicio público. Ya en esta línea, la STS de 25 de junio de 1982 (Ponente: Pérez Gimeno) afirma que «la concesionaria no es propietaria de tales locales ni tiene título alguno que le faculte para ostentar la cualidad de arrendadora de los mismos, así como la naturaleza jurídica de los bienes afectos a un servicio público excluye toda posibilidad de un arrendamiento sometido a la LAU y finalmente la conversión de la concesión en un arrendamiento de local de negocio, que el aceptar la tesis del actos conllevaría, es de todo punto rechazable». Por ello, la jurisprudencia posterior no duda en afirmar que las concesiones de puestos en los mercados municipales de abastos son ciertamente concesiones; pero no son concesiones de servicio público, sino concesiones sobre bienes de dominio público.

En el Dictamen 174/2010, de 24 de marzo de 2010 (LA LEY 197/2010), del Consejo Consultivo de Canarias, en relación con la Propuesta de Resolución por la que se acuerda el rescate de la concesión administrativa de la explotación comercial del Kiosco-Bar, admite que no se trata de un contrato de concesión de un servicio público, sino de un uso privativo de la superficie vial ocupado por el quiosco.

Por lo tanto, entendemos que la explotación de un quiosco ubicado en un parque municipal (bien de dominio público, uso público) supone un uso privativo del dominio público; por lo que la figura que ha de cobijar dicha explotación es la concesión demanial. De acuerdo con lo establecido en el art. 74.1 del Reglamento de Bienes de las Entidades Locales (RB), aprobado por Real Decreto 1372/1986, de 13 de junio (LA LEY 1516/1986) (BOE de 7 de julio), esta concesión se rige por dicho Reglamento (arts. 78 y siguientes). La remisión que hace este Reglamento a la normativa contractual se ha de entender derogada por lo dispuesto en el art. 4.1.o del TRLCSP (LA LEY 21158/2011) (disposición derogatoria única de la LCSP (LA LEY 10868/2007)); siendo de aplicación, no obstante, los principios generales de esta Ley, de acuerdo con el apartado 2 de este art. 4. Se ha de tener también presente, de existir, la normativa autonómica sobre bienes locales, además del RB; y, supletoriamente, la Ley 33/2003, de 3 de noviembre (LA LEY 1671/2003) (EC 4127/2003), del Patrimonio de las Administraciones Públicas (LPAP), su reglamento de desarrollo [Real

Decreto 1373/2009, de 28 de agosto (LA LEY 16668/2009) (BOE de 18 de septiembre)] y la normativa autonómica correspondiente sobre patrimonio.

2. Los contratos, negocios y relaciones jurídicas enumerados en el apartado anterior se regularán por sus normas especiales, aplicándose los principios de esta Ley para resolver las dudas y lagunas que pudieran presentarse.

Concordancias a todo el artículo

➡ **Concordancias normativas**

Artículo 4 de la LCSP 30/2007 y artículo 3 del TRLCAP RDL 2/2000.

Véase artículo 24.6 de la presente Ley.

☞ **Concordancias Jurisprudenciales**

Tribunal Superior de Justicia de La Rioja, Sala de lo Contencioso-administrativo, Sentencia de 18 Abr. 2011, rec. 329/2010. Ponente: Crespo Arce, María Elena. N.º de Sentencia: 161/2011 N.º de Recurso: 329/2010

[LA LEY 83003/2011]

CONTRATO ADMINISTRATIVO DE OBRAS. La LCSP excluye de su ámbito de aplicación los convenios que celebre la Administración autonómica con las entidades locales, por lo que la aplicación del convenio suscrito entre el Ayuntamiento recurrente y la Comunidad Autónoma, habrá de regirse por sus propias disposiciones.

✍ **Informes de la Junta Consultiva de Contratación Administrativa**

Informe 8/2009, de 24 de septiembre de 2009, de la Junta Consultiva de Contratación Administrativa, sobre procedimiento de selección de mutuas de accidentes de trabajo y enfermedades profesionales de la Seguridad Social.

Informe 7/009, de fecha 30 de septiembre de 2009. Cuestiones que pueden ser sometidas a informe de la junta superior de contratación administrativa. Exclusión de los contratos patrimoniales.

Informe 10/2010, de 15 de septiembre, de la Junta Consultiva de Contratación Administrativa de la Comunidad Autónoma de Aragón, sobre

Procedimiento para la adjudicación de un contrato patrimonial. Necesidad de pliego de condiciones. Las prohibiciones de contratar del artículo 49 LCSP y los contratos patrimoniales celebrados por una entidad local.

CAPÍTULO II

Contratos del sector público

Sección 1

Delimitación de los tipos contractuales

Artículo 5 *Calificación de los contratos*

1. Los contratos de obras, concesión de obras públicas, gestión de servicios públicos, suministro, servicios y de colaboración entre el sector público y el sector privado que celebren los entes, organismos y entidades pertenecientes al sector público se calificarán de acuerdo con las normas contenidas en la presente sección.

☞ **Concordancias Jurisprudenciales**

Tribunal Superior de Justicia de Madrid, Sala de lo Social, Sección 5.ª, Sentencia de 10 Mar. 2011, rec. 2878/2010

[LA LEY 40968/2011]

CONTRATO DE TRABAJO. Criterios fundamentales de calificación de la relación como laboral. En general. CONTRATOS TEMPORALES. Contratos celebrados por la Administración. Sometimiento a las reglas de la contratación laboral. En general. PROCESO LABORAL. Proceso ordinario. Objeto del proceso. Acciones declarativas.

2. Los restantes contratos del sector público se calificarán según las normas de derecho administrativo o de derecho privado que les sean de aplicación.

✉   **Consultas**

• **Posible constitución de servidumbre para poder disponer del agua y conducirla por fincas ajenas**

El Ayuntamiento quiere comprar una parcela porque en ella existe una captación de agua potable, pero no está inscrita en el Registro. ¿Cómo debemos proceder para su compra y para constituir una servidumbre para conducir el agua por fincas ajenas?

[10/06/2010. EC 1837/2010]

Contestación

A la adquisición de bienes mediante contrato se refiere el art. 11 del Reglamento de Bienes de las Entidades Locales (RB), aprobado por Real Decreto 1372/1986, de 13 de junio (LA LEY 1516/1986) (BOE de 7 de julio). El contrato de compraventa es un contrato privado [arts. 5.2 y 20.3 de la Ley 30/2007, de 30 de octubre (LA LEY 10868/2007) (BOE del 31), de Contratos del Sector Público (LCSP)], sin perjuicio de que su preparación y adjudicación, en cuanto elementos formales separables, vengan regulados en el ordenamiento administrativo (art. 20.2 LCSP).

Las adquisiciones a título oneroso exigen previo informe pericial, que no sólo tiene por objeto valorar el bien —con determinación del precio de adquisición— sino también justificar, atendiendo a las circunstancias de éste (localización, descripción, titulación etc.), la razón o razones determinantes de la procedencia o conveniencia de su adquisición. En su caso, además, deberá emitirse informe jurídico en el que se analicen lar razones que impiden su constancia en el Registro y su posible solución y, en definitiva, los problemas de titularidad.

A la vista de ello, deberán determinar la procedencia de la adquisición de la parcela. Hay que hacer constar que la inscripción en el Registro de las fincas no es obligatoria para los particulares o personas privadas, por lo que el no contar en él no constituye impedimento para su posible venta y adquisición, mucho más si el propietario lo es en virtud de título público como es la Escritura. Sí deberán concretar si los inconvenientes y defectos que han impedido su acceso al Registro son subsanables y en qué forma, puesto que el Ayuntamiento tiene obligación de inscribir una vez adquirido el bien.

El procedimiento a través del cual debe instrumentarse la adquisición es el concurso o excepcionalmente la adquisición directa, por el procedimiento negociado, fundamentándose en los supuestos generales contenidos en el art. 154 LCSP y el específico del art. 159 por razón de la cuantía.

En cuanto al problema de la servidumbre de acueducto y paso, nos remitimos a los arts. 47 (LA LEY 1110/2001) y siguientes del Real Decreto Legislativo 1/2001, de 20 de julio (BOE del 24), por el que se aprueba el texto refundido de la Ley de Aguas; 18 y siguientes del Reglamento del Dominio Público Hidráulico, aprobado por Real Decreto 849/1986, de 11 de abril (LA LEY 877/1986) de 1986 (BOE del 30); y 557 a 561 del Código Civil. El art. 18.2 del Reglamento citado establece una jerarquía normativa, a saber, la Ley de Aguas, el Reglamento y subsidiariamente el Código Civil. El art. 48.1 del Texto refundido de la Ley de Aguas dispone que: «Los organismos de cuenca podrán imponer, con arreglo a lo dispuesto en el Código Civil y en el Reglamento de esta Ley, la servidumbre forzosa de acueducto, si el aprovechamiento del recurso o su evacuación lo exigiera». Se trata de una servidumbre de constitución administrativa, no judicial (art. 36 y siguientes del Reglamento del Dominio Público Hidráulico).

La servidumbre de acueducto puede imponerse tanto cuando el agua se destine a algún servicio público como cuando tenga por finalidad un interés particular.

Como regla, el órgano competente para resolver sobre la solicitud de imposición de servidumbre de acueducto y paso lo es el organismo de cuenca, donde deberán presentar la correspondiente solicitud, acompañando los correspondientes títulos jurídicos, planos, etc. El establecimiento de la servidumbre forzosa de acueducto exigirá el previo abono de la indemnización que corresponda, de acuerdo con lo dispuesto en la legislación de expropiación forzosa (art. 25 del Reglamento del Dominio Público Hidráulico).

Concordancias a todo el artículo

➡ Concordancias normativas

Artículo 5 de la LCSP 30/2007 y artículo 5 del TRLCAP RDL 2/2000.

☞ Concordancias Jurisprudenciales

Tribunal Superior de Justicia de Madrid, Sala de lo Social, Sección 6.ª, Sentencia de 16 May. 2011, rec. 5950/2010

[LA LEY 93081/2011]

JURISDICCIÓN LABORAL. Competencia por el carácter de la relación laboral. La calificación de la relación como laboral o administrativa en una acción declarativa, con la consecuencia de la atribución jurisdiccional a uno u otro orden, ha de realizarse en función de la última de las vinculaciones.

Tribunal Superior de Justicia de Madrid, Sala de lo Social, Sección 5.ª, Sentencia de 10 Mar. 2011, rec. 2878/2010

[LA LEY 40968/2011]

CONTRATO DE TRABAJO. Criterios fundamentales de calificación de la relación como laboral. En general. CONTRATOS TEMPORALES. Contratos celebrados por la Administración. Sometimiento a las reglas de la contratación laboral. En general. PROCESO LABORAL. Proceso ordinario. Objeto del proceso. Acciones declarativas.

Tribunal Superior de Justicia de Madrid, Sala de lo Social, Sección 1.ª, Sentencia de 25 Mar. 2011, rec. 6268/2010

[LA LEY 40808/2011]

CONTRATOS TEMPORALES. Contratos celebrados por la Administración. Sometimiento a las reglas de la contratación laboral. En general. JURISDICCIÓN LABORAL. Competencia por el carácter de la relación de trabajo. Relación laboral. PROCESO LABORAL. Proceso por despido. Sentencia. El fallo.

Tribunal Superior de Justicia de Madrid, Sala de lo Social, Sección 1.ª, Sentencia de 4 Mar. 2011, rec. 5961/2010

[LA LEY 25121/2011]

CESIÓN DE TRABAJADORES. Inexistencia de cesión. Cesión de trabajadores entre sujetos públicos que cooperan entre sí. CONTRATOS TEMPORALES. Contratos celebrados por la Administración. Sometimiento a las reglas de la contratación laboral. En general. PROCESO LABORAL. Proceso por despido. Sentencia. El fallo.

Audiencia Provincial de Valencia, Sección 11.ª, Sentencia de 29 Jul. 2009, rec. 256/2009

[LA LEY 217199/2009]

CONTRATO DE SEGURO. Contenido. Objeto: el riesgo. -- Contenido. Indemnización. -- Contenido. Interpretación. -- Obligaciones de las partes. -- En particular. Seguro contra el robo. NOTIFICACIONES. Notificaciones en el ámbito del derecho privado.

✉ **Consultas**

• **Posible constitución de servidumbre para poder disponer del agua y conducirla por fincas ajenas**

El Ayuntamiento quiere comprar una parcela porque en ella existe una captación de agua potable, pero no está inscrita en el Registro. ¿Cómo debemos proceder para su compra y para constituir una servidumbre para conducir el agua por fincas ajenas?

[10/06/2010 EC 1837/2010]

Contestación

A la adquisición de bienes mediante contrato se refiere el art. 11 del Reglamento de Bienes de las Entidades Locales (RB), aprobado por Real Decreto 1372/1986, de 13 de junio (LA LEY 1516/1986) (BOE de 7 de julio). El contrato de compraventa es un contrato privado [arts. 5.2 y 20.3 de la Ley 30/2007, de 30 de octubre (LA LEY 10868/2007) (BOE del 31), de Contratos del Sector Público (LCSP)], sin perjuicio de que su preparación y adjudicación, en cuanto elementos formales separables, vengan regulados en el ordenamiento administrativo (art. 20.2 LCSP).

Las adquisiciones a título oneroso exigen previo informe pericial, que no sólo tiene por objeto valorar el bien —con determinación del precio de adquisición— sino también justificar, atendiendo a las circunstancias de éste (localización, descripción, titulación etc.), la razón o razones determinantes de la procedencia o conveniencia de su adquisición. En su caso, además, deberá emitirse informe jurídico en el que se analicen lar razones que impiden su constancia en el Registro y su posible solución y, en definitiva, los problemas de titularidad.

A la vista de ello, deberán determinar la procedencia de la adquisición de la parcela. Hay que hacer constar que la inscripción en el Registro de las fincas no es obligatoria para los particulares o personas privadas, por lo que el no contar en él no constituye impedimento para su posible venta y adquisición, mucho más si el propietario lo es en virtud de título público como es la Escritura. Sí deberán concretar si los inconvenientes y defectos que han impedido su acceso al Registro son subsanables y en qué forma, puesto que el Ayuntamiento tiene obligación de inscribir una vez adquirido el bien.

El procedimiento a través del cual debe instrumentarse la adquisición es el concurso o excepcionalmente la adquisición directa, por el procedimiento negociado, fundamentándose en los supuestos generales contenidos en el art. 154 LCSP y el específico del art. 159 por razón de la cuantía.

En cuanto al problema de la servidumbre de acueducto y paso, nos remitimos a los arts. 47 (LA LEY 1110/2001) y siguientes del Real Decreto Legislativo 1/2001, de 20 de julio (BOE del 24), por el que se aprueba el texto refundido de la Ley de Aguas; 18 y siguientes del Reglamento del Dominio Público Hidráulico, aprobado por Real Decreto 849/1986, de 11 de abril (LA LEY 877/1986) de 1986 (BOE del 30); y 557 a 561 del Código Civil. El art. 18.2 del Reglamento citado establece una jerarquía normativa, a saber, la Ley de Aguas, el Reglamento y subsidiariamente el Código Civil. El art. 48.1 del Texto refundido de la Ley de Aguas dispone que: «Los organismos de cuenca podrán imponer, con arreglo a lo dispuesto en el Código Civil y en el Reglamento de esta Ley, la servidumbre forzosa de acueducto, si el aprovechamiento del recurso o su evacuación lo exigiera». Se trata de una servidumbre de constitución administrativa, no judicial (art. 36 y siguientes del Reglamento del Dominio Público Hidráulico).

La servidumbre de acueducto puede imponerse tanto cuando el agua se destine a algún servicio público como cuando tenga por finalidad un interés particular.

Como regla, el órgano competente para resolver sobre la solicitud de imposición de servidumbre de acueducto y paso lo es el organismo de cuenca, donde deberán presentar la correspondiente solicitud, acompañando los correspondientes títulos jurídicos, planos, etc. El establecimiento de la servidumbre forzosa de acueducto exigirá el previo abono de la indemnización que corresponda, de acuerdo con lo dispuesto en la legislación de expropiación forzosa (art. 25 del Reglamento del Dominio Público Hidráulico).

- **Tipos de contratos que pueden celebrar los poderes adjudicadores**

¿Está al alcance de los poderes públicos la celebración de los contratos administrativos típicos?

[29/07/2008]

Ver respuesta en artículo 3

• La redacción del PGOU para una entidad local es objeto de un contrato de servicios que podría adjudicarse mediante un concurso de proyectos.

¿En qué figura contractual de la nueva LCSP se encuadraría la contratación de una empresa consultora para la elaboración de un Plan General de Urbanismo? ¿Contrato de servicios o concurso de proyectos?

[30/05/2008 EC 1733/2008]

Contestación

La Ley 30/2007, de 30 de octubre (EC 3697/2007), de Contratos del Sector Público (LCSP), en su art. 5 determina que los contratos que celebre el sector público se calificarán de acuerdo a las normas contenidas en los arts. 5 a 12, donde se definen los contratos de obras, concesión de obras públicas, gestión de servicios públicos, suministro, servicios y de colaboración entre el sector público y el sector privado. Antes de iniciar cualquier procedimiento de adjudicación de un contrato debe quedar perfectamente definido su objeto para así poder delimitar el tipo contractual que corresponde al objeto de la prestación que se desea contratar, de acuerdo con lo establecido en los arts. 74 y 100 a 102 de la misma Ley.

El art. 10 LCSP define el contrato de servicios como aquel «cuyo objeto son prestaciones de hacer consistentes en el desarrollo de una actividad o dirigidos a la obtención de un resultado distinto a una obra de suministro». La ambigüedad de esta definición intenta paliarse con una remisión a las categorías enumeradas en el anexo II de la Ley, en la que figura, dentro del número 12, «Servicios de planificación urbana y de arquitectura paisajista». El Reglamento (CE) N.º 213/2008 de la Comisión de 28 de noviembre de 2007 que modifica el Reglamento (CE) n.º 2195/2002 del Parlamento Europeo y del Consejo, por el que se aprueba el Vocabulario común de contratos públicos (CPV), y las Directivas 2004/17/CE y 2004/18/CE del Parlamento Europeo y del Consejo sobre los procedimientos de los contratos públicos, en lo referente a la revisión del CPV (DOUE de 15 de marzo de 2008), modifica los anexos I y II de la D. 2004/18 y por lo tanto los de la LCSP (a partir del 15 de septiembre de 2008). Este Reglamento mantiene la citada categoría 12 de «Servicios de planificación urbana y de arquitectura paisajista», que engloba los Servicios de urbanismo bajo el código CPV 86741 71410000-5.

Por otra parte, el art. 122 LCSP determina que existen seis procedimientos para la adjudicación de los distintos contratos y se refiere en su apartado 4 a los «concursos de proyectos», remitiéndose a la regulación del procedimiento en los arts. 168 a 172. El régimen de la nueva LCSP, aunque más clarificado que el del antiguo TR LCAP (arts. 216 a 219) se asimila conceptualmente al mismo. El concurso de proyectos no es, por lo tanto, un tipo de contrato sino una forma de adjudicar contratos. En el apartado primero del art. 168 se definen los concursos de proyectos como «los procedimientos encaminados a la obtención de planos o proyectos, principalmente en los campos de la arquitectura, el urbanismo, la ingeniería y el procesamiento de datos, a través de una selección que, tras la correspondiente licitación, se encomienda a un jurado». Estos concursos pueden ser de dos tipos:

• El organizado para adjudicar un contrato de servicios.

• El que conlleva primas de participación a los candidatos.

La elaboración de un Plan General Municipal de Ordenación Urbana no consiste simplemente en elaborar unos planos o proyectos sino que es un documento mucho más complejo en su contenido y en su tramitación; de hecho, los contratos que se realizan para elaborar PGOU suelen incluir actuaciones del adjudicatario en cada una de las fases del procedimiento de aprobación del mismo, realizando materialmente la exposición al público, resolviendo las alegaciones, etc. Por ello consideramos que el tipo contractual en el que encaja este objeto es un contrato de servicios de los definidos en el art. 10 LCSP. Para el TR LCAP este objeto contractual era más bien propio de un contrato de consultoría y asistencia [art. 196.2.a) y b).2] y así los tipifica la Junta Consultiva de Contratación Administrativa en su Informe 56/00, de 5 de marzo. El contrato de consultoría y asistencia desaparece en la LCSP, quedando subsumido su objeto dentro de los contratos de servicios, al no distinguir esta categoría de los de consultoría y asistencia la Directiva 2004/18/CE del Parlamento Europeo y del Consejo de 31 de marzo de 2004 sobre coordinación de los procedimientos de adjudicación de los contratos públicos de obras, de suministro y de servicios, Directiva que recoge los trabajos de planeamiento urbanístico dentro de los trabajos en su Anexo II como contrato de servicios.

Otra cuestión es cómo se adjudica el contrato de servicios en cuestión, pues puede hacerse por cualquiera de los procedimientos previstos en el art. 122 LCSP (abierto, restringido, negociado, menor, diálogo competitivo o concurso de proyectos). El concurso de proyectos que se regula en los arts. 168 a 172, como ya se ha dicho, suele utilizarse cuando deben considerarse cuestiones de tipo artístico u otras similares, que valora un jurado independiente, y es un procedimiento más largo que un procedimiento abierto, pero podría articularse un concurso de proyectos, en principio, para adjudicar cualquier contrato de servicios como se deduce de lo establecido en el apartado 1.a del art. 168 LCSP.

Artículo 6 *Contrato de obras*

1. Son contratos de obras aquellos que tienen por objeto la realización de una obra o la ejecución de alguno de los trabajos enumerados en el Anexo I o la realización por cualquier medio de una obra que responda a las necesidades especificadas por la entidad del sector público contratante. Además de estas prestaciones, el contrato podrá comprender, en su caso, la redacción del correspondiente proyecto.

2. Por «obra» se entenderá el resultado de un conjunto de trabajos de construcción o de ingeniería civil, destinado a cumplir por sí mismo una función económica o técnica, que tenga por objeto un bien inmueble.

Concordancias a todo el artículo

➡ **Concordancias normativas**

Artículo 6 de la LCSP 30/2007 y artículo 120 del TRLCAP RDL 2/2000.

Véanse Artículos 14, 74.3, 105 a 110, 155 y 212 a 222 de la Ley 30/2007, de 30 de octubre, de Contratos del Sector Público. — Artículo 119 del R.D. 1098/2001, de 12 de octubre, por el que se aprueba el Reglamento general de la Ley de Contratos de las Administraciones Públicas («B.O.E». 26 octubre).

☞ **Concordancias Jurisprudenciales**

Tribunal Superior de Justicia del Principado de Asturias, Sala de lo Contencioso-administrativo, Sección 1.ª, Sentencia de 30 Sep. 2011, rec. 116/2009

[LA LEY 196303/2011]

COMPETENCIA JUDICIAL. Falta de jurisdicción de la Sala de lo contencioso-administrativo por ser competencia de la jurisdicción civil. El objeto del recurso lo constituye la impugnación de la encomienda o encomiendas realizadas por la Consejería de Administraciones Públicas a una empresa pública para la instalación y puesta en funcionamiento de la TDT en aquellos centros o emplazamientos de difusión de televisión de titularidad pública, así como la convocatoria de los procedimientos de licitación para la contratación de la extensión de la cobertura de la TDT desde centros de radiodifusión. Competencia de la jurisdicción civil para conocer de cuantas cuestiones litigiosas afecten a la preparación y adjudicación de los contratos privados que se celebren por los entes y entidades que no tengan el carácter de Administración Pública, siempre que estos contratos no estén sujetos a regulación armonizada.

Tribunal Superior de Justicia de Madrid, Sala de lo Contencioso-administrativo, Sección 3.ª, Sentencia de 28 Mar. 2011, rec. 64/2011

[LA LEY 182069/2011]

CONTRATO ADMINISTRATIVO DE OBRAS. Improcedencia de la indemnización reclamada por la empresa contratista al Ayuntamiento contratante por incremento extraordinario de costes de transporte de materiales soportados por la realización de las obras adjudicadas. Creación de un nuevo impuesto por la L 6/2003 que establece una tarifa por metro cúbico de residuos procedentes de construcción y demolición. Aunque es cierto que ese nuevo impuesto constituye un hecho que altera el precio que razonablemente el contratista había previsto en su proyecto de licitación —riesgo imprevisible—, su entrada en vigor fue anterior a la firma del contrato, y la recurrente no puede excusarse en el desconocimiento de su aplicación, pues suscribió el contrato sin realizar salvedad alguna ni reservas, y sin prever futuras actualizaciones ni revisiones de precios, siendo además que el contrato debía cumplirse a riesgo y ventura del contratista.

✍   **Informes de la Junta Consultiva de Contratación Administrativa**

Informe 6/2010, de 7 de julio, de la Comisión Consultiva de Contratación Administrativa de la Junta de Andalucía, sobre la posibilidad de que las sociedades de capital íntegramente municipal puedan otorgar contratos de concesión de obra pública.

Informe 9/2010, de 15 de septiembre de 2010, de la Junta Consultiva de Contratación Administrativa de la Comunidad Autónoma de Aragón, sobre «Consideraciones sobre la posibilidad de que la empresa redactora de un proyecto pueda presentar ofertas en el procedimiento de contratación de la dirección de las obras.»

Informe 12/2010, de 3 de noviembre, de la Junta Consultiva de Contratación Administrativa de la Comunidad Autónoma de Aragón, sobre posibilidad de pago del precio de una obra pública de un Ayuntamiento mediante la cesión de terrenos integrantes del Patrimonio Público del Suelo.

Informe 3/2010, de 22 de febrero de 2011, de la Junta Superior de Contratación Administrativa de la Generalitat Valenciana, sobre contrato para la repavimentación de calzadas de las vías públicas. Contrato de obras.

Artículo 7 *Contrato de concesión de obras públicas*

1. La concesión de obras públicas es un contrato que tiene por objeto la realización por el concesionario de algunas de las prestaciones a que se refiere el artículo 6, incluidas las de restauración y reparación de construcciones existentes, así como la conservación y mantenimiento de los elementos construidos, y en el que la contraprestación a favor de aquél consiste, o bien únicamente en el derecho a explotar la obra, o bien en dicho derecho acompañado del de percibir un precio.

☞ **Concordancias Jurisprudenciales**

Tribunal Superior de Justicia de Madrid, Sala de lo Contencioso-administrativo, Sección 3.ª, Sentencia de 14 Jun. 2011, rec. 145/2011

CONTRATO ADMINISTRATIVO. Denegación de la solicitud de modificación del contrato de adjudicación del derecho de superficie. La empresa conocía o debía conocer conforme al PCAP, su obligación de construcción de las plazas de parking subterráneo conforme a las normas urbanísticas a las que se remitía el mencionado Pliego de Cláusulas Administrativas que regía el contrato, asumiendo los riesgos inherentes al mismo al presentar el proyecto definitivo de ejecución de la edificación.

✍ **Informes de la Junta Consultiva de Contratación Administrativa**

Informe 4/2009, de 25 de septiembre de 2009, de la Junta Consultiva de Contratación Administrativa, sobre «Otorgamiento de una concesión de servicio público para la explotación de un aparcamiento público con la obligación por parte del concesionario de aportar el terreno sobre el cual debe construirse.»

📖 Doctrina

«En busca del arca perdida. Sistemas de financiación de los entes locales: deudas de financiación frente a deudas de financiamiento». Por D. Jesús-Eladio Matesanz Matesanz. Interventor-Tesorero de Administración Local, categoría superior. Tesorero Ayuntamiento de San Sebastián de los Reyes, enero 2012. Publicado en *Derecho Local*.

2. El contrato, que se ejecutará en todo caso a riesgo y ventura del contratista, podrá comprender, además, el siguiente contenido:

a) La adecuación, reforma y modernización de la obra para adaptarla a las características técnicas y funcionales requeridas para la correcta prestación de los servicios o la realización de las actividades económicas a las que sirve de soporte material.

b) Las actuaciones de reposición y gran reparación que sean exigibles en relación con los elementos que ha de reunir cada una de las obras para mantenerse apta a fin de que los servicios y actividades a los que aquéllas sirven puedan ser desarrollados adecuadamente de acuerdo con las exigencias económicas y las demandas sociales.

3. El contrato de concesión de obras públicas podrá también prever que el concesionario esté obligado a proyectar, ejecutar, conservar, reponer y reparar aquellas obras que sean accesorias o estén vinculadas con la principal y que sean necesarias para que ésta cumpla la finalidad determinante de su construcción y que permitan su mejor funcionamiento y explotación, así como a efectuar las actuaciones ambientales relacionadas con las mismas que en ellos se prevean. En el supuesto de que las obras vinculadas o accesorias puedan ser objeto de explotación o aprovechamiento económico, éstos corresponderán al concesionario conjuntamente con la explotación de la obra principal, en la forma determinada por los pliegos respectivos.

Concordancias a todo el artículo

➡ Concordancias normativas

Artículo 7 de la LCSP 30/2007 y artículo 220 del TRLCAP RDL 2/2000.

Véanse artículos 4.1 o), 14 y 240 a 258 y 266 a 274 de la presente Ley.

☞ **Concordancias Jurisprudenciales**

Tribunal Superior de Justicia del Principado de Asturias, Sala de lo Contencioso-administrativo, Sección 1.ª, Sentencia de 30 Sep. 2011, rec. 116/2009

[LA LEY 196303/2011]

COMPETENCIA JUDICIAL. Falta de jurisdicción de la Sala de lo contencioso-administrativo por ser competencia de la jurisdicción civil. El objeto del recurso lo constituye la impugnación de la encomienda o encomiendas realizadas por la Consejería de Administraciones Públicas a una empresa pública para la instalación y puesta en funcionamiento de la TDT en aquellos centros o emplazamientos de difusión de televisión de titularidad pública, así como la convocatoria de los procedimientos de licitación para la contratación de la extensión de la cobertura de la TDT desde centros de radiodifusión. Competencia de la jurisdicción civil para conocer de cuantas cuestiones litigiosas afecten a la preparación y adjudicación de los contratos privados que se celebren por los entes y entidades que no tengan el carácter de Administración Pública, siempre que estos contratos no estén sujetos a regulación armonizada.

Tribunal Superior de Justicia de Madrid, Sala de lo Social, Sección 2.ª, Sentencia de 11 May. 2011, rec. 5981/2010

[LA LEY 77816/2011]

CONTRATOS TEMPORALES. Fraude de ley. La procedencia de la contratación administrativa queda condicionada a la concurrencia del presupuesto que la habilita, cuya exigencia no se cumple cuando la actividad efectivamente realizada en la ejecución del contrato ha sido la prestación de servicios habituales y permanentes en régimen de dedicación temporal.

✍ **Informes de la Junta Consultiva de Contratación Administrativa**

Informe 69/2009, de 23 de julio de 2010, de la Junta Consultiva de Contratación Administrativa. «Posibilidad de la aplicación o no de una cláusula de reequilibrio económico de la concesión administrativa de explotación de un aparcamiento: Afectación al principio de riesgo y ventura expresamente establecido para la concesión en otra cláusula del pliego.»

Informe 10/2011, de 6 de abril, de la Junta Consultiva de Contratación Administrativa de la Comunidad Autónoma de Aragón, sobre Proyecto de

Decreto sobre la aplicación del contrato de concesión de obra pública para la creación, modernización y mejora de regadíos.

Artículo 8 *Contrato de gestión de servicios públicos*

1. El contrato de gestión de servicios públicos es aquél en cuya virtud una Administración Pública o una Mutua de Accidentes de Trabajo y Enfermedades Profesionales de la Seguridad Social, encomienda a una persona, natural o jurídica, la gestión de un servicio cuya prestación ha sido asumida como propia de su competencia por la Administración o Mutua encomendante.

Las Mutuas de Accidentes de Trabajo y Enfermedades Profesionales sólo podrán realizar este tipo de contrato respecto a la gestión de la prestación de asistencia sanitaria

2. Las disposiciones de esta Ley referidas a este contrato no serán aplicables a los supuestos en que la gestión del servicio público se efectúe mediante la creación de entidades de derecho público destinadas a este fin, ni a aquellos en que la misma se atribuya a una sociedad de derecho privado cuyo capital sea, en su totalidad, de titularidad pública.

Concordancias a todo el artículo

➡ **Concordancias normativas**

Artículo 8 y 252 de la LCSP 30/2007 y artículo 154 del TRLCAP RDL 2/2000.

Véanse artículos 132 y 133, 156 y 275 a 289 de la presente Ley.

☞ **Concordancias Jurisprudenciales**

Tribunal Administrativo Central de Recursos Contractuales, Resolución de 20 Jul. 2011, rec. 150/2011

[LA LEY 105305/2011]

CONTRATO ADMINISTRATIVO DE GESTIÓN DE SERVICIOS PÚBLICOS. Objeto. CONTRATOS ADMINISTRATIVOS. Revisión de decisiones en materia de contratación. Recurso especial en materia de contratación. -- Adjudicación de los contratos. Licitación. Concurso.

✉ **Consultas**

• **Naturaleza jurídica de un contrato de gestión de un campo de tiro municipal**

¿Cuál sería la naturaleza jurídica de un contrato de gestión de un campo de tiro municipal?

Contratación Administrativa Práctica, N° 119, Sección Usted Pregunta, Mayo 2012, pág. 14, Editorial LA LEY

[LA LEY 629/2012]

Respuesta

Las instalaciones correspondientes a un campo de tiro municipal las debemos considerar como de carácter deportivo, lo que nos lleva a incluirlas entre las previstas en el artículo 25.2.m de la Ley 7/1985, de 2 de abril (LA LEY 847/1985), Reguladora de las Bases del Régimen Local, legitimando en consecuencia el ejercicio de competencias de la Corporación en la prestación de la actividad propia de las mismas, bajo la modalidad de gestión directa o indirecta. La puesta en servicio de los ciudadanos de una instalación deportiva municipal debemos considerarla, por tanto, como un servicio público que contribuye a satisfacer las necesidades y aspiraciones de la comunidad vecinal (artículo 25.1).

Partiendo de la anterior consideración, para la gestión indirecta del campo de tiro en su condición de instalación para la práctica de una actividad deportiva, encontramos adecuado encaje en la figura del contrato de gestión de servicio público en los términos definidos por el artículo 8 del Real Decreto Legislativo 3/2011, de 14 de noviembre, por el que se aprueba el texto refundido de la Ley de Contratos del Sector Público (LA LEY 21158/2011), que lo define como aquel en cuya virtud una Administración Pública encomienda a una persona, natural o jurídica, la gestión de un servicio cuya prestación ha sido asumida como propia de su competencia por la Administración. Consideramos, por tanto, que la naturaleza jurídica del contrato va más allá de una simple puesta a disposición de las instalaciones en régimen de arrendamiento, o de un contrato de servicios. Respecto de esta última modalidad contractual, la doctrina y la jurisprudencia tienen señalado que un rasgo esencial propio del contrato de gestión de servicios públicos e impropio del contrato de servicios es que el servicio o actividad objeto del contrato merezca el calificativo de servicio público, característica que en el presente caso es predicable a la gestión del campo de tiro por su condición de instalación deportiva municipal. Otro rasgo característico, ligado al anterior, del contrato de gestión de servicios públicos es que el servicio se presta a los ciudadanos, mientras que en el contrato de servicios se presta a la propia Administración contratante. Estos dos rasgos se han erigido en nuestro Derecho y doctrina como determinantes para caracterizar el contrato de gestión de servicios públicos y excluir su calificación como contrato de servicios. Nos remitimos a las consideraciones contenidas en el artículo publicado en esta Revista de Contratación Administrativa Práctica por Ángel Gregorio Rosado Santurino, titulado «Discordancias con el derecho comunitario de la noción española del contrato de servicios y del contrato de gestión de servicios públicos» (LA LEY 2071/2010).

Y confirmando la conclusión anterior, podemos citar la Sentencia de 17 de enero de 2007 del Tribunal Superior de Justicia de Cataluña, Sala de lo Contencioso-administrativo, Sección 5.ª (LA LEY 62237/2007) (LA LEY 62237/2007), referida a un contrato de gestión de servicio público de un polideportivo, así como el Dictamen 637/2008, de 12 de noviembre, del Consejo Consultivo de Andalucía (LA LEY 1871/2008), que expresamente señala respecto a un contrato para la explotación del polideportivo municipal con todas sus instalaciones y terrenos anexos al mismo lo siguiente: como puede observarse, se trata, por tanto, de la prestación de un servicio público, ya que la actividad se puede considerar incluida dentro de las asumidas por las Entidades Locales como actividad de servicio público, conforme al artículo 25.2.m) de la Ley de 7/1985, de 2 de abril, Reguladora de Bases del Régimen Local, que dispone que el Municipio ejercerá en todo caso competencias en materia de «actividades o instalaciones culturales y deportivas: ocupación del tiempo libre; turismo.»

Por tanto, consideramos que la naturaleza jurídica de un contrato de gestión de un campo de tiro municipal es la propia del contrato de gestión de servicio público, en atención a las características propias de la modalidad contractual y al carácter de servicio público predicable de la actividad deportiva que se desarrolla en la instalación municipal.

- **Naturaleza jurídica del contrato para la explotación de un polideportivo municipal**

En el polideportivo municipal existen una serie de instalaciones, cuyo uso y explotación pretende regularizar el Ayuntamiento. Para ello, se

pretende externalizar dicho servicio, básicamente con las siguientes condiciones:

a) El contratista debe equipar el edificio para actividades deportivas, con el mobiliario que considere necesario para explotar el servicio, atendida la demanda que tenga por parte de los usuarios. El mobiliario al finalizar el contrato no revertirá al Ayuntamiento.

b) Responsabilizarse de la limpieza y mantenimiento de las instalaciones: aseos, duchas, gradas, pistas de pádel, etc.

c) Abrir y cerrar las luces e instalaciones, todos los días de la semana.

d) La remuneración del contratista será a cargo de las tarifas de los usuarios de las pistas de pádel y del edificio para actividades deportivas, sin contraprestación alguna por parte del Ayuntamiento, a excepción de la electricidad y el agua, así como los gastos de reparación, modernización, reformas, ampliaciones, etc. que serán a cargo del Ayuntamiento.

e) No se contempla que el contratista deba satisfacer canon alguno al Ayuntamiento.

Además, se pretende que el club de fútbol local pueda continuar disfrutando a precario del uso del campo de fútbol.

Se pregunta:

a) Cual podría ser la naturaleza jurídica del contrato a celebrar.

b) Cuantos contratos deben celebrarse si el campo de fútbol necesariamente debe usarlo el club de fútbol local.

c) Viabilidad de la referida contratación.

Contratación Administrativa Práctica, Nº 117, Sección Usted Pregunta, Marzo 2012, Editorial LA LEY

[LA LEY 252/2012]

Respuesta

De entre las modalidades de contratación reguladas en la vigente legislación de contratación administrativa, constituida por el Real Decreto Legislativo 3/2011, de 14 de noviembre, por el que se aprueba el texto refundido de la Ley de Contratos del Sector Público (LA LEY 21158/2011), la explotación del polideportivo municipal encaja perfectamente en las características propias del contrato de gestión de servicio público definido en el artículo 8 como aquél en cuya virtud una Administración Pública encomienda a una persona, natural o jurídica, la gestión de un servicio cuya prestación ha sido asumida como propia de su competencia por la Administración encomendante. Resulta fundamental para calificar un determinado contrato municipal como de gestión de un servicio público, determinar la competencia de la Entidad Local en el servicio objeto del mismo y, en el presente caso, dicha competencia municipal viene atribuida expresamente por el artículo 25.2.m de la Ley 7/1985, de 2 de abril (LA LEY 847/1985), Reguladora de las Bases del Régimen Local que señala que el Municipio ejercerá en todo caso competencias, entre otras, en materia de actividades o instalaciones culturales y deportivas; ocupación del tiempo libre; turismo.

La formalización de contratos de gestión de servicio público para la gestión y explotación del polideportivo municipal ha sido tratada por nuestra jurisprudencia, por ejemplo, en el Auto de 11 noviembre 2004 del Tribunal Supremo, Sala Tercera, de lo Contencioso-administrativo, Sección 1.ª, (LA LEY 300555/2004) (LA LEY 300555/2004) y en la Sentencia de 11 de enero de 2003 del Tribunal Superior de Justicia de Cataluña, Sala de lo Contencioso-administrativo, Sección 5.ª (LA LEY 5665/2003).

En numerosos pronunciamientos, tanto la jurisprudencia como los órganos consultivos en materia de contratación administrativa se han ocupado de establecer los criterios que han de tenerse en cuenta al objeto de concretar la naturaleza jurídica de la relación contractual entre la Administración y el contratista cuando éste presta un servicio a aquélla, debiéndose diferenciar por tanto los supuestos en los que estemos ante un contrato de servicios o de gestión de servicios públicos.

En este sentido, la asunción del riesgo de la explotación por el contratista constituye un elemento definidor propio del contrato de gestión de servicio público; efectivamente, la susceptibilidad del servicio de ser explotado empresarialmente, la asunción del riesgo y de la organización del servicio por el contratista sin perjuicio de las potestades de policía que corresponda a la Administración, constituyen el criterio determinante para configurar un contrato como de gestión de servicio público. Así resulta de lo dispuesto en la Sentencia del Tribunal de Justicia de las Comunidades Europeas dictada en el asunto C-382/05 y en el Informe de la Junta

Consultiva de Contratación Administrativa 64/2009, de 26 de febrero de 2010 (LA LEY 190/2010).

Otro criterio definidor de la naturaleza propia del contrato de gestión de servicio público lo constituye el hecho de que si el objeto contractual que lleva a término el empresario es una actividad prestacional al ciudadano, el contrato será de gestión de servicios públicos, criterio refrendado por el Informe de la Junta Consultiva de Contratación Administrativa 47/2001, de 30 de enero de 2002 (LA LEY 13/2002).

Un último criterio diferenciador del contrato de gestión de servicio público frente al de servicios consiste en que si la prestación del contratista se refiere a un servicio completo, el contrato es de gestión de servicio público, mientras que será de servicios si el contratista solo realiza una prestación parcial del servicio público.

De la consulta planteada resulta el significativo detalle de que el único campo de fútbol existente en el polideportivo es usado por el equipo de fútbol local. Para homogeneizar dicho uso con la explotación global que del polideportivo vaya a realizar el contratista, resulta conveniente que, previamente a la licitación, se regularice la relación entre el Ayuntamiento y el equipo de fútbol conforme a la normativa de bienes de las entidades locales, ya que se trata de establecer el régimen de cesión y uso de un bien de dominio público; de este modo, al fijar las condiciones de prestación del servicio en los pliegos de cláusulas administrativas particulares y de prescripciones del contrato de gestión, quedará concretado dicho uso y las obligaciones que haya de asumir el contratista respecto del mantenimiento del campo.

Finalmente, de las condiciones señaladas para la formalización del contrato de gestión de servicio público, no encontramos ninguna que dificulte su viabilidad, toda vez que por sus propias características el contrato encaja en la modalidad de concesión regulada en el artículo 277.a del TRLCASP. Debemos significar respecto de la reversión o no del mobiliario equipado por el contratista, que el artículo 283.1 TRLCSP (LA LEY 21158/2011) se remite a lo que disponga expresamente el contrato, por lo que serán los pliegos los que determinen a priori esta cuestión. Respecto a las tarifas a los usuarios y la no aplicación de canon al contratista, también serán los pliegos los que establezcan la no exigencia del canon en base al artículo 133.1, debiendo justificarse en base al estudio económico-financiero que debe realizarse para la contratación del expediente, ya que dicho estudio sirve para garantizar la rentabilidad y el equilibrio económico con que debe nacer toda concesión y cuyo contenido forma parte del contrato que ampara la misma. Y es, precisamente, este estudio el que, mediante el cómputo de los gastos inherentes a la concesión y, por tanto, imputables al servicio —entre los que se incluyen, además de los generales y propios del servicio en sí, los relativos al beneficio industrial del concesionario y los del canon que, en el caso de fijarse alguno, haya de satisfacer a la Administración titular del servicio—, viene a determinar, finalmente, el importe a que han de ascender las tarifas o prestaciones patrimoniales que los usuarios deberán satisfacer al concesionario, y cuya fijación, entonces, y como no podía ser de otro modo, establece la propia Administración titular del servicio. Expresamente el estudio económico financiero podrá justificar la no exigencia del canon en el abaratamiento de las tarifas a cobrar a los usuarios.

• **Consideración de medio propio de una sociedad mercantil municipal**

¿Es posible encomendar la gestión del servicio de basuras a una sociedad de capital íntegramente municipal?

[19/10/2011 EC 2366/2011]

Contestación

Antes de contestar las cuestiones planteadas, un breve apunte en relación con el objeto del contrato de recogida de basuras. Tradicionalmente, para su contratación, se ha recurrido al contrato de gestión de servicios públicos; solución que quizá haya que revisar a la vista de los últimos pronunciamientos del Tribunal de Justicia de las Comunidades Europeas.

La distinción, entre un contrato de servicios y uno de gestión de servicios públicos no es sencilla a nivel teórico. La Ley 30/2007, de 30 de octubre (BOE del 31), de Contratos del Sector Público (LCSP), en su art. 5 determina que los contratos que celebre el sector público se calificarán de acuerdo a las normas contenidas en los arts. 5 a 12 LCSP, donde se definen los contratos de obras, concesión de obras públicas, gestión de servicios públicos, suministro, servicios y de colaboración entre el sector público y el sector privado. Antes de iniciar cualquier procedimiento de adjudicación de un contrato, debe quedar perfectamente definido el objeto del contrato, para así poder delimitar el tipo contractual que corresponde al objeto de la prestación/es que se desea contratar, de acuerdo con lo establecido recogido en los arts. 74 y 100 a 102 LCSP.

El art. 10 LCSP define el contrato de servicios como aquellos «cuyo objeto son prestaciones de hacer consistentes en el desarrollo de una actividad o dirigidos a la obtención de un resultado distinto a una obra de suministro». La ambigüedad de esta definición intenta paliarse con una remisión a las categorías a que se remite este precepto enumeradas en el anexo II de la Ley. En el art. 8 LCSP, al referirse al contrato de gestión de servicios públicos, se indica que es aquel por el que encomienda la gestión de un servicio cuya prestación ha sido asumida como propia de su competencia por la Administración.

Se barajan varios argumentos que han de conjugarse para determinar qué tipo de contrato se ha de articular: si el destinatario de las prestaciones a contratar son los vecinos o la Administración; si se trata de un servicio público declarado como tal en la Ley 7/1985, de 2 de abril (BOE del 3), Reguladora de las Bases del Régimen Local (LRBRL); si hay o no unas tarifas que el contratista percibe de los usuarios forma de retribución del contratista, la repercusión económica del servicio en la Administración, etc. Véanse los Informes de la Junta Consultiva de Contratación Administrativa (JCCA) 41/1995, de 21 de diciembre de 1995; 49/1996, de 22 de julio de 1996; 44/1999, de 21 de diciembre de 1999; 47/01, de 30 de enero de 2002, entre otros. Pero, hay dos criterios determinantes para poder tipificar determinado contrato como de gestión de servicios públicos:

a) Susceptibilidad de explotación económica. La prestación mediante gestión indirecta de los servicios públicos está sometida al doble requisito de que tengan contenido económico y que no impliquen ejercicio de la autoridad inherente a los poderes públicos (art. 251 LCSP e Informes de la JCCA 24/1996, 61/03, 43/03, 2/06, de 24 de marzo de 2006).

En cuanto a la diferencia entre servicio y concesión de servicios. Las conclusiones del Abogado General presentadas el 2 de junio de 2009 en el Asunto C-196/08, en relación con una petición de decisión prejudicial planteada por el Tribunale Amministrativo Regionale de la Sicilia por la utilización de la figura de la colaboración público-privada para la adjudicación directa de la gestión integral del servicio público de agua a una sociedad de economía mixta en su punto 14, recogen las siguientes definiciones: «Conforme al designio de la seguridad jurídica, el art. 1 de la Directiva 2004/18 aporta una batería de definiciones, entre las que, por el momento y para deslindar la tenue frontera entre el contrato y la concesión, destaco las del siguiente tenor:

— Los contratos públicos: [...] los [...] onerosos y celebrados por escrito entre uno o varios operadores económicos y uno o varios poderes adjudicadores, cuyo objeto sea la ejecución de obras, el suministro de productos o la prestación de servicios en el sentido de la presente Directiva.

— La concesión de obras públicas: [...] un contrato que presente las mismas características que el contrato público de obras, con la salvedad de que la contrapartida de las obras consista, o bien únicamente en el derecho a explotar la obra, o bien en dicho derecho acompañado de un precio.

— La concesión de servicios: [...] un contrato que presente las mismas características que el contrato público de servicios, con la salvedad de que la contrapartida de la prestación de servicios consista, o bien únicamente en el derecho a explotar el servicio, o bien en dicho derecho acompañado de un precio.

b) Riesgo económico para el contratista: para la Directiva 2004/18, de 31 de marzo, sobre coordinación en los contratos públicos de obras, suministro y servicios, si en el contratista no asume el riesgo en la explotación no estaríamos ante un contrato de gestión de servicios públicos, sino de servicios, sujeto por la tanto a la Directiva comunitaria. Así lo recoge claramente la Sentencia del TSJUE de 18 de julio de 2007, asunto C-382/05: existe una concesión de servicios cuando la modalidad de retribución convenida consiste en el derecho del prestador a explotar su propia prestación y suponga que éste asume el riesgo vinculado a la explotación de los servicios de que se trata.

Es este segundo el criterio fundamental, de acuerdo a la interpretación de la jurisprudencia comunitaria: si no existe este traspaso del riesgo en la explotación, si el contratista no va a realizar las prestaciones objeto del contrato a su riesgo y ventura, porque las cláusulas del pliego que regula la contratación le permiten trasladar a la Administración determinados costes, y además no se asume ningún riesgo de demanda, porque la utilización del servicio por parte de sus destinatarios no determina el precio, no estamos ante una «encomienda de gestión» de acuerdo a la definición del art. 8 LCSP antes referido. Esto es, no existe gestión indirecta del servicio, sino que el marco de las relaciones debe mantenerse dentro de la gestión directa, que realizará la Administración en vez de con su capítulo 1, con su capítulo 2, esto es, en lugar de con personal de plantilla, con una contratación de medios que ella misma ordena a su servicio.

Este razonamiento puede verse plasmado entre otras y como más reciente, en la STSJCE de 9 de junio de 2009, asunto C-480/06 sobre incumplimiento de Estado por falta de tramitación de un procedimiento formal europeo de licitación para la adjudicación de servicios de tratamiento de residuos, sostiene (consideración 12) que «la eliminación de residuos es una actividad calificada de «servicio» en el sentido de la categoría 16 que figura en el anexo I A de la Directiva.»

Pasamos entonces a ocuparnos de la posibilidad de encomendar la gestión de un servicio a una sociedad de capital íntegramente municipal, y a través de qué fórmula jurídica encontraríamos amparo para ello.

Hemos de afirmar, sin duda ninguna, que una sociedad mercantil local es una entidad sometida al derecho privado. Ballesteros Fernández afirma que su personalidad se desarrolla externamente en sus relaciones con terceros bajo el régimen de derecho privado, aunque internamente es en realidad un instrumento de la Administración. El art. 85 ter LRBRL también afirma que las sociedades mercantiles locales se regirán íntegramente, cualquiera que sea su forma jurídica, por el ordenamiento jurídico privado, salvo las materias en que les sea de aplicación la normativa presupuestaria, contable de control financiero de eficacia y contratación.

La Sentencia del TSJ de Castilla-La Mancha de 30 de octubre de 2000 (EC 3592/2001) anula la aprobación de un convenio de encomienda de gestión, y de ella se deduce que la posibilidad de encomiendas de gestión de unas Entidades Locales a otras, o a entidades dependientes de ellas; pero si estas últimas están sujetas a derecho privado, el régimen no es el propio [art. 15 de la Ley 30/1992, de 26 de noviembre (BOE del 27), de Régimen Jurídico de las Administraciones Públicas y del Procedimiento Administrativo Común (LRJAP)] sino el de la LCSP. Aborda también esta distinción el Informe 1/2010, de 21 de julio de 2010, de la Junta Consultiva de Contratación Administrativa de las Islas Baleares, sobre los encargos de gestión a cuya lectura se remite.

Para poder utilizar ese régimen, la LCSP permite, únicamente, la exclusión de negocios jurídicos que se realicen con los denominados «medios propios», la contratación «in house» (art. 4.1.n LCSP). Pero los medios han de ser «propios»; esto es, según esta reiterada jurisprudencia, para que pueda utilizarse la fórmula, una entidad debe cumplir tres requisitos acumulativos: (sentencias Mannesmann Anlagenbau Austria y otros, apartados 20 y 21, y de 15 de mayo de 2003, Comisión/España, C-214/00, Rec. pág. 1-0000, apartado 52).

— Debe ser un organismo creado para satisfacer necesidades de interés general que no tengan carácter industrial o mercantil.

— Dotado de personalidad jurídica.

— Cuya actividad dependa estrechamente del Estado, de los entes territoriales o de otros organismos de Derecho público.

Para que pueda calificarse, de acuerdo al apartado 3 del art. 3 como poder adjudicador, la LCSP únicamente ha precisado algo más el requisito de la dependencia (también sobre la base de los pronunciamientos anteriormente citados), indicando que ha de cumplirse al menos una de las tres siguientes exigencias: 1) que una o varias Administraciones o poderes adjudicadores financien mayoritariamente su actividad; 2) que una o varias Administraciones o poderes adjudicadores controlen su gestión, y 3) que una o varias Administraciones Públicas o uno o varios poderes adjudicadores nombren a más de la mitad de los miembros del órgano de administración, dirección o vigilancia.

Y, además, de acuerdo al art. 24.6 LCSP al que se remite el art. 4 antes citado, que figure expresamente en los estatutos o en su norma de creación de la entidad que recibe el encargo, su condición de medio propio de la entidad creadora.

Entendemos, por lo tanto, que no es posible esa encomienda; puesto que la sociedad mercantil no es medio propio de otras entidades locales distintas de su creadora, que no la financian, que no la controlan y que no figuran en sus estatutos.

Su participación en licitaciones realizadas por estas otras entidades también es cuestionable. En primer lugar, su objeto social debería permitirlo; y en los estatutos aquél debe estar constreñido, en principio, a la competencia territorial de la entidad que la crea; ya que, teniendo en cuenta las limitaciones territoriales de las entidades creadoras, sus organismos dependientes no podrían tener potestades más amplias que ellas, sobre todo en casos como este en que la titularidad es íntegramente local, si bien debería ser analizado este extremo a la luz del contenido de los estatutos.

- **Función de los ayuntamientos en los mercadillos**

¿La venta ambulante es la gestión de un servicio público?

[19/10/2011 EC 2364/2011]

Contestación

El art. 8 de la Ley 30/2007, de 30 de octubre (LA LEY 10868/2007) (BOE del 31), de Contratos del Sector Público (LCSP (LA LEY 10868/2007)), define el contrato de gestión de servicios públicos como aquel en cuya virtud una Administración Pública encomienda a una persona, natural o jurídica, la gestión de un servicio cuya prestación ha sido asumida como propia de su competencia por la Administración encomendante. Por su parte, el art. 251, cuando se refiere al ámbito del contrato de gestión de servicios, dispone que la Administración podrá gestionar indirectamente, mediante contrato, los servicios de su competencia, siempre que sean susceptibles de explotación por particulares. En ningún caso podrán prestarse por gestión indirecta los servicios que impliquen ejercicio de la autoridad inherente a los poderes públicos.

Por otra parte, la competencia municipal para regular y controlar la venta ambulante se contempla en el art. 25.2 g) de la Ley 7/1985, de 2 de abril (LA LEY 847/1985) (BOE del 3), Reguladora de las Bases del Régimen Local (LRBRL (LA LEY 847/1985)), que dispone que el municipio ejercerá en todo caso, competencias, en abastos, mataderos, ferias, mercados y defensa de usuarios y consumidores.

Por su parte, el Real Decreto 199/2010, de 26 de febrero (LA LEY 4277/2010) (BOE de 13 de marzo), por el que se regula el ejercicio de la venta ambulante o no sedentaria, sujeta al régimen de autorización previa esta actividad en los siguientes términos:

1. Corresponderá a los ayuntamientos determinar la zona de emplazamiento para el ejercicio de la venta de ambulante o no sedentaria, fuera de la cual no podrá ejercerse la actividad comercial.

2. Para cada emplazamiento concreto, y por cada una de las modalidades de venta ambulante o no sedentaria que el comerciante se proponga ejercer, deberá solicitar una autorización, que será otorgada por el ayuntamiento respectivo.

El art. 3 del mismo Real Decreto añade, entre otras cosas, que la autorización para el ejercicio de la venta ambulante o no sedentaria tendrá una duración limitada. El ayuntamiento fijará la duración de la autorización para el ejercicio de la venta ambulante o no sedentaria, previa ponderación de la amortización de la inversión efectuada y de la remuneración equitativa de los capitales desembolsados por el prestador. Y que la autorización debe definir, al menos, el plazo de validez, los datos identificativos del titular, el lugar o lugares en que puede ejercerse la actividad, los horarios y las fechas en las que se podrá llevar a cabo así como los productos autorizados para la venta. Y, por último, dispone que las autorizaciones podrán ser revocadas unilateralmente por los ayuntamientos en caso de incumplimiento de la normativa.

El art. 4, en cuanto al procedimiento de selección, dispone que el procedimiento para el otorgamiento de la autorización para el ejercicio de la venta ambulante o no sedentaria y para la cobertura de las vacantes será determinado por cada ayuntamiento, respetando, en todo caso, el régimen de concurrencia competitiva, así como las previsiones contenidas en los arts. 86 y siguientes de la Ley 33/2003, de 3 de noviembre (LA LEY 1671/2003) (EC 4127/2003), del Patrimonio de las Administraciones Públicas (LPAP), así como del capítulo II de la Ley 17/2009, de 23 de noviembre (LA LEY 20597/2009) (BOE del 24), sobre el libre acceso a las actividades de servicio y su ejercicio. Y que el procedimiento será público y su tramitación deberá desarrollarse conforme a criterios claros, sencillos, objetivos y predecibles. En la resolución del procedimiento, se fijarán los requisitos de la autorización, que habrán de ser necesarios, proporcionales y no discriminatorios.

Partiendo de esta regulación, entendemos que en la venta ambulante, la función esencial de los ayuntamientos es la de control mediante el otorgamiento de las correspondientes autorizaciones para su ejercicio, por lo que se están ejerciendo competencias que suponen el ejercicio de autoridad. De forma que, desde nuestro punto de vista, no cabe la figura del contrato de gestión de servicio público para la gestión de un mercadillo, porque esta gestión siempre conlleva la concesión de las autorizaciones correspondientes así como las competencias de inspección y control.

• Naturaleza jurídica del contrato de conservación y mantenimiento del alumbrado público municipal.

¿Qué naturaleza jurídica tiene el contrato de conservación y mantenimiento del alumbrado público municipal? ¿Contrato de servicios o de gestión de servicios públicos?

[30/09/2008 EC 3004/2008]

Contestación

La Ley 30/2007, de 30 de octubre (EC 3697/2007), de Contratos del Sector Público (LCSP) establece en el art. 10 el concepto de contrato de servicios: «Son contratos de servicios aquellos cuyo objeto son prestaciones de hacer consistentes en el desarrollo de una actividad o dirigidas a la obtención de un resultado distinto de una obra o un suministro. A efectos de aplicación de esta Ley, los contratos de servicios se dividen en las categorías enumeradas en el Anexo II»; y en el art. 8.1 la definición de contrato de gestión de servicios públicos: «El contrato de gestión de servicios públicos es aquel en cuya virtud una Administración Pública encomienda a una persona, natural o jurídica, la gestión de un servicio cuya prestación ha sido asumida como propia de su competencia por la Administración encomendante.»

Lo primero que debemos destacar es la nueva concepción que se hace del contrato de servicios. En este momento, conforme a la definición citada, es la figura residual respecto de los contratos de obra y suministro, pero nada se dice de la gestión de servicio público.

En cuanto al contrato de gestión de servicio público debemos empezar diciendo que en este momento la legislación ha ampliado los conceptos que lo definían en el Texto Refundido de la Ley de Contratos de las Administraciones Públicas (TR LCAP), aprobado por Real Decreto Legislativo 2/2000, de 16 de junio (EC 2287/2000), que en su art. 155.1 establecía que podrían prestarse por medio de este contrato aquellos servicios de contenido económico que pudieran ser objeto de explotación por los particulares, mientras que en la actualidad el art. 251.1 se refiere simplemente a los contratos susceptibles de explotación.

En este sentido la Junta Consultiva analizaba, en Informe 27/2007, de 29 de octubre de 2007, la posibilidad de que se calificara como contrato de gestión de servicio público un mantenimiento de jardines. En aplicación de la normativa anterior realizaba estas consideraciones: «2.—En cuanto a la primera pregunta se refiere, si el contrato firmado el día 25 de octubre de 1995 (servicio público de conservación y mantenimiento de los parques y zonas ajardinadas, poda y/o limpieza de arbolado y desbroce de taludes y caminos de carácter municipal) es un contrato de gestión de un servicio público o un contrato de servicios, debemos responder que aunque se configuró como un contrato de gestión de un servicio público, su verdadera naturaleza según veremos más adelante era la de contrato de servicios.

Calificar tal contrato como de gestión de servicio público permitió, en su caso, la aplicación del arrendamiento como modalidad prevista por el artículo 85.2 de la Ley reguladora de las bases de Régimen local; legislación vigente cuando se aprobó el expediente de contratación como consecuencia de lo dispuesto en la disposición transitoria primera de la Ley de Contratos de las Administraciones Públicas en su texto resultante de la Ley 13/1995, de 18 de mayo. Los artículos 25 y 26 de la citada Ley reguladora conceptúan como servicio publico a prestar por los municipios la actividad descrita como objeto del contrato, por lo que se excluyó su calificación como contrato de servicios, que al tiempo de la aprobación del expediente se denominaban contratos de asistencia técnica.

Sin embargo, la Ley de Contratos del Estado, vigente en aquel momento y de aplicación a las Entidades Locales por aplicación de lo dispuesto en el artículo 112 del Texto Refundido de la Ley de Régimen Local aprobado por Real Decreto Legislativo 781/1986, de 18 de abril, disponía en su artículo 63 que la Administración de que se trate «podrá gestionar indirectamente, mediante contrato, todos los servicios de su competencia, siempre que tengan un contenido económico que los haga susceptibles de explotación por empresarios particulares». Este artículo, que prácticamente coincide con el 155.1 de la vigente Ley, implica, en primer lugar, que no todos los servicios públicos de competencia de una Administración son susceptibles de explotación indirecta. Solamente lo son aquellos que, por su contenido económico, sean susceptibles de explotarse por un empresario particular, lo que debe interpretarse en el sentido de que tales servicios puedan ser objeto de la actividad empresarial por ser susceptibles de ser ofrecidos a los usuarios de forma que éstos paguen por ellos.

Esta circunstancia excluye de la posibilidad de gestión indirecta la actividad de conservación y mantenimiento de parques y zonas ajardinadas, aun cuando la competencia para ella se atribuya por la legislación de Régimen Local a los municipios como un servicio público a prestar por los mismos.»

Por tanto, en este momento debemos mantener que no es necesario que se trate de un servicio susceptible de explotación económica por los particulares sino que bastará con la posibilidad de su explotación y con que no requiera el ejercicio de autoridad. Por todo lo cual entendemos que es posible calificar como contrato de gestión de servicio público el de mantenimiento del alumbrado.

Artículo 9 *Contrato de suministro*

1. Son contratos de suministro los que tienen por objeto la adquisición, el arrendamiento financiero, o el arrendamiento, con o sin opción de compra, de productos o bienes muebles.

2. Sin perjuicio de lo dispuesto en la letra b) del apartado 3 de este artículo respecto de los contratos que tengan por objeto programas de ordenador, no tendrán la consideración de contrato de suministro los contratos relativos a propiedades incorporales o valores negociables.

3. En todo caso, se considerarán contratos de suministro los siguientes:

a) Aquellos en los que el empresario se obligue a entregar una pluralidad de bienes de forma sucesiva y por precio unitario sin que la cuantía total se defina con exactitud al tiempo de celebrar el contrato, por estar subordinadas las entregas a las necesidades del adquirente. No obstante, la adjudicación de estos contratos se efectuará de acuerdo con las normas previstas en el Capítulo II del Título II del Libro III para los acuerdos marco celebrados con un único empresario.

b) Los que tengan por objeto la adquisición y el arrendamiento de equipos y sistemas de telecomunicaciones o para el tratamiento de la información, sus dispositivos y programas, y la cesión del derecho de uso de estos últimos, a excepción de los contratos de adquisición de programas de ordenador desarrollados a medida, que se considerarán contratos de servicios.

c) Los de fabricación, por los que la cosa o cosas que hayan de ser entregadas por el empresario deban ser elaboradas con arreglo a características peculiares fijadas previamente por la entidad contratante, aun cuando ésta se obligue a aportar, total o parcialmente, los materiales precisos.

Concordancias a todo el artículo

➡ Concordancias normativas

Artículo 9 de la LCSP 30/2007 y artículos 171 y 172 del TRLCAP RDL 2/2000.

☞ **Concordancias Jurisprudenciales**

Audiencia Provincial de Cádiz, Sección 8.ª, Sentencia de 25 Nov. 2010, rec. 263/2010

[LA LEY 314688/2010]

COMPETENCIA JUDICIAL. Reclamación de los intereses devengados por el impago del precio de libros para la biblioteca municipal. Competencia del orden jurisdiccional contencioso-administrativo. No obsta a la calificación como contrato típico de suministro administrativo el que carezca de continuidad temporal por ser una adquisición puntual. Es la calificación de contrato de suministro lo que justifica que la reclamación corresponda al orden jurisdiccional contencioso-administrativo.

✉ **Consultas**

• **Naturaleza del contrato para adquisición de software, su implantación, mantenimiento y formación del personal**

La adquisición de software de gestión de tesorería, su implantación, su mantenimiento y la formación del personal ¿sería un único contrato aplicado a dos partidas presupuestarias distintas?

[14/07/2011 EC 1707/2011]

Contestación

Un supuesto similar al que nos consultan es tratado en el Informe 10/2009, de 15 de junio, de la Comisión Consultiva de Contratación Administrativa de la Junta de Andalucía, sobre la naturaleza jurídica de un contrato cuyo objeto es la adquisición de una actualización informática y su soporte.

Señala este informe, en lo que aquí interesa, que «para la calificación del contrato en cuestión hay que determinar cuál es su objeto y, de los datos proporcionados por el órgano consultante, resulta que en el escrito de consulta se dice que se trata de la «adquisición del derecho de actualizaciones y soporte software de las licencias del producto VMWARE, del que la Consejería de Empleo tiene licencias de uso por parte del fabricante de los mismos», y en la descripción técnica se indica que «Estará incluida la entrega y el acceso a los parches y correcciones de errores relativas a dicho software y el acceso a las nuevas versiones liberadas durante el periodo de mantenimiento contratado así como la atención y resolución de incidencias vía telefónica y por correo electrónico por parte del fabricante relacionada con la plataforma de virtualización VMWARE implantada en la Consejería de Empleo».

El artículo 9.3 de la Ley 30/2007, de 30 de octubre (LA LEY 10868/2007), de Contratos del Sector Público (LCSP (LA LEY 10868/2007)), establece que, en todo caso, se considerarán contratos de suministro los siguientes: b) Los que tengan por objeto la adquisición y el arrendamiento de equipos y sistemas de telecomunicaciones o para el tratamiento de la información, sus dispositivos y programas, y la cesión del derecho de uso de estos últimos, a excepción de los contratos de adquisición de programas de ordenador desarrollados a medida, que se considerarán contratos de servicios.

A la vista de las prestaciones que integran el contrato y del precepto citada hay que indicar que la adquisición del derecho de actualizaciones y soporte software de las licencias del producto entran dentro del concepto de suministro a que se refiere el apartado b) del artículo 9.3 de LCSP (LA LEY 10868/2007), e igualmente la entrega y el acceso a los parches y correcciones de errores relativas a dicho software y el acceso a las nuevas versiones liberadas.

Por lo que se refiere a las prestaciones de atención y resolución de incidencias vía telefónica y por correo electrónico hay que indicar que pueden encuadrarse dentro de las prestaciones de hacer a que se refiere el artículo 10 de la LCSP (LA LEY 10868/2007) y por lo tanto serían propias de un contrato de servicios. Si bien del texto de la consulta parece que estas prestaciones tienen un carácter accesorio, se deberá evaluar su importancia económica al objeto de la aplicación del régimen establecido para los contratos mixtos previsto en el artículo 12 de la LCSP (LA LEY 10868/2007).

Por otra parte, las prestaciones objeto del contrato tal como se describen en el escrito de consulta parece que cumplen los requisitos que para su fusión exige el artículo 25.2 de la LCSP (LA LEY 10868/2007), en cuanto que se encuentran directamente vinculadas y mantienen una relación de complementariedad.»

Y, en base a todo ello, la Junta Consultiva llega a la conclusión de que «La adquisición del derecho de actualizaciones y soporte software de las licencias del producto y la entrega y el acceso a los parches y correcciones de errores relativas a dicho software y el acceso a las nuevas versiones liberadas, entran dentro del concepto de suministro, y la atención y resolución de incidencias vía telefónica y por correo electrónico son prestaciones propias de un contrato de servicios, a la vista de lo cual se deberá evaluar la importancia económica de las prestaciones al objeto de la aplicación del régimen establecido para los contratos mixtos previsto en el artículo 12 de la LCSP.»

Nosotros entendemos que, en el caso consultado, ocurre lo mismo. Esto es, el contrato para adquisición de software, implantación, mantenimiento y formación del personal es un contrato único en el que deben distinguirse dos partes claramente: la adquisición del software (que es un contrato de suministro) y las prestaciones de implantación, mantenimiento y formación del personal (que son propias del contrato de servicios a que se refiere el art. 10 LCSP (LA LEY 10868/2007)). Ahora bien, está últimas prestaciones son claramente complementarias de las del contrato de suministro; cumpliendo lo establecido en el art. 25.2 LCSP (LA LEY 10868/2007) a cuyo tenor «solo podrán fusionarse prestaciones correspondientes a diferentes contratos en un contrato mixto cuando esas prestaciones se encuentren directamente vinculadas entre sí y mantengan relaciones de complementariedad que exijan su consideración y tratamiento como una unidad funcional dirigida a la satisfacción de una determinada necesidad o a la consecución de un fin institucional propio del ente, organismo o entidad contratante.»

Por consiguiente, habrá que concluir que estamos ante un contrato único, que por tanto será un contrato mixto en cuanto contiene prestaciones de dos tipos de contratos; y, por tanto, habrá que estar a la importancia económica de las prestaciones para determinar su régimen jurídico. Por ello, estaríamos ante un único contrato que puede ser aplicado a dos partidas presupuestarias.

• **Obras financiables con cargo al FEESL**

¿Se pueden financiar con cargo al Plan E la construcción de pistas de paddle, instalación de alumbrado público, asfaltado y construcción de un aparcamiento de camiones?

[22/02/2010 EC 696/2010]

Contestación

El art. 2.1 del Real Decreto-ley 13/2009, de 26 de octubre (BOE del 27), por el que se crea el Fondo Estatal para el Empleo y la Sostenibilidad

Local, dispone que podrán financiarse con cargo al Fondo los contratos de obras de competencia municipal definidas en el art. 9, y, en su caso, el contrato de redacción del proyecto y dirección de dichas obras, así como los contratos de suministro para el equipamiento de los edificios e instalaciones que sean objeto de dichos contratos de obras, de acuerdo con lo previsto en el mismo artículo.

Sólo son financiables con cargo al Fondo Estatal para el Empleo y la Sostenibilidad Local (FEESL), las obras que tengan por objeto los establecidos en el citado art. 9 del Real Decreto-Ley 13/2009.

Por su parte, el apartado 1.º del referido precepto señala que los contratos deben tener por objeto obras de competencia municipal incluidas en alguna de las siguientes tipologías:

a) Las destinadas a la promoción de la actividad económica, la iniciativa emprendedora y la innovación, como parques empresariales, parques científicos y tecnológicos, centros de conocimiento y viveros de empresa, así como su dotación de infraestructuras para el despliegue y acceso a las redes de telecomunicación de nueva generación.

b) Las de creación, equipamiento y desarrollo de infraestructuras tecnológicas y de innovación.

c) Las destinadas a mejorar el acceso a las redes e infraestructuras de las tecnologías de la información y de las telecomunicaciones fijas y móviles, y a su utilización.

d) Las destinadas a impulsar el ahorro y la eficiencia energética, así como la accesibilidad y utilización de energías renovables.

e) Las dirigidas a promover la movilidad sostenible urbana y reforzar los modos de transporte menos contaminantes, incluyendo sistemas de información de gestión automática y control, y las encaminadas a mejorar la seguridad vial.

f) Las destinadas a impulsar el ahorro y la eficiencia en la gestión de los recursos hídricos. Construcción, adecuación o mejora de la red de abastecimiento de agua potable a domicilio, de saneamiento y de infraestructuras de depuración de aguas residuales.

g) Las relacionadas con la gestión y tratamiento de los residuos urbanos con criterios de sostenibilidad.

h) Las destinadas a la recuperación y conservación de áreas naturales y masas forestales.

i) Las de prevención y detección de incendios y la limpieza y conservación de las masas forestales, zonas de especial relevancia natural y bosques de ribera.

j) La construcción, adecuación, rehabilitación o mejora de centros educativos.

k) La adecuación, rehabilitación o mejora de edificios de propiedad municipal para la atención a personas en situación de dependencia, así como la supresión de barreras arquitectónicas y mejora de la accesibilidad.

l) La construcción, adecuación, rehabilitación o mejora de centros de servicios sociales, sanitarios, culturales y deportivos.

m) Las de protección y conservación del patrimonio histórico y paisajístico municipal.

n) Las destinadas a la modernización de la Administración municipal mediante el establecimiento de procesos de gestión documental, digitalización y acceso a redes de comunicación de alta velocidad, fijas y móviles, con especial consideración para aquellos procesos de modernización tecnológica que tengan como objetivo dar cumplimiento al mandato de la Ley 11/2007, de 22 de junio (BOE del 23), de acceso electrónico de los ciudadanos a los servicios públicos.

Añaden los apartados 2 y 3 las siguientes reglas:

— Los Ayuntamientos cuya población no supere los 2.000 habitantes podrán, además, realizar con cargo al presente Fondo contratos que tengan por objeto obras de mejora de las redes viarias y de adecuación, rehabilitación o regeneración de entornos y espacios públicos urbanos.

— Asimismo, podrán financiarse con cargo al Fondo los contratos de suministro definidos en el artículo 9 de la Ley 30/2007, de 30 de octubre (BOE del 31), de Contratos del Sector Público (LCSP), para el equipamiento de los edificios e instalaciones que sean objeto de los proyectos previstos en los apartados anteriores. La financiación de dichos contratos no podrá superar el 20 por ciento del importe del proyecto al que estén vinculados. En cualquier caso, no podrá fraccionarse su objeto con el fin de no superar esa cantidad.

Partiendo de esta normativa, consideramos que puede financiarse con cargo al citado FEESL la construcción de las pistas de paddle, ya que cumple el requisito de ser un contrato de obra para una instalación deportiva.

En cuanto a la instalación de alumbrado público, consideramos que sólo podrá financiarse con cargo al FEESL si se justificara como una instalación para el ahorro y eficiencia energética, si sustituye una antigua por una moderna. Ahora bien, aquí el problema lo encontraríamos con el porcentaje del contrato de suministro que lleva aparejado.

En cuanto a las obras de asfaltado y de aparcamiento de camiones, consideramos que no pueden financiarse al no tener su municipio consultante menos de 2.000 habitantes.

No obstante, teniendo en cuenta que hay un servicio de consulta, consideramos que sería más conveniente realizar plantear la cuestión directamente al Ministerio de Política Territorial a través de la página web, donde se contiene toda la información sobre el Fondo de sostenibilidad.

Artículo 10 *Contrato de servicios*

Son contratos de servicios aquéllos cuyo objeto son prestaciones de hacer consistentes en el desarrollo de una actividad o dirigidas a la obtención de un resultado distinto de una obra o un suministro. A efectos de aplicación de esta Ley, los contratos de servicios se dividen en las categorías enumeradas en el Anexo II.

Concordancias a todo el artículo

→ Concordancias normativas

Artículo 10 de la LCSP 30/2007 y artículo 196 del TRLCAP RDL 2/2000.

Véanse artículos 16, 174 y 301 a 312 de la presente Ley.

☞ Concordancias Jurisprudenciales

Tribunal Superior de Justicia de Madrid, Sala de lo Social, Sección 6.ª, Sentencia de 12 Dic. 2011, rec. 3473/2011

[LA LEY 281959/2011]

CONTRATO DE TRABAJO. Criterios fundamentales de calificación de la relación como laboral. Dependencia o subordinación. CONTRATOS ADMINISTRATIVOS. Naturaleza del contrato. Criterios de determinación. CONTRATOS TEMPORALES. Contratos celebrados por la Administración. Contratación en fraude de ley. Supuestos. -- Contratos celebrados por la Administración. Efectos de la declaración de improcedencia del despido. DESPIDO. Despido disciplinario. Calificación del despido. Despido nulo. -- Despido disciplinario. Calificación del despido. Despido improcedente.

Tribunal Superior de Justicia de Madrid, Sala de lo Social, Sección 6.ª, Sentencia de 16 May. 2011, rec. 5950/2010

[LA LEY 93081/2011]

JURISDICCIÓN LABORAL. Competencia por el carácter de la relación laboral. La calificación de la relación como laboral o administrativa en una acción declarativa, con la consecuencia de la atribución jurisdiccional a uno u otro orden, ha de realizarse en función de la última de las vinculaciones.

Tribunal Superior de Justicia de Madrid, Sala de lo Social, Sección 5.ª, Sentencia de 24 Nov. 2011, rec. 2247/2011

[LA LEY 246468/2011]

CONTRATOS ADMINISTRATIVOS. Naturaleza del contrato. Criterios de determinación. Generalidades. CONTRATOS TEMPORALES. Contratos celebrados por la Administración. Contratación en fraude de ley. Supuestos. -- Contratos celebrados por la Administración. Efectos de la declaración de improcedencia del despido. DESPIDO. Despido disciplinario. Calificación del despido. Despido improcedente.

Tribunal Superior de Justicia del Principado de Asturias, Sala de lo Contencioso-administrativo, Sección 1.ª, Sentencia de 30 Sep. 2011, rec. 116/2009

[LA LEY 196303/2011]

COMPETENCIA JUDICIAL. Falta de jurisdicción de la Sala de lo contencioso-administrativo por ser competencia de la jurisdicción civil. El objeto del recurso lo constituye la impugnación de la encomienda o encomiendas realizadas por la Consejería de Administraciones Públicas a una empresa pública para la instalación y puesta en funcionamiento de la TDT en aquellos centros o emplazamientos de difusión de televisión de titularidad pública, así como la convocatoria de los procedimientos de licitación para la contratación de la extensión de la cobertura de la TDT desde centros de radiodifusión. Competencia de la jurisdicción civil para conocer de cuantas cuestiones litigiosas afecten a la preparación y adjudicación de los contratos privados que se celebren por los entes y entidades que no tengan el carácter de Administración Pública, siempre que estos contratos no estén sujetos a regulación armonizada.

Tribunal Superior de Justicia de Madrid, Sala de lo Social, Sección 5.ª, Sentencia de 7 Jul. 2011, rec. 5039/2010

[LA LEY 150116/2011]

CONTRATOS TEMPORALES. Contratos celebrados por la Administración. Sometimiento a las reglas de la contratación laboral. En general. DERECHOS FUNDAMENTALES Y LIBERTADES PÚBLICAS. Derecho a la tutela jurisdiccional. Posible restricción del derecho. JURISDICCIÓN LABORAL. Competencia por el carácter de la relación de trabajo. Relación laboral. PROCESO LABORAL. Proceso por despido. Sentencia. El fallo.

Tribunal Superior de Justicia de Madrid, Sala de lo Social, Sección 5.ª, Sentencia de 14 Jul. 2011, rec. 5146/2010

[LA LEY 150108/2011]

CONTRATOS TEMPORALES. Contratos celebrados por la Administración. Sometimiento a las reglas de la contratación laboral. En general. PROCESO LABORAL. Proceso ordinario. Objeto del proceso. Acciones declarativas.

Tribunal Superior de Justicia de la Comunidad Valenciana, Sala de lo Social, Sentencia de 7 Jun. 2011, rec. 61/2011

[LA LEY 139935/2011]

CONTRATO DE TRABAJO. Criterios fundamentales de calificación de la relación como laboral. En general. -- Criterios fundamentales de calificación de la relación como laboral. Supuestos concretos. Personal laboral al servicio de las Administraciones Públicas. PERSONAL LABORAL DE LA ADMINISTRACIÓN. Generalidades.

Tribunal Superior de Justicia de Madrid, Sala de lo Social, Sección 6.ª, Sentencia de 27 Jun. 2011, rec. 884/2011

[LA LEY 115719/2011]

CONTRATO DE TRABAJO. Exclusiones. En general. CONTRATOS TEMPORALES. Contratos celebrados por la Administración. En general. PROCESO LABORAL. Proceso por despido. Generalidades.

Tribunal Superior de Justicia de Madrid, Sala de lo Social, Sección 6.ª, Sentencia de 27 Jun. 2011, rec. 763/2011

[LA LEY 115717/2011]

CONTRATO DE TRABAJO. Exclusiones. En general. CONTRATOS TEMPORALES. Contratos celebrados por la Administración. En general. JURISDICCIÓN LABORAL. Competencia por el carácter de la relación de trabajo. Relación inexistente o de carácter no laboral. En general.

Tribunal Superior de Justicia de Madrid, Sala de lo Social, Sección 2.ª, Sentencia de 18 May. 2011, rec. 4562/2010

[LA LEY 92868/2011]

JURISDICCIÓN SOCIAL. Competencia. El carácter laboral de la prestación de servicios cuando presenta las notas típicas de ajenidad y retribución y dependencia no puede ceder como consecuencia de la calificación formal del contrato como administrativo.

✉ **Consultas**

• **Consideración de medio propio de una sociedad mercantil municipal**

¿Es posible encomendar la gestión del servicio de basuras a una sociedad de capital íntegramente municipal?

[19/10/2011   EC 2366/2011]

Contestación

Antes de contestar las cuestiones planteadas, un breve apunte en relación con el objeto del contrato de recogida de basuras. Tradicionalmente, para su contratación, se ha recurrido al contrato de gestión de servicios públicos; solución que quizá haya que revisar a la vista de los últimos pronunciamientos del Tribunal de Justicia de las Comunidades Europeas.

La distinción, entre un contrato de servicios y uno de gestión de servicios públicos no es sencilla a nivel teórico. La Ley 30/2007, de 30 de octubre (BOE del 31), de Contratos del Sector Público (LCSP), en su art. 5 determina que los contratos que celebre el sector público se calificarán de acuerdo a las normas contenidas en los arts. 5 a 12 LCSP, donde se definen los contratos de obras, concesión de obras públicas, gestión de servicios públicos, suministro, servicios y de colaboración entre el sector público y el sector privado. Antes de iniciar cualquier procedimiento de adjudicación de un contrato, debe quedar perfectamente definido el objeto del contrato, para así poder delimitar el tipo contractual que corresponde al objeto de la prestación/es que se desea contratar, de acuerdo con lo establecido recogido en los arts. 74 y 100 a 102 LCSP.

El art. 10 LCSP define el contrato de servicios como aquellos «cuyo objeto son prestaciones de hacer consistentes en el desarrollo de una actividad o dirigidos a la obtención de un resultado distinto a una obra de suministro». La ambigüedad de esta definición intenta paliarse con una remisión a las categorías a que se remite este precepto enumeradas en el anexo II de la Ley. En el art. 8 LCSP, al referirse al contrato de gestión de servicios públicos, se indica que es aquel por el que encomienda la gestión de un servicio cuya prestación ha sido asumida como propia de su competencia por la Administración.

Se barajan varios argumentos que han de conjugarse para determinar qué tipo de contrato se ha de articular: si el destinatario de las prestaciones a contratar son los vecinos o la Administración; si se trata de un servicio público declarado como tal en la Ley 7/1985, de 2 de abril (BOE del 3), Reguladora de las Bases del Régimen Local (LRBRL); si hay o no unas tarifas que el contratista percibe de los usuarios forma de retribución del contratista, la repercusión económica del servicio en la Administración, etc. Véanse los Informes de la Junta Consultiva de Contratación Administrativa (JCCA) 41/1995, de 21 de diciembre de 1995; 49/1996, de 22 de julio de 1996; 44/1999, de 21 de diciembre de 1999; 47/01, de 30 de enero de 2002, entre otros. Pero, hay dos criterios determinantes para poder tipificar determinado contrato como de gestión de servicios públicos:

a) Susceptibilidad de explotación económica. La prestación mediante gestión indirecta de los servicios públicos está sometida al doble requisito de que tengan contenido económico y que no impliquen ejercicio de la autoridad inherente a los poderes públicos (art. 251 LCSP e Informes de la JCCA 24/1996, 61/03, 43/03, 2/06, de 24 de marzo de 2006).

En cuanto a la diferencia entre servicio y concesión de servicios. Las conclusiones del Abogado General presentadas el 2 de junio de 2009 en el Asunto C-196/08, en relación con una petición de decisión prejudicial planteada por el Tribunale Amministrativo Regionale de la Sicilia por la utilización de la figura de la colaboración público-privada para la adjudicación directa de la gestión integral del servicio público de agua a una sociedad de economía mixta en su punto 14, recogen las siguientes definiciones: «Conforme al designio de la seguridad jurídica, el art. 1 de la Directiva 2004/18 aporta una batería de definiciones, entre las que, por el momento y para deslindar la tenue frontera entre el contrato y la concesión, destaco las del siguiente tenor:

— Los contratos públicos: [...] los [...] onerosos y celebrados por escrito entre uno o varios operadores económicos y uno o varios poderes adjudicadores, cuyo objeto sea la ejecución de obras, el suministro de productos o la prestación de servicios en el sentido de la presente Directiva.

— La concesión de obras públicas: [...] un contrato que presente las mismas características que el contrato público de obras, con la salvedad de que la contrapartida de las obras consista, o bien únicamente en el derecho a explotar la obra, o bien en dicho derecho acompañado de un precio.

— La concesión de servicios: [...] un contrato que presente las mismas características que el contrato público de servicios, con la salvedad de que la contrapartida de la prestación de servicios consista, o bien únicamente en el derecho a explotar el servicio, o bien en dicho derecho acompañado de un precio.

b) Riesgo económico para el contratista: para la Directiva 2004/18, de 31 de marzo, sobre coordinación en los contratos públicos de obras, suministro y servicios, si en el contratista no asume el riesgo en la explotación no estaríamos ante un contrato de gestión de servicios públicos, sino de servicios, sujeto por la tanto a la Directiva comunitaria. Así lo recoge claramente la Sentencia del TSJUE de 18 de julio de 2007, asunto C-382/05: existe una concesión de servicios cuando la modalidad de retribución convenida consista en el derecho del prestador a explotar su propia prestación y suponga que éste asume el riesgo vinculado a la explotación de los servicios de que se trata.

Es este segundo el criterio fundamental, de acuerdo a la interpretación de la jurisprudencia comunitaria: si no existe este traspaso del riesgo en la explotación, si el contratista no va a realizar las prestaciones objeto del contrato a su riesgo y ventura, porque las cláusulas del pliego que regula la contratación le permiten trasladar a la Administración determinados costes, y además no se asume ningún riesgo de demanda, porque la utilización del servicio por parte de sus destinatarios no determina el precio, no estamos ante una «encomienda de gestión» de acuerdo a la definición del art. 8 LCSP antes referido. Esto es, no existe gestión indirecta del servicio, sino que el marco de las relaciones debe mantenerse dentro de la gestión directa, que realizará la Administración en vez de con su capítulo 1, con su capítulo 2, esto es, en lugar de con personal de plantilla, con una contratación de medios que ella misma ordena a su servicio.

Este razonamiento puede verse plasmado entre otras y como más reciente, en la STSJCE de 9 de junio de 2009, asunto C-480/06 sobre incumplimiento de Estado por falta de tramitación de un procedimiento formal europeo de licitación para la adjudicación de servicios de tratamiento de residuos, sostiene (consideración 12) que «la eliminación de residuos es una actividad calificada de «servicio» en el sentido de la categoría 16 que figura en el anexo I A de la Directiva.»

Pasamos entonces a ocuparnos de la posibilidad de encomendar la gestión de un servicio a una sociedad de capital íntegramente municipal, y a través de qué fórmula jurídica encontraríamos amparo para ello.

Hemos de afirmar, sin duda ninguna, que una sociedad mercantil local es una entidad sometida al derecho privado. Ballesteros Fernández afirma que su personalidad se desarrolla externamente en sus relaciones con terceros bajo el régimen de derecho privado, aunque internamente es en realidad un instrumento de la Administración. El art. 85 ter LRBRL también afirma que las sociedades mercantiles locales se regirán íntegramente, cualquiera que sea su forma jurídica, por el ordenamiento jurídico privado, salvo las materias en que les sea de aplicación la normativa presupuestaria, contable de control financiero de eficacia y contratación.

La Sentencia del TSJ de Castilla-La Mancha de 30 de octubre de 2000 (EC 3592/2001) anula la aprobación de un convenio de encomienda de gestión, y de ella se deduce que la posibilidad de encomiendas de gestión de unas Entidades Locales a otras, o a entidades dependientes de ellas; pero si estas últimas están sujetas a derecho privado, el régimen no es el propio [art. 15 de la Ley 30/1992, de 26 de noviembre (BOE del 27), de Régimen Jurídico de las Administraciones Públicas y del Procedimiento Administrativo Común (LRJAP)] sino el de la LCSP. Aborda también esta distinción el Informe 1/2010, de 21 de julio de 2010, de la Junta Consultiva de Contratación Administrativa de las Islas Baleares, sobre los encargos de gestión a cuya lectura se remite.

Para poder utilizar ese régimen, la LCSP permite, únicamente, la exclusión de negocios jurídicos que se realicen con los denominados «medios propios», la contratación «in house» (art. 4.1.n LCSP). Pero los medios han de ser «propios»; esto es, según esta reiterada jurisprudencia, para que pueda utilizarse la fórmula, una entidad debe cumplir tres requisitos acumulativos: (sentencias Mannesmann Anlagenbau Austria y otros, apartados 20 y 21, y de 15 de mayo de 2003, Comisión/España, C-214/00, Rec. pág. 1-0000, apartado 52).

— Debe ser un organismo creado para satisfacer necesidades de interés general que no tengan carácter industrial o mercantil.

— Dotado de personalidad jurídica.

— Cuya actividad dependa estrechamente del Estado, de los entes territoriales o de otros organismos de Derecho público.

Para que pueda calificarse, de acuerdo al apartado 3 del art. 3 como poder adjudicador, la LCSP únicamente ha precisado algo más el requisito de la dependencia (también sobre la base de los pronunciamientos anteriormente citados), indicando que ha de cumplirse al menos una de las tres siguientes exigencias: 1) que una o varias Administraciones o poderes adjudicadores financien mayoritariamente su actividad; 2) que una o varias Administraciones o poderes adjudicadores controlen su gestión, y 3) que una o varias Administraciones Públicas o uno o varios poderes adjudicadores nombren a más de la mitad de los miembros del órgano de administración, dirección o vigilancia.

Y, además, de acuerdo al art. 24.6 LCSP al que se remite el art. 4 antes citado, que figure expresamente en los estatutos o en su norma de creación de la entidad que recibe el encargo, su condición de medio propio de la entidad creadora.

Entendemos, por lo tanto, que no es posible esa encomienda; puesto que la sociedad mercantil no es medio propio de otras entidades locales distintas de su creadora, que no la financian, que no la controlan y que no figuran en sus estatutos.

Su participación en licitaciones realizadas por estas otras entidades también es cuestionable. En primer lugar, su objeto social debería permitirlo; y en los estatutos aquél debe estar constreñido, en principio, a la competencia territorial de la entidad que la crea; ya que, teniendo en cuenta las limitaciones territoriales de las entidades creadoras, sus organismos dependientes no podrían tener potestades más amplias que ellas, sobre todo en casos como este en que la titularidad es íntegramente local, si bien debería ser analizado este extremo a la luz del contenido de los estatutos.

• Naturaleza jurídica del contrato de cafetería en edificios afectados a un servicio público

Se desea licitar el servicio de bar que se presta en un local municipal ubicado en el polideportivo municipal. Quisiéramos saber la opinión de la revista en relación a si se trataría de una concesión de dominio público local, con licitación previa, o simplemente un contrato de servicios.

Contratación Administrativa Práctica, Nº 111, Sección Usted Pregunta, Septiembre 2011, Editorial LA LEY

[LA LEY 1013/2011]

Respuesta

No creemos que el contrato de cesión de la explotación de un bar o una cafetería se trate de un contrato de concesión demanial. Por el contrario podemos apuntarle dos teorías sobre la naturaleza de este tipo de contratos:

a) La mantenida por la Junta Consultiva de Contratación Administrativa en reiterados informes —como el 5/1996 de 7 de marzo, 67/1999, de 6 de julio de 2000, el 24/2005, de 29 de junio, y el 28/2007, de 5 de julio— que ha considerado el contrato de cafetería en edificios afectados a un servicio público como contrato administrativo especial, y así lo hemos mantenido también desde esta Revista. Y en virtud de dicha calificación entendió, de conformidad con lo dispuesto en la LCAP o en el TRLCAP que dicho contrato se regiría en cuanto a su preparación, adjudicación, efectos y extinción por sus normas propias, después por lo establecido en la normativa de contratos de las administraciones públicas, y supletoriamente por las normas de derecho administrativo y, en último término, por las normas de derecho privado. En términos parecidos se manifiesta, en cuanto a la normativa aplicable, el art. 19.2 de la Ley 30/2007, de 30 de octubre (LA LEY 10868/2007), de Contratos del Sector Público.

En este supuesto, también según la JCCA en informe 38/2005, de 26 de octubre de 2005, «Posibilidad de utilización de la figura y régimen jurídico de los contratos menores en los contratos administrativos especiales», considera que la figura de los contratos menores no resulta aplicable a los contratos administrativos especiales, por resultar incompatible con el régimen jurídico tal como resulta del artículo 8 de la Ley de Contratos de las Administraciones Públicas. Esto es, al exigirse en el contrato administrativo especial la regulación del régimen jurídico en los Pliegos de Cláusulas Administrativas, entiende que al carecer el contrato menor de Pliegos no puede aplicarse esta figura.

b) Ahora bien, hay que poner de manifiesto que todos los informes citados son anteriores a la vigencia de la citada LCSP, y que hay quien considera que a partir de la Ley 30/2007 (LA LEY 10868/2007) estamos ante un contrato de servicios. En este sentido se manifiesta Pilar Jiménez Rius, en la obra VADEMÉCUM DE LA ADMINISTRACIÓN LOCAL. Las 1.040 preguntas y respuestas esenciales, cuando señala lo siguiente: «De acuerdo con el régimen vigente en la actualidad, el art. 10 de la LCSP (LA LEY 10868/2007) dispone que son contratos de servicios aquellos cuyo objeto son prestaciones de hacer consistente en el desarrollo de una actividad o dirigidas a la obtención de un resultado distinto de una obra o un suministro. A efectos de aplicación de esta Ley, los contratos de servicios se dividen en las categorías enumeradas en el Anexo II.

Pues bien, el Anexo II recoge en su apartado 17 los contratos que tienen por objeto los servicios de cafetería y hostelería. Por lo que en principio, no cabe duda de que el contrato de cafetería mencionado es un contrato de servicios».

Por consiguiente si se acoge esta postura habrá que entender que las normas de preparación y adjudicación para el citado contrato serán las del contrato de servicios. Si se considera que el contrato tiene esta naturaleza sí que cabría el contrato menor para importes de hasta 18.000 euros, pero hay que tener en cuenta siempre la limitación temporal, ya que conforme al artículo 23.3 de la LCSP (LA LEY 10868/2007) solo pueden celebrarse por el plazo máximo de un año y no podrán ser objeto de prórroga.

- **Los contratos administrativos especiales en la LCSP**

Ante la finalización del contrato administrativo especial del mini tren turístico, ¿cuál debe ser, hoy, la naturaleza del referido contrato?

[13/06/2011 EC 1471/2011]

Contestación

En cuanto al reciente tratamiento doctrinal y jurisprudencial del contrato administrativo especial, es preciso, en primer lugar, traer a colación el Informe 19/2008, de 4 de septiembre, de la Junta Consultiva de Contratación Administrativa de Aragón. Según el citado Informe «en una primera observación de carácter sustantivo podemos comprobar cómo de la actual regulación de la categoría del contrato administrativo especial se desprende el carácter residual del mismo, primando la tipificación, al margen del régimen jurídico, que contiene la Directiva 2004/18, de 31 de marzo, de contratos públicos. Esto supone un evidente cambio frente a la regulación anterior donde estas prestaciones (servicio de cafetería bar y comedor) sí merecían la consideración de contrato administrativo especial (Informes de la Junta Consultiva del Contratación del Ministerio de Economía y Hacienda de 10 de julio de 1991 (expediente 14/1991), de 7 de marzo de 1996 (expediente 5/1996), de 6 de julio de 2000 (expediente 67/1999) y de 29 de junio de 2006 (expediente 24/05) que sentaban la conclusión de que «reiterando criterios anteriores los servicios de cafetería y comedor deben configurarse como contratos administrativos especiales«)». Es decir, de la actual regulación de la Ley 30/2007, de 30 de octubre (LA LEY 10868/2007) (BOE del 31), de Contratos del Sector Público (LCSP) se desprende cierto carácter residual de la categoría del contrato administrativo especial.

La Junta concluye, en su Informe, que estamos ante prestaciones que deben ser calificadas como contratos de servicios, estableciendo: «que los contratos cuyo objeto es la prestación de servicios de bar, cafetería y comedor en las instalaciones clasificadas como «bares», «cafeterías» y «comedores», deben entenderse incluidos en la categoría 17 «Servicios de hostelería y restaurante» del Anexo II de la LCSP (LA LEY 10868/2007) relativo a los contratos de servicios.»

En este sentido, hay que hacer hincapié en que la mera presencia de características intrínsecas que hagan necesaria una especial tutela de la Administración no debe condicionar la naturaleza administrativa del contrato; ni, en su caso, esa naturaleza administrativa «especial». De ser así, cualquier actuación de la Administración tendría como consecuencia la naturaleza administrativa de sus contratos; y, de no ser de los típicos, tendría naturaleza especial.

Esa vinculación al giro o tráfico o a la satisfacción directa de una finalidad pública debe interpretarse restrictivamente y atender al específico ámbito de actuación y de competencias de la Administración contratante para exigir una más directa relación entre el objeto del contrato y el servicio o la finalidad pública. De suerte que este criterio no permitiría calificar como administrativo un contrato que persiguiese una finalidad meramente genérica de la Administración contratante, o una finalidad específica de otra Administración distinta.

De ahí que la LCSP (LA LEY 10868/2007) —a diferencia del Texto Refundido de la Ley de Contratos de las Administraciones Públicas (TR LCAP), aprobado por Real Decreto Legislativo 2/2000, de 16 de junio (LA LEY 2206/2000) (BOE del 21)— hace hincapié en que se trate de contratos que no tengan atribuido expresamente el carácter de privados; quizá porque este es el ámbito donde más confusiones se han producido. Estos contratos serán los enumerados en el art. 20.1, entre los que se incluyen los que tienen por objeto servicios del Anexo II, categorías 6 y 26. Pero, además, otros negocios jurídicos expresamente excluidos de ese carácter administrativo, y que en ocasiones han dado lugar a confusión, como son los contratos patrimoniales de las Administraciones Públicas, que se rigen por su legislación específica (art. 4.1.p), y las concesiones o autorizaciones sobre bienes de dominio público (art. 4.1.o), que en muchos casos se han reconducido a estos contratos de naturaleza administrativa especial, tratándose de meras actividades económicas privadas sin bien de uso común (cafeterías, librerías, locales de reprografía, etc., en edificios públicos).

De esta forma la LCSP (LA LEY 10868/2007), al trasponer el derecho comunitario y hacer obligatorio el régimen del contrato de servicios para la contratación de las prestaciones incluidas en las categorías enumeradas en el Anexo II, cambia radicalmente el esquema anterior del TRLCAP —que distinguía contratos de servicios, de consultoría y asistencia y administrativos especiales— independientemente de que el destinatario de la prestación sea un tercero ajeno a la Administración, o de que el objeto de la prestación comprenda servicios de contenido múltiple. Pues, de lo que se trata es de un contrato de carácter oneroso entre un poder adjudicador y un prestador de servicios que deberá satisfacer esta prestación según las especificaciones que determine la entidad adjudicadora, a cambio de un precio y dirigido a obtener el resultado querido por la entidad contratante dentro de la esfera de sus competencias.

Por tanto, de todo cuanto acontece, y sin desvirtuar este tipo de contrato administrativo, que por definición ha de tener un objeto distinto de los tipificados en la LCSP (LA LEY 10868/2007), puede decirse que su aplicación se ha visto enormemente minimizada y posiblemente reducida a los casos en que una ley así lo establezca.

En base a todo lo anterior, podemos y debemos concluir que el servicio mini tren turístico es un contrato administrativo de servicios de los previstos en el art. 10 LCSP (LA LEY 10868/2007).

• Los servicios de correos constituyen el objeto de un contrato de servicios

El Ayuntamiento quiere suscribir un convenio de colaboración con la Sociedad Estatal Correos y Telégrafos para la prestación del servicio de distribución de notificaciones por correo certificado y retorno de la información al cliente por vía telemática. ¿Es viable?

[24/05/2010   EC 1669/2010]

Contestación

Consideramos que la duda viene planteada por el hecho de que la disposición final primera de la Ley 24/1998, de 13 de julio (LA LEY 2684/1998) (BOE del 14), del servicio postal universal y liberalización de servicios postales, dispone que se atribuye la obligación de prestar el servicio postal universal, en los términos y condiciones previstos en el Título III de esta Ley, a la «Sociedad Estatal Correos y Telégrafos, Sociedad Anónima». A estos efectos, quedan reservados a esta sociedad los servicios que se establecen en el art. 18 y se le asignan, asimismo, los derechos especiales y exclusivos que se recogen en el art. 19. Artículo 18 que se refiere a los siguientes servicios:

A) El servicio de giro.

B) La recogida, la admisión, la clasificación, la entrega, el tratamiento, el curso, el transporte y la distribución de los envíos interurbanos, certificados o no, de las cartas y de las tarjetas postales, siempre que su peso sea igual o inferior a 100 gramos. A partir del 1 de enero de 2006, el límite de peso se fija en 50 gramos.

C) El servicio postal transfronterizo de entrada y de salida de cartas y tarjetas postales, en los mismos términos de precio, peso y fecha establecidos en el apartado B). Se entiende por servicio postal transfronterizo, a los efectos de esta Ley, el procedente de otros Estados o el destinado a éstos.

D) La recepción, como servicio postal, de las solicitudes, de los escritos y de las comunicaciones que los ciudadanos dirijan a los órganos de las Administraciones Públicas, conforme al art. 38.4.c) (LA LEY 3279/1992) de la Ley 30/1992, de 26 de noviembre, de Régimen Jurídico de las Administraciones Públicas y del Procedimiento Administrativo Común.

Ahora bien, nosotros consideramos que a pesar de esta reserva, y cuando se trata de contratar determinados servicios que estén reservados, se podrá acudir a un procedimiento específico de contratación, entendemos que el procedimiento negociado. Pero ello no quiere decir que no estemos ante un contrato de servicios recogido en el Anexo II a que se refiere el art. 10 de la Ley 30/2007, de 30 de octubre (LA LEY 10868/2007) (BOE del 31), de Contratos del Sector Público (LCSP).

Por tanto, entendemos que debe llevarse a cabo un procedimiento de contratación. Aunque, como hemos dicho, algunos servicios sólo pueda prestarlos la Sociedad Estatal Correos y Telégrafos, y teniendo en cuenta que a partir del 1 de enero de 2011 se produce la liberación en la prestación del servicio de correos.

Dicho esto, somos conocedores de que muchos Ayuntamientos están celebrando convenios y no están acudiendo a un procedimiento de contratación.

• **Calificación de un contrato administrativo para la gestión de una escuela de música municipal**

En relación a la publicación que aparece en la Revista «Contratación Administrativa Práctica» n.º 87 de junio de 2009, en el apartado «Reflexiones» firmado por D. José Esteban García Vega, quisiera plantearles cómo se calificaría un contrato administrativo para la gestión de una escuela de música municipal teniendo en cuenta que:

— Existe Reglamento de Organización y funcionamiento del servicio aprobado por el Pleno de la Corporación en el que expresamente se asume como propia la prestación del servicio al amparo del artículo 25 de la Ley 7/1985, de 2 de abril.

— El servicio se presta de forma gratuita con lo que no existirá tasa o precio público alguno.

— El contratista se retribuye directamente por la administración. Aun cuando se percibiera una tasa o precio público, es deseo expreso de la Corporación que dicha tarifa sea abonada por el usuario al Ayuntamiento y no al contratista.

— Las matrículas se formalizarán en el Registro Municipal; fuera de esto, la organización de la Escuela corresponderá al contratista con la supervisión municipal.

A nuestro parecer, se cumple lo preceptuado en el artículo 116 LCSP y además la prestación goza de todos los atributos de servicio público: universalidad, responsabilidad pública y permanencia, que llevan a la ciudadanía en una confianza legítima de que el servicio se va a prestar con carácter de permanencia y con la mayor de las calidades posibles.

Contratación Administrativa Práctica, Nº 93, Sección Usted Pregunta, Enero 2010, Editorial LA LEY

[LA LEY 4177/2009]

Respuesta

Evidentemente, el trabajo citado por ustedes es bastante clarificador y nos sirve para afrontar esta consulta. Apuntamos ya que hacemos nuestras sus reflexiones, y creemos posible calificar este contrato como de gestión de servicios públicos.

La Ley 30/2007, de 30 de octubre, de Contratos del Sector Público (LCSP) establece en el artículo 10 (LA LEY 10868/2007) el concepto de la definición de contrato de gestión de servicios públicos. Será aquel en cuya virtud una Administración Pública encomienda a una persona, natural o jurídica, la gestión de un servicio cuya prestación ha sido asumida como propia de su competencia por la Administración encomendante.

La legislación actual ha ampliado, respecto a este tipo de contrato los conceptos que lo definían en el Texto Refundido de la Ley de Contratos de las Administraciones Públicas (TRLCAP), aprobado por Real Decreto Legislativo 2/2000, de 16 de junio, que en su artículo 155.1 (LA LEY 2206/2000) establecía que podrían prestarse por medio de este contrato aquellos servicios de contenido económico que pudieran ser objeto de explotación por los particulares, mientras que en la actualidad el artículo 251.1 (LA LEY 10868/2007) se refiere simplemente a los contratos susceptibles de explotación.

Es ilustrativo el informe de la Junta Consultiva 27/2007, de 29 de octubre de 2007 (LA LEY 224/2007), que analizaba la posibilidad de que se calificara un contrato de gestión de servicio público.

Al haber cambiado la normativa, entendemos que no es necesario que se trate de un servicio susceptible de explotación económica por los particulares sino que bastará con la posibilidad de su explotación y con que no requiera el ejercicio de autoridad. Por todo lo cual entendemos que es posible calificar como contrato de gestión de servicio público el de escuela de música municipal.

Además, se puede argumentar lo dispuesto en el artículo 116 de la LCSP (LA LEY 10868/2007), citado por ustedes, según el cual, antes de proceder a la contratación de un servicio público, deberá haberse establecido su régimen jurídico, que declare expresamente que la actividad de que se trata queda asumida por la Administración respectiva como propia de la misma, atribuya las competencias administrativas, determine el alcance de las prestaciones en favor de los administrados, y regule los aspectos de carácter jurídico, económico y administrativo relativos a la prestación del servicio.

Si estas circunstancias se hacen constar en el expediente, no vemos problema en calificar este contrato de gestión de servicios públicos.

• **Naturaleza jurídica del contrato de suscripción de una póliza de seguro por una administración pública**

¿Cómo se puede armonizar el cumplimiento de la Ley de Contratos del Sector Público con la contratación de un conjunto de pólizas de seguro con intervención de un corredor de seguros que asesora a la administración en la definición del pliego de prescripciones técnicas y se retribuye mediante una comisión a cargo de la compañía adjudicataria? ¿No sería

más ajustado a la normativa vigente retribuir al corredor directamente y buscar, en el contrato de seguro, las mejores condiciones económicas posibles, eliminando la comisión a favor del corredor? Por otra parte, ¿cómo se justifica, si cobra comisión de la aseguradora, la elección de un determinado corredor sin un procedimiento previo de selección?

Contratación Administrativa Práctica, N° 92, Sección Usted Pregunta, Diciembre 2009, Editorial LA LEY

[LA LEY 4062/2009]

Respuesta

La suscripción de una póliza de seguro por una administración pública supone la realización de un contrato de servicios regulado en el artículo 10 de la Ley 30/2007 (LA LEY 10868/2007), de contratos del sector público (LCSP) y por lo tanto es un contrato cuyo objeto son prestaciones que tengan por destinatario directo a la entidad contratante, consistentes en el desarrollo de una actividad o que estén dirigidas a la obtención de un resultado diferente de una obra o un suministro.

A efectos de la aplicación de la LCSP, los contratos de servicios se clasifican en la lista cerrada de categorías enumeradas en el anexo II de dicho texto legal que incluye en la número 6 a los servicios de seguros que por tanto se regulan de acuerdo con las disposiciones de la LCSP relativas al contrato de servicios.

La contratación de un corredor de seguros entra dentro de la categoría 6 de contrato de seguro y en este caso de lo que se trata es que conste la realización de un proceso selectivo; en concreto, en los contratos de seguro la valoración debe venir dada por la prima pagadera y otras formas de remuneración que se presenten a la administración.

La inclusión de la comisión del corredor puede ser un elemento más a tener en cuenta si se hace constar la necesidad de contar con estos servicios asimilados a cada compañía licitadora.

• **Naturaleza jurídica del contrato para impartir clases de baile y guitarra en dependencias municipales**

Si un Ayuntamiento contrata a un monitor para impartir un curso de baile y guitarra en dependencias municipales, ¿se considera un contrato administrativo de servicios o un contrato privado?

Actualidad Administrativa, N° 4, Sección Consultas, Quincena del 16 al 28 Febrero 2009, pág. 510, tomo 1, Editorial LA LEY

[LA LEY 52/2009]

Respuesta

De conformidad con el artículo 10 (LA LEY 10868/2007) de la Ley 30/2007, de 30 de octubre, de Contratos del Sector Público (LCSP) son contratos de servicios aquéllos cuyo objeto son prestaciones de hacer consistentes en el desarrollo de una actividad o dirigidas a la obtención de un resultado distinto de una obra o un suministro. A efectos de aplicación de esta Ley, los contratos de servicios se dividen en las categorías enumeradas en el Anexo II.

En la categoría 24 se refiere a los servicios de educación y formación profesional mientras que en la 26 se señalan los servicios de esparcimiento, culturales y deportivos

Por otro lado, según el artículo 20 (LA LEY 10868/2007) del mismo cuerpo legal, señala que tendrán la consideración de contratos privados los celebrados por una Administración Pública que tengan por objeto espectáculos comprendidos en la categoría 26 del mismo Anexo.

En principio, creemos que si un monitor imparte un curso de baile y guitarra no está actuando en un espectáculo por lo que no es pertinente considerarlo como un contrato privado. Entendemos que encaja más como contrato administrativo de servicio.

• Compatibilidad para contratar a un antiguo empleado municipal para el asesoramiento en la redacción del Plan General de Ordenación Municipal.

¿Concurre incompatibilidad para contratar a un antiguo empleado municipal (gerente de urbanismo) para el asesoramiento en la redacción del Plan General de Ordenación Municipal?

[30/12/2008   EC 4006/2008]

Contestación

Entendemos, aunque no se aclara en la consulta, que el supuesto de hecho se refiere a la licitación de un contrato de servicios [art. 10 en relación con el Anexo II, categoría 12, de la Ley 30/2007, de 30 de octubre (EC 3697/2007), de Contratos del Sector Público (LCSP)] para el asesoramiento en la redacción del Plan General de Ordenación Urbana. Se plantearía si en esta licitación puede concurrir un profesional que había ocupado las funciones de Gerente de Urbanismo, imaginamos que con una relación laboral temporal, puede que de alta dirección dada la denominación, durante un breve periodo de tiempo y cuya relación de servicios con el municipio ha finalizado. Se trataría de determinar si concurre causa de incompatibilidad para ser adjudicatario de un contrato administrativo cuando concurre una circunstancia como la descrita.

La posible causa de incompatibilidad sería la señalada en el art. 49.1.f) LCSP [cuyo precedente es el art. 20.1 e) del Real Decreto Legislativo 2/2000, de 16 de junio, TRLCAP]:

«No podrán contratar con el sector público las personas en quienes concurra alguna de las circunstancias siguientes: (...) f) Estar incursa la persona física o los administradores de la persona jurídica en alguno de los supuestos de la Ley 5/2006, de 10 de abril, de regulación de los conflictos de intereses de los miembros del Gobierno y de los altos cargos de la Administración General del Estado, de la Ley 53/1984, de 26 de diciembre, de incompatibilidades del personal al servicio de las Administraciones públicas o tratarse de cualquiera de los cargos electivos regulados en la Ley Orgánica 5/1985, de 19 de junio, del Régimen Electoral General, en los términos establecidos en la misma. La prohibición alcanzará a las personas jurídicas en cuyo capital participen, en los términos y cuantías establecidas en la legislación citada, el personal y los altos cargos de cualquier Administración Pública, así como los cargos electos al servicio de las mismas. La prohibición se extiende igualmente, en ambos casos, a los cónyuges, personas vinculadas con análoga relación de convivencia afectiva y descendientes de las personas a que se refieren los párrafos anteriores, siempre que, respecto de los últimos, dichas personas ostenten su representación legal».

Este artículo prohibiría que una persona física (como es el caso planteado) pueda ser adjudicataria de un contrato administrativo si concurriese en ella alguna causa de incompatibilidad. El tema en concreto ha sido objeto de respuesta en Informe 8/2003 de la Comisión Permanente de la Junta Consultiva de Contratación Administrativa de la Generalidad de Cataluña de 18 de julio de 2003 (lógicamente en aquel momento referido al art. 20.1.e TRLCAP). Este órgano consultivo entiende que la Ley 53/1984, de

26 de diciembre, de Incompatibilidades del Personal al Servicio de las Administraciones Públicas [a la que se remite el art. 49.1.f) LCSP], se aplica al personal al servicio de las corporaciones locales (art. 2.c) y no establece ninguna prohibición para contratar con las administraciones públicas una vez se ha dejado de ocupar un puesto de trabajo adscrito a una Administración pública. De este modo una persona física podría ser licitadora y adjudicataria de un contrato administrativo de consultoría y asistencia (hoy servicios) si, cuando participa en la licitación pública correspondiente, no tiene relación jurídica de prestación de servicios con la administración que licita el contrato. Y concluye que «...no es causa de prohibición de contratar haber desarrollado con anterioridad al momento de la licitación servicios o prestaciones para la administración contratante, si estos servicios o prestaciones ya han finalizado».

No obstante lo anterior en la obra Contratación del Sector Público Local (Tomo I, págs. 581 a 583, VV.AA, El Consultor, 2008) se mantiene lo siguiente: el art. 12.1.a) de la Ley 53/1984 prohíbe específicamente al personal al servicio de las administraciones públicas: «El desempeño de actividades privadas, incluidas las de carácter profesional, sea por cuenta propia o bajo la dependencia o al servicio de Entidades o particulares, en los asuntos en que esté interviniendo, haya intervenido en los dos últimos años o tenga que intervenir por razón del puesto público». Entiende el autor en esta obra que este apartado del art. 12 permitiría aplicar esta causa de incompatibilidad a actividades privadas realizadas incluso una vez extinguido el vínculo que existía con la administración pública que saca a licitación ese contrato de servicios. Para ello se apoya en la STS de 24 de enero de 1995 (LA LEY 5939/1995) cuando anula la adjudicación de un contrato de consultoría y asistencia a una empresa por que uno de los consejeros había sido asesor de la administración que adjudicaba.

Sin embargo esta sentencia, y la interpretación que hace del art. 12.1.a) de la Ley 53/1984, hemos de ponerla en relación con el hoy vigente art. 45.1 LCSP para entender en todo caso la concurrencia de esa causa de incompatibilidad:

«Art. 45.1. Sin perjuicio de lo dispuesto en relación con la adjudicación de contratos a través de un procedimiento de diálogo competitivo, no podrán concurrir a las licitaciones empresas que hubieran participado en la elaboración de las especificaciones técnicas o de los documentos preparatorios del contrato siempre que dicha participación pueda provocar restricciones a la libre concurrencia o suponer un trato privilegiado con respecto al resto de las empresas licitadoras».

Partiendo de la interpretación restrictiva que debe darse a las causas de incompatibilidad para contratar con la administración pública dado que supone una restricción al principio de libre concurrencia, deberíamos entender que si el entonces Gerente de Urbanismo participó en aquel momento en la elaboración de los documentos que hoy sirven de base para la licitación del contrato de servicios al que licita, aunque haya finalizado su relación de servicios con la administración, concurriría en causa de incompatibilidad para contratar. Podríamos entender incluso que si aquella relación laboral supone una posición de privilegio del hoy licitante, de modo que goza de un mejor conocimiento del objeto contractual al que licita, lo que le coloca en una posición de supremacía a la hora de formular su oferta respecto al resto de licitadores, podría incurrir en causa de incompatibilidad.

Por ello, es preciso conjugar la interpretación restrictiva de la causa de incompatibilidad con los principios de objetividad (ponderación de todos los intereses en juego que la norma ordena proteger), imparcialidad (prohibición de preferencias o disfavores no amparados en norma concreta alguna) y la preservación de la moralidad administrativa [«la administración debe comportarse de tal modo que desaparezca cualquier sombra de favoritismos en beneficio de cierto (ciertos) contratista (o contratistas)».. STS de 17 de febrero de 1992 (LA LEY 1695/1992)] con el principio de libre concurrencia a las licitaciones (art. 1 LCSP).

Artículo 11 *Contrato de colaboración entre el sector público y el sector privado*

1. Son contratos de colaboración entre el sector público y el sector privado aquellos en que una Administración Pública o una Entidad pública empresarial u organismo similar de las Comunidades Autónomas encarga a una entidad de derecho privado, por un período determinado en función de la duración de la amortización de las inversiones o de las fórmulas de financiación que se prevean, la realización de una actuación global e integrada que, además de la financiación de inversiones inmateriales, de obras o de suministros necesarios para el cumplimiento de determinados objetivos de servicio público o relacionados con actuaciones de interés general, comprenda alguna de las siguientes prestaciones:

a) La construcción, instalación o transformación de obras, equipos, sistemas, y productos o bienes complejos, así como su mantenimiento, actualización o renovación, su explotación o su gestión.

b) La gestión integral del mantenimiento de instalaciones complejas.

c) La fabricación de bienes y la prestación de servicios que incorporen tecnología específicamente desarrollada con el propósito de aportar soluciones más avanzadas y económicamente más ventajosas que las existentes en el mercado.

d) Otras prestaciones de servicios ligadas al desarrollo por la Administración del servicio público o actuación de interés general que le haya sido encomendado.

2. Sólo podrán celebrarse contratos de colaboración entre el sector público y el sector privado cuando previamente se haya puesto de manifiesto, en la forma prevista en el artículo 134, que otras fórmulas alternativas de contratación no permiten la satisfacción de las finalidades públicas.

3. El contratista puede asumir, en los términos previstos en el contrato, la dirección de las obras que sean necesarias, así como realizar, total o parcialmente, los proyectos para su ejecución y contratar los servicios precisos.

4. La contraprestación a percibir por el contratista colaborador consistirá en un precio que se satisfará durante toda la duración del contrato, y que podrá estar vinculado al cumplimiento de determinados objetivos de rendimiento.

Concordancias a todo el artículo

➡ **Concordancias normativas**

Artículo 11 de la LCSP 30/2007.

Artículo 11 redactado por el apartado dos de la disposición final decimosexta de la Ley 2/2011, de 4 de marzo, de Economía Sostenible («B.O.E». 5 marzo).

Véanse artículos 13, 134 a 136, 180.3, 313 y 314 de la presente Ley.

☞ **Concordancias Jurisprudenciales**

Tribunal Administrativo Central de Recursos Contractuales, Resolución de 10 Nov. 2011, rec. 232/2011

[LA LEY 231616/2011]

CONTRATO ADMINISTRATIVO DE CONSULTORÍA Y ASISTENCIA. Impugnación del pliego de condiciones particulares de la contratación del servicio de «Consultoría y asistencia para la elaboración y el control de la información relativa a la subcontratación y seguimiento de las medidas de carácter social durante la ejecución de las obras en el ámbito de la Dirección General de Operaciones e Ingeniería de ADIF». RECURSO ESPECIAL EN MATERIA DE CONTRATACIÓN. Inadmisión. La reclamante carece de legitimación activa para presentar reclamación contra los PCP que han de regir la presente licitación. El interés que preside la reclamación interpuesta es el de la defensa de los intereses de las empresas que operan en el ámbito de seguridad y salud. Carece la reclamante de tal facultad, pues no acredita la representación de la Asociación correspondiente.

Tribunal Superior de Justicia del Principado de Asturias, Sala de lo Contencioso-administrativo, Sección 1.ª, Sentencia de 30 Sep. 2011, rec. 116/2009

[LA LEY 196303/2011]

COMPETENCIA JUDICIAL. Falta de jurisdicción de la Sala de lo contencioso-administrativo por ser competencia de la jurisdicción civil. El objeto del recurso lo constituye la impugnación de la encomienda o encomiendas realizadas por la Consejería de Administraciones Públicas a una empresa pública para la instalación y puesta en funcionamiento de la TDT en aquellos centros o emplazamientos de difusión de televisión de titularidad pública, así como la convocatoria de los procedimientos de licitación para la contratación de la extensión de la cobertura de la TDT desde centros de radiodifusión. Competencia de la jurisdicción civil para conocer de cuantas cuestiones litigiosas afecten a la preparación y adjudicación de los contratos privados que se celebren por los entes y entidades que no tengan el carácter de Administración Pública, siempre que estos contratos no estén sujetos a regulación armonizada.

Tribunal Superior de Justicia de Andalucía de Sevilla, Sala de lo Contencioso-administrativo, Sección 1.ª, Sentencia de 27 Abr. 2011, rec. 103/2011

[LA LEY 190681/2011]

CONTRATOS ADMINISTRATIVOS. Clases de contratos del sector público. Contrato de colaboración entre el sector público y el sector privado. DERECHO DE LA UNIÓN EUROPEA. Competencias de la Unión. Eficacia de la normativa.

Tribunal Administrativo Central de Recursos Contractuales, Resolución de 14 Sep. 2011, rec. 191/2011

[LA LEY 191918/2011]

CONTRATO ADMINISTRATIVO DE SERVICIOS. Adjudicación de contrato de solución integral para la externalización de los sistemas ERP de Correos. RECURSO ESPECIAL EN MATERIA DE CONTRATACIÓN. Estimación parcial. Incorrecta motivación del acto de adjudicación. La entidad contratante, si bien ha practicado correctamente la notificación genérica, al no suministrar la información complementaria solicitada por la interesada, no ha cumplido con los requisitos que en cuanto a información a los licitadores se contemplan en la Ley, no permitiendo que pueda interponer reclamación adecuadamente fundada frente a la adjudicación realizada. Deben retrotraerse las actuaciones hasta el momento anterior a la notificación de la adjudicación, al objeto de que la misma se notifique debidamente motivada a todos los licitadores.

Tribunal Administrativo Central de Recursos Contractuales, Resolución de 3 Ago. 2011, rec. 162/2011

[LA LEY 179907/2011]

CONTRATO ADMINISTRATIVO DE SERVICIOS. Adjudicación de contrato cuyo objeto consiste en «una solución integral para la externalización de los sistemas ERP de Correos». RECURSO ESPECIAL EN MATERIA DE CONTRATACIÓN. Estimación parcial. Nulidad de la notificación de la adjudicación. Insuficiente motivación. La notificación de la adjudicación realizada se limitaba a indicar la empresa que había resultado adjudicataria del contrato, el importe de la adjudicación y los recursos procedentes. Esta

Audiencia Provincial de Valencia, Sección 11.ª, Sentencia de 29 Jul. 2009, rec. 256/2009

[LA LEY 217199/2009]

CONTRATO DE SEGURO. Contenido. Objeto: el riesgo. -- Contenido. Indemnización. -- Contenido. Interpretación. -- Obligaciones de las partes. -- En particular. Seguro contra el robo. NOTIFICACIONES. Notificaciones en el ámbito del derecho privado.

Artículo 12 *Contratos mixtos*

Cuando un contrato contenga prestaciones correspondientes a otro u otros de distinta clase se atenderá en todo caso, para la determinación de las normas que deban observarse en su adjudicación, al carácter de la prestación que tenga más importancia desde el punto de vista económico.

Concordancias a todo el artículo

➡ **Concordancias normativas**

Artículo 12 de la LCSP 30/2007 y artículo 6 del TRLCAP RDL 2/2000.

☞ **Concordancias Jurisprudenciales**

Audiencia Provincial de Valencia, Sección 11.ª, Sentencia de 29 Jul. 2009, rec. 256/2009

[LA LEY 217199/2009]

CONTRATO DE SEGURO. Contenido. Objeto: el riesgo. -- Contenido. Indemnización. -- Contenido. Interpretación. -- Obligaciones de las partes. -- En particular. Seguro contra el robo. NOTIFICACIONES. Notificaciones en el ámbito del derecho privado.

✉ **Consultas**

• **Naturaleza del contrato para adquisición de software, su implantación, mantenimiento y formación del personal**

La adquisición de software de gestión de tesorería, su implantación, su mantenimiento y la formación del personal ¿sería un único contrato aplicado a dos partidas presupuestarias distintas?

[14/07/2011 EC 1707/2011]

Contestación

Un supuesto similar al que nos consultan es tratado en el Informe 10/2009, de 15 de junio, de la Comisión Consultiva de Contratación Administrativa de la Junta de Andalucía, sobre la naturaleza jurídica de un contrato cuyo objeto es la adquisición de una actualización informática y su soporte.

Señala este informe, en lo que aquí interesa, que «para la calificación del contrato en cuestión hay que determinar cuál es su objeto y, de los datos proporcionados por el órgano consultante, resulta que en el escrito de consulta se dice que se trata de la «adquisición del derecho de actualizaciones y soporte software de las licencias del producto VMWARE, del que la Consejería de Empleo tiene licencias de uso por parte del fabricante de los mismos», y en la descripción técnica se indica que «Estará incluida la entrega y el acceso a los parches y correcciones de errores relativas a dicho software y el acceso a las nuevas versiones liberadas durante el periodo de mantenimiento contratado así como la atención y resolución de incidencias vía telefónica y por correo electrónico por parte del fabricante relacionada con la plataforma de virtualización VMWARE implantada en la Consejería de Empleo».

El artículo 9.3 de la Ley 30/2007, de 30 de octubre (LA LEY 10868/2007), de Contratos del Sector Público (LCSP (LA LEY 10868/2007)), establece que, en todo caso, se considerarán contratos de suministro los siguientes: b) Los que tengan por objeto la adquisición y el arrendamiento de equipos y sistemas de telecomunicaciones o para el tratamiento de la información, sus dispositivos y programas, y la cesión del derecho de uso de estos últimos, a excepción de los contratos de adquisición de programas de ordenador desarrollados a medida, que se considerarán contratos de servicios.

A la vista de las prestaciones que integran el contrato y del precepto citada hay que indicar que la adquisición del derecho de actualizaciones y soporte software de las licencias del producto entran dentro del concepto de suministro a que se refiere el apartado b) del artículo 9.3 de LCSP (LA LEY 10868/2007), e igualmente la entrega y el acceso a los parches y correcciones de errores relativas a dicho software y el acceso a las nuevas versiones liberadas.

Por lo que se refiere a las prestaciones de atención y resolución de incidencias vía telefónica y por correo electrónico hay que indicar que pueden encuadrarse dentro de las prestaciones de hacer a que se refiere el artículo 10 de la LCSP (LA LEY 10868/2007) y por lo tanto serían propias de un contrato de servicios. Si bien del texto de la consulta parece que estas prestaciones tienen un carácter accesorio, se deberá evaluar su importancia económica al objeto de la aplicación del régimen establecido para los contratos mixtos previsto en el artículo 12 de la LCSP (LA LEY 10868/2007).

Por otra parte, las prestaciones objeto del contrato tal como se describen en el escrito de consulta parece que cumplen los requisitos que para su fusión exige el artículo 25.2 de la LCSP (LA LEY 10868/2007), en cuanto que se encuentran directamente vinculadas y mantienen una relación de complementariedad.»

Y, en base a todo ello, la Junta Consultiva llega a la conclusión de que «La adquisición del derecho de actualizaciones y soporte software de las licencias del producto y la entrega y el acceso a los parches y correcciones de errores relativas a dicho software y el acceso a las nuevas versiones liberadas, entran dentro del concepto de suministro, y la atención y resolución de incidencias vía telefónica y por correo electrónico son prestaciones propias de un contrato de servicios, a la vista de lo cual se deberá evaluar la importancia económica de las prestaciones al objeto de la aplicación del régimen establecido para los contratos mixtos previsto en el artículo 12 de la LCSP.»

Nosotros entendemos que, en el caso consultado, ocurre lo mismo. Esto es, el contrato para adquisición de software, implantación, mantenimiento y formación del personal es un contrato único en el que deben distinguirse dos partes claramente: la adquisición del software (que es un contrato de suministro) y las prestaciones de implantación, mantenimiento y formación del personal (que son propias del contrato de servicios a que se refiere el art. 10 LCSP (LA LEY 10868/2007)). Ahora bien, está últimas prestaciones son claramente complementarias de las del contrato de suministro; cumpliendo lo establecido en el art. 25.2 LCSP (LA LEY 10868/2007) a cuyo tenor «solo podrán fusionarse prestaciones correspondientes a diferentes contratos en un contrato mixto cuando esas prestaciones se encuentren directamente vinculadas entre sí y mantengan relaciones de complementariedad que exijan su consideración y tratamiento como una unidad funcional dirigida a la satisfacción de una determinada necesidad o a la consecución de un fin institucional propio del ente, organismo o entidad contratante.»

Por consiguiente, habrá que concluir que estamos ante un contrato único, que por tanto será un contrato mixto en cuanto contiene prestaciones de dos tipos de contratos; y, por tanto, habrá que estar a la importancia económica de las prestaciones para determinar su régimen jurídico. Por ello, estaríamos ante un único contrato que puede ser aplicado a dos partidas presupuestarias.

Sección 2

Contratos sujetos a una regulación armonizada

➡ **Concordancias normativas**

Véanse artículos 80 y 81 de la presente Ley.

Artículo 13 *Delimitación general*

1. Son contratos sujetos a una regulación armonizada los contratos de colaboración entre el sector público y el sector privado, en todo caso, y los contratos de obras, los de concesión de obras públicas, los de suministro, y los de servicios comprendidos en las categorías 1 a 16 del Anexo II, cuyo valor estimado, calculado conforme a las reglas que se establecen en el artículo 88, sea igual o superior a las cuantías que se indican en los artículos siguientes, siempre que la entidad contratante tenga el carácter de poder adjudicador. Tendrán también la consideración de contratos sujetos a una regulación armonizada los contratos subvencionados por estas entidades a los que se refiere el artículo 17.

⊠ **Consultas**

• **Contrato privado sujeto a regulación armonizada a celebrar por sociedad anónima provincial**

Una sociedad anónima, perteneciente a la Diputación, pretende celebrar un contrato de servicios informáticos cuyo importe es de 400.000 euros ¿sería correcto considerarlo contrato de naturaleza privada sujeto a regulación armonizada?

[27/01/2009 EC 336/2009]

Ver respuesta en artículo 3.

2. No obstante lo señalado en el apartado anterior, no se consideran sujetos a regulación armonizada, cualquiera que sea su valor estimado, los contratos siguientes:

a) Los que tengan por objeto la compra, el desarrollo, la producción o la coproducción de programas destinados a la radiodifusión, por parte de los organismos de radiodifusión, así como los relativos al tiempo de radiodifusión.

b) Los de investigación y desarrollo remunerados íntegramente por el órgano de contratación, siempre que sus resultados no se reserven para su utilización exclusiva por éste en el ejercicio de su actividad propia.

c) Los incluidos dentro del ámbito definido por el artículo 346 del Tratado de Funcionamiento de la Unión Europea (LA LEY 6/1957) que se concluyan en el sector de la defensa.

d) Los declarados secretos o reservados, o aquellos cuya ejecución deba ir acompañada de medidas de seguridad especiales conforme a la legislación vigente, o en los que lo exija la protección de intereses esenciales para la seguridad del Estado.

La declaración de que concurre esta última circunstancia deberá hacerse, de forma expresa en cada caso, por el titular del Departamento ministerial del que dependa el órgano de contratación en el ámbito de la Administración General del Estado, sus Organismos autónomos, Entidades gestoras y Servicios comunes de la Seguridad Social y demás Entidades públicas estatales, por el órgano competente de las Comunidades Autónomas, o por el órgano al que esté atribuida la competencia para celebrar el correspondiente contrato en las Entidades locales. La competencia para efectuar esta declaración no será susceptible de delegación, salvo que una ley expresamente lo autorice.

e) Aquellos cuyo objeto principal sea permitir a los órganos de contratación la puesta a disposición o la explotación de redes públicas de telecomunicaciones o el suministro al público de uno o más servicios de telecomunicaciones.

☞ **Concordancias Jurisprudenciales**

Tribunal Administrativo Central de Recursos Contractuales, Resolución de 27 Jul. 2011, rec. 159/2011

[LA LEY 111530/2011]

El órgano de contratación, en el informe que remite junto con el expediente de contratación, mantiene que el acto de revocación impugnado no es susceptible de recurso especial por referirse a un contrato no sujeto a regulación armonizada ni incluido en alguna de las categorías 17 a 27 del Anexo II de la Ley 30/2007, de 30 de octubre (LA LEY 10868/2007), de Contratos del Sector Público.

Tribunal Administrativo Central de Recursos Contractuales, Resolución de 20 Jul. 2011, rec. 151/2011

[LA LEY 105302/2011]

CONTRATO ADMINISTRATIVO DE SERVICIOS. Aprobación por el Ministerio de Defensa de los pliegos de cláusulas administrativas particulares y de prescripciones técnicas aprobados para regir la contratación del servicio de apoyo al mantenimiento de vehículos BMR/VEC. RECURSO ESPECIAL EN MATERIA DE CONTRATACIÓN. Inadmisión. El contrato no es susceptible de recurso especial en materia de contratación. En los contratos de suministros sólo es posible formular el recurso especial en materia de contratación cuando se encuentran sujetos a regulación armonizada. Los pliegos de cláusulas administrativas particulares y de prescripciones técnicas impugnados, al referirse a un contrato no sujeto a regulación armonizada, no son susceptibles de recurso especial.

Concordancias a todo el artículo

➡ **Concordancias normativas**

Artículo 13 de la LCSP 30/2007 y artículo 205 del TRLCAP RDL 2/2000.

Véanse artículos 153, 170 f), 184.3 y 190 de la presente Ley.

☞ **Concordancias Jurisprudenciales**

Tribunal Administrativo Central de Recursos Contractuales, Resolución de 3 Feb. 2012, rec. 8/2012

[LA LEY 30784/2012]

CONTRATO ADMINISTRATIVO DE SUMINISTROS. Para la adquisición de conjuntos de transformación de AMP 12,70 Browning al modelo QCB. Adjudicación mediante procedimiento negociado sin publicidad. RECURSO ESPECIAL EN MATERIA DE CONTRATACIÓN. Inadmisión. Por no ser este contrato susceptible de tal recurso especial. En los contratos de suministros sólo es posible formular el recurso especial en materia de contratación cuando se encuentran sujetos a regulación armonizada. El pliego de cláusulas administrativas particulares indica que el contrato no está sujeto a regulación armonizada al haberse adoptado las medidas previstas en cuanto a la protección de los intereses esenciales en materia de seguridad. El suministro objeto del contrato consiste en la adquisición de conjuntos de transformación de AMP 12,70 Browning al modelo QCB, referido a la ametralladora pesada Browning 12,70 mm, por lo que encaja en los supuestos definidos en la Instrucción aplicable.

Audiencia Nacional, Sala de lo Contencioso-administrativo, Sección 4.ª, Sentencia de 18 Ene. 2012, rec. 313/2010

[LA LEY 2513/2012]

PROCEDIMIENTO ADMINISTRATIVO. Conformidad a derecho de la inadmisión a trámite del recurso especial en materia de contratación interpuesto por la entidad interesada contra la adjudicación provisional de contrato a favor de otra entidad. El contrato tiene por objeto «la prestación de asistencia y transporte sanitario por medio de determinado número de unidades especializadas y destinadas al traslado de personas beneficiarias de los servicios asistenciales de la Mutua de Accidentes de Canarias en los servicios que presta en su condición de Mutua de Accidentes de Trabajo y Enfermedades Profesionales de la Seguridad Social, con ámbito que se extiende a toda la Comunidad Autónoma». El contrato, definido como contrato privado en el pliego de condiciones, no queda sujeto a la jurisdicción contencioso-administrativo, porque no ha sido celebrado por una Administración y no está sujeto a legislación armonizada, en función de su categoría.

Juzgado de lo Contencioso-administrativo N.º. 1 de Palma de Mallorca, Sentencia de 12 Dic. 2011, rec. 160/2008

[LA LEY 238783/2011]

CONTRATOS ADMINISTRATIVOS. Partes del contrato. Capacidad y solvencia del empresario. -- Preparación de los contratos. Expediente de contratación. Pliegos de cláusulas administrativas. PRINCIPIO DE IGUALDAD. Principio de igualdad en el ámbito administrativo. Contratación administrativa. SUCESIÓN DE EMPRESA. Concepto y características.

Tribunal Administrativo Central de Recursos Contractuales, Resolución de 20 Jul. 2011, rec. 151/2011

[LA LEY 105302/2011]

CONTRATO ADMINISTRATIVO DE SERVICIOS. Aprobación por el Ministerio de Defensa de los pliegos de cláusulas administrativas particulares y de prescripciones técnicas aprobados para regir la contratación del servicio de apoyo al mantenimiento de vehículos BMR/VEC. RECURSO ESPECIAL EN MATERIA DE CONTRATACIÓN. Inadmisión. El contrato no es susceptible de recurso especial en materia de contratación. En los contratos de suministros sólo es posible formular el recurso especial en materia de contratación cuando se encuentran sujetos a regulación armonizada. Los pliegos de cláusulas administrativas particulares y de prescripciones técnicas impugnados, al referirse a un contrato no sujeto a regulación armonizada, no son susceptibles de recurso especial.

Artículo 14 *Contratos de obras y de concesión de obras públicas sujetos a una regulación armonizada: umbral*

1. Están sujetos a regulación armonizada los contratos de obras y los contratos de concesión de obras públicas cuyo valor estimado sea igual o superior a 4.845.000 euros.

➡ **Concordancias normativas**

Cifra contenida en el número 1 del artículo 14 actualizada por el artículo único.1 a) de la Orden EHA/3479/2011, de 19 de diciembre, por la que se publican los límites de los distintos tipos de contratos a efectos de la contratación del sector público a partir del 1 de enero de 2012 («B.O.E». 23 diciembre). Vigencia 1 de enero 2012.

2. En el supuesto previsto en el artículo 88.7, cuando el valor acumulado de los lotes en que se divida la obra iguale o supere la cantidad indicada en el apartado anterior, se aplicarán las normas de la regulación armonizada a la adjudicación de cada lote. No obstante, los órganos de contratación podrán exceptuar de estas normas a los lotes cuyo valor estimado sea inferior a un millón de euros, siempre que el importe acumulado de los lotes exceptuados no sobrepase el 20 por 100 del valor acumulado de la totalidad de los mismos.

Concordancias a todo el artículo

➡ **Concordancias normativas**

Artículo 14 de la LCSP 30/2007 y artículos 135 y 136 del TRLCAP RDL 2/2000.

Véase Orden EHA/3479/2011. Artículo único.

Véase artículo 65.3 de la presente Ley.

☞ **Concordancias Jurisprudenciales**

Tribunal Administrativo Central de Recursos Contractuales, Resolución de 26 Ene. 2011, rec. 049/2010

[LA LEY 14681/2011]

CONTRATO ADMINISTRATIVO DE OBRAS. Exclusión de la licitación convocada para la adjudicación del contrato de obras del proyecto básico y de ejecución de la nueva sede de la Agencia Estatal de Seguridad Aérea. RECURSO ESPECIAL EN MATERIA DE CONTRATACIÓN. Inadmisión. El contrato no es susceptible de recurso especial en materia de contratación. En los contratos de obras sólo es posible formular el recurso especial en materia de contratación cuando se encuentran sujetos a regulación armonizada, siendo contratos sujetos a regulación armonizada aquellos cuyo valor estimado sea igual o superior al fijado legalmente.

Artículo 15 *Contratos de suministro sujetos a una regulación armonizada: umbral*

1. Están sujetos a regulación armonizada los contratos de suministro cuyo valor estimado sea igual o superior a las siguientes cantidades:

a) 125.000 euros, cuando se trate de contratos adjudicados por la Administración General del Estado, sus organismos autónomos, o las Entidades Gestoras y Servicios Comunes de la Seguridad Social. No obstante, cuando los contratos se adjudiquen por órganos de contratación que pertenezcan al sector de la defensa, este umbral sólo se aplicará respecto de los contratos de suministro que tengan por objeto los productos enumerados en el anexo III.

➡ **Concordancias normativas**

Cifra contenida en la letra a) del número 1 del artículo 15 actualizada por el artículo único.1 c) de la Orden EHA/3479/2011, de 19 de diciembre, por la que se publican los límites de los distintos tipos de contratos a efectos de la contratación del sector público a partir del 1 de enero de 2012 («B.O.E». 23 diciembre). Vigencia 1 de enero 2012.

b) 193.000 euros, cuando se trate de contratos de suministro distintos, por razón del sujeto contratante o por razón de su objeto, de los contemplados en la letra anterior.

➡ **Concordancias normativas**

Cifra contenida en la letra b) del número 1 del artículo 15 actualizada por el artículo único.1 c) de la Orden EHA/3479/2011, de 19 de diciembre, por la que se publican los límites de los distintos tipos de contratos a efectos de la contratación del sector público a partir del 1 de enero de 2012 («B.O.E». 23 diciembre). Vigencia 1 de enero 2012.

☞ **Concordancias Jurisprudenciales**

Tribunal Administrativo Central de Recursos Contractuales, Resolución de 9 Feb. 2012, rec. 22/2012

[LA LEY 31508/2012]

CONTRATO ADMINISTRATIVO DE SUMINISTROS. De material no inventariable de informática y reprografía para la sede central y centros oceanográficos, durante 2012. Pliegos de la licitación. RECURSO ESPECIAL EN MATERIA DE CONTRATACIÓN. Inadmisión. El contrato no es susceptible de tal recurso especial. En los contratos de suministros sólo es posible formular el recurso especial en materia de contratación cuando se encuentran sujetos a regulación armonizada, siendo contratos sujetos a regulación armonizada aquellos cuyo valor estimado sea igual o superior al fijado legalmente, cuando, por pertenecer el órgano de contratación al sector de la defensa, los productos objeto del suministro se enumeren en el anexo correspondiente de la Ley o alcancen el importe fijado para cuando no se incluyan en dicho anexo.

Tribunal Superior de Justicia del País Vasco, Sala de lo Contencioso-administrativo, Sección 1.ª, Sentencia de 30 Jul. 2010, rec. 935/2008

[LA LEY 203836/2010]

CONTRATOS ADMINISTRATIVOS. Administración autonómica. Indemnización por los daños y perjuicios ocasionados por la no adjudicación de un contrato administrativo. No se ha acreditado que el requisito de la solvencia económica concurra en el adjudicatario, pues la sociedad dominada afirma de manera implícita que cuenta con el nivel global de negocio en los tres años anteriores que ha tenido el grupo, sin que exista en el expediente declaración ni compromiso alguno de la sociedad dominante acerca de la medida en que la solvencia que esa mayor actividad de negocios implica va a poder ser utilizada por la sociedad filial, cuando ella por sí sola, no alcanza el nivel de acreditación de solvencia que el pliego requiere, siendo causa de nulidad de la adjudicación del contrato. Debiendo el contrato ser adjudicado a la mercantil recurrente, como único licitador que superaba la fase de admisión de proposiciones, y justificado que su ejecución se ha culminado actualmente, procede reconocer la indemnización sustitutoria.

✉ **Consultas**

• **Contrato para la implantación de la administración electrónica**

Para la implantación de la administración electrónica, será necesario la instalación de cableado y el suministro de equipos informáticos. ¿Qué clase de contrato hay que celebrar?

[02/09/2011 EC 1981/2011]

Contestación

Como sabemos, el objeto principal de un contrato de implantación de administración electrónica consiste en la implantación o elaboración de los programas informáticos que permitan, resumiendo mucho, la tramitación electrónica de los procedimientos, la firma electrónica y la notificación electrónica; y en el que existe una parte importante de estudio previo de procedimientos, diseño de circuitos, y definición y diseño de documentos. Por lo que, en principio, entrarían más en la categoría de contrato de servicios.

No obstante, en cuanto a la calificación del contrato, en el caso concreto consultado, caben dos posibilidades:

— Si se trata de la implantación de programas de ordenador que existan en el mercado, entendemos que sería aplicable lo dispuesto en el art. 9.3.b) de la Ley 30/2007, de 30 de octubre (LA LEY 10868/2007) (BOE del 31), de Contratos del Sector Público (LCSP (LA LEY 10868/2007)), que considera contrato de suministro los que tengan por objeto la adquisición y el arrendamiento de equipos y sistemas de telecomunicaciones o para el tratamiento de la información, sus dispositivos y programas, y la cesión del derecho de uso de estos últimos, a excepción de los contratos de adquisición de programas de ordenador desarrollados a medida, que se considerarán contratos de servicios.

— Si se trata de desarrollar programas a medida, como dice el propio artículo citado anteriormente, estaríamos ante un contrato de servicios (incluidos en la categoría 7 del Anexo II LCSP (LA LEY 10868/2007)). En cuyo caso, dado que hay una parte clara en el supuesto planteado de suministros (el suministro de equipos informáticos) estaríamos ante un contrato mixto, por lo que sería de aplicación el art. 12 LCSP (LA LEY 10868/2007), a cuyo tenor, se atenderá en todo caso, para la determinación de las normas que deban observarse en su adjudicación, al carácter de la prestación que tenga más importancia desde el punto de vista económico. Esto es, si el valor que se atribuye a los trabajos de implantación de la administración electrónica es superior al que se atribuye a los equipos suministrados, serían aplicables las normas del contrato de servicios.

Por otro lado, no consideramos que sea de aplicación el art. 13.2.e), a cuyo tenor, no se consideran sujetos a regulación armonizada aquellos contratos cuyo objeto principal sea permitir a los órganos de contratación la puesta a disposición o la explotación de redes públicas de telecomunicaciones o el suministro al público de uno o más servicios de telecomunicaciones. Y ello porque entendemos que el concepto de administración electrónica es mucho más amplio; y que, en cualquier caso, no se trata, en sentido estricto, de un servicio de telecomunicaciones.

Por todo ello, consideramos que, bien sea por aplicación del art. 15.1.b) LCSP (LA LEY 10868/2007) —si se considera como contrato de suministro— o bien sea por aplicación del art. 16.1.b) —si se considera un contrato mixto al que deban aplicarse las normas del contrato de servicios— estaría sujeto a regulación armonizada.

2. En el supuesto previsto en el artículo 88.7 cuando el valor acumulado de los lotes en que se divida el suministro iguale o supere las cantidades indicadas en el apartado anterior, se aplicarán las normas de la regulación armonizada a la adjudicación de cada lote. No obstante, los órganos de contratación podrán exceptuar de estas normas a los lotes cuyo valor estimado sea inferior a 80.000 euros, siempre que el importe acumulado de los lotes exceptuados no sobrepase el 20 por 100 del valor acumulado de la totalidad de los mismos.

☞ **Concordancias Jurisprudenciales**

Tribunal Administrativo Central de Recursos Contractuales, Resolución de 26 Oct. 2011, rec. 226/2011

[LA LEY 213187/2011]

CONTRATO ADMINISTRATIVO DE SERVICIOS. De diseño, ejecución y evaluación de prueba objetiva ECOE para acceso excepcional al título de médico especialista en medicina familiar y comunitaria. Exclusión de la empresa recurrente del proceso de licitación, por no acreditar que su objeto social se adecuara al objeto del contrato. RECURSO ESPECIAL EN MATERIA DE CONTRATACIÓN. Desestimación. Correcta actuación de la mesa de contratación, al requerir que la empresa recurrente acreditase, a través de sus estatutos o de cualquier modificación de los mismos, que su objeto social era adecuado al objeto del contrato en licitación. Con tal actuación no se pretendía que la empresa modificase sus estatutos en el plazo de subsanación, ni de que se realizase tal modificación para cumplir las exigencias de cada contrato a los que pretenda licitar, como erróneamente planteaba la recurrente. Aunque la empresa recurrente licitara de forma conjunta con otra entidad que sí tiene experiencia en la materia, cada una de las empresas de la UTE debe acreditar su capacidad y su solvencia, independientemente de la posible acumulación posterior.

Concordancias a todo el artículo

➡ **Concordancias normativas**

Artículo 15 de la LCSP 30/2007 y artículo 177 del TRLCAP RDL 2/2000.

Véanse artículos 24.2 y 65.3 de la presente Ley.

☞ **Concordancias Jurisprudenciales**

Tribunal Administrativo Central de Recursos Contractuales, Resolución de 24 Feb. 2011, rec. 041/2011

[LA LEY 14671/2011]

CONTRATO ADMINISTRATIVO DE SUMINISTROS. Adjudicación, mediante procedimiento negociado sin publicidad, del contrato de suministros de dos kits de modificación de sistemas de control/instrumentación de los GPU´s modelo M-EEA-45/1500 para los servicios aéreos del aeródromo de la Base Naval de Rota. RECURSO ESPECIAL EN MATERIA DE CONTRATACIÓN. Inadmisión. El contrato no es susceptible de recurso especial en materia de contratación. En los contratos de suministros sólo es posible formular el recurso especial en materia de contratación cuando se encuentran sujetos a regulación armonizada, siendo contratos sujetos a regulación armonizada aquellos cuyo valor estimado sea igual o superior al fijado legalmente, cuando, por pertenecer el órgano de contratación al sector de la defensa, los productos objeto del suministro se enumeren en el anexo correspondiente de la Ley o alcancen el importe fijado para cuando no se incluyan en dicho anexo. CUESTIÓN DE NULIDAD. Inadmisión, por no encontrarse en ninguno de los supuestos previstos en el texto legal.

Tribunal Administrativo Central de Recursos Contractuales, Resolución de 24 Feb. 2011, rec. 040/2011

[LA LEY 14669/2011]

CONTRATO ADMINISTRATIVO DE SUMINISTROS. Adjudicación, mediante procedimiento negociado sin publicidad, del contrato de suministros de un kit de modificación de sistemas de control/instrumentación de la plataforma elevadora para los servicios aéreos del aeródromo de la Base Naval de Rota. RECURSO ESPECIAL EN MATERIA DE CONTRATACIÓN. Inadmisión. El contrato no es susceptible de recurso especial en materia de contratación. En los contratos de suministros sólo es posible formular el recurso especial en materia de contratación cuando se encuentran sujetos a regulación armonizada, siendo contratos sujetos a regulación armonizada aquellos cuyo valor estimado sea igual o superior al fijado legalmente, cuando, por pertenecer el órgano de contratación al sector de la defensa, los productos objeto del suministro se enumeren en el anexo correspondiente de la Ley o alcancen el importe fijado para cuando no se incluyan en dicho anexo. CUESTIÓN DE NULIDAD. Inadmisión, por no encontrarse en ninguno de los supuestos previstos en el texto legal.

Tribunal Administrativo Central de Recursos Contractuales, Resolución de 24 Feb. 2011, rec. 039/2011

[LA LEY 14668/2011]

CONTRATO ADMINISTRATIVO DE SUMINISTROS. Adjudicación, mediante procedimiento negociado sin publicidad, del contrato de suministros de una carretilla elevadora para los servicios aéreos del aeródromo de la Base Naval de Rota. RECURSO ESPECIAL EN MATERIA DE CONTRATACIÓN. Inadmisión. El contrato no es susceptible de este recurso. En los contratos de suministros sólo es posible formular el recurso especial en materia de contratación cuando se encuentran sujetos a regulación armonizada, siendo contratos sujetos a regulación armonizada aquellos cuyo valor estimado sea igual o superior al fijado legalmente, cuando, por pertenecer el órgano de contratación al sector de la defensa, los productos objeto del suministro se enumeren en el anexo correspondiente de la Ley o alcancen el importe fijado para cuando no se incluyan en dicho anexo. CUESTIÓN DE NULIDAD. Inadmisión, por no encontrarse en ninguno de los supuestos previstos en el texto legal.

Artículo 16 *Contratos de servicios sujetos a una regulación armonizada: umbral*

1. Están sujetos a regulación armonizada los contratos de servicios comprendidos en las categorías 1 a 16 del Anexo II cuyo valor estimado sea igual o superior a las siguientes cantidades:

a) 125.000 euros, cuando los contratos hayan de ser adjudicados por la Administración General del Estado, sus organismos autónomos, o las Entidades Gestoras y Servicios Comunes de la Seguridad Social, sin perjuicio de lo dispuesto para ciertos contratos de la categoría 5 y para los contratos de la categoría 8 del Anexo II en la letra b) de este artículo.

➡ **Concordancias normativas**

Cifra contenida en la letra a) del número 1 del artículo 16 actualizada por el artículo único.1 c) de la Orden EHA/3479/2011, de 19 de diciembre, por la que se publican los límites de los distintos tipos de contratos a efectos de la contratación del sector público a partir del 1 de enero de 2012 («B.O.E». 23 diciembre). Vigencia 1 de enero 2012.

b) 200.000 euros, cuando los contratos hayan de adjudicarse por entes, organismos o entidades del sector público distintos a la Administración General del Estado, sus organismos autónomos o las Entidades Gestoras y Servicios Comunes de la Seguridad Social, o cuando, aún siendo adjudicados por estos sujetos, se trate de contratos de la categoría 5 consistentes en servicios de difusión de emisiones de televisión y de radio, servicios de conexión o servicios integrados de telecomunicaciones, o contratos de la categoría 8, según se definen estas categorías en el Anexo II.

➡ **Concordancias normativas**

Cifra contenida en la letra b) del número 1 del artículo 16 actualizada por el artículo único.1 b) de la Orden EHA/3479/2011, de 19 de diciembre, por la que se publican los límites de los distintos tipos de contratos a efectos de la contratación del sector público a partir del 1 de enero de 2012 («B.O.E». 23 diciembre). Vigencia 1 de enero 2012.

☞ **Concordancias Jurisprudenciales**

Tribunal Administrativo Central de Recursos Contractuales, Resolución de 18 Ene. 2012, rec. 334/2011

CONTRATO ADMINISTRATIVO DE CONSULTORÍA Y ASISTENCIA. Procedimiento de licitación para el contrato «Diseño, desarrollo, puesta en funcionamiento y mantenimiento de un sistema avanzado de monitorización de mercados secundarios». RECURSO ESPECIAL EN MATERIA DE CONTRATACIÓN. Inadmisión. La propuesta de adjudicación realizada es un mero acto de trámite, no una resolución definitiva, pues no pone fin al procedimiento. Será con ocasión de la impugnación de la adjudicación realizada cuando puedan realizarse las alegaciones pertinentes sobre cualesquiera aspectos del procedimiento que hayan desembocado en ese resultado.

2. En el supuesto previsto en el artículo 88.7, cuando el valor acumulado de los lotes en que se divida la compra de servicios iguale o supere los importes indicados en el apartado anterior, se aplicarán las normas de la regulación armonizada a la adjudicación de cada lote.

No obstante, los órganos de contratación podrán exceptuar de estas normas a los lotes cuyo valor estimado sea inferior a 80.000 euros, siempre que el importe acumulado de los lotes exceptuados no sobrepase el 20 por 100 del valor acumulado de la totalidad de los mismos.

Concordancias a todo el artículo

➡ **Concordancias normativas**

Artículo 16 de la LCSP 30/2007 y artículos 203 y 204 del TRLCAP RDL 2/2000.

Véanse artículos 24.3, 65.3 y 184.4 de la presente Ley.

☞ **Concordancias Jurisprudenciales**

Tribunal Administrativo Central de Recursos Contractuales, Resolución de 18 Ene. 2012, rec. 349/2011

[LA LEY 34030/2012]

CONTRATO ADMINISTRATIVO DE SERVICIOS. De transporte de mobiliario y enseres entre la sede de la Dirección Provincial de la Tesorería General de la Seguridad Social de Sevilla, Administraciones, U.R.E.S. y otros locales dependientes de la misma. Adjudicación del contrato. RECURSO ESPECIAL EN MATERIA DE CONTRATACIÓN. Inadmisión. El contrato no es susceptible de recurso especial en materia de contratación. El expediente de contratación se refiere a un servicio de transporte cuyo valor estimado no alcanza el mínimo legalmente exigido para este tipo de contratos, por lo que no está sujeto a regulación armonizada.

Tribunal Administrativo Central de Recursos Contractuales, Resolución de 26 Ene. 2012, rec. 344/2012

[LA LEY 34006/2012]

CONTRATO ADMINISTRATIVO DE SERVICIOS. De limpieza general del Instituto de Técnica Aeroespacial. Adjudicación definitiva. RECURSO ESPECIAL EN MATERIA DE CONTRATACIÓN. Estimación parcial. Nulidad de las notificaciones individuales a los licitadores de la resolución. No contiene motivación suficiente respecto de la ofertas de los adjudicatarios, por cuanto no contiene expresión de las características y ventajas de la proposición del adjudicatario determinantes de que haya sido seleccionada la oferta de éste con preferencia a las que hayan presentado los restantes licitadores cuyas ofertas hayan sido admitidas, sin que se cumpla con este requisito por la mera información genérica sobre la puntuación obtenida globalmente y en cada criterio por su oferta que hace la notificación. Procede la retroacción de las actuaciones.

Audiencia Nacional, Sala de lo Contencioso-administrativo, Sección 4.ª, Sentencia de 18 Ene. 2012, rec. 313/2010

[LA LEY 2513/2012]

PROCEDIMIENTO ADMINISTRATIVO. Conformidad a derecho de la inadmisión a tramite del recurso especial en materia de contratación interpuesto por la entidad imnteresada contra la adjudicación provisional de contrato a favor de otra entidad. El contrato tiene por objeto «la prestación de asistencia y transporte sanitario por medio de determinado número de unidades especializadas y destinadas al traslado de personas beneficiarias de los servicios asistenciales de la Mutua de Accidentes de Canarias en los servicios que presta en su condición de Mutua de Accidentes de Trabajo y Enfermedades Profesionales de la Seguridad Social, con ámbito que se extiende a toda al Comunidad Autónoma». El contrato, definido como contrato privado en el pliego de condiciones, no queda sujeto a la jurisdicción contencioso-administrativo, porque no ha sido celebrado por una Administración y no esta sujeto a legislación armonizada, en función de su categoría.

Tribunal Administrativo Central de Recursos Contractuales, Resolución de 14 Sep. 2011, rec. 188/2011

[LA LEY 185599/2011]

CONTRATO ADMINISTRATIVO DE SERVICIOS. Adjudicación del contrato relativo a servicio de mantenimiento del sistema de estaciones de toma de datos en puestos fronterizos o aduaneros. RECURSO ESPECIAL EN MATERIA DE CONTRATACIÓN. Desestimación. Aplicación incorrecta de los criterios de valoración contenidos en el pliego de cláusulas administrativas particulares, únicamente respecto a la prestación del servicio y sustitución de los equipos que se averían. Se establecen dos criterios de valoración. Existe una incongruencia entre la fundamentación de la valoración realizada y la oferta presentada por el licitador, al existir elementos de ésta que no se han tenido en cuenta al realizar su valoración. Ahora bien, la diferencia de puntuación que existe entre la adjudicataria y la interesada en este apartado no determinaría, por sí sola, modificación del adjudicatario del contrato. Correcta valoración de la calidad de la documentación presentada, que entra dentro de la discrecionalidad técnica de la Administración. No se acredita que haya vulneración de los principios de transparencia, igualdad y publicidad, porque «la información existente e imprescindible para la elaboración de la propuesta no obraba en posesión de todas las empresas.»

⊠ **Consultas**

• **Contrato privado sujeto a regulación armonizada a celebrar por sociedad anónima provincial**

Una sociedad anónima, perteneciente a la Diputación, pretende celebrar un contrato de servicios informáticos cuyo importe es de 400.000 euros ¿sería correcto considerarlo contrato de naturaleza privada sujeto a regulación armonizada?

[27/01/2009 EC 336/2009]

Ver respuesta en artículo 3

Artículo 17 *Contratos subvencionados sujetos a una regulación armonizada*

1. Son contratos subvencionados sujetos a una regulación armonizada los contratos de obras y los contratos de servicios definidos conforme a lo previsto en los artículos 6 y 10, respectivamente, que sean subvencionados, de forma directa y en más de un 50 por 100 de su importe, por entidades que tengan la consideración de poderes adjudicadores, siempre que pertenezcan a alguna de las categorías siguientes:

a) Contratos de obras que tengan por objeto actividades de ingeniería civil de la sección F, división 45, grupo 45.2 de la Nomenclatura General de Actividades Económicas de las Comunidades Europeas (NACE), o la construcción de hospitales, centros deportivos, recreativos o de ocio, edificios escolares o universitarios y edificios de uso administrativo, siempre que su valor estimado sea igual o superior a 4.845.000 euros.

➡ **Concordancias normativas**

Cifra contenida en la letra a) del número 1 del artículo 17 actualizada por el artículo único.1 a) de la Orden EHA/3479/2011, de 19 de diciembre, por la que se publican los límites de los distintos tipos de contratos a efectos de la contratación del sector público a partir del 1 de enero de 2012 («B.O.E». 23 diciembre). Vigencia 1 de enero 2012.

b) Contratos de servicios vinculados a un contrato de obras de los definidos en la letra a), cuyo valor estimado sea igual o superior a 193.000 euros.

➡ **Concordancias normativas**

Cifra contenida en la letra b) del número 1 del artículo 17 actualizada por el artículo único.1 b) de la Orden EHA/3479/2011, de 19 de diciembre, por la que se publican los límites de los distintos tipos de contratos a efectos de la contratación del sector público a partir del 1 de enero de 2012 («B.O.E». 23 diciembre). Vigencia 1 de enero 2012.

2. Las normas previstas para los contratos subvencionados se aplicarán a aquéllos celebrados por particulares o por entidades del sector público que no tengan la consideración de poderes adjudicadores, en conjunción, en este último caso, con las restantes disposiciones de esta Ley que les sean de aplicación. Cuando el contrato subvencionado se adjudique por entidades del sector público que tengan la consideración de poder adjudicador, se aplicarán las normas de contratación previstas para estas entidades, de acuerdo con su naturaleza, salvo la relativa a la determinación de la competencia para resolver el recurso especial en materia de contratación y para adoptar medidas cautelares en el procedimiento de adjudicación, que se regirá, en todo caso, por la regla establecida en el artículo 41.

Concordancias a todo el artículo

➡ **Concordancias normativas**

Artículo 17 de la LCSP 30/2007.

Véanse artículos 2.2, 13, 21.1, 27, 31, 54.3, 137.1 y 193 de la presente Ley.

☞ **Concordancias Jurisprudenciales**

Tribunal Superior de Justicia del Principado de Asturias, Sala de lo Contencioso-administrativo, Sección 1.ª, Sentencia de 30 Sep. 2011, rec. 116/2009

[LA LEY 196303/2011]

COMPETENCIA JUDICIAL. Falta de jurisdicción de la Sala de lo contencioso-administrativo por ser competencia de la jurisdicción civil. El objeto del recurso lo constituye la impugnación de la encomienda o encomiendas realizadas por la Consejería de Administraciones Públicas a una empresa pública para la instalación y puesta en funcionamiento de la TDT en aquellos centros o emplazamientos de difusión de televisión de titularidad pública, así como la convocatoria de los procedimientos de licitación para la contratación de la extensión de la cobertura de la TDT desde centros de radiodifusión. Competencia de la jurisdicción civil para conocer de cuantas cuestiones litigiosas afecten a la preparación y adjudicación de los contratos privados que se celebren por los entes y entidades que no tengan el carácter de Administración Pública, siempre que estos contratos no estén sujetos a regulación armonizada.

Tribunal Administrativo Central de Recursos Contractuales, Resolución de 24 Feb. 2011, rec. 009/2011

[LA LEY 14637/2011]

CONTRATO ADMINISTRATIVO DE OBRAS. De construcción de un palacio de exposiciones y congresos en localidad castellanoleonesa. Adjudicación por procedimiento abierto. RECURSO ESPECIAL EN MATERIA DE CONTRATACIÓN. Inadmisión. Por incompetencia del TACRC. Aunque el contrato ha sido financiado en más de un 50% con fondos procedentes de subvenciones otorgadas por el M.º Industria, Turismo y Comercio y por la Consejería de Fomento de la Junta de Castilla y León, el contrato no es subvencionado. La entidad que lo adjudica es un poder adjudicador por sí misma, y a lo sumo debe considerarse como un contrato cofinanciado por diversas Administraciones, siquiera se haya utilizado la fórmula de la subvención a la hora de articular el título jurídico de entrega de los fondos con objeto de garantizar en mejor forma la inversión. La competencia para resolver el recurso administrativo previo corresponde al propio órgano de contratación, sin perjuicio de la posibilidad de interponer contra la resolución que se dicte recurso contencioso-administrativo, que en esta ocasión llevará aparejada la suspensión del acto impugnado.

Tribunal Administrativo Central de Recursos Contractuales, Resolución de 9 Dic. 2010, rec. 028/2010

[LA LEY 297972/2010]

CONTRATO ADMINISTRATIVO DE SERVICIOS. Exclusión del proceso de licitación para la adjudicación del contrato de los servicios de comunicaciones de voz, fax y datos vía satélite, para equipos terminales instalados en las representaciones de España en el exterior. RECURSO ESPECIAL EN MATERIA DE CONTRATACIÓN. Desestimación. La oferta superaba el precio de licitación en una de las partidas. No puede argumentarse error en el pliego, pues, aparte de que los restantes licitadores han ofertado en la partida mencionada precios que se ajustan a los requerimientos del pliego e incluso los rebajan, si a juicio de la interesada el pliego incurría en error, debería haberlo recurrido en plazo. Al no haberlo hecho, es obvio que para participar en la licitación debe aceptar las condiciones de la misma.

Sección 3

Contratos administrativos y contratos privados

Artículo 18 *Régimen aplicable a los contratos del sector público*

Los contratos del sector público pueden tener carácter administrativo o carácter privado.

Concordancias a todo el artículo

➡ Concordancias normativas

Artículo 18 de la LCSP 30/2007 y artículo 5 del TRLCAP RDL 2/2000.

Véase artículo 108 de la presente Ley.

☞ Concordancias Jurisprudenciales

Tribunal Supremo, Sala Cuarta, de lo Social, Sentencia de 20 Sep. 2010, rec. 17/2010

[LA LEY 188149/2010]

JURISDICCIÓN SOCIAL. CONFLICTO COLECTIVO. Radiotelevisión Española. Competencia del orden jurisdiccional social para resolver acerca del incumplimiento del Convenio Colectivo en relación sobre la inclusión en el pliego de condiciones de los concursos públicos la subrogación de trabajadores de las empresas de servicios, en el caso del cambio de la titularidad de la contrata. Sin embargo, no puede entrar a conocer de la anulación formal de la resolución administrativa que aprobó la modificación mencionada.

Tribunal Superior de Justicia del Principado de Asturias, Sala de lo Contencioso-administrativo, Sección 1.ª, Sentencia de 30 Sep. 2011, rec. 116/2009

[LA LEY 196303/2011]

COMPETENCIA JUDICIAL. Falta de jurisdicción de la Sala de lo contencioso-administrativo por ser competencia de la jurisdicción civil. El objeto del recurso lo constituye la impugnación de la encomienda o encomiendas realizadas por la Consejería de Administraciones Públicas a una empresa pública para la instalación y puesta en funcionamiento de la TDT en aquellos centros o emplazamientos de difusión de televisión de titularidad pública, así como la convocatoria de los procedimientos de licitación para la contratación de la extensión de la cobertura de la TDT desde centros de radiodifusión. Competencia de la jurisdicción civil para conocer de cuantas cuestiones litigiosas afecten a la preparación y adjudicación de los contratos privados que se celebren por los entes y entidades que no tengan el carácter de Administración Pública, siempre que estos contratos no estén sujetos a regulación armonizada.

Artículo 19 *Contratos administrativos*

1. Tendrán carácter administrativo los contratos siguientes, siempre que se celebren por una Administración Pública:

a) Los contratos de obra, concesión de obra pública, gestión de servicios públicos, suministro, y servicios, así como los contratos de colaboración entre el sector público y el sector privado. No obstante, los contratos de servicios comprendidos en la categoría 6 del Anexo II y los que tengan por objeto la creación e interpretación artística y literaria y los de espectáculos comprendidos en la categoría 26 del mismo Anexo no tendrán carácter administrativo.

b) Los contratos de objeto distinto a los anteriormente expresados, pero que tengan naturaleza administrativa especial por estar vinculados al giro o tráfico específico de la Administración contratante o por satisfacer de forma directa o inmediata una finalidad pública de la específica competencia de aquélla, siempre que no tengan expresamente atribuido el carácter de contratos privados conforme al párrafo segundo del artículo 20.1, o por declararlo así una Ley.

☞ **Concordancias Jurisprudenciales**

Tribunal Superior de Justicia de Castilla-La Mancha, Sala de lo Contencioso-administrativo, Sección 1.ª, Sentencia de 14 Nov. 2011, rec. 350/2010

[LA LEY 232187/2011]

CONTRATOS ADMINISTRATIVOS. Explotación de plaza de toros. Adjudicación. Nulidad. Falta de la solvencia técnica o profesional requerida en el pliego de clausulas administrativas. La adjudicataria no desarrolla tarea de concesionaria de plazas de segunda categoría durante dos de los últimos cinco años. No procede otorgar la concesión de la explotación a la mercantil recurrente puesto que tampoco reúne la solvencia técnica para ser licitador. Examen sobre la naturaleza del contrato licitado como contrato administrativo de carácter especial.

Tribunal Administrativo Central de Recursos Contractuales, Resolución de 20 Jul. 2011, rec. 150/2011

[LA LEY 105305/2011]

CONTRATO ADMINISTRATIVO DE GESTIÓN DE SERVICIOS PÚBLICOS. Objeto. CONTRATOS ADMINISTRATIVOS. Revisión de decisiones en materia de contratación. Recurso especial en materia de contratación. -- Adjudicación de los contratos. Licitación. Concurso.

✉ **Consultas**

• **Naturaleza del contrato para adjudicar la explotación de un bar situado en un edificio público**

¿Cuál es la naturaleza del contrato para adjudicar la explotación de un bar situado en un edificio público?

[23/03/2009 EC 965/2009]

Contestación

La jurisprudencia se mostró vacilante entre atribuir a los contratos como el que es objeto de la consulta la calificación de servicio público o de contrato administrativo especial. Así, la STS de 7 de noviembre de 1985 (Ponente: Martín del Burgo y Marchán) declara el servicio de cafetería en estación de autobuses como concesión de servicios; carácter que asimismo atribuye la STS de 2 de enero de 1987 (Ponente: Gordillo García) a la utilización de las dependencias de la Casa Consistorial para taberna y fonda, y la STS de 16 de marzo de 1988 (EC 2555/1989) al bar ubicado en polideportivo municipal. Por el contrario, la STS de 17 de julio de 1995 (LA LEY JURIS 9165/1995) califica la explotación de cafetería en un hospital como contrato administrativo especial; carácter que también parece atribuir a la explotación del servicio de cafetería y restaurante en estación de autobuses la STS de 17 de mayo de 1999 (LA LEY JURIS 9552/1999).

Por su parte, el criterio de la Junta Consultiva de Contratación, en Informes 67/1999, de 6 de julio de 2000 y 28/2007, de 5 de julio, es que estos contratos son administrativos especiales, sobre la base de la doctrina de la citada STS de 17 de julio de 1995. En este sentido le transcribimos parcialmente el citado Informe 28/2007:

«(...) Encontramos en otra categoría jurídica, el contrato para la adjudicación del bar situado en un edificio destinado a personas mayores. Sobre los contratos que tienen tal objeto la Junta Consultiva de Contratación Administrativa ya ha señalado que se trata de un contrato administrativo especial y así se indica entre otros en el informe de 11 de abril de 2000 (expediente 3/00) que se reproducen:

"En este extremo el criterio de esta Junta Consultiva de Contratación Administrativa ha de considerarse suficientemente perfilado, pues por lo que respecta a los servicios de cafetería y comedor se ha pronunciado respecto a su régimen jurídico en sus informes de 10 de julio de 1991 (expediente 14/91) y de 7 de marzo de 1996 (expediente 5/96), el primer anterior y el segundo posterior a la fecha de entrada en vigor de la Ley 13/1995, de 18 de mayo, de Contratos de las Administraciones Públicas, procediendo reproducir, por su carácter más actual, los argumentos del informe de 7 de marzo de 1996, en el que, además, se reiteran los del informe de 10 de julio de 1991".

Esta Junta Consultiva, después de señalar que los contratos relativos a servicios de cafetería y comedor no podían considerarse contratos regulados en el Decreto 1005/1974, de 4 de abril, y que, conforme a la Ley de Contratos de las Administraciones Públicas, dichos servicios y actividades podían articularse a través de verdaderos contratos que, independientemente de su naturaleza jurídica, habrían de regirse por las normas relativas a los restantes contratos administrativos en cuanto a su preparación y adjudicación trataba de perfilar la verdadera naturaleza de estos contratos con las siguientes palabras:

"Expuesto lo anterior, hay que entrar en el examen del alcance que, respecto a la legislación anterior, tiene la nueva caracterización de los contratos administrativos especiales, ya que si bien el artículo 4 de la Ley de Contratos del Estado y el artículo 7 del Reglamento General de Contratación del Estado consideraban contratos administrativos especiales aquellos declarados de tal carácter por una Ley, los directamente vinculados al desenvolvimiento regular de un servicio público o lo que revistiesen características intrínsecas que hiciesen precisa una especial tutela del interés público para el desarrollo del contrato y el artículo 5.2.b) de la Ley de Contratos de las Administraciones Públicas considera de tal carácter —administrativo especial— los declarados por una Ley, los vinculados al giro o tráfico específico de la Administración contratante y los que satisfacen de forma directa o inmediata una finalidad pública de la específica competencia de la Administración, la diferencia, si existe, es para ampliar el campo de los contratos administrativos especiales, pues la "vinculación" al giro o tráfico de la Administración contratante, al tratarse de una mera vinculación y no de una pertenencia estricta, permite incluir en esta categoría aquellos contratos que afectan al concreto interés público perseguido por la Administración de que se trate.

En este sentido es perfectamente mantenible, después de la entrada en vigor del la Ley 13/1995, de 18 de mayo, el criterio expresado por la sentencia del Tribunal Supremo de 17 de julio de 1995 que, respecto a un contrato para la prestación del servicio de cafetería en una residencia sanitaria, descarta su calificación como contrato privado y lo califica como administrativo en base a que la Ley reguladora de la Jurisdicción contencioso administrativa se refiere a contratos cualquiera que sea su naturaleza jurídica "cuando tuviesen por finalidad obras y servicios públicos de toda especie, entendido el concepto en la acepción más amplia para abarcar cualquiera actividad que la Administración desarrolla como necesaria en su realización para satisfacer el interés general atribuido a la esfera específica de su competencia" destacando, por otra parte, el fundamento de derecho tercero de la sentencia de la antigua Audiencia de Santa Cruz de Tenerife, que se acepta por el Tribunal Supremo que "es corriente doctrinal y jurisprudencial reciente la que partiendo del fin de interés general del contrato —no de su objeto— afirma el carácter público de todos aquellos en que intervenga la Administración contratante, siempre que no se persiga un fin eminentemente lucrativo".

En definitiva, como conclusión de este apartado puede afirmarse que las nuevas expresiones utilizadas en el artículo 5. 2 b) de la Ley de Contratos de las Administraciones Públicas para caracterizar los contratos administrativos especiales, por su amplitud, de conformidad con las tendencias doctrinales y jurisprudenciales más significativas, no permiten por la sola circunstancia de su nueva redacción, excluir del concepto de contrato administrativo especial a los que tengan por objeto los servicios y actividades a que se refiere el escrito de consulta, en particular, los servicios de cafetería y comedor".

La conclusión sentada respecto a la caracterización de contratos administrativos especiales resulta aplicable a los contratos de hostelería, explotación de servicios de bares y cafeterías o servicios de cafetería y comedor, ya que los tres conceptos son plenamente identificables, adjudicados por órganos de contratación de la Guardia Civil».

La remisión que hace el Informe de la JCCA al art. 5.2.b) de la Ley de Contratos de las Administraciones públicas debe entenderse hecha al art. 19.1.b) de la nueva Ley 30/2007, de 30 de octubre (BOE del 31), de Contratos del Sector Público (LCSP), que recoge la categoría de contrato administrativo especial.

En cuanto al procedimiento, será el general de contratación aplicando el procedimiento correspondiente en atención a la cuantía del contrato y el tiempo de duración. Siendo necesario aprobar los pliegos de cláusulas administrativas, entendemos que con cláusulas análogas a las que rigieran el anterior contrato, aunque ahora se le dé la naturaleza de contrato administrativo especial. Una vez aprobados los pliegos se iniciará la fase de adjudicación con solicitud de ofertas.

> 2. Los contratos administrativos se regirán, en cuanto a su preparación, adjudicación, efectos y extinción, por esta Ley y sus disposiciones de desarrollo; supletoriamente se aplicarán las restantes normas de derecho administrativo y, en su defecto, las normas de derecho privado. No obstante, a los contratos administrativos especiales a que se refiere la letra b) del apartado anterior les serán de aplicación, en primer término, sus normas específicas.

⊠   **Consultas**

• **Naturaleza jurídica del contrato de cafetería en edificios afectados a un servicio público**

Se desea licitar el servicio de bar que se presta en un local municipal ubicado en el polideportivo municipal. Quisiéramos saber la opinión de la revista en relación a si se trataría de una concesión de dominio público local, con licitación previa, o simplemente un contrato de servicios.

Contratación Administrativa Práctica, N° 111, Sección Usted Pregunta, Septiembre 2011, Editorial LA LEY

[LA LEY 1013/2011]

Respuesta

No creemos que el contrato de cesión de la explotación de un bar o una cafetería se trate de un contrato de concesión demanial. Por el contrario podemos apuntarle dos teorías sobre la naturaleza de este tipo de contratos:

a) La mantenida por la Junta Consultiva de Contratación Administrativa en reiterados informes —como el 5/1996 de 7 de marzo, 67/1999, de 6 de julio de 2000, el 24/2005, de 29 de junio, y el 28/2007, de 5 de julio— que ha considerado el contrato de cafetería en edificios afectados a un servicio público como contrato administrativo especial, y así lo hemos mantenido también desde esta Revista. Y en virtud de dicha calificación entendió, de conformidad con lo dispuesto en la LCAP o en el TRLCAP que dicho contrato se regiría en cuanto a su preparación, adjudicación, efectos y extinción por sus normas propias, después por lo establecido en la normativa de contratos de las administraciones públicas, y supletoriamente por las normas de derecho administrativo y, en último término, por las normas de derecho privado. En términos parecidos se manifiesta, en cuanto a la normativa aplicable, el art. 19.2 de la Ley 30/2007, de 30 de octubre (LA LEY 10868/2007), de Contratos del Sector Público.

En este supuesto, también según la JCCA en informe 38/2005, de 26 de octubre de 2005, «Posibilidad de utilización de la figura y régimen jurídico de los contratos menores en los contratos administrativos especiales», considera que la figura de los contratos menores no resulta aplicable a los contratos administrativos especiales, por resultar incompatible con el régimen jurídico tal como resulta del artículo 8 de la Ley de Contratos de las Administraciones Públicas. Esto es, al exigirse en el contrato administrativo especial la regulación del régimen jurídico en los Pliegos de Cláusulas Administrativas, entiende que al carecer el contrato menor de Pliegos no puede aplicarse esta figura.

b) Ahora bien, hay que poner de manifiesto que todos los informes citados son anteriores a la vigencia de la citada LCSP, y que hay quien considera que a partir de la Ley 30/2007 (LA LEY 10868/2007) estamos ante un contrato de servicios. En este sentido se manifiesta PILAR JIMÉNEZ RIUS, en la obra VADEMÉCUM DE LA ADMINISTRACIÓN LOCAL. Las 1.040 preguntas y respuestas esenciales, cuando señala lo siguiente: «De acuerdo con el régimen vigente en la actualidad, el art. 10 de la LCSP (LA LEY 10868/2007) dispone que son contratos de servicios aquellos cuyo objeto son prestaciones de hacer consistente en el desarrollo de una actividad o dirigidas a la obtención de un resultado distinto de una obra o un suministro. A efectos de aplicación de esta Ley, los contratos de servicios se dividen en las categorías enumeradas en el Anexo II.

Pues bien, el Anexo II recoge en su apartado 17 los contratos que tienen por objeto los servicios de cafetería y hostelería. Por lo que en principio, no cabe duda de que el contrato de cafetería mencionado es un contrato de servicios».

Por consiguiente si se acoge esta postura habrá que entender que las normas de preparación y adjudicación para el citado contrato serán las del contrato de servicios. Si se considera que el contrato tiene esta naturaleza sí que cabría el contrato menor para importes de hasta 18.000 euros, pero hay que tener en cuenta siempre la limitación temporal, ya que conforme al artículo 23.3 de la LCSP (LA LEY 10868/2007) solo pueden celebrarse por el plazo máximo de un año y no podrán ser objeto de prórroga.

Concordancias a todo el artículo

➡ Concordancias normativas

Artículo 19 de la LCSP 30/2007 y artículos 5, 7 y 8 del TRLCAP RDL 2/2000.

Artículo 20 *Contratos privados*

1. Tendrán la consideración de contratos privados los celebrados por los entes, organismos y entidades del sector público que no reúnan la condición de Administraciones Públicas.

Igualmente, son contratos privados los celebrados por una Administración Pública que tengan por objeto servicios comprendidos en la categoría 6 del Anexo II, la creación e interpretación artística y literaria o espectáculos comprendidos en la categoría 26 del mismo Anexo, y la suscripción a revistas, publicaciones periódicas y bases de datos, así como cualesquiera otros contratos distintos de los contemplados en el apartado 1 del artículo anterior.

☞ **Concordancias Jurisprudenciales**

Audiencia Provincial de Huelva, Sección 2.ª, Auto de 19 May. 2008, rec. 109/2008

[LA LEY 228595/2008]

ADMINISTRACIÓN LOCAL. Entidades locales. Actividades y servicios. COMPETENCIA JUDICIAL. Civil. Civil objetiva. Por razón de la materia. PRÉSTAMO. Simple préstamo. PROCESO CIVIL. Procesos especiales. Proceso monitorio. Competencia. PROCESO CONTENCIOSO-ADMINISTRATIVO. Regulación.

2. Los contratos privados se regirán, en cuanto a su preparación y adjudicación, en defecto de normas específicas, por la presente ley y sus disposiciones de desarrollo, aplicándose supletoriamente las restantes normas de derecho administrativo o, en su caso, las normas de derecho privado, según corresponda por razón del sujeto o entidad contratante. En cuanto a sus efectos y extinción, estos contratos se regirán por el derecho privado.

No obstante, serán de aplicación a estos contratos las normas contenidas en el Título V del Libro I, sobre modificación de los contratos.

➡ **Concordancias normativas**

Número 2 del artículo 20 redactado por el apartado tres de la disposición final decimosexta de la Ley 2/2011, de 4 de marzo, de Economía Sostenible («B.O.E». 5 marzo).

☞ **Concordancias Jurisprudenciales**

Dirección General de los Registros y del Notariado, Resolución de 5 Dic. 2011

[LA LEY 265226/2011]

CORPORACIONES LOCALES. Bienes patrimoniales municipales. Adquisición por adjudicación directa en concurso público. Inscripción mediante certificación administrativa del acuerdo del pleno y del decreto de adjudicación. Se deniega. Necesaria formalización de escritura pública. Aplicación al iter administrativo previo a la definitiva adjudicación del contrato de la legislación administrativa, y de la civil a la formalización y generación de efectos que haya de producir dicho contrato. Al tratarse de la adjudicación de un inmueble mediante precio (compraventa), el título formal adecuado para su inscripción es la escritura pública notarial.

Tribunal Administrativo Central de Recursos Contractuales, Resolución de 3 Ago. 2011, rec. 162/2011

[LA LEY 179907/2011]

CONTRATO ADMINISTRATIVO DE SERVICIOS. Adjudicación de contrato cuyo objeto consiste en «una solución integral para la externalización de los sistemas ERP de Correos». RECURSO ESPECIAL EN MATERIA DE CONTRATACIÓN. Estimación parcial. Nulidad de la notificación de la adjudicación. Insuficiente motivación. La notificación de la adjudicación realizada se limitaba a indicar la empresa que había resultado adjudicataria del contrato, el importe de la adjudicación y los recursos procedentes. Esta información resulta a todas luces insuficiente para interponer una reclamación suficientemente fundada frente a la adjudicación realizada. Asimismo, los intentos de la interesada por obtener información complementaria que le permitiera fundamentar adecuadamente su recuso tampoco han resultado fructíferos. No puede prevalecer la afirmación de la entidad contratante en el sentido de que se estaba dando cumplimiento a la obligación de confidencialidad. En ningún momento se ha hecho referencia a los aspectos concretos de la oferta de la adjudicataria que debieran ser mantenidos bajo secreto. Por otra parte, esta obligación de confidencialidad no puede afectar a la totalidad de la oferta realizada por el adjudicatario ni a la totalidad del informe realizado por los servicios de la entidad adjudicadora a efectos de su valoración. La entidad contratante no vendrá obligada a dar vista del expediente a los licitadores que lo soliciten, pero sí a notificar adecuadamente los motivos del rechazo de su candidatura o proposición y los motivos de la adjudicación realizada a favor del adjudicatario. Deben retrotraerse las actuaciones hasta el momento anterior a la notificación de la adjudicación, al objeto de que la misma se notifique debidamente motivada a todos los licitadores en el procedimiento.

✉ Consultas

• No es necesario anunciar en boletines oficiales la adjudicación de bienes patrimoniales

¿Debe publicarse en los boletines provinciales la adjudicación definitiva de la venta de un bien patrimonial?

[21/02/2012   EC 394/2012]

Contestación

Los bienes patrimoniales pueden ser objeto de enajenación. Esta posibilidad comprende la de transmisión del dominio del bien (venta, permuta, donación o cesión gratuita) o sólo la de constituir derechos reales limitados sobre el mismo. En cualquier caso, deben cumplirse los requisitos que para efectuar la enajenación total o parcial exige la legislación de régimen local [art. 80.2 de la Ley 7/1985, de 2 de abril (LA LEY 847/1985) (BOE del 3), Reguladora de las Bases del Régimen Local (LRBRL (LA LEY 847/1985)), arts. 79 a 82 del Texto Refundido de Régimen Local (TRRL), aprobado por Real Decreto Legislativo 781/1986, de 18 de abril (LA LEY 968/1986) (BOE del 22), y 109 a 119 del Reglamento de Bienes de las Entidades Locales (RB), aprobado por Real Decreto 1372/1986, de 13 de junio (LA LEY 1516/1986) (BOE de 7 de julio)].

Los bienes patrimoniales se rigen por normas de Derecho privado; aunque de modo preferente hayan de aplicarse las disposiciones especiales contenidas en la legislación administrativa, incluida la Ley 33/2003, de 3 de noviembre (LA LEY 1671/2003) (EC 4127/2003), del Patrimonio de las Administraciones Públicas (LPAP), tal y como dispone su art. 7.3. En el caso de que la Corporación considere conveniente la enajenación a través del correspondiente contrato de compraventa, por razón de su objeto tendrá carácter civil, no administrativo, según reiterada jurisprudencia.

Ahora bien, aunque de naturaleza jurídico privada o civil [art. 4.1.p) del Real Decreto Legislativo 3/2011, de 14 de noviembre (LA LEY 21158/2011) (BOE del 16), por el que se aprueba el texto refundido de la Ley de Contratos del Sector Público (LA LEY 21158/2011) (TR LCSP)], habrá que tener en cuenta lo dispuesto en los arts. 20.2 TR LCSP (LA LEY 21158/2011) y 83 TRRL, según los cuales hay que distinguir dos aspectos: uno formal relativo a la preparación y adjudicación del contrato, que se rige por las normas de Derecho público reguladora de la contratación administrativa; y otro de orden sustantivo, que se refiere a su contenido, efectos y extinción de la relación contractual, en nuestro caso la compraventa, que se rige por el derecho privado. En consecuencia, la enajenación de bienes constituye un contrato privado (compraventa) que, en cuanto a su preparación y adjudicación, se rige por el TR LCSP (LA LEY 21158/2011).

Pues bien, en el art. 154 TR LCSP (LA LEY 21158/2011) se regula la publicidad de los contratos adjudicados, estableciendo, como regla, que la formalización de aquellos de cuantía igual o superior a las cantidades indicadas en el art. 183.3 se publicarán en el perfil del contratante del órgano de contratación, indicando, como mínimo, los mismos datos mencionados en el anuncio de adjudicación. Regla esta que es aplicable a todos los contratos, cualquiera sea su naturaleza. El precepto no alude a la publicidad en Boletines Oficiales. Sí se refiere a ella en los apartados siguientes 2, 3 y 4, pero limita esta publicidad a determinados tipos de contratos: contratos de gestión de servicios públicos, contratos sujetos a regulación armonizada, y determinados contratos de servicios, si bien respecto de estos últimos sólo impone la obligación de comunicar la adjudicación a la Comisión Europea.

No es, en consecuencia, obligado publicar la adjudicación definitiva, de los contratos privados y de los administrativos no mencionados en el citado precepto, en los Boletines Oficiales, por no imponerlo ningún precepto, ni de la legislación de régimen local patrimonial, ni la legislación sobre contratación administrativa reguladora de la preparación y adjudicación de los contratos privados.

• Enajenación de la tercera parte de un proindiviso de que es propietario el Ayuntamiento

El Ayuntamiento es propietario proindiviso de la tercera parte de un solar. Un tercero pretende adquirir el solar. ¿Es necesaria la subasta?

[20/07/2010 EC 2317/2010]

Contestación

El contrato de enajenación de bienes es un contrato privado, un contrato civil, ya que tiene por objeto la enajenación de un bien patrimonial; y, por ello, la relación contractual, en lo que se refiere a su contenido, se rige por las normas de Derecho privado que, en cada caso, según del tipo contractual de que se trate, le sean aplicables, sin perjuicio de las especialidades que la legislación administrativa establece.

Ahora bien, en cuanto a los elementos formales, relativos a la preparación y adjudicación del contrato, se rigen por las normas administrativas aplicables a la contratación [art. 20.2 Ley 30/2007, de 30 de octubre (LA LEY 10868/2007) (BOE del 31), de Contratos del Sector Público (LCSP)]. En concreto, la forma de adjudicación ha de ser la subasta pública. En efecto, el art. 80 del Texto Refundido de Régimen Local (TRRL), aprobado por Real Decreto Legislativo 781/1986, de 18 de abril (LA LEY 968/1986) (BOE del 22), precepto básico, que es reproducido por el art. 42 (LA LEY 1931/1988) del Decreto 336/1988, de 17 de octubre (DOGC de 2 de diciembre), por el que se aprueba el Reglamento del patrimonio de los entes locales (RPC), sienta un principio general que ha de ser necesariamente respetado: las enajenaciones de bienes patrimoniales habrán de realizarse por subasta pública. Tal requisito resulta de obligado cumplimiento, según doctrina reiterada del Tribunal Supremo y sólo puede obviarse en los supuestos taxativamente establecidos en una ley formal. En el caso de que quedare desierta la subasta, cabe la enajenación directa del bien, conforme al art. 137.4 (LA LEY 1671/2003) de la Ley 33/2003, de 3 de noviembre (EC 4127/2003), del Patrimonio de las Administraciones Públicas (LPAP).

No obstante, para la enajenación de terrenos en proindiviso, conforme al art. 137.4 LPAP, precepto no básico y por tanto supletorio, es posible la enajenación directa según determina la letra g) del precepto: «Cuando la titularidad del bien o derecho corresponda a dos o más propietarios y la venta se efectué a favor de uno o más copropietarios». Además, la letra h) admite también la enajenación directa: «Cuando la venta se efectué a favor de quien ostente un derecho de adquisición preferente reconocido por disposición legal». Y sabido es que, conforme al art. 1522 (LA LEY 1/1889) del Código Civil, el copropietario de una cosa común podrá usar del retracto en el caso de enajenarse a un extraño la parte de todos los condueños.

Todo ello quiere decir que la enajenación directa de la tercera parte del proindiviso sólo puede enajenarse directamente a favor de los comuneros y no de un tercero ajeno y no integrante de la Comunidad. Por ello, si la persona que pretende adquirir la parte municipal del proindiviso adquiere antes la parte de los otros copropietarios, vería asegurada la adquisición, al ser posible la adquisición directa y, en último caso, si la enajenación se produce por subasta, ostentando un derecho de retracto en la venta efectuada por el Ayuntamiento.

Cierto es que el art. 43 del citado reglamento catalán exime la subasta en dos supuestos: 1.º cuando lo requieran las peculiaridades de los bienes; y 2.º por las limitaciones del mercado inmobiliario. Supuestos que deben justificarse y que, además, requieren informe previo de la Comunidad Autónoma. No obstante, a nuestro juicio, el proindiviso no es una peculiaridad ni una limitación del mercado, sino una situación jurídica de los bienes normal y frecuente.

En conclusión, creemos que la enajenación de la tercera parte del proindiviso a una persona extraña requiere necesariamente la subasta.

Otra cosa sería si la enajenación se hiciera a uno de los copropietarios o comuneros, en cuyo caso podría justificarse la enajenación directa y, en todo caso, ostentarían un derecho de retracto si alguna de las partes del proindiviso se adjudica a tercera persona no comunera. En cualquier caso si la subasta queda desierta sería viable la enajenación directa.

• Posible constitución de servidumbre para poder disponer del agua y conducirla por fincas ajenas

El Ayuntamiento quiere comprar una parcela porque en ella existe una captación de agua potable, pero no está inscrita en el Registro. ¿Cómo debemos proceder para su compra y para constituir una servidumbre para conducir el agua por fincas ajenas?

[10/06/2010 EC 1837/2010]

Contestación

A la adquisición de bienes mediante contrato se refiere el art. 11 del Reglamento de Bienes de las Entidades Locales (RB), aprobado por Real Decreto 1372/1986, de 13 de junio (LA LEY 1516/1986) (BOE de 7 de julio). El contrato de compraventa es un contrato privado [arts. 5.2 y 20.3

de la Ley 30/2007, de 30 de octubre (LA LEY 10868/2007) (BOE del 31), de Contratos del Sector Público (LCSP)], sin perjuicio de que su preparación y adjudicación, en cuanto elementos formales separables, vengan regulados en el ordenamiento administrativo (art. 20.2 LCSP).

Las adquisiciones a título oneroso exigen previo informe pericial, que no sólo tiene por objeto valorar el bien —con determinación del precio de adquisición— sino también justificar, atendiendo a las circunstancias de éste (localización, descripción, titulación etc.), la razón o razones determinantes de la procedencia o conveniencia de su adquisición. En su caso, además, deberá emitirse informe jurídico en el que se analicen lar razones que impiden su constancia en el Registro y su posible solución y, en definitiva, los problemas de titularidad.

A la vista de ello, deberán determinar la procedencia de la adquisición de la parcela. Hay que hacer constar que la inscripción en el Registro de las fincas no es obligatoria para los particulares o personas privadas, por lo que el no contar en él no constituye impedimento para su posible venta y adquisición, mucho más si el propietario lo es en virtud de título público como es la Escritura. Sí deberán concretar si los inconvenientes y defectos que han impedido su acceso al Registro son subsanables y en qué forma, puesto que el Ayuntamiento tiene obligación de inscribir una vez adquirido el bien.

El procedimiento a través del cual debe instrumentarse la adquisición es el concurso o excepcionalmente la adquisición directa, por el procedimiento negociado, fundamentándose en los supuestos generales contenidos en el art. 154 LCSP y el específico del art. 159 por razón de la cuantía.

En cuanto al problema de la servidumbre de acueducto y paso, nos remitimos a los arts. 47 (LA LEY 1110/2001) y siguientes del Real Decreto Legislativo 1/2001, de 20 de julio (BOE del 24), por el que se aprueba el texto refundido de la Ley de Aguas; 18 y siguientes del Reglamento del Dominio Público Hidráulico, aprobado por Real Decreto 849/1986, de 11 de abril (LA LEY 877/1986) de 1986 (BOE del 30); y 557 a 561 del Código Civil. El art. 18.2 del Reglamento citado establece una jerarquía normativa, a saber, la Ley de Aguas, el Reglamento y subsidiariamente el Código Civil. El art. 48.1 del Texto refundido de la Ley de Aguas dispone que: «Los organismos de cuenca podrán imponer, con arreglo a lo dispuesto en el Código Civil y en el Reglamento de esta Ley, la servidumbre forzosa de acueducto, si el aprovechamiento del recurso o su evacuación lo exigiera».

Se trata de una servidumbre de constitución administrativa, no judicial (art. 36 y siguientes del Reglamento del Dominio Público Hidráulico).

La servidumbre de acueducto puede imponerse tanto cuando el agua se destine a algún servicio público como cuando tenga por finalidad un interés particular.

Como regla, el órgano competente para resolver sobre la solicitud de imposición de servidumbre de acueducto y paso lo es el organismo de cuenca, donde deberán presentar la correspondiente solicitud, acompañando los correspondientes títulos jurídicos, planos, etc. El establecimiento de la servidumbre forzosa de acueducto exigirá el previo abono de la indemnización que corresponda, de acuerdo con lo dispuesto en la legislación de expropiación forzosa (art. 25 del Reglamento del Dominio Público Hidráulico).

Concordancias a todo el artículo

➡ **Concordancias normativas**

Artículo 20 de la LCSP 30/2007 y artículos 5 y 9 del TRLCAP RDL 2/2000.

Véanse artículos 4.1 p) y 19.1 b) de la presente Ley.

Artículo 21 *Jurisdicción competente*

1. El orden jurisdiccional contencioso-administrativo será el competente para resolver las cuestiones litigiosas relativas a la preparación, adjudicación, efectos, cumplimiento y extinción de los contratos administrativos. Igualmente corresponderá a este orden jurisdiccional el conocimiento de las cuestiones que se susciten en relación con la preparación y adjudicación de los contratos privados de las Administraciones Públicas y de los contratos sujetos a regulación armonizada, incluidos los contratos subvencionados a que se refiere el artículo 17 así como de los contratos de servicios de las categorías 17 a 27 del Anexo II cuyo valor estimado sea igual o superior a 193.000 euros que pretendan concertar entes, organismos o entidades que, sin ser Administraciones Públicas, tengan la condición de poderes adjudicadores. También conocerá de los recursos interpuestos contra las resoluciones que se dicten por los órganos de resolución de recursos previstos en el artículo 41 de esta Ley.

☞ **Concordancias Jurisprudenciales**

Tribunal Superior de Justicia de Galicia, Sala de lo Social, Sentencia de 7 Nov. 2011, rec. 1343/2011

[LA LEY 234611/2011]

CONTRATO DE TRABAJO. Criterios fundamentales de calificación de la relación como laboral. Dependencia o subordinación. Generalidades. CONTRATOS ADMINISTRATIVOS. Naturaleza del contrato. Criterios de determinación. Generalidades. CONTRATOS TEMPORALES. Contratos celebrados por la Administración. Inobservancia de formalidades en la contratación: efectos. Adquisición de la condición de fijeza en el empleo. -- Contratos celebrados por la Administración. Contratación en fraude de ley. Supuestos. TRABAJADORES FIJOS DISCONTINUOS. Regulación.

2. El orden jurisdiccional civil será el competente para resolver las controversias que surjan entre las partes en relación con los efectos, cumplimiento y extinción de los contratos privados. Este orden jurisdiccional será igualmente competente para conocer de cuantas cuestiones litigiosas afecten a la preparación y adjudicación de los contratos privados que se celebren por los entes y entidades sometidos a esta Ley que no tengan el carácter de Administración Pública, siempre que estos contratos no estén sujetos a una regulación armonizada.

☞ **Concordancias Jurisprudenciales**

Tribunal Superior de Justicia del Principado de Asturias, Sala de lo Contencioso-administrativo, Sección 1.ª, Sentencia de 30 Sep. 2011, rec. 116/2009

[LA LEY 196303/2011]

COMPETENCIA JUDICIAL. Falta de jurisdicción de la Sala de lo contencioso-administrativo por ser competencia de la jurisdicción civil. El objeto del recurso lo constituye la impugnación de la encomienda o encomiendas realizadas por la Consejería de Administraciones Públicas a una empresa pública para la instalación y puesta en funcionamiento de la TDT en aquellos centros o emplazamientos de difusión de televisión de titularidad pública, así como la convocatoria de los procedimientos de licitación para la contratación de la extensión de la cobertura de la TDT desde centros de radiodifusión. Competencia de la jurisdicción civil para conocer de cuantas cuestiones litigiosas afecten a la preparación y adjudicación de los contratos privados que se celebren por los entes y entidades que no tengan el carácter de Administración Pública, siempre que estos contratos no estén sujetos a regulación armonizada.

Audiencia Provincial de Huelva, Sección 2.ª, Auto de 19 May. 2008, rec. 109/2008

[LA LEY 228595/2008]

ADMINISTRACIÓN LOCAL. Entidades locales. Actividades y servicios. COMPETENCIA JUDICIAL. Civil. Civil objetiva. Por razón de la materia. PRÉSTAMO. Simple préstamo. PROCESO CIVIL. Procesos especiales. Proceso monitorio. Competencia. PROCESO CONTENCIOSO-ADMINISTRATIVO. Regulación.

⊠ **Consultas**

• **Impugnación de un concurso público**

¿Cuál es el procedimiento adecuado para impugnar las bases de un concurso público licitado por un Poder Adjudicador, no Administración Pública, cuando el valor estimado de licitación no alcanza la cuantía límite de regulación armonizada marcada para un contrato de servicios, debiendo acudir a la jurisdicción civil?

Contratación Administrativa Práctica, Nº 119, Sección Usted Pregunta, Mayo 2012, pág. 15, Editorial LA LEY

[LA LEY 630/2012]

Respuesta

En relación con la cuestión suscitada, debemos acudir a lo dispuesto por el artículo 21.2 del TRLCSP (LA LEY 21158/2011), según el cual, el orden jurisdiccional civil será el competente para resolver las controversias que surjan entre las partes en relación con los efectos, cumplimiento y extinción de los contratos privados. Este orden jurisdiccional será igualmente competente para conocer de cuantas cuestiones litigiosas afecten a la preparación (estando la aprobación de las «bases de un concurso público» dentro de esta fase) y adjudicación de los contratos privados que se celebren por los entes y entidades sometidos a esta Ley que no tengan el carácter de Administración Pública, siempre que estos contratos no estén sujetos a una regulación armonizada, tal y como parece ser el caso.

• **Procedimiento para el cobro de las aportaciones para la cofinanciación de gastos**

Las aportaciones a obras y, en general, de terceros para cofinanciar gastos de la Administración ¿qué procedimiento de gestión de cobro tienen?

[24/05/2010 EC 1674/2010]

Contestación

Lo primero que hemos de afirmar es que las aportaciones de entes públicos concedidas para la cofinanciación de gastos constituyen ingresos de derecho público no tributario, tal como se desprende del art. 40 del Texto Refundido de la Ley Reguladora de las Haciendas Locales (TR LRHL (LA LEY 362/2004)), aprobado por Real Decreto Legislativo 2/2004, de 5 de marzo (LA LEY 362/2004) (BOE del 9). Por ello, concedida la subvención a favor del Ayuntamiento, aparece el derecho de éste a su cobro siempre que haya cumplido con las condiciones que se le impusieron en el momento de su concesión.

Dado por supuesto el cumplimiento de dichas condiciones, el incumplimiento por parte de la entidad otorgante de la subvención no supone que el Ayuntamiento quede inerme frente al impago por la Comunidad Autónoma. La STS de 18 de febrero de 2005 (EC 2418/2005), dictada en recurso de casación en interés de ley, aclara definitivamente el tema. Parte del art. 2.2 (LA LEY 362/2004) TR LRHL, que otorga a la Hacienda de las Entidades locales las mismas prerrogativas establecidas legalmente para la hacienda del Estado, atribuyéndole la capacidad para actuar conforme a los procedimientos administrativos correspondientes. Y resuelve, trasladando a esta sentencia la ya dictada en 29 de enero de 1999 (LA LEY JURIS 2439/1999), en la que sentó la doctrina de reconocer que las Entidades locales, para la cobranza de sus recursos liquidados a organismos Autónomos de carácter Comercial de la generalidad de Cataluña, puede utilizar el procedimiento de apremio y, dentro de él, decretar y practicar las diligencias de embargo que estime pertinentes (FJ 5.º). Es decir, en esta Sentencia vuelve a decir que el procedimiento de apremio es susceptible de ser utilizado por los Ayuntamientos para el cobro de las deudas tributarias al Estado, a las Comunidades Autónomas y a las demás Entidades

Públicas; y que los bienes de todas esas Entidades son susceptibles de ser embargados, salvo que se trate de bienes de dominio público o comunales. Y ello, además de la posibilidad de compensación de deudas prevista en los arts. 57 del Reglamento General de Recaudación (RGR 2005 (LA LEY 1313/2005)), aprobado por Real Decreto 939/2005, de 29 de julio (LA LEY 1313/2005) (BOE de 2 de septiembre), art. 73 (LA LEY 1914/2003) de la Ley 58/2003, de 17 de diciembre (BOE del 18), General Tributaria (LGT 2003 (LA LEY 1914/2003)) y 109 de la Ley 7/1985, de 2 de abril (LA LEY 847/1985) (BOE del 3), Reguladora de las Bases del Régimen Local (LRBRL (LA LEY 847/1985)).

Por tanto, los Ayuntamientos pueden desarrollar un procedimiento de apremio dirigido a cobrarles los tributos y demás ingresos de derecho público, como son las subvenciones que puedan adeudarles como obligados al pago del mismo, procediendo al embargo de aquellos bienes y derechos, en general, que sean necesarios, siempre que no estén afectos a un uso o servicio público, tal como se desprende de lo dispuesto en el art. 2.2 (LA LEY 362/2004) TR LRHL.

Y sin olvidar que no sólo pueden recurrir al procedimiento de ejecución forzosa, con todas las prerrogativas y facultades que implica su desarrollo; sino también a los derechos previstos legalmente que garantizan su cumplimiento: prelación, afección, retención y preferencia, en el orden en que se recoge en la Ley General Tributaria; y a los deberes de colaboración en general que coadyuvan al aseguramiento, facilitación y aun la posibilidad del mismo, como los de información tributaria, a las medidas cautelares que sean precisas para neutralizar las conductas tendentes a impedirlo o dilatarlo, etc. Y ello, por la remisión a que anteriormente nos hemos referido, a las prerrogativas establecidas legalmente para la hacienda del Estado. Conclusión a la que hemos de llegar igualmente con la lectura del art. 1.1 (LA LEY 1914/2003) LGT 2003, conforme al cual, dicha Ley establece los principios y las normas jurídicas generales del sistema tributario español, aplicándose a todas las Administraciones tributarias.

Finalmente, el último párrafo del FJ Cuarto de la citada sentencia contiene una declaración que, a nuestro juicio, es sumamente interesante. Dice que no se puede privar a las Entidades locales de la posibilidad de utilizar, cumpliendo las prevenciones legales, los procedimientos de apremio y de practicar en ellos las diligencias de ejecución precisas para la recaudación de sus créditos tributarios cuando el sujeto obligado sea una Administración. Observamos que dice los procedimientos de apremio, sin que se establezca limitación alguna a dicho procedimiento. Ello nos lleva al examen de los arts. 160 (LA LEY 1914/2003) y ss. LGT 2003. Y, al respecto, el art. 167, que regula la iniciación del procedimiento de apremio, establece en su número 1 que se iniciará mediante providencia notificada al obligado tributario en la que se identificará la deuda pendiente, se liquidarán los recargos a los que se refiere el artículo 28 de esta ley y se le requerirá para que efectúe el pago. Por lo tanto, entre las prevenciones legales se encuentra, conforme al citado precepto, la liquidación de los recargos que procedan, que son el recargo ejecutivo, el recargo de apremio reducido y el recargo de apremio ordinario, según el momento en que se satisfaga la deuda. Debiendo significar, además, que el recargo de apremio ordinario, en los términos del número 5 del precepto, es compatible con los intereses de demora devengados desde el inicio del periodo ejecutivo. Tales recargos, a nuestro juicio, también son aplicables en el supuesto de que se utilice el procedimiento de compensación de deudas, ya que el art. 57 (LA LEY 1313/2005) RGR 2005 se remite al momento en que haya transcurrido el plazo de en periodo voluntario, momento en que, conforme al citado art. 28 (LA LEY 1914/2003) LGT 2003, se devengan los recargos del periodo ejecutivo de apremio. Así lo establece, igualmente, el art. 69 (LA LEY 1313/2005) RGR 2005, que se remite al art. 161.1 (LA LEY 1914/2003) de la LGT 2003: el periodo ejecutivo se inicia el día siguiente al del vencimiento del plazo establecido para su ingreso en el art. 62 de dicha Ley.

Por lo que se refiere a la cuestión del régimen de recursos, a nuestro entender habrá de estarse a lo dispuesto en el art. 167 (LA LEY 1914/2003) LGT 2003, que enumera las causas, tasadas, en virtud de las cuales se puede impugnar la providencia de apremio. El número 3 del precepto es claro al respecto: contra la providencia de apremio sólo serán admisibles los cinco motivos de oposición contemplados en dicha norma.

Por lo que se refiere a las aportaciones de particulares, salvo que se trate del supuesto contemplado en el art. 31.6 (LA LEY 362/2004) TR LRHL, que supondrían la sujeción al régimen de cobro de las contribuciones especiales, han de considerarse como donaciones, y por tanto son de aplicación los arts. 618 y siguientes del Código Civil. Teniendo en cuenta que las donaciones que hayan de surtir efectos entre vivos se regirán por las condiciones generales de los contratos, la jurisdicción competente para dirimir las cuestiones que se planteen es la jurisdicción civil, tal como establece el art. 21.2 de la Ley 30/2007, de 30 de octubre (LA LEY 10868/2007) (BOE del 31), de Contratos del Sector Público (LCSP).

3. El conocimiento de las cuestiones litigiosas que se susciten por aplicación de los preceptos contenidos en la sección 4.ª del Capítulo II del Título II del Libro IV de esta Ley será competencia del orden jurisdiccional civil, salvo para las actuaciones en ejercicio de las obligaciones y potestades administrativas que, con arreglo a lo dispuesto en dichos preceptos, se atribuyen a la Administración concedente, y en las que será competente el orden jurisdiccional contencioso-administrativo.

Concordancias a todo el artículo

➡ **Concordancias normativas**

Artículo 21 de la LCSP 30/2007 y artículos 7 y 9 del TRLCAP RDL 2/2000.

✉ **Consultas**

• **CONTRATACIÓN LOCAL. Prohibición de contratar. FUNCIONA-RIOS CON HABILITACIÓN NACIONAL. Secretario. No es una función del Secretario el que se otorgue ante él una declaración responsable para presentarlo ante otra Administración pública**

¿Puede el Secretario dar fe de las declaraciones responsables de empresarios, para que surtan efectos en licitaciones de otras Administraciones?

[06/02/2012 EC 286/2012]

Contestación

El art. 73 del Real Decreto Legislativo 3/2011, de 14 de noviembre (LA LEY 21158/2011) (BOE del 16), por el que se aprueba el Texto Refundido de la Ley de Contratos del Sector Público (LA LEY 21158/2011) (TR LCSP), al igual que hacían sus predecesores, dispone que la prueba, por parte de los empresarios, de no estar incursos en prohibiciones para contratar podrá realizarse mediante testimonio judicial o certificación administrativa, según los casos. Cuando dicho documento no pueda ser expedido por la autoridad competente, podrá ser sustituido por una declaración responsable otorgada ante una autoridad administrativa, notario público u organismo profesional cualificado.

Ya el Informe 35/1995, de 24 de octubre de 1995, de la Junta Consultiva de Contratación Administrativa, «Tener la consideración de organismo profesional cualificado a los efectos de extender el otorgamiento de declaración responsable a que se refiere la Ley de Contratos de las Administraciones Públicas», señalaba que la referencia a «organismo profesional cualificado» que recoge la Ley de Contratos de las Administraciones Públicas —y recogía la Ley de Contratos del Estado— ha sido exclusivamente motivada por la necesidad de incorporar el contenido de las Directivas comunitarias y prever situaciones que pueden darse en otros países, comunitarios o no, pero sin que dicha referencia tenga sentido respecto a empresarios españoles, dado que, según resulta del art. 80.2, b), de la Ley de Contratos de las Administraciones Públicas, la declaración responsable ha de realizarse, y por otra parte es suficiente que se realice, ante el órgano de contratación, como así lo puso de relieve esta Junta Consultiva de Contratación Administrativa en su Recomendación de 23 de marzo de 1988, cuya doctrina debe darse por reproducida pues, aun refiriéndose a la legislación de contratos del Estado entonces vigente, el supuesto de hecho contemplado por la norma es idéntico al que incorpora el art. 25.1 de la Ley de Contratos de las Administraciones Públicas.

Por su parte, Guillermo Lago Núñez, en su artículo «Sobre el sobre b: consideraciones acerca de la capacidad, la solvencia y las prohibiciones para contratar con las administraciones públicas» publicado en la revista Contratación Administrativa Práctica, n.° 23, de 2003, señala que «se ha suscitado si esta declaración responsable debe acreditar que se ha otorgado ante autoridad administrativa, notario público u organismo profesional cualificado o, por el contrario, se considera suficiente que se realice ante el propio órgano de contratación, lo que la JCCA ha expuesto en su informe de 14 de julio de 1997 y, reiterado, el 3 de julio de 2001 (informe 23/01) en el sentido de que es suficiente la declaración responsable ante el propio órgano de contratación ya que el mismo debe considerarse autoridad administrativa.

Por tanto la constatación por parte de la Mesa de Contratación de que el licitador en nombre propio, en la representación que ostente y con extensión a las personas que pudieran verse afectadas por las limitaciones para contratar, no está incurso en la prohibición de contratar solo puede efectuarse a la vista del testimonio judicial o certificación administrativa (y cuando dicha documentación no pueda ser expedida por la autoridad competente se podrá sustituir por una declaración responsable otorgada ante una autoridad administrativa —entendiendo por tal el propio órgano de contratación—, notario público u organismo profesional cualificado) de conformidad con el art. 21.5 del TRLCAP.»

Partiendo de estas consideraciones, entendemos que no es una función del Secretario de un Ayuntamiento el que se otorgue ante él una declaración responsable para presentarlo ante otra Administración pública. Máxime si tenemos en cuenta que, como señala la Junta Consultiva de Contratación Administrativa, basta que esa declaración responsable se presente ante el propio órgano de contratación.

📖 Doctrina

«Actos separables». Gil Ibáñez, José Luis. *Enciclopedia de Administración Local.*

LIBRO PRIMERO

Configuración general de la contratación del sector público y elementos estructurales de los contratos

TÍTULO I

Disposiciones generales sobre la contratación del sector público

CAPÍTULO I

Racionalidad y consistencia de la contratación del sector público

Artículo 22 *Necesidad e idoneidad del contrato y eficiencia en la contratación*

1. Los entes, organismos y entidades del sector público no podrán celebrar otros contratos que aquellos que sean necesarios para el cumplimiento y realización de sus fines institucionales. A tal efecto, la naturaleza y extensión de las necesidades que pretenden cubrirse mediante el contrato proyectado, así como la idoneidad de su objeto y contenido para satisfacerlas, deben ser determinadas con precisión, dejando constancia de ello en la documentación preparatoria, antes de iniciar el procedimiento encaminado a su adjudicación.

2. Los entes, organismos y entidades del sector público velarán por la eficiencia y el mantenimiento de los términos acordados en la ejecución de los procesos de contratación pública, favorecerán la agilización de trámites, valorarán la innovación y la incorporación de alta tecnología como aspectos positivos en los procedimientos de contratación pública y promoverán la participación de la pequeña y mediana empresa y el acceso sin coste a la información, en los términos previstos en la presente Ley.

Concordancias a todo el artículo

➡ **Concordancias normativas**

Artículos 22 y 74 de la LCSP 30/2007 y artículos 13 y 202 del TRLCAP RDL 2/2000.

Véase artículo 109.1 de la presente Ley.

☞ **Concordancias Jurisprudenciales**

Tribunal Superior de Justicia de Madrid, Sala de lo Social, Sección 6.ª, Sentencia de 12 Dic. 2011, rec. 3473/2011

[LA LEY 281959/2011]

CONTRATO DE TRABAJO. Criterios fundamentales de calificación de la relación como laboral. Dependencia o subordinación. CONTRATOS ADMINISTRATIVOS. Naturaleza del contrato. Criterios de determinación. CONTRATOS TEMPORALES. Contratos celebrados por la Administración. Contratación en fraude de ley. Supuestos. -- Contratos celebrados por la Administración. Efectos de la declaración de improcedencia del despido. DESPIDO. Despido disciplinario. Calificación del despido. Despido nulo. — Despido disciplinario. Calificación del despido. Despido improcedente.

Tribunal Superior de Justicia de Andalucía de Sevilla, Sala de lo Contencioso-administrativo, Sección 1.ª, Sentencia de 27 Abr. 2011, rec. 287/2010

[LA LEY 190655/2011]

CONTRATO ADMINISTRATIVO DE GESTIÓN DE SERVICIOS PÚBLICOS. Actuaciones administrativas preparatorias. Pliegos y anteproyecto de obra y explotación. -- Derechos y obligaciones de las partes. Del contratista. -- Extinción. Causas. -- Subcontratación.

Tribunal Superior de Justicia de Castilla y León de Valladolid, Sala de lo Social, Sentencia de 28 Abr. 2010, rec. 436/2010

[LA LEY 66348/2010]

DESPIDO IMPROCEDENTE. Inexistencia de cesión ilegal. Los supuestos de nulidad del despido de trabajo se encuentran tasados en el Estatuto de los Trabajadores y Ley de Procedimiento Laboral, no incluyéndose entre tales supuestos el despido que tiene lugar en el contexto de una hipótesis de cesión ilegal de mano de obra.

✉ Consultas

• Intereses de demora e indemnización de costes de cobro

Una empresa nos reclama intereses de demora desde el año 2007 e indemnización por costes de cobro. ¿Existe alguna limitación temporal para tal solicitud? ¿Qué efectos tendría en relación con el RDL 4/2012?

[09/05/2012 EC 1187/2012]

Contestación

La consecuencia principal que se produce en caso de impago es que el principal de la deuda comienza a generar interés de demora. De acuerdo con la Ley 3/2004, de 29 de diciembre (LA LEY 1704/2004) (BOE del 30), de lucha contra la Morosidad en las Operaciones Comerciales, el contratista tiene derecho a percibir una indemnización por los costes de cobro.

La redacción originaria del art. 99.4 de la Ley de Contratos de las Administraciones Públicas establecía, para los supuestos de retraso en el pago superiores al plazo de dos meses, un interés de demora correspondiente al incremento del interés legal del dinero en 1,5 puntos. Este precepto fue modificado por la citada Ley 3/2004; de modo que el art. 99.4 de la Ley 30/2007, de 30 de octubre (LA LEY 10868/2007) (BOE del 31), de Contratos del Sector Público (LCSP (LA LEY 10868/2007)) se remitía a lo dispuesto en los arts. 7 y 8 de la Ley de medidas contra la Morosidad: el primero sobre el interés de mora, y el segundo sobre la llamada «compensación razonable» de los costes de cobro. La misma remisión se recoge en el apartado 4 del art. 222 del Real Decreto Legislativo 3/2011, de 14 de noviembre (LA LEY 21158/2011) (BOE del 16), por el que se aprueba el texto refundido de la Ley de Contratos del Sector Público [TRLCSP (LA LEY 21158/2011)].

En relación a cuál sería el importe a pagar por intereses de demora, el art. 7.2 de la Ley 3/2004, fija, como tipo legal de interés de demora, la suma de tipo de interés aplicado por el Banco Central Europeo a su más reciente operación principal de refinanciación efectuada antes del primer día natural del semestre de que se trate (tipo de referencia), más 7 puntos porcentuales. En este sentido, la resolución de 28 de diciembre de 2011, de la Dirección General del Tesoro y Política Financiera, ha fijado el tipo legal de interés de demora durante el primer semestre de 2012 en un 8%.

Ha de tenerse en cuenta que, tal y como se desprende del art. 5 de la repetida Ley 3/2004, la Administración incurrirá en mora y deberá pagar el interés correspondiente automáticamente por el mero incumplimiento del plazo legalmente establecido; sin necesidad de aviso de vencimiento ni intimación alguna por parte del acreedor. Sin embargo, hemos de constatar que el Tribunal Supremo ha mantenido posturas contradictorias en torno a la posibilidad de reconocer, en caso de pago tardío, una indemnización que rebase el interés de demora. Así, en la jurisprudencia más reciente, aunque anteriores a la Ley 3/2004, dos sentencias han declarado que la responsabilidad de la Administración rebasa el pago del interés moratorio [STS de 19 de febrero de 2002 (LA LEY 4668/2002) (LA LEY 4668/2002)], en tanto que la STS de 16 de octubre de 2001 (LA LEY 8361/2001) (LA LEY 8361/2001), ha declarado que no cabe definir un daño o lesión más allá de la órbita de lo pactado para sustituir a los intereses reconocidos.

En relación con el nuevo marco normativo, cabe destacar que, en principio, la indemnización por costes de cobro no es incompatible con el reconocimiento de una indemnización mayor al representado por el interés de demora. Y en este sentido, el considerando 17 de la Exposición de Motivos de la Directiva 2000/35, del Parlamento Europeo y del Consejo, de 29 de junio de 2000, por la que se establecen medidas de lucha contra la morosidad en las operaciones comerciales.

En su Informe 5/2005, de 11 de marzo, la Junta Consultiva de Contratación Administrativa del Estado, concluye que no resulta posible incluir en los pliegos un tipo de interés de demora inferior al previsto en el apartado 2 del art. 7 de la Ley 3/2004, por cuanto para los contratos está excluida la posibilidad de pacto.

Por lo que se refiere a los costes de cobro, el art. 8 de la repetida Ley 3/2004 establece que cuando el deudor incurra en mora, «el acreedor tendrá derecho a una indemnización por todos los costes de cobro debidamente acreditados, que haya sufrido a causa de la mora de éste». El propio precepto establece cuál ha de ser la cuantía máxima de la indemnización, que, conforme a dicha norma, no podrá superar el 15% de la cuantía de la deuda, salvo que ésta no supere los 30.000 euros, en cuyo caso dicho importe operará como límite de dicha indemnización.

Ha de tenerse en cuenta que también podrán ser objeto de reclamación por el contratista, en vía jurisdiccional, los intereses devengados desde la interposición del recurso, por aplicación de lo dispuesto en el art. 1109 del Código Civil (LA LEY 1/1889), en cuanto prevé el anatocismo o el devengo de intereses sobre los intereses solicitados desde el momento en que son judicialmente reclamados. La figura ha sido reconocida jurisprudencialmente en la contratación administrativa, en Sentencias del TS de 23 y 30 de mayo de 1989, 5 de marzo y 6 de mayo de 1992 y 24 de junio de 1996, entre otras. En este caso, los intereses se devengan desde la fecha de interposición del recurso contencioso-administrativo hasta su completo pago, operando sobre el interés legal vigente en cada año definido según la Ley de Presupuestos Generales del Estado, tal como previene la Ley 24/1984, de 29 de junio (LA LEY 1563/1984) (BOE de 3 de julio).

Además, desde la notificación de la sentencia hasta su pago, regirá lo dispuesto en el art. 106.2 de la Ley 29/1998, de 13 de julio (LA LEY 2689/1998) (BOE del 14), reguladora de la Jurisdicción Contencioso-Administrativa (LRJCA).

En cuanto a si existe obligación de pagarlos en cualquier caso, el art. 8.2 de la Ley 3/2004 sólo exonera de dicha obligación al deudor cuando no sea responsable del retraso en el pago. Y no será responsable del retraso en aquellos supuestos en los cuales el contratista no haya cumplido con la obligación objeto del contrato o en los supuestos de ejecución defectuosa o demora.

En relación con la cuestión de si existe algún precepto que limite el período de presentación de la solicitud de intereses, sólo existe la limitación correspondiente a la prescripción del derecho a su liquidación y cobro. Es decir, cuatro años desde que comenzaron a devengarse. En el supuesto planteado en su consulta, sería de aplicación el apartado 1.º del art. 25 de la Ley 47/2003, de 26 de noviembre (LA LEY 1781/2003) (BOE del 27), General Presupuestaria (LGP 2003 (LA LEY 1781/2003)), apartados a) o b), según nos encontremos ante el supuesto del reconocimiento o liquidación de dichos intereses —cuatro años desde que se concluyó el servicio o prestación— o, por el contrario, del pago de los ya liquidados —en cuyo caso el plazo se contará desde la fecha de notificación del reconocimiento o liquidación—. Pero en uno y otro caso, el plazo son cuatro años para que se produzca la prescripción.

Finalmente, y por lo que al descuento en la factura se refiere, de acuerdo con el art. 9.2 del Real Decreto-ley 4/2012, de 24 de febrero (LA LEY 3043/2012) (BOE del 25), por el que se determinan obligaciones de información y procedimientos necesarios para establecer un mecanismo de financiación para el pago a los proveedores de las entidades locales, el abono al contratista conlleva la extinción de la deuda, tanto por lo que se refiere al principal como a los intereses, costas y cualesquiera otros gastos accesorios. O lo que es lo mismo, el abono del principal de la deuda tiene efectos extintivos de la obligación pendiente de pago, como se explicita en el preámbulo del Real Decreto-Ley.

• **Imposibilidad de financiación de un contrato con cargo a un eventual futuro contrato con otro contratista**

¿Se puede establecer que el precio de un contrato para la elaboración de un estudio de viabilidad de energías renovables será abonado por el futuro contratista de la instalación de las mismas?

[17/04/2012 EC 925/2012]

Contestación

Entendemos que no es posible la forma de financiación que nos señalan en la consulta. Esto es, financiar un expediente de contratación actual con cargo a un eventual futuro contrato con otro contratista. Y, esto, por una razón fundamental, a saber: el ente contratante es el Ayuntamiento y debe correr de su cargo el gasto del contrato; siendo requisito esencial para contratar con un tercero la existencia de consignación presupuestaria adecuada y suficiente para hacer frente a los gastos del contrato.

En este sentido, debe recordarse el art. 173.5 del Texto Refundido de la Ley Reguladora de las Haciendas Locales (LA LEY 362/2004) (TR LRHL), aprobado por Real Decreto Legislativo 2/2004, de 5 de marzo (LA LEY 362/2004) (BOE del 9), cuando regula la limitación de los compromisos de gasto, dispone que no podrán adquirirse compromisos de gastos por cuantía superior al importe de los créditos autorizados en los estados de gastos, siendo nulos de pleno derecho los acuerdos, resoluciones y actos administrativos que infrinjan la expresada norma, sin perjuicio de las responsabilidades a que haya lugar. Esto es, es necesaria la correspondiente retención de crédito para iniciar un procedimiento de contratación.

Así lo afirma expresamente el Informe de la Junta Consultiva de Contratación Administrativa 56/2004, de 12 de noviembre de 2004, cuando señala que «En cuanto a los primeros —gastos de dirección de obra— la cuestión ha sido abordada por esta Junta en sus informes de 30 de junio y 23 de diciembre de 1999, de 28 de febrero de 2003 y de 7 de junio de 2004 (expedientes 26/1999, 51/1999, 1/03 y 26/04), utilizando los dos últimos citados las siguientes palabras:

(...) En dichos informes se llegaba a la conclusión de que la cláusula de un contrato que supone que la financiación del contrato de dirección de obras la lleva a cabo el adjudicatario del contrato de obras, debe considerarse nula por contradecir el art. 11.2 e) de la Ley de Contratos de las Administraciones Públicas y dicha conclusión debe reiterarse en el presente caso afirmando que los gastos de dirección del Técnico de Director de la obra, tiene que asumirlos la Administración, bien a través de sus propios técnicos, bien mediante el correspondiente contrato de consultoría y asistencia, sin que dichos gastos puedan, en consecuencia, considerarse incluidos en el concepto de gastos generales del presupuesto de la obra, ni pretender sean satisfechos por el adjudicatario del contrato de obras mediante incremento del precio del contrato». Recordemos que el art. 11.2.e) del Texto Refundido de la Ley de Contratos de las Administraciones Públicas, aprobado por Real Decreto Legislativo 2/2000, de 16 de junio (LA LEY 2206/2000) (BOE del 21), exigía la existencia de la correspondiente retención de crédito para iniciar un expediente de contratación.

Requisito que actualmente se recoge en el art. 109 del Real Decreto Legislativo 3/2011, de 14 de noviembre (LA LEY 21158/2011) (BOE del 16), por el que se aprueba el texto refundido de la Ley de Contratos del Sector Público (LA LEY 21158/2011) (TR LCSP (LA LEY 10868/2007)), cuando dispone que la celebración de contratos por parte de las Administraciones Públicas requerirá la previa tramitación del correspondiente expediente, que se iniciará por el órgano de contratación motivando la necesidad del contrato en los términos previstos en el art. 22 de esta Ley. Añadiendo que, entre otros documentos, deberá incorporarse el certificado de existencia de crédito o documento que legalmente le sustituya, y la fiscalización previa de la intervención, en su caso, en los términos previstos en la Ley 47/2003, de 26 de noviembre (LA LEY 1781/2003) (BOE del 27), General Presupuestaria (LGP 2003).

• ¿Están obligados los poderes adjudicadores que no son Administraciones Públicas a respetar el régimen sustantivo de cada tipo de contrato?

Contratación Administrativa Práctica, N° 83, Sección Usted Pregunta, Febrero 2009, pág. 14, Editorial LA LEY

[LA LEY 20/2009]

Respuesta

Según el art. 20.1 (LA LEY 10868/2007) LCSP son contratos privados todos los contratos celebrados por los entes del sector público que no sean Administraciones Públicas y por tanto, también los calificados como contratos de obras, concesión de obras públicas, suministros y servicios. Estos contratos, según establece el art. 20.2 (LA LEY 10868/2007) LCSP, se regirán, en cuanto a su preparación y adjudicación, en defecto de normas específicas por la LCSP y sus disposiciones de desarrollo. En cuanto a sus efectos y extinción, estos contratos se regirán por el derecho privado.

Por tanto, si un poder adjudicador que no sea Administración pública celebra un contrato cuyo objeto coincide con los definidos en los arts. 6 (LA LEY 10868/2007) a 12 (LA LEY 10868/2007) LCSP se calificará según estos preceptos. Ahora bien, para determinar los efectos de esta «calificación» es preciso hacer una distinción entre el régimen sustantivo de estos contratos («efectos y extinción») y preparación y adjudicación.

Centrándonos con el contenido jurídico del contrato, que es el cuestionado en la consulta, tal y como establece el art. 20 (LA LEY 10868/2007) LCSP, el régimen sustantivo (efectos, cumplimiento y extinción) de estos contratos se rige por el Derecho privado. Lo que impera, por tanto, es el principio de libertad de pactos, y probablemente por ello sea el jurisdiccional civil el competente para resolver las controversias que surjan entre las partes (art. 21.2 (LA LEY 10868/2007) LCSP).

Los poderes adjudicadores que no sean Administraciones Públicas podrán celebrar contratos «asimilables» a los contratos Administrativos típicos. Tendrán su mismo objeto, pero su régimen jurídico no es el de la LCSP

Así, por ejemplo, por lo que a los efectos de los contratos se refiere, la revisión de precios de la LCSP sólo se aplica a los contratos celebrados por las Administraciones Públicas (art. 75.3 (LA LEY 10868/2007) LCSP). Si el contrato público es celebrado por un ente del sector público distinto, su régimen es el que eventualmente se pacte en el contrato. Lo mismo ocurre, en mi opinión, en relación con la duración de los contratos públicos.

Por tanto, los poderes adjudicadores que no sean Administraciones Públicas podrán celebrar contratos «asimilables» a los contratos Administrativos típicos. Tendrán su mismo objeto, pero su régimen jurídico no es el de la LCSP. Bien es verdad que las partes podrán pactar un régimen jurídico más o menos parecido al que establece la LCSP, pero a la hora de intentar trasladar el régimen de los contratos administrativos a la contratación privada sólo existe como límite los preceptos que están fuera del juego de la libre autonomía de la voluntad de las partes.

Hemos de añadir además, que el hecho de que las Mutuas de Accidentes de Trabajo sean poderes adjudicadores no desvirtúa la anterior conclusión. Al Derecho comunitario sólo le preocupan, hasta la fecha, las cuestiones relativas a preparación y adjudicación de los contratos. Por ello, sólo en este punto los contratos de los poderes adjudicadores se someten a la LCSP.

Quizá debamos matizar esta última afirmación en relación con la cuestión que se somete a consulta. Y es que precisamente, la determinación del plazo de los contratos tiene una amplia repercusión en el principio de libre concurrencia y, en consecuencia, no es indiferente al Derecho comunitario. De este modo, en el ámbito de las concesiones, la Comisión Europea [Comunicación interpretativa de la Comisión sobre las concesiones en el Derecho comunitario (2000/C 121/02) punto 3.1.3] ha tenido ocasión de declarar que la duración debe fijarse de manera que no restrinja o limite la competencia más allá de lo necesario garantizar la amortización de las inversiones y una remuneración razonable de los capitales invertidos, aun manteniendo para el concesionario el riesgo inherente a la explotación. Pero, en definitiva, lo procedente es que se aplique un plazo de duración proporcionado en el contrato (art. 23 (LA LEY 10868/2007) LCSP), plazo que en cualquier caso puede ser distinto al establecido en la regulación de los contratos administrativos típicos de la LCSP.

Artículo 23 *Plazo de duración de los contratos*

1. Sin perjuicio de las normas especiales aplicables a determinados contratos, la duración de los contratos del sector público deberá establecerse teniendo en cuenta la naturaleza de las prestaciones, las características de su financiación y la necesidad de someter periódicamente a concurrencia la realización de las mismas.

2. El contrato podrá prever una o varias prórrogas siempre que sus características permanezcan inalterables durante el período de duración de éstas y que la concurrencia para su adjudicación haya sido realizada teniendo en cuenta la duración máxima del contrato, incluidos los períodos de prórroga.

La prórroga se acordará por el órgano de contratación y será obligatoria para el empresario, salvo que el contrato expresamente prevea lo contrario, sin que pueda producirse por el consentimiento tácito de las partes.

☒ Consultas

• ¿Es factible prorrogar un contrato de servicios, cuya duración inicial es de seis meses, dos meses más?

Contratación Administrativa Práctica, Nº 87, Sección Usted Pregunta, Junio 2009, pág. 9, Editorial LA LEY

[LA LEY 1154/2009]

Respuesta

De la redacción de la consulta planteada, puede entenderse que este órgano de contratación se encuentra en dos situaciones de hecho bien diferentes. Vamos a analizar cada una de ellas.

A) Posibilidad de aprobar una prórroga en el contrato de servicios.

En primer lugar debemos señalar que si se trata de ampliar el plazo de ejecución de este contrato a dos meses, la situación que se plantea en esta consulta responde al concepto jurídico de prórroga de un contrato de servicios expresamente regulada en los artículos 23.2 (LA LEY 10868/2007) y 279 (LA LEY 10868/2007) de la LCSP.

Así, en concreto, el artículo 23 al regular con carácter general el plazo de duración de los contratos, dispone:

1. Sin perjuicio de las normas especiales aplicables a determinados contratos, la duración de los contratos del sector público deberá establecerse teniendo en cuenta la naturaleza de las prestaciones, las características de su financiación y la necesidad de someter periódicamente a concurrencia la realización de las mismas.

2. El contrato podrá prever una o varias prórrogas siempre que sus características permanezcan inalterables durante el período de duración de éstas y que la concurrencia para su adjudicación haya sido realizada teniendo en cuenta la duración máxima del contrato, incluidos los períodos de prórroga.

La prórroga se acordará por el órgano de contratación y será obligatoria para el empresario, salvo que el contrato expresamente prevea lo contrario, sin que pueda producirse por el consentimiento tácito de las partes.

Por su parte, el artículo 279 de la LCSP señala que:

1. Los contratos de servicios no podrán tener un plazo de vigencia superior a cuatro años con las condiciones y límites establecidos en las respectivas normas presupuestarias de las Administraciones Públicas, si bien podrá preverse en el mismo contrato su prórroga por mutuo acuerdo de las partes antes de la finalización de aquél, siempre que la duración total del contrato, incluidas las prórrogas, no exceda de seis años, y que las prórrogas no superen, aislada o conjuntamente, el plazo fijado originariamente. La celebración de contratos de servicios de duración superior a la señalada podrá ser autorizada excepcionalmente por el Consejo de Ministros o por el órgano autonómico competente de forma singular, para contratos determinados, o de forma genérica, para ciertas categorías.

2. No obstante lo dispuesto anteriormente, los contratos regulados en este Título que sean complementarios de contratos de obras o de suministro podrán tener un plazo superior de vigencia que, en ningún caso, excederá del plazo de duración del contrato principal, salvo en los contratos que comprenden trabajos relacionados con la liquidación del contrato principal, cuyo plazo final excederá al del mismo en el tiempo necesario para realizarlos. La iniciación del contrato complementario a que se refiere este apartado quedará en suspenso, salvo causa justificada derivada de su

objeto y contenido, hasta que comience la ejecución del correspondiente contrato de obras.

Solamente tendrán el concepto de contratos complementarios aquellos cuyo objeto se considere necesario para la correcta realización de la prestación o las prestaciones objeto del contrato principal.

3. Los contratos para la defensa jurídica y judicial de la Administración tendrán la duración precisa para atender adecuadamente sus necesidades.

4. Los contratos de servicios que tengan por objeto la asistencia a la dirección de obra o la gestión integrada de proyectos tendrán una duración igual a la del contrato de obras al que están vinculados más el plazo estimado para proceder a la liquidación de las obras.

En consecuencia, el órgano de contratación puede conceder una prórroga de dos meses, siempre que cumpla los siguientes requisitos:

— deberá acordarse por el órgano de contratación y será obligatoria para el empresario, salvo que el contrato expresamente prevea lo contrario, sin que pueda producirse por el consentimiento tácito de las partes;

— que el contrato prevea las prórrogas, en concreto, en el pliego y en el documento de formalización;

— que las características de la prestación siempre permanezcan inalterables durante el período de duración de las prórrogas;

— que la concurrencia para su adjudicación haya sido realizada teniendo en cuenta la duración máxima del contrato, incluidos los períodos de prórroga;

— que el límite de los cuatro años de plazo máximo de duración de todo contrato de servicios y de seis años incluidas las prórrogas, no exceda de seis años, y siempre que las prórrogas no superen, aislada o conjuntamente, el plazo fijado originariamente;

— que el precio para la prestación del servicio durante el período de prórroga se calcule del mismo modo que se calculó el presupuesto para el plazo inicialmente fijado y en proporción al tiempo prorrogado y, por supuesto, siempre de acuerdo con lo establecido en el pliego de cláusulas administrativas particulares.

B) Posibilidad de modificar el contrato

Si, por el contrario, nos encontramos ante la posibilidad por parte del órgano de contratación de «ampliar en el tiempo» el objeto de la prestación por el mismo precio fijado inicialmente, debemos afirmar que nos encontraríamos ante una modificación del plazo de ejecución de un contrato de servicios.

En este caso, habría que acudir al artículo 202 (LA LEY 10868/2007) de la LCSP que, al regular con carácter general las modificaciones en los contratos, expresamente señala que:

1. Una vez perfeccionado el contrato, el órgano de contratación sólo podrá introducir modificaciones en el mismo por razones de interés público y para atender a causas imprevistas, justificando debidamente su necesidad en el expediente. Estas modificaciones no podrán afectar a las condiciones esenciales del contrato.

No tendrán la consideración de modificaciones del contrato las ampliaciones de su objeto que no puedan integrarse en el proyecto inicial mediante una corrección del mismo o que consistan en la realización de una prestación susceptible de utilización o aprovechamiento independiente o dirigida a satisfacer finalidades nuevas no contempladas en la documentación preparatoria del contrato, que deberán ser contratadas de forma separada, pudiendo aplicarse, en su caso, el régimen previsto para la contratación de prestaciones complementarias si concurren las circunstancias previstas en los artículos 155 b) (LA LEY 10868/2007) y 158 b) (LA LEY 10868/2007).

2. La posibilidad de que el contrato sea modificado y las condiciones en que podrá producirse la modificación de acuerdo con el apartado anterior, deberán recogerse en los pliegos y en el documento contractual.

3. Las modificaciones del contrato deberán formalizarse conforme a lo dispuesto en el artículo 140.

4. En los casos de fusión de empresas en los que participe la sociedad contratista, continuará el contrato vigente con la entidad absorbente o con la resultante de la fusión, que quedará subrogada en todos los derechos y obligaciones dimanantes del mismo. Igualmente, en los supuestos de escisión, aportación o transmisión de empresas o ramas de actividad de las mismas, continuará el contrato con la entidad resultante o beneficiaria, que

quedará subrogada en los derechos y obligaciones dimanantes del mismo, siempre que tenga la solvencia exigida al acordarse la adjudicación.

Por otro lado (y como en la consulta no se ha especificado el objeto del contrato) conviene mencionar que el artículo 282 de la LCSP (LA LEY 10868/2007) contempla una especialidad en cuanto a la modificación especial de los contratos de servicio de mantenimiento, y en concreto señala que «Cuando como consecuencia de modificaciones del contrato de servicios de mantenimiento acordadas conforme a lo establecido en el artículo 202 (LA LEY 10868/2007), se produzca aumento, reducción o supresión de equipos a mantener o la sustitución de unos equipos por otros, siempre que los mismos estén contenidos en el contrato, estas modificaciones serán obligatorias para el contratista, sin que tenga derecho alguno, en caso de supresión o reducción de unidades o clases de equipos, a reclamar indemnización por dichas causas, siempre que no se encuentren en los casos previstos en la letra c) del artículo 284 (LA LEY 10868/2007).»

De acuerdo con el articulado de la nueva LCSP y siguiendo a los profesores Moreno Molina, José Antonio y Pleite Guadamillas, los órganos de contratación podrán introducir modificaciones en los contratos, siempre que se cumplan los siguientes requisitos:

a) que el contrato se haya perfeccionado; es decir, que se haya adjudicado definitivamente (artículo 27 LCSP (LA LEY 10868/2007));

b) el ius variandi es una de las prerrogativas más excepcionales de que gozan las Administraciones públicas en los contratos administrativos y una de las más claras manifestaciones de las especialidades que presentan los contratos que celebran las Administraciones en relación con los contratos civiles, en los que la regla general es la inmutabilidad del contrato (contractus lex inter partes). Por ello, todo modificado deberá:

— fundamentarse en razones de interés público concreto, de modo que dicho interés obedezca a motivos concretos y no a una referencia genérica al interés público globalmente considerado. El Consejo de Estado ha estimado que «la modificación contractual debe hallarse respaldada o legitimada por un interés público claro, patente e indubitado» (Dictamen 42.179, de 17-5-1979);

— obedecer a causas imprevistas y no, como ocurría en la legislación anterior, a «necesidades nuevas»; requisito que deberá ser analizado en cada caso concreto, ya que se trata de un concepto jurídico indeterminado;

— deberá justificarse debidamente la necesidad tal modificación en el expediente. Las circunstancias que permiten la modificación han de quedar suficientemente motivadas en el expediente «sin que tal justificación pueda consistir en la afirmación puramente tautológica de que las variaciones obedecen a necesidades nuevas o causas imprevistas a la hora de redactar el proyecto» (Dictamen del Consejo de Estado 50.688 de 17-6-1987). La Administración está obligada a plasmar en el expediente correspondiente las nuevas necesidades o causas imprevistas que requieran específicamente la aprobación del modificado, circunstancias éstas que, en último extremo y si existiera un parecer discrepante de la otra parte, podrán ser contrastadas por los Tribunales. En su dictamen de 1-4-1993 el Consejo de Estado ha afirmado que la referencia a causas imprevistas debe interpretarse «en el sentido de que concurran razones técnicas imprevisibles (razonablemente) en el proyecto originario y no simplemente, por tanto, defectos o meras imprevisiones en dicho proyecto»;

c) que se respete el equilibrio de las prestaciones: se trata de un poder para adaptar los contratos ya perfeccionados a nuevas necesidades, cuya justificación radica en la mejor gestión del interés público y en la prevalencia del fin sobre el objeto en los contratos administrativos. Además, ha de tener como contrapartida necesaria, en garantía del contratista, la compensación adecuada para el mantenimiento del equilibrio del contrato.

d) que se cumplan los siguientes requisitos procedimentales (artículo 102 del Reglamento (LA LEY 1470/2001)):

— propuesta de modificación integrada por los documentos que justifiquen, describan y valoren aquélla;

— audiencia al contratista;

— fiscalización del gasto correspondiente;

— aprobación por el órgano de contratación;

— formalización en documento administrativo.

e) que no se modifiquen los elementos esenciales del contrato:

En este sentido, según la STSJ de Canarias de 1 de marzo de 1999, «al regular el artículo 127.1 RSCL las potestades exorbitantes de que gozará la Administración en los contratos de servicios públicos señala que «la Corporación concedente ostentará sin perjuicio de las que procedan, las potestades siguientes: 1.º Ordenar discrecionalmente, como podría disponer si gestionare directamente el servicio, las modificaciones en el concedido que aconsejare el interés público y, entre otras: a) la variación en la calidad, cantidad, tiempo o lugar de las prestaciones en que el servicio consista, y b) la alteración de las tarifas a cargo del público y en la forma de retribución del concesionario..».

Si observamos atentamente, los preceptos transcritos siempre hacen referencia a la posibilidad de introducir modificaciones en el servicio. Por modificar hay que entender «cambiar una cosa mudando alguno de sus accidentes». Según la doctrina civilista se consideran, por regla general, «condiciones» accidentales del contrato las que se refieren a la cantidad, modo, tiempo o lugar de las obligaciones.

En consecuencia, de lo analizado anteriormente podemos deducir que el órgano de contratación en el caso concreto de la consulta planteada respeta prácticamente todos los requisitos anteriormente mencionados.

Sin embargo, el requisito del equilibrio de las prestaciones podría quedar en entredicho. En efecto, sólo podría proceder a modificar el contrato si se respetara el equilibrio de las prestaciones. En otras palabras, si la ampliación del plazo de prestación del servicio llevara aparejada una indemnización o aumento de precio proporcional para el adjudicatario. Por lo que en este caso, estaríamos ante lo que algunos autores denominan «una prórroga encubierta». Y todo ello porque al tratarse de un contrato de servicios no podría solicitarse al adjudicatario que realizara la prestación por unos meses más a los inicialmente fijados y por el mismo precio inicialmente fijado, pues se rompería el equilibrio contractual y el cumplimiento del mismo quedaría al arbitrio de una sola de las partes (p. ej., se pide al adjudicatario de un contrato de limpieza de un edificio administrativo que realice dichas tareas de limpieza por dos meses más pero por el mismo precio que se fijó antes de dicha ampliación de plazo).

3. Los contratos menores definidos en el artículo 138.3 no podrán tener una duración superior a un año ni ser objeto de prórroga.

✉ **Consultas**

• **Extinción de concesión en zona de dominio público marítimo terrestre**

El Ayuntamiento construyó un bar en lo que hoy se ha delimitado como zona de dominio público marítimo-terrestre. Ha vencido el plazo

de concesión. ¿Podemos inventariarlo como bien municipal? ¿Cuál es la figura adecuada para su explotación indirecta?

[09/03/2012 EC 649/2012]

Contestación

El Ayuntamiento no puede inventariar el bien como de titularidad municipal, ya que en la propia consulta nos señalan que ha vencido el plazo de la concesión. En este sentido, debe tenerse en cuenta que el art 78 de la Ley 22/1988, de 28 de julio (LA LEY 1531/1988) (BOE del 29), de Costas, dispone en su apartado 1 letra a) que el derecho de ocupación del dominio público se extinguirá por: a) Vencimiento del plazo de otorgamiento. A ello debe añadirse que el art. 72 de la misma Ley de Costa, en lo que aquí interesa, establece lo siguiente:

— En todos los casos de extinción de una concesión, la Administración del Estado decidirá sobre el mantenimiento de las obras e instalaciones o su levantamiento y retirada del dominio público y de su zona de servidumbre de protección por el interesado y a sus expensas. Dicha decisión se adoptará de oficio o a instancia de aquel, a partir del momento anterior al vencimiento que reglamentariamente se determine en caso de extinción normal por cumplimiento del plazo, y en los demás supuestos de extinción en el momento de la resolución del correspondiente expediente.

— En caso de que se opte por el mantenimiento, en la fecha de extinción de la concesión revertirán a la Administración del Estado gratuitamente y libres de cargas todas las obras e instalaciones. La Administración podrá continuar la explotación o utilización de las instalaciones, según se determine reglamentariamente.

Por consiguiente, debe entenderse que el edificio del bar ha revertido a la Administración del Estado y, por tanto, esa edificación ya no es propiedad del Ayuntamiento.

Desde nuestro punto de vista, no existe ya posibilidad de que dicho edificio sea de titularidad municipal; salvo en el caso de que la Administración del estado se lo transmitiera. Como hemos dicho, la extinción de la concesión provoca que el edificio pase a ser propiedad de la Administración del Estado.

Por último, en cuanto a la calificación que debe darse al contrato de explotación de un bar, podemos apuntarle dos teorías sobre la naturaleza de este tipo de contratos:

a) La mantenida por la Junta Consultiva de Contratación Administrativa en reiterados informes —como el 5/1996 de 7 de marzo, 67/1999, de 6 de julio de 2000, el 24/2005, de 29 de junio, y el 28/2007, de 5 de julio— que ha considerado el contrato de cafetería en edificios afectados a un servicio público como contrato administrativo especial, y así lo hemos mantenido también desde esta revista. Y en virtud, de dicha calificación entendió, de conformidad con lo dispuesto en la Ley de Contratos de las Administraciones Públicas de 1995 (LA LEY 1900/1995) o en el Texto Refundido de la Ley de Contratos de las Administraciones Públicas (TR LCAP), aprobado por Real Decreto Legislativo 2/2000, de 16 de junio (LA LEY 2206/2000) (BOE del 21), que dicho contrato se regiría en cuando a su preparación, adjudicación, efectos y extinción por sus normas propias, después por lo establecido en la normativa de contratos de las Administraciones Públicas, y supletoriamente por las normas de derecho administrativo y, en último término, por las normas de Derecho privado.

En este supuesto, también según la JCCA, en Informe 38/2005, de 26 de octubre de 2005 bajo el título «Posibilidad de utilización de la figura y régimen jurídico de los contratos menores en los contratos administrativos especiales», considera que la figura de los contratos menores no resulta aplicable a los contratos administrativos especiales, por resultar incompatible con el régimen jurídico tal como resulta del art. 8 LCAP 1995 (LA LEY 1900/1995). Esto es, al exigirse en el contrato administrativo especial la regulación del régimen jurídico en los Pliegos de Cláusulas Administrativas, entiende que al carecer el contrato menor de Pliegos no puede aplicarse esta figura.

b) Ahora bien, hay que poner de manifiesto que todos los informes citados son anteriores a la vigencia de la Ley 30/2007, de 30 de octubre (LA LEY 10868/2007) (BOE del 31), de Contratos del Sector Público (LCSP). Y hay quién considera que a partir de la misma estamos ante un contrato de servicios. En este sentido se manifiesta Pilar Jiménez Rius, en nuestra obra Vademécum de la Administración Local. Las 1040 preguntas y respuestas esenciales (EL CONSULTOR 2011), cuando señala lo siguiente: «De acuerdo con el régimen vigente en la actualidad, el art. 10 de la LCSP (LA LEY 10868/2007) dispone que son contratos de servicios aquellos cuyo objeto son prestaciones de hacer consistente en el desarrollo de una actividad o dirigidas a la obtención de un resultado distinto de una obra o un suministro. A efectos de aplicación de esta Ley, los contratos de servicios se dividen en las categorías enumeradas en el Anexo II. Pues bien, el Anexo II recoge en su apartado 17 los contratos que tienen por objeto los servicios de cafetería y hostelería. Por lo que en principio, no cabe duda de que el contrato de cafetería mencionado es un contrato de servicios».

Por consiguiente, si se acoge esta postura, habrá que entender que las normas de preparación y adjudicación para el citado contrato serán las del contrato de servicios. Si se considera que el contrato tiene esta naturaleza, sí que cabría el contrato menor para importes de hasta 18.000 euros. Pero hay que tener en cuenta siempre la limitación temporal, ya que conforme al art. 23.3 del Real Decreto Legislativo 3/2011, de 14 de noviembre (LA LEY 21158/2011) (BOE del 16), por el que se aprueba el Texto Refundido de la Ley de Contratos del Sector Público (LA LEY 21158/2011) (TR LCSP (LA LEY 10868/2007)), solo pueden celebrarse por el plazo máximo de un año y no podrán ser objeto de prórroga.

Concordancias a todo el artículo

➡ Concordancias normativas

Artículo 23 de la LCSP 30/2007 y artículo 56 del TRLCAP RDL 2/2000.

Véanse artículos 213, 268, 278, 303 y 314 de la presente Ley.

☞ Concordancias Jurisprudenciales

Tribunal Superior de Justicia de Extremadura, Sala de lo Social, Sentencia de 14 Jun. 2011, rec. 216/2011

[LA LEY 113143/2011]

SUBROGACIÓN EMPRESARIAL. No procede reconocer el derecho del trabajador a ser reintegrado a la plantilla laboral del Excmo. Ayuntamiento de Cáceres. Los trabajadores, personal laboral de carácter fijo del Ayuntamiento de Cáceres, han pasado a prestar servicios por subrogación empresarial para la empresa adjudicataria del servicio de abastecimiento de agua de la ciudad de Cáceres. El Pliego de Condiciones Técnicas y Económico-Administrativas del concurso establece que si por cualquier causa se extingue el contrato de gestión, el personal pasará automáticamente a la plantilla laboral del Excmo. Ayuntamiento de Cáceres. La cláusula contenida en el pliego de condiciones solo opera cuando realmente haya finalizado la prestación del servicio de Abastecimiento de Agua por parte de la empresa adjudicataria y no exista subrogación empresarial en una nueva adjudicataria. En el supuesto controvertido se está a la espera de resolución del procedimiento de adjudicación de la gestión del servicio.

Tribunal Superior de Justicia de Extremadura, Sala de lo Social, Sentencia de 27 Sep. 2011, rec. 366/2011

[LA LEY 182558/2011]

SUCESIÓN DE EMPRESA. Especialidades. En materia de concesiones administrativas. Efectos de la extinción de la concesión.

Tribunal Administrativo Central de Recursos Contractuales, Resolución de 9 Mar. 2011, rec. 076/2010

[LA LEY 14722/2011]

CONTRATOS ADMINISTRATIVOS. Adjudicación definitiva de acuerdo marco para la contratación de servicios de desarrollo de sistemas de información. RECURSO ESPECIAL EN MATERIA DE CONTRATACIÓN. Estimación. Nulidad del procedimiento de adjudicación, por haberse efectuado ésta en base a un criterio no recogido en el pliego de cláusulas administrativas particulares. El criterio utilizado para seleccionar las ofertas más ventajosas, las incluidas en el 40% de las que hayan obtenido mejor puntuación, no figura ni en los pliegos ni en el anuncio del contrato.

⊠   **Consultas**

• **Duración de un contrato mixto de suministro y servicios**

Un Ayuntamiento tiene la intención de sacar a licitación un contrato mixto de suministro y servicios para el mantenimiento integral con gestión de servicios energéticos y garantía total de las instalaciones de energía térmica generada con biomasa en dos colegios públicos. El contrato tendrá una duración, para que pueda interesar a posibles licitadores, de 12 años. Al tratarse de un contrato mixto de suministro y servicio, ¿tendríamos la limitación de los cuatro más dos años prevista en el art. 303 del Texto Refundido de la Ley de Contratos del Sector Público.

Contratación Administrativa Práctica, Nº 120, Sección Usted Pregunta, del 1 Jun. al 31 Jul. 2012, pág. 10, Editorial LA LEY

[LA LEY 772/2012]

Respuesta

En relación con la cuestión suscitada, debemos decir que el artículo 12 TRLCSP (LA LEY 21158/2011) se refiere a los contratos denominados mixtos, es decir, aquellos que se caracterizan porque en ellos se combinan prestaciones de varios contratos. Sin embargo, este precepto presenta la novedad, respecto de la legislación precedente, de que no constriñe esta categoría a los contratos administrativos, por lo que existirán también contratos mixtos de naturaleza privada.

En estos casos, la Ley establece que se atenderá para la determinación de las normas que deban observarse en su adjudicación, al carácter de la prestación que tenga más importancia desde el punto de vista económico. Ahora bien, el artículo 25.2 del TRLCSP (LA LEY 21158/2011) establece la limitación de que sólo podrán fusionarse prestaciones correspondientes a diferentes contratos en un contrato mixto cuando esas prestaciones se encuentren directamente vinculadas entre sí y mantengan relaciones de complementariedad que exijan su consideración y tratamiento como una unidad funcional dirigida a la satisfacción de una determinada necesidad o a la consecución de un fin institucional propio del ente, organismo o entidad contratante.

Con estas previsiones, el legislador parece haberse decantado por la teoría general de la absorción, que hace prevalecer el régimen jurídico del contrato preponderante o más caracterizado. Frente a este criterio, otro sector doctrinal viene sosteniendo el de la combinación, que supone la aplicación, a cada una de las prestaciones que integran el objeto del contrato, de las normas propias del contrato en que se regula dicha prestación, combinando así la aplicación de reglas de diversa procedencia a los singulares elementos de un mismo contrato.

El Consejo de Estado señala en su Dictamen 4464, de 22 de diciembre de 1998, que esta categoría de contratos mixtos no es homogénea, ya que presenta una casuística variada y compleja. Así, puede haber contratos mixtos que sean contratos típicos, en cuyo caso su régimen jurídico no presentará problemas por estar legalmente definido, pero también otros que sean atípicos por no aparecer recogidos ni regulados específicamente en norma alguna pero que surgen en la práctica como consecuencia del principio de libertad de pactos consagrado en el artículo 25 del TRLCSP (LA LEY 21158/2011).

Partiendo de esta heterogeneidad, el Dictamen del Consejo de Estado matiza que cuando el artículo 12 del TRLCSP (LA LEY 21158/2011) opta por el criterio de la absorción, lo hace fundamentalmente en relación con los contratos mixtos de carácter atípico en que coexisten de forma simultánea prestaciones correspondientes a diferentes contratos. Por el contrario, si nos encontramos frente a contratos mixtos en los que las prestaciones de diferente naturaleza no llegan a coexistir sino que se realizan sucesivamente, el régimen más adecuado sería el de la combinación.

Así pues, y atendiendo a la duración del contrato mixto (suministro-servicios) debemos decir que el art. 115.2 del TRLCSP (LA LEY 21158/2011) establece que en los pliegos de cláusulas administrativas particulares se incluirán los pactos y condiciones definidores de los derechos y obligaciones de las partes del contrato y las demás menciones requeridas por esta Ley y sus normas de desarrollo. En el caso de contratos mixtos, se detallará el régimen jurídico aplicable a sus efectos, cumplimiento y extinción, atendiendo a las normas aplicables a las diferentes prestaciones fusionadas en ellos.

En este sentido, en función del contrato típico preponderante deberemos establecer los límites a la duración total del contrato mixto. Si el contrato preponderante es el de servicios, efectivamente se aplicará el límite de los 6 años previsto en el art. 303 del TRLCSP (LA LEY 21158/2011), pero si el contrato de suministros es el que supone la prestación principal, entonces deberemos acudir, sin limitación expresa en cuanto al plazo, a lo que dispone el art. 23 (LA LEY 21158/2011) del mismo texto en virtud del cual: «Sin perjuicio de las normas especiales aplicables a determinados contratos, la duración de los contratos del sector público deberá establecerse teniendo en cuenta la naturaleza de las prestaciones, las características de su financiación y la necesidad de someter periódicamente a concurrencia la realización de las mismas.»

• **Contratación del servicio de abastecimiento de agua: órgano competente para la aprobación del expediente y fiscalización del mismo**

El ayuntamiento va a proceder a contratar la gestión del servicio de suministro de agua potable y depuración por el plazo de cinco años prorrogables, por la modalidad de concesión administrativa, estableciendo un canon al adjudicatario de 4.000 euros anuales. Se desea saber el órgano

competente para la aprobación del expediente de contratación y si es necesaria su fiscalización.

[08/06/2009 EC 1713/2009]

Contestación

La nueva Ley 30/2007, de 30 de octubre (BOE del 31), de Contratos del Sector Público (LCSP) contiene en su Disp. Adic. Segunda, entre otras cuestiones, la regulación de las competencias en materia de contratación, distribuyéndolas, en los municipios de régimen ordinario, entre el alcalde (apartado primero) y el pleno (apartado segundo), indicando la Disp. Derog. Única, en su apartado b, que de la Ley 7/1985, de 2 de abril, Reguladora de las Bases de Régimen Local (LRBRL) se han derogado las letras correspondientes a esta materia que contenían los artículos 21 y 22. La regulación ahora derogada había sido introducida en la LRBRL por la Ley 11/1999, de 21 de abril, momento en el que la autorización de los gastos plurianuales dejó de ser una competencia exclusiva del pleno, para ser compartida con la alcaldía u órgano en quien delegue.

La posibilidad de contratación con efectos para varios ejercicios se recoge en el art. 174 del Texto Refundido de la Ley Reguladora de las Haciendas Locales (TR LRHL), aprobado por Real Decreto Legislativo 2/2004, de 5 de marzo (BOE del 9) en materia de gastos, como excepción al principio de anualidad presupuestaria, y subordinada, como indica el apartado primero, al crédito que para cada ejercicio autoricen los respectivos presupuestos. El contrato planteado, en principio, no va a suponer la necesidad de tramitar un expediente de gasto, ya que no está prevista ninguna aportación por parte de la Administración, por lo que no sería necesario respetar los requisitos de este artículo, en especial la necesidad de que comience a ejecutarse en el ejercicio, que es el más difícil de respetar en algunas ocasiones. Sin embargo, sí existe un precio del contrato que debe ser tenido en cuenta en las cuestiones relacionadas con la publicidad y su valor, y de acuerdo al art. 75 LCSP será la retribución prevista para el contratista, que será equivalente al importe del padrón que se esté liquidando en este momento por el uso del servicio, más las altas, durante los años de duración del contrato. Para determinar el valor del contrato se tendrá en cuenta la duración total máxima, según lo previsto en el art. 76 LCSP, sin incluir el IVA, teniendo en cuenta todas las posibles prórrogas.

La Disp. Adic. Segunda LCSP, cuando regula las competencias en materia de contratación, incluye la expresión «contratos de carácter plurianual» no compromisos de gasto de carácter plurianual (que es la dicción del art. 174 TR LRHL) y los caracteriza, en este caso, para determinar la atribución a uno u otro órgano, atendiendo como primer límite a su duración, y como segundo al importe acumulado, que siempre deberá ser inferior al 10 por cien de los recursos ordinarios del presupuesto.

Por lo tanto, teniendo en cuenta el planteamiento realizado en la consulta de dar al contrato una duración inicial de cinco años, prorrogable hasta el máximo legal, entendemos que la competencia para la aprobación del expediente de contratación corresponde al Pleno de la Entidad Local.

En relación con el plazo de duración de los contratos, se añade que el art. 23 LCSP indica que éste debe establecerse teniendo en cuenta la naturaleza de las prestaciones, las características de su financiación y, sobre todo, la necesidad de someter periódicamente a concurrencia la realización de las mismas, siendo en todo caso necesario que el pliego de cláusulas administrativas del contrato incluya expresamente la posibilidad de esta prórroga.

En cuanto a la fiscalización, el art. 214 TR LRHL, en relación con el ámbito de aplicación y las modalidades de ejercicio de la función interventora, indica que ésta tendrá por objeto todos los actos que den lugar al reconocimiento y liquidación de derechos y obligaciones y los ingresos y pagos que de aquellos se deriven. El presente contrato es el acto que dará lugar al reconocimiento de derecho e ingreso del canon anual que debe abonar la empresa, por lo que debe ser fiscalizado, si en la Corporación la fiscalización de los expedientes se realiza de manera plena.

Es posible el establecimiento de un régimen de comprobación limitado, atendiendo a las especificaciones del art. 219 TR LRHL. Dicho sistema supone para el caso de los ingresos la posibilidad de sustituir la fiscalización previa por la toma de razón en contabilidad más actuaciones posteriores de comprobación, por lo que en todo caso el expediente debe ser remitido a Intervención para que realice las actuaciones de fiscalización o de toma de razón.

Se añade, no obstante, que la importancia económica del expediente para la Entidad Local debería motivar, en todo caso, la emisión de un informe por parte del Interventor, que conoce los costes del servicio, puesto que debe informar las Ordenanzas reguladoras de los ingresos de su explotación (art. 25 y 127 TR LRHL), y que debería pronunciarse sobre el acierto del canon propuesto. Ello es así porque, por definición, las tarifas no pueden superar el coste del servicio, de manera global, por lo que debe analizarse con detalle el modo en que la mayor eficacia en la gestión del servicio va a suponer un ingreso para la Administración sin necesidad de que las tarifas se incrementen.

Quizá este informe sea innecesario si ya se ha informado por el Interventor si se ha tramitado el expediente que acredite «la conveniencia y oportunidad de la medida de proceder a contratar esta gestión indirecta, de acuerdo con lo recogido en el art. 97 TRRL. Aunque tanto este precepto como el art. 86 LRBRL exigen la tramitación de este expediente sólo para «ejercer la iniciativa pública para el ejercicio de actividades económicas», parece que se va imponiendo en la jurisprudencia la necesidad de este expediente para el ejercicio de cualquier nueva actividad económica o servicio por parte de una Entidad local. Quedarán otras cuestiones importantes que hayan de revisarse en el pliego desde un punto de vista económico: revisión del canon, posibilidad de inclusión en esa revisión de cláusulas de interesamiento para que la mayor eficacia en la gestión se reparta entre el titular del servicio y el que lo ejerce, límites al incremento de las tarifas, establecimiento de un adecuado sistema de intervención de la concesión en un periodo adecuado antes de su finalización que garantice la devolución de las instalaciones en estado óptimo.

• **Cesión gratuita de terrenos privados para uso público con posibilidad de recuperación en cualquier momento a voluntad del cedente.**

Se solicita informe sobre la legalidad de dos cesiones gratuitas de terrenos por particular.

— Una de ellas de terrenos clasificados como no urbanizables situados al borde del casco urbano con el fin de que el ayuntamiento los acondicione para aparcamiento cuando la celebración de determinados actos lo requiera.

— Otra de terrenos que se utilizarían como camino alternativo de acceso al pueblo de viviendas situadas al borde del caso urbano.

En ambos casos se trataría de cesiones gratuitas que finalizarían por voluntad del propietario.

[15/08/2008 EC 2659/2008]

Contestación

En principio, muy en principio, la figura jurídica en la que cabría encuadrar la cesión por parte de un particular de terrenos de su propiedad al ayuntamiento para que este los destine a aparcamiento y para camino de acceso al pueblo (ambas actividades de indudable competencia local), teniendo en cuenta que se trataría de un acuerdo de voluntades por vía de convenio o contrato, sería el arrendamiento de cosas (art. 1542 del Código Civil), contrato que, de acuerdo sus respectivos casos con lo dispuesto en los arts. 19 y 20 de la Ley 30/2007, de 30 de octubre (EC 3697/2007), de Contratos del Sector Público (LCSP), pueden suscribirse por las Entidades Locales en virtud de las potestades que les reconoce el art. 5 de la Ley 7/1985, de 2 de abril (EC 404/1985), Reguladora de las Bases de Régimen Local (LRBRL).

Sin embargo y pese a las plausibles finalidades que se alcanzarían con las cesiones de bienes para aparcamiento y para camino amén de esa otra ¿ventaja? para el erario municipal, cual sería la absoluta gratuidad (según se nos dice) de ambas cesiones, surgen unas objeciones que a nuestro juicio ensombrecen estas operaciones.

Es sabido que el arrendamiento al que hemos aludido antes como posible encuadre de las cesiones objeto de la consulta es un contrato en el que una de las partes (en este caso el particular) se obliga a dar a la otra (aquí el ayuntamiento) el goce o uso de una cosa por tiempo determinado y precio cierto (art. 1542 del Código Civil), dos requisitos esenciales que no se producirían en los casos planteados ya que se nos dice que son cesiones gratuitas y que no hay plazo determinado, puesto que dichas cesiones finalizarían cuando así lo señale el propietario, es decir, a su total voluntad y arbitrio.

Este punto del plazo de duración de los contratos en los que interviene una administración pública tiene su importancia. El art. 23 LCSP prescribe (para todo tipo de contratos) que la duración de los mismos deberá establecerse teniendo en cuenta la naturaleza de las prestaciones y no es solamente un elemento estructural de su contenido mínimo sino que está ligado a la racionalidad de la contratación de la administración.

¿Sería razonable, nos preguntamos, una cesión de terrenos al ayuntamiento para un destino público cuando puede cesar en cualquier momento por la sola por la única voluntad del cedente? ¿No se producirían unos evidentes perjuicios para los usuarios y para el ayuntamiento que hubiera tenido que invertir fondos para proyectar y acondicionar los terrenos si no se tiene la garantía de su duración por tiempo determinado?

La precariedad que se produciría para el interés público nos lleva a considerar la improcedencia de convenir unas cesiones en las condiciones propuestas pese al atractivo de su gratuidad.

Por otra parte, conviene recordar que el art. 1256 del Código Civil establece que el cumplimiento de los contratos no puede dejarse al arbitrio de uno de los contratantes, lo que sucedería con una condición tan aleatoria y carente de toda garantía para el ayuntamiento como es la facultad del particular cedente de dar por finalizada la cesión cuando unilateralmente lo decida.

En conclusión, no consideramos aconsejable que el ayuntamiento aceptase unas cesiones de terrenos para usos públicos en las precarias condiciones expuestas.

Por último, debe tenerse en cuenta la responsabilidad que asumiría el ayuntamiento por percances o accidentes que pudieran producirse en el camino o aparcamiento cedidos. Desde el momento en que la entidad local asume y desarrolla esas actividades, ambas públicas y de su competencia, independientemente de la titularidad dominical y de la gratuidad de la cesión, se estaría ante el funcionamiento de un servicio público que daría lugar a responsabilidad como previene el art. 54 LRBRL.

Artículo 24 *Ejecución de obras y fabricación de bienes muebles por la Administración, y ejecución de servicios con la colaboración de empresarios particulares*

1. La ejecución de obras podrá realizarse por los servicios de la Administración, ya sea empleando exclusivamente medios propios o con la colaboración de empresarios particulares siempre que el importe de la parte de obra a cargo de éstos sea inferior a 4.845.000 euros, cuando concurra alguna de estas circunstancias:

a) Que la Administración tenga montadas fábricas, arsenales, maestranzas o servicios técnicos o industriales suficientemente aptos para la realización de la prestación, en cuyo caso deberá normalmente utilizarse este sistema de ejecución.

b) Que la Administración posea elementos auxiliares utilizables, cuyo empleo suponga una economía superior al 5 por 100 del importe del presupuesto del contrato o una mayor celeridad en su ejecución, justificándose, en este caso, las ventajas que se sigan de la misma.

c) Que no haya habido ofertas de empresarios en la licitación previamente efectuada.

d) Cuando se trate de un supuesto de emergencia, de acuerdo con lo previsto en el artículo 113.

e) Cuando, dada la naturaleza de la prestación, sea imposible la fijación previa de un precio cierto o la de un presupuesto por unidades simples de trabajo.

f) Cuando sea necesario relevar al contratista de realizar algunas unidades de obra por no haberse llegado a un acuerdo en los precios contradictorios correspondientes.

g) Las obras de mera conservación y mantenimiento, definidas en el artículo 122.5.

h) Excepcionalmente, la ejecución de obras definidas en virtud de un anteproyecto, cuando no se aplique el artículo 150.3.a).

En casos distintos de los contemplados en las letras d), g) y h), deberá redactarse el correspondiente proyecto, cuyo contenido se fijará reglamentariamente.

➡ Concordancias normativas

Número 1 del artículo 24 redactado por el número uno de la disposición final primera de la Ley 24/2011, de 1 de agosto, de contratos del sector público en los ámbitos de la defensa y de la seguridad («B.O.E». 2 agosto).

☞ Concordancias Jurisprudenciales

Tribunal Superior de Justicia de La Rioja, Sala de lo Contencioso-administrativo, Sentencia de 4 Feb. 2010, rec. 174/2009

[LA LEY 26584/2010]

URBANISMO. DEMOLICION. Ejecución subsidiaria. Conformidad a derecho de la liquidación de gastos practicada por la ejecución subsidiaria de obras de derribo, a cargo de los propietarios. No se ha causado ninguna indefensión a éstos, ante la urgencia de la ejecución de las obras de derribo y después del incumplimiento de aquéllos de sus obligaciones de mantener los edificios en condiciones de seguridad y del requerimiento de demolición tras ser declarado en ruina. Se cumplieron los requisitos para acordar la tramitación de urgencia, contratando verbalmente a la empresa ejecutante del derribo. Acreditación de la situación de emergencia tras la revisión de los inmuebles, que se encontraban en un inminente estado de degradación de los elementos estructurales. Respecto al coste de derribo, el recurrente ha tenido la oportunidad de plantear tanto el precio de derribo contratado verbalmente como el informe del técnico municipal informando favorablemente la factura, en el procedimiento jurisdiccional.

2. La fabricación de bienes muebles podrá efectuarse por los servicios de la Administración, ya sea empleando de forma exclusiva medios propios o con la colaboración de empresarios particulares siempre que el importe de la parte de la prestación a cargo de éstos sea inferior a las cantidades señaladas en el artículo 15, cuando concurra alguna de las circunstancias previstas en las letras a), c), d) y e) del apartado anterior, o cuando, en el supuesto definido en la letra b) de este mismo apartado, el ahorro que pueda obtenerse sea superior al 20 por 100 del presupuesto del suministro o pueda obtenerse una mayor celeridad en su ejecución.

Se exceptúan de estas limitaciones aquellos suministros que, por razones de defensa o de interés militar, resulte conveniente que se ejecuten por la Administración.

3. La realización de servicios en colaboración con empresarios particulares podrá llevarse a cabo siempre que su importe sea inferior a las cantidades establecidas en el artículo 16, y concurra alguna de las circunstancias mencionadas en el apartado anterior, en lo que sean de aplicación a estos contratos.

Se exceptúan de estas limitaciones los servicios de la categoría 1 del anexo II cuando estén referidos al mantenimiento de bienes incluidos en el ámbito definido por el artículo 346 del Tratado de Funcionamiento de la Unión Europea (LA LEY 6/1957).

4. Cuando la ejecución de las obras, la fabricación de los bienes muebles, o la realización de los servicios se efectúe en colaboración con empresarios particulares, los contratos que se celebren con éstos tendrán carácter administrativo especial, sin constituir contratos de obras, suministros o servicios, por estar la ejecución de los mismos a cargo del órgano

gestor de la Administración. La selección del empresario colaborador se efectuará por los procedimientos de adjudicación establecidos en el artículo 138, salvo en el caso previsto en la letra d) del apartado 1 de este artículo. En los supuestos de obras incluidas en las letras a) y b) del apartado 1, la contratación con colaboradores no podrá sobrepasar el 50 por 100 del importe total del proyecto.

5. La autorización de la ejecución de obras y de la fabricación de bienes muebles y, en su caso, la aprobación del proyecto, corresponderá al órgano competente para la aprobación del gasto o al órgano que determinen las disposiciones orgánicas de las Comunidades Autónomas, en su respectivo ámbito.

6. A los efectos previstos en este artículo y en el artículo 4.1.n), los entes, organismos y entidades del sector público podrán ser considerados medios propios y servicios técnicos de aquellos poderes adjudicadores para los que realicen la parte esencial de su actividad cuando éstos ostenten sobre los mismos un control análogo al que pueden ejercer sobre sus propios servicios. Si se trata de sociedades, además, la totalidad de su capital tendrá que ser de titularidad pública.

En todo caso, se entenderá que los poderes adjudicadores ostentan sobre un ente, organismo o entidad un control análogo al que tienen sobre sus propios servicios si pueden conferirles encomiendas de gestión que sean de ejecución obligatoria para ellos de acuerdo con instrucciones fijadas unilateralmente por el encomendante y cuya retribución se fije por referencia a tarifas aprobadas por la entidad pública de la que dependan.

La condición de medio propio y servicio técnico de las entidades que cumplan los criterios mencionados en este apartado deberá reconocerse expresamente por la norma que las cree o por sus estatutos, que deberán determinar las entidades respecto de las cuales tienen esta condición y precisar el régimen de las encomiendas que se les puedan conferir o las condiciones en que podrán adjudicárseles contratos, y determinará para ellas la imposibilidad de participar en licitaciones públicas convocadas por los poderes adjudicadores de los que sean medios propios, sin perjuicio de que, cuando no concurra ningún licitador, pueda encargárseles la ejecución de la prestación objeto de las mismas.

➡ **Concordancias normativas**

Véase la Disposición adicional decimotercera del RDL 20/2012, de 13 de julio, de medidas para garantizar la estabilidad presupuestaria y de fomento de la competitividad. Régimen de contratación del IDAE.

1. El régimen de contratación del IDAE será el previsto en el Real Decreto Legislativo 3/2011, de 14 de noviembre, por el que se aprueba el texto refundido de la Ley de Contratos del Sector Público.

2. El IDAE, en los términos que prevean sus estatutos, tendrá la consideración de medio propio instrumental y servicio técnico de la Administración a los efectos previstos en el artículo 24.6 del texto refundido de la Ley de Contratos del Sector Público, aprobado por Real Decreto Legislativo 3/2011, de 14 de noviembre, para la realización de cuantos trabajos se le encomienden por la Administración General del Estado y los organismos y entidades dependientes de ella, que tengan la consideración de poder adjudicador, en todo lo relacionado con sus fines y funciones, estando obligado a realizar los trabajos que le encomienden de acuerdo con las instrucciones fijadas por el encomendante.

⊠ **Consultas**

• **Encomienda de gestión de auditorio a una fundación pública**

En suelo calificado de dotacional público y obtenido por ocupación directa, se ha construido un auditorio. Para ceder su gestión a una fundación pública ¿es necesario cambiar la calificación del bien y del suelo?

[14/07/2011 EC 1705/2011]

Contestación

La ocupación directa constituye uno de los medios de obtención de los terrenos destinados a dotaciones públicas y sistemas generales. Según ha declarado el Tribunal Constitucional (STC 61/1997, de 20 de marzo (LA LEY 9921/1997)), constituye una singular modalidad expropiatoria que permite la ocupación directa previo pago de una indemnización y que ha de seguir su tramitación fijando el justiprecio del bien expropiado. Se fundamenta, pues, en la utilidad pública implícita en la aprobación del planeamiento. La desafectación y el paso de los terrenos a propiedad particular de personas físicas o jurídicas, provocarían la reversión del bien ocupado y expropiado al perder su condición de dotación pública.

Por otra parte, no es posible la desafectación de la misma a través de expediente de esta naturaleza; ello solo sería posible a través de la modificación puntual del planeamiento. No pueden tramitarse expedientes de desafectación conforme al Reglamento de Bienes de las Entidades Locales (RB), aprobado por Real Decreto 1372/1986, de 13 de junio (LA LEY 1516/1986) (BOE de 7 de julio), en contra del planeamiento. Solo la modificación de este puede determinar la desafectación, privando a la dotación de su carácter público.

En otro orden de cosas, pueden constituir fundaciones las personas físicas y las personas jurídicas; sean estas públicas o privadas. Esto es, las personas jurídico-públicas tienen capacidad para constituir fundaciones. Ello supone, según ha puesto de relieve Sosa Wagner, «una nueva técnica instrumental de personificación de servicios o dicho con la terminología clásica un nuevo modo de gestión de servicios públicos». La Fundación constituida por el Ayuntamiento es o puede ser un modo de gestión directa de servicios y puede, en consecuencia, gestionar la dotación pública (auditorio) a que hace referencia la consulta.

Las fundaciones del sector público podrán realizar actividades con el ámbito competencial de las entidades del sector público municipal fundador; debiendo coadyuvar a la consecución de los fines de las mismas. Los fines de las fundaciones del sector público han de estar dentro del ámbito competencial de sus fundadores; y han de contribuir a ayudar al logro de los fines, en nuestro caso, de las entidades locales, que es el de satisfacer las necesidades y aspiraciones de la comunidad vecinal [art. 25.1 de la Ley 7/1985, de 2 de abril (LA LEY 847/1985) (BOE del 3), Reguladora de las Bases del Régimen Local (LRBRL (LA LEY 847/1985))].

El régimen jurídico de las fundaciones del sector público es básicamente un régimen de derecho privado. Pero, siguiendo un concepto finalista, el Tribunal Constitucional considera que están dentro de la esfera de lo público; en cuanto es público su fundador y persigue fines de interés general. Y así se manifiesta diciendo: «si bien formalmente son personas jurídico privadas pueden equipararse en realidad a un ente público con capital y fines también públicos que actúa en el tráfico jurídico utilizando solo de forma instrumental la forma fundacional».

Basta, en principio, que el contrato haya sido celebrado entre, por una parte, un ente territorial (en nuestro caso, el Ayuntamiento) y, por otra, por una persona jurídica distinta de este (la fundación pública, en nuestro caso) siempre que se den los requisitos que determina el apartado 6 del art. 24 LCSP (LA LEY 10868/2007). Entre ellos: 1.º. Control del Ayuntamiento sobre la fundación análogo al que ejerce sobre sus propios servicios, y se entiende que así es si pueden conferirles encomiendas de gestión que son de ejecución obligatoria; y 2.º. Esta condición de medio propio debe reconocerse expresamente por la norma o los Estatutos que regulen la fundación.

Como hemos indicado, la fundación es un ente instrumental al servicio del Ayuntamiento; es un ente instrumental para «huir del derecho administrativo»; como lo puede ser el organismo autónomo o la empresa pública de capital totalmente municipal (modalidades de la gestión directa de los servicios). Constituye un medio propio y ente instrumental a su servicio. De ahí que, si reúne la condición de medio propio, la fundación no queda sujeta al régimen contractual; y que, mediante el correspondiente convenio, pueda efectuarse la correspondiente «encomienda de gestión» del auditorio a la fundación pública. Estableciéndose, en aquel, las condiciones. Todo ello sin acudir a la cesión en arrendamiento de la dotación pública.

Por otra parte, cabe otra solución respecto de los bienes demaniales que han de conservar esta condición: la «adscripción». Esto es, la vinculación o asignación de uso y disfrute a las prestaciones fundacionales del auditorio, sin que se altere, en consecuencia, la titularidad y la calificación demanial. La ventaja de la adscripción, según expone Sosa Wagner, deriva de ser esta un derecho real administrativo con amplio margen para su discrecional configuración administrativa y, además, es inscribible en el Registro [art. 7 del Reglamento Hipotecario (RH), aprobado por Decreto de 14 de febrero de 1947)]. El medio o instrumento jurídico para ello sería también el convenio.

En conclusión: 1.º. No es posible la desafectación de la dotación pública mediante expediente y ni mediante modificación puntual del planeamiento; puesto que, al convertirla en privada, determinaría la reversión del bien ocupado directamente, es decir expropiado, por dejar de concurrir la utilidad pública que justificó la expropiación. 2.º. La fundación es un modo de gestión directa de los servicios públicos, un ente instrumental que puede ser considerado medio propio conforme a la LCSP (LA LEY

10868/2007) y, de ser así, basta la concertación de un convenio entre la fundación y el Ayuntamiento, y que este hiciera una «encomienda de gestión» de la gestión de la dotación (auditorio). Y, finalmente, cabe también la posibilidad de adscribir a la fundación pública municipal el auditorio y su gestión.

• **¿Desaparece con la LCSP la figura de la encomienda de gestión que regulaba el art. 3.1.l) del TRLCAP RDL 2/2000?**

Contratación Administrativa Práctica, N° 93, Sección Usted Pregunta, Enero 2010, Editorial LA LEY

[LA LEY 4172/2009]

Respuesta

La regulación general de la figura jurídica de la encomienda de gestión la encontramos en primer lugar en el artículo 15.3 de la Ley 30/1992 (LA LEY 3279/1992), de 26 de noviembre, de Régimen Jurídico de las Administraciones Públicas y del Procedimiento Administrativo Común, que al regular las encomiendas de gestión, expresamente dispone:

«1. La realización de actividades de carácter material, técnico o de servicios de la competencia de los órganos administrativos o de las Entidades de Derecho público podrá ser encomendada a otros órganos o Entidades de la misma o de distinta Administración, por razones de eficacia o cuando no se posean los medios técnicos idóneos para su desempeño. 2. La encomienda de gestión no supone cesión de titularidad de la competencia ni de los elementos sustantivos de su ejercicio, siendo responsabilidad del órgano o Entidad encomendante dictar cuantos actos o resoluciones de carácter jurídico den soporte o en los que se integre la concreta actividad material objeto de encomienda. 3. La encomienda de gestión entre órganos administrativos o Entidades de derecho público pertenecientes a la misma Administración deberá formalizarse en los términos que establezca su normativa propia y, en su defecto, por acuerdo expreso de los órganos o Entidades intervinientes. En todo caso el instrumento de formalización de la encomienda de gestión y su resolución deberá ser publicado, para su eficacia en el Diario Oficial correspondiente. Cada Administración podrá regular los requisitos necesarios para la validez de tales acuerdos que incluirán, al menos, expresa mención de la actividad o actividades a las que afecten, el plazo de vigencia y la naturaleza y alcance de la gestión encomendada. 4. Cuando la encomienda de gestión se realice entre órganos y Entidades de distintas Administraciones se formalizará mediante firma del correspondiente convenio entre ellas, salvo en el supuesto de la gestión ordinaria de los servicios de las Comunidades Autónomas por las Diputaciones Provinciales o en su caso Cabildos o Consejos insulares, que se regirá por la legislación de Régimen Local. 5. El régimen jurídico de la encomienda de gestión que se regula en este artículo no será de aplicación cuando la realización de las actividades enumeradas en el apartado primero haya de recaer sobre personas físicas o jurídicas sujetas a Derecho privado, ajustándose entonces, en lo que proceda, a la legislación correspondiente de contratos del Estado, sin que puedan encomendarse a personas o Entidades de esta naturaleza actividades que, según la legislación vigente, hayan de realizarse con sujeción al Derecho administrativo».

Con la aprobación de la Ley 30/2007, de 30 de octubre, de Contratos del Sector Público (LCSP), se ha introducido en su artículo 24.6 (LA LEY 10868/2007) una nueva regulación de las encomiendas de gestión a entidades que tengan atribuidas la condición de medio propio y servicio técnico de la Administración que efectúa la encomienda. En concreto, el mencionado precepto dispone que: «a los efectos previstos en este artículo y en el artículo 4.1.n) (LA LEY 10868/2007), los entes, organismos y entidades del sector público podrán ser considerados medios propios y servicios técnicos de aquellos poderes adjudicadores para los que realicen la parte esencial de su actividad cuando éstos ostenten sobre los mismos un control análogo al que pueden ejercer sobre sus propios servicios. Si se trata de sociedades, además, la totalidad de su capital tendrá que ser de titularidad pública.»

En todo caso, se entenderá que los poderes adjudicadores ostentan sobre un ente, organismo o entidad un control análogo al que tienen sobre sus propios servicios si pueden conferirles encomiendas de gestión que sean de ejecución obligatoria para ellos de acuerdo con instrucciones fijadas unilateralmente por el encomendante y cuya retribución se fije por referencia a tarifas aprobadas por la entidad pública de la que dependan.

La condición de medio propio y servicio técnico de las entidades que cumplan los criterios mencionados en este apartado deberá reconocerse expresamente por la norma que las cree o por sus estatutos, que deberán determinar las entidades respecto de las cuales tienen esta condición y precisar el régimen de las encomiendas que se les puedan conferir o las condiciones en que podrán adjudicárseles contratos, y determinará para ellas la imposibilidad de participar en licitaciones públicas convocadas por los poderes adjudicadores de los que sean medios propios, sin perjuicio de que, cuando no concurra ningún licitador, pueda encargárseles la ejecución de la prestación objeto de las mismas.

En este precepto, podemos decir que se completa la regulación de los encargos a medios propios o encomiendas de gestión (art. 4.1.n) y se señalan nuevos requisitos: control análogo al ejercido sobre los propios medios (posibilidad de realizar encomiendas de ejecución obligatoria), tener un vínculo de destino de la actividad (realización de la mayor parte de la actividad para el ente encomendante), que el capital sea íntegramente público en el caso de sociedades mercantiles y reconocimiento expreso de la condición de medio propio en los estatutos o norma de creación.

• Si la sociedad tiene la consideración de medio propio, entendemos que no puede participar en licitaciones públicas convocadas por el poder adjudicador al que pertenece

¿Puede una empresa pública constituida por el ayuntamiento y configurada como medio propio de la administración concurrir a las licitaciones para la adjudicación de proyectos subvencionados con cargo al Fondo Estatal de Inversión Local y Fondo Especial del Estado para la Dinamización de la Economía y el Empleo?

[24/02/2009 EC 670/2009]

Contestación

En efecto, el art. 1, apartado 3 de la Resolución de 9 de diciembre de 2008 (BOE del 10), de la Secretaría de Estado de Cooperación Territorial, por la que se aprueba el modelo para la presentación de solicitudes, las condiciones para la tramitación y la justificación de los recursos librados con cargo al Fondo Estatal de Inversión Local creado por el Real Decreto-Ley 9/2008, de 28 de noviembre (BOE de 2 de diciembre), por el que se crean un Fondo Estatal de Inversión Local, establece bajo la rúbrica de «financiación de obras» que la licitación de las obras se realizará directamente por los ayuntamientos, mancomunidades o agrupaciones de municipios a los que se haya autorizado la financiación de sus proyectos a cuenta del Fondo de Inversión Local, y de acuerdo con la Ley de Contratos del Sector Público, sin que, a estos efectos puedan efectuarse encomiendas de gestión a sociedades, empresas u otros organismos públicos o privados.

Si partimos de que la finalidad del citado Real Decreto—Ley 9/2008 es reactivar la economía y luchar contra el desempleo, es lógico que trate de que estos fondos lleguen a las empresas privadas y de ahí que, salvo la excepción establecida para municipios inferiores a 200 habitantes, imponga que los contratos financiados con ese fondo se adjudiquen a empresas privadas, excluyendo la encomienda de gestión a empresas municipales.

Dicho esto, en cuanto a su consulta concreta, entendemos que por aplicación del art. 24.6 de la Ley 30/2007, de 30 de octubre (BOE del 31), de Contratos del Sector Público (LCSP), no cabe que una empresa municipal participe en un proceso de adjudicación cuando pertenece al poder adjudicador. La razón esencial es que para que exista un contrato deben intervenir dos personas distintas e independientes, y en el caso de empresas municipales estamos simplemente ante una forma de gestión directa de un servicio mediante un ente instrumental.

Ya la jurisprudencia del Tribunal Supremo se había pronunciado respecto a este tipo de empresas. De esta manera, la STS de 10 de febrero de 1988 (LA LEY 1197-4/1988) ya dispone «la nueva sociedad tiene personalidad jurídica propia como recurso técnico, para lograr una agilización en la gestión y una diferenciación organizativa, pero sin escapar de la esfera municipal, ya que la sociedad privada municipal constituye de todas formas una gestión directa de los servicios municipales, esto, una simple variedad en los modos de gestión de estos servicios que no deja de ser del Ayuntamiento, conforme a lo previsto en el art. 64.3 del Reglamento de Servicios de las Corporaciones Locales de 17 de junio de 1955». En el mismo sentido se pronuncia en la sentencia de 28 de mayo de 1984 «cuando se habla de los entes públicos o de gestión, a los que se reviste de una forma jurídica perteneciente al derecho privado (sociedades anónimas, por ejemplo) no se hace sino utilizar una técnica ofrecida por ese derecho de modo instrumental, del uso de un procedimiento en el que la sociedad aparece como una simple forma para encubrir la creación de un ente filial puro y simple expresamente regida por le derecho privado, pero en realidad —internamente— de la pertenencia de la Administración, circunstancia más que suficiente para no considerar tercero o extraño al Ayuntamiento con respecto a la sociedad municipal.»

El art. 24.6.º LCSP, recogiendo la normativa contenida en las directivas europeas, dispone que: «A los efectos previstos en este artículo y en el artículo 4.1.n), los entes, organismos y entidades del sector público podrán ser considerados medios propios y servicios técnicos de aquellos poderes adjudicadores para los que realicen la parte esencial de su actividad cuando estos ostenten sobre los mismos un control análogo al que pueden ejercer sobre sus propios servicios. Si se trata de sociedades, además, la totalidad de su capital tendrá que ser de titularidad pública.

En todo caso, se entenderá que los poderes adjudicadores ostentan sobre un ente, organismo o entidad un control análogo al que tienen sobre sus propios servicios si pueden conferirles encomiendas de gestión que sean de ejecución obligatoria para ellos de acuerdo con instrucciones fijadas unilateralmente por el encomendante y cuya retribución se fije por referencia a tarifas aprobadas por la entidad pública de la que dependan.

La condición de medio propio y servicio técnico de las entidades que cumplan los criterios mencionados en este apartado deberá reconocerse expresamente por la norma que las cree o por sus estatutos, que deberán determinar las entidades respecto de las cuales tienen esta condición y precisar el régimen de las encomiendas que se les puedan conferir o las condiciones en que podrán adjudicárseles contratos, y determinará para ellas la imposibilidad de participar en licitaciones públicas convocadas por los poderes adjudicadores de los que sean medios propios, sin perjuicio de que, cuando no concurra ningún licitador, pueda encargárseles la ejecución de la prestación objeto de las mismas.»

Por tanto, si la sociedad tiene la consideración de medio propio, entendemos que no puede participar en licitaciones públicas convocadas por el poder adjudicador al que pertenecen.

• Cesión de inmuebles a una sociedad mercantil de capital íntegramente municipal

El ayuntamiento tiene constituida una sociedad mercantil de capital íntegramente municipal que ha asumido recientemente competencias en materia de turismo. ¿Cómo debe articularse la cesión de inmuebles municipales para que los explote?

[11/02/2009 EC 525/2009]

Contestación

Para la solución de la consulta debe partirse de que la sociedad de capital íntegramente municipal es una simple forma de gestión directa de uno o varios servicios.

En este sentido la jurisprudencia del Tribunal Supremo se había pronunciado respecto a este tipo de empresas. De esta manera, Sentencia de 10 de febrero de 1988 (LA LEY 1197—4/1988) ya dispone «la nueva sociedad tiene personalidad jurídica propia como recurso técnico, para lograr una agilización en la gestión y una diferenciación organizativa, pero sin escapar de la esfera municipal, ya que la sociedad privada municipal constituye de todas formas una gestión directa de los servicios municipales, esto, una simple variedad en los modos de gestión de estos servicios que no deja de ser del Ayuntamiento, conforme a lo previsto en el art. 64.3 del Reglamento de Servicios de las Corporaciones Locales de 17 de junio de 1955». En el mismo sentido se pronuncia en la Sentencia de 28 de mayo de 1984 «cuando se habla de los entes públicos o de gestión, a los que se reviste de una forma jurídica perteneciente al derecho privado (sociedades anónimas, por ejemplo) no se hace sino utilizar una técnica ofrecida por ese derecho de modo instrumental, del uso de un procedimiento en el que la sociedad aparece como una simple forma para encubrir la creación de un ente filial puro y simple expresamente regida por le derecho privado, pero en realidad —internamente— de la pertenencia de la Administración, circunstancia más que suficiente para no considerar tercero o extraño al Ayuntamiento con respecto a la sociedad municipal.»

En el ámbito contractual, el art. 24.6.º de la Ley 30/2007, de 30 de octubre (BOE del 31), de Contratos del Sector Público (LCSP), recogiendo la normativa contenida en las directivas europeas dispone que: «A los efectos previstos en este artículo y en el artículo 4.1.n), los entes, organismos y entidades del sector público podrán ser considerados medios propios y servicios técnicos de aquellos poderes adjudicadores para los que realicen la parte esencial de su actividad cuando estos ostenten sobre los mismos un control análogo al que pueden ejercer sobre sus propios servicios. Si se trata de sociedades, además, la totalidad de su capital tendrá que ser de titularidad pública.

En todo caso, se entenderá que los poderes adjudicadores ostentan sobre un ente, organismo o entidad un control análogo al que tienen sobre sus propios servicios si pueden conferirles encomiendas de gestión que sean de ejecución obligatoria para ellos de acuerdo con instrucciones fijadas unilateralmente por el encomendante y cuya retribución se fije por referencia a tarifas aprobadas por la entidad pública de la que dependan (...).»

Partiendo de esta consideración y aunque los contratos de enajenación o arrendamiento de bienes inmuebles están excluidos del ámbito de aplicación de la Ley de Contratos del Sector Público y se rigen por la legislación patrimonial, habrá que concluir que si se crea una sociedad para gestionar un servicio que lleva consigo la gestión de una serie de inmuebles, la entidad local puede ceder directamente, sin sujetarse a concurrencia, esos inmuebles a la sociedad que ha de gestionarlos. Como requisito previo deberán ser bienes inmuebles patrimoniales, ya que los bienes demaniales no pueden ser objeto de enajenación.

Si la sociedad tiene la consideración de medio propio, la entidad local puede cederle directamente los bienes inmuebles que tiene que gestionar sin necesidad de sujetarse a un procedimiento de concurrencia.

Por tanto, son varias las posibilidades que tiene el ayuntamiento:

En primer lugar, realizar una aportación no dineraria a la sociedad con el consiguiente incremento de capital social. Como señala Tomas Cobo Olvera en su libro Régimen Jurídico de los Bienes de las Entidades Locales, El Consultor, 2006 «la entidad local como partícipe de la sociedad mercantil puede aportar bienes de su propiedad que vayan a formar parte del patrimonio privado de dicha sociedad (...). Los bienes a que nos referimos son los que gozando del carácter de patrimoniales se aportan a la Sociedad mercantil por la Entidad Local. Bienes que dejan de ser de titularidad local, para integrarse en el patrimonio de la Sociedad, y que pierden por ello su carácter de patrimoniales, convirtiéndose en bienes de propiedad privada, con un régimen exclusivamente privado; y que además forman parte de la garantía que ofrece la sociedad frente a terceros. Estas aportaciones de bienes a las sociedades mercantiles ha de producirse mediante el procedimiento de enajenación, ya que es evidente que se produce una enajenación. Ahora bien, sabemos que la forma general de enajenación de bienes es mediante la subasta pública; es obvio que en éste supuesto dicha forma de enajenar sería absolutamente inadecuada, ya que los bienes han de ir necesariamente a una sociedad concreta. La forma de adjudicación será por tanto mediante adjudicación directa, sin procedimiento de concurrencia pública (...).»

En segundo lugar, puede optar por una enajenación de los bienes a título oneroso a favor de la sociedad, aunque esta opción no es muy aconsejable dado el desembolso que tendría que hacer la sociedad.

Por último, cabe la posibilidad de arrendarlos a la sociedad para que los gestione a cambio de un precio.

Concordancias a todo el artículo

➡ **Concordancias normativas**

Artículo 24 de la LCSP 30/2007 y artículos 152, 153, 194 y 195 del TRLCAP RDL 2/2000.

✉ **Consultas**

• **Ejecución de obras con maquinaria suministrada por una mancomunidad a la que pertenece el ayuntamiento.**

Este ayuntamiento pertenece a una mancomunidad de servicios que está organizando un servicio mancomunado de maquinaria de obras públicas mediando recibo por el importe de la cuota aprobada por el pleno. El ayuntamiento demanda la citada maquinaria para la ejecución de una obra acogida a un Plan Provincial de Obras y Servicios al amparo del art. 152 del TR LCAP, pero el órgano gestor de la subvención manifiesta no aceptar la justificación de las obras si se ejecutan por la maquinaria mancomunada entre los medios personales o reales propios del ayuntamiento? ¿Es posible justificar la ejecución directa con las relaciones de precios abonados a la mancomunidad?

[28/02/2008 EC 616/2008]

Contestación

El principio del contratista interpuesto obedece a la herencia liberal basada en la desconfianza en la administración, por lo que ésta debe acudir a los contratistas privados para la ejecución de las obras, siendo la actividad pública supletoria de la iniciativa privada.

La creciente actividad industrial de la administración y su mayor capacidad técnica ha incrementado las posibilidades de ejecución directa de las obras, ejecución directa por la administración que ha de justificarse en causas excepcionales tasadas previamente.

En el art. 152.1 Texto Refundido de la Ley de Contratos de las Administraciones Públicas (TR LCAP), aprobado por Real Decreto Legislativo 2/2000, de 16 de junio (EC 2287/2000) se recogen unos supuestos tasados, por lo que en principio la regla general sigue siendo el sistema de contratación, ya que la ejecución por la administración solo cabe en los casos enumerados. Se trata de supuestos limitados, debiendo de concurrir alguno de ellos para poder actuar directamente.

Cuando concurre el primero de ellos, esto es, que la administración tenga servicios técnicos e industriales aptos para la ejecución de las obras, la ejecución directa será el supuesto normal y por lo tanto la excepción el sistema de contratación.

En el supuesto de que la administración disponga de medios propios con los que realizar las obras tiene que hacerlas («deberá normalmente utilizarse este sistema de ejecución» dice la Ley) no debiendo contratar. Efectivamente, carecería de sentido que si la administración tiene constituida una empresa de obras con capital íntegramente público, forma de gestión directa [art. 85 Ley 7/1985, de 2 de abril (EC 404/1985), Reguladora de las Bases de Régimen Local (LRBRL)], tenga que realizar un procedimiento de selección de las empresas contratistas.

El problema radica en lo que ha de entenderse por medios propios, cuestión que no resuelve el todavía vigente TR LCAP, pero que sí abordan la Ley 30/2007, de 30 de octubre (EC 3697/2007), de Contratos del Sector Público (LCSP) en su art. 24 que recoge lo establecido por la Directiva Europea de Contratos (Directiva 2004/18/CE, de 31 de marzo) y la reciente Sentencia del Tribunal de Justicia de las Comunidades Europeas, Sala Segunda, de 19 de abril de 2007, proc. C-295/2005, (La Ley 11603/2007) que considera que TRAGSA es una empresa pública que actúa como medio propio instrumental y servicio técnico de varias autoridades públicas por lo que puede realizar obras públicas.

Medios propios y servicios técnicos conforme a la STJCE, la Directiva vigente de Contratos y el art. 24.6 LCSP podrán ser considerados los entes, organismos y entidades del sector público que realicen la parte esencial de su actividad, cuando ostenten sobre los mismos un control análogo al que pueden ejercer sobre sus propios servicios. Si se trata de sociedades, además la totalidad de su capital tendrá que ser de titularidad pública.

Se entiende que existe o se da un control análogo al que tienen sobre sus propios servicios si pueden conferirles encomiendas de gestión que sean de ejecución obligatoria de acuerdo con instrucciones fijadas unilateralmente por el encomendante. La condición de medio propio deberá reconocerse expresamente por la norma que cree las entidades o por sus estatutos.

Y es lo cierto que la mancomunidad es un ente local público e institucional autónomo, independiente de los miembros (entes territoriales) que forman parte de la misma y que los ayuntamientos no ejercitan sobre ella un control análogo al que ostentan sobre sus entes instrumentales y sobre sus propios servicios. Los medios no son propios del ayuntamiento contratante sino de un ente local público distinto. Por ello a nuestro juicio no cabe hablar de medios propios ni de dependencia directa de la mancomunidad del ayuntamiento integrante de la misma cual si fuera un ente instrumental del ayuntamiento. En todo caso la Directiva Europea sobre contratación es directamente aplicable.

CAPÍTULO II

Libertad de pactos y contenido mínimo del contrato

Artículo 25 *Libertad de pactos*

1. En los contratos del sector público podrán incluirse cualesquiera pactos, cláusulas y condiciones, siempre que no sean contrarios al interés público, al ordenamiento jurídico y a los principios de buena administración.

☞ **Concordancias Jurisprudenciales**

Tribunal Superior de Justicia de Les Illes Balears, Sala de lo Contencioso-administrativo, Sentencia de 22 Abr. 2008, rec. 1536/2003

[LA LEY 185064/2008]

URBANISMO. Actividad urbanística. Principios. Participación ciudadana. -- Planeamiento urbanístico. Elaboración y aprobación del planeamiento. Revisión y modificación del planeamiento. -- Gestión urbanística. Sistemas de actuación. Sistema de cooperación.

✉ **Consultas**

• **Duración y prórroga de los contratos de suministro**

¿Cuál es la duración máxima de un contrato de suministro según la LCSP?

Contratación Administrativa Práctica, Nº 82, Sección Usted Pregunta, Enero 2009, pág. 12, Editorial LA LEY

[LA LEY 3724/2008]

Respuesta

Con el fin de dotar de una mayor claridad expositiva, vamos a desglosar esta consulta en tres apartados diferentes.

1. ¿Cuál es la duración máxima de un contrato de suministro en la nueva LCSP?

Uno de los aspectos que más llama la atención en la nueva LCSP es el poco número de preceptos referidos a las normas especiales sobre el contrato de suministros (Capítulo IV del Título II del Libro IV), en concreto, se trata sólo de diez artículos (266 (LA LEY 10868/2007) a 276 (LA LEY 10868/2007) LCSP) frente a los que dedicaba a este tipo contractual el Título III del Libro II del TRLCAP (24 (LA LEY 2206/2000), artículos 171 (LA LEY 2206/2000) a 195 (LA LEY 2206/2000)). La nueva estructura y sistemática de la Ley hace que en el citado capítulo se regulen sólo las normas referidas al cumplimiento y extinción del contrato de suministros y hace que tengamos que buscar el resto de las disposiciones referidas al contrato en los libros, títulos y capítulos de la LCSP que recogen las normas generales y el resto de fases contractuales.

En resumen, podemos señalar que son escasas las novedades que introduce la nueva LCSP en la regulación de la ejecución, modificación y cumplimiento del contrato de suministro.

La LCSP no prevé de forma expresa y detallada el contenido de los pliegos particulares. Sin embargo, sí lo hace el todavía vigente artículo 67 (LA LEY 1470/2001) del RGLCAP, que regula el contenido mínimo general, y que en concreto en su letra e) señala que deberá expresarse «el plazo de ejecución o duración del contrato, con determinación, en su caso, de las prórroga de duración que serán acordadas de forma expresa.»

Sin embargo, la nueva Ley de Contratos del Sector Público dispone expresamente en su artículo 23.1 (LA LEY 10868/2007) que «sin perjuicio de las normas especiales aplicables a determinados contratos, la duración de los contratos del sector público deberá establecerse teniendo en cuenta la naturaleza de las prestaciones, las características de su financiación y la necesidad de someter periódicamente a concurrencia la realización de las mismas.»

En consecuencia, con la nueva Ley, la duración de los contratos se encuentra con tres límites claramente establecidos: 1) la naturaleza de las prestaciones; 2) las características de su financiación; 3) la necesidad de someter periódicamente a concurrencia la realización de las mismas.

Y, con carácter general, no debemos olvidar que el artículo 25.1 (LA LEY 10868/2007) de la LCSP, del mismo modo que hacía el artículo 4 (LA LEY 2206/2000) del TRCLAP, regula la libertad de pactos entre las partes al señalar que «la Administración podrá concertar los contratos, pactos y condiciones que tenga por conveniente siempre que no sean contrarios al interés público, al ordenamiento jurídico o a los principios de buena administración y deberá cumplirlos a tenor de los mismos, sin perjuicio de las prerrogativas establecidas por la legislación básica en favor de aquélla.»

De un modo más concreto, y centrándonos en el contrato de suministro, hay que acudir al Libro IV que regula «los efectos, cumplimiento y extinción de los contratos administrativos», y en concreto, a la Sección 2.ª del Capítulo IV del Título II, que contiene las normas especiales de ejecución para los contratos de suministro. En concreto, debemos analizar el artículo 268.1 (LA LEY 10868/2007) de la LCSP que dispone que «el contratista estará obligado a entregar los bienes objeto de suministro en el tiempo y lugar fijados en el contrato y de conformidad con las prescripciones técnicas y cláusulas administrativas.»

De un modo genérico, debemos acudir al artículo 196.2 (LA LEY 10868/2007) de la LCSP, ubicado en Capítulo III del Título I del Libro IV, que regula los efectos, cumplimiento y extinción de los contratos administrativos. En concreto, el mencionado precepto dispone que «el contratista está obligado a cumplir el contrato dentro del plazo total fijado para la realización del mismo, así como de los plazos parciales señalados para su ejecución sucesiva.»

En conclusión, podemos decir que los preceptos anteriormente citados nos marcan las pautas para establecer correctamente la duración de todos los contratos en general, y del de suministro, en particular.

2. El tratamiento de las prórrogas en la nueva LCSP

Comencemos señalando que hay que diferenciar la prórroga de plazo de ejecución del contrato, entendida como ampliación del tiempo previsto para su cumplimiento, de la prórroga contractual en sentido estricto, que comprende la extensión de las prestaciones del contrato por un plazo mayor al inicialmente previsto. A la primera, la denominaremos prórroga del contrato y a la segunda, prórroga del plazo de ejecución.

La prórroga del contrato

Debido a la complejísima estructura de la nueva LCSP, vamos a ir analizando a lo largo de su articulado cómo se ha regulado el tratamiento de las prórrogas en los contratos del sector público. Además, por ese mismo motivo, haremos especial incidencia en la ubicación de los artículos que vamos a ir comentando.

Comencemos señalando que el primero de los preceptos que regulan esta materia es el artículo 23 (LA LEY 10868/2007) de la LCSP que se encuentra ubicado en el Libro I, denominado «Configuración general de la contratación de sector público y elementos estructurales de los contratos», en concreto, dentro del Título I, «Disposiciones generales sobre la contratación del sector público», y más detalladamente dentro del Capítulo I, «Racionalidad y consistencia de la contratación del sector público». En resumen, que el mencionado precepto es de aplicación a todos los contratos del sector público.

Este artículo 23.2 (LA LEY 10868/2007) de la LCSP dispone que «el contrato podrá prever una o varias prórrogas siempre que sus características permanezcan inalterables durante el período de duración de éstas y que la concurrencia para su adjudicación haya sido realizada teniendo en cuenta la duración máxima del contrato, incluidos los períodos de prórroga. La prórroga se acordará por el órgano de contratación y será obligatoria para el empresario, salvo que el contrato expresamente prevea lo contrario, sin que pueda producirse por el consentimiento tácito de las partes.»

Por último, en el apartado 3 del artículo 23 (LA LEY 2206/2000) se reitera la regla del TRLCAP de que los contratos menores —que define ahora el artículo 122.3 (LA LEY 10868/2007) LCSP— no podrán tener una duración superior a un año ni ser objeto de prórroga.

Prórroga del plazo de ejecución

De un modo genérico, debemos acudir al artículo 197.2 (LA LEY 10868/2007) de la LCSP que ubicado en Capítulo III del Título I del Libro IV regula los efectos, cumplimiento y extinción de los contratos administrativos y en concreto, regula la prórroga del plazo de ejecución. El mencionado precepto dispone que «si el retraso fuese producido por motivos no imputables al contratista y éste ofreciera cumplir sus compromisos dándole prórroga del tiempo que se le había señalado, se concederá por la Administración un plazo que será, por lo menos, igual al tiempo perdido, a no ser que el contratista pidiese otro menor.»

3. ¿Cuándo son aplicables los plazos del art. 157.c) (LA LEY 10868/2007) de la LCSP?

El artículo 182.e) (LA LEY 2206/2000) del TRLCAP señalaba que para el supuesto del procedimiento negociado sin publicidad cuando concurran entregas complementarias efectuadas por el proveedor inicial que constituya, bien una reposición de suministros e instalaciones de uso corriente, o bien una extensión de los suministros o instalaciones existentes, cuando un cambio de proveedor obligaría a la Administración a adquirir material que posea características técnicas diferentes, dando lugar a incompatibilidades o a dificultades técnicas de uso y mantenimiento desproporcionadas. La Ley, para evitar la permanencia indefinida de ciertos proveedores, establece el precepto de que «la duración de tales contratos, así como la de los contratos renovables, no podrá, como regla general, ser superior a tres años.»

En este caso estamos ante la prórroga de un contrato para un plazo superior al inicialmente pactado (p. ej., suministro de un determinado tipo de cartuchos de tinta para un determinado tiempo de impresoras de una Administración para un año más del inicialmente previsto), no ante una prórroga para la ejecución de la prestación objeto de un contrato que no ha podido llevarse a efecto en el plazo fijado.

En conclusión, el plazo señalado en este precepto únicamente es aplicable cuando, como su propia literalidad indica, se trate de «entregas complementarias efectuadas por el proveedor inicial que constituyan bien una reposición parcial de suministros o instalaciones de uso corriente, o bien una ampliación de los suministros o instalaciones existentes, si el cambio de proveedor obligase al órgano de contratación a adquirir material con características técnicas diferentes, dando lugar a incompatibilidades o a dificultades técnicas de uso y de mantenimiento desproporcionadas».

En consecuencia, en un expediente de estas características deberá justificarse concreta y detalladamente los siguientes extremos:

1. Que se trate de una entrega complementaria por reposición o por ampliación.

2. Que el cambio de proveedor obligue al órgano de contratación a adquirir material con características técnicas diferentes, dando lugar a incompatibilidades o a dificultades técnicas de uso y de mantenimiento desproporcionadas.

Estas precauciones o límites legales obedecen fundamentalmente a la necesidad de que se respeten los principios de libre concurrencia y de transparencia en la contratación pública.

2. Sólo podrán fusionarse prestaciones correspondientes a diferentes contratos en un contrato mixto cuando esas prestaciones se encuentren directamente vinculadas entre sí y mantengan relaciones de complementariedad que exijan su consideración y tratamiento como una unidad funcional dirigida a la satisfacción de una determinada necesidad o a la consecución de un fin institucional propio del ente, organismo o entidad contratante.

Concordancias a todo el artículo

➡ **Concordancias normativas**

Artículo 25 de la LCSP 30/2007 y artículo 4 del TRLCAP RDL 2/2000.

Artículo 111 del RDL 781/1986, Texto Refundido de las Disposiciones Legales Vigentes en materia de Régimen Local.

Artículos 1091 y 1255 del Código Civil.

Véanse artículos 4.1.p) y 209 de la presente Ley.

☞ **Concordancias Jurisprudenciales**

Tribunal Superior de Justicia de Canarias de Las Palmas de Gran Canaria, Sala de lo Contencioso-administrativo, Sección 1.ª, Sentencia de 14 Ene. 2011, rec. 708/2009

[LA LEY 201454/2011]

CONCURSOS Y OPOSICIONES. Confirmación de unas bases de la concurrencia pública de solicitudes para la adhesión a los programas Comarcales y gestores de la innovación comarcales, de la agencia de investigación, innovación y sociedad de información. No se evidencia que ninguna de las bases litigiosas sostengan una relación laboral encubierta, por lo que debe reputarse ajustada a derecho la resolución impugnada. La demanda no puede prosperar ya que la invocación de una relación laboral encubierta en que descansa la misma se adelanta a la propia existencia de tal relación. Corresponde en todo caso a la jurisdicción social decidir al respecto una vez exista un acto concreto de contratación. No está acreditada contrariedad alguna de las bases en función de las previsiones de la Ley de contratos del sector público.

Tribunal Superior de Justicia de Galicia, Sala de lo Contencioso-administrativo, Sección 2.ª, Sentencia de 23 Abr. 2009, rec. 4576/2007

[LA LEY 69359/2009]

CONTRATO ADMINISTRATIVO DE OBRAS. Actuaciones preparatorias de la adjudicación. El pliego de condiciones. -- Formas de adjudicación. Concurso-subasta. -- Procedimiento de adjudicación.

⊠ **Consultas**

• **Establecimiento de cláusulas relativas a la exigencia de un seguro de responsabilidad civil por parte del adjudicatario**

En un contrato de servicios para el control de calidad y asistencia técnica de las obras, se pretende introducir en los pliegos que rigen el mismo una cláusula por la que el adjudicatario sería tomador de un seguro de responsabilidad civil en favor de los funcionarios de la administración contratante que realicen tareas de dirección de las obras afectadas por este contrato.

El contrato consiste, entre otras prestaciones, en realizar ensayos sistemáticos de distintas unidades de obra para el control de la calidad de su ejecución y en la asistencia, a través del personal de la adjudicataria (ingenieros, principalmente), en las tareas de dirección de las obras.

El importe de estas pólizas se estima que supondría una cantidad escasa respecto del precio total del contrato (en torno a un 6 por 1.000). ¿Sería legal la cláusula citada?

Contratación Administrativa Práctica, N° 118, Sección Usted Pregunta, Abril 2012, pág. 11, Editorial LA LEY

[LA LEY 479/2012]

Respuesta

En relación con la cuestión suscitada, debemos acudir, en primer lugar, al contenido obligatorio de los Pliegos de Cláusulas Administrativas Particulares de cualquier contrato, previsto en el todavía vigente art. 67 del RD. 1098/2001 (LA LEY 1470/2001), en virtud del cual: «Los pliegos de cláusulas administrativas particulares contendrán aquellas declaraciones que sean específicas del contrato de que se trate y del procedimiento y forma de adjudicación, las que se considere pertinente incluir y no figuren en el pliego de cláusulas administrativas generales que, en su caso, resulte de aplicación o estén en contradicción con alguna de ellas y las que figurando en el mismo no hayan de regir por causa justificada en el contrato de que se trate. Los pliegos de cláusulas administrativas particulares serán redactados por el servicio competente y deberán contener con carácter general para todos los contratos los siguientes datos:

A. Definición del objeto del contrato, con expresión de la codificación correspondiente de la nomenclatura de la Clasificación Nacional de Productos por Actividades 1996 (CNPA-1996), aprobada por Real Decreto 81/1996, de 26 de enero (LA LEY 870/1996), y, en su caso, de los lotes. Cuando el contrato sea igual o superior a los importes que se determinan en los artículos 135.1, 177.2 y 203.2 de la Ley deberá indicar, además, la codificación correspondiente a la nomenclatura Vocabulario Común de Contratos (CPV) de la Comisión Europea, establecida por la Recomendación de la Comisión Europea de 30 de julio de 1996, publicada en el Diario Oficial de las Comunidades Europeas L 222 y S 169, ambos de 3 de septiembre de 1996.

B. Necesidades administrativas a satisfacer mediante el contrato y los factores de todo orden a tener en cuenta.

C. Presupuesto base de licitación formulado por la Administración, con la excepción prevista en el artículo 85, párrafo a, de la Ley, y su distribución en anualidades, en su caso.

...

X. Los restantes datos y circunstancias que se exijan para cada caso concreto por otros preceptos de la Ley y de este Reglamento o que el órgano de contratación estime necesario para cada contrato singular.»

A todo lo anterior habría que añadir la posibilidad de acudir a la libertad de pactos, reconocida por el TRLCSP en su art. 25 (LA LEY 21158/2011), según el cual: «En los contratos del sector público podrán incluirse cualesquiera pactos, cláusulas y condiciones, siempre que no sean contrarios al interés público, al ordenamiento jurídico y a los principios de buena administración.»

En este sentido, no se consideraría contrario a Derecho el establecimiento de cláusulas relativas a la exigencia de un seguro de responsabilidad civil por parte del adjudicatario.

- • **Requisitos para la fusión de prestaciones correspondientes a diferentes contratos**

¿Es posible fusionar en un contrato mixto prestaciones de un contrato de concesión de obra pública para la construcción de un aparcamiento subterráneo y de un contrato de gestión de la zona ORA sobre la base de su complementariedad?

[10/01/2012 EC 151/2012]

Contestación

No hemos encontrado ningún dictamen de la Junta Consultiva de Contratación Administrativa ni de ninguna Junta de Contratación autonómica que se pronuncie sobre el supuesto consultado.

Nosotros entendemos que lo que se persigue con la adjudicación del contrato mixto es realmente retribuir al concesionario de la obra pública por la ejecución de la obra; y, desde este punto de vista, hay que considerar que no es este el fin que se persigue con los contratos mixtos, por lo que habría que rechazar la solución propuesta. A ello, debemos añadir que, si nos vamos a los preceptos que regulan la retribución del concesionario, no se encuentra prevista esta posibilidad por la normativa actual. En este sentido, el art. 255.5 del Real Decreto Legislativo 3/2011, de 14 de noviembre (LA LEY 21158/2011) (BOE del 16), por el que se aprueba el texto refundido de la Ley de Contratos del Sector Público (TR LCSP (LA LEY 21158/2011)), sólo prevé la posibilidad de que el concesionario se retribuya igualmente con los ingresos procedentes de la explotación de la zona comercial vinculada a la concesión, en el caso de existir ésta, según lo establecido en el pliego de cláusulas administrativas particulares. Pero, es obvio que este precepto no es aplicable al caso consultado.

Analizando lo que dispone estrictamente el art. 25 TR LCSP (LA LEY 21158/2011), después de establecer el principio de libertad de pactos, añade en el apartado 2 que sólo podrán fusionarse prestaciones correspondientes a diferentes contratos, en un contrato mixto, cuando esas prestaciones se encuentren directamente vinculadas entre sí y mantengan relaciones de complementariedad que exijan su consideración y tratamiento como una unidad funcional dirigida a la satisfacción de una determinada necesidad o a la consecución de un fin institucional propio del ente, organismo o entidad contratante.

La interpretación que consideramos que debe darse a este precepto es la siguiente:

— El principio general para fusionar prestaciones correspondientes a diferentes contratos es restrictivo, porque el artículo utiliza la expresión «sólo». Es decir, tiene el carácter de excepción a la regla general.

— Por otro lado, se establece el requisito de que las prestaciones se encuentren directamente vinculadas entre sí y mantengan relaciones de complementariedad. Este criterio, desde luego, queda a la apreciación del órgano de contratación. Pero, desde nuestro punto de vista, es algo forzador decir que el estacionamiento regulado en superficie es complementario y está directamente vinculado con la construcción de un aparcamiento subterráneo.

— Un tercer requisito que establece el precepto es que, esa vinculación y relación de complementariedad, «exijan su consideración y tratamiento como una unidad funcional dirigida a la satisfacción de una determinada necesidad». Nosotros entendemos que este requisito no se da en ningún caso en el supuesto planteado. Es decir, se pueden cubrir las dos necesidades claramente de forma independiente: por un lado el contrato de gestión de concesión de obra pública; y, por otro, el estacionamiento regulado en superficie, sin que exista ninguna razón objetiva que exija su tratamiento como una unidad funcional.

Por tanto, desde nuestro punto de vista sería muy complicado motivar adecuadamente en el expediente de contratación el que se cumplen los requisitos que señala el art. 25.2 TR LCSP (LA LEY 21158/2011).

• Interpretación de los pliegos de cláusulas particulares: compromiso de subrogación de los trabajadores adscritos al servicio de la empresa contratista actual

Este Ayuntamiento está tramitando la contratación del servicio de limpieza de dependencias municipales y en el pliego de cláusulas administrativas particulares se ha exigido que los licitadores presenten un compromiso de subrogación de los trabajadores adscritos al servicio de la empresa contratista actual.

Al procedimiento de licitación solo se ha presentado una empresa que, efectivamente, ha presentado ese compromiso y lo ha incluido en el sobre de la documentación administrativa, tal y como se exige en el pliego. Sin embargo, a la hora de presentar la oferta económica y detallarnos las contrataciones que va a efectuar no aparece un trabajador de la anterior contrata en cuyo contrato debe subrogarse. Teniendo en cuenta que una de las obligaciones del adjudicatario, detallada en el pliego de cláusulas administrativas, es la de subrogarse en los contratos de los trabajadores de la subcontrata anterior, ¿cómo debe actuar el ayuntamiento ante la oferta económica presentada? ¿Podemos entender que la misma no se ajusta a los pliegos y por tanto declarar desierta la licitación?

Contratación Administrativa Práctica, Nº 108, Sección Usted Pregunta, Mayo 2011, pág. 10, Editorial LA LEY

[LA LEY 502/2011]

Respuesta

En relación con la cuestión suscitada, debemos acudir, en primer lugar, a lo dispuesto por el art. 104 de la Ley de Contratos del Sector Público (LA LEY 10868/2007), según el cual, en aquellos contratos que impongan al adjudicatario la obligación de subrogarse como empleador en determinadas relaciones laborales, el órgano de contratación deberá facilitar a los licitadores, en el propio pliego o en la documentación complementaria, la información sobre las condiciones de los contratos de los trabajadores a los que afecte la subrogación que resulte necesaria para permitir la evaluación de los costes laborales que implicará tal medida. A estos efectos, la empresa que viniese efectuando la prestación objeto del contrato a adjudicar y que tenga la condición de empleadora de los trabajadores afectados estará obligada a proporcionar la referida información al órgano de contratación, a requerimiento de éste.

Por su parte el art. 25 de la LCSP (LA LEY 10868/2007) establece que en los contratos del sector público podrán incluirse cualesquiera pactos, cláusulas y condiciones, siempre que no sean contrarios al interés público, al ordenamiento jurídico y a los principios de buena administración.

Asimismo, el art. 99 de la misma Ley dispone que en los pliegos de cláusulas administrativas particulares se incluirán los pactos y condiciones definidores de los derechos y obligaciones de las partes del contrato y las demás menciones requeridas por esta Ley y sus normas de desarrollo.

Por último, y según el art. 135.3 de la LCSP (LA LEY 10868/2007), no podrá declararse desierta una licitación cuando exista alguna oferta o proposición que sea admisible de acuerdo con los criterios que figuren en el pliego.

En este sentido, y habida cuenta de que parece ser que los pliegos no imponen la obligación de subrogación a que se refiere el art. 104 de la LCSP (LA LEY 10868/2007) (aunque dicho artículo sí prevé expresamente que tal obligación pueda imponerse al licitador) deberá admitirse la proposición, siempre y cuando de su valoración se desprenda que cumple con todos y cada uno de los requisitos establecidos por los pliegos —tanto el administrativo como el técnico— no pudiendo ser, pues, una causa de exclusión la circunstancia de no subrogarse en las obligaciones laborales del anterior adjudicatario del contrato.

•¿Qué calificación tiene un contrato por medio del cual el Ayuntamiento, para conseguir el final de una etapa, abona una cantidad de dinero a una empresa que organiza una vuelta ciclista?

Contratación Administrativa Práctica, Nº 88, Sección Usted Pregunta, Julio 2009, pág. 14, Editorial LA LEY

[LA LEY 1300/2009]

Respuesta

En principio, para poder contestar a esta consulta, debemos diferenciar dos situaciones bien distintas.

En primer lugar, las Administraciones Públicas pueden organizar acontecimientos deportivos como son las vueltas ciclistas locales o autonómicas mediante la adjudicación de los denominados contratos de servicios. Mediante estos contratos, las Administraciones adjudican a una empresa privada la organización de dicho evento deportivo para que sea ésta la que se encargue de todos los detalles (etapas, propaganda, vallados, etc...).

En efecto, el artículo 10 (LA LEY 10868/2007) de la Ley de Contratos del Sector Público dispone que «son contratos de servicios aquellos cuyo objeto son prestaciones de hacer consistentes en el desarrollo de una actividad o dirigidas a la obtención de un resultado distinto de una obra o un suministro». Este precepto remite a lo establecido en su Anexo II (LA LEY 10868/2007) para clasificar en diferentes categorías a los contratos de servicios. En concreto, la categoría número 26 de dicho Anexo se refiere a los contratos de servicios que tengan por objeto «servicios de esparcimiento, culturales y deportivos». Precisamente en esta categoría es donde podría y debería encuadrarse un contrato para la organización y gestión de una vuelta ciclista como la que se plantea en la consulta. Y, en consecuencia, el régimen jurídico de este contrato sería el establecido específicamente en los artículos 277 (LA LEY 10868/2007) y siguientes de la LCSP.

La Administración Pública contratante puede y debe fijar el objeto del contrato de un modo concreto (art. 74 (LA LEY 10868/2007) de la LCSP), debe establecer en los pliegos de cláusulas administrativas particulares los pactos y condiciones definidoras de los derechos y obligaciones de las partes (art. 99 (LA LEY 10868/2007) de la LCSP) y en el pliego de prescripciones técnicas todos los elementos que deberán regir la realización de la prestación (art. 100 (LA LEY 10868/2007) de la LCSP). En consecuencia, la Administración contratante podrá exigir en las actuaciones preparatorias del contrato que, por ejemplo, los finales de etapa sean en determinadas localidades al igual que podrá exigir a la adjudicataria otros requisitos o detalles que estime convenientes siempre que respete lo establecido en la LCSP y en concreto en el artículo 25 (LA LEY 10868/2007) de la LCSP, que recordemos dispone que «en los contratos del sector público podrán incluirse cualesquiera pactos, cláusulas o condiciones siempre que no sean contrario al interés público, al Ordenamiento Jurídico y a los principios de la buena administración».

Otra cosa bien distinta sería que habiéndose adjudicado el mencionado contrato por una Administración Pública tal y como hemos explicado anteriormente, un Ayuntamiento, que no es el órgano adjudicador de dicho contrato, abone una cantidad de dinero a la mencionada empresa para conseguir que la misma establezca el final de la etapa en su localidad. Esta actuación debería evitarse en todo momento puesto que podría incurrirse en algunos de los supuestos de hechos previstos en el Título XIX del Código Penal regulador de «los delitos contra la Administración Pública» al que expresamente nos remitimos y cuya lectura detenida encomendamos desde aquí encarecidamente a todos los órganos de contratación siempre que se planteen dudas y consultas como la aquí analizada.

Otra posible alternativa sería la financiación conjunta del Ayuntamiento en cuestión y de la Administración Pública contratante, siempre y cuando se respeten los principios y articulado de la LCSP y no se incurra en los tipos delictivos mencionados.

📖 Doctrina

«La potestad administrativa de interpretación de los contratos del sector público». José Enrique Candela Talavero. Artículo publicado en la Revista *El Consultor de los Ayuntamientos y de los Juzgados* número 10, de 30 de mayo de 2012.

Artículo 26 *Contenido mínimo del contrato*

1. Salvo que ya se encuentren recogidas en los pliegos, los contratos que celebren los entes, organismos y entidades del sector público deben incluir, necesariamente, las siguientes menciones:

a) La identificación de las partes.

b) La acreditación de la capacidad de los firmantes para suscribir el contrato.

c) Definición del objeto del contrato.

d) Referencia a la legislación aplicable al contrato.

e) La enumeración de los documentos que integran el contrato. Si así se expresa en el contrato, esta enumeración podrá estar jerarquizada, ordenándose según el orden de prioridad acordado por las partes, en cuyo supuesto, y salvo caso de error manifiesto, el orden pactado se utilizará para determinar la prevalencia respectiva, en caso de que existan contradicciones entre diversos documentos.

f) El precio cierto, o el modo de determinarlo.

g) La duración del contrato o las fechas estimadas para el comienzo de su ejecución y para su finalización, así como la de la prórroga o prórrogas, si estuviesen previstas.

h) Las condiciones de recepción, entrega o admisión de las prestaciones.

i) Las condiciones de pago.

j) Los supuestos en que procede la resolución.

k) El crédito presupuestario o el programa o rúbrica contable con cargo al que se abonará el precio, en su caso.

l) La extensión objetiva y temporal del deber de confidencialidad que, en su caso, se imponga al contratista.

2. El documento contractual no podrá incluir estipulaciones que establezcan derechos y obligaciones para las partes distintos de los previstos en los pliegos, concretados, en su caso, en la forma que resulte de la proposición del adjudicatario, o de los precisados en el acto de adjudicación del contrato de acuerdo con lo actuado en el procedimiento, de no existir aquéllos.

Concordancias a todo el artículo

➡ **Concordancias normativas**

Artículo 26 de la LCSP 30/2007.

Véase artículo 136 de la presente Ley.

☞ **Concordancias Jurisprudenciales**

Tribunal Superior de Justicia de la Comunidad Valenciana, Sala de lo Contencioso-administrativo, Sección 1.ª, Sentencia de 15 Sep. 2008, rec. 1016/2007

[LA LEY 214175/2008]

URBANISMO. Régimen urbanístico del suelo. Reparcelaciones. Criterios a tener en cuenta en el proyecto de reparcelación. -- Régimen urbanístico del suelo. Reparcelaciones. Aprobación. -- Régimen urbanístico del suelo. Reparcelaciones. Impugnación en vía Administrativa o Jurisdiccional.

CAPÍTULO III

Perfección y forma del contrato

Artículo 27 *Perfección de los contratos*

1. Los contratos que celebren los poderes adjudicadores se perfeccionan con su formalización. Los contratos subvencionados que, de conformidad con lo dispuesto en el artículo 17 de esta Ley, deban considerarse sujetos a regulación armonizada, se perfeccionarán de conformidad con la legislación por la que se rijan. Las partes deberán notificar su formalización al órgano que otorgó la subvención.

→ Concordancias normativas

Número 1 del artículo 27 redactado por el apartado seis del artículo primero de la Ley 34/2010, de 5 de agosto, de modificación de las Leyes 30/2007, de 30 de octubre, de Contratos del Sector Público, 31/2007, de 30 de octubre, sobre procedimientos de contratación en los sectores del agua, la energía, los transportes y los servicios postales, y 29/1998, de 13 de julio, reguladora de la Jurisdicción Contencioso-Administrativa para adaptación a la normativa comunitaria de las dos primeras («B.O.E». 9 agosto).

2. Salvo que se indique otra cosa en su clausulado, los contratos del sector público se entenderán celebrados en el lugar donde se encuentre la sede del órgano de contratación.

Concordancias a todo el artículo

→ Concordancias normativas

Artículo 27 de la LCSP 30/2007 y artículo 53 del TRLCAP RDL 2/2000.

☞ Concordancias Jurisprudenciales

Tribunal Superior de Justicia de la Región de Murcia, Sala de lo Contencioso-administrativo, Sección 1.ª, Sentencia de 31 Oct. 2011, rec. 277/2009

[LA LEY 229888/2011]

AYUDAS Y SUBVENCIONES. Beneficiarios. -- Requisitos. CONTRATO ADMINISTRATIVO DE SERVICIOS. Adjudicación.

✉ **Consultas**

• **El adjudicatario provisional, una vez que ha cumplido las obligaciones que le impone, la ley tiene derecho a ser designado adjudicatario definitivo**

Adjudicado provisionalmente un contrato en el año 2008, hasta la fecha, no se ha producido la adjudicación definitiva. ¿Se ha producido la caducidad del expediente? ¿Se puede entender adjudicado definitivamente?

[26/03/2010 EC 1014/2010]

Contestación

En primer lugar, hemos de señalar que la no elevación a definitiva de la adjudicación provisional por parte de la Administración no puede considerarse como un supuesto de caducidad del expediente, ya que los expedientes de contratación se inician de oficio por la Administración; y el art. 92 de la Ley 30/1992, de 26 de noviembre (BOE del 27), de Régimen Jurídico de las Administraciones Públicas y del Procedimiento Administrativo Común (LRJAP), prevé la caducidad para los procedimientos iniciados a solicitud del interesado y cuando se produzca su paralización por causa imputable al mismo. En el caso objeto de consulta, ni el procedimiento se inicia a solicitud de interesado, ni la paralización se produce por causa a él imputable.

Por otra parte, es cierto que, conforme al art. 27 de la Ley 30/2007, de 30 de octubre (BOE del 31), de Contratos del Sector Público (LCSP), los contratos de las Administraciones Públicas, en todo caso, y los contratos sujetos a regulación armonizada, incluidos los contratos subvencionados a que se refiere el art. 17, se perfeccionan mediante su adjudicación definitiva, cualquiera que sea el procedimiento seguido para llegar a ella. Ahora bien, también es cierto que, según la regulación que hace el propio art. 135 de la citada ley, la adjudicación definitiva se convierte en una especie de acto obligatorio para la Administración cuando, una vez producida la adjudicación provisional, el adjudicatario cumple con las obligaciones que le impone el propio art. 135; esto es, presentar la documentación justificativa de hallarse al corriente en el cumplimiento de sus obligaciones tributarias y con la Seguridad Social y cualesquiera otros documentos acreditativos de su aptitud para contratar o de la efectiva disposición de los medios que se hubiesen comprometido a dedicar o adscribir a la ejecución del contrato conforme al artículo 53.2 que le reclame el órgano de contratación, así como constituir la garantía que, en su caso, sea procedente.

Cumplidos estos requisitos, dispone el propio precepto que la adjudicación provisional deberá elevarse a definitiva dentro de los diez días hábiles siguientes a aquél en que expire el plazo señalado en el párrafo primero de este apartado, siempre que el adjudicatario haya presentado la documentación señalada y constituido la garantía definitiva, en caso de ser exigible, y sin perjuicio de la eventual revisión de aquélla en vía de recurso especial, conforme a lo dispuesto en el artículo 37.

Por tanto, en relación a la pregunta planteada, consideramos que la adjudicación definitiva requiere de una resolución expresa; y que no se produce implícitamente por el transcurso de los plazos señalados.

Ahora bien, debe tenerse en cuenta que, aunque el contrato se perfeccione por la adjudicación definitiva, la adjudicación provisional tiene el carácter de acto declarativo de derechos que sólo podrá ser modificado o retirado a través de la revisión de oficio, por razón de la ilegalidad de la adjudicación, o por la interposición de un recurso contra dicha adjudicación. Y, de la misma forma, aunque el contrato no se haya perfeccionado, entendemos que al tratarse de un acto declarativo del derecho a ser adjudicatario definitivo, el adjudicatario provisional que ha cumplido con todas sus obligaciones y que no es elevado a adjudicatario definitivo y consiguientemente no se puede formalizar el contrato, podrá reclamar de la Administración indemnización de daños y perjuicios por este incumplimiento.

Artículo 28 *Carácter formal de la contratación del sector público*

1. Los entes, organismos y entidades del sector público no podrán contratar verbalmente, salvo que el contrato tenga, conforme a lo señalado en el artículo 113.1, carácter de emergencia.

2. Los contratos que celebren las Administraciones Públicas se formalizarán de acuerdo con lo previsto en el artículo 156, sin perjuicio de lo señalado para los contratos menores en el artículo 111.

3. Los contratos que celebren otros entes, organismos y entidades del sector público, cuando sean susceptibles de recurso especial en materia de contratación conforme al artículo 40.1 deberán formalizarse en los plazos establecidos en el artículo 156.3.

Concordancias a todo el artículo

➡ **Concordancias normativas**

Artículo 28 de la LCSP 30/2007 y artículo 55 del TRLCAP RDL 2/2000.

Número 3 del artículo 28 introducido por el apartado siete del artículo primero de la Ley 34/2010, de 5 de agosto, de modificación de las Leyes 30/2007, de 30 de octubre, de Contratos del Sector Público, 31/2007, de 30 de octubre, sobre procedimientos de contratación en los sectores del agua, la energía, los transportes y los servicios postales, y 29/1998, de 13 de julio, reguladora de la Jurisdicción Contencioso-Administrativa para adaptación a la normativa comunitaria de las dos primeras («B.O.E». 9 agosto).

Véase artículo 156 de la presente Ley.

☞ **Concordancias Jurisprudenciales**

Tribunal Superior de Justicia de Galicia, Sala de lo Contencioso-administrativo, Sección 3.ª, Sentencia de 13 Oct. 2011, rec. 7062/2011

[LA LEY 195608/2011]

CONTRATOS ADMINISTRATIVOS. Procedencia de los abonos efectuados por los trabajos realizados. Existencia de similitud entre los conceptos impagados y los que fueron abonados, por lo que se pone en duda que no resultaran satisfechos. Dicha afirmación constituye una valoración de la prueba practicada que, por no resultar ilógica e irracional, se convierte en motivo suficiente para desestimar el recurso. Resulta sorprendente que las facturas impagadas se refieran a actividades previas a la que resultó abonada y que sean anteriores a aquélla en 13 meses y que la pagada lo fuera precisamente, en el número de cuenta en la que habrían de satisfacerse las impagadas, por lo que constan dudas sobre la realidad del impago. Si el vuelo fotogramétrico, apoyo topográfico y restitución digital, son previos y necesarios a la revisión de campo, la inserción y la ortofoto digital, que resultaron abonadas, no se comprende que este pago no incluya aquéllos trabajos ni que se esperen otros 3 años en su presentación al cobro. Los trabajos realizados no suponen un beneficio para la entidad local, ya que la realización de la cartografía estaba comprendida en el encargo de redacción del Plan General encomendado a una mercantil.

Tribunal Superior de Justicia de La Rioja, Sala de lo Contencioso-administrativo, Sentencia de 4 Feb. 2010, rec. 174/2009

[LA LEY 26584/2010]

URBANISMO. DEMOLICION. Ejecución subsidiaria. Conformidad a derecho de la liquidación de gastos practicada por la ejecución subsidiaria de obras de derribo, a cargo de los propietarios. No se ha causado ninguna indefensión a éstos, ante la urgencia de la ejecución de las obras de derribo y después del incumplimiento de aquéllos de sus obligaciones de mantener los edificios en condiciones de seguridad y del requerimiento de demolición tras ser declarado en ruina. Se cumplieron los requisitos para acordar la tramitación de urgencia, contratando verbalmente a la empresa ejecutante del derribo. Acreditación de la situación de emergencia tras la revisión de los inmuebles, que se encontraban en un inminente estado de degradación de los elementos estructurales. Respecto al coste de derribo, el recurrente ha tenido la oportunidad de plantear tanto el precio de derribo contratado verbalmente como el informe del técnico municipal informando favorablemente la factura, en el procedimiento jurisdiccional.

CAPÍTULO IV

Remisión de información a efectos estadísticos y de fiscalización

Artículo 29 *Remisión de contratos al Tribunal de Cuentas*

1. Dentro de los tres meses siguientes a la formalización del contrato, para el ejercicio de la función fiscalizadora, deberá remitirse al Tribunal de Cuentas u órgano externo de fiscalización de la Comunidad Autónoma una copia certificada del documento en el que se hubiere formalizado aquél, acompañada de un extracto del expediente del que se derive, siempre que la cuantía del contrato exceda de 600.000 euros, tratándose de obras, concesiones de obras públicas, gestión de servicios públicos y contratos de colaboración entre el sector público y el sector privado; de 450.000 euros, tratándose de suministros, y de 150.000 euros, en los de servicios y en los contratos administrativos especiales.

2. Igualmente se comunicarán al Tribunal de Cuentas u órgano externo de fiscalización de la Comunidad Autónoma las modificaciones, prórrogas o variaciones de plazos, las variaciones de precio y el importe final, la nulidad y la extinción normal o anormal de los contratos indicados.

3. Lo dispuesto en los dos apartados anteriores se entenderá sin perjuicio de las facultades del Tribunal de Cuentas o, en su caso, de los correspondientes órganos de fiscalización externos de las Comunidades Autónomas para reclamar cuantos datos, documentos y antecedentes estime pertinentes con relación a los contratos de cualquier naturaleza y cuantía.

4. Las comunicaciones a que se refiere este artículo se efectuarán por el órgano de contratación en el ámbito de la Administración General del Estado y de los entes, organismos y entidades del sector público dependientes de ella.

➡ **Concordancias normativas**

Artículo 29 de la LCSP 30/2007 y artículo 57 del TRLCAP RDL 2/2000.

Véase Res. 10 mayo 2012, de la Presidencia del Tribunal de Cuentas, por la que se publica el Acuerdo del Pleno de 26 de abril de 2012, por el que se aprueba la Instrucción sobre remisión de los extractos de los expedientes de contratación y de las relaciones anuales de los contratos, celebrados por las Entidades del Sector Público Local, al Tribunal de Cuentas («B.O.E». 12 mayo).

Véase Res [CATALUÑA] 10 abril 2012, por la que se da publicidad a los acuerdos del Pleno de la Sindicatura de Cuentas de Cataluña de 19 de enero y 8 de junio de 2010, y de 13 y 27 de marzo del 2012 que establecen el contenido del extracto de los expedientes de contratación («D.O.G.C». 18 abril).

Véanse:

— Ley Orgánica 2/1982, de 12 de mayo, del Tribunal de Cuentas («B.O.E». 21 mayo).

— Artículos 39 y 40 de la Ley 7/1988, de 5 de abril, de funcionamiento del Tribunal de Cuentas («B.O.E». 7 abril).

Artículo 30 *Datos estadísticos*

En el mismo plazo señalado en el artículo anterior se remitirá por el órgano de contratación a la Junta Consultiva de Contratación Administrativa del Estado la información sobre los contratos que reglamentariamente se determine, a efectos del cumplimiento de la normativa internacional. Asimismo se informará a la mencionada Junta de los casos de modificación, prórroga o variación del plazo, las variaciones de precio y el importe final de los contratos, la nulidad y la extinción normal o anormal de los mismos.

Las Comunidades Autónomas que cuenten con Registros de Contratos podrán dar cumplimiento a estas previsiones a través de la comunicación entre Registros.

Concordancias a todo el artículo

➡ **Concordancias normativas**

Artículo 30 de la LCSP 30/2007 y artículo 58 del TRLCAP RDL 2/2000.

📖 **Doctrina**

«Artículo 30. Datos estadísticos». Vicente Iglesias, José Luis. Esta doctrina forma parte del libro *Comentarios a la Ley 30/2007 de 30 de octubre, de Contratos del Sector Público*, Editorial LA LEY, Madrid, Julio 2008.[LA LEY 6505/2010]

CAPÍTULO V

Régimen de invalidez

Sección 1

Régimen general

Artículo 31 *Supuestos de invalidez*

Además de los casos en que la invalidez derive de la ilegalidad de su clausulado, los contratos de las Administraciones Públicas y los contratos sujetos a regulación armonizada, incluidos los contratos subvencionados a que se refiere el artículo 17, serán inválidos cuando lo sea alguno de sus actos preparatorios o el de adjudicación, por concurrir en los mismos alguna de las causas de derecho administrativo o de derecho civil a que se refieren los artículos siguientes.

Concordancias a todo el artículo

➡ Concordancias normativas

Artículo 31 de la LCSP 30/2007 y artículo 61 del TRLCAP RDL 2/2000.

Capítulo V del título I del libro primero modificado conforme establecen los apartados uno y dos del artículo primero de la Ley 34/2010, de 5 de agosto, de modificación de las Leyes 30/2007, de 30 de octubre, de Contratos del Sector Público, 31/2007, de 30 de octubre, sobre procedimientos de contratación en los sectores del agua, la energía, los transportes y los servicios postales, y 29/1998, de 13 de julio, reguladora de la Jurisdicción Contencioso-Administrativa para adaptación a la normativa comunitaria de las dos primeras («B.O.E». 9 agosto). Téngase en cuenta que los artículos 31, 34.1 y 35.1 han sido modificados por los apartados ocho, nueve y diez del artículo primero de citada norma.

Véase artículo 36 de la presente Ley.

☞ Concordancias Jurisprudenciales

Tribunal Superior de Justicia del Principado de Asturias, Sala de lo Contencioso-administrativo, Sección 1.ª, Sentencia de 30 Sep. 2011, rec. 116/2009

[LA LEY 196303/2011]

COMPETENCIA JUDICIAL. Falta de jurisdicción de la Sala de lo contencioso-administrativo por ser competencia de la jurisdicción civil. El objeto del recurso lo constituye la impugnación de la encomienda o encomiendas realizadas por la Consejería de Administraciones Públicas a una empresa pública para la instalación y puesta en funcionamiento de la TDT en aquellos centros o emplazamientos de difusión de televisión de titularidad pública, así como la convocatoria de los procedimientos de licitación para la contratación de la extensión de la cobertura de la TDT desde centros de radiodifusión. Competencia de la jurisdicción civil para conocer de cuantas cuestiones litigiosas afecten a la preparación y adjudicación de los contratos privados que se celebren por los entes y entidades que no tengan el carácter de Administración Pública, siempre que estos contratos no estén sujetos a regulación armonizada.

Tribunal Superior de Justicia de Andalucía de Granada, Sala de lo Contencioso-administrativo, Sección 1.ª, Sentencia de 22 Feb. 2010, rec. 4843/2002

[LA LEY 57349/2010]

CONTRATO ADMINISTRATIVO DE SERVICIOS. Reclamación de intereses de demora en el pago del precio por parte de la Administración y anatocismo. Rescisión del contrato por incumplimiento de los pagos por el servicio de limpieza en Centro Cultural. Consideración de Administración Pública de la Fundación no habiéndose sometido el procedimiento de contratación al régimen administrativo por causa imputable a la Administración.

⊠ **Consultas**

• Formalización de un contrato administrativo sin el preceptivo expediente de contratación

Contratación Administrativa Práctica, N° 118, Sección Usted Pregunta, Abril 2012, pág. 9, Editorial LA LEY.

[LA LEY 478/2012]

Con el cambio de dirección de un hospital público nos hemos encontrado con un documento que contiene la formalización de un «contrato administrativo de mantenimiento de un instrumental para el diagnostico médico» firmado por el poder adjudicador del mismo y el adjudicatario. De las indagaciones realizadas se desprende la inexistencia de expediente de contratación, aunque con fecha 1 de abril de 2010 se procede por la Gerencia del centro y el adjudicatario a suscribir y firmar el contrato de mantenimiento. El plazo de ejecución es de 4 años con renovación automática por dos años al finalizar aquel. El precio del citado contrato es aproximadamente de 250.000 euros, IVA no incluido. De la lectura de las cláusulas del contrato parece desprenderse que se trata de un contrato de adhesión del órgano contratante a las estipulaciones presentadas por la entidad contratante y no hablo de adjudicataria porque se ha prescindido totalmente del procedimiento de contratación que establece la legislación aplicable. Solicito su opinión sobre las consecuencias jurídicas y efectos que puede generar este documento, suscrito al margen de toda la legalidad vigente. Los pasos a seguir para proceder a su resolución por la vía de la revisión de oficio, así como las responsabilidades de todo tipo que puedan generarse a raíz de la resolución anulando el servicio contratado.

• **Acta previa de ocupación en las expropiaciones urgentes**

¿Puede un acta de ocupación previa convertirse automáticamente en acta de ocupación definitiva?

[11/03/2010 EC 858/2010]

Contestación

El Acta previa de ocupación es propia de las expropiaciones urgentes. En estas, las fases del procedimiento expropiatorio se invierten; de tal forma que la ocupación del terreno es anterior al pago y va unida al depósito de una cantidad en garantía del pago futuro, representando tal cantidad un adelanto del precio definitivo.

La ocupación previa de la finca sólo puede tener lugar cuando se formulen las hojas de depósito previo, por la cuantía equivalente a la capitalización —al tipo de interés legal— del líquido imponible de la finca asignado en el IBI, complementada con la cantidad en que se cifren los daños y perjuicios que origina la rápida y previa ocupación. Las cantidades resultantes serán abonadas o depositadas. Sólo entonces, podrá procederse a la ocupación real de la finca.

Consumada la ocupación de la finca, deberá iniciarse el expediente de justiprecio. No es posible confundir el depósito previo a la urgente ocupación, con el justiprecio (STS de 14 de abril de 1959), ya que el justiprecio definitivo se fija después de realizada la ocupación. El depósito previo es una estimación provisional de daños estimada por la Administración, no por el Jurado, que con su depósito autoriza a ocupar el bien expropiado.

En el interregno entre el depósito previo y el pago definitivo, no hay transferencia de propiedad, sino de posesión administrativa sometida a la condición resolutoria, la del pago total. La transmisión de la propiedad es posterior al pago del justiprecio ya que, hasta que el pago total no se consuma, la inscripción registral no tiene lugar. Hasta entonces, sólo procede la anotación preventiva sobre la base del acta previa de ocupación y el pago del depósito previo o su consignación.

Al presentarse en el Registro de la Propiedad el acta previa de ocupación y el justificante del depósito previo, se procederá por el Registrador a practicar anotación preventiva. Sólo cuando el precio se fija definitivamente y se paga o consigna, procede la inscripción [Resolución de la Dirección General del Registro y del Notariado de 9 de junio de 1992 (EC 1865/1994].

El Acta de ocupación propiamente dicha o definitiva tiene lugar una vez fijado el justiprecio definitivo de la finca. El pago de la cantidad que ha sido fijada como justiprecio determina, normalmente, el momento en que, cumplida la obligación de previa indemnización, se considera producida la transmisión, pudiendo ocupar la finca la Administración [art. 51 de la Ley de 16 de diciembre de 1954 (BOE del 17), de Expropiación Forzosa (LEF) y 52 del Reglamento de la Ley de Expropiación Forzosa (REF), aprobado por Decreto de 26 de abril de 1957 (BOE de 20 de junio)]. El procedimiento para la ocupación lo establece el art. 53 REF, al decir que, pagado el justo precio o consignado en forma legal se notificará a los ocupantes de la finca expropiada el plazo en que deben desalojarla.

Al Acta de pago o consignación subseguirá el acta de ocupación. Se levantará acta de ocupación por cada finca [art. 31.1 del Real Decreto Legislativo 2/2008, de 20 de junio (BOE del 26), por el que se aprueba el texto refundido de la ley de suelo (LS 2008)].

Los requisitos del acta de ocupación propiamente dicha son distintos del acta previa. Tras el pago del justiprecio de la finca o consignación, procede levantar el acta de ocupación correspondiente a cada finca afectada por el expediente expropiatorio (Véase los artículos 209 RGU y 51 LEF).

Sus efectos también son distintos. Una vez levantadas las actas de pago y ocupación, se entiende adquirida la finca libre de cargas y gravámenes; estas quedan extinguidas. Y el acta de ocupación unida a la de pago es título inscribible y determinan la adquisición de la propiedad de la finca expropiada. El acta previa de ocupación sólo da lugar a una anotación preventiva que acredita la posesión provisional de la finca expropiada.

En consecuencia, no cabe simplemente elevar a definitiva el acta previa de las ocupaciones urgentes. El acta de ocupación sólo es posible levantarla tras el pago del justiprecio de la finca. Y es la que determina la adquisición de la propiedad del bien expropiado.

Artículo 32 *Causas de nulidad de derecho administrativo*

Son causas de nulidad de derecho administrativo las siguientes:

a) Las indicadas en el artículo 62.1 de la Ley 30/1992, de 26 de noviembre (LA LEY 3279/1992).

b) La falta de capacidad de obrar o de solvencia económica, financiera, técnica o profesional, debidamente acreditada, del adjudicatario, o el estar éste incurso en alguna de las prohibiciones para contratar señaladas en el artículo 60.

☞ **Concordancias Jurisprudenciales**

Tribunal Superior de Justicia de Les Illes Balears, Sala de lo Contencioso-administrativo, Sentencia de 22 Dic. 2011, rec. 377/2009

[LA LEY 250280/2011]

CONTRATOS ADMINISTRATIVOS. Partes del contrato. Capacidad y solvencia del empresario. Solvencia. -- Preparación de los contratos. Expediente de contratación. Pliegos de cláusulas administrativas. -- Adjudicación de los contratos. Selección del adjudicatario. Valoración de las ofertas. PROCESO CONTENCIOSO-ADMINISTRATIVO. Capacidad procesal. Personas jurídicas. Acuerdo del órgano correspondiente. -- Capacidad procesal. Personas jurídicas. Casos de inexistencia.

⊠ **Consultas**

• **Las comunidades de bienes no tienen capacidad para contratar con una administración pública**

¿Pueden adjudicarse contratos de obras y/o suministros a comunidades de bienes? ¿Qué ocurriría si ya se hubiesen adjudicado?

[25/05/2009 EC 1580/2009]

Contestación

El art. 43 de la Ley 30/2007, de 30 de octubre (BOE del 31), de Contratos del Sector Público (LCSP), al regular la capacidad para contratar establece, como hacía el derogado art. 15 TR LCAP que sólo podrán contratar con el sector público las personas naturales o jurídicas, españolas o extranjeras, que tengan plena capacidad de obrar, no estén incursas en una prohibición de contratar, y acrediten su solvencia económica, financiera y técnica o profesional o, en los casos en que así lo exija esta ley, se encuentren debidamente clasificadas. Admitiendo el art. 48 una excepción respecto a las uniones temporales de empresas.

Por tanto, las comunidades de bienes no tienen capacidad para contratar con la Administración. En este sentido se pronuncia claramente el Informe 12/2003, de 23 de julio de 2003, de la Junta Consultiva de Contratación Administrativa «Capacidad para contratar con las Administraciones Públicas de las sociedades civiles y de las comunidades de bienes. Posibilidad de contratar con una pluralidad de personas físicas», que señala, entre otras cosas, que: «(...) La segunda cuestión planteada —la de la capacidad de contratar con la Administración de las comunidades de bienes— ha de ser resuelta en sentido negativo sobre la base de su carencia de personalidad y del artículo 15 de la Ley de Contratos de las Administraciones Públicas en cuanto limita la posibilidad de contratar a las personas naturales o jurídicas y únicamente la legislación de contratos de las Administraciones Públicas admite la excepción de las uniones temporales de empresas, a la que más adelante aludiremos, siendo, por otra parte, este criterio reiteradamente mantenido por las Comisiones de Clasificación de esta Junta al denegar la clasificación a las comunidades de bienes, por faltarles el requisito de la personalidad (...)». Concluyendo en su informe «que las comunidades de bienes, carentes de personalidad, no pueden contratar con la Administración por esta circunstancia.»

En cuanto a las consecuencias que pueden derivarse de la contratación con una comunidad de bienes, carente de personalidad, debe tenerse presente lo establecido en el art. 32.b) LCSP, cuando señala que son causas de nulidad de derecho administrativo las siguientes: la falta de capacidad de obrar o de solvencia económica, financiera, técnica o profesional, debidamente acreditada, del adjudicatario, o el estar éste incurso en alguna de las prohibiciones para contratar señaladas en el artículo 49.

Por lo que se refiere a los efectos de la declaración de nulidad, dispone el art. 35 que la declaración de nulidad de los actos preparatorios del contrato o de la adjudicación provisional o definitiva, cuando sea firme, llevará en todo caso consigo la del mismo contrato, que entrará en fase de liquidación, debiendo restituirse las partes recíprocamente las cosas que hubiesen recibido en virtud del mismo y si esto no fuese posible se devolverá su valor. La parte que resulte culpable deberá indemnizar a la contraria de los daños y perjuicios que haya sufrido.

c) La carencia o insuficiencia de crédito, de conformidad con lo establecido en la Ley 47/2003, de 26 de noviembre, General Presupuestaria (LA LEY 1781/2003), o en las normas presupuestarias de las restantes Administraciones Públicas sujetas a esta Ley, salvo los supuestos de emergencia.

Concordancias a todo el artículo

➡ **Concordancias normativas**

Artículo 32 de la LCSP 30/2007 y artículos 22 y 62 del TRLCAP RDL 2/2000.

☞ **Concordancias Jurisprudenciales**

Tribunal Superior de Justicia de Les Illes Balears, Sala de lo Contencioso-administrativo, Sentencia de 6 Feb. 2012, rec. 469/2011

[LA LEY 11655/2012]

CONTRATOS ADMINISTRATIVOS. Contratos de servicios. Explotación de los servicios de temporada en el litoral. Adjudicación. Nulidad de pleno derecho. Retroacción del procedimiento al momento en el que se admite indebidamente la propuesta de uno de los licitadores. Desviación procesal. Inexistencia. No concurre supuesto alguno de inadmisibilidad parcial toda vez que no se contempla ningún recurso especial en materia de contratación, basta con agotar la vía administrativa e interponer el recurso contencioso-administrativo. En todo caso, la configuración inicial del recurso especial en materia de contratación es considerado contrario a derecho comunitario. Examen del requisito de solvencia económico-financiera. Ausencia de justificación y aportación de las propias aclaraciones que la Mesa efectúa, relativas a la prueba de la real concurrencia de la solvencia económico-financiera. Sin embargo, y a pesar de no acreditar la solvencia económico-financiera, no se acredita trato alguno de favor a la UTE adjudicataria a la hora de valorar sus mejoras.

Tribunal Superior de Justicia de Galicia, Sala de lo Contencioso-administrativo, Sección 2.ª, Sentencia de 26 Ene. 2012, rec. 4311/2011

[LA LEY 5686/2012]

CONTRATO ADMINISTRATIVO DE GESTIÓN DE SERVICIOS PÚBLI-COS. CONTRATOS ADMINISTRATIVOS. Preparación de los contratos. Expediente de contratación. Pliegos de cláusulas administrativas. -- Adjudicación de los contratos. Licitación. Concurso-subasta. -- Adjudicación de los contratos. Selección del adjudicatario. Valoración de las ofertas.

Tribunal Superior de Justicia del Principado de Asturias, Sala de lo Contencioso-administrativo, Sección 1.ª, Sentencia de 30 Sep. 2011, rec. 116/2009

[LA LEY 196303/2011]

COMPETENCIA JUDICIAL. Falta de jurisdicción de la Sala de lo contencioso-administrativo por ser competencia de la jurisdicción civil. El objeto del recurso lo constituye la impugnación de la encomienda o encomiendas realizadas por la Consejería de Administraciones Públicas a una empresa pública para la instalación y puesta en funcionamiento de la TDT en aquellos centros o emplazamientos de difusión de televisión de titularidad pública, así como la convocatoria de los procedimientos de licitación para la contratación de la extensión de la cobertura de la TDT desde centros de radiodifusión. Competencia de la jurisdicción civil para conocer de cuantas cuestiones litigiosas afecten a la preparación y adjudicación de los contratos privados que se celebren por los entes y entidades que no tengan el carácter de Administración Pública, siempre que estos contratos no estén sujetos a regulación armonizada.

Tribunal Administrativo Central de Recursos Contractuales, Resolución de 14 Sep. 2011, rec. 191/2011

[LA LEY 191918/2011]

CONTRATO ADMINISTRATIVO DE SERVICIOS. Adjudicación de contrato de solución integral para la externalización de los sistemas ERP de Correos. RECURSO ESPECIAL EN MATERIA DE CONTRATACIÓN. Estimación parcial. Incorrecta motivación del acto de adjudicación. La entidad contratante, si bien ha practicado correctamente la notificación genérica, al no suministrar la información complementaria solicitada por la interesada, no ha cumplido con los requisitos que en cuanto a información a los licitadores se contemplan en la Ley, no permitiendo que pueda interponer reclamación adecuadamente fundada frente a la adjudicación realizada. Deben retrotraerse las actuaciones hasta el momento anterior a la notificación de la adjudicación, al objeto de que la misma se notifique debidamente motivada a todos los licitadores.

Tribunal Superior de Justicia de Castilla y León de Burgos, Sala de lo Contencioso-administrativo, Sección 1.ª, Sentencia de 8 Abr. 2011, rec. 241/2010

[LA LEY 30991/2011]

IMPUESTO SOBRE EL VALOR AÑADIDO. Sujeto pasivo. Repercusión del impuesto. -- Obligaciones formales. Facturación. RECURSO DE APE-LACIÓN CONTENCIOSO-ADMINISTRATIVO. Sentencia de apelación. Rectificación de errores materiales.

Tribunal Superior de Justicia de Castilla-La Mancha, Sala de lo Contencioso-administrativo, Sección 1.ª, Sentencia de 28 Jun. 2010, rec. 321 y 322/2007

[LA LEY 120590 y 120591/2010]

JUECES Y MAGISTRADOS.

✉ **Consultas**

• **Servicio de apoyo a la actividad inspectora de la Administración**

El Ayuntamiento desea contratar a una empresa para que aflore la deuda oculta. ¿Cómo fijamos el precio? ¿Qué procedimiento debemos seguir?

[05/06/2012 EC 1317/2012]

Contestación

No se concreta el objeto del contrato, aunque entendemos que deberá estar en el ámbito del art. 10 del Real Decreto Legislativo 3/2011, de 14 de noviembre (LA LEY 21158/2011) (BOE del 16), por el que se aprueba el texto refundido de la Ley de Contratos del Sector Público (TRLCSP (LA LEY 21158/2011)), que define el contrato de servicios como aquellos «cuyo objeto son prestaciones de hacer consistentes en el desarrollo de una actividad o dirigidos a la obtención de un resultado distinto a una obra de suministro». La ambigüedad de esta definición intenta paliarse con una remisión a las categorías a que se remite este precepto enumeradas en el anexo II de la Ley.

No obstante, las funciones del colaborador deberán ser definidas salvando, evidentemente, las administrativas relacionadas con el ejercicio de autoridad. Se recomienda la lectura de la STS Castilla y León de 22 de mayo de 2007 (LA LEY 138276/2007) (LA LEY 138276/2007), en relación a un recurso para la anulación de los pliegos que rigieron la contratación de una empresa colaboradora en la recaudación, en la que se afirma que «es lo cierto que no se precisa hasta dónde ha de llegar esta colaboración y si se analiza todo el ámbito material de la misma, se llega más bien a la conclusión de que la sedicente colaboración llega mucho más lejos, produciendo en realidad un auténtico desplazamiento en el ejercicio de funciones públicas que han de ser objeto de gestión directa»; anulando el acuerdo de aprobación de los pliegos.

A la hora de establecer el precio de estas colaboraciones, no debemos dejarnos llevar por las propuestas que las empresas traen a nuestras entidades locales; que en su mayor parte se instrumentan como un porcentaje de la deuda que se investigue. Esto es, el resultado de la investigación no va a ser la recaudación que de los datos proporcionados por el adjudicatario podamos obtener (téngase en cuenta que algunas liquidaciones podremos realizarlas de varios ejercicios), sino que se contrata la entrega de unos datos que, tras notificar la liquidación, pueden resultar incluso erróneos, o irrealizables económicamente por la razón que sea (devengo no significa caja), y sobre esa actividad es sobre la que hay que establecer un precio.

Lo que debemos realizar es una valoración seria del trabajo que van a realizar, sobre la base de conocer el estado en el que se encuentran los padrones municipales, y el grado de error que pueden contener. Las cifras de recaudación voluntaria y ejecutiva de los últimos cinco años podrán darnos una idea de esta situación; teniendo en cuenta, si es posible explotar ese dato, el número de notificaciones edictales que se realizan de la providencia de apremio, y el porcentaje que ello supone sobre el total de obligados tributarios. Otro dato a tener en cuenta es la comparación del número de contribuyentes en los listados cobratorios de agua, basura e IBI, para contrastar su homogeneidad. Con estos datos, deberíamos estar en condiciones de calcular un precio unitario por cada expediente, que nos permita hacer un alta en un padrón: determinando, de manera detallada, la información que ha de contener cada expediente que se entregue. Dependiendo de cómo pueda tratarse esa información, el precio puede ser superior: si la información debe ser posteriormente mecanizada por los propios servicios municipales, que liquidarán, aprobarán las liquidaciones y notificarán las deudas pendientes, el precio será menor que si la información puede ser trasladada a los sistemas municipales por el adjudicatario.

Debe tenerse la cautela, también, de recoger en el pliego, entre las obligaciones del adjudicatario, la de emitir informes en relación con las eventuales alegaciones que puedan presentarse a las futuras liquidaciones, que conllevarán la emisión de facturas de abono, en caso de probarse tras el recurso, que el alta no podía ser tramitada. Para ello, también en el pliego, se recogerá la obligación del adjudicatario de estudiar las ordenanzas municipales que se le entreguen; para determinar con absoluta precisión el hecho imponible de estas, recabando la información necesaria del servicio municipal que corresponda.

Téngase en cuenta, también en relación con el pliego, que el Ayuntamiento deberá facilitar la totalidad de las listas cobratorias a investigar al adjudicatario; por lo que deberá respetarse lo recogido en la Ley Orgánica 15/1999, de 13 de diciembre (LA LEY 4633/1999) (BOE del 14), de Protección de Datos de Carácter Personal, en este tipo de relaciones.

En cuanto al modo de contratar este tipo de servicios, alguna propuesta para este tipo de contratos es que con los resultados de la recaudación se generen recursos para la contratación. Evidentemente, la necesidad de crédito presupuestario previamente a la contratación es una obligación legal (el art. 32.2 TRLCSP (LA LEY 21158/2011) sanciona su falta o insuficiencia con la nulidad administrativa), que no puede quedar condicionada a futuros ingresos (en el mismo sentido, Véase EC 106/2012). Por lo tanto, la Entidad Local deberá conocer qué cantidad de crédito es posible destinar a esta contratación; haciendo una reserva del importe indicado y adjudicando las tareas con precios unitarios, que se irán facturando a medida que se entreguen los trabajos de acuerdo a las especificaciones del pliego. Para la contratación de estos servicios a precios unitarios pueden usarse las normas previstas en el Capítulo II del Título II del Libro III para los acuerdos marco celebrados con un único empresario (que el art. 9 TRLCSP (LA LEY 21158/2011) considera obligatorias para los contratos de suministro a precio unitario) o tramitar el procedimiento que corresponda según la cuantía de la reserva a realizar.

Artículo 33 *Causas de anulabilidad de derecho administrativo*

Son causas de anulabilidad de derecho administrativo las demás infracciones del ordenamiento jurídico y, en especial, las de las reglas contenidas en la presente Ley, de conformidad con el artículo 63 de la Ley 30/1992, de 26 de noviembre (LA LEY 3279/1992).

Concordancias a todo el artículo

➡ **Concordancias normativas**

Artículo 33 de la LCSP 30/2007 y artículo 63 del TRLCAP RDL 2/2000.

☞ **Concordancias Jurisprudenciales**

Tribunal Superior de Justicia de Les Illes Balears, Sala de lo Contencioso-administrativo, Sentencia de 22 Dic. 2011, rec. 377/2009

[LA LEY 250280/2011]

CONTRATOS ADMINISTRATIVOS. Partes del contrato. Capacidad y solvencia del empresario. Solvencia. -- Preparación de los contratos. Expediente de contratación. Pliegos de cláusulas administrativas. -- Adjudicación de los contratos. Selección del adjudicatario. Valoración de las ofertas. PROCESO CONTENCIOSO-ADMINISTRATIVO. Capacidad procesal. Personas jurídicas. Acuerdo del órgano correspondiente. -- Capacidad procesal. Personas jurídicas. Casos de inexistencia.

Tribunal Superior de Justicia de Castilla y León de Burgos, Sala de lo Contencioso-administrativo, Sección 1.ª, Sentencia de 8 Abr. 2011, rec. 241/2010

[LA LEY 30991/2011]

IMPUESTO SOBRE EL VALOR AÑADIDO. Sujeto pasivo. Repercusión del impuesto. -- Obligaciones formales. Facturación. RECURSO DE APELACIÓN CONTENCIOSO-ADMINISTRATIVO. Sentencia de apelación. Rectificación de errores materiales.

Juzgado de lo Contencioso-administrativo N.°. 2 de Bilbao, Sentencia de 13 Sep. 2010, rec. 1158/2009

[LA LEY 255166/2010]

CONTRATOS ADMINISTRATIVOS. Contrato de suministro. Suministro de contenedores de carga lateral para la recogida de residuos sólidos urbanos. Adjudicación. Anulación. Desviación de poder en la actuación municipal. Doctrina sobre la existencia de desviación de poder. La adjudicación del contrato no tiene como objetivo la satisfacción de las necesidades municipales en cuanto al suministro de contenedores, puesto que tales contenedores ya se han entregado y se encuentran en poder del Ayuntamiento, sino que trata de hacer posible el pago de dos facturas por la adquisición de sendas partidas de contenedores y cuyo desembolso no se efectúa al haberse opuesto reparos por el responsable de la fiscalización de las cuentas de la Corporación.

Artículo 34 *Revisión de oficio*

1. La revisión de oficio de los actos preparatorios y de los actos de adjudicación de los contratos de las Administraciones Públicas y de los contratos sujetos a regulación armonizada se efectuará de conformidad con lo establecido en el Capítulo primero del Título VII de la Ley 30/1992, de 26 de noviembre (LA LEY 3279/1992).

2. Sin perjuicio de lo que, para el ámbito de las Comunidades Autónomas, establezcan sus normas respectivas que, en todo caso, deberán atribuir esta competencia a un órgano cuyas resoluciones agoten la vía administrativa, serán competentes para declarar la nulidad de estos actos o declarar su lesividad el órgano de contratación, cuando se trate de contratos de una Administración Pública, o el titular del departamento, órgano, ente u organismo al que esté adscrita la entidad contratante o al que corresponda su tutela, cuando ésta no tenga el carácter de Administración Pública. En este último caso, si la entidad contratante estuviera vinculada a más de una Administración, será competente el órgano correspondiente de la que ostente el control o participación mayoritaria.

En el supuesto de contratos subvencionados, la competencia corresponderá al titular del departamento, órgano, ente u organismo que hubiese otorgado la subvención, o al que esté adscrita la entidad que la hubiese concedido, cuando ésta no tenga el carácter de Administración Pública. En el supuesto de concurrencia de subvenciones por parte de distintos sujetos del sector público, la competencia se determinará atendiendo a la subvención de mayor cuantía y, a igualdad de importe, atendiendo a la subvención primeramente concedida.

3. Salvo determinación expresa en contrario, la competencia para declarar la nulidad o la lesividad se entenderá delegada conjuntamente con la competencia para contratar. No obstante, la facultad de acordar

una indemnización por perjuicios en caso de nulidad no será susceptible de delegación, debiendo resolver sobre la misma, en todo caso, el órgano delegante; a estos efectos, si se estimase pertinente reconocer una indemnización, se elevará el expediente al órgano delegante, el cual, sin necesidad de avocación previa y expresa, resolverá lo procedente sobre la declaración de nulidad conforme a lo previsto en el artículo 102.4 de la Ley 30/1992, de 26 de noviembre (LA LEY 3279/1992).

4. En los supuestos de nulidad y anulabilidad, y en relación con la suspensión de la ejecución de los actos de los órganos de contratación, se estará a lo dispuesto en la Ley 30/1992, de 26 de noviembre (LA LEY 3279/1992).

Concordancias a todo el artículo

➡ **Concordancias normativas**

Artículo 34 de la LCSP 30/2007 y artículo 64 del TRLCAP RDL 2/2000.

☞ **Concordancias Jurisprudenciales**

Tribunal Administrativo Central de Recursos Contractuales, Resolución de 22 Feb. 2012, rec. 26/2012

CONTRATO ADMINISTRATIVO DE SERVICIOS. Contratación de los servicios postales y de paquetería en el ámbito del Servicio Público de Empleo Estatal. RECURSO DE REVISIÓN. Inadmisión del recurso interpuesto por Correos contra la Resolución del Tribunal que inadmitía el recurso especial en materia de contratación interpuesto por la misma empresa contra la Resolución de adjudicación del procedimiento abierto, por no darse ninguna de las circunstancias previstas en la normativa. Centra su controversia en la afirmación de que, no obstante todas las dichas circunstancias, la inadmisión por extemporaneidad declarada por la resolución recurrida debe ceder ante la circunstancia de que la notificación del acuerdo de adjudicación indicaba, erróneamente, que el plazo de interposición vencía en fecha y hora concreta, con implícita invocación del principio de confianza legítima y explícita cita de diversos pronunciamientos judiciales que avalarían su tesis. Se sobrepasan los márgenes del error de hecho susceptible de revisión. Difícilmente pueden considerarse «aparecidas» sentencias obrantes en las bases de datos de uso común entre profesionales del derecho.

⊠   **Consultas**

• **Subsanación de errores en la valoración de las ofertas una vez adjudicado el contrato**

Adjudicado un contrato todavía pendiente de formalización, se ha detectado un error en la valoración de las ofertas presentadas por los licitadores (no se ha puntuado a un licitador por uno de los criterios de adjudicación). Como en este caso no procedería el desistimiento del procedimiento de adjudicación previsto en el artículo 139 de la LCAP ya que el contrato está adjudicado ¿Qué procedimiento deberíamos seguir para corregir el error detectado?

Contratación Administrativa Práctica, N° 111, Sección Usted Pregunta, Septiembre 2011, Editorial LA LEY

[LA LEY 1010/2011]

Respuesta

La posibilidad de renuncia de la Administración a celebrar el contrato prevista en el artículo 139 de la Ley 30/2007, de 30 de octubre (LA LEY 10868/2007), de Contratos del Sector Público está prevista para la fase previa a la adjudicación del contrato. Si la adjudicación ya ha tenido lugar, la fase siguiente del procedimiento de contratación es la formalización del contrato en los plazos establecidos en el artículo 140 de la Ley 30/2007 (LA LEY 10868/2007), distinguiendo los supuestos en que el contrato sea susceptible de recurso especial en materia de contratación o no.

Lo que resulta evidente es que si se ha producido una anomalía en el proceso de adjudicación de manera que la formalización con el adjudicatario traiga causa de un acto viciado, la formalización del contrato no ha de producirse, debiéndose declarar la nulidad del acto de adjudicación. Así resulta de la Sentencia del Tribunal Superior de Justicia del País Vasco, Sala de lo Contencioso-administrativo, Sección 3.ª, de 23 de junio de 2003, recurso 5476/1998 (LA LEY 110670/2003) (LA LEY 110670/2003), que en un supuesto en que la Administración confundió en el pliego las dos fases que hemos explicitado en párrafos precedentes, incidiendo con su error en el resultado final, y que de no haberse producido hubiera dado, como es fácilmente observable, uno diferente y favorable a la posición del recurrente, por lo que de cuanto antecede se deduce la pertinencia de la estimación del recurso contencioso-administrativo y la anulación del acuerdo impugnado.

Acreditado el error en el proceso de valoración de las ofertas, y sin perjuicio de la facultad revisora de la jurisdicción contencioso-administrativa que tiene competencia y potestad para revisar los actos de la Administración que resuelve la adjudicación de concursos, la Administración de oficio también puede instar dicha revisión. Tal posibilidad resulta de lo dispuesto en el artículo 34 de la Ley 30/2007 (LA LEY 10868/2007) que regula la revisión de oficio de los actos preparatorios y de los actos de adjudicación de los contratos de las Administraciones Públicas, remitiéndose al régimen previsto en el Capítulo I del Título VII de la Ley 30/1992, de 26 de noviembre (LA LEY 3279/1992) de Régimen Jurídico de las Administraciones Públicas y del Procedimiento Administrativo Común, artículos 102 y siguientes.

La tramitación del procedimiento de revisión de oficio del acto de adjudicación implica conforme al artículo 140.3 de la Ley 30/2007 (LA LEY 10868/2007) la no formalización del contrato por causas imputables a la Administración.

En conclusión, considerando a la adjudicación como un acto administrativo que crea un vínculo obligacional, como tal acto declarativo de derechos, en principio es irrevocable, lo que no empece a su revisión en vía administrativa o jurisdiccional. De este modo, si según la consulta se ha producido un error en la valoración de las ofertas y la Administración de oficio quiere subsanarlo, consideramos se ha de acudir al procedimiento de la revisión de oficio del acto de adjudicación, debiéndose determinar si procede declarar la nulidad de dicho acto por estar en alguno de los supuestos del artículo 62.1 de la Ley 30/1992 (LA LEY 3279/1992), o la declaración de anulabilidad si se está en alguno de los supuestos del artículo 63.

Sin conocer el error en que ha incurrido el órgano de adjudicación y el contenido de los pliegos, nos decantamos por considerar como más posible un supuesto de nulidad de pleno derecho conforme a lo dispuesto en las letras e) —los dictados prescindiendo total y absolutamente del procedimiento legalmente establecido o de las normas que contienen las reglas esenciales para la formación de la voluntad de los órganos colegiados— o f) —los actos expresos o presuntos contrarios al ordenamiento jurídico por los que se adquieren facultades o derechos cuando se carezca de los requisitos esenciales para su adquisición—.

Artículo 35 *Efectos de la declaración de nulidad*

1. La declaración de nulidad de los actos preparatorios del contrato o de la adjudicación, cuando sea firme, llevará en todo caso consigo la del mismo contrato, que entrará en fase de liquidación, debiendo restituirse las partes recíprocamente las cosas que hubiesen recibido en virtud del mismo y si esto no fuese posible se devolverá su valor. La parte que resulte culpable deberá indemnizar a la contraria de los daños y perjuicios que haya sufrido.

2. La nulidad de los actos que no sean preparatorios sólo afectará a éstos y sus consecuencias.

3. Si la declaración administrativa de nulidad de un contrato produjese un grave trastorno al servicio público, podrá disponerse en el mismo acuerdo la continuación de los efectos de aquél y bajo sus mismas cláusulas, hasta que se adopten las medidas urgentes para evitar el perjuicio.

Concordancias a todo el artículo

➡ **Concordancias normativas**

Artículo 35 de la LCSP 30/2007 y artículos 22 y 65 del TRLCAP RDL 2/2000.

☞ **Concordancias Jurisprudenciales**

Tribunal Superior de Justicia de Castilla-La Mancha, Sala de lo Contencioso-administrativo, Sección 1.ª, Sentencia de 28 Jun. 2010, rec. 321 y 322/2007

[LA LEY 120590 y 120591/2010]

JUECES Y MAGISTRADOS.

Artículo 36 *Causas de invalidez de derecho civil*

La invalidez de los contratos por causas reconocidas en el derecho civil, en cuanto resulten de aplicación a los contratos a que se refiere el artículo 31, se sujetará; a los requisitos y plazos de ejercicio de las acciones establecidos en el ordenamiento civil, pero el procedimiento para hacerlas valer se someterá a lo previsto en los artículos anteriores para los actos y contratos administrativos anulables.

Concordancias a todo el artículo

➡ **Concordancias normativas**

Artículo 36 de la LCSP 30/2007 y artículo 66 del TRLCAP RDL 2/2000.

Artículos 1300 y ss. del Código Civil.

☞ **Concordancias Jurisprudenciales**

Tribunal Superior de Justicia de Castilla y León de Burgos, Sala de lo Contencioso-administrativo, Sección 1.ª, Sentencia de 8 Abr. 2011, rec. 241/2010

[LA LEY 30991/2011]

IMPUESTO SOBRE EL VALOR AÑADIDO. Sujeto pasivo. Repercusión del impuesto. -- Obligaciones formales. Facturación. RECURSO DE APELACIÓN CONTENCIOSO-ADMINISTRATIVO. Sentencia de apelación. Rectificación de errores materiales.

Sección 2

Supuestos especiales de nulidad

Artículo 37 *Supuestos especiales de nulidad contractual*

1. Los contratos sujetos a regulación armonizada a que se refieren los artículos 13 a 17, ambos inclusive, de esta Ley así como los contratos de servicios comprendidos en las categorías 17 a 27 del Anexo II cuyo valor estimado sea igual o superior a 193.000 euros serán nulos en los siguientes casos:

a) Cuando el contrato se haya adjudicado sin cumplir previamente con el requisito de publicación del anuncio de licitación en el «Diario Oficial de la Unión Europea», en aquellos casos en que sea preceptivo, de conformidad con el artículo 142.

b) Cuando no se hubiese respetado el plazo de quince días hábiles previsto en el artículo 156.3 para la formalización del contrato siempre que concurran los dos siguientes requisitos:

1.º Que por esta causa el licitador se hubiese visto privado de la posibilidad de interponer el recurso regulado en los artículos 40 y siguientes y,

2.º que, además, concurra alguna infracción de los preceptos que regulan el procedimiento de adjudicación de los contratos que le hubiera impedido obtener ésta.

c) Cuando a pesar de haberse interpuesto el recurso especial en materia de contratación a que se refieren los artículos 40 y siguientes, se lleve a efecto la formalización del contrato sin tener en cuenta la suspensión automática del acto de adjudicación en los casos en que fuera procedente, y sin esperar a que el órgano independiente hubiese dictado resolución sobre el mantenimiento o no de la suspensión del acto recurrido.

d) Tratándose de un contrato basado en un acuerdo marco del artículo 196 celebrado con varios empresarios que por su valor estimado deba ser considerado sujeto a regulación armonizada, si se hubieran incumplido las normas sobre adjudicación establecidas en párrafo segundo del artículo 198.4.

e) Cuando se trate de la adjudicación de un contrato específico basado en un sistema dinámico de contratación en el que estuviesen admitidos varios empresarios, siempre que el contrato a adjudicar esté sujeto a regulación armonizada y se hubieran incumplido las normas establecidas en el artículo 202 sobre adjudicación de tales contratos.

☞ **Concordancias Jurisprudenciales**

Audiencia Nacional, Sala de lo Contencioso-administrativo, Sección 4.ª, Sentencia de 18 Ene. 2012, rec. 313/2010

[LA LEY 2513/2012]

PROCEDIMIENTO ADMINISTRATIVO. Conformidad a derecho de la inadmisión a trámite del recurso especial en materia de contratación interpuesto por la entidad interesada contra la adjudicación provisional de contrato a favor de otra entidad. El contrato tiene por objeto «la prestación de asistencia y transporte sanitario por medio de determinado número de unidades especializadas y destinadas al traslado de personas beneficiarias de los servicios asistenciales de la Mutua de Accidentes de Canarias en los servicios que presta en su condición de Mutua de Accidentes de Trabajo y Enfermedades Profesionales de la Seguridad Social, con ámbito que se extiende a toda la Comunidad Autónoma». El contrato, definido como contrato privado en el pliego de condiciones, no queda sujeto a la jurisdicción contencioso-administrativo, porque no ha sido celebrado por una Administración y no está sujeto a legislación armonizada, en función de su categoría.

Tribunal Administrativo Central de Recursos Contractuales, Resolución de 24 Feb. 2011, rec. 039/2011

[LA LEY 14668/2011]

CONTRATO ADMINISTRATIVO DE SUMINISTROS. Adjudicación, mediante procedimiento negociado sin publicidad, del contrato de suministros de una carretilla elevadora para los servicios aéreos del aeródromo de la Base Naval de Rota. RECURSO ESPECIAL EN MATERIA DE CONTRATACIÓN. Inadmisión. El contrato no es susceptible de este recurso. En los contratos de suministros sólo es posible formular el recurso especial en materia de contratación cuando se encuentran sujetos a regulación armonizada, siendo contratos sujetos a regulación armonizada aquellos cuyo valor estimado sea igual o superior al fijado legalmente, cuando, por pertenecer el órgano de contratación al sector de la defensa, los productos objeto del suministro se enumeren en el anexo correspondiente de la Ley o alcancen el importe fijado para cuando no se incluyan en dicho anexo. CUESTIÓN DE NULIDAD. Inadmisión, por no encontrarse en ninguno de los supuestos previstos en el texto legal.

2. No obstante lo dispuesto en el apartado anterior, no procederá la declaración de nulidad a que se refiere este artículo en el supuesto de la letra a) del apartado anterior si concurren conjuntamente las tres circunstancias siguientes:

a) Que de conformidad con el criterio del órgano de contratación el contrato esté incluido en alguno de los supuestos de exención de publicación del anuncio de licitación en el «Diario Oficial de la Unión Europea» previstos en esta Ley.

b) Que el órgano de contratación publique en el «Diario Oficial de la Unión Europea» un anuncio de transparencia previa voluntaria en el que se manifieste su intención de celebrar el contrato y que contenga los siguientes extremos:

— Identificación del órgano de contratación.

— Descripción de la finalidad del contrato.

— Justificación de la decisión de adjudicar el contrato sin el requisito de publicación del artículo 142.

— Identificación del adjudicatario del contrato.

— Cualquier otra información que el órgano de contratación considere relevante.

c) Que el contrato no se haya perfeccionado hasta transcurridos diez días hábiles a contar desde el siguiente al de publicación del anuncio.

3. No procederá la declaración de nulidad a que se refiere este artículo en los supuestos de las letras d) y e) si concurren conjuntamente las dos condiciones siguientes:

a) Que el órgano de contratación haya notificado a todos los licitadores afectados la adjudicación del contrato y, si lo solicitan, los motivos del rechazo de su candidatura o de su proposición y de las características de la proposición del adjudicatario que fueron determinantes de la adjudicación a su favor, sin perjuicio de lo dispuesto en el artículo 153 en cuanto a los datos cuya comunicación no fuera procedente.

b) Que el contrato no se hubiera perfeccionado hasta transcurridos quince días hábiles desde el siguiente al de la remisión de la notificación a los licitadores afectados.

Concordancias a todo el artículo

➡ Concordancias normativas

Artículo 37 de la LCSP 30/2007 y DA 16.ª del TRLCAP RDL 2/2000.

Véase la disposición transitoria séptima de la presente Ley, sobre régimen supletorio para las Comunidades Autónomas.

☞ Concordancias Jurisprudenciales

Tribunal Superior de Justicia de Les Illes Balears, Sala de lo Contencioso-administrativo, Sentencia de 28 Feb. 2012, rec. 735/2008

[LA LEY 17288/2012]

CONTRATOS ADMINISTRATIVOS. LIBERTAD SINDICAL. Contenido del derecho. PROCESO CONTENCIOSO-ADMINISTRATIVO. Legitimación. Legitimación activa. Inexistencia de legitimación. -- Legitimación. Legitimación activa. Corporaciones y asociaciones para la defensa de intereses profesionales o económicos.

Tribunal Superior de Justicia de Les Illes Balears, Sala de lo Contencioso-administrativo, Sentencia de 6 Feb. 2012, rec. 469/2011

[LA LEY 11655/2012]

CONTRATOS ADMINISTRATIVOS. Contratos de servicios. Explotación de los servicios de temporada en el litoral. Adjudicación. Nulidad de pleno derecho. Retroacción del procedimiento al momento en el que se admite indebidamente la propuesta de uno de los licitadores. Desviación procesal. Inexistencia. No concurre supuesto alguno de inadmisibilidad parcial toda vez que no se contempla ningún recurso especial en materia de contratación, basta con agotar la vía administrativa e interponer el recurso contencioso-administrativo. En todo caso, la configuración inicial del recurso especial en materia de contratación es considerado contrario a derecho comunitario. Examen del requisito de solvencia económico-financiera. Ausencia de justificación y aportación de las propias aclaraciones que la Mesa efectúa, relativas a la prueba de la real concurrencia de la solvencia económico-financiera. Sin embargo, y a pesar de no acreditar la solvencia económico-financiera, no se acredita trato alguno de favor a la UTE adjudicataria a la hora de valorar sus mejoras.

Tribunal Superior de Justicia de Galicia, Sala de lo Contencioso-administrativo, Sección 2.ª, Sentencia de 26 Ene. 2012, rec. 4311/2011

[LA LEY 5686/2012]

CONTRATO ADMINISTRATIVO DE GESTIÓN DE SERVICIOS PÚBLICOS. CONTRATOS ADMINISTRATIVOS. Preparación de los contratos. Expediente de contratación. Pliegos de cláusulas administrativas. -- Adjudicación de los contratos. Licitación. Concurso-subasta. -- Adjudicación de los contratos. Selección del adjudicatario. Valoración de las ofertas.

Tribunal Superior de Justicia de Castilla-La Mancha, Sala de lo Contencioso-administrativo, Sección 1.ª, Sentencia de 14 Nov. 2011, rec. 350/2010

[LA LEY 232187/2011]

CONTRATOS ADMINISTRATIVOS. Explotación de plaza de toros. Adjudicación. Nulidad. Falta de la solvencia técnica o profesional requerida en el pliego de clausulas administrativas. La adjudicataria no desarrolla tarea de concesionaria de plazas de segunda categoría durante dos de los últimos cinco años. No procede otorgar la concesión de la explotación a la mercantil recurrente puesto que tampoco reúne la solvencia técnica para ser licitador. Examen sobre la naturaleza del contrato licitado como contrato administrativo de carácter especial.

Tribunal Superior de Justicia de Castilla-La Mancha, Sala de lo Contencioso-administrativo, Sección 1.ª, Sentencia de 26 Sep. 2011, rec. 188/2010

[LA LEY 191970/2011]

CONTRATO ADMINISTRATIVO DE SUMINISTROS. Formas de adjudicación. Concurso. -- Procedimiento de adjudicación. PROCESO CONTENCIOSO-ADMINISTRATIVO. Suspensión de la ejecución de lo recurrido. Medida cautelar. -- Suspensión de la ejecución de lo recurrido. Requisitos. Daños o perjuicios de reparación imposible o difícil. – Suspensión de la ejecución de lo recurrido. Improcedencia. Contratos administrativos.

Artículo 38 *Consecuencias jurídicas de la declaración de nulidad en los supuestos del artículo anterior*

1. La declaración de nulidad por las causas previstas en el artículo anterior producirá los efectos establecidos en el artículo 35.1 de esta Ley.

2. El órgano competente para declarar la nulidad, sin embargo, podrá no declararla y acordar el mantenimiento de los efectos del contrato, si, atendiendo las circunstancias excepcionales que concurran, considera que existen razones imperiosas de interés general que lo exijan.

Sólo se considerará que los intereses económicos constituyen las razones imperiosas mencionadas en el primer párrafo de este apartado en los casos excepcionales en que la declaración de nulidad del contrato dé lugar a consecuencias desproporcionadas.

Asimismo, no se considerará que constituyen razones imperiosas de interés general, los intereses económicos directamente vinculados al contrato en cuestión, tales como los costes derivados del retraso en la ejecución del contrato, de la convocatoria de un nuevo procedimiento de contratación, del cambio del operador económico que habrá de ejecutar el contrato o de las obligaciones jurídicas derivadas de la nulidad.

La resolución por la que se acuerde el mantenimiento de los efectos del contrato deberé ser objeto de publicación en el perfil de contratante previsto en el artículo 53 de esta Ley.

3. En el caso previsto en el apartado anterior, la declaración de nulidad deberá sustituirse por alguna de las sanciones alternativas siguientes:

a) La imposición de multas al poder adjudicador por un importe que no podrá ser inferior al 5 por 100 ni superar el 20 por 100 del precio de adjudicación del contrato. Cuando se trate de poderes adjudicadores cuya contratación se efectúe a través de diferentes órganos de contratación, la sanción alternativa recaerá sobre el presupuesto del departamento, consejería u órgano correspondiente que hubiera adjudicado el contrato.

Para determinar la cuantía en la imposición de las multas, el órgano competente tomará en consideración la reiteración, el porcentaje del contrato que haya sido ejecutado o el daño causado a los intereses públicos o, en su caso, al licitador, de tal forma que éstas sean eficaces, proporcionadas y disuasorias.

b) La reducción proporcionada de la duración del contrato. En este caso, el órgano competente tomará en consideración la reiteración, el porcentaje del contrato que haya sido ejecutado o el daño causado a los intereses públicos o, en su caso, al licitador. Asimismo determinará la indemnización que corresponda al contratista por el lucro cesante derivado de la reducción temporal del contrato, siempre que la infracción que motive la sanción alternativa no le sea imputable.

4. Lo dispuesto en todos los apartados anteriores se entenderá sin perjuicio de las sanciones de carácter disciplinario que corresponda imponer al responsable de las infracciones legales.

Concordancias a todo el artículo

➡ Concordancias normativas

Artículo 38 de la LCSP 30/2007 y artículo 60 del TRLCAP RDL 2/2000.

☞ **Concordancias Jurisprudenciales**

Tribunal Administrativo Central de Recursos Contractuales, Resolución de 15 Jun. 2011, rec. 126/2011

[LA LEY 71483/2011]

CONTRATO ADMINISTRATIVO DE SERVICIOS. Anuncio de licitación y el pliego de cláusulas administrativas particulares que han de regir la contratación del contrato de servicios titulado «Prestación de servicios de mantenimiento, limpieza, seguridad, asistencia administrativa y jardinería en el recinto ferial de la Institución Ferial de la Provincia de Zamora. RECURSO ESPECIAL EN MATERIA DE CONTRATACIÓN. Inadmisión. Por incompetencia del TACRC. La Institución Ferial de la Provincia de Zamora es un consorcio constituido por la Diputación de Zamora, el Ayuntamiento de Zamora y la Cámara Oficial de Comercio e Industria de Zamora, por lo que no puede considerarse incluido en el ámbito de la Administración General del Estado. Puesto que no existe órgano competente para resolver los recursos especiales en materia contratación creado por la Comunidad Autónoma de Castilla y León ni ésta tiene suscrito convenio con el TACRC, la competencia para resolver el recurso debe ser atribuida a los mismos órganos que la tuvieran atribuida con anterioridad a la Ley.

✉ **Consultas**

• **Pie de recurso en la notificación de la adjudicación provisional del contrato**

¿Hay que dar pie de recurso en la notificación de la adjudicación provisional con la nueva LCSP?

[26/01/2009 EC 169/2009]

Contestación

Con la Ley 30/2007, de 30 de octubre (BOE del 31), de Contratos del Sector Público (LCSP) se recupera el trámite de la aprobación provisional que ya existió en nuestro derecho contractual. Dicha aprobación provisional, conforme al art. 135.3 se acordará por el órgano de contratación mediante resolución motivada, resolución que ha de ser notificada a los candidatos o licitadores y publicarse en un diario oficial o en el perfil de contratante del órgano de contratación, siendo de aplicación lo previsto en el art. 137 en cuanto a la información que se les debe facilitar, siendo el plazo de remisión de cinco días hábiles. Es decir, ha de notificarse a los candidatos o licitadores y, además, o publicarse en un diario oficial, o publicarse en el perfil de contratante del órgano de contratación.

Dice el mismo apartado 3 del art. 135, en su último inciso, que en los procedimientos negociados y de diálogo competitivo, la adjudicación provisional concretará y fijara los términos definitivos del contrato.

Y conforme al art. 145, cuando el único criterio a considerar para seleccionar al adjudicatario del contrato sea el del precio, la adjudicación provisional deberá recaer en el plazo de quince días a contar del siguiente a la apertura de las proposiciones. Mientras que si han de tenerse en cuenta pluralidad de criterios, el plazo máximo para efectuarla será de dos meses contados a partir de la apertura de las proposiciones, salvo que se hubiera fijado otro en el pliego de cláusulas administrativas particulares. Estos plazos serán ampliables en quince días hábiles cuando hubieran de seguirse los trámites establecidos en el art. 136.3, en el supuesto de ofertas con valores anormales o desproporcionados.

Es de gran importancia ajustarse a los plazos marcados, pues su incumplimiento supondrá para los licitadores la posibilidad de retirar sus proposiciones, sin que en este caso pueda imponérseles sanción alguna.

En relación con el régimen de recursos, el Capítulo IV del Libro I LCSP se ocupa del régimen especial de revisión de decisiones en materia de contratación y medios alternativos de resolución de conflictos, introduciéndose una de las novedades más importantes de la ley: la creación de un recurso especial en materia de contratación, en el art. 37, la regulación de las medidas provisionales a adoptar en el ámbito de dicho recurso en el art. 38, y, finalmente, se establece una remisión a la Ley 60/2003, de 23 de diciembre (BOE del 26), de Arbitraje, en el art. 39.

El recurso especial es un recurso administrativo excluyente de los correspondientes a la vía administrativa ordinaria, que juega como requisito necesario para el posterior acceso, en su caso, a la vía contencioso-administrativa, sin que proceda la interposición de recursos administrativos ordinarios contra las decisiones que se adopten en el ámbito de aplicación de este recurso.

Conforme al número 10 del art. 37, contra la resolución de este recurso sólo procederá la interposición de recurso contencioso-administrativo, conforme a la ley reguladora de dicha jurisdicción. Es, por tanto, un recurso exclusivo, previo a la vía jurisdiccional. La resolución de este recurso se encomienda a los órganos de contratación en los casos en que éste pertenezca a una entidad que tenga el carácter de Administración Pública, sin perjuicio de lo que en su ámbito dispongan las Comunidades Autónomas.

Finalmente decir que este recurso no se aplica en el ámbito de todos los contratos del sector público, pues sólo son susceptibles de recurso especial determinadas decisiones contractuales que se adopten en los contratos sujetos a regulación armonizada, incluidos los contratos subvencionados, en los contratos de servicios comprendidos en las categorías 17 a 27 del Anexo II, de cuantía igual o superior a 211.000 euros y en los contratos de gestión de servicios públicos en los que el presupuesto de gastos de primer establecimiento y el plazo de duración superior a cinco años.

A la luz de estas consideraciones, efectivamente, deben dar el recurso tanto si procede el de revisión como si el que cabe es el contencioso-administrativo.

- **Régimen de recursos en la adjudicación provisional de contratos.**

¿Cuál es el régimen de recursos en la adjudicación provisional regulada en el art. 135 LCSP?

[30/09/2008 EC 3006/2008]

Contestación

Con la Ley 30/2007, de 30 de octubre (EC 3697/2007), de Contratos del Sector Público (LCSP) se recupera el trámite de la aprobación provisional, que ya existió en nuestro derecho contractual. Dicha aprobación provisional, conforme al número 3 del precepto, se acordará por el órgano de contratación mediante resolución motivada. Resolución que ha de ser notificada a los candidatos o licitadores y publicarse en un diario oficial o en el perfil de contratante del órgano de contratación, siendo de aplicación lo previsto en el art. 137 en cuanto a la información que se les debe facilitar, siendo el plazo de remisión de cinco días hábiles. Es decir, ha de notificarse a los candidatos o licitadores y, además, o publicarse en un diario oficial, o publicarse en el perfil de contratante del órgano de contratación.

Dice el mismo apartado 3 del art. 135, en su último inciso, que en los procedimientos negociados y de diálogo competitivo, la adjudicación provisional concretará y fijara los términos definitivos del contrato.

Y conforme al art. 145, cuando el único criterio a considerar para seleccionar al adjudicatario del contrato sea el del precio, la adjudicación provisional deberá recaer en el plazo de quince días a contar del siguiente a la apertura de las proposiciones. Mientras que si han de tenerse en cuenta pluralidad de criterios, el plazo máximo para efectuarla será de dos meses contados a partir de la apertura de las proposiciones, salvo que se hubiera fijado otro en el pliego de cláusulas administrativas particulares. Estos plazos serán ampliables en quince días hábiles cuando hubieran de seguirse los trámites establecidos en el art. 136.3, en el supuesto de ofertas con valores anormales o desproporcionados.

Es de gran importancia ajustarse a los plazos marcados, pues su incumplimiento supondrá para los licitadores la posibilidad de retirar sus proposiciones, sin que en este caso pueda imponérseles sanción alguna.

En relación con el régimen de recursos, el Capítulo IV del Libro I LCSP se ocupa del régimen especial de revisión de decisiones en materia de contratación y medios alternativos de resolución de conflictos, introduciéndose una de las novedades más importantes de la ley: la creación de un recurso especial en materia de contratación, en el art. 37, la regulación de las medidas provisionales a adoptar en el ámbito de dicho recurso en el art. 38, y, finalmente, se establece una remisión a la Ley 60/2003, de 23 de diciembre, de Arbitraje, en el art. 39.

El recurso especial es un recurso administrativo excluyente de los correspondientes a la vía administrativa ordinaria, que juega como requisito necesario para el posterior acceso, en su caso, a la vía contencioso-administrativa, sin que proceda la interposición de recursos administrativos ordinarios contra las decisiones que se adopten en el ámbito de aplicación de este recurso. Y conforme al número 10 del art. 37, contra la resolución de este recurso sólo procederá la interposición de recurso contencioso-administrativo, conforme a la ley reguladora de dicha jurisdicción. Es, por tanto, un recurso exclusivo, previo a la vía jurisdiccional. La resolución de este recurso se encomienda a los órganos de contratación en los casos en que éste pertenezca a una entidad que tenga el carácter de Administración Pública, sin perjuicio de lo que en su ámbito dispongan las Comunidades Autónomas.

Finalmente decir que este recurso no se aplica en el ámbito de todos los contratos del sector público, pues sólo son susceptibles de recurso especial determinadas decisiones contractuales que se adopten en los contratos sujetos a regulación armonizada, incluidos los contratos subvencionados, en los contratos de servicios comprendidos en las categorías 17 a 27 del Anexo II, de cuantía igual o superior a 211.000 euros y en los contratos de gestión de servicios públicos en los que el presupuesto de gastos de primer establecimiento y el plazo de duración superior a cinco años.

Artículo 39 *Interposición de la cuestión de nulidad*

1. La cuestión de nulidad, en los casos a que se refiere el artículo 37.1, deberá plantearse ante el órgano previsto en el artículo 41 que será el competente para tramitar el procedimiento y resolverla.

2. Podrá plantear la cuestión de nulidad, en tales casos, toda persona física o jurídica cuyos derechos o intereses legítimos se hayan visto perjudicados o puedan resultar afectados por los supuestos de nulidad del artículo 37. El órgano competente, sin embargo, podrá inadmitirla cuando el interesado hubiera interpuesto recurso especial regulado en los artículos 40 y siguientes sobre el mismo acto habiendo respetado el órgano de contratación la suspensión del acto impugnado y la resolución dictada.

3. El plazo para la interposición de la cuestión de nulidad será de treinta días hábiles a contar:

a) Desde la publicación de la adjudicación del contrato en la forma prevista en el artículo 154.2, incluyendo las razones justificativas de la no publicación de la licitación en el «Diario Oficial de la Unión Europea»,

b) o desde la notificación a los licitadores afectados, de los motivos del rechazo de su candidatura o de su proposición y de las características de la proposición del adjudicatario que fueron determinantes de la adjudicación a su favor, sin perjuicio de lo dispuesto en el artículo 153 en cuanto a los datos cuya comunicación no fuera procedente.

4. Fuera de los casos previstos en el apartado anterior, la cuestión de nulidad deberá interponerse antes de que transcurran seis meses a contar desde la formalización del contrato.

5. La cuestión de nulidad se tramitará de conformidad con lo dispuesto en los artículos 44 y siguientes con las siguientes salvedades:

a) No será de aplicación lo dispuesto en el artículo 44.1 en cuanto a la exigencia de anunciar la interposición del recurso.

b) La interposición de la cuestión de nulidad no producirá efectos suspensivos de ninguna clase por sí sola.

c) El plazo establecido en el artículo 43.2, párrafo segundo y en el 46.3 para que el órgano de contratación formule alegaciones en relación con la solicitud de medidas cautelares se elevará a siete días hábiles.

d) El plazo establecido en el artículo 46.2 para la remisión del expediente por el órgano de contratación, acompañado del correspondiente informe, se elevará a siete días hábiles.

e) En la resolución de la cuestión de nulidad, el órgano competente para dictarla deberá resolver también sobre la procedencia de aplicar las sanciones alternativas si el órgano de contratación lo hubiera solicitado en el informe que debe acompañar la remisión del expediente administrativo.

f) Cuando el órgano de contratación no lo hubiera solicitado en la forma establecida en la letra anterior podrá hacerlo en el trámite de ejecución de la resolución. En tal caso el órgano competente, previa audiencia por plazo de cinco días a las partes comparecidas en el procedimiento, resolverá sobre la procedencia o no de aplicar la sanción alternativa solicitada dentro de los cinco días siguientes al transcurso del plazo anterior. Contra esta resolución cabrá interponer recurso en los mismos términos previstos para las resoluciones dictadas resolviendo sobre el fondo.

Concordancias a todo el artículo

➡ Concordancias normativas

Artículo 39 de la LCSP 30/2007.

☞ Concordancias Jurisprudenciales

Tribunal Administrativo Central de Recursos Contractuales, Resolución de 27 Abr. 2011, rec. 85/2011

[LA LEY 38107/2011]

CONTRATO ADMINISTRATIVO DE SUMINISTROS. De cobertura, equipos y pijamas de un solo uso para el quirófano de un hospital. Impugnación de resolución por la que se adjudica provisionalmente el contrato de suministros a una sociedad mercantil. RECURSO ESPECIAL EN MATERIA DE CONTRATACIÓN. Inadmisión. Por la incompetencia del Tribunal Administrativo Central de Recursos Contractuales. El hospital objeto del suministro es un órgano dependiente del Servicio autonómico de salud por lo que no puede considerarse incluido en el ámbito de la Administración General del Estado. Ante la inexistencia de órgano creado por la Comunidad Autónoma ni suscripción de convenio de ésta con el Tribunal Administrativo Central de Recursos Contractuales, es claro que la competencia para resolver el recurso debe ser atribuida de conformidad con la disposición transitoria segunda de la Ley 34/2010, de 5 de agosto. Hasta que no se cree el tribunal competente por la Comunidad Autónoma la competencia para la resolución de los recursos continuará encomendada a los mismos órganos que la tuvieran atribuida con anterioridad.

CAPÍTULO VI

Régimen especial de revisión de decisiones en materia de contratación y medios alternativos de resolución de conflictos

Artículo 40 *Recurso especial en materia de contratación: Actos recurribles*

1. Serán susceptibles de recurso especial en materia de contratación previo a la interposición del contencioso-administrativo, los actos relacionados en el apartado 2 de este mismo artículo, cuando se refieran a los siguientes tipos de contratos que pretendan concertar las Administraciones Públicas y las entidades que ostenten la condición de poderes adjudicadores:

a) Contratos de obras, concesión de obras públicas, de suministro, de servicios, de colaboración entre el Sector Público y el Sector Privado y acuerdos marco, sujetos a regulación armonizada.

b) Contratos de servicios comprendidos en las categorías 17 a 27 del Anexo II de esta Ley cuyo valor estimado sea igual o superior a 200.000 euros y

➡ **Concordancias normativas**

Cifra contenida en la letra b) del número 1 del artículo 40 actualizada por el artículo único.1 b) de la Orden EHA/3479/2011, de 19 de diciembre, por la que se publican los límites de los distintos tipos de contratos a efectos de la contratación del sector público a partir del 1 de enero de 2012 («B.O.E». 23 diciembre).

c) contratos de gestión de servicios públicos en los que el presupuesto de gastos de primer establecimiento, excluido el importe del Impuesto sobre el Valor Añadido, sea superior a 500.000 euros y el plazo de duración superior a cinco años.

Serán también susceptibles de este recurso los contratos subvencionados a que se refiere el artículo 17.

☞ **Concordancias Jurisprudenciales**

Tribunal Administrativo de Contratación Pública de la Comunidad de Madrid, Acuerdo de 18 Ene. 2012, rec. 108/2011

CONTRATO ADMINISTRATIVO DE GESTIÓN DE SERVICIOS PÚBLICOS. De servicio de limpieza viaria y recogida de residuos urbanos. Adjudicación mediante concesión. Estimación parcial del recurso especial interpuesto por una licitadora, al haber presentado el adjudicatario dos variantes no permitidas sobre una misma mejora (la medioambiental), lo que comporta una quiebra del principio de igualdad de trato de los licitadores. No es posible presentar a un mismo tiempo dos o más proposiciones ventajosas o más económicas por la sencilla razón de que el licitador no puede licitar contra sí mismo. Las mejoras propuestas sí recaen sobre el objeto del contrato, en tanto en cuanto la maquinaria a aportar por el adjudicatario sobre la que propone la mejora, es un elemento más de la prestación que constituye su objeto. Efectos. No resulta procedente la sanción extrema de la exclusión de la totalidad de la oferta, sino tan solo la no admisión de ambas propuestas alternativas. Es correcta la no valoración de la mejora relativa al servicio de limpieza de las zonas de botellón, puesto que consiste en una designación de un bolsa de horas para tales tareas, sin que en la oferta se aprecie que se amplíe o mejore el servicio especial obligatorio previsto en el Pliego de Prescripciones Técnicas. Injustificada exclusión de la valoración de la mejora propuesta por la recurrente, relativa a la adquisición de una máquina barredora, por cuanto sí se tuvo en cuenta la mejora relativa a la aportación de un vehículo de limpieza presentada por otra licitadora.

Tribunal Administrativo Central de Recursos Contractuales, Resolución de 26 Ene. 2012, rec. 4/2012

CONTRATO ADMINISTRATIVO DE SERVICIOS. Para el soporte técnico sobre los sistemas del M.º Política Territorial y Administración Pública ligados a los Servicios Periféricos. Adjudicación definitiva. Proposición anormal o desproporcionada. RECURSO ESPECIAL EN MATERIA DE CONTRATACIÓN. Estimación parcial. Nulidad del acto de adjudicación, porque la mesa de contratación consideró que la proposición de la interesada era anormal o desproporcionada. El informe elaborado por los servicios técnicos no cuenta con la debida motivación. La decisión discrecional del órgano de contratación calificando una oferta de anormal o desproporcionada, cuando, como es el caso, no constan en el expediente las circunstancias que el citado órgano tomó en consideración en el momento de adoptar la correspondiente decisión, cabría calificarla de arbitraria. Procede la retroacción de las actuaciones al momento en que se emitió el informe por la División de Sistemas de la Información y Comunicaciones.

Tribunal Administrativo Central de Recursos Contractuales, Resolución de 7 Sep. 2011, rec. 181/2011

[LA LEY 281519/2011]

CONTRATO ADMINISTRATIVO DE OBRAS. De ejecución de obras en la red de cables de fibra óptica de ADIF para satisfacer las solicitudes de los clientes y otras actuaciones de carácter urgente. Impugnación de resolución por la que se acuerda la exclusión de una sociedad mercantil de la licitación convocada para la adjudicación del contrato de obras, por haber presentado oferta otras dos empresas del mismo grupo y haberse admitido exclusivamente a la mejor de las tres. RECURSO ESPECIAL EN MATERIA DE CONTRATACIÓN. Inadmisión. Por la incompetencia del TACRC. El contrato de obras no se encontraba sujeto a regulación armonizada, ya que su valor estimado era inferior al mínimo establecido en la normativa de aplicación, no estando incluido en ninguno de los supuestos previstos en el artículo 310.1 de la LCSP.

Tribunal Administrativo Central de Recursos Contractuales, Resolución de 26 Oct. 2011, rec. 224/2011

[LA LEY 214641/2011]

CONTRATO ADMINISTRATIVO DE GESTIÓN DE SERVICIOS PÚBLICOS. Impugnación del anuncio de licitación y pliegos correspondientes al «contrato de gestión de servicios públicos para realizar la asistencia sanitaria hospitalaria en la localidad de Zaragoza con destino a los trabajadores asociados a una Mutua de Accidentes de Trabajo. RECURSO ESPECIAL EN MATERIA DE CONTRATACIÓN. Inadmisión. El contrato no es susceptible de recurso especial en materia de contratación. En los contratos de gestión de servicios públicos sólo es posible formular el recurso especial en materia de contratación cuando se encuentran sujetos a regulación armonizada, siendo contratos sujetos a regulación armonizada aquellos en los que el presupuesto de gastos de primer establecimiento, excluido el importe del Impuesto sobre el Valor Añadido, sea superior al fijado legalmente y el plazo de duración superior a cinco años.

Tribunal Administrativo Central de Recursos Contractuales, Resolución de 3 Nov. 2011, rec. 220/2011

[LA LEY 219517/2011]

CONTRATO ADMINISTRATIVO DE OBRAS. Impugnación de parte del contenido de la memoria y los pliegos que rigen la contratación de la obra y acondicionamiento del terreno local usado por empresa de acuerdo con la futura inversión «obras urbanización y ejecución de edificios polígono industrial norte», convocado por el Aeropuerto de Palma de Mallorca. RECURSO ESPECIAL EN MATERIA DE CONTRATACIÓN. Inadmisión. El contrato no es susceptible de recurso especial en materia de contratación. El régimen aplicable al contrato impugnado es el derecho privado. En los contratos de obras sólo es posible formular el recurso especial en materia de contratación cuando se encuentran sujetos a regulación armonizada, siendo contratos sujetos a regulación armonizada aquellos cuyo valor estimado sea igual o superior al fijado legalmente.

2. Podrán ser objeto del recurso los siguientes actos:

a) Los anuncios de licitación, los pliegos y los documentos contractuales que establezcan las condiciones que deban regir la contratación.

b) Los actos de trámite adoptados en el procedimiento de adjudicación, siempre que éstos decidan directa o indirectamente sobre la adjudicación, determinen la imposibilidad de continuar el procedimiento o produzcan indefensión o perjuicio irreparable a derechos o intereses legítimos. Se considerarán actos de trámite que determinan la imposibilidad de continuar el procedimiento los actos de la Mesa de Contratación por los que se acuerde la exclusión de licitadores.

c) Los acuerdos de adjudicación adoptados por los poderes adjudicadores.

Sin embargo, no serán susceptibles de recurso especial en materia de contratación los actos de los órganos de contratación dictados en relación con las modificaciones contractuales no previstas en el pliego que, de conformidad con lo dispuesto en los artículos 105 a 107, sea preciso realizar una vez adjudicados los contratos tanto si acuerdan como si no la resolución y la celebración de nueva licitación.

➡ **Concordancias normativas**

Párrafo final del número 2 del artículo 310 introducido por el número ocho de la disposición final primera de la Ley 24/2011, de 1 de agosto, de contratos del sector público en los ámbitos de la defensa y de la seguridad («B.O.E». 2 agosto).

☞ **Concordancias Jurisprudenciales**

Tribunal Administrativo Central de Recursos Contractuales, Resolución de 13 Oct. 2011, rec. 215/2011

[LA LEY 191962/2011]

CONTRATO ADMINISTRATIVO DE SERVICIOS. De externalización del servicio de gestión y cuidado de colonias de la unidad de medicina comparada. Impugnación del acuerdo por el que se admitieron al proceso de licitación del contrato de servicios las dos sociedades mercantiles concurrentes, entre las que se incluye la recurrente. RECURSO ESPECIAL EN MATERIA DE CONTRATACIÓN. Inadmisión. Por haber sido interpuesto contra un acto de trámite no susceptible de ser recurrido, al no encontrarse en ninguno de los supuestos del art. 310.2 b) LCSP. La admisión en la licitación no decidía, ni directa ni indirectamente, la adjudicación que pudiera recaer en el licitador que haya proporcionado la oferta económicamente más ventajosa, no determinando la imposibilidad de continuar el procedimiento y no producía indefensión o perjuicio irreparable a derechos o intereses legítimos.

> 3. Los defectos de tramitación que afecten a actos distintos de los contemplados en el apartado 2 podrán ser puestos de manifiesto por los interesados al órgano al que corresponda la instrucción del expediente o al órgano de contratación, a efectos de su corrección, y sin perjuicio de que las irregularidades que les afecten puedan ser alegadas por los interesados al recurrir el acto de adjudicación.

☞ **Concordancias Jurisprudenciales**

Tribunal Administrativo Central de Recursos Contractuales, Resolución de 18 May. 2011, rec. 99/2011

[LA LEY 44439/2011]

CONTRATO ADMINISTRATIVO DE SERVICIOS. De ordenación de varios núcleos de montes públicos. Impugnación de resolución por la que se acuerda la exclusión de una sociedad mercantil de la licitación convocada para la adjudicación de un contrato de servicios, por no acreditar la solvencia técnica requerida. RECURSO ESPECIAL EN MATERIA DE CONTRATACIÓN. Inadmisión. Por la incompetencia del Tribunal Administrativo Central de Recursos Contractuales. El órgano de contratación no se encuentra incluido en el ámbito de la Administración general del Estado, al tratarse de una Consejería y, por tanto, hallarse encuadrada en la Administración autonómica. Ante la inexistencia de órgano creado por la Comunidad Autónoma ni suscripción de convenio con el Tribunal Administrativo Central de Recursos Contractuales, la competencia para resolver el recurso corresponde a los mismos órganos que la tuvieran atribuida con anterioridad, tal y como establece la disposición transitoria segunda de la Ley 34/2010.

4. No se dará este recurso en relación con los procedimientos de adjudicación que se sigan por el trámite de emergencia regulado en el artículo 113 de esta Ley.

5. No procederá la interposición de recursos administrativos ordinarios contra los actos enumerados en este artículo, salvo la excepción prevista en el siguiente con respecto a las Comunidades Autónomas.

Los actos que se dicten en los procedimientos de adjudicación de contratos administrativos que no reúnan los requisitos del apartado 1, podrán ser objeto de recurso de conformidad con lo dispuesto en la Ley 30/1992, de 26 de noviembre (LA LEY 3279/1992), de Régimen Jurídico de las Administraciones Públicas y del Procedimiento Administrativo Común, y en la Ley 29/1998, de 13 de julio, Reguladora de la Jurisdicción Contencioso-Administrativa (LA LEY 2689/1998).

☞ **Concordancias Jurisprudenciales**

Tribunal Administrativo Central de Recursos Contractuales, Resolución de 9 Feb. 2011, rec. 069/2010

[LA LEY 14712/2011]

CONTRATO ADMINISTRATIVO DE SERVICIOS. Admisión a la licitación convocada para la adjudicación del contrato de servicio de vigilancia de las Administraciones UURE y Almacén de Mérida dependientes de la Dirección Provincial de la Tesorería General de la Seguridad Social de Badajoz. Prohibición de contratar. RECURSO ESPECIAL EN MATERIA DE CONTRATACIÓN. Desestimación. La empresa licitadora, que después resultó adjudicataria, no estaba incursa en prohibición de contratar cuando presentó la proposición para la licitación. Aunque la adjudicataria había sido declarada incursa en prohibición de contratar con una duración de tres meses por acuerdo de la Ministra de Economía y Hacienda, en el momento de presentar su proposición la prohibición ya había caducado. La prohibición de contratar entró en vigor a partir del día en que acordó por la Ministra, y no desde la publicación de ésta en el Registro Oficial de Licitadores y Empresas Clasificadas del Estado.

6. El recurso especial regulado en este artículo y los siguientes tendrá carácter potestativo.

Concordancias a todo el artículo

➡ **Concordancias normativas**

Artículo 310 de la LCSP.

Libro VI introducido por el apartado tres del artículo primero de la Ley 34/2010, de 5 de agosto, de modificación de las Leyes 30/2007, de 30 de octubre, de Contratos del Sector Público, 31/2007, de 30 de octubre, sobre procedimientos de contratación en los sectores del agua, la energía, los transportes y los servicios postales, y 29/1998, de 13 de julio, reguladora de la Jurisdicción Contencioso-Administrativa para adaptación a la normativa comunitaria de las dos primeras («B.O.E». 9 agosto).

Véase la disposición adicional octava de la Ley 24/2011, de 1 de agosto, de contratos del sector público en los ámbitos de la defensa y de la seguridad («B.O.E». 2 agosto), sobre prácticas contrarias a la libre competencia

☞ **Concordancias Jurisprudenciales**

Tribunal Administrativo Central de Recursos Contractuales, Resolución de 9 Feb. 2012, rec. 326/2011

[LA LEY 31511/2012]

CONTRATO ADMINISTRATIVO DE SERVICIOS. De vigilancia y seguridad de la Casa del Mar de Las Palmas de Gran Canaria. Adjudicación. RECURSO ESPECIAL EN MATERIA DE CONTRATACIÓN. Inadmisión. Por haber sido interpuesto fuera del plazo legalmente previsto. La mera presentación del anuncio de interposición del recurso no produce el efecto de interrumpir el plazo de caducidad para su interposición.

Tribunal Administrativo Central de Recursos Contractuales, Resolución de 26 Ene. 2012, rec. 7/2012

[LA LEY 33165/2012]

CONTRATO ADMINISTRATIVO DE SERVICIOS. Postales y de paquetería en el ámbito del Servicio Público de Empleo Estatal. Adjudicación del contrato. RECURSO ESPECIAL EN MATERIA DE CONTRATACIÓN. Inadmisión. Por haber sido interpuesto fuera del plazo legalmente previsto. El plazo transcurrido entre la fecha en la que se notifica la adjudicación a la interesada y la fecha en la que se presenta el escrito de recurso en el Tribunal supera los 15 días hábiles establecidos en la Ley.

Tribunal Administrativo Central de Recursos Contractuales, Resolución de 10 Nov. 2011, rec. 246/2011

[LA LEY 294078/2011]

CONTRATO ADMINISTRATIVO DE CONSULTORÍA. Pliego de cláusulas administrativas particulares que ha de regir la contratación, mediante procedimiento abierto, del servicio de consultoría y asistencia técnica para la realización de trabajos de control de las acciones financiadas por el INIA y cofinanciadas por los Fondos Estructurales FEDER. RECURSO ESPECIAL EN MATERIA DE CONTRATACIÓN. Inadmisión. El recurso se refiere a un contrato de los que no se encuentran sujetos a regulación armonizada, y no resulta susceptible de recurso especial en materia de contratación, no siendo por tanto el Tribunal competente para su resolución. Es un contrato de servicios cuyo valor estimado asciende a menos de los 125.000 euros exigidos, IVA excluido.

Tribunal Administrativo Central de Recursos Contractuales, Resolución de 5 Oct. 2011, rec. 198/2011

[LA LEY 186484/2011]

CONTRATO ADMINISTRATIVO DE SERVICIOS. Adjudicación de contrato del servicio de seguro de asistencia sanitaria para el personal en el exterior del Ministerio de Asuntos Exteriores y de Cooperación. RECURSO ESPECIAL EN MATERIA DE CONTRATACIÓN. Desestimación. Motivación suficiente de la resolución de adjudicación. Las razones determinantes de la decisión adoptada por el órgano de contratación no aparecen reflejadas en la notificación efectuada a la interesada anterior a que ésta interpusiera su recurso, pero sí en la realizada con posterioridad a la interposición del escrito de recurso, cumpliendo así con la solicitud de la misma en lo que se refiere a la petición de remisión del informe de valoración. Cabe entender que a partir de dicha fecha la adjudicación debe de entenderse correctamente notificada, comenzando así el plazo para interponer el pertinente recurso. Si la interesada no ha presentado un nuevo recurso, una vez que la resolución de adjudicación se ha notificado correctamente, es porque ha considerado suficiente para la defensa de su derecho el recurso interpuesto. Correcta valoración de la oferta presentada por la adjudicataria. La inclusión en el sobre n.º 2, no sujeto a valoración subjetiva, de documentación del sobre n.º 3 constituye una irregularidad formal en el procedimiento establecido, si bien esta conducta no puede tener efectos invalidantes que conduzcan a la no valoración de la documentación incluida en el sobre n.º 2, puesto que no existe merma material alguna en las garantías de la contratación. No se ven afectados los principios de igualdad de trato y no discriminación, dado que la información que en su caso debe incluirse en el sobre n.º 3 es documentación objetiva.

Tribunal Administrativo Central de Recursos Contractuales, Resolución de 23 Mar. 2011, rec. 47/2011

[LA LEY 200827/2011]

CONTRATO ADMINISTRATIVO DE SERVICIOS. Pliegos de cláusulas administrativas particulares correspondientes al expediente «servicio para la realización del plan de campañas de divulgación de la Seguridad Vial, año 2011», convocado por la Dirección General de Tráfico del Ministerio del Interior. RECURSO ESPECIAL EN MATERIA DE CONTRATACIÓN. Desestimación. Conformidad a derecho de los criterios evaluables mediante fórmulas. Entre las condiciones requeridas para realizar el servicio, no se establece ninguna explícitamente que haga alusión al personal que la empresa deba destinar al cumplimiento de la contratación, ni en número, ni en cuantificación. Inexistencia de referencia al potencial humano necesario, lo que implica que la empresa deberá destinar el personal que estime necesario y adecuado para cumplir el servicio.

> ✍ **Informes de la Junta Consultiva de Contratación Administrativa**

Informe 3/2011, de 16 de mayo de 2011, de la Junta Superior de Contratación Administrativa de la Generalitat Valenciana, sobre suspensión de la tramitación del expediente de contratación por interposición de recurso especial contra la adjudicación provisional. Interpretación de la disposición transitoria tercera apartado segundo de la Ley 34/2010, de 5 de agosto de 2010. Extemporaneidad en la constitución de la garantía definitiva. Consecuencias jurídicas.

[LA LEY 835/2011]

RECURSO ESPECIAL. A la adjudicación provisional. La interposición del recurso especial contra la adjudicación provisional de la contratación, sin interposición de medida cautelar destinada a hacer suspender dicha adjudicación, no determina por sí sola la suspensión de la tramitación del expediente de contratación. GARANTÍAS. Definitiva. Extemporaneidad. Procede la incautación de la garantía provisional si transcurre el plazo para la constitución de la garantía definitiva, sin haberse dado cumplimiento de ello por el adjudicatario provisional o si habiéndose cumplido, se hubiese hecho fuera del plazo legal establecido. La extemporaneidad en la constitución de la garantía resulta equivalente a la no constitución de la misma.

Artículo 41 *Órgano competente para la resolución del recurso*

1. En el ámbito de la Administración General del Estado, el conocimiento y resolución de los recursos a que se refiere el artículo anterior estará encomendado a un órgano especializado que actuará con plena independencia funcional en el ejercicio de sus competencias. Este Tribunal conocerá también de los recursos especiales que se susciten de conformidad con el artículo anterior contra los actos de los órganos competentes del Consejo General del Poder Judicial, del Tribunal Constitucional y del Tribunal de Cuentas.

A estos efectos se crea el Tribunal Administrativo Central de Recursos Contractuales que estará adscrito al Ministerio de Economía y Hacienda y compuesto por un Presidente y un mínimo de dos vocales. Reglamentariamente podrá incrementarse el número de vocales que hayan de integrar el Tribunal cuando el volumen de asuntos sometidos a su conocimiento lo aconseje.

Podrán ser designados vocales de este Tribunal los funcionarios de carrera de cuerpos y escalas a los que se acceda con título de licenciado o de grado y que hayan desempeñado su actividad profesional por tiempo superior a quince años, preferentemente en el ámbito del Derecho Administrativo relacionado directamente con la contratación pública.

El Presidente del Tribunal deberá ser funcionario de carrera, de cuerpo o escala para cuyo acceso sea requisito necesario el título de licenciado o grado en Derecho y haber desempeñado su actividad profesional por tiempo superior a quince años, preferentemente en el ámbito del Derecho Administrativo relacionado directamente con la contratación pública.

En el caso de que los Vocales o el Presidente fueran designados entre funcionarios de carrera incluidos en el ámbito de aplicación de la Ley 7/2007, 12 de abril (LA LEY 3631/2007), del Estatuto Básico del Empleado Público, éstos deberán pertenecer a cuerpos o escalas clasificados en el Subgrupo A1 del artículo 76 de dicha Ley.

La designación del Presidente y los Vocales de este Tribunal se realizará por el Consejo de Ministros a propuesta conjunta de los Ministros de Economía y Hacienda y de Justicia.

Los designados tendrán carácter independiente e inamovible, y no podrán ser removidos de sus puestos sino por las causas siguientes:

a) Por expiración de su mandato.

b) Por renuncia aceptada por el Gobierno.

c) Por pérdida de la nacionalidad española.

d) Por incumplimiento grave de sus obligaciones.

e) Por condena a pena privativa de libertad o de inhabilitación absoluta o especial para empleo o cargo público por razón de delito.

f) Por incapacidad sobrevenida para el ejercicio de su función.

La remoción por las causas previstas en las letras c), d), e) y f) se acordará por el Gobierno previo expediente.

La duración del nombramiento efectuado de conformidad con este apartado será de seis años y no podrá prorrogarse. Ello no obstante, la primera renovación del Tribunal se hará de forma parcial a los tres años del nombramiento. A este respecto, antes de cumplirse el plazo indicado se determinará, mediante sorteo, los vocales que deban cesar.

En cualquier caso, cesado un vocal, éste continuará en el ejercicio de sus funciones hasta que tome posesión de su cargo el que lo haya de sustituir.

Serán de aplicación al régimen de constitución y funcionamiento del Tribunal las disposiciones de la Ley 30/1992, de 26 de noviembre (LA LEY 3279/1992), de Régimen Jurídico de las Administraciones Públicas y del Procedimiento Administrativo Común.

☞ **Concordancias Jurisprudenciales**

Tribunal Administrativo Central de Recursos Contractuales, Resolución de 26 Ene. 2012, rec. 4/2012

[LA LEY 34009/2012]

CONTRATO ADMINISTRATIVO DE SERVICIOS. Para el soporte técnico sobre los sistemas del M.º Política Territorial y Administración Pública ligados a los Servicios Periféricos. Adjudicación definitiva. Proposición anormal o desproporcionada. RECURSO ESPECIAL EN MATERIA DE CONTRATACIÓN. Estimación parcial. Nulidad del acto de adjudicación, porque la mesa de contratación consideró que la proposición de la interesada era anormal o desproporcionada. El informe elaborado por los servicios técnicos no cuenta con la debida motivación. La decisión discrecional del órgano de contratación calificando una oferta de anormal o desproporcionada, cuando, como es el caso, no constan en el expediente las circunstancias que el citado órgano tomó en consideración en el momento de adoptar la correspondiente decisión, cabría calificarla de arbitraria. Procede la retroacción de las actuaciones al momento en que se emitió el informe por la División de Sistemas de la Información y Comunicaciones.

Tribunal Administrativo Central de Recursos Contractuales, Resolución de 18 Ene. 2012, rec. 339/2011

[LA LEY 37556/2012]

CONTRATO ADMINISTRATIVO DE OBRAS. De urbanización del área de planeamiento específico APE 17.02 del PGOUM de la actuación Parque Central de Ingenieros en un municipio madrileño. Adjudicación. RECURSO ESPECIAL EN MATERIA DE CONTRATACIÓN. Estimación parcial. Falta de motivación de la notificación de la adjudicación, pues en la practicada, si bien se señalan las características y ventajas por las que se ha seleccionado la oferta del adjudicatario, no aparecen reflejadas las razones determinantes de la exclusión de la UTE interesada. No se justifica suficientemente la razón de su exclusión. No se aprecia la concurrencia de mala fe o temeridad en la interposición del recurso por lo que no procede la imposición de la sanción prevista en la LCSP. Retrotracción de las actuaciones al momento anterior a la notificación de la adjudicación, para que se notifique debidamente motivada a los licitadores en el procedimiento.

Tribunal Administrativo Central de Recursos Contractuales, Resolución de 14 Sep. 2011, rec. 190/2011

[LA LEY 282461/2011]

CONTRATO ADMINISTRATIVO DE OBRAS. Adjudicación del contrato de obras de construcción de un inmueble destinado a sede de las Direcciones Provinciales de la TGSS e INSS en Valladolid. RECURSO ESPECIAL

EN MATERIA DE CONTRATACIÓN. Desestimación. La decisión sobre si la oferta puede cumplirse o no corresponde al órgano de contratación sopesando las alegaciones formuladas por la empresa licitadora y los informes emitidos por los servicios técnicos, alegaciones e informe que en ningún caso tienen carácter vinculante para el órgano de contratación que debe sopesar adecuadamente los mismos y adoptar su decisión en base a ellos. Correcta valoración de la oferta de la interesada, toda vez que en este procedimiento el único criterio a tener en cuenta para adjudicar el contrato era el precio, y queda constatado el carácter exageradamente bajo de la oferta presentada por la misma, que hacía inviable el cumplimiento del contrato.

Tribunal Administrativo Central de Recursos Contractuales, Resolución de 19 Oct. 2011, rec. 197/2011

[LA LEY 211680/2011]

CONTRATO ADMINISTRATIVO DE SERVICIOS. Adjudicación de contrato de servicio de contrato de servicios de mantenimiento integral de equipos de electro-medicina para el Hospital Gómez Ulla. RECURSO ESPECIAL EN MATERIA DE CONTRATACIÓN. Estimación parcial. Nulidad de la adjudicación, por falta de motivación del informe del vocal técnico en que se fundó la adjudicación. El informe se limita a referir una mera asignación de puntos, sin hacer una descripción de las ofertas ni del proceso de aplicación a aquellas de los criterios de valoración fijados en el Pliego y que motivan la asignación de puntos expresada.

Tribunal Administrativo Central de Recursos Contractuales, Resolución de 14 Sep. 2011, rec. 180/2011

[LA LEY 185984/2011]

CONTRATO ADMINISTRATIVO DE SERVICIOS. Adjudicación de acuerdo marco para la selección de suministradores de vacunas de gripe estacional para determinados órganos de contratación de la Administración General del Estado, Instituto Nacional de Gestión Sanitaria y varias Comunidades Autónomas del Sistema Nacional de Salud. RECURSO ESPECIAL EN MATERIA DE CONTRATACIÓN. Desestimación. El escrito de interposición del recurso carece de cualquier argumentación que pueda servir de base a la impugnación del acto de adjudicación, pues se limita a reiterar los argumentos esgrimidos en el escrito de interposición de otro recurso que ya han sido desestimados por el Tribunal y han causado estado en la vía gubernativa, por lo que sólo son susceptibles de recurso contencioso-administrativo.

Tribunal Administrativo Central de Recursos Contractuales, Resolución de 22 Jun. 2011, rec. 133/2011

[LA LEY 82398/2011]

CONTRATO ADMINISTRATIVO DE SERVICIOS. Adjudicación de contrato para el «Servicio de mantenimiento integral de las instalaciones de diversos edificios de los Servicios Centrales del Departamento para un período de 24 meses». Valoración de uno de los criterios de adjudicación previstos en el pliego de cláusulas administrativas particulares. RECURSO ESPECIAL EN MATERIA DE CONTRATACIÓN. Desestimación. Para la valoración del incremento de la cantidad de material de reposición a aportar por el adjudicatario no debe tenerse en cuenta el Impuesto sobre el Valor Añadido. Puesto que para determinar la cantidad de material de reposición que el licitador se compromete a aportar sin cargo económico adicional se ha utilizado el sistema de indicar su valor en metálico, resulta más acorde con la consecución del fin que es propio de la licitación, no computar el importe del impuesto en la cantidad en metálico que expresa el volumen de dicho material.

Tribunal Administrativo Central de Recursos Contractuales, Resolución de 15 Jun. 2011, rec. 128/2011

[LA LEY 71484/2011]

CONTRATO ADMINISTRATIVO DE SERVICIOS. Adjudicación de contrato para la prestación del «Servicio de seguridad y vigilancia de los locales ocupados por el Instituto de Contabilidad y Auditoría de Cuentas». RECURSO ESPECIAL EN MATERIA DE CONTRATACIÓN. Estimación parcial. Nulidad de la adjudicación. Ausencia de motivación de la adjudicación del contrato, debiendo de retrotraerse las actuaciones hasta el momento anterior a la notificación de la adjudicación, al objeto de que la misma se notifique debidamente motivada a todos los licitadores en el procedimiento. No puede admitirse que la simple lectura o la entrega de un cuadro resumen con la valoración asignada a las mejoras pueda considerase a estos efectos notificación motivada de la adjudicación, pues la apertura del sobre n.º 3 con las ofertas evaluables mediante fórmulas y la clasificación de las ofertas a los efectos de determinar la económicamente más ventajosa aún no ha tenido lugar.

Tribunal Administrativo Central de Recursos Contractuales, Resolución de 15 Abr. 2011, rec. 073/2011

[LA LEY 14718/2011]

CONTRATO ADMINISTRATIVO DE SUMINISTROS. De comida para escuelas. Impugnación de un anuncio por el que se convoca la licitación para este contrato. RECURSO ESPECIAL EN MATERIA DE CONTRATACIÓN. Inadmisión. Por la incompetencia del TACRC. La convocante no era un órgano integrado en el ámbito de la Administración General del Estado y además, la Comunidad autónoma implicada había creado su propio órgano con competencia para resolver los recursos especiales en materia de contratación que se suscitasen contra los actos emanados de los órganos que integrasen la Administración autonómica. Por tanto, no se cumplían los requisitos legalmente establecidos para entender que la competencia en el caso controvertido estuviese atribuida al TACRC.

2. Los órganos competentes de las Cortes Generales establecerán, en su caso, el órgano que deba conocer, en su ámbito de contratación, del recurso especial regulado en este Capítulo, respetando las condiciones de cualificación, independencia e inamovilidad previstas en este artículo.

3. En el ámbito de las Comunidades Autónomas, así como en el de los órganos competentes de sus Asambleas Legislativas y de las instituciones autonómicas análogas al Tribunal de Cuentas y al Defensor del Pueblo la competencia para resolver los recursos será establecida por sus normas respectivas, debiendo crear un órgano independiente cuyo titular, o en el caso de que fuera colegiado al menos su Presidente, ostente cualificaciones jurídicas y profesionales que garanticen un adecuado conocimiento de las materias de que deba conocer. El nombramiento de los miembros de esta instancia independiente y la terminación de su mandato estarán sujetos en lo relativo a la autoridad responsable de su nombramiento, la duración de su mandato y su revocabilidad a condiciones que garanticen su independencia e inamovilidad.

Las Comunidades Autónomas podrán prever la interposición de recurso administrativo previo al contemplado en el artículo 40.

En este último caso, la ejecución de los actos de adjudicación impugnados quedará suspendida hasta que el órgano competente para resolverlo decida sobre el fondo de la cuestión planteada. En todo caso, si la resolución no fuese totalmente estimatoria, la suspensión persistirá en los términos previstos en el artículo 45.

Podrán las Comunidades Autónomas, asimismo, atribuir la competencia para la resolución de los recursos al Tribunal especial creado en el apartado 1 de este artículo. A tal efecto, deberán celebrar el correspondiente convenio con la Administración General del Estado, en el que se estipulen las condiciones en que la Comunidad sufragará los gastos derivados de esta asunción de competencias.

Las Ciudades Autónomas de Ceuta y Melilla podrán designar sus propios órganos independientes ajustándose a los requisitos establecidos en este apartado para los órganos de las Comunidades Autónomas, o bien atribuir la competencia al Tribunal Administrativo Central de Recursos Contractuales celebrando al efecto un convenio en los términos previstos en el párrafo anterior.

➡ Concordancias normativas

Véase D [ANDALUCÍA] 332/2011, 2 noviembre, por el que se crea el Tribunal Administrativo de Recursos Contractuales de la Junta de Andalucía («B.O.J.A». 11 noviembre).

Véase Acuerdo [CATALUÑA] 1 marzo 2011, de creación del Tribunal de Recursos Contractuales del Parlamento de Cataluña («D.O.G.C». 28 marzo).

Véase la disposición adicional octava de la Ley [PAIS VASCO] 5/2010, 23 diciembre, por la que se aprueban los Presupuestos Generales de la Comunidad Autónoma de Euskadi para el ejercicio 2011 («B.O.P.V». 30 diciembre), por la que se crea el Órgano Administrativo de Recursos Contractuales de la Comunidad Autónoma de Euskadi.

☞ Concordancias Jurisprudenciales

Tribunal Administrativo Central de Recursos Contractuales, Resolución de 18 May. 2011, rec. 99/2011

[LA LEY 44439/2011]

CONTRATO ADMINISTRATIVO DE SERVICIOS. De ordenación de varios núcleos de montes públicos. Impugnación de resolución por la que se acuerda la exclusión de una sociedad mercantil de la licitación convocada para la adjudicación de un contrato de servicios, por no acreditar la solvencia técnica requerida. RECURSO ESPECIAL EN MATERIA DE CONTRATACIÓN. Inadmisión. Por la incompetencia del Tribunal Administrativo Central de Recursos Contractuales. El órgano de contratación no se encuentra incluido en el ámbito de la Administración general del Estado, al tratarse de una Consejería y, por tanto, hallarse encuadrada en la Administración autonómica. Ante la inexistencia de órgano creado por la Comunidad Autónoma ni suscripción de convenio con el Tribunal Administrativo Central de Recursos Contractuales, la competencia para resolver el recurso corresponde a los mismos órganos que la tuvieran atribuida con anterioridad, tal y como establece la disposición transitoria segunda de la Ley 34/2010.

4. En el ámbito de las Corporaciones Locales, la competencia para resolver los recursos será establecida por las normas de las Comunidades Autónomas cuando éstas tengan atribuida competencia normativa y de ejecución en materia de régimen local y contratación.

En el supuesto de que no exista previsión expresa en la legislación autonómica, la competencia corresponderá al mismo órgano al que las Comunidades Autónomas en cuyo territorio se integran las Corporaciones Locales hayan atribuido la competencia para resolver los recursos de su ámbito.

☞ **Concordancias Jurisprudenciales**

Tribunal Administrativo Central de Recursos Contractuales, Resolución de 26 Ene. 2012, rec. 6/2012

[LA LEY 33166/2012]

CONTRATO ADMINISTRATIVO DE SERVICIOS. De diagnóstico por imagen —RMM— en régimen ambulatorio en el ámbito territorial de las Islas Canarias. Exclusión del proceso de licitación. RECURSO ESPECIAL EN MATERIA DE CONTRATACIÓN. Desestimación. Cuando el pliego de condiciones particulares exigía como requisito previo la presentación de copia de la resolución administrativa de autorización sanitaria de funcionamiento en vigor, otorgada por la comunidad autónoma correspondiente, del centro sanitario donde se prestarán los servicios objeto del concierto, es obvio que la misma debía corresponder al licitador que concurría al procedimiento de contratación, sin que baste con la del centro sanitario en el que presta sus servicios.

Tribunal Administrativo Central de Recursos Contractuales, Resolución de 15 Jun. 2011, rec. 126/2011

[LA LEY 71483/2011]

CONTRATO ADMINISTRATIVO DE SERVICIOS. Anuncio de licitación y el pliego de cláusulas administrativas particulares que han de regir la contratación del contrato de servicios titulado «Prestación de servicios de mantenimiento, limpieza, seguridad, asistencia administrativa y jardinería en el recinto ferial de la Institución Ferial de la Provincia de Zamora. RECURSO ESPECIAL EN MATERIA DE CONTRATACIÓN. Inadmisión. Por incompetencia del TACRC. La Institución Ferial de la Provincia de Zamora es un consorcio constituido por la Diputación de Zamora, el Ayuntamiento de Zamora y la Cámara Oficial de Comercio e Industria de Zamora, por lo que no puede considerarse incluido en el ámbito de la Administración General del Estado. Puesto que no existe órgano competente para resolver los recursos especiales en materia contratación creado por la Comunidad Autónoma de Castilla y León ni ésta tiene suscrito convenio con el TACRC, la competencia para resolver el recurso debe ser atribuida a los mismos órganos que la tuvieran atribuida con anterioridad a la Ley.

5. Cuando se trate de los recursos interpuestos contra actos de los poderes adjudicadores que no tengan la consideración de Administraciones Públicas, la competencia estará atribuida al órgano independiente que la ostente respecto de la Administración a que esté vinculada la entidad autora del acto recurrido.

Si la entidad contratante estuviera vinculada con más de una Administración, el órgano competente para resolver el recurso será aquél que tenga atribuida la competencia respecto de la que ostente el control o participación mayoritaria y, en caso de que todas o varias de ellas, ostenten una participación igual, ante el órgano que elija el recurrente de entre los que resulten competentes con arreglo a las normas de este apartado.

☞ **Concordancias Jurisprudenciales**

Tribunal Administrativo Central de Recursos Contractuales, Resolución de 9 Feb. 2012, rec. 13/2012

[LA LEY 31510/2012]

CONTRATO ADMINISTRATIVO DE SERVICIOS. De taxi para el traslado de pacientes beneficiarios de la asistencia sanitaria de UMIIVALE en la localidad de Valencia y Zona Metropolitana. Adjudicación. RECURSO ESPECIAL EN MATERIA DE CONTRATACIÓN. Inadmisión, en cuanto impugna extremos contenidos en el pliego de cláusulas administrativas particulares. La impugnación de la composición de la mesa de contratación resulta extemporánea. Desestimación, en todo lo demás. La mesa de contratación no ha realizado dejación del ejercicio de sus competencias al solicitar informe de terceros. La mesa presentó la propuesta de adjudicación que incorporada al informe de valoración, posibilidad expresamente prevista en el pliego de cláusulas administrativas particulares. Correcta valoración de las ofertas.

Tribunal Administrativo Central de Recursos Contractuales, Resolución de 3 Feb. 2012, rec. 1/2012

[LA LEY 33167/2012]

CONTRATO ADMINISTRATIVO DE SERVICIOS. De mensajería urgente de Asepeyo, Mutua de Accidentes de Trabajo y Enfermedades Profesionales de la Seguridad Social. RECURSO ESPECIAL EN MATERIA DE CONTRATACIÓN. Desestimación. Procedencia de la aplicación de la media ponderada para la valoración de las ofertas económicas presentadas por los licitadores. Aunque el criterio de la media aritmética resultaría también aplicable conforme con lo establecido en los pliegos, al no señalar éstos nada, la aplicación de este nuevo criterio se funda meramente en razones de oportunidad, no en razones de legalidad.

6. En los contratos subvencionados a que se refiere el último inciso del artículo 40.1 de esta Ley, la competencia corresponderá al órgano independiente que ejerza sus funciones respecto de la Administración a que esté adscrito el ente u organismo que hubiese otorgado la subvención, o al que esté adscrita la entidad que la hubiese concedido, cuando ésta no tenga el carácter de Administración Pública. En el supuesto de concurrencia de subvenciones por parte de distintos sujetos del sector público, la competencia se determinará atendiendo a la subvención de mayor cuantía y, a igualdad de importe, al órgano ante el que el recurrente decida interponer el recurso de entre los que resulten competentes con arreglo a las normas de este apartado.

➡ **Concordancias normativas**

Libro VI introducido por el apartado tres del artículo primero de la Ley 34/2010, de 5 de agosto, de modificación de las Leyes 30/2007, de 30 de octubre, de Contratos del Sector Público, 31/2007, de 30 de octubre, sobre procedimientos de contratación en los sectores del agua, la energía, los transportes y los servicios postales, y 29/1998, de 13 de julio, reguladora de la Jurisdicción Contencioso-Administrativa para adaptación a la normativa comunitaria de las dos primeras («B.O.E». 9 agosto).

☞ **Concordancias Jurisprudenciales**

Tribunal Administrativo Central de Recursos Contractuales, Resolución de 27 Abr. 2011, rec. 94/2011

[LA LEY 38112/2011]

CONTRATO ADMINISTRATIVO DE OBRAS. De segunda fase de las obras de ampliación de un hospital. Impugnación de resolución por la que se adjudica a una sociedad mercantil el contrato de obras. RECURSO ESPECIAL EN MATERIA DE CONTRATACIÓN. Inadmisión. Por la incompetencia del Tribunal Administrativo Central de Recursos Contractuales. Aun siendo la entidad convocante de la licitación una fundación de carácter privado, el órgano que otorgó la subvención del contrato no estaba integrado en la Administración general del Estado, sino en la autonómica, ni existía convenio firmado entre esta Administración y aquélla para atribuirle la competencia al Tribunal Administrativo Central de Recursos Contractuales.

Tribunal Administrativo Central de Recursos Contractuales, Resolución de 24 Feb. 2011, rec. 009/2011

[LA LEY 14637/2011]

CONTRATO ADMINISTRATIVO DE OBRAS. De construcción de un palacio de exposiciones y congresos en localidad castellanoleonesa. Adjudicación por procedimiento abierto. RECURSO ESPECIAL EN MATERIA DE CONTRATACIÓN. Inadmisión. Por incompetencia del TACRC. Aunque el contrato ha sido financiado en más de un 50% con fondos procedentes de subvenciones otorgadas por el M.º Industria, Turismo y Comercio y por la Consejería de Fomento de la Junta de Castilla y León, el contrato no es subvencionado. La entidad que lo adjudica es un poder adjudicador por sí misma, y a lo sumo debe considerarse como un contrato cofinanciado por diversas Administraciones, siquiera se haya utilizado la fórmula de la subvención a la hora de articular el título jurídico de entrega de los fondos con objeto de garantizar en mejor forma la inversión. La competencia para resolver el recurso administrativo previo corresponde al propio órgano de contratación, sin perjuicio de la posibilidad de interponer contra la resolución que se dicte recurso contencioso-administrativo, que en esta ocasión llevará aparejada la suspensión del acto impugnado.

Concordancias a todo el artículo

➡ **Concordancias normativas**

Artículo 311 de la LCSP 30/2007.

Artículo 42 *Legitimación*

Podrá interponer el correspondiente recurso especial en materia de contratación toda persona física o jurídica cuyos derechos o intereses legítimos se hayan visto perjudicados o puedan resultar afectados por las decisiones objeto de recurso.

Concordancias a todo el artículo

➡ **Concordancias normativas**

Artículo 312 de la LCSP 30/2007.

☞ **Concordancias Jurisprudenciales**

Tribunal Administrativo Central de Recursos Contractuales, Resolución de 3 Feb. 2012, rec. 20/2012

[LA LEY 32491/2012]

CONTRATO ADMINISTRATIVO DE SUMINISTROS. Adjudicación del contrato de suministro y distribución de 300 colecciones bibliográficas con destino a Bibliotecas Públicas Municipales de menos de 50.000 habitantes para la Campaña de animación a la lectura María Moliner. RECURSO ESPECIAL EN MATERIA DE CONTRATACIÓN. Inadmisión, por haber sido interpuesto fuera del plazo establecido. Aunque el recurso ha sido presentado en la oficina de Correos, la fecha a tener en cuenta ha de ser la de su registro en el órgano de contratación.

Tribunal Administrativo Central de Recursos Contractuales, Resolución de 18 Ene. 2012, rec. 339/2011

[LA LEY 37556/2012]

CONTRATO ADMINISTRATIVO DE OBRAS. De urbanización del área de planeamiento específico APE 17.02 del PGOUM de la actuación Parque Central de Ingenieros en un municipio madrileño. Adjudicación. RECURSO ESPECIAL EN MATERIA DE CONTRATACIÓN. Estimación parcial. Falta de motivación de la notificación de la adjudicación, pues en la practicada, si bien se señalan las características y ventajas por las que se ha seleccionado la oferta del adjudicatario, no aparecen reflejadas las razones determinantes de la exclusión de la UTE interesada. No se justifica suficientemente la razón de su exclusión. No se aprecia la concurrencia de mala fe o temeridad en la interposición del recurso por lo que no procede la imposición de la sanción prevista en la LCSP. Retrotracción de las actuaciones al momento anterior a la notificación de la adjudicación, para que se notifique debidamente motivada a los licitadores en el procedimiento.

Tribunal Administrativo Central de Recursos Contractuales, Resolución de 15 Sep. 2011, rec. 187/2011

[LA LEY 290463/2011]

CONTRATO ADMINISTRATIVO DE SERVICIOS. Adjudicación del contrato de los servicios de organización, gestión y ejecución del programa de vacaciones para mayores y para el mantenimiento del empleo en zonas turísticas durante varias temporadas. RECURSO ESPECIAL EN MATERIA DE CONTRATACIÓN. Inadmisión. Falta de legitimación activa. Dada la existencia de cuatro lotes y de cuatro adjudicaciones en el acuerdo, el sujeto no tendría legitimación para impugnar el lote 4, pues no ha concurrido a la licitación, pero tampoco la tiene para el lote 3, porque previamente a la adjudicación fue excluido del procedimiento al considerarse su baja desproporcionada o anormal. Desestimación, respecto de los otros lotes. Correcta valoración de las ofertas. La interpretación que del pliego hace el órgano de contratación no vulnera el principio de igualdad.

Tribunal Administrativo Central de Recursos Contractuales, Resolución de 15 Sep. 2011, rec. 196/2011

[LA LEY 282614/2011]

CONTRATO ADMINISTRATIVO DE SUMINISTROS. De bienes consumibles de informática para los Servicios Centrales del Servicio Público de Empleo Estatal. Nulidad parcial del pliego de prescripciones técnicas que ha de regir su contratación. RECURSO ESPECIAL EN MATERIA DE CONTRATACIÓN. Estimación parcial. La exigencia de una garantía específica exclusivamente para los productos no originales, incumple los principios de igualdad de trato y no discriminación, por cuanto una avería en los equipos que utilizan los suministros la pueden provocar tanto suministros originales como los que no lo son. Nulidad de la exigencia de atribuir la carga de la prueba de que el consumible no original es el que no ha causado la avería del equipo al suministrador de esos consumibles, cuando la empresa encargada del mantenimiento de los equipos es la que determina si la citada avería ha sido ocasionada por el suministro no original. Es evidente que quien emite el informe respecto de la causa de la avería puede ser parte interesada.

Tribunal Administrativo Central de Recursos Contractuales, Resolución de 14 Sep. 2011, rec. 190/2011

[LA LEY 282461/2011]

CONTRATO ADMINISTRATIVO DE OBRAS. Adjudicación del contrato de obras de construcción de un inmueble destinado a sede de las Direcciones Provinciales de la TGSS e INSS en Valladolid. RECURSO ESPECIAL EN MATERIA DE CONTRATACIÓN. Desestimación. La decisión sobre si la oferta puede cumplirse o no corresponde al órgano de contratación sopesando las alegaciones formuladas por la empresa licitadora y los informes emitidos por los servicios técnicos, alegaciones e informe que en ningún caso tienen carácter vinculante para el órgano de contratación que debe sopesar adecuadamente los mismos y adoptar su decisión en base a ellos. Correcta valoración de la oferta de la interesada, toda vez que en este procedimiento el único criterio a tener en cuenta para adjudicar el contrato era el precio, y queda constatado el carácter exageradamente bajo de la oferta presentada por la misma, que hacía inviable el cumplimiento del contrato.

Tribunal Administrativo Central de Recursos Contractuales, Resolución de 19 Oct. 2011, rec. 197/2011

[LA LEY 211680/2011]

CONTRATO ADMINISTRATIVO DE SERVICIOS. Adjudicación de contrato de servicio de contrato de servicios de mantenimiento integral de equipos de electro-medicina para el Hospital Gómez Ulla. RECURSO

ESPECIAL EN MATERIA DE CONTRATACIÓN. Estimación parcial. Nulidad de la adjudicación, por falta de motivación del informe del vocal técnico en que se fundó la adjudicación. El informe se limita a referir una mera asignación de puntos, sin hacer una descripción de las ofertas ni del proceso de aplicación a aquellas de los criterios de valoración fijados en el Pliego y que motivan la asignación de puntos expresada.

Tribunal Administrativo Central de Recursos Contractuales, Resolución de 28 Sep. 2011, rec. 201/2011

[LA LEY 186479/2011]

CONTRATO ADMINISTRATIVO DE SUMINISTROS. Pliego de cláusulas administrativas del Acuerdo Marco de suministro de material de oficina no inventariable (MONI) y de material informático no inventariable para el Ministerio de Defensa y sus Organismos Autónomos INVIED e INTA. RECURSO ESPECIAL EN MATERIA DE CONTRATACIÓN. Desestimación. La ausencia de anuncio previo del recurso no puede considerarse como un vicio que obste a la válida prosecución del procedimiento y al dictado de una resolución sobre el fondo del recurso. El planteamiento del pliego no infringe la normativa relativa al valor estimado de los contratos, ni a la determinación del precio de los mismos. El hecho de que alguno de los precios máximos de referencia que figuran en el pliego pudieran ser inferiores a los precios generales de venta al público de esos productos no invalida el planteamiento de la licitación, toda vez que el contrato se va a adjudicar globalmente a un único licitador, a aquél que presente, en conjunto, la proposición más ventajosa. Los 97 productos que señala el interesado corresponden al listado extendido de consumibles informáticos, que contiene un número muy elevado de ítems pero representa un porcentaje reducido del valor global del contrato. La incidencia de una diferencia negativa en el precio de alguno de dichos productos sería mínima en relación con el importe global del contrato y se podría compensar fácilmente con diferencias positivas de otros productos.

Tribunal Administrativo Central de Recursos Contractuales, Resolución de 28 Sep. 2011, rec. 186/2011

[LA LEY 186476/2011]

CONTRATO ADMINISTRATIVO DE SUMINISTROS. Nulidad parcial del pliego de cláusulas administrativas particulares y el pliego de prescripciones técnicas que han de regir la contratación de suministro «Adquisición de diverso material fungible de informática para cubrir las necesidades en las dependencias policiales a nivel nacional del Cuerpo Nacional de Policía». RECURSO ESPECIAL EN MATERIA DE CONTRATACIÓN. Estimación parcial. Nulidad de la exigencia de que el Servicio Técnico deba estar homologado por el fabricante.

Tribunal Administrativo Central de Recursos Contractuales, Resolución de 28 Sep. 2011, rec. 199/2011

[LA LEY 186473/2011]

CONTRATO ADMINISTRATIVO DE OBRAS. Adjudicación del contrato de obras de construcción de un nuevo edificio en la Academia de Oficiales en Aranjuez. RECURSO ESPECIAL EN MATERIA DE CONTRATACIÓN. Desestimación. Correcta valoración de la oferta de la interesada respecto del criterio «Ampliación del plazo de garantía». La oferta realizada por la UTE interesada no aporta toda la documentación exigida. Únicamente incluye el compromiso de ampliar el plazo de garantía por un periodo de dos años, sin que conste «el programa de mantenimiento preventivo, correctivo y reparación de averías de las instalaciones incluidas en el proyecto» exigido en el PCAP.

Tribunal Administrativo Central de Recursos Contractuales, Resolución de 28 Sep. 2011, rec. 193/2011

[LA LEY 186468/2011]

CONTRATO ADMINISTRATIVO DE SERVICIOS. Pliego de Prescripciones Técnicas del expediente que ha de regir el proceso de licitación convocado por la Delegación del Gobierno de Madrid, y que tiene por objeto la contratación del servicio de conservación y mantenimiento integral de los edificios e instalaciones de la Delegación del Gobierno en Madrid.

Tribunal Administrativo Central de Recursos Contractuales, Resolución de 14 Sep. 2011, rec. 189/2011

[LA LEY 185600/2011]

CONTRATO ADMINISTRATIVO DE SERVICIOS. Adjudicación del contrato de «Servicios de transporte con conductor, traslado de mobiliario, enseres y trabajos de peonaje de la Dirección Provincial de Madrid del Instituto Nacional de la Seguridad Social». RECURSO ESPECIAL EN MATERIA DE CONTRATACIÓN. Desestimación. Aptitud de la empresa adjudicataria para contratar los servicios licitados. Tiene un objeto o ámbito de actividad que comprende las prestaciones propias del contrato que le ha sido adjudicado, ya que en él no sólo tiene cabida la realización de mudanzas, sino también las demás prestaciones exigidas en los Pliegos rectores del procedimiento de adjudicación. La empresa acreditó en el momento legalmente exigido la circunstancia de hallarse al corriente en el cumplimiento de las obligaciones tributarias y con la Seguridad Social, así como los demás extremos exigidos, sin que sea competente el Tribunal para entrar a valorar circunstancias como el posible incumplimiento del convenio colectivo aplicable por la empresa a sus empleados, y demás referidas a la práctica profesional de las empresas que realizan actividad de mudanzas.

Tribunal Administrativo Central de Recursos Contractuales, Resolución de 14 Sep. 2011, rec. 188/2011

[LA LEY 185599/2011]

CONTRATO ADMINISTRATIVO DE SERVICIOS. Adjudicación del contrato relativo a servicio de mantenimiento del sistema de estaciones de toma de datos en puestos fronterizos o aduaneros. RECURSO ESPECIAL EN MATERIA DE CONTRATACIÓN. Desestimación. Aplicación incorrecta de los criterios de valoración contenidos en el pliego de cláusulas administrativas particulares, únicamente respecto a la prestación del servicio y sustitución de los equipos que se averían. Se establecen dos criterios de valoración. Existe una incongruencia entre la fundamentación de la valoración realizada y la oferta presentada por el licitador, al existir elementos de ésta que no se han tenido en cuenta al realizar su valoración. Ahora bien, la diferencia de puntuación que existe entre la adjudicataria y la interesada en este apartado no determinaría, por sí sola, modificación del adjudicatario del contrato. Correcta valoración de la calidad de la documentación presentada, que entra dentro de la discrecionalidad técnica de la Administración. No se acredita que haya vulneración de los principios de transparencia, igualdad y publicidad, porque «la información existente e imprescindible para la elaboración de la propuesta no obraba en posesión de todas las empresas.»

Artículo 43 *Solicitud de medidas provisionales*

1. Antes de interponer el recurso especial regulado en este Capítulo, las personas físicas y jurídicas, legitimadas para ello con arreglo a lo dispuesto en el artículo anterior, podrán solicitar ante el órgano competente para resolver el recurso la adopción de medidas provisionales. Tales medidas

irán dirigidas a corregir infracciones de procedimiento o impedir que se causen otros perjuicios a los intereses afectados, y podrán estar incluidas, entre ellas, las destinadas a suspender o a hacer que se suspenda el procedimiento de adjudicación del contrato en cuestión o la ejecución de cualquier decisión adoptada por los órganos de contratación.

2. El órgano competente para resolver el recurso deberá adoptar decisión en forma motivada sobre las medidas provisionales dentro de los cinco días hábiles siguientes, a la presentación del escrito en que se soliciten.

A estos efectos, el órgano decisorio, en el mismo día en que se reciba la petición de la medida provisional, comunicará la misma al órgano de contratación, que dispondrá de un plazo de dos días hábiles, para presentar las alegaciones que considere oportunas referidas a la adopción de las medidas solicitadas o a las propuestas por el propio órgano decisorio. Si transcurrido este plazo no se formulasen alegaciones se continuará el procedimiento.

Si antes de dictar resolución se hubiese interpuesto el recurso, el órgano decisorio acumulará a éste la solicitud de medidas provisionales y resolverá sobre ellas en la forma prevista en el artículo 46.

Contra las resoluciones dictadas en este procedimiento no cabrá recurso alguno, sin perjuicio de los que procedan contra las resoluciones que se dicten en el procedimiento principal.

3. Cuando de la adopción de las medidas provisionales puedan derivarse perjuicios de cualquier naturaleza, la resolución podrá imponer la constitución de caución o garantía suficiente para responder de ellos, sin que aquéllas produzcan efectos hasta que dicha caución o garantía sea constituida.

Reglamentariamente se determinará la cuantía y forma de la garantía a constituir así como los requisitos para su devolución.

4. La suspensión del procedimiento que pueda acordarse cautelarmente no afectará, en ningún caso, al plazo concedido para la presentación de ofertas o proposiciones por los interesados.

5. Las medidas provisionales que se soliciten y acuerden con anterioridad a la presentación del recurso especial en materia de contratación decaerán una vez transcurra el plazo establecido para su interposición sin que el interesado lo haya deducido.

Concordancias a todo el artículo

➡ **Concordancias normativas**

Artículo 313 de la LCSP 30/2007.

☞ **Concordancias Jurisprudenciales**

Tribunal Administrativo Central de Recursos Contractuales, Resolución de 21 Sep. 2011, rec. 171/2011

[LA LEY 191941/2011]

CONTRATO ADMINISTRATIVO DE SERVICIOS. Pliego de Cláusulas Administrativas particulares y de Prescripciones Técnicas que ha de regir el proceso de licitación para la contratación del servicio de vigilancia armado y de seguridad de las personas y bienes en la presa de Itoiz. RECURSO ESPECIAL EN MATERIA DE CONTRATACIÓN. Estimación. Nulidad de las cláusulas impugnadas. La exigencia de que todas las empresas que quieran participar en la licitación tengan ya, con anterioridad a la presentación de solicitudes, un mínimo de 100 vigilantes con licencia de armas tipo C trabajando en Navarra es desproporcionada, cuando el número de vigilantes que hacen falta para cumplir el objeto del contrato es, según el pliego, de seis, cinco más un coordinador. Si la clasificación sustituye la acreditación de solvencia a través de los medios establecidos en la Ley, la referencia a la posibilidad de exigir medios adicionales para su acreditación cuando sea exigible la clasificación no es posible desde el punto de vista legal. No cabe exigir la suscripción de pólizas de seguro que tengan como finalidad acreditar la solvencia financiera o económica de las empresas en aquellos casos en que sea legalmente exigible la clasificación. La segunda póliza de responsabilidad exigida cumple la misma finalidad que la garantía definitiva, pero sin cumplir el requisito de limitación de su cuantía ni el de exigirla tan sólo al que haya de resultar adjudicatario del contrato que se establece en la Ley. Es razonable y justificada la exigencia del requisito, aunque exclusivamente para la empresa que resulte adjudicataria.

Tribunal Administrativo Central de Recursos Contractuales, Resolución de 24 Feb. 2011, rec. 022/2011

[LA LEY 14649/2011]

CONTRATO ADMINISTRATIVO DE SERVICIOS. Anuncio de licitación publicado por una sociedad del Grupo ICO para la contratación de Servicios de Asesoría Financiera de proyectos de infraestructuras. RECURSO ESPECIAL EN MATERIA DE CONTRATACIÓN. Inadmisión. El escrito presentado no constituye un verdadero recurso especial en materia de contratación, por no haberse interpuesto contra acto de un poder adjudicador. El recurso presentado por la interesada, no está dirigido al Tribunal sino a la entidad convocante de la licitación.

Tribunal Administrativo Central de Recursos Contractuales, Resolución de 23 Dic. 2010, rec. 042/2010

[LA LEY 297982/2010]

CONTRATO ADMINISTRATIVO DE SERVICIOS. Seguros de accidentes. Conformidad a Derecho de la adjudicación definitiva del contrato de seguro colectivo de accidentes para los conductores y ocupantes de los vehículos terrestres al servicio del Ejército de Tierra con seguro obligatorio de responsabilidad civil en la circulación de vehículos a motor, a favor de la licitadora que presentó la oferta supuestamente anormal en lo relativo a su cuantía, es decir, una oferta incursa en una baja equivalente a un 50% respecto del presupuesto de licitación. Consta en el Pliego que la oferta es anormal o desproporcionada, cuando sea inferior en 25 unidades porcentuales al presupuesto de licitación. Corresponde al órgano de contratación, en atención a las alegaciones formuladas por la empresa licitadora y a los informes emitidos por los servicios técnicos —documentación toda ella no vinculante— la decisión sobre si la oferta puede o no cumplirse. Inexistencia de antecedentes y documentos que avalen que la adjudicataria no podrá cumplir el contrato en los términos de su proposición. Correcta valoración del Plan de trabajo, existiendo la posibilidad de que varias empresas obtengan puntuaciones idénticas.

Tribunal Administrativo Central de Recursos Contractuales, Resolución de 23 Dic. 2010, rec. 034/2010

[LA LEY 297975/2010]

CONTRATOS ADMINISTRATIVOS. Adjudicación definitiva de contrato de seguro colectivo de accidentes para los conductores y ocupantes de los vehículos terrestres al servicio del Ejército de Tierra con seguro obligatorio de responsabilidad civil en la circulación de vehículos a motor. Oferta supuestamente anormal en lo relativo a su cuantía. RECURSO ESPECIAL EN

MATERIA DE CONTRATACIÓN. Desestimación. No se acredita que el licitador que resultó adjudicatario no se encuentra en condiciones de cumplir el contrato en los términos de la proposición presentada. La apreciación de que la oferta contiene valores anormales o desproporcionados no es un fin en sí misma, sino un medio para establecer que la proposición no puede ser cumplida como consecuencia de ello y que, por tanto, no debe hacerse la adjudicación a quien la hubiera presentado. La apreciación de si es posible el cumplimiento de la proposición o no, fue consecuencia de una valoración por el órgano de contratación de los diferentes elementos que concurren en la oferta y de las características de la propia empresa licitadora, no siendo posible su aplicación automática. La adjudicación debe ser notificada a los candidatos y licitadores, y solo si lo solicitan se les facilitará información sobre «los motivos del rechazo de su candidatura o de su proposición y de las características de la proposición del adjudicatario que fueron determinantes de la adjudicación a su favor.»

Tribunal Administrativo Central de Recursos Contractuales, Resolución de 9 Dic. 2010, rec. 010/2010

[LA LEY 297955/2010]

CONTRATO ADMINISTRATIVO DE SERVICIOS. Exclusión del proceso de licitación del servicio de asesoría en la evaluación del APS de incendios de la Central Nuclear de Almaraz. RECURSO ESPECIAL EN MATERIA DE CONTRATACIÓN. Desestimación. La oferta técnica presentada por la interesada no cumple con lo preceptuado en el pliego de prescripciones técnicas. La experiencia profesional del jefe de proyecto presentada en la oferta acredita experiencia en el campo nuclear, si bien no cumple con el requisito mínimo de 5 años en alguna de las áreas clave reseñadas en el pliego de prescripciones técnicas. Dado que la existencia en el equipo de un jefe o director de proyecto es imprescindible para ejecutar el trabajo, según lo previsto en el pliego de prescripciones técnicas, no procede examinar la experiencia del resto de miembros del equipo de trabajo.

Tribunal Administrativo Central de Recursos Contractuales, Resolución de 17 Nov. 2010, rec. 07/2010

[LA LEY 297953/2010]

CONTRATO ADMINISTRATIVO DE SERVICIOS. Adjudicación provisional de acuerdo marco para la contratación de servicios de desarrollo de sistemas de información. RECURSO ESPECIAL EN MATERIA DE CONTRA-

TACIÓN. Inadmisión. Acto de trámite no susceptible de recurso especial en materia de contratación.

Tribunal Administrativo Central de Recursos Contractuales, Resolución de 1 Dic. 2010, rec. 003/2010

[LA LEY 297949/2010]

CONTRATO ADMINISTRATIVO DE SERVICIOS. Exclusión del proceso de licitación del servicio de mantenimiento de los aparatos elevadores instalados en la sede de la Oficina Española de Patentes y Marcas. RECURSO ESPECIAL EN MATERIA DE CONTRATACIÓN. Desestimación. Pese a que, por la no inclusión o inclusión errónea en el sobre de la oferta técnica de la documentación exigida en el pliego de cláusulas administrativas particulares, la oferta debió de haber sido excluida del procedimiento sin posibilidad de subsanación, la Mesa de Contratación permitió la subsanación del defecto observado. Sin embargo el certificado de seguro de responsabilidad civil aportado por la empresa interesada dentro del plazo de subsanación únicamente cubría un riesgo de un millón de euros, cuando según lo previsto en el pliego de prescripciones técnicas debía ser de al menos dos millones de euros. No tiene relevancia que la empresa interesada en vía de recurso aporte, ex novo, certificado que cumple con el pliego de prescripciones técnicas. Dicha presentación debe considerarse extemporánea.

Artículo 44 *Iniciación del procedimiento y plazo de interposición*

1. Todo aquel que se proponga interponer recurso contra alguno de los actos indicados en el artículo 40.1 y 2 deberá anunciarlo previamente mediante escrito especificando el acto del procedimiento que vaya a ser objeto del mismo, presentado ante el órgano de contratación en el plazo previsto en el apartado siguiente para la interposición del recurso.

2. El procedimiento de recurso se iniciará mediante escrito que deberá presentarse en el plazo de quince días hábiles contados a partir del siguiente a aquel en que se remita la notificación del acto impugnado de conformidad con lo dispuesto en el artículo 151.4.

No obstante lo dispuesto en el párrafo anterior:

a) Cuando el recurso se interponga contra el contenido de los pliegos y demás documentos contractuales, el cómputo se iniciará a partir del día siguiente a aquel en que los mismos hayan sido recibidos o puestos a disposición de los licitadores o candidatos para su conocimiento conforme se dispone en el artículo 158 de esta Ley.

b) Cuando se interponga contra actos de trámite adoptados en el procedimiento de adjudicación o contra un acto resultante de la aplicación del procedimiento negociado sin publicidad, el cómputo se iniciará a partir del día siguiente a aquel en que se haya tenido conocimiento de la posible infracción.

c) Cuando se interponga contra el anuncio de licitación, el plazo comenzará a contarse a partir del día siguiente al de publicación.

☞ **Concordancias Jurisprudenciales**

Tribunal Administrativo Central de Recursos Contractuales, Resolución de 3 Feb. 2012, rec. 345/2012

[LA LEY 31485/2012]

CONTRATO ADMINISTRATIVO DE SERVICIOS. Adjudicación del contrato de servicio de vigilancia, mediante vigilantes de seguridad sin arma, para la sede conjunta de las Direcciones Provinciales de la Tesorería General de la Seguridad Social y del Instituto Nacional de la Seguridad Social de Las Palmas y las oficinas dependientas de la Tesorería General de la Seguridad Social de Las Palmas. RECURSO ESPECIAL EN MATERIA DE CONTRATACIÓN. Estimación. Nulidad del procedimiento de adjudicación, por la insuficiencia de la autorización administrativa de la adjudicataria para llevar a cabo una de las prestaciones exigidas por los pliegos como objeto del contrato, en particular la conexión con una central receptora de alarmas. Para el ejercicio de las actividades propias de la seguridad privada en España, por empresas españolas o comunitarias, es necesario obtener una autorización previa del Ministerio del Interior. Esta autorización funciona por tanto como título habilitante para el ejercicio de las citadas actividades con independencia de que el pliego incluya o no dicha exigencia. Imposibilidad de que el defecto de habilitación del contratista para realizar la actividad sea suplido por la habilitación del subcontratista, porque el pliego no admite la posibilidad de variantes en la oferta. Procede la reposición de las actuaciones al momento inmediatamente anterior al examen por la mesa de contratación de la documentación contenida en el sobre número 1 de documentación general presentados por los licitadores.

Tribunal Administrativo Central de Recursos Contractuales, Resolución de 10 Nov. 2011, rec. 230/2011

[LA LEY 294075/2011]

CONTRATO ADMINISTRATIVO DE CONSULTORÍA. Exclusión de la interesada del procedimiento de adjudicación del contrato de «Dirección facultativa de las Obras de Urbanización del Área de Planeamiento Específico A.P.E.17.02 del P.G.O.U.M., de la actuación Parque Central de Ingenieros de Villaverde» por no haber acreditado la solvencia técnica exigida en el pliego. RECURSO ESPECIAL EN MATERIA DE CONTRATACIÓN. Desestimación. No está acreditado que la experiencia del ingeniero técnico industrial y del ingeniero técnico de obras públicas ofrecidos por la interesada para el desarrollo del proyecto en licitación se corresponda con la exigida en el pliego. El puesto de técnico superior de prevención de riesgos laborales no guarda ninguna relación con la solvencia técnica requerida por SEPES y especificada en el pliego de cláusulas administrativas.

Tribunal Administrativo Central de Recursos Contractuales, Resolución de 15 Sep. 2011, rec. 187/2011

[LA LEY 290463/2011]

CONTRATO ADMINISTRATIVO DE SERVICIOS. Adjudicación del contrato de los servicios de organización, gestión y ejecución del programa de vacaciones para mayores y para el mantenimiento del empleo en zonas turísticas durante varias temporadas. RECURSO ESPECIAL EN MATERIA DE CONTRATACIÓN. Inadmisión. Falta de legitimación activa. Dada la existencia de cuatro lotes y de cuatro adjudicaciones en el acuerdo, el sujeto no tendría legitimación para impugnar el lote 4, pues no ha concurrido a la licitación, pero tampoco la tiene para el lote 3, porque previamente a la adjudicación fue excluido del procedimiento al considerarse su baja desproporcionada o anormal. Desestimación, respecto de los otros lotes. Correcta valoración de las ofertas. La interpretación que del pliego hace el órgano de contratación no vulnera el principio de igualdad.

Tribunal Administrativo Central de Recursos Contractuales, Resolución de 7 Sep. 2011, rec. 165/2011

[LA LEY 280742/2011]

CONTRATO ADMINISTRATIVO DE SERVICIOS. De apoyo al funcionamiento de los centros de educación ambiental dentro de un programa de recuperación de pueblos abandonados. Impugnación de resolución por la que se acuerda la exclusión de una sociedad mercantil de la licitación convocada para la adjudicación del contrato de servicios, así como la adjudicación a otra sociedad mercantil del mismo, por desnaturalizar la recurrente la división en lotes, impidiendo tanto la comparación como la adjudicación separada. Además, la clasificación del adjudicatario era superior a la exigida en el pliego de condiciones. RECURSO ESPECIAL EN MATERIA DE CONTRATACIÓN. Inadmisión. Por extemporáneo. Aunque el recurso se presentó dentro de los 15 días hábiles contados a partir del siguiente a aquel en que se remitió la notificación del acuerdo de exclusión, se realizó ante un registro distinto al establecido en la normativa de aplicación, no siendo este defecto susceptible de subsanación, pues este recurso está dominado por el principio de celeridad en atención a la brevedad de los plazos.

Tribunal Administrativo Central de Recursos Contractuales, Resolución de 3 Nov. 2011, rec. 223/2011

[LA LEY 219516/2011]

CONTRATO ADMINISTRATIVO DE SERVICIOS. Adjudicación del servicio de «Diagnóstico por imagen en régimen ambulatorio en el ámbito territorial de Castilla y León». RECURSO ESPECIAL EN MATERIA DE CONTRATACIÓN. Inadmisión. Extemporaneidad. El plazo transcurrido entre la fecha de la notificación y la fecha en la que se considera efectuada la presentación del recurso supera los 15 días hábiles establecidos en la normativa.

Tribunal Administrativo Central de Recursos Contractuales, Resolución de 26 Oct. 2011, rec. 219/2011

[LA LEY 213436/2011]

CONTRATO ADMINISTRATIVO DE SERVICIOS. Adjudicación del servicio de «Mantenimiento, limpieza y servicios de calidad de vida, obras, suministros y otros servicios en los campamentos de Camp Arena y Camp Stone en Herat, Afganistán. RECURSO ESPECIAL EN MATERIA DE CONTRATACIÓN. Inadmisión. Por haber sido interpuesto fuera del plazo establecido de quince días hábiles.

Tribunal Administrativo Central de Recursos Contractuales, Resolución de 19 Oct. 2011, rec. 197/2011

[LA LEY 211680/2011]

CONTRATO ADMINISTRATIVO DE SERVICIOS. Adjudicación de contrato de servicio de contrato de servicios de mantenimiento integral de equipos de electro-medicina para el Hospital Gómez Ulla. RECURSO ESPECIAL EN MATERIA DE CONTRATACIÓN. Estimación parcial. Nulidad de la adjudicación, por falta de motivación del informe del vocal técnico en que se fundó la adjudicación. El informe se limita a referir una mera asignación de puntos, sin hacer una descripción de las ofertas ni del proceso de aplicación a aquellas de los criterios de valoración fijados en el Pliego y que motivan la asignación de puntos expresada.

Tribunal Administrativo Central de Recursos Contractuales, Resolución de 28 Sep. 2011, rec. 186/2011

[LA LEY 186476/2011]

CONTRATO ADMINISTRATIVO DE SUMINISTROS. Nulidad parcial del pliego de cláusulas administrativas particulares y el pliego de prescripciones técnicas que han de regir la contratación de suministro «Adquisición de diverso material fungible de informática para cubrir las necesidades en las dependencias policiales a nivel nacional del Cuerpo Nacional de Policía». RECURSO ESPECIAL EN MATERIA DE CONTRATACIÓN. Estimación parcial. Nulidad de la exigencia de que el Servicio Técnico deba estar homologado.

Tribunal Administrativo Central de Recursos Contractuales, Resolución de 28 Sep. 2011, rec. 193/2011

[LA LEY 186468/2011]

CONTRATO ADMINISTRATIVO DE SERVICIOS. Pliego de Prescripciones Técnicas del expediente que ha de regir el proceso de licitación convocado por la Delegación del Gobierno de Madrid, y que tiene por objeto la contratación del servicio de conservación y mantenimiento integral de los edificios e instalaciones de la Delegación del Gobierno en Madrid. RECURSO ESPECIAL EN MATERIA DE CONTRATACIÓN. Estimación. Nulidad del proceso de licitación.

Tribunal Administrativo Central de Recursos Contractuales, Resolución de 15 Sep. 2011, rec. 182/2011

[LA LEY 186125/2011]

CONTRATO ADMINISTRATIVO DE SERVICIOS. Adjudicación definitiva del contrato relativo a la «Limpieza de los edificios de las Dependencias del Departamento de Aduanas e Impuestos Especiales de la AEAT». RECURSO ESPECIAL EN MATERIA DE CONTRATACIÓN. Inadmisión. La resolución debe calificarse como un acto de ejecución de la resolución dictada por el TCRC, anulando las adjudicaciones provisional y definitiva realizadas con anterioridad por la AEAT, contra la cual sólo cabe recurso contencioso-administrativo.

Tribunal Administrativo Central de Recursos Contractuales, Resolución de 14 Sep. 2011, rec. 194/2011

[LA LEY 185986/2011]

CONTRATO ADMINISTRATIVO DE SERVICIOS. Adjudicación de contrato del servicio de mantenimiento integral de los ascensores y elementos de traslación vertical de los edificios e instalaciones del Museo Nacional Centro de Arte Reina Sofía. RECURSO ESPECIAL EN MATERIA DE CONTRATACIÓN. Desestimación. Correcta valoración de la oferta presentada por la interesada. Ha presentado una oferta que, sin ser contraria formalmente a ninguna de las cláusulas del pliego, hace devenir inservible la aplicación de las fórmulas especificadas en el mismo, toda vez que, identificando con infinito el valor de su propuesta, la aplicación de dichas fórmulas matemáticas igualaría a 0 la puntuación de todo el resto de proposiciones, sin permitir establecer un orden de prelación entre ellas. Otorgar cualquier valor a los criterios no cuantificados por la interesada vulneraría los principios de la contratación pública por lo que, en estas condiciones, no se podría llevar a cabo la selección de la oferta más ventajosa de acuerdo con los preceptos de la Ley.

3. La presentación del escrito de interposición deberá hacerse necesariamente en el registro del órgano de contratación o en el del órgano competente para la resolución del recurso.

☞ **Concordancias Jurisprudenciales**

Tribunal Administrativo Central de Recursos Contractuales, Resolución de 30 Mar. 2011, rec. 064/2011

[LA LEY 14734/2011]

CONTRATO ADMINISTRATIVO DE SERVICIOS. De facturación electrónica de una entidad pública empresarial. Impugnación de resolución de la mesa de contratación mediante la cual quedaba excluida una entidad mercantil recurrente del proceso de licitación para la adjudicación del servicio. RECURSO ESPECIAL EN MATERIA DE CONTRATACIÓN. Inadmisión. Desde la fecha en la que la recurrente recibió la notificación de la exclusión del proceso hasta que el recurso entró en el registro del órgano de contratación, había transcurrido el plazo de 15 días hábiles legalmente establecido para su interposición.

Tribunal Administrativo Central de Recursos Contractuales, Resolución de 2 Feb. 2011, rec. 054/2010

[LA LEY 14689/2011]

CONTRATO ADMINISTRATIVO DE SERVICIOS. De realización de pruebas diagnósticas de resonancias magnéticas para la población protegida de una de Mutua Accidentes de Trabajo y Enfermedades Profesionales de la S.S. Impugnación de resolución por la que se adjudica a una sociedad mercantil el contrato, al no aparecer como adjudicataria la mercantil recurrente. RECURSO ESPECIAL EN MATERIA DE CONTRATACIÓN. Inadmisión. Por extemporáneo. El plazo transcurrido entre la fecha en la que se efectúa la notificación del acuerdo de la adjudicación acompañada de la documentación referida a las proposiciones de los demás licitadores a la recurrente y la fecha de presentación del recurso ante el órgano de contratación superaba los 15 días hábiles legalmente establecidos.

Tribunal Administrativo Central de Recursos Contractuales, Resolución de 9 Mar. 2011, rec. 030/2011

[LA LEY 14657/2011]

CONTRATO ADMINISTRATIVO DE SERVICIOS. De consultoría para la realización de un plan estratégico de marketing 2011-2014 del Instituto de Turismo de España interpuesto. Impugnación de resolución por la que se adjudica definitivamente a una entidad mercantil la ejecución del servicio y de la resolución por la que se excluía a la mercantil recurrente de la licitación. RECURSO ESPECIAL EN MATERIA DE CONTRATACIÓN. Inadmisión. Por haber sido interpuesto fuera del plazo de 15 días hábiles legalmente establecidos, pues desde la fecha en la que la recurrente recibió las notificaciones del acto de exclusión y del de adjudicación hasta que el recurso entró en el registro del órgano de contratación, había transcurrido dicho plazo.

Tribunal Administrativo Central de Recursos Contractuales, Resolución de 24 Feb. 2011, rec. 011/2011

[LA LEY 14639/2011]

CONTRATO ADMINISTRATIVO DE SERVICIOS. De transporte de personal a un Centro Penitenciario. Adjudicación definitiva por procedimiento abierto. RECURSO ESPECIAL EN MATERIA DE CONTRATACIÓN. Inadmisión. Extemporaneidad. El plazo transcurrido entre la fecha en la que se entiende efectuada la notificación de la adjudicación a las interesadas y la fecha en la que se considera efectuada la presentación del recurso supera los 15 días hábiles establecidos en la normativa. Se remite notificación a los interesados sin que conste la fecha de recepción por los mismos. En consecuencia, dado que las notificaciones efectuadas sin cumplir los requisitos legales mencionados no pueden producir el efecto de dar inicio al transcurso del plazo para recurrir, debe considerarse como fecha de notificación la de presentación del recurso. Las recurrentes presentaron el recurso en la Subdelegación del Gobierno, teniendo entrada el mismo en el TEAC, desde donde fue remitido al TACRC. El plazo de cómputo comienza a contar a partir del día siguiente hábil a aquel en que se presenta el recurso en la Subdelegación del Gobierno, y debe considerarse como fecha de entrada del recurso en el Tribunal la de entrada en el TEAC, en cuanto que ello es consecuencia del envío erróneo por parte de la Subdelegación del Gobierno, ya que el recurso estaba dirigido al TACRC.

4. En el escrito de interposición se hará constar el acto recurrido, el motivo que fundamente el recurso, los medios de prueba de que pretenda valerse el recurrente y, en su caso, las medidas de la misma naturaleza que las mencionadas en el artículo anterior, cuya adopción solicite.

A este escrito se acompañará:

a) El documento que acredite la representación del compareciente, salvo si figurase unido a las actuaciones de otro recurso pendiente ante el mismo órgano, en cuyo caso podrá solicitarse que se expida certificación para su unión al procedimiento.

b) El documento o documentos que acrediten la legitimación del actor cuando la ostente por habérsela transmitido otro por herencia o por cualquier otro título.

c) La copia o traslado del acto expreso que se recurra, o indicación del expediente en que haya recaído o del periódico oficial o perfil de contratante en que se haya publicado.

d) El documento o documentos en que funde su derecho.

e) El justificante de haber dado cumplimiento a lo establecido en el apartado 1 de este artículo. Sin este justificante no se dará curso al escrito de interposición, aunque su omisión podrá subsanarse de conformidad con lo establecido en el apartado siguiente.

☞ **Concordancias Jurisprudenciales**

Tribunal Administrativo Central de Recursos Contractuales, Resolución de 26 Ene. 2012, rec. 344/2012

CONTRATO ADMINISTRATIVO DE SERVICIOS. De limpieza general del Instituto de Técnica Aeroespacial. Adjudicación definitiva. RECURSO ESPECIAL EN MATERIA DE CONTRATACIÓN. Estimación parcial. Nulidad de las notificaciones individuales a los licitadores de la resolución. No contiene motivación suficiente respecto de la ofertas de los adjudicatarios, por cuanto no contiene expresión de las características y ventajas de la proposición del adjudicatario determinantes de que haya sido seleccionada la oferta de éste con preferencia a las que hayan presentado los restantes licitadores cuyas ofertas hayan sido admitidas, sin que se cumpla con este requisito por la mera información genérica sobre la puntuación obtenida globalmente y en cada criterio por su oferta que hace la notificación. Procede la retroacción de las actuaciones.

Tribunal Administrativo Central de Recursos Contractuales, Resolución de 9 Feb. 2011, rec. 073/2010

[LA LEY 14717/2011]

CONTRATO ADMINISTRATIVO DE OBRAS. Anuncio de licitación y pliego de condiciones particulares que han de regir la contratación, mediante procedimiento abierto, de las obras de construcción de Centro Integral de Servicios de IBERMUTUAMUR en Armilla. Pliego de cláusulas particulares. RECURSO ESPECIAL EN MATERIA DE CONTRATACIÓN. Estimación. No procede la exigencia del certificado del sistema de gestión de la I+D+i, contenida en el pliego de condiciones particulares, visto el objeto del contrato ejecución de obras de un Centro para prestar servicios fundamentalmente de carácter sanitario. La exigencia de calidad extra no justificada en el expediente de contratación y fundamentalmente en los pliegos, referida a la gestión de investigación, desarrollo e innovación para un contrato de obras, aún cuando se trate de construir un inmueble de carácter mayoritariamente sanitario, supone una discriminación de unas empresas frente a otras. Así, la exigencia de normas de garantía de la calidad deben respetar los principios que deben presidir la contratación, debiendo destacarse para este supuesto concreto el de concurrencia.

Tribunal Administrativo Central de Recursos Contractuales, Resolución de 23 Mar. 2011, rec. 054/2011

[LA LEY 14690/2011]

CONTRATO ADMINISTRATIVO DE SUMINISTRO. De prendas de protección para el personal civil y militar del ejército del aire. RECURSO ESPECIAL EN MATERIA DE CONTRATACIÓN. Inadmisión. Por no tratarse de dicho recurso, dado que el escrito presentado alude a varios contratos, plantea distintas objeciones y no está sujeto a regulación armonizada, por lo que no procede calificarlo como tal.

Tribunal Administrativo Central de Recursos Contractuales, Resolución de 2 Feb. 2011, rec. 031/2010

[LA LEY 14658/2011]

CONTRATO ADMINISTRATIVO DE SERVICIOS. Exclusión del proceso de licitación para la adjudicación del contrato de «Servicio de conservación y restauración de dieciséis bocetos del siglo XVIII de la Catedral del Toledo», como consecuencia del informe emitido por el órgano técnico en el que la interesada no alcanza la puntuación mínima exigida para continuar con la licitación. RECURSO ESPECIAL EN MATERIA DE CONTRATACIÓN. Desestimación. No se acredita que la valoración de la Administración no fue ajustada a derecho. Dicha valoración está plenamente motivada, por lo que otras cuestiones relacionadas con aspectos no meramente jurídicos son irrelevantes.

Tribunal Administrativo Central de Recursos Contractuales, Resolución de 1 Dic. 2010, rec. 019/2010

[LA LEY 297963/2010]

CONTRATOS ADMINISTRATIVOS. Desistimiento del procedimiento de contratación iniciado para la realización de trabajos técnicos de identificación humana mediante análisis sobre ADN. RECURSO ESPECIAL EN MATERIA DE CONTRATACIÓN. Estimación parcial. La notificación del acuerdo de desistimiento hecha a la interesada no cumple los requisitos legales para su validez. La publicación en el perfil de contratante no puede ser considerada como un acto con efectos equivalentes a la notificación. Hubiera bastado una mera referencia en la notificación al hecho de que el acuerdo se encontraba publicado en el perfil de contratante si el interesado hubiera aceptado la práctica de las notificaciones por medios telemáticos, pero no en caso contrario. La notificación efectuada ni siquiera contenía referencia a la circunstancia indicada, por lo que tampoco podría considerarse como válida, aunque el interesado hubiera aceptado la utilización de medios telemáticos. Procede que se notifique nuevamente a los licitadores, con observancia de los requisitos establecidos para las notificaciones en la normativa.

5. Para la subsanación de los defectos que puedan afectar al escrito de recurso, se requerirá al interesado a fin de que, en un plazo tres días hábiles, subsane la falta o acompañe los documentos preceptivos, con indicación de que, si así no lo hiciera, se le tendrá por desistido de su petición, quedando suspendida la tramitación del expediente con los efectos previstos en el apartado 5 del artículo 42 de la Ley 30/1992, de 26 de noviembre (LA LEY 3279/1992), de Régimen Jurídico de las Administraciones Públicas y del Procedimiento Administrativo Común.

☞ **Concordancias Jurisprudenciales**

Tribunal Administrativo Central de Recursos Contractuales, Resolución de 2 Feb. 2011, rec. 060/2010

[LA LEY 14699/2011]

CONTRATO ADMINISTRATIVO DE SERVICIOS. De gestión integral de actividades deportivas del gimnasio del órgano central del Cuerpo de la Guardia civil. Impugnación de resolución por la que se adjudica provisionalmente el contrato por falta de documentación necesaria. RECURSO ESPECIAL EN MATERIA DE CONTRATACIÓN. Se tiene por desistida del recurso a una sociedad mercantil por no haber tenido constancia de la aportación de la documentación necesaria. Fue requerida en subsanación la aportación del poder que acreditaba la representación de la interesada así como del justificante de haber anunciado previamente la interposición del recurso, no habiendo procedido a esta subsanación ni dentro ni fuera del plazo de 3 días hábiles a partir del siguiente a la recepción de la notificación, lo que impedía la válida prosecución del procedimiento.

Concordancias a todo el artículo

➡ **Concordancias normativas**

Artículo 314 de la LCSP 30/2007.

Artículo 45 *Efectos derivados de la interposición del recurso*

Una vez interpuesto el recurso, si el acto recurrido es el de adjudicación, quedará en suspenso la tramitación del expediente de contratación.

Concordancias a todo el artículo

➡ **Concordancias normativas**

Artículo 315 de la LCSP 30/2007.

☞ **Concordancias Jurisprudenciales**

Tribunal Administrativo Central de Recursos Contractuales, Resolución de 11 Ene. 2012, rec. 328/2011

[LA LEY 31484/2012]

CONTRATO ADMINISTRATIVO DE CONSULTORÍA. Contrato de servicios de consultoría y asistencia técnica para el desarrollo e implementación de los Nodos de Cooperación para la Innovación en el marco de la Red de Políticas Públicas de I+D+i. RECURSO ESPECIAL EN MATERIA

DE CONTRATACIÓN. Estimación. Nulidad de la adjudicación realizada, por la inadecuada readmisión de la adjudicataria. Procede que la adjudicación se acuerde a favor de la oferta que resulte ser la económicamente más ventajosa, una vez excluida la de esta última empresa. No procede la adjudicación a favor de la interesada como consecuencia de la previa propuesta hecha a su favor, pues ésta, de conformidad con la Ley, no produce ningún derecho frente a la Administración.

Tribunal Administrativo Central de Recursos Contractuales, Resolución de 22 Jun. 2011, rec. 135/2011

[LA LEY 76776/2011]

CONTRATO ADMINISTRATIVO DE SUMINISTROS. Nulidad de la adjudicación del contrato de suministro de material de curas para centros y hospitales de ASEPEYO. RECURSO ESPECIAL EN MATERIA DE CONTRATACIÓN. Estimación parcial, respecto a la adjudicación de un lote. La oferta de la empresa adjudicataria incumple las especificaciones del pliego de prescripciones técnicas, porque de los dos productos ofertados, sólo uno cumple con el requisito de contener silicona establecido en las bases de la licitación, por lo que no procede que se le adjudique dicho lote ya que la adjudicación ha de ser completa. Procede que se vuelvan a valorar las características técnicas de las ofertas en las que uno de los productos no contiene silicona.

Tribunal Administrativo Central de Recursos Contractuales, Resolución de 16 Feb. 2011, rec. 067/2010

[LA LEY 14709/2011]

CONTRATO ADMINISTRATIVO DE SUMINISTROS. De material para la infraestructura de la Base Aérea de Gando. Nulidad de la adjudicación del lote 1 del contrato. RECURSO ESPECIAL EN MATERIA DE CONTRATACIÓN. Estimación. Valoración errónea realizada por el órgano de contratación al aplicar la fórmula establecida en el Anexo del pliego de cláusulas administrativas particulares con motivo de la inclusión de un importe de licitación incorrecto. El propio órgano de contratación reconoce dicho error adjuntando el nuevo resultado de la adjudicación, debiéndose realizar una nueva valoración de las ofertas presentadas por los licitadores. Debe notificarse la resolución de adjudicación con el cumplimiento de los requisitos legales establecidos, con especial referencia a los criterios seguidos por el órgano de contratación para homogeneizar la valoración de aquellos suministros iguales, pero ofertados en distinto formato.

Tribunal Administrativo Central de Recursos Contractuales, Resolución de 24 Feb. 2011, rec. 022/2011

[LA LEY 14649/2011]

CONTRATO ADMINISTRATIVO DE SERVICIOS. Anuncio de licitación publicado por una sociedad del Grupo ICO para la contratación de Servicios de Asesoría Financiera de proyectos de infraestructuras. RECURSO ESPECIAL EN MATERIA DE CONTRATACIÓN. Inadmisión. El escrito presentado no constituye un verdadero recurso especial en materia de contratación, por no haberse interpuesto contra acto de un poder adjudicador. El recurso presentado por la interesada, no está dirigido al Tribunal sino a la entidad convocante de la licitación.

Tribunal Administrativo Central de Recursos Contractuales, Resolución de 2 Feb. 2011, rec. 013/2011

[LA LEY 14641/2011]

CONTRATOS ADMINISTRATIVOS. Adjudicación provisional del contrato de Adecuación de los Centros de Proceso de Datos de varios Hospitales. RECURSO ESPECIAL EN MATERIA DE CONTRATACIÓN. Desistimiento.

Tribunal Administrativo Central de Recursos Contractuales, Resolución de 9 Mar. 2011, rec. 003/2011

[LA LEY 14631/2011]

CONTRATOS ADMINISTRATIVOS. Adjudicación definitiva de acuerdo marco para la contratación de servicios de desarrollo de sistemas de información. RECURSO ESPECIAL EN MATERIA DE CONTRATACIÓN. Inadmisión. La previa declaración de nulidad del acto recurrido ha hecho desaparecer el objeto del recurso.

Tribunal Administrativo Central de Recursos Contractuales, Resolución de 9 Mar. 2011, rec. 001/2011

L[A LEY 14629/2011 CONTRATOS ADMINISTRATIVOS. Adjudicación definitiva de acuerdo marco para la contratación de servicios de desarrollo de sistemas de información. RECURSO ESPECIAL EN MATERIA DE CONTRATACIÓN. Inadmisión. La previa declaración de nulidad del acto recurrido ha hecho desaparecer el objeto del recurso.

Artículo 46 *Tramitación del procedimiento*

1. El procedimiento para tramitar los recursos especiales en materia de contratación se regirá por las disposiciones de la Ley 30/1992, de 26 de noviembre (LA LEY 3279/1992), con las especialidades que se recogen en los apartados siguientes.

☞ **Concordancias Jurisprudenciales**

Tribunal Administrativo Central de Recursos Contractuales, Resolución de 22 Feb. 2012, rec. 27/2012

CONTRATOS ADMINISTRATIVOS. Adjudicación del Acuerdo Marco para la adquisición de equipo aditivador/mezclador convocado por el Mando de Apoyo Logístico del Ejército del Aire. RECURSO ESPECIAL EN MATERIA DE CONTRATACIÓN. Desestimación. Correcta valoración de la oferta de la interesada. El texto que figura en la resolución de adjudicación señalando que la oferta de la adjudicataria no recoge la mejora de radio de giro es un error de hecho, ya que la citada documentación sí que recogía tal mejora. Pero ello no constituye elemento jurídico que permita anular la valoración, pues, a lo sumo, podría dar lugar a que se corrigiese dicho error.

Tribunal Administrativo Central de Recursos Contractuales, Resolución de 15 Abr. 2011, rec. 48/2011

[LA LEY 200828/2011]

CONTRATO ADMINISTRATIVO DE CONSULTORÍA. Adjudicación provisional de contrato relativo a la «Asistencia técnica para la contratación de la dirección facultativa y coordinación en materia de seguridad y salud de las obras del Parador de Turismo de Lleida». RECURSO ESPECIAL EN MATERIA DE CONTRATACIÓN. Desetimiento. La ausencia de presentación de poder que acredite la representación de la compareciente debe considerarse como un vicio que impide la válida prosecución del procedimiento.

Tribunal Administrativo Central de Recursos Contractuales, Resolución de 14 Sep. 2011, rec. 189/2011

[LA LEY 185600/2011]

CONTRATO ADMINISTRATIVO DE SERVICIOS. Adjudicación del contrato de «Servicios de transporte con conductor, traslado de mobiliario, enseres y trabajos de peonaje de la Dirección Provincial de Madrid del Instituto Nacional de la Seguridad Social». RECURSO ESPECIAL EN MATERIA DE CONTRATACIÓN. Desestimación. Aptitud de la empresa adjudicataria para contratar los servicios licitados. Tiene un objeto o ámbito de actividad que comprende las prestaciones propias del contrato que le ha sido adjudicado, ya que en él no sólo tiene cabida la realización de mudanzas, sino también las demás prestaciones exigidas en los Pliegos rectores del procedimiento de adjudicación. La empresa acreditó en el momento legalmente exigido la circunstancia de hallarse al corriente en el cumplimiento de las obligaciones tributarias y con la Seguridad Social, así como los demás extremos exigidos, sin que sea competente el Tribunal para entrar a valorar circunstancias como el posible incumplimiento del convenio colectivo aplicable por la empresa a sus empleados, y demás referidas a la práctica profesional de las empresas que realizan actividad de mudanzas.

Tribunal Administrativo Central de Recursos Contractuales, Resolución de 15 Jun. 2011, rec. 129/2011

[LA LEY 62777/2011]

CONTRATO ADMINISTRATIVO DE SUMINISTROS. Procedimiento de adjudicación. Se tiene por desistido recurso especial en materia de contratación interpuesto contra acuerdo del órgano de contratación por el que se excluía a una sociedad mercantil del procedimiento de adjudicación de un contrato de suministro y despliegue de la nueva red de investigación y académica española basada en fibra óptica, dado que, aunque el recurso ha sido interpuesto fuera del plazo establecido por lo que procedería su inadmisión, la recurrente presentó escrito de desistimiento. Por tanto, procedía aplicar lo dispuesto en la normativa relativa al procedimiento administrativo, contemplando ésta el desistimiento como una de las formas de terminación del mismo, al no estar prohibida tal renuncia por el ordenamiento jurídico ni existir una declaración de caducidad del procedimiento.

Tribunal Administrativo Central de Recursos Contractuales, Resolución de 2 Feb. 2011, rec. 060/2010

[LA LEY 14699/2011]

CONTRATO ADMINISTRATIVO DE SERVICIOS. De gestión integral de actividades deportivas del gimnasio del órgano central del Cuerpo de la Guardia civil. Impugnación de resolución por la que se adjudica provisionalmente el contrato por falta de documentación necesaria. RECURSO ESPECIAL EN MATERIA DE CONTRATACIÓN. Se tiene por desistida del recurso a una sociedad mercantil por no haber tenido constancia de la aportación de la documentación necesaria. Fue requerida en subsanación la aportación del poder que acreditaba la representación de la interesada así como del justificante de haber anunciado previamente la interposición del recurso, no habiendo procedido a esta subsanación ni dentro ni fuera del plazo de 3 días hábiles a partir del siguiente a la recepción de la notificación, lo que impedía la válida prosecución del procedimiento.

Tribunal Administrativo Central de Recursos Contractuales, Resolución de 19 Ene. 2011, rec. 048/2010

[LA LEY 14680/2011]

CONTRATO ADMINISTRATIVO DE SERVICIOS. De un centro de contingencia del Consejo de Seguridad Nuclear. Exclusión del proceso de licitación para su adjudicación. RECURSO ESPECIAL EN MATERIA DE CONTRATACIÓN. Desestimación. Inadecuación de la oferta a las condiciones del objeto de contrato, tal como éste aparece definido en el pliego de prescripciones técnicas. Necesidad de que las proposiciones de los licitadores se ajusten no sólo al pliego de cláusulas administrativas particulares, sino también al de prescripciones técnicas como documento que contiene la definición del objeto del contrato. Si la interesada no recibió en la notificación que se le hizo la motivación del acto de exclusión ni los motivos determinantes de la adjudicación provisional a favor de otro de los licitadores es porque la Ley, en la redacción anterior, no lo exigía, si bien, era una facultad suya la de pedir que se le notificaran en acto aparte.

2. Interpuesto el recurso, el órgano encargado de resolverlo lo notificará en el mismo día al órgano de contratación con remisión de la copia del escrito de interposición y reclamará el expediente de contratación a la entidad, órgano o servicio que lo hubiese tramitado, quien deberá

remitirlo dentro de los dos días hábiles siguientes acompañado del correspondiente informe.

Si el recurso se hubiera interpuesto ante el órgano de contratación autor del acto impugnado, éste deberá remitirlo al órgano encargado de resolverlo dentro de los dos días hábiles siguientes a su recepción acompañado del expediente administrativo y del informe a que se refiere el párrafo anterior.

☞ **Concordancias Jurisprudenciales**

Tribunal Administrativo Central de Recursos Contractuales, Resolución de 5 Ene. 2012, rec. 307/2011

CONTRATO ADMINISTRATIVO DE SERVICIOS. Desistimiento del procedimiento para la contratación de una agencia de publicidad para la realización de las campañas de publicidad y producción del Instituto de Crédito Oficial. RECURSO ESPECIAL EN MATERIA DE CONTRATACIÓN. Estimación. Desistimiento precontractual acordado por el ICO como consecuencia de concurrir una infracción no subsanable de las normas reguladoras del procedimiento de adjudicación, referida a la fórmula consignada en el pliego de condiciones generales cuya aplicación, hace imposible la valoración de las ofertas en los términos expresados en el pliego. No concurre ese presupuesto, debiendo, retrotraerse las actuaciones y continuar el procedimiento de conformidad con lo establecido en el Pliego de Condiciones Generales rector de la adjudicación del contrato. La fórmula no es en modo alguno de imposible aplicación. Simplemente determina que el licitador que ofrezca, para algún concepto valorable, hacerlo gratuitamente, obtendrá la máxima puntuación posible, alcanzando cero puntos los demás licitadores que no ofrezcan igualmente ese concepto de forma gratuita, por aplicación de la citada fórmula.

Tribunal Administrativo Central de Recursos Contractuales, Resolución de 10 Nov. 2011, rec. 229/2011

[LA LEY 294074/2011]

CONTRATO ADMINISTRATIVO DE CONSULTORÍA. Exclusión de la interesada del procedimiento de adjudicación del contrato de «Dirección facultativa de las Obras de Urbanización del Área de Planeamiento Específico A.P.E.17.02 del P.G.O.U.M., de la actuación Parque Central de Ingenieros de Villaverde. RECURSO ESPECIAL EN MATERIA DE CONTRATACIÓN. Desestimación. No está acreditada, de acuerdo con las exigencias del Pliego de Cláusulas Administrativas Particulares, la experiencia requerida a la persona propuesta por la interesada como Ingeniero Técnico de Obras Públicas. Los trabajos aportados puede que sean considerados obras de reforma de un espacio urbano y, por tanto, actuaciones de transformación urbanística de las reguladas en la Ley del Suelo, pero no obras de urbanización en los términos establecidos en las normas vigentes en materia urbanística.

Tribunal Administrativo Central de Recursos Contractuales, Resolución de 10 Nov. 2011, rec. 239/2011

[LA LEY 236222/2011]

CONTRATO ADMINISTRATIVO DE SERVICIOS. Adjudicación de contrato de «Servicio de dotación de bomberos auxiliares de empresa para los centros de la CRTVE en Prado del Rey, Torrespaña y Estudios Buñuel». RECURSO ESPECIAL EN MATERIA DE CONTRATACIÓN. Estimación parcial. Insuficiente motivación de la notificación practicada. En lo que se refiere a la valoración de la oferta técnica no se contiene desglose de los criterios valorables y puntuación atribuida a cada uno de ellos, por lo que el contenido de la notificación no permite realizar una comparación entre las ofertas de la adjudicataria y de la recurrente.

Tribunal Administrativo Central de Recursos Contractuales, Resolución de 26 Oct. 2011, rec. 200/2011

[LA LEY 214638/2011]

CONTRATO ADMINISTRATIVO DE SERVICIOS. Adjudicación de contrato del Servicio para operaciones de conservación y explotación de las instalaciones de ITS en las carreteras gestionadas desde el Centro de Gestión de Tráfico de Valladolid. RECURSO ESPECIAL EN MATERIA DE CONTRATACIÓN. Desestimación. Valoración adecuada de la oferta técnica de la interesada. No queda acreditado que se haya incurrido en algún error en el momento de elaborar el informe técnico correspondiente. Suficiencia de la motivación.

Tribunal Administrativo Central de Recursos Contractuales, Resolución de 19 Oct. 2011, rec. 197/2011

[LA LEY 211680/2011]

CONTRATO ADMINISTRATIVO DE SERVICIOS. Adjudicación de contrato de servicio de contrato de servicios de mantenimiento integral de equipos de electro-medicina para el Hospital Gómez Ulla. RECURSO ESPECIAL EN MATERIA DE CONTRATACIÓN. Estimación parcial. Nulidad de la adjudicación, por falta de motivación del informe del vocal técnico en que se fundó la adjudicación. El informe se limita a referir una mera asignación de puntos, sin hacer una descripción de las ofertas ni del proceso de aplicación a aquellas de los criterios de valoración fijados en el Pliego y que motivan la asignación de puntos expresada.

Tribunal Administrativo Central de Recursos Contractuales, Resolución de 14 Sep. 2011, rec. 188/2011

[LA LEY 185599/2011]

CONTRATO ADMINISTRATIVO DE SERVICIOS. Adjudicación del contrato relativo a servicio de mantenimiento del sistema de estaciones de toma de datos en puestos fronterizos o aduaneros. RECURSO ESPECIAL EN MATERIA DE CONTRATACIÓN. Desestimación. Aplicación incorrecta de los criterios de valoración contenidos en el pliego de cláusulas administrativas particulares, únicamente respecto a la prestación del servicio y sustitución de los equipos que se averían. Se establecen dos criterios de valoración. Existe una incongruencia entre la fundamentación de la valoración realizada y la oferta presentada por el licitador, al existir elementos de ésta que no se han tenido en cuenta al realizar su valoración. Ahora bien, la diferencia de puntuación que existe entre la adjudicataria y la interesada en este apartado no determinaría, por sí sola, modificación del adjudicatario del contrato. Correcta valoración de la calidad de la documentación presentada, que entra dentro de la discrecionalidad técnica de la Administración. No se acredita que haya vulneración de los principios de transparencia, igualdad y publicidad, porque «la información existente e imprescindible para la elaboración de la propuesta no obraba en posesión de todas las empresas.»

3. Dentro de los cinco días hábiles siguientes a la interposición del recurso, dará traslado del mismo a los restantes interesados, concediéndoles un plazo de cinco días hábiles para formular alegaciones, y, de forma simultánea a este trámite, decidirá, en el plazo de cinco días hábiles, acerca de las medidas cautelares si se hubiese solicitado la adopción de alguna en el escrito de interposición del recurso o se hubiera procedido a

la acumulación prevista en el párrafo tercero del artículo 43.2. A la adopción de estas medidas será de aplicación, en todo caso, lo dispuesto en el artículo 43 en cuanto a la audiencia del órgano de contratación. Serán igualmente aplicables los apartados 3 y 4 del citado artículo.

Asimismo en este plazo, resolverá, en su caso, sobre si procede o no el mantenimiento de la suspensión automática prevista en el artículo anterior, entendiéndose vigente ésta en tanto no se dicte resolución expresa acordando el levantamiento. Si las medidas provisionales se hubieran solicitado después de la interposición del recurso, el órgano competente resolverá sobre ellas en los términos previstos en el párrafo anterior sin suspender el procedimiento principal.

☞ **Concordancias Jurisprudenciales**

Tribunal Administrativo Central de Recursos Contractuales, Resolución de 18 Ene. 2012, rec. 324/2011

CONTRATO ADMINISTRATIVO DE SERVICIOS. De reparto de paquetería para los diversos centros del Instituto Nacional de la Seguridad Social y de mocería en los servicios centrales de la entidad. Adjudicación. RECURSO ESPECIAL EN MATERIA DE CONTRATACIÓN. Desestimación. Si la mercantil adjudicataria del contrato no respeta las tablas salariales del Convenio Colectivo de Transporte de la CA Madrid, el Tribunal considera que no tienen porque ser valoradas esas tablas por el órgano de contratación. La Administración contratante debe considerarse ajena a las cuestiones relativas a los componentes que los licitadores han tomado en consideración para llegar a un resultado concreto en cuanto a la cuantía de su proposición económica. En ningún caso se acredita ser cierto que no se aplica el convenio colectivo correspondiente.

Tribunal Administrativo Central de Recursos Contractuales, Resolución de 5 Oct. 2011, rec. 198/2011

[LA LEY 186484/2011]

CONTRATO ADMINISTRATIVO DE SERVICIOS. Adjudicación de contrato del servicio de seguro de asistencia sanitaria para el personal en el exterior del Ministerio de Asuntos Exteriores y de Cooperación. RECURSO ESPECIAL EN MATERIA DE CONTRATACIÓN. Desestimación. Motivación suficiente de la resolución de adjudicación. Las razones determinantes de la decisión adoptada por el órgano de contratación no aparecen reflejadas en la notificación efectuada a la interesada anterior a que ésta interpusiera su recurso, pero sí en la realizada con posterioridad a la interposición del escrito de recurso, cumpliendo así con la solicitud de la misma en lo que se refiere a la petición de remisión del informe de valoración. Cabe entender que a partir de dicha fecha la adjudicación debe de entenderse correctamente notificada, comenzando así el plazo para interponer el pertinente recurso. Si la interesada no ha presentado un nuevo recurso, una vez que la resolución de adjudicación se ha notificado correctamente, es porque ha considerado suficiente para la defensa de su derecho el recurso interpuesto. Correcta valoración de la oferta presentada por la adjudicataria. La inclusión en el sobre n.º 2, no sujeto a valoración subjetiva, de documentación del sobre n.º 3 constituye una irregularidad formal en el procedimiento establecido, si bien esta conducta no puede tener efectos invalidantes que conduzcan a la no valoración de la documentación incluida en el sobre n.º 2, puesto que no existe merma material alguna en las garantías de la contratación. No se ven afectados los principios de igualdad de trato y no discriminación, dado que la información que en su caso debe incluirse en el sobre n.º 3 es documentación objetiva.

Tribunal Administrativo Central de Recursos Contractuales, Resolución de 14 Sep. 2011, rec. 184/2011

[LA LEY 179913/2011]

CONTRATO ADMINISTRATIVO DE SERVICIOS. Nulidad parcial de los pliegos del procedimiento de contratación relativo al «Contrato de Contrato de suministro de ordenadores personales, estaciones de trabajo, monitores, ordenadores portátiles, servidores, unidades de backup, cabinas de disco y armarios rack». RECURSO ESPECIAL EN MATERIA DE CONTRATACIÓN. Estimación. La cláusula relativa a la solvencia económica y financiera de los licitadores y los fabricantes de los bienes a suministrar no guarda proporción con el objeto del contrato. El pliego exige para el licitador una cifra de negocio 25 veces superior durante cada uno de los tres últimos años al importe máximo de licitación. La necesidad, ante la situación económica actual, de eliminar cualquier riesgo en el suministro de los bienes a contratar, contando con un suministrador con una alta capacidad financiera para soportar la forma de pago, exigencias y penalidades definidas en el pliego no justifica que se exija una cifra de negocio tan elevada en relación con el importe del contrato. Otro tanto cabe decir en cuanto a la cifra de negocio exigida al fabricante, al que se le exige

100 millones de euros, sin que lo justifique el deseo de que el fabricante tenga presencia mundial, ya que esto podría haberse garantizado a través de otros medios. En el pliego de prescripciones técnicas debería haberse admitido la posibilidad de acreditar la calidad medioambiental requerida por otros medios de prueba distintos del Certificado EPEAT GOLD.

Tribunal Administrativo Central de Recursos Contractuales, Resolución de 7 Sep. 2011, rec. 163/2011

[LA LEY 179912/2011]

CONTRATO ADMINISTRATIVO DE SERVICIOS. Adjudicación de contrato del Servicio de dirección del proyecto de las obras de demolición y posterior construcción de hospital. RECURSO ESPECIAL EN MATERIA DE CONTRATACIÓN. Desestimación. Correcta valoración técnica de las ofertas. Que el proyecto presentado por el adjudicatario tenga un mayor nivel de detalle no lo convierte en un proyecto de ejecución. El comité de expertos no ha procedido a valorar los cálculos planteados por no exigirlo el pliego, sino la metodología de cálculo empleada, en la medida en que supone un mayor desarrollo del proyecto. La valoración de la documentación se ha realizado desde la perspectiva del contenido de un proyecto básico. Correcta notificación del acuerdo de adjudicación. Pese a la improcedencia de la duplicidad en la valoración de la reducción de plazos realizada, no resultaría alterado el resultado del procedimiento de adjudicación, ya que la oferta adjudicataria sólo obtuvo por este concepto 1 punto.

4. Los hechos relevantes para la decisión del recurso podrán acreditarse por cualquier medio de prueba admisible en Derecho. Cuando los interesados lo soliciten o el órgano encargado de la resolución del recurso no tenga por ciertos los hechos alegados por los interesados o la naturaleza del procedimiento lo exija, podrá acordarse la apertura del período de prueba por plazo de diez días hábiles, a fin de que puedan practicarse cuantas juzgue pertinentes.

El órgano competente para la resolución del recurso podrá rechazar las pruebas propuestas por los interesados cuando sean manifiestamente improcedentes o innecesarias, mediante resolución motivada.

La práctica de las pruebas se anunciará con antelación suficiente a los interesados.

5. El órgano competente para la resolución del recurso deberá, en todo caso, garantizar la confidencialidad y el derecho a la protección de los secretos comerciales en relación con la información contenida en el expediente de contratación, sin perjuicio de que pueda conocer y tomar en consideración dicha información a la hora de resolver. Corresponderá a dicho órgano resolver acerca de cómo garantizar la confidencialidad y el secreto de la información que obre en el expediente de contratación, sin que por ello, resulten perjudicados los derechos de los demás interesados a la protección jurídica efectiva y al derecho de defensa en el procedimiento.

➡ **Concordancias normativas**

Artículo 316 de la LCSP 30/2007.

Artículo 47 *Resolución*

1. Una vez recibidas las alegaciones de los interesados, o transcurrido el plazo señalado para su formulación, y el de la prueba, en su caso, el órgano competente deberá resolver el recurso dentro de los cinco días hábiles siguientes, notificándose a continuación la resolución a todos los interesados.

2. La resolución del recurso estimará en todo o en parte o desestimará las pretensiones formuladas o declarará su inadmisión, decidiendo motivadamente cuantas cuestiones se hubiesen planteado. En todo caso, la resolución será congruente con la petición y, de ser procedente, se pronunciará sobre la anulación de las decisiones ilegales adoptadas durante el procedimiento de adjudicación, incluyendo la supresión de las características técnicas, económicas o financieras discriminatorias contenidas en el anuncio de licitación, anuncio indicativo, pliegos, condiciones reguladoras del contrato o cualquier otro documento relacionado con la licitación o adjudicación, así como, si procede, sobre la retroacción de actuaciones.

Si, como consecuencia del contenido de la resolución, fuera preciso que el órgano de contratación acordase la adjudicación del contrato a otro licitador, se concederá a éste un plazo de diez días hábiles para que cumplimente lo previsto en el apartado 2 del artículo 151.

☞ **Concordancias Jurisprudenciales**

Tribunal Administrativo Central de Recursos Contractuales, Resolución de 29 Feb. 2012, rec. 33/2012

CONTRATO ADMINISTRATIVO DE SUMINISTROS. Nulidad de la adjudicación realizada en procedimiento abierto del contrato de suministro del Lote 2 de maquinaria para el nuevo complejo ferroviario de Valladolid. RECURSO ESPECIAL EN MATERIA DE CONTRATACIÓN. Estimación parcial. Falta de motivación de la notificación de la adjudicación. No contiene motivación suficiente respecto de la oferta del adjudicatario por cuanto no contiene expresión de «las características y ventajas de la proposición del adjudicatario determinantes de que haya sido seleccionada la oferta de éste con preferencia a las que hayan presentado los restantes licitadores cuyas ofertas hayan sido admitidas», como tampoco en relación con el candidato descartado. Deben retrotraerse las actuaciones hasta el momento anterior a la notificación de la adjudicación, al objeto de que la misma se notifique debidamente motivada a todos los licitadores en el procedimiento.

Tribunal Administrativo Central de Recursos Contractuales, Resolución de 14 Dic. 2011, rec. 289/2011

[LA LEY 272129/2011]

CONTRATOS ADMINISTRATIVOS. Anulación del acuerdo de adjudicación de un contrato de servicios de limpieza. Deficiente redacción del pliego en lo concerniente a las mejoras, y en concreto respecto a la definición de éstas y su valoración. La introducción de mejoras como criterio de adjudicación exige una relación directa entre éstas y el objeto del contrato, una adecuada motivación y su previa delimitación en los pliegos o en el anuncio de licitación. En la documentación probatoria solo existe una previsión genérica sobre la posibilidad de presentar mejoras en el cuadro resumen, suponiendo tal falta de previsión una evidente vulneración de las normas aplicables a la contratación y del principio de igualdad. EFECTOS. La nulidad de la resolución adjudicadora supone adjudicar el contrato al licitador cuya oferta sea la económicamente más ventajosa, sin considerar las mejoras, cualquiera que sean estas.

Tribunal Administrativo Central de Recursos Contractuales, Resolución de 26 Oct. 2011, rec. 207/2011

[LA LEY 292485/2011]

CONTRATO ADMINISTRATIVO DE SERVICIOS. Anuncio de convocatoria y el pliego de condiciones particulares que rige la contratación para la adjudicación del servicio de actividades auxiliares en la Estación de Dos Hermanas del Núcleo de Cercanías de Sevilla de la Gerencia Andalucía, de la Dirección de Viajeros Urbanos e Interurbanos de la Dirección General de Viajeros de RENFE-operadora. RECURSO ESPECIAL EN MATERIA DE CONTRATACIÓN. Inadmisión. El contrato no es susceptible de recurso especial en materia de contratación. Es un contrato de servicio comprendido en la categoría 1 del Anexo II de la LCSP, y a pesar de ser RENFE-operadora una entidad pública empresarial, el contrato tiene un valor estimado inferior al requerido para los contratos sujetos a regulación armonizada.

Tribunal Administrativo Central de Recursos Contractuales, Resolución de 14 Sep. 2011, rec. 178/2011

[LA LEY 281521/2011 CONTRATO ADMINISTRATIVO DE SUMINISTROS. Procedimiento de adjudicación. Se declara la nulidad de la adjudicación de dos de los tres lotes de un contrato de suministro de material informático no inventariable adjudicados a una sociedad mercantil distinta de la recurrente, dado que esta adjudicación se realizó a una mercantil que no ofertó los consumibles de la marca especificada sino otros de funcionalidad equivalente. Las descripciones de los consumibles de los lotes mencionados, incluidas tanto en el pliego de cláusulas administrativas particulares como en el pliego de prescripciones técnicas, hacían referencia a marcas determinadas con expresión de los códigos de producto de los fabricantes, sin acompañarla de expresión alguna que permitiera entender incluidos aquellos otros consumibles que tuvieran una funcionalidad equivalente.

Tribunal Administrativo Central de Recursos Contractuales, Resolución de 15 Abr. 2011, rec. 70/2011

[LA LEY 200829/2011]

CONTRATO ADMINISTRATIVO DE SERVICIOS. De mantenimiento integral de sostenimiento de redes del Arsenal militar de El Ferrol. Adjudicación y notificación del contrato. RECURSO ESPECIAL EN MATERIA DE CONTRATACIÓN. Estimación parcial. Nulidad del acto de adjudicación, en el que se refleja que la oferta de la interesada había sido «desestimada por totalizar el precio tratándose de un servicio abierto». No resulta procedente esgrimir como causa de la desestimación de la oferta el haber totalizado el precio.

Tribunal Administrativo Central de Recursos Contractuales, Resolución de 15 Sep. 2011, rec. 182/2011

[LA LEY 186125/2011]

CONTRATO ADMINISTRATIVO DE SERVICIOS. Adjudicación definitiva del contrato relativo a la «Limpieza de los edificios de las Dependencias del Departamento de Aduanas e Impuestos Especiales de la AEAT». RECURSO ESPECIAL EN MATERIA DE CONTRATACIÓN. Inadmisión. La resolución debe calificarse como un acto de ejecución de la resolución dictada por el TCRC, anulando las adjudicaciones provisional y definitiva realizadas con anterioridad por la AEAT, contra la cual sólo cabe recurso contencioso-administrativo.

Tribunal Administrativo Central de Recursos Contractuales, Resolución de 19 Ene. 2011, rec. 044/2010

[LA LEY 14675/2011]

CONTRATO ADMINISTRATIVO DE SERVICIOS. Adjudicación definitiva de contrato de servicio de «limpieza general del Instituto de Técnica Aeroespacial». RECURSO ESPECIAL EN MATERIA DE CONTRATACIÓN. Estimación parcial. Nulidad del acto de adjudicación, porque la exclusión indebida de la interesada como consecuencia del incumplimiento de «lo estipulado en el pliego de prescripciones técnicas, al no aportar los servicios por horas de las diferentes categorías y oficios presentes en este servicio» supuso que no se valorara su oferta, una vez abiertos los sobres correspondientes a las ofertas económicas de los licitadores. En el pliego de cláusulas administrativas particulares no se configuraba el coste por hora del servicio como un elemento fundamental para adjudicar el contrato, sino como una magnitud necesaria para su ejecución. La exclusión del licitador una vez abierta su oferta económica sólo puede tener por causa un error que suponga una alteración sustancial del procedimiento de contratación, con incidencia determinante en las condiciones de participación de los distintos interesados, cosa que no ocurre en el presente caso. Incluso si la proposición económica fuera defectuosa, no podría ser desechada cuando el error producido no implicase la imposibilidad de determinar el precio ofrecido para la ejecución del contrato. Procede la retroacción del procedimiento de contratación al momento de valoración de las ofertas económicas.

3. Asimismo, a solicitud del interesado y si procede, podrá imponerse a la entidad contratante la obligación de indemnizar a la persona interesada por los daños y perjuicios que le haya podido ocasionar la infracción legal que hubiese dado lugar al recurso.

4. La resolución deberá acordar, también, el levantamiento de la suspensión del acto de adjudicación si en el momento de dictarla continuase suspendido, así como de las restantes medidas cautelares que se hubieran acordado y la devolución de las garantías cuya constitución se hubiera exigido para la efectividad de las mismas, si procediera.

☞ **Concordancias Jurisprudenciales**

Tribunal Administrativo Central de Recursos Contractuales, Resolución de 22 Jun. 2011, rec. 135/2011

[LA LEY 76776/2011]

CONTRATO ADMINISTRATIVO DE SUMINISTROS. Nulidad de la adjudicación del contrato de suministro de material de curas para centros y hospitales de ASEPEYO. RECURSO ESPECIAL EN MATERIA DE CONTRATACIÓN. Estimación parcial, respecto a la adjudicación de un lote. La oferta de la empresa adjudicataria incumple las especificaciones del pliego de prescripciones técnicas, porque de los dos productos ofertados, sólo uno cumple con el requisito de contener silicona establecido en las bases de la licitación por lo que no procede que se le adjudique dicho lote ya que la adjudicación ha de ser completa. Procede que se vuelvan a valorar las características técnicas de las ofertas en las que uno de los productos no contiene silicona.

Tribunal Administrativo Central de Recursos Contractuales, Resolución de 16 Feb. 2011, rec. 067/2010

[LA LEY 14709/2011]

CONTRATO ADMINISTRATIVO DE SUMINISTROS. De material para la infraestructura de la Base Aérea de Gando. Nulidad de la adjudicación del lote 1 del contrato. RECURSO ESPECIAL EN MATERIA DE CONTRATACIÓN. Estimación. Valoración errónea realizada por el órgano de contratación al aplicar la fórmula establecida en el Anexo del pliego de cláusulas administrativas particulares con motivo de la inclusión de un importe de licitación incorrecto. El propio órgano de contratación reconoce dicho error adjuntando el nuevo resultado de la adjudicación, debiéndose realizar una nueva valoración de las ofertas presentadas por los licitadores. Debe notificarse la resolución de adjudicación con el cumplimiento de los requisitos legales establecidos, con especial referencia a los criterios seguidos por el órgano de contratación para homogeneizar la valoración de aquellos suministros iguales, pero ofertados en distinto formato.

5. En caso de que el órgano competente aprecie temeridad o mala fe en la interposición del recurso o en la solicitud de medidas cautelares, podrá acordar la imposición de una multa al responsable de la misma. El importe de ésta será de entre 1.000 y 15.000 euros determinándose su cuantía en función de la mala fe apreciada y el perjuicio ocasionado al órgano de contratación y a los restantes licitadores. Las cuantías indicadas en este apartado serán actualizadas cada dos años mediante Orden Ministerial, por aplicación del Índice de Precios de Consumo calculado por el Instituto Nacional de Estadística.

☞ **Concordancias Jurisprudenciales**

Tribunal Administrativo Central de Recursos Contractuales, Resolución de 7 Sep. 2011, rec. 175/2011

[LA LEY 179910/2011]

CONTRATO ADMINISTRATIVO DE SUMINISTROS. Exclusión del proceso de licitación para la adjudicación de contrato de suministro de «Gabardinas para el personal masculino y femenino». RECURSO ESPECIAL EN MATERIA DE CONTRATACIÓN. Desistimiento.

Tribunal Administrativo Central de Recursos Contractuales, Resolución de 2 Feb. 2011, rec. 031/2010

[LA LEY 14658/2011]

CONTRATO ADMINISTRATIVO DE SERVICIOS. Exclusión del proceso de licitación para la adjudicación del contrato de «Servicio de conservación y restauración de dieciséis bocetos del siglo XVIII de la Catedral del Toledo», como consecuencia del informe emitido por el órgano técnico en el que la interesada no alcanza la puntuación mínima exigida para continuar con la licitación. RECURSO ESPECIAL EN MATERIA DE CONTRATACIÓN. Desestimación. No se acredita que la valoración de la Administración no fue ajustada a derecho. Dicha valoración está plenamente motivada, por lo que otras cuestiones relacionadas con aspectos no meramente jurídicos son irrelevantes.

Tribunal Administrativo Central de Recursos Contractuales, Resolución de 24 Feb. 2011, rec. 025/2011

[LA LEY 14652/2011]

CONTRATO ADMINISTRATIVO DE SERVICIOS. De transportes marítimos a la isla de Cabrera. Adjudicación mediante procedimiento negociado sin publicidad. RECURSO ESPECIAL EN MATERIA DE CONTRATACIÓN. Inadmisión. El contrato no es susceptible de recurso especial en materia de contratación. El expediente de contratación se refiere a un servicio de transporte marítimo de mercancías y personal cuyo presupuesto de licitación no alcanza el mínimo legalmente exigido para este tipo de contratos.

Tribunal Administrativo Central de Recursos Contractuales, Resolución de 16 Feb. 2011, rec. 017/2011

[LA LEY 14645/2011]

CONTRATO ADMINISTRATIVO DE SERVICIOS. Adjudicación de contrato relativo a los «servicios de asistencia técnica a la explotación de los sistemas de información institucionales» en la Comisión Nacional de la Energía. Temeridad de la oferta presentada. RECURSO ESPECIAL EN MATERIA DE CONTRATACIÓN. Desestimación. Correcta valoración de las ofertas económicas y de la temeridad de la oferta presentada por la interesada. Su oferta se encuentra por debajo del límite inferior, con lo que se considera, en principio, temeraria o desproporcionada. La apreciación final de la citada temeridad correspondió al órgano de contratación previa audiencia al contratista y previos los informes técnicos oportunos. La normativa vigente impone al órgano de contratación la obligación de dar audiencia al licitador a fin de que pueda justificar su oferta, siendo al licitador al que lógicamente le corresponde determinar la documentación pertinente con el fin de justificar la oferta por el mismo presentada e incursa en presunción de temeridad y dentro de los parámetros previstos legalmente y establecidos en la norma referida en la propia notificación. No es admisible la documentación remitida fuera de plazo, siendo explícita la notificación del trámite de audiencia, en el sentido de especificar que «el plazo de presentación finalizará el día señalado.»

Concordancias a todo el artículo

➡ **Concordancias normativas**

Artículo 317 de la LCSP 30/2007.

Artículo 48 *Determinación de la indemnización*

1. Cuando proceda la indemnización, mencionada en el apartado 3 del artículo anterior, ésta se fijará atendiendo en lo posible a los criterios de los apartados 2 y 3 del artículo 141 de la Ley 30/1992, de 26 de noviembre (LA LEY 3279/1992).

2. La indemnización deberá resarcir al reclamante cuando menos de los gastos ocasionados por la preparación de la oferta o la participación en el procedimiento de contratación.

Concordancias a todo el artículo

➡ **Concordancias normativas**

Artículo 318 de la LCSP 30/2007.

☞ **Concordancias Jurisprudenciales**

Tribunal Administrativo Central de Recursos Contractuales, Resolución de 24 Feb. 2011, rec. 022/2011

[LA LEY 14649/2011]

CONTRATO ADMINISTRATIVO DE SERVICIOS. Anuncio de licitación publicado por una sociedad del Grupo ICO para la contratación de Servicios de Asesoría Financiera de proyectos de infraestructuras. RECURSO ESPECIAL EN MATERIA DE CONTRATACIÓN. Inadmisión. El escrito presentado no constituye un verdadero recurso especial en materia de contratación, por no haberse interpuesto contra acto de un poder adjudicador. El recurso presentado por la interesada, no está dirigido al Tribunal sino a la entidad convocante de la licitación.

Artículo 49 *Efectos de la resolución*

1. Contra la resolución dictada en este procedimiento sólo cabrá la interposición de recurso contencioso-administrativo conforme a lo dispuesto en el artículo 10, letras k) y l) del apartado 1 y en el artículo 11, letra f) de su apartado 1 de la Ley 29/1998, de 13 de julio, Reguladora de la Jurisdicción Contencioso-Administrativa (LA LEY 2689/1998).

No procederá la revisión de oficio regulada en el artículo 34 de esta Ley y en el Capítulo I del Título VII de la Ley 30/1992, de 26 de noviembre (LA LEY 3279/1992), de la resolución ni de ninguno de los actos dictados por los órganos regulados en el artículo 41. Tampoco estarán sujetos a fiscalización por los órganos de control interno de las Administraciones a que cada uno de ellos se encuentre adscrito.

2. Sin perjuicio de lo dispuesto en el apartado anterior, la resolución será directamente ejecutiva resultando de aplicación, en su caso, lo dispuesto en el artículo 97 de la Ley 30/1992, de 26 de noviembre (LA LEY 3279/1992).

Concordancias a todo el artículo

➡ **Concordancias normativas**

Artículo 319 de la LCSP 30/2007.

☞ **Concordancias Jurisprudenciales**

Tribunal Administrativo Central de Recursos Contractuales, Resolución de 18 Ene. 2012, rec. 340/2011

CONTRATO ADMINISTRATIVO DE SERVICIOS. Adjudicación del contrato del servicio de control y vigilancia externa e interna de los edificios de la Organización Central del Campus de Serrano en Madrid y la finca Valdepencas en Arganda del Rey. RECURSO ESPECIAL EN MATERIA DE CONTRATACIÓN. Inadmisión. La resolución impugnada da exacto y riguroso cumplimiento a una resolución anterior del Tribunal, debiéndose por tanto calificar esta segunda resolución de adjudicación del CSIC como un acto de ejecución de la misma. Lo es objeto real del actual recurso especial no es sino dicha resolución previa del Tribunal, frente a la cual solo cabe interponer recurso contencioso-administrativo.

Tribunal Superior de Justicia de Madrid, Sala de lo Contencioso-administrativo, Sección 3.ª, Sentencia de 30 Mar. 2011, rec. 40/2011

[LA LEY 62459/2011]]

CONTRATO ADMINISTRATIVO DE SUMINISTROS. Nulidad de convocatoria del concurso público para la adjudicación del contrato de suministros de reactivos, arrendamiento del equipamiento necesario para la realización de determinaciones analíticas y mantenimiento de dicho equipamiento. Nulidad del establecimientpo en el Pliego de Prescripciones Técnicas la obligación de que el equipamiento sea aportado en régimen de arrendamiento durante la vigencia del contrato, pasando a ser propiedad del centro transcurrido un periodo de tres años. Ello constituye la modificación de la naturaleza jurídica del contrato de suministro en lo que a la prestación del arrendamiento pactado se refiere, convirtiéndolo en un supuesto de compraventa. Dicha modificación sustancial está prohibida por la normativa aplicable. Tal condición de naturaleza esencialmente jurídica debería figurar en el pliego de condiciones administrativas particulares y no en el pliego de condiciones técnicas.

Artículo 50 *Arbitraje*

Los entes, organismos y entidades del sector público que no tengan el carácter de Administraciones Públicas podrán remitir a un arbitraje, conforme a las disposiciones de la Ley 60/2003, de 23 de diciembre (LA LEY 1961/2003), de Arbitraje, la solución de las diferencias que puedan surgir sobre los efectos, cumplimiento y extinción de los contratos que celebren.

➡ Concordancias normativas

Artículo 320 de la LCSP 30/2007.

TÍTULO II

Partes en el contrato

CAPÍTULO I

Órgano de contratación

Artículo 51 *Competencia para contratar*

1. La representación de los entes, organismos y entidades del sector público en materia contractual corresponde a los órganos de contratación, unipersonales o colegiados que, en virtud de norma legal o reglamentaria o disposición estatutaria, tengan atribuida la facultad de celebrar contratos en su nombre.

2. Los órganos de contratación podrán delegar o desconcentrar sus competencias y facultades en esta materia con cumplimiento de las normas y formalidades aplicables en cada caso para la delegación o desconcentración de competencias, en el caso de que se trate de órganos administrativos, o para el otorgamiento de poderes, cuando se trate de órganos societarios o de una fundación.

Concordancias a todo el artículo

➡ **Concordancias normativas**

Artículo 40 de la LCSP 30/2007 y artículo 12 del TRLCAP RDL 2/2000.

✉ **Consultas**

• **¿Cabe la delegación de competencias del Pleno y el Alcalde en la Junta de Gobierno tras la entrada en vigor de la LCSP?**

Actualidad Administrativa, N° 14, Sección Consultas, Quincena del 16 al 31 Julio 2008, pág. 1704, tomo 2, Editorial LA LEY

[LA LEY 888/2008]

Respuesta

El art. 40 (LA LEY 10868/2007) LCSP contempla con carácter general la posibilidad de que los órganos de contratación deleguen o desconcentren sus competencias y facultades. Esta delegación, como no puede ser de otro modo, se hará con cumplimiento de normas y formalidades aplicables para la delegación o desconcentración de competencias, en el caso de que se trate de órganos administrativos, o para el otorgamiento de poderes, cuando se trate de órganos societarios o de una fundación.

Por su parte, el art. 13 (LA LEY 10868/2007) LPC establece que los órganos de las diferentes Administraciones públicas podrán delegar el ejercicio de las competencias que tengan atribuidas en otros órganos de la Administración, aún cuando no sean jerárquicamente dependientes, o de las entidades de derecho público vinculadas o dependientes de la misma.

En relación con las Corporaciones locales, hay que estar además a la regulación establecida en la LBRL, teniendo en cuenta, no obstante, que la disposición derogatoria única de la LCSP deroga expresamente determinados artículos de la misma, a la vez que establece la derogación de todas las disposiciones de igual o inferior rango que se opongan a la Ley de Contratos.

Así, por lo que a efectos de esta consulta interesa, según los arts. 21.3 (LA LEY 847/1985), 22.4 (LA LEY 847/1985), 33.4 (LA LEY 847/1985), 34.2 (LA LEY 847/1985) y 127.2 (LA LEY 847/1985) LBRL, a cuya vigencia entendemos no afecta la LCSP, pues ni han sido derogados expresamente ni se oponen a ningún precepto de la nueva Ley de Contratos, las competencias para contratar de los órganos municipales son delegables. En concreto:

— El art. 21.3 (LA LEY 847/1985) LBRL permite a Alcalde delegar en otros órganos sus competencias en materia de contratación, sin que el precepto especifique a favor de qué órganos se realiza esta delegación.

— El art. 22.4 (LA LEY 847/1985) LBRL permite al Pleno delegar el ejercicio de sus atribuciones en el Alcalde y en la Junta de Gobierno Local.

Por tanto, no hay obstáculo jurídico que impida una nueva delegación de todas las competencias en materia de contratación en la Junta de Gobierno.

☞ **Concordancias Jurisprudenciales**

Tribunal Administrativo Central de Recursos Contractuales, Resolución de 10 Nov. 2011, rec. 232/2011

[LA LEY 231616/2011]

CONTRATO ADMINISTRATIVO DE CONSULTORÍA Y ASISTENCIA. Impugnación del pliego de condiciones particulares de la contratación del servicio de «Consultoría y asistencia para la elaboración y el control de la información relativa a la subcontratación y seguimiento de las medidas de carácter social durante la ejecución de las obras en el ámbito de la Dirección General de Operaciones e Ingeniería de ADIF». RECURSO ESPECIAL EN MATERIA DE CONTRATACIÓN. Inadmisión. La reclamante carece de legitimación activa para presentar reclamación contra los PCP que han de regir la presente licitación. El interés que preside la reclamación interpuesta es el de la defensa de los intereses de las empresas que operan en el ámbito de seguridad y salud. Carece la reclamante de tal facultad, pues no acredita la representación de la Asociación correspondiente.

Tribunal Superior de Justicia de Madrid, Sala de lo Contencioso-administrativo, Sección 3.ª, Sentencia de 30 Mar. 2011, rec. 40/2011

[LA LEY 62459/2011]

CONTRATO ADMINISTRATIVO DE SUMINISTROS. Nulidad de convocatoria del concurso público para la adjudicación del contrato de suministros de reactivos, arrendamiento del equipamiento necesario para la realización de determinaciones analíticas y mantenimiento de dicho equipamiento. Nulidad del establecimiento en el Pliego de Prescripciones Técnicas la obligación de que el equipamiento sea aportado en régimen de arrendamiento durante la vigencia del contrato, pasando a ser propiedad del centro transcurrido un periodo de tres años. Ello constituye la modificación de la naturaleza jurídica del contrato de suministro en lo que a la prestación del arrendamiento pactado se refiere, convirtiéndolo en un supuesto de compraventa. Dicha modificación sustancial está prohibida por la normativa aplicable. Tal condición de naturaleza esencialmente jurídica debería figurar en el pliego de condiciones administrativas particulares y no en el pliego de condiciones técnicas.

Artículo 52 *Responsable del contrato*

1. Los órganos de contratación podrán designar un responsable del contrato al que corresponderá supervisar su ejecución y adoptar las decisiones y dictar las instrucciones necesarias con el fin de asegurar la correcta realización de la prestación pactada, dentro del ámbito de facultades que aquéllos le atribuyan. El responsable del contrato podrá ser una persona física o jurídica, vinculada al ente, organismo o entidad contratante o ajena a él.

2. En los contratos de obras, las facultades del responsable del contrato se entenderán sin perjuicio de las que corresponden al Director Facultativo conforme con lo dispuesto en el Capítulo V del Título II del Libro IV.

Concordancias a todo el artículo

➡ **Concordancias normativas**

Artículo 414 de la LCSP 30/2007.

Véase art. 235.1 de la presente Ley.

✉ **Consultas**

• **Designación del responsable del contrato**

En relación con la definición en los pliegos de la figura del responsable del contrato, el art. 41 de la LCSP (LA LEY 10868/2007) establece que dicho responsable podrá ser «una persona física o jurídica» aunque también indica que los órganos de contratación podrán designarlos.

¿Puede el órgano de contratación designar a varios responsables para un mismo expediente (sin lotes)? ¿Hay posibilidad de nombrar como responsables a un grupo de personas sin personalidad jurídica?

Contratación Administrativa Práctica, Nº 110, Sección Usted Pregunta, Julio 2011, Editorial LA LEY

[LA LEY 708/2011]

Respuesta

La Exposición de Motivos de la LCSP (LA LEY 10868/2007), en el punto 4, último párrafo, establece que «se ha regulado la figura del responsable del contrato, que puede ser una persona física o jurídica integrada en el ente, organismo o entidad contratante o ajena a él y vinculada con el mismo a través del oportuno contrato de servicios...»

Si la vinculación de la entidad contratante y el responsable del contrato se ha de articular a través de un contrato de servicios, éste tendrá que cumplir con todos los requisitos que determina la ley sobre capacidad del contratista.

Tal y como afirmó la Junta Consultiva de Contratación Administrativa (Informe 12/03, de 23 de julio de 2003) las sociedades civiles con personalidad pueden contratar con la Administración salvo en el supuesto del artículo 1669 del Código Civil (LA LEY 1/1889) sin que en ningún caso sea exigible, por no ser posible, su inscripción en el Registro Mercantil. Las comunidades de bienes, carentes de personalidad, no pueden contratar con la Administración por esta circunstancia.

También podrán contratar las uniones temporales de empresarios.

Lo expuesto será de aplicación al contrato de servicios que vincula a la Administración con el responsable del contrato.

Designar a varios responsables para un mismo contrato sería un fraccionamiento del contrato, prohibido por el art. 74 LCSP (LA LEY 10868/2007). Pienso que es muy difícil justificar que las actividades del responsable del contrato son tan variadas que se necesita contratar a empresas o personas físicas con distinta habilitación profesional o empresarial.

• El grupo de la oposición no puede ser considerado interesado en un procedimiento de resolución del contrato

En el caso de resolución de un contrato administrativo ¿puede considerarse a la oposición como titular de un interés legítimo y ser parte en el procedimiento?

[14/05/2010 EC 1520/2010]

Contestación

Estamos ante un procedimiento de resolución de un contrato en el que la oposición política en el Ayuntamiento no tiene ninguna legitimación para ser parte en el procedimiento; porque, si consideráramos que tiene legitimación para un procedimiento de resolución de un contrato, habría que concluir, llegando al absurdo, que tienen legitimación en cualquier tipo de procedimiento administrativo, cuando obviamente no la tienen. Su función es otra, en concreto controlar, a través de los órganos en los que tiene participación, la acción de gobierno, pero esa función no le otorga legitimación para participar como interesado en procedimientos administrativos concretos.

En particular, el procedimiento para la resolución de contratos viene regulado en el art. 109 del Reglamento General de la Ley de Contratos de las Administraciones Publicas (RCAP), aprobado por Real Decreto 1098/2001, de 12 de octubre (LA LEY 1470/2001) (BOE del 26), en el que se señala que la resolución del contrato se acordará por el órgano de contratación, de oficio o a instancia del contratista, y cumplimiento de los requisitos siguientes:

a) Audiencia del contratista por plazo de diez días naturales, en el caso de propuesta de oficio.

b) Audiencia, en el mismo plazo anterior, del avalista o asegurador si se propone la incautación de la garantía.

c) Informe del Servicio Jurídico, salvo en los casos previstos en los artículos 41 y 96 de la Ley.

d) Dictamen del Consejo de Estado u órgano consultivo equivalente de la Comunidad Autónoma respectiva, cuando se formule oposición por parte del contratista.

Como puede apreciarse sólo se otorga legitimación al contratista y, en el caso de incautación de la garantía, al avalista o asegurador.

Como señalamos en la consulta publicada en EC 1306/2000, el art. 31 (LA LEY 3279/1992) de la Ley 30/1992, de 26 de noviembre (BOE del 27), de Régimen Jurídico de las Administraciones Públicas y del Procedimiento Administrativo Común (LRJAP (LA LEY 3279/1992)), junto al concepto de interesado individual, introdujo el reconocimiento de legitimación en los procedimientos de los titulares de los llamados «intereses difusos», es decir, de aquellos que pertenecen a una comunidad o grupo (los vecinos, usuarios, consumidores). Lo que nos lleva a plantearnos si los concejales pueden considerarse titulares de intereses difusos, dado que son los legítimos representantes de los ciudadanos; sin embargo, esa representación que ostentan los concejales es de carácter político, a efectos de participar en los asuntos públicos, como reza el art. 23 (LA LEY 2500/1978) de la Constitución Española (CE), de 27 de diciembre de 1978.

Añadíamos que, al respecto, el Tribunal Constitucional, en sentencia de 17 de julio de 1995 (EC 3156/1995), analizando si el derecho de información pública previsto en la normativa urbanística, que nos puede servir de referencia, es un derecho de participación incardinable en la participación política, ha señalado que «la expresión asuntos públicos resulta aparentemente vaga y, a primera vista, podría llevar a una interpretación extensiva del ámbito tutelado por el derecho que incluyera cualquier participación en asuntos cuyo interés transcienda el ámbito de lo privado. Esta interpretación literalista de la expresión no es, desde luego, la única posible, y no parece tampoco la más adecuada cuando se examina el precepto en su conjunto y se conecta con otras normas constitucionales». Añadiendo que «para que la participación regulada en una Ley pueda considerarse como una concreta manifestación del art. 23 (LA LEY 2500/1978)CE es necesario que se trate de una participación política, es decir, de una manifestación de la soberanía popular, que normalmente se ejerce a través de representantes y que, excepcionalmente, puede ser directamente ejercida por el pueblo». Concluye esta sentencia que en el trámite de información pública «se trata de una participación en la actuación administrativa —prevista ya, por cierto, en la legislación anterior a la Constitución— que no es tanto una manifestación del ejercicio de la soberanía popular cuanto uno de los cauces de los que en un Estado social deben disponer los ciudadanos bien individualmente, bien a través de asociaciones u otro tipo de entidades especialmente aptas para la defensa de los denominados intereses difusos para que su voz pueda ser oída en la adopción de las decisiones que les afectan.

Dicho derecho, cuya relevancia no puede ser discutida, nace, sin embargo, de la Ley y tiene —con los límites a que antes hemos aludido— la configuración que el Legislador quiera darle; no supone, en todo caso, una participación política en sentido estricto, sino una participación —en modo alguno desdeñable— en la actuación administrativa, de carácter funcional o procedimental, que garantiza tanto la corrección del procedimiento cuanto los derechos e intereses legítimos de los ciudadanos.»

Por tanto, y siguiendo los razonamientos del Tribunal Constitucional, los concejales no podrán invocar su condición de tales para ser considerados interesados en un procedimiento administrativo; ni, por lo mismo, en el procedimiento para la resolución un contrato administrativo Y, ello, porque los concejales representan a los ciudadanos, pero dicha representación es de carácter político a efectos de participar en los asuntos públicos.

Artículo 53 *Perfil de contratante*

1. Con el fin de asegurar la transparencia y el acceso público a la información relativa a su actividad contractual, y sin perjuicio de la utilización de otros medios de publicidad en los casos exigidos por esta Ley o por las normas autonómicas de desarrollo o en los que así se decida voluntariamente, los órganos de contratación difundirán, a través de Internet, su perfil de contratante. La forma de acceso al perfil de contratante deberá especificarse en las páginas Web institucionales que mantengan los entes del sector público, en la Plataforma de Contratación del Estado y en los pliegos y anuncios de licitación.

⊠ **Consultas**

• **Difusión del perfil del contratante**

¿El perfil del contratante ha de ser difundido a través de Internet por cada órgano de contratación? ¿Bastaría con difundir un perfil de contratante único para toda la actividad contractual del Ayuntamiento en su página Web institucional?

[12/01/2009 EC 6/2009]

Contestación

El art. 42.1 de la Ley 30/2007, de 30 de octubre (BOE del 31), de Contratos del Sector Público (LCSP), señala que con el fin de asegurar la transparencia y el acceso público a la información relativa a su actividad contractual, y sin perjuicio de la utilización de otros medios de publicidad en los casos exigidos por esta Ley o por las normas autonómicas de desarrollo o en los que así se decida voluntariamente, los órganos de contratación difundirán, a través de Internet, su perfil de contratante. La forma de acceso al perfil de contratante deberá especificarse en las páginas Web institucionales que mantengan los entes del sector público, en la Plataforma de Contratación del Estado y en los pliegos y anuncios de licitación.

Como señala José Luis VICENTE IGLESIAS en su obra «Comentarios a la Ley 30/2007 de 30 de octubre, de Contratos del Sector Público» (LA LEY 2008), el perfil del contratante «viene a ser una especie de retrato del órgano de contratación introducido en Internet, a fin de asegurar la transparencia y el acceso público a la información relativa a su actividad contractual, y sin perjuicio de la obligada utilización de otros medios de publicidad legal o voluntaria. El perfil del contratante es una plataforma informativa que con carácter general debe incardinarse dentro de la página web institucional de la entidad u organismo correspondiente, debiendo especificarse en ésta (...) la dirección concreta de Internet o el enlace que redirecciona al usuario a dicho perfil, además de ser citado en los pliegos y en los anuncios de licitación.»

Por lo tanto, hemos de concluir que, a nuestro juicio, el perfil del contratante debe difundirse a través de la página web institucional del Ayuntamiento; pero, como señala el autor citado, debiendo especificarse en ésta la dirección concreta de Internet o el enlace que redirecciona al perfil de cada órgano de contratación. En otras palabras, el perfil del contratante de los órganos de contratación deberá incluirse dentro de la página Web institucional del Ayuntamiento, sin perjuicio de que exista un enlace con cada órgano de contratación.

Así se desprende, también, del art. 309.1 LCSP, que, al regular la Plataforma de Contratación del Estado, dispone que la Junta Consultiva de Contratación Administrativa del Estado, a través de sus órganos de apoyo técnico, pondrá a disposición de todos los órganos de contratación del sector público una plataforma electrónica que permita dar publicidad a través de Internet a las convocatorias de licitaciones y sus resultados y a cuanta información consideren relevante relativa a los contratos que celebren, así como prestar otros servicios complementarios asociados al tratamiento informático de estos datos. En todo caso, los órganos de contratación de la Administración General del Estado, sus Organismos autónomos, Entidades gestoras y Servicios comunes de la Seguridad Social y demás Entidades públicas estatales deberán publicar en esta plataforma su perfil de contratante.

• **Solvencia de las empresas invitadas a participar en procedimiento negociado sin publicidad. Publicación en el perfil del contratante.**

En los procedimientos negociados sin publicidad para la adjudicación de obras este ayuntamiento cursa invitación a tres empresas y solo se recibe oferta de una ¿cómo puede saberse si las otras cuentan con la solvencia necesaria? ¿Queda garantiza la concurrencia en la licitación

en este caso? ¿Es necesario publicar estos procedimientos en el perfil del contratante?

[15/12/2008 EC 3816/2008]

Contestación

No existe garantía alguna para comprobar si las empresas invitadas y que no acuden a la invitación gozan de la capacidad y solvencia para acometer las obras objeto del contrato. La única posibilidad de garantizar que se está invitando a empresas con la capacidad y solvencia necesarias es acudiendo al Registro Oficial de Licitadores y Empresas Clasificadas, previsto en el art. 72 de la Ley 30/2007, de 30 de octubre (EC 3697/2007), de Contratos del Sector Público (LCSP), y cuyo desarrollo legislativo se realiza en los arts. 301 y ss. de la propia Ley. Pero la inscripción en dicho Registro tiene carácter voluntario, por lo que sólo si la Corporación quiere hacer uso de esta posibilidad puede garantizarse que invita a empresas con capacidad para contratar y no inhabilitadas, pues entre los datos que obligatoriamente han de inscribirse se encuentran los relativos a la clasificación obtenida y a las prohibiciones de contratar.

De cualquier forma, en el caso de contratos de obra tan sólo se exige encontrarse el contratista debidamente clasificado cuando la cuantía del contrato exceda de 350.000 e. Teniendo en cuenta que el procedimiento negociado sin publicidad sólo puede utilizarse cuando la cuantía no supere los 200.000 e, en ningún caso habría de justificarse la clasificación. Los demás requerimientos, de capacidad y solvencia, se comprobarán en el momento en que presenten la documentación correspondiente, si deciden responder a la invitación cursada.

Por lo que se refiere a si queda garantizada la concurrencia por la invitación a tres empresas aunque alguna de ellas no presente oferta, habrá de dejarse constancia en el expediente de haberse cursado las invitaciones y de que las empresas las han recibido. Para lo cual ha de realizarse la invitación por cualquier medio por el que fehacientemente pueda probarse que dicha invitación ha sido cursada.

Finalmente, en cuanto a la publicación en el perfil del contratante, el art. 42.1 señala que «con el fin de asegurar la transparencia y el acceso público a la información relativa a su actividad contractual, y sin perjuicio de la utilización de otros medios de publicidad en los casos exigidos por esta Ley o por las normas autonómicas de desarrollo o en los que así se decida voluntariamente, los órganos de contratación difundirán, a través de Internet, su perfil de contratante». A nuestro juicio, por tanto, sólo en los supuestos en los que se exija publicidad en el procedimiento negociado será necesario publicar este procedimiento en el perfil de contratante.

2. El perfil de contratante podrá incluir cualesquiera datos e informaciones referentes a la actividad contractual del órgano de contratación, tales como los anuncios de información previa contemplados en el artículo 141, las licitaciones abiertas o en curso y la documentación relativa a las mismas, las contrataciones programadas, los contratos adjudicados, los procedimientos anulados, y cualquier otra información útil de tipo general, como puntos de contacto y medios de comunicación que pueden utilizarse para relacionarse con el órgano de contratación. En todo caso deberá publicarse en el perfil de contratante la adjudicación de los contratos.

➡ Concordancias normativas

Número 2 del artículo 53 redactado por el apartado once del artículo primero de la Ley 34/2010, de 5 de agosto, de modificación de las Leyes 30/2007, de 30 de octubre, de Contratos del Sector Público, 31/2007, de 30 de octubre, sobre procedimientos de contratación en los sectores del agua, la energía, los transportes y los servicios postales, y 29/1998, de 13 de julio, reguladora de la Jurisdicción Contencioso-Administrativa para adaptación a la normativa comunitaria de las dos primeras («B.O.E». 9 agosto).

✉ Consultas

•¿Cuánto tiempo debe mantenerse la información publicada en el perfil del contratante?

Contratación Administrativa Práctica, Nº 86, Sección Usted Pregunta, Mayo 2009, Editorial LA LEY

[LA LEY 1011/2009]

Respuesta

La única obligación que el artículo 42.2 (LA LEY 10868/2007) de la Ley 30/2007 establece es la de publicar en el perfil del contratante la adjudicación provisional de los contratos.

Sin embargo, el artículo 309 (LA LEY 10868/2007) de la misma Ley sí obliga a los órganos de contratación de la Administración General del Estado, sus organismos autónomos, entidades gestoras y Servicios Comunes de la Seguridad Social y demás entidades públicas estatales, a publicar el perfil del contratante en la Plataforma de contratación del Estado.

El tema que se plantea en la pregunta es, claramente, un tema que deberá regular el Reglamento de desarrollo de la Ley 30/2007; mientras tanto, y en lo que no se oponga a la Ley, rige el Real Decreto 1098/2001 (LA LEY 1470/2001), que, lógicamente, no regula este tema.

¿Cuál es la práctica administrativa que se está siguiendo?. Normalmente, los pliegos de prescripciones técnicas y cláusulas administrativas particulares se mantienen en el perfil del contratante hasta la adjudicación definitiva del contrato, adjudicación que sí se mantiene, al menos, hasta la finalización del mismo.

Este proceder no se ajusta a una norma jurídica determinada, sino a causas fundamentalmente técnicas. El motivo es el espacio que dichos pliegos ocupan en la memoria de los equipos informáticos que soportan la citada aplicación. Su conservación durante más tiempo elevaría de forma considerable los costes de funcionamiento de la misma al necesitar una capacidad de memoria mucho mayor.

3. El sistema informático que soporte el perfil de contratante deberá contar con un dispositivo que permita acreditar fehacientemente el momento de inicio de la difusión pública de la información que se incluya en el mismo.

4. La difusión a través del perfil de contratante de la información relativa a los procedimientos de adjudicación de contratos surtirá los efectos previstos en el Título I del Libro III.

➡ **Concordancias normativas**

Artículo 42 de la LCSP 30/2007 y artículo 64 del TRLCAP RDL 2/2000.

Véase O [ANDALUCÍA] 16 junio 2008, por la que se regula el perfil de contratante de los órganos de contratación de la Administración de la Junta de Andalucía y sus entidades instrumentales («B.O.J.A». 23 junio).

Véase O [ARAGÓN] 11 junio 2008, del Departamento de Presidencia, por la que se establece el sistema informático Perfil de Contratante del Portal del Gobierno de Aragón («B.O.A». 17 junio).

Véanse:

— Artículo 141.2 de la presente Ley.

— Orden Ministerial EHA/1220/2008, de 30 de abril, por la que se aprueban las instrucciones para operar en la Plataforma de Contratación del Estado («B.O.E». 1 mayo).

CAPÍTULO II

Capacidad y solvencia del empresario

Sección 1

Aptitud para contratar con el sector público

Subsección 1

Normas generales

Artículo 54 *Condiciones de aptitud*

1. Sólo podrán contratar con el sector público las personas naturales o jurídicas, españolas o extranjeras, que tengan plena capacidad de obrar, no estén incursas en una prohibición de contratar, y acrediten su solvencia económica, financiera y técnica o profesional o, en los casos en que así lo exija esta Ley, se encuentren debidamente clasificadas.

✉ **Consultas**

• **Legalidad de la subvención a un club de tenis por colaborar con el ayuntamiento en la impartición de clases de tenis**

El servicio municipal de deportes concede una subvención directa a una asociación que imparte cursos en las pistas de tenis municipales. ¿Sería más ajustado a derecho concertar un contrato de servicios para impartir las clases? ¿Es posible tal contrato con una asociación sin ánimo de lucro?

[12/01/2009 EC 13/2009]

Contestación

Para determinar si es posible la concesión de una subvención a una asociación deportiva que colabora con el Ayuntamiento en la impartición de clases de tenis habrá que estar al art. 2 de la Ley 38/2003, de 17 de noviembre (BOE del 18), General de Subvenciones (LGS), donde se contiene el concepto de subvención, para comprobar si se dan o no los requisitos que exige la citada ley para que una disposición dineraria tenga la consideración de subvención. En este sentido, dispone el art. 2.1 que se entiende por subvención, a los efectos de esta ley, toda disposición dineraria realizada por cualesquiera de los sujetos contemplados en el art. 3 de esta ley, a favor de personas públicas o privadas, y que cumpla los siguientes requisitos:

a) Que la entrega se realice sin contraprestación directa de los beneficiarios.

b) Que la entrega esté sujeta al cumplimiento de un determinado objetivo, la ejecución de un proyecto, la realización de una actividad, la adopción de un comportamiento singular, ya realizados o por desarrollar, o la concurrencia de una situación, debiendo el beneficiario cumplir las obligaciones materiales y formales que se hubieran establecido.

c) Que el proyecto, la acción, conducta o situación financiada tenga por objeto el fomento de una actividad de utilidad pública o interés social o de promoción de una finalidad pública.

Como se puede comprobar, en el caso consultado, no existe ninguna duda de que se cumplen las letras b) y c): la entrega está sujeta a la realización de una actividad (colaboración en la formación deportiva) y esta actividad, como promoción del deporte, cabe calificarla de interés social. La única duda que se puede plantear en su caso es si existe o no la contraprestación directa, esto es, si se cumple el requisito de la letra a), pudiendo darse dos circunstancias:

— Si la subvención se justifica conforme a lo establecido en la citada LGS, con los gastos que le suponen a la asociación esta actividad de colaboración, se podrá afirmar que estamos ante una subvención y que no existe ningún problema en que exista ese convenio de colaboración.

— Ahora bien, si la denominada subvención es realmente una retribución que se da a la asociación por impartir las clases de tenis, y por tanto de difícil justificación, no puede hablarse de subvención, porque realmente lo que existe es un contrato de prestación de servicio.

Por último, señalar que el art. 11 LGS, al regular quién puede ser beneficiario de una subvención, lo hace con tal amplitud, que un club deportivo, sin duda, puede ser beneficiario de una subvención.

En definitiva, es posible subvencionar a un club de tenis por colaborar con el ayuntamiento en la impartición de clases de tenis, siempre que la disposición dineraria se realice sin contraprestación directa del club.

En cuanto a su segunda pregunta, queda ya contestada con lo dicho, es decir, si realmente el pago que se realiza es como contraprestación por la impartición de clases, hay que concluir que no se trata de una verdadera subvención y que lo procedente sería un contrato de prestación de servicios.

Respecto a si una entidad sin ánimo de lucro puede ser contratista de la Administración, entendemos, salvo mejor opinión, que la Ley 30/2007, de 30 de octubre (BOE del 31), de Contratos del Sector Público (LCSP), no impide esta posibilidad. En efecto, el art. 43.1 señala que sólo podrán contratar con el sector público las personas naturales o jurídicas, españolas o extranjeras, que tengan plena capacidad de obrar, no estén incursas en una prohibición de contratar, y acrediten su solvencia económica, financiera y técnica o profesional o, en los casos en que así lo exija esta Ley, se encuentren debidamente clasificadas. Como vemos, se habla de personas jurídicas, sin que en ningún sitio se señale que tiene que ser una sociedad mercantil con ánimo de lucro. A ello debe añadirse lo establecido en el art. 46.1 del mismo cuerpo legal, cuando dispone que las personas jurídicas sólo podrán ser adjudicatarias de contratos cuyas prestaciones estén comprendidas dentro de los fines, objeto o ámbito de actividad que, a tenor de sus estatutos o reglas fundacionales, les sean propios. De forma que entre estos fines, objeto o ámbito de actividad de la asociación tiene que estar el de impartir clases de tenis.

- **Posibilidad de que una sociedad civil celebre contratos con las administraciones públicas.**

Presentada a licitación una sociedad civil cuyos acuerdos sociales han sido elevados a escritura pública, ¿debe exigirse su inscripción en un Registro Público?

[30/07/2008 EC 2445/2008]

Contestación

En la vida observamos cómo se dan supuestos de hecho en los que hay una pluralidad de personas que se agrupan para conseguir un fin común a todas ellas. El derecho concede o reconoce en numerosos casos la personalidad jurídica a esa agrupación de personas, por lo que puede decirse que la persona jurídica es siempre obra del Estado. Consecuentemente, podemos decir que son personas jurídicas las realidades sociales a las que el Estado reconoce o atribuye individualidad propia, distinta de los elementos componentes sujetos de derechos y deberes y con una capacidad de obrar en el tráfico por medio de sus órganos o representantes. Ahora bien, ¿cualquier persona jurídica puede contratar con la Administración Pública?

La idea de persona jurídica, tradicionalmente reservada a las realidades sociales que persiguen un interés público, se aplica a partir del siglo XIX al contrato de sociedad. La unión de personas con la puesta en común de bienes para un fin de lucro es considerada como persona jurídica. Se produce el nacimiento de un patrimonio distinto del de los asociados.

Nuestro Código Civil, art. 35, sólo considera personas jurídicas, numerus clausus, a las corporaciones, asociaciones y fundaciones de interés público y a las asociaciones de interés particular, entre las que se encuentran las sociedades civiles o mercantiles que persiguen un fin de lucro o ganancia partible entre los socios. Se atribuye con gran generosidad esta personalidad a la sociedad civil, siempre que no se mantengan sus pactos secretos entre los asocios (art. 1669), en cuyo caso se regirían por las disposiciones relativas a las comunidades de bienes. Por su parte, el Código de Comercio atribuye la personalidad a las sociedades mercantiles que se constituyan en escritura pública y se inscriban en el Registro Mercantil.

En relación con la capacidad jurídica y de obrar de las personas jurídicas, el CC la reconoce ampliamente en el art. 38.1. En el art. 35 considera como tales las asociaciones de interés particular, sean civiles, mercantiles o industriales a las que las ley conceda personalidad jurídica propia, independiente de cada uno de los asociados, señalando en el art. 36 que esas asociaciones se regirán por las reglas del contrato de sociedad, según la naturaleza de éste.

Como antes enunciábamos, la sociedad civil goza de personalidad jurídica siempre que sus pactos no se mantengan secretos entre los socios. Frase que interpretada literalmente significa no sólo que el tercero que se relaciona con la sociedad conozca o pueda conocer su existencia, sino también todos los pactos del contrato social. Pero el Código Civil no impone ni organiza ningún Registro Público donde pueda inscribirse una sociedad civil, por lo que el conocimiento de los pactos por esa vía normal está cerrado. No cabe más que la publicidad que le quiera dar el propio socio al contratar.

En definitiva, en nuestro derecho positivo la solución del problema tiene que obtenerse conjugando adecuadamente los dos factores que antes se han expuesto. Por ello, si la sociedad se constituye regularmente y adopta alguno de los tipos reconocidos por la legislación mercantil, debe calificarse como sociedad mercantil. No obstante, a tenor del art. 1670, si la sociedad es civil por su objeto, sólo le son aplicables las disposiciones de la legislación mercantil en cuanto no se opongan a las del Código Civil, salvo si el tipo elegido es la sociedad anónima o de responsabilidad limitada. Aquí la forma prejuzga totalmente el carácter mercantil y queda sometida a la legislación especial.

Por otro lado, el art. 43.1 de la Ley 30/2007, de 30 de octubre (EC 3697/2007), de Contratos del Sector Público (LCSP), establece que sólo podrán contratar con el sector público quienes, entre otras condiciones, tengan plena capacidad de obrar, capacidad que, para su acreditación, el artículo 61.1 de la misma norma exige la escritura o documento de constitución, los estatutos o el acto fundacional, en los que consten las normas por las que se regula su actividad, debidamente inscrito, en su caso, en el Registro Público que corresponda, según el tipo de persona jurídica de que se trate. Y como anteriormente decíamos, el Código Civil no impone ni organiza ningún Registro Público donde pueda inscribirse una sociedad civil, por lo que no se cumple el requisito exigido para que una persona jurídica contrate con la Administración.

Como colofón hemos de referirnos a la Resolución de la Dirección General de los Registros y del Notariado de 28 de junio de 1985, que niega que una sociedad constituida para realizar actos de comercio pueda adoptar la forma de sociedad civil. Por ello, si el contrato tiene esa naturaleza, a nuestro entender la referida sociedad tiene vedada la posibilidad de contratar con la Administración.

☞ **Concordancias Jurisprudenciales**

Tribunal Superior de Justicia de Les Illes Balears, Sala de lo Contencioso-administrativo, Sentencia de 31 Ene. 2012, rec. 425/2011

[LA LEY 5637/2012]

CONTRATO ADMINISTRATIVO DE CONSULTORÍA Y ASISTENCIA. Se confirma el derecho declarado de los ingenieros de caminos, canales y puertos a participar, sin perjuicio de las restantes titulaciones competentes, en el proceso licitatorio de un contrato administrativo de consultoría y asistencia y a formar parte del equipo redactor, dado que el Ayuntamiento sólo reconocía solvencia económica al equipo que contase con las titulaciones de arquitecto y licenciado en derecho, especialista en urbanismo, y a la titulación de Ingeniero de caminos, canales y puertos, que tenía plena competencia en materia de urbanismo, no se le reconoce en el mismo plano o idéntica posición que a las titulaciones mencionadas anteriormente, a pesar de que la de ingenieros era una titulación plenamente apta para el desempeño del cometido. No existen causas de inadmisibilidad del recurso.

Audiencia Nacional, Sala de lo Contencioso-administrativo, Sección 1.ª, Sentencia de 19 Dic. 2011, rec. 459/2010

[LA LEY 260804/2011]

CONTRATO ADMINISTRATIVO DE SERVICIOS. Nulidad de la adjudicación del contrato de servicios para asistencia psicológica a la Fundación Universitaria. La exigencia de motivación o justificación de adjudicación no ha sido cumplida, al echarse de menos, a lo largo de tal proceso de adjudicación, razonamiento alguno sobre los criterios utilizados para asignar la puntuación a cada uno de los aspectos valorados, el método de ponderación y su relación con la oferta presentada por cada licitador. Dado el tiempo transcurrido y que el contrato se halla totalmente ejecutado, procede la indemnización de daños y perjuicios a la interesada, en función de los beneficios que hubiera obtenido de haber sido adjudicataria del servicio.

Tribunal Administrativo Central de Recursos Contractuales, Resolución de 9 Feb. 2011, rec. 058/2010

[LA LEY 14697/2011]

CONTRATO ADMINISTRATIVO DE SERVICIOS. Contratación de servicios a adjudicar por el procedimiento abierto de contrato para la prestación del servicio de gestión de determinados residuos tanto peligrosos como no peligrosos generados en el Laboratorio Central de Veterinaria del Ministerio de Medio Ambiente, y Medio Rural y Marino de Algete. RECURSO ESPECIAL EN MATERIA DE CONTRATACIÓN. Presentación en plazo. La fecha de publicación de los pliegos, ya sea en el perfil del contratante o en la Plataforma de Contratación del Estado, no pueden utilizarse como fecha de cómputo para la interposición del recurso contra los pliegos. Estimación. Nulidad del Anexo I del modelo de pliego de cláusulas administrativas particulares, al exigir que los licitadores dispongan de una planta de gestión de residuos en la Comunidad de Madrid, por vulneración del principio de libre competencia. El propio órgano de contratación reconoce expresamente que los residuos objeto del contrato no van a ser valorizados y que no puede exigirse la ubicación de una planta de gestión de residuos en la Comunidad de Madrid.

2. Los empresarios deberán contar, asimismo, con la habilitación empresarial o profesional que, en su caso, sea exigible para la realización de la actividad o prestación que constituya el objeto del contrato.

☞ **Concordancias Jurisprudenciales**

Tribunal Administrativo Central de Recursos Contractuales, Resolución de 3 Feb. 2012, rec. 345/2012

[LA LEY 31485/2012]

CONTRATO ADMINISTRATIVO DE SERVICIOS. Adjudicación del contrato de servicio de vigilancia, mediante vigilantes de seguridad sin arma, para la sede conjunta de las Direcciones Provinciales de la Tesorería General de la Seguridad Social y del Instituto Nacional de la Seguridad Social de Las Palmas y las oficinas dependientas de la Tesorería General de la Seguridad Social de Las Palmas. RECURSO ESPECIAL EN MATERIA DE CONTRATACIÓN. Estimación. Nulidad del procedimiento de adjudicación, por la insuficiencia de la autorización administrativa de la adjudicataria para llevar a cabo una de las prestaciones exigidas por los pliegos como objeto del contrato, en particular la conexión con una central receptora de alarmas. Para el ejercicio de las actividades propias de la seguridad privada en España, por empresas españolas o comunitarias, es necesario obtener una autorización previa del Ministerio del Interior. Esta autorización funciona por tanto como título habilitante para el ejercicio de las citadas actividades con independencia de que el pliego incluya o no dicha exigencia. Imposibilidad de que el defecto de habilitación del contratista para realizar la actividad sea suplido por la habilitación del subcontratista, porque el pliego no admite la posibilidad de variantes en la oferta. Procede la reposición de las actuaciones al momento inmediatamente anterior al examen por la mesa de contratación de la documentación contenida en el sobre número 1 de documentación general presentados por los licitadores.

Tribunal Administrativo Central de Recursos Contractuales, Resolución de 14 Sep. 2011, rec. 189/2011

[LA LEY 185600/2011]

CONTRATO ADMINISTRATIVO DE SERVICIOS. Adjudicación del contrato de «Servicios de transporte con conductor, traslado de mobiliario, enseres y trabajos de peonaje de la Dirección Provincial de Madrid del Instituto Nacional de la Seguridad Social». RECURSO ESPECIAL EN MATERIA DE CONTRATACIÓN. Desestimación. Aptitud de la empresa adjudicataria para contratar los servicios licitados. Tiene un objeto o ámbito de actividad que comprende las prestaciones propias del contrato que le ha sido adjudicado, ya que en él no sólo tiene cabida la realización de mudanzas, sino también las demás prestaciones exigidas en los Pliegos rectores del procedimiento de adjudicación. La empresa acreditó en el momento legalmente exigido la circunstancia de hallarse al corriente en el cumplimiento de las obligaciones tributarias y con la Seguridad Social, así como los demás extremos exigidos, sin que sea competente el Tribunal para entrar a valorar circunstancias como el posible incumplimiento del convenio colectivo aplicable por la empresa a sus empleados, y demás referidas a la práctica profesional de las empresas que realizan actividad de mudanzas.

Tribunal Administrativo Central de Recursos Contractuales, Resolución de 2 Feb. 2011, rec. 032/2010

[LA LEY 14660/2011]

CONTRATO ADMINISTRATIVO DE SUMINISTROS. De equipamiento electrónico para la renovación del centro de coordinación de salvamento marítimo. Procedimiento de adjudicación. Se declara la nulidad de un apartado del pliego de cláusulas administrativas particulares para la adjudicación de tal contrato, así como la necesidad de convocar nueva licitación en la que deba servir de base un nuevo pliego, dado que la exigencia de inscripción en el Registro de Instaladores de Telecomunicaciones no venía recogida en la Ley de aplicación, aunque ésta sí contuviese la exigencia de un determinado requisito en cuanto al ejercicio de la actividad objeto del contrato. Dicho requisito no consistía exactamente en lo que el pliego de cláusulas de la licitación establecía, sino simplemente en la previa presentación de una declaración responsable indicadora de las características técnicas de la empresa.

3. En los contratos subvencionados a que se refiere el artículo 17 de esta Ley, el contratista deberá acreditar su solvencia y no podrá estar incurso en la prohibición de contratar a que se refiere la letra a) del apartado 1 del artículo 60.

Concordancias a todo el artículo

➡ **Concordancias normativas**

Artículo 43 de la LCSP 30/2007 y artículo 15 del TRLCAP RDL 2/2000.

✉ **Consultas**

• Posibilidad de contratar con dos personas físicas, siempre y cuando se obliguen mancomunada y solidariamente

Se pretende enajenar una parcela. Hay dos personas que pretenden concurrir conjuntamente a la licitación. ¿Pueden concurrir unidas sin más?

[06/05/2011 EC 1074/2011]

Contestación

— Los bienes patrimoniales de las entidades locales se rigen por las normas de Derecho privado, aunque de modo preferente hayan de aplicarse las disposiciones especiales contenidas en la legislación administrativa, incluida la Ley 33/2003, de 3 de noviembre (LA LEY 1671/2003) (EC 4127/2003), del Patrimonio de las Administraciones Públicas (art. 7.3).

En el caso de que la Corporación considere conveniente enajenar alguno de sus bienes patrimoniales, deberá hacerlo a través del correspondiente contrato de compraventa; que, por razón de su objeto, tendrá carácter civil y no administrativo según reiterada jurisprudencia del Tribunal Supremo. Ahora bien, aunque de naturaleza jurídico privada o civil, habrá que tener en cuenta el art. 20.2 de la Ley 30/2007, de 30 de octubre (LA LEY 10868/2007) (BOE del 31), de Contratos del Sector Público (LCSP (LA LEY 10868/2007)) y 83 Texto Refundido de Régimen Local (TRRL), aprobado por Real Decreto Legislativo 781/1986, de 18 de abril (LA LEY 968/1986) (BOE del 22), según los cuales hay que distinguir dos aspectos: uno formal, relativo a la preparación y adjudicación del contrato que se rige por las normas de Derecho público reguladoras de la contratación administrativa; y otro aspecto de orden sustantivo que se refiere al contenido, efectos y extinción de la relación contractual, en nuestro caso la compraventa, que se regulan por las normas de Derecho privado. Y, en concreto, la capacidad para contratar.

El art. 43 LCSP (LA LEY 10868/2007) —y antes el art. 15 del Texto Refundido de la Ley de Contratos de las Administraciones Públicas (TR LCAP), aprobado por Real Decreto Legislativo 2/2000, de 16 de junio (LA LEY 2206/2000) (BOE del 21)— establece que solo podrán contratar con el sector público las personas naturales o jurídicas que tengan plena capacidad de obrar. La LCSP (LA LEY 10868/2007) no regula el requisito de la capacidad de obrar de los licitadores; capacidad que se rige por el Derecho común, esto es, por el Derecho civil, aunque sí se ocupe la LCSP (LA LEY 10868/2007) de la forma de acreditarla. Y esta capacidad debe ostentarse en el momento de la presentación de las proposiciones [STS de 7 de mayo de 1999 (LA LEY 6105/1999) (LA LEY 6105/1999)]. Ahora bien, cuando el licitador no es una persona jurídica, sino física, la documentación acreditativa de la aptitud para contratar ha de ser referida a todas y cada una de las personas físicas. Ello quiere decir que, en caso de ser dos las personas físicas, cada una de ellas debe tener capacidad para contratar y acreditarlo.

En consecuencia, pueden contratar con la Administración una o más personas físicas siempre que ostenten capacidad de obrar; capacidad que se rige por la legislación civil. Lo que sucede en el caso que nos plantean es que la contratación entre dos o más personas, ya sea en concepto de adquirente o vendedor genera una obligación mancomunada conforme al art. 1137 del Código Civil (LA LEY 1/1889).

El precepto citado determina que la concurrencia de dos o más acreedores o de dos o más deudores en una sola obligación, no implica que cada uno de aquellos tenga derecho a pedir, ni cada uno de ellos deba prestar íntegramente las cosas objeto de la misma. Solo habrá lugar a ello cuando la obligación expresamente lo determine, constituyéndose con el carácter de solidaria.

En la obligación solidaria, cada deudor debe cumplir íntegramente la prestación o cada acreedor puede exigirla íntegramente, según la solidaridad sea pasiva o activa. Ahora bien, conforme al precepto citado, la solidaridad no se presume sino que, si no se establece así, la obligación es mancomunada. Ello quiere decir, a nuestros efectos, que si el Ayuntamiento contrata con dos compradores, solo podrá exigir a cada uno de ellos el pago del precio y el cumplimiento de las demás obligaciones si les impone que se obliguen con el Ayuntamiento solidariamente.

En conclusión, el Ayuntamiento puede enajenar el terreno a dos o más personas siempre que éstas (las dos) tengan capacidad para contratar y presenten su oferta haciendo expresamente constar que lo hacen en forma mancomunada y, en concreto, solidaria. Con ello, el Ayuntamiento puede exigir el pago de las parcelas y el cumplimiento de los demás compromisos adquiridos a cada uno de ellos. Los dos quedan obligados a todo.

• **Las comunidades de bienes no tienen capacidad para contratar con una administración pública**

¿Pueden adjudicarse contratos de obras y/o suministros a comunidades de bienes? ¿Qué ocurriría si ya se hubiesen adjudicado?

[25/05/2009 EC 1580/2009]

Ver respuesta en artículo 32

• **Concreción de las condiciones de solvencia**

El artículo 53.1 (LA LEY 10868/2007) LCSP, en su apartado 1 se refiere únicamente a las personas jurídicas. ¿Se está obviando a las personas naturales o se trata de una omisión inconsciente?

Contratación Administrativa Práctica, Nº 75, Sección Usted Pregunta, Mayo 2008, pág. 11, Editorial LA LEY

[LA LEY 664/2008]

Respuesta

Comenzaremos señalando que la cuestión planteada queda solventada con la lectura conjunta de la subsección 1.ª y 4.ª de la Sección 1.ª del Capítulo II el Título II del Libro I de la LCSP. Esta ubicación en el texto de la norma no es anecdótica sino que nos va a ayudar a entender la cuestión planteada.

Efectivamente, el artículo 53 (LA LEY 10868/2007) se encuentra ubicado en la mencionada Subsección 4.ª («Solvencia») que regula las condiciones de solvencia que deben reunir los empresarios que contraten con el sector público. En concreto, debemos fijarnos en la denominación que el legislador ha dado a este precepto «Concreción de las condiciones de solvencia», ello significa que en este precepto se van a especificar una serie de condiciones determinadas para un concreto tipo de empresario como son las personas jurídicas sin que ello signifique la exclusión automática de las personas físicas como se plantea en la pregunta formulada. Estas condiciones o requisitos adicionales para las personas jurídicas no suponen más que mayores garantías para las Administraciones Públicas.

Además, la lectura de este artículo debe ir acompañada de la lectura del artículo 43 (LA LEY 10868/2007) de la LCSP que, ubicado en la Subsección 1.ª («Normas generales») se refiere a la aptitud para contratar con el sector público, señala expresamente que «Sólo podrán contratar con el sector público las personas naturales o jurídicas, españolas o extranjeras, que tengan plena capacidad de obrar, no estén incursas en una prohibición de contratar, y acrediten sus solvencia económica, financiera y técnica o profesional o, en los casos en que así lo exija esta Ley, se encuentren debidamente clasificadas».

El antecedente de este nuevo artículo 53.1 (LA LEY 10868/2007) lo encontramos en el artículo 4 de la Directiva 18/2004 que expresamente señala literalmente lo mismo que el precepto español.

No obstante, el artículo 53.1 (LA LEY 10868/2007) no hace sino confirmar lo establecido con un mayor detalle en los artículos 65 b) (LA LEY 10868/2007) y c) (LA LEY 10868/2007), 66 b) (LA LEY 10868/2007), 67 b) (LA LEY 10868/2007) y e) (LA LEY 10868/2007) y 68 (LA LEY 10868/2007) de la LCSP reguladores de los medios acreditativos de la solvencia técnica de los empresarios, artículos que, por otro lado, son el resultado de la trasposición del artículo 48 e) de la Directiva 18/2004.

Por la prolija redacción de la LCSP, parece bastante lógico que los gestores y operadores del Derecho se planteen preguntas como la que aquí se formula. Sin embargo, con carácter general podemos decir que quizá la clave para la aclaración de ciertas dudas que surgen en la aplicación de esta ley, debemos acudir a menudo a una interpretación sistemática de sus preceptos.

Conclusión: el artículo 53.1 (LA LEY 10868/2007) de la LCSP hace una referencia exclusiva y expresa a las personas jurídicas pero ello no significa la exclusión de las personas físicas como posibles sujetos de la contratación del sector público (artículo 43 (LA LEY 10868/2007)).

☞ **Concordancias Jurisprudenciales**

Tribunal Superior de Justicia de Madrid, Sala de lo Social, Sección 6.ª, Sentencia de 5 Mar. 2012, rec. 2460/2011

[LA LEY 30395/2012]

CONTRATOS ADMINISTRATIVOS. Naturaleza del contrato. Criterios de determinación. CONTRATOS TEMPORALES. Contratos celebrados por la Administración. Inobservancia de formalidades en la contratación: efectos. Adquisición de la condición de fijeza en el empleo. -- Contratos celebrados por la Administración. Contratación en fraude de ley. Supuestos.

Tribunal Superior de Justicia de la Región de Murcia, Sala de lo Contencioso-administrativo, Sección 2.ª, Sentencia de 9 Mar. 2012, rec. 257/2011

[LA LEY 27422/2012]

CONTRATO ADMINISTRATIVO DE SERVICIOS. Adjudicación del contrato de Asesoría y Defensa jurídica. La exigencia de unos límites mínimos de solvencia económica no vulnera el principio de libre concurrencia, pues podían los licitadores acudir en unión temporal de empresas con otros interesados. El adjudicatario debía asumir no solo la asistencia jurídica sino la representación procesal del Ayuntamiento. No obstante, los límites mínimos exigidos deben ser proporcionados, pues de lo contrario se atenta contra el principio de libre concurrencia, esencial para preservar el interés público, y para ello debe atenderse al objeto del contrato, que incluye la defensa jurídica en todos los órdenes jurisdiccionales. El criterio del mayor número de elementos personales y materiales que los exigidos como requisito de solvencia puede ser exigido como elemento de valoración de ofertas o criterio de adjudicación, siempre que figure incluido en los pliegos.

Tribunal Administrativo Central de Recursos Contractuales, Resolución de 10 Nov. 2011, rec. 235/2011

[LA LEY 294076/2011]

CONTRATO ADMINISTRATIVO DE CONSULTORÍA. Nulidad de la exclusión de la interesada del procedimiento de adjudicación del contrato de «Dirección facultativa de las Obras de Urbanización del Área de Planeamiento Específico A.P.E.17.02 del PGOUM, de la actuación Parque Central de Ingenieros de Villaverde. RECURSO ESPECIAL EN MATERIA DE CONTRATACIÓN. Estimación. La cláusula controvertida del pliego únicamente puede interpretarse en el sentido de que los licitadores aporten la relación nominal de todo el personal del equipo mínimo exigido con el porcentaje de dedicación que cada uno de ellos dedicará al desarrollo del contrato, pudiendo ofrecer la participación de otro personal.

Tribunal Superior de Justicia de Madrid, Sala de lo Social, Sección 2.ª, Sentencia de 1 Feb. 2012, rec. 2670/2011

[LA LEY 20938/2012]

CONTRATO DE TRABAJO. Criterios fundamentales de calificación de la relación como laboral. Dependencia o subordinación. CONTRATOS ADMINISTRATIVOS. Naturaleza del contrato. Criterios de determinación. CONTRATOS TEMPORALES. Contratos celebrados por la Administración. Inobservancia de formalidades en la contratación: efectos. Adquisición de la condición de fijeza en el empleo. -- Contratos celebrados por la Administración. Duración. Distinción entre personal indefinido y fijo de plantilla.

Artículo 55 *Empresas no comunitarias*

1. Las personas físicas o jurídicas de Estados no pertenecientes a la Unión Europea deberán justificar mediante informe de la respectiva Misión Diplomática Permanente española, que se acompañará a la documentación que se presente, que el Estado de procedencia de la empresa extranjera admite a su vez la participación de empresas españolas en la contratación con la Administración y con los entes, organismos o entidades del sector público asimilables a los enumerados en el artículo 3, en forma sustancialmente análoga. En los contratos sujetos a regulación armonizada se prescindirá del informe sobre reciprocidad en relación con las empresas de Estados signatarios del Acuerdo sobre Contratación Pública de la Organización Mundial de Comercio.

2. Para celebrar contratos de obras será necesario, además, que estas empresas tengan abierta sucursal en España, con designación de apoderados o representantes para sus operaciones, y que estén inscritas en el Registro Mercantil.

➡ **Concordancias normativas**

Artículo 44 de la LCSP 30/2007 y artículos 15.2 y 23 del TRLCAP RDL 2/2000.

Véanse:— Artículos 11 y 82 del R.D. 1098/2001, de 12 de octubre, por el que se aprueba el Reglamento general de la Ley de Contratos de las Administraciones Públicas («B.O.E». 26 octubre). — Instrumento de ratificación del Acuerdo por el que se establece la Organización Mundial del Comercio y del Acuerdo sobre contratación pública, hechos en Marrakech el 15 de abril de 1994 («B.O.E». 24 enero 1995).

Artículo 56 *Condiciones especiales de compatibilidad*

1. Sin perjuicio de lo dispuesto en relación con la adjudicación de contratos a través de un procedimiento de diálogo competitivo, no podrán concurrir a las licitaciones empresas que hubieran participado en la elaboración de las especificaciones técnicas o de los documentos preparatorios del contrato siempre que dicha participación pueda provocar restricciones a la libre concurrencia o suponer un trato privilegiado con respecto al resto de las empresas licitadoras.

2. Los contratos que tengan por objeto la vigilancia, supervisión, control y dirección de la ejecución de obras e instalaciones no podrán adjudicarse a las mismas empresas adjudicatarias de los correspondientes contratos de obras, ni a las empresas a éstas vinculadas, entendiéndose por tales las que se encuentren en alguno de los supuestos previstos en el artículo 42 del Código de Comercio (LA LEY 1/1885).

☞ **Concordancias Jurisprudenciales**

Tribunal Superior de Justicia de Navarra, Sala de lo Contencioso-administrativo, Sentencia de 17 Nov. 2010, rec. 139/2010

[LA LEY 303580/2010]

CONTRATOS ADMINISTRATIVOS. Nulidad de la contratación conjunta de la redacción del proyecto de un centro de educación infantil y primaria y de la dirección facultativa y ejecución de las obras. Falta de justificación de la contratación conjunta licitada. La contratación conjunta tiene en el Derecho administrativo navarro carácter excepcional y deben por ello mismo ser los supuestos habilitantes objeto de una apreciación restrictiva, que impida incurrir en el exceso de hacer de la excepción norma. Ni las características de la obra ni sus requerimientos técnicos, ni los procedimientos de ejecución y la vinculación del diseño a ellos justifican el tratamiento excepcional que a dicha contratación se dispensa con la conjunción de proyecto, ejecución y dirección de obras en un sólo contrato. Incumplimiento por la Administración contratante de los requisitos prevenidos para la contratación conjunta de proyecto y obra. No resulta acreditada la «previa redacción por la Administración del correspondiente anteproyecto o documento similar», ni la expresión de las «causas justificadas» que hagan «conveniente al interés público» la limitación de la Administración a «redactar las bases técnicas a las que el proyecto deba ajustarse». Procede retrotraer las actuaciones, a fin de modificar el objeto de la convocatoria para que se sustancien separadamente el concurso del proyecto, el de la ejecución de las obras y el de su asistencia técnica.

Tribunal Superior de Justicia de Andalucía de Sevilla, Sala de lo Contencioso-administrativo, Sección 1.ª, Sentencia de 2 Jun. 2009, rec. 287/2008

[LA LEY 183281/2009]

CONTRATOS ADMINISTRATIVOS. Validez e invalidez de los contratos. Se declara la nulidad de la contratación conjunta por parte del Ayuntamiento del proyecto y de las obras para la instalación de un centro de asuntos sociales, en tanto que la construcción rápida de vivienda pública no puede ser causa bastante para justificar la unión de los distintos objetos en un solo contrato.

Concordancias a todo el artículo

➡ **Concordancias normativas**

Artículo 45 de la LCSP 30/2007 y artículo 197 del TRLCAP RDL 2/2000.

✉ **Consultas**

• **Compatibilidad para contratar a un antiguo empleado municipal para el asesoramiento en la redacción del Plan General de Ordenación Municipal.**

¿Concurre incompatibilidad para contratar a un antiguo empleado municipal (gerente de urbanismo) para el asesoramiento en la redacción del Plan General de Ordenación Municipal?

[30/12/2008 EC 4006/2008]

Ver respuesta en artículo 1

☞ **Concordancias Jurisprudenciales**

Tribunal Administrativo Central de Recursos Contractuales, Resolución de 23 Dic. 2010, rec. 033/2010

[LA LEY 297974/2010]

CONTRATO ADMINISTRATIVO DE SERVICIOS. Exclusión del proceso de licitación para la licitación del servicio de conservación y restauración del Alfarje «Tanto Monta» del Palacio Episcopal Viejo anejo a la Catedral de Huesca, por vulnerarse el principio de libre concurrencia y presuponerse unos conocimientos sobre el objeto del contrato, en superioridad al resto de los licitadores. RECURSO ESPECIAL EN MATERIA DE CONTRATACIÓN. Estimación. No ha existido restricción apreciable ni tampoco trato privilegiado para licitar en el procedimiento por el hecho de que la interesada, con motivo del contrato adjudicado en el año 2008, haya realizado el «Estudio del Alfarje policromado del Palacio Episcopal de Huesca». Nulidad del procedimiento de contratación, debiendo procederse a efectuar una nueva licitación. El conocimiento de la oferta económica por los técnicos puede afectar a la valoración a realizar por los mismos respecto de la documentación técnica, situación ésta última que se produciría en este caso, al haberse declarado la nulidad del acuerdo de exclusión y estar ya abiertas las ofertas económicas.

Subsección 2

Normas especiales sobre capacidad

Artículo 57 *Personas jurídicas*

1. Las personas jurídicas sólo podrán ser adjudicatarias de contratos cuyas prestaciones estén comprendidas dentro de los fines, objeto o ámbito de actividad que, a tenor de sus estatutos o reglas fundacionales, les sean propios.

⊠ **Consultas**

• **Legalidad de la subvención a un club de tenis por colaborar con el ayuntamiento en la impartición de clases de tenis**

El servicio municipal de deportes concede una subvención directa a una asociación que imparte cursos en las pistas de tenis municipales. ¿Sería más ajustado a derecho concertar un contrato de servicios para impartir las clases? ¿Es posible tal contrato con una asociación sin ánimo de lucro?

[12/01/2009 EC 13/2009]

Ver respuesta en artículo 54

☞ **Concordancias Jurisprudenciales**

Audiencia Nacional, Sala de lo Contencioso-administrativo, Sección 1.ª, Sentencia de 19 Dic. 2011, rec. 459/2010

[LA LEY 260804/2011]

CONTRATO ADMINISTRATIVO DE SERVICIOS. Nulidad de la adjudicación del contrato de servicios para asistencia psicológica a la Fundación Universitaria. La exigencia de motivación o justificación de adjudicación no ha sido cumplida, al echarse de menos, a lo largo de tal proceso de adjudicación, razonamiento alguno sobre los criterios utilizados para asignar la puntuación a cada uno de los aspectos valorados, el método de ponderación y su relación con la oferta presentada por cada licitador. Dado el tiempo transcurrido y que el contrato se halla totalmente ejecutado, procede la indemnización de daños y perjuicios a la interesada, en función de los beneficios que hubiera obtenido de haber sido adjudicataria del servicio.

Tribunal Administrativo Central de Recursos Contractuales, Resolución de 14 Sep. 2011, rec. 189/2011

[LA LEY 185600/2011]

CONTRATO ADMINISTRATIVO DE SERVICIOS. Adjudicación del contrato de «Servicios de transporte con conductor, traslado de mobiliario, enseres y trabajos de peonaje de la Dirección Provincial de Madrid del Instituto Nacional de la Seguridad Social». RECURSO ESPECIAL EN MATERIA DE CONTRATACIÓN. Desestimación. Aptitud de la empresa adjudicataria para contratar los servicios licitados. Tiene un objeto o ámbito de actividad que comprende las prestaciones propias del contrato que le ha sido adjudicado

2. Quienes concurran individual o conjuntamente con otros a la licitación de una concesión de obras públicas, podrán hacerlo con el compromiso de constituir una sociedad que será la titular de la concesión. La constitución y, en su caso, la forma de la sociedad deberán ajustarse a lo que establezca, para determinados tipos de concesiones, la correspondiente legislación específica.

Concordancias a todo el artículo

➡ Concordancias normativas

Artículo 46 de la LCSP 30/2007 y artículos 15 y 232 del TRLCAP RDL 2/2000.

☞ Concordancias Jurisprudenciales

Tribunal Administrativo Central de Recursos Contractuales, Resolución de 25 May. 2011, rec. 115/2011

[LA LEY 51446/2011]

CONTRATO ADMINISTRATIVO DE SERVICIOS. Adjudicación a una sociedad mercantil del contrato de servicio de transporte marítimo para un centro de formación, dado que, comparando el objeto social de la sociedad adjudicataria y las prestaciones que incluía el objeto del contrato de acuerdo con el pliego de prescripciones técnicas, cabía afirmar, que si bien no existía una identidad absoluta entre ellos, si había una parte de las tareas que el M.º de Sanidad pretendía contratar que coincidían con parte de la actividad de dicha empresa, en concreto, la recogida de residuos sólidos, que era una de las 3 tareas en que el pliego dividía el objeto del contrato.

Tribunal Superior de Justicia de Extremadura, Sala de lo Contencioso-administrativo, Sentencia de 14 Mar. 2011, rec. 392/2010

[LA LEY 39056/2011]

CONTRATO ADMINISTRATIVO DE SUMINISTROS. Formas de adjudicación. Concurso. -- Procedimiento de adjudicación.

Artículo 58 *Empresas comunitarias*

1. Tendrán capacidad para contratar con el sector público, en todo caso, las empresas no españolas de Estados miembros de la Unión Europea que, con arreglo a la legislación del Estado en que estén establecidas, se encuentren habilitadas para realizar la prestación de que se trate.

2. Cuando la legislación del Estado en que se encuentren establecidas estas empresas exija una autorización especial o la pertenencia a una determinada organización para poder prestar en él el servicio de que se trate, deberán acreditar que cumplen este requisito.

Concordancias a todo el artículo

➡ **Concordancias normativas**

Artículo 47 de la LCSP 30/2007 y artículo 15 del TRLCAP RDL 2/2000.

⊠ **Consultas**

• **Acreditación de la solvencia de empresas extranjeras**

En un expediente en el que se exige clasificación empresarial, se han presentado dos empresas, una española que ostenta clasificación y otra inglesa, que por tanto no la tiene. En virtud de lo dispuesto en el art. 55 de la LCSP están exentos (la empresa inglesa) de la clasificación pero el inciso final de art. 55l.1 LCSP «sin perjuicio de la obligación acreditar su solvencia» es ambiguo; ¿qué solvencia deberíamos exigir a la empresa comunitaria no española en el supuesto específico que nos ocupa? ¿Deberíamos exigir a las empresas comunitarias no españolas, en materia de solvencias, lo mismo que se exige (lo ignoro) a las empresas españolas para poder clasificarse en el grupo, subgrupo y categoría que corresponda?.

Contratación Administrativa Práctica, Nº 94, Sección Usted Pregunta, Febrero 2010, Editorial LA LEY

[LA LEY 60/2010]

Respuesta

En primer lugar, debemos determinar qué requisitos son necesarios para contratar en el sector público. La respuesta nos la ofrece el artículo 43.1

de la LCSP (LA LEY 10868/2007) que expresamente dispone que «Sólo podrán contratar con el sector público las personas naturales o jurídicas, españolas o extranjeras, que tengan plena capacidad de obrar, no estén incursas en una prohibición de contratar, y acrediten su solvencia económica, financiera y técnica o profesional o, en los casos en que así lo exija esta Ley, se encuentren debidamente clasificadas.»

Por lo tanto, son tres los requisitos exigidos por la normativa vigente:

«1. Plena capacidad de obrar. 2. No estén incursas en una prohibición de contratar. 3. Acrediten su solvencia económica, financiera y técnica o profesional o, en los casos en que así lo exija esta Ley, se encuentren debidamente clasificadas».

Vamos a ir analizando tanto el primero como el tercer requisito mencionados anteriormente para poder contestar a las dudas planteadas en esta consulta.

a) Con relación a la capacidad de obrar, el artículo 61.2. de la LCSP (LA LEY 10868/2007) dispone que «la capacidad de obrar de los empresarios no españoles que sean nacionales de Estados miembros de la Unión Europea se acreditará por su inscripción en el registro procedente de acuerdo con la legislación del Estado donde están establecidos, o mediante la presentación de una declaración jurada o un certificado, en los términos que se establezcan reglamentariamente, de acuerdo con las disposiciones comunitarias de aplicación».

Respecto a la más específica capacidad para contratar, el artículo 47 de la LCSP (LA LEY 10868/2007) señala que:

1. «Tendrán capacidad para contratar con el sector público, en todo caso, las empresas no españolas de Estados miembros de la Unión Europea que, con arreglo a la legislación del Estado en que estén establecidas, se encuentren habilitadas para realizar la prestación de que se trate».

2. «Cuando la legislación del Estado en que se encuentren establecidas estas empresas exija una autorización especial o la pertenencia a una determinada organización para poder prestar en él el servicio de que se trate, deberán acreditar que cumplen este requisito».

b) Efectivamente, el artículo 55 de la LCSP (LA LEY 10868/2007) establece que «no será exigible la clasificación a los empresarios no españoles de Estados miembros de la Unión Europea, ya concurran al contrato aisladamente o integrados en una unión, sin perjuicio de la obligación de acreditar su solvencia».

Ello significa en coordinación con el artículo 47 (LA LEY 10868/2007) anteriormente transcrito que las empresas comunitarias no tienen que tener la clasificación exigida a las empresas españolas pero sí deberán acreditar de otro modo su solvencia.

El artículo 17.6. del Real Decreto 817/200 (LA LEY 8536/2009)9, de 8 de mayo, dispone que «los datos relativos a la personalidad y a la capacidad de obrar de las empresas extranjeras de origen comunitario, así como la designación de los cargos que ejerzan su administración y el otorgamiento de poderes se inscribirán mediante los documentos que acrediten de modo fehaciente su inscripción en el registro procedente, de acuerdo con la legislación del Estado donde están establecidos.

Cuando no sea posible acreditarlos en la forma anteriormente indicada, se podrá inscribir una declaración responsable o un certificado expedido, de conformidad con la legislación interna del país de origen o de la legislación comunitaria, que reúna los requisitos exigidos por las normas que regulan el carácter fehaciente en España de los documentos expedidos en países extranjeros».

Artículo 59 *Uniones de empresarios*

1. Podrán contratar con el sector público las uniones de empresarios que se constituyan temporalmente al efecto, sin que sea necesaria la formalización de las mismas en escritura pública hasta que se haya efectuado la adjudicación del contrato a su favor.

2. Los empresarios que concurran agrupados en uniones temporales quedarán obligados solidariamente y deberán nombrar un representante o apoderado único de la unión con poderes bastantes para ejercitar los derechos y cumplir las obligaciones que del contrato se deriven hasta la extinción del mismo, sin perjuicio de la existencia de poderes mancomunados que puedan otorgar para cobros y pagos de cuantía significativa.

A efectos de la licitación, los empresarios que deseen concurrir integrados en una unión temporal deberán indicar los nombres y circunstancias de los que la constituyan y la participación de cada uno, así como que asumen el compromiso de constituirse formalmente en unión temporal en caso de resultar adjudicatarios del contrato.

☞ **Concordancias Jurisprudenciales**

Tribunal Administrativo Central de Recursos Contractuales, Resolución de 13 Jul. 2011, rec. 149/2011

[LA LEY 98585/2011]

CONTRATO ADMINISTRATIVO DE SERVICIOS. Adjudicación. CONTRATOS ADMINISTRATIVOS. Contratos sujetos a una regulación armonizada. -- Partes del contrato. Capacidad y solvencia del empresario. PROCEDIMIENTO ADMINISTRATIVO. Administrados interesados. Representación.

> 3. La duración de las uniones temporales de empresarios será coincidente con la del contrato hasta su extinción.

✉ **Consultas**

• **Extinción del contrato**

En el caso de que la adjudicataria de un contrato de suministro sea una UTE, si plazo de garantía que empieza a computar desde la finalización del contrato ¿puede extinguirse antes la UTE?

[14/01/2010 EC 174/2010]

Contestación

El art. 48.3 de la Ley 30/2007, de 30 de octubre (BOE del 31), de Contratos del Sector Público (LCSP), dispone que la duración de las uniones temporales de empresarios será coincidente con la del contrato hasta su extinción. Pero consideramos que una cosa es, por ejemplo en el contrato de suministro, la ejecución de los bienes suministrados por el contratista y otra muy distinta es la extinción de los efectos del contrato.

En este sentido, conviene recordar el art. 205 LCSP, que regula el cumplimiento de los contratos y la recepción de la prestación, cuando señala que el contrato se entenderá cumplido por el contratista cuando éste haya realizado, de acuerdo con los términos del mismo y a satisfacción de la Administración, la totalidad de la prestación. Y añade que en los contratos se fijará un plazo de garantía a contar desde la fecha de recepción o conformidad, transcurrido el cual sin objeciones por parte de la Administración, salvo los supuestos en que se establezca otro plazo en esta Ley o en otras normas, quedará extinguida la responsabilidad del contratista.

A ello debe añadirse que el art. 274 señala que, si durante el plazo de garantía se acreditase la existencia de vicios o defectos en los bienes suministrados, tendrá derecho la Administración a reclamar del contratista la reposición de los que resulten inadecuados o la reparación de los mismos si fuese suficiente. Además, si el órgano de contratación estimase, durante el plazo de garantía, que los bienes suministrados no son aptos para el fin pretendido, como consecuencia de los vicios o defectos observados en ellos e imputables al contratista y exista la presunción de que la reposición o reparación de dichos bienes no serán bastantes para lograr aquel fin, podrá, antes de expirar dicho plazo, rechazar los bienes, dejándolos de cuenta del contratista y quedando exento de la obligación de pago o teniendo derecho, en su caso, a la recuperación del precio satisfecho.

Por último, el art. 274.4 LCSP establece, de conformidad con el art. 205 citado, que terminado el plazo de garantía sin que la Administración haya formalizado alguno de los reparos o la denuncia a que se refieren los apartados 1 y 3 de este artículo, el contratista quedará exento de responsabilidad por razón de los bienes suministrados.

Por último, el art. 90 LCSP dispone que la garantía no será devuelta o cancelada hasta que se haya producido el vencimiento del plazo de garantía y cumplido satisfactoriamente el contrato de que se trate, o hasta que se declare la resolución de éste sin culpa del contratista.

Por tanto, si consideramos todos estos preceptos en conjunto, habrá que concluir que la extinción de los efectos del contrato no se produce hasta que no finaliza el plazo de garantía; y es en ese momento donde la ley establece que queda extinguida la responsabilidad del contratista.

Por lo tanto, el contrato produce sus efectos, no hasta la recepción formal de la prestación por la Administración, sino hasta la finalización del plazo de garantía. Esto se ve muy claramente en el contrato de obras, en el que no se produce la liquidación del mismo hasta que no termina el plazo de garantía [art. 169 del Reglamento General de la Ley de Contratos de las Administraciones Publicas (RCAP), aprobado por Real Decreto 1098/2001, de 12 de octubre (BOE del 26)].

4. Para los casos en que sea exigible la clasificación y concurran en la unión empresarios nacionales, extranjeros que no sean nacionales de un

Estado miembro de la Unión Europea y extranjeros que sean nacionales de un Estado miembro de la Unión Europea, los que pertenezcan a los dos primeros grupos deberán acreditar su clasificación, y estos últimos su solvencia económica, financiera y técnica o profesional.

Concordancias a todo el artículo

➡ **Concordancias normativas**

Artículo 48 de la LCSP 30/2007 y artículo 24 del TRLCAP RDL 2/2000.

☞ **Concordancias Jurisprudenciales**

Tribunal Administrativo Central de Recursos Contractuales, Resolución de 26 Oct. 2011, rec. 226/2011

[LA LEY 213187/2011]

CONTRATO ADMINISTRATIVO DE SERVICIOS. De diseño, ejecución y evaluación de prueba objetiva ECOE para acceso excepcional al título de médico especialista en medicina familiar y comunitaria. Exclusión de la empresa recurrente del proceso de licitación, por no acreditar que su objeto social se adecuara al objeto del contrato. RECURSO ESPECIAL EN MATERIA DE CONTRATACIÓN. Desestimación. Correcta actuación de la mesa de contratación, al requerir que la empresa recurrente acreditase, a través de sus estatutos o de cualquier modificación de los mismos, que su objeto social era adecuado al objeto del contrato en licitación. Con tal actuación no se pretendía que la empresa modificase sus estatutos en el plazo de subsanación, ni de que se realizase tal modificación para cumplir las exigencias de cada contrato a los que pretenda licitar, como erróneamente planteaba la recurrente. Aunque la empresa recurrente licitara de forma conjunta con otra entidad que sí tiene experiencia en la materia, cada una de las empresas de la UTE debe acreditar su capacidad y su solvencia, independientemente de la posible acumulación posterior.

Tribunal Superior de Justicia de Les Illes Balears, Sala de lo Contencioso-administrativo, Sentencia de 30 Sep. 2010, rec. 655/2006

[LA LEY 176145/2010]

CONTRATOS ADMINISTRATIVOS. Contrato de gestión de servicios públicos del sistema integrado de emergencias 112. Resolución. Incumplimiento culpable. Falta de legitimación activa. Inadmisibilidad del recurso interpuesto por la UTE concesionaria toda vez que es el gerente al que corresponde ejercitar las acciones legales y consta la dimisión de éste sin que se proceda al nombramiento de otro gerente. Responsabilidad solidaria de las empresas integrantes de la UTE con independencia del régimen participativo interno. El régimen de responsabilidad solidaria se extiende en el caso de incumplimiento culpable a la incautación de la garantía y al abono de daños y perjuicios ocasionados a la Administración en lo que excedan del importe de la garantía incautada. Inadmisión a trámite del recurso especial en materia de contratación toda vez que se recurre un mero acto de trámite.

⊠ **Consultas**

• **Las comunidades de bienes no tienen capacidad para contratar con una administración pública**

¿Pueden adjudicarse contratos de obras y/o suministros a comunidades de bienes? ¿Qué ocurriría si ya se hubiesen adjudicado?

[25/05/2009 EC 1580/2009]

Ver respuesta en artículo 32

Subsección 3

Prohibiciones de contratar

Artículo 60 *Prohibiciones de contratar*

1. No podrán contratar con el sector público las personas en quienes concurra alguna de las circunstancias siguientes:

a) Haber sido condenadas mediante sentencia firme por delitos de asociación ilícita, corrupción en transacciones económicas internacionales, tráfico de influencias, cohecho, fraudes y exacciones ilegales, delitos contra la Hacienda Pública y la Seguridad Social, delitos contra los derechos de los trabajadores, malversación y receptación y conductas afines, delitos relativos a la protección del medio ambiente, o a pena de inhabilitación especial para el ejercicio de profesión, oficio, industria o comercio. La prohibición de contratar alcanza a las personas jurídicas cuyos administradores o representantes, vigente su cargo o representación, se encuentren en la situación mencionada por actuaciones realizadas en nombre o a beneficio de dichas personas jurídicas, o en las que concurran las condiciones, cualidades o relaciones que requiera la correspondiente figura de delito para ser sujeto activo del mismo.

➡ **Concordancias normativas**

Véanse artículos 54.3 y 274.4 de la presente Ley.

b) Haber solicitado la declaración de concurso voluntario, haber sido declaradas insolventes en cualquier procedimiento, hallarse declaradas en concurso, salvo que en éste haya adquirido la eficacia un convenio, estar sujetos a intervención judicial o haber sido inhabilitados conforme a la Ley 22/2003, de 9 de julio (LA LEY 1181/2003), Concursal, sin que haya concluido el período de inhabilitación fijado en la sentencia de calificación del concurso.

➡ **Concordancias normativas**

Letra b) del número 1 del artículo 60 redactado por el número uno del artículo 4 del R.D.—ley 6/2010, de 9 de abril, de medidas para el impulso de la recuperación económica y el empleo («B.O.E». 13 abril).

c) Haber sido sancionadas con carácter firme por infracción grave en materia de disciplina de mercado, en materia profesional o en materia de integración laboral y de igualdad de oportunidades y no discriminación de las personas con discapacidad, o por infracción muy grave en materia social, incluidas las infracciones en materia de prevención de riesgos laborales, de acuerdo con lo dispuesto en el texto refundido de la Ley sobre Infracciones y Sanciones en el Orden Social, aprobado por el Real Decreto Legislativo 5/2000, de 4 de agosto (LA LEY 2611/2000), así como por la infracción grave prevista en el artículo 22.2 del mismo, o por infracción muy grave en materia medioambiental, de acuerdo con lo establecido en el Real Decreto Legislativo 1/2008, de 11 de enero (LA LEY 302/2008), por el que se aprueba el Texto Refundido de la Ley de de Evaluación de Impacto Ambiental de Proyectos; en la Ley 22/1988, de 28 de julio (LA LEY 1531/1988), de Costas; en la Ley 4/1989, de 27 de marzo (LA LEY 835/1989), de Conservación de los Espacios Naturales y de la Flora y Fauna Silvestres; en la Ley 11/1997, de 24 de abril (LA LEY 1476/1997), de Envases y Residuos de Envases; en la Ley 10/1998, de 21 de abril (LA LEY 1609/1998), de Residuos; en el Texto Refundido de la Ley de Aguas, aprobado por Real Decreto Legislativo 1/2001, de 20 de julio (LA LEY 1110/2001), y en la Ley 16/2002, de 1 de julio (LA LEY 1041/2002), de Prevención y Control Integrados de la Contaminación

➡ **Concordancias normativas**

Letra c) del número 1 del artículo 60 redactada por el artículo 7 del R.D.—ley 5/2011, de 29 de abril, de medidas para la regularización y control del empleo sumergido y fomento de la rehabilitación de viviendas («B.O.E». 6 mayo).

Téngase en cuenta que la Ley 4/1989, de 27 de 27 de marzo, ha sido derogada por la Ley 42/2007, de 13 de diciembre, del Patrimonio Natural y de la Biodiversidad («B.O.E». 14 diciembre) y la Ley 10/1998, de 21 de abril, por la Ley 22/2011, de 28 de julio, de residuos y suelos contaminados («B.O.E». 29 julio).

d) No hallarse al corriente en el cumplimiento de las obligaciones tributarias o de Seguridad Social impuestas por las disposiciones vigentes, en los términos que reglamentariamente se determinen.

e) Haber incurrido en falsedad al efectuar la declaración responsable a que se refiere el artículo 146.1.c) o al facilitar cualesquiera otros datos relativos a su capacidad y solvencia, o haber incumplido, por causa que le sea imputable, la obligación de comunicar la información prevista en el artículo 70.4 y en el artículo 330.

➡ **Concordancias normativas**

Véanse artículos 59.4 y 305 de la presente Ley.

f) Estar incursa la persona física o los administradores de la persona jurídica en alguno de los supuestos de la Ley 5/2006, de 10 de abril

(LA LEY 3407/2006), de Regulación de los Conflictos de Intereses de los Miembros del Gobierno y de los Altos Cargos de la Administración General del Estado, de la Ley 53/1984, de 26 de diciembre (LA LEY 2769/1984), de Incompatibilidades del Personal al Servicio de las Administraciones públicas o tratarse de cualquiera de los cargos electivos regulados en la Ley Orgánica 5/1985, de 19 de junio (LA LEY 1596/1985), del Régimen Electoral General, en los términos establecidos en la misma.

La prohibición alcanzará a las personas jurídicas en cuyo capital participen, en los términos y cuantías establecidas en la legislación citada, el personal y los altos cargos de cualquier Administración Pública, así como los cargos electos al servicio de las mismas.

La prohibición se extiende igualmente, en ambos casos, a los cónyuges, personas vinculadas con análoga relación de convivencia afectiva y descendientes de las personas a que se refieren los párrafos anteriores, siempre que, respecto de los últimos, dichas personas ostenten su representación legal.

g) Haber contratado a personas respecto de las que se haya publicado en el «Boletín Oficial del Estado» el incumplimiento a que se refiere el artículo 18.6 de la Ley 5/2006, de 10 de abril (LA LEY 3407/2006), de Regulación de los Conflictos de Intereses de los Miembros del Gobierno y de los Altos Cargos de la Administración General del Estado, por haber pasado a prestar servicios en empresas o sociedades privadas directamente relacionadas con las competencias del cargo desempeñado durante los dos años siguientes a la fecha de cese en el mismo. La prohibición de contratar se mantendrá durante el tiempo que permanezca dentro de la organización de la empresa la persona contratada con el límite máximo de dos años a contar desde el cese como alto cargo.

☞ **Concordancias Jurisprudenciales**

Tribunal Superior de Justicia de Cataluña, Sala de lo Contencioso-administrativo, Sección 2.ª, Sentencia de 8 Feb. 2012, rec. 359/2010

[LA LEY 22597/2012]

CONTRATOS ADMINISTRATIVOS. Partes del contrato. Capacidad y solvencia del empresario. Prohibición de contratar. PROCESO CONTEN-

CIOSO-ADMINISTRATIVO. Suspensión de la ejecución de lo recurrido. Requisitos. Daños o perjuicios de reparación imposible o difícil.

Tribunal Administrativo Central de Recursos Contractuales, Resolución de 23 Dic. 2010, rec. 045/2010

[LA LEY 297983/2010]

CONTRATO ADMINISTRATIVO DE SERVICIOS. Prohibición de contratar. Conformidad a Derecho de la adjudicación provisional del contrato de limpieza de edificios públicos a favor de entidad distinta a la afectada, aún cuando ésta había quedado clasificada en primer lugar. La afectada se encuentra incluida en una prohibición de contratar recogida legalmente, en cuanto que en el momento de formular su proposición, aún cuando incluye en la misma una declaración responsable de estar al corriente de sus obligaciones con la Seguridad Social, no se encuentra al corriente de dichas obligaciones, según se acredita en el informe de relación de deuda vigente sobre la situación de cotización que acompaña al expediente administrativo. El requisito de estar al corriente de las obligaciones con la Seguridad Social, debe cumplirse desde el momento de presentar las proposiciones, circunstancia que no se cumple respecto de la empresa afectada, y hasta el momento de la adjudicación, procediendo su acreditación en una fecha inmediata anterior a la misma.

☒ **Consultas**

• **La causa de incompatibilidad del art. 178.2.d) LOREG se interpreta restrictivamente**

¿Un concejal puede ser adjudicatario de una concesión demanial?

[09/05/2012 EC 1192/2012]

Contestación

El art. 60.f) del Real Decreto Legislativo 3/2011, de 14 de noviembre (LA LEY 21158/2011) (BOE del 16), por el que se aprueba el texto refundido de la Ley de Contratos del Sector Público (LA LEY 21158/2011) (TR LCSP (LA LEY 10868/2007)), establece como prohibición para contratar el «estar incursa la persona física o los administradores de la persona jurídica en alguno de los supuestos de la Ley 12/1995, de 11 de mayo (LA LEY 1815/1995), de incompatibilidades de los miembros del Gobierno de la Nación y de los altos cargos de la Administración General del Estado, de la Ley 53/1984, de 26 de diciembre (LA LEY 2769/1984), de incompatibilidades del personal al servicio de las Administraciones públicas o tratarse de cualquiera de los cargos electivos regulados en la Ley Orgánica 5/1985, de 19 de junio (LA LEY 1596/1985), del Régimen Electoral General, en los términos establecidos en la misma.»

Tratándose de un concejal de un ayuntamiento, la remisión se está haciendo al art. 178 de la Ley Orgánica 5/1985, de 19 de junio (LA LEY 1596/1985) (BOE del 20), del Régimen Electoral General (LOREG (LA LEY 1596/1985)), que, al regular las causas de inelegibilidad e incompatibilidad, dispone en su apartado 2 letra d) que son incompatible para ser concejales «los contratistas o subcontratistas de contratos, cuya financiación total o parcial corra a cargo de la Corporación Municipal o de establecimientos de ella dependientes». Venimos considerando desde esta Revista, siguiendo el criterio de la Junta Consultiva de Contratación Administrativa, que en los contratos en los que el Ayuntamiento no hace ningún desembolso a favor del concejal, esto es, no existe financiación que corra a cargo de la Corporación, sino que por el contrario, es el concejal el que paga al Ayuntamiento, no existe tan causa de incompatibilidad. En este sentido se pronuncia la Junta Consultiva de Contratación, en varios informes; uno de los más recientes es el Informe 62/2009, de 26 de febrero de 2010, «Incompatibilidad de concejales en contratos patrimoniales». En el mismo, entre otras cosas, dice lo siguiente:

«[...] En lo que respecta al cuándo está un concejal incurso en la situación de incompatibilidad a que se refiere el artículo 178.2.d) de la Ley Orgánica de Régimen Electoral General, procede hacer las siguientes consideraciones.

Recordemos que el citado artículo dispone que se encuentran en situación de incompatibilidad: «los contratistas o subcontratistas de contratos, cuya financiación total o parcial corra a cargo de la Corporación Municipal o de establecimientos de ella dependientes.»

La Junta Consultiva en su dictamen 6/1992, entre otros, ha entendido que «desde el punto de vista de la Ley Orgánica de Régimen Electoral General, la única incompatibilidad existente para los concejales en materia de contratación existe exclusivamente para los contratos financiados total o parcialmente a cargo de la Corporación Municipal o de establecimientos de ella dependientes.»

La literalidad del artículo y su interpretación por parte de la Junta Consultiva dan respuesta a la primera cuestión planteada por el Alcalde del Ayuntamiento de Miranda de Ebro. Así los cargos electos regulados en la Ley Orgánica de Régimen Electoral General de un Ayuntamiento no estarían incursos en incompatibilidad para suscribir contratos patrimoniales con este último cuando estos contratos no sean total o parcialmente financiados por el Ayuntamiento ni por establecimientos dependientes del mismo.

6. La dificultad radica en determinar qué contratos son financiados por el Ayuntamiento o sus establecimientos dependientes y cuáles no.

En este sentido esta Junta Consultiva en numerosos dictámenes ha sentado el criterio de que si el Ayuntamiento es quien recibe los fondos, cantidades o rentas del contratista concejal, en ese caso no habría incompatibilidad. Así en los informes 52/1999 (en relación con un contrato de alquiler de un bien inmueble de propiedad municipal) y 07/1998 (en relación con un contrato de aprovechamiento de un bien comunal) esta Junta Consultiva entendió que «se hace difícil apreciar un supuesto de incompatibilidad, al faltar el requisito de que el contrato esté financiado, total o parcialmente por la entidad local, al ser el adjudicatario el que deberá abonar una cantidad a esta última, como entidad adjudicadora del contrato.»

Y establece como conclusión que los cargos electos de un Ayuntamiento no están incursos en incompatibilidad para celebrar contratos patrimoniales con este último cuando estos contratos no sean financiados por el Ayuntamiento ni por establecimientos dependientes del mismo, todo ello de conformidad con la Ley Orgánica de Régimen Electoral General.

En el caso consultado, tratándose de una concesión demanial en el que los desembolsos los hace el concejal a favor de la Administración; entendemos que no concurre causa de incompatibilidad.

• **Posibilidad de contratar a los cónyuges de los concejales**

¿Podría un Ayuntamiento contratar los servicios de un abogado cuyo cónyuge es concejal del mismo? ¿Y cómo personal eventual?

[13/10/2009 EC 2931/2009]

Contestación

En cuanto a la primera pregunta parece que no existe duda de la prohibición que, para contratar administrativamente con un Ayuntamiento, tiene el cónyuge de un concejal. En este sentido, tanto el art. 20 del derogado Texto Refundido de la Ley de Contratos de las Administraciones Públicas, como el vigente art. 49.1.f) de la Ley 30/2007, de 30 de octubre (BOE del 31), de Contratos del Sector Público (LCSP), establecen claramente la prohibición, y así lo ha considerado la Junta Consultiva de contratación Administrativa en diversos informes, entre ellos el 48/2005, de 24 de marzo de 2006. En este sentido, se pronuncia claramente en la actualidad el párrafo 3.º del citado art. 49.1.f), cuando señala que «la prohibición se extiende igualmente, en ambos casos, a los cónyuges, personas vinculadas con análoga relación de convivencia afectiva y descendientes de las personas a que se refieren los párrafos anteriores, siempre que, respecto de los últimos, dichas personas ostenten su representación legal.»

En cuanto a la segunda cuestión, hemos de señalar que en consulta publicada en El Consultor de los Ayuntamientos y de los Juzgados, N.º 11, Quincena del 15 al 29 de junio de 2002, Ref. 1904/2002, pág. 1904, Tomo 2, señalábamos, entre otras cosas, lo siguiente:

«En la normativa vigente sobre incompatibilidades de los miembros electivos de las Corporaciones contenida en la legislación electoral y en la de régimen local no se hace referencia a la incompatibilidad por relación de parentesco o afectiva con los corporativos que impida desempeñar puestos de trabajo en la Corporación, ya sea como funcionario o como personal laboral, debiendo interpretarse tales incompatibilidades restrictivamente, ya que suponen limitación de derechos. Por tanto, no existe restricción por razones de parentesco para prestar servicios como personal funcionario o laboral en la Corporación Local, siempre que en la selección se hayan respetado los principios constitucionales que aseguren la objetividad de la misma».

El personal eventual es un híbrido entre el empleado (funcionario o laboral) y el político. La determinación del número y características de este personal corresponde al Pleno de la Corporación. Una vez que el Pleno ha determinado el número de puestos de personal eventual, así como sus características y retribuciones, el nombramiento de las personas concretas que los van a desempeñar es libre y corresponde al Alcalde o Presidente de la Corporación [art. 104 Ley 7/1985, de 2 de abril (BOE del 3), Reguladora de las Bases del Régimen Local (LRBRL)], nombramiento que se efectúa directamente y sin procedimiento selectivo.

En el nombramiento de la persona que ha de ocupar la plaza de personal eventual el Alcalde actúa libremente, al tratarse de puestos de confianza y asesoramiento; si bien esa libertad estará condicionada por lo que el Pleno haya acordado sobre las características y condiciones específicas que deben reunir en los supuestos de asesoramiento especial y personal directivo, lo que supone una descripción del puesto de trabajo en sus cometidos y funciones.

En definitiva, si, como hemos señalado antes, no existe causa de incompatibilidad para prestar servicios por razón de parentesco como personal funcionario o laboral seleccionado por oposición, concurso o concurso-oposición entendemos que, con mayor razón, tampoco existirá incompatibilidad en el caso del personal eventual, ya que se trata de puestos esencialmente de confianza, siempre que la designación se ajuste a las características requeridas y no responda a la mera arbitrariedad del Alcalde.

Entendemos que, desde entonces, no se ha producido ninguna modificación en este aspecto, por lo que habrá que considerar que el cónyuge de un concejal puede ser nombrado personal eventual.

En definitiva, no existe causa de incompatibilidad para prestar servicios por razón de parentesco, como personal funcionario o laboral, ni tampoco en el caso del personal eventual.

• **Deber de abstención del concejal que es auditor de una de las empresas contratista del ayuntamiento**

¿Existe incompatibilidad con el cargo de concejal con dedicación parcial en el auditor de una de las empresas que contrata con el ayuntamiento?

[03/07/2009 EC 2020/2009]

Contestación

El art. 49.1 f) de la Ley 30/2007, de 30 de octubre (BOE del 31), de Contratos del Sector Público (LCSP), establece que no podrán contratar con el sector público las personas físicas o administradores de persona jurídica incursos en alguno de los supuestos de la Ley 5/2006, de 10 de abril, de regulación de los conflictos de intereses de los miembros del Gobierno y de los altos cargos de la Administración General del Estado, de la Ley 53/1984, de 26 de diciembre, de incompatibilidades del personal al servicio de las Administraciones Públicas o tratarse de cualquiera de los cargos electivos regulados en la Ley Orgánica 5/1985, de 19 de junio, de Régimen Electoral General, en los términos establecidos en la misma.

El art. 178 de la última ley citada declara como incompatible con la condición de Concejal el ser contratista o subcontratista de contratos, cuya financiación total o parcial corra a cargo de la Corporación municipal o de establecimientos de ella dependientes.

Resulta así que, desde el punto de vista de la LOREG, la única incompatibilidad existente para los concejales en materia de contratación existe exclusivamente para los contratos financiados total o parcialmente a cargo de la corporación municipal o de establecimientos de ella dependientes, incompatibilidad lógica y concurrente con la finalidad de evitar colisión de intereses que debe ser propia de la regulación de incompatibilidades y que, en consecuencia, no puede extenderse a contratos de otras Administraciones Públicas, salvo el supuesto improbable de que sean financiados por el propio Ayuntamiento del que forma parte el concejal o por organismos dependientes del mismo.

La Junta Consultiva de Contratación Administrativa, en Informe 60/1996, de 18 de diciembre, señala que la prohibición para contratar de los miembros de las Corporaciones Locales no está incluida ni en la entonces Ley 12/1995, de 11 de mayo, de Incompatibilidades de los Miembros del Gobierno de la Nación y de los Altos Cargos de la Administración General del Estado (hoy Ley 5/2006, de 10 de abril), ni en la Ley 53/1984, de 26 de diciembre, de Incompatibilidades del Personal al Servicio de las Administraciones Públicas. Tampoco son aplicables ni el art. 75 de la Ley 7/1985, de 2 de abril (BOE del 3), Reguladora de las Bases de Régimen Local (LRBRL), ni el art. 13 del Reglamento de Organización, Funcionamiento y Régimen Jurídico de las Entidades Locales (ROF), aprobado por Real Decreto 2568/1986, de 28 de noviembre (BOE de 22 de diciembre), que se refieren al régimen de dedicación exclusiva.

La única disposición en la que se pueden fundamentar situaciones de incompatibilidades de los miembros de las Corporaciones Locales es la LOREG, a la que expresamente se remite el art. 49 LCSP. La Junta Electoral Central y la propia jurisprudencia han hecho una interpretación especialmente restrictiva del anterior art. 20 del Texto Refundido de la Ley de Contratos de 2002 —hoy el 49 LCSP— limitándola sólo a los supuestos en que se produce salida de fondos municipales a favor del corporativo, o lo que es lo mismo, cuando la Corporación financia el contrato, y no en el supuesto de que sea el Concejal quien ingresa o paga a la Corporación.

Según doctrina de la Junta Consultiva de Contratación Administrativa, hay que tener en cuenta que la LOREG consagra una serie de incompatibilidades y prohibiciones para contratar, que recoge su art. 178.2 d), que al referirse individualmente a los Concejales y no a las sociedades de las que forma parte como administradores, no pueden extenderse las incompatibilidades a las Sociedades de las que forman parte.

En el caso consultado más que ante una incompatibilidad estaríamos ante una causa de abstención.

Según el art. 28 de la Ley 30/1992, de 26 de noviembre (BOE del 27), de Régimen Jurídico de las Administraciones Públicas y del Procedimiento Administrativo Común (LRJAP) son motivos de abstención los siguientes:

— Tener interés personal en el asunto de que se trate o en otro en cuya resolución pudiera influir la de aquél, ser administrador de sociedad o entidad interesada, o tener cuestión litigiosa pendiente con algún interesado.

— Haber tenido intervención como perito o como testigo en el procedimiento de que se trate.

— Tener relación de servicio con persona natural o jurídica interesada directamente en el asunto, o haberle prestado en los dos últimos años servicios profesionales de cualquier tipo y en cualquier circunstancia o lugar.

En el caso que nos ocupa, el Concejal deberá abstenerse de intervenir como corporativo en los asuntos en los cuales la Entidad tenga relación con la empresa, así como actuar en nombre de la empresa para asuntos relacionados con la Entidad Local. En definitiva, vemos un caso de abstención, más que de incompatibilidad.

•¿Procede la exclusión del adjudicatario provisional de un contrato que manifiesta no estar inscrito como empresa en el sistema de la Seguridad Social ya que sólo cuenta con trabajadores autónomos?

Contratación Administrativa Práctica, Nº 87, Sección Usted Pregunta, Junio 2009, pág. 8, Editorial LA LEY

[LA LEY 1152/2009]

Respuesta

En este caso concreto que plantea la consulta, el órgano de contratación tendría que tener en cuenta en primer lugar que la Ley 30/2007, de Contratos del Sector Público, incluye entre las prohibiciones de contratar el no hallarse al corriente del cumplimiento de obligaciones con la Seguridad Social, así como no haber sido sancionado o condenado en relación con la Seguridad Social. En este sentido también hay que tener en cuenta que la normativa sobre contratación pública, anteriormente vigente, ha venido regulando esta materia en igual sentido.

A este respecto, y refiriéndose a un supuesto similar al de la consulta, la Junta Consultiva de Contratación Administrativa, en su informe 1/1994, declaró que las certificaciones de la Seguridad Social que presente el contratista deben ser precisas y rigurosas, determinando categóricamente, si así fuera, que el empresario no se encuentra al corriente de sus obligaciones, sin que al órgano de contratación pueda exigírsele legalmente una interpretación en cada caso del alcance de esta compleja normativa en orden a determinar si se encuentra al corriente de estas obligaciones.

Por ello, la primera conclusión que debe mantenerse, a juicio de la citada Junta Consultiva, es que, mientras la documentación expedida por los órganos competentes de la Seguridad Social no afirmen de manera expresa y categórica que el empresario no se encuentra al corriente de sus obligaciones de Seguridad Social, en el sentido que expresa el Reglamento General de Contratación, el órgano de contratación no debe apreciar incurso al empresario en la causa de prohibición de contratar prevista por la Ley.

Todo esto, además, la propia Junta Consultiva lo reafirmó, en el informe que citamos, con argumentos tomados de varias disposiciones del Reglamento General de Recaudación de los Recursos del Sistema de Seguridad Social (Real Decreto 1517/1991 (LA LEY 3191/1991) y normativa de desarrollo).

• La prohibición para contratar del cónyuge se basa sólo en que el marido o la mujer sea personal al servicio de la administración pública contratante, sin que influya la relación que pueda tener la persona empleada en la Administración con la adjudicación o ejecución del contrato

¿Debe abstenerse una funcionaria municipal en la adjudicación de contratos de servicios para redacción de proyectos y direcciones de obras

del ayuntamiento presentados por su marido o por otros arquitectos de la sociedad en la que trabaja? ¿Podría la propia funcionaria, también arquitecta, presentar proyectos de particulares en municipios limítrofes?

[11/05/2009 EC 1421/2009]

Contestación

El art. 49.1.f) de la Ley 30/2007, de 30 de octubre (BOE del 31), de Contratos del Sector Público (LCSP), al igual que su antecesor, el art. 20.1.e) del Texto Refundido de la Ley de Contratos de las Administraciones Públicas (TR LCAP), aprobado por Real Decreto Legislativo 2/2000, de 16 de junio (BOE del 21), establece como prohibición para contratar: estar incursa la persona física o los administradores de la persona jurídica en alguno de los supuestos de la Ley 5/2006, de 10 de abril, de regulación de los conflictos de intereses de los miembros del Gobierno y de los altos cargos de la Administración General del Estado, de la Ley 53/1984, de 26 de diciembre, de incompatibilidades del personal al servicio de las Administraciones públicas o tratarse de cualquiera de los cargos electivos regulados en la Ley Orgánica 5/1985, de 19 de junio, del Régimen Electoral General, en los términos establecidos en la misma.

Añadiendo que la prohibición se extiende igualmente, en ambos casos, a los cónyuges, personas vinculadas con análoga relación de convivencia afectiva y descendientes de las personas a que se refieren los párrafos anteriores, siempre que, respecto de los últimos, dichas personas ostenten su representación legal.

Por su parte, el art. 50.1 LCSP dispone que las prohibiciones de contratar contenidas en las letras b), d), f) y g) del apartado 1 del artículo anterior, y c) de su apartado 2, se apreciarán directamente por los órganos de contratación, subsistiendo mientras concurran las circunstancias que en cada caso las determinan.

Por último, el art. 2.1.c) de la Ley 53/1984, de 26 de diciembre (BOE de 4 de enero de 1985), de Incompatibilidades del Personal al servicio de las Administraciones Publicas, incluye dentro de su ámbito al personal al servicio de las Corporaciones Locales y de los Organismos de ellas dependientes.

En aplicación de estos preceptos, se ha pronunciado reiteradamente la Junta Consultiva de Contratación.

Descartado por tanto, que las incompatibilidades para contratar puedan limitarse a los supuestos del artículo 12.1, letras c) y d), de la Ley de Incompatibilidades procede responder a la primera cuestión suscitada que el cónyuge de un funcionario que presta sus servicios en la Diputación Provincial de Huesca están incursos, tanto el funcionario como el cónyuge, en la incompatibilidad que determina la prohibición de contratar con dicha Administración, de conformidad con el artículo 20, letra e), de la Ley de Contratos de las Administraciones Públicas.»

La resolución de la cuestión planteada ha de consistir en reiteración de los informes de la Junta Consultiva de Contratación Administrativa en los que se sostiene que la incompatibilidad del artículo 20, letra e), de la Ley de Contratos de las Administraciones Públicas, pese a la defectuosa redacción del artículo 12, letras c) y d), de la Ley 53/1984, de 26 de diciembre, de incompatibilidades del personal al servicio de las Administraciones Públicas, alcanza a los funcionarios de las Entidades Locales, como son los pertenecientes al Cuerpo de la Policía local y a sus cónyuges, informes entre otros de 30 de enero de 2002 (expediente 45/01), de 13 de junio de 2002 (expediente 16/02) y de 12 de marzo de 2004 (expediente 44/03).»

Por su parte, el Informe 16/2002, de 13 de junio señala que «se plantea también la cuestión de si la apreciación de la prohibición de contratar ha de realizarse en relación con la Administración contratante y, si es posible dicha apreciación aunque el funcionario o su cónyuge no presten servicios en el departamento que tiene por objeto o tramita la celebración del contrato.

La prohibición de contratar por causa de incompatibilidad de un funcionario debe limitarse exclusivamente a la Administración contratante, a la que pertenezca el funcionario, pues así se deduce fundamentalmente del examen comparativo de las causas enunciadas en el artículo 20, dado que en los artículos 18 y 19 del Reglamento General de la Ley de Contratos de las Administraciones Públicas, aprobado por Real Decreto 1098/2001, de 12 de octubre, se distingue claramente entre aquellas causas de prohibición de contratar cuya apreciación requiere la tramitación de expediente y que pueden producir efectos generales ante todas las Administraciones Públicas y las causas de apreciación automática, cualquiera de las cuales, como es la de incompatibilidad de un funcionario, no pueden producir ese efecto general.

Refuerza esta conclusión la consideración de la prohibición de contratar aplicable a Concejales incluida en la misma letra del artículo 20 de la Ley, que únicamente es posible apreciar respecto a la Corporación Municipal que financie total o parcialmente el contrato (artículo 178 de la Ley Orgánica 5/1985, de 19 de junio, de Régimen Electoral General) por la que, por similitud de razón deberá aplicarse a los funcionarios.

La conclusión sentada —incompatibilidad con la Administración contratante— resuelve el problema planteado de si es posible descender a nivel organizativo inferior (departamento, negociado, sección, etc.) para apreciar o no la incompatibilidad, pues ni en la legislación de contratos de las Administraciones Públicas, fundamentalmente en el artículo 20 de la Ley, ni en la normativa sobre incompatibilidades del personal al servicio de las Administraciones Públicas —Ley 53/1984, de 26 de diciembre— puede hallarse precepto alguno que justifique tal posibilidad.»

Las causas de abstención vienen establecidas en el art. 28.2 de la Ley 30/1992, de 26 de noviembre (BOE del 27), de Régimen Jurídico de las Administraciones Públicas y del Procedimiento Administrativo Común (LRJAP), que establece como motivos de abstención lo siguiente:

a) Tener interés personal en el asunto de que se trate o en otro en cuya resolución pudiera influir la de aquél; ser administrador de sociedad o entidad interesada, o tener cuestión litigiosa pendiente con algún interesado.

b) Tener parentesco de consanguinidad dentro del cuarto grado o de afinidad dentro del segundo, con cualquiera de los interesados, con los administradores de entidades o sociedades interesadas y también con los asesores, representantes legales o mandatarios que intervengan en el procedimiento, así como compartir despacho profesional o estar asociado con éstos para el asesoramiento, la representación o el mandato.

c) Tener amistad íntima o enemistad manifiesta con alguna de las personas mencionadas en el apartado anterior.

d) Haber tenido intervención como perito o como testigo en el procedimiento de que se trate.

e) Tener relación de servicio con persona natural o jurídica interesada directamente en el asunto, o haberle prestado en los dos últimos años servicios profesionales de cualquier tipo y en cualquier circunstancia o lugar.

Aplicando la normativa expuesta al caso consultado, si el marido de la arquitecta municipal comparte despacho o empresa con otros arquitectos, entendemos que debería abstenerse no solo en los proyectos que lleven el nombre de su marido sino en todos los que se presenten por dicha empresa o despacho, ya que al menos concurren las causas b) y c).

En cuanto a la última pregunta, una vez concedida la compatibilidad no vemos problema en que la arquitecta pueda presentar proyectos en otros ayuntamientos limítrofes.

• **Prohibición de contratar. Adjudicación de contratos a empresas que han solicitado o están declaradas en concurso de acreedores**

¿Puede adjudicarse un contrato a una UTE cuando una de las empresas de la misma solicita concurso de acreedores antes de la adjudicación? ¿Podría ampararse en el art. 44 de la Ley Concursal?

[12/01/2009 EC 7/2009

Contestación

Al margen de las circunstancias que se den en el caso concreto, consideramos que es una temeridad intentar adjudicar un contrato a una empresa que se ha declarado en concurso. Aparte de esta consideración, que puede discutirse, entendemos que las disposiciones de la Ley 30/2007, de 30 de octubre (BOE del 31), de Contratos del Sector Público (LCSP) y de su predecesora, el Texto Refundido de la Ley de Contratos de las Administraciones Públicas (TR LCAP), aprobado por Real Decreto Legislativo 2/2000, de 16 de junio (BOE del 21), no dejan lugar a dudas sobre la existencia de una prohibición de contratar en este supuesto, recordando que se trata de una norma imperativa y prohibitiva.

En este sentido, no pueden alegarse preceptos de la Ley 22/2003, de 9 de julio (BOE del 10), Concursal, como el art. 44 o el propio art. 61, ya que la finalidad de estos preceptos es no perjudicar tanto a la empresa que se declara en concurso como a los acreedores del concursado y por tanto lo que se permite es la continuación del ejercicio de la actividad empresarial y la vigencia de los contratos anteriormente celebrados.

En este sentido se manifiesta también la legislación contractual, que distingue claramente según la declaración de concurso se produzca una vez adjudicado el contrato o antes de la adjudicación.

Para el primer caso, los arts. 206 y 207 de la citada LCSP, después de apreciar como causa de resolución la declaración de concurso o la declaración de insolvencia en cualquier otro procedimiento, añade que la declaración de insolvencia en cualquier procedimiento y, en caso de concurso, la apertura de la fase de liquidación, darán siempre lugar a la resolución del contrato, pero se añade que en caso de declaración de concurso y mientras no se haya producido la apertura de la fase de liquidación, la Administración potestativamente continuará el contrato si el contratista prestare las garantías suficientes a juicio de aquélla para su ejecución. Es decir, la simple declaración de concurso no opera automáticamente la resolución del contrato, sino que éste puede continuar su vigencia hasta la finalización, si no se produce con anterioridad la apertura de la fase de liquidación.

Totalmente distinto es el segundo caso, en el que el art. 49.1.b) LCSP dispone que no podrán contratar con las administraciones públicas las personas que hayan solicitado la declaración de concurso o se encuentren declaradas en concurso. Añadiendo el art. 50.1 que esta prohibición de contratar se apreciará directamente por los órganos de contratación, subsistiendo mientras concurran las circunstancias que en cada caso las determinan. Es decir, no requiere la previa declaración de su existencia, sino que se aprecia directamente, de forma que la simple solicitud de concurso inhabilita al concursado para poder celebrar nuevos contratos con las administraciones públicas.

En conclusión, la declaración de concurso una vez adjudicado el contrato no opera automáticamente la resolución del contrato, que puede continuar hasta su finalización, si no se produce con anterioridad a la fase de liquidación; mientras que la simple solicitud del concurso antes de la adjudicación inhabilita al concursado para celebrar nuevos contratos.

2. Además de las previstas en el apartado anterior, son circunstancias que impedirán a los empresarios contratar con las Administraciones Públicas las siguientes:

a) Haber dado lugar, por causa de la que hubiesen sido declarados culpables, a la resolución firme de cualquier contrato celebrado con una Administración Pública.

b) Haber infringido una prohibición para contratar con cualquiera de las Administraciones públicas.

c) Estar afectado por una prohibición de contratar impuesta en virtud de sanción administrativa, con arreglo a lo previsto en la Ley 38/2003, de 17 de noviembre (LA LEY 1730/2003), General de Subvenciones, o en la Ley 58/2003, de 17 de diciembre (LA LEY 1914/2003), General Tributaria.

d) Haber retirado indebidamente su proposición o candidatura en un procedimiento de adjudicación, o haber imposibilitado la adjudicación del contrato a su favor por no cumplimentar lo establecido en el artículo 151.2 dentro del plazo señalado mediando dolo, culpa o negligencia.

➡ **Concordancias normativas**

Letra d) del número 2 del artículo 60 redactada por el apartado doce del artículo primero de la Ley 34/2010, de 5 de agosto, de modificación de las Leyes 30/2007, de 30 de octubre, de Contratos del Sector Público, 31/2007, de 30 de octubre, sobre procedimientos de contratación en los sectores del agua, la energía, los transportes y los servicios postales, y 29/1998, de 13 de julio, reguladora de la Jurisdicción Contencioso-Administrativa para adaptación a la normativa comunitaria de las dos primeras («B.O.E». 9 agosto).

e) Haber incumplido las condiciones especiales de ejecución del contrato establecidas de acuerdo con lo señalado en el artículo 118, cuando dicho incumplimiento hubiese sido definido en los pliegos o en el contrato como infracción grave de conformidad con las disposiciones de desarrollo de esta Ley, y concurra dolo, culpa o negligencia en el empresario.

3. Las prohibiciones de contratar afectarán también a aquellas empresas de las que, por razón de las personas que las rigen o de otras circunstancias, pueda presumirse que son continuación o que derivan, por transformación, fusión o sucesión, de otras empresas en las que hubiesen concurrido aquéllas.

Concordancias a todo el artículo

➡ **Concordancias normativas**

Artículo 49 de la LCSP 30/2007 y artículo 20 del TRLCAP RDL 2/2000.

☞ **Concordancias Jurisprudenciales**

Tribunal Superior de Justicia de Cataluña, Sala de lo Contencioso-administrativo, Sección 2.ª, Sentencia de 8 Feb. 2012, rec. 359/2010

[LA LEY 22597/2012]

CONTRATOS ADMINISTRATIVOS. Partes del contrato. Capacidad y solvencia del empresario. Prohibición de contratar. PROCESO CONTEN-CIOSO-ADMINISTRATIVO. Suspensión de la ejecución de lo recurrido. Requisitos. Daños o perjuicios de reparación imposible o difícil.

Tribunal Superior de Justicia de Cataluña, Sala de lo Contencioso-administrativo, Sección 2.ª, Sentencia de 12 Dic. 2011, rec. 324/2010

[LA LEY 267340/2011]

PROCESO CONTENCIOSO-ADMINISTRATIVO. Suspensión de la ejecución de lo recurrido. Medida cautelar. -- Suspensión de la ejecución de lo recurrido. Requisitos. Daños o perjuicios de reparación imposible o difícil. -- Suspensión de la ejecución de lo recurrido. Requisitos. Exigencia de motivación. -- Suspensión de la ejecución de lo recurrido. Improcedencia. Contratos administrativos.

Tribunal Administrativo Central de Recursos Contractuales, Resolución de 13 Oct. 2011, rec. 204/2011

[LA LEY 193643/2011]

CONTRATO ADMINISTRATIVO DE SERVICIOS. Adjudicación. Se confirma la adjudicación a una sociedad mercantil de un contrato de servicio de transporte con conductor, traslado de mobiliario y enseres y trabajos de peonaje, dado que, según la documentación presentada por la recurrente, no consta que existiese imposición de sanción por la autoridad competente por infracción muy grave del orden social ni sentencia firme por delitos contra derechos de los trabajadores, así como que se hubiese declarado la prohibición de contratar con la Administración de la empresa adjudicataria. El pliego de cláusulas administrativas de la licitación exigía la presentación de una declaración responsable de no encontrarse incurso en ninguna de las causas que prohibiesen contratar con la Administración, requisito que fue cumplimentado correctamente por la adjudicataria.

Audiencia Nacional, Sala de lo Contencioso-administrativo, Sección 6.ª, Sentencia de 22 Feb. 2011, rec. 66/2010

[LA LEY 3195/2011]

TABACO. Estancos. Improcedencia de la denegación de la autorización solicitada para suceder en la titularidad de una expendeduría de tabaco. la Administración al resolver el recurso de alzada debió tener en cuenta el certificado de Registro Central de Penados y Rebeldes del Ministerio de Justicia sobre antecedentes penales emitido, ya que la causa de desestimar el recurso de alzada es que «el recurrente no ha aportado ni en el momento de presentación del recurso ni con posterioridad ningún otro documento o certificado de cancelación o de corrección de los datos personales del recurrente relativos a sus antecedentes históricos penales». No concurre en el interesado la condición negativa para ser concesionario de la expendeduría aplicada, relativa a la prohibición de contratar para quienes hayan sido condenados a pena de inhabilitación especial para el ejercicio de profesión, oficio, industria o comercio, ya que del Certificado resulta que no había sido condenado a la pena de inhabilitación especial como erróneamente se indicaba en el Certificado anterior.

✉ Consultas

• Incompatibilidad de los concejales

¿Puede un concejal electo mantenerse como concesionario de un contrato sin tomar posesión del cargo hasta formalizar la cesión de dicho contrato?

[17/05/2011 EC 1196/2011]

Contestación

— El art. 49 de la Ley 30/2007, de 30 de octubre (LA LEY 10868/2007), de Contratos del Sector Público (LCSP (LA LEY 10868/2007)), establece, en su apartado 1 letra f, que, en ningún caso, podrán contratar con el sector público las personas físicas o los administradores de la persona jurídica que estén incursos en alguno de los supuestos de la Ley 5/2006, de 10 de abril (LA LEY 3407/2006), de regulación de los conflictos de intereses de los miembros del Gobierno y de los altos cargos de la Administración General del Estado, de la Ley 53/1984, de 26 de diciembre (LA LEY 2769/1984), de incompatibilidades del personal al servicio de las Administraciones públicas o tratarse de cualquiera de los cargos electivos regulados en la Ley Orgánica 5/1985, de 19 de junio (LA LEY 1596/1985), del Régimen Electoral General (LOREG), en los términos establecidos en la misma.

Prohibición para contratar que, a nuestro juicio, no afecta a los contratos adjudicados con anterioridad a que se adquiriese la condición de concejal y que están ejecutándose, puesto que el requisito negativo o prohibición de contratar está referido al momento de la adjudicación del contrato, como lo demuestra el encabezamiento del propio art. 49 de la Ley: no podrán contratar con el Sector Público.

El art. 50, apartado 1, añade que «Las prohibiciones de contratar contenidas en las letras b), d), f) y g) del apartado 1 del artículo anterior, y c) de su apartado 2, se apreciarán directamente por los órganos de contratación, subsistiendo mientras concurran las circunstancias que en cada caso las determinan.»

La postura que venimos defendiendo es que la prohibición para contratar de los corporativos no afecta a los contratos adjudicados con anterioridad a que adquiriese tal condición. En consecuencia, no cabe hablar de prohibición para contratar sobrevenida.

Ahora bien, distintas de las prohibiciones para contratar con el Sector Público que establece el art. 49 LCSP (LA LEY 10868/2007), son las causas de incompatibilidad con la condición de Concejal que establece el art. 178 de la Ley Orgánica 5/1985, de 19 de junio (LA LEY 1596/1985) (BOE del 20), del Régimen Electoral General (LOREG (LA LEY 1596/1985)). De modo que, cuando se produzca la situación de incompatibilidad, los afectados deben optar entre la renuncia a la condición de concejal o el abandono de la situación que da origen a la situación de incompatibilidad. Pues bien, dicho precepto declara incompatibles con la condición de Concejal, entre otros, a los contratistas o subcontratistas de contratos, cuya financiación total o parcial, corra a cargo de la Corporación Municipal de la que aquellos formen parte o de establecimientos de ella dependientes (art. 178.2 d).

De modo que, aunque entendemos que no cabe hablar de prohibición sobrevenida para contratar, su condición de concesionario es incompatible con la condición de concejal. Así las cosas, si quiere no renunciar a la condición de concejal, deberá renunciar a la condición de concesionario.

Como ha señalado la Junta Electoral, la incompatibilidad sólo se produce a partir de la toma de posesión del puesto de trabajo incompatible (Acuerdo de 21 de enero de 1999). Y, por otra parte, también se ha pronunciado reiteradamente manifestando que ni la legislación electoral ni la de régimen local establecen un plazo para la toma de posesión del cargo de Concejal, por lo que quien no hubiera formalizado la misma conserva la condición de Concejal electo (Acuerdos de la JEC de 31 de enero de 2000 y 15 de octubre de 2001).

Por tanto, no existe una limitación del plazo durante el que los Concejales electos pueden mantenerse en esta posición, sin efectuar la toma de posesión ni renunciar a su condición, ni tampoco medio legalmente establecido para forzar a los afectados a actuar en uno u otro sentido. Siendo esto así, no vemos obstáculo legal a que el concejal electo no tome posesión del cargo hasta haber formalizado la cesión del contrato.

* **No existe prohibición para ser beneficiario de una subvención no ligada a una actividad incompatible**

¿Se puede otorgar una subvención a una asociación cultural presidida por un concejal?

[11/03/2010 EC 861/2010]

Contestación

El apartado 13.2.d) de la Ley 38/2003, de 17 de noviembre (BOE del 18), General de Subvenciones (LGS), establece que no podrán obtener la condición de beneficiario o entidad colaboradora de las subvenciones reguladas en esta ley, entre otras, «las persona físicas, los administradores de las sociedades mercantiles o aquellos que ostenten la representación legal de otras personas jurídicas, en alguno de los supuestos de la Ley 12/1995, de 11 de mayo, de Incompatibilidades de los Miembros del Gobierno de la Nación y de los Altos Cargos de la Administración General del Estado, de la Ley 53/1984, de 26 de diciembre, de Incompatibilidades del Personal al Servicio de las Administraciones Públicas, o tratarse de cualquiera de los cargos electivos regulados en la Ley Orgánica 5/1985, de 19 de junio, del Régimen Electoral General, en los términos establecidos en la misma o en la normativa autonómica que regule estas materias.»

La prohibición del referido apartado 13.2.d) LGS —que reproduce parcialmente la del art. 49 f) de la Ley 30/2007, de 30 de octubre (BOE del 31), de Contratos del Sector Público (LCSP)— es de alcance dudoso en el ámbito subvencional; pues, al contrario de lo que ocurre con la contratación pública, las leyes a las que se remite el precepto [la ley 12/1995 ha sido sustituida por la Ley 5/2006, de 10 de abril (BOE del 11)] no contienen previsión alguna sobre la percepción de subvenciones.

Las personas a quienes son de aplicación tales normas tienen en común el desempeñar funciones públicas, pudiendo participar en los procedimientos de concesión y gestión de las subvenciones o, al menos, condicionar en alguna medida las decisiones. Por ello, inicialmente puede entenderse que el objetivo pretendido por el precepto es garantizar la objetividad de la actuación pública.

Con esta prohibición la LGS iría más allá de la exigencia del art. 29 de la Ley 30/1992, de 26 de noviembre (BOE del 27), de Régimen Jurídico de las Administraciones Públicas y del Procedimiento Administrativo Común (LRJAP), que impone el deber de abstención, o la recusación, en su caso, en el procedimiento administrativo de aquellas personas que tengan interés en la tramitación del procedimiento. Otra interpretación, amén de que extendería más allá de sus términos una norma restrictiva de derechos, llevaría a resultados poco razonables.

De ahí que, a nuestro entender, ha de interpretarse la norma en el sentido de que no pueden obtener subvenciones las personas comprendidas en el ámbito subjetivo de aplicación de las normas a las que se remite el precepto, siempre que vayan ligadas a las actividades públicas o privadas incompatibles con su condición. Las incompatibilidades, pues, son unas concretas actividades, no las personas.

Por ello, creemos que, a quienes se encuentren comprendidos en las excepciones contempladas en dichas normas, les será de aplicación únicamente el deber de abstención del art. 29 antes citado de la LRJAP; o, en su caso, el de inhibición del art. 7.1 de la Ley 5/2006, conforme al cual, quienes desempeñen un alto cargo vienen obligados a inhibirse del conocimiento de los asuntos en cuyo despacho hubieran intervenido o que interesen a empresas o sociedades en cuya dirección, asesoramiento o administración hubieran tenido alguna parte ellos, su cónyuge o persona con quien conviva en análoga relación de afectividad, o familiar dentro del segundo grado y en los dos años anteriores a su toma de posesión como cargo público.

En otras palabras, para acceder a la condición de beneficiario de una subvención no ligada a una actividad incompatible no existe prohibición, sino sólo deber de abstención o de inhibición.

• No existe incompatibilidad para la firma de un convenio urbanístico. Deber de abstención

¿Existe causa de incompatibilidad en un Concejal para firmar un convenio urbanístico con el Ayuntamiento?

[28/01/2010 EC 348/2010]

Contestación

El artículo 88 de la Ley 30/1992, de 26 de noviembre (BOE del 27), de Régimen Jurídico de las Administraciones Públicas y del Procedimiento Administrativo Común (LRJAP), dispone que las Administraciones Públicas podrán celebrar acuerdos, pactos, convenios o contratos con personas tanto de derecho público como privado, siempre que no sean contrarios al Ordenamiento Jurídico ni versen sobre materias no susceptibles de transacción y tengan por objeto satisfacer el interés público que tienen encomendado; con el alcance, efectos y régimen jurídico específico que en cada caso prevea la disposición que lo regule; pudiendo tales actos tener la consideración de finalizadores de los procedimientos administrativos o insertarse en los mismos con carácter previo, vinculante o no, a la resolución que les ponga fin.

La gran mayoría de la doctrina, y alguna Sentencia, como la del Tribunal Superior de Cataluña, de 31 de marzo de 2001 (LA LEY JURIS: 6384/2001), ha calificado los convenios urbanísticos como contratos administrativos especiales. No obstante, el artículo 4 de la nueva Ley 30/2007, de 30 de octubre (BOE del 31), de Contratos del Sector Público (LCSP), excluye de su ámbito los convenios que celebre la Administración con personas físicas o jurídicas sujetas al derecho privado, siempre que su objeto no esté comprendido en el de los contratos regulados en dicha Ley o en normas administrativas especiales.

Los convenios urbanísticos pertenecen a los usualmente llamados acuerdos preparatorios. Aun así, tienen diversa naturaleza y su adecuada calificación es materia siempre compleja. No ofrece duda su carácter administrativo (STS 16 de enero de 1990). Otros autores entienden que pueden tener naturaleza múltiple: en algunos casos negocios sin naturaleza convencional y en otros negocios convencionales. Incluso los partidarios de esta última posición sostienen que estamos ante convenios de colaboración con particulares excluidos de la Ley de contratos (artículo 4 LCSP).

El artículo 178 de la Ley Orgánica 5/1985, de 19 de junio (BOE del 20), del Régimen Electoral General (LOREG), en los términos establecidos en la misma, considera incompatible con la condición de concejal a los contratistas o subcontratistas de contratos cuya financiación, total o parcial, corra a cargo de la Corporación Municipal o de establecimientos de ellas dependientes.

Si los convenios urbanísticos, como hemos visto, están excluidos de la LCSP, a pesar de que la jurisprudencia y algún sector doctrinal consideran a estas figuras jurídicas como contratos, entendemos que no se dan las causas de incompatibilidad para celebrar ese convenio con el Ayuntamiento, si bien, como es lógico, el referido corporativo deberá abstenerse de intervenir en el procedimiento.

Resulta así que, desde el punto de vista de la LOREG, la única incompatibilidad existente para los concejales en materia de contratación existe exclusivamente para los contratos financiados total o parcialmente a cargo de la corporación municipal o de establecimientos de ella dependientes. Incompatibilidad lógica y concurrente con la finalidad de evitar colisión de intereses que debe ser propia de la regulación de incompatibilidades.

La única disposición en la que se pueden fundamentar situaciones de incompatibilidades de los miembros de las Corporaciones Locales es la LOREG, a la que expresamente se remite el artículo 49 LCSP, al regular las prohibiciones para contratar. La Junta Electoral Central y la propia jurisprudencia han hecho una interpretación especialmente restrictiva del anterior artículo 20 del Texto Refundido de la Ley de Contratos de 2002 —hoy el 49 LCSP— limitándola sólo a los supuestos en que se produce salida de fondos municipales a favor del corporativo, o lo que es lo mismo, cuando la Corporación financia el contrato, y no en el supuesto de que sea el concejal quien ingresa o paga a la Corporación.

Al analizar esta consulta podemos señalar la incongruencia entre que sea incompatible un concejal para contratar con el Ayuntamiento por un importe de dos mil euros, y, sin embargo, no lo sea la firma de un convenio que le puede reportar un considerable incremento patrimonial. Además, si se incumple el convenio, puede generarse una cantidad de dinero que el Ayuntamiento tendría que abonar al concejal.

La verdad es que, a la luz del contenido literal de la LCSP, que excluye de la contratación los convenios urbanísticos, no estaríamos ante un supuesto de incompatibilidad, sino ante una causa de abstención.

Según el artículo 28 LRJAP, es motivo de abstención el tener interés personal en el asunto de que se trate o en otro en cuya resolución pudiera influir la de aquél.

En el caso que nos ocupa, el concejal deberá abstenerse de intervenir como corporativo en este asunto, pues lógicamente tiene un interés personal, pero estrictamente no vemos que exista un problema de incompatibilidad, aunque desde un punto de vista ético tengamos nuestra opinión.

Artículo 61 *Declaración de la concurrencia de prohibiciones de contratar y efectos*

1. Las prohibiciones de contratar contenidas en las letras b), d), f) y g) del apartado 1 del artículo anterior, y c) de su apartado 2, se apreciarán directamente por los órganos de contratación, subsistiendo mientras concurran las circunstancias que en cada caso las determinan.

La prohibición de contratar por la causa prevista en la letra a) del apartado 1 del artículo anterior se apreciará directamente por los órganos de contratación, siempre que la sentencia se pronuncie sobre su alcance y duración, subsistiendo durante el plazo señalado en las mismas. Cuando la sentencia no contenga pronunciamiento sobre la prohibición de contratar o su duración, la prohibición se apreciará directamente por los órganos de contratación, pero su alcance y duración deberán determinarse mediante procedimiento instruido de conformidad con lo dispuesto en los apartados 2 y 3 de este artículo.

En los restantes supuestos previstos en el artículo anterior, la apreciación de la concurrencia de la prohibición de contratar requerirá la previa declaración de su existencia mediante procedimiento al efecto.

☞ **Concordancias Jurisprudenciales**

Tribunal Superior de Justicia de Cataluña, Sala de lo Contencioso-administrativo, Sección 2.ª, Sentencia de 12 Dic. 2011, rec. 324/2010

[LA LEY 267340/2011]

PROCESO CONTENCIOSO-ADMINISTRATIVO. Suspensión de la ejecución de lo recurrido. Medida cautelar. -- Suspensión de la ejecución de lo recurrido. Requisitos. Daños o perjuicios de reparación imposible o difícil. -- Suspensión de la ejecución de lo recurrido. Requisitos. Exigencia de motivación. -- Suspensión de la ejecución de lo recurrido. Improcedencia. Contratos administrativos.

⊠ **Consultas**

• **Prohibición de contratar. Adjudicación de contratos a empresas que han solicitado o están declaradas en concurso de acreedores**

¿Puede adjudicarse un contrato a una UTE cuando una de las empresas de la misma solicita concurso de acreedores antes de la adjudicación? ¿Podría ampararse en el art. 44 de la Ley Concursal?

[12/01/2009 EC 7/2009]

Ver respuesta en artículo 60

2. En los casos en que, conforme a lo señalado en el apartado anterior, sea necesaria una declaración previa sobre la concurrencia de la prohibición, el alcance y duración de ésta se determinarán siguiendo el procedimiento que en las normas de desarrollo de esta Ley se establezca atendiendo, en su caso, a la existencia de dolo o manifiesta mala fe en el empresario y a la entidad del daño causado a los intereses públicos. La duración de la prohibición no excederá de cinco años, con carácter general, o de ocho años en el caso de las prohibiciones que tengan por causa la existencia de una condena mediante sentencia firme. Sin embargo, las prohibiciones de contratar basadas en la causa prevista en la letra d) del apartado 2 del artículo anterior subsistirán, en todo caso, durante un plazo de dos años, contados desde su inscripción en el Registro Oficial de Licitadores y Empresas Clasificadas, y las impuestas por la causa prevista en la letra e) del mismo apartado no podrán exceder de un año de duración.

El procedimiento de declaración no podrá iniciarse si hubiesen transcurrido más de tres años contados a partir de las siguientes fechas:

a) Desde la firmeza de la resolución sancionadora, en el caso de la causa prevista en la letra c) del apartado 1 del artículo anterior;

b) desde la fecha en que se hubieran facilitado los datos falsos o desde aquella en que hubiera debido comunicarse la correspondiente información, en los casos previstos en la letra e) del apartado 1 del artículo anterior;

c) desde la fecha en que fuese firme la resolución del contrato, en el caso previsto en la letra a) del apartado 2 del artículo anterior;

d) desde la fecha de formalización del contrato, en el caso previsto en la letra b) del apartado 2 del artículo anterior;

e) En los casos previstos en la letra d) del apartado 2 del artículo anterior, desde la fecha en que se hubiese procedido a la adjudicación del contrato, si la causa es la retirada indebida de proposiciones o candidaturas;

o desde la fecha en que hubiese debido procederse a la adjudicación, si la prohibición se fundamenta en el incumplimiento de lo establecido en el artículo 151.2.

En el caso de la letra a) del apartado 1 del artículo anterior, el procedimiento, de ser necesario, no podrá iniciarse una vez transcurrido el plazo previsto para la prescripción de la correspondiente pena, y en el caso de la letra e) del apartado 2, si hubiesen transcurrido más de tres meses desde que se produjo el incumplimiento.

➡ **Concordancias normativas**

Letra e) del número 2 del artículo 61 redactada por el apartado ocho del artículo primero de la Ley 34/2010, de 5 de agosto, de modificación de las Leyes 30/2007, de 30 de octubre, de Contratos del Sector Público, 31/2007, de 30 de octubre, sobre procedimientos de contratación en los sectores del agua, la energía, los transportes y los servicios postales, y 29/1998, de 13 de julio, reguladora de la Jurisdicción Contencioso-Administrativa para adaptación a la normativa comunitaria de las dos primeras («B.O.E». 9 agosto).

3. La competencia para fijar la duración y alcance de la prohibición de contratar en el caso de la letra a) del apartado 1 del artículo anterior, así como para declarar la prohibición de contratar en el supuesto contemplado en la letra c) del mismo apartado corresponderá al Ministro de Economía y Hacienda, que dictará resolución a propuesta de la Junta Consultiva de Contratación Administrativa del Estado. La prohibición así declarada impedirá contratar con cualquier órgano de contratación.

En el supuesto previsto en la letra e) del apartado 1 del artículo anterior la declaración de la prohibición corresponderá a la Administración o entidad a la que se deba comunicar la correspondiente información; en los casos contemplados en las letras a), d) y e) del apartado 2, a la Administración contratante; y en el supuesto de la letra b) de este mismo apartado, a la Administración que hubiese declarado la prohibición. En estos casos, la prohibición afectará a la contratación con la Administración o entidad del sector público competente para su declaración , sin perjuicio de que el Ministro de Economía y Hacienda, previa comunicación de aquéllas y con audiencia del empresario afectado, considerando el daño causado a los intereses públicos, pueda extender sus efectos a la contratación con cualquier órgano, ente, organismo o entidad del sector público.

☞ **Concordancias Jurisprudenciales**

Tribunal Superior de Justicia de Cataluña, Sala de lo Contencioso-administrativo, Sección 2.ª, Sentencia de 8 Feb. 2012, rec. 359/2010

[LA LEY 22597/2012]

CONTRATOS ADMINISTRATIVOS. Partes del contrato. Capacidad y solvencia del empresario. Prohibición de contratar. PROCESO CONTENCIOSO-ADMINISTRATIVO. Suspensión de la ejecución de lo recurrido. Requisitos. Daños o perjuicios de reparación imposible o difícil.

Tribunal Superior de Justicia de Cataluña, Sala de lo Contencioso-administrativo, Sección 2.ª, Sentencia de 12 Dic. 2011, rec. 324/2010

[LA LEY 267340/2011]

PROCESO CONTENCIOSO-ADMINISTRATIVO. Suspensión de la ejecución de lo recurrido. Medida cautelar. -- Suspensión de la ejecución de lo recurrido. Requisitos. Daños o perjuicios de reparación imposible o difícil. -- Suspensión de la ejecución de lo recurrido. Requisitos. Exigencia de motivación. -- Suspensión de la ejecución de lo recurrido. Improcedencia. Contratos administrativos.

4. La eficacia de las prohibiciones de contratar a que se refieren las letras c) y e) del apartado 1 del artículo anterior, así como la de las establecidas en su apartado 2, estará condicionada a su inscripción o constancia en el Registro Oficial de Licitadores y Empresas Clasificadas que corresponda. Igualmente la eficacia de la resolución que determine el alcance y duración de la prohibición de contratar derivada de la causa prevista en la letra a) del apartado 1 del artículo anterior estará condicionada a su inscripción.

☞ **Concordancias Jurisprudenciales**

Tribunal Administrativo Central de Recursos Contractuales, Resolución de 9 Feb. 2011, rec. 069/2010

[LA LEY 14712/2011]

CONTRATO ADMINISTRATIVO DE SERVICIOS. Admisión a la licitación convocada para la adjudicación del contrato de servicio de vigilancia de las Administraciones UURE y Almacén de Mérida dependientes de la Dirección Provincial de la Tesorería General de la Seguridad Social de Badajoz. Prohibición de contratar. RECURSO ESPECIAL EN MATERIA DE

CONTRATACIÓN. Desestimación. La empresa licitadora, que después resultó adjudicataria, no estaba incursa en prohibición de contratar cuando presentó la proposición para la licitación. Aunque la adjudicataria había sido declarada incursa en prohibición de contratar con una duración de tres meses por acuerdo de la Ministra de Economía y Hacienda, en el momento de presentar su proposición la prohibición ya había caducado. La prohibición de contratar entró en vigor a partir del día en que acordó por la Ministra, y no desde la publicación de ésta en el Registro Oficial de Licitadores y Empresas Clasificadas del Estado.

5. A los efectos de la aplicación de este artículo, las autoridades y órganos competentes notificarán a la Junta Consultiva de Contratación Administrativa del Estado y a los órganos competentes de las Comunidades Autónomas, las sanciones y resoluciones firmes recaídas en los procedimientos mencionados en el artículo anterior, así como la comisión de los hechos previstos en la letra e) de su apartado 1 y en las letras b), d) y e) de su apartado 2, a fin de que se puedan instruir los expedientes previstos en este artículo o adoptarse las resoluciones que sean pertinentes y proceder, en su caso, a su inscripción en el Registro Oficial de Licitadores y Empresas Clasificadas que sea procedente. Asimismo, la Junta Consultiva de Contratación Administrativa del Estado podrá recabar de estas autoridades y órganos cuantos datos y antecedentes sean precisos a los mismos efectos.

Concordancias a todo el artículo

➡ **Concordancias normativas**

Artículo 50 de la LCSP 30/2007 y artículos 21 y 22 del TRLCAP RDL 2/2000.

Subsección 4
Solvencia

Artículo 62 *Exigencia de solvencia*

1. Para celebrar contratos con el sector público los empresarios deberán acreditar estar en posesión de las condiciones mínimas de solvencia económica y financiera y profesional o técnica que se determinen por el órgano de contratación. Este requisito será sustituido por el de la clasificación, cuando ésta sea exigible conforme a lo dispuesto en esta Ley.

➥ Concordancias normativas

Véanse los artículos 1 a 3 del R.D. 817/2009, de 8 de mayo, por el que se desarrolla parcialmente la Ley 30/2007, de 30 de octubre, de Contratos del Sector Público («B.O.E». 15 mayo).

☞ Concordancias Jurisprudenciales

Tribunal Superior de Justicia de la Región de Murcia, Sala de lo Contencioso-administrativo, Sección 2.ª, Sentencia de 24 Feb. 2012, rec. 353/2011

[LA LEY 27425/2012]

CONTRATOS ADMINISTRATIVOS. Concesión de la construcción, el mantenimiento y explotación de una línea de tranvía. Pliego de cláusulas técnicas, jurídicas y económico-administrativas y acto de adjudicación. Impugnación. Recurso de apelación. Depuración del resultado procesal obtenido en la instancia. No concurre contravención de régimen de exclusividad en la prestación del servicio de transportes municipal. El ayuntamiento no otorga monopolio alguno en el ámbito del transporte urbano a la parte recurrente. La concesión tampoco afecta al equilibrio económico y financiero toda vez que no constan modificadas las características del servicio contratado. Ámbito competencial. La Comunidad Autónoma en ningún momento recurre los acuerdos municipales por entender que se invaden sus competencias. Solvencia económica y profesional de las empresas licitadoras. Potestad del Ayuntamiento de exigir los que considere convenientes, siempre que estén vinculados al objeto del contrato y sean proporcionales al mismo.

Tribunal Administrativo Central de Recursos Contractuales, Resolución de 14 Sep. 2011, rec. 184/2011

[LA LEY 179913/2011]

CONTRATO ADMINISTRATIVO DE SERVICIOS. Nulidad parcial de los pliegos del procedimiento de contratación relativo al «Contrato de Contrato de suministro de ordenadores personales, estaciones de trabajo, monitores, ordenadores portátiles, servidores, unidades de backup, cabinas de disco y armarios rack». RECURSO ESPECIAL EN MATERIA DE CONTRATACIÓN. Estimación. La cláusula relativa a la solvencia económica y financiera de los licitadores y los fabricantes de los bienes a suministrar no guarda proporción con el objeto del contrato. El pliego exige para el licitador una cifra de negocio 25 veces superior durante cada uno de los tres últimos años al importe máximo de licitación. La necesidad, ante la situación económica actual, de eliminar cualquier riesgo en el suministro de los bienes a contratar, contando con un suministrador con una alta capacidad financiera para soportar la forma de pago, exigencias y penalidades definidas en el pliego no justifica que se exija una cifra de negocio tan elevada en relación con el importe del contrato. Otro tanto cabe decir en cuanto a la cifra de negocio exigida al fabricante, al que se le exige 100 millones de euros, sin que lo justifique el deseo de que el fabricante tenga presencia mundial, ya que esto podría haberse garantizado a través de otros medios. En el pliego de prescripciones técnicas debería haberse admitido la posibilidad de acreditar la calidad medioambiental requerida por otros medios de prueba distintos del Certificado EPEAT GOLD.

Tribunal Administrativo Central de Recursos Contractuales, Resolución de 13 Jul. 2011, rec. 148/2011

[LA LEY 98583/2011]

CONTRATO ADMINISTRATIVO DE SERVICIOS. Adjudicación por procedimiento abierto de contrato de servicio de apoyo a la gestión y organización de los grupos de trabajo para la revisión y actualización del catálogo de títulos de formación profesional y para la elaboración de otros materiales de apoyo. RECURSO ESPECIAL EN MATERIA DE CONTRATACIÓN. Desestimación. El cumplimiento de los requisitos establecidos en el pliego de prescripciones técnicas debe producirse en la fase de ejecución del contrato, no pudiendo contenerse en dichos pliegos requisitos que se refieran a la admisión o inadmisión de los licitadores. La empresa adjudicataria ha acreditado que dispone de un local que cumple los requisitos exigidos en el pliego de prescripciones técnicas. El contrato de subarriendo debe considerarse suficiente a los efectos de dar por cumplidas las exigencias establecidas. El que la eficacia del contrato de subarriendo esté condicionada al hecho de que se la adjudique al licitador el contrato no es obstáculo, puesto que en el momento en que se adjudica el referido contrato al licitador, se debe entender por cumplida la condición suspensiva contenida en el contrato de subarriendo, y, por tanto, éste despliega su eficacia. La empresa adjudicataria se ha comprometido a que el personal estaría a plena disposición en el momento de iniciación de la ejecución del contrato, tras la verificación por la Administración del cumplimiento de las prescripciones técnicas relativas a locales e infraestructuras. La prueba de la clasificación se consigue mediante un certificado emitido por el Registro Oficial de Licitadores y Empresas Clasificadas. Este certificado sienta una presunción de aptitud de los empresarios incluidos en ella frente a los diferentes órganos de contratación.

✉ Consultas

• Acreditación de la solvencia en los contratos de suministro exigida en el articulo 66.1.a LCSP

En relación con los medios para acreditar la solvencia técnica, ha surgido una duda en la Mesa de contratación a la hora de cómo interpretar lo dispuesto en el artículo 66.1.a de la LCSP (LA LEY 10868/2007). En concreto el citado apartado a, del punto 1 del artículo 66 establece que: «En los contratos de suministro la solvencia técnica de los empresarios se acreditará por uno o varios de los siguientes medios: relación de los principales suministros efectuados durante los tres últimos años, indicando su importe, fechas y destinatario público o privado de los mismos. Los suministros efectuados se acreditarán mediante certificados expedidos o visados por el órgano competente, cuando el destinatario sea una entidad del sector público o cuando el destinatario sea un comprador privado, mediante un certificado expedido por éste o, a falta de este certificado, mediante una declaración del empresario».

A la hora de interpretar el sentido de la expresión subrayada, ciertos integrantes de la Mesa entienden que para acreditar la solvencia técnica en los contratos de suministro, basta con una declaración del licitador en la que se relacionen los principales suministros efectuados en los tres últimos años. En cambio otros componentes de la Mesa realizan una interpretación literal del precepto que les lleva a entender que se establece una previsión: en el caso de contratos de suministros que haya efectuado el licitador a clientes privados, deberá acreditar que los ha llevado a cabo aportando un «certificado» del comprador que adquirió sus suministros. Si este certificado no se tiene se habilita sustituir el certificado del comprador por una declaración del empresario, entendiendo que esta declaración no ha de formularla el licitador, sino el comprador del licitador que adquirió sus suministros.

Contratación Administrativa Práctica, Nº 110, Sección Usted Pregunta, Julio 2011, Editorial LA LEY

[LA LEY 707/2011]

Respuesta

En primer lugar, debemos decir que el artículo 51.1 de la LCSP (LA LEY 10868/2007) establece que las personas que contraten con el sector público, además de contar con la correspondiente capacidad, deberán acreditar su solvencia económica, financiera y técnica o profesional, requisito éste que será sustituido por la correspondiente clasificación en los casos en que con arreglo a dicha Ley sea exigible.

La LCSP (LA LEY 10868/2007) deja en manos del órgano contratante la determinación de la solvencia que ha de exigirse en cada contrato, limitándose a enumerar los posibles medios de acreditación. Así, el artículo 51.2 de la Ley prevé que los requisitos mínimos de solvencia que deba reunir el empresario y la documentación requerida para acreditar los mismos se indicarán en el anuncio de licitación y se especificarán en el pliego del contrato, debiendo estar vinculados a su objeto y ser proporcionales al mismo. Igualmente, el artículo 63.1 de la LCSP (LA LEY 10868/2007) concreta que la solvencia económica y financiera y técnica o profesional se acreditará mediante la aportación de los documentos que se determinen por el órgano de contratación de entre los previstos en los siguientes artículos 64, 65, 66, 67 y 68.

Los medios de acreditación de la solvencia en el contrato de suministros se encuentran regulados efectivamente en el art. 66. Se debe precisar, además, que la enumeración que hace la Ley de los medios de justificación de la solvencia técnica o profesional sí que tiene, a diferencia de lo que sucedía con la económica y financiera, un carácter exhaustivo. Así lo ha entendido tanto la jurisprudencia comunitaria, en casos como Transporoute y Beentjes, como la Junta Consultiva de Contratación Administrativa en Informes como el 11/1999 de 30 de junio .

En relación concretamente con la letra a) del art. 66.1 de la LCSP (LA LEY 10868/2007) debemos hacer una interpretación del tenor literal de la norma, pues de lo contrario estaríamos desvirtuando su verdadero sentido. Así pues, cuando ésta dice «se acreditarán mediante certificados expedidos o visados por el órgano competente ... (...) ... o cuando el destinatario sea un comprador privado, mediante un certificado expedido por éste o, a falta de este certificado, mediante una declaración del empresario» debemos entender que la acreditación de los suministros efectuados a compradores privados, bien se puede realizar por certificado expedido por éste, bien por declaración responsable del licitador (que no por el comprador privado) habida cuenta de que dicha declaración no tiene valor probatorio sino exclusivamente efectos declarativos, por cuanto queda en manos de la Mesa de contratación comprobar su validez si se duda de la veracidad de la misma.

2. Los requisitos mínimos de solvencia que deba reunir el empresario y la documentación requerida para acreditar los mismos se indicarán en el anuncio de licitación y se especificarán en el pliego del contrato, debiendo estar vinculados a su objeto y ser proporcionales al mismo.

➡ **Concordancias normativas**

Véase D [BALEARES] 44/2012, 25 mayo, por el que se regula el procedimiento para la acreditación de la solvencia técnica y profesional a efectos de mantener la clasificación empresarial («B.O.I.B». 26 mayo).

Véanse los artículos 1 a 3 del R.D. 817/2009, de 8 de mayo, por el que se desarrolla parcialmente la Ley 30/2007, de 30 de octubre, de Contratos del Sector Público («B.O.E». 15 mayo).

☞ **Concordancias Jurisprudenciales**

Tribunal Administrativo Central de Recursos Contractuales, Resolución de 29 Jun. 2011, rec. 138/2011

[LA LEY 83081/2011]

CONTRATO ADMINISTRATIVO DE SUMINISTROS. Procedimiento de adjudicación. Se confirma la exclusión de una sociedad mercantil de un procedimiento de licitación para la adjudicación de un contrato de suministro de una solución de gestión de identidades y accesos para la Subdirección general de nuevas tecnologías de la justicia, dado que incumplió con la exigencia del pliego de condiciones particulares que preveía expresamente que la declaración de la empresa fabricante del software se aportase como requisito de solvencia técnica. La mesa de contratación le requirió la subsanación de este defecto, pero la recurrente no aportó acreditación suficiente que justificase que cumplía dicha exigencia. Además, si consideraba que la cláusula era contraria a derecho, lo procedente era que la hubiera impugnado en su momento, en lugar de esperar a hacerlo más tarde, una vez abiertos los sobres referidos a la documentación administrativa cuando el pliego gozaba ya de plena validez.

Concordancias a todo el artículo

➡ **Concordancias normativas**

Artículo 51 de la LCSP 30/2007 y artículo 15.3 del TRLCAP RDL 2/2000.

✉ **Consultas**

• **Cuando la Ley establece que para determinados contratos se requiere estar clasificado, la acreditación de esta clasificación basta para acreditar la solvencia técnica**

Para la contratación de una dirección de obra, cuyo precio superará los 120.000 euros ¿es obligatoria la clasificación? Si se presenta la clasificación ¿se puede exigir algún otro tipo de documentación acreditativo de la solvencia?

[12/04/2010 EC 1208/2010]

Contestación

El Informe de la Junta Consultiva de Contratación Administrativa 37/08, de 25 de abril de 2008, «Dudas en relación con la fecha a partir de la cual deben considerarse vigentes las diferentes normas que regulan la exigencia de clasificación a las empresas contratistas», señala, en lo que aquí interesa, que los nuevos límites cuantitativos están recogidos en el art. 54.1 de la nueva Ley 30/2007, de 30 de octubre (BOE del 31), de Contratos del Sector Público (LCSP), de conformidad con el cual: «Para contratar con las Administraciones Públicas la ejecución de contratos de obras de importe igual o superior a 350.000 euros, o de contratos de servicios por presupuesto igual o superior a 120.000 euros, será requisito indispensable que el empresario se encuentre debidamente clasificado». Por su parte, la disposición transitoria quinta dispone que «el apartado 1 del art. 54, en cuanto determina los contratos para cuya celebración es exigible la clasificación previa, entrará en vigor conforme a lo que se establezca en las normas reglamentarias de desarrollo de esta Ley, por las que se definan los grupos, subgrupos y categorías en que se clasificarán esos contratos, continuando vigente, hasta entonces, el párrafo primero del apartado 1 del art. 25 del Texto Refundido de la Ley de Contratos de las Administraciones Públicas.»

Sigue diciendo que el planteamiento de la cuestión tiene razón de ser porque el art. 54.1 LCSP exige la clasificación para los contratos de servicios incluyendo las anteriores categorías de asistencia y consultoría, que en la legislación anterior no requerían clasificación. En su consecuencia, cabe dudar de si la Ley está estableciendo un plazo para la entrada en vigor de la exigencia de clasificación en estos últimos casos, o si por el contrario lo establece también para la entrada en vigor de los nuevos límites cuantitativos. La primera opción tiene sentido habida cuenta de que en la actualidad no existen grupos ni subgrupos en que puedan ser clasificadas las empresas o profesionales que opten a la adjudicación de alguno de los contratos que anteriormente se calificaban como de consultoría o asistencia. Por ello, no resulta posible, desde el punto de vista práctico, exigir la clasificación hasta que las normas de desarrollo de la Ley hayan establecido los grupos y subgrupos correspondientes, tal como establece la disposición transitoria mencionada.

Partiendo de esta consideración y teniendo en cuenta que el Real Decreto 817/2009, de 8 de mayo (BOE de 15 de mayo), por el que se desarrolla parcialmente la Ley 30/2007, de 30 de octubre, de Contratos del Sector Público (RCSP), no establece grupos ni subgrupos respecto a los contratos de consultoría y asistencia que han pasado a ser contratos de servicios, estamos en la misma situación y no podrá exigirse de momento la clasificación hasta que se realice el desarrollo reglamentario.

En cuanto a la segunda pregunta, hemos de señalar que el art. 51 LCSP, bajo el título «Exigencia de solvencia», dispone que para celebrar contratos con el sector público los empresarios deberán acreditar estar en posesión de las condiciones mínimas de solvencia económica y financiera y profesional o técnica que se determinen por el órgano de contratación. Y posteriormente añade con toda claridad que «este requisito será sustituido por el de la clasificación, cuando ésta sea exigible conforme a lo dispuesto en esta Ley». Es decir, cuando la ley establece que para determinados contratos se requiere estar clasificado, la acreditación de esta clasificación basta para acreditar la solvencia técnica.

Por lo tanto, en principio, no puede exigirse, por llamarlo de alguna forma, un «plus de solvencia técnica», si el contratista tiene la clasificación exigida para ese tipo de contrato.

Lo único que admite el art. 53 de la citada LCSP es que en los contratos de servicios y de obras, así como en los contratos de suministro que incluyan servicios o trabajos de colocación e instalación, pueda exigirse a las personas jurídicas que especifiquen, en la oferta o en la solicitud de participación, los nombres y la cualificación profesional del personal responsable de ejecutar la prestación. Asimismo, los órganos de contratación podrán exigir a los candidatos o licitadores, haciéndolo constar en los pliegos, que además de acreditar su solvencia o, en su caso, clasificación, se comprometan a dedicar o adscribir a la ejecución del contrato los medios personales o materiales suficientes para ello. Estos compromisos se integrarán en el contrato, pudiendo los pliegos o el documento contractual atribuirles el carácter de obligaciones esenciales a los efectos previstos en el art. 206, g), o establecer penalidades, conforme a lo señalado en el art. 196.1, para el caso de que se incumplan por el adjudicatario.

☞ **Concordancias Jurisprudenciales**

Tribunal Superior de Justicia de Les Illes Balears, Sala de lo Contencioso-administrativo, Sentencia de 6 Feb. 2012, rec. 469/2011

[LA LEY 11655/2012]

CONTRATOS ADMINISTRATIVOS. Contratos de servicios. Explotación de los servicios de temporada en el litoral. Adjudicación. Nulidad de pleno derecho. Retroacción del procedimiento al momento en el que se admite indebidamente la propuesta de uno de los licitadores. Desviación procesal. Inexistencia. No concurre supuesto alguno de inadmisibilidad parcial toda vez que no se contempla ningún recurso especial en materia de contratación, basta con agotar la vía administrativa e interponer el recurso contencioso-administrativo. En todo caso, la configuración inicial del recurso especial en materia de contratación es considerado contrario a derecho comunitario. Examen del requisito de solvencia económico-financiera. Ausencia de justificación y aportación de las propias aclaraciones que la Mesa efectúa, relativas a la prueba de la real concurrencia de la solvencia económico-financiera. Sin embargo, y a pesar de no acreditar la solvencia económico-financiera, no se acredita trato alguno de favor a la UTE adjudicataria a la hora de valorar sus mejoras.

Tribunal Superior de Justicia de Les Illes Balears, Sala de lo Contencioso-administrativo, Sentencia de 22 Dic. 2011, rec. 377/2009

[LA LEY 250280/2011]

CONTRATOS ADMINISTRATIVOS. Partes del contrato. Capacidad y solvencia del empresario. Solvencia. -- Preparación de los contratos. Expediente de contratación. Pliegos de cláusulas administrativas. -- Adjudicación de los contratos. Selección del adjudicatario. Valoración de las ofertas. PROCESO CONTENCIOSO-ADMINISTRATIVO. Capacidad procesal. Personas jurídicas. Acuerdo del órgano correspondiente. -- Capacidad procesal. Personas jurídicas. Casos de inexistencia.

Artículo 63 *Integración de la solvencia con medios externos*

Para acreditar la solvencia necesaria para celebrar un contrato determinado, el empresario podrá basarse en la solvencia y medios de otras entidades, independientemente de la naturaleza jurídica de los vínculos que tenga con ellas, siempre que demuestre que, para la ejecución del contrato, dispone efectivamente de esos medios.

Concordancias a todo el artículo

➡ **Concordancias normativas**

Artículo 52 de la LCSP 30/2007 y artículo 15 del TRLCAP RDL 2/2000.

⊠ **Consultas**

• **Acreditación de la solvencia técnica**

En un Ayuntamiento se quiere contratar por procedimiento abierto el servicio de técnico municipal. Entre otras, ha concurrido una SL, constituida en agosto 2011, que está formada por otras empresas y personas físicas. Para acreditar la solvencia técnica se aportan los trabajos y experiencia de las otras empresas que son socias y que se realizaron antes de agosto de 2011, es decir, antes de la constitución de la SL que concurre al procedimiento abierto. ¿Es ello legal? ¿Se puede considerar acreditada en este caso la solvencia técnica con trabajos realizados antes de la constitución de la SL?

Contratación Administrativa Práctica, Nº 119, Sección Usted Pregunta, Mayo 2012, Editorial LA LEY

[LA LEY 634/2012]

Respuesta

Hasta la entrada en vigor de la Ley 30/2007, de 30 de octubre (LA LEY 10868/2007), de Contratos del Sector Público, nuestra legislación únicamente permitía tener en cuenta a las sociedades pertenecientes a un grupo para acreditar la solvencia de la persona jurídica dominante, siempre y cuando ésta acreditase que tiene efectivamente a su disposición los medios de dichas sociedades necesarios para la ejecución de los contratos; es decir, mediante un negocio jurídico que atribuyese a ésta dicha disponibilidad.

Tras la citada ley, se amplían los medios para acreditar la solvencia en la que se puede basar el licitador, estableciendo el artículo 63 del Texto Refundido de la Ley de Contratos del Sector Público (LA LEY 21158/2011) que «Para acreditar la solvencia necesaria para celebrar un contrato determinado, el empresario podrá basarse en la solvencia y medios de otras entidades, independientemente de la naturaleza jurídica de los vínculos que tenga con ellas, siempre que demuestre que, para la ejecución del contrato, dispone efectivamente de esos medios.»

A tenor de dicho artículo, se debe admitir aquella solvencia que proceda de las empresas o personas físicas que componen la nueva sociedad, siempre que se trate de experiencia en el tipo de servicio objeto de contrato o en la formación de sus integrantes. Es evidente, que lo dicho no es aplicable a los medios materiales o personales en tanto no hayan sido integrados en la nueva sociedad, puesto que las iniciales empresas ya no existen como tales y, por lo tanto, no cuentan con medios propios.

La experiencia o formación de las empresas o personas componentes de la nueva sociedad deberá acreditarse convenientemente, mediante títulos o certificados.

• **Acreditación de solvencia mediante subcontratación**

¿La acreditación de la solvencia con medios externos puede abarcar la totalidad del contrato o sólo la parte que puede ser subcontratada?

[26/07/2011 EC 1831/2011]

Contestación

La acreditación mediante medios externos mencionada en el art. 52 de la Ley 30/2007, de 30 de octubre (LA LEY 10868/2007) (BOE del 31), de

Contratos del Sector Público (LCSP (LA LEY 10868/2007)), puede realizarse mediante la vinculación directa —es decir, mediante grupos de sociedades— o mediante la vinculación indirecta, a través de la subcontratación, arrendamiento, agrupaciones de empresarios. La subcontratación es una forma de integración y complemento de la solvencia del contratista principal, de acuerdo con el art. 52 LCSP.

De manera que, mediante la subcontratación, los licitadores pueden acreditar la solvencia con medios externos sin que sea necesaria la pertenencia a ningún grupo, empresarial o cooperativo, e independientemente de la naturaleza jurídica del vínculo existente entre las distintas entidades.

El profesor Francisco Pleite Guadamillas ha estudiado este teman en profundidad y, al respecto, señala que «la regulación contenida en este precepto de la Ley —trasposición del art. 48.3 de la Directiva 2004/18/CE (LA LEY 4245/2004)— viene a posibilitar que en fase de solvencia se concrete el nivel de subcontratación para la ejecución de un contrato. La posibilidad —y conveniencia— de esta opción, amén de conforme con la Directiva 2004/18, encuentra su apoyo directo en la doctrina del TJCE en su sentencia de 2 de diciembre de 1999 (Holst Italia) al afirmar que: «La Directiva 92/50/CEE (LA LEY 4092/1992) del Consejo, de 18 de junio de 1992, sobre coordinación de los procedimientos de adjudicación de los contratos públicos de servicios, debe interpretarse en el sentido de que permite que, para probar que reúne los requisitos económicos, financieros y técnicos para participar en un procedimiento de licitación con el fin de celebrar un contrato público de servicios, un prestador se refiera a las capacidades de otras entidades, cualquiera que sea la naturaleza jurídica de sus vínculos con ellas, siempre que pueda probar que puede efectivamente disponer de los medios de esas entidades necesarios para la ejecución del contrato.»

El profesor mencionado opina que «este criterio estaría llamado en la práctica a jugar una gran importancia pues permitiría que realmente se seleccionara a las empresas más capaces desde una visión global del contrato, con lo que, a la vez que garantizar una verdadera concurrencia, se favorecería el mejor cumplimiento de la prestación contractual, evitando, por lo demás, los característicos problemas que se derivan siempre que este aspecto se difiere a la fase de ejecución. Es más, en muchos casos, el principio de buena administración aconsejaría la práctica habitual de esta opción. Tal y como se pronunció esta Junta Consultiva en Informe 28/2008, de 10 de diciembre, el empresario puede basarse en la solvencia y medios de otras entidades, independientemente de la naturaleza jurídica de los vínculos que tenga con ellas, siempre que demuestre que, para la ejecución del contrato, dispone efectivamente de esos medios (arts. 47.2 (LA LEY 4245/2004) y 48.3 Directiva 2004/18/CEE (LA LEY 4245/2004) y art. 52 LCSP (LA LEY 10868/2007)). En cualquier caso, y por la lógica del procedimiento, los subcontratistas aportados en fase de solvencia —que figurarán en el contrato a formalizar tras la adjudicación— no podrán ser objeto de sustitución en fase de ejecución salvo por circunstancias excepcionales sobrevenidas, requiriendo la autorización expresa del ente contratante de cara a comprobar la adecuación —cumplimiento de los requisitos de solvencia y ausencia de prohibiciones de contratar— del nuevo subcontratista propuesto.»

En conclusión, y contestando concretamente a las preguntas planteadas en la consulta, debemos afirmar que:

— El adjudicatario deberá necesariamente subcontratar con la entidad que aportó externamente los medios de solvencia.

— Se aplicaría el régimen de la subcontratación en toda su extensión y sin ninguna excepción.

— Deberían respetarse los porcentajes máximos fijados por la LCSP (LA LEY 10868/2007).

- **Concurso para el otorgamiento de una concesión demanial**

¿Es posible omitir en las concesiones demaniales la exigencia de criterios de solvencia económica y técnica o profesional a los empresarios?

Contratación Administrativa Práctica, N° 75, Sección Usted Pregunta, Mayo 2008, pág. 12, Editorial LA LEY

[LA LEY 665/2008]

Respuesta

1.°) CRITERIO DE SOLVENCIA DEL CONTRATISTA

Respecto a la primera cuestión que se plantea en la consulta si es posible que en las concesiones demaniales no exigir ningún criterio de solvencia económica y técnica y profesional para acreditar la aptitud de los empresarios, el propio redactor de la consulta ha mencionado las disposiciones vigentes que exigen el cumplimiento de la acreditación de la solvencia económica y técnica para poder contratar con la administración exigencia legal que no puede ser arbitrariamente exonerada, sin más, por la administración adjudicante. Pero además, y como criterio de interpretación que aclara por donde va este tipo de regulación y cuál es el inmediato futuro, mencionamos las disposiciones que incluye al respecto la Ley 30/2007, de Contratos del Sector Público, que entrará en vigor el próximo 30 de abril y cuyos contenidos deben ser tenidos en cuenta, puesto que se trata de normativa que va a regir estas cuestiones de manera inmediata que en cualquier caso debe ser tenida en cuenta para interpretar al respecto cualquier tipo de cuestión dudosa sobre estas materias.

El artículo 5 (LA LEY 10868/2007) del citado texto enumera los contratos de obras, concesión de obras públicas, gestión de servicios públicos, suministros servicios y colaboración como los contratos típicos del sector público. El artículo 51 (LA LEY 10868/2007) dispone que para celebrar contratos con el sector público los empresarios deberán acreditar estar en posesión de las condiciones mínimas de solvencia económica y financiera y profesional o técnica que se determinen por el órgano de contratación, es decir, que la administración puede determinar las condiciones de solvencia pero tiene que determinar alguna porque se trata de un criterio de orden público y su no exigencia podría ser reparada por la intervención y censurada en una fiscalización externa toda vez que se trata de salvaguarda de los intereses públicos que se exigen para realizar la adjudicación de la concesión de dominio público en este caso. El mismo texto regula la solvencia en los artículos 52 (LA LEY 10868/2007) y 53 (LA LEY 10868/2007). Posteriormente, en los artículos 63 (LA LEY 10868/2007) y siguientes, regula los medios de acreditar la solvencia en los contratos de obras, en los de suministro, en los de servicios y en los restantes contratos entre los que, por supuesto, hay que entender incluidos plenamente los contratos de concesión de servicios.

2.º) VALORACIÓN DE LA EXPERIENCIA DEL CONTRATISTA

Respecto a la valoración de la experiencia del contratista es un criterio a valorar a los efectos de clasificación de la solvencia del empresario como condición previa para poder contratar con la administración pero no es criterio de valoración a efectos de adjudicación de los contratos y así lo ha sostenido la Junta Consultiva de Contratación Administrativa en varios informes; entre ellos los dos siguientes:

A) Informe 13/1998 de 30 de junio de 1998 (LA LEY 36/1998) sobre «improcedencia de emplear como criterios objetivos de valoración de las proposiciones en los concursos los medios que se especifican para valorar la solvencia de las empresas y, en concreto, la experiencia de los suministradores».

B) Informe 22/2000 de 6 de julio de 2000 (LA LEY 39/2000) sobre «Cauce adecuado para solicitar informes a la Junta. Posibilidad de incluir en los criterios de adjudicación la experiencia y el personal de la empresa».

☞ **Concordancias Jurisprudenciales**

Tribunal Superior de Justicia de la Región de Murcia, Sala de lo Contencioso-administrativo, Sección 2.ª, Sentencia de 24 Feb. 2012, rec. 353/2011

[LA LEY 27425/2012]

CONTRATOS ADMINISTRATIVOS. Concesión de la construcción, el mantenimiento y explotación de una línea de tranvía. Pliego de cláusulas técnicas, jurídicas y económico-administrativas y acto de adjudicación. Impugnación. Recurso de apelación. Depuración del resultado procesal obtenido en la instancia. No concurre contravención de régimen de exclusividad en la prestación del servicio de transportes municipal. El ayuntamiento no otorga monopolio alguno en el ámbito del transporte urbano a la parte recurrente. La concesión tampoco afecta al equilibrio económico y financiero toda vez que no constan modificadas las características del servicio contratado. Ámbito competencial. La Comunidad Autónoma en ningún momento recurre los acuerdos municipales por entender que se invaden sus competencias. Solvencia económica y profesional de las empresas licitadoras. Potestad del Ayuntamiento de exigir los que considere convenientes, siempre que estén vinculados al objeto del contrato y sean proporcionales al mismo.

Tribunal Superior de Justicia de Les Illes Balears, Sala de lo Contencioso-administrativo, Sentencia de 22 Dic. 2011, rec. 377/2009

[LA LEY 250280/2011]

CONTRATOS ADMINISTRATIVOS. Partes del contrato. Capacidad y solvencia del empresario. Solvencia. -- Preparación de los contratos. Expediente de contratación. Pliegos de cláusulas administrativas. -- Adjudicación de los contratos. Selección del adjudicatario. Valoración de las ofertas. PROCESO CONTENCIOSO-ADMINISTRATIVO. Capacidad procesal. Personas jurídicas. Acuerdo del órgano correspondiente. -- Capacidad procesal. Personas jurídicas. Casos de inexistencia.

Tribunal Superior de Justicia de Canarias de Santa Cruz de Tenerife, Sala de lo Contencioso-administrativo, Sentencia de 20 Ene. 2011, rec. 388/2008

[LA LEY 285437/2011]

CONTRATO ADMINISTRATIVO DE GESTIÓN DE SERVICIOS PÚBLICOS. Objeto. -- Actuaciones administrativas preparatorias. Pliegos y anteproyecto de obra y explotación. -- Formalidades. EDUCACIÓN. Centros docentes. Transporte escolar.

Audiencia Nacional, Sala de lo Contencioso-administrativo, Sección 5.ª, Sentencia de 16 Mar. 2011, rec. 71/2010

[LA LEY 7801/2011]

CONTRATOS ADMINISTRATIVOS. Adjudicación de la contratación de servicios de consultoría y asistencia para la elaboración del proyecto conceptual de un buque oceanográfico multipropósito global, y de servicios de consultoría de inspección del armador durante la construcción de dos buques oceanográficos de ámbito regional, con propulsión diesel-eléctrica. Conformidad a derecho. Inexistencia de arbitrariedad. Acreditación de la solvencia técnica y económica de las empresas adjudicatarias. Una función de carácter eminentemente de alta cualificación profesional de los llamados a efectuar las labores de inspección y control del trabajo material de construcción de los buques, no exige la concurrencia de otros postulados como medios económicos o materiales, sino exclusivamente la alta cualificación de los profesionales llamados a efectuar la labor técnica de control. La construcción de buques oceanográficos en el Estado español no es algo usual y cotidiano, siendo algo excepcional y no frecuente, y no puede establecerse una especie de monopolio para la concreta empresa que en un momento anterior hay participado en alguna de las actividades empresariales que hubiera podido participar en la construcción de algún anterior buque de estas especiales características. No se acredita indefensión ni arbitrariedad en las adjudicaciones, o desviación de poder.

Artículo 64 *Concreción de las condiciones de solvencia*

1. En los contratos de servicios y de obras, así como en los contratos de suministro que incluyan servicios o trabajos de colocación e instalación, podrá exigirse a las personas jurídicas que especifiquen, en la oferta o en la solicitud de participación, los nombres y la cualificación profesional del personal responsable de ejecutar la prestación.

2. Los órganos de contratación podrán exigir a los candidatos o licitadores, haciéndolo constar en los pliegos, que además de acreditar su solvencia o, en su caso, clasificación, se comprometan a dedicar o adscribir a la ejecución del contrato los medios personales o materiales suficientes para ello. Estos compromisos se integrarán en el contrato, pudiendo los pliegos o el documento contractual, atribuirles el carácter de obligaciones esenciales a los efectos previstos en el artículo 223.f), o establecer penalidades, conforme a lo señalado en el artículo 212.1, para el caso de que se incumplan por el adjudicatario.

➡ **Concordancias normativas**

Número 2 del artículo 53 redactado por el número dos de la disposición final primera de la Ley 24/2011, de 1 de agosto, de contratos del sector público en los ámbitos de la defensa y de la seguridad («B.O.E». 2 agosto).

✉ **Consultas**

• **El adjudicatario provisional, una vez que ha cumplido las obligaciones que le impone, la ley tiene derecho a ser designado adjudicatario definitivo**

Adjudicado provisionalmente un contrato en el año 2008, hasta la fecha, no se ha producido la adjudicación definitiva. ¿Se ha producido la caducidad del expediente? ¿Se puede entender adjudicado definitivamente?

[26/03/2010 EC 1014/2010]

Contestación

En primer lugar, hemos de señalar que la no elevación a definitiva de la adjudicación provisional por parte de la Administración no puede considerarse como un supuesto de caducidad del expediente, ya que los expedientes de contratación se inician de oficio por la Administración; y el art. 92 de la Ley 30/1992, de 26 de noviembre (BOE del 27), de Régimen Jurídico de las Administraciones Públicas y del Procedimiento Administrativo Común (LRJAP), prevé la caducidad para los procedimientos iniciados a solicitud del interesado y cuando se produzca su paralización por causa imputable al mismo. En el caso objeto de consulta, ni el procedimiento se inicia a solicitud de interesado, ni la paralización se produce por causa a él imputable.

Por otra parte, es cierto que, conforme al art. 27 de la Ley 30/2007, de 30 de octubre (BOE del 31), de Contratos del Sector Público (LCSP), los contratos de las Administraciones Públicas, en todo caso, y los contratos sujetos a regulación armonizada, incluidos los contratos subvencionados a que se refiere el art. 17, se perfeccionan mediante su adjudicación definitiva, cualquiera que sea el procedimiento seguido para llegar a ella. Ahora bien, también es cierto que, según la regulación que hace el propio art. 135 de la citada ley, la adjudicación definitiva se convierte en una especie de acto obligatorio para la Administración cuando, una vez producida la adjudicación provisional, el adjudicatario cumple con las obligaciones que le impone el propio art. 135; esto es, presentar la documentación justificativa de hallarse al corriente en el cumplimiento de sus obligaciones tributarias y con la Seguridad Social y cualesquiera otros documentos acreditativos de su aptitud para contratar o de la efectiva disposición de los medios que se hubiesen comprometido a dedicar o adscribir a la ejecución del contrato conforme al artículo 53.2 que le reclame el órgano de contratación, así como constituir la garantía que, en su caso, sea procedente.

Cumplidos estos requisitos, dispone el propio precepto que la adjudicación provisional deberá elevarse a definitiva dentro de los diez días hábiles siguientes a aquél en que expire el plazo señalado en el párrafo primero de este apartado, siempre que el adjudicatario haya presentado la documentación señalada y constituido la garantía definitiva, en caso de ser exigible, y sin perjuicio de la eventual revisión de aquélla en vía de recurso especial, conforme a lo dispuesto en el artículo 37.

Por tanto, en relación a la pregunta planteada, consideramos que la adjudicación definitiva requiere de una resolución expresa; y que no se produce implícitamente por el transcurso de los plazos señalados.

Ahora bien, debe tenerse en cuenta que, aunque el contrato se perfeccione por la adjudicación definitiva, la adjudicación provisional tiene el carácter de acto declarativo de derechos que sólo podrá ser modificado o retirado a través de la revisión de oficio, por razón de la ilegalidad de la adjudicación, o por la interposición de un recurso contra dicha adjudicación. Y, de la misma forma, aunque el contrato no se haya perfeccionado, entendemos que al tratarse de un acto declarativo del derecho a ser adjudicatario definitivo, el adjudicatario provisional que ha cumplido con todas sus obligaciones y que no es elevado a adjudicatario definitivo y consiguientemente no se puede formalizar el contrato, podrá reclamar de la Administración indemnización de daños y perjuicios por este incumplimiento.

☞ **Concordancias Jurisprudenciales**

Tribunal Administrativo Central de Recursos Contractuales, Resolución de 29 Jun. 2011, rec. 138/2011

[LA LEY 83081/2011]

CONTRATO ADMINISTRATIVO DE SUMINISTROS. Procedimiento de adjudicación. Se confirma la exclusión de una sociedad mercantil de un procedimiento de licitación para la adjudicación de un contrato de suministro de una solución de gestión de identidades y accesos para la Subdirección general de nuevas tecnologías de la justicia, dado que incumplió con la exigencia del pliego de condiciones particulares que preveía expresamente que la declaración de la empresa fabricante del software se aportase como requisito de solvencia técnica. La mesa de contratación le requirió la subsanación de este defecto, pero la recurrente no aportó acreditación suficiente que justificase que cumplía dicha exigencia. Además, si consideraba que la cláusula era contraria a derecho, lo procedente era que la hubiera impugnado en su momento, en lugar de esperar a hacerlo más tarde, una vez abiertos los sobres referidos a la documentación administrativa cuando el pliego gozaba ya de plena validez.

Concordancias a todo el artículo

➡ **Concordancias normativas**

Artículo 52 de la LCSP 30/2007 y artículo 15 del TRLCAP RDL 2/2000.

☞ **Concordancias Jurisprudenciales**

Tribunal Administrativo Central de Recursos Contractuales, Resolución de 10 Nov. 2011, rec. 235/2011

[LA LEY 294076/2011]

CONTRATO ADMINISTRATIVO DE CONSULTORÍA. Nulidad de la exclusión de la interesada del procedimiento de adjudicación del contrato de «Dirección facultativa de las Obras de Urbanización del Área de Planeamiento Específico A.P.E.17.02 del PGOUM, de la actuación Parque Central de Ingenieros de Villaverde. RECURSO ESPECIAL EN MATERIA DE CONTRATACIÓN. Estimación. La cláusula controvertida del pliego únicamente puede interpretarse en el sentido de que los licitadores aporten la relación nominal de todo el personal del equipo mínimo exigido con el porcentaje de dedicación que cada uno de ellos dedicará al desarrollo del contrato, pudiendo ofrecer la participación de otro personal.

Tribunal Administrativo Central de Recursos Contractuales, Resolución de 10 Nov. 2011, rec. 232/2011

[LA LEY 231616/2011]

CONTRATO ADMINISTRATIVO DE CONSULTORÍA Y ASISTENCIA. Impugnación del pliego de condiciones particulares de la contratación del servicio de «Consultoría y asistencia para la elaboración y el control de la información relativa a la subcontratación y seguimiento de las medidas de carácter social durante la ejecución de las obras en el ámbito de la Dirección General de Operaciones e Ingeniería de ADIF». RECURSO ESPECIAL EN MATERIA DE CONTRATACIÓN. Inadmisión. La reclamante carece de legitimación activa para presentar reclamación contra los PCP que han de regir la presente licitación. El interés que preside la reclamación interpuesta es el de la defensa de los intereses de las empresas que operan en el ámbito de seguridad y salud. Carece la reclamante de tal facultad, pues no acredita la representación de la Asociación correspondiente.

Tribunal Administrativo Central de Recursos Contractuales, Resolución de 26 Oct. 2011, rec. 216/2011

[LA LEY 214639/2011]

CONTRATO ADMINISTRATIVO DE OBRAS. De construcción del Centro de Visitantes del Parque Nacional Aigüestortes i Estany De San Maurici en Espot, Lleida. Exclusión de la recurrente del proceso de licitación del contrato. RECURSO ESPECIAL EN MATERIA DE CONTRATACIÓN. Estimación parcial. No debió excluirse a la interesada por no presentar el certificado de la norma OHSAS 18001 y certificado UNE-ISO 14001, sino que se tuvo que aceptar para analizar su suficiencia la certificación de la sociedad «Segreland, S.L». presentada para acreditar el cumplimiento de los requisitos de gestión de la calidad y medioambiental. Procede retrotraer el procedimiento.

Subsección 5

Clasificación de las empresas

Artículo 65 *Exigencia de clasificación*

1. Para contratar con las Administraciones Públicas la ejecución de contratos de obras cuyo valor estimado sea igual o superior a 350.000 euros, o de contratos de servicios cuyo valor estimado sea igual o superior a 120.000 euros, será requisito indispensable que el empresario se encuentre debidamente clasificado. Sin embargo, no será necesaria clasificación para celebrar contratos de servicios comprendidos en las categorías 6, 8, 21, 26 y 27 del Anexo II.

En el caso de que una parte de la prestación objeto del contrato tenga que ser realizada por empresas especializadas que cuenten con una determinada habilitación o autorización profesional, la clasificación en el grupo correspondiente a esa especialización, en caso de ser exigida, podrá suplirse por el compromiso del empresario de subcontratar la ejecución de esta porción con otros empresarios que dispongan de la habilitación y, en su caso, clasificación necesarias, siempre que el importe de la parte que debe ser ejecutada por éstos no exceda del 50 por 100 del precio del contrato.

☞ **Concordancias Jurisprudenciales**

Tribunal Superior de Justicia de Galicia, Sala de lo Contencioso-administrativo, Sección 2.ª, Sentencia de 19 Ene. 2012, rec. 4465/2011

[LA LEY 5692/2012]

CONTRATOS ADMINISTRATIVOS. Partes del contrato. Capacidad y solvencia del empresario. Solvencia. -- Partes del contrato. Capacidad y solvencia del empresario. Clasificación de empresas. -- Preparación de los contratos. Expediente de contratación. Pliegos de cláusulas administrativas.

Tribunal Superior de Justicia de Madrid, Sala de lo Contencioso-administrativo, Sección 3.ª, Sentencia de 25 Mar. 2009, rec. 1229/2007

[LA LEY 336386/2009]

CONTRATO ADMINISTRATIVO DE SERVICIOS. Conformidad a derecho de la denegación a la interesada de la clasificación como empresa de servicios. IFEMA es un organismo público constituido como un Consorcio por el Ayuntamiento de Madrid, la Comunidad de Madrid, la Cámara Oficial de Comercio e Industria y la Caja de Ahorros de Madrid, y, en consecuencia, es un órgano de contratación y no entidad contratista que pueda ser clasificada como empresa de servicios.

Tribunal Administrativo Central de Recursos Contractuales, Resolución de 24 Feb. 2011, rec. 012/2011

[LA LEY 14640/2011]

CONTRATO ADMINISTRATIVO DE OBRAS. Exclusión del proceso de licitación para la adjudicación por procedimiento abierto del contrato de obras de «demolición y construcción de la nueva residencia de la Embajada de España en Rabat», por no haber aportado ni subsanado dentro de plazo documento que acredite que se encuentra al corriente del pago de la póliza de responsabilidad civil mínima exigida por el pliego de cláusulas administrativas particulares. RECURSO ESPECIAL EN MATERIA DE CONTRATACIÓN. Estimación parcial. Oscuridad del pliego de cláusulas administrativas particulares, que en modo alguno puede perjudicar a los licitadores. No se puede hablar de «integración de la solvencia» porque, el contrato exige «clasificación», que sustituirá a la solvencia cuando así se exija. La expresión relativa a la suplencia de la clasificación puede inducir a error a los licitadores. Procede la retroacción del procedimiento al momento anterior a la redacción de los pliegos, a fin de que estos se redacten correctamente.

✉ **Consultas**

• **Cuando la Ley establece que para determinados contrato se requiere estar clasificado, la acreditación de esta clasificación basta para acreditar la solvencia técnica**

Para la contratación de una dirección de obra, cuyo precio superará los 120.000 euros ¿es obligatoria la clasificación? Si se presenta la clasificación ¿se puede exigir algún otro tipo de documentación acreditativo de la solvencia?

[12/04/2010 EC 1208/2010]

Ver respuesta en artículo 62

- Clasificación en las uniones temporales de empresas

En relación a un contrato de obras en el que se pide clasificación, ¿todas las empresas de una UTE deben estar clasificadas en obras?

[11/03/2010 EC 857/2010]

Contestación

Parece que no existe duda de que, para proceder a la acumulación de clasificación, todas las empresas de la UTE deben estar clasificadas como de obras o de servicios según la naturaleza del contrato.

En este sentido se pronuncia el art. 52.1 del Reglamento General de la Ley de Contratos de las Administraciones Publicas (RCAP), aprobado por Real Decreto 1098/2001, de 12 de octubre (BOE del 26), que establece lo siguiente: «Será requisito básico para la acumulación de las características de cada uno de los integrantes en las uniones temporales de empresas, y en concreto para su clasificación por el órgano de contratación, por medio de la mesa de contratación, que todas las empresas que concurran a la licitación del contrato hayan obtenido previamente clasificación como empresas de obras o como empresas de servicios en función del tipo de contrato para el que sea exigible la clasificación.»

En idéntico sentido se pronuncia el art. 56.5 de la Ley 30/2007, de 30 de octubre (BOE del 31), de Contratos del Sector Público (LCSP), que dispone que, a los efectos de valorar y apreciar la concurrencia del requisito de clasificación, respecto de los empresarios que concurran agrupados en uniones temporales, se atenderá, en la forma que reglamentariamente se determine, a las características acumuladas de cada uno de ellos, expresadas en sus respectivas clasificaciones. En todo caso, será necesario para proceder a esta acumulación que todas las empresas hayan obtenido previamente la clasificación como empresa de obras o de servicios, en relación con el contrato al que opten.

Por lo tanto, no parece que exista la posibilidad de acumular las clasificaciones de cada una de las empresas para un contrato, si todas ellas no están clasificadas como empresas de obras. En este sentido se ha pronunciado también reiteradamente la Junta Consultiva de Contratación Administrativa.

Únicamente apuntar que, considerando que la nueva LCSP flexibiliza en gran media el requisito de la clasificación (por ejemplo el art.

54.1 permite suplir la clasificación con el compromiso del empresario de subcontratar a un empresario clasificado), consideramos que debería ser revisado este criterio para las uniones temporales de empresarios. Por otra parte, choca que en este caso el empresario pueda acudir individualmente y, sin embargo, no pueda acudir en unión temporal de empresas.

• Determinación de los casos en que es exigible la clasificación de las empresas

El informe 37/2008 de la Junta Consultiva de Contratación señaló que no era exigible la clasificación en los contratos de servicios hasta la fecha en que se fije en una norma de desarrollo de la Ley que defina los grupos, subgrupos y categorías de clasificación. ¿Influye el Real Decreto 817/2009, por el que se desarrolla parcialmente la Ley 30/2007, de Contratos del Sector Público?

Contratación Administrativa Práctica, N° 90, Sección Usted Pregunta, Octubre 2009, pág. 15, Editorial LA LEY

[LA LEY 1930/2009]

Respuesta

Efectivamente, el informe indicado señalaba que los límites cuantitativos de los contratos, a partir de los cuales debía exigirse la clasificación de empresas que opten a la adjudicación de los contratos de servicios públicos con anterioridad en la categoría de contrato de consultoría y asistencia, ya no sería exigible sino a partir de la fecha a que se refiere la Disposición Transitoria Quinta (LA LEY 10868/2007) de la Ley de Contratos del Sector Público Local.

Según esta disposición, relativa a la determinación de los casos en que es exigible la clasificación de las empresas, el apartado 1 (LA LEY 10868/2007) del artículo 54, en cuanto determina los contratos para cuya celebración es exigible la clasificación previa, entrará en vigor conforme a lo que se establezca en las normas reglamentarias de desarrollo de esta Ley por las que se definan los grupos, subgrupos y categorías en que se clasificarán esos contratos, continuando vigente, hasta entonces, el párrafo primero del apartado 1 del artículo 25 del Texto Refundido de la Ley de Contratos de las Administraciones Públicas.

El Real Decreto 817/2009, por el que se desarrolla parcialmente la Ley 30/2007, de Contratos del Sector Público, en sus artículos 1 a 7 regula la clasificación de empresas estableciendo los criterios técnicos, la justificación de mantenimiento, la comprobación de datos y otros extremos. Pero en ningún momento se definen los» grupos, subgrupos y categorías en que se clasificarán los contratos.

Por todo ello, entendemos que este Real Decreto no influye a efectos de la exigencia de clasificación en los contratos de servicios.

2. La clasificación será exigible igualmente al cesionario de un contrato en el caso en que hubiese sido requerida al cedente.

3. Por Real Decreto podrá exceptuarse la necesidad de clasificación para determinados tipos de contratos de obras y de servicios en los que este requisito sea exigible o acordar su exigencia para tipos de contratos de obras y servicios en los que no lo sea, teniendo en cuenta las circunstancias especiales concurrentes en los mismos.

4. Cuando no haya concurrido ninguna empresa clasificada en un procedimiento de adjudicación de un contrato para el que se requiera clasificación, el órgano de contratación podrá excluir la necesidad de cumplir este requisito en el siguiente procedimiento que se convoque para la adjudicación del mismo contrato, precisando en el pliego de cláusulas y en el anuncio, en su caso, los medios de acreditación de la solvencia que deban ser utilizados de entre los especificados en los artículos 75, 76 y 78.

5. Las entidades del sector público que no tengan el carácter de Administración Pública podrán exigir una determinada clasificación a los licitadores para definir las condiciones de solvencia requeridas para celebrar el correspondiente contrato.

➡ **Concordancias normativas**

Téngase en cuenta que la disposición adicional sexta del R.D.—ley 9/2008, de 28 de noviembre, por el que se crean un Fondo Estatal de Inversión Local y un Fondo Especial del Estado para la Dinamización de la Economía y el Empleo y se aprueban créditos extraordinarios para atender a su financiación («B.O.E». 2 diciembre), establece que a partir del

3 de diciembre de 2008, fecha de su entrada en vigor, no será exigible la clasificación en los contratos de obras de valor inferior a 350.000 euros.

Concordancias a todo el artículo

➡ Concordancias normativas

Artículo 54 de la LCSP 30/2007 y artículo 25 del TRLCAP RDL 2/2000.

☞ Concordancias Jurisprudenciales

Tribunal Administrativo Central de Recursos Contractuales, Resolución de 14 Sep. 2011, rec. 189/2011

[LA LEY 185600/2011]

CONTRATO ADMINISTRATIVO DE SERVICIOS. Adjudicación del contrato de «Servicios de transporte con conductor, traslado de mobiliario, enseres y trabajos de peonaje de la Dirección Provincial de Madrid del Instituto Nacional de la Seguridad Social». RECURSO ESPECIAL EN MATERIA DE CONTRATACIÓN. Desestimación. Aptitud de la empresa adjudicataria para contratar los servicios licitados. Tiene un objeto o ámbito de actividad que comprende las prestaciones propias del contrato que le ha sido adjudicado, ya que en él no sólo tiene cabida la realización de mudanzas, sino también las demás prestaciones exigidas en los Pliegos rectores del procedimiento de adjudicación. La empresa acreditó en el momento legalmente exigido la circunstancia de hallarse al corriente en el cumplimiento de las obligaciones tributarias y con la Seguridad Social, así como los demás extremos exigidos, sin que sea competente el Tribunal para entrar a valorar circunstancias como el posible incumplimiento del convenio colectivo aplicable por la empresa a sus empleados, y demás referidas a la práctica profesional de las empresas que realizan actividad de mudanzas.

Tribunal Administrativo Central de Recursos Contractuales, Resolución de 15 Jun. 2011, rec. 127/2011

[LA LEY 71485/2011]

CONTRATO ADMINISTRATIVO DE SERVICIOS. Adjudicación. Se confirma la exclusión de una sociedad mercantil de la licitación convocada para la adjudicación de un contrato de servicio de conectividad de 5 puntos de presencia singulares de RedIRIS, dado que no aportó documentación acreditativa de la clasificación exigida en el pliego de cláusulas administrativas particulares tras el oportuno plazo de subsanación. Aunque la recurrente probó haber solicitado dicha clasificación, el plazo previsto legalmente para llevar a cabo la tramitación completa era de un máximo de 6 meses desde su solicitud y, habiendo transcurrido menos de 2 meses, no era aplicable la aprobación por silencio de la Administración.

⊠ **Consultas**

• **Cuestiones sobre la clasificación de empresas**

Para participar en un concurso exige el pliego a los licitadores el certificado de clasificación en un determinado grupo, subgrupo y categoría, con acreditación de trabajos por más de 300.000€.

El pliego excluye de este requisito a Universidades y a Empresas Extranjeras que acrediten la solvencia económica y técnica por otros medios legales previstos en LCSP. No tenemos certificado en esta categoría aunque podemos demostrar esta solvencia por todos los medios que se pide en el pliego o en la LCSP, superando ampliamente los 300.000€ de facturación en estos conceptos. El objeto social de la Sociedad también recoge esta actividad en sus escrituras. ¿Pueden no admitir nuestra oferta? Podría darse el caso de que se aceptase una oferta de una empresa extranjera que acredite su solvencia por los medios de la LCSP y sin embargo no se aceptase una oferta de una empresa española que acreditase lo mismo.

Contratación Administrativa Práctica, Nº 117, Sección Usted Pregunta, Marzo 2012, Editorial LA LEY

[LA LEY 251/2012]

Respuesta

El artículo 65 del texto refundido de la Ley de Contratos del Sector Público (LA LEY 21158/2011) (correspondiente con el artículo 54 de la Ley 30/2007 (LA LEY 10868/2007)) exige como requisito indispensable, que el licitador se encuentre clasificado para contratar con las Administraciones Públicas contratos de obra que superen el umbral económico referido (350.000 euros) o determinados contratos de servicios que superen igualmente el umbral (120.000 euros). En el caso de la consulta resulta indispensable la exigencia de clasificación.

No se indica en la consulta quien sea la entidad contratante (Administración Pública u otro ente del sector público, poder adjudicador o no), siendo de interés tal cuestión pues el artículo 65.5 establece para estas últimas la exigencia de clasificación como potestativa.

Por su parte, el artículo 66 exime de la exigencia de clasificación a los empresarios no españoles pero que sean Estados miembros de la Unión Europea, si bien resulta obligatoria la necesidad de acreditar la solvencia. También establece el apartado segundo una regla de exención de la exigencia de clasificación cuando así sea conveniente para los intereses públicos, valoración que tendrá ser apreciada por el órgano de contratación y autorizada por el Consejo de Ministros, previo informe de la Junta Consultiva de Contratación Administrativa del Estado en el ámbito de la Administración General del Estado; en el ámbito de las Comunidades Autónomas, la autorización será otorgada por los órganos que éstas designen como competentes. Aunque en el precepto no se mencione a la Administración local, la Sentencia del Tribunal Supremo de 26 de julio de 1994 ha afirmado que el Pleno será competente para excepcionar el requisito de la clasificación.

La exención de exigencia de clasificación a las universidades estaba regulada en la Ley cuyo artículo 26.2 disponía que en los supuestos del artículo 11 de la Ley Orgánica 11/1983, de 25 de agosto (LA LEY 1962/1983), de Reforma Universitaria, no será exigible clasificación como contratistas a las Universidades para ser adjudicatarias de contratos con las Administraciones Públicas, desapareciendo dicha previsión de exención específica en la vigente normativa de contratación administrativa.

Repárese en el ámbito de discrecionalidad que el legislador concede al órgano de contratación para apreciar posibilidad de otorgar la dispensa que, en todo caso debe estar intensamente motivada, con una clara justificación de los motivos de interés público que la aconsejan y debe ser individualizada, aunque la Ley no determine sistema alguno para valorar la suficiencia de la justificación o de la motivación efectuada.

En cuanto a la acreditación de la dispensa, ésta ha sido admitida en Informe 12/1997, de 20 de marzo (LA LEY 4999/1997) de 1997 de la Junta Consultiva de Contratación Administrativa referida Instituto Cartográfico de Cataluña (LA LEY 17/1997). Por su parte, el Informe 3/1990, de 23 de abril de 1990 de la Comisión Consultiva de Contratación Administrativa de la

Junta de Andalucía (LA LEY 19/1990) ha considerado improcedente eximir a la cooperativa adjudicataria del requisito de la adecuada clasificación.

En conclusión, al margen de la posibilidad de dispensa comentada, resulta innegable que en una licitación para la contratación de servicios que superen el umbral señalado, las empresas españolas con la suficiente solvencia económica, financiera y técnica, pero carentes de la clasificación, deberán quedar excluidas en el procedimiento contractual; en tanto que, las empresas no españolas de la Unión Europea, no clasificadas, que acrediten la solvencia para contratar, serían admitidas.

- **El importe de la clasificación debe entenderse sin incluir el IVA**

El límite para exigir la clasificación al contratista, cuando la obra tiene un presupuesto de licitación superior a 350.000 euros, ¿debe entenderse que dicho valor es con IVA o sin IVA?

[06/05/2011 EC 1076/2011]

Contestación

— Tanto el Informe de la Junta Consultiva de Contratación 26/08, de 2 de diciembre de 2008, «Determinación de en qué supuestos debe considerarse que cuando la Ley de Contratos del Sector Público (LA LEY 10868/2007) habla de precio, importe, valor estimado o cualquiera de los distintos conceptos similares que utiliza para aludir al aspecto cuantitativo de los contratos, incluye la cuota por el Impuesto sobre el Valor Añadido y en qué supuestos no», como el Informe 43/08, de 28 de julio de 2008, «Modificaciones de los contratos. Interpretación del art. 202 de la Ley de Contratos del Sector Público (LA LEY 10868/2007). Régimen Jurídico aplicable a los contratos cuya convocatoria de licitación hubiese sido objeto de un anuncio publicado con anterioridad a la entrada en vigor de la Ley y su adjudicación se hubiese producido con posterioridad», son claros a este respecto y señalan la interpretación de la Junta consultiva de contratación sobre la cuestión planteada con la vigencia de la Ley 30/2007, de 30 de octubre (LA LEY 10868/2007) (BOE del 31), de Contratos del Sector Público (LCSP).

Señalan ambos informes, en parecidos términos, lo siguiente:

«(...) 1. La cuestión planteada por la Diputación consultante se reduce a la determinación de en qué supuestos debe considerarse que cuando la

Ley de Contratos del Sector Público (LA LEY 10868/2007) habla de precio, importe, valor estimado o cualquiera de los distintos conceptos similares que utiliza para aludir al aspecto cuantitativo de los contratos, incluye la cuota por el Impuesto sobre el Valor Añadido y en qué supuestos no.

2. La cuestión ha sido objeto de tratamiento y solución con carácter general en el informe número 43/2008, de 28 de julio, de conformidad con el cual «con referencia al valor de los contratos la Ley de Contratos del Sector Público (LA LEY 10868/2007) utiliza tres conceptos principalmente, que son precio, valor estimado y presupuesto, cuyas definiciones se contienen en los arts. 75 y 76 de la Ley y 131 del Reglamento.»

Junto a estos tres conceptos la Ley emplea otros términos no definidos por ella ni por las normas complementarias, entre los que cabe citar como más frecuentes: cuantía, importe o valor íntegro. La determinación del significado concreto de estos términos debe hacerse en función del contexto en que se incluyen y por tanto, al menos en principio, no cabe hacer una definición genérica. Ello no obstante, y por regla general, cabe decir que deberán identificarse con el término que, en función de la fase en que se encuentre el contrato —fase de preparación y adjudicación o fase de ejecución— indique el valor del mismo con arreglo a la Ley. Así en la fase de preparación y adjudicación deberán entenderse los términos como referidos al presupuesto que deba servir de base para la celebración de la licitación pública y en la de ejecución deberá entenderse que los términos utilizados se refieren al precio de adjudicación del contrato, es decir, el que deba percibir íntegro el contratista que hubiera resultado adjudicatario del contrato. Estas conclusiones, sin embargo, deberán matizarse en función del texto del artículo que contenga el término examinado.

En base a ello, siempre que el término empleado sea distinto de precio, valor estimado o presupuesto, deberá entenderse que, por regla general, si el artículo hace referencia a la fase de preparación o adjudicación del contrato, el término que se emplea (cuantía, importe o cualquier otro similar) deberá referirse al concepto de presupuesto, lo cual supone estar a lo dispuesto en los arts. 131, 189 y 195 del Reglamento, si bien en ningún caso deberá considerarse incluido el Impuesto sobre el Valor Añadido. (...).»

«Sentado lo anterior, cabe concluir que cuando la Ley de Contratos del Sector Público (LA LEY 10868/2007) emplea términos diferentes a precio, presupuesto o valor estimado, para referirse al aspecto cuantitativo de los contratos, el término utilizado deberá identificarse, de entre los tres que se definen expresamente, con aquel que, en función de la fase en que se encuentre el contrato —fase de preparación y adjudicación o fase de ejecución— indique el valor del mismo con arreglo a la Ley.»

Pues bien, siguiendo esta doctrina, cuando el art. 54 LCSP (LA LEY 10868/2007) señala que para contratar con las Administraciones Públicas la ejecución de contratos de obras de importe igual o superior a 350.000 euros, o de contratos de servicios por presupuesto igual o superior a 120.000 euros, será requisito indispensable que el empresario se encuentre debidamente clasificado; habrá que concluir que, al referirse a la clasificación, debe enmarcarse en la fase de preparación y adjudicación del contrato, por lo que se esta refiriendo al presupuesto del contrato, esto es, sin incluir el impuesto sobre el valor añadido.

• **Posibilidad de subcontratación de empresas que suplan la falta de clasificación del contratista**

¿Existe colisión entre el art. 54. LCSP (LA LEY 10868/2007) y los artículos 47.2 (LA LEY 4245/2004) y 48.3 de la Directiva 2004/18/CE (LA LEY 4245/2004) respecto del artículo 36.3 RGCA? ¿Es posible suplir la falta de una determinada clasificación con un compromiso de subcontratación de un tercero que sí la tiene, sin que quede limitado al ámbito de las instalaciones?

Contratación Administrativa Práctica, N° 107, Sección Usted Pregunta, Abril 2011, Editorial LA LEY

[LA LEY 373/2011]

Respuesta

En relación con las cuestiones formuladas, debemos decir lo siguiente; en primer lugar y por lo que respecta a la posibilidad de que exista colisión entre la Ley de Contratos de Sector Público (LCSP (LA LEY 10868/2007)), la Directiva 2004/18/CE (LA LEY 4245/2004) y el Reglamento General de la Ley de Contratos de las Administraciones Públicas (RGLCAP), aprobado por RD 1098/2001 (LA LEY 1470/2001), debemos concluir que no, por cuanto las dos primeras (LCSP (LA LEY 10868/2007) y Directiva) hacen referencia al mismo supuesto de hecho, en diferentes términos, eso sí, siendo incluso la Directiva más flexible en cuanto a la utilización de medios externos para la ejecución parcial de los contratos (Véase que la citada Directiva nada dice en relación con el porcentaje máximo de subcontratación).

Por su parte, la previsión reglamentaria no se opone tampoco al sentido expresado en la LCSP (LA LEY 10868/2007) ni la Directiva, sino que más bien precisa algunos de sus extremos, como por ejemplo la posibilidad de que dicha previsión esté contenida en los Pliegos (fíjese que dice «podrá establecerse en el pliego de cláusulas administrativas particulares la obligación del contratista) o que nos encontremos en supuestos en los que («como es el caso de determinadas instalaciones») una parte de las obras tenga que ser realizada por casas especializadas. En cualquier caso recordar que la naturaleza reglamentaria del RGLCAP impide su oposición directa a la LCSP (LA LEY 10868/2007), entendiéndose automáticamente anulada aquella parte del mismo que se apusiera en el fondo y la forma a la Ley, que no es el caso.

En relación con la segunda cuestión planteada, ni la LCSP en su art. 54 (LA LEY 10868/2007) ni el RGLCAP en su art. 36 establecen ningún tipo de limitación en cuanto al objeto de la parte del contrato a subcontratar, por lo que a contrario sensu debemos entender que cualquier objeto de los previstos en el art. 25 del RGLCS (del Grupo A hasta el Grupo K) es posible.

Finalmente, tal y como se desprende de la literalidad del RGLCAP («podrá establecerse en el pliego de cláusulas administrativas particulares la obligación del contratista») no sería necesario incluir dicha posibilidad en el Pliego, máxime cuando ni la propia LCSP (LA LEY 10868/2007) ni la Directiva de contratos públicos lo prevén. Simplemente bastaría con que el órgano de contratación pudiera acreditar fehacientemente el compromiso del empresario principal para con el empresario subcontratista habilitado al efecto de realización de los trabajos por parte de este último.

Artículo 66 *Exención de la exigencia de clasificación*

1. No será exigible la clasificación a los empresarios no españoles de Estados miembros de la Unión Europea, ya concurran al contrato aisladamente o integrados en una unión, sin perjuicio de la obligación de acreditar su solvencia.

2. Excepcionalmente, cuando así sea conveniente para los intereses públicos, la contratación de la Administración General del Estado y los entes organismos y entidades de ella dependientes con personas que no estén clasificadas podrá ser autorizada por el Consejo de Ministros, previo informe de la Junta Consultiva de Contratación Administrativa del Estado. En el ámbito de las Comunidades Autónomas, la autorización será otorgada por los órganos que éstas designen como competentes.

➡ **Concordancias normativas**

Artículo 55 de la LCSP 30/2007 y artículo 26 del TRLCAP RDL 2/2000.

Véase Disposición Adicional 6.ª de la presente Ley.

Artículo 67 *Criterios aplicables y condiciones para la clasificación*

1. La clasificación de las empresas se hará en función de su solvencia, valorada conforme a lo establecido en los artículos 75, 76 y 78, y determinará los contratos a cuya adjudicación puedan concurrir u optar por razón de su objeto y de su cuantía. A estos efectos, los contratos se dividirán en grupos generales y subgrupos, por su peculiar naturaleza, y dentro de estos por categorías, en función de su cuantía.

La expresión de la cuantía se efectuará por referencia al valor íntegro del contrato, cuando la duración de éste sea igual o inferior a un año, y por referencia al valor medio anual del mismo, cuando se trate de contratos de duración superior.

2. Para proceder a la clasificación será necesario que el empresario acredite su personalidad y capacidad de obrar, así como que se encuentra legalmente habilitado para realizar la correspondiente actividad, por disponer de las correspondientes autorizaciones o habilitaciones empresariales o profesionales y reunir los requisitos de colegiación o inscripción u otros semejantes que puedan ser necesarios, y que no está incurso en prohibiciones de contratar.

3. En el supuesto de personas jurídicas pertenecientes a un grupo de sociedades, y a efectos de la valoración de su solvencia económica, financiera, técnica o profesional, se podrá tener en cuenta a las sociedades pertenecientes al grupo, siempre y cuando la persona jurídica en cuestión acredite que tendrá efectivamente a su disposición, durante el plazo a que se refiere el artículo 70.2, los medios de dichas sociedades necesarios para la ejecución de los contratos.

☞ **Concordancias Jurisprudenciales**

Tribunal Superior de Justicia de Madrid, Sala de lo Contencioso-administrativo, Sección 3.ª, Sentencia de 25 Mar. 2009, rec. 1229/2007

[LA LEY 336386/2009]

CONTRATO ADMINISTRATIVO DE SERVICIOS. Conformidad a derecho de la denegación a la interesada de la clasificación como empresa de servicios. IFEMA es un organismo público constituido como un Consorcio por el Ayuntamiento de Madrid, la Comunidad de Madrid, la Cámara Oficial de Comercio e Industria y la Caja de Ahorros de Madrid, y, en consecuencia, es un órgano de contratación y no entidad contratista que pueda ser clasificada como empresa de servicios.

✉ Consultas

• **Valoración de la solvencia de las personas jurídicas pertenecientes a un grupo de sociedades**

Si una empresa de servicios decide crear filiales participadas al 100% en distintos lugares de España ¿pueden estas filiales presentar esa clasificación a licitaciones en las que participen?

Contratación Administrativa Práctica, Nº 93, Sección Usted Pregunta, Enero 2010, Editorial LA LEY

[LA LEY 4173/2009]

Respuesta

Para responder esta consulta, conviene en primer lugar, recordar qué debemos entender por grupo empresarial. En efecto, el artículo 42.1 del Código de Comercio: «existe un grupo cuando una sociedad ostente o pueda ostentar, directa o indirectamente, el control de otra u otras. En particular, se presumirá que existe control cuando una sociedad, que se calificará como dominante, se encuentre en relación con otra sociedad, que se calificará como dependiente, en alguna de las siguientes situaciones:

a) Posea la mayoría de los derechos de voto.

b) Tenga la facultad de nombrar o destituir a la mayoría de los miembros del órgano de administración.

c) Pueda disponer, en virtud de acuerdos celebrados con terceros, de la mayoría de los derechos de voto.

d) Haya designado con sus votos a la mayoría de los miembros del órgano de administración, que desempeñen su cargo en el momento en que deban formularse las cuentas consolidadas y durante los dos ejercicios inmediatamente anteriores. En particular, se presumirá esta circunstancia cuando la mayoría de los miembros del órgano de administración de la sociedad dominada sean miembros del órgano de administración o altos directivos de la sociedad dominante o de otra dominada por ésta. Este supuesto no dará lugar a la consolidación si la sociedad cuyos administradores han sido nombrados, está vinculada a otra en alguno de los casos previstos en las dos primeras letras de este apartado.

A los efectos de este apartado, a los derechos de voto de la entidad dominante se añadirán los que posea a través de otras sociedades dependientes o a través de personas que actúen en su propio nombre pero por cuenta de la entidad dominante o de otras dependientes o aquellos de los que disponga concertadamente con cualquier otra persona.»

Por su parte, y para responder a la cuestión planteada en la consulta, debemos acudir al artículo 56.3 de la LCSP que dispone expresamente que «en el supuesto de personas jurídicas perteneciente a un grupo de sociedades, y a efectos de la valoración de su solvencia económica, financiera, técnica o profesional, se podrá tener en cuenta a las sociedades pertenecientes al grupo, siempre y cuando la persona jurídica en cuestión acredite que tendrá efectivamente a su disposición, durante el plazo a que se refiere el artículo 59.2 (LA LEY 10868/2007), los medios de dichas sociedades necesarios para la ejecución de los contratos.»

El antecedente de este precepto es el artículo 15.1 del TRLCAP (LA LEY 2206/2000). Sin embargo, mientras en base a este precepto se podía tener en consideración las sociedades pertenecientes al grupo para valorar la solvencia o clasificación de la empresa dominante del grupo, el actual artículo 56.3 de la LCSP (LA LEY 10868/2007) prevé la posibilidad de tener en cuenta a las sociedades del grupo para la valoración de las solvencia o clasificación de cualquiera de de las sociedades del grupo y no únicamente para beneficio de la dominante. Esta modificación es coherente con lo dispuesto en el artículo 52 de la LCSP (LA LEY 10868/2007) que señala que «para acreditar la solvencia necesaria para celebrar un contrato determinado, el empresario podrá basarse en la solvencia y medios de otras entidades, independientemente de la naturaleza jurídica de los vínculos que tenga con ellas, siempre que demuestre que, para la ejecución del contrato, dispone efectivamente de esos medios.»

La Junta Consultiva de Contratación Administrativa se ha pronunciado también en este sentido con relación al artículo 15.1 del TRLCAP en su

Informe 10/02, de 13 de junio (LA LEY 27/2002), al que nos remitimos y en el que básicamente se afirma que este precepto recoge la doctrina sentada por la Sentencia del Tribunal de Justicia de las Comunidades Europeas de 14 de abril de 1994.

4. Se denegará la clasificación de aquellas empresas de las que, a la vista de las personas que las rigen o de otras circunstancias, pueda presumirse que son continuación o que derivan, por transformación, fusión o sucesión, de otras afectadas por una prohibición de contratar.

5. A los efectos de valorar y apreciar la concurrencia del requisito de clasificación, respecto de los empresarios que concurran agrupados en el caso del artículo 59, se atenderá, en la forma que reglamentaria-mente se determine, a las características acumuladas de cada uno de ellos, expresadas en sus respectivas clasificaciones. En todo caso, será necesario para proceder a esta acumulación que todas las empresas hayan obtenido previamente la clasificación como empresa de obras o de servicios, en relación con el contrato al que opten, sin perjuicio de lo establecido para los empresarios no españoles de Estados miembros de la Unión Europea en el apartado 4 del artículo 59.

☞ **Concordancias Jurisprudenciales**

Tribunal Administrativo Central de Recursos Contractuales, Resolución de 8 Jun. 2011, rec. 124/2011

[LA LEY 62382/2011]

CONTRATO ADMINISTRATIVO DE SERVICIOS. Adjudicación. Se declara la retrotracción de las actuaciones hasta el momento en que se produjo la exclusión de una sociedad mercantil del procedimiento de adjudicación de un contrato de servicio de mantenimiento integral de las instalaciones comunes de un edificio, y se declara proceder a la apertura de los sobres que contienen su oferta técnica y económica, a la valoración de las mismas y a su clasificación en el lugar que le corresponda entre el conjunto de licitadores, dado que, según informes de la Junta consultiva de contratación administrativa, la unión temporal de empresas que se formalizaría en caso de resultar adjudicatarias disponía de la clasificación requerida para participar en la licitación, aunque una de las empresas, la excluida, no se encontrase clasificada en el grupo y subgrupo exigidos en el pliego. La participación de cada sociedad mercantil sería del 50% y todas ellas se hallaban clasificadas como empresas de servicios, pudiendo acumularse las clasificaciones de las mismas.

✉ **Consultas**

• **Clasificación en las uniones temporales de empresas**

En relación a un contrato de obras en el que se pide clasificación, ¿todas las empresas de una UTE deben estar clasificadas en obras?

[11/03/2010 EC 857/2010]

Contestación

Parece que no existe duda de que, para proceder a la acumulación de clasificación, todas las empresas de la UTE deben estar clasificadas como de obras o de servicios según la naturaleza del contrato.

En este sentido se pronuncia el art. 52.1 del Reglamento General de la Ley de Contratos de las Administraciones Publicas (RCAP), aprobado por Real Decreto 1098/2001, de 12 de octubre (BOE del 26), que establece lo siguiente: «Será requisito básico para la acumulación de las características de cada uno de los integrantes en las uniones temporales de empresas, y en concreto para su clasificación por el órgano de contratación, por medio de la mesa de contratación, que todas las empresas que concurran a la licitación del contrato hayan obtenido previamente clasificación como empresas de obras o como empresas de servicios en función del tipo de contrato para el que sea exigible la clasificación.»

En idéntico sentido se pronuncia el art. 56.5 de la Ley 30/2007, de 30 de octubre (BOE del 31), de Contratos del Sector Público (LCSP), que dispone que, a los efectos de valorar y apreciar la concurrencia del requisito de clasificación, respecto de los empresarios que concurran agrupados en uniones temporales, se atenderá, en la forma que reglamentariamente se determine, a las características acumuladas de cada uno de ellos, expresadas en sus respectivas clasificaciones. En todo caso, será necesario para proceder a esta acumulación que todas las empresas hayan obtenido previamente la clasificación como empresa de obras o de servicios, en relación con el contrato al que opten.

Por lo tanto, no parece que exista la posibilidad de acumular las clasificaciones de cada una de las empresas para un contrato, si todas ellas no están clasificadas como empresas de obras. En este sentido se ha pronunciado también reiteradamente la Junta Consultiva de Contratación Administrativa.

Únicamente apuntar que, considerando que la nueva LCSP flexibiliza en gran media el requisito de la clasificación (por ejemplo el art. 54.1 permite suplir la clasificación con el compromiso del empresario de subcontratar a un empresario clasificado), consideramos que debería ser revisado este criterio para las uniones temporales de empresarios. Por otra parte, choca que en este caso el empresario pueda acudir individualmente y, sin embargo, no pueda acudir en unión temporal de empresas.

Concordancias a todo el artículo

➡ **Concordancias normativas**

Artículo 56 de la LCSP 30/2007 y artículos 15, 27, 30 y 31 del TRLCAP RDL 2/2000.

☞ **Concordancias Jurisprudenciales**

Audiencia Nacional, Sala de lo Contencioso-administrativo, Sección 3.ª, Sentencia de 5 May. 2011, rec. 639/2009

[LA LEY 49148/2011]

CONTRATO ADMINISTRATIVO DE OBRAS. Nulidad parcial de la licitación del contrato de obras de rehabilitación de Palacio de Justicia y del Pliego de Cláusulas Administrativas en el particular referente a la clasificación de los licitadores/contratistas. Se estableció una categoría superior a la que efectivamente corresponde por la cuantía del contrato, lo que de hecho redunda en restringir injustificadamente la competencia elevando los criterios de solvencia exigibles al contratista. El IVA no ha de formar parte del precio total del contrato a los efectos de determinación de la clasificación.

✉ **Consultas**

• **Clasificación de empresas y cuantía de los contratos**

El artículo 56.1 LCSP establece que a efectos de determinación de la cuantía se estará al valor medio anual para contratos de duración superior a un año y al valor íntegro del contrato para duraciones inferiores a un año. En el caso de que existan dos subgrupos: ¿Qué se entiende por categoría para cada uno de ellos, o mejor dicho, qué se entiende por valor

íntegro del contrato en ese caso?. Según el artículo 56.1, para duración inferior a 1 año se toma el valor íntegro del contrato. ¿Debe entenderse el valor total del contrato para cada uno de los dos subgrupos o bien la parte del presupuesto que le corresponde a cada uno de ellos incrementado en los gastos generales y beneficio industrial sin IVA?.

Contratación Administrativa Práctica, N° 92, Sección Usted Pregunta, Diciembre 2009, Editorial LA LEY

[LA LEY 4061/2009]

Respuesta

El artículo 56 de la LCSP (LA LEY 10868/2007) establece los criterios y condiciones legales aplicables para la clasificación de las empresas y a dichos efectos clasifica los contratos en grupos generales y subgrupos en función de su peculiar naturaleza. Dentro de cada subgrupo los contratos a su vez se agrupan en diferentes categorías atendiendo a su cuantía.

Ahora bien la cuantía del contrato puede deducirse de dos modos:

a) Cuando la duración del contrato sea igual o inferior a un año la cuantía es igual al valor íntegro del contrato.

b) Cuando la duración del contrato sea superior a un año la cuantía del contrato será igual al valor medio anual del mismo.

En el caso en que se exija la clasificación en varios subgrupos debe fijarse la categoría en cada uno de ellos teniendo en cuenta tanto los importes parciales como los plazos parciales que correspondan a cada una de las partes de obra originaria de los diversos subgrupos existentes.

Hay que tener en cuenta que cuando las obras presentan partes fundamentalmente diferenciadas y cada una de ellas corresponda a distintos tipos de obra de diferentes subgrupos se exige la clasificación en todos ellos.

Artículo 68 *Competencia para la clasificación*

1. Los acuerdos relativos a la clasificación de las empresas se adoptarán, con eficacia general frente a todos los órganos de contratación, por las Comisiones Clasificadoras de la Junta Consultiva de Contratación Administrativa del Estado. Estos acuerdos podrán ser objeto de recurso de alzada ante el Ministro de Economía y Hacienda.

2. Los órganos competentes de las Comunidades Autónomas podrán adoptar decisiones sobre clasificación de las empresas que serán eficaces, únicamente, a efectos de contratar con la Comunidad Autónoma que los haya adoptado, con las Entidades locales incluidas en su ámbito territorial, y con los entes, organismos y entidades del sector público dependientes de una y otras. En la adopción de estos acuerdos, deberán respetarse, en todo caso, las reglas y criterios establecidos en esta Ley y en sus disposiciones de desarrollo.

➡ **Concordancias normativas**

Artículo 57 de la LCSP 30/2007 y artículo 28 del TRLCAP RDL 2/2000.

Véanse los artículos 4 a 7 del R.D. 817/2009, de 8 de mayo, por el que se desarrolla parcialmente la Ley 30/2007, de 30 de octubre, de Contratos del Sector Público («B.O.E». 15 mayo).

Artículo 69 *Inscripción registral de la clasificación*

Los acuerdos relativos a la clasificación de las empresas se inscribirán de oficio en el Registro Oficial de Licitadores y Empresas Clasificadas que corresponda en función del órgano que los hubiese adoptado.

➡ **Concordancias normativas**

Artículo 58 de la LCSP 30/2007 y artículo 34 del TRLCAP RDL 2/2000.

Véanse artículos 326 a 332 de la presente Ley.

Artículo 70 *Plazo de vigencia y revisión de las clasificaciones*

1. La clasificación de las empresas tendrá una vigencia indefinida en tanto se mantengan por el empresario las condiciones y circunstancias en que se basó su concesión.

2. No obstante, y sin perjuicio de lo señalado en el apartado 3 de este artículo y en el artículo siguiente, para la conservación de la clasificación deberá justificarse anualmente el mantenimiento de la solvencia económica y financiera y, cada tres años, el de la solvencia técnica y profesional, a cuyo efecto el empresario aportará la correspondiente documentación actualizada en los términos que se establezcan reglamentariamente.

➡ **Concordancias normativas**

Véase artículo 67.3 de la presente Ley.

3. La clasificación será revisable a petición de los interesados o de oficio por la Administración en cuanto varíen las circunstancias tomadas en consideración para concederla.

4. En todo caso, el empresario está obligado a poner en conocimiento del órgano competente en materia de clasificación cualquier variación en las circunstancias que hubiesen sido tenidas en cuenta para concederla que pueda dar lugar a una revisión de la misma. La omisión de esta comunicación hará incurrir al empresario en la prohibición de contratar prevista en la letra e) del apartado 1 del artículo 60.

Concordancias a todo el artículo

➡ **Concordancias normativas**

Artículo 59 de la LCSP 30/2007 y artículo 29 del TRLCAP RDL 2/2000.

☞ **Concordancias Jurisprudenciales**

Audiencia Nacional, Sala de lo Contencioso-administrativo, Sección 5.ª, Sentencia de 11 May. 2011, rec. 853/2009

[LA LEY 75391/2011]

PROCESO CONTENCIOSO-ADMINISTRATIVO. Inadmisión del recurso contra resolución de la Ministra de Defensa por la que se resuelve contrato administrativo de servicio de limpieza. Al tratarse de un acto de trámite, ni decide el fondo del asunto, ni impide continuar el procedimiento y no permite su impugnación. El incumplimiento del contratista está acreditado, por otra parte no negado por éste, y el expediente de resolución se ha tramitado con todas las garantías legales e informes preceptivos.

Tribunal Superior de Justicia de Cantabria, Sala de lo Contencioso-administrativo, Sentencia de 12 Ene. 2010, rec. 329/2009

[LA LEY 168844/2010]

CONTRATO ADMINISTRATIVO DE SUMINISTROS. Reclamación de facturas e intereses de demora de suministro de productos farmacéuticos. PROCEDIMIENTO CONTENCIOSO-ADMINISTRATIVO. Impugnación de acto presunto. Plazo de interposición del recurso. El incumplimiento de resolver por la Administración impide que pueda invocarse la falta de agotamiento de la previa vía administrativa en base al principio de tutela judicial efectiva y por razones de economía procesal; doctrina jurisprudencial aplicable. RECURSO DE APELACIÓN CONTENCIOSO-ADMINISTRATIVO. Irrecurribilidad por razón de la cuantía. COMPETENCIA JUDICIAL. Competencia del Juzgado Contencioso-Administrativo en razón a la cuantía de lo reclamado. Imposibilidad de pronunciamiento sobre el fondo del asunto por la Sala del Tribunal Superior de Justicia; devolución de actuaciones al Juzgado.

⊠ **Consultas**

• **Vigencia y renovación de la clasificación de empresas**

Nos surge una duda con relación a la clasificación de empresa en la Junta Consultiva. Ahora a las empresas que se han clasificado en el año 2008 a los tres años hay que presentar la solvencia técnica y profesional de la empresa y preguntamos, ya que reglamentariamente no hay datos aún, si es mejor hacer un expediente de clasificación ya que así se comprende todo lo que puede ser exigible, en especial lo relacionado con la solvencia técnica de la empresa y también la profesional.

Contratación Administrativa Práctica, Nº 111, Sección Usted Pregunta, Septiembre 2011, Editorial LA LEY

[LA LEY 1009/2011]

Respuesta

Debemos decir que, efectivamente, de conformidad con el art. 59 de la LCSP (LA LEY 10868/2007), la clasificación de las empresas tendrá una vigencia indefinida en tanto se mantengan por el empresario las condiciones y circunstancias en que se basó su concesión. No obstante, para la conservación de la clasificación deberá justificarse anualmente el mantenimiento de la solvencia económica y financiera y, cada tres años, el de la solvencia técnica y profesional, a cuyo efecto el empresario aportará la correspondiente documentación actualizada en los términos que se establezcan reglamentariamente.

Siendo que reglamentariamente todavía no se ha establecido el procedimiento a partir del cual el empresario debe aportar la documentación actualizada relativa a su solvencia técnica o profesional, debería solicitarse de nuevo la clasificación a la Junta Consultiva correspondiente, a los efectos de que ésta acredite, de nuevo, que se superan los umbrales mínimos de solvencia técnica requeridos para los tipos de contratos a los que se pretende licitar.

- **Vigencia de la clasificación de las empresas**

¿Cuándo se considera que la clasificación tiene vigencia indefinida conforme indica el art. 59.1 LCSP?

[21/09/2011 EC 2104/2011]

Contestación

En relación con la cuestión suscitada, debemos decir, en primer lugar, que, con respecto al contenido del art. 59 de la Ley 30/2007, de 30 de octubre (LA LEY 10868/2007)(BOE del 31), de Contratos del Sector Público (LCSP (LA LEY 10868/2007)) —en cuanto declara indefinido el plazo de vigencia de las clasificaciones otorgadas, si bien exige que se acredite anualmente el mantenimiento de la solvencia económica y financiera y cada tres años el de la solvencia técnica y profesional— no existe norma de carácter transitorio que establezca el régimen de aplicación de esta modificación, por lo que ello significa que deberá considerarse que entró en vigor al mismo tiempo que el resto de la Ley.

Sin embargo, para el mantenimiento del respeto a los derechos adquiridos por los licitadores, deberá entenderse que las clasificaciones concedidas con arreglo a la normativa anterior subsistirán manteniendo el plazo de duración establecido en ella. Por el contrario, las clasificaciones que se soliciten por primera vez con posterioridad a la entrada en vigor de la Ley, o por haberse causado su caducidad a partir de la misma fecha, tendrán duración indefinida y quedarán sujetas a los requisitos de acreditación del mantenimiento de la solvencia económica, financiera y técnica en los términos establecidos en la LCSP (LA LEY 10868/2007).

Entonces, ¿cuándo se considera que la clasificación tiene vigencia indefinida conforme indica el art. 59.1 LCSP? Pues, para que la clasificación de una empresa sea indefinida, deberá tener fecha de emisión posterior a la entrada en vigor de la LCSP (LA LEY 10868/2007); esto es, 1 de mayo de 2008. Pues a partir de ese momento es cuando «se mantienen por el empresario las condiciones y circunstancias en que se basó su concesión»; y sólo a partir de ese momento es cuando vale con justificar la solvencia económica-financiera anualmente y la solvencia técnico-profesional cada tres años.

Dicho lo cual, deberá ser el órgano de contratación quien exija a las empresas certificado acreditativo de haber realizado dicho trámite ante la JCCA en relación con la «actualización» de sus clasificaciones.

Finalmente, podemos decir que la JCCA ha establecido el procedimiento para la justificación anual de la solvencia económica y financiera (SEF) de las empresas clasificadas. En este momento deberían justificar la solvencia, aportando los datos correspondientes a las últimas cuentas (ejercicio 2010).

Las características principales a tener en cuenta son:

1. La empresa debe tener presentadas las cuentas en el registro.

2. El Administrador o representante legal de la empresa tiene que disponer obligatoriamente de firma electrónica de personas jurídicas (a ser posible, el mismo representante que firmó la solicitud de clasificación ante la Junta Consultiva).

3. Dicha justificación se debe presentar antes del 1 de septiembre.

Artículo 71 *Comprobación de los elementos de la clasificación*

Los órganos competentes en materia de clasificación podrán solicitar en cualquier momento de las empresas clasificadas o pendientes de clasificación los documentos que estimen necesarios para comprobar las declaraciones y hechos manifestados por las mismas en los expedientes que tramiten, así como pedir informe a cualquier órgano de las Administraciones públicas sobre estos extremos.

➡ **Concordancias normativas**

Artículo 60 de la LCSP 30/2007 y artículo 32 del TRLCAP RDL 2/2000.

Véase artículo 59.2 de la presente Ley.

Sección 2

Acreditación de la aptitud para contratar

Subsección 1

Capacidad de obrar

Artículo 72 *Acreditación de la capacidad de obrar*

1. La capacidad de obrar de los empresarios que fueren personas jurídicas se acreditará mediante la escritura o documento de constitución, los estatutos o el acto fundacional, en los que consten las normas por las que se regula su actividad, debidamente inscritos, en su caso, en el Registro público que corresponda, según el tipo de persona jurídica de que se trate.

☞ Concordancias Jurisprudenciales

Tribunal Superior de Justicia de Madrid, Sala de lo Social, Sección 5.ª, Sentencia de 24 Nov. 2011, rec. 6192/2010

[LA LEY 270726/2011]

CONTRATO DE TRABAJO. Exclusiones. CONTRATOS ADMINISTRATIVOS. Naturaleza del contrato. Criterios de determinación. JURISDICCIÓN CONTENCIOSO-ADMINISTRATIVA. Competencia según la materia. Cuestiones referentes a la relación laboral. JURISDICCIÓN SOCIAL. Relación con otras jurisdicciones. De orden interno. Jurisdicción Contencioso-Administrativa. -- Competencia por el carácter de la relación de trabajo. Relación administrativa o estatutaria. Administración del Estado.

Tribunal Administrativo Central de Recursos Contractuales, Resolución de 26 Oct. 2011, rec. 226/2011

LA LEY 213187/2011

CONTRATO ADMINISTRATIVO DE SERVICIOS. De diseño, ejecución y evaluación de prueba objetiva ECOE para acceso excepcional al título de médico especialista en medicina familiar y comunitaria. Exclusión de la empresa recurrente del proceso de licitación, por no acreditar que su objeto social se adecuara al objeto del contrato. RECURSO ESPECIAL EN

MATERIA DE CONTRATACIÓN. Desestimación. Correcta actuación de la mesa de contratación, al requerir que la empresa recurrente acreditase, a través de sus estatutos o de cualquier modificación de los mismos, que su objeto social era adecuado al objeto del contrato en licitación. Con tal actuación no se pretendía que la empresa modificase sus estatutos en el plazo de subsanación, ni de que se realizase tal modificación para cumplir las exigencias de cada contrato a los que pretenda licitar, como errónea-mente planteaba la recurrente. Aunque la empresa recurrente licitara de forma conjunta con otra entidad que sí tiene experiencia en la materia, cada una de las empresas de la UTE debe acreditar su capacidad y su solvencia, independientemente de la posible acumulación posterior.

Tribunal Superior de Justicia del País Vasco, Sala de lo Contencioso-administrativo, Sección 1.ª, Sentencia de 30 Jul. 2010, rec. 935/2008

[LA LEY 203836/2010]

CONTRATOS ADMINISTRATIVOS. Administración autonómica. Indem-nización por los daños y perjuicios ocasionados por la no adjudicación de un contrato administrativo. No se ha acreditado que el requisito de la sol-vencia económica concurra en el adjudicatario, pues la sociedad dominada afirma de manera implícita que cuenta con el nivel global de negocio en los tres años anteriores que ha tenido el grupo, sin que exista en el expediente declaración ni compromiso alguno de la sociedad dominante acerca de la medida en que la solvencia que esa mayor actividad de negocios implica va a poder ser utilizada por la sociedad filial, cuando ella por sí sola, no alcanza el nivel de acreditación de solvencia que el pliego requiere, siendo causa de nulidad de la adjudicación del contrato. Debiendo el contrato ser adjudicado a la mercantil recurrente, como único licitador que superaba la fase de admisión de proposiciones, y justificado que su ejecución se ha culminado actualmente, procede reconocer la indemnización sustitutoria.

✉ **Consultas**

• **Posibilidad de que una sociedad civil celebre contratos con las administraciones públicas.**

Presentada a licitación una sociedad civil cuyos acuerdos sociales han sido elevados a escritura pública, ¿debe exigirse su inscripción en un Registro Público?

[30/07/2008 EC 2445/2008]

Contestación

En la vida observamos cómo se dan supuestos de hecho en los que hay una pluralidad de personas que se agrupan para conseguir un fin común a todas ellas. El derecho concede o reconoce en numerosos casos la personalidad jurídica a esa agrupación de personas, por lo que puede decirse que la persona jurídica es siempre obra del Estado. Consecuentemente, podemos decir que son personas jurídicas las realidades sociales a las que el Estado reconoce o atribuye individualidad propia, distinta de los elementos componentes sujetos de derechos y deberes y con una capacidad de obrar en el tráfico por medio de sus órganos o representantes. Ahora bien, ¿cualquier persona jurídica puede contratar con la Administración Pública?

La idea de persona jurídica, tradicionalmente reservada a las realidades sociales que persiguen un interés público, se aplica a partir del siglo XIX al contrato de sociedad. La unión de personas con la puesta en común de bienes para un fin de lucro es considerada como persona jurídica. Se produce el nacimiento de un patrimonio distinto del de los asociados.

Nuestro Código Civil, art. 35, sólo considera personas jurídicas, numerus clausus, a las corporaciones, asociaciones y fundaciones de interés público y a las asociaciones de interés particular, entre las que se encuentran las sociedades civiles o mercantiles que persiguen un fin de lucro o ganancia partible entre los socios. Se atribuye con gran generosidad esta personalidad a la sociedad civil, siempre que no se mantengan sus pactos secretos entre los asocios (art. 1669), en cuyo caso se regirían por las disposiciones relativas a las comunidades de bienes. Por su parte, el Código de Comercio atribuye la personalidad a las sociedades mercantiles que se constituyan en escritura pública y se inscriban en el Registro Mercantil.

En relación con la capacidad jurídica y de obrar de las personas jurídicas, el CC la reconoce ampliamente en el art. 38.1. En el art. 35 considera como tales las asociaciones de interés particular, sean civiles, mercantiles o industriales a las que las ley conceda personalidad jurídica propia, independiente de cada uno de los asociados, señalando en el art. 36 que esas asociaciones se regirán por las reglas del contrato de sociedad, según la naturaleza de éste.

Como antes enunciábamos, la sociedad civil goza de personalidad jurídica siempre que sus pactos no se mantengan secretos entre los socios. Frase que interpretada literalmente significa no sólo que el tercero que se relaciona con la sociedad conozca o pueda conocer su existencia, sino también todos los pactos del contrato social. Pero el Código Civil no impone ni organiza ningún Registro Público donde pueda inscribirse una sociedad civil, por lo que el conocimiento de los pactos por esa vía normal está cerrado. No cabe más que la publicidad que le quiera dar el propio socio al contratar.

Sentado lo anterior, el art. 1670 CC establece que las sociedades civiles, por el objeto a que se consagren, pueden revestir todas las formas reconocidas por el Código de Comercio, y que en tal caso les serán de aplicación sus disposiciones en cuanto no se opongan a las del Código Civil. El criterio de distinción entre las sociedades civiles y las sociedades mercantiles, según el citado art. 1670 radica, pues, en el objeto a que se consagren. De esta suerte, si la sociedad realiza actos mercantiles o actos de comercio, será sociedad mercantil y se le aplicarán las normas correspondientes. En caso contrario, la sociedad será civil. Sin embargo, el criterio formal aparece en el art. 116 del Código de Comercio, que es anterior al Código Civil, cuando dice que el contrato de compañía será mercantil cualquiera que fuera su clase siempre que se haya constituido con arreglo a las disposiciones de este Código, y resplandece en el art. 3 del Texto Refundido de la Ley de Sociedades Anónimas (TRLSA), aprobado por Real Decreto Legislativo 1564/1989, de 22 de diciembre (EC 115/1990), conforme al cual la sociedad anónima, cualquiera que sea su objeto, tendrá carácter mercantil, y en cuanto no se rija por disposiciones que le sean específicamente aplicables queda sometida a los preceptos de dicha Ley, lo que se repite en el art. 3 de la Ley 2/1995, de 23 de marzo (EC 2296/1995), de Sociedades de Responsabilidad Limitada (LSRL).

En definitiva, en nuestro derecho positivo la solución del problema tiene que obtenerse conjugando adecuadamente los dos factores que antes se han expuesto. Por ello, si la sociedad se constituye regularmente y adopta alguno de los tipos reconocidos por la legislación mercantil, debe calificarse como sociedad mercantil. No obstante, a tenor del art. 1670, si la sociedad es civil por su objeto, sólo le son aplicables las disposiciones de la legislación mercantil en cuanto no se opongan a las del Código Civil, salvo si el tipo elegido es la sociedad anónima o de responsabilidad limitada. Aquí la forma prejuzga totalmente el carácter mercantil y queda sometida a la legislación especial.

Por otro lado, el art. 43.1 de la Ley 30/2007, de 30 de octubre (EC 3697/2007), de Contratos del Sector Público (LCSP), establece que sólo podrán contratar con el sector público quienes, entre otras condiciones, tengan plena capacidad de obrar, capacidad que, para su acreditación, el artículo 61.1 de la misma norma exige la escritura o documento de constitución, los estatutos o el acto fundacional, en los que consten las normas por las que se regula su actividad, debidamente inscrito, en su caso, en el Registro Público que corresponda, según el tipo de persona jurídica de que se trate. Y como anteriormente decíamos, el Código Civil no impone ni organiza ningún Registro Público donde pueda inscribirse una sociedad civil, por lo que no se cumple el requisito exigido para que una persona jurídica contrate con la Administración.

Como colofón hemos de referirnos a la Resolución de la Dirección General de los Registros y del Notariado de 28 de junio de 1985, que niega que una sociedad constituida para realizar actos de comercio pueda adoptar la forma de sociedad civil. Por ello, si el contrato tiene esa naturaleza, a nuestro entender la referida sociedad tiene vedada la posibilidad de contratar con la Administración.

2. La capacidad de obrar de los empresarios no españoles que sean nacionales de Estados miembros de la Unión Europea se acreditará por su inscripción en el registro procedente de acuerdo con la legislación del Estado donde están establecidos, o mediante la presentación de una declaración jurada o un certificado, en los términos que se establezcan reglamentariamente, de acuerdo con las disposiciones comunitarias de aplicación.

☞ **Concordancias Jurisprudenciales**

Tribunal Administrativo Central de Recursos Contractuales, Resolución de 14 Sep. 2011, rec. 191/2011

[LA LEY 191918/2011]

CONTRATO ADMINISTRATIVO DE SERVICIOS. Adjudicación de contrato de solución integral para la externalización de los sistemas ERP de Correos. RECURSO ESPECIAL EN MATERIA DE CONTRATACIÓN. Estimación parcial. Incorrecta motivación del acto de adjudicación. La entidad contratante, si bien ha practicado correctamente la notificación genérica, al no suministrar la información complementaria solicitada por la interesada, no ha cumplido con los requisitos que en cuanto a información a los licitadores se contemplan en la Ley, no permitiendo que pueda interponer reclamación adecuadamente fundada frente a la adjudicación realizada. Deben retrotraerse las actuaciones hasta el momento anterior a la notificación de la adjudicación, al objeto de que la misma se notifique debidamente motivada a todos los licitadores.

3. Los demás empresarios extranjeros deberán acreditar su capacidad de obrar con informe de la Misión Diplomática Permanente de España en el Estado correspondiente o de la Oficina Consular en cuyo ámbito territorial radique el domicilio de la empresa.

Concordancias a todo el artículo

➡ **Concordancias normativas**

Artículo 61 de la LCSP 30/2007 y artículo 15 del TRLCAP RDL 2/2000.

Véase artículo 35 del Código Civil.

☞ **Concordancias Jurisprudenciales**

Audiencia Nacional, Sala de lo Contencioso-administrativo, Sección 1.ª, Sentencia de 19 Dic. 2011, rec. 459/2010

[LA LEY 260804/2011]

CONTRATO ADMINISTRATIVO DE SERVICIOS. Nulidad de la adjudicación del contrato de servicios para asistencia psicológica a la Fundación Universitaria. La exigencia de motivación o justificación de adjudicación no ha sido cumplida, al echarse de menos, a lo largo de tal proceso de adjudicación, razonamiento alguno sobre los criterios utilizados para asignar la puntuación a cada uno de los aspectos valorados, el método de ponderación y su relación con la oferta presentada por cada licitador. Dado el tiempo transcurrido y que el contrato se halla totalmente ejecutado, procede la indemnización de daños y perjuicios a la interesada, en función de los beneficios que hubiera obtenido de haber sido adjudicataria del servicio.

Subsección 2

Prohibiciones de contratar

Artículo 73 *Prueba de la no concurrencia de una prohibición de contratar*

1. La prueba, por parte de los empresarios, de no estar incursos en prohibiciones para contratar podrá realizarse mediante testimonio judicial o certificación administrativa, según los casos. Cuando dicho documento no pueda ser expedido por la autoridad competente, podrá ser sustituido por una declaración responsable otorgada ante una autoridad administrativa, notario público u organismo profesional cualificado.

☞ Concordancias Jurisprudenciales

Tribunal Administrativo Central de Recursos Contractuales, Resolución de 14 Sep. 2011, rec. 184/2011

[LA LEY 179913/2011]

CONTRATO ADMINISTRATIVO DE SERVICIOS. Nulidad parcial de los pliegos del procedimiento de contratación relativo al «Contrato de Contrato de suministro de ordenadores personales, estaciones de trabajo, monitores, ordenadores portátiles, servidores, unidades de backup, cabinas de disco y armarios rack». RECURSO ESPECIAL EN MATERIA DE CONTRATACIÓN. Estimación. La cláusula relativa a la solvencia económica y financiera de los licitadores y los fabricantes de los bienes a suministrar no guarda proporción con el objeto del contrato. El pliego exige para el licitador una cifra de negocio 25 veces superior durante cada uno de los tres últimos años al importe máximo de licitación. La necesidad, ante la situación económica actual, de eliminar cualquier riesgo en el suministro de los bienes a contratar, contando con un suministrador con una alta capacidad financiera para soportar la forma de pago, exigencias y penalidades definidas en el pliego no justifica que se exija una cifra de negocio tan elevada en relación con el importe del contrato. Otro tanto cabe decir en cuanto a la cifra de negocio exigida al fabricante, al que se le exige 100 millones de euros, sin que lo justifique el deseo de que el fabricante tenga presencia mundial, ya que esto podría haberse garantizado a través de otros medios. En el pliego de prescripciones técnicas debería haberse admitido la posibilidad de acreditar la calidad medioambiental requerida por otros medios de prueba distintos del Certificado EPEAT GOLD.

2. Cuando se trate de empresas de Estados miembros de la Unión Europea y esta posibilidad esté prevista en la legislación del Estado respectivo, podrá también sustituirse por una declaración responsable, otorgada ante una autoridad judicial.

Concordancias a todo el artículo

→ **Concordancias normativas**

Artículo 62 de la LCSP 30/2007 y artículo 21 del TRLCAP RDL 2/2000.

☞ **Concordancias Jurisprudenciales**

Tribunal Superior de Justicia del País Vasco, Sala de lo Contencioso-administrativo, Sección 1.ª, Sentencia de 30 Jul. 2010, rec. 935/2008

[LA LEY 203836/2010]

CONTRATOS ADMINISTRATIVOS. Administración autonómica. Indemnización por los daños y perjuicios ocasionados por la no adjudicación de un contrato administrativo. No se ha acreditado que el requisito de la solvencia económica concurra en el adjudicatario, pues la sociedad dominada afirma de manera implícita que cuenta con el nivel global de negocio en los tres años anteriores que ha tenido el grupo, sin que exista en el expediente declaración ni compromiso alguno de la sociedad dominante acerca de la medida en que la solvencia que esa mayor actividad de negocios implica va a poder ser utilizada por la sociedad filial, cuando ella por sí sola, no alcanza el nivel de acreditación de solvencia que el pliego requiere, siendo causa de nulidad de la adjudicación del contrato. Debiendo el contrato ser adjudicado a la mercantil recurrente, como único licitador que superaba la fase de admisión de proposiciones, y justificado que su ejecución se ha culminado actualmente, procede reconocer la indemnización sustitutoria.

⊠ **Consultas**

• **CONTRATACIÓN LOCAL. Prohibición de contratar. FUNCIONARIOS CON HABILITACIÓN NACIONAL. Secretario. No es una función del Secretario el que se otorgue ante él una declaración responsable para presentarlo ante otra Administración pública**

¿Puede el Secretario dar fe de las declaraciones responsables de empresarios, para que surtan efectos en licitaciones de otras Administraciones?

[06/02/2012 EC 286/2012]

Contestación

El art. 73 del Real Decreto Legislativo 3/2011, de 14 de noviembre (LA LEY 21158/2011) (BOE del 16), por el que se aprueba el Texto Refundido de la Ley de Contratos del Sector Público (LA LEY 21158/2011) (TR LCSP), al igual que hacían sus predecesores, dispone que la prueba, por parte de los empresarios, de no estar incursos en prohibiciones para contratar podrá realizarse mediante testimonio judicial o certificación administrativa, según los casos. Cuando dicho documento no pueda ser expedido por la autoridad competente, podrá ser sustituido por una declaración responsable otorgada ante una autoridad administrativa, notario público u organismo profesional cualificado.

Ya el Informe 35/1995, de 24 de octubre de 1995, de la Junta Consultiva de Contratación Administrativa, «Tener la consideración de organismo profesional cualificado a los efectos de extender el otorgamiento de declaración responsable a que se refiere la Ley de Contratos de las Administraciones Públicas», señalaba que la referencia a «organismo profesional cualificado» que recoge la Ley de Contratos de las Administraciones Públicas —y recogía la Ley de Contratos del Estado— ha sido exclusivamente motivada por la necesidad de incorporar el contenido de las Directivas comunitarias y prever situaciones que pueden darse en otros países, comunitarios o no, pero sin que dicha referencia tenga sentido respecto a empresarios españoles, dado que, según resulta del art. 80.2, b), de la Ley de Contratos de las Administraciones Públicas, la declaración responsable ha de realizarse, y por otra parte es suficiente que se realice, ante el órgano de contratación, como así lo puso de relieve esta Junta Consultiva de Contratación Administrativa en su Recomendación de 23 de marzo de 1988, cuya doctrina debe darse por reproducida pues, aun refiriéndose a la legislación de contratos del Estado entonces vigente, el supuesto de hecho contemplado por la norma es idéntico al que incorpora el art. 25.1 de la Ley de Contratos de las Administraciones Públicas.

Por su parte, Guillermo Lago Núñez, en su artículo «Sobre el sobre b: consideraciones acerca de la capacidad, la solvencia y las prohibiciones para contratar con las administraciones públicas» publicado en la revista Contratación Administrativa Práctica, n.° 23, de 2003, señala que «se ha suscitado si esta declaración responsable debe acreditar que se ha otorgado ante autoridad administrativa, notario público u organismo profesional cualificado o, por el contrario, se considera suficiente que se realice ante el propio órgano de contratación, lo que la JCCA ha expuesto en su informe de 14 de julio de 1997 y, reiterado, el 3 de julio de 2001 (informe 23/01) en el sentido de que es suficiente la declaración responsable ante el propio órgano de contratación ya que el mismo debe considerarse autoridad administrativa.

Por tanto la constatación por parte de la Mesa de Contratación de que el licitador en nombre propio, en la representación que ostente y con extensión a las personas que pudieran verse afectadas por las limitaciones para contratar, no está incurso en la prohibición de contratar solo puede efectuarse a la vista del testimonio judicial o certificación administrativa (y cuando dicha documentación no pueda ser expedida por la autoridad competente se podrá sustituir por una declaración responsable otorgada ante una autoridad administrativa —entendiendo por tal el propio órgano de contratación—, notario público u organismo profesional cualificado) de conformidad con el art. 21.5 del TRLCAP.»

Partiendo de estas consideraciones, entendemos que no es una función del Secretario de un Ayuntamiento el que se otorgue ante él una declaración responsable para presentarlo ante otra Administración pública. Máxime si tenemos en cuenta que, como señala la Junta Consultiva de Contratación Administrativa, basta que esa declaración responsable se presente ante el propio órgano de contratación.

Subsección 3

Solvencia

Artículo 74 *Medios de acreditar la solvencia*

1. La solvencia económica y financiera y técnica o profesional se acreditará mediante la aportación de los documentos que se determinen por el órgano de contratación de entre los previstos en los artículos 75 a 79.

☞ **Concordancias Jurisprudenciales**

Tribunal Administrativo Central de Recursos Contractuales, Resolución de 19 Oct. 2011, rec. 197/2011

[LA LEY 211680/2011]

CONTRATO ADMINISTRATIVO DE SERVICIOS. Adjudicación de contrato de servicio de contrato de servicios de mantenimiento integral de equipos de electro-medicina para el Hospital Gómez Ulla. RECURSO ESPECIAL EN MATERIA DE CONTRATACIÓN. Estimación parcial. Nulidad de la adjudicación, por falta de motivación del informe del vocal técnico en que se fundó la adjudicación. El informe se limita a referir una mera asignación de puntos, sin hacer una descripción de las ofertas ni del proceso de aplicación a aquellas de los criterios de valoración fijados en el Pliego y que motivan la asignación de puntos expresada.

Tribunal Administrativo Central de Recursos Contractuales, Resolución de 23 Mar. 2011, rec. 052/2011

[LA LEY 14687/2011]

CONTRATO ADMINISTRATIVO DE SERVICIOS. Para la redacción del proyecto básico y de ejecución de obras y estudio de seguridad y salud, así como dirección facultativa y coordinación en materia de seguridad y salud de unas obras. Adjudicación. Se confirma la exclusión de una sociedad mercantil del procedimiento de licitación del citado contrato de servicios, dado que el asesor de instalaciones propuesto, ingeniero de telecomunicaciones, no cumplía con la titulación exigida, que era la de ingeniero industrial. La proposición del licitador debía ajustarse tanto al pliego de cláusulas administrativas particulares como al de prescripciones técnicas como documento que contenía la definición del objeto del contrato, siendo necesaria la verificación de que las titulaciones del personal encargado de la ejecución del trabajo se ajustaran a los requisitos exigidos en el pliego de prescripciones técnicas. La admisión de la documentación en la fase de calificación administrativa no significaba que tuviese que darse por buena en la fase de valoración técnica.

Tribunal Administrativo Central de Recursos Contractuales, Resolución de 19 Ene. 2011, rec. 043/2010

[LA LEY 14673/2011]

CONTRATO ADMINISTRATIVO DE SUMINISTROS. Conformidad a derecho de la adjudicación provisional del suministro e instalación de equipos de radiosondeo para la Agencia Estatal de Metereología. No se aprecia incumplimiento de los principios de igualdad y no discriminación entre los candidatos, por cuanto se admite cualquier equipo compatible con las radiosondas utilizadas por la Agencia y que estén en condiciones de uso. Supuesto en el que, dado el objeto del contrato se permite excepcionar las prohibiciones del artículo 101 Ley Contratos del Sector Público. Examen de la oferta de la adjudicataria, que no puede calificarse de anormal o desproporcionada respecto de lo indicado en el pliego de cláusulas administrativas particulares. Análisis de los medios para acreditar la solvencia técnica en los contratos de suministros, mediante certificados expedidos o visados por el órgano competente, cuando el destinatario sea una entidad del sector público o cuando el destinatario sea un comprador privado, mediante un certificado expedido por éste o, a falta de este certificado, mediante una declaración del empresario. En el caso concreto, y examinada la documentación aportada por la recurrente, se aprecia falta de la justificación de la solvencia técnica, pues los suministros que se relacionan no son similares a los del objeto del contrato y además no se acreditan con el correspondiente certificado.

Tribunal Administrativo Central de Recursos Contractuales, Resolución de 16 Feb. 2011, rec. 014/2011

[LA LEY 14642/2011]

CONTRATO ADMINISTRATIVO DE CONSULTORÍA Y ASISTENCIA. Pliego de cláusulas particulares que ha de regir la contratación, por procedimiento abierto, de los trabajos de consultoría y asistencia técnica al proceso de expropiaciones de los bienes y derechos afectados por las obras de ampliación y mejora del sistema de abastecimiento de una Mancomunidad de Aguas. RECURSO ESPECIAL EN MATERIA DE CONTRATACIÓN. Estimación parcial. Nulidad de la exigencia de acreditación del cumplimiento de normas de gestión medioambiental. Visto el objeto del contrato, actuaciones de carácter técnico, es totalmente innecesario que las empresas licitadoras deban disponer de normas de gestión medioambiental. Su exigencia supone una discriminación de unas empresas frente a otras, lo cual afecta claramente al Principio de concurrencia consagrado en la contratación pública.

✉   **Consultas**

• **Acreditación de la solvencia en los contratos de suministro exigida en el artículo 66.1.a LCSP**

En relación con los medios para acreditar la solvencia técnica, ha surgido una duda en la Mesa de contratación a la hora de cómo interpretar lo dispuesto en el artículo 66.1.a de la LCSP (LA LEY 10868/2007). En concreto el citado apartado a, del punto 1 del artículo 66 establece que: «En los contratos de suministro la solvencia técnica de los empresarios se acreditará por uno o varios de los siguientes medios: relación de los principales suministros efectuados durante los tres últimos años, indicando su importe, fechas y destinatario público o privado de los mismos. Los suministros efectuados se acreditarán mediante certificados expedidos o visados por el órgano competente, cuando el destinatario sea una entidad del sector público o cuando el destinatario sea un comprador privado, mediante un certificado expedido por éste o, a falta de este certificado, mediante una declaración del empresario.»

Respuesta en el artículo 62.

2. La clasificación del empresario acreditará su solvencia para la celebración de contratos del mismo tipo que aquéllos para los que se haya obtenido y para cuya celebración no se exija estar en posesión de la misma.

3. Los entes, organismos y entidades del sector público que no tengan la condición de Administraciones Públicas podrán admitir otros medios de prueba de la solvencia distintos de los previstos en los artículos 75 a 79 para los contratos que no estén sujetos a regulación armonizada.

Concordancias a todo el artículo

➡ **Concordancias normativas**

Artículo 63 de la LCSP 30/2007 y artículo 15 del TRLCAP RDL 2/2000.

☞ **Concordancias Jurisprudenciales**

Tribunal Administrativo Central de Recursos Contractuales, Resolución de 13 Ene. 2012, rec. 337/2011

CONTRATO ADMINISTRATIVO DE SERVICIOS. De conservación y mantenimiento integral de los edificios e instalaciones del M.º Ciencia e Innovación. Pliego de Administrativas Particulares. Licitación. RECURSO ESPECIAL EN MATERIA DE CONTRATACIÓN. Estimación parcial. Anulación de cierta cláusula del pliego y apartados del cuadro resumen, en lo que se refiere a la exigencia como requisitos de solvencia técnica o profesional, a los licitadores empresarios no españoles de Estados miembros de la Unión Europea, de poseer delegación abierta en Madrid y A Coruña, así como disponer de una póliza de seguro de responsabilidad civil y a la utilización como criterios de adjudicación de la tenencia en propiedad de un centro de formación, así como el relativo a la valoración de las propuestas de mejora de la calidad del servicio y de los equipos.

En consecuencia, se anula el procedimiento de contratación y, de haberse producido, la adjudicación del contrato. Preceptiva convocatoria de nueva licitación en la que deba servir de base un nuevo pliego.

✉ **Consultas**

• **Concurso para el otorgamiento de una concesión demanial**

¿Es posible omitir en las concesiones demaniales la exigencia de criterios de solvencia económica y técnica o profesional a los empresarios?

Respuesta en el artículo 63.

• **Concreción de las condiciones de solvencia**

El artículo 53.1 (LA LEY 10868/2007) LCSP, en su apartado 1 se refiere únicamente a las personas jurídicas. ¿Se está obviando a las personas naturales o se trata de una omisión inconsciente?

Respuesta en el artículo 54.

Artículo 75 *Solvencia económica y financiera*

1. La solvencia económica y financiera del empresario podrá acreditarse por uno o varios de los medios siguientes:

a) Declaraciones apropiadas de entidades financieras o, en su caso, justificante de la existencia de un seguro de indemnización por riesgos profesionales.

b) Las cuentas anuales presentadas en el Registro Mercantil o en el Registro oficial que corresponda. Los empresarios no obligados a presentar las cuentas en Registros oficiales podrán aportar, como medio alternativo de acreditación, los libros de contabilidad debidamente legalizados.

c) Declaración sobre el volumen global de negocios y, en su caso, sobre el volumen de negocios en el ámbito de actividades correspondiente al objeto del contrato, referido como máximo a los tres últimos ejercicios disponibles en función de la fecha de creación o de inicio de las actividades del empresario, en la medida en que se disponga de las referencias de dicho volumen de negocios.

☞ Concordancias Jurisprudenciales

Tribunal Superior de Justicia de Les Illes Balears, Sala de lo Contencioso-administrativo, Sentencia de 6 Feb. 2012, rec. 469/2011

[LA LEY 11655/2012]

CONTRATOS ADMINISTRATIVOS. Contratos de servicios. Explotación de los servicios de temporada en el litoral. Adjudicación. Nulidad de pleno derecho. Retroacción del procedimiento al momento en el que se admite indebidamente la propuesta de uno de los licitadores. Desviación procesal. Inexistencia. No concurre supuesto alguno de inadmisibilidad parcial toda vez que no se contempla ningún recurso especial en materia de contratación, basta con agotar la vía administrativa e interponer el recurso contencioso-administrativo. En todo caso, la configuración inicial del recurso especial en materia de contratación es considerado contrario a derecho comunitario. Examen del requisito de solvencia económico-financiera. Ausencia de justificación y aportación de las propias aclaraciones que la Mesa efectúa, relativas a la prueba de la real concurrencia de la solvencia económico-financiera. Sin embargo, y a pesar de no acreditar la solvencia económico-financiera, no se acredita trato alguno de favor a la UTE adjudicataria a la hora de valorar sus mejoras.

Tribunal Administrativo Central de Recursos Contractuales, Resolución de 13 Jul. 2011, rec. 143/2011

[LA LEY 98307/2011]

CONTRATO ADMINISTRATIVO DE SERVICIOS. De realización de cursos de formación sobre defensa contra incendios forestales. Se confirma la adjudicación a una sociedad mercantil de la ejecución del servicio, en tanto que posee solvencia económica, financiera, técnica y profesional, en lo términos en los que el pliego de condiciones administrativas particulares exige que se acredite, sin que se haya probado lo contrario. RECURSO ESPECIAL EN MATERIA DE CONTRATACIÓN. No es óbice para considerar que el recurso ha sido interpuesto dentro del plazo la circunstancia de que en el mismo se recurra la decisión de admisión de las dos ofertas presentadas por los 2 licitadores.

2. Si, por una razón justificada, el empresario no está en condiciones de presentar las referencias solicitadas, se le autorizará a acreditar su solvencia económica y financiera por medio de cualquier otro documento que se considere apropiado por el órgano de contratación.

☞ **Concordancias Jurisprudenciales**

Tribunal Administrativo Central de Recursos Contractuales, Resolución de 13 Ene. 2012, rec. 337/2011

CONTRATO ADMINISTRATIVO DE SERVICIOS. De conservación y mantenimiento integral de los edificios e instalaciones del M.º Ciencia e Innovación. Pliego de Administrativas Particulares. Licitación. RECURSO ESPECIAL EN MATERIA DE CONTRATACIÓN. Estimación parcial. Anulación de cierta cláusula del pliego y apartados del cuadro resumen, en lo que se refiere a la exigencia como requisitos de solvencia técnica o profesional, a los licitadores empresarios no españoles de Estados miembros de la Unión Europea, de poseer delegación abierta en Madrid y A Coruña, así como disponer de una póliza de seguro de responsabilidad civil y a la utilización como criterios de adjudicación de la tenencia en propiedad de un centro de formación, así como el relativo a la valoración de las propuestas de mejora de la calidad del servicio y de los equipos. En consecuencia, se anula el procedimiento de contratación y, de haberse producido, la adjudicación del contrato. Preceptiva convocatoria de nueva licitación en la que deba servir de base un nuevo pliego.

Tribunal Administrativo Central de Recursos Contractuales, Resolución de 19 Oct. 2011, rec. 197/2011

[LA LEY 211680/2011]

CONTRATO ADMINISTRATIVO DE SERVICIOS. Adjudicación de contrato de servicio de contrato de servicios de mantenimiento integral de equipos de electro-medicina para el Hospital Gómez Ulla. RECURSO ESPECIAL EN MATERIA DE CONTRATACIÓN. Estimación parcial. Nulidad de la adjudicación, por falta de motivación del informe del vocal técnico en que se fundó la adjudicación. El informe se limita a referir una mera asignación de puntos, sin hacer una descripción de las ofertas ni del proceso de aplicación a aquellas de los criterios de valoración fijados en el Pliego y que motivan la asignación de puntos expresada.

Tribunal Administrativo Central de Recursos Contractuales, Resolución de 27 Abr. 2011, rec. 89/2011

[LA LEY 38111/2011]

CONTRATO ADMINISTRATIVO DE SERVICIOS. De vigilancia no armada y seguridad, servicios de mantenimiento de cámaras y servicios auxiliares complementarios en los edificios del Instituto Cervantes. Adjudicación. Nulidad de algunas de las cláusulas del pliego de condiciones que han de regir la adjudicación del contrato, dado que no se han acreditado las causas que justifiquen exigir una garantía excepcional para cubrir las responsabilidades derivadas de la ejecución del servicio objeto del contrato especialmente teniendo en cuenta que éste se refiere a la vigilancia sin armas, lo cual de modo claro excluye el supuesto en que mayor riesgo de responsabilidad frente a terceros podría surgir. Tampoco cabe la utilización como criterio de adjudicación del contrato de esta exigencia de póliza de seguro de responsabilidad civil por entender que no guarda la debida relación directa con el objeto del contrato. Es también improcedente la posibilidad prevista en cuanto a la valoración con cero puntos de la no disponibilidad de una central de alarmas, pues siendo la prestación del servicio anejo a la misma uno de los servicios que componen el objeto del contrato, la falta de disponibilidad debe acarrear la exclusión de la licitación por imposibilidad manifiesta de cumplirlo.

Concordancias a todo el artículo

➡ **Concordancias normativas**

Artículo 64 de la LCSP 30/2007 y artículo 16 del TRLCAP RDL 2/2000.

☞ **Concordancias Jurisprudenciales**

Tribunal Superior de Justicia de Les Illes Balears, Sala de lo Contencioso-administrativo, Sentencia de 22 Dic. 2011, rec. 377/2009

[LA LEY 250280/2011]

CONTRATOS ADMINISTRATIVOS. Partes del contrato. Capacidad y solvencia del empresario. Solvencia. -- Preparación de los contratos. Expediente de contratación. Pliegos de cláusulas administrativas. -- Adjudicación de los contratos. Selección del adjudicatario. Valoración de las ofertas. PROCESO CONTENCIOSO-ADMINISTRATIVO. Capacidad procesal. Personas jurídicas. Acuerdo del órgano correspondiente. -- Capacidad procesal. Personas jurídicas. Casos de inexistencia.

Tribunal Superior de Justicia de Madrid, Sala de lo Contencioso-administrativo, Sección 3.ª, Sentencia de 25 Mar. 2009, rec. 1229/2007

[LA LEY 336386/2009]

CONTRATO ADMINISTRATIVO DE SERVICIOS. Conformidad a derecho de la denegación a la interesada de la clasificación como empresa de servicios. IFEMA es un organismo público constituido como un Consorcio por el Ayuntamiento de Madrid, la Comunidad de Madrid, la Cámara Oficial de Comercio e Industria y la Caja de Ahorros de Madrid, y, en consecuencia, es un órgano de contratación y no entidad contratista que pueda ser clasificada como empresa de servicios.

Tribunal Administrativo Central de Recursos Contractuales, Resolución de 29 Jun. 2011, rec. 123/2011

[LA LEY 82791/2011]

CONTRATO ADMINISTRATIVO DE SERVICIOS. Bases que han de regir el concurso de ideas con intervención de jurado para la redacción del proyecto de ejecución de fachadas y zonas de oficinas del edificio sede del Consorcio Ess Bilbao. Criterios de selección en la primera fase del concurso. RECURSO ESPECIAL EN MATERIA DE CONTRATACIÓN. Desestimación. La utilización de la experiencia como criterio de valoración de la aptitud puede ser considerada como un criterio de selección de los participantes, que no de adjudicación, en cuanto que lo que se persigue con la cláusula impugnada es una selección previa de candidatos a los cuales se les aplicarán los criterios de adjudicación previstos en el pliego. La superior valoración que hace el criterio de los edificios científicos respecto de las oficinas, se justifica porque el edificio en cuestión no se destinará exclusivamente a oficinas, y se refiere además de a la zona de oficinas a la zona de laboratorios, lo cual es indicativo del carácter industrial. En relación con el criterio de la titulación del firmante del proyecto, la indefinición de las ingenierías en absoluto discrimina o limita la concurrencia, sino, al contrario, la favorece. Es plenamente admisible la exigencia de dichos certificados, aún cuando se trate de licitadores que sean personas físicas. El certificado en cuestión lo que acredita es una calidad mínima en el proceso de realización de los trabajos, sin perjuicio de la habilitación necesaria para su realización, que vendrá determinada por la posesión de la correspondiente titulación. La ley permite la exigencia de titulaciones, cumpliéndose los requisitos de vinculación y proporcionalidad.

Artículo 76 *Solvencia técnica en los contratos de obras*

En los contratos de obras, la solvencia técnica del empresario podrá ser acreditada por uno o varios de los medios siguientes:

a) Relación de las obras ejecutadas en el curso de los cinco últimos años, avalada por certificados de buena ejecución para las obras más importantes; estos certificados indicarán el importe, las fechas y el lugar de ejecución de las obras y se precisará si se realizaron según las reglas por las que se rige la profesión y se llevaron normalmente a buen término; en su caso, dichos certificados serán comunicados directamente al órgano de contratación por la autoridad competente.

b) Declaración indicando los técnicos o las unidades técnicas, estén o no integradas en la empresa, de los que ésta disponga para la ejecución de las obras, especialmente los responsables del control de calidad, acompañada de los documentos acreditativos correspondientes.

c) Títulos académicos y profesionales del empresario y de los directivos de la empresa y, en particular, del responsable o responsables de las obras.

d) En los casos adecuados, indicación de las medidas de gestión medioambiental que el empresario podrá aplicar al ejecutar el contrato.

e) Declaración sobre la plantilla media anual de la empresa y la importancia de su personal directivo durante los tres últimos años, acompañada de la documentación justificativa correspondiente.

f) Declaración indicando la maquinaria, material y equipo técnico del que se dispondrá para la ejecución de las obras, a la que se adjuntará la documentación acreditativa pertinente.

Concordancias a todo el artículo

➡ Concordancias normativas

Artículo 65 de la LCSP 30/2007 y artículo 17 del TRLCAP RDL 2/2000.

☞ Concordancias Jurisprudenciales

Tribunal Superior de Justicia de Madrid, Sala de lo Contencioso-administrativo, Sección 3.ª, Sentencia de 25 Mar. 2009, rec. 1229/2007

[LA LEY 336386/2009]

CONTRATO ADMINISTRATIVO DE SERVICIOS. Conformidad a derecho de la denegación a la interesada de la clasificación como empresa de servicios. IFEMA es un organismo público constituido como un Consorcio por el Ayuntamiento de Madrid, la Comunidad de Madrid, la Cámara Oficial de Comercio e Industria y la Caja de Ahorros de Madrid, y, en consecuencia, es un órgano de contratación y no entidad contratista que pueda ser clasificada como empresa de servicios.

Tribunal Superior de Justicia de Andalucía de Sevilla, Sala de lo Contencioso-administrativo, Sección 1.ª, Sentencia de 2 Nov. 2010, rec. 392/2010

[LA LEY 319521/2010]

CONTRATOS ADMINISTRATIVOS. Preparación de los contratos. Expediente de contratación. Tramitación ordinaria. -- Preparación de los contratos. Expediente de contratación. Pliegos de cláusulas administrativas.

Tribunal Administrativo Central de Recursos Contractuales, Resolución de 9 Feb. 2011, rec. 073/2010

[LA LEY 14717/2011]

CONTRATO ADMINISTRATIVO DE OBRAS. Anuncio de licitación y pliego de condiciones particulares que han de regir la contratación, mediante procedimiento abierto, de las obras de construcción de Centro Integral de Servicios de IBERMUTUAMUR en Armilla. Pliego de cláusulas particulares. RECURSO ESPECIAL EN MATERIA DE CONTRATACIÓN. Estimación. No procede la exigencia del certificado del sistema de gestión de la I+D+i, contenida en el pliego de condiciones particulares, visto el objeto del contrato, ejecución de obras de un Centro para prestar servicios fundamentalmente de carácter sanitario. La exigencia de calidad extra no justificada en el expediente de contratación y fundamentalmente en los pliegos, referida a la gestión de investigación, desarrollo e innovación para un contrato de obras, aún cuando se trate de construir un inmueble de carácter mayoritariamente sanitario, supone una discriminación de unas empresas frente a otras. Así, la exigencia de normas de garantía de la calidad deben respetar los principios que deben presidir la contratación, debiendo destacarse para este supuesto concreto el de concurrencia.

Artículo 77 *Solvencia técnica en los contratos de suministro*

1. En los contratos de suministro la solvencia técnica de los empresarios se acreditará por uno o varios de los siguientes medios:

a) Relación de los principales suministros efectuados durante los tres últimos años, indicando su importe, fechas y destinatario público o privado de los mismos. Los suministros efectuados se acreditarán mediante certificados expedidos o visados por el órgano competente, cuando el destinatario sea una entidad del sector público o cuando el destinatario sea un comprador privado, mediante un certificado expedido por éste o, a falta de este certificado, mediante una declaración del empresario.

b) Indicación del personal técnico o unidades técnicas, integradas o no en la empresa, de los que se disponga para la ejecución del contrato, especialmente los encargados del control de calidad.

c) Descripción de las instalaciones técnicas, de las medidas empleadas para garantizar la calidad y de los medios de estudio e investigación de la empresa.

d) Control efectuado por la entidad del sector público contratante o, en su nombre, por un organismo oficial competente del Estado en el cual el empresario está establecido, siempre que medie acuerdo de dicho organismo, cuando los productos a suministrar sean complejos o cuando, excepcionalmente, deban responder a un fin particular. Este control versará sobre la capacidad de producción del empresario y, si fuera necesario, sobre los medios de estudio e investigación con que cuenta, así como sobre las medidas empleadas para controlar la calidad.

e) Muestras, descripciones y fotografías de los productos a suministrar, cuya autenticidad pueda certificarse a petición de la entidad del sector público contratante.

f) Certificados expedidos por los institutos o servicios oficiales encargados del control de calidad, de competencia reconocida, que acrediten la conformidad de productos perfectamente detallada mediante referencias a determinadas especificaciones o normas.

⊠ **Consultas**

• **¿Se puede excluir a un licitador por no presentar la muestra que se exigía en el pliego de condiciones como criterio de adjudicación?**

Contratación Administrativa Práctica, Nº 87, Sección Usted Pregunta, Junio 2009, pág. 9, Editorial LA LEY

[LA LEY 1153/2009]

Respuesta

La respuesta a esta pregunta se hace con la hipótesis de que los pliegos de cláusulas administrativas particulares se ajustan a lo dispuesto en la Ley 30/2007, de 30 de octubre, de Contratos del Sector Público.

El artículo 66.1.e) (LA LEY 10868/2007) de la citada Ley establece que, para el contrato de suministro, la presentación de una muestra es un requisito de solvencia técnica. Así, si un licitador no presenta la muestra de un producto determinado, y no subsana en el plazo de tres días hábiles desde que se comunica este hecho, tal y como dispone el artículo 81 (LA LEY 1470/2001) del Real Decreto 1098/2001, queda excluido. Esta exclusión lleva consigo que su proposición no debe ser tenida en cuenta a la hora de valorar el conjunto de ofertas que se han presentado.

En el caso concreto que nos ocupa, el licitador queda excluido en cuanto que no ha presentado la muestra que se solicita en el pliego, sin que el órgano de contratación tenga que dar otra motivación.

2. En los contratos de suministro que requieran obras de colocación o instalación, la prestación de servicios o la ejecución de obras, la capacidad de los operadores económicos para prestar dichos servicios o ejecutar dicha instalación u obras podrá evaluarse teniendo en cuenta especialmente sus conocimientos técnicos, eficacia, experiencia y fiabilidad.

Concordancias a todo el artículo

➡ **Concordancias normativas**

Artículo 66 de la LCSP 30/2007 y artículo 18 del TRLCAP RDL 2/2000.

☞ **Concordancias Jurisprudenciales**

Tribunal Administrativo de Contratación Pública de la Comunidad de Madrid, Acuerdo de 29 Feb. 2012, rec. 2/2012

[LA LEY 40513/2012]

CONTRATO ADMINISTRATIVO DE SUMINISTRO. De material de laboratorio. Adjudicación por procedimiento abierto mediante el criterio precio, estableciéndose un único criterio de adjudicación: el precio más bajo. Nulidad de la convocatoria y de los pliegos, dado que el órgano de contratación debió haber utilizado más de un criterio en la adjudicación. Restricción legal a la inicial discrecionalidad del contratante, que obliga a utilizar más de un criterio de valoración en los supuestos en los que se requiera el empleo de tecnología especialmente avanzada o cuya ejecución sea particularmente compleja, o en los contratos de suministro, cuyos productos a adquirir no estén perfectamente definidos por no estar normalizados. Aunque no se ha definido la tecnología especialmente avanzada o compleja, resulta evidente que el material de laboratorio no es una tecnología consolidada sino en constante actualización. Tampoco se ha acreditado que los productos estén perfectamente definidos por estar normalizados. Disconformidad a Derecho de la exigencia en el PCAP, como medio de acreditación de la solvencia técnica, de un certificado del fabricante asumiendo un compromiso de suministro. Nulidad del PPT en el apartado que modifica el régimen y condiciones de pago del precio establecido en el PCAP.

Tribunal Superior de Justicia de Madrid, Sala de lo Contencioso-administrativo, Sección 3.ª, Sentencia de 25 Mar. 2009, rec. 1229/2007

[LA LEY 336386/2009]

CONTRATO ADMINISTRATIVO DE SERVICIOS. Conformidad a derecho de la denegación a la interesada de la clasificación como empresa de servicios. IFEMA es un organismo público constituido como un Consorcio por el Ayuntamiento de Madrid, la Comunidad de Madrid, la Cámara Oficial de Comercio e Industria y la Caja de Ahorros de Madrid, y, en consecuencia, es un órgano de contratación y no entidad contratista que pueda ser clasificada como empresa de servicios.

Tribunal Administrativo Central de Recursos Contractuales, Resolución de 29 Jun. 2011, rec. 138/2011

[LA LEY 83081/2011]

CONTRATO ADMINISTRATIVO DE SUMINISTROS. Procedimiento de adjudicación. Se confirma la exclusión de una sociedad mercantil de un procedimiento de licitación para la adjudicación de un contrato de suministro de una solución de gestión de identidades y accesos para la Subdirección general de nuevas tecnologías de la justicia, dado que incumplió con la exigencia del pliego de condiciones particulares que preveía expresamente que la declaración de la empresa fabricante del software se aportase como requisito de solvencia técnica. La mesa de contratación le requirió la subsanación de este defecto, pero la recurrente no aportó acreditación suficiente que justificase que cumplía dicha exigencia. Además, si consideraba que la cláusula era contraria a derecho, lo procedente era que la hubiera impugnado en su momento, en lugar de esperar a hacerlo más tarde, una vez abiertos los sobres referidos a la documentación administrativa cuando el pliego gozaba ya de plena validez.

Tribunal Administrativo Central de Recursos Contractuales, Resolución de 9 Feb. 2011, rec. 073/2010

[LA LEY 14717/2011]

CONTRATO ADMINISTRATIVO DE OBRAS. Anuncio de licitación y pliego de condiciones particulares que han de regir la contratación, mediante procedimiento abierto, de las obras de construcción de Centro Integral de Servicios de IBERMUTUAMUR en Armilla. Pliego de cláusulas particulares. RECURSO ESPECIAL EN MATERIA DE CONTRATACIÓN. Estimación. No procede la exigencia del certificado del sistema de gestión de la I+D+i, contenida en el pliego de condiciones particulares, visto el objeto del contrato, ejecución de obras de un Centro para prestar servicios fundamentalmente de carácter sanitario. La exigencia de calidad extra no justificada en el expediente de contratación y fundamentalmente en los pliegos, referida a la gestión de investigación, desarrollo e innovación para un contrato de obras, aún cuando se trate de construir un inmueble de carácter mayoritariamente sanitario, supone una discriminación de unas empresas frente a otras. Así, la exigencia de normas de garantía de la calidad deben respetar los principios que deben presidir la contratación, debiendo destacarse para este supuesto concreto el de concurrencia.

Tribunal Administrativo Central de Recursos Contractuales, Resolución de 19 Ene. 2011, rec. 043/2010

[LA LEY 14673/2011]

CONTRATO ADMINISTRATIVO DE SUMINISTROS. Conformidad a derecho de la adjudicación provisional del suministro e instalación de equipos de radiosondeo para la Agencia Estatal de Meteorología. No se aprecia incumplimiento de los principios de igualdad y no discriminación entre los candidatos, por cuanto se admite cualquier equipo compatible con las radiosondas utilizadas por la Agencia y que estén en condiciones de uso. Supuesto en el que, dado el objeto del contrato se permite excepcionar las prohibiciones del artículo 101 Ley Contratos del Sector Público. Examen de la oferta de la adjudicataria, que no puede calificarse de anormal o desproporcionada respecto de lo indicado en el pliego de cláusulas administrativas particulares. Análisis de los medios para acreditar la solvencia técnica en los contratos de suministros, mediante certificados expedidos o visados por el órgano competente, cuando el destinatario sea una entidad del sector público o cuando el destinatario sea un comprador privado, mediante un certificado expedido por éste o, a falta de este certificado, mediante una declaración del empresario. En el caso concreto, y examinada la documentación aportada por la recurrente, se aprecia falta de la justificación de la solvencia técnica, pues los suministros que se relacionan no son similares a los del objeto del contrato y además no se acreditan con el correspondiente certificado.

Artículo 78 *Solvencia técnica o profesional en los contratos de servicios*

En los contratos de servicios, la solvencia técnica o profesional de los empresarios deberá apreciarse teniendo en cuenta sus conocimientos técnicos, eficacia, experiencia y fiabilidad, lo que podrá acreditarse, según el objeto del contrato, por uno o varios de los medios siguientes:

a) Una relación de los principales servicios o trabajos realizados en los últimos tres años que incluya importe, fechas y el destinatario, público o privado, de los mismos. Los servicios o trabajos efectuados se acreditarán mediante certificados expedidos o visados por el órgano competente, cuando el destinatario sea una entidad del sector público; cuando el destinatario sea un sujeto privado, mediante un certificado expedido por éste o, a falta de este certificado, mediante una declaración del empresario; en su caso, estos certificados serán comunicados directamente al órgano de contratación por la autoridad competente.

☞ **Concordancias Jurisprudenciales**

Tribunal Administrativo Central de Recursos Contractuales, Resolución de 11 Ene. 2012, rec. 290/2011

CONTRATO ADMINISTRATIVO DE SUMINISTROS. Exclusión del proceso de licitación relativo al «Servicio de suministro e implantación de una solución para el análisis y seguimiento de los servicios electrónicos para el Ministerio de Política Territorial y Administración Pública». RECURSO

ESPECIAL EN MATERIA DE CONTRATACIÓN. Desestimación. La interesada no ha procedido a la acreditación en debida forma de la solvencia exigida por el órgano de contratación, al no reunir la documentación presentada los requisitos exigidos por el pliego y por la ley. Era fundamental que el adjudicatario del contrato hubiera implantado anteriormente la herramienta ofertada. Consecuentemente, debía presentar un certificado del fabricante de la herramienta Microstrategy, que era la solución propuesta por la interesada. Sin embargo, en la documentación presentada, salvo un proyecto que no contaba con la firma de la empresa destinataria del trabajo, en el resto de los proyectos relacionados, las herramientas implantadas eran distintas a la de Microestrategy.

b) Indicación del personal técnico o de las unidades técnicas, integradas o no en la empresa, participantes en el contrato, especialmente aquéllos encargados del control de calidad.

c) Descripción de las instalaciones técnicas, de las medidas empleadas por el empresario para garantizar la calidad y de los medios de estudio e investigación de la empresa.

d) Cuando se trate de servicios o trabajos complejos o cuando, excepcionalmente, deban responder a un fin especial, un control efectuado por el órgano de contratación o, en nombre de éste, por un organismo oficial u homologado competente del Estado en que esté establecido el empresario, siempre que medie acuerdo de dicho organismo. El control versará sobre la capacidad técnica del empresario y, si fuese necesario, sobre los medios de estudio y de investigación de que disponga y sobre las medidas de control de la calidad.

☞ **Concordancias Jurisprudenciales**

Tribunal Administrativo Central de Recursos Contractuales, Resolución de 20 May. 2011, rec. 103/2011

[LA LEY 44437/2011]

CONTRATO ADMINISTRATIVO DE SERVICIOS. Nulidad de una de las cláusulas del pliego de condiciones administrativas particulares de la licitación de un contrato de servicios para la organización, coordinación e impartición de cursos de formación en igualdad de oportunidades, así como la necesidad de convocar una nueva licitación, dado que la exigencia de los certificados de calidad EFQM o ISO 9001 que figuraban en dicha cláusula no respondía a lo previsto en la Ley de aplicación. El contenido de dichos certificados no tenía por objeto garantizar la capacidad técnica del empresario ni sus medios de estudio e investigación, ni se justificaba en el expediente la necesidad de exigir controles especiales de las empresas que concurrieran a esta licitación.

e) Las titulaciones académicas y profesionales del empresario y del personal directivo de la empresa y, en particular, del personal responsable de la ejecución del contrato.

f) En los casos adecuados, indicación de las medidas de gestión medioambiental que el empresario podrá aplicar al ejecutar el contrato.

g) Declaración sobre la plantilla media anual de la empresa y la importancia de su personal directivo durante los tres últimos años, acompañada de la documentación justificativa correspondiente.

h) Declaración indicando la maquinaria, material y equipo técnico del que se dispondrá para la ejecución de los trabajos o prestaciones, a la que se adjuntará la documentación acreditativa pertinente.

i) Indicación de la parte del contrato que el empresario tiene eventualmente el propósito de subcontratar.

Concordancias a todo el artículo

➡ **Concordancias normativas**

Artículo 67 de la LCSP 30/2007 y artículo 19 del TRLCAP RDL 2/2000.

Véanse artículos 65.4, 67.1, 84.1 y 163.1 de la presente Ley.

☞ **Concordancias Jurisprudenciales**

Tribunal Superior de Justicia de la Región de Murcia, Sala de lo Contencioso-administrativo, Sección 2.ª, Sentencia de 9 Mar. 2012, rec. 257/2011

[LA LEY 27422/2012]

CONTRATO ADMINISTRATIVO DE SERVICIOS. Adjudicación del contrato de Asesoría y Defensa jurídica. La exigencia de unos limites mínimos de solvencia económica no vulnera el principio de libre concurrencia, pues podían los licitadores acudir en unión temporal de empresas con otros interesados. El adjudicatario debía asumir no solo la asistencia jurídica sino la representación procesal del Ayuntamiento. No obstante, los límites mínimos exigidos deben ser proporcionados, pues de lo contrario se atenta contra el principio de libre concurrencia, esencial para preservar el interés público, y para ello debe atenderse al objeto del contrato, que incluye la defensa jurídica en todos los órdenes jurisdiccionales. El criterio del mayor número de elementos personales y materiales que los exigidos como requisito de solvencia puede ser exigido como elemento de valoración de ofertas o criterio de adjudicación, siempre que figure incluido en los pliegos.

Tribunal Superior de Justicia de Les Illes Balears, Sala de lo Contencioso-administrativo, Sentencia de 22 Dic. 2011, rec. 377/2009

[LA LEY 250280/2011]

CONTRATOS ADMINISTRATIVOS. Partes del contrato. Capacidad y solvencia del empresario. Solvencia. -- Preparación de los contratos. Expediente de contratación. Pliegos de cláusulas administrativas. -- Adjudicación de los contratos. Selección del adjudicatario. Valoración de las ofertas. PROCESO CONTENCIOSO-ADMINISTRATIVO. Capacidad procesal. Personas jurídicas. Acuerdo del órgano correspondiente. -- Capacidad procesal. Personas jurídicas. Casos de inexistencia.

Tribunal Superior de Justicia de Madrid, Sala de lo Contencioso-administrativo, Sección 3.ª, Sentencia de 25 Mar. 2009, rec. 1229/2007

[LA LEY 336386/2009]

CONTRATO ADMINISTRATIVO DE SERVICIOS. Conformidad a derecho de la denegación a la interesada de la clasificación como empresa de servicios. IFEMA es un organismo público constituido como un Consorcio por el Ayuntamiento de Madrid, la Comunidad de Madrid, la Cámara Oficial de Comercio e Industria y la Caja de Ahorros de Madrid, y, en consecuencia, es un órgano de contratación y no entidad contratista que pueda ser clasificada como empresa de servicios.

Tribunal Administrativo Central de Recursos Contractuales, Resolución de 19 Oct. 2011, rec. 197/2011

[LA LEY 211680/2011]

CONTRATO ADMINISTRATIVO DE SERVICIOS. Adjudicación de contrato de servicio de contrato de servicios de mantenimiento integral de equipos de electro-medicina para el Hospital Gómez Ulla. RECURSO ESPECIAL EN MATERIA DE CONTRATACIÓN. Estimación parcial. Nulidad de la adjudicación, por falta de motivación del informe del vocal técnico en que se fundó la adjudicación. El informe se limita a referir una mera asignación de puntos, sin hacer una descripción de las ofertas ni del proceso de aplicación a aquellas de los criterios de valoración fijados en el Pliego y que motivan la asignación de puntos expresada.

Artículo 79 *Solvencia técnica o profesional en los restantes contratos*

La acreditación de la solvencia profesional o técnica en contratos distintos de los de obras, servicios o suministro podrá acreditarse por los documentos y medios que se indican en el artículo anterior.

Concordancias a todo el artículo

➡ **Concordancias normativas**

Artículo 68 de la LCSP 30/2007 y artículo 19 del TRLCAP RDL 2/2000.

Véase artículo 163.1 de la presente Ley

☞ **Concordancias Jurisprudenciales**

Tribunal Superior de Justicia de Madrid, Sala de lo Contencioso-administrativo, Sección 3.ª, Sentencia de 21 Feb. 2011, rec. 544/2009

[LA LEY 4606/2011]

CONTRATO ADMINISTRATIVO DE SERVICIOS. Convocatoria de licitación pública y aprobación del pliego de condiciones que han de regir la adjudicación de la concesión administrativa del servicio de transporte público regular permanente y de uso general de viajeros por carretera. El Pliego de Condiciones infringe los objetivos que persigue la normativa del Parlamento Europeo y del Consejo, ya que viene a eliminar la competencia efectiva en dos conceptos esenciales como son las tarifas y las expediciones, en los que precisamente las empresas pueden competir entre sí con mayor margen de maniobra.

Tribunal Superior de Justicia de Madrid, Sala de lo Contencioso-administrativo, Sección 3.ª, Sentencia de 25 Mar. 2009, rec. 1229/2007

[LA LEY 336386/2009]

CONTRATO ADMINISTRATIVO DE SERVICIOS. Conformidad a derecho de la denegación a la interesada de la clasificación como empresa de servicios. IFEMA es un organismo público constituido como un Consorcio por el Ayuntamiento de Madrid, la Comunidad de Madrid, la Cámara Oficial de Comercio e Industria y la Caja de Ahorros de Madrid, y, en consecuencia, es un órgano de contratación y no entidad contratista que pueda ser clasificada como empresa de servicios.

Artículo 80 *Acreditación del cumplimiento de las normas de garantía de la calidad*

1. En los contratos sujetos a una regulación armonizada, cuando los órganos de contratación exijan la presentación de certificados expedidos por organismos independientes que acrediten que el empresario cumple determinadas normas de garantía de la calidad, deberán hacer referencia a los sistemas de aseguramiento de la calidad basados en la serie de normas europeas en la materia, certificados por organismos conformes a las normas europeas relativas a la certificación.

2. Los órganos de contratación reconocerán los certificados equivalentes expedidos por organismos establecidos en cualquier Estado miembro de la Unión Europea, y también aceptarán otras pruebas de medidas equivalentes de garantía de la calidad que presenten los empresarios.

Concordancias a todo el artículo

➡ **Concordancias normativas**

Artículo 67 de la LCSP 30/2007 y artículo 19 del TRLCAP RDL 2/2000.

Véanse artículos 13 a 17 de la presente Ley.

☞ **Concordancias Jurisprudenciales**

Tribunal Administrativo Central de Recursos Contractuales, Resolución de 26 Oct. 2011, rec. 216/2011

[LA LEY 214639/2011]

CONTRATO ADMINISTRATIVO DE OBRAS. De construcción del Centro de Visitantes del Parque Nacional Aigüestortes i Estany De San Maurici en Espot, Lleida. Exclusión de la recurrente del proceso de licitación del contrato. RECURSO ESPECIAL EN MATERIA DE CONTRATACIÓN. Estimación parcial. No debió excluirse a la interesada por no presentar el certificado de la norma OHSAS 18001 y certificado UNE-ISO 14001, sino que se tuvo que aceptar para analizar su suficiencia la certificación de la sociedad «Segreland, S.L». presentada para acreditar el cumplimiento de los requisitos de gestión de la calidad y medioambiental. Procede retrotraer el procedimiento.

Tribunal Superior de Justicia de Madrid, Sala de lo Contencioso-administrativo, Sección 3.ª, Sentencia de 21 Feb. 2011, rec. 544/2009

[LA LEY 4606/2011]

CONTRATO ADMINISTRATIVO DE SERVICIOS. Convocatoria de licitación pública y aprobación del pliego de condiciones que han de regir la adjudicación de la concesión administrativa del servicio de transporte público regular permanente y de uso general de viajeros por carretera. El Pliego de Condiciones infringe los objetivos que persigue la normativa del Parlamento Europeo y del Consejo, ya que viene a eliminar la competencia efectiva en dos conceptos esenciales como son las tarifas y las expediciones, en los que precisamente las empresas pueden competir entre sí con mayor margen de maniobra.

Artículo 81 *Acreditación del cumplimiento de las normas de gestión medioambiental*

1. En los contratos sujetos a una regulación armonizada, los órganos de contratación podrán exigir la presentación de certificados expedidos por organismos independientes que acrediten que el empresario cumple determinadas normas de gestión medioambiental. Con tal finalidad se podrán remitir al sistema comunitario de gestión y auditoría medioambientales (EMAS) o a las normas de gestión medioambiental basadas en las normas europeas o internacionales en la materia y certificadas por organismos conformes a la legislación comunitaria o a las normas europeas o internacionales relativas a la certificación.

2. Los órganos de contratación reconocerán los certificados equivalentes expedidos por organismos establecidos en cualquier Estado miembro de la Unión Europea y también aceptarán otras pruebas de medidas equivalentes de gestión medioambiental que presenten los empresarios.

Concordancias a todo el artículo

↪ **Concordancias normativas**

Artículo 70 de la LCSP 30/2007.

☞ **Concordancias Jurisprudenciales**

Tribunal Administrativo Central de Recursos Contractuales, Resolución de 16 Feb. 2011, rec. 014/2011

[LA LEY 14642/2011]

CONTRATO ADMINISTRATIVO DE CONSULTORÍA Y ASISTENCIA. Pliego de cláusulas particulares que ha de regir la contratación, por procedimiento abierto, de los trabajos de consultoría y asistencia técnica al proceso de expropiaciones de los bienes y derechos afectados por las obras de ampliación y mejora del sistema de abastecimiento de una Mancomunidad de Aguas. RECURSO ESPECIAL EN MATERIA DE CONTRATACIÓN. Estimación parcial. Nulidad de la exigencia de acreditación del cumplimiento de normas de gestión medioambiental. Visto el objeto del contrato, actuaciones de carácter técnico, es totalmente innecesario que las empresas licitadoras deban disponer de normas de gestión medioambiental. Su exigencia supone una discriminación de unas empresas frente a otras, lo cual afecta claramente al Principio de concurrencia consagrado en la contratación pública.

Audiencia Nacional, Sala de lo Contencioso-administrativo, Sección 1.ª, Sentencia de 3 Dic. 2009, rec. 178/2009

[LA LEY 249715/2009]

CONTRATOS ADMINISTRATIVOS. Conformidad a derecho de la adjudicación provisional del procedimiento abierto de servicios de «impartición de cursos de idiomas al personal del Ministerio de Medio Ambiente y Medio Rural y Marino». No es un contrato sujeto a regulación armonizada, por lo que no concurre ninguno de los requisitos para exigir certificados de gestión medioambiental.

Artículo 82 *Documentación e información complementaria*

El órgano de contratación o el órgano auxiliar de éste podrá recabar del empresario aclaraciones sobre los certificados y documentos presentados en aplicación de los artículos anteriores o requerirle para la presentación de otros complementarios.

➡ **Concordancias normativas**

Artículo 71 de la LCSP 30/2007.

Subsección 4

Prueba de la clasificación y de la aptitud para contratar a través de Registros o listas oficiales de contratistas

Artículo 83 *Certificaciones de Registros Oficiales de Licitadores y Empresas Clasificadas*

1. La inscripción en el Registro Oficial de Licitadores y Empresas Clasificadas del Estado acreditará frente a todos los órganos de contratación del sector público, a tenor de lo en él reflejado y salvo prueba en contrario, las condiciones de aptitud del empresario en cuanto a su personalidad y capacidad de obrar, representación, habilitación profesional o empresarial, solvencia económica y financiera, y clasificación, así como la concurrencia o no concurrencia de las prohibiciones de contratar que deban constar en el mismo.

La inscripción en el Registro Oficial de Licitadores y Empresas Clasificadas de una Comunidad Autónoma acreditará idénticas circunstancias a efectos de la contratación con la misma, con las entidades locales incluidas en su ámbito territorial, y con los restantes entes, organismos o entidades del sector público dependientes de una y otras.

2. La prueba del contenido de los Registros Oficiales de Licitadores y Empresas Clasificadas se efectuará mediante certificación del órgano encargado del mismo, que podrá expedirse por medios electrónicos, informáticos o telemáticos.

Concordancias a todo el artículo

➡ **Concordancias normativas**

Artículo 72 de la LCSP 30/2007 y artículo 34 del TRLCAP RDL 2/2000.

☞ **Concordancias Jurisprudenciales**

Tribunal Superior de Justicia de Galicia, Sala de lo Contencioso-administrativo, Sección 3.ª, Sentencia de 13 Oct. 2011, rec. 7062/2011

[LA LEY 195608/2011]

CONTRATOS ADMINISTRATIVOS. Procedencia de los abonos efectuados por los trabajos realizados. Existencia de similitud entre los conceptos impagados y los que fueron abonados, por lo que se pone en duda que no resultaran satisfechos. Dicha afirmación constituye una valoración de la prueba practicada que, por no resultar ilógica e irracional, se convierte en motivo suficiente para desestimar el recurso. Resulta sorprendente que las facturas impagadas se refieran a actividades previas a la que resultó abonada y que sean anteriores a aquélla en 13 meses y que la pagada lo fuera precisamente, en el número de cuenta en la que habrían de satisfacerse las impagadas, por lo que constan dudas sobre la realidad del impago. Si el vuelo fotogramétrico, apoyo topográfico y restitución digital, son previos y necesarios a la revisión de campo, la inserción y la ortofoto digital, que resultaron abonadas, no se comprende que este pago no incluya aquéllos trabajos ni que se esperen otros 3 años en su presentación al cobro. Los trabajos realizados no suponen un beneficio para la entidad local, ya que la realización de la cartografía estaba comprendida en el encargo de redacción del Plan General encomendado a una mercantil.

Artículo 84 *Certificados comunitarios de clasificación*

1. Los certificados de clasificación o documentos similares que acrediten la inscripción en listas oficiales de empresarios autorizados para contratar establecidas por los Estados miembros de la Unión Europea sientan una presunción de aptitud de los empresarios incluidos en ellas frente a los diferentes órganos de contratación en relación con la no concurrencia de las prohibiciones de contratar a que se refieren las letras a) a c) y e) del apartado 1 del artículo 60 y la posesión de las condiciones de capacidad de obrar y habilitación profesional exigidas por el artículo 54 y las de solvencia a que se refieren las letras b) y c) del artículo 75, las letras a), b) y e) del artículo 76, el artículo 77, y las letras a) y c) a i) del artículo 78. Igual valor presuntivo surtirán las certificaciones emitidas por organismos que respondan a las normas europeas de certificación expedidas de conformidad con la legislación del Estado miembro en que esté establecido el empresario.

2. Los documentos a que se refiere el apartado anterior deberán indicar las referencias que hayan permitido la inscripción del empresario en la lista o la expedición de la certificación, así como la clasificación obtenida. Estas menciones deberán también incluirse en los certificados que expidan los Registros Oficiales de Licitadores y Empresas Clasificadas a efectos de la contratación en el ámbito de la Unión Europea.

Concordancias a todo el artículo

➡ Concordancias normativas

Artículo 73 de la LCSP 30/2007.

Véase artículo 119.3 de la presente Ley

☞ Concordancias Jurisprudenciales

Tribunal Administrativo Central de Recursos Contractuales, Resolución de 14 Sep. 2011, rec. 189/2011

[LA LEY 185600/2011]

CONTRATO ADMINISTRATIVO DE SERVICIOS. Adjudicación del contrato de «Servicios de transporte con conductor, traslado de mobiliario, enseres y trabajos de peonaje de la Dirección Provincial de Madrid del Instituto Nacional de la Seguridad Social». RECURSO ESPECIAL EN MATERIA DE CONTRATACIÓN. Desestimación. Aptitud de la empresa adjudicataria para contratar los servicios licitados. Tiene un objeto o ámbito de actividad que comprende las prestaciones propias del contrato que le ha sido adjudicado, ya que en él no sólo tiene cabida la realización de mudanzas, sino también las demás prestaciones exigidas en los Pliegos rectores del procedimiento de adjudicación. La empresa acreditó en el momento legalmente exigido la circunstancia de hallarse al corriente en el cumplimiento de las obligaciones tributarias y con la Seguridad Social, así como los demás extremos exigidos, sin que sea competente el Tribunal para entrar a valorar circunstancias como el posible incumplimiento del convenio colectivo aplicable por la empresa a sus empleados, y demás referidas a la práctica profesional de las empresas que realizan actividad de mudanzas.

CAPÍTULO III

Sucesión en la persona del contratista

Artículo 85 *Supuestos de sucesión del contratista*

En los casos de fusión de empresas en los que participe la sociedad contratista, continuará el contrato vigente con la entidad absorbente o con la resultante de la fusión, que quedará subrogada en todos los derechos y obligaciones dimanantes del mismo. Igualmente, en los supuestos de escisión, aportación o transmisión de empresas o ramas de actividad de las mismas, continuará el contrato con la entidad a la que se atribuya el contrato, que quedará subrogada en los derechos y obligaciones dimanantes del mismo, siempre que tenga la solvencia exigida al acordarse la adjudicación o que las diversas sociedades beneficiarias de las mencionadas operaciones y, en caso de subsistir, la sociedad de la que provengan el patrimonio, empresas o ramas segregadas, se responsabilicen solidariamente con aquélla de la ejecución del contrato. Si no pudiese producirse la subrogación por no reunir la entidad a la que se atribuya el contrato las condiciones de solvencia necesarias se resolverá el contrato, considerándose a todos los efectos como un supuesto de resolución por culpa del adjudicatario.

➡ **Concordancias normativas**

Artículo 73 bis de la LCSP 30/2007 y artículo 79 del TRLCAP RDL 2/2000.

Capítulo III del Título II del Libro I introducido por el apartado cuatro de la disposición final decimosexta de la Ley 2/2011, de 4 de marzo, de Economía Sostenible («B.O.E». 5 marzo).

TÍTULO III

Objeto, precio y cuantía del contrato

CAPÍTULO I

Normas generales

Artículo 86 *Objeto del contrato*

1. El objeto de los contratos del sector público deberá ser determinado.

2. No podrá fraccionarse un contrato con la finalidad de disminuir la cuantía del mismo y eludir así los requisitos de publicidad o los relativos al procedimiento de adjudicación que correspondan.

3. Cuando el objeto del contrato admita fraccionamiento y así se justifique debidamente en el expediente, podrá preverse la realización independiente de cada una de sus partes mediante su división en lotes, siempre que éstos sean susceptibles de utilización o aprovechamiento separado y constituyan una unidad funcional, o así lo exija la naturaleza del objeto.

Asimismo podrán contratarse separadamente prestaciones diferenciadas dirigidas a integrarse en una obra, tal y como ésta es definida en el artículo 6, cuando dichas prestaciones gocen de una sustantividad propia que permita una ejecución separada, por tener que ser realizadas por empresas que cuenten con una determinada habilitación.

En los casos previstos en los párrafos anteriores, las normas procedimentales y de publicidad que deben aplicarse en la adjudicación de cada lote o prestación diferenciada se determinarán en función del valor acumulado del conjunto, salvo lo dispuesto en los artículos 14.2, 15.2 y 16.2.

Concordancias a todo el artículo

➡ **Concordancias normativas**

Artículos 22 y 74 de la LCSP 30/2007 y artículos 13 y 68 del TRLCAP RDL 2/2000.

☞ **Concordancias Jurisprudenciales**

Tribunal Administrativo Central de Recursos Contractuales, Resolución de 20 Jul. 2011, rec. 152/2011

[LA LEY 105306/2011]

CONTRATO ADMINISTRATIVO DE SERVICIOS. Pliego de Cláusulas Administrativas Particulares y de Prescripciones Técnicas que han de regir el procedimiento abierto que se sigue para la contratación anual del servicio de seguridad, del servicio de mantenimiento preventivo y correctivo de los sistemas de protección contra intrusión y atraco, de protección contra incendios, de detección de CO_2, CCTV, megafonía, puertas cortafuegos, iluminación y señalización de emergencia y evacuación, así como los servicios de mantenimiento preventivo y correctivo del conjunto de extintores móviles de los centros de la AEAT dependientes de la Delegación Especial de Andalucía, Ceuta y Melilla. RECURSO ESPECIAL EN MATERIA DE CONTRATACIÓN. Desestimación. La integración realizada de todas las prestaciones de servicios recogidos en el contrato, tiene sentido para incrementar su eficacia, la eficiencia en la ejecución de las prestaciones y a su vez, aprovechar las economías de escala que posibilita dicha integración. Aunque las prestaciones pudieran ser unidades independientes, se aprecia que concurre un componente práctico, al margen de concurrir una optimización de la ejecución global del contrato, en tanto que, es necesario y práctico que, además de prestar servicio de seguridad de edificios, se preste el servicio de protección de incendios, o el mantenimiento de extintores, pues son actividades muy relacionadas. Tales actividades son materia propia de las empresas de seguridad, por lo que las prestaciones son ejercitables por dichas empresas. Todos los grupos, subgrupos y categorías especificados en el pliego están vinculados al objeto del contrato y son proporcionados. La comprobación exterior del edificio en ningún caso se realiza en viario público, sino dentro de la parcela propiedad de la AEAT, que forma parte del bien inmueble cuya custodia tiene encomendada la empresa de seguridad adjudicataria del contrato correspondiente.

Es razonable y justificada la exigencia de presentar, antes de la firma del contrato, pólizas de seguro de responsabilidad civil, para responder de los daños personales y/o materiales que se pudieran causar por el personal a su cargo o por la realización del servicio. Está suficientemente justificado el carácter urgente de la tramitación del expediente, debido, fundamentalmente a la naturaleza del contrato, y a la demora en la adjudicación por el recurso especial previamente interpuesto, que han ocasionado el retardo en la nueva prestación del servicio.

⊠ Consultas

• Importe versus valor estimado del contrato

¿Qué diferencia hay entre «importe» y «valor estimado» del contrato?

[21/10/2011 EC 2473/2011]

Contestación

A todos los efectos previstos en la Ley 30/2007, de 30 de octubre (LA LEY 10868/2007) (BOE del 31), de Contratos del Sector Público (LCSP), el valor estimado de los contratos vendrá determinado por el importe total, sin incluir el Impuesto sobre el Valor Añadido, pagadero según las estimaciones del órgano de contratación.

En primer lugar, debemos decir que el precio, al igual que en los contratos privados, es un elemento esencial de los contratos públicos. Podríamos afirmar que es otro punto de vista del objeto del contrato, tal y como lo define la ley: «la retribución del contratista, por la realización de la prestación consistirá en un precio». Y, de hecho, tanto en la regulación actual, concretamente los arts. 74 (LA LEY 10868/2007) y 75 LCSP (LA LEY 10868/2007), como en la normativa anterior [arts. 13 y 14 del Texto Refundido de la Ley de Contratos de las Administraciones Públicas (TR LCAP), aprobado por Real Decreto Legislativo 2/2000, de 16 de junio (LA LEY 2206/2000) (BOE del 21)] se establece de manera consecutiva las cuestiones generales de estos dos elementos de la contratación. Cabría decir que el objeto condiciona el precio; y viceversa (en cierta medida): «no puede fraccionarse el objeto de un contrato con la finalidad de disminuir la cuantía del mismo y eludir así los requisitos de publicidad o los relativos al procedimiento de adjudicación que corresponda», art. 74.2 LCSP (LA LEY 10868/2007).

La LCSP genera cierta confusión en torno al precio de los contratos. Por un lado, porque utiliza diversos términos para referirse a la contraprestación económica del contrato; algunos de ellos novedosos, como: precio (art. 75), valor estimado (art. 76), importe (art. 54), cuantía (art. 56), presupuesto (de los contratos de servicios, art. 54), valor íntegro (art. 56.1), valor medio anual (art. 56.1). Por otro lado, por la falta de clarificación respecto a si el IVA debe considerarse incluido o no, al no haberse recogido en ningún precepto lo dispuesto en el art. 77 TR LCAP; o lo contrario, planteándose, entre otras, la duda para calificar los contratos de menores por el importe (art. 122).

Tras la confusión inicial, la Junta Consultiva de Contratación, en su Informe 26/08, de 2 de diciembre de 2008, abordó el tema: «Determinación de en qué supuestos debe considerarse que cuando la Ley de Contratos del Sector Público (LA LEY 10868/2007) habla de precio, importe, valor estimado o cualquiera de los distintos conceptos similares que utiliza para aludir al aspecto cuantitativo de los contratos, incluye la cuota por el Impuesto sobre el Valor Añadido y en qué supuestos no». Con carácter previo, en su informe 43/2008, de 28 de julio, abordaba la cuestión con carácter general.

Se puede concluir que la ley utiliza tres conceptos principalmente, que son precio, valor estimado y presupuesto, cuyas definiciones se contienen en los arts. 75 (LA LEY 10868/2007) y 76 LCSP (LA LEY 10868/2007) y 131 del Reglamento General de la Ley de Contratos de las Administraciones Públicas (RCAP), aprobado por Real Decreto 1098/2001, de 12 de octubre (LA LEY 1470/2001) (BOE del 26). Pero, además, emplea otros términos que no están definidos, como: cuantía, importe o valor íntegro. Su significado concreto deberá hacerse en función del contexto en que se utilicen. Por regla general, cabe decir que deberán identificarse con el término que, en función de la fase en que se encuentre el contrato —fase de preparación y adjudicación o fase de ejecución—, indique el valor del mismo con arreglo a la Ley.

Así, en las fases de preparación y adjudicación deberán entenderse los términos como referidos al presupuesto que deba servir de base para la celebración de la licitación pública; y, en la de ejecución, deberá entenderse que los términos utilizados se refieren al precio de adjudicación del contrato, es decir, el que deba percibir íntegro el contratista que hubiera resultado adjudicatario del contrato. Y, por tanto, los términos que hacen referencia a las fases de preparación y adjudicación se deben entender sin el IVA y los que hacen referencia a su ejecución se entenderán con IVA, por ser el precio que ha de percibir el contratista del que forma parte el impuesto, aunque se deba expresar como partida independiente (art. 75.2 LCSP (LA LEY 10868/2007)).

• **La redacción del PGOU para una entidad local es objeto de un contrato de servicios que podría adjudicarse mediante un concurso de proyectos.**

¿En qué figura contractual de la nueva LCSP se encuadraría la contratación de una empresa consultora para la elaboración de un Plan General de Urbanismo? ¿Contrato de servicios o concurso de proyectos?

[30/05/2008 EC 1733/2008]

Respuesta en artículo 6.

• **El adjudicatario del contrato de gestión de servicio público será el que resulte con mejor puntuación tras haber sido valorados todos los criterios objetivados en el pliego.**

En la adjudicación de un contrato de gestión de servicio público se fijan en el pliego dos criterios de adjudicación: oferta económica (60 puntos) y oferta técnica (40 puntos). Una empresa obtiene la máxima puntuación en cuanto a la oferta económica pero ofrece unos medios técnicos que pueden hacer inviable la prestación del servicio. ¿Podría fundamentarse la adjudicación al segundo mejor postor, cuya oferta desde el punto de vista técnico hace viable la prestación del servicio?

[15/04/2008 EC 1292/2008]

Contestación

La presentación de proposiciones por los interesados en una licitación pública presume la aceptación incondicionada por los empresarios del contenido de los pliegos de cláusulas administrativas particulares [art. 79 del Texto Refundido de la Ley de Contratos de las Administraciones Públicas (TR LCAP)] y su valoración se realizará teniendo en cuenta los criterios objetivos que el órgano de contratación haya establecido de acuerdo a las posibilidades que ofrece el art. 86 TR LCAP, tratándose de un concurso, que es la forma de adjudicación que el texto refundido prefiere para este contrato típico (art. 159.1).

En el presente expediente los criterios propuestos para la selección del contratista eran dos: oferta económica (60 puntos) y oferta técnica (40 puntos).

La valoración de ambas ha de ser independiente y el adjudicatario propuesto por la mesa será el mejor tras la suma de la totalidad de las puntuaciones obtenidas en ambos criterios. Se busca la oferta que globalmente, en su conjunto, y tras realizar toda la valoración propuesta, satisfaga mejor las necesidades de la Administración, que se han plasmado en los criterios a valorar organizados según la importancia relativa de cada uno para la entidad contratante, independientemente de quién sea el mejor en cada uno.

Siendo así las cosas, no existe problema para que el que peor puntuación ha obtenido en el primer criterio pueda ser el que se proponga, si es mucho mejor en el segundo, y la suma total indica que su oferta, en conjunto, es la más ventajosa para la Administración.

No parece ser tan claro el caso consultado. En la consulta se indica sobre la oferta técnica de uno de los licitadores que puede resultar inviable con los medios técnicos que ofrece, porque parece evidente que el servicio no podrá ser prestado adecuadamente. Pero no se desprende de este comentario ambiguo si cumple o no cumple el pliego de prescripciones técnicas.

Junto a la definición del objeto se habrán incluido en el pliego de cláusulas administrativas particulares unas determinadas condiciones de solvencia técnica, que el licitador habrá cumplido, puesto que se le ha podido abrir la oferta económica. Por lo tanto, se parte de que su solvencia, de acuerdo a lo que el pliego pide, es suficiente para ejecutar el objeto.

Llegados a este punto, y en relación con la valoración del criterio de «oferta técnica», hemos de tener en cuenta que su definición ha de ser objetiva (art. 86.1 TR LCAP), objetividad que se exige también en las Sentencias del TSJUE y que por lo tanto proscribe cualquier criterio que dejen margen a la subjetividad de las mesas de contratación y/o al órgano de contratación. La nueva LCSP precisa ahora algo que se deduce precisamente de esta doctrina en su art. 134: los criterios han de estar directamente vinculados al objeto. Así, una expresión tan abierta como «oferta técnica» ha debido detallarse en el PCAP con precisión, en relación con su valoración, concretando el modo en que van a valorarse. Así, por ejemplo, si el PCAP ha utilizado las características estéticas o funcionales o la calidad, ha de concretar también cuando una oferta se va a considerar más estética, o qué parámetros de calidad o funcionalidad se van a utilizar para valorar comparativamente las ofertas. En ningún caso puede quedar al albur del órgano de contratación, y menos aún de la mesa, la decisión sobre qué oferta se considera más ventajosa en base a sus propios criterios adoptados en el momento de la valoración a la vista de las ofertas presentadas. La doctrina del Tribunal de Justicia de las Comunidades Europeas es bien clara y reiterada al respecto (y como última Sentencia en la que se recoge este planteamiento tenemos la de 24 de enero de 2008, asunto c-532/06; LA LEY JURIS 142/2008):

— Los poderes adjudicadores han de comparar las ofertas de modo objetivo, valorando las cualidades intrínsecas del producto o servicio con criterios predeterminados y publicados para que no se produzca discriminación entre licitadores (Sentencia de 3 de octubre de 2000, en el asunto c-380/1998 «Universidad de Cambridge», en la que el Tribunal hace referencia a otras).

— Los pliegos no pueden atribuir a los poderes adjudicadores «una libertad incondicional de selección» y «los criterios de adjudicación deberán ser previamente objeto de publicidad en los pliegos o en los anuncios» [TJUE Sentencia Beentjes, asunto C 31/1987, posteriormente reproducida, con diversas matizaciones, por las Sentencias de 26 de septiembre de 2000 (asunto C 225/1998), de 18 de octubre de 2001 (asunto C 19/00), de 17 de septiembre de 2002 (asunto C 513/1999) y en la de 19 de junio de 2003 (asunto 315/01)], siendo contrario a la normativa comunitaria, que en un procedimiento de licitación, la entidad adjudicadora fije a posteriori coeficientes de ponderación y subcriterios relativos a los criterios de adjudicación establecidos en el pliego de condiciones o en el anuncio de licitación.

La nueva LCSP destaca esta necesidad de objetividad imponiendo la preponderancia de factores objetivos expresados en cifras o porcentajes, y cuando no sea así, exigiendo un comité de valoración independiente del órgano de contratación formado al menos por tres expertos (art. 134).

Por todo lo anterior, concluimos en que la adjudicación deberá realizarse a favor de la empresa que en su conjunto presente la oferta más ventajosa de acuerdo a los criterios de valoración establecidos en el PCAP, no siendo posible, salvo que exista un incumplimiento de las condiciones establecidas previamente en ese mismo PCAP que permita excluir la propuesta técnica de modo justificado, que se prefiera a la oferta con menor puntuación basándose en meras apreciaciones o deducciones, o incluso en valoraciones de elementos o subcriterios que no estaban incluidos en el PCAP.

Artículo 87 *Precio*

1. En los contratos del sector público, la retribución del contratista consistirá en un precio cierto que deberá expresarse en euros, sin perjuicio de que su pago pueda hacerse mediante la entrega de otras contraprestaciones en los casos en que ésta u otras Leyes así lo prevean. Los órganos de contratación cuidarán de que el precio sea adecuado para el efectivo cumplimiento del contrato mediante la correcta estimación de su importe, atendiendo al precio general de mercado, en el momento de fijar el presupuesto de licitación y la aplicación, en su caso, de las normas sobre ofertas con valores anormales o desproporcionados.

⊠ **Consultas**

• **Criterio del Tribunal de Cuentas respecto a la ponderación a atribuir al factor precio de los contratos**

¿Cuál es el criterio del Tribunal de Cuentas sobre la valoración del precio cuando hay varios criterios de valoración para la adjudicación de los contratos?

[04/05/2010 EC 1393/2010]

Contestación

Respeto a la doctrina manifestada por el Tribunal de Cuentas, en cuanto a la ponderación de los criterios de adjudicación, en particular del precio, siguiendo a Manuel FUEYO BROS, en su artículo publicado en esta revista «Criterios objetivos de adjudicación versus objetivos de los criterios de adjudicación», podemos facilitarle los siguientes criterios y recomendaciones:

Señala el citado autor que el Tribunal de Cuentas, en el informe número 760, aprobado por el Pleno de 26 de abril de 2007, relativo a la fiscalización sobre los criterios de adjudicación utilizados en la contratación en el ámbito de la Seguridad Social durante los ejercicios 2004 y 2005, ha sostenido que algunas de las fórmulas empleadas para la valoración del precio no garantizan que la oferta seleccionada fuera en todos los contratos la más ventajosa. En efecto, algunas fórmulas aplicadas para valorar el criterio económico, así como los problemas que ocasionaban, se indican a continuación:

«a) Fórmulas que puntuaban mejor a las ofertas que se aproximaran más a la media aritmética de todas las ofertas presentadas. Estas fórmulas resultaban antieconómicas al no puntuar mejor a la oferta más económica sino a la que se aproximara más a la media.

b) Fórmulas que valoraban el criterio del precio en función de la proporción existente entre las bajas económicas de todas las ofertas presentadas. Este Tribunal ha comprobado que la aplicación de este tipo de fórmulas de valoración del criterio económico puede dar lugar a resultados desproporcionados, de forma que diferencias mínimas en las bajas de las ofertas pueden producir grandes diferencias en las puntuaciones y, por lo tanto, no permiten una adecuada ponderación con los demás criterios de adjudicación, ya que pueden distorsionar la importancia del precio respecto del conjunto de los criterios.

c) Fórmulas consistentes en aplicar grupos de puntuaciones o porcentajes fijos (por ejemplo, una puntuación para el mejor, otra para el mediano y otra para el peor), pero sin establecer proporción alguna entre los distintos tramos fijados. Como en el caso anterior (b), la aplicación de estas fórmulas puede dar lugar a resultados absurdos, en cuanto que una mínima diferencia en la baja económica de las ofertas (aunque fuera de solo un euro), permite obtener una gran diferencia en la puntuación, por lo que tampoco este método proporciona una adecuada ponderación del precio con los demás criterios de adjudicación.

d) Finalmente debe señalarse la falta de coherencia en los concursos entre la ponderación otorgada al criterio del precio y la mayor valoración que, de facto, se otorgaba a las mejoras valorables económicamente, lo que además de ser contrario a los principios de eficiencia y economía, incumplió lo dispuesto en el art. 86 del Texto Refundido de la Ley de Contratos de las Administraciones Públicas (TR LCAP), aprobado por Real Decreto Legislativo 2/2000, de 16 de junio (LA LEY 2206/2000) (BOE del 21), que exige la determinación de los criterios de adjudicación con una concreta ponderación y en orden decreciente de importancia. Efectivamente, los pliegos configuraron el precio como el criterio de mayor ponderación o de mayor importancia relativa, pero fue más valorada una mejora cuantificable económicamente que una baja equivalente (al importe de la mejora) en el precio, contrariamente a lo establecido en el pliego.»

En definitiva, según el Tribunal de Cuentas la ponderación adecuada a atribuir al factor precio es una cuestión que deberá ser analizada y justificada por el órgano de contratación en función de las características y particularidades propias de cada tipo de contrato.

> 2. El precio del contrato podrá formularse tanto en términos de precios unitarios referidos a los distintos componentes de la prestación o a las unidades de la misma que se entreguen o ejecuten, como en términos de precios aplicables a tanto alzado a la totalidad o a parte de las prestaciones del contrato. En todo caso se indicará, como partida independiente, el importe del Impuesto sobre el Valor Añadido que deba soportar la Administración.

☞ **Concordancias Jurisprudenciales**

Tribunal Administrativo Central de Recursos Contractuales, Resolución de 22 Jun. 2011, rec. 133/2011

[LA LEY 82398/2011]

CONTRATO ADMINISTRATIVO DE SERVICIOS. Adjudicación de contrato para el «Servicio de mantenimiento integral de las instalaciones de diversos edificios de los Servicios Centrales del Departamento para un período de 24 meses». Valoración de uno de los criterios de adjudicación previstos en el pliego de cláusulas administrativas particulares. RECURSO ESPECIAL EN MATERIA DE CONTRATACIÓN. Desestimación. Para la valoración del incremento de la cantidad de material de reposición a aportar por el adjudicatario no debe tenerse en cuenta el Impuesto sobre el Valor Añadido. Puesto que para determinar la cantidad de material de reposición que el licitador se compromete a aportar sin cargo económico adicional se ha utilizado el sistema de indicar su valor en metálico, resulta más acorde con la consecución del fin que es propio de la licitación, no computar el importe del impuesto en la cantidad en metálico que expresa el volumen de dicho material.

✉ **Consultas**

• **Si el contrato de suministro se ha pactado por un año sin posibilidad de prórroga, cumplido el plazo no cabe seguir ejecutándolo aunque no se haya agotado la consignación presupuestaria prevista.**

Expirado el plazo de un año pactado en un contrato de suministro, ¿es posible seguir realizando suministros si hubiese quedado crédito sin ejecutar?

[15/07/2008 EC 2276/2008]

Contestación

Como sabemos el precio de los contratos se puede determinar, con carácter general, de dos formas, bien estableciendo un precio total del contrato, bien mediante precios unitarios. Así lo admite el art. 75.2 de la Ley 30/2007, de 30 de octubre (EC 3697/2007), de Contratos del Sector Público cuando señala que «el precio del contrato podrá formularse tanto en términos de precios unitarios referidos a los distintos componentes de la prestación o a las unidades de la misma que se entreguen o ejecuten, como en términos de precios aplicables a tanto alzado a la totalidad o a parte de las prestaciones del contrato.»

Cuando el precio del contrato se determina de forma global coinciden en los Pliegos de Cláusulas Administrativas el precio del contrato con el denominado presupuesto base de licitación; pero no ocurre lo mismo cuando los precios se determinan por precios unitarios en el que el presupuesto base de licitación se erige en el límite por encima del cual no se puede contratar a esos precios unitarios. Esto es, se trata en la mayoría de los casos una cantidad estimada para cubrir las necesidades del contrato y que sirva de base para la determinación de la existencia de consignación presupuestaria suficiente para llevar a cabo la ejecución del contrato.

Por otra parte, como en cualquier tipo de contrato, la duración es un elemento esencial en el contrato de suministro, así se deriva del art. 67.2 del Real Decreto 1098/2001, de 12 de octubre (EC 3784/2001), por el que se aprueba el Reglamento General de la Ley de Contratos de las Administraciones Públicas, cuando al definir el contenido necesario de los pliego dispone que deberán contener con carácter general para todos los contratos los siguientes datos: e) Plazo de ejecución o de duración del contrato, con determinación, en su caso, de las prórrogas de duración que serán acordadas de forma expresa. En el mismo sentido se pronuncia el art. 71.3 del mismo Reglamento cuando señala que el documento de formalización contendrá, con carácter general para todos los contratos, las siguientes menciones: d) Plazos totales o parciales de ejecución del contrato y, en su caso, el plazo de garantía del mismo.

Por tanto, ha de entenderse que si el contrato de suministro se celebró por el plazo de un año, y no era susceptible de prórroga, aunque el crédito presupuestario de ese contrato no se haya agotado no puede continuarse con la ejecución del contrato de suministro porque este contrato ha finalizado por el transcurso del plazo inicialmente pactado y, como ya hemos señalado, el presupuesto base de licitación se trata de un simple límite pero no un importe de necesario cumplimiento.

• ¿Debe entenderse incluido el IVA a la hora de hora de establecer los importes límites para los contratos menores?

Actualidad Administrativa, N° 10, Sección Consultas, Quincena del 16 al 31 Mayo 2009, pág. 1256, tomo 1, Editorial LA LEY

[LA LEY 1030/2009]

Respuesta

Comencemos recordando que la aprobación de la Ley de Contratos del Sector Público obedeció, entre otros motivos, a la necesidad de realizar la transposición de la Directiva 18/2004.

En esta norma europea el IVA se deja aparte del importe del contrato como se señala en su artículo 7 cuando al hablar del importes de los umbrales de los contratos públicos dispone que «la presente Directiva se aplicará a los contratos públicos que no estén excluidos en virtud de las excepciones previstas en los artículos 10 y 11 y en los artículos 12 a 18 y cuyo valor estimado, sin incluir el impuesto sobre el valor añadido (IVA), sea igual o superior a los umbrales siguientes...»

Siguiendo las pautas de la Directiva y, del análisis del articulado de la LCSP, parece que el legislador español ha dejado dos cosas relativamente claras:

1. No se ha incluido un artículo similar al artículo 77 (LA LEY 2206/2000) del TRLCAP que disponía que «siempre que en el texto de esta Ley se haga alusión al importe o cuantía de los contratos, se entenderá que en los mismos está incluido el Impuesto sobre el Valor Añadido, salvo indicación expresa en contrario. Las referencias al Impuesto sobre el Valor Añadido deberán entenderse realizadas al Impuesto General Indirecto Canario o al Impuesto sobre la Producción, los Servicios y la Importación, en los territorios en que estas figuras impositivas rijan». Con relación a esta materia,

en la LCSP únicamente se señala en la Disposición Adicional 16.ª (LA LEY 10868/2007) que «las referencias al Impuesto sobre el Valor Añadido deberán entenderse realizadas al Impuesto General Indirecto Canario o al Impuesto sobre la Producción, los Servicios y la Importación, en los territorios en que rijan estas figuras impositivas». Quizá, por el principio de seguridad jurídica, habría sido conveniente que el legislador español del 2007 hubiera sido tan claro como lo fue en la primera parte del artículo 77 (LA LEY 2206/2000) del TRLCAP y hubiera declarado si el IVA se debía entender o no incluido en el importe del contrato.

2. Queda claro que el legislador no se manifiesta expresamente sobre la cuestión planteada, sin embargo, a lo largo del articulado queda de manifiesta en numerosas ocasiones que el IVA está excluido del importe, del precio o del valor estimado de los contratos. Así podemos comprobarlo en los siguientes preceptos:

Con un carácter generalista, el artículo 76.1 (LA LEY 10868/2007). de la LCSP señala que «a todos los efectos previstos en esta Ley, el valor estimado de los contratos vendrá determinado por el importe total, sin incluir el Impuesto sobre el Valor Añadido, pagadero según las estimaciones del órgano de contratación. En el cálculo del importe total estimado, deberán tenerse en cuenta cualquier forma de opción eventual y las eventuales prórrogas del contrato.»

El artículo 129.5. (LA LEY 10868/2007) establece que «en la proposición deberá indicarse, como partida independiente, el importe del Impuesto sobre el Valor Añadido que deba ser repercutido.»

En el artículo 75.2. (LA LEY 10868/2007) se establece que «el precio del contrato podrá formularse tanto en términos de precios unitarios referidos a los distintos componentes de la prestación o a las unidades de la misma que se entreguen o ejecuten, como en términos de precios aplicables a tanto alzado a la totalidad o a parte de las prestaciones del contrato. En todo caso se indicará, como partida independiente, el importe del Impuesto sobre el Valor Añadido que deba soportar la Administración.»

En el artículo 76.8. (LA LEY 10868/2007) se establece que «para los acuerdos marco y para los sistemas dinámicos de adquisición se tendrá en cuenta el valor máximo estimado, excluido el Impuesto sobre el Valor Añadido, del conjunto de contratos contemplados durante la duración total del acuerdo marco o del sistema dinámico de adquisición.»

En el artículo 83.1. (LA LEY 10868/2007)concreta que «los que resulten adjudicatarios provisionales de los contratos que celebren las Administraciones Públicas deberán constituir a disposición del órgano de contratación una garantía de un 5 por 100 del importe de adjudicación, excluido el Impuesto sobre el Valor Añadido. En el caso de los contratos con precios provisionales a que se refiere el artículo 75.5, el porcentaje se calculará con referencia al precio máximo fijado.»

En el artículo 220 e) (LA LEY 10868/2007) se dispone que «las modificaciones en el contrato, aunque fueran sucesivas, que impliquen, aislada o conjuntamente, alteraciones del precio del contrato, en cuantía superior, en más o en menos, al 20 por 100 del precio primitivo del contrato, con exclusión del Impuesto sobre el Valor Añadido, o representen una alteración sustancial del proyecto inicial.»

En el artículo 221.1. (LA LEY 10868/2007) se señala que «en relación con la letra e) del artículo anterior se considerará alteración sustancial, entre otras, la modificación de los fines y características básicas del proyecto inicial, así como la sustitución de unidades que afecten, al menos, al 30 por 100 del precio primitivo del contrato, con exclusión del Impuesto sobre el Valor Añadido.»

Conclusión: De modo que con carácter general, podemos señalar que parece que el legislador español entiende que el IVA es un elemento o cuantía independiente de «los importes» o «precios» de los contratos que figuran en la Ley.

Y, por ello, la cuantía fijada para los contratos menores en el articulado de la LCSP debe entenderse sin el IVA. En consecuencia, la cuantía de la nueva LCSP para la tramitación de los contratos menores ha aumentado considerablemente: para los contratos de obras el aumento es de 30.050 euros (incluido el IVA) a 50.000 euros más el IVA y para el resto de los contratos de 12.020 euros (incluido el IVA) a 18.000 más IVA.

> 3. Los precios fijados en el contrato podrán ser revisados o actualizados, en los términos previstos en el Capítulo II de este Título, si se trata de contratos de las Administraciones Públicas, o en la forma pactada en el contrato, en otro caso, cuando deban ser ajustados, al alza o a la baja, para tener en cuenta las variaciones económicas que acaezcan durante la ejecución del contrato.

4. Los contratos, cuando su naturaleza y objeto lo permitan, podrán incluir cláusulas de variación de precios en función del cumplimiento de determinados objetivos de plazos o de rendimiento, así como penalizaciones por incumplimiento de cláusulas contractuales, debiendo determinar con precisión los supuestos en que se producirán estas variaciones y las reglas para su determinación.

5. Excepcionalmente pueden celebrarse contratos con precios provisionales cuando, tras la tramitación de un procedimiento negociado o de un diálogo competitivo, se ponga de manifiesto que la ejecución del contrato debe comenzar antes de que la determinación del precio sea posible por la complejidad de las prestaciones o la necesidad de utilizar una técnica nueva, o que no existe información sobre los costes de prestaciones análogas y sobre los elementos técnicos o contables que permitan negociar con precisión un precio cierto.

En los contratos celebrados con precios provisionales el precio se determinará, dentro de los límites fijados para el precio máximo, en función de los costes en que realmente incurra el contratista y del beneficio que se haya acordado, para lo que, en todo caso, se detallarán en el contrato los siguientes extremos:

a) El procedimiento para determinar el precio definitivo, con referencia a los costes efectivos y a la fórmula de cálculo del beneficio.

b) Las reglas contables que el adjudicatario deberá aplicar para determinar el coste de las prestaciones.

c) Los controles documentales y sobre el proceso de producción que el adjudicador podrá efectuar sobre los elementos técnicos y contables del coste de producción.

6. En los contratos podrá preverse que la totalidad o parte del precio sea satisfecho en moneda distinta del euro. En este supuesto se expresará en la correspondiente divisa el importe que deba satisfacerse en esa moneda, y se incluirá una estimación en euros del importe total del contrato.

7. Se prohíbe el pago aplazado del precio en los contratos de las Administraciones Públicas, excepto en los supuestos en que el sistema de pago se establezca mediante la modalidad de arrendamiento financiero o de arrendamiento con opción de compra, así como en los casos en que ésta u otra Ley lo autorice expresamente.

✉ **Consultas**

• **Con carácter general, la compra de bienes muebles con pago aplazado está prohibida, pero es posible un contrato de arrendamiento financiero con opción de compra**

Este ayuntamiento está interesado en comprar un tractor y está considerando la posibilidad de pagarlo a través de una financiera. ¿Cómo se contabilizaría la operación?

[15/01/2008 EC 8/2008]

Contestación

El art. 14 del Texto Refundido de la Ley de Contratos de las Administraciones Públicas (TR LCAP), aprobado por Real Decreto Legislativo 2/2000, de 16 de junio (EC 2287/2000), prohíbe a la administración como regla general la compra a plazos, cuando señala que se prohíbe el pago aplazado del precio en los contratos, excepto en los supuestos en que el sistema de pago se establezca mediante la modalidad de arrendamiento financiero o mediante el sistema de arrendamiento con opción de compra y en los casos que una ley lo autorice expresamente. En el mismo sentido se pronuncia el art. 75.7 de la nueva Ley 30/2007, de 30 de octubre (BOE del 31), de Contratos del Sector Público (LCSP).

Por otra parte, al tratarse de un contrato de suministro también es aplicable el art. 186 TR LCAP, cuando señala que el adjudicatario tendrá derecho al abono del precio de los suministros efectivamente entregados y formalmente recibidos por la administración con arreglo a las condiciones establecidas en el contrato. De forma que a la entrega del vehículo, la administración deberá pagar en el plazo establecido que no podrá ser superior al establecido imperativamente por el art. 99.4 TR LCAP.

Por otra parte, entendemos que siempre le resultaría más económico al ayuntamiento acudir a un préstamo a largo plazo para financiar la compra, ya que habitualmente el tipo de interés ofrecido por una entidad bancaria es bastante menor que el que ofrece una financiera.

Dicho lo anterior, si lo que se pretende es un contrato de arrendamiento financiero con opción de compra, permitido en el art. 171 TR LCAP, la contabilización habrá de hacerse aplicando lo establecido en el cuadro de cuentas de la Instrucción del modelo normal de contabilidad Local aprobada por Orden EHA/4041/2004, de 23 de noviembre (BOE de 9 de diciembre).

En este sentido, la cuenta a utilizar es la 217, que bajo la rúbrica de «Derechos sobre bienes en régimen de arrendamiento financiero», dispone que reflejará el valor del derecho de uso y de opción de compra sobre los bienes que la entidad utiliza en régimen de arrendamiento financiero.

Su movimiento es el siguiente:

a) Se cargará, a la formalización del contrato, por el valor al contado del bien, con abono a la cuenta 400 «Acreedores por obligaciones reconocidas. Presupuesto de gastos corriente» y a las cuentas 523 «Proveedores de inmovilizado a corto plazo» y 173 «Proveedores de inmovilizado a largo plazo», por el importe de las cuotas aplazadas con vencimiento inferior y superior a un año, respectivamente.

b) Se abonará, al finalizar el contrato, con cargo a la cuenta de inmovilizado correspondiente.

Por su parte, la cuenta 523 refleja las deudas con suministradores de bienes definidos en el grupo 2, con vencimiento no superior a un año.

Su movimiento, en general, es el siguiente:

a) Se abonará, a la formalización de un contrato de arrendamiento financiero o al registrar una certificación anticipada, con cargo a cuentas del grupo 2.

b) Se cargará, al vencimiento de las deudas, con abono, a la cuenta 400 «Acreedores por obligaciones reconocidas. Presupuesto de gastos corriente».

Por último, la cuenta 173, que refleja las deudas con suministradores de bienes incluidos en el grupo 2 con vencimiento superior a un año.

Su movimiento, en general, es el siguiente:

a) Se abonará, a la formalización de un contrato de arrendamiento financiero, con cargo a cuentas del grupo 2 y, en su caso, a la cuenta 272 «Gastos financieros diferidos de otras deudas».

b) Se cargará, por la cancelación anticipada, total o parcial, de las deudas, con abono a la cuenta 400 «Acreedores por obligaciones reconocidas. Presupuesto de gastos corriente» y a la cuenta 272, si procede, por la parte correspondiente a la deuda amortizada anticipadamente. Al mismo tiempo se cargará la cuenta 674 «Pérdidas por operaciones de endeudamiento» o se abonará la cuenta 774 «Beneficios por operaciones de endeudamiento», por los posibles resultados negativos o positivos, respectivamente, derivados de dicha operación.

En cuanto a la parte de los intereses, entrarían en juego las cuentas 663 y, en su caso, 272.

En cuanto a la amortización, se amortizará como inmovilizado inmaterial, ya que la cuenta 217 se encuentra dentro del inmovilizado inmaterial.

Concordancias a todo el artículo

➡ **Concordancias normativas**

Artículo 75 de la LCSP 30/2007 y artículos 14 y 126 del TRLCAP RDL 2/2000.

☞ **Concordancias Jurisprudenciales**

Tribunal Administrativo de Contratación Pública de la Comunidad de Madrid, Acuerdo de 29 Feb. 2012, rec. 2/2012

CONTRATO ADMINISTRATIVO DE SUMINISTRO. De material de laboratorio. Adjudicación por procedimiento abierto mediante el criterio precio, estableciéndose un único criterio de adjudicación: el precio más bajo. Nulidad de la convocatoria y de los pliegos, dado que el órgano de contratación debió haber utilizado más de un criterio en la adjudicación. Restricción legal a la inicial discrecionalidad del contratante, que obliga a utilizar más de un criterio de valoración en los supuestos en los que se requiera el empleo de tecnología especialmente avanzada o cuya ejecución sea particularmente compleja, o en los contratos de suministro, cuyos productos a adquirir no estén perfectamente definidos por no estar normalizados. Aunque no se ha definido la tecnología especialmente avanzada o compleja, resulta evidente que el material de laboratorio no es una tecnología consolidada sino en constante actualización. Tampoco se ha acreditado que los productos estén perfectamente definidos por estar normalizados. Disconformidad a Derecho de la exigencia en el PCAP, como medio de acreditación de la solvencia técnica, de un certificado del fabricante asumiendo un compromiso de suministro. Nulidad del PPT en el apartado que modifica el régimen y condiciones de pago del precio establecido en el PCAP.

Tribunal Administrativo Central de Recursos Contractuales, Resolución de 23 Mar. 2011, rec. 47/2011

[LA LEY 200827/2011]

CONTRATO ADMINISTRATIVO DE SERVICIOS. Pliegos de cláusulas administrativas particulares correspondientes al expediente «servicio para la realización del plan de campañas de divulgación de la Seguridad Vial, año 2011», convocado por la Dirección General de Tráfico del Ministerio del Interior. RECURSO ESPECIAL EN MATERIA DE CONTRATACIÓN. Desestimación. Conformidad a derecho de los criterios evaluables mediante fórmulas. Entre las condiciones requeridas para realizar el servicio, no se establece ninguna explícitamente que haga alusión al personal que la empresa deba destinar al cumplimiento de la contratación, ni en número, ni en cuantificación. Inexistencia de referencia al potencial humano necesario, lo que implica que la empresa deberá destinar el personal que estime necesario y adecuado para cumplir el servicio.

Tribunal Administrativo Central de Recursos Contractuales, Resolución de 28 Sep. 2011, rec. 193/2011

[LA LEY 186468/2011]

CONTRATO ADMINISTRATIVO DE SERVICIOS. Pliego de Prescripciones Técnicas del expediente que ha de regir el proceso de licitación convocado por la Delegación del Gobierno de Madrid, y que tiene por objeto la contratación del servicio de conservación y mantenimiento integral de los edificios e instalaciones de la Delegación del Gobierno en Madrid. RECURSO ESPECIAL EN MATERIA DE CONTRATACIÓN. Estimación. Nulidad del proceso de licitación. Existe un reconocimiento explícito por parte del órgano de contratación.

Tribunal Administrativo Central de Recursos Contractuales, Resolución de 22 Jun. 2011, rec. 133/2011

[LA LEY 82398/2011]

CONTRATO ADMINISTRATIVO DE SERVICIOS. Adjudicación de contrato para el «Servicio de mantenimiento integral de las instalaciones de diversos edificios de los Servicios Centrales del Departamento para un período de 24 meses». Valoración de uno de los criterios de adjudicación previstos en el pliego de cláusulas administrativas particulares. RECURSO ESPECIAL EN

MATERIA DE CONTRATACIÓN. Desestimación. Para la valoración del incremento de la cantidad de material de reposición a aportar por el adjudicatario no debe tenerse en cuenta el Impuesto sobre el Valor Añadido. Puesto que para determinar la cantidad de material de reposición que el licitador se compromete a aportar sin cargo económico adicional se ha utilizado el sistema de indicar su valor en metálico, resulta más acorde con la consecución del fin que es propio de la licitación, no computar el importe del impuesto en la cantidad en metálico que expresa el volumen de dicho material.

Tribunal Administrativo Central de Recursos Contractuales, Resolución de 9 Mar. 2011, rec. 031/2011

[LA LEY 14659/2011]

CONTRATO ADMINISTRATIVO DE SERVICIOS. De mantenimiento del equipamiento sanitario de unos centros asistenciales. Precio. Se confirma la exclusión de una entidad mercantil del proceso de licitación pública para la contratación del servicio, dado que en la oferta económica presentada se alteró sustancialmente el modelo establecido, se excedió el presupuesto de licitación, y existían inconsistencias entre las cantidades de la propia oferta, no pudiendo estos errores considerarse subsanables. Si la recurrente consideraba que existían infracciones en la elaboración de los pliegos que le habrían ocasionado confusión a la hora de elaborar su oferta económica, pudo recurrirlos en el momento procesal oportuno, cosa que no hizo. Según informe del órgano de contratación no existía confusión en los pliegos, en los cuales se distinguía claramente entre valor estimado de la licitación y precio del contrato u oferta económica.

✉ **Consultas**

• **Contratación del servicio de abastecimiento de agua: órgano competente para la aprobación del expediente y fiscalización del mismo**

El ayuntamiento va a proceder a contratar la gestión del servicio de suministro de agua potable y depuración por el plazo de cinco años prorrogables, por la modalidad de concesión administrativa, estableciendo un canon al adjudicatario de 4.000 euros anuales. Se desea saber el órgano competente para la aprobación del expediente de contratación y si es necesaria su fiscalización.

[08/06/2009 EC 1713/2009]

Respuesta en artículo 23

Artículo 88 *Cálculo del valor estimado de los contratos*

1. A todos los efectos previstos en esta Ley, el valor estimado de los contratos vendrá determinado por el importe total, sin incluir el Impuesto sobre el Valor Añadido, pagadero según las estimaciones del órgano de contratación. En el cálculo del importe total estimado, deberán tenerse en cuenta cualquier forma de opción eventual y las eventuales prórrogas del contrato.

Cuando se haya previsto abonar primas o efectuar pagos a los candidatos o licitadores, la cuantía de los mismos se tendrá en cuenta en el cálculo del valor estimado del contrato.

En el caso de que, de conformidad con lo dispuesto en el artículo 106, se haya previsto en los pliegos o en el anuncio de licitación la posibilidad de que el contrato sea modificado, se considerará valor estimado del contrato el importe máximo que éste pueda alcanzar, teniendo en cuenta la totalidad de las modificaciones previstas.

➡ **Concordancias normativas**

Número 1 del artículo 88 redactado por el apartado cinco de la disposición final decimosexta de la Ley 2/2011, de 4 de marzo, de Economía Sostenible («B.O.E». 5 marzo).

☞ **Concordancias Jurisprudenciales**

Tribunal Superior de Justicia de Aragón, Sala de lo Contencioso-administrativo, Sección 1.ª, Sentencia de 28 Sep. 2011, rec. 428/2008

[LA LEY 193568/2011]

URBANISMO. Planeamiento urbanístico. Se anula la aprobación definitiva de un Plan parcial y un Plan especial de reforma interior, en tanto que no puede imponerse la obligación a los propietarios de costear la ejecución de las obras relativas a la conducción enterrada en un tramo que no linda con el sector, pues excede de las obligaciones que, en relación a los sistemas generales, se impone a los propietarios del suelo urbanizable. No cabe incluir el IVA en el aval prestado como garantía. Tampoco cabe aceptar la obligación de determinar el régimen concreto que corresponde a la vivienda protegida, pues su tipología se debe establecer conforme al convenio y la legislación aplicables. La aplicación de los coeficientes a las viviendas de protección pública no altera los derechos de los propietarios, que mantienen los que les fueron reconocidos en el convenio urbanístico.

Tribunal Superior de Justicia de Aragón, Sala de lo Contencioso-administrativo, Sección 1.ª, Sentencia de 22 Sep. 2011, rec. 382/2005

[LA LEY 193569/2011]

URBANISMO. Plan General de Ordenación Urbana. Revisión. Clasificación de terrenos. Suelo urbanizable no programado. Procedimiento de aprobación. No se acredita situación alguna de indefensión considerando que el plan es sometido a información pública y se formulan las alegaciones oportunas. No procede clasificar parte de los terrenos en suelo urbano consolidado y la otra parte en suelo urbano no consolidado toda vez que no concurren los requisitos de carácter reglado legalmente previstos. Delimitación de zona calificada como «Sistema General. Infraestructuras» destinada al traslado de la susbestación eléctrica actualmente existente. Prerrogativa del ius variandi. Límites. No se acredita la inejecutabilidad del Plan por inviabilidad económica de la actuación cuestionada.

Tribunal Superior de Justicia de Galicia, Sala de lo Contencioso-administrativo, Sección 2.ª, Sentencia de 2 Dic. 2010, rec. 4073/2010

[LA LEY 250762/2010]

CONTRATO ADMINISTRATIVO DE GESTIÓN DE SERVICIOS PÚBLICOS. CONTRATOS ADMINISTRATIVOS. Precio del contrato.

✉ **Consultas**

• **Cuantía de los contratos menores en la LCSP**

¿Debe entenderse incluido el IVA a la hora de hora de establecer los importes límites para los contratos menores?

Actualidad Administrativa, Nº 10, Sección Consultas, Quincena del 16 al 31 Mayo 2009, pág. 1256, tomo 1, Editorial LA LEY

[LA LEY 1030/2009]

Respuesta

Comencemos recordando que la aprobación de la Ley de Contratos del Sector Público obedeció, entre otros motivos, a la necesidad de realizar la transposición de la Directiva 18/2004.

En esta norma europea el IVA se deja aparte del importe del contrato como se señala en su artículo 7 cuando al hablar del importes de los umbrales de los contratos públicos dispone que «la presente Directiva se aplicará a los contratos públicos que no estén excluidos en virtud de las excepciones previstas en los artículos 10 y 11 y en los artículos 12 a 18 y cuyo valor estimado, sin incluir el impuesto sobre el valor añadido (IVA), sea igual o superior a los umbrales siguientes...»

Siguiendo las pautas de la Directiva y, del análisis del articulado de la LCSP, parece que el legislador español ha dejado dos cosas relativamente claras:

1. No se ha incluido un artículo similar al artículo 77 (LA LEY 2206/2000) del TRLCAP que disponía que «siempre que en el texto de esta Ley se haga alusión al importe o cuantía de los contratos, se entenderá que en los mismos está incluido el Impuesto sobre el Valor Añadido, salvo indicación expresa en contrario. Las referencias al Impuesto sobre el Valor Añadido deberán entenderse realizadas al Impuesto General Indirecto Canario o al Impuesto sobre la Producción, los Servicios y la Importación, en los territorios en que estas figuras impositivas rijan». Con relación a esta materia, en la LCSP únicamente se señala en la Disposición Adicional 16.ª (LA LEY 10868/2007) que «las referencias al Impuesto sobre el Valor Añadido deberán entenderse realizadas al Impuesto General Indirecto Canario o al Impuesto sobre la Producción, los Servicios y la Importación, en los territorios en que rijan estas figuras impositivas». Quizá, por el principio de seguridad jurídica, habría sido conveniente que el legislador español del 2007 hubiera sido tan claro como lo fue en la primera parte del artículo 77 (LA LEY 2206/2000) del TRLCAP y hubiera declarado si el IVA se debía entender o no incluido en el importe del contrato.

2. Queda claro que el legislador no se manifiesta expresamente sobre la cuestión planteada, sin embargo, a lo largo del articulado queda de manifiesta en numerosas ocasiones que el IVA está excluido del importe, del precio o del valor estimado de los contratos. Así podemos comprobarlo en los siguientes preceptos:

Con un carácter generalista, el artículo 76.1 (LA LEY 10868/2007) de la LCSP señala que «a todos los efectos previstos en esta Ley, el valor estimado de los contratos vendrá determinado por el importe total, sin incluir el Impuesto sobre el Valor Añadido, pagadero según las estimaciones del órgano de contratación. En el cálculo del importe total estimado, deberán tenerse en cuenta cualquier forma de opción eventual y las eventuales prórrogas del contrato.»

El artículo 129.5 (LA LEY 10868/2007) establece que «en la proposición deberá indicarse, como partida independiente, el importe del Impuesto sobre el Valor Añadido que deba ser repercutido.»

En el artículo 75.2 (LA LEY 10868/2007) se establece que «el precio del contrato podrá formularse tanto en términos de precios unitarios referidos a los distintos componentes de la prestación o a las unidades de la misma que se entreguen o ejecuten, como en términos de precios aplicables a tanto alzado a la totalidad o a parte de las prestaciones del contrato. En todo caso se indicará, como partida independiente, el importe del Impuesto sobre el Valor Añadido que deba soportar la Administración.»

En el artículo 76.8 (LA LEY 10868/2007) se establece que «para los acuerdos marco y para los sistemas dinámicos de adquisición se tendrá en cuenta el valor máximo estimado, excluido el Impuesto sobre el Valor Añadido, del conjunto de contratos contemplados durante la duración total del acuerdo marco o del sistema dinámico de adquisición.»

En el artículo 83.1 (LA LEY 10868/2007) concreta que «los que resulten adjudicatarios provisionales de los contratos que celebren las Administraciones Públicas deberán constituir a disposición del órgano de contratación una garantía de un 5 por 100 del importe de adjudicación, excluido el Impuesto sobre el Valor Añadido. En el caso de los contratos con precios provisionales a que se refiere el artículo 75.5 (LA LEY 10868/2007), el porcentaje se calculará con referencia al precio máximo fijado.»

En el artículo 220 e) (LA LEY 10868/2007) se dispone que «las modificaciones en el contrato, aunque fueran sucesivas, que impliquen, aislada o conjuntamente, alteraciones del precio del contrato, en cuantía superior, en más o en menos, al 20 por 100 del precio primitivo del contrato, con exclusión del Impuesto sobre el Valor Añadido, o representen una alteración sustancial del proyecto inicial.»

En el artículo 221.1 (LA LEY 10868/2007) se señala que «en relación con la letra e) del artículo anterior se considerará alteración sustancial, entre otras, la modificación de los fines y características básicas del proyecto inicial, así como la sustitución de unidades que afecten, al menos, al 30 por 100 del precio primitivo del contrato, con exclusión del Impuesto sobre el Valor Añadido.»

Conclusión: De modo que con carácter general, podemos señalar que parece que el legislador español entiende que el IVA es un elemento o cuantía independiente de «los importes» o «precios» de los contratos que figuran en la Ley.

Y, por ello, la cuantía fijada para los contratos menores en el articulado de la LCSP debe entenderse sin el IVA. En consecuencia, la cuantía de la nueva LCSP para la tramitación de los contratos menores ha aumentado considerablemente: para los contratos de obras el aumento es de 30.050 euros (incluido el IVA) a 50.000 euros más el IVA y para el resto de los contratos de 12.020 euros (incluido el IVA) a 18.000 más IVA.

2. La estimación deberá hacerse teniendo en cuenta los precios habituales en el mercado, y estar referida al momento del envío del anuncio de licitación o, en caso de que no se requiera un anuncio de este tipo, al momento en que el órgano de contratación inicie el procedimiento de adjudicación del contrato.

3. En los contratos de obras y de concesión de obra pública, el cálculo del valor estimado debe tener en cuenta el importe de las mismas así como el valor total estimado de los suministros necesarios para su ejecución que hayan sido puestos a disposición del contratista por el órgano de contratación.

4. En los contratos de suministro que tengan por objeto el arrendamiento financiero, el arrendamiento o la venta a plazos de productos, el valor que se tomará como base para calcular el valor estimado del contrato será el siguiente:

a) En el caso de contratos de duración determinada, cuando su duración sea igual o inferior a doce meses, el valor total estimado para la duración del contrato; cuando su duración sea superior a doce meses, su valor total, incluido el importe estimado del valor residual.

b) En el caso de contratos cuya duración no se fije por referencia a un período de tiempo determinado, el valor mensual multiplicado por 48.

5. En los contratos de suministro o de servicios que tengan un carácter de periodicidad, o de contratos que se deban renovar en un período de tiempo determinado, se tomará como base para el cálculo del valor estimado del contrato alguna de las siguientes cantidades:

a) El valor real total de los contratos sucesivos similares adjudicados durante el ejercicio precedente o durante los doce meses previos, ajustado, cuando sea posible, en función de los cambios de cantidad o valor previstos para los doce meses posteriores al contrato inicial.

b) El valor estimado total de los contratos sucesivos adjudicados durante los doce meses siguientes a la primera entrega o en el transcurso del ejercicio, si éste fuera superior a doce meses.

La elección del método para calcular el valor estimado no podrá efectuarse con la intención de sustraer el contrato a la aplicación de las normas de adjudicación que correspondan.

6. En los contratos de servicios, a los efectos del cálculo de su importe estimado, se tomarán como base, en su caso, las siguientes cantidades:

a) En los servicios de seguros, la prima pagadera y otras formas de remuneración.

b) En servicios bancarios y otros servicios financieros, los honorarios, las comisiones, los intereses y otras formas de remuneración.

c) En los contratos relativos a un proyecto, los honorarios, las comisiones pagaderas y otras formas de remuneración, así como las primas o contraprestaciones que, en su caso, se fijen para los participantes en el concurso.

d) En los contratos de servicios en que no se especifique un precio total, si tienen una duración determinada igual o inferior a cuarenta y ocho meses, el valor total estimado correspondiente a toda su duración. Si la duración es superior a cuarenta y ocho meses o no se encuentra fijada por referencia a un período de tiempo cierto, el valor mensual multiplicado por 48.

☞ **Concordancias Jurisprudenciales**

Tribunal Administrativo de Navarra, Sección 3.ª, Resolución de 23 Dic. 2011, rec. 11-04741/2011

[LA LEY 258522/2011]

LICENCIAS ADMINISTRATIVAS. Licencias de obras. Conformidad a derecho de la concesión de licencias de obras a la Confederación Hidrográfica del Ebro para rehabilitación de cubiertas en un edificio y para demoler instalaciones de una antigua potabilizadora de agua, obligando a constituir fianzas. No hay colisión alguna con el principio de legalidad presupuestaria, ni con el correlativo de inembargabilidad de los bienes afectos a usos o servicios públicos. Si la Confederación Hidrográfica del Ebro desea realizar las obras que pretende, puede y debe constituir las fianzas exigidas al efecto por la normativa vigente, utilizando para ello las partidas presupuestarias y las operaciones contables idóneas a tal fin.

✉ **Consultas**

• **El contrato de confirming es un contrato privado**

¿Cuál es la naturaleza de un contrato de confirming? En la medida que no supone coste presupuestario para la Corporación ¿cómo se calcula la cuantía económica del contrato?

[08/02/2010 EC 537/2010]

Contestación

El sistema de pagos confirmados (confirming) consiste en firmar un contrato entre el Ayuntamiento y la entidad financiera para la remisión de las órdenes de pago, enviando periódicamente a la citada entidad relaciones con los pagos que el Ayuntamiento va a efectuar durante los meses siguientes. En estas relaciones, además de los importes de las deudas y los datos de los acreedores, se hace constar la fecha exacta en que se deberá materializar cada una de las órdenes de pago. Una vez recibidas las relaciones por la entidad financiera, ésta se pone en contacto con los acreedores, indicándoles la fecha y el importe de la transferencia que van a recibir del Ayuntamiento, ofreciéndoles la posibilidad de anticipar el cobro a unos tipos de interés preferenciales y en las fechas previstas para cada una de las órdenes de pago; éstas son cargadas en la cuenta corriente del Ayuntamiento.

Dejando a un lado los problemas que para su aplicación a las entidades locales se han venido señalando por la doctrina, en cuanto a sus dos preguntas concretas entendemos lo siguiente:

El confirming es un contrato de servicios de los contemplados en la categoría 6 del Anexo II de la Ley 30/2007, de 30 de octubre (BOE del 31), de Contratos del Sector Público (LCSP). Es un servicio consistente en gestionar los pagos que las Corporaciones Locales (o cualquier empresa) realizan a sus proveedores, con la posibilidad de anticipar a éstos el cobro de sus facturas.

Si consideramos que el art. 20.1 párrafo 2.º LCSP considera que son contratos privados los celebrados por una Administración Pública que tengan por objeto servicios comprendidos en la categoría 6 del Anexo II, habrá que concluir que nos encontramos ante un contrato privado.

Conforme al citado apartado 2 del art. 20 LCSP, los contratos privados se regirán, en cuanto a su preparación y adjudicación, en defecto de normas específicas, por la presente Ley y sus disposiciones de desarrollo, aplicándose supletoriamente las restantes normas de derecho administrativo o, en su caso, las normas de derecho privado, según corresponda por razón del sujeto o entidad contratante. Por tanto, son de aplicación los procedimientos de adjudicación establecidos en la LCSP.

Ahora bien, si como nos dice el consultante no hay forma de determinar el precio del contrato, ya que como tal no existe en este tipo de contratos, pues el Ayuntamiento no paga ningún precio por el servicio (independientemente de que el contrato le produzca un beneficio a la entidad financiera, en cuanto que va a obtener el interés pactado respecto a los anticipos que realice a los proveedores), habrá que concluir que el Ayuntamiento podrá optar por cualquiera de los procedimientos admitidos en la LCSP, ya que el art. 76.6, cuando establece las normas para calcular el valor estimado de los contratos de servicios, establece que se tomarán como base, en su caso, las siguientes cantidades: «b) En servicios bancarios y otros servicios financieros, los honorarios, las comisiones, los intereses y otras formas de remuneración.»

Considerando que no existen honorarios, comisiones ni intereses, y que la otra forma de remuneración es imposible de determinar, ya que depende de muchas circunstancias que no se pueden conocer en el momento de la contratación (empresas que se sumaran al sistema, retraso medio en los pagos, fechas de pago de la entidad, fechas de anticipo, etc.), consideramos que es imposible determinar ni siquiera el valor estimado de este contrato.

7. Cuando la realización de una obra, la contratación de unos servicios o la obtención de unos suministros homogéneos pueda dar lugar a la adjudicación simultánea de contratos por lotes separados, se deberá tener en cuenta el valor global estimado de la totalidad de dichos lotes.

☞ **Concordancias Jurisprudenciales**

Tribunal Administrativo Central de Recursos Contractuales, Resolución de 11 Ene. 2012, rec. 329/2011

CONTRATO ADMINISTRATIVO DE SERVICIOS. Adjudicación de contrato para la prestación del servicio de localización, arrastre, almacenaje y custodia de vehículos embargados por las Unidades de Recaudación Ejecutiva dependientes de la Dirección Provincial de la Tesorería General de la Seguridad Social de Alicante. RECURSO ESPECIAL EN MATERIA DE CONTRATACIÓN. Desestimación. El adjudicatario cumple con la solvencia exigida. El pliego establece expresamente que no es exigible certificación acreditativa de la clasificación, señalando diversos medios para acreditarla, en los que opcionalmente aparece la clasificación. La no exigencia de clasificación es compatible con lo dispuesto en la ley, dado que el contrato de servicios es de categoría 27, lo que es correcto.

8. Para los acuerdos marco y para los sistemas dinámicos de adquisición se tendrá en cuenta el valor máximo estimado, excluido el Impuesto sobre el Valor Añadido, del conjunto de contratos contemplados durante la duración total del acuerdo marco o del sistema dinámico de adquisición.

Concordancias a todo el artículo

✉ **Consultas**

• **Criterios para determinar el valor estimado del contrato**

Tenemos que licitar el servicio de bar restaurante. Tenemos la duda sobre cuál es el valor estimado del contrato ya que en este caso el servicio no lo paga la entidad contratante sino el consumidor final. La entidad contratante sólo paga los suministros para la realización del servicio.

Contratación Administrativa Práctica, N.º 118, Abril 2012, Editorial LA LEY

[LA LEY 482/2012]

Respuesta

La primera cuestión a determinar en relación con la pretendida licitación del servicio de bar restaurante, suponiendo que se encuentra vinculado a una instalación pública en un bien de dominio público, consiste en tipificar el contrato acudiendo a algunos de los contratos típicos definidos en la legislación de contratación administrativa, o considerar el contrato como administrativo especial en función de su específica naturaleza jurídica.

La doctrina tradicional ha considerado específicamente a los contratos de prestación de servicios de bares, cafeterías o comedor vinculados a instalaciones públicas como administrativos especiales por implicar la contratación de un servicio en un bien de dominio público de titularidad municipal y afecto a una actividad determinada. Como ejemplos de esta doctrina pueden citarse los Informes de la Junta Consultiva de Contratación Administrativa de 7 de marzo de 1996 (LA LEY 10/1996) (LA LEY 10/1996), de 6 de julio de 2000 (LA LEY 33/2000) (LA LEY 33/2000) y de 29 de junio de 2006 (LA LEY 169/2005) (LA LEY 169/2005) que sentaban la conclusión de que reiterando criterios anteriores los servicios de cafetería y comedor deben configurarse como contratos administrativos especiales

Sin embargo, en la actualidad, la doctrina de los órganos consultivos en materia de contratación, se ha decantado por una interpretación más restrictiva de los contratos administrativos especiales, de modo que la mera presencia de características intrínsecas que hagan necesaria una especial tutela de la administración no debe condicionar la naturaleza administrativa del contrato ni, en su caso, esa naturaleza administrativa especial. De ser así, cualquier actuación de la administración tendría como consecuencia la naturaleza administrativa de sus contratos y, de no ser de los típicos, tendría naturaleza especial Informe 9/2009, de la Junta Superior de Contratación administrativa de la Generalitat Valenciana (LA LEY 4444/2009) (LA LEY 4444/2009). Específicamente en Informe de 19/2008, de 4 de septiembre de 2008 (LA LEY 970/2008) (LA LEY 970/2008), la Junta concluye que los contratos cuyo objeto es la prestación de servicios de bar, cafetería y comedor en las instalaciones clasificadas como «bares», «cafeterías» y «comedores», deben entenderse incluidos en la categoría 17 «Servicios de hostelería y restaurante» del Anexo II de la LCSP (LA LEY 10868/2007) relativo a los contratos de servicios.»

En todo caso, para conocer los criterios en base a los cuales debamos determinar el valor estimado del contrato, hemos de estar al contenido del artículo 88 del Real Decreto Legislativo 3/2011, de 14 de noviembre, por el que se aprueba el texto refundido de la Ley de Contratos del Sector Público (LA LEY 21158/2011), que establece una serie de reglas en sus apartados tercero y siguientes en función del tipo de contrato de que se trate. No obstante, ninguna de las reglas aplicables a los contratos de servicios de la regla sexta determinan objetivamente la forma de cálculo del valor estimado para la contratación de los servicios de bar restaurante.

En tal caso, hemos de estar a las reglas generales contenidas en la propia ley y que constituyen principios informadores de la contratación administrativa. Así, en el mismo artículo 88 apartado segundo se señala que la estimación deberá hacerse teniendo en cuenta los precios habituales en el mercado, al igual que se hace en el artículo 87.1 respecto a la determinación del precio.

Por otra parte, una característica peculiar del contrato que se cita por el consultante, es que la retribución del contratista resultará de los precios a abonar por el consumidor final, circunstancia característica del contrato de gestión de servicios públicos (artículo 281 del texto refundido), donde un elemento configurador del contrato es el mantenimiento del equilibrio económico. Ello implica que previamente a la licitación y a efectos de calcular el valor estimado que se vaya a establecer, debe realizarse un estudio que justifique la cantidad resultante en función de las perspectivas de explotación del servicio de bar restaurante.

Por tanto, en ausencia de reglas especificas aplicables y considerando que el contratista se retribuirá directamente del consumidor final, consideramos que los dos criterios determinantes para fijar el valor estimado del contrato han de ser los precios de mercado para servicios semejantes, por una parte y, por otra, un estudio económico que se efectúe con previsiones de gastos e ingresos que justifique el mantenimiento del equilibrio económico del contratista con el valor que se señale.

➡ Concordancias normativas

Artículo 76 de la LCSP 30/2007 y artículos 136 y 204 del TRLCAP RDL 2/2000.

Véase artículo 317.1 a) de la presente Ley.

CAPÍTULO II

Revisión de precios en los contratos de las Administraciones Públicas

Artículo 89 *Procedencia y límites*

1. La revisión de precios en los contratos de las Administraciones Públicas tendrá lugar, en los términos establecidos en este Capítulo y salvo que la improcedencia de la revisión se hubiese previsto expresamente en los pliegos o pactado en el contrato, cuando éste se hubiese ejecutado, al menos, en el 20 por 100 de su importe y hubiese transcurrido un año desde su formalización. En consecuencia, el primer 20 por 100 ejecutado y el primer año transcurrido desde la formalización quedarán excluidos de la revisión.

No obstante, en los contratos de gestión de servicios públicos, la revisión de precios podrá tener lugar una vez transcurrido el primer año desde la formalización del contrato, sin que sea necesario haber ejecutado el 20 por 100 de la prestación.

⊠ Consultas

• **Contrato de suministro domiciliario de agua potable. Revisión de precio**

¿Puede ser establecida por el órgano de contratación la fórmula para la revisión de precios en un contrato de gestión de servicios públicos de suministro de agua potable?

[03/09/2010 EC 2484/2010]

Contestación

La legislación en materia de contratos generaliza, para todo tipo de contratos, la revisión de precios; aunque ha puesto límites concretos a su práctica y ha detallado el sistema de revisión. Además, para los contratos de gestión de servicios públicos, deben tenerse en cuenta sus especialidades, tal como se recogen en los informes de esta Junta Consultiva de Contratación (JCCA) de 22 de diciembre de 1993 (expediente 27/1993) y de 21 de diciembre de 2000 (expediente 48/00). Por otra parte, la revisión de precios en este tipo de contratos administrativos tiene distinto alcance según sea la causa que motiva el desequilibrio (revisión ordinaria, que es la que nos ocupa, factum principis o riesgo imprevisible).

La revisión de precios operará, en los términos establecidos en el art. 77.1 de la Ley 30/2007, de 30 de octubre (LA LEY 10868/2007) (BOE del 31), de Contratos del Sector Público (LCSP), una vez se hayan cumplido sus requisitos: en términos generales, ni el 20% de su importe inicial, ni el primer año de ejecución computado desde su adjudicación (no desde que comenzaron a efectuarse las prestaciones, salvo que, evidentemente sean fechas coincidentes) están excluidos de la revisión. La referencia inicial, por lo tanto, para la actualización de precios, es la fecha de adjudicación, no el inicio del contrato; aunque luego añade la norma que el primer año de ejecución queda excluido de la revisión.

Aclara la norma, ese es el único requisito para los contratos de gestión de servicios públicos, sin que sea necesario que se haya ejecutado el 20% del contrato. Ya que, de respetarse los dos y por la duración de este tipo de contratos, la revisión quedaría aplazada durante un periodo muy superior al anual. En esta línea existían pronunciamientos de la JCCA en los informes citados, que indicaba que el umbral del porcentaje debía ir ligado al plazo de tal manera que «si se tiene en cuenta que en el contrato de gestión de servicios públicos el mantenimiento del equilibrio económico financiero del contrato no podría ser mantenido si se excluye la revisión de precios durante un periodo superior a un año, y fijando el umbral exento de la revisión en función de la cuantía y de la duración del contrato.»

Puesto que el Consejo de Ministros no ha aprobado, hasta la fecha, fórmulas polinómicas para la revisión de precios en los contratos de gestión de servicios públicos, y dado que la revisión de precios es obligatoria en este tipo de contratos atendiendo a su duración, deberá ser el órgano de contratación el que incluya una fórmula en el precio.

Entendemos que deberán respetarse las actuales limitaciones legales, ya que expresamente la norma excluye de la revisión de precios el aumento de la mano de obra; lógicamente, ya que éste es un coste cuya actualización es responsabilidad del empresario, y repercutir incrementos extraordinarios de él en los precios del servicio sería dejar en manos de una de las partes la fijación de los precios. En el informe 18/2009, de 25 de septiembre de la Junta Consultiva de Contratación Administrativa, a pesar de no entrar en el fondo de la cuestión, se indica que si se deja que el licitador participe en la fijación de la fórmula de revisión de precios, debe marcar los coeficientes, no la fórmula, que deberá fijarse por la Administración, y ser única para toda la vida del contrato.

Ello, sin perjuicio de otros sistemas extraordinarios de revisión, en los que podría contemplarse el aumento de la mano de obra, siempre que se den las condiciones que contempla la LCSP en esos casos.

En cuanto a la concreta aplicación de la revisión de precios, es interesante el Informe de la Junta Consultiva de Contratación Administrativa de la Generalidad Valenciana, 1/2002, de 25 de marzo, que mantiene la aplicación del mismo que desea aplicar la Entidad Local consultante: el correspondiente a los últimos doce meses transcurridos anteriormente a la fecha de la revisión. Añade la Junta, en su informe, que en ningún caso será admisible que, una vez conocido el incremento real del periodo que se ha revisado (la revisión se realiza con incrementos pasados que se aplican al periodo del año siguiente), se aplique a los meses transcurridos y se sume a la revisión inicial. Sólo existe una revisión y esa es invariable a lo largo de toda la vida del contrato.

> 2. La revisión de precios no tendrá lugar en los contratos cuyo pago se concierte mediante el sistema de arrendamiento financiero o de arrendamiento con opción a compra, ni en los contratos menores. En los restantes contratos, el órgano de contratación, en resolución motivada, podrá excluir la procedencia de la revisión de precios.

☞ **Concordancias Jurisprudenciales**

Tribunal Superior de Justicia de Castilla y León de Valladolid, Sala de lo Contencioso-administrativo, Sentencia de 8 Jul. 2011, rec. 688/2010

[LA LEY 151998/2011]

CONTRATO ADMINISTRATIVO DE OBRAS. Pago del precio y cancelación de los avales y garantías prestadas para dicha obra. Procedencia. Improcedencia del abono de la cuantía reclamada como exceso de obra y en concepto de revisión de precios. Correcta valoración de la prueba, que se efectuó teniendo en cuenta el contenido del pliego de prescripciones técnicas de la contratación. En las contrataciones para nada estaba contemplada la posibilidad de una revisión de precios y esto hace aplicable dos principios generales como son el de pacta sunt servanda y el del valor vinculante de los propios actos de la contratista de firma y de aceptación del contenido de los tres contratos. La prerrogativa administrativa de no proceder a la revisión de precios en un determinado contrato figura no solo en el pliego de cláusulas particulares, siendo aceptada al concurrir al concurso regido por tales pliegos de cláusulas administrativas particulares, sino también en el propio contrato de adjudicación de obras. No se acredita la ruptura del equilibrio sinalagmático contractual entre las prestaciones de las partes.

Tribunal Supremo, Sala Tercera, de lo Contencioso-administrativo, Sección 4.ª, Sentencia de 30 Jun. 2009, rec. 4296/2007

[LA LEY 119163/2009]

CONTRATO ADMINISTRATIVO DE OBRAS. Revisión de precios: improcedencia. Existencia de una cláusula del pliego de cláusulas administrativas particulares, expresamente aceptada por el contratista, que señala que en la contratación no habrá revisión de precios. Principio de riesgo y ventura del contratista. Aplicación de los principios de equidad y buena fe cuando aparece un riesgo anormal que cercena el equilibrio económico-financiero del contrato.

3. El pliego de cláusulas administrativas particulares o el contrato deberán detallar, en su caso, la fórmula o sistema de revisión aplicable.

Concordancias a todo el artículo

➡ **Concordancias normativas**

Artículo 77 de la LCSP 30/2007 y artículo 103 del TRLCAP RDL 2/2000.

☞ **Concordancias Jurisprudenciales**

Tribunal Superior de Justicia de Castilla y León de Valladolid, Sala de lo Contencioso-administrativo, Sentencia de 9 Nov. 2010, rec. 1386/2007

[LA LEY 248239/2010]

CONTRATO ADMINISTRATIVO DE OBRAS. Construcción de centro infantil y primaria. Denegación de reconocimiento y abono del precio reclamado. No procede la revisión de precios en virtud del incremento de los precios del acero. Principio de riesgo y ventura del contratista. Exclusión expresa de la revisión del pliego de cláusulas administrativas. Doctrina sobre la teoría del riesgo imprevisible. No procede su aplicación al presente caso toda vez que los precios del acero están liberalizados al tiempo de la celebración del contrato y la subida producida es un riesgo que asume el contratista. Tampoco se acredita que la elevación de precios suponga una verdadera ruptura del equilibrio de las prestaciones contractuales.

Audiencia Nacional, Sala de lo Contencioso-administrativo, Sección 8.ª, Sentencia de 14 Jul. 2010, rec. 842/2008

[LA LEY 122142/2010]

CONTRATO ADMINISTRATIVO DE OBRAS. Procedencia del abono de indemnización por el desequilibrio económico sufrido por causa del incremento extraordinario e imprevisible del precio de los ligantes asfálticos empleados en la ejecución del contrato de obra pública. El precio de los productos ligantes experimentó una subida y un aumento que no puede entenderse como razonablemente previsible al ascender del 138,03 % al 159,77 %. El hecho de haber aceptado la interesada la liquidación no puede erigirse en obstáculo que le impida reclamar más tarde aquello a lo que considera tiene derecho, siempre y cuando no haya preclusión de plazos que se lo impida. la recepción de las obras no excluía la eventual solicitud de indemnización por riesgo imprevisible.

✉ **Consultas**

• **Posibilidad de renuncia a la revisión de precios**

Un contratista plantea la renuncia a la revisión de precios prevista en el pliego, porque aplicando el IPC podría resultar una revisión de precios negativa ¿Podemos aceptar la renuncia?

[10/06/2010 EC 1840/2010]

Contestación

El art. 77 (LA LEY 10868/2007) de la Ley 30/2007, de 30 de octubre (BOE del 31), de Contratos del Sector Público (LCSP), admite que la revisión de precios se excluya expresamente en los pliegos de cláusulas administrativas o mediante pacto expreso en el contrato.

Como señala Isabel Gallego Córcoles en la obra de esta editorial Contratación del Sector Público Local, El Consultor 2008, la contratación pública se articula en base a un completo sistema que se caracteriza, por un lado, en la existencia de una serie de prerrogativas de la Administración fundada por la consecución del interés público —dirección del contrato e interpretación, modificación y resolución de éste— y, por otro, por una serie de garantías y técnicas en defensa de la posición del contratista —modulación del principio de ejecución a riesgo y ventura, técnicas de equilibrio contractual, revisión de precios, factum principis, facultad de resolución por suspensión o incumplimiento de la Administración, etc.—. Desde esta perspectiva, la revisión de precios constituye un sistema establecido en aras del principio de equilibrio financiero del contrato para compensar los desajustes que la falta de estabilidad de la realidad socioeconómica causa a los contratistas privados, suponiendo, por tanto, una excepción al principio de riesgo y ventura que proclama actualmente el art. 199 LCSP.

Añade la citada autora que, por otro lado, la revisión de precios tiene una dimensión distinta, y es la de constituir un mecanismo de reasignación de riesgos entre los operadores económicos. Este mecanismo de reasignación de riesgos parte de la premisa de que la Administración Pública está siempre en mejor situación que el empresario para asumir los riesgos derivados de la fluctuación de precios. Esto es, resulta clara la idea de que la revisión de precios es un derecho del contratista y, como tal derecho, es renunciable cumpliendo una serie de requisitos. En este sentido se han manifestado tanto el Tribunal Supremo como los Tribunales Superiores de Justicia. Ahora bien, lo cierto es que en la mayoría de los casos estudiados por la jurisprudencia la renuncia es previa (por ejemplo, una mejora en la oferta económica), pero consideramos que no existiría ningún inconveniente en que se tratara de una renuncia posterior, esto es, renunciar una vez que se sabe objetivamente la mejora económica que supone la revisión de precios.

El problema es que, en el supuesto planteado, no es aplicable nada de lo dicho hasta aquí sobre la revisión de precios. Es decir, el sistema de revisión de precios parte de la premisa de suponer un continuo incremento en los costes del contratista que suponga un incremento del precio para la Administración; y como tal incremento de precio que redunda en beneficio del contratista se considera un derecho renunciable.

Sin embargo, en periodos de deflación como el actual, si se utiliza como índice de la revisión de precios el índice de precios al consumo, puede suceder lo que ocurre en este caso, que la revisión implica no un incremento del precio sino una disminución del precio; con lo que cambia absolutamente el esquema del funcionamiento de la figura, ya que pasa de un sistema dirigido a proteger al contratista a un sistema dirigido a proteger a ambos contratantes.

De la misma forma, ya no es sólo un derecho del contratista sino que puede convertirse en un derecho de la Administración. En este sentido, en el caso consultado el problema es que el contratista no está renunciado a nada, todo lo contrario, lo que el contratista está pretendiendo es que no se aplique una cláusula del contrato porque su aplicación le perjudica, en el sentido de que supone una minoración del precio que venía percibiendo. Desde este punto de vista, la no aplicación de la revisión de precios supondría realmente una renuncia, no del contratista, sino de la Administración, al ahorro que supondría para ella la bajada del precio.

Como entendemos que la renuncia a esta bajada del precio es contraria, en principio, al interés público, consideramos que debe aplicarse la revisión de precios tal y como está pactada en el contrato.

Artículo 90 *Sistema de revisión de precios*

1. Cuando resulte procedente, la revisión de precios se llevará a cabo mediante la aplicación de índices oficiales o de la fórmula aprobada por el Consejo de Ministros, previo informe de la Junta Consultiva de Contratación Administrativa del Estado, para cada tipo de contratos.

2. El órgano de contratación determinará el índice que deba aplicarse, atendiendo a la naturaleza de cada contrato y la estructura de los costes de las prestaciones del mismo. Las fórmulas aprobadas por el Consejo de Ministros excluirán la posibilidad de utilizar otros índices; si, debido a la configuración del contrato, pudiese ser aplicable más de una fórmula, el órgano de contratación determinará la más adecuada, de acuerdo con los criterios indicados.

3. Cuando el índice de referencia que se adopte sea el Índice de Precios de Consumo elaborado por el Instituto Nacional de Estadística o cualquiera de los índices de los grupos, subgrupos, clases o subclases que en él se integran, la revisión no podrá superar el 85 por 100 de variación experimentada por el índice adoptado.

➡ Concordancias normativas

Artículo 78 de la LCSP 30/2007 y artículo 104 del TRLCAP RDL 2/2000.

Véase artículo 2 del R.D. 1359/2011, de 7 de octubre, por el que se aprueba la relación de materiales básicos y las fórmulas-tipo generales de revisión de precios de los contratos de obras y de contratos de suministro de fabricación de armamento y equipamiento de las Administraciones Públicas («B.O.E». 26 octubre).

✉ Consultas

• **Revisión de precios en contrato de gestión de servicios públicos con fórmula referenciada con el IPC**

Se solicita informe sobre qué índice se debe aplicar en una revisión de precios en contrato de gestión de servicios públicos (recogida de residuos sólidos y limpieza viaria) en la que la fórmula que consta en el pliego está referenciada con el IPC.

[25/06/2009 EC 1855/2009]

Contestación

La legislación en materia de contratos ha generalizado a todo tipo de contratos la revisión de precios, aunque ha puesto límites concretos a su práctica y ha detallado el sistema de revisión. Además, para los contratos de gestión de servicios públicos deben tenerse en cuenta sus especialidades tal como se recogen en los Informes de la Junta Consultiva de Contratación Administrativa 27/1993, de 22 de diciembre de 1993 y 48/00, de 21 de diciembre de 2000. Por otra parte, la revisión de precios en este tipo de contratos administrativos tiene distinto alcance según sea la causa que motiva el desequilibrio (revisión ordinaria, que es la que nos ocupa, factum principis o riesgo imprevisible).

La revisión de precios operará, en los términos establecidos en la Ley [atendiendo a la fecha de inicio de las prestaciones, los contratos se regulan por lo establecido en el Real Decreto Legislativo 2/2000, de 16 de junio por el que se aprueba el Texto Refundido de la Ley de Contratos de las Administraciones Públicas (arts. 103 a 108), por haberse iniciado la contratación en la fecha e vigor de dicha norma], una vez se hayan cumplido sus requisitos: en términos generales, ni el 20% de su importe inicial, ni el primer año de ejecución computado desde su adjudicación (no desde que comenzaron a efectuarse las prestaciones, salvo que, evidentemente, sean fechas coincidentes) están excluidos de la revisión.

En cuanto a la comprobación de la ejecución del 20% del importe inicial, se señala por la JCCA en los informes citados que este umbral debe ir ligado al plazo, de tal manera que «si se tiene en cuenta que en el contrato de gestión de servicios públicos el mantenimiento del equilibrio económico financiero del contrato no podría ser mantenido si se excluye la revisión de precios durante un periodo superior a un año, y fijando el umbral exento de la revisión en función de la cuantía y de la duración del contrato». Tiene por ello el órgano de contratación en estos contratos mayor libertad que en el resto, reconociendo el 162 TR LCAP que tiene el contratista derecho a la revisión de precios «en los términos en los que el propio contrato establezca.»

La única referencia que se hace en la consulta a la fórmula es que «se llevará a cabo aplicando el IPC», sin indicar si se añadió «anual», «interanual» o «armonizado», ni siquiera si se hizo alguna mención en relación con la exclusión del 20%. El pliego, que es la Ley entre las partes, y más en este tipo de contratos, debió fijar sin ninguna duda cuál era el mes inicial y el mes final del cómputo del IPC para la revisión.

El IPC es un número índice que refleja la evolución media ponderada de los precios de un conjunto de bienes y servicios de consumo habitual (se asimila a una «cesta de la compra», que muchas veces poco tiene que ver con las variables que intervienen en la ejecución de un contrato administrativo, por lo que suele corregirse su aplicación directa aplicando porcentajes que lo disminuyan, como ha recogido el art. 78.3 LCSP). Existen otros como el IPI y el deflactor del PIB. La progresiva integración de la economía europea condujo a que el 7 de marzo de 1997 el Instituto Monetario Europeo (IME) publicara por primera vez su índice de Precios al consumo calculado de modo homogéneo para todos los países europeos. Este índice se llama IPCE, y se diferencia del IPC armonizado, que de acuerdo al criterio acordado en Maastricht, se calcula en cada país como la media de las inflaciones mensuales a lo largo del año.

Para un caso como el expuesto, y ante la falta de determinación del índice, la Junta Consultiva de Contratación Administrativa de la Generalidad Valenciana mantiene en su Informe 1/2002, de 25 de marzo, la aplicación del mismo que desea aplicar la Entidad Local consultante: el correspondiente a los últimos doce meses transcurridos anteriormente a la fecha de la revisión.

Añade en su informe la Junta que en ningún caso será admisible que una vez conocido el incremento real del periodo que se ha revisado (la revisión se realiza con incrementos pasados que se aplican al periodo del año siguiente) se aplique a los meses transcurridos y se sume a la revisión inicial. Sólo existe una revisión y esa es invariable a lo largo de toda la vida del contrato.

Artículo 91 *Fórmulas*

1. Las fórmulas que se establezcan reflejarán la ponderación en el precio del contrato del coste de los materiales básicos y de la energía incorporados al proceso de generación de las prestaciones objeto del mismo. No se incluirán en ellas el coste de la mano de obra, los costes financieros, los gastos generales o de estructura ni el beneficio industrial.

2. Cuando por circunstancias excepcionales la evolución de los costes de mano de obra o financieros acaecida en un período experimente desviaciones al alza que puedan reputarse como impredecibles en el momento de la adjudicación del contrato, el Consejo de Ministros o el órgano competente de las Comunidades Autónomas podrá autorizar, con carácter transitorio, la introducción de factores correctores de esta desviación para su consideración en la revisión del precio, sin que, en ningún caso, puedan superar el 80 por 100 de la desviación efectivamente producida.

Se considerará que concurren las circunstancias a que se refiere el párrafo anterior cuando la evolución del deflactor del Producto Interior Bruto oficialmente determinado por el Instituto Nacional de Estadística supere en 5 puntos porcentuales las previsiones macroeconómicas oficiales efectivas en el momento de la adjudicación o el tipo de interés de las letras del Tesoro supere en cinco puntos porcentuales al último disponible en el momento de la adjudicación del contrato. Los pliegos de cláusulas administrativas particulares podrán incluir las referencias a las previsiones macroeconómicas y tipo de interés existentes en el momento de la licitación.

☞ **Concordancias Jurisprudenciales**

Tribunal Superior de Justicia de Extremadura, Sala de lo Contencioso-administrativo, Sentencia de 22 Sep. 2011, rec. 1649/2009

[LA LEY 182503/2011]

CONTRATOS ADMINISTRATIVOS. Adjudicación de los contratos. Licitación. Concurso-subasta. -- Adjudicación de los contratos. Licitación.

Proposiciones de los interesados. -- Adjudicación de los contratos. Selección del adjudicatario. Valoración de las ofertas.

3. Salvo lo previsto en el apartado anterior, el índice o fórmula de revisión aplicable al contrato será invariable durante la vigencia del mismo y determinará la revisión de precios en cada fecha respecto a la fecha de adjudicación del contrato, siempre que la adjudicación se produzca en el plazo de tres meses desde la finalización del plazo de presentación de ofertas, o respecto a la fecha en que termine dicho plazo de tres meses si la adjudicación se produce con posterioridad.

4. La Comisión Delegada del Gobierno para Asuntos Económicos aprobará los índices mensuales de precios de los materiales básicos y de la energía, a propuesta del Comité Superior de Precios de Contratos del Estado, debiendo ser publicados los mismos en el «Boletín Oficial del Estado.»

Los índices reflejarán, al alza o a la baja, las variaciones reales de los precios de la energía y materiales básicos observadas en el mercado y podrán ser únicos para todo el territorio nacional o particularizarse por zonas geográficas.

➡ Concordancias normativas

Véase Orden HAP/1072/2012, de 18 de mayo, sobre índices de precios de mano de obra y materiales correspondientes a los meses de octubre, noviembre y diciembre de 2011 aplicables a la revisión de precios de contratos de las Administraciones Públicas («B.O.E». 23 mayo).

Véase Orden EHA/2881/2011, de 24 de octubre, sobre índices de precios de mano de obra y materiales correspondientes a los meses de enero, febrero y marzo de 2011 aplicables a la revisión de precios de contratos de las Administraciones Públicas («B.O.E». 27 octubre).

5. Reglamentariamente se establecerá la relación de materiales básicos a incluir en las fórmulas de revisión de precios. Dicha relación podrá ser ampliada por Orden del Ministro de Economía y Hacienda, dictada previo informe de la Junta Consultiva de Contratación Administrativa del Estado, cuando así lo exija la evolución de los procesos productivos o la aparición de nuevos materiales con participación relevante en el coste de determinados contratos.

Los indicadores o reglas de determinación de cada uno de los índices que intervienen en las fórmulas de revisión de precios serán establecidos por Orden del Ministro de Economía y Hacienda, a propuesta del Comité Superior de Precios de Contratos del Estado.

➡ **Concordancias normativas**

Artículo 79 de la LCSP 30/2007 y artículo 104 del TRLCAP RDL 2/2000.

Véanse artículos 1 y 2 del R.D. 1359/2011, de 7 de octubre, por el que se aprueba la relación de materiales básicos y las fórmulas-tipo generales de revisión de precios de los contratos de obras y de contratos de suministro de fabricación de armamento y equipamiento de las Administraciones Públicas («B.O.E». 26 octubre).

Artículo 92 *Coeficiente de revisión*

El resultado de aplicar las ponderaciones previstas en el apartado 1 del artículo anterior a los índices de precios definidos en su apartado 4, proporcionará en cada fecha, respecto a la fecha y períodos determinados en el apartado 3 del citado artículo, un coeficiente que se aplicará a los importes líquidos de las prestaciones realizadas que tengan derecho a revisión a los efectos de calcular el precio que corresponda satisfacer.

Concordancias a todo el artículo

➡ **Concordancias normativas**

Artículo 80 de la LCSP 30/2007 y artículos 105 y 106 del TRLCAP RDL 2/2000.

☞ **Concordancias Jurisprudenciales**

Tribunal Superior de Justicia de Galicia, Sala de lo Contencioso-administrativo, Sección 2.ª, Sentencia de 9 Feb. 2012, rec. 4416/2011

[LA LEY 12237/2012]

CONTRATO ADMINISTRATIVO DE OBRAS. Ejecución. Pago del precio. Certificaciones. -- Ejecución. Reajuste de anualidades. -- Modificación del contrato. Revisión de precios. Requisitos para su procedencia. IMPUESTO SOBRE EL VALOR AÑADIDO.

Tribunal Superior de Justicia del Principado de Asturias, Sala de lo Contencioso-administrativo, Sección 1.ª, Sentencia de 17 Mar. 2010, rec. 1887/2008

[LA LEY 65511/2010]

CONTRATO ADMINISTRATIVO DE OBRAS. Ejecución. Pago del precio. Certificaciones. CONTRATOS ADMINISTRATIVOS. Precio del contrato. Revisión del precio. Limitaciones. -- Precio del contrato. Revisión del precio. Coeficiente de revisión.

Tribunal Superior de Justicia del Principado de Asturias, Sala de lo Contencioso-administrativo, Sección 1.ª, Sentencia de 17 Sep. 2010, rec. 1577/2009

[LA LEY 168542/2010]

CONTRATO ADMINISTRATIVO DE OBRAS. Revisión de precios. Base de cálculo. Importes líquidos de las prestaciones realizadas. Incluye el coste de la ejecución más los gastos generales o de estructura. No procede aplicar las reglas de determinación establecidas para la aplicación de la Tasa por Dirección e Inspección de obra toda vez que el cálculo de la base imponible de una tasa no puede ser elemento que sirva, ni siquiera por aplicación analógica, para determinar el modo en que debe determinarse

Artículo 93 ***Revisión en casos de demora en la ejecución***

Cuando la cláusula de revisión se aplique sobre períodos de tiempo en los que el contratista hubiese incurrido en mora y sin perjuicio de las penalidades que fueren procedentes, los índices de precios que habrán de ser tenidos en cuenta serán aquellos que hubiesen correspondido a las fechas establecidas en el contrato para la realización de la prestación en plazo, salvo que los correspondientes al período real de ejecución produzcan un coeficiente inferior, en cuyo caso se aplicarán estos últimos.

➡ Concordancias normativas

Artículo 81 de la LCSP 30/2007 y artículo 107 del TRLCAP RDL 2/2000.

Véase artículo 212 de la presente Ley.

☞ **Concordancias Jurisprudenciales**

Tribunal Administrativo Central de Recursos Contractuales, Resolución de 15 Sep. 2011, rec. 187/2011

[LA LEY 290463/2011]

CONTRATO ADMINISTRATIVO DE SERVICIOS. Adjudicación del contrato de los servicios de organización, gestión y ejecución del programa de vacaciones para mayores y para el mantenimiento del empleo en zonas turísticas durante varias temporadas. RECURSO ESPECIAL EN MATERIA DE CONTRATACIÓN. Inadmisión. Falta de legitimación activa. Dada la existencia de cuatro lotes y de cuatro adjudicaciones en el acuerdo, el sujeto no tendría legitimación para impugnar el lote 4, pues no ha concurrido a la licitación, pero tampoco la tiene para el lote 3, porque previamente a la adjudicación fue excluido del procedimiento al considerarse su baja desproporcionada o anormal. Desestimación, respecto de los otros lotes. Correcta valoración de las ofertas. La interpretación que del pliego hace el órgano de contratación no vulnera el principio de igualdad.

☒ **Consultas**

• **Error aritmético en la proposición económica**

Detectado un error aritmético en la proposición económica, se ha presentado escrito manifestándolo y dejando constancia del cálculo correcto ¿El escrito presentado conlleva la oportuna rectificación sin riesgo de perjuicio para la proposición?

Contratación Administrativa Práctica, N° 86, Sección Usted Pregunta, Mayo 2009, Editorial LA LEY

[LA LEY 1013/2009]

Respuesta

Comencemos señalando que el error aritmético tiene su razón de ser en la obligatoriedad exigida por el artículo 129.5 (LA LEY 10868/2007) de la LCSP que expresamente señala que «en la proposición económica deberá indicarse el importe del Impuesto sobre el Valor Añadido que deba ser repercutido.»

La subsanación de defectos en la documentación presentada por los licitadores ha sido un trámite que con relativa frecuencia ha originado importantes y trascendentes dudas interpretativas en el procedimiento de contratación administrativa.

Ello fundamentalmente porque con carácter general es necesario recordar que la concurrencia constituye uno de los principios básicos de la contratación administrativa, junto con el de publicidad, igualdad y no discriminación, tendentes todos ellos a conseguir la máxima competencia en beneficio del interés público, que ha de presidir siempre la actuación de las Administraciones Públicas.

Las Mesas de contratación, como órganos encargados, entre otras funciones, de la calificación y admisión de la documentación presentada por los licitadores, se ven con frecuencia ante la disyuntiva de tener que decidir sobre su admisión o exclusión, debido a las dudas interpretativas que plantea la aplicación del todavía vigente artículo 81.2 (LA LEY 1470/2001) del Reglamento general de la Ley de Contratos de la Administraciones Públicas, mediante Real Decreto 1098/2001, de 12 de octubre, que expresamente dispone que «Si la mesa observase defectos u omisiones subsanables en la documentación presentada, lo comunicará verbalmente a los interesados... concediéndose un plazo no superior a tres días hábiles para que los licitadores los corrijan o subsanen ante la propia mesa de contratación.»

Con base en el artículo transcrito y a los principios anteriormente mencionados, la sentencia del Tribunal Supremo de 22 de junio de 1972, señaló que «se prohíbe limitar la concurrencia de licitadores a pretexto de una interpretación literalista que conduzca a una conclusión absurda por ser contraria al sistema legal que rige la contratación administrativa.»

Por otro lado, debe tenerse en cuenta que las expresiones «defectos materiales», «subsanación de error» o «defectos u omisiones subsanables» son conceptos jurídicos indeterminados, cuya concreción deberá apreciarse en cada caso, precisamente sobre la base de que tales defectos o errores se refieren a la falta de acreditación del requisito de que se trate y no a su cumplimiento.

La imposibilidad de hacer una enumeración exhaustiva de los posibles errores o defectos materiales que se pueden apreciar en la compleja documentación que debe acompañarse a las proposiciones en las licitaciones públicas, viene siendo paliada por los criterios tanto jurisprudenciales como los contenidos en los informes de la Junta y de la Comisión Consultiva de Contratación Administrativa.

De acuerdo con mencionados criterios, se ha señalado que entre los supuestos en que cabrá la subsanación, se pueden señalar los errores aritméticos o de cálculo en aquellos casos en que el precio ofertado se haya de presentar en partidas desagregadas, y que se encuadran dentro de los denominados simples errores de cuenta que, según el párrafo tercero del artículo 1266 (LA LEY 1/1889) (1) del Código Civil, aplicado subsidiariamente, sólo darán lugar a su corrección.

En conclusión, en principio, y de conformidad con lo razonado anteriormente, la mesa de contratación deberá admitir la corrección aritmética presentada por la empresa licitadora.

En absoluto, en el caso que nos ocupa, se ve perjudicada la proposición ni el proceso de licitación, sino al revés, es un supuesto en el que entran en juego los principales principios de la contratación administrativa españoles y europeos de transparencia, igualdad y libre concurrencia.

Artículo 94 *Pago del importe de la revisión*

El importe de las revisiones que procedan se hará efectivo, de oficio, mediante el abono o descuento correspondiente en las certificaciones o pagos parciales o, excepcionalmente, cuando no hayan podido incluirse en las certificaciones o pagos parciales, en la liquidación del contrato.

➡ Concordancias normativas

Artículo 82 de la LCSP 30/2007 y artículo 108 del TRLCAP RDL 2/2000.

☞ Concordancias Jurisprudenciales

Audiencia Nacional, Sala de lo Contencioso-administrativo, Sección 1.ª, Sentencia de 27 Oct. 2011, rec. 217/2010

CONTRATO ADMINISTRATIVO DE OBRAS. Pago del precio. Intereses de demora por retraso en el abono de la revisión de precios efectuada. Lo normal es que el abono se haga juntamente con la certificación parcial, y si la Administración efectúa esta determinación con la liquidación del contrato debe justificar y motivar las razones por las que demoró el pago, lo que no sucede en este caso. Anatocismo.

TÍTULO IV

Garantías exigibles en la contratación del sector público

CAPÍTULO I

Garantías a prestar en los contratos celebrados con las Administraciones Públicas

Sección 1

Garantía definitiva

Artículo 95 *Exigencia de garantía*

1.   Los que presenten las ofertas económicamente más ventajosas en las licitaciones de los contratos que celebren las Administraciones Públicas deberán constituir a disposición del órgano de contratación una garantía de un 5 por 100 del importe de adjudicación, excluido el Impuesto sobre el Valor Añadido. En el caso de los contratos con precios provisionales a que se refiere el artículo 87.5, el porcentaje se calculará con referencia al precio máximo fijado.

➡ **Concordancias normativas**

Párrafo primero del número 1 del artículo 95 redactado por el apartado catorce del artículo primero de la Ley 34/2010, de 5 de agosto, de modificación de las Leyes 30/2007, de 30 de octubre, de Contratos del Sector Público, 31/2007, de 30 de octubre, sobre procedimientos de contratación en los sectores del agua, la energía, los transportes y los servicios postales, y 29/1998, de 13 de julio, reguladora de la Jurisdicción Contencioso-Administrativa para adaptación a la normativa comunitaria de las dos primeras («B.O.E». 9 agosto).

No obstante, atendidas las circunstancias concurrentes en el contrato, el órgano de contratación podrá eximir al adjudicatario de la obligación de constituir garantía, justificándolo adecuadamente en los pliegos, especialmente en el caso de suministros de bienes consumibles cuya entrega y recepción deba efectuarse antes del pago del precio. Esta exención no será posible en el caso de contratos de obras y de concesión de obras públicas.

☞ **Concordancias Jurisprudenciales**

Tribunal Superior de Justicia de Aragón, Sala de lo Contencioso-administrativo, Sección 1.ª, Sentencia de 28 Sep. 2011, rec. 428/2008

[LA LEY 193568/2011]

URBANISMO. Planeamiento urbanístico. Se anula la aprobación definitiva de un Plan parcial y un Plan especial de reforma interior, en tanto que no puede imponerse la obligación a los propietarios de costear la ejecución de las obras relativas a la conducción enterrada en un tramo que no linda con el sector, pues excede de las obligaciones que, en relación a los sistemas generales, se impone a los propietarios del suelo urbanizable. No cabe incluir el IVA en el aval prestado como garantía. Tampoco cabe aceptar la obligación de determinar el régimen concreto que corresponde a la vivienda protegida, pues su tipología se debe establecer conforme al convenio y la legislación aplicables. La aplicación de los coeficientes a las viviendas de protección pública no altera los derechos de los propietarios, que mantienen los que les fueron reconocidos en el convenio urbanístico.

Tribunal Superior de Justicia de Aragón, Sala de lo Contencioso-administrativo, Sección 1.ª, Sentencia de 22 Sep. 2011, rec. 382/2005

[LA LEY 193569/2011]

URBANISMO. Plan General de Ordenación Urbana. Revisión. Clasificación de terrenos. Suelo urbanizable no programado. Procedimiento de aprobación. No se acredita situación alguna de indefensión considerando que el plan es sometido a información pública y se formulan las alegaciones oportunas. No procede clasificar parte de los terrenos en suelo urbano consolidado y la otra parte en suelo urbano no consolidado toda vez que no concurren los requisitos de carácter reglado legalmente previstos. Delimitación de zona calificada como «Sistema General. Infraestructuras» destinada al traslado de la susbestación eléctrica actualmente existente. Prerrogativa del ius variandi. Límites. No se acredita la inejecutabilidad del Plan por inviabilidad económica de la actuación cuestionada.

2. En casos especiales, el órgano de contratación podrá establecer en el pliego de cláusulas que, además de la garantía a que se refiere el apartado anterior, se preste una complementaria de hasta un 5 por 100 del importe de adjudicación del contrato, pudiendo alcanzar la garantía total un 10 por 100 del precio del contrato.

3. Cuando la cuantía del contrato se determine en función de precios unitarios, el importe de la garantía a constituir se fijará atendiendo al presupuesto base de licitación.

4. En la concesión de obras públicas el importe de la garantía definitiva se calculará aplicando el 5 por 100 sobre el valor estimado del contrato, cuantificado con arreglo a lo establecido en el artículo 88.3.

El órgano de contratación, atendidas las características y la duración del contrato, podrá prever en los pliegos, justificándolo adecuadamente, la posibilidad de reducir el importe de la garantía definitiva, una vez ejecutada la obra y durante el período previsto para su explotación. Sin perjuicio de otros criterios que puedan establecerse en los pliegos, esta reducción será progresiva e inversamente proporcional al tiempo que reste de vigencia del contrato, sin que pueda suponer una minoración del importe de la garantía por debajo del 2 por 100 del valor estimado del contrato.

➡ **Concordancias normativas**

Número 4 del artículo 83 introducido por la disposición adicional sexta de Ley 14/2010, de 5 de julio, sobre las infraestructuras y los servicios de información geográfica en España («B.O.E». 6 julio).

Concordancias a todo el artículo

➡ **Concordancias normativas**

Artículo 83 de la LCSP 30/2007 y artículos 36 a 39 del TRLCAP RDL 2/2000.

☞ **Concordancias Jurisprudenciales**

Tribunal Administrativo Central de Recursos Contractuales, Resolución de 14 Sep. 2011, rec. 179/2011

[LA LEY 282434/2011]

CONTRATO ADMINISTRATIVO DE SERVICIOS. De telecomunicaciones y centro de soporte integral para el Grupo Correos. Adjudicación. Por procedimiento negociado con publicidad. RECURSO ESPECIAL EN MATERIA DE CONTRATACIÓN. Estimación parcial. Falta de motivación de la notificación de la adjudicación. Dicha notificación se limitó a facilitar la puntuación y la aplicación de los criterios de valoración a la oferta de la UTE de la interesada, pero negándose a cualquier otra información, siquiera la mera indicación de la puntuación obtenida por los demás licitadores. No puede pueda fundarse tal indefensión formal y material en las exigencias de confidencialidad, porque en ningún caso se mencionan aspectos concretos de la oferta de la adjudicataria o de los demás licitadores que debieran mantenerse bajo secreto, y en ningún caso ello justifica la motivación prácticamente inexistente. Procede la retroacción de las actuaciones hasta el momento en que debió notificarse motivadamente la adjudicación del contrato.

Tribunal Administrativo Central de Recursos Contractuales, Resolución de 21 Sep. 2011, rec. 171/2011

[LA LEY 191941/2011]

CONTRATO ADMINISTRATIVO DE SERVICIOS. Pliego de Cláusulas Administrativas particulares y de Prescripciones Técnicas que ha de regir el proceso de licitación para la contratación del servicio de vigilancia armado y de seguridad de las personas y bienes en la presa de Itoiz. RECURSO ESPECIAL EN MATERIA DE CONTRATACIÓN. Estimación. Nulidad de las cláusulas impugnadas. La exigencia de que todas las empresas que quieran participar en la licitación tengan ya, con anterioridad a la presentación de solicitudes, un mínimo de 100 vigilantes con licencia de armas tipo C trabajando en Navarra es desproporcionada, cuando el número de vigilantes que hacen falta para cumplir el objeto del contrato es, según el pliego, de seis, cinco más un coordinador. Si la clasificación sustituye la acreditación de solvencia a través de los medios establecidos en la Ley, la referencia a la posibilidad de exigir medios adicionales para su acreditación cuando sea exigible la clasificación no es posible desde el punto de vista legal. No cabe exigir la suscripción de pólizas de seguro que tengan como finalidad acreditar la solvencia financiera o económica de las empresas en aquellos casos en que sea legalmente exigible la clasificación. La segunda póliza de responsabilidad exigida cumple la misma finalidad que la garantía definitiva, pero sin cumplir el requisito de limitación de su cuantía ni el de exigirla tan sólo al que haya de resultar adjudicatario del contrato que se establece en la Ley. Es razonable y justificada la exigencia del requisito, aunque exclusivamente para la empresa que resulte adjudicataria.

Artículo 96 *Garantías admitidas*

1. Las garantías exigidas en los contratos celebrados con las Administraciones Públicas podrán prestarse en alguna de las siguientes formas:

a) En efectivo o en valores de Deuda Pública, con sujeción, en cada caso, a las condiciones establecidas en las normas de desarrollo de esta Ley. El efectivo y los certificados de inmovilización de los valores anotados se depositarán en la Caja General de Depósitos o en sus sucursales encuadradas en las Delegaciones de Economía y Hacienda, o en las Cajas o establecimientos públicos equivalentes de las Comunidades Autónomas o Entidades locales contratantes ante las que deban surtir efectos, en la forma y con las condiciones que las normas de desarrollo de esta Ley establezcan.

b) Mediante aval, prestado en la forma y condiciones que establezcan las normas de desarrollo de esta Ley, por alguno de los bancos, cajas de ahorros, cooperativas de crédito, establecimientos financieros de crédito y sociedades de garantía recíproca autorizados para operar en España, que deberá depositarse en los establecimientos señalados en la letra a) anterior.

c) Mediante contrato de seguro de caución, celebrado en la forma y condiciones que las normas de desarrollo de esta Ley establezcan, con una entidad aseguradora autorizada para operar en el ramo. El certificado del seguro deberá entregarse en los establecimientos señalados en la letra a) anterior.

☞ **Concordancias Jurisprudenciales**

Tribunal Administrativo Central de Recursos Contractuales, Resolución de 14 Sep. 2011, rec. 191/2011

[LA LEY 191918/2011]

CONTRATO ADMINISTRATIVO DE SERVICIOS. Adjudicación de contrato de solución integral para la externalización de los sistemas ERP de Correos. RECURSO ESPECIAL EN MATERIA DE CONTRATACIÓN. Estimación parcial. Incorrecta motivación del acto de adjudicación. La entidad contratante, si bien ha practicado correctamente la notificación genérica, al no suministrar la información complementaria solicitada por la interesada, no ha cumplido con los requisitos que en cuanto a información a los licitadores se contemplan en la Ley, no permitiendo que pueda interponer reclamación adecuadamente fundada frente a la adjudicación realizada. Deben retrotraerse las actuaciones hasta el momento anterior a la notificación de la adjudicación, al objeto de que la misma se notifique debidamente motivada a todos los licitadores.

⊠ **Consultas**

• **Ejecución de garantías en caso de concurso**

Una empresa contratista nos ha comunicado que, por encontrarse en situación de concurso, no va a poder subsanar las deficiencias detectadas. En este caso, ¿cuál sería el procedimiento para ejecutar el aval depositado en garantía?

[05/03/2012 EC 527/2012]

Contestación

Con arreglo al art. 96 del Real Decreto Legislativo 3/2011, de 14 de noviembre (LA LEY 21158/2011) (BOE del 16), por el que se aprueba el texto refundido de la Ley de Contratos del Sector Público (LA LEY 21158/2011) (TR LCSP (LA LEY 10868/2007)), una de las formas admitidas para garantizar los contratos celebrados con las Administraciones Públicas es el aval, prestado en la forma y condiciones que establezcan las normas de desarrollo de esta Ley, por alguno de los bancos, cajas de ahorros, cooperativas de crédito, establecimientos financieros de crédito y sociedades de garantía recíproca autorizados para operar en España, que deberá depositarse en la Caja General de Depósitos o en sus sucursales encuadradas en las Delegaciones de Economía y Hacienda, o en las Cajas o establecimientos públicos equivalentes de las Comunidades Autónomas o Entidades locales contratantes ante las que deban surtir efectos.

En cuanto a la ejecución de las garantías, el art. 63 Reglamento General de la Ley de Contratos de las Administraciones Publicas (RCAP), aprobado por Real Decreto 1098/2001, de 12 de octubre (LA LEY 1470/2001) (BOE del 26), se limita a establecer que la Caja General de Depósitos, o la caja o establecimiento público equivalente de la Comunidad Autónoma o Entidad local, ejecutará las garantías a instancia del órgano de contratación de acuerdo con los procedimientos establecidos en su normativa reguladora.

Como sabemos, en las Entidades locales, las competencias atribuidas a la Caja General de Depósitos del Estado, le corresponde a la Tesorería; pero, al no tener normativa propia en la ejecución de garantías, tendremos que acudir a la normativa establecida por la Caja General de Depósitos. Esta normativa, para los avales, se contiene en los arts 15 (LA LEY 668/1997) a 20 del Real Decreto 161/1997, de 7 de febrero (LA LEY 668/1997) (BOE del 25), por el que se aprueba el Reglamento de la Caja General de Depósitos; cuyo art. 15 establece, en cuanto a las características del aval, que sólo se admitirán garantías en la modalidad de aval cuando el avalista sea una entidad de crédito o una sociedad de garantía recíproca.

En cuanto a si tiene alguna incidencia el que se haya declarado en concurso de acreedores, entendemos que, a efectos del cumplimiento de sus obligaciones contractuales, no tiene incidencia; y una de sus obligaciones contractuales es precisamente subsanar las deficiencias detectadas.

En este sentido, conviene recordar que, de acuerdo con el art. 61.2 de la Ley 22/2003, de 9 de julio (LA LEY 1181/2003) (BOE del 10), Concursal —que se refiere a la vigencia de los contratos con obligaciones recíprocas— dispone que la declaración de concurso, por sí sola, no afectará a la vigencia de los contratos con obligaciones recíprocas pendientes de cumplimiento, tanto a cargo del concursado como de la otra parte. Las prestaciones a que esté obligado el concursado se realizarán con cargo a la masa.

2. Cuando así se prevea en los pliegos, la garantía que, eventualmente, deba prestarse en contratos distintos a los de obra y concesión de obra pública podrá constituirse mediante retención en el precio.

3. Cuando así se prevea en el pliego, la acreditación de la constitución de la garantía podrá hacerse mediante medios electrónicos, informáticos o telemáticos.

Concordancias a todo el artículo

➡ **Concordancias normativas**

Artículo 84 de la LCSP 30/2007 y artículos 36 41 del TRLCAP RDL 2/2000.

☞ **Concordancias Jurisprudenciales**

Tribunal Administrativo Central de Recursos Contractuales, Resolución de 3 Ago. 2011, rec. 162/2011

[LA LEY 179907/2011]

CONTRATO ADMINISTRATIVO DE SERVICIOS. Adjudicación de contrato cuyo objeto consiste en «una solución integral para la externalización de los sistemas ERP de Correos». RECURSO ESPECIAL EN MATERIA DE CONTRATACIÓN. Estimación parcial. Nulidad de la notificación de la adjudicación. Insuficiente motivación. La notificación de la adjudicación realizada se limitaba a indicar la empresa que había resultado adjudicataria del contrato, el importe de la adjudicación y los recursos procedentes. Esta información resulta a todas luces insuficiente para interponer una reclamación suficientemente fundada frente a la adjudicación realizada. Asimismo, los intentos de la interesada por obtener información complementaria que le permitiera fundamentar adecuadamente su recuso tampoco han resultado fructíferos. No puede prevalecer la afirmación de la entidad contratante en el sentido de que se estaba dando cumplimiento a la obligación de confidencialidad. En ningún momento se ha hecho referencia a los aspectos concretos de la oferta de la adjudicataria que debieran ser mantenidos bajo secreto. Por otra parte, esta obligación de confidencialidad no puede afectar a la totalidad de la oferta realizada por el adjudicatario ni a la totalidad del informe realizado por los servicios de la entidad adjudicadora a efectos de su valoración. La entidad contratante no vendrá obligada a dar vista del expediente a los licitadores que lo soliciten, pero sí a notificar adecuadamente los motivos del rechazo de su candidatura o proposición y los motivos de la adjudicación realizada a favor del adjudicatario. Deben retrotraerse las actuaciones hasta el momento anterior a la notificación de la adjudicación, al objeto de que la misma se notifique debidamente motivada a todos los licitadores en el procedimiento.

Tribunal Supremo, Sala Tercera, de lo Contencioso-administrativo, Sección 3.ª, Sentencia de 30 Nov. 2010, rec. 6036/2007

[LA LEY 213960/2010]

CONCESIONES ADMINISTRATIVAS. AVAL. Denegación de devolución de avales constituidos en relación a una concesión para la construcción y explotación de un puerto deportivo. La constitución del aval no puede ser calificada como una prestación patrimonial coactiva impuesta por la Administración. Ante la declaración de extinción de la concesión por la Administración, consecuencia del incumplimiento de determinadas condiciones, y no pudiendo cuestionarse la realidad fáctica de dichos incumplimientos es inviable acordar la devolución del aval por la supuesta falta de fundamento de la apreciación del incumplimiento efectuada por la Administración, cuestión que está sub iudice en otro procedimiento. No es posible obtener por silencio positivo la restitución de un aval constituido en garantía de la integridad del dominio público, y cuyo destino definitivo, está pendiente de un procedimiento judicial, el instado contra la declaración de extinción de la concesión.

Artículo 97 *Régimen de las garantías prestadas por terceros*

1. Las personas o entidades distintas del contratista que presten garantías a favor de éste no podrán utilizar el beneficio de excusión a que se refieren los artículos 1.830 y concordantes del Código Civil.

2. El avalista o asegurador será considerado parte interesada en los procedimientos que afecten a la garantía prestada, en los términos previstos en la Ley 30/1992, de 26 de noviembre (LA LEY 3279/1992).

3. En el contrato de seguro de caución se aplicarán las siguientes normas:

a) Tendrá la condición de tomador del seguro el contratista y la de asegurado la Administración contratante.

b) La falta de pago de la prima, sea única, primera o siguientes, no dará derecho al asegurador a resolver el contrato, ni extinguirá el seguro, ni suspenderá la cobertura, ni liberará al asegurador de su obligación, en el caso de que éste deba hacer efectiva la garantía.

c) El asegurador no podrá oponer al asegurado las excepciones que puedan corresponderle contra el tomador del seguro.

➡ **Concordancias normativas**

Artículo 85 de la LCSP 30/2007 y artículo 46 del TRLCAP RDL 2/2000.

☞ **Concordancias Jurisprudenciales**

Tribunal Superior de Justicia de Andalucía de Málaga, Sala de lo Contencioso-administrativo, Sentencia de 1 Dic. 2009, rec. 1345/2009

COMPETENCIA JUDICIAL. Contencioso-Administrativa. Competencia objetiva. De los juzgados de lo contencioso-administrativo. JURISDICCIÓN CONTENCIOSO-ADMINISTRATIVA.

Artículo 98 *Garantía global*

1. Alternativamente a la prestación de una garantía singular para cada contrato, el empresario podrá constituir una garantía global para afianzar las responsabilidades que puedan derivarse de la ejecución de todos los que celebre con una Administración Pública, o con uno o varios órganos de contratación.

2. La garantía global deberá constituirse en alguna de las modalidades previstas en las letras b) y c) del apartado 1 del artículo 96, y ser depositada en la Caja General de Depósitos o en sus sucursales encuadradas en las Delegaciones de Economía y Hacienda o en las cajas o establecimientos públicos equivalentes de las Comunidades Autónomas o Entidades Locales contratantes, según la Administración ante la que deba surtir efecto.

3. La garantía global responderá, genérica y permanentemente, del cumplimiento por el adjudicatario de las obligaciones derivadas de los contratos cubiertos por la misma hasta el 5 por 100, o porcentaje mayor que proceda, del importe de adjudicación o del presupuesto base de licitación, cuando el precio se determine en función de precios unitarios, sin perjuicio de que la indemnización de daños y perjuicios a favor de la Administración que, en su caso, pueda ser procedente, se haga efectiva sobre el resto de la garantía global.

4. A efectos de la afectación de la garantía global a un contrato concreto, la caja o establecimiento donde se hubiese constituido emitirá, a petición de los interesados, una certificación acreditativa de su existencia y suficiencia, en un plazo máximo de tres días hábiles desde

la presentación de la solicitud en tal sentido, procediendo a inmovilizar el importe de la garantía a constituir, que se liberará cuando quede cancelada la garantía.

➡ **Concordancias normativas**

Artículo 86 de la LCSP 30/2007 y artículo 36 del TRLCAP RDL 2/2000.

Artículo 99 *Constitución, reposición y reajuste de garantías*

1. El licitador que hubiera presentado la oferta económicamente más ventajosa deberá acreditar en el plazo señalado en el artículo 151.2, la constitución de la garantía. De no cumplir este requisito por causas a él imputables, la Administración no efectuará la adjudicación a su favor, siendo de aplicación lo dispuesto en el último párrafo del artículo 151.2.

➡ **Concordancias normativas**

Número 1 del artículo 99 redactado por el apartado quince del artículo primero de la Ley 34/2010, de 5 de agosto, de modificación de las Leyes 30/2007, de 30 de octubre, de Contratos del Sector Público, 31/2007, de 30 de octubre, sobre procedimientos de contratación en los sectores del agua, la energía, los transportes y los servicios postales, y 29/1998, de 13 de julio, reguladora de la Jurisdicción Contencioso-Administrativa para adaptación a la normativa comunitaria de las dos primeras («B.O.E». 9 agosto).

2. En caso de que se hagan efectivas sobre la garantía las penalidades o indemnizaciones exigibles al adjudicatario, éste deberá reponer o ampliar aquélla, en la cuantía que corresponda, en el plazo de quince días desde la ejecución, incurriendo en caso contrario en causa de resolución.

✉ **Consultas**

• **Demora en la ejecución de un Programa de Actuación Integrada en el ámbito de la legislación valenciana: imposición de penalidades no sancionadoras**

¿Cuál es el procedimiento para la imposición de penalizaciones por demora del agente urbanizador en la ejecución de las obras del PAI?

[26/08/2009 EC 2455/2009]

Contestación

El urbanizador, sea una persona pública o privada, gestiona indirectamente una función pública en la urbanización del suelo y, en cuanto desarrolla una actividad que es de servicio público, participa de la condición de concesionario de un servicio público, siendo el vínculo que existe entre el Urbanizador y la Administración de carácter contractual administrativo. En consecuencia, es a la Administración a la que corresponde el control de la actividad del urbanizador.

Hoy, conforme a la Ley 16/2005, de 30 de diciembre (DOGV del 31), Urbanística Valenciana (LUV) y al Decreto 67/2006, de 19 de mayo (DOGV del 23), por el que se aprueba el Reglamento de Ordenación y Gestión Territorial y Urbanística (ROGTU), el acuerdo de adjudicación del Programa y su adjudicación definitiva, previo depósito de la garantía definitiva, da lugar a la firma del correspondiente contrato entre el urbanizador y la Administración para la ejecución del Programa en las condiciones establecidas en su aprobación y adjudicación, y a cuyo documento se anexaran las Bases particulares reguladoras del Programa que, atendiendo a la legislación de contratación pública, forma parte del contrato. En consecuencia, bajo la vigencia de la Ley 6/1994, de 15 de noviembre (DOGV del 24), Reguladora de la Actividad Urbanística de la Generalitat Valenciana (LRAU) y el Texto Refundido de la Ley de Contratos de las Administraciones Públicas (TR LCAP), aprobado por Real Decreto Legislativo 2/2000, de 16 de junio (BOE del 21) estábamos en presencia de un contrato administrativo; y lo mismo bajo la vigente LUV y la Ley 30/2007, de 30 de octubre (BOE del 31), de Contratos del Sector Público (LCSP).

El incumplimiento del contrato genera la imposición de penalidades previstas en las Bases particulares del Programa o en su caso en la LCSP (art. 196); penalidades que se harán efectivas con cargo a la garantía definitiva prestada por el urbanizador con la obligación, en su caso, de reajustar ésta en el plazo de 15 días siguientes a la fecha en que se hagan efectivas las penalidades [arts. 87.2 y 88.a) LCSP].

La doctrina se ha planteado si la imposición de penalidades es o no una potestad sancionadora. Federico castillo pone de relieve que la técnica utilizada por el legislador consiste en ligar la cuantía de la penalidad con una finalidad muy parecida a la multa coercitiva y recoge la doctrina jurisprudencial (SSTS de 10 de febrero de 1999 y 26 de diciembre de 1991, entre otras) que niegan que la Administración ejercite en este caso su potestad sancionadora. Por ello, la imposición de penas pecuniarias no está sujeta a procedimiento especial, fuera de la necesaria audiencia del contratista, pues la DA 8.ª de la LRJAP excluye de su régimen a la potestad disciplinaria de la Administración respecto de sus contratistas.

> 3. Cuando, como consecuencia de una modificación del contrato, experimente variación el precio del mismo, deberá reajustarse la garantía, para que guarde la debida proporción con el nuevo precio modificado, en el plazo de quince días contados desde la fecha en que se notifique al empresario el acuerdo de modificación. A estos efectos no se considerarán las variaciones de precio que se produzcan como consecuencia de una revisión del mismo conforme a lo señalado en el Capítulo II del Título III de este Libro.

Concordancias a todo el artículo

➡ **Concordancias normativas**

Artículo 87 de la LCSP 30/2007 y artículos 41 y 42 del TRLCAP RDL 2/2000.

☞ **Concordancias Jurisprudenciales**

Audiencia Nacional, Sala de lo Contencioso-administrativo, Sección 1.ª, Sentencia de 13 Abr. 2012, rec. 810/2010

CONTRATO ADMINISTRATIVO DE OBRAS. Pago del precio. Intereses de demora por retraso en el abono de certificación Final de obra. Improcedencia. No se ha producido demora en el pago. La Administración tiene un plazo de dos meses, contados a partir de la recepción de las obras para aprobar la certificación final de las obras ejecutadas aplicándose para el pago de la cantidad objeto de la liquidación final el plazo de dos meses previsto en la norma. Esto es, desde el momento de la recepción formal de las obras la Administración dispone de un plazo de cuatro meses hasta el pago del importe de las obras incluidas en la liquidación final.

Tribunal Superior de Justicia de Les Illes Balears, Sala de lo Contencioso-administrativo, Sentencia de 9 Nov. 2011, rec. 380/2009

[LA LEY 233063/2011]

CONTRATOS ADMINISTRATIVOS. Adjudicación de los contratos. Selección del adjudicatario. Derecho de una Unión Temporal de Empresas a una indemnización por una incorrecta actuación administrativa en relación a un proceso de licitación. Ausencia de incompatibilidad de los miembros del equipo técnico de la adjudicataria. No concurría ninguna situación que pusiera en peligro la apariencia pública de independencia de la empresa consultora, por lo que no es cierto que la recurrente incumpliese la cláusula de incompatibilidad. El procedimiento contradictorio para la exclusión del contratista que mereció la adjudicación provisional es ineludible si se parte de la premisa de que la Mesa de Contratación valoró la capacidad del contratista, y no se apreció la causa de incompatibilidad que motivó la improcedente decisión de decaimiento.

Audiencia Nacional, Sala de lo Contencioso-administrativo, Sección 1.ª, Sentencia de 1 Mar. 2012, rec. 802/2010

[LA LEY 20215/2012]

CONTRATO ADMINISTRATIVO DE OBRAS. Pago del precio. Intereses de demora por retraso en el abono de la liquidación final de obra. Procedencia. La Administración tendrá la obligación de abonar el precio dentro de los sesenta días siguientes a la fecha de la expedición de las certificaciones de obras o de los correspondientes documentos que acrediten la realización total o parcial del contrato, y si se demorase, deberá abonar al contratista, a partir del cumplimiento de dicho plazo de sesenta días los intereses de demora y la indemnización por los costes de cobro. Anatocismo.

Tribunal Superior de Justicia de Galicia, Sala de lo Contencioso-administrativo, Sección 2.ª, Sentencia de 16 Jun. 2011, rec. 4085/2011

CONTRATOS ADMINISTRATIVOS. Retrotracción del procedimiento de adjudicación del contrato de gestión del servicio público de atención a personas mayores. Presentación de nuevos sobres en el trámite público de apertura de ofertas, con ulterior prosecución del correspondiente procedimiento. La omisión o irregularidad procedimental relativa a la supresión del trámite público de lectura de proposiciones técnicas y de apertura de plicas conlleva trascendencia anulatoria, pues se sustrae a los licitadores la posibilidad de conocer en acto público antes de la adjudicación definitiva la propuesta de adjudicación que realiza la Mesa al Órgano de contratación, así como la posibilidad de realizar observaciones o reservas a ello, afectando a los principios de publicidad, concurrencia competitiva y transparencia del proceso.

Artículo 100 *Responsabilidades a que están afectas las garantías*

La garantía responderá de los siguientes conceptos:

a) De las penalidades impuestas al contratista conforme al artículo 212.

b) De la correcta ejecución de las prestaciones contempladas en el contrato, de los gastos originados a la Administración por la demora del contratista en el cumplimiento de sus obligaciones, y de los daños y perjuicios ocasionados a la misma con motivo de la ejecución del contrato o por su incumplimiento, cuando no proceda su resolución.

c) De la incautación que puede decretarse en los casos de resolución del contrato, de acuerdo con lo que en él o en esta Ley esté establecido.

✉   **Consultas**

• **Reclamación de daños y perjuicios al contratista en caso de resolución por incumplimiento culpable**

En caso de resolución de contrato por incumplimiento culpable del contratista, ¿cuál es el procedimiento a seguir para reclamarle daños y perjuicios?

[09/03/2012 EC 652/2012]

Contestación

El art. 100.c) del Real Decreto Legislativo 3/2011, de 14 de noviembre (LA LEY 21158/2011) (BOE del 16), por el que se aprueba el Texto Refundido de la Ley de Contratos del Sector Público (LA LEY 21158/2011) (TR LCSP (LA LEY 10868/2007)), dispone que la garantía responderá de la incautación que pueda decretarse en los casos de resolución del contrato, de acuerdo con lo que en él o en la ley esté establecido.

Esta posibilidad de incautación de la garantía, que ya se recogía en el art. 43.2.c del Texto Refundido de la Ley de Contratos de las Administraciones Públicas (TR LCAP), aprobado por Real Decreto Legislativo 2/2000, de 16 de junio (LA LEY 2206/2000) (BOE del 21), ha suscitado, tradicionalmente, muchas discusiones sobre cuándo procedía la incautación de la garantía en su totalidad, con independencia de cuál fuera el importe de los daños y perjuicios causados.

Un sector doctrinal mayoritario, consideró que debía distinguirse entre cumplimiento no culpable y cumplimiento culpable. En este sentido señalaba Ángel Ballesteros Fernández [«El contrato de obra», El Consultor de los Ayuntamientos y de los Juzgados, EC 4084/2004] sostenía lo siguiente: «En los casos de incumplimiento no culpable, el contrato se resuelve pero sin incautación de la fianza ni obligación del contratista de indemnizar daños y perjuicios. En cambio, si el incumplimiento es culpable procede la incautación de la garantía y la exigencia de los daños y perjuicios ocasionados a la Administración en lo que excedan del importe de la garantía incautada (art. 113.4 TR LCAP (LA LEY 2206/2000)). En este sentido, el art. 43.2 TR LCAP (LA LEY 2206/2000) enumeraba los conceptos a que se extiende la garantía definitiva y, resolviendo las dudas sobre si la misma supone cláusula penal que impide exigencia de daños y perjuicios en cuantía superior a la misma, el art. 45.2 TR LCAP (LA LEY 2206/2000) indicaba que cuando la garantía no sea bastante para satisfacer las responsabilidades a las que esté afecta, la Administración procederá al cobro de la diferencia mediante el procedimiento administrativo de apremio. En el sentido a que nos referimos se pronuncia la STS de 14 de marzo de 1988 (LA LEY 59363-JF/0000) (LA LEY 59363-JF/0000): En los supuestos de incumplimiento culpable del contratista la incautación de la fianza opera como indemnización de los perjuicios, sin duda existentes pero difíciles de precisar, que el retraso de la obra provoca en el interés público, pero si, además, puede concretarse y cuantificarse otro tipo de perjuicios, la Administración está habilitada para exigir su indemnización. Es decir, la incautación de la fianza constituye en nuestro Derecho una pena convencional cuya imposición no libera al contratista de la indemnización de los daños y perjuicios concretables que su incumplimiento haya podido producir. La indemnización se produce, además de la pérdida de la fianza, siendo así viable la exigencia de responsabilidades ultra vires cautionis.»

Y en este sentido se consideraba que cuando media incumplimiento culpable del contratista, procede, efectivamente la incautación de la garantía definitiva y, además, la indemnización de daños y perjuicios, si bien, como recordaba explícitamente el art. 113.4 TR LCAP (LA LEY 2206/2000), tal indemnización a favor de la Administración procedería en lo que excediera del importe de la garantía incautada. Si la cuantía de la garantía definitiva era superior a los daños y perjuicios irrogados a la Administración, procedería la incautación de toda la garantía, pues opera en estos casos como una indemnización de carácter mínimo y de cuantía objetivada.

Sin embargo, la situación cambió con la Ley 30/2007, de 30 de octubre (LA LEY 10868/2007) (BOE del 31), de Contratos del Sector Público (LCSP) ya que en su art. 208 (LA LEY 2206/2000) (que suplió al 113.4 TR LCAP), ya no dice que «cuando el contrato se resuelva por incumplimiento culpable del contratista le será incautada la garantía y deberá, además, indemnizar a la Administración los daños y perjuicios ocasionados en lo que excedan del importe de la garantía incautada»; sino que señala que «cuando el contrato se resuelva por incumplimiento culpable del contratista, este deberá indemnizar a la Administración los daños y perjuicios ocasionados. La indemnización se hará efectiva, en primer término, sobre la garantía que, en su caso, se hubiese constituido, sin perjuicio de la subsistencia de la responsabilidad del contratista en lo que se refiere al importe que exceda del de la garantía incautada.»

Esto es, ni en el art. 208.4 LCSP (LA LEY 10868/2007) ni en el 225.3 TR LCSP (LA LEY 21158/2011) ya no dice que el incumplimiento culpable supone automáticamente la incautación de la garantía definitiva y además la indemnización de daños y perjuicios; sino que lo que procede es la indemnización de daños y perjuicios, que, en primer lugar, se hará efectiva sobre la garantía. Por tanto, debe entenderse con la nueva regulación que el importe de la garantía ya no es una indemnización de carácter mínimo y de cuantía objetivada, ni que se trate de una penal convencional.

Por lo demás, en cuanto al procedimiento de reclamación de la indemnización de daños y perjuicios, debe estarse a lo dispuesto en el art. 101 TR LCSP (LA LEY 21158/2011), que establece dos normas al respecto:

— La primera es que, para hacer efectiva la garantía, la Administración contratante tendrá preferencia sobre cualquier otro acreedor, sea cual fuere la naturaleza del mismo y el título del que derive su crédito. Esto es, deberá proceder a la ejecución de la garantía definitiva con arreglo al procedimiento establecido. La ejecución o incautación total o parcial de la garantía entendemos que corresponde a la Tesorería de la Entidad Local, que la requerirá a solicitud del órgano de contratación a cuya disposición se constituyó. En esta solicitud habrá de acreditarse:

a) Que no se ha producido la suspensión de la ejecutividad del acto declarativo del incumplimiento por parte del obligado si este se ha recurrido, o que el acto es firme en el caso de que la obligación garantizada consista en el pago de una sanción administrativa, de conformidad con lo dispuesto en los arts. 111 (LA LEY 3279/1992) y 138.3, respectivamente, de la Ley 30/1992, de 26 de noviembre (LA LEY 3279/1992) (BOE del 27), de Régimen Jurídico de las Administraciones Públicas y del Procedimiento Administrativo Común (LRJAP (LA LEY 3279/1992)).

b) La cuantía de la garantía a incautar, y

c) La notificación previa al interesado de la intención de formular la solicitud de incautación o ejecución, a efectos de audiencia.

Tratándose de seguro de caución, la solicitud de incautación deberá presentarse en el plazo de treinta días desde la fecha en la que se declare el incumplimiento, a efectos de lo dispuesto en el art. 23 de la Ley 50/1980, de 8 de octubre (LA LEY 1957/1980), del Contrato de Seguro.

Tratándose de valores, fianzas o seguros de caución el siguiente paso es que la Caja requerirá el pago de la cantidad solicitada por el órgano contratación al titular de los valores y al garantizado, en el supuesto de tratarse de personas diferentes, a la entidad avalista o a la entidad aseguradora. En el requerimiento de pago se indicará: la forma en la que ha de realizar el ingreso y el plazo para realizarlo. En el primer caso, el pago por alguna de las personas (titular de los valores o garantizado) vendrá seguido de la notificación de dicha circunstancia a la otra por parte de la Tesorería.

Terminado el plazo de ingreso sin que este se haya efectuado por la entidad avalista o por la entidad aseguradora de la cantidad garantizada dentro de los plazos señalados en el Reglamento General de Recaudación (RGR 2005), aprobado por Real Decreto 939/2005, de 29 de julio (LA LEY 1313/2005) (BOE de 2 de septiembre), determinará el cobro mediante el procedimiento de apremio contra dicha entidad, de conformidad con lo dispuesto en dicha norma.

— La segunda norma es que, cuando la garantía no sea bastante para cubrir las responsabilidades a las que está afecta, la Administración procederá al cobro de la diferencia mediante el procedimiento administrativo de apremio, con arreglo a lo establecido en las normas de recaudación. Esto es, primero reclamará la indemnización dando un plazo para el pago y, en caso de que no sea atendido en este plazo, por la Tesorería se podrá utilizar la vía de apremio.

d) Además, en el contrato de suministro la garantía definitiva responderá de la inexistencia de vicios o defectos de los bienes suministrados durante el plazo de garantía que se haya previsto en el contrato.

Concordancias a todo el artículo

➡ **Concordancias normativas**

Artículo 88 de la LCSP 30/2007 y artículo 41 del TRLCAP RDL 2/2000.

☞ **Concordancias Jurisprudenciales**

Tribunal Administrativo Central de Recursos Contractuales, Resolución de 21 Sep. 2011, rec. 171/2011

[LA LEY 191941/2011]

CONTRATO ADMINISTRATIVO DE SERVICIOS. Pliego de Cláusulas Administrativas particulares y de Prescripciones Técnicas que ha de regir el proceso de licitación para la contratación del servicio de vigilancia armado y de seguridad de las personas y bienes en la presa de Itoiz. RECURSO ESPECIAL EN MATERIA DE CONTRATACIÓN. Estimación. Nulidad de las cláusulas impugnadas. La exigencia de que todas las empresas que quieran participar en la licitación tengan ya, con anterioridad a la presentación de solicitudes, un mínimo de 100 vigilantes con licencia de armas tipo C trabajando en Navarra es desproporcionada, cuando el número de vigilantes que hacen falta para cumplir el objeto del contrato es, según el pliego, de seis, cinco más un coordinador. Si la clasificación sustituye la acreditación de solvencia a través de los medios establecidos en la Ley, la referencia a la posibilidad de exigir medios adicionales para su acreditación cuando sea exigible la clasificación no es posible desde el punto de vista legal. No cabe exigir la suscripción de pólizas de seguro que tengan como finalidad acreditar la solvencia financiera o económica de las empresas en aquellos casos en que sea legalmente exigible la clasificación. La segunda póliza de responsabilidad exigida cumple la misma finalidad que la garantía definitiva, pero sin cumplir el requisito de limitación de su cuantía ni el de exigirla tan sólo al que haya de resultar adjudicatario del contrato que se establece en la Ley. Es razonable y justificada la exigencia del requisito, aunque exclusivamente para la empresa que resulte adjudicataria.

☒ **Consultas**

• **Incautación de la garantía**

¿La incautación de la garantía procede exclusivamente en el caso de que puedan concretarse los daños y perjuicios ocasionados a la Administración, o cabe reconocerle también la condición de medida punitiva y como tal respondiese de los daños y perjuicios existentes pero difíciles de precisar?

Contratación Administrativa Práctica, Nº 94, Sección Usted Pregunta, Febrero 2010, Editorial LA LEY

[LA LEY 62/2010]

Respuesta

El artículo 88 de la LCSP (LA LEY 10868/2007) al regular las responsabilidades a que están afectas las garantías prestadas por los contratistas dispone expresamente en su apartado b) que «la garantía responderá de ... la correcta ejecución de las prestaciones contempladas en el contrato, de los gastos originados a la Administración por la demora del contratista en el cumplimiento de sus obligaciones, y de los daños y perjuicios ocasionados a la misma con motivo de la ejecución del contrato o por su incumplimiento, cuando no proceda su resolución.»

El órgano de contratación debe concretar los daños y perjuicios ocasionados por el contratista y en virtud de dicha concreción ejecutar la garantía en la cuantía que se hayan cuantificado los mismos, no cabe por tanto, otorgarle carácter punitivo.

• **La garantía definitiva no responde de la falta de pago del contratista al subcontratista**

¿Podría responder la fianza definitiva de la falta de pago del contratista al subcontratista una vez finalizada y liquidada la obra?

[11/05/2009 EC 1420/2009]

Contestación

Como sabemos, el art. 210 de la Ley 30/2007, de 30 de octubre (BOE del 31), de Contratos del Sector Público (LCSP), establece la posibilidad de la subcontratación, al señalar que el contratista podrá concertar con terceros la realización parcial de la prestación, salvo que el contrato o los pliegos dispongan lo contrario o que por su naturaleza y condiciones se deduzca que aquél ha de ser ejecutado directamente por el adjudicatario. Esto es, salvo prohibición expresa o que la propia naturaleza del contrato lo impida, se admite la subcontratación.

Ahora bien, existe una diferencia absoluta entre la cesión de contrato y la subcontratación, ya que mientras en la primera se produce una novación subjetiva en el contrato al sustituirse la persona del contratista, sin embargo los subcontratistas no adquieren con la administración vínculo alguno, quedando solo obligado ante el contratista principal. De ahí que en el primer caso se requiera la autorización previa de la administración mientras que en el segundo es suficiente con la comunicación (salvo en los contratos de carácter secreto o reservado). En este sentido se pronuncia el apartado 4 del artículo citado al señalar que los subcontratistas quedarán obligados solo ante el contratista principal que asumirá, por tanto, la total responsabilidad de la ejecución del contrato frente a la Administración.

Con esto queremos recalcar que no existe vínculo alguno entre la administración y los subcontratistas, por lo que la aquélla no debe entrar en los problemas que existan entre el contratista y los subcontratistas. Esto se ve reflejado en el art. 211 LCSP, que regula el pago a subcontratistas y suministradores y en el que en todo momento se está hablando del contratista pero nunca de la Administración.

Por tanto, la subcontratación supone un contrato entre contratista y subcontratista ajeno la Administración, de forma que los problemas que surjan en el cumplimiento de esos contratos se tendrán que resolver entre las partes, y no por intervención de la Administración.

Por ello, también el art. 200.7 prevé que los pagos al contratista puedan ser embargados para el pago de subcontratista y suministradores, pero este embargo se hará de acuerdo con el procedimiento civil establecido, y la Administración se limitará a cumplir la orden de embargo.

Por último, si analizamos el art. 88 LCSP, donde se establecen las responsabilidades a que está afecta la garantía definitiva, se desprende claramente que ésta no puede ser incautada para pagar a subcontratistas, ya que la garantía definitiva responde de la incorrecta ejecución del contrato principal frente a la administración, pero no responde, en ningún caso, de incumplimientos del contratista principal respecto a sus subcontratistas.

Artículo 101 *Preferencia en la ejecución de garantías*

1. Para hacer efectiva la garantía, la Administración contratante tendrá preferencia sobre cualquier otro acreedor, sea cual fuere la naturaleza del mismo y el título del que derive su crédito.

2. Cuando la garantía no sea bastante para cubrir las responsabilidades a las que está afecta, la Administración procederá al cobro de la diferencia mediante el procedimiento administrativo de apremio, con arreglo a lo establecido en las normas de recaudación.

➡ Concordancias normativas

Artículo 89 de la LCSP 30/2007 y artículos 43 y 45 del TRLCAP RDL 2/2000.

Artículo 102 *Devolución y cancelación de las garantías*

1. La garantía no será devuelta o cancelada hasta que se haya producido el vencimiento del plazo de garantía y cumplido satisfactoriamente el contrato de que se trate, o hasta que se declare la resolución de éste sin culpa del contratista.

2. Aprobada la liquidación del contrato y transcurrido el plazo de garantía, si no resultaren responsabilidades se devolverá la garantía constituida o se cancelará el aval o seguro de caución.

El acuerdo de devolución deberá adoptarse y notificarse al interesado en el plazo de dos meses desde la finalización del plazo de garantía. Transcurrido el mismo, la Administración deberá abonar al contratista la cantidad adeudada incrementada con el interés legal del dinero correspondiente al período transcurrido desde el vencimiento del citado plazo hasta la fecha de la devolución de la garantía, si ésta no se hubiera hecho efectiva por causa imputable a la Administración.

✉ **Consultas**

- **Resolución contractual por causa imputable al contratista**

En el supuesto de resolución contractual por causa imputable al contratista, ¿el importe que proceda abonarle derivado de la liquidación de las obras correctamente ejecutadas, puede ser retenido por la Administración de forma cautelar a fin de compensar, en su caso, con dicha cuantía la indemnización de daños y perjuicios que pudiera imponérsele al contratista?

Contratación Administrativa Práctica, N° 94, Sección Usted Pregunta, Febrero 2010, Editorial LA LEY

[LA LEY 64/2010]

Respuesta

El artículo 90. 2. de la LCSP (LA LEY 10868/2007) al regular la devolución y cancelación de las garantías señala que «aprobada la liquidación del contrato y transcurrido el plazo de garantía, si no resultaren responsabilidades se devolverá la garantía constituida o se cancelará el aval o seguro de caución». Por lo tanto, a contrario sensu, si resultan responsabilidades y, por tanto, se han ocasionado daños y perjuicios a la Administración, se devolverá la totalidad de la garantía menos la cantidad que corresponda a dicha indemnización.

3. En el supuesto de recepción parcial sólo podrá el contratista solicitar la devolución o cancelación de la parte proporcional de la garantía cuando así se autorice expresamente en el pliego de cláusulas administrativas particulares.

4. En los casos de cesión de contratos no se procederá a la devolución o cancelación de la garantía prestada por el cedente hasta que se halle formalmente constituida la del cesionario.

5. Transcurrido un año desde la fecha de terminación del contrato, sin que la recepción formal y la liquidación hubiesen tenido lugar por causas no imputables al contratista, se procederá, sin más demora, a la devolución o cancelación de las garantías una vez depuradas las responsabilidades a que se refiere el artículo 100.

Cuando el importe del contrato sea inferior a 1.000.000 de euros, si se trata de contratos de obras, o a 100.000 euros, en el caso de otros contratos, el plazo se reducirá a seis meses.

Concordancias a todo el artículo

➡ Concordancias normativas

Artículo 90 de la LCSP 30/2007 y artículos 44 y 47 del TRLCAP RDL 2/2000.

☞ Concordancias Jurisprudenciales

Audiencia Nacional, Sala de lo Contencioso-administrativo, Sección 1.ª, Sentencia de 25 Abr. 2011, rec. 321/2010

[LA LEY 32367/2011]

CONTRATOS ADMINISTRATIVOS. Intereses de demora por el retraso en realizar la revisión de precios

⊠ Consultas

• **Extinción del contrato**

En el caso de que la adjudicataria de un contrato de suministro sea una UTE, si plazo de garantía que empieza a computar desde la finalización del contrato ¿puede extinguirse antes la UTE?

[14/01/2010 EC 174/2010]

Ver respuesta en artículo 59

Sección 2

Garantía provisional

Artículo 103 *Exigencia y régimen*

1. En atención a las circunstancias concurrentes en cada contrato, los órganos de contratación podrán exigir a los licitadores la constitución de una garantía que responda del mantenimiento de sus ofertas hasta la adjudicación del mismo. Para el licitador que resulte adjudicatario, la garantía provisional responderá también del cumplimiento de las obligaciones que le impone el segundo párrafo del artículo 151.2.

Cuando el órgano de contratación decida exigir una garantía provisional deberá justificar suficientemente en el expediente las razones de su exigencia para ese concreto contrato.

→ Concordancias normativas

Párrafo segundo del número 1 del artículo 103 redactado por el apartado seis de la disposición final decimosexta de la Ley 2/2011, de 4 de marzo, de Economía Sostenible («B.O.E». 5 marzo).

Número 1 del artículo 103 redactado por el apartado dieciséis del artículo primero de la Ley 34/2010, de 5 de agosto, de modificación de las Leyes 30/2007, de 30 de octubre, de Contratos del Sector Público, 31/2007, de 30 de octubre, sobre procedimientos de contratación en los sectores del agua, la energía, los transportes y los servicios postales, y 29/1998, de 13 de julio, reguladora de la Jurisdicción Contencioso-Administrativa para adaptación a la normativa comunitaria de las dos primeras («B.O.E». 9 agosto).

2. En los pliegos de cláusulas administrativas se determinará el importe de la garantía provisional, que no podrá ser superior a un 3 por 100 del presupuesto del contrato, excluido el Impuesto sobre el Valor Añadido, y el régimen de su devolución. La garantía provisional podrá prestarse en cualquiera de las formas previstas en el artículo 96.

⊠ Consultas

• Constitución de la garantía provisional por las UTE

En el caso de que se tenga que prestar fianza provisional en forma de aval bancario, ¿cómo debe constituirse en el caso de las UTE?

[03/12/2009 EC 3566/2009]

Contestación

El art. 61.1 del Reglamento General de la Ley de Contratos de las Administraciones Publicas (RCAP), aprobado por Real Decreto 1098/2001, de 12 de octubre (BOE del 26), dispone que, en el caso de uniones temporales de empresarios, las garantías provisionales podrán constituirse por una o varias de las empresas participantes, siempre que, en conjunto, se alcance la cuantía requerida en el art. 35 Ley 30/2007, de 30 de octubre (BOE del 31), de Contratos del Sector Público (LCSP), y se garantice solidariamente a todos los integrantes de la unión temporal. Esto es, pueden constituirse por una o por varias, siempre que se cumplan dos requisitos:

1. Que se alcance la cuantía que se requiere en el Pliego de Cláusulas Administrativas y que no podrá exceder del 3 % según el art. 91.2 LCSP.

2. Que garantice solidariamente a todos los integrantes de la unión temporal.

En este sentido se manifiestan los informes 12/1999, de 17 de marzo y 69/1999, de 11 de abril de 2000 de la Junta Consultiva de Contratación Administrativa, que concluyen que «en las uniones temporales de empresarios deben rechazar las garantías provisionales que garanticen sólo a la empresa que las constituya, pues tal limitación impide a la garantía provisional desplegar sus efectos propios y característicos en los supuestos de retirada de ofertas y de falta de formalización del contrato.»

Por su parte, la STS de 11 de mayo de 2005 (ponente, Herrero Pina), aplicando el derogado Real Decreto 390/1996, de 1 de marzo (BOE del 21), de desarrollo parcial de la Ley 13/1995, de 18 de mayo, de contratos de las Administraciones Públicas, y que no tenía la misma redacción que el actual art.61.1 RCAP, en cuanto que no exigía expresamente que se garantizara solidariamente a todos los integrantes de la unión temporal, señalaba lo siguiente:

«(...) Esas características de configuración jurídica de las uniones temporales determinan que la Ley incida en su régimen jurídico y, al margen de las estipulaciones derivadas de la voluntad de las partes, establezca los requisitos de funcionamiento y se refuerce su responsabilidad en los negocios que realicen. A tal efecto y por lo que aquí interesa, el artículo 8.e).8 de la citada Ley 18/1982, dispone que la responsabilidad frente a terceros por los actos y operaciones en beneficio del común será siempre solidaria e ilimitada para sus miembros, y ya de forma específica en materia de contratación administrativa, la Ley 13/1995 establece en su artículo 24 que dichos empresarios quedarán obligados solidariamente ante la Administración en el cumplimiento de las obligaciones que deriven del contrato hasta su extinción. En estas circunstancias, el hecho de que la garantía provisional se preste por una sola de las empresas que componen la UTE no priva de eficacia a la misma ni impide su realización en el caso de incumplimiento, pues la responsabilidad es solidaria y por tanto exigible, aunque el incumplimiento sea imputable específicamente a uno de los empresarios, por disposición legal, razón por la cual y de manera congruente se establece la previsión del artículo 18.2 del Real Decreto 390/1996, que no obstante se ocupa de señalar que la prestación de la garantía habrá de alcanzar, en todo caso, la cuantía establecida en el artículo 36.1 de la Ley 13/1995, manteniendo así la efectividad y finalidad de dicha garantía provisional».

Esto es, la referida sentencia se apoyaba en la regulación contenida en el art. 8.e.8 de la Ley 18/1982, de 26 de mayo (BOE de 9 de junio), sobre Régimen Fiscal de Agrupaciones y Uniones Temporales de Empresas y de las Sociedades de Desarrollo Regional, que dispone que las Uniones Temporales de Empresas se formalizarán en escritura pública que expresará: el nombre, apellidos, razón social de los otorgantes, su nacionalidad y su domicilio; la voluntad de los otorgantes de constituir la Unión; y los estatutos o pactos que han de regir el funcionamiento de la Unión, en los que se hará constar: «La responsabilidad frente a terceros por los actos y operaciones en beneficio del común, que será en todo caso solidaria e ilimitada para sus miembros». Y venía a concluir que si su responsabilidad es siempre solidaria y se garantizaba el importe total, debía mantenerse su validez aunque se hubiera constituido sólo por una de las empresas.

Pero, actualmente, debemos estar a la dicción del art. 61 RCAP y, en consecuencia, en el caso de uniones temporales de empresarios la garantía provisional puede constituirse por una o varias de las empresas participantes, siempre que lo hagan con los requisitos que establece dicho precepto.

En cuanto al modelo de aval, señalar que será el general y bastará que en el mismo conste expresamente que, conforme al art. 61.1 RCAP, el avalista responderá solidariamente por el incumplimiento de cualquiera de los integrantes de la unión temporal.

3. Cuando se exijan garantías provisionales éstas se depositarán, en las condiciones que las normas de desarrollo de esta Ley establezcan, en la siguiente forma:

a) En la Caja General de Depósitos o en sus sucursales encuadradas en las Delegaciones de Economía y Hacienda, o en la Caja o establecimiento público equivalente de las Comunidades Autónomas o Entidades locales contratantes ante las que deban surtir efecto cuando se trate de garantías en efectivo.

b) Ante el órgano de contratación, cuando se trate de certificados de inmovilización de valores anotados, de avales o de certificados de seguro de caución.

4. La garantía provisional se extinguirá automáticamente y será devuelta a los licitadores inmediatamente después de la adjudicación del contrato. En todo caso, la garantía será retenida al licitador cuya proposición hubiera sido seleccionada para la adjudicación hasta que proceda a la constitución de la garantía definitiva, e incautada a las empresas que retiren injustificadamente su proposición antes de la adjudicación.

➡ **Concordancias normativas**

Número 4 del artículo 103 redactado por el apartado dieciséis del artículo primero de la Ley 34/2010, de 5 de agosto, de modificación de las Leyes 30/2007, de 30 de octubre, de Contratos del Sector Público, 31/2007, de 30 de octubre, sobre procedimientos de contratación en los sectores del agua, la energía, los transportes y los servicios postales, y 29/1998, de 13 de julio, reguladora de la Jurisdicción Contencioso-Administrativa para adaptación a la normativa comunitaria de las dos primeras («B.O.E». 9 agosto).

5. El adjudicatario podrá aplicar el importe de la garantía provisional a la definitiva o proceder a una nueva constitución de esta última, en cuyo caso la garantía provisional se cancelará simultáneamente a la constitución de la definitiva.

➡ **Concordancias normativas**

Artículo 91 de la LCSP 30/2007 y artículos 35 y 43.1 del TRLCAP RDL 2/2000.

CAPÍTULO II

Garantías a prestar en otros contratos del sector público

Artículo 104 *Supuestos y régimen*

1. En los contratos que celebren los entes, organismos y entidades del sector público que no tengan la consideración de Administraciones Públicas, los órganos de contratación podrán exigir la prestación de una garantía a los licitadores o candidatos, para responder del mantenimiento de sus ofertas hasta la adjudicación y, en su caso, formalización del contrato o al adjudicatario, para asegurar la correcta ejecución de la prestación.

➡ **Concordancias normativas**

Número 1 del artículo 104 redactado por el apartado diecisiete del artículo primero de la Ley 34/2010, de 5 de agosto, de modificación de las Leyes 30/2007, de 30 de octubre, de Contratos del Sector Público, 31/2007, de 30 de octubre, sobre procedimientos de contratación en los sectores del agua, la energía, los transportes y los servicios postales, y 29/1998, de 13 de julio, reguladora de la Jurisdicción Contencioso-Administrativa para adaptación a la normativa comunitaria de las dos primeras («B.O.E». 9 agosto).

2. El importe de la garantía, que podrá presentarse en alguna de las formas previstas en el artículo 96, así como el régimen de su devolución o cancelación serán establecidos por el órgano de contratación, atendidas las circunstancias y características del contrato.

➡ **Concordancias normativas**

Artículo 92 de la LCSP 30/2007.

TÍTULO V

Modificación de los contratos

Artículo 105 *Supuestos*

1. Sin perjuicio de los supuestos previstos en esta Ley de sucesión en la persona del contratista, cesión del contrato, revisión de precios y prórroga del plazo de ejecución, los contratos del sector público sólo podrán modificarse cuando así se haya previsto en los pliegos o en el anuncio de licitación o en los casos y con los límites establecidos en el artículo 107.

En cualesquiera otros supuestos, si fuese necesario que la prestación se ejecutase en forma distinta a la pactada, inicialmente deberá procederse a la resolución del contrato en vigor y a la celebración de otro bajo las condiciones pertinentes. Este nuevo contrato deberá adjudicarse de acuerdo con lo previsto en el Libro III.

2. La modificación del contrato no podrá realizarse con el fin de adicionar prestaciones complementarias a las inicialmente contratadas, ampliar el objeto del contrato a fin de que pueda cumplir finalidades nuevas no contempladas en la documentación preparatoria del mismo, o incorporar una prestación susceptible de utilización o aprovechamiento independiente. En estos supuestos, deberá procederse a una nueva contratación de la prestación correspondiente, en la que podrá aplicarse el régimen establecido para la adjudicación de contratos complementarios si concurren las circunstancias previstas en los artículos 171.b) y 174.b).

➡ **Concordancias normativas**

Artículo 92 bis de la LCSP 30/2007.

Título V del Libro I que contiene los artículos 104 a 108, introducido por el apartado siete de la disposición final decimosexta de la Ley 2/2011, de 4 de marzo, de Economía Sostenible («B.O.E». 5 marzo).

✉ Consultas

• Modificación de contratos de servicios

¿Se puede establecer en los pliegos de un contrato para el mantenimiento de las instalaciones, que será modificado en caso de la puesta en marcha de nuevos edificios municipales? Si debe ser objeto de licitación, ¿se podría adjudicar al mismo contratista?

[23/12/2011 EC 5/2012]

Contestación

Para la contestación a la consulta, hay que partir del principio básico en materia de modificación de los contratos, que es que siempre que pueda realizarse una contratación independiente no debe procederse a una modificación del contrato. En este sentido se pronuncia la Junta Consultiva de Contratación en informe 18/2006, de 20 de junio de 2006, Celebración de nuevo contrato o modificación del vigente por ampliación del objeto del contrato en un contrato de gestión de servicio público relativo al estacionamiento regulado en superficie (ORA), que señala lo siguiente:

«[...] sobre todo, hay que tener en cuenta los criterios restrictivos que esta Junta ha mantenido en relación con modificaciones de contratos de gestión de servicios públicos reflejado en su informe de 12 de marzo de 2004 (expediente 50/03) y los que en el mismo se citan y que, posteriormente, se reitera en el de 24 de marzo de 2006 (expediente 7/06) expuestos en el siguiente sentido: En primer lugar el carácter restrictivo con que la vigente legislación de contratos de las Administraciones Públicas contempla las modificaciones de contratos adjudicados y que, aparte de los requisitos formales a que se sujetan, tiene su reflejo en los artículos 101, con carácter general, y 163 de la Ley de Contratos de las Administraciones Públicas, para el contrato de gestión de servicio público, ligando ambos la posibilidad de modificación a razones de interés público, expresando el primero que «una vez perfeccionado el contrato, el órgano de contratación sólo podrá introducir modificaciones por razón de interés público en los elementos que lo integran, siempre que sean debidas a necesidades nuevas o causas imprevistas, justificándolo debidamente en el expediente» y el segundo —el artículo 163— en el mismo sentido que «la Administración podrá modificar, por razones de interés público, las características del servicio contratado y las tarifas que han de ser abonadas por los usuarios». En segundo lugar debe reiterarse el criterio de esta Junta de que hay que poner límites a las posibilidades de modificación de los contratos puesto que «celebrada mediante licitación pública la adjudicación de un contrato...la solución que presenta la adjudicación para el adjudicatario en cuanto a precio y demás condiciones, no puede ser alterada sustancialmente por vía de modificación consensuada, ya que ello supone un obstáculo a los principios de libre concurrencia y buena fe que deben presidir la contratación de las Administraciones Públicas, teniendo en cuenta que los licitadores distintos del adjudicatario podían haber modificado sus proposiciones si hubieran sido conocedores de la modificación que ahora se produce» (Informe de 21 de diciembre de 1995, posteriormente reproducido en el de 17 de marzo de 1999 y 2 de 5 de marzo de 2001, expediente 48/1995, 47/1998, 52/00 y 59/00».

Si nos referimos a la normativa actual se aprecia el carácter restrictivo en toda la actualmente aplicable. En particular, en los siguientes preceptos:

— El art. 219.1 del Real Decreto Legislativo 3/2011, de 14 de noviembre (LA LEY 21158/2011) (BOE del 16), por el que se aprueba el texto refundido de la Ley de Contratos del Sector Público (TR LCSP (LA LEY 21158/2011)), cuando dispone que los contratos administrativos sólo podrán ser modificados por razones de interés público en los casos y en la forma previstos en el título V del libro I. En este sentido debe tenerse en cuenta que la habilitación a la Administración para actuar en función del interés público está genéricamente consagrado por el art. 103.1 CE (LA LEY 2500/1978); y a este concepto jurídico indeterminado apelan tanto la Constitución como las leyes, vinculando de este modo positivamente el actuar administrativo. Ahora bien, ello no quiere decir que pueda hacerse una utilización abstracta del concepto de interés público para modificar un contrato; muy al contrario los motivos de interés público han de ser concretos y específicos, o como señala Eduardo García de Enterría «la Administración tiene la carga de alegar, probar y motivar en cada caso la concurrencia de esa específica causa de interés público legitimador, sin que sea suficiente invocar su posición general de gestor ordinario de ese interés». Esto es, se ha de acreditar con carácter específico y detallado las razones de interés público que concurren y se van a satisfacer con la modificación que pretende realizar en el contrato en cuestión. Así se recoge en el Dictamen del Consejo de Estado n.º 46.642, de 12 de julio de 1984. Las razones de interés público que han de justificar la modificación se han de referir, pues, no a los contratos administrativos en general, ni al contrato en cuestión en particular, sino en qué medida las modificaciones proyectadas satisfacen específicamente alguna necesidad de interés general mejor que el contrato inicial. O lo que es lo mismo, que una modificación del contrato satisface mejor el interés público que un nuevo contrato con otro contratista.

— Por otra parte, el art. 105.2 TR LCSP (LA LEY 21158/2011) establece expresamente que la modificación del contrato no podrá realizarse con el fin de adicionar prestaciones complementarias a las inicialmente contratadas, ampliar el objeto del contrato a fin de que pueda cumplir finalidades nuevas no contempladas en la documentación preparatoria del mismo, o incorporar una prestación susceptible de utilización o aprovechamiento independiente. Añadiendo expresamente que, en estos supuestos, deberá procederse a una nueva contratación de la prestación correspondiente, en la que podrá aplicarse el régimen establecido para la adjudicación de contratos complementarios si concurren las circunstancias previstas en los arts. 171.b) y 174.b).

Por consiguiente, y a la vista de esta normativa, entendemos que no procede establecer la modificación del contrato en el caso consultado, porque vemos difícil justificar la existencia del interés público en que todo el mantenimiento lo haga una misma empresa; y porque creemos que entra de lleno en los supuestos que plantea del art. 105.2 TR LCSP (LA LEY 21158/2011), como supuestos en los que no procede la modificación de los contratos.

En cuanto a la segunda pregunta, es posible la adjudicación directa de un contrato menor al mismo adjudicatario. Pero esta opción presenta el inconveniente de que el contrato menor no puede tener una duración superior al año, conforme establece claramente el art. 23 TR LCSP (LA LEY 21158/2011); por lo que entendemos que no es aplicable a un contrato de mantenimiento que dure varios ejercicios.

Por lo que se refiere a la posibilidad de aplicar el art. 174.b) TR LCSP (LA LEY 21158/2011), éste admite el procedimiento negociado cuando se trate de servicios complementarios que no figuren en el proyecto ni en el contrato, pero que, debido a una circunstancia que no pudiera haberse previsto por un poder adjudicador diligente, pasen a ser necesarios para ejecutar el servicio tal y como estaba descrito en el proyecto o en el contrato sin modificarlo, y cuya ejecución se confíe al empresario al que se adjudicó el contrato principal de acuerdo con los precios que rijan para éste o que, en su caso, se fijen contradictoriamente, siempre que los servicios no puedan separarse técnica o económicamente del contrato primitivo sin causar grandes inconvenientes al órgano de contratación o que, aunque resulten separables, sean estrictamente necesarios para su perfeccionamiento y que el importe acumulado de los servicios complementarios no supere el 50 por ciento del importe primitivo del contrato. Como se puede apreciar a simple vista, el mantenimiento de un edificio es separable perfectamente técnica y económicamente del mantenimiento de otro, por lo que, aplicando el precepto, no cabría. Además, se está exigiendo por la normativa que exista una circunstancia que no pudiera haberse previsto; circunstancia que en el caso consultado no se da.

Artículo 106 *Modificaciones previstas en la documentación que rige la licitación*

Los contratos del sector público podrán modificarse siempre que en los pliegos o en el anuncio de licitación se haya advertido expresamente de esta posibilidad y se hayan detallado de forma clara, precisa e inequívoca las condiciones en que podrá hacerse uso de la misma, así como el alcance y límites de las modificaciones que pueden acordarse con expresa indicación del porcentaje del precio del contrato al que como máximo puedan afectar, y el procedimiento que haya de seguirse para ello.

A estos efectos, los supuestos en que podrá modificarse el contrato deberán definirse con total concreción por referencia a circunstancias cuya concurrencia pueda verificarse de forma objetiva y las condiciones de la eventual modificación deberán precisarse con un detalle suficiente para permitir a los licitadores su valoración a efectos de formular su oferta y ser tomadas en cuenta en lo que se refiere a la exigencia de condiciones de aptitud a los licitadores y valoración de las ofertas.

➡ **Concordancias normativas**

Artículo 92 ter de la LCSP 30/2007.

Artículo 107 *Modificaciones no previstas en la documentación que rige la licitación*

1. Las modificaciones no previstas en los pliegos o en el anuncio de licitación solo podrán efectuarse cuando se justifique suficientemente la concurrencia de alguna de las siguientes circunstancias:

a) Inadecuación de la prestación contratada para satisfacer las necesidades que pretenden cubrirse mediante el contrato debido a errores u omisiones padecidos en la redacción del proyecto o de las especificaciones técnicas.

b) Inadecuación del proyecto o de las especificaciones de la prestación por causas objetivas que determinen su falta de idoneidad, consistentes en circunstancias de tipo geológico, hídrico, arqueológico, medioambiental o similares, puestas de manifiesto con posterioridad a la adjudicación del contrato y que no fuesen previsibles con anterioridad aplicando toda la diligencia requerida de acuerdo con una buena práctica profesional en la elaboración del proyecto o en la redacción de las especificaciones técnicas.

c) Fuerza mayor o caso fortuito que hiciesen imposible la realización de la prestación en los términos inicialmente definidos.

d) Conveniencia de incorporar a la prestación avances técnicos que la mejoren notoriamente, siempre que su disponibilidad en el mercado, de acuerdo con el estado de la técnica, se haya producido con posterioridad a la adjudicación del contrato.

e) Necesidad de ajustar la prestación a especificaciones técnicas, medioambientales, urbanísticas, de seguridad o de accesibilidad aprobadas con posterioridad a la adjudicación del contrato.

2. La modificación del contrato acordada conforme a lo previsto en este artículo no podrá alterar las condiciones esenciales de la licitación y adjudicación, y deberá limitarse a introducir las variaciones estrictamente indispensables para responder a la causa objetiva que la haga necesaria.

3. A los efectos de lo previsto en el apartado anterior, se entenderá que se alteran las condiciones esenciales de licitación y adjudicación del contrato en los siguientes casos:

a) Cuando la modificación varíe sustancialmente la función y características esenciales de la prestación inicialmente contratada.

b) Cuando la modificación altere la relación entre la prestación contratada y el precio, tal y como esa relación quedó definida por las condiciones de la adjudicación.

c) Cuando para la realización de la prestación modificada fuese necesaria una habilitación profesional diferente de la exigida para el contrato inicial o unas condiciones de solvencia sustancialmente distintas.

d) Cuando las modificaciones del contrato igualen o excedan, en más o en menos, el 10 por ciento del precio de adjudicación del contrato; en el caso de modificaciones sucesivas, el conjunto de ellas no podrá superar este límite.

e) En cualesquiera otros casos en que pueda presumirse que, de haber sido conocida previamente la modificación, hubiesen concurrido al procedimiento de adjudicación otros interesados, o que los licitadores que tomaron parte en el mismo hubieran presentado ofertas sustancialmente diferentes a las formuladas.

Concordancias a todo el artículo

➡ **Concordancias normativas**

Artículo 92 quater de la LCSP 30/2007.

Véase Res. de 28 de marzo de 2012, de la Dirección General de Patrimonio del Estado, por la que se publica la Recomendación de la Junta Consultiva de Contratación Administrativa sobre la interpretación del régimen contenido en el artículo 107 del Texto Refundido de la Ley de Contratos del Sector Público sobre las modificaciones de los contratos («B.O.E». 10 abril).

📖 Doctrina

— *Texto Refundido de la Ley de Contratos del Sector Público. Estudio sistemático.*José Antonio Moreno Molina, Francisco Pleite Guadamillas. Editorial LA LEY, Madrid, 2012.

— «Breve comentario a las interpretaciones del TRLCSP por la Junta de Contratación Administrativa realizadas en las Recomendaciones de 1 de marzo de 2012». José Manuel Martínez Fernández. Artículo publicado en la *Revista El Consultor de los Ayuntamientos y de los Juzgados* número 10, de 30 de mayo de 2012

Artículo 108 *Procedimiento*

1. En el caso previsto en el artículo 106 las modificaciones contractuales se acordarán en la forma que se hubiese especificado en el anuncio o en los pliegos.

2. Antes de proceder a la modificación del contrato con arreglo a lo dispuesto en el artículo 107, deberá darse audiencia al redactor del proyecto o de las especificaciones técnicas, si éstos se hubiesen preparado por un tercero ajeno al órgano de contratación en virtud de un contrato de servicios, para que, en un plazo no inferior a tres días, formule las consideraciones que tenga por conveniente.

3. Lo dispuesto en este artículo se entiende sin perjuicio de lo establecido en el artículo 211 para el caso de modificaciones que afecten a contratos administrativos.

➡ Concordancias normativas

Artículo 92 quinquies de la LCSP 30/2007.

LIBRO II

Preparación de los contratos

TÍTULO I

Preparación de contratos por las Administraciones Públicas

CAPÍTULO I

Normas generales

Sección 1
Expediente de contratación

Subsección 1
Tramitación Ordinaria

Artículo 109 *Expediente de contratación: iniciación y contenido*

1. La celebración de contratos por parte de las Administraciones Públicas requerirá la previa tramitación del correspondiente expediente, que se iniciará por el órgano de contratación motivando la necesidad del contrato en los términos previstos en el artículo 22 de esta Ley.

☞ **Concordancias Jurisprudenciales**

Juzgado de lo Contencioso-administrativo N.°. 2 de Bilbao, Sentencia de 13 Sep. 2010, rec. 1158/2009

[LA LEY 255166/2010]

CONTRATOS ADMINISTRATIVOS. Contrato de suministro. Suministro de contenedores de carga lateral para la recogida de residuos sólidos urbanos. Adjudicación. Anulación. Desviación de poder en la actuación municipal. Doctrina sobre la existencia de desviación de poder. La adjudicación del contrato no tiene como objetivo la satisfacción de las necesidades municipales en cuanto al suministro de contenedores, puesto que tales contenedores ya se han entregado y se encuentran en poder del Ayuntamiento sino que trata de hacer posible el pago de dos facturas por la adquisición de sendas partidas de contenedores y cuyo desembolso no se efectúa al haberse opuesto reparos por el responsable de la fiscalización de las cuentas de la Corporación.

2. El expediente deberá referirse a la totalidad del objeto del contrato, sin perjuicio de lo previsto en el apartado 3 del artículo 86 acerca de su eventual división en lotes, a efectos de la licitación y adjudicación.

3. Al expediente se incorporarán el pliego de cláusulas administrativas particulares y el de prescripciones técnicas que hayan de regir el contrato. En el caso de que el procedimiento elegido para adjudicar el contrato sea el de diálogo competitivo regulado en la sección 5.ª, del Capítulo I, del Título I, del Libro III, los pliegos de cláusulas administrativas y de prescripciones técnicas serán sustituidos por el documento descriptivo a que hace referencia el artículo 181.1.

Asimismo, deberá incorporarse el certificado de existencia de crédito o documento que legalmente le sustituya, y la fiscalización previa de la intervención, en su caso, en los términos previstos en la Ley 47/2003, de 26 de noviembre (LA LEY 1781/2003).

✉   **Consultas**

• **Financiación de un contrato con distintos ingresos**

El Ayuntamiento quiere tramitar un contrato que se va a financiar con ingresos de distintas procedencias. ¿Es posible añadir una condición resolutoria si faltara alguna de las aportaciones que se cree se van a recibir?

[13/06/2011 EC 1469/2011]

Contestación

De acuerdo con el art. 93.3 de la Ley 30/2007, de 30 de octubre (LA LEY 10868/2007)(BOE del 31), de Contratos del Sector Público (LCSP (LA LEY 10868/2007)), el expediente de contratación ha de incorporar el certificado de existencia de crédito (RC) o documento que legalmente le sustituya; certificado que se ha de referir al importe previsto de ejecución en el ejercicio corriente. Añadiendo, en su apartado quinto, que «si la financiación del contrato ha de realizarse con aportaciones de distinta procedencia, aunque se trate de órganos de una misma Administración pública, se tramitará un solo expediente por el órgano de contratación al que corresponda la adjudicación del contrato, debiendo acreditarse en aquél la plena disponibilidad de todas las aportaciones y determinarse el orden de su abono, con inclusión de una garantía para su efectividad.»

Esto es, ha de quedar perfectamente definido, y de manera previa a la publicación de la licitación, que existe crédito y que es adecuado y suficiente para las obligaciones que en el ejercicio espera contraer la Corporación.

La única excepción a este régimen general en relación con la existencia de crédito y su acreditación en el expediente, la contiene el segundo párrafo del art. 94 LCSP (LA LEY 10868/2007); que se refiere a contratos cuya ejecución vaya a comenzar en el ejercicio siguiente, que cuenta con la limitación, en la Administración Local, de la actual redacción del art. 174 del Texto Refundido de la Ley Reguladora de las Haciendas Locales (LA LEY 362/2004) (TR LRHL), aprobado por Real Decreto Legislativo 2/2004, de 5 de marzo (LA LEY 362/2004) (BOE del 9), que exige, para poder adquirir compromisos de carácter plurianual, «que su ejecución se inicie en el propio ejercicio». Sin embargo, la diferente redacción —en relación a su antecesor en el Texto Refundido de la Ley de Contratos de las Administraciones Públicas, que exigía incluir en el pliego la condición suspensiva de existencia de crédito adecuada y suficiente— nos hace interpretar que será obligatorio, para la Administración que publique la licitación de manera anticipada a la aprobación del presupuesto del ejercicio siguiente, la consignación en éste de los créditos necesarios para que el contrato pueda ser ejecutado, sin existencia de condición suspensiva o resolutoria alguna, de modo que el adjudicatario podría incluso, en caso de tratarse de una Administración Local, impugnar el proyecto de presupuesto de acuerdo con lo establecido en el art. 170.2.b TRLRHL.

Por lo tanto, si el Ayuntamiento va a financiar el contrato con distintos ingresos, debe asegurarse de que dispone de cada una de las aportaciones, sin que sea posible condicionar la ejecución del contrato a su falta.

El problema será el cumplimiento de la necesaria garantía para su efectividad, que recoge el art. 93.5 LCSP (LA LEY 10868/2007), citado. A modo de ejemplo, incluimos cómo se garantizaban estas aportaciones en el caso de la

Administración del Estado, ya que el antiguo art. 12.5 del Texto Refundido de la Ley de Contratos de las Administraciones Públicas (TR LCAP), aprobado por Real Decreto Legislativo 2/2000, de 16 de junio (LA LEY 2206/2000) (BOE del 21), establecía que si el expediente era de interés para varios ministerios, podían cofinanciarlo mediante convenios o protocolos de actuación, desarrollándose en el art. 8 del Reglamento General de la Ley de Contratos de las Administraciones Publicas (RCAP), aprobado por Real Decreto 1098/2001, de 12 de octubre (LA LEY 1470/2001) (BOE del 26), aún vigente, indicando que la manera de articular esta colaboración era la puesta a disposición del órgano de contratación de la documentación acreditativa de los correspondientes expedientes de gasto iniciados en cada uno de los cofinanciadores (esto es, la existencia de documentos RC). Así lo recuerda el Informe de la Intervención General de la Administración del Estado. El del mismo órgano consultivo, de 9 de julio de 2008, determina la documentación que ha de llevar cada expediente de gasto en caso de cofinanciación.

A nuestro juicio, será necesaria únicamente documentación administrativa para garantizar la aportación, sin que sea procedente la exigencia de avales. En el caso objeto de consulta, puede existir un convenio con la Generalitat, en virtud del que se pueda solicitar la expedición del correspondiente documento RC que garantice que esa Administración va a hacer frente a sus obligaciones. En caso de no existir ningún compromiso de este género, y estar pendiente la Administración Local de una convocatoria anual o similar, evidentemente las relaciones interadminsitrativas, a las que es ajeno el contratista, no pueden afectar al desarrollo del expediente de contratación, y si la entidad local no está segura de esa financiación, deberá tener certeza presupuestaria de que puede asumir los compromisos con el contratista sin ella.

Podría plantearse, la entidad local, establecer desde el inicio la Ordenanza reguladora del precio del servicio como si la subvención no se fuera a recibir; y, en caso de que finalmente no se confirmara su apreciación y existiera un ingreso por parte de la Generalitat, podría realizar una convocatoria pública de becas para los alumnos, distribuyendo con criterios lineales o de otro tipo (según como esté tarifada la Ordenanza) el importe recibido con destino a ese gasto.

4. En el expediente se justificará adecuadamente la elección del procedimiento y la de los criterios que se tendrán en consideración para adjudicar el contrato.

5. Si la financiación del contrato ha de realizarse con aportaciones de distinta procedencia, aunque se trate de órganos de una misma Administración pública, se tramitará un solo expediente por el órgano de contratación al que corresponda la adjudicación del contrato, debiendo acreditarse en aquél la plena disponibilidad de todas las aportaciones y determinarse el orden de su abono, con inclusión de una garantía para su efectividad.

Concordancias a todo el artículo

➡ **Concordancias normativas**

Artículo 93 de la LCSP 30/2007 y artículos 67 a 69 del TRLCAP RDL 2/2000.

☞ **Concordancias Jurisprudenciales**

Tribunal Superior de Justicia de Andalucía de Málaga, Sala de lo Contencioso-administrativo, Sentencia de 13 Jun. 2011, rec. 610/2010

[LA LEY 186534/2011]

CONTRATO ADMINISTRATIVO DE OBRAS. Actuaciones preparatorias de la adjudicación. El expediente administrativo. -- Actuaciones preparatorias de la adjudicación. El pliego de condiciones. -- Formas de adjudicación. Generalidades. -- Procedimiento de adjudicación.

✑ **Informes de la Junta Consultiva de Contratación Administrativa**

Acuerdo 10/2011, de 29 de septiembre, de la Junta Consultiva de Contratación Administrativa de la Comunidad de Madrid, por el que la Comisión Permanente queda enterada del informe emitido por la Dirección General de Política Financiera, Tesorería y Patrimonio a los Gerentes de las Universidades Carlos III y Autónoma de Madrid.

[LA LEY 1306/2011]

CONTRATO ADMINISTRATIVO DE SUMINISTRO. **Contestación** emitida por la Dirección General de Política Financiera, Tesorería y Patrimonio, a la solicitud de informe de los Gerentes de dos Universidades, acerca de diversas dudas relativas a la contratación conjunta por ambas Universidades de un suministro de energía eléctrica. Inexistencia de inconveniente para que se celebre un contrato cofinanciado entre dos Administraciones públicas, debiendo tramitarse un solo expediente y acreditarse en él la disponibilidad de todas las aportaciones. La Mesa de contratación del contrato objeto del informe puede estar integrada por personal de ambas Universidades. La adjudicación del contrato deberá formalizarse en un único documento. Posibilidad de formalización separada del contrato si la adjudicación se efectúa por lotes. La designación del responsable del contrato es potestativa para el órgano de contratación. Resulta indiferente si la facturación se efectúa o no de forma separada para cada parte de la prestación objeto del contrato. Con carácter previo a la contratación del suministro de energía eléctrica sujeto a la LCSP, las Universidades implicadas deberían suscribir un convenio de colaboración en el que se concretaran las condiciones de ejecución.

✉ Consultas

• Imposibilidad de financiación de un contrato con cargo a un eventual futuro contrato con otro contratista

¿Se puede establecer que el precio de un contrato para la elaboración de un estudio de viabilidad de energías renovables será abonado por el futuro contratista de la instalación de las mismas?

[17/04/2012 EC 925/2012]

Contestación

Entendemos que no es posible la forma de financiación que nos señalan en la consulta. Esto es, financiar un expediente de contratación actual con cargo a un eventual futuro contrato con otro contratista. Y, esto, por una razón fundamental, a saber: el ente contratante es el Ayuntamiento y debe correr de su cargo el gasto del contrato; siendo requisito esencial para contratar con un tercero la existencia de consignación presupuestaria adecuada y suficiente para hacer frente a los gastos del contrato.

En este sentido, debe recordarse el art. 173.5 del Texto Refundido de la Ley Reguladora de las Haciendas Locales (LA LEY 362/2004) (TR LRHL), aprobado por Real Decreto Legislativo 2/2004, de 5 de marzo (LA LEY 362/2004) (BOE del 9), cuando regula la limitación de los compromisos de gasto, dispone que no podrán adquirirse compromisos de gastos por cuantía superior al importe de los créditos autorizados en los estados de gastos, siendo nulos de pleno derecho los acuerdos, resoluciones y actos administrativos que infrinjan la expresada norma, sin perjuicio de las responsabilidades a que haya lugar. Esto es, es necesaria la correspondiente retención de crédito para iniciar un procedimiento de contratación.

Así lo afirma expresamente el Informe de la Junta Consultiva de Contratación Administrativa 56/2004, de 12 de noviembre de 2004, cuando señala que «En cuanto a los primeros —gastos de dirección de obra— la cuestión ha sido abordada por esta Junta en sus informes de 30 de junio y 23 de diciembre de 1999, de 28 de febrero de 2003 y de 7 de junio de 2004 (expedientes 26/1999, 51/1999, 1/03 y 26/04), utilizando los dos últimos citados las siguientes palabras:

(...) En dichos informes se llegaba a la conclusión de que la cláusula de un contrato que supone que la financiación del contrato de dirección de obras la lleva a cabo el adjudicatario del contrato de obras, debe considerarse nula por contradecir el art. 11.2 e) de la Ley de Contratos de las Administraciones Públicas y dicha conclusión debe reiterarse en el presente caso afirmando que los gastos de dirección del Técnico de Director de la obra, tiene que asumirlos la Administración, bien a través de sus propios técnicos, bien mediante el correspondiente contrato de consultoría y asistencia, sin que dichos gastos puedan, en consecuencia, considerarse incluidos en el concepto de gastos generales del presupuesto de la obra, ni pretender sean satisfechos por el adjudicatario del contrato de obras mediante incremento del precio del contrato». Recordemos que el art. 11.2.e) del Texto Refundido de la Ley de Contratos de las Administraciones Públicas, aprobado por Real Decreto Legislativo 2/2000, de 16 de junio (LA LEY 2206/2000) (BOE del 21), exigía la existencia de la correspondiente retención de crédito para iniciar un expediente de contratación.

Requisito que actualmente se recoge en el art. 109 del Real Decreto Legislativo 3/2011, de 14 de noviembre (LA LEY 21158/2011) (BOE del 16), por el que se aprueba el texto refundido de la Ley de Contratos del Sector Público (LA LEY 21158/2011) (TR LCSP (LA LEY 10868/2007)), cuando dispone que la celebración de contratos por parte de las Administraciones Públicas requerirá la previa tramitación del correspondiente expediente, que se iniciará por el órgano de contratación motivando la necesidad del contrato en los términos previstos en el art. 22 de esta Ley. Añadiendo que, entre otros documentos, deberá incorporarse el certificado de existencia de crédito o documento que legalmente le sustituya, y la fiscalización previa de la intervención, en su caso, en los términos previstos en la Ley 47/2003, de 26 de noviembre (LA LEY 1781/2003) (BOE del 27), General Presupuestaria (LGP 2003).

📖 **Doctrina**

— *Texto Refundido de la Ley de Contratos del Sector Público. Estudio sistemático.* José Antonio Moreno Molina, Francisco Pleite Guadamillas. Editorial LA LEY, Madrid, 2012.

— «La regulación en la LCSP». Koninckx Frasquet, Amparo; Palomar Olmeda, Alberto. Esta doctrina forma parte del libro *Aspectos prácticos y novedades de la contratación pública. En especial en la administración local*, 2.ª ed., Editorial LA LEY, Madrid, 2012.

Artículo 110 *Aprobación del expediente*

1. Completado el expediente de contratación, se dictará resolución motivada por el órgano de contratación aprobando el mismo y disponiendo la apertura del procedimiento de adjudicación. Dicha resolución implicará también la aprobación del gasto, salvo el supuesto excepcional previsto en la letra a) del apartado 3 del artículo 150, o que las normas de desconcentración o el acto de delegación hubiesen establecido lo contrario, en cuyo caso deberá recabarse la aprobación del órgano competente.

2. Los expedientes de contratación podrán ultimarse incluso con la adjudicación y formalización del correspondiente contrato, aun cuando su ejecución, ya se realice en una o en varias anualidades, deba iniciarse en el ejercicio siguiente. A estos efectos podrán comprometerse créditos con las limitaciones que se determinen en las normas presupuestarias de las distintas Administraciones públicas sujetas a esta Ley.

✉ **Consultas**

• **Posibilidad de tramitación anticipada del expediente**

Se pretende la adquisición de una máquina quitanieves con cargo a una subvención. ¿Es posible la tramitación anticipada del contrato, condicionada a la existencia de crédito? ¿Si no se recibiese la subvención tendríamos responsabilidad para con el adjudicatario?

[08/02/2010 EC 538/2010]

Contestación

En cuanto a su primera pregunta hemos de señalar que sí que se puede proceder a la tramitación anticipada del gasto. En este sentido el art. 94.2 de la Ley 30/2007, de 30 de octubre (BOE del 31), de Contratos del Sector Público (LCSP), dispone que los expedientes de contratación podrán ultimarse incluso con la adjudicación y formalización del correspondiente contrato, aun cuando su ejecución, ya se realice en una o en varias anualidades, deba iniciarse en el ejercicio siguiente. A estos efectos, podrán comprometerse créditos con las limitaciones que se determinen en las normas presupuestarias de las distintas Administraciones públicas sujetas a la LCSP.

Se condiciona directamente a la existencia de crédito adecuado y suficiente para el gasto en el ejercicio siguiente, como así establece el art. 174 del Texto Refundido de la Ley Reguladora de las Haciendas Locales (TR LRHL), aprobado por Real Decreto Legislativo 2/2004, de 5 de marzo (BOE del 9). Por lo tanto, es independiente de cómo esté financiado el crédito. Obviamente, si se encuentra financiado con una subvención, será de aplicación lo establecido en el art. 173.6 a) del citado TR LRHL, cuando señala que la disponibilidad de los créditos presupuestarios quedará condicionada, en todo caso, a la existencia de documentos fehacientes que acrediten compromisos firmes de aportación, en caso de ayudas, subvenciones, donaciones u otras formas de cesión de recursos por terceros tenidos en cuenta en las previsiones iniciales del presupuesto a efecto de su nivelación y hasta el importe previsto en los estados de ingresos en orden a la afectación de dichos recursos en la forma prevista por la ley o, en su caso, a las finalidades específicas de las aportaciones a realizar.

Consideramos que, en caso de no existencia de crédito, la Administración no tiene ninguna responsabilidad respecto al contratista; pues, precisamente, la adjudicación del contrato se realiza condicionada a la existencia de crédito adecuado y suficiente, de forma que si no existe crédito no producirá efecto la adjudicación.

En el caso de que se acuda a la tramitación anticipada, tal y como establece el art. 94.2 LCSP, el expediente podrá ultimarse incluso con la adjudicación y formalización del correspondiente contrato, aun cuando su ejecución, ya se realice en una o en varias anualidades, deba iniciarse en el ejercicio siguiente.

Concordancias a todo el artículo

➡ **Concordancias normativas**

Artículo 94 de la LCSP 30/2007 y artículo 69 del TRLCAP RDL 2/2000.

☞ **Concordancias Jurisprudenciales**

Tribunal Administrativo Central de Recursos Contractuales, Resolución de 5 Oct. 2011, rec. 198/2011

[LA LEY 186484/2011]

CONTRATO ADMINISTRATIVO DE SERVICIOS. Adjudicación de contrato del servicio de seguro de asistencia sanitaria para el personal en el exterior del Ministerio de Asuntos Exteriores y de Cooperación. RECURSO ESPECIAL EN MATERIA DE CONTRATACIÓN. Desestimación. Motivación suficiente de la resolución de adjudicación. Las razones determinantes de la decisión adoptada por el órgano de contratación no aparecen reflejadas en la notificación efectuada a la interesada anterior a que ésta interpusiera su recurso, pero sí en la realizada con posterioridad a la interposición del escrito de recurso, cumpliendo así con la solicitud de la misma en lo que se refiere a la petición de remisión del informe de valoración. Cabe entender que a partir de dicha fecha la adjudicación debe de entenderse correctamente notificada, comenzando así el plazo para interponer el pertinente recurso. Si la interesada no ha presentado un nuevo recurso, una vez que la resolución de adjudicación se ha notificado correctamente, es porque ha considerado suficiente para la defensa de su derecho el recurso interpuesto. Correcta valoración de la oferta presentada por la adjudicataria. La inclusión en el sobre n.º 2, no sujeto a valoración subjetiva, de documentación del sobre n.º 3 constituye una irregularidad formal en el procedimiento establecido, si bien esta conducta no puede tener efectos invalidantes que conduzcan a la no valoración de la documentación incluida en el sobre n.º 2, puesto que no existe merma material alguna en las garantías de la contratación. No se ven afectados los principios de igualdad de trato y no discriminación, dado que la información que en su caso debe incluirse en el sobre n.º 3 es documentación objetiva.

Tribunal Superior de Justicia de Andalucía de Málaga, Sala de lo Contencioso-administrativo, Sentencia de 13 Jun. 2011, rec. 610/2010

[LA LEY 186534/2011]

CONTRATO ADMINISTRATIVO DE OBRAS. Actuaciones preparatorias de la adjudicación. El expediente administrativo. –Actuaciones preparatorias de la adjudicación. El pliego de condiciones. – Formas de adjudicación. Generalidades. -- Procedimiento de adjudicación.

Artículo 111 *Expediente de contratación en contratos menores*

1. En los contratos menores definidos en el artículo 138.3, la tramitación del expediente sólo exigirá la aprobación del gasto y la incorporación al mismo de la factura correspondiente, que deberá reunir los requisitos que las normas de desarrollo de esta Ley establezcan.

☞ **Concordancias Jurisprudenciales**

Tribunal Superior de Justicia de Canarias de Santa Cruz de Tenerife, Sala de lo Social, Sentencia de 18 Mar. 2011, rec. 976/2010

[LA LEY 78365/2011]

CONTRATO DE TRABAJO. Criterios fundamentales de calificación de la relación como laboral. Dependencia o subordinación. Generalidades. CONTRATOS ADMINISTRATIVOS. Naturaleza del contrato. Criterios de determinación. Generalidades.

2. En el contrato menor de obras, deberá añadirse, además, el presupuesto de las obras, sin perjuicio de que deba existir el correspondiente proyecto cuando normas específicas así lo requieran. Deberá igualmente solicitarse el informe de supervisión a que se refiere el artículo 125 cuando el trabajo afecte a la estabilidad, seguridad o estanqueidad de la obra.

Concordancias a todo el artículo

➡ **Concordancias normativas**

Artículo 95 de la LCSP 30/2007 y artículo 56 del TRLCAP RDL 2/2000.

☞ **Concordancias Jurisprudenciales**

Tribunal Administrativo de Navarra, Sección 3.ª, Resolución de 25 Ene. 2011, rec. 10-00495/2010

[LA LEY 127873/2011]

CONTRATOS ADMINISTRATIVOS. Reconocimiento de obligaciones y orden de pago de facturas. Nulidad de determinadas facturas por falta de consignación presupuestaria. Se aprueba el pago de unas facturas correspondientes a contratos que se han concluido sin consignación presupuestaria, y la propia orden de pago contenida en el acuerdo incurre de nuevo en la misma causa de nulidad radical, ya que en la fecha de su adopción sigue sin existir consignación presupuestaria.

Tribunal Superior de Justicia de Andalucía de Sevilla, Sala de lo Social, Sentencia de 16 Jun. 2011, rec. 3734/2010

[LA LEY 164099/2011]

CONTRATO DE TRABAJO. Criterios fundamentales de calificación de la relación como laboral. Dependencia o subordinación. Generalidades. CONTRATOS ADMINISTRATIVOS. Naturaleza del contrato. Criterios de determinación. Generalidades. DESPIDO. Despido disciplinario. Calificación del despido. Despido improcedente.

Tribunal Superior de Justicia de Canarias de Las Palmas de Gran Canaria, Sala de lo Social, Sentencia de 28 Jul. 2010, rec. 2404/2009

[LA LEY 316267/2010]

CONTRATOS TEMPORALES. Contratos celebrados por la Administración. Contratación en fraude de ley. Supuestos. -- Contratos celebrados por la Administración. Efectos de la declaración de improcedencia del despido. DESPIDO. Despido disciplinario. Calificación del despido. Despido improcedente. -- Despido disciplinario. Calificación del despido. Efectos del despido.

Tribunal Superior de Justicia del Principado de Asturias, Sala de lo Social, Sentencia de 30 Abr. 2010, rec. 436/2010

[LA LEY 92065/2010]

CONTRATOS TEMPORALES. Contratos celebrados por la Administración. Inobservancia de formalidades en la contratación: efectos. Adquisición de la condición de fijeza en el empleo. -- Contratos celebrados por la Administración. Contratación en fraude de ley. Supuestos. TRABAJADORES FIJOS DISCONTINUOS. Regulación. -- Interpretación restrictiva de la condición de fijo discontinuo.

⊠ Consultas

• **El grupo de la oposición no puede ser considerado interesado en un procedimiento de resolución del contrato**

En el caso de resolución de un contrato administrativo ¿puede considerarse a la oposición como titular de un interés legítimo y ser parte en el procedimiento?

[14/05/2010 EC 1520/2010]

Ver respuesta en artículo 52.

• **¿Es posible no esperar los quince días que estipula la LCSP para elevar a definitiva la adjudicación provisional?**

Contratación Administrativa Práctica, Nº 84, Sección Usted Pregunta, Marzo 2009, pág. 13, Editorial LA LEY

[LA LEY 169/2009]

Respuesta

En principio, debemos señalar que los plazos establecidos en la LCSP para elevar a definitiva la adjudicación provisional deben respetarse escrupulosamente.

Así, expresamente en el párrafo 1.º del art. 135.4 (LA LEY 10868/2007) de la LCSP se dispone con carácter general que «la elevación a definitiva de la adjudicación provisional no podrá producirse antes de que transcurran quince días hábiles contados desde el siguiente a aquel en que se publique aquélla en un diario oficial o en el perfil de contratante del órgano de contratación. Las normas autonómicas de desarrollo de esta Ley podrán fijar un plazo mayor, sin exceder el de un mes.»

Y en el párrafo 3.º del art. 135.4 (LA LEY 10868/2007) de la LCSP se señala una especie de excepción al plazo de 15 días al disponer que «la adjudicación provisional deberá elevarse a definitiva dentro de los diez días hábiles siguientes a aquel en que expire el plazo señalado en el párrafo primero de este apartado, siempre que el adjudicatario haya presentado la documentación señalada y constituido la garantía definitiva, en caso de ser exigible, y sin perjuicio de la eventual revisión de aquélla en vía de recurso especial, conforme a lo dispuesto en el artículo 37 (LA LEY 10868/2007). Las normas autonómicas de desarrollo de esta Ley podrán fijar un plazo mayor al previsto en este párrafo, sin que se exceda el de un mes.»

En consecuencia, se establece para elevar a definitiva la adjudicación provisional un plazo de 15 días con carácter general y un plazo «excepcional» de 10 días para aquellos casos en que en dicho plazo «el adjudicatario haya presentado la documentación señalada y constituido la garantía definitiva, en caso de ser exigible». La LCSP establece esos plazos con el carácter de mínimos en el sentido de que únicamente permite a las normas autonómicas su modificación, pero para ampliarlos, nunca para reducirlos.

Siempre deben respetarse los plazos entre una y otra adjudicación para garantizar a los licitadores la posibilidad de interponer el recurso previsto en el artículo 37 (LA LEY 10868/2007) de la LCSP y garantizar así los principios de transparencia, publicidad y de libre concurrencia

La razón fundamental de dejar este lapso de tiempo entre una y otra adjudicación no es otra que la de dar a los licitadores la posibilidad de interponer el recurso previsto en el artículo 37 (LA LEY 10868/2007) de la LCSP y garantizar así los principios de transparencia, publicidad y de libre concurrencia.

En efecto, el artículo 37.2 (LA LEY 10868/2007) de la LCSP dispone que «serán susceptibles de recurso especial los acuerdos de adjudicación provisional, los pliegos reguladores de la licitación y los que establezcan las características de la prestación, y los actos de trámite adoptados en el procedimiento antecedente, siempre que estos últimos decidan directa o indirectamente sobre la adjudicación, determinen la imposibilidad de continuar el procedimiento o produzcan indefensión o perjuicio irreparable a derechos o intereses legítimos.»

Y en consonancia con el artículo 135.4 (LA LEY 10868/2007) de la LCSP, el artículo 37.6 (LA LEY 10868/2007) de la LCSP dispone que «el plazo para interponer el recurso especial en materia de contratación será de diez días hábiles, contados a partir del siguiente a aquel en que se notifique o publique el acto impugnado. En el caso de que el acto recurrido sea el de adjudicación provisional del contrato, el plazo se contará desde el día siguiente a aquel en que se publique el mismo en un diario oficial o en el perfil de contratante del órgano de contratación, conforme a lo señalado en el artículo 135.4 (LA LEY 10868/2007).»

En relación con lo anterior, el artículo 37.7 (LA LEY 10868/2007) de la LCSP señala que «si el acto recurrido es el de adjudicación provisional, quedará en suspenso la tramitación del expediente de contratación hasta que se resuelva expresamente el recurso, sin que pueda, por tanto, procederse a la adjudicación definitiva y formalización del contrato. No obstante, si el recurso se hubiese interpuesto contra el acto de adjudicación provisional de un acuerdo marco del que puedan ser parte un número no limitado de empresarios, el órgano competente para resolverlo podrá levantar la suspensión una vez transcurridos cinco días hábiles desde su interposición.»

Un último aspecto que debería tenerse en cuenta es el caso de que el expediente se tramitara mediante el procedimiento de urgencia. El artículo 96.2.b) (LA LEY 10868/2007) de la LCSP dispone que «acordada la apertura del procedimiento de adjudicación, los plazos establecidos en esta Ley para la licitación y adjudicación del contrato se reducirán a la mitad, salvo el plazo de quince días hábiles establecido en el párrafo primero del artículo 135.4 (LA LEY 10868/2007) como periodo de espera antes de la elevación a definitiva de la adjudicación provisional, que quedará reducido a diez días hábiles.»

Conclusión

En conclusión, se establecen diferentes plazos para elevar a definitiva la adjudicación provisional:

a) 15 días, con carácter general;

b) 10 días, si el adjudicatario ha presentado la documentación necesaria y constituido la garantía definitiva, en caso de ser exigible;

c) las normas autonómicas hayan establecido unos plazos mayores a los anteriormente previstos;

d) en caso de que el expediente se tramite mediante procedimiento de urgencia, pues dicho plazo se reduciría no a la mitad sino a 10 días.

En esta consulta lo más relevante es que siempre deben respetarse los plazos anteriormente mencionados entre una y otra adjudicación para garantizar a los licitadores la posibilidad de interponer el recurso previsto en el artículo 37 (LA LEY 10868/2007) de la LCSP y garantizar así los principios de transparencia, publicidad y de libre concurrencia.

Subsección 2

Tramitación abreviada del expediente

Artículo 112 *Tramitación urgente del expediente*

1. Podrán ser objeto de tramitación urgente los expedientes correspondientes a los contratos cuya celebración responda a una necesidad inaplazable o cuya adjudicación sea preciso acelerar por razones de interés público. A tales efectos el expediente deberá contener la declaración de urgencia hecha por el órgano de contratación, debidamente motivada.

2. Los expedientes calificados de urgentes se tramitarán siguiendo el mismo procedimiento que los ordinarios, con las siguientes especialidades:

a) Los expedientes gozarán de preferencia para su despacho por los distintos órganos que intervengan en la tramitación, que dispondrán de un plazo de cinco días para emitir los respectivos informes o cumplimentar los trámites correspondientes.

Cuando la complejidad del expediente o cualquier otra causa igualmente justificada impida cumplir el plazo antes indicado, los órganos que deban evacuar el trámite lo pondrán en conocimiento del órgano de contratación que hubiese declarado la urgencia. En tal caso el plazo quedará prorrogado hasta diez días.

b) Acordada la apertura del procedimiento de adjudicación, los plazos establecidos en esta Ley para la licitación, adjudicación y formalización del contrato se reducirán a la mitad, salvo el plazo de quince días hábiles establecido en el párrafo primero del artículo 156.3 como período de espera antes de la formalización del contrato.

No obstante, cuando se trate de procedimientos relativos a contratos sujetos a regulación armonizada, esta reducción no afectará a los plazos establecidos en los artículos 158 y 159 para la facilitación de información a los licitadores y la presentación de proposiciones en el procedimiento abierto. En los procedimientos restringidos y en los negociados en los que, conforme a lo previsto en el artículo 177.1, proceda la publicación de un anuncio de la licitación, el plazo para la presentación de solicitudes de participación podrá reducirse hasta quince días contados desde el envío del anuncio de licitación, o hasta diez, si este envío se efectúa por medios electrónicos, informáticos o telemáticos, y el plazo para facilitar la información suplementaria a que se refiere el artículo 166.4 se reducirá a cuatro días. En el procedimiento restringido, el plazo para la presentación de proposiciones previsto en el artículo 167.1 podrá reducirse hasta diez días a partir de la fecha del envío de la invitación para presentar ofertas.

➡ Concordancias normativas

Letra b) del número 2 del artículo 112 redactada por el apartado dieciocho del artículo primero de la Ley 34/2010, de 5 de agosto, de modificación de las Leyes 30/2007, de 30 de octubre, de Contratos del Sector Público, 31/2007, de 30 de octubre, sobre procedimientos de contratación en los sectores del agua, la energía, los transportes y los servicios postales, y 29/1998, de 13 de julio, reguladora de la Jurisdicción Contencioso-Administrativa para adaptación a la normativa comunitaria de las dos primeras («B.O.E». 9 agosto).

c) El plazo de inicio de la ejecución del contrato no podrá ser superior a quince días hábiles, contados desde la formalización. Si se excediese este plazo, el contrato podrá ser resuelto, salvo que el retraso se debiera a causas ajenas a la Administración contratante y al contratista y así se hiciera constar en la correspondiente resolución motivada.

➡ Concordancias normativas

Letra c) del número 2 del artículo 112 redactada por el apartado dieciocho del artículo primero de la Ley 34/2010, de 5 de agosto, de modificación de las Leyes 30/2007, de 30 de octubre, de Contratos del Sector Público, 31/2007, de 30 de octubre, sobre procedimientos de contratación en los sectores del agua, la energía, los transportes y los servicios postales, y 29/1998, de 13 de julio, reguladora de la Jurisdicción Contencioso-

Administrativa para adaptación a la normativa comunitaria de las dos primeras («B.O.E». 9 agosto).

Concordancias a todo el artículo

➡ **Concordancias normativas**

Artículo 96 de la LCSP 30/2007 y artículo 71 del TRLCAP RDL 2/2000.

☞ **Concordancias Jurisprudenciales**

Tribunal Administrativo Central de Recursos Contractuales, Resolución de 20 Jul. 2011, rec. 152/2011

[LA LEY 105306/2011]

CONTRATO ADMINISTRATIVO DE SERVICIOS. Pliego de Cláusulas Administrativas Particulares y de Prescripciones Técnicas que han de regir el procedimiento abierto que se sigue para la contratación anual del servicio de seguridad, del servicio de mantenimiento preventivo y correctivo de los sistemas de protección contra intrusión y atraco, de protección contra incendios, de detección de CO_2, CCTV, megafonía, puertas cortafuegos, iluminación y señalización de emergencia y evacuación, así como los servicios de mantenimiento preventivo y correctivo del conjunto de extintores móviles de los centros de la AEAT dependientes de la Delegación Especial de Andalucía, Ceuta y Melilla. RECURSO ESPECIAL EN MATERIA DE CONTRATACIÓN. Desestimación. La integración realizada de todas las prestaciones de servicios recogidos en el contrato, tiene sentido para incrementar su eficacia, la eficiencia en la ejecución de las prestaciones y a su vez, aprovechar las economías de escala que posibilita dicha integración. Aunque las prestaciones pudieran ser unidades independientes, se aprecia que concurre un componente práctico, al margen de concurrir una optimización de la ejecución global del contrato, en tanto que, es necesario y práctico que, además de prestar servicio de seguridad de edificios, se preste el servicio de protección de incendios, o el mantenimiento de extintores, pues son actividades muy relacionadas. Tales actividades son materia propia de las empresas de seguridad, por lo que las prestaciones son ejercitables por dichas empresas. Todos los grupos, subgrupos y categorías especificados en el pliego están vinculados al objeto del contrato y son proporcionados. La comprobación exterior del edificio en ningún caso se realiza en viario público, sino dentro de la parcela propiedad de la AEAT, que forma parte del bien inmueble cuya custodia tiene encomendada la empresa de seguridad adjudicataria del contrato correspondiente. Es razonable y justificada la exigencia de presentar, antes de la firma del contrato, pólizas de seguro de responsabilidad civil, para responder de los daños personales y/o materiales que se pudieran causar por el personal a su cargo o por la realización del servicio. Está suficientemente justificado el carácter urgente de la tramitación del expediente, debido, fundamentalmente a la naturaleza del contrato, y a la demora en la adjudicación por el recurso especial previamente interpuesto, que han ocasionado el retardo en la nueva prestación del servicio.

Artículo 113 *Tramitación de emergencia*

1. Cuando la Administración tenga que actuar de manera inmediata a causa de acontecimientos catastróficos, de situaciones que supongan grave peligro o de necesidades que afecten a la defensa nacional, se estará al siguiente régimen excepcional:

a) El órgano de contratación, sin obligación de tramitar expediente administrativo, podrá ordenar la ejecución de lo necesario para remediar el acontecimiento producido o satisfacer la necesidad sobrevenida, o contratar libremente su objeto, en todo o en parte, sin sujetarse a los requisitos formales establecidos en la presente Ley, incluso el de la existencia de crédito suficiente. El acuerdo correspondiente se acompañará de la oportuna retención de crédito o documentación que justifique la iniciación del expediente de modificación de crédito.

b) Si el contrato ha sido celebrado por la Administración General del Estado, sus Organismos autónomos, entidades gestoras y servicios comunes de la Seguridad Social o demás entidades públicas estatales, se dará cuenta de dichos acuerdos al Consejo de Ministros en el plazo máximo de sesenta días.

c) Simultáneamente, por el Ministerio de Economía y Hacienda, si se trata de la Administración General del Estado, o por los representantes legales de los organismos autónomos y entidades gestoras y servicios comunes de la Seguridad Social, se autorizará el libramiento de los fondos precisos para hacer frente a los gastos, con carácter de a justificar

d) Ejecutadas las actuaciones objeto de este régimen excepcional, se procederá a cumplimentar los trámites necesarios para la intervención y aprobación de la cuenta justificativa, sin perjuicio de los ajustes precisos que se establezcan reglamentariamente a efectos de dar cumplimiento al artículo 49 de la Ley General Presupuestaria.

e) El plazo de inicio de la ejecución de las prestaciones no podrá ser superior a un mes, contado desde la adopción del acuerdo previsto en la letra a). Si se excediese este plazo, la contratación de dichas prestaciones requerirá la tramitación de un procedimiento ordinario.

Asimismo, transcurrido dicho plazo, se rendirá la cuenta justificativa del libramiento que, en su caso, se hubiese efectuado, con reintegro de los fondos no invertidos. En las normas de desarrollo de esta Ley se desarrollará el procedimiento de control de estas obligaciones.

2. Las restantes prestaciones que sean necesarias para completar la actuación acometida por la Administración y que no tengan carácter de emergencia se contratarán con arreglo a la tramitación ordinaria regulada en esta Ley.

Concordancias a todo el artículo

➡ **Concordancias normativas**

Artículo 97 de la LCSP 30/2007 y artículo 72 del TRLCAP RDL 2/2000.

Véase Res. de 12 de marzo de 2010, de la Intervención General de la Seguridad Social, por la que se dictan instrucciones para el ejercicio de la función interventora y para la contabilización de las operaciones derivadas de la expedición de órdenes de pago a justificar («B.O.E». 30 abril).

☞ **Concordancias Jurisprudenciales**

Tribunal Superior de Justicia de Extremadura, Sala de lo Contencioso-administrativo, Sentencia de 1 Dic. 2011, rec. 963/2009

EXPROPIACIÓN FORZOSA. Inexistencia de vía de hecho. La actuación de la Administración tiene como soporte una situación de emergencia social derivada de la falta de suministro de agua a tres localidades derivadas de sequía, que da lugar a tramitación por la vía de urgencia de unas obras, lo que conlleva la aprobación del proyecto de obra que lleva implícita su utilidad pública, iniciándose los correspondientes trámites.

No ha existido una vía de hecho en el sentido de ausencia de actos que priven de cobertura a la actuación material de la Administración, tales actos existen y deben enjuiciarse dentro de la situación de emergencia en que se producen. Se ha acreditado la causa que sirve de fundamento a la contratación administrativa de urgencia, que también serviría de fundamento, tácitamente, a la declaración de utilidad pública o interés social, no habiéndose acreditado que otros bienes pudiesen servir de mejor manera a la causa que se pretende.

Audiencia Provincial de Cáceres, Sección 2.ª, Sentencia de 14 Dic. 2011, rec. 756/2011

[LA LEY 288715/2011]

PREVARICACIÓN ADMINISTRATIVA. El acusado, Secretario General de la Consejería de Fomento, propuso como solución al grave peligro de desabastecimiento de agua de un pueblo la ejecución, con carácter de urgencia, de una nueva conducción e impulsión paralela a una de refuerzo ya existente, desde otro embalse, ocupando para la realización de las obras terreno particular cuya reversión a su dueño había sido acordada judicialmente por no haberse cumplido los fines de la expropiación forzosa. Las medidas que una normativa administrativa establecida para circunstancias extraordinarias o de carácter catastrófico y que, por tal motivo excepcional, puedan llegar a restringir derechos de los ciudadanos en aras del interés general, deben aplicarse exclusivamente a los supuestos para los que dicha normativa fue creada, y no ser utilizadas para suplir una pasividad de la propia Administración que ha podido generar, o no evitar a tiempo, esa situación ni, mucho menos, instrumentalizarse con una finalidad espuria como puede ser la de mantener por la vía de hecho un status quo que los tribunales han declarado contrario a Derecho. PARTICIPACIÓN. Responsabilidad del Jefe del Servicio de Agua limitada a las actuaciones materiales que dieron lugar a la ocupación del inmueble, dado que carecía de facultades decisorias. USURPACIÓN. Realización de obras del trasvase mediante ocupación de terreno, constituyendo de hecho un derecho real con vocación de permanencia, como es una servidumbre de acueducto. Ocupación continuada en el tiempo. Protección posesoria civil y penal. PENALIDAD. Sanción por separado, pese a existir concurso ideal, al ser más beneficioso para el reo. RESPONSABILIDAD CIVIL EX DELICTO. Indemnización de daños y perjuicios. Daño moral.

Tribunal Superior de Justicia de La Rioja, Sala de lo Contencioso-administrativo, Sentencia de 4 Feb. 2010, rec. 174/2009

[LA LEY 26584/2010]

URBANISMO. DEMOLICION. Ejecución subsidiaria. Conformidad a derecho de la liquidación de gastos practicada por la ejecución subsidiaria de obras de derribo, a cargo de los propietarios. No se ha causado ninguna indefensión a éstos, ante la urgencia de la ejecución de las obras de derribo y después del incumplimiento de aquéllos de sus obligaciones de mantener los edificios en condiciones de seguridad y del requerimiento de demolición tras ser declarado en ruina. Se cumplieron los requisitos para acordar la tramitación de urgencia, contratando verbalmente a la empresa ejecutante del derribo. Acreditación de la situación de emergencia tras la revisión de los inmuebles, que se encontraban en un inminente estado de degradación de los elementos estructurales. Respecto al coste de derribo, el recurrente ha tenido la oportunidad de plantear tanto el precio de derribo contratado verbalmente como el informe del técnico municipal informando favorablemente la factura, en el procedimiento jurisdiccional.

Sección 2

Pliegos de cláusulas administrativas y de prescripciones técnicas

Artículo 114 *Pliegos de cláusulas administrativas generales*

1. El Consejo de Ministros, a iniciativa de los Ministerios interesados, a propuesta del Ministro de Economía y Hacienda, y previo dictamen del Consejo de Estado, podrá aprobar pliegos de cláusulas administrativas generales, que deberán ajustarse en su contenido a los preceptos de esta Ley y de sus disposiciones de desarrollo, para su utilización en los contratos que se celebren por los órganos de contratación de la Administración General del Estado, sus Organismos autónomos, Entidades gestoras y Servicios comunes de la Seguridad Social y demás entidades públicas estatales.

2. Cuando se trate de pliegos generales para la adquisición de bienes y servicios relacionados con las tecnologías para la información, la propuesta al Consejo de Ministros corresponderá conjuntamente al Ministro de Economía y Hacienda y al Ministro de Política Territorial y Administración Pública.

3. Las Comunidades Autónomas y las entidades que integran la Administración Local podrán aprobar pliegos de cláusulas administrativas generales, de acuerdo con sus normas específicas, previo dictamen del Consejo de Estado u órgano consultivo equivalente de la Comunidad Autónoma respectiva, si lo hubiera.

Concordancias a todo el artículo

➡ Concordancias normativas

Artículo 98 de la LCSP 30/2007 y artículo 48 del TRLCAP RDL 2/2000.

✉ Consultas

• Procedimiento de aprobación de los pliegos de cláusulas administrativas generales

¿Cuál sería el trámite a seguir de conformidad con el art. 100.2 LCSP, para la creación de un pliego tipo de prescripciones técnicas para la contratación de un servicio de prevención ajeno en el ámbito de la Administración Local-Municipios de Gran Población?

Contratación Administrativa Práctica, Nº 108, Sección Usted Pregunta, Mayo 2011, Editorial LA LEY

[LA LEY 505/2011]

Respuesta

En relación con la cuestión suscitada, debemos decir que, si bien es verdad que el artículo 100.2 de la LCSP (LA LEY 10868/2007) atribuye al Consejo de Ministros la posibilidad de establecer los pliegos de prescripciones técnicas generales en el ámbito de la Administración General del Estado, hay que tener en cuenta que, de acuerdo con la disposición final séptima de la LCSP (LA LEY 10868/2007), el citado apartado 2 de este artículo no constituye legislación básica y, en consecuencia, tiene carácter supletorio, es decir, que si la Comunidad Autónoma de Canarias ha regulado esa materia, se aplicará la normativa autonómica, y sólo en defecto de tal regulación se aplicaría el citado art. en concordancia con el apartado 2 de la disposición final séptima de dicho texto legal.

Como resulta que, al no haberse realizado en la Comunidad Autónoma una atribución expresa de la competencia para aprobar tales pliegos en el ámbito de la Administración Local, éstos deberán ser aprobados por el Pleno del Municipio (por analogía con el Consejo de Ministros es el órgano colegiado superior de la Corporación) y, para los Municipios de Gran Población, de conformidad con el tercer apartado la disposición adicional segunda de la LCSP (LA LEY 10868/2007), por la Junta de Gobierno Local.

El apartado séptimo de la citada Disposición establece que la aprobación del pliego de cláusulas administrativas particulares irá precedida de los informes del Secretario o, en su caso, del titular del órgano que tenga atribuida la función de asesoramiento jurídico de la Corporación, y del Interventor. En este sentido lo lógico es pensar que, con mayor razón, los pliegos tanto administrativos como técnicos generales que se pudieran aprobar, también irán precedidos de los citados informes. Esto, además de los requisitos procedimentales y técnicos que la normativa en materia de régimen local establezca para la aprobación de acuerdos por el órgano competente.

Asimismo, por analogía de nuevo, sirva de ejemplo lo que la doctrina ha venido a establecer en torno a los Pliegos de Cláusulas Administrativas Generales que, según nos cuenta José Manuel Martínez en la obra Contratación del Sector Público Local editada por El Consultor de los Ayuntamientos—La Ley, «disposiciones que contienen las declaraciones jurídicas, económicas y administrativas válidas para todos los contratos de objeto análogo.»

Según José Manuel, sobre la naturaleza de los pliegos de cláusulas administrativas generales siempre han existido posturas contrapuestas:

1. Las que le atribuyen el carácter de norma jurídica de carácter reglamentario (dictámenes del Consejo de Estado n.º 2701 de 7 de diciembre de 1995, n.º 606 de 14 de marzo de 1996 y n.º 334 de 11 de abril de 2002).

2. Las que le niegan el carácter de norma jurídica (informes de la Junta Consultiva de Contratación Administrativa 65/1996, de 20 de marzo y 22/2004, de 7 de junio).

Según el art. 98 de la LCSP (LA LEY 10868/2007), el procedimiento de aprobación de los pliegos de cláusulas administrativas generales en la Administración del Estado es:

1. Iniciativa del Ministerio interesado.

2. Propuesta del Ministro de Economía y Hacienda o conjuntamente al Ministro de Economía y Hacienda y al Ministro de Administraciones Públicas, cuando se trate de pliegos generales para la adquisición de bienes y servicios.

3. Dictamen del Consejo de Estado.

4. Aprobación del Consejo de Ministros.

El procedimiento de aprobación de los pliegos de cláusulas administrativas generales en las Comunidades Autónomas y las entidades que integran la Administración Local requiere, según el art. 98.3.º:

1. Dictamen del Consejo de Estado u órgano consultivo equivalente de la Comunidad Autónoma respectiva, si lo hubiera.

2. Aprobación, de acuerdo con sus normas específicas. Según el Consejo de Estado, dada la naturaleza normativa de pliego de cláusulas administrativas generales, que excede de la potestad reglamentaria de las Corporaciones Locales, éstas solo podrán aprobarlos cuando una norma autonómica los habilitase expresamente al respecto (como así se reconoce en el art. 227.1.º Ley foral de Administración Local de Navarra; art. 269 Ley Municipal de Cataluña; art. 317 Ley de Administración Local de Galicia).

3. De la misma manera que ocurre con la Administración del Estado, la competencia para su aprobación debería recaer en el Consejo de Gobierno de la Comunidad Autónoma o en el Pleno de las Entidades Locales.

Artículo 115 *Pliegos de cláusulas administrativas particulares*

1. Los pliegos de cláusulas administrativas particulares deberán aprobarse previamente a la autorización del gasto o conjuntamente con ella, y siempre antes de la licitación del contrato, o de no existir ésta, antes de su adjudicación.

➡ **Concordancias normativas**

Número 1 del artículo 115 redactado por el apartado diecinueve del artículo primero de la Ley 34/2010, de 5 de agosto, de modificación de las Leyes 30/2007, de 30 de octubre, de Contratos del Sector Público, 31/2007, de 30 de octubre, sobre procedimientos de contratación en los sectores del agua, la energía, los transportes y los servicios postales, y 29/1998, de 13 de julio, reguladora de la Jurisdicción Contencioso-Administrativa para adaptación a la normativa comunitaria de las dos primeras («B.O.E». 9 agosto).

☞ **Concordancias Jurisprudenciales**

Tribunal Superior de Justicia de Galicia, Sala de lo Contencioso-administrativo, Sección 2.ª, Sentencia de 4 Nov. 2010, rec. 4666/2009

[LA LEY 250793/2010]

CONTRATO ADMINISTRATIVO DE OBRAS. Pago del precio. Intereses de demora por retraso en el abono de los trabajos realizados. Procedencia. No se ha articulado pues ningún género de excusa legal que justifique el inabono.

2. En los pliegos de cláusulas administrativas particulares se incluirán los pactos y condiciones definidores de los derechos y obligaciones de las partes del contrato y las demás menciones requeridas por esta Ley y sus normas de desarrollo. En el caso de contratos mixtos, se detallará el régimen jurídico aplicable a sus efectos, cumplimiento y extinción, atendiendo a las normas aplicables a las diferentes prestaciones fusionadas en ellos.

☞ **Concordancias Jurisprudenciales**

Juzgado de lo Contencioso-administrativo N.°. 1 de Palma de Mallorca, Sentencia de 12 Dic. 2011, rec. 160/2008

[LA LEY 238783/2011]

CONTRATOS ADMINISTRATIVOS. Partes del contrato. Capacidad y solvencia del empresario. -- Preparación de los contratos. Expediente de contratación. Pliegos de cláusulas administrativas. PRINCIPIO DE IGUALDAD. Principio de igualdad en el ámbito administrativo. Contratación administrativa. SUCESIÓN DE EMPRESA. Concepto y características.

3. Los contratos se ajustarán al contenido de los pliegos particulares, cuyas cláusulas se consideran parte integrante de los mismos.

☞ **Concordancias Jurisprudenciales**

Tribunal Administrativo Central de Recursos Contractuales, Resolución de 16 Feb. 2011, rec. 016/2011

[LA LEY 14644/2011]

CONTRATO ADMINISTRATIVO DE SERVICIOS. Exclusión del proceso de licitación para la contratación de del Servicio de control y apoyo de la Dirección Provincial de la Tesorería General de la Seguridad Social de Cádiz. RECURSO ESPECIAL EN MATERIA DE CONTRATACIÓN. Desestimación. La clasificación que posee la interesada, «Servicios de portería, control de accesos e información al público», no la cualifica para poder ejecutar satisfactoriamente muchas de las funciones que se detallan en el pliego de prescripciones técnicas, que no impugnó en su momento.

4. La aprobación de los pliegos de cláusulas administrativas particulares corresponderá al órgano de contratación, que podrá, asimismo, aprobar modelos de pliegos particulares para determinadas categorías de contratos de naturaleza análoga.

➡ **Concordancias normativas**

Véase Res [EXTREMADURA] 28 diciembre 2011, de la Secretaría General, por la que se da publicidad a la aprobación de los Pliegos Tipo de Cláusulas Administrativas Particulares para los contratos de obras, suministros, servicios, y gestión de servicios públicos («D.O.E». 9 enero 2012).

5. La Junta Consultiva de Contratación Administrativa del Estado deberá informar con carácter previo todos los pliegos particulares en que se proponga la inclusión de estipulaciones contrarias a los correspondientes pliegos generales.

6. En la Administración General del Estado, sus organismos autónomos, entidades gestoras y servicios comunes de la Seguridad Social y demás entidades públicas estatales, la aprobación de los pliegos y de los modelos requerirá el informe previo del Servicio Jurídico respectivo. Este informe no será necesario cuando el pliego de cláusulas administrativas particulares se ajuste a un modelo de pliego que haya sido previamente objeto de este informe.

Concordancias a todo el artículo

➡ **Concordancias normativas**

Artículo 99 de la LCSP 30/2007 y artículo 50 del TRLCAP RDL 2/2000.

☞ **Concordancias Jurisprudenciales**

Tribunal Superior de Justicia de Les Illes Balears, Sala de lo Contencioso-administrativo, Sentencia de 6 Feb. 2012, rec. 469/2011

[LA LEY 11655/2012]

CONTRATOS ADMINISTRATIVOS. Contratos de servicios. Explotación de los servicios de temporada en el litoral. Adjudicación. Nulidad de pleno derecho. Retroacción del procedimiento al momento en el que se admite indebidamente la propuesta de uno de los licitadores. Desviación procesal. Inexistencia. No concurre supuesto alguno de inadmisibilidad parcial toda vez que no se contempla ningún recurso especial en materia de contratación, basta con agotar la vía administrativa e interponer el recurso contencioso-administrativo. En todo caso, la configuración inicial del recurso especial en materia de contratación es considerado contrario a derecho comunitario. Examen del requisito de solvencia económico-financiera. Ausencia de justificación y aportación de las propias aclaraciones que la Mesa efectúa, relativas a la prueba de la real concurrencia de la solvencia económico-financiera. Sin embargo, y a pesar de no acreditar la solvencia económico-financiera, no se acredita trato alguno de favor a la UTE adjudicataria a la hora de valorar sus mejoras.

Tribunal Administrativo Central de Recursos Contractuales, Resolución de 28 Sep. 2011, rec. 186/2011

[LA LEY 186476/2011]

CONTRATO ADMINISTRATIVO DE SUMINISTROS. Nulidad parcial del pliego de cláusulas administrativas particulares y el pliego de prescripciones técnicas que han de regir la contratación de suministro «Adquisición de diverso material fungible de informática para cubrir las necesidades en las dependencias policiales a nivel nacional del Cuerpo Nacional de Policía». RECURSO ESPECIAL EN MATERIA DE CONTRATACIÓN. Estimación parcial. Nulidad de la exigencia de que el Servicio Técnico deba estar homologado.

Tribunal Superior de Justicia de Cataluña, Sala de lo Contencioso-administrativo, Sección 5.ª, Sentencia de 17 Jun. 2011, rec. 92/2009

CONTRATO ADMINISTRATIVO DE GESTIÓN DE SERVICIOS PÚBLICOS. Gestión del servicio de recogida de basuras y su transporte a un vertedero autorizado o a planta incineradora de residuos. Pago por eliminación de los residuos durante los días en los que se prolongaron, a petición del Ayuntamiento, los trabajos que venía prestando la interesada. Improcedencia. La actuación de la interesada, que no facturó en su momento el coste de la eliminación de los residuos que ahora reclama, resulta suficientemente indicativa de que dicho coste ya se entendió incluido en el objeto del contrato, y remunerado con el precio por el que el mismo fue adjudicado. PROCESO CONTENCIOSO-ADMINISTRATIVO. Improcedencia de la inadmisión del recurso por falta de jurisdicción, por la nulidad del «contrato», que versaba sobre los días suplementarios, al carecer de formalidad alguna. La evidencia de la nulidad por ausencia de los requisitos exigidos para su tramitación y formalización no significa que no tuviera naturaleza administrativa, habida cuenta del objeto de la prestación y que traía causa de un contrato expirado, cuyo carácter administrativo no se discute, y tampoco comporta que de ese contrato nulo no derivaran consecuencias jurídicas.

✉ **Consultas**

• **Necesidad de informe previo en la aprobación de los pliegos de prescripciones técnicas particulares.**

¿Requiere informe previo la aprobación de los pliegos de prescripciones técnicas particulares? ¿Quién tendría que emitirlo?

[15/09/2008 EC 2854/2008]

Contestación

La Ley 30/2007, de 30 de octubre, de Contratos del Sector Público (EC 3697/2007), regula en el apartado sexto del art. 99 la necesidad de emisión de informe jurídico al pliego de cláusulas administrativas particulares, que de acuerdo a la disposición adicional segunda, punto octavo, en las Entidades locales este informe será emitido por el órgano que tenga atribuida la función de asesoramiento, salvo si el pliego de cláusulas administrativas particulares se ajustase a un modelo que ha sido previamente objeto de este informe (apartado 4 del mismo art. 99).

Ese informe jurídico es necesario por el propio contenido de los pliegos de cláusulas administrativas particulares determinado en los arts. 99.2 y 99.3 LCSP: pactos y condiciones definidores de los derechos y obligaciones de las partes del contrato, a los que se ajustarán los contratos de los entes integrantes del sector público.

Los pliegos de prescripciones técnicas, de acuerdo al art. 100 LCSP, determinan las condiciones que rigen la realización de la prestación y definen sus calidades, siguiendo para su elaboración las normas establecidas en el art. 101 LCSP en cuanto a su definición con respeto a la accesibilidad universal y promoción de la máxima concurrencia. No prevé la LCSP más que la necesidad de que el órgano de contratación, bien previamente, bien conjuntamente con la autorización del gasto y siempre antes de licitar el contrato, los apruebe (art. 100.1).

El art. 100.1 LCSP parece permitir que las especificaciones técnicas del contrato se recojan, bien en los pliegos específicos, bien en otros documentos que podrán ser las memorias de calidades de productos o servicios, o cualquier otro documento, que en cualquier caso deberá seguir el mismo régimen de aprobación de los pliegos técnicos.

Por su propio carácter de documento técnico sólo admitiría informe de otro técnico que corroborara los extremos de su contenido. Así, aunque la LCSP no prevé con carácter general la necesidad de ese informe, sí se contempla la supervisión obligatoria de los proyectos de obra (art. 109), entre cuya documentación se encuentra el pliego de prescripciones técnicas (art. 107.c), si la cuantía del contrato es igual o superior a 350.000 e o las obras afectan a la estabilidad, seguridad o estanqueidad de la obra, para «verificar que se han tenido en cuenta las disposiciones generales de carácter legal o reglamentario, así como la normativa técnica que resulte de aplicación para cada tipo de proyecto», aunque se trata de una comprobación formal de que el proyecto incluye todos los documentos exigidos más que del fondo de esos documentos [art. 136.3 Reglamento General de la Ley de Contratos de las Administraciones Públicas (RCAP), aprobado por Real Decreto 1098/2001, de 12 de octubre (EC 3784/2001)].

Fuera de este supuesto no se prevé en la LCSP otro informe preceptivo previsto al pliego técnico, aunque el mismo deberá ir firmado por su redactor, que si es personal de la propia administración será responsable de su contenido según el régimen de responsabilidades de dicho personal; y si la redacción del pliego es objeto de un contrato de servicios de acuerdo al régimen de responsabilidad profesional exigible a su autor, para el que tendrá concertada la correspondiente póliza de responsabilidad civil.

Esta afirmación general requiere sin embargo dos matizaciones: la primera, que el contenido del pliego técnico ha de ser analizado por quien redacta el pliego de cláusulas administrativas, pues parte de su contenido debe incorporarse parcialmente a aquél (definición del objeto, condiciones concretas de ejecución, régimen de obligaciones y penalizaciones por incumplimiento, etc.); la segunda, el pliego técnico forma parte de un expediente completo que ha de informar en secretario de la entidad local. Sin entrar a valorar el contenido material del pliego, en el informe jurídico debería analizar si el pliego técnico reúne los requisitos exigidos en el art. 68 RLCAP y si cumple con las exigencias establecidas en los arts. 100 y 101 LCSP. También ha de tenerse en cuenta que el contenido de estos pliegos puede determinar de tal manera el objeto del contrato que realmente lo oriente hacia determinado contratista, vulnerando al libertad de competencia y la igualdad de acceso de los licitadores que exige el art. 101 LCSP. Por ello lo normal es que el departamento de contratación o el Secretario General devuelvan los pliegos que incumplan esas normas o no contengan todos los datos necesarios para definir el contenido de las prestaciones que integran el objeto del contrato y las obligaciones y derechos concretos en cuanto a la ejecución material del contrato, antes de continuar con la elaboración del pliego de cláusulas administrativas e informar el expediente. Si el técnico o empresa que ha redactado el pliego no lo modifica y/o completa deberá tratar de solventar las irregularidades del mismo que sea posible en el pliego administrativo (que prevalecerá sobre el técnico) e informar sobre ello en el informe jurídico del expediente.

Artículo 116 *Pliegos de prescripciones técnicas*

1. El órgano de contratación aprobará con anterioridad a la autorización del gasto o conjuntamente con ella, y siempre antes de la licitación del contrato, o de no existir ésta, antes de su adjudicación, los pliegos y documentos que contengan las prescripciones técnicas particulares que hayan de regir la realización de la prestación y definan sus calidades, de conformidad con los requisitos que para cada contrato establece la presente Ley.

➡️ **Concordancias normativas**

Número 1 del artículo 100 redactado por el apartado veinte del artículo primero de la Ley 34/2010, de 5 de agosto, de modificación de las Leyes 30/2007, de 30 de octubre, de Contratos del Sector Público, 31/2007, de 30 de octubre, sobre procedimientos de contratación en los sectores del agua, la energía, los transportes y los servicios postales, y 29/1998, de 13 de julio, reguladora de la Jurisdicción Contencioso-Administrativa para adaptación a la normativa comunitaria de las dos primeras («B.O.E». 9 agosto).

☞ **Concordancias Jurisprudenciales**

Tribunal Administrativo Central de Recursos Contractuales, Resolución de 19 Oct. 2011, rec. 197/2011

[LA LEY 211680/2011]

CONTRATO ADMINISTRATIVO DE SERVICIOS. Adjudicación de contrato de servicio de contrato de servicios de mantenimiento integral de equipos de electro-medicina para el Hospital Gómez Ulla. RECURSO ESPECIAL EN MATERIA DE CONTRATACIÓN. Estimación parcial. Nulidad de la adjudicación, por falta de motivación del informe del vocal técnico en que se fundó la adjudicación. El informe se limita a referir una mera asignación de puntos, sin hacer una descripción de las ofertas ni del proceso de aplicación aquellas de los criterios de valoración fijados en el Pliego y que motivan la asignación de puntos expresada.

Tribunal Administrativo Central de Recursos Contractuales, Resolución de 14 Sep. 2011, rec. 167/2011

[LA LEY 185601/2011]

CONTRATO ADMINISTRATIVO DE SERVICIOS. Exclusión de la interesada del procedimiento de licitación para contratar el servicio de limpieza en el Museo Sefardí y en el Museo de El Greco de Toledo, por no cumplir el pliego de prescripciones técnicas en el apartado del personal adscrito al Museo Sefardí. RECURSO ESPECIAL EN MATERIA DE CONTRATACIÓN. Desestimación. El pliego de prescripciones técnicas establece, entre otros extremos, los medios humanos mínimos con los que debe contar las empresas para poder licitar para la limpieza del referido museo. Éstos medios humanos mínimos incluyen una persona los lunes en la tienda, y la interesada reconoce que la oferta técnica que ha presentado no incluye a esa persona. El problema que se suscita es que la oferta presentada no cumple con los requisitos mínimos que se exigen en el pliego de prescripciones técnicas, y el precepto aplicable no permite la subsanación de las omisiones que se hayan podido cometer a la hora de presentar la oferta.

Tribunal Administrativo Central de Recursos Contractuales, Resolución de 13 Jul. 2011, rec. 148/2011

[LA LEY 98583/2011]

CONTRATO ADMINISTRATIVO DE SERVICIOS. Adjudicación por procedimiento abierto de contrato de servicio de apoyo a la gestión y organización de los grupos de trabajo para la revisión y actualización del catálogo de títulos de formación profesional y para la elaboración de otros materiales de apoyo. RECURSO ESPECIAL EN MATERIA DE CONTRATACIÓN. Desestimación. El cumplimiento de los requisitos establecidos en el pliego de prescripciones técnicas debe producirse en la fase de ejecución del contrato, no pudiendo contenerse en dichos pliegos requisitos que se refieran a la admisión o inadmisión de los licitadores. La empresa adjudicataria ha acreditado que dispone de un local que cumple los requisitos exigidos en el pliego de prescripciones técnicas. El contrato de subarriendo debe considerarse suficiente a los efectos de dar por cumplidas las exigencias establecidas. El que la eficacia del contrato de subarriendo esté condicionada al hecho de que se la adjudique al licitador el contrato no es obstáculo, puesto que en el momento en que se adjudica el referido contrato al licitador, se debe entender por cumplida la condición suspensiva contenida en el contrato de subarriendo, y, por tanto, éste despliega su eficacia. La empresa adjudicataria se ha comprometido a que el personal estaría a plena disposición en el momento de iniciación de la ejecución del contrato, tras la verificación por la Administración del cumplimiento de las prescripciones técnicas relativas a locales e infraestructuras. La prueba de la clasificación se consigue mediante un certificado emitido por el Registro Oficial de Licitadores y Empresas Clasificadas. Este certificado sienta una presunción de aptitud de los empresarios incluidos en ella frente a los diferentes órganos de contratación.

Tribunal Administrativo Central de Recursos Contractuales, Resolución de 23 Mar. 2011, rec. 052/2011

[LA LEY 14687/2011]

CONTRATO ADMINISTRATIVO DE SERVICIOS. Para la redacción del proyecto básico y de ejecución de obras y estudio de seguridad y salud, así como dirección facultativa y coordinación en materia de seguridad y salud de unas obras. Adjudicación. Se confirma la exclusión de una sociedad mercantil del procedimiento de licitación del citado contrato de servicios, dado que el asesor de instalaciones propuesto, ingeniero de telecomunicaciones, no cumplía con la titulación exigida, que era la de ingeniero industrial. La proposición del licitador debía ajustarse tanto al pliego de cláusulas administrativas particulares como al de prescripciones técnicas como documento que contenía la definición del objeto del contrato, siendo necesaria la verificación de que las titulaciones del personal encargado de la ejecución del trabajo se ajustaran a los requisitos exigidos en el pliego de prescripciones técnicas. La admisión de la documentación en la fase de calificación administrativa no significaba que tuviese que darse por buena en la fase de valoración técnica.

2. Previo informe de la Junta Consultiva de Contratación Administrativa del Estado, el Consejo de Ministros, a propuesta del Ministro correspondiente, podrá establecer los pliegos de prescripciones técnicas generales a que hayan de ajustarse la Administración General del Estado, sus organismos autónomos, entidades gestoras y servicios comunes de la Seguridad Social y demás entidades públicas estatales.

Concordancias a todo el artículo

➡ **Concordancias normativas**

Artículo 100 de la LCSP 30/2007 y artículo 51 del TRLCAP RDL 2/2000.

☞ **Concordancias Jurisprudenciales**

Tribunal Administrativo Central de Recursos Contractuales, Resolución de 23 Mar. 2011, rec. 046/2011

[LA LEY 14679/2011]

CONTRATO ADMINISTRATIVO DE SERVICIOS. De recogida, transporte y tratamiento de los residuos biosanitarios y biosanitarios especiales generados en un centro de investigación en sanidad animal. Pliegos de cláusulas administrativas. Nulidad de la exigencia contenida en uno de los aps. de la cláusula del pliego de prescripciones técnicas referente a «Desarrollo de los servicios», así como de la cláusula relativa a «Autorización por la autoridad competente». Necesidad de convocar una nueva licitación en la que deba servir de base a un nuevo pliego para la contratación del servicio, en tanto que la exigencia de que la empresa adjudicataria posea en propiedad una planta incineradora ha de modificarse, dando cabida a aquellas empresas que, no disponiendo de ella en propiedad, justifiquen que disponen de un contrato firme con una planta incineradora debidamente autorizada. Además, tampoco cabe aceptar la exigencia de la realización de la incineración en la CA Madrid, con su autorización, pues si una parte de las tareas que se contratan es precisamente el tratamiento por incineración de los residuos, dicho tratamiento podría llevarse a cabo en cualquier otra Comunidad Autónoma o, incluso, en otro país de la Unión Europea.

Artículo 117 *Reglas para el establecimiento de prescripciones técnicas*

1. Las prescripciones técnicas se definirán, en la medida de lo posible, teniendo en cuenta criterios de accesibilidad universal y de diseño para todos, tal como son definidos estos términos en la Ley 51/2003, de 2 de diciembre (LA LEY 1828/2003), de Igualdad de Oportunidades, no Discriminación y Accesibilidad Universal de las Personas con Discapacidad, y, siempre que el objeto del contrato afecte o pueda afectar al medio ambiente, aplicando criterios de sostenibilidad y protección ambiental, de acuerdo con las definiciones y principios regulados en los artículos 3 (LA LEY 1041/2002) y 4, respectivamente, de la Ley 16/2002, de 1 de julio (LA LEY 1041/2002), de Prevención y Control Integrados de la Contaminación.

De no ser posible definir las prescripciones técnicas teniendo en cuenta criterios de accesibilidad universal y de diseño para todos, deberá motivarse suficientemente esta circunstancia.

2. Las prescripciones técnicas deberán permitir el acceso en condiciones de igualdad de los licitadores, sin que puedan tener por efecto la creación de obstáculos injustificados a la apertura de los contratos públicos a la competencia.

☞ **Concordancias Jurisprudenciales**

Tribunal Administrativo Central de Recursos Contractuales, Resolución de 15 Sep. 2011, rec. 196/2011

[LA LEY 282614/2011]

CONTRATO ADMINISTRATIVO DE SUMINISTROS. De bienes consumibles de informática para los Servicios Centrales del Servicio Público de Empleo Estatal. Nulidad parcial del pliego de prescripciones técnicas que ha de regir su contratación. RECURSO ESPECIAL EN MATERIA DE CONTRATACIÓN. Estimación parcial. La exigencia de una garantía específica exclusivamente para los productos no originales, incumple los principios de igualdad de trato y no discriminación, por cuanto una avería en los equipos que utilizan los suministros la pueden provocar tanto suministros originales como los que no lo son. Nulidad de la exigencia de atribuir la carga de la prueba de que el consumible no original es el que no ha causado la avería del equipo al suministrador de esos consumibles, cuando la empresa encargada del mantenimiento de los equipos es la que determina si la citada avería ha sido ocasionada por el suministro no original. Es evidente que quien emite el informe respecto de la causa de la avería puede ser parte interesada.

Tribunal Administrativo de Contratos Públicos de Aragón, Acuerdo de 23 May. 2011, rec. 7/2011

[LA LEY 98304/2011]

CONTRATO ADMINISTRATIVO DE SUMINISTROS. Acuerdo marco para la adquisición centralizada de maquinaria diversa de oficina con destino a la Administración de la C.A. Aragón y a los entes adheridos al sector público autonómico y local. Impugnación del Pliego de Prescripciones Técnicas aprobado para regir la adjudicación y ejecución del citado Acuerdo. Se estima. Las características técnicas a cumplir por los equipos, sistemas, servicios y aplicaciones a implantar se revelan como inválidas por su carácter discriminatorio y restrictivo de la competencia. Opinión unánime de del Servicio de Contratación Centralizada de la Dirección General de Organización, Inspección y Servicios del Gobierno autonómico, asi como de la entidad a la que corresponde la definición de las especificaciones técnicas a cumplir sobre la necesidad de declarar la ineficacia de las mismas y la revisión de su contenido íntegro.

Tribunal Administrativo Central de Recursos Contractuales, Resolución de 13 Jul. 2011, rec. 144/2011

[LA LEY 98596/2011]

CONTRATO ADMINISTRATIVO DE SUMINISTROS. Modificación de los pliegos de cláusulas administrativas particulares y de prescripciones técnicas aprobados para regir la adjudicación del acuerdo marco para la selección de suministradores de vacunas de gripe estacional para determinados órganos de contratación de la Administración General del Estado, INGESA, y varias Comunidades Autónomas del Sistema Nacional de Salud, conforme a lo ordenado en una previa resolución del TACRC. RECURSO ESPECIAL EN MATERIA DE CONTRATACIÓN. Desestimación. El Ministerio de Sanidad ha entendido que a juicio del Tribunal la finalidad del lote 3 del acuerdo marco era la adquisición de vacunas destinadas al grupo de población constituido por los enfermos de riesgo y los de mayor edad y, en base a ello, ha considerado adecuado dar nueva redacción a las cláusulas declaradas nulas para admitir la posibilidad de que dentro de él no quedara excluida ninguna de las vacunas que tuvieran la funcionalidad indicada, dando así cumplimiento a lo acordado en la resolución mencionada. Tal decisión, aparte de coincidir plenamente con la parte dispositiva de la decisión del Tribunal, coincide también con los razonamientos de los fundamentos de derecho.

✉ Consultas

• **No deben citarse marcas en los pliegos de cláusulas para describir el objeto del contrato, salvo en determinados casos**

¿Pueden los proyectos promovidos por la Administración indicar o exigir determinadas marcas comerciales en la Memoria y/o Mediciones y Presupuesto?

[24/05/2010 EC 1668/2010]

Contestación

En relación a esta consulta, debemos recordar que, recientemente, la Comisión Europea ha dirigido al Ministerio de Asuntos Exteriores y Cooperación un escrito en el que expresa su preocupación por una práctica apreciada en diversos órganos de contratación de diversas Administraciones Públicas, que consiste en el empleo de especificaciones técnicas cuya aplicación tiene efectos discriminatorios en relación con la compra o el arrendamiento de ordenadores y demás equipos informáticos. Actuación que ha implicado la apertura de un procedimiento de infracción contra el Reino de España por vulnerar las normas que sobre tal cuestión establecen las Directivas reguladoras de los procedimientos de adjudicación de los contratos. En concreto, la Comisión destaca que la infracción consiste en la utilización de especificaciones técnicas discriminatorias, en las cuales los microprocesadores que deben estar incorporados a los ordenadores y demás equipos informáticos se describían por referencia a marcas comerciales o a la frecuencia de reloj (sólo o junto con otros parámetros), con o sin la mención «o equivalente.»

Tal práctica contraviene ciertamente lo dispuesto en el art. 101, apartados 2 y 8, de la Ley 30/2007, de 30 de octubre (LA LEY 10868/2007) (BOE del 31), de Contratos del Sector Público (LCSP). En el mismo sentido, infringe lo establecido en el art. 23 (LA LEY 4245/2004), apartados 2 y 8, de la Directiva 2004/18/CE del Parlamento Europeo y del Consejo, de 31 de marzo de 2004 (DOUE de 30 de abril), sobre coordinación de los procedimientos de adjudicación de los contratos públicos de obras, de suministro y de servicios, así como la observancia de los principios de libre circulación de mercancías, de igualdad de trato y no discriminación, que emanan del Tratado constitutivo de la Comunidad Europea.

El mencionado art. 101. 8. de la LCSP dispone expresamente que «salvo que lo justifique el objeto del contrato, las especificaciones técnicas no podrán mencionar una fabricación o una procedencia determinada o un procedimiento concreto, ni hacer referencia a una marca, a una patente o a un tipo, a un origen o a una producción determinados con la finalidad de favorecer o descartar ciertas empresas o ciertos productos. Tal mención o referencia se autorizará, con carácter excepcional, en el caso en que no sea posible hacer una descripción lo bastante precisa e inteligible del objeto del contrato en aplicación de los apartados 3 y 4 de este artículo y deberá ir acompañada de la mención o equivalente.»

Como establece dicho precepto de la LCSP, y permite el último párrafo del art. 23.8 de la citada Directiva, las referencias a marcas comerciales constituyen una excepción a las normas generales en relación con las especificaciones técnicas. Lo que implica que el precepto debe ser interpretado de manera restrictiva; de tal forma que al órgano de contratación que quiera aplicarlas le incumbe la carga de la prueba de que se dan efectivamente las circunstancias expresadas en el citado artículo.

Conclusión: no deben mencionarse marcas en los pliegos para la determinación y descripción del objeto contractual salvo en casos excepcionales y justificados.

3. Sin perjuicio de las instrucciones y reglamentos técnicos nacionales que sean obligatorios, siempre y cuando sean compatibles con el derecho comunitario, las prescripciones técnicas podrán definirse de alguna de las siguientes formas:

a) Haciendo referencia, de acuerdo con el siguiente orden de prelación, a especificaciones técnicas contenidas en normas nacionales que incorporen normas europeas, a documentos de idoneidad técnica europeos, a especificaciones técnicas comunes, a normas internacionales, a otros sistemas de referencias técnicas elaborados por los organismos europeos de normalización o, en su defecto, a normas nacionales, a documentos de idoneidad técnica nacionales o a especificaciones técnicas nacionales en materia de proyecto, cálculo y realización de obras y de puesta en funcionamiento de productos, acompañando cada referencia de la mención «o equivalente.»

b) En términos de rendimiento o de exigencias funcionales, incorporando a estas últimas, cuando el objeto del contrato afecte o pueda afectar al medio ambiente, la contemplación de características medioambientales. Los parámetros empleados deben ser suficientemente precisos como para permitir la determinación del objeto del contrato por los licitadores y la adjudicación del mismo a los órganos de contratación.

c) En términos de rendimiento o de exigencias funcionales, conforme a lo indicado en la letra b), haciendo referencia, como medio de presunción de conformidad con los mismos, a las especificaciones citadas en la letra a).

d) Haciendo referencia a las especificaciones técnicas mencionadas en la letra a), para ciertas características, y al rendimiento o a las exigencias funcionales mencionados en la letra b), para otras.

4. Cuando las prescripciones técnicas se definan en la forma prevista en la letra a) del apartado anterior, el órgano de contratación no podrá rechazar una oferta basándose en que los productos y servicios ofrecidos no se ajustan a las especificaciones a las que se ha hecho referencia, siempre que en su oferta el licitador pruebe, por cualquier medio adecuado, que las soluciones que propone cumplen de forma equivalente los requisitos definidos en las correspondiente prescripciones técnicas. A estos efectos, un informe técnico del fabricante o un informe de ensayos elaborado por un organismo técnico oficialmente reconocido podrán constituir un medio de prueba adecuado.

5. Cuando las prescripciones se establezcan en términos de rendimiento o de exigencias funcionales, no podrá rechazarse una oferta de obras, productos o servicios que se ajusten a una norma nacional que incorpore una norma europea, a un documento de idoneidad técnica europeo, a una especificación técnica común, a una norma internacional o al sistema de referencias técnicas elaborado por un organismo europeo de normalización, siempre que estos documentos técnicos tengan por objeto los rendimientos o las exigencias funcionales exigidos por las prescripciones.

En estos casos, el licitador debe probar en su oferta, que las obras, productos o servicios conformes a la norma o documento técnico cumplen las prescripciones técnicas establecidas por el órgano de contratación. A estos efectos, un informe técnico del fabricante o un informe de ensayos elaborado por un organismo técnico oficialmente reconocido podrán constituir un medio adecuado de prueba.

6. Cuando se prescriban características medioambientales en términos de rendimientos o de exigencias funcionales, podrán utilizarse prescripciones detalladas o, en su caso, partes de éstas, tal como se definen en las etiquetas ecológicas europeas, nacionales o plurinacionales, o en cualquier otra etiqueta ecológica, siempre que éstas sean apropiadas para definir las características de los suministros o de las prestaciones que sean objeto del contrato, sus exigencias se basen en información científica, en el procedimiento para su adopción hayan podido participar todas las partes concernidas tales como organismos gubernamentales, consumidores, fabricantes, distribuidores y organizaciones medioambientales, y que sean accesibles a todas las partes interesadas.

Los órganos de contratación podrán indicar que los productos o servicios provistos de la etiqueta ecológica se consideran acordes con las especificaciones técnicas definidas en el pliego de prescripciones técnicas, y deberán aceptar cualquier otro medio de prueba adecuado, como un informe técnico del fabricante o un informe de ensayos elaborado por un organismo técnico oficialmente reconocido.

7. A efectos del presente artículo, se entenderá por «organismos técnicos oficialmente reconocidos» aquellos laboratorios de ensayos, entidades de calibración, y organismos de inspección y certificación que, siendo conformes con las normas aplicables, hayan sido oficialmente reconocidos por las Administraciones Públicas en el ámbito de sus respectivas competencias.

Los órganos de contratación deberán aceptar los certificados expedidos por organismos reconocidos en otros Estados miembros.

8. Salvo que lo justifique el objeto del contrato, las especificaciones técnicas no podrán mencionar una fabricación o una procedencia determinada o un procedimiento concreto, ni hacer referencia a una marca, a una patente o a un tipo, a un origen o a una producción determinados con la finalidad de favorecer o descartar ciertas empresas o ciertos productos. Tal mención o referencia se autorizará, con carácter excepcional, en el caso en que no sea posible hacer una descripción lo bastante precisa e inteligible del objeto del contrato en aplicación de los apartados 3 y 4 de este artículo y deberá ir acompañada de la mención «o equivalente.»

☞ **Concordancias Jurisprudenciales**

Tribunal Administrativo Central de Recursos Contractuales, Resolución de 18 Ene. 2012, rec. 338/2011

CONTRATO ADMINISTRATIVO DE SUMINISTROS. De productos fisiosanitarios, abonos y semillas para los Centros Militares de Cría Caballar de Écija y Jerez de la Frontera, para el año 2012. Nulidad del pliego de prescripciones técnicas. RECURSO ESPECIAL EN MATERIA DE CONTRATACIÓN. Estimación. Infracción del principio de igualdad y no discriminación así como de las reglas de libre concurrencia, por la exigencia, en los lotes 3 y 4, de semillas de girasol de unos fabricantes determinados sin incluir el término «o equivalente». Las semillas de girasol variedades Bósfora y Pizarro, cuyo suministro se solicita, vienen a predeterminar la adjudicación por el órgano de contratación a favor de determinada empresa. Cabría platearse la posibilidad de admitir el suministro de semillas de un fabricante determinado, ofrecidas por distintos proveedores o distribuidores, si resultara acreditado que no existen en el mercado otras semillas que puedan considerase equivalentes. No obstante, el propio informe elaborado por el Ingeniero Agrícola del organismo pone de manifiesto la posibilidad de que puedan existir semillas equivalentes de otros fabricantes. Se anula, en consecuencia, el procedimiento de contratación y, de haberse producido, la adjudicación del contrato, para los lotes 3 y 4. Preceptiva convocatoria de una nueva licitación en la que deba servir de base un nuevo pliego.

Tribunal Administrativo Central de Recursos Contractuales, Resolución de 13 Jul. 2011, rec. 144/2011

[LA LEY 98596/2011]

CONTRATO ADMINISTRATIVO DE SUMINISTROS. Modificación de los pliegos de cláusulas administrativas particulares y de prescripciones técnicas aprobados para regir la adjudicación del acuerdo marco para la selección de suministradores de vacunas de gripe estacional para determinados órganos de contratación de la Administración General del Estado, INGESA, y varias Comunidades Autónomas del Sistema Nacional de Salud, conforme a lo ordenado en una previa resolución del TACRC. RECURSO ESPECIAL EN MATERIA DE CONTRATACIÓN. Desestimación. El Ministerio de Sanidad ha entendido que a juicio del Tribunal la finalidad del lote 3 del acuerdo marco era la adquisición de vacunas destinadas al grupo de población constituido por los enfermos de riesgo y los de mayor edad y, en base a ello, ha considerado adecuado dar nueva redacción a las cláusulas declaradas nulas para admitir la posibilidad de que dentro de él no quedara excluida ninguna de las vacunas que tuvieran la funcionalidad indicada, dando así cumplimiento a lo acordado en la resolución mencionada. Tal decisión, aparte de coincidir plenamente con la parte dispositiva de la decisión del Tribunal, coincide también con los razonamientos de los fundamentos de derecho.

Tribunal Administrativo Central de Recursos Contractuales, Resolución de 8 Jun. 2011, rec. 120/2011

[LA LEY 71487/2011]

CONTRATO ADMINISTRATIVO DE SUMINISTROS. Exclusión del proceso de licitación para la adjudicación de contrato de suministro de material consumible de informática, no inventariable, para impresoras, ordenadores y fax del Departamento. RECURSO ESPECIAL EN MATERIA DE CONTRATACIÓN. Desestimación. El silencio del pliego sobre la posibilidad de que los productos ofertados incluyan piezas usadas únicamente puede ser interpretado en el sentido de la exigencia de material o equipos nuevos, determinando su incumplimiento la exclusión del licitador correspondiente.

Tribunal Administrativo Central de Recursos Contractuales, Resolución de 25 May. 2011, rec. 112/2011

[LA LEY 44443/2011]

CONTRATO ADMINISTRATIVO DE SUMINISTRO. Nulidad de varias cláusulas de los pliegos de cláusulas administrativas particulares y de prescripciones técnicas aprobados para regir la adjudicación del acuerdo marco para la selección de suministradores de vacunas de gripe estacional para determinados órganos de contratación de la Administración estatal y autonómica, en tanto que se ha infringido la Ley de contratos del sector público al no haberse contemplado expresamente la posibilidad de ofertar otras vacunas equivalentes a la indicada. Infracción del principio de libre competencia al restringirse la licitación a un solo licitador. RECURSO ESPECIAL EN MATERIA DE CONTRATACIÓN. El recurso fue presentado dentro de plazo, toda vez que ha sido interpuesto antes incluso de que concluyera el plazo de presentación de las ofertas.

Concordancias a todo el artículo

➡ **Concordancias normativas**

Artículo 101 de la LCSP 30/2007 y artículo 52 del TRLCAP RDL 2/2000.

☞ **Concordancias Jurisprudenciales**

Tribunal Superior de Justicia de la Comunidad Valenciana, Sala de lo Contencioso-administrativo, Sección 4.ª, Sentencia de 21 Dic. 2011, rec. 357/2011

[LA LEY 298451/2011]

CONTRATO ADMINISTRATIVO DE SUMINISTROS. Formas de adjudicación. -- Derechos y obligaciones de las partes. -- Incumplimiento.

Tribunal Administrativo Central de Recursos Contractuales, Resolución de 28 Sep. 2011, rec. 186/2011

[LA LEY 186476/2011]

CONTRATO ADMINISTRATIVO DE SUMINISTROS. Nulidad parcial del pliego de cláusulas administrativas particulares y el pliego de prescripciones técnicas que han de regir la contratación de suministro «Adquisición de diverso material fungible de informática para cubrir las necesidades en las dependencias policiales a nivel nacional del Cuerpo Nacional de Policía». RECURSO ESPECIAL EN MATERIA DE CONTRATACIÓN. Estimación parcial. Nulidad de la exigencia de que el Servicio Técnico deba estar homologado.

📖 Doctrina

— «Régimen de revisión de decisiones y recursos». Escrihuela Morales, Javier. Esta doctrina forma parte del libro *La Contratación del Sector Público*, edición n.º 4, Editorial El Consultor de los Ayuntamientos y de los Juzgados, Madrid, 2012.

— «Principios de la contratación». Escrihuela Morales, Javier. Esta doctrina forma parte del libro *La Contratación del Sector Público*, edición n.º 4, Editorial El Consultor de los Ayuntamientos y de los Juzgados, Madrid, 2012.

✉ Consultas

• **Coincidencia del objeto, fin o actividad de las empresas licitadoras con el objeto del contrato**

¿Es estrictamente necesario que la empresa licitadora esté relacionada con el «objeto del contrato»?¿Puede licitar directamente el mismo fabricante de los artículos prescritos en los Pliegos? ¿Qué dice la Ley sobre éstas cuestiones?

Contratación Administrativa Práctica, N° 98, Sección Usted Pregunta, Junio 2010, Editorial LA LEY

[LA LEY 836/2010]

Respuesta

En primer lugar debemos señalar que el artículo 46 (LA LEY 10868/2007) de la LCSP dispone expresamente que «las personas jurídicas sólo podrán ser adjudicatarias de contratos cuyas prestaciones estén comprendidas dentro de los fines, objeto o ámbito de actividad que, a tenor de sus estatutos o reglas fundacionales les sean propios.»

En consecuencia, esta exigencia se aplica a todos los contratos y no sólo a aquellos que así lo tengan establecidos en los pliegos. El objeto, fin o actividad de las empresas licitadoras debe coincidir con el objeto del contrato.

Respecto a la segunda cuestión, debemos acudir a los apartados siguientes del artículo 101 (LA LEY 10868/2007) de la LCSP:

«1. Las prescripciones técnicas se definirán, en la medida de lo posible, teniendo en cuenta criterios de accesibilidad universal y de diseño para todos, tal como son definidos estos términos en la Ley 51/2003, de 2 de diciembre (LA LEY 1828/2003), de igualdad de oportunidades, no discriminación y accesibilidad universal de las personas con discapacidad, y, siempre que el objeto del contrato afecte o pueda afectar al medio ambiente, aplicando criterios de sostenibilidad y protección ambiental, de acuerdo con las definiciones y principios regulados en los artículos 3 (LA LEY 1041/2002)y 4, respectivamente, de la Ley 16/2002, de 1 de julio, de prevención y control integrados de la contaminación. De no ser posible definir las prescripciones técnicas teniendo en cuenta criterios de accesibilidad universal y de diseño para todos, deberá motivarse suficientemente esta circunstancia. 2. prescripciones técnicas deberán permitir el acceso en condiciones de igualdad de los licitadores, sin que puedan tener por efecto la creación de obstáculos injustificados a la apertura de los contratos públicos a la competencia. (...) 8. Salvo que lo justifique el objeto del contrato, las especificaciones técnicas no podrán mencionar una fabricación o una procedencia determinada o un procedimiento concreto, ni hacer referencia a una marca, a una patente o a un tipo, a un origen o a una producción determinados con la finalidad de favorecer o descartar ciertas empresas o ciertos productos. Tal mención o referencia se autorizará, con carácter excepcional, en el caso en que no sea posible hacer una descripción lo bastante precisa e inteligible del objeto del contrato en aplicación de los apartados 3 y 4 de este artículo y deberá ir acompañada de la mención o equivalente».

En consecuencia, el fabricante de los artículos descritos en los pliegos puede licitar pero en los pliegos no podrá mencionarse ningún tipo de marca. En definitiva, los pliegos deberán describir los objeto del contrato de acuerdo con el artículo 101 (LA LEY 10868/2007) de la LCSP y por tanto, salvo de manera excepcional, no podrá señalarse ninguna marca de producto.

Artículo 118 *Condiciones especiales de ejecución del contrato*

1. Los órganos de contratación podrán establecer condiciones especiales en relación con la ejecución del contrato, siempre que sean compatibles con el derecho comunitario y se indiquen en el anuncio de licitación y en el pliego o en el contrato. Estas condiciones de ejecución podrán referirse, en especial, a consideraciones de tipo medioambiental o a consideraciones de tipo social, con el fin de promover el empleo de personas

con dificultades particulares de inserción en el mercado laboral, eliminar las desigualdades entre el hombre y la mujer en dicho mercado, combatir el paro, favorecer la formación en el lugar de trabajo, u otras finalidades que se establezcan con referencia a la estrategia coordinada para el empleo, definida en el artículo 145 del Tratado de Funcionamiento de la Unión Europea (LA LEY 6/1957), o garantizar el respeto a los derechos laborales básicos a lo largo de la cadena de producción mediante la exigencia del cumplimiento de las Convenciones fundamentales de la Organización Internacional del Trabajo.

2. Los pliegos o el contrato podrán establecer penalidades, conforme a lo prevenido en el artículo 212.1, para el caso de incumplimiento de estas condiciones especiales de ejecución, o atribuirles el carácter de obligaciones contractuales esenciales a los efectos señalados en el artículo 223.f). Cuando el incumplimiento de estas condiciones no se tipifique como causa de resolución del contrato, el mismo podrá ser considerado en los pliegos o en el contrato, en los términos que se establezcan reglamentariamente, como infracción grave a los efectos establecidos en el artículo 60.2.e).

➡ **Concordancias normativas**

Número 2 del artículo 118 redactado por el número tres de la disposición final primera de la Ley 24/2011, de 1 de agosto, de contratos del sector público en los ámbitos de la defensa y de la seguridad («B.O.E». 2 agosto).

Concordancias a todo el artículo

➡ **Concordancias normativas**

Artículo 102 de la LCSP 30/2007.

☞ **Concordancias Jurisprudenciales**

Tribunal Administrativo Central de Recursos Contractuales, Resolución de 10 Nov. 2011, rec. 232/2011

[LA LEY 231616/2011]

CONTRATO ADMINISTRATIVO DE CONSULTORÍA Y ASISTENCIA. Impugnación del pliego de condiciones particulares de la contratación del servicio de «Consultoría y asistencia para la elaboración y el control de la información relativa a la subcontratación y seguimiento de las medidas de carácter social durante la ejecución de las obras en el ámbito de la Dirección General de Operaciones e Ingeniería de ADIF». RECURSO ESPECIAL EN MATERIA DE CONTRATACIÓN. Inadmisión. La reclamante carece de legitimación activa para presentar reclamación contra los PCP que han de regir la presente licitación. El interés que preside la reclamación interpuesta es el de la defensa de los intereses de las empresas que operan en el ámbito de seguridad y salud. Carece la reclamante de tal facultad, pues no acredita la representación de la Asociación correspondiente

⊠ **Consultas**

• **Actuaciones que pueden financiarse con cargo al Fondo Estatal para el Empleo y la Sostenibilidad**

¿**Pueden incluirse los recursos del FESSL en las previsiones iniciales del estado de ingresos del Presupuesto? ¿Pueden aplicarse los recursos a la financiación de necesidades financieras de contratos plurianuales? ¿Y a la aportación municipal de programas cofinanciados?**

[03/12/2009 EC 3569/2009]

Contestación

En cuanto a la primera cuestión que nos plantean, creemos que no es posible su inclusión en las previsiones iniciales del estado de ingresos del Presupuesto, pues ha de tratarse —según la terminología del Real Decreto Ley 13/2009 de 26 de octubre (BOE del 27), de creación del Fondo Estatal para el Empleo y la Sostenibilidad Local— de obras de nueva planificación, entendiendo por tales las que no están previstas en el Presupuesto consolidado de la Entidad local para el año 2009 ni en el Presupuesto consolidado para 2010.

Respecto de la segunda cuestión que plantean, relativa a si dichos recursos se pueden aplicar a contratos de carácter plurianual adjudicados con anterioridad a 2010, entendemos que está expresamente prohibido por lo dicho anteriormente, ya que la financiación de tales contratos de carácter plurianual ha de estar prevista en el Presupuesto de la Entidad, condición que impide su acceso a la financiación de Fondo. Además, el Anexo I de la Resolución de 2 de noviembre de 2009 (BOE del 3), y aunque a meros efectos indicativos, relaciona los contratos de obras de competencia municipal que pueden financiarse con cargo al fondo. Y en relación con el tema de contratación de desempleados de larga duración, el art. 17.2 del Real Decreto Ley establece que ha de asegurarse, mediante la inclusión de una cláusula estableciendo una condición especial de ejecución de acuerdo con el art. 102 de la Ley 30/2007, de 30 de octubre (BOE del 31), de Contratos del Sector Público (LCSP), que el nuevo personal que el contratista necesite emplear para la ejecución de las obras se encuentre en situación de desempleo, y prioritariamente, de desempleo de larga duración, y que sea requerido a través de los servicios públicos de empleo. Así se establece en la Disposición Adicional primera del Real Decreto Ley.

Y, finalmente, por lo que se refiere a si es posible aplicar los recursos del Fondo a financiar la aportación municipal en los programas cofinanciados con otras Administraciones Públicas, también creemos que es una posibilidad vetada por el Real Decreto Ley 13/2009, pues su art. 10.4 prohíbe financiar obras, suministros o servicios que hubieran recibido financiación procedente de otros programas de ayudas de cualquier Administración pública, salvo que se trate de ulteriores fases de obras financiadas a través del Fondo creado por el Real Decreto Ley 9/2008, de 28 de noviembre (BOE de 2 de diciembre).

En resumen, las actuaciones que pueden financiarse con cargo al fondo están constituidas por:

1. Contratos de obra de competencia municipal. Se financia el contrato de obra,

así como la redacción del proyecto y la dirección de las obras. Se pueden incluir contratos de suministro para equipamiento e instalaciones de las obras financiadas.

2. Contratos de suministro para la adquisición de equipos y sistemas de telecomunicaciones y para el tratamiento de datos, así como sus dispositivos y programas.

3. Contratos de servicios para la implantación de sistemas y programas informáticos, dirigidos a la implantación de la Ley 11/2007, de 22 de junio (BOE del 23), de acceso electrónico de los ciudadanos a los servicios públicos.

4. Programas de actuación social de competencia municipal, relativos a educación, servicios de atención a personas en situación de dependencia y derivados de prestaciones de servicios sociales y de promoción y reinserción social.

Además, son incompatibles con otras ayudas, si bien podrán financiarse ulteriores fases de obras financiadas con el Fondo Estatal de Inversión Local.

Los requisitos que deben cumplir los proyectos de inversión a financiar se concretan en que sean de competencia municipal y de nueva planificación, por lo que no deben estar previstos en los presupuestos de 2009 ni 2010.

Los proyectos han de ser de ejecución inmediata, debiendo iniciarse su licitación en el plazo de un mes a partir de la publicación en la web del Ministerio de Política Territorial de la resolución del Secretario de Estado de Cooperación Territorial que autoriza su financiación. Si se trata de contratos menores, la adjudicación debe producirse en dicho plazo. Como novedad, se puede financiar la redacción del proyecto de obra y su dirección. Para que se financie la redacción del proyecto de obra, ésta debe ser posterior a la fecha de entrada en vigor del Real Decreto-ley, es decir, posterior al 28 de octubre de 2009.

Se fijan límites al importe de los Proyectos, pues en el caso de los contratos de obra, incluida la redacción del proyecto y dirección de la obra, en su caso, el límite es de 5 millones de euros, excluido el IVA o impuesto similar aplicable; en los contratos de suministros y servicios, el límite es de 200.000 euros, excluido IVA o impuesto similar aplicable; y en los suministros asociados a una obra no pueden superar el 20% del importe total del proyecto.

Los tipos de obra financiables son los enumerados en el art. 9 del Real Decreto Ley.

En cuanto a las normas de contratación, se aplica la Ley de Contratos del Sector Público. En estos expedientes de contratación se entiende justificada la tramitación de urgencia. Esto supone: máximo de 20 días para la adjudicación provisional y el plazo para la adjudicación definitiva es de 10 días hábiles. Ha de incluirse la cláusula especial de ejecución, de acuerdo con el artículo 102 de la LCSP, de manera que se exija que el nuevo personal que el contratista necesite emplear se encuentre en situación legal de desempleo. En la valoración de las ofertas contractuales se tendrá en cuenta, en los contratos de obras y de servicios, y se ponderarán indicadores relevantes de la medida, que el contrato de que se trate puede contribuir al fomento del empleo. Se mantiene la obligación de abono al contratista de las certificaciones de obras o las facturas o recepciones parciales, en el plazo de 30 días desde su recepción por el ayuntamiento y la misma obligación del contratista de cara a los subcontratistas, contando el plazo desde la fecha en que se aprueba la factura emitida por el subcontratista o suministrador. Pliegos tipo: se publicarán en la página web del MPT. Pueden ser utilizados libremente por los ayuntamientos para los contratos financiados con este fondo.

En cuanto al gasto social financiable, se concretará a los programas de actuación que se encuadren en alguna de las categorías de gasto social indicadas en el artículo 18 del Real Decreto-ley, relativos a Educación, Dependencia, Servicios sociales, promoción y reinserción social. Debe estar previsto en los presupuestos de la entidad para 2010 y no superar el 20% de la cantidad total que corresponde al Ayuntamiento.

En relación con la contratación de trabajadores, no sólo se computan los contratos con trabajadores en situación legal de desempleo, sino también la contratación de trabajadores autónomos que hayan cesado en su actividad y estén inscritos en los Servicios Públicos de Empelo como demandantes de empleo no ocupados. La contratación debe hacerse a través de los Servicios Públicos de Empleo.

Artículo 119 *Información sobre las obligaciones relativas a la fiscalidad, protección del medio ambiente, empleo y condiciones laborales*

1. El órgano de contratación podrá señalar en el pliego el organismo u organismos de los que los candidatos o licitadores puedan obtener la información pertinente sobre las obligaciones relativas a la fiscalidad, a la protección del medio ambiente, y a las disposiciones vigentes en materia de protección del empleo, condiciones de trabajo y prevención de riesgos laborales, que serán aplicables a los trabajos efectuados en la obra o a los servicios prestados durante la ejecución del contrato.

2. El órgano de contratación que facilite la información a la que se refiere el apartado 1 solicitará a los licitadores o a los candidatos en un procedimiento de adjudicación de contratos que manifiesten haber tenido

en cuenta en la elaboración de sus ofertas las obligaciones derivadas de las disposiciones vigentes en materia de protección del empleo, condiciones de trabajo y prevención de riesgos laborales, y protección del medio ambiente.

Esto no obstará para la aplicación de lo dispuesto en el artículo 152 sobre verificación de las ofertas que incluyan valores anormales o desproporcionados.

Concordancias a todo el artículo

➡ Concordancias normativas

Artículo 103 de la LCSP 30/2007 y Disposición Final 4.ª del TRLCAP RDL 2/2000.

☞ Concordancias Jurisprudenciales

Tribunal Administrativo Central de Recursos Contractuales, Resolución de 14 Sep. 2011, rec. 191/2011

[LA LEY 191918/2011]

CONTRATO ADMINISTRATIVO DE SERVICIOS. Adjudicación de contrato de solución integral para la externalización de los sistemas ERP de Correos. RECURSO ESPECIAL EN MATERIA DE CONTRATACIÓN. Estimación parcial. Incorrecta motivación del acto de adjudicación. La entidad contratante, si bien ha practicado correctamente la notificación genérica, al no suministrar la información complementaria solicitada por la interesada, no ha cumplido con los requisitos que en cuanto a información a los licitadores se contemplan en la Ley, no permitiendo que pueda interponer reclamación adecuadamente fundada frente a la adjudicación realizada. Deben retrotraerse las actuaciones hasta el momento anterior a la notificación de la adjudicación, al objeto de que la misma se notifique debidamente motivada a todos los licitadores.

Tribunal Administrativo Central de Recursos Contractuales, Resolución de 3 Ago. 2011, rec. 162/2011

[LA LEY 179907/2011]

CONTRATO ADMINISTRATIVO DE SERVICIOS. Adjudicación de contrato cuyo objeto consiste en «una solución integral para la externalización de los sistemas ERP de Correos». RECURSO ESPECIAL EN MATERIA DE CONTRATACIÓN. Estimación parcial. Nulidad de la notificación de la adjudicación. Insuficiente motivación. La notificación de la adjudicación realizada se limitaba a indicar la empresa que había resultado adjudicataria del contrato, el importe de la adjudicación y los recursos procedentes. Esta información resulta a todas luces insuficiente para interponer una reclamación suficientemente fundada frente a la adjudicación realizada. Asimismo, los intentos de la interesada por obtener información complementaria que le permitiera fundamentar adecuadamente su recuso tampoco han resultado fructíferos. No puede prevalecer la afirmación de la entidad contratante en el sentido de que se estaba dando cumplimiento a la obligación de confidencialidad. En ningún momento se ha hecho referencia a los aspectos concretos de la oferta de la adjudicataria que debieran ser mantenidos bajo secreto. Por otra parte, esta obligación de confidencialidad no puede afectar a la totalidad de la oferta realizada por el adjudicatario ni a la totalidad del informe realizado por los servicios de la entidad adjudicadora a efectos de su valoración. La entidad contratante no vendrá obligada a dar vista del expediente a los licitadores que lo soliciten, pero sí a notificar adecuadamente los motivos del rechazo de su candidatura o proposición y los motivos de la adjudicación realizada a favor del adjudicatario. Deben retrotraerse las actuaciones hasta el momento anterior a la notificación de la adjudicación, al objeto de que la misma se notifique debidamente motivada a todos los licitadores en el procedimiento.

Artículo 120 *Información sobre las condiciones de subrogación en contratos de trabajo*

En aquellos contratos que impongan al adjudicatario la obligación de subrogarse como empleador en determinadas relaciones laborales, el órgano de contratación deberá facilitar a los licitadores, en el propio pliego o en la documentación complementaria, la información sobre las condiciones de los contratos de los trabajadores a los que afecte la subrogación que resulte necesaria para permitir la evaluación de los costes laborales que implicará tal medida. A estos efectos, la empresa que viniese efectuando la prestación objeto del contrato a adjudicar y que tenga la condición de empleadora de los trabajadores afectados estará obligada a proporcionar la referida información al órgano de contratación, a requerimiento de éste.

Concordancias a todo el artículo

➡ Concordancias normativas

Artículo 104 de la LCSP 30/2007.

Véase artículo 137 de la presente Ley.

☞ Concordancias Jurisprudenciales

Tribunal Administrativo Central de Recursos Contractuales, Resolución de 14 Sep. 2011, rec. 191/2011

[LA LEY 191918/2011]

CONTRATO ADMINISTRATIVO DE SERVICIOS. Adjudicación de contrato de solución integral para la externalización de los sistemas ERP de Correos. RECURSO ESPECIAL EN MATERIA DE CONTRATACIÓN. Estimación parcial. Incorrecta motivación del acto de adjudicación. La entidad contratante, si bien ha practicado correctamente la notificación genérica, al no suministrar la información complementaria solicitada por la interesada, no ha cumplido con los requisitos que en cuanto a información a los licitadores se contemplan en la Ley, no permitiendo que pueda interponer reclamación adecuadamente fundada frente a la adjudicación realizada. Deben retrotraerse las actuaciones hasta el momento anterior a la notificación de la adjudicación, al objeto de que la misma se notifique debidamente motivada a todos los licitadores.

Tribunal Administrativo Central de Recursos Contractuales, Resolución de 6 Jul. 2011, rec. 145/2011

[LA LEY 98306/2011]

CONTRATO ADMINISTRATIVO DE SERVICIOS. Contenido y límites. Se confirma la adecuación a derecho del pliego de cláusulas administrativas particulares aprobado para regir la adjudicación de un contrato de servicios de peonaje en la gerencia de informática de la Seguridad social, no siendo necesaria la inclusión en el mismo de mención alguna a la posible obligación del adjudicatario de subrogarse en las relaciones laborales vigentes entre el anterior contratista y el que resulte de la licitación convocada, dado que no se exigía dicha subrogación en disposición o convenio colectivo que afectase al sector de actividad correspondiente.

Si existiese un convenio que la exigiera, el hecho de que el pliego de cláusulas administrativas particulares no lo mencionase, no sería relevante jurídicamente, pues la obligatoriedad de la subrogación no procedería del pliego sino del convenio colectivo.

⊠ **Consultas**

• **Subrogación de personal en caso de que se pase a gestionar indirectamente un servicio**

El Ayuntamiento prestaba de manera directa el servicio de escuela infantil y pretende realizar un contrato de gestión de servicio público. ¿Se puede establecer la obligatoriedad del adjudicatario de asumir a la totalidad del personal que actualmente presta sus servicios (laborales temporales, indefinidos no fijos y otros)?

[05/06/2012 EC 1331/2012]

Contestación

En relación con la subrogación del personal a la que se alude en la consulta, partiremos de indicar que esta no es muy explícita en cuanto a la relación jurídica de este personal con la Administración Local, lo que podría añadir algún matiz a las líneas generales que vamos a delimitar, que comentaremos al final [No se aclara la razón por la que existen tantas posibles vinculaciones de los laborales que actualmente trabajan en el servicio con la Administración, ni la situación de la relación de puestos (si los contempla todos), ni si se han hecho Ofertas de empleo público que incluyan las vacantes, o si han existido condenas judiciales que han obligado a asumir a alguna persona]. Debería valorarse por la entidad local la necesidad de mantenimiento de todo ese personal de distinto género al que aluden en la consulta.

La sucesión empresarial en el ámbito laboral puede darse, en el momento de transmitir una empresa, por tres vías:

1.— La sucesión legal del art. 44 del Estatuto de los Trabajadores (LA LEY 1270/1995) (ET), Texto Refundido aprobado por Real Decreto Legislativo 1/1995, de 24 marzo (LA LEY 1270/1995) (BOE del 29), interpretado de acuerdo a la Directiva 98/50/CE del Consejo, de 29 de junio de 1998 (LA LEY 5926/1998), y la doctrina del Tribunal de Justicia de las CE:

«No influye en la aplicación de estas normas la naturaleza pública o privada de quien continúa desarrollando la actividad (en este caso, si la va a asumir la Administración o va a existir una nueva licitación pública), aunque sí son necesarios para que opere el instituto jurídico una serie de requisitos.

Atendiendo a estas cuestiones de ámbito general, la sucesión en las relaciones laborales no suele operar cuando se trata de la mera sucesión en la actividad de una contrata que gestiona el servicio con sus propios medios, que es lo que debe suceder en el ámbito del contrato de servicios; ya que la empresa habrá gestionado con su personal las prestaciones objeto de contrato. Puede consultarse, sobre esta materia, la Sentencia del Tribunal de Justicia (CE) Sala 3.ª, de 20 de enero de 2011, n.º C-463/2009 (LA LEY 52/2011), y las STS dictadas en recurso de casación para unificación de doctrina de 17 de junio de 2011 (LA LEY 111857/2011) (LA LEY 111857/2011) y de 11 de julio de 2011 (LA LEY 159981/2011) (LA LEY 159981/2011).

Es claro que la prestación del Servicio de Escuela Infantil podría entenderse como un entidad económica autónoma; y el mantenimiento de la identidad de dicha entidad, independientemente de que concurra una nueva contratación, va a depender igualmente del elemento que supone el personal docente y no docente, por lo que cabe concluir que concurre un supuesto de sucesión de empresa del art. 44 ET (LA LEY 1270/1995).

2.— A veces, la sucesión empresarial viene impuesta por normativa convencional [como así recordaba la citada STS de 5 de abril de 1993 (EC 525/1995)] a través de las previsiones establecidas en la negociación colectiva, plasmada en el convenio colectivo del sector. En todo caso y pese a esa previsión el convenio colectivo, han de concurrir, en el caso de que se trate, los supuestos fácticos para que opera la sucesión de empresa; esto es, una transmisión de «los elementos necesarios y por sí mismos suficientes para continuar la actividad empresarial.»

El art. 26 del XI Convenio Colectivo de ámbito estatal de centros de asistencia y educación infantil (vigencia 1 de enero de 2010 hasta el 31 de diciembre de 2013) afirma que, en lo relativo a la sucesión de empresas, se estará a lo establecido en los arts. 42 (LA LEY 1270/1995), 43 (LA LEY 1270/1995) y 44, y concordantes, del texto refundido de la ley del estatuto de los trabajadores (LA LEY 1270/1995); por lo tanto, no añade nada en relación con el régimen legal.

3.— La sucesión contractual, en el ámbito de la Administración Pública, es la que se prevé en los Pliegos de Cláusulas Administrativas. Se configura esta última como una opción en el supuesto de que no concurra los elementos requeridos por el art. 44 ET (LA LEY 1270/1995), aunque se estime conveniente por razones de oportunidad vinculados a la defensa del interés público.

Entendemos que esta vía solo se podría incluir en los pliegos de manera opcional para el contratista, ya que la obligatoriedad de asumir determinado personal que no impone la Ley y que no puede demostrarse que sea personal que, en la relación de puestos municipal y en la plantilla, estén vinculados con el centro, incrementaría sus costes de funcionamiento; y podría motivar un reparo al expediente al amparo de lo recogido en el art. 7 de la Ley Orgánica 2/2012, de 27 de abril (LA LEY 7774/2012) (BOE del 30), de Estabilidad Presupuestaria y Sostenibilidad Financiera, que exige una valoración previa de las repercusiones y efectos de todos los actos administrativos, que se han de supeditar de forma estricta al cumplimiento de las exigencias de los principios de estabilidad presupuestaria y sostenibilidad financiera.

Será necesario determinar la aplicabilidad de estos argumentos al servicio municipal; y, en cualquiera de los tres casos, determinar en el pliego, con toda precisión y detalle, el fundamento, el ámbito de trabajadores afectados, y el contenido de su relación laboral, de acuerdo con lo previsto en el art. 120 del Real Decreto Legislativo 3/2011, de 14 de noviembre (LA LEY 21158/2011) (BOE del 16), por el que se aprueba el texto refundido de la Ley de Contratos del Sector Público (LA LEY 21158/2011) (TR LCSP (LA LEY 10868/2007)). Ya que, si se impone al adjudicatario la obligación de subrogarse como empleador en determinadas relaciones laborales, por parte del órgano de contratación deberá facilitarse a los licitadores (en el propio pliego o en la documentación complementaria), la información sobre las condiciones de los contratos de los trabajadores a los que afecte la subrogación que resulte necesaria, para permitir la evaluación de los costes laborales que implicará tal medida. Así lo reconoce también la STS de 3 de junio de 2002 (LA LEY 7601/2002) (LA LEY 7601/2002), ya que, de no ser así, acaecerá la finalización de la contrata y la entrada de un nuevo empresario no ligado al anterior por título traslativo alguno respecto de los elementos materiales y organizativos de la anterior empresa [SSTS de 29 de febrero de 2000 (LA LEY 5254/2000) (LA LEY 5254/2000), de 11 de abril de 2000 (LA LEY 7911/2000) (LA LEY 7911/2000), de 22 de mayo de 2000 (LA LEY 8860/2000) (LA LEY 8860/2000), etc.].

Establecer en los propios pliegos la obligación de la subrogación es algo que no es recomendable si no se tiene del todo claro su procedencia y alcance; en cuyo caso, resulta oportuno comunicárselo a los trabajadores afectados [STSJ Madrid de 10 de febrero de 2011 (LA LEY 33111/2011) (LA LEY 33111/2011) y Dictamen 64/2005 de la Abogacía General del Estado]. En todo caso, como reconoce el IJCCA 58/09, de 26 de febrero de 2010, «el hecho de no incluir en los pliegos de cláusulas administrativas particulares que deban regir la adjudicación y ejecución de un contrato la obligación que pueda afectar a la empresa adjudicataria de subrogarse en las relaciones de trabajo preexistentes para la ejecución del contrato de cuya adjudicación se trate no es obstáculo para la exigencia del cumplimiento de la misma cuando esté establecida en las normas o convenios de aplicación al sector.»

Como última reflexión, indicar que el art. 55 de la Ley 7/2007, de 12 de abril (LA LEY 3631/2007) (BOE del 13), del Estatuto Básico del Empleado Público (EBEP (LA LEY 3631/2007)), establece, como principio rector del acceso al empleo público, la observancia de los principios constitucionales de igualdad, mérito y capacidad; para establecer, en el art. 61, que los procesos selectivos tendrán carácter abierto y garantizarán la libre concurrencia, por lo que la subrogación de ese personal no puede en ningún caso suponer la variación de su relación laboral y de su calidad con la entidad local (no deberían adquirir la condición de indefinidos). Así se indica en la STSJ de Castilla y León de Valladolid, Sala de lo Social, de 9 de noviembre de 2011 (LA LEY 224694/2011) (LA LEY 224694/2011), que afirma que «en este caso consta probado que el Ayuntamiento se ha hecho cargo de todos los trabajadores de la anterior contratista, aunque sea a través de la suscripción de contratos temporales, por lo que de facto la organización productiva dedicada a la limpieza de los colegios que venía siendo identificada esencialmente por el conjunto de plantilla adscrito a dicha actividad ha sido asumida directamente por la empresa principal...sin que a tales efectos tenga ninguna relevancia que dicha empresa sea una Administración Pública y ello con independencia de que los trabajadores así integrados en la misma, al no haber pasado por un proceso selectivo destinado a garantizar los principios de igualdad, mérito y capacidad en el acceso al empleo público, solamente puedan ser considerados en el seno de la misma como «indefinidos no fijos», con las consecuencias previstas en la disposición adicional decimoquinta del Estatuto de los Trabajadores, esto es, ello no es obstáculo para la obligación de proceder a la cobertura de los puestos de trabajo de que se trate a través de los procedimientos ordinarios.»

En todo caso, el Ayuntamiento está obligado a articular, de forma inmediata, el procedimiento legal correspondiente para cubrir esas plazas [STS de 20 de enero de 1998 (LA LEY 5941/1998) (LA LEY 5941/1998); de 19 de junio de 2002 (LA LEY 7042/2002) (LA LEY 7042/2002), 19 de noviembre de 2002, 11 de diciembre de 2002, 27 de diciembre de 2002 y 28 de octubre de 2003 (LA LEY 171650/2003) (LA LEY 171650/2003)].

Se recomienda la lectura de la Resolución de 27 de octubre de 2010, aprobada por la Comisión Mixta para las Relaciones con el Tribunal de Cuentas, en relación con la Moción sobre la necesidad de evitar los riesgos de que los trabajadores de las Empresas de Servicios contratadas por la Administración, por las condiciones en que se desarrolla la actividad contratada, se conviertan en Personal Laboral de la Administración en virtud de sentencias judiciales (BOE de 18 de enero de 2011).

• **Obligación de subrogarse en las relaciones laborales derivadas de la ejecución de un contrato**

Este ayuntamiento tiene previsto sacar a licitación pública el servicio de vigilancia, salvamento y asistencia en el litoral del municipio. Hemos redactado los pliegos sin tener en cuenta la subrogación del personal de la empresa que prestaba el servicio durante los dos últimos años bajo la modalidad de un contrato administrativo de servicios. Recientemente el Concejal de Medio Ambiente nos ha decretado la emisión de un informe sobre la aplicación del Convenio Colectivo Estatal de Instalaciones Deportivas y Gimnasios, a los efectos de incluir en los pliegos la obligación de subrogación del personal de la empresa que prestaba el servicio. Entendemos desde el Área de Contratación que no es de aplicación la subrogación ya que no se trata de un contrato de servicio público y tampoco vemos encaje en el convenio. No obstante, nos gustaría saber vuestra opinión fundada al respecto.

Contratación Administrativa Práctica, Nº 120, Sección Usted Pregunta, del 1 Jun. al 31 Jul. 2012, pág. 16, Editorial LA LEY

[LA LEY 776/2012]

Respuesta

El artículo 120 del TRLCSP (LA LEY 21158/2011) establece que en aquellos contratos que impongan al adjudicatario la obligación de subrogarse como empleador en determinadas relaciones laborales, el órgano de contratación deberá facilitar a los licitadores la información necesaria para poder valorar los costes laborales. Para ello, la empresa que viniese efectuando la prestación objeto del contrato estará obligada a proporcionar dicha información al órgano de contratación, a requerimiento de éste.

No aclara el mencionado artículo cuándo se puede imponer al adjudicatario la subrogación en el personal que viene prestando el servicio, pero no lo limita al contrato de gestión de servicio público.

En este tema resulta de gran interés lo dispuesto por la Junta Consultiva de Contratación Administrativa, en su informe 58/2009:

@LITERAL:»..La obligación de subrogarse en las relaciones laborales derivadas de la ejecución de un contrato, cuando un contratista nuevo sucede a otro en ella, no deriva del contrato mismo sino de las normas laborales, normalmente de los convenios colectivos que se encuentren vigentes en el sector de actividad laboral de que se trate. Consiguientemente, la falta de previsión en los pliegos respecto de tal obligación no debe afectar en absoluto a su exigibilidad puesto que ésta deriva de una norma general aplicable a todos los que actúan en el sector. En efecto, su origen está en la norma o convenio que la establece, y no en la relación contractual para cuya ejecución son instrumentos necesarios los contratos de trabajo sujetos a la obligación de subrogación.

Conviene, finalmente, señalar que la subrogación en las relaciones laborales de que venimos hablando aquí no puede incluirse dentro del concepto de sucesión en la empresa que regula el artículo 44 del Estatuto de los Trabajadores (LA LEY 1270/1995). En efecto, este texto legal define la sucesión en la empresa diciendo que «se considerará que existe sucesión de empresa cuando la transmisión afecte a una entidad económica que mantenga su identidad, entendida como un conjunto de medios organizados a fin de llevar a cabo una actividad económica, esencial o accesoria». Del precepto transcrito se desprende que la sucesión en la empresa requiere la transmisión de toda una serie de elementos organizativos que la dotan de individualidad y no una mera subrogación en las relaciones laborales, derivadas de la ejecución de un contrato.»

De lo expuesto podemos concluir que la obligación de subrogar al personal que viene prestando el servicio debe de venir impuesta por el convenio colectivo aplicable en cada caso.

En cuanto al convenio aplicable, el ejercicio profesional del socorrista puede verse afectado por diferentes convenios, debido esencialmente a la disparidad de criterios a la hora de encuadrar la actividad, que puede incluirse en el sector de instalaciones deportivas, en el sector sanitario, pero, con carácter general, el principal convenio de referencia es el Convenio Colectivo Estatal de Instalaciones deportivas y gimnasios, que incluye la vigilancia acuática. Se podría preguntar a la empresa que venía prestando el servicio, cuál es el convenio que aplicaba a los trabajadores, pero en principio parece acertada la propuesta que según el escrito de consulta efectúa el concejal.

CAPÍTULO II

Normas especiales para la preparación de determinados contratos

Sección 1

Actuaciones preparatorias del contrato de obras

Subsección 1

Proyecto de obras y replanteo

Artículo 121 *Proyecto de obras*

1. En los términos previstos en esta Ley, la adjudicación de un contrato de obras requerirá la previa elaboración, supervisión, aprobación y replanteo del correspondiente proyecto que definirá con precisión el objeto del contrato. La aprobación del proyecto corresponderá al órgano de contratación salvo que tal competencia esté específicamente atribuida a otro órgano por una norma jurídica.

2. En el supuesto de adjudicación conjunta de proyecto y obra, la ejecución de ésta quedará condicionada a la supervisión, aprobación y replanteo del proyecto por el órgano de contratación.

Concordancias a todo el artículo

➡ **Concordancias normativas**

Artículo 105 de la LCSP 30/2007 y artículo 122 del TRLCAP RDL 2/2000.

⊠   **Consultas**

• **Licitación de la redacción de proyecto y dirección de obra de terrenos cedidos por una entidad local**

¿Es posible sacar a licitación una redacción de proyecto y dirección de obra, de unos terrenos que han sido cedidos por una entidad local si bien todavía no han sido aceptados por la Comunidad Autónoma? En caso afirmativo, ¿pueden sacarse a licitación sin estudio geotécnico? ¿A partir de qué momento sería obligatorio contar con este estudio geotécnico, con el proyecto básico?

Contratación Administrativa Práctica, N° 90, Sección Usted Pregunta, Octubre 2009, Editorial LA LEY

[LA LEY 1939/2009]

Respuesta

La redacción de proyecto y dirección de obra es un contrato de servicios contemplado en el artículo 10 (LA LEY 10868/2007) de la Ley 30/2007, de Contratos del Sector Público. Luego, una vez aprobado el mismo, y previamente a la tramitación del expediente de contratación de obras, de conformidad con lo dispuesto en el artículo 110 (LA LEY 10868/2007) de la LCSP, tendrá lugar el replanteo del proyecto, el cual consistirá en comprobar la realidad geométrica de la misma y la disponibilidad de los terrenos precisos para su normal ejecución, que será requisito indispensable para la adjudicación en todos los procedimientos.

Por lo tanto, en cuanto a la primera cuestión, es perfectamente posible el iniciar el expediente de contratación de un contrato de servicios de redacción de proyecto y dirección. La disponibilidad de los terrenos será necesaria en el contrato de obras.

En cuanto al segundo punto diremos que, según el artículo 105 (LA LEY 10868/2007) de la LCSP, en los términos previstos en esta Ley, la adjudicación de un contrato de obras requerirá la previa elaboración, supervisión, aprobación y replanteo del correspondiente proyecto que definirá con precisión el objeto del contrato. La aprobación del proyecto corresponderá al órgano de contratación, salvo que tal competencia esté específicamente atribuida a otro órgano por una norma jurídica.

En el supuesto de adjudicación conjunta de proyecto y obra, la ejecución de ésta quedará condicionada a la supervisión, aprobación y replanteo del proyecto por el órgano de contratación.

El artículo 107.3 (LA LEY 10868/2007) de la LCSP, establece, por su parte, que salvo que ello resulte incompatible con la naturaleza de la obra, el proyecto deberá incluir un estudio geotécnico de los terrenos sobre los que ésta se va a ejecutar, así como los informes y estudios previos necesarios para la mejor determinación del objeto del contrato.

La exigencia de este estudio se debe a la necesidad de conocer la naturaleza y características del terreno donde se va a ejecutar.

La LCSP requiere con carácter general este documento, al exceptuarlo únicamente cuando resulte incompatible con la naturaleza de la obra. Pese a tal aparente generalidad, doctrinalmente se indica que normalmente no será necesario en las obras de reparación simple, conservación, mantenimiento y demolición, debiendo considerar en todo caso las circunstancias naturales del terreno en el que se va a intervenir, teniendo en cuenta las que de por sí pueden implicar mayores riesgos: cercanía al mar o a corrientes de agua subterráneas o manantiales, antiguos cauces de río o pantanos, zonas montañosas, etc.

En todo caso, debe exigirse del técnico redactor del proyecto un pronunciamiento expreso sobre la necesidad o no de este estudio. Si fuese necesario, debe ser aportado por la Administración al proyectista, salvo que se haya contratado la redacción incluyendo la del estudio geotécnico.

Por lo tanto, el estudio geotécnico debe incluirse en el proyecto y si no es necesario, justificarlo en el expediente. Como usted dice muy bien, el momento en que sería obligatorio contar con este estudio geotécnico, sería en con el proyecto.

📖 Doctrina

«Naturaleza jurídica. Koninckx Frasquet», Amparo; Martínez Morales, José Luis. Esta doctrina forma parte del libro *Aspectos prácticos y novedades de la contratación pública. En especial en la administración local*, edición n.º 2, Editorial LA LEY, Madrid, 2012.

Artículo 122 *Clasificación de las obras*

1. A los efectos de elaboración de los proyectos se clasificarán las obras, según su objeto y naturaleza, en los grupos siguientes:

a) Obras de primer establecimiento, reforma o gran reparación.

b) Obras de reparación simple, restauración o rehabilitación.

c) Obras de conservación y mantenimiento.

d) Obras de demolición.

2. Son obras de primer establecimiento las que dan lugar a la creación de un bien inmueble.

3. El concepto general de reforma abarca el conjunto de obras de ampliación, mejora, modernización, adaptación, adecuación o refuerzo de un bien inmueble ya existente.

4. Se consideran como obras de reparación las necesarias para enmendar un menoscabo producido en un bien inmueble por causas fortuitas o accidentales. Cuando afecten fundamentalmente a la estructura resistente tendrán la calificación de gran reparación y, en caso contrario, de reparación simple.

5. Si el menoscabo se produce en el tiempo por el natural uso del bien, las obras necesarias para su enmienda tendrán el carácter de conservación. Las obras de mantenimiento tendrán el mismo carácter que las de conservación.

6. Son obras de restauración aquellas que tienen por objeto reparar una construcción conservando su estética, respetando su valor histórico y manteniendo su funcionalidad.

7. Son obras de rehabilitación aquellas que tienen por objeto reparar una construcción conservando su estética, respetando su valor histórico y dotándola de una nueva funcionalidad que sea compatible con los elementos y valores originales del inmueble.

8. Son obras de demolición las que tengan por objeto el derribo o la destrucción de un bien inmueble.

Concordancias a todo el artículo

➡ Concordancias normativas

Artículo 106 de la LCSP 30/2007 y artículo 123 del TRLCAP RDL 2/2000.

☞ Concordancias Jurisprudenciales

Tribunal Superior de Justicia de Galicia, Sala de lo Contencioso-administrativo, Sección 2.ª, Sentencia de 24 Feb. 2011, rec. 4031/2008

[LA LEY 23693/2011]

URBANISMO. Disciplina urbanística. Licencias urbanísticas. Actos necesitados de licencia. -- Disciplina urbanística. Licencias urbanísticas. Normativa aplicable. -- Disciplina urbanística. Licencias urbanísticas. Razones objetivas para el otorgamiento o denegación de licencia.

Artículo 123 *Contenido de los proyectos y responsabilidad derivada de su elaboración*

1. Los proyectos de obras deberán comprender, al menos:

a) Una memoria en la que se describa el objeto de las obras, que recogerá los antecedentes y situación previa a las mismas, las necesidades a satisfacer y la justificación de la solución adoptada, detallándose los factores de todo orden a tener en cuenta.

b) Los planos de conjunto y de detalle necesarios para que la obra quede perfectamente definida, así como los que delimiten la ocupación de terrenos y la restitución de servidumbres y demás derechos reales, en su caso, y servicios afectados por su ejecución.

c) El pliego de prescripciones técnicas particulares, donde se hará la descripción de las obras y se regulará su ejecución, con expresión de la forma en que ésta se llevará a cabo, las obligaciones de orden técnico que correspondan al contratista, y la manera en que se llevará a cabo la medición de las unidades ejecutadas y el control de calidad de los materiales empleados y del proceso de ejecución.

d) Un presupuesto, integrado o no por varios parciales, con expresión de los precios unitarios y de los descompuestos, en su caso, estado de mediciones y los detalles precisos para su valoración.

e) Un programa de desarrollo de los trabajos o plan de obra de carácter indicativo, con previsión, en su caso, del tiempo y coste.

f) Las referencias de todo tipo en que se fundamentará el replanteo de la obra.

g) El estudio de seguridad y salud o, en su caso, el estudio básico de seguridad y salud, en los términos previstos en las normas de seguridad y salud en las obras.

h) Cuanta documentación venga prevista en normas de carácter legal o reglamentario.

⊠ **Consultas**

• **Incumplimiento del programa de trabajo**

La empresa adjudicataria de una obra con cargo al FEIL no va a cumplir con las jornadas diarias ofertadas. ¿Puede aprobarse la certificación de obra ante tal incumplimiento del programa de trabajo? ¿Forma parte tal programa del proyecto?

[28/01/2010 EC 349/2010]

Contestación

Ya hemos señalado en alguna ocasión que los criterios de adjudicación para la obras del denominado «Plan E» desnaturalizan, en algunas ocasiones, los criterios objetivos que deben servir de base para adjudicar un contrato de obras. El hecho de que el citado Plan tuviera como uno de sus objetivos principales la creación de empleo, determina que en muchos casos los criterios de adjudicación tengan que ver más con el empleo que con la obra.

Este es el caso que creemos le ocurre al consultante, ya que se desprende de los términos de su consulta que el contratista no va a llegar a las jornadas trabajadas diarias que ofreció en su oferta; porque va a terminar la obra antes de emplear todas esas jornadas, por la sencilla razón de que no serán necesarias.

Desde nuestro punto de vista, si el contrato de obra es un contrato de resultado, y la obra se ha ejecutado conforme al proyecto aprobado, debe aprobarse la certificación de obra, aunque no se hayan cumplido todas las jornadas de trabajo diarias.

En cuanto al programa de trabajo, deben distinguirse dos conceptos. En este sentido en la obra «La Contratación del Sector Público Local», El Consultor 2008, se señala lo siguiente: «En materia de ejecución del contrato de obras tiene especial relevancia el programa de trabajo a que se refiere el artículo 144 del RCAP, programa que debe distinguirse claramente del que se integra en el proyecto de obras y que regula el artículo 107.1.e) de la LCSP. En efecto, dispone este precepto que el proyecto de obras deberá contener «un programa de desarrollo de los trabajos o plan de obra de carácter indicativo, con previsión, en su caso, del tiempo y coste»; es decir, como el propio precepto establece nos encontramos ante un documento meramente indicativo y previsor pero no vinculante. Muy distinto es el programa de trabajo que debe presentar el contratista (cuando lo exija el Pliego de Cláusulas Administrativas y siempre que la total ejecución de la obra esté prevista en más de una anualidad) y que debe aprobar la Administración, ya que este programa sí que es vinculante, formando parte del contrato a efectos de su exigibilidad, y teniendo gran relevancia para determinar las demoras parciales o total imputable al contratista. Es tal la importación de dicho programa que el apartado 4 del artículo 144 permite al director de la obra acordar no dar curso a las certificaciones hasta que el contratista haya presentado en debida forma el programa de trabajo cuando éste sea obligatorio, sin derecho a intereses de demora, en su caso, por retraso en el pago de estas certificaciones.»

2. No obstante, para los proyectos de obras de primer establecimiento, reforma o gran reparación inferiores a 350.000 euros, y para los restantes proyectos enumerados en el artículo anterior, se podrá simplificar, refundir o incluso suprimir, alguno o algunos de los documentos anteriores en la forma que en las normas de desarrollo de esta Ley se determine, siempre que la documentación resultante sea suficiente para definir, valorar y ejecutar las obras que comprenda. No obstante, sólo podrá prescindirse de la documentación indicada en la letra g) del apartado anterior en los casos en que así esté previsto en la normativa específica que la regula.

⊠ **Consultas**

• **El proyecto de obra y la memoria valorada**

¿En qué casos se requiere proyecto de obra y en qué otros es suficiente con una memoria valorada?

Contratación Administrativa Práctica, Nº 100, Sección Usted Pregunta, Septiembre 2010, pág. 12, Editorial LA LEY

[LA LEY 1197/2010]

Respuesta

La regla general es que las obras realizadas por la Administración requerirán la previa aprobación de un proyecto de obras donde se defina el objeto del contrato. En este sentido se pronuncia el art. 105 (LA LEY 10868/2007) de la Ley 30/2007, de 30 de octubre, de Contratos del Sector Público, cuando señala que en los términos previstos en esta Ley, la adjudicación de un contrato de obras requerirá la previa elaboración, supervisión, aprobación y replanteo del correspondiente proyecto que definirá con precisión el objeto del contrato.

En el mismo sentido, la Ley 38/1999, de 5 de noviembre (LA LEY 4217/1999) de Ordenación de la Edificación, después de señalar que en los contratos de obra cuando el dueño de la obra sea una administración se aplicarán las normas sobre contratación, define los supuestos en los que se requiere proyecto de obras en el art. 2.2 al señalar que tendrán la consideración de edificación a los efectos de lo dispuesto en esta Ley, y requerirán un proyecto según lo establecido en el artículo 4, las siguientes obras:

a) Obras de edificación de nueva construcción, excepto aquellas construcciones de escasa entidad constructiva y sencillez técnica que no tengan, de forma eventual o permanente, carácter residencial ni público y se desarrollen en una sola planta.

b) Obras de ampliación, modificación, reforma o rehabilitación que alteren la configuración arquitectónica de los edificios, entendiendo por tales las que tengan carácter de intervención total o las parciales que produzcan una variación esencial de la composición general exterior, la volumetría, o el conjunto del sistema estructural, o tengan por objeto cambiar los usos característicos del edificio.

c) Obras que tengan el carácter de intervención total en edificaciones catalogadas o que dispongan de algún tipo de protección de carácter ambiental o histórico-artístico, regulada a través de norma legal o documento urbanístico y aquellas otras de carácter parcial que afecten a los elementos o partes objeto de protección.

Ya el Tribunal Supremo, en sentencias de 20 de febrero y 9 de octubre de 1990 establece una doctrina sobre las obras que requiere proyecto señalando que los criterios a aplicar son el volumen de la obra, su trascendencia o peligro para la efectividad de la ordenación urbanística y, en último término, la complejidad o sencillez del proyecto. Deben ser los servicios técnicos del Ayuntamiento quienes a la vista de la obra, y en base a estos criterios expuestos, determinen en sus informes si una obra requiere o no proyecto técnico. Sin perjuicio de otras actuaciones que de acuerdo con sus específicas normas requieran de proyecto técnico éste se exige, por ejemplo, para la construcción de obras de nueva planta, reforma o rehabilitación que alteren la configuración o afecten a la seguridad de construcciones o instalaciones existentes, incluyendo la cimentación o elementos estructurales o modifiquen su composición exterior, el volumen o las superficies construidas o alteren el número de viviendas existentes o se refieran a inmuebles sujetos a protección urbanística... Asimismo requerirán proyecto técnico las obras de infraestructura y las de urbanización.

Por consiguiente la regla general es la necesidad de proyecto de obra, y estos proyectos de obra deberán contener la documentación a que se refiere el art. 107.1 de la citada LCSP.

Por otra parte, la norma no utiliza la expresión «relación valorada», sino que en algunos casos admite que el proyecto no contenga todos los documentos exigidos en el art. 107.1 y admite lo que podríamos denominar un proyecto simplificado. En efecto, el apartado 2 del art. 107 señala que no obstante, para los proyectos de obras de primer establecimiento, reforma o gran reparación inferiores a 350.000 euros, y para los restantes proyectos enumerados en el artículo anterior, se podrá simplificar, refundir o incluso suprimir, alguno o algunos de los documentos anteriores en la forma que en las normas de desarrollo de esta Ley se determine, siempre que la documentación resultante sea suficiente para definir, valorar y ejecutar las obras que comprenda. Y en este sentido, el art. 126 (LA LEY 1470/2001) del Real Decreto 1098/2001, de 12 de octubre, por el que se aprueba el Reglamento General de la Ley de Contratos de las Administraciones Públicas, dispone que los proyectos a que se refiere el artículo 124.2 de la Ley(hoy 107-2) deberán contener, como requisitos mínimos:

— Un documento que defina con precisión las obras y sus características técnicas.

—Y un presupuesto con expresión de los precios unitarios y descompuestos.

A ello debe añadirse el estudio de seguridad y salud que cita expresamente el art. 107.2 (LA LEY 10868/2007) LCSP.

Pues bien, aplicando esta normativa, y considerando que el presupuesto de obra no excede de los 100.000 euros puede entenderse que bastaría para el caso contemplado el proyecto simplificado a que se refiere el art. 107.2 LCSP.

3. Salvo que ello resulte incompatible con la naturaleza de la obra, el proyecto deberá incluir un estudio geotécnico de los terrenos sobre los que ésta se va a ejecutar, así como los informes y estudios previos necesarios para la mejor determinación del objeto del contrato.

⊠   **Consultas**

• **Licitación de la redacción de proyecto y dirección de obra de terrenos cedidos por una entidad local**

¿Es posible sacar a licitación una redacción de proyecto y dirección de obra, de unos terrenos que han sido cedidos por una entidad local si bien todavía no han sido aceptados por la Comunidad Autónoma? En caso afirmativo, ¿pueden sacarse a licitación sin estudio geotécnico? ¿A partir de qué momento sería obligatorio contar con este estudio geotécnico, con el proyecto básico?

Contratación Administrativa Práctica, Nº 90, Sección Usted Pregunta, Octubre 2009, Editorial LA LEY

[LA LEY 1939/2009]

Respuesta

La redacción de proyecto y dirección de obra es un contrato de servicios contemplado en el artículo 10 (LA LEY 10868/2007) de la Ley 30/2007, de Contratos del Sector Público. Luego, una vez aprobado el mismo, y previamente a la tramitación del expediente de contratación de obras, de conformidad con lo dispuesto en el artículo 110 (LA LEY 10868/2007) de la LCSP, tendrá lugar el replanteo del proyecto, el cual consistirá en comprobar la realidad geométrica de la misma y la disponibilidad de los terrenos precisos para su normal ejecución, que será requisito indispensable para la adjudicación en todos los procedimientos.

Por lo tanto, en cuanto a la primera cuestión, es perfectamente posible el iniciar el expediente de contratación de un contrato de servicios de redacción de proyecto y dirección. La disponibilidad de los terrenos será necesaria en el contrato de obras.

En cuanto al segundo punto diremos que, según el artículo 105 (LA LEY 10868/2007) de la LCSP, en los términos previstos en esta Ley, la adjudicación de un contrato de obras requerirá la previa elaboración, supervisión, aprobación y replanteo del correspondiente proyecto que definirá con precisión el objeto del contrato. La aprobación del proyecto corresponderá al órgano de contratación, salvo que tal competencia esté específicamente atribuida a otro órgano por una norma jurídica.

En el supuesto de adjudicación conjunta de proyecto y obra, la ejecución de ésta quedará condicionada a la supervisión, aprobación y replanteo del proyecto por el órgano de contratación.

El artículo 107.3 (LA LEY 10868/2007) de la LCSP, establece, por su parte, que salvo que ello resulte incompatible con la naturaleza de la obra, el proyecto deberá incluir un estudio geotécnico de los terrenos sobre los que ésta se va a ejecutar, así como los informes y estudios previos necesarios para la mejor determinación del objeto del contrato.

La exigencia de este estudio se debe a la necesidad de conocer la naturaleza y características del terreno donde se va a ejecutar.

La LCSP requiere con carácter general este documento, al exceptuarlo únicamente cuando resulte incompatible con la naturaleza de la obra. Pese a tal aparente generalidad, doctrinalmente se indica que normalmente no será necesario en las obras de reparación simple, conservación, mantenimiento y demolición, debiendo considerar en todo caso las circunstancias naturales del terreno en el que se va a intervenir, teniendo en cuenta las que de por sí pueden implicar mayores riesgos: cercanía al mar o a corrientes de agua subterráneas o manantiales, antiguos cauces de río o pantanos, zonas montañosas, etc.

En todo caso, debe exigirse del técnico redactor del proyecto un pronunciamiento expreso sobre la necesidad o no de este estudio. Si fuese necesario, debe ser aportado por la Administración al proyectista, salvo que se haya contratado la redacción incluyendo la del estudio geotécnico.

Por lo tanto, el estudio geotécnico debe incluirse en el proyecto y si no es necesario, justificarlo en el expediente. Como usted dice muy bien, el momento en que sería obligatorio contar con este estudio geotécnico, sería en con el proyecto.

4. Cuando la elaboración del proyecto haya sido contratada íntegramente por la Administración, el autor o autores del mismo incurrirán en responsabilidad en los términos establecidos en los artículos 310 a 312. En el supuesto de que la prestación se llevara a cabo en colaboración con la Administración y bajo su supervisión, las responsabilidades se limitarán al ámbito de la colaboración.

5. Los proyectos deberán sujetarse a las instrucciones técnicas que sean de obligado cumplimiento.

➡ Concordancias normativas

Artículo 107 de la LCSP 30/2007 y artículos 124 y 127 del TRLCAP RDL 2/2000.

Artículo 124 *Presentación del proyecto por el empresario*

1. La contratación conjunta de la elaboración del proyecto y la ejecución de las obras correspondientes tendrá carácter excepcional y sólo podrá efectuarse en los siguientes supuestos cuya concurrencia deberá justificarse debidamente en el expediente:

a) Cuando motivos de orden técnico obliguen necesariamente a vincular al empresario a los estudios de las obras. Estos motivos deben estar ligados al destino o a las técnicas de ejecución de la obra.

b) Cuando se trate de obras cuya dimensión excepcional o dificultades técnicas singulares, requieran soluciones aportadas con medios y capacidad técnica propias de las empresas.

☞ Concordancias Jurisprudenciales

Tribunal Superior de Justicia de Andalucía de Sevilla, Sala de lo Contencioso-administrativo, Sección 1.ª, Sentencia de 2 Jun. 2009, rec. 287/2008

[LA LEY 183281/2009]

CONTRATOS ADMINISTRATIVOS. Validez e invalidez de los contratos. Se declara la nulidad de la contratación conjunta por parte del Ayuntamiento del proyecto y de las obras para la instalación de un centro de asuntos sociales, en tanto que la construcción rápida de vivienda pública no puede ser causa bastante para justificar la unión de los distintos objetos en un solo contrato.

2. En todo caso, la licitación de este tipo de contrato requerirá la redacción previa por la Administración o entidad contratante del correspondiente anteproyecto o documento similar y sólo, cuando por causas justificadas fuera conveniente al interés público, podrá limitarse a redactar las bases técnicas a que el proyecto deba ajustarse.

3. El contratista presentará el proyecto al órgano de contratación para su supervisión, aprobación y replanteo. Si se observaren defectos o referencias de precios inadecuados en el proyecto recibido se requerirá su subsanación del contratista, en los términos del artículo 310, sin que pueda iniciarse la ejecución de obra hasta que se proceda a una nueva supervisión, aprobación y replanteo del proyecto. En el supuesto de que el órgano de contratación y el contratista no llegaren a un acuerdo sobre los precios, el último quedará exonerado de ejecutar las obras, sin otro derecho frente al órgano de contratación que el pago de los trabajos de redacción del correspondiente proyecto.

4. En los casos a que se refiere este artículo, la iniciación del expediente y la reserva de crédito correspondiente fijarán el importe estimado máximo que el futuro contrato puede alcanzar. No obstante, no se procederá a la fiscalización del gasto, a su aprobación, así como a la adquisición del compromiso generado por el mismo, hasta que se conozca el importe y las condiciones del contrato de acuerdo con la proposición seleccionada, circunstancias que serán recogidas en el correspondiente pliego de cláusulas administrativas particulares.

5. Cuando se trate de la elaboración de un proyecto de obras singulares de infraestructuras hidráulicas o de transporte cuya entidad o complejidad no permita establecer el importe estimativo de la realización de las obras, la previsión del precio máximo a que se refiere el apartado anterior se limitará exclusivamente al proyecto. La ejecución de la obra quedará supeditada al estudio de la viabilidad de su financiación y a la tramitación del correspondiente expediente de gasto. En el supuesto de que se renunciara a la ejecución de la obra o no se produzca pronunciamiento en un plazo de tres meses, salvo que el pliego de cláusulas

estableciera otro mayor, el contratista tendrá derecho al pago del precio del proyecto incrementado en el 5 por 100 como compensación.

Concordancias a todo el artículo

➡ Concordancias normativas

Artículo 108 de la LCSP 30/2007 y artículo 125 del TRLCAP RDL 2/2000.

☞ Concordancias Jurisprudenciales

Tribunal Superior de Justicia de Navarra, Sala de lo Contencioso-administrativo, Sentencia de 17 Nov. 2010, rec. 139/2010

[LA LEY 303580/2010]

CONTRATOS ADMINISTRATIVOS. Nulidad de la contratación conjunta de la redacción del proyecto de un centro de educación infantil y primaria y de la dirección facultativa y ejecución de las obras. Falta de justificación de la contratación conjunta licitada. La contratación conjunta tiene en el Derecho administrativo navarro carácter excepcional y deben por ello mismo ser los supuestos habilitantes objeto de una apreciación restrictiva, que impida incurrir en el exceso de hacer de la excepción norma. Ni las características de la obra ni sus requerimientos técnicos, ni los procedimientos de ejecución y la vinculación del diseño a ellos justifican el tratamiento excepcional que a dicha contratación se dispensa con la conjunción de proyecto, ejecución y dirección de obras en un sólo contrato. Incumplimiento por la Administración contratante de los requisitos prevenidos para la contratación conjunta de proyecto y obra. No resulta acreditada la «previa redacción por la Administración del correspondiente anteproyecto o documento similar», ni la expresión de las «causas justificadas» que hagan «conveniente al interés público» la limitación de la Administración a «redactar las bases técnicas a las que el proyecto deba ajustarse». Procede retrotraer las actuaciones, a fin de modificar el objeto de la convocatoria para que se sustancien separadamente el concurso del proyecto, el de la ejecución de las obras y el de su asistencia técnica.

Artículo 125 *Supervisión de proyectos*

Antes de la aprobación del proyecto, cuando la cuantía del contrato de obras sea igual o superior a 350.000 euros, los órganos de contratación deberán solicitar un informe de las correspondientes oficinas o unidades de supervisión de los proyectos encargadas de verificar que se han tenido en cuenta las disposiciones generales de carácter legal o reglamentario así como la normativa técnica que resulten de aplicación para cada tipo de proyecto. La responsabilidad por la aplicación incorrecta de las mismas en los diferentes estudios y cálculos se exigirá de conformidad con lo dispuesto en el artículo 123.4. En los proyectos de cuantía inferior a la señalada, el informe tendrá carácter facultativo, salvo que se trate de obras que afecten a la estabilidad, seguridad o estanqueidad de la obra en cuyo caso el informe de supervisión será igualmente preceptivo.

Concordancias a todo el artículo

➡ **Concordancias normativas**

Artículo 109 de la LCSP 30/2007 y artículo 128 del TRLCAP RDL 2/2000.

☞ **Concordancias Jurisprudenciales**

Audiencia Nacional, Sala de lo Contencioso-administrativo, Sección 1.ª, Sentencia de 25 Abr. 2011, rec. 321/2010

[LA LEY 32367/2011]

CONTRATOS ADMINISTRATIVOS. Intereses de demora por el retraso en realizar la revisión de precios

Tribunal Administrativo Central de Recursos Contractuales, Resolución de 3 Nov. 2011, rec. 220/2011

[LA LEY 219517/2011]

CONTRATO ADMINISTRATIVO DE OBRAS. Impugnación de parte del contenido de la memoria y los pliegos que rigen la contratación de la obra y acondicionamiento del terreno local usado por empresa de acuerdo con la futura inversión «obras urbanización y ejecución de edificios polígono industrial norte», convocado por el Aeropuerto de Palma de Mallorca.

RECURSO ESPECIAL EN MATERIA DE CONTRATACIÓN. Inadmisión. El contrato no es susceptible de recurso especial en materia de contratación. El régimen aplicable al contrato impugnado es el derecho privado. En los contratos de obras sólo es posible formular el recurso especial en materia de contratación cuando se encuentran sujetos a regulación armonizada, siendo contratos sujetos a regulación armonizada aquellos cuyo valor estimado sea igual o superior al fijado legalmente.

Tribunal Administrativo Central de Recursos Contractuales, Resolución de 26 Oct. 2011, rec. 222/2011

[LA LEY 214634/2011]

CONTRATO ADMINISTRATIVO DE SUMINISTROS. Impugnación del pliego de cláusulas administrativas particulares que rige la contratación por procedimiento abierto de «suministro de fungibles para diálisis y la cesión del equipamiento necesario» para hospital universitario de Gran Canaria. RECURSO ESPECIAL EN MATERIA DE CONTRATACIÓN. Inadmisión. Por incompetencia del TACRC. El Hospital, dependiente del Servicio Canario de Salud, es un órgano de la Comunidad Autónoma de Canarias, por lo que no puede considerarse incluido en el ámbito de la Administración General del Estado. Puesto que no existe órgano competente para resolver los recursos especiales en materia contratación creado por la Comunidad Autónoma ni ésta tiene suscrito convenio con el TACRC, la competencia para resolver el recurso debe ser atribuida a los mismos órganos que la tuvieran atribuida con anterioridad a la Ley.

Artículo 126 *Replanteo del proyecto*

1. Aprobado el proyecto y previamente a la tramitación del expediente de contratación de la obra, se procederá a efectuar el replanteo del mismo, el cual consistirá en comprobar la realidad geométrica de la misma y la disponibilidad de los terrenos precisos para su normal ejecución, que será requisito indispensable para la adjudicación en todos los procedimientos. Asimismo se deberán comprobar cuantos supuestos figuren en el proyecto elaborado y sean básicos para el contrato a celebrar.

2. En la tramitación de los expedientes de contratación referentes a obras de infraestructuras hidráulicas, de transporte y de carreteras, se dispensará del requisito previo de disponibilidad de los terrenos, si bien la ocupación efectiva de aquéllos deberá ir precedida de la formalización del acta de ocupación.

3. En los casos de cesión de terrenos o locales por Entidades públicas, será suficiente para acreditar la disponibilidad de los terrenos, la aportación de los acuerdos de cesión y aceptación por los órganos competentes.

4. Una vez realizado el replanteo se incorporará el proyecto al expediente de contratación.

✉ **Consultas**

• **Forma de emitir cheques para realizar pagos «a pie de escenario»: pago a justificar instrumentado a través de cuenta corriente.**

¿Cuál sería el mejor procedimiento para efectuar los pagos de actuaciones en las fiestas patronales en el mismo momento en que se desarrollan?

[15/09/2008 EC 2864/2008]

Contestación

El problema que se plantea es muy común en los ayuntamientos y hemos de señalar que está bastante mal resuelto en la mayor parte de los casos.

Lo primero que hemos de señalar es que los artistas al igual que cualquier otro contratista de la administración estarían sujetos al art. 200.4 de la Ley 30/2007, de 30 de octubre (EC 3697/2007), de Contratos del Sector Público (LCSP), a cuyo tenor, la Administración tendrá la obligación de abonar el precio dentro de los sesenta días siguientes a la fecha de la expedición de las certificaciones de obras o de los correspondientes documentos que acrediten la realización total o parcial del contrato, sin perjuicio del plazo especial establecido en el apartado 4 del art. 110, y, si se demorase, deberá abonar al contratista, a partir del cumplimiento de dicho plazo de sesenta días, los intereses de demora y la indemnización por los costes de cobro en los términos previstos en la Ley por la que se establecen medidas de lucha contra la morosidad en las operaciones comerciales. Esto es, no tienen porqué cobrar inmediatamente después de la actuación o, incluso, antes de ella.

Ahora bien, como el problema en realidad es que si no se paga no hay actuación, todos los ayuntamientos a quienes se realiza esta exigencia pagan de esta forma, incumpliendo con ello el orden de prelación de pagos.

Se utilizan tres sistemas para realizar este pago, que pasamos a exponer:

— El primero, y a nuestro juicio más irregular, es el reconocer la obligación antes de la actuación, con lo que el cheque se expide a nombre del tercero. Sin embargo este artículo contradice claramente lo dispuesto en los arts. 58 y 59 del Real Decreto 500/1990, de 20 de abril (EC 974/1990), de desarrollo de la Ley de Haciendas Locales en materia de presupuestos, que después de señalar que el reconocimiento y liquidación de la obligación es el acto mediante el cual se declara la existencia de un crédito exigible contra la Entidad derivado de un gasto autorizado y comprometido, añade que previamente al reconocimiento de las obligaciones habrá de acreditarse documentalmente ante el órgano competente la realización de la prestación o el derecho del acreedor de conformidad con los acuerdos que en su día autorizaron y comprometieron el gasto. Es claro que en este supuesto no se puede acreditar la realización de la prestación porque todavía no se ha prestado con lo que difícilmente puede reconocerse la obligación.

— El segundo sistema que se emplea es realizar pagos pendientes de aplicación, que aunque no estén previstos para estas circunstancias permiten expedir el mandamiento a nombre del tercero y con ello el cheque. Posteriormente cuando se presenta la factura se procede a reconocer la obligación y aplicar el pago. No podemos decir que se trate de un procedimiento absolutamente regular porque se hace un pago anticipado sin ningún documento que lo soporte pero por lo menos se evita reconocer la obligación.

— El tercer sistema y a nuestro juicio al que debería acudirse si se quiere evitar la utilización de numerario es un pago a justificar instrumentado a través de la apertura de cuenta corriente al perceptor, tal y como autorizan las reglas 31 y siguientes de la Instrucción del modelo normal de Contabilidad Local, aprobada por Orden Ministerial de Economía y Hacienda 4041/2004, de 23 de noviembre. En este caso se permite al perceptor de fondos poder pagar con cheques con lo que se evita el empleo de fondos. El pago a justificar se paga mediante ingreso en la cuenta habilitada al perceptor, en el que el sólo con su firma puede proceder al pago de los cheques. Esto cheques se pagarán contra entrega de factura y posteriormente se realizará la justificación del pago a justificar.

Concordancias a todo el artículo

➡ **Concordancias normativas**

Artículo 110 de la LCSP 30/2007 y artículo 129 del TRLCAP RDL 2/2000.

☞ **Concordancias Jurisprudenciales**

Audiencia Provincial de Alicante, Sección 9.ª, Sentencia de 17 Oct. 2011, rec. 811/2010

ARRENDAMIENTO DE OBRA. RESPONSABILIDAD CONTRACTUAL. Acción de resarcimiento de daños y perjuicios por error en el replanteo de la parcela, invadiendo suelo de uso público. Acreditada la realidad del error en la proyección. De los vicios derivados de las diferencias de cabida responde el arquitecto pero no el aparejador, a quien no le son imputables las deficiencias derivadas del proyecto. Inexistencia de responsabilidad de la constructora, obligada a la ejecución material correcta de la obra. Estimación de la excepción de falta de legitimación pasiva de dichos agentes de la construcción. Legitimado pasivamente el arquitecto en cuanto persona física, con titulación profesional habilitante, siendo la sociedad constituida meramente instrumental y por razones fiscales y a efectos de cobros y pagos. Obligados a indemnizar los daños causados por incumplir sus obligaciones. Moderación de la indemnización reclamada por haberse ejecutado el encargo correctamente prácticamente en su totalidad salvo la disfunción existente en uno de los límites. COSTAS PROCESALES. Abono por la parte demandante de las causadas por la intervención de los codemandados absueltos llamados al proceso para evitar una excepción de falta de litisconsorcio pasivo necesario.

Audiencia Nacional, Sala de lo Contencioso-administrativo, Sección 1.ª, Sentencia de 3 Mar. 2011, rec. 362/2009

[LA LEY 5780/2011]

EXPROPIACIÓN FORZOSA. Conformidad a derecho de la aprobación del Proyecto de Senda Peatonal entre dos puntos de la costa. Admisibilidad del recurso, ya que el acto impugnado no es un acto de tramite sino que aprueba un Proyecto, a salvo de la acreditación de la totalidad de los bienes necesarios para la ejecución, con sus planos, de los que resulta la necesidad de expropiación de una mínima porción de la parcela de la interesada. Independientemente de que no se haya acordado aún la expropiación la mera aprobación del Proyecto puede conllevar la producción de daños al interesado y justifica su interés en la anulación de la resolución impugnada. El interesado se limita a contraponer su interés particular al interés general, sin que se haya acreditado razón alguna de legalidad que obligase a la anulación pretendida.

Subsección 2

Pliego de Cláusulas Administrativas en contratos bajo la modalidad de abono total del precio

Artículo 127 *Contenido de los pliegos de cláusulas administrativas en los contratos de obra con abono total del precio*

En los contratos de obras en los que se estipule que la Administración satisfará el precio mediante un único abono efectuado en el momento de terminación de la obra, obligándose el contratista a financiar su construcción adelantando las cantidades necesarias hasta que se produzca la recepción de la obra terminada, los pliegos de cláusulas administrativas particulares deberán incluir las condiciones específicas de la financiación, así como, en su caso, la capitalización de sus intereses y su liquidación, debiendo las ofertas expresar separadamente el precio de construcción y el precio final a pagar, a efectos de que en la valoración de las mismas se puedan ponderar las condiciones de financiación y la refinanciación, en su caso, de los costes de construcción.

Concordancias a todo el artículo

➡ **Concordancias normativas**

Artículo 111 de la LCSP 30/2007.

☞ **Concordancias Jurisprudenciales**

Audiencia Nacional, Sala de lo Contencioso-administrativo, Sección 5.ª, Sentencia de 11 May. 2011, rec. 853/2009

[LA LEY 75391/2011]

PROCESO CONTENCIOSO-ADMINISTRATIVO. Inadmisión del recurso contra resolución de la Ministra de Defensa por la que se resuelve contrato administrativo de servicio de limpieza. Al tratarse de un acto de trámite, ni decide el fondo del asunto, ni impide continuar el procedimiento y no permite su impugnación. El incumplimiento del contratista está acreditado, por otra parte no negado por éste, y el expediente de resolución se ha tramitado con todas las garantías legales e informes preceptivos.

Tribunal Administrativo Central de Recursos Contractuales, Resolución de 26 Oct. 2011, rec. 222/2011

[LA LEY 214634/2011]

CONTRATO ADMINISTRATIVO DE SUMINISTROS. Impugnación del pliego de cláusulas administrativas particulares que rige la contratación por procedimiento abierto de «suministro de fungibles para diálisis y la cesión del equipamiento necesario» para hospital universitario de Gran Canaria. RECURSO ESPECIAL EN MATERIA DE CONTRATACIÓN. Inadmisión. Por incompetencia del TACRC. El Hospital, dependiente del Servicio Canario de Salud, es un órgano de la Comunidad Autónoma de Canarias, por lo que no puede considerarse incluido en el ámbito de la Administración General del Estado. Puesto que no existe órgano competente para resolver los recursos especiales en materia contratación creado por la Comunidad Autónoma ni ésta tiene suscrito convenio con el TACRC, la competencia para resolver el recurso debe ser atribuida a los mismos órganos que la tuvieran atribuida con anterioridad a la Ley.

Sección 2

Actuaciones preparatorias del contrato de concesión de obra pública

Artículo 128 *Estudio de viabilidad*

1. Con carácter previo a la decisión de construir y explotar en régimen de concesión una obra pública, el órgano que corresponda de la Administración concedente acordará la realización de un estudio de viabilidad de la misma.

2. El estudio de viabilidad deberá contener, al menos, los datos, análisis, informes o estudios que procedan sobre los puntos siguientes:

a) Finalidad y justificación de la obra, así como definición de sus características esenciales.

b) Previsiones sobre la demanda de uso e incidencia económica y social de la obra en su área de influencia y sobre la rentabilidad de la concesión.

c) Valoración de los datos e informes existentes que hagan referencia al planeamiento sectorial, territorial o urbanístico.

d) Estudio de impacto ambiental cuando éste sea preceptivo de acuerdo con la legislación vigente. En los restantes casos, un análisis ambiental de las alternativas y las correspondientes medidas correctoras y protectoras necesarias.

e) Justificación de la solución elegida, indicando, entre las alternativas consideradas si se tratara de infraestructuras viarias o lineales, las características de su trazado.

f) Riesgos operativos y tecnológicos en la construcción y explotación de la obra.

g) Coste de la inversión a realizar, así como el sistema de financiación propuesto para la construcción de la obra con la justificación, asimismo, de la procedencia de ésta.

h) Estudio de seguridad y salud o, en su caso, estudio básico de seguridad y salud, en los términos previstos en las disposiciones mínimas de seguridad y salud en obras de construcción.

3. La Administración concedente someterá el estudio de viabilidad a información pública por el plazo de un mes, prorrogable por idéntico plazo en razón de la complejidad del mismo y dará traslado del mismo para informe a los órganos de la Administración General del Estado, las Comunidades Autónomas y Entidades Locales afectados cuando la obra no figure en el correspondiente planeamiento urbanístico, que deberán emitirlo en el plazo de un mes.

4. El trámite de información pública previsto en el apartado anterior servirá también para cumplimentar el concerniente al estudio de impacto ambiental, en los casos en que la declaración de impacto ambiental resulte preceptiva.

5. Se admitirá la iniciativa privada en la presentación de estudios de viabilidad de eventuales concesiones. Presentado el estudio será elevado

al órgano competente para que en el plazo de tres meses comunique al particular la decisión de tramitar o no tramitar el mismo o fije un plazo mayor para su estudio que, en ningún caso, será superior a seis meses. El silencio de la Administración o de la entidad que corresponda equivaldrá a la no aceptación del estudio.

En el supuesto de que el estudio de viabilidad culminara en el otorgamiento de la correspondiente concesión tras la oportuna licitación, su autor tendrá derecho, siempre que no haya resultado adjudicatario y salvo que el estudio hubiera resultado insuficiente de acuerdo con su propia finalidad, al resarcimiento de los gastos efectuados para su elaboración, incrementados en un 5 por 100 como compensación, gastos que podrán imponerse al concesionario como condición contractual en el correspondiente pliego de cláusulas administrativas particulares. El importe de los gastos será determinado por la Administración concedente en función de los que resulten acreditados por quien haya presentado el estudio, conformes con la naturaleza y contenido de éste y de acuerdo con los precios de mercado.

6. La Administración concedente podrá acordar motivadamente la sustitución del estudio de viabilidad a que se refieren los apartados anteriores por un estudio de viabilidad económico-financiera cuando por la naturaleza y finalidad de la obra o por la cuantía de la inversión requerida considerara que éste es suficiente. En estos supuestos la Administración elaborará además, antes de licitar la concesión, el correspondiente anteproyecto o proyecto para asegurar los trámites establecidos en los apartados 3 y 4 del artículo siguiente.

Concordancias a todo el artículo

➡ Concordancias normativas

Artículo 112 de la LCSP 30/2007 y artículo 227 del TRLCAP RDL 2/2000.

✉ Consultas

• **El contrato para la construcción y gestión del servicio de tanatorio puede ser tanto un contrato de concesión de obra pública como un contrato de gestión de servicio público con obra**

Se plantean varias dudas en relación con la construcción de un tanatorio: ¿Es un servicio público o una actividad económica? ¿Cómo se calificaría el contrato para la construcción y explotación por particulares? ¿Quién debería elaborar el estudio de viabilidad, en su caso? ¿Qué consecuencias tendría un resultado negativo del estudio?

[25/05/2009 EC 1577/2009]

Respuesta

Por lo que se refiere a la primera pregunta, entendemos que un tanatorio es un servicio público; así se desprende del art. 25 de la Ley 7/1985, de 2 de abril (BOE del 3), Reguladora de las Bases de Régimen Local (LRBRL), cuando establece en su apartado 2 que el municipio ejercerá en todo caso competencia en materia de cementerios y servicios funerarios.

Así lo considerábamos en consulta publicada en EC 1297/1996, en la que señalábamos, entre otras cosas, que la expresión servicios mortuorios es ciertamente genérica y omnicomprensiva de cuantas intervenciones municipales puedan tener lugar con ocasión de la muerte de las personas. Engloba, por otra parte, los servicios de pompas fúnebres, los propios cementerios, todas las prestaciones en la materia (inhumaciones, incineraciones, tanatorios, etc.). Todos estos servicios pueden ser municipalizados y algún ejemplo de ello se ha producido. Y añadíamos que hay ciertos servicios que por su trascendencia para el interés público aconsejan en general una gestión directa (los mataderos, cementerios, ciertos servicios sanitarios, la protección civil), pero lo cierto es que la obligatoriedad de la gestión directa sólo alcanza a los que implican ejercicio de autoridad, entre los cuales no se encuentran ni los cementerios ni los servicios fúnebres, dentro de los cuales se integran.

En cuanto a los tipos contractuales, entendemos que tiene que ser o un contrato de concesión de obra pública o un contrato de gestión de servicios públicos con ejecución de obra. La diferencia entre ambas figuras no está clara en muchos supuestos, aunque a partir de la Ley 30/2007, de 30 de octubre (BOE del 31), de Contratos del Sector Público (LCSP), se ha clarificado más la situación, ya que se considera como contrato de concesión de obra pública aquél que tiene por objeto la construcción por el concesionario de una obra. Dicho esto, creemos que para calificar el contrato habrá que estar a que se considera como elemento determinante del mismo: la construcción de la obra o la explotación. En el primer caso estaremos ante un contrato de concesión de obra pública y en el segundo ante un contrato de gestión de servicios públicos con ejecución de obra. Normalmente, desde que apareció el contrato de concesión de obra pública como categoría independiente, en este tipo de contratos lo que se busca realmente es la financiación ajena de la obra, y de ahí que el principal interés de la Administración sea ejecutar la obra sin tener que financiarla total o parcialmente.

Pues bien, en estos casos consideramos que se trata de un contrato de concesión de obra pública porque el objeto principal es la construcción de la obra, y la explotación se limita a ser, tal y como señala el propio art. 7 LCSP, la retribución del concesionario.

En cuanto a la elaboración del plan de viabilidad, debe señalarse que no está entre las funciones del interventor ni debería encomendársele ya que sí a este órgano le corresponde la fiscalización del contrato y de todos sus elementos, en principio no debe intervenir en la elaboración de un estudio de viabilidad. En cuanto al tesorero, sería más discutible, ya que aunque no se encuentra entre las funciones atribuidas por la ley, se le podrán encomendar otras funciones por la corporación. Lo que ocurre, como ya hemos señalado en muchas consultas, es que en ayuntamientos en los que no existen muchos funcionarios cualificados en ocasiones se realizan funciones que no son las estrictamente propias del puesto. Ahora bien, también entendemos que tendría capacidad para hacer el estudio de viabilidad el arquitecto municipal.

Por lo que se refiere a la posibilidad de que lo efectúe una empresa, debe señalarse que el art. 112.5 LCSP dispone que se admitirá la iniciativa privada en la presentación de estudios de viabilidad de eventuales concesiones. Presentado el estudio será elevado al órgano competente para que en el plazo de tres meses comunique al particular la decisión de tramitar o no tramitar el mismo o fije un plazo mayor para su estudio que, en ningún caso, será superior a seis meses. El silencio de la administración o de la entidad que corresponda equivaldrá a la no aceptación del estudio. Por lo que entendemos que sí que sería posible.

El estudio de viabilidad recogido en el art. 112 tiene como objetivo fundamental acreditar que la obra es viable tanto desde el punto de vista de su ejecución como de su mantenimiento. De ahí que el precepto señalado disponga que deberá contener, al menos, los datos, análisis, informes o estudios que procedan sobre los puntos siguientes:

a) Finalidad y justificación de la obra, así como definición de sus características esenciales.

b) Previsiones sobre la demanda de uso e incidencia económica y social de la obra en su área de influencia y sobre la rentabilidad de la concesión.

c) Valoración de los datos e informes existentes que hagan referencia al planeamiento sectorial, territorial o urbanístico.

d) Estudio de impacto ambiental cuando éste sea preceptivo de acuerdo con la legislación vigente. En los restantes casos, un análisis ambiental de las alternativas y las correspondientes medidas correctoras y protectoras necesarias.

e) Justificación de la solución elegida, indicando, entre las alternativas consideradas si se tratara de infraestructuras viarias o lineales, las características de su trazado.

f) Riesgos operativos y tecnológicos en la construcción y explotación de la obra.

g) Coste de la inversión a realizar, así como el sistema de financiación propuesto para la construcción de la obra con la justificación, asimismo, de la procedencia de ésta.

h) Estudio de seguridad y salud o, en su caso, estudio básico de seguridad y salud, en los términos previstos en las disposiciones mínimas de seguridad y salud en obras de construcción.

Una vez que está acreditada la posibilidad de ejecución de la obra lo esencial es el estudio económico-financiero que tiene que hacerse en estos casos para determinar la retribución del concesionario. Es decir, una vez determinados los costes de la ejecución de la obra lo importante es determinar si la explotación de la misma durante x años, teniendo en cuenta las previsiones sobre demanda de uso y las tarifas previstas, va a ser suficiente para retribuir al concesionario los costes de amortización de la obra, los costes directos e indirectos de mantenimiento y además va a tener un beneficio en su actividad.

No puede hablarse a priori de estudio de viabilidad negativo en el sentido de que no exista equilibrio económico entre los costes y los ingresos previstos, porque precisamente el estudio de viabilidad es para determinar si la explotación de la obra es suficiente para retribuir al concesionario o, por el contrario, hay que adoptar otras medidas que aseguren la viabilidad.

Artículo 129 *Anteproyecto de construcción y explotación de la obra*

1. En función de la complejidad de la obra y del grado de definición de sus características, la Administración concedente, aprobado el estudio de viabilidad, podrá acordar la redacción del correspondiente anteproyecto. Éste podrá incluir, de acuerdo con la naturaleza de la obra, zonas complementarias de explotación comercial.

2. El anteproyecto de construcción y explotación de la obra deberá contener, como mínimo, la siguiente documentación:

a) Una memoria en la que se expondrán las necesidades a satisfacer, los factores sociales, técnicos, económicos, medioambientales y administrativos considerados para atender el objetivo fijado y la justificación de la solución que se propone. La memoria se acompañará de los datos y cálculos básicos correspondientes.

b) Los planos de situación generales y de conjunto necesarios para la definición de la obra.

c) Un presupuesto que comprenda los gastos de ejecución de la obra, incluido el coste de las expropiaciones que hubiese que llevar a cabo, partiendo de las correspondientes mediciones aproximadas y valoraciones. Para el cálculo del coste de las expropiaciones se tendrá en cuenta el sistema legal de valoraciones vigente.

d) Un estudio relativo al régimen de utilización y explotación de la obra, con indicación de su forma de financiación y del régimen tarifario que regirá en la concesión, incluyendo, en su caso, la incidencia o contribución en éstas de los rendimientos que pudieran corresponder a la zona de explotación comercial.

3. El anteproyecto se someterá a información pública por el plazo de un mes, prorrogable por idéntico plazo en razón de su complejidad, para que puedan formularse cuantas observaciones se consideren oportunas sobre la ubicación y características de la obra, así como cualquier otra circunstancia referente a su declaración de utilidad pública, y dará traslado de éste para informe a los órganos de la Administración General del Estado, las Comunidades Autónomas y Entidades Locales afectados.

Este trámite de información pública servirá también para cumplimentar el concerniente al estudio de impacto ambiental, en los casos en que la declaración de impacto ambiental resulte preceptiva y no se hubiera efectuado dicho trámite anteriormente por tratarse de un supuesto incluido en el apartado 6 del artículo anterior.

4. La Administración concedente aprobará el anteproyecto de la obra, considerando las alegaciones formuladas e incorporando las prescripciones de la declaración de impacto ambiental, e instará el reconocimiento concreto de la utilidad pública de ésta a los efectos previstos en la legislación de expropiación forzosa.

5. Cuando el pliego de cláusulas administrativas particulares lo autorice, y en los términos que éste establezca, los licitadores a la concesión podrán introducir en el anteproyecto las variantes o mejoras que estimen convenientes.

➡ **Concordancias normativas**

Artículo 113 de la LCSP 30/2007 y artículo 228 del TRLCAP RDL 2/2000.

Artículo 130 *Proyecto de la obra y replanteo de éste*

1. En el supuesto de que las obras sean definidas en todas sus características por la Administración concedente, se procederá a la redacción, supervisión, aprobación y replanteo del correspondiente proyecto de acuerdo con lo dispuesto en los correspondientes artículos de esta Ley y al reconocimiento de la utilidad pública de la obra a los efectos previstos en la legislación de expropiación forzosa.

2. Cuando no existiera anteproyecto, la Administración concedente someterá el proyecto, antes de su aprobación definitiva, a la tramitación establecida en los apartados 3 y 4 del artículo anterior para los anteproyectos.

3. Será de aplicación en lo que se refiere a las posibles mejoras del proyecto de la obra lo dispuesto en el apartado 5 del artículo anterior.

4. El concesionario responderá de los daños derivados de los defectos del proyecto cuando, según los términos de la concesión, le corresponda su presentación o haya introducido mejoras en el propuesto por la Administración.

➡ **Concordancias normativas**

Artículo 114 de la LCSP 30/2007 y artículo 229 del TRLCAP RDL 2/2000.

☞ **Concordancias Jurisprudenciales**

Juzgado de lo Contencioso-administrativo N.º. 2 de Oviedo, Sentencia de 14 May. 2010, rec. 146/2009

CONCESIONES PÚBLICAS. Revisión de tarifas; explotación de servicio de aparcamiento subterráneo. Desestimación de la solicitud de revisión de tarifas y solicitud de incremento tarifario. Mantenimiento del equilibrio económico de la concesión y principio de riesgo y ventura del contratista. Proscripción normativa de la facturación por fracciones de tiempo e imposición de la facturación en tiempo real. Justificación de la existencia de circunstancia sobrevenida que rompe el equilibrio de la concesión para proceder a la revisión. PROCESO CONTENCIOSO-ADMINISTRATIVO. Existencia de legitimación de la empresa sucesora del concesionario originario.

Artículo 131 *Pliegos de cláusulas administrativas particulares*

1. Los pliegos de cláusulas administrativas particulares de los contratos de concesión de obras públicas deberán hacer referencia, al menos, a los siguientes aspectos:

a) Definición del objeto del contrato, con referencia al anteproyecto o proyecto de que se trate y mención expresa de los documentos de éste que revistan carácter contractual. En su caso determinación de la zona complementaria de explotación comercial.

b) Requisitos de capacidad y solvencia financiera, económica y técnica que sean exigibles a los licitadores.

c) Contenido de las proposiciones, que deberán hacer referencia, al menos, a los siguientes extremos:

1.º Relación de promotores de la futura sociedad concesionaria, en el supuesto de que estuviera prevista su constitución, y características de la misma tanto jurídicas como financieras.

2.º Plan de realización de las obras con indicación de las fechas previstas para su inicio, terminación y apertura al uso al que se destinen.

3.º Plazo de duración de la concesión.

4.º Plan económico-financiero de la concesión que incluirá, entre los aspectos que le son propios, el sistema de tarifas, la inversión y los costes de explotación y obligaciones de pago y gastos financieros, directos o indirectos, estimados. Deberá ser objeto de consideración específica la incidencia en las tarifas, así como en las previsiones de amortización, en el plazo concesional y en otras variables de la concesión previstas en el pliego, en su caso, de los rendimientos de la demanda de utilización de la obra y, cuando exista, de los beneficios derivados de la explotación de la zona comercial, cuando no alcancen o cuando superen los niveles mínimo y máximo, respectivamente, que se consideren en la oferta. En cualquier caso, si los rendimientos de la zona comercial no superan el umbral mínimo fijado en el pliego de cláusulas administrativas, dichos rendimientos no podrán considerarse a los efectos de la revisión de los elementos señalados anteriormente.

5.º En los casos de financiación mixta de la obra, propuesta del porcentaje de financiación con cargo a recursos públicos, por debajo de los establecidos en el pliego de cláusulas administrativas particulares.

6.º Compromiso de que la sociedad concesionaria adoptará el modelo de contabilidad que establezca el pliego, de conformidad con la normativa aplicable, incluido el que pudiera corresponder a la gestión de las zonas complementarias de explotación comercial, sin perjuicio de que los rendimientos de éstas se integren a todos los efectos en los de la concesión.

7.º En los términos y con el alcance que se fije en el pliego, los licitadores podrán introducir las mejoras que consideren convenientes, y que podrán referirse a características estructurales de la obra, a su régimen de explotación, a las medidas tendentes a evitar los daños al medio ambiente y los recursos naturales, o a mejoras sustanciales, pero no a su ubicación.

d) Sistema de retribución del concesionario en el que se incluirán las opciones posibles sobre las que deberá versar la oferta, así como, en su caso, las fórmulas de actualización de costes durante la explotación de la obra, con referencia obligada a su repercusión en las correspondientes tarifas en función del objeto de la concesión.

e) El umbral mínimo de beneficios derivados de la explotación de la zona comercial por debajo del cual no podrá incidirse en los elementos económicos de la concesión.

f) Cuantía y forma de las garantías.

g) Características especiales, en su caso, de la sociedad concesionaria.

h) Plazo, en su caso, para la elaboración del proyecto, plazo para la ejecución de las obras y plazo de explotación de las mismas, que podrá ser fijo o variable en función de los criterios establecidos en el pliego.

i) Derechos y obligaciones específicas de las partes durante la fase de ejecución de las obras y durante su explotación.

j) Régimen de penalidades y supuestos que puedan dar lugar al secuestro de la concesión.

k) Lugar, fecha y plazo para la presentación de ofertas.

2. El órgano de contratación podrá incluir en el pliego, en función de la naturaleza y complejidad de éste, un plazo para que los licitadores puedan solicitar las aclaraciones que estimen pertinentes sobre su contenido. Las respuestas tendrán carácter vinculante y deberán hacerse públicas en términos que garanticen la igualdad y concurrencia en el proceso de licitación.

Concordancias a todo el artículo

➡ **Concordancias normativas**

Artículo 115 de la LCSP 30/2007 y artículo 230 del TRLCAP RDL 2/2000.

☞ **Concordancias Jurisprudenciales**

Tribunal Administrativo Central de Recursos Contractuales, Resolución de 13 Ene. 2012, rec. 337/2011

CONTRATO ADMINISTRATIVO DE SERVICIOS. De conservación y mantenimiento integral de los edificios e instalaciones del M.º Ciencia e

Innovación. Pliego de Administrativas Particulares. Licitación. RECURSO ESPECIAL EN MATERIA DE CONTRATACIÓN. Estimación parcial. Anulación de cierta cláusula del pliego y apartados del cuadro resumen, en lo que se refiere a la exigencia como requisitos de solvencia técnica o profesional, a los licitadores empresarios no españoles de Estados miembros de la Unión Europea, de poseer delegación abierta en Madrid y A Coruña, así como disponer de una póliza de seguro de responsabilidad civil y a la utilización como criterios de adjudicación de la tenencia en propiedad de un centro de formación, así como el relativo a la valoración de las propuestas de mejora de la calidad del servicio y de los equipos. En consecuencia, se anula el procedimiento de contratación y, de haberse producido, la adjudicación del contrato. Preceptiva convocatoria de nueva licitación en la que deba servir de base un nuevo pliego.

Sección 3

Actuaciones preparatorias del contrato de gestión de servicios públicos

Artículo 132 *Régimen jurídico del servicio*

Antes de proceder a la contratación de un servicio público, deberá haberse establecido su régimen jurídico, que declare expresamente que la actividad de que se trata queda asumida por la Administración respectiva como propia de la misma, atribuya las competencias administrativas, determine el alcance de las prestaciones en favor de los administrados, y regule los aspectos de carácter jurídico, económico y administrativo relativos a la prestación del servicio.

Concordancias a todo el artículo

➡ **Concordancias normativas**

Artículo 116 de la LCSP 30/2007 y artículo 155 del TRLCAP RDL 2/2000.

📖 **Doctrina**

— *Texto Refundido de la Ley de Contratos del Sector Público. Estudio sistemático*. José Antonio Moreno Molina, Francisco Pleite Guadamillas. Editorial LA LEY, Madrid, 2012.

— «El contrato de gestión de servicios públicos en la Ley de Contratos del Sector Público». Martínez Beltrán, José Antonio,. *Diario LA LEY*, núm. 6934, 28 Abr. 2008, AÑO XXIX, Ref. D-133 [LA LEY 16044/2008].

✉ **Consultas**

• **Expediente para la explotación de instalaciones deportivas municipales**

¿Cuál sería la tramitación del expediente para ceder la explotación de instalaciones deportivas municipales a un particular?

[09/05/2012 EC 1195/2012]

Contestación

En consulta publicada en la pasada revista (EC 1066/2012), abordamos la cuestión del contrato que debía concertarse para la gestión de las instalaciones deportivas, a cuyo texto nos remitimos. En relación con el expediente administrativo, debe estarse a lo recogido en los arts. 132 (LA LEY 21158/2011) y 133 del Real Decreto Legislativo 3/2011, de 14 de noviembre (LA LEY 21158/2011) (BOE del 16), por el que se aprueba el texto refundido de la Ley de Contratos del Sector Público (LA LEY 21158/2011) (TR LCSP (LA LEY 10868/2007)).

En primer lugar, según el primero de los artículos, la entidad local ha de determinar el régimen jurídico de la prestación. Que, de acuerdo al art—. 275 TRLCSP (LA LEY 21158/2011), ha de tener asumida como propia. El cambio en la forma de gestión de un servicio público de contenido económico hace necesaria la tramitación del expediente recogido en el art. 86.1 LRBRL (LA LEY 847/1985) y el art. 96 Texto Refundido de Régimen Local (TRRL), aprobado por Real Decreto Legislativo 781/1986, de 18 de abril (LA LEY 968/1986) (BOE del 22); que recogen expresamente que las Entidades Locales podrán ejercer la iniciativa pública para el ejercicio de actividades económicas y sus límites, dentro de la autorización general que el art. 128.2 CE (LA LEY 2500/1978) atribuye a todas las Administraciones, al proclamar que «se reconoce la iniciativa pública en la actividad económica». No obstante, es necesario el establecimiento del servicio a la que alude el art. 275 TRLCSP (LA LEY 21158/2011) o su «publicatio»; siendo necesario acudir a la tramitación del expediente que acredite la conveniencia y oportunidad de la medida de la iniciativa pública en la economía de mercado (arts. 86.1 LRBRL (LA LEY 847/1985) y 97 TRRL).

A la vista de la esta regulación existente, y de la complejidad que conlleva la vigencia del Reglamento de Servicios de las Corporaciones Locales (RS), aprobado por Decreto de 17 de junio de 1955, Ángel Ballesteros Fernández interpretaba que la «municipalización» a la que aludía el RS ha perdido su razón de ser; y aunque aún existen referencias expresas a ese expediente (22.2 y 47.3 LRBRL (LA LEY 847/1985)), la interpretación que debe hacerse es muy concreta: es el expediente que hay que tramitar para acreditar la conveniencia y oportunidad, regulado en el art. 97 TRRL. A través de este expediente, la Entidad muestra su voluntad de «municipalizar» unos concretos servicios, reservados de forma genérica por la Ley, para prestarlo en régimen de monopolio, de forma directa o indirecta, o de realizar una actividad económica en régimen de libre concurrencia con la iniciativa privada. En todo caso, la detallada regulación de los distintos aspectos a cubrir del art. 45 RS y siguientes, será aplicable en lo que no se oponga. Para este autor, este expediente de conveniencia y oportunidad ha de tramitarse en los casos siguientes:

— Ejercicio de la iniciativa pública en actividades económicas.

— Reserva efectiva en régimen de monopolio de los servicios reservados del art. 86.3.

— Asunción de la gestión directa de servicios públicos de contenido económico.

Y no sería necesario para:

— El establecimiento de la gestión directa de servicios que no tengan carácter económico, mercantil o industrial.

— La prestación de los servicios que no tengan carácter económico, industrial o mercantil.

— Los servicios mínimos u obligatorios del art. 26 LRBRL (LA LEY 847/1985) (se entiende que ejercidos sin monopolio).

Para estos segundos, bastaría el acuerdo de establecimiento por el Pleno de la Corporación (art. 42 RS), determinado la forma de gestión (22.2.f LRBRL (LA LEY 847/1985)) sin necesidad del expediente «acreditativo de la conveniencia y oportunidad de la medida.»

Sin embargo, nos parece que la jurisprudencia en los últimos años va extendiendo la necesidad de ese expediente a otros supuestos, dejando sólo fuera la prestación de los servicios que no tengan carácter económico, industrial o mercantil. Tenemos varios ejemplos: STS de 21 de diciembre de 2000 (LA LEY5614/2001) (LA LEY 5614/2001), STS 1 de febrero de 2002 (EC 1419/2002), STS de 3 diciembre 2004 (LA LEY 11004/2005) (LA LEY 11004/2005), STSJ País Vasco de 26 de diciembre de 2003 (LA LEY 218959/2003) (LA LEY 218959/2003), en la que expresamente se declara que «siempre que el Ayuntamiento promueva una actividad económica, aunque caiga dentro de la órbita de los cometidos que para él revisten condición de servicio, debe formarse expediente acreditativo de su oportunidad, y dicho expediente resulta complementado, y se desarrolla, en el art. 97 del TRRL. En conclusión la ausencia de expediente previo implica la nulidad de pleno derecho a que se refiere el artículo 62.1 e) de la Ley 30/1992 (LA LEY 3279/1992).»

Por todo ello, nos inclinamos por considerar que es necesaria la tramitación del expediente del art. 97 TRRL previamente a cualquier acuerdo municipal para:

— Ejercicio de actividades económicas.

— Prestación, en régimen de monopolio o sin él, de servicios municipales de contenido económico.

— Modificar la forma o el modo de gestión de los servicios.

Únicamente no sería necesario para implantar y gestionar directamente servicios que no tengan contenido económico, industrial o mercantil (por ejemplo, una biblioteca).

En cuanto a los trámites del expediente acreditativo de la conveniencia y oportunidad de la medida, siguiendo la terminología del art. 97 TRRL, o de establecimiento del servicio, serían:

1. Acuerdo inicial de la Corporación, previa designación de una Comisión de estudio compuesta por miembros de la misma y por personal técnico (arts. 56-57 RS).

2. Redacción, por dicha Comisión, de una memoria relativa a los aspectos social (art. 59 RS), jurídico (art. 60 RS), técnico (art. 61 RS) y financiero (art. 62 RS) de la actividad económica de que se trate, en la que deberá determinarse la forma de gestión, entre las previstas por la Ley, y los casos

en que debe cesar la prestación de la actividad. Asimismo, deberá acompañarse un proyecto de precios del servicio.

Al realizarse esta memoria, y con todos los datos estudiados, se deberá decantar la entidad local por una de las personificaciones posibles para la gestión de servicios públicos; bien de manera directa, bien de manera indirecta.

3. Exposición pública de la memoria junto con el proyecto de tarifas después de ser tomada en consideración por la Corporación, y por plazo no inferior a treinta días naturales, durante los cuales podrán formular observaciones los particulares y Entidades.

4. Aprobación del proyecto por el Pleno de la Entidad local.

5. En el caso de ejercer la actividad en régimen de monopolio (art. 86.3 LRBRL (LA LEY 847/1985)) se requiere el ulterior acuerdo del órgano competente de la Comunidad Autónoma en el plazo de tres meses; y que el acuerdo plenario lo sea por mayoría absoluta. Ballesteros, como hemos indicado, afirmaba que todo ejercicio de actividades reservadas lo será en régimen de monopolio, siendo necesaria la CC.AA. para la expropiación de empresas preexistentes.

En el expediente tiene que quedar justificado el cumplimiento de los requisitos expuestos anteriormente. En la motivación de la forma de gestión del servicio o de realización de la actividad, debe hacerse referencia, siquiera someramente, a los argumentos en base a los que se rechazan otros posibles modos de gestores. En conclusión, para comenzar a prestar los servicios del modo en que se cuestiona (servicios que deben caracterizarse como de contenido económico) será necesaria la tramitación del expediente acreditativo de la conveniencia y oportunidad de la medida en los términos expuestos.

La tramitación del expediente indicado facilitará la posterior confección de la documentación recogida en el art. 133 TRLCSP (LA LEY 21158/2011) necesaria para la contratación de la gestión del servicio público: pliegos y anteproyecto de la obra (debe decidirse si será obligatoria para el concesionario su realización y que no pueda ser ofrecida por éste como mejora, pero en cualquier caso, la obra debe estar determinada por la Administración, ya que las mejoras deber estar cerradas en el pliego para garantizar la transparencia de la contratación) y su explotación.

• **Prestación indirecta de los servicios públicos**

Se está ejecutando una nueva edificación destinada a la implantación de una escuela infantil de 0 a 3 años. El Equipo de Gobierno pretende que el servicio sea prestado de forma indirecta, a través de una concesión administrativa de servicio público.

Se pregunta:

a) Órgano municipal que debe acordar la forma de gestionar el nuevo servicio.

b) Trámites mínimos preparatorios y necesarios a realizar antes de iniciar la licitación.

c) Cuál es el profesional competente para realizar el estudio de explotación del servicio.

d) Si los trámites preparatorios y la licitación pueden tramitarse condicionando la efectividad a la terminación de las obras.

e) Cualquier otro comentario aclaratorio sobre las cuestiones planteadas.

Contratación Administrativa Práctica, Nº 98, Sección Usted Pregunta, Junio 2010, pág. 15, Editorial LA LEY

[LA LEY 835/2010]

Respuesta

Según el artículo 253 de la Ley 30/2007, de 30 de octubre (LA LEY 10868/2007), de Contratos del Sector Público (LCSP) la concesión, por la que el empresario gestionará el servicio a su propio riesgo y ventura, es una modalidad del contrato de gestión de servicios públicos. Vamos a contestar por separado a las cuestiones planteadas.

a) Órgano municipal que debe acordar la forma de gestionar el nuevo servicio.

De conformidad con lo dispuesto en la Disposición Adicional Segunda (LA LEY 10868/2007) de la LCSP, corresponden a los alcaldes y a los presidentes de las entidades locales las competencias como órgano de contratación respecto de los contratos de gestión de servicios públicos cuando su importe no supere el 10% de los recursos ordinarios del presupuesto ni, en cualquier caso, la cuantía de seis millones de euros, incluidos los de carácter plurianual cuando su duración no sea superior a cuatro años, siempre que el importe acumulado de todas sus anualidades no supere ni el porcentaje indicado, referido a los recursos ordinarios del presupuesto del primer ejercicio, ni la cuantía señalada.

Corresponde al Pleno las competencias como órgano de contratación respecto de los contratos de gestión no mencionados en el apartado anterior que celebre la Entidad local.

Por lo tanto, según el importe y la duración la competencia, le corresponderá a uno de los dos órganos.

b) Trámites mínimos preparatorios y necesarios a realizar antes de iniciar la licitación.

Según el artículo 116 (LA LEY 10868/2007) de la LCSP, antes de proceder a la contratación de un servicio público, deberá haberse establecido su régimen jurídico, que declare expresamente que la actividad de que se trata queda asumida por la Administración respectiva como propia de la misma, atribuya las competencias administrativas, determine el alcance de las prestaciones en favor de los administrados, y regule los aspectos de carácter jurídico, económico y administrativo relativos a la prestación del servicio.

En los contratos que comprendan la ejecución de obras —no parece ser el caso—, la tramitación del expediente irá precedida de la elaboración y aprobación administrativa del anteproyecto de explotación y del correspondiente a las obras precisas, con especificación de las prescripciones técnicas relativas a su realización. En tal supuesto serán de aplicación los preceptos establecidos en esta Ley para la concesión de obras públicas.

El anteproyecto de explotación contendrá los correspondientes estudios económico-financieros, un programa de explotación y, en su caso, un proyecto de obras con toda la documentación que los integra

Según el artículo 183 (LA LEY 1470/2001) del Real Decreto 1098/2001, de 12 de octubre, por el que se aprueba el Reglamento General de la Ley de Contratos de las Administraciones Públicas, los proyectos de explotación deberán referirse a servicios públicos susceptibles de ser organizados con unidad e independencia funcional. Comprenderán un estudio económico-administrativo del servicio, de su régimen de utilización y de las particularidades técnicas que resulten precisas para su definición, que deberá incorporarse por el órgano de contratación al expediente de contratación antes de la aprobación de este último.

Por lo tanto, antes del expediente de contratación deberá elaborarse un estudio económico financiero, y establecer su régimen jurídico declarando expresamente que la actividad de que se trata queda asumida por la Administración

c) Cuál es el profesional competente para realizar el estudio de explotación del servicio.

Nada dice la ley sobre el profesional competente, aunque lógicamente deberá ser un titulado superior experto en materia económico financiera. Si no hay funcionarios capacitados o que por falta de tiempo no pueden hacerse cargo de este estudio, pueden realizar un contrato de servicios públicos.

d) Si los trámites preparatorios y la licitación puede tramitarse condicionando la efectividad a la terminación de las obras.

En ninguna norma se establece cuándo deba iniciarse el procedimiento de adjudicación de una concesión de servicio público, pero aplicando el sentido común hay que concluir que lo normal es tomar como previsión de la finalización de las obras que se van a entregar al concesionario, iniciar el procedimiento de adjudicación para que, cuando la obra esté finalizada, exista ya un adjudicatario que pueda prestar el servicio público.

Lo contrario, esto es, esperar a la finalización de la obra para iniciar el procedimiento de contratación, traería consigo el mantener la obra terminada y sin prestar el servicio durante el tiempo necesario para la adjudicación, lo que es contrario a los principios de eficacia y eficiencia que deben inspirar la gestión de los servicios públicos.

Por tanto, la adjudicación que en su momento se realice puede dejar claro, con la finalidad de evitar cualquier reclamación de indemnización, que la ejecución del contrato comenzará con la entrega de la instalación al servicio público, conforme a lo establecido en el pliego de cláusulas administrativas.

Así, cabría la posibilidad que se plantea en la pregunta pero dejando claro en el pliego que la adjudicación comenzará con la entrega de la instalación, una vez acabadas las obras.

• Expediente a tramitar para la gestión indirecta del servicio público de ayuda a domicilio

¿Es necesario tramitar el expediente del art. 97 TRRL cuando se va a gestionar indirectamente —mediante concesión administrativa—, el servicio obligatorio de ayuda a domicilio?

[13/10/2009 EC 2940/2009]

Contestación

Los hermanos Ballesteros Fernández en su libro *Manual de Gestión de Servicios Públicos Locales* (EL CONSULTOR, 2005) señalan que «el art. 97 TRRL dice que para el ejercicio de actividades económicas por la Entidades Locales se requiere la tramitación del expediente que en dicho precepto se regula. Hay que entender que en el concepto de «actividades económicas» se comprende tanto el ejercicio de la iniciativa pública en actividades económicas (art. 86.1 LRBRL), como la efectividad de la reserva de servicios esenciales establecida en el art. 86.3 LRBRL, como, en fin, la asunción de la gestión directa de servicios públicos con contenido económico. De modo que, según esta tesis, sólo quedarán fuera de la exigencia de tramitar el expediente del art. 97 TRRL el establecimiento de la gestión directa de servicios que no tengan carácter económico, mercantil o industrial, o los que, según el art. 26 LRBRL, tienen carácter de mínimo u obligatorios, supuestos en los que, conforme dispone el art. 42 RSCL, bastará el acuerdo de la Corporación en Pleno. Si se trata de establecer modos de gestión indirecta, el expediente para su contratación contiene unos requisitos que tienen parangón con los establecidos en el art. 97 TRRL.»

Por su parte, el *Nuevo Régimen Local* (EL CONSULTOR, 2005) señala que «...entendemos que cuando se trate de servicios de carácter obligatorio —mínimos—, que hoy son básicamente los establecidos para el municipio en el art. 26 LRBRL, habrá que tener presente el precepto del art. 42.2 RS, el cual —tratándose como se trata de servicios ex lege, atribuidos directamente al municipio por la ley— no requiere, como es lógico, para su implantación, el cumplimiento de un deber legal, de expediente municipalizador para prestarlos bajo el régimen de competencia, esto es, no monopolístico. Para los demás casos, distintos de los mínimos legalmente obligatorios, el ejercicio de actividades o servicios de naturaleza económica, o susceptibles de explotación económica, por la Entidad Local, se requiere justificar en cada caso la «conveniencia y oportunidad» de la iniciativa pública local, mediante expediente en que se acrediten los requisitos que establece el art. 96 TRRL, esto es, que la iniciativa recaída sobre una actividad económica «que sea de utilidad pública y se preste dentro del término municipal y en beneficio de sus habitantes».»

Por lo tanto, habrá que concluir que si se trata de un servicio social mínimo atribuido al Ayuntamiento por ley, no es necesario tramitar el expediente a que se refiere el art. 97 del Texto Refundido de Régimen Local (TRRL), aprobado por Real Decreto Legislativo 781/1986, de 18 de abril (BOE del 22). Ahora bien, como señalan los hermanos Ballesteros Fernández, cuando se trata de una gestión indirecta, el propio procedimiento de esta forma de gestión determina un expediente que coincide básicamente con lo establecido en el art. 97 TRRL. En este sentido, la Ley 30/2007, de 30 de octubre, de Contratos del Sector Público, al regular las actuaciones preparatorias del contrato de gestión de servicios públicos, establece en un art. 116 que «antes de proceder a la contratación de un servicio público, deberá haberse establecido su régimen jurídico, que declare expresamente que la actividad de que se trate queda asumida por la Administración respectiva como propia de la misma, atribuya las competencias administrativas, determine el alcance de las prestaciones a favor de los administrados y regule los aspectos de carácter jurídico, económico y administrativo relativos a la prestación del servicio». Como se puede apreciar, el precepto exige que se declare expresamente que la actividad queda asumida por la administración respectiva, de forma que se está haciendo referencia, cuando estamos hablando de entidades locales, al expediente del art. 97 TRRL.

Según tesis doctrinal, sólo quedarán fuera de la exigencia de tramitar el expediente del art. 97 TRRL el establecimiento de la gestión directa de servicios que no tengan carácter económico, mercantil o industrial, o los que, según el art. 26 LRBRL, tienen carácter de mínimo u obligatorios. Supuestos en los que, conforme dispone el art. 42 RS, bastará el acuerdo de la Corporación en Pleno.

• Naturaleza jurídica del contrato para la construcción de un aerogenerador, la obtención del terreno necesario para ubicar el mismo y el derecho de explotación

¿Qué naturaleza jurídica tiene el contrato y cuál sería el procedimiento de adjudicación?

Contratación Administrativa Práctica, Nº 89, Sección Usted Pregunta, Septiembre 2009, pág. 10, Editorial LA LEY

[LA LEY 1382/2009]

Respuesta

Lo primero que debemos poner de manifiesto es que el contrato que pretende celebrar el Ayuntamiento es un contrato administrativo típico de gestión de servicios públicos regulado en el artículo 8 (LA LEY 10868/2007) LCSP, que expresamente lo define como «aquel en cuya virtud una Administración Pública encomienda a una persona, natural o jurídica, la gestión de un servicio cuya prestación ha sido asumida como propia de su competencia por la Administración encomendante.»

La LCSP amplía su objeto, respecto a la normativa anterior, al establecer en el artículo 251.1 (LA LEY 10868/2007) que se podrán prestar mediante este contrato los servicios de la competencia de la Administración siempre que sean susceptibles de explotación por particulares, sin que se contemple la limitación a servicios de contenido económico que prevé la LCAP en su artículo 155.

El Ayuntamiento debería tramitar un expediente de contratación cuyo objeto será la gestión de un servicio público acompañado de la realización de una pequeña obra como es la construcción de un aerogenerador. Pasemos a analizar algunas cuestiones referentes a este tipo de contrato que pueden aclarar las dudas formuladas en la consulta.

La Junta Consultiva de contratación administrativa, en su La Junta Consultiva ya concluía en este Informe que «siempre que la prestación o explotación del servicio público constituya la prestación más importante desde el punto de vista económico y así debe conceptuarse en el presente caso, ya que mediante la explotación y percibo de tarifas se retribuye la construcción y la propia explotación, el régimen jurídico aplicable al contrato será el del contrato de gestión de servicios públicos [...].»

El régimen jurídico del contrato está disperso a lo largo del articulado de la LCSP, pero fundamentalmente se contiene en los artículos que pasamos a analizar a continuación.

Con carácter general, el artículo 19.2 (LA LEY 10868/2007) de la LCSP dispone que al tratarse de un contrato administrativo se regirá en cuanto a su preparación, adjudicación, efectos y extinción por la LCSP y sus disposiciones de desarrollo, las restantes normas de derecho administrativo y finalmente, y en defecto de otra regulación, por las normas de Derecho privado. Por su parte, el artículo 192 (LA LEY 10868/2007) señala que los efectos de los contratos administrativos se regirán por las normas a las que refiere el artículo 19.2 y por los pliegos de cláusulas administrativas y de prescripciones técnicas, generales y particulares.

Pese a ello, la Ley, en su artículo 252 (LA LEY 10868/2007), excluye a ciertos preceptos del ámbito de aplicación de este contrato tales como: las normas relativas a la ejecución defectuosa y la mora del contratista (artículo 196.2 a 7), la resolución por demora y la prórroga de los contratos (artículo 197), la suspensión de los contratos (artículo 203) y el cumplimiento del contrato y la recepción de la prestación (artículo 205).

Más concretamente, podemos indicar que el régimen jurídico propio de este contrato se regula en el Capítulo III del Título II del Libro IV (arts. 251 a 265 (LA LEY 10868/2007) de la LCSP).

Además, son de aplicación ciertas normas generales sobre la solvencia económica (artículo 64 (LA LEY 10868/2007)), técnica o profesional (artículo 68 (LA LEY 10868/2007)), la revisión de precios (artículo 77 (LA LEY 10868/2007)), el novedoso sistema de impugnación y de medidas provisionales de los arts. 37 (LA LEY 10868/2007) y 38 (LA LEY 10868/2007) (en la gestión de servicios públicos sólo se aplicará en aquellos contratos cuyo presupuesto de gastos de primer establecimiento sea superior a 500.000 euros y el plazo de duración exceda de cinco años), el diálogo competitivo de los arts. 163 (LA LEY 10868/2007) a 167 (LA LEY 10868/2007), las normas sobre la publicidad o la cesión de contratos y la subcontratación, que para estos contratos sólo podrá recaer sobre prestaciones accesorias (arts. 208 (LA LEY 10868/2007), 209 (LA LEY 10868/2007) y 264 (LA LEY 10868/2007)).

Las actuaciones preparatorias de los contratos de gestión de servicios públicos se regulan en los arts. 116 (LA LEY 10868/2007) y 117 (LA LEY 10868/2007) de la LCSP. Debemos hacer una mención específica a lo establecido en el artículo 117.2 de la LCSP, que señala que si en estos contratos su objeto comprende la ejecución de obras, la Ley exige que la tramitación del expediente «deba ir precedida de la elaboración y aprobación del oportuno anteproyecto de explotación y del correspondiente a las obras precisas especificando las prescripciones técnicas que su realización requiera. En este supuesto serán de aplicación las previsiones contenidas para la concesión de obras públicas.»

En el Informe 2/2008, de 4 de abril de 2008 (LA LEY 36/2008), de la Junta Consultiva de Contratación Administrativa de la Comunidad de Madrid, sobre normas de aplicación en Contratos de Gestión de Servicios Públicos que comprenden ejecución de obra, ha llegado a la siguiente conclusión: «En los contratos de gestión de servicios públicos, como en el supuesto planteado, que comprendan la ejecución de obras, a partir de su entrada en vigor, el 30 de abril de 2008, se aplicará lo dispuesto en el artículo 117.2 de LCSP, si bien entendiendo la aplicación de los preceptos del contrato de concesión de obras públicas atemperados a las características y condiciones de las obras a ejecutar por el concesionario comprendidas en el contrato de gestión de servicios públicos.»

- La obtención del terreno necesario para estas obras

El hecho de que el adjudicatario deba «obtener el terreno necesario para ubicar el aerogenerador» no parece muy adecuado, ya que debería ser un aspecto a realizar por el órgano de contratación pues deberá manifestar dónde quiere y necesita colocar dicho aparato. En concreto, el artículo 113 (LA LEY 10868/2007) de la LCSP, al regular el anteproyecto de construcción y explotación de la obra expresamente, dispone en su apartado 2.º que: «el anteproyecto de construcción y explotación de la obra deberá contener, como mínimo, la siguiente documentación:

Una memoria en la que se expondrán las necesidades a satisfacer, los factores sociales, técnicos, económicos, medioambientales y administrativos considerados para atender el objetivo fijado y la justificación de la solución que se propone. La memoria se acompañará de los datos y cálculos básicos correspondientes.

Los planos de situación generales y de conjunto necesarios para la definición de la obra.

Un presupuesto que comprenda los gastos de ejecución de la obra, incluido el coste de las expropiaciones que hubiese que llevar a cabo, partiendo de las correspondientes mediciones aproximadas y valoraciones. Para el cálculo del coste de las expropiaciones se tendrá en cuenta el sistema legal de valoraciones vigente.»

• El canon a pagar por el adjudicatario a la Administración contratante

El artículo 117 (LA LEY 10868/2007) de la LCSP dispone que en estos contratos los pliegos de cláusulas administrativas particulares y de prescripciones técnicas deberán contener, de acuerdo con cuanto establezca el reglamento del servicio, las condiciones de prestación del mismo, las tarifas que hubieren de abonar los usuarios, así como los procedimientos para su revisión, el canon o la participación que el contratista deba satisfacer a la Administración.

• **El plazo en el contrato de gestión de servicios públicos (1)**

La duración de los contratos de gestión de servicios públicos se regula en el artículo 254 de la LCSP, que establece los siguientes tres plazos dependiendo de la prestación objeto del contrato:

— Cincuenta años en los contratos en los que además de la explotación del servicio público su objeto comprenda la ejecución de obras. En el caso de que se trate de mercados o lonjas centrales mayoristas de artículos alimenticios gestionados por sociedades de economía mixta municipal el plazo se eleva hasta los sesenta años.

— Veinticinco años en la explotación de servicios públicos no relacionados con la prestación de servicios sanitarios.

— Diez años si la prestación implica explotar servicios sanitarios, siempre que no se encuentren el primer supuesto.

2. Procedimiento de adjudicación de este contrato

Este contrato podrá adjudicarse mediante los procedimientos abiertos y restringidos regulados en los artículos 141 (LA LEY 10868/2007) y siguientes de la LCSP. Asimismo, la Ley prevé la posibilidad de adjudicar este contrato mediante procedimiento negociado en los casos mencionados en el artículo 156 (LA LEY 10868/2007), y que son los siguientes:

— Cuando se trate de servicios en los que no resulte posible promover concurrencia en la oferta.

— En aquellos cuyo presupuesto de primer establecimiento sea inferior a 500.000 euros y su plazo de duración sea inferior a cinco años.

— Los relativos a la asistencia sanitaria concertados con medios ajenos, derivados de un Convenio de colaboración entre las Administraciones Públicas o de un contrato marco, siempre que éste haya sido adjudicado con sujeción a las normas de la Ley.

3. ¿Podría tratarse de un arrendamiento de una propiedad incorporal?

De acuerdo con los razonamientos anteriormente expuestos y con la normativa actualmente en vigor, parece que esta posibilidad debe descartarse.

Pasamos a reproducir los argumentos jurídicos esenciales que sustentan la conclusión del Informe 2/2008, de 4 de abril de 2008, de la Junta Consultiva de Contratación Administrativa de la Comunidad de Madrid:

«[...] Las actuaciones preparatorias del contrato de gestión de servicios públicos se regulan en los artículos 116 y 117, disponiendo el apartado 2 de este último para los contratos que comprenden ejecución de obras, que «la tramitación del expediente irá precedida de la elaboración y aprobación administrativa del anteproyecto de explotación y del correspondiente a las obras precisas, con especificación de las prescripciones técnicas relativas a su realización. En tal supuesto serán de aplicación los preceptos establecidos en esta Ley para la concesión de obras públicas». 3.—Las normas preparatorias del contrato de concesión de obra pública, contenidas en los artículos 112 a 115 de la LCSP previstas para obras de infraestructuras normalmente de gran entidad y complejidad no parece que se correspondan con las necesidades que se derivan de unas obras de las características, importe, plazo y simplicidad de ejecución detalladas en el escrito de la Secretaría General Técnica de la Consejería de Familia y Asuntos Sociales. No se considera que la remisión genérica recogida en el artículo 117.2 de la LCSP deba entenderse como una aplicación íntegra y estricta de las disposiciones previstas para los contratos de concesión de obra pública, que puede no ser procedente atendiendo a las características y circunstancias concretas de la obra que se vaya a exigir realizar en el respectivo contrato de gestión de servicios públicos. Baste a título de ejemplo plantear que si el contrato de gestión de servicio público en cuestión incluye realizar una mera revocación de la fachada del inmueble en que se preste el servicio, es evidente que no sería procedente aplicar el trámite de información pública previsto en el artículo 112 de la LCSP. Es lógico entender, por tanto, que a las obras que en concreto se precisen realizar se le aplicarán exclusivamente los preceptos que proceda emplear del contrato de concesión de obras públicas, y por supuesto los preceptos que igualmente procedan de los indicados en el citado artículo 183 del RGLCAP, que desarrolla el 158.2 de la LCAP, y también, hasta que en su caso y de conformidad con lo dispuesto en la disposición final undécima de la LCSP se efectúe un nuevo desarrollo reglamentario, el 117.2 de la LCSP. 4.—La regulación del contrato de gestión de servicios públicos se dirige básicamente a regular y garantizar la prestación del servicio público objeto del contrato, siendo la ejecución de posibles obras, para el caso de que las comprenda, una parte del objeto sólo accesorio a la prestación del servicio, por lo que en lugar de regularse específicamente en el contrato de gestión de servicios públicos se remite a las normas que puedan resultar de aplicación del contrato cuyo eje sí es la ejecución de las obras como es el contrato de concesión de obras públicas, siendo de aplicación al contrato aquellos preceptos que resulten aplicables a las concretas obras a realizar comprendidas en el contrato de gestión de servicios, por lo que no se puede determinar a priori que preceptos son o no aplicables variando en función de las características de las obras que se deban realizar.»

Artículo 133 *Pliegos y anteproyecto de obra y explotación*

1. De acuerdo con las normas reguladoras del régimen jurídico del servicio, los pliegos de cláusulas administrativas particulares y de prescripciones técnicas fijarán las condiciones de prestación del servicio y, en su caso, fijarán las tarifas que hubieren de abonar los usuarios, los procedimientos para su revisión, y el canon o participación que hubiera de satisfacerse a la Administración.

2. En los contratos que comprendan la ejecución de obras, la tramitación del expediente irá precedida de la elaboración y aprobación administrativa del anteproyecto de explotación y del correspondiente a las obras precisas, con especificación de las prescripciones técnicas relativas a su realización. En tal supuesto serán de aplicación los preceptos establecidos en esta Ley para la concesión de obras públicas.

3. El órgano de contratación podrá incluir en el pliego, en función de la naturaleza y complejidad de éste, un plazo para que los licitadores puedan solicitar las aclaraciones que estimen pertinentes sobre su contenido. Las respuestas tendrán carácter vinculante y deberán hacerse públicas en términos que garanticen la igualdad y concurrencia en el proceso de licitación.

Concordancias a todo el artículo

➡ **Concordancias normativas**

Artículo 117 de la LCSP 30/2007 y artículo 158 del TRLCAP RDL 2/2000.

✉ **Consultas**

• **Expediente para la explotación de instalaciones deportivas municipales**

¿Cuál sería la tramitación del expediente para ceder la explotación de instalaciones deportivas municipales a un particular?

[09/05/2012 EC 1195/2012]

Contestación

En consulta publicada en la pasada revista (EC 1066/2012), abordamos la cuestión del contrato que debía concertarse para la gestión de las instalaciones deportivas, a cuyo texto nos remitimos. En relación con el expediente administrativo, debe estarse a lo recogido en los arts. 132 (LA LEY 21158/2011) y 133 del Real Decreto Legislativo 3/2011, de 14 de noviembre (LA LEY 21158/2011) (BOE del 16), por el que se aprueba el texto refundido de la Ley de Contratos del Sector Público (LA LEY 21158/2011) (TR LCSP (LA LEY 10868/2007)).

En primer lugar, según el primero de los artículos, la entidad local ha de determinar el régimen jurídico de la prestación. Que, de acuerdo al art—. 275 TRLCSP (LA LEY 21158/2011), ha de tener asumida como propia. El cambio en la forma de gestión de un servicio público de contenido económico hace necesaria la tramitación del expediente recogido en el art. 86.1 LRBRL (LA LEY 847/1985) y el art. 96 Texto Refundido de Régimen Local (TRRL), aprobado por Real Decreto Legislativo 781/1986, de 18 de abril (LA LEY 968/1986) (BOE del 22); que recogen expresamente que las Entidades Locales podrán ejercer la iniciativa pública para el ejercicio de actividades económicas y sus límites, dentro de la autorización general que el art. 128.2 CE (LA LEY 2500/1978) atribuye a todas las Administraciones, al proclamar que «se reconoce la iniciativa pública en la actividad económica». No obstante, es necesario el establecimiento del servicio a la que alude el art. 275 TRLCSP (LA LEY 21158/2011) o su «publicatio»;

siendo necesario acudir a la tramitación del expediente que acredite la conveniencia y oportunidad de la medida de la iniciativa pública en la economía de mercado (arts. 86.1 LRBRL (LA LEY 847/1985) y 97 TRRL).

A la vista de la esta regulación existente, y de la complejidad que conlleva la vigencia del Reglamento de Servicios de las Corporaciones Locales (RS), aprobado por Decreto de 17 de junio de 1955, Ángel Ballesteros Fernández interpretaba que la «municipalización» a la que aludía el RS ha perdido su razón de ser; y aunque aún existen referencias expresas a ese expediente (22.2 y 47.3 LRBRL (LA LEY 847/1985)), la interpretación que debe hacerse es muy concreta: es el expediente que hay que tramitar para acreditar la conveniencia y oportunidad, regulado en el art. 97 TRRL. A través de este expediente, la Entidad muestra su voluntad de «municipalizar» unos concretos servicios, reservados de forma genérica por la Ley, para prestarlo en régimen de monopolio, de forma directa o indirecta, o de realizar una actividad económica en régimen de libre concurrencia con la iniciativa privada. En todo caso, la detallada regulación de los distintos aspectos a cubrir del art. 45 RS y siguientes, será aplicable en lo que no se oponga. Para este autor, este expediente de conveniencia y oportunidad ha de tramitarse en los casos siguientes:

— Ejercicio de la iniciativa pública en actividades económicas.

— Reserva efectiva en régimen de monopolio de los servicios reservados del art. 86.3.

— Asunción de la gestión directa de servicios públicos de contenido económico.

Y no sería necesario para:

— El establecimiento de la gestión directa de servicios que no tengan carácter económico, mercantil o industrial.

— La prestación de los servicios que no tengan carácter económico, industrial o mercantil.

— Los servicios mínimos u obligatorios del art. 26 LRBRL (LA LEY 847/1985) (se entiende que ejercidos sin monopolio).

Para estos segundos, bastaría el acuerdo de establecimiento por el Pleno de la Corporación (art. 42 RS), determinado la forma de gestión (22.2.f

LRBRL (LA LEY 847/1985)) sin necesidad del expediente «acreditativo de la conveniencia y oportunidad de la medida.»

Sin embargo, nos parece que la jurisprudencia en los últimos años va extendiendo la necesidad de ese expediente a otros supuestos, dejando sólo fuera la prestación de los servicios que no tengan carácter económico, industrial o mercantil. Tenemos varios ejemplos: STS de 21 de diciembre de 2000 (LA LEY5614/2001) (LA LEY 5614/2001), STS 1 de febrero de 2002 (EC 1419/2002), STS de 3 diciembre 2004 (LA LEY 11004/2005) (LA LEY 11004/2005), STSJ País Vasco de 26 de diciembre de 2003 (LA LEY 218959/2003) (LA LEY 218959/2003), en la que expresamente se declara que «siempre que el Ayuntamiento promueva una actividad económica, aunque caiga dentro de la órbita de los cometidos que para él revisten condición de servicio, debe formarse expediente acreditativo de su oportunidad, y dicho expediente resulta complementado, y se desarrolla, en el art. 97 del TRRL. En conclusión la ausencia de expediente previo implica la nulidad de pleno derecho a que se refiere el artículo 62.1 e) de la Ley 30/1992 (LA LEY 3279/1992).»

Por todo ello, nos inclinamos por considerar que es necesaria la tramitación del expediente del art. 97 TRRL previamente a cualquier acuerdo municipal para:

— Ejercicio de actividades económicas.

— Prestación, en régimen de monopolio o sin él, de servicios municipales de contenido económico.

— Modificar la forma o el modo de gestión de los servicios.

Únicamente no sería necesario para implantar y gestionar directamente servicios que no tengan contenido económico, industrial o mercantil (por ejemplo, una biblioteca).

En cuanto a los trámites del expediente acreditativo de la conveniencia y oportunidad de la medida, siguiendo la terminología del art. 97 TRRL, o de establecimiento del servicio, serían:

1. Acuerdo inicial de la Corporación, previa designación de una Comisión de estudio compuesta por miembros de la misma y por personal técnico (arts. 56-57 RS).

2. Redacción, por dicha Comisión, de una memoria relativa a los aspectos social (art. 59 RS), jurídico (art. 60 RS), técnico (art. 61 RS) y financiero (art. 62 RS) de la actividad económica de que se trate, en la que deberá determinarse la forma de gestión, entre las previstas por la Ley, y los casos en que debe cesar la prestación de la actividad. Asimismo, deberá acompañarse un proyecto de precios del servicio.

Al realizarse esta memoria, y con todos los datos estudiados, se deberá decantar la entidad local por una de las personificaciones posibles para la gestión de servicios públicos; bien de manera directa, bien de manera indirecta.

3. Exposición pública de la memoria junto con el proyecto de tarifas después de ser tomada en consideración por la Corporación, y por plazo no inferior a treinta días naturales, durante los cuales podrán formular observaciones los particulares y Entidades.

4. Aprobación del proyecto por el Pleno de la Entidad local.

5. En el caso de ejercer la actividad en régimen de monopolio (art. 86.3 LRBRL (LA LEY 847/1985)) se requiere el ulterior acuerdo del órgano competente de la Comunidad Autónoma en el plazo de tres meses; y que el acuerdo plenario lo sea por mayoría absoluta. Ballesteros, como hemos indicado, afirmaba que todo ejercicio de actividades reservadas lo será en régimen de monopolio, siendo necesaria la CC.AA. para la expropiación de empresas preexistentes.

En el expediente tiene que quedar justificado el cumplimiento de los requisitos expuestos anteriormente. En la motivación de la forma de gestión del servicio o de realización de la actividad, debe hacerse referencia, siquiera someramente, a los argumentos en base a los que se rechazan otros posibles modos de gestores. En conclusión, para comenzar a prestar los servicios del modo en que se cuestiona (servicios que deben caracterizarse como de contenido económico) será necesaria la tramitación del expediente acreditativo de la conveniencia y oportunidad de la medida en los términos expuestos.

La tramitación del expediente indicado facilitará la posterior confección de la documentación recogida en el art. 133 TRLCSP (LA LEY 21158/2011) necesaria para la contratación de la gestión del servicio público: pliegos y anteproyecto de la obra (debe decidirse si será obligatoria para el concesionario su realización y que no pueda ser ofrecida por éste como mejora, pero en cualquier caso, la obra debe estar determinada por la Administración, ya que las mejoras deber estar cerradas en el pliego para garantizar la transparencia de la contratación) y su explotación.

• Naturaleza de las tarifas de las empresas concesionarias de servicios

¿Cuál es la naturaleza de las tarifas a cobrar por las empresas concesionarias de servicios?

[11/03/2010 EC 867/2010]

Contestación

El tema que nos plantean no es en absoluto pacífico, pues hasta la fecha la jurisprudencia se ha manifestado en el sentido de que existiendo concesionario, su remuneración tiene la naturaleza de precio privado. Así, entre otras, podemos citar las STS de 7 de marzo, 7 de abril y 19 de diciembre de 2007 (LA LEY: 11340/2007, 154093/2007 y 322755/2007), si bien todas ellas están referidas a sentencias dictadas por Tribunales Superiores de Andalucía en 2001 o de la Comunidad Valenciana o del País Vasco de 2002. Es decir, anteriores a la modificación que supuso la Ley 58/2003, de 17 de diciembre (BOE del 18), General Tributaria (LGT 2003).

Una de las novedades más importantes que introdujo esta Ley, a través del artículo 2.2.º a), ha sido la afirmación de qué ha de entenderse con la expresión que los servicios se prestan o las actividades se realizan en régimen de derecho público: cuando se lleven a cabo mediante cualquiera de las formas previstas en la legislación administrativa para la gestión del servicio público y su titularidad corresponda a un ente público. Es decir, la forma de gestión del servicio público queda desvinculada de su financiación, pues lo decisivo, cualquiera que sea la fórmula administrativa utilizada para su prestación, es la titularidad pública. De manera que por el hecho de existir una empresa interpuesta no se percibirá, en ningún caso, un precio privado. La Ley General tributaria, como señala Martín Fernández, genera una vis atractiva a favor de la tasa para reconducir a esta categoría tributaria prestaciones exigidas a los particulares, que no presentan esta consideración, al satisfacerse a una empresa y no a un ente público. Es lo mismo que decir que es indiferente que el que presta el servicio sea una empresa pública o, incluso, un concesionario, pues lo relevante es que se trate de un servicio público obligatorio y de titularidad de la Administración, de manera que reuniéndose tales condicionantes estaremos ante un tributo y no ante un precio privado.

El art. 31.3 de la Constitución consagra el principio de reserva de ley cuando establece que sólo podrán establecerse prestaciones personales o patrimoniales de carácter público con arreglo a la ley. Principio que se ratifica en el art. 133 CE por lo que se refiere a las prestaciones de carácter tributario. Consecuencia de tales preceptos son los pronunciamientos del Tribunal Constitucional, estableciendo el concepto de prestación personal o patrimonial de carácter público y concretando el alcance y naturaleza de la reserva de ley del art. 31.3 CE. Pronunciamientos homogéneos y constantes, por lo que podemos decir que estamos ante una doctrina consolidada.

Conforme a dicha doctrina, podemos señalar, de acuerdo con la STC 121/2005, de 10 de mayo (LA LEY 1406/2005), FJ 6.°, que dado que la reserva de ley de los artículos 133.1 y 31.3 de la Constitución se establece para los tributos y las prestaciones patrimoniales de carácter público, es preciso determinar, con independencia del nomen iuris empleado por el legislador, cuál es la verdadera naturaleza de las tarifas para comprobar si le es aplicable la reserva. Asimismo, señala el Tribunal Constitucional en el FJ 5.° de la misma Sentencia, que la reserva de ley, de acuerdo con los preceptos constitucionales citados, alcanza al establecimiento de la prestación, significándose con esta expresión no sólo la creación sino también el establecimiento de sus elementos esenciales. Y se consideran elementos esenciales o configuradores del tributo todos aquellos elementos determinantes de la identidad de la prestación así como los relativos a su cuantificación.

Finalmente, señalar que la reserva de ley no es, como ha declarado el Tribunal Constitucional, de carácter absoluto, exigiéndose únicamente la conformidad con la ley y no imponiéndose que el tributo se regule mediante ley en todos sus extremos: la reserva no afecta, en consecuencia, por igual a todos los elementos del tributo, doctrina sentada por las Sentencias 221/1992, de 11 de diciembre (EC 2052/1993) y 185/1995, de 14 de diciembre (EC 545/1996), entre otras.

Se exige, además, que se trate de servicios o actividades cuya titularidad corresponda a un ente público. Lo que permite concluir que cualquiera que sea la forma de gestión, cuando se trate de un servicio o actividad cuya titularidad corresponda a un ente público la contraprestación debida tendrá siempre la naturaleza de tasa. Y como anteriormente apuntábamos, este segundo párrafo no figuraba en el proyecto de ley presentado por el Gobierno, sino que fue introducido en el trámite parlamentario, mediante la aceptación de enmiendas formuladas por Izquierda Unida y Convergencia y Unión, cuya motivación, basada en la doctrina del Tribunal Constitucional, señalaba la irrelevancia de la forma de gestión, pues el carácter de tasa resulta obligado cuando se trata de un servicio de recepción obligatoria, por ser necesario o no prestarse por el sector privado. Ello nos lleva a concluir que, como interpretación auténtica del precepto, la forma de gestión es indiferente, pues de coincidir las citadas condiciones la contraprestación económica será siempre tasa.

Estas afirmaciones tienen incidencia sobre determinadas normas reguladoras de distintas materias, como son, en primer término, la Ley 30/2007, de 30 de octubre (BOE del 31), de Contratos del Sector Público (LCSP); el art. 117 cuando establece que los pliegos de cláusulas administrativas particulares y de prescripciones técnicas fijarán, en su caso, las tarifas que hubieren de abonar los usuarios; el art. 229.c, en relación con la obligación del concesionario de admitir la utilización de la obra pública por todo usuario, mediante el abono de la correspondiente tarifa; el art. 238.2, en relación con el órgano competente para la fijación de las tarifas y el momento de su fijación; y, finalmente, el art 256 a), cuando declara que el contratista estará sujeto al cumplimiento, entre otras condiciones, a la de prestar el servicio mediante el abono, en su caso, de la contraprestación económica comprendida en las tarifas aprobadas.

En segundo término, también afectan, en el ámbito del régimen local, al Texto Refundido de Régimen Local (TRRL), aprobado por Real Decreto Legislativo 781/1986, de 18 de abril (BOE del 22), a la regulación del art. 97.1.b, que exige que para el ejercicio de actividades económicas se requiere que se acompañe a la memoria el proyecto de precios del servicio; o a su art. 107.1 cuando establece el requisito de la autorización por la Comunidad Autónoma o Administración competente de las tarifas de los servicios en los que sea obligatorio de acuerdo con la política general de precios. Igualmente, al Reglamento de Servicios de las Corporaciones Locales (RS), aprobado por Decreto de 17 de junio de 1955, que en su art. 115. 6.ª señala la obligatoriedad de la cláusula correspondiente a las tarifas que hubieren de percibirse del público o la prohibición, en el art. 116.3, de las cláusulas que establezcan la irreversibilidad de las tarifas. También se habla de tarifas en el art. 127.1.1.ª.b y 2.ª.b, en cuanto a la competencia que ostenta la Corporación para la alteración de las tarifas o su revisión cuando circunstancias sobrevenidas o imprevisibles determinaran la ruptura de la economía de la concesión. Y, finalmente, los arts. 148

a 155, que regulan las modalidades de las tarifas de los servicios públicos y su aprobación, modificación, revisión y recaudación.

La conclusión sobre la concreta naturaleza jurídica de las tarifas a la que se ha llegado a través de la argumentación que venimos realizando creemos que está igualmente avalada por las sentencias del Tribunal Constitucional 102/2005, de 20 de abril, y 121/2005, 10 de mayo (en cuyos fundamentos jurídicos se remiten de manera constante a las reiteradamente citadas SSTC 185/1995 y 233/1999), en las que, expresamente, y tomando en consideración la nueva redacción del art. 2.2.a LGT 2003, ha venido a establecer la naturaleza pública y tributaria, en concreto de tasa, de las prestaciones patrimoniales o tarifas que, como las hasta ahora enjuiciadas, se satisfacen por la prestación de servicios públicos.

Tales sentencias fueron dictadas como consecuencia de sendas cuestiones de inconstitucionalidad planteadas, la primera, por la Sección Segunda de la Sala de lo Contencioso-Administrativo del Tribunal Supremo, y, la segunda, por la Sección Octava de la Sala de lo Contencioso-Administrativo de la Audiencia Nacional, en ambos casos sobre los apartados 1 y 2 del art. 70 de la Ley 27/1992, de 24 de noviembre (BOE del 25), de puertos del Estado y de la marina mercante (y cuya inconstitucionalidad y nulidad declara en los correspondientes fallos). El primero de los cuales calificaba de precios privados las tarifas por los distintos servicios portuarios, estableciendo el segundo la competencia de las Autoridades Portuarias para la aprobación de las mismas.

Los supuestos por los que se establecían esas tarifas, que luego el Tribunal y la propia ley especial posterior han calificado como tasas [Ley 48/2003, de 26 de noviembre (BOE del 27), de régimen económico y de prestación de servicios de los puertos, aprobada, precisamente, para adaptarse a la doctrina constitucional], eran muy variados, exigiéndose por servicios como la puesta a disposición de espacios, almacenes, edificios e instalaciones para la manipulación y almacenamiento de mercancías y vehículos y para el tránsito de éstos y de pasajeros en el puerto, o por la utilización por las embarcaciones deportivas o de recreo, y por sus tripulantes y pasajeros de las aguas del puerto, de las dársenas y zonas de fondeo, de los servicios generales de policía y, en su caso de las instalaciones de amarre en muelles o pantanales.

De la doctrina establecida por el Tribunal Constitucional, sobre todo en los fundamentos jurídicos 5.º, 6.º y 7.º de la citada STC 102/2005, se pueden extraer las siguientes conclusiones:

a) En los servicios en que existe un monopolio de hecho o de derecho de los poderes públicos, de tal manera que los particulares se ven obligados a optar entre no recibirlos o constituir necesariamente la obligación de pago de la prestación, dicha prestación tendrá que considerarse patrimonial de carácter público de naturaleza tributaria (fundamento 5.º).

b) Ese régimen de monopolio puede venir determinado tanto por tratarse de servicios calificados como obligatorios (como es el caso de los mercados) y vinculados al ejercicio de funciones públicas, como por resultar indispensables para su prestación la ocupación y utilización privativas del dominio público (fundamentos 5.º y 6.º).

c) La tarifa es, por tanto, un tributo con independencia de que los servicios sean prestados por la Administración de forma directa o indirecta, tal y como se desprende, en la actualidad, del párrafo segundo del art. 2.2.a de la LGT 2003 (fundamento jurídico 6.º, párrafo primero).

d) En tanto que tributo, la tarifa está sujeta a reserva de ley, no pudiendo, por tanto, proceder a su establecimiento y aprobación ningún órgano que no tenga atribuida legalmente la competencia para ello (fundamento jurídico 7.º).

Finalmente, la Dirección General de Tributos, en su informe de 26 de octubre de 2007, se pronuncia sobre la naturaleza jurídica de la contraprestación que debe satisfacer el usuario del servicio público, calificándola como tasa con independencia de la modalidad de gestión adoptada. Aunque disentimos de la afirmación de que las tasas han de ingresarse en las arcas municipales, pues olvida lo dispuesto en el art. 129.1.b) RS, que no ha sido derogado, que señala que el concesionario percibirá como retribución las tasas a cargo de los usuarios con arreglo a la tarifa aprobada.

• **Constitución de sociedad de responsabilidad limitada mixta**

¿Cuál es el procedimiento para la constitución de una sociedad limitada para la gestión y construcción de una plataforma logística de transportes en la que el ayuntamiento participa con el 12% y el resto es capital privado? Salvo el capital inicial, la aportación del ayuntamiento consistiría en el impulso, gestión y tramitación de los expedientes para su puesta en marcha.

[23/03/2009 EC 978/2009]

Contestación

En primer lugar, hemos de señalar que la participación de la entidad local no se puede concretar en el impulso, gestión y tramitación de todos los expedientes para su puesta en marcha, ya que el art. 18 de la Ley 2/1995 de 23 de marzo (BOE del 24), de Sociedades de responsabilidad limitada, es claro cuando señala que sólo podrán ser objeto de aportación los bienes o derechos patrimoniales susceptibles de valoración económica. En ningún caso podrán ser objeto de aportación el trabajo o los servicios. Añadiendo que toda aportación se considera realizada a título de propiedad, salvo que expresamente se estipule de otro modo.

Dicho esto, lo primero que ha de señalarse es que la fundación de una sociedad mixta no puede realizarse libremente con determinados empresarios elegidos previamente por la Administración. En efecto, como señalan los hermanos BALLESTEROS FERNÁNDEZ en el Manual de Gestión de Servicios Públicos Locales (El Consultor, 2005), en la constitución de la sociedad mixta es necesario distinguir dos diferentes fases: la primera de carácter administrativo y la segunda de carácter mercantil.

La fase interna administrativa tiene por objeto la formación de la voluntad del ente público, dirigida a crear la sociedad mixta con el fin de prestar un servicio público, o bien de intervenir en una actividad económica de interés general. La adopción del acuerdo de constituir la sociedad corresponde al Pleno de la Corporación [arts. 22.2.f) y 123.1.k) de la Ley 7/1985, de 2 de abril (BOE del 3), Reguladora de las Bases de Régimen Local], y solo en el supuesto de que se pretenda hacer efectiva la reserva de servicios esencial (art. 86.3 LRBRL) y gestionar el servicio con monopolio será exigible el voto favorable de la mayoría absoluta legal de sus miembros [art. 47.2.k) LRBRL].

El acuerdo deberá fijar la forma concreta que la empresa mixta va a adoptar, así como el modo de constituirla, la determinación de las especialidades internas tanto estructurales como funcionales que, sin perjuicio de terceros, exceptúen la legislación societaria aplicable, el procedimiento de integración del capital y la participación que se reserve la entidad local en la dirección de la sociedad y en los posibles beneficios o pérdidas [art. 104.2 del Texto Refundido de Régimen Local (TRRL), aprobado por Real Decreto Legislativo 781/1986, de 18 de abril (BOE del 22)]. Aprobará además los estatutos que han de regir el funcionamiento de la empresa que serán fruto del previo procedimiento de contratación convocado para la selección de los socios privados.

La LRBRL exige justificar la conveniencia y oportunidad de la medida para ejercer actividades económicas y para hacer efectiva la reserva de servicios esenciales hecha por la Ley a favor de los entes locales (art. 86 LRBRL). En este sentido las sentencias del Tribunal Supremo de 28 de abril de 1987 y 10 de octubre de 1989 (LA LEY 2902/1989) señalan que «mientras que los particulares pueden crear empresas con plena libertad de criterios sin más condición que la de que sus fines sean lícitos, todas las actuación de los órganos de la Administración pública deben responder al interés público que, en cada caso y necesariamente, ha de concurrir (art. 103 CE) (...).»

El art. 117 de la Ley 30/2007, de 30 de octubre (BOE del 31), de Contratos del Sector Público (LCSP) impone que cualquier contrato de gestión de servicios públicos (art. 253) preceda los pliegos de cláusulas administrativas particulares y de prescripciones técnicas que fijen las condiciones de prestación del servicio y, en su caso, fijen las tarifas que hubieran de abonar los usuarios y la participación que hubiere de satisfacerse a la administración. Por su parte el art. 183 del Reglamento de Contratos de las Administraciones Públicas agrega a estos documentos la exigencia de un proyecto de explotación, que comprenda un estudio económico-administrativo del servicio, de su régimen de utilización y de las particularidades técnicas que resulten precisas para su definición; y un proyecto, o anteproyecto, de obras necesarias para la implantación del servicio.

La primera fase de carácter administrativo se complementa con la fase estrictamente mercantil que, tratándose de constituir una sociedad de responsabilidad limitada, sólo ofrece la posibilidad de fundación simultánea conforme al art. 12 de la LSRL.

En la fundación simultánea el ente público fundador selecciona previamente al socio o socios privados, mediante concurso de iniciativas en que se admitan las sugerencias previstas en el art. 104.2 TRRL. Encajado el «concurso de iniciativas» en la legislación básica de contratación contractual, el procedimiento licitatorio será el procedimiento restringido, de modo que, en el trámite previo, se seleccionarán para participar en el procedimiento de adjudicación solo a aquellos licitadores que reúnan las condiciones objetivas establecidas en el Pliego (experiencia en la gestión del servicio, capacidad financiera y técnica, etc. y en la posterior fase se efectuará la selección atendiendo a las alternativas propuestas en orden a la mejor gestión del servicio, tarifas a cargo de los usuarios, forma de amortizar el capital privado, duración de la sociedad, etc.).

La licitación pública para la elección del socio o socios privados es esencial, pues el Tribunal Supremo ha considerado viciada de nulidad la constitución de empresa mixta en la que se efectuó la selección de accionariado privado directamente.

Una vez seleccionado el socio o socios privados, concurrieran con la entidad local al otorgamiento de la escritura pública fundaciones y, en un solo actos, se suscribirán todas las participaciones sociales. Formalizada la escritura pública deberá ser presentada para su inscripción en el Registro Mercantil del domicilio de la sociedad, dentro del plazo de dos meses desde su otorgamiento (art. 15 LSRL).

• El adjudicatario del contrato de gestión de servicio público será el que resulte con mejor puntuación tras haber sido valorados todos los criterios objetivados en el pliego.

En la adjudicación de un contrato de gestión de servicio público se fijan en el pliego dos criterios de adjudicación: oferta económica (60 puntos) y oferta técnica (40 puntos). Una empresa obtiene la máxima puntuación en cuanto a la oferta económica pero ofrece unos medios técnicos que pueden hacer inviable la prestación del servicio. ¿Podría fundamentarse la adjudicación al segundo mejor postor, cuya oferta desde el punto de vista técnico hace viable la prestación del servicio?

[15/04/2008 EC 1292/2008]

Contestación

La presentación de proposiciones por los interesados en una licitación pública presume la aceptación incondicionada por los empresarios del contenido de los pliegos de cláusulas administrativas particulares [art. 79 del Texto Refundido de la Ley de Contratos de las Administraciones Públicas (TR LCAP)] y su valoración se realizará teniendo en cuenta los criterios objetivos que el órgano de contratación haya establecido de acuerdo a las posibilidades que ofrece el art. 86 TR LCAP, tratándose de un concurso, que es la forma de adjudicación que el texto refundido prefiere para este contrato típico (art. 159.1).

En el presente expediente los criterios propuestos para la selección del contratista eran dos: oferta económica (60 puntos) y oferta técnica (40 puntos).

La valoración de ambas ha de ser independiente y el adjudicatario propuesto por la mesa será el mejor tras la suma de la totalidad de las puntuaciones obtenidas en ambos criterios. Se busca la oferta que globalmente, en su conjunto, y tras realizar toda la valoración propuesta, satisfaga mejor las necesidades de la Administración, que se han plasmado en los criterios a valorar organizados según la importancia relativa de cada uno para la entidad contratante, independientemente de quién sea el mejor en cada uno.

Siendo así las cosas, no existe problema para que el que peor puntuación ha obtenido en el primer criterio pueda ser el que se proponga, si es mucho mejor en el segundo, y la suma total indica que su oferta, en conjunto, es la más ventajosa para la Administración.

No parece ser tan claro el caso consultado. En la consulta se indica sobre la oferta técnica de uno de los licitadores que puede resultar inviable con los medios técnicos que ofrece, porque parece evidente que el servicio no podrá ser prestado adecuadamente. Pero no se desprende de este comentario ambiguo si cumple o no cumple el pliego de prescripciones técnicas.

Como análisis previo antes de valorar las ofertas debemos tener en cuenta que el objeto del contrato debe estar perfectamente definido en el pliego de prescripciones técnicas, con el mayor detalle, y evidentemente indicando los medios que se estiman imprescindibles para su ejecución, en caso de considerarse que éstos deben exigirse al adjudicatario para la prestación del servicio (esos u otros equivalentes). El detalle del objeto en los pliegos es una exigencia establecida en los artículos 13 y 68 TR LCAP (objeto «determinado» y «completo») y 2.1 y 67.2.a) (objeto «definido») del Reglamento General de la Ley de Contratos de las Administraciones Públicas (RCAP), aprobado por Real Decreto 1098/2001, de 12 de octubre (EC 3784/2001). Dicha definición puede hacerse por remisión a un proyecto o al pliego de prescripciones técnicas (PPT), aunque siempre en el de cláusulas administrativas ha de haber una descripción suficientemente precisa para que los licitadores se hagan una idea clara de lo que la Administración pretende contratar.

Sobre el objeto del contrato puede verse el capítulo dedicado a su definición en la Comunicación interpretativa de la Comisión sobre la legislación comunitaria de contratos públicos aprobada el 4 de julio de 2001 [COM (2001) 274 final, págs. 10 y ss.].

Junto a la definición del objeto se habrán incluido en el pliego de cláusulas administrativas particulares unas determinadas condiciones de solvencia técnica, que el licitador habrá cumplido, puesto que se le ha podido abrir la oferta económica. Por lo tanto, se parte de que su solvencia, de acuerdo a lo que el pliego pide, es suficiente para ejecutar el objeto.

Llegados a este punto, y en relación con la valoración del criterio de «oferta técnica», hemos de tener en cuenta que su definición ha de ser objetiva (art. 86.1 TR LCAP), objetividad que se exige también en las Sentencias del TSJUE y que por lo tanto proscribe cualquier criterio que dejen margen a la subjetividad de las mesas de contratación y/o al órgano de contratación. La nueva LCSP precisa ahora algo que se deduce precisamente de esta doctrina en su art. 134: los criterios han de estar directamente vinculados al objeto. Así, una expresión tan abierta como «oferta técnica» ha debido detallarse en el PCAP con precisión, en relación con su valoración, concretando el modo en que van a valorarse. Así, por ejemplo, si el PCAP ha utilizado las características estéticas o funcionales o la calidad, ha de concretar también cuando una oferta se va a considerar más estética, o qué parámetros de calidad o funcionalidad se van a utilizar para valorar comparativamente las ofertas. En ningún caso puede quedar al albur del órgano de contratación, y menos aún de la mesa, la decisión sobre qué oferta se considera más ventajosa en base a sus propios criterios adoptados en el momento de la valoración a la vista de las ofertas presentadas. La doctrina del Tribunal de Justicia de las Comunidades Europeas es bien clara y reiterada al respecto (y como última Sentencia en la que se recoge este planteamiento tenemos la de 24 de enero de 2008, asunto c-532/06; LA LEY JURIS 142/2008):

— Los poderes adjudicadores han de comparar las ofertas de modo objetivo, valorando las cualidades intrínsecas del producto o servicio con criterios predeterminados y publicados para que no se produzca discriminación entre licitadores (Sentencia de 3 de octubre de 2000, en el asunto c-380/1998 «Universidad de Cambridge», en la que el Tribunal hace referencia a otras).

— Los pliegos no pueden atribuir a los poderes adjudicadores «una libertad incondicional de selección» y «los criterios de adjudicación deberán ser previamente objeto de publicidad en los pliegos o en los anuncios» [TJUE Sentencia Beentjes, asunto C 31/1987, posteriormente reproducida, con diversas matizaciones, por las Sentencias de 26 de septiembre de 2000 (asunto C 225/1998), de 18 de octubre de 2001 (asunto C 19/00), de 17 de septiembre de 2002 (asunto C 513/1999) y en la de 19 de junio de 2003 (asunto 315/01)], siendo contrario a la normativa comunitaria, que en un procedimiento de licitación, la entidad adjudicadora fije a posteriori coeficientes de ponderación y subcriterios relativos a los criterios de adjudicación establecidos en el pliego de condiciones o en el anuncio de licitación.

La nueva LCSP destaca esta necesidad de objetividad imponiendo la preponderancia de factores objetivos expresados en cifras o porcentajes, y cuando no sea así, exigiendo un comité de valoración independiente del órgano de contratación formado al menos por tres expertos (art. 134).

Por todo lo anterior, concluimos en que la adjudicación deberá realizarse a favor de la empresa que en su conjunto presente la oferta más ventajosa de acuerdo a los criterios de valoración establecidos en el PCAP, no siendo posible, salvo que exista un incumplimiento de las condiciones establecidas previamente en ese mismo PCAP que permita excluir la propuesta técnica de modo justificado, que se prefiera a la oferta con menor puntuación basándose en meras apreciaciones o deducciones, o incluso en valoraciones de elementos o subcriterios que no estaban incluidos en el PCAP.

Sección 4

Actuaciones preparatorias de los contratos de colaboración entre el sector público y el sector privado

Artículo 134 *Evaluación previa*

1. Con carácter previo a la iniciación de un expediente de contrato de colaboración entre el sector público y el sector privado, la Administración o entidad contratante deberá elaborar un documento de evaluación en que se ponga de manifiesto que, habida cuenta de la complejidad del contrato, no se encuentra en condiciones de definir, con carácter previo a la licitación, los medios técnicos necesarios para alcanzar los objetivos proyectados o de establecer los mecanismos jurídicos y financieros para llevar a cabo el contrato, y se efectúe un análisis comparativo con formas alternativas de contratación que justifiquen en términos de obtención de mayor valor por precio, de coste global, de eficacia o de imputación de riesgos, los motivos de carácter jurídico, económico, administrativo y financiero que recomienden la adopción de esta fórmula de contratación.

2. La evaluación a que se refiere el apartado anterior podrá realizarse de forma sucinta si concurren razones de urgencia no imputables a la Administración o entidad contratante que aconsejen utilizar el contrato de colaboración entre el sector público y el sector privado para atender las necesidades públicas.

3. La evaluación será realizada por un órgano colegiado donde se integren expertos con cualificación suficiente en la materia sobre la que verse el contrato.

4. No será necesario realizar una nueva evaluación cuando un órgano integrado en la misma Administración o entidad que aquél que pretenda realizar el contrato, o en la Administración de la que dependa éste o a la que se encuentre vinculado, la hubiese efectuado previamente para un supuesto análogo, siempre que esta evaluación previa no se hubiese realizado de forma sucinta por razones de urgencia.

➡ Concordancias normativas

Artículo 118 redactado por el apartado ocho de la disposición final decimosexta de la Ley 2/2011, de 4 de marzo, de Economía Sostenible («B.O.E». 5 marzo).

Concordancias a todo el artículo

➡ Concordancias normativas

Artículo 118 de la LCSP 30/2007.

☞ Concordancias Jurisprudenciales

Tribunal Superior de Justicia de Andalucía de Sevilla, Sala de lo Contencioso-administrativo, Sección 1.ª, Sentencia de 27 Abr. 2011, rec. 103/2011

[LA LEY 190681/2011]

CONTRATOS ADMINISTRATIVOS. Clases de contratos del sector público. Contrato de colaboración entre el sector público y el sector privado. DERECHO DE LA UNIÓN EUROPEA. Competencias de la Unión. Eficacia de la normativa.

Artículo 135 *Programa funcional*

El órgano de contratación, a la vista de los resultados de la evaluación a que se refiere el artículo anterior, elaborará un programa funcional que contendrá los elementos básicos que informarán el diálogo con los contratistas y que se incluirá en el documento descriptivo del contrato. Particularmente, se identificará en el programa funcional la naturaleza y dimensión de las necesidades a satisfacer, los elementos jurídicos, técnicos o económicos mínimos que deben incluir necesariamente las ofertas para ser admitidas al diálogo competitivo, y los criterios de adjudicación del contrato.

Concordancias a todo el artículo

➡ **Concordancias normativas**

Artículo 119 de la LCSP 30/2007.

☞ **Concordancias Jurisprudenciales**

Audiencia Nacional, Sala de lo Contencioso-administrativo, Sección 5.ª, Sentencia de 17 May. 2012, rec. 1809/2009

CONTRATOS ADMINISTRATIVOS. Adjudicación de contratos. Selección del adjudicatario. Adjudicación provisional y definitiva del contrato. En el presente caso, ha quedado constatado que por la interesada se ha presentado la documentación necesaria para la adjudicación definitiva fuera de plazo, como por cierto mantiene la Administración. No obstante, el título jurídico en que se basa la Administración para la pérdida de la garantía constituida no es de aplicación al caso, toda vez que no puede deducirse que la interesada hubiese per se retirado su proposición. Menos aún es de aplicación el artículo 61 del RDLeg. 2/2000 de 16 de junio. Improcedente incautación de la garantía provisional. Devolución de la garantía procedente.

📖 Doctrina

— «Pliegos de cláusulas administrativas particulares: ámbito objetivo en el que, como excepción, no resultan exigibles». Donderis Romero, Ignacio; Koninckx Frasquet, Amparo. Esta doctrina forma parte del libro

Aspectos prácticos y novedades de la contratación pública. En especial en la administración local, edición n.º 2, Editorial LA LEY, Madrid, 2012.

— «Adjudicación del contrato». Alonso Mas, María José; Koninckx Frasquet, Amparo. Esta doctrina forma parte del libro *Aspectos prácticos y novedades de la contratación pública. En especial en la administración loca»*, edición n.º 2, Editorial LA LEY, Madrid, 2012.

Artículo 136 *Clausulado del contrato*

Los contratos de colaboración entre el sector público y el sector privado deberán incluir necesariamente, además de las cláusulas relativas a los extremos previstos en el artículo 26, estipulaciones referidas a los siguientes aspectos:

a) Identificación de las prestaciones principales que constituyen su objeto, que condicionarán el régimen sustantivo aplicable al contrato, de conformidad con lo previsto en la letra m) de este artículo y en el artículo 313.

➡ Concordancias normativas

Véase artículo 313 de la presente Ley.

b) Condiciones de reparto de riesgos entre la Administración y el contratista, desglosando y precisando la imputación de los riesgos derivados de la variación de los costes de las prestaciones y la imputación de los riesgos de disponibilidad o de demanda de dichas prestaciones.

c) Objetivos de rendimiento asignados al contratista, particularmente en lo que concierne a la calidad de las prestaciones de los servicios, la calidad de las obras y suministros y las condiciones en que son puestas a disposición de la Administración.

d) Remuneración del contratista, que deberá desglosar las bases y criterios para el cálculo de los costes de inversión, de funcionamiento y de financiación y en su caso, de los ingresos que el contratista pueda obtener de la explotación de las obras o equipos en caso de que sea autorizada y compatible con la cobertura de las necesidades de la Administración.

e) Causas y procedimientos para determinar las variaciones de la remuneración a lo largo del período de ejecución del contrato.

f) Fórmulas de pago y, particularmente, condiciones en las cuales, en cada vencimiento o en determinado plazo, el montante de los pagos pendientes de satisfacer por la Administración y los importes que el contratista debe abonar a ésta como consecuencia de penalidades o sanciones pueden ser objeto de compensación.

g) Fórmulas de control por la Administración de la ejecución del contrato, especialmente respecto a los objetivos de rendimiento, así como las condiciones en que se puede producir la subcontratación.

h) Sanciones y penalidades aplicables en caso de incumplimiento de las obligaciones del contrato.

i) Condiciones en que puede procederse por acuerdo o, a falta del mismo, por una decisión unilateral de la Administración, a la modificación de determinados aspectos del contrato o a su resolución, particularmente en supuestos de variación de las necesidades de la Administración, de innovaciones tecnológicas o de modificación de las condiciones de financiación obtenidas por el contratista.

j) Control que se reserva la Administración sobre la cesión total o parcial del contrato.

k) Destino de las obras y equipamientos objeto del contrato a la finalización del mismo.

l) Garantías que el contratista afecta al cumplimiento de sus obligaciones.

m) Referencia a las condiciones generales y, cuando sea procedente, a las especiales que sean pertinentes en función de la naturaleza de las prestaciones principales, que la Ley establece respecto a las prerrogativas de la Administración y a la ejecución, modificación y extinción de los contratos.

Concordancias a todo el artículo

➡ **Concordancias normativas**

Artículo 120 de la LCSP 30/2007.

☞ **Concordancias Jurisprudenciales**

Tribunal Administrativo Central de Recursos Contractuales, Resolución de 26 Ene. 2012, rec. 4/2012

CONTRATO ADMINISTRATIVO DE SERVICIOS. Para el soporte técnico sobre los sistemas del M.º Política Territorial y Administración Pública ligados a los Servicios Periféricos. Adjudicación definitiva. Proposición anormal o desproporcionada. RECURSO ESPECIAL EN MATERIA DE CONTRATACIÓN. Estimación parcial. Nulidad del acto de adjudicación, porque la mesa de contratación consideró que la proposición de la interesada era anormal o desproporcionada. El informe elaborado por los servicios técnicos no cuenta con la debida motivación. La decisión discrecional del órgano de contratación calificando una oferta de anormal o desproporcionada, cuando, como es el caso, no constan en el expediente las circunstancias que el citado órgano tomó en consideración en el momento de adoptar la correspondiente decisión, cabría calificarla de arbitraria. Procede la retroacción de las actuaciones al momento en que se emitió el informe por la División de Sistemas de la Información y Comunicaciones.

TÍTULO II
Preparación de otros contratos

CAPÍTULO ÚNICO
Reglas aplicables a la preparación de los contratos celebrados por poderes adjudicadores que no tengan el carácter de Administraciones Públicas y de contratos subvencionados

Artículo 137 *Establecimiento de prescripciones técnicas y preparación de pliegos*

1. En los contratos celebrados por poderes adjudicadores que no tengan el carácter de Administraciones Públicas, que estén sujetos a regulación armonizada o que sean contratos de servicios comprendidos en las categorías 17 a 27 del Anexo II de cuantía igual o superior a 193.000 euros, así como en los contratos subvencionados a que se refiere el artículo 17, deberán observarse las reglas establecidas en el artículo 117 para la definición y establecimiento de prescripciones técnicas, siendo igualmente de aplicación lo previsto en los artículos 118 a 120. Si la celebración del contrato es necesaria para atender una necesidad inaplazable o si resulta preciso acelerar la adjudicación por razones de interés público, el órgano de contratación podrá declarar urgente su tramitación, motivándolo debidamente en la documentación preparatoria. En este caso será de aplicación lo previsto en el artículo 112.2.b) sobre reducción de plazos.

➡ **Concordancias normativas**

Cifra contenida en el número 1 del artículo 137 actualizada por el artículo único.1 b) de la Orden EHA/3479/2011, de 19 de diciembre, por la que se publican los límites de los distintos tipos de contratos a efectos de la contratación del sector público a partir del 1 de enero de 2012 («B.O.E». 23 diciembre).

2. En contratos distintos a los mencionados en el apartado anterior de cuantía superior a 50.000 euros, los poderes adjudicadores que no tengan el carácter de Administraciones Públicas deberán elaborar un pliego, en el que se establezcan las características básicas del contrato, el régimen de admisión de variantes, las modalidades de recepción de las ofertas, los criterios de adjudicación y las garantías que deberán constituir, en su caso, los licitadores o el adjudicatario, siendo de aplicación, asimismo, lo dispuesto en el artículo 120. Estos pliegos serán parte integrante del contrato.

Concordancias a todo el artículo

➡ **Concordancias normativas**

Artículo 121 de la LCSP 30/2007.

✉ **Consultas**

• **Normativa aplicable al procedimiento de licitación para los poderes adjudicadores que no tienen el carácter de administración pública en contratos SARA**

Para los poderes adjudicadores que no tienen el carácter de Administración Pública, en contratos sujetos a regulación armonizada, ¿cuál es la normativa que rige el procedimiento de licitación (fases de preparación, selección y adjudicación) La Directiva 2004/18/CE, la Ley 30/2007 o sus Instrucciones de Contratación? en caso de aplicarse todas ¿cual es el orden de prelación?

Contratación Administrativa Práctica, Nº 92, Sección Usted Pregunta, Diciembre 2009, Editorial LA LEY

[LA LEY 4063/2009]

Respuesta

La normativa vigente aplicable a los contratos sujetos a regulación armonizada celebrados por los poderes adjudicadores que no tienen el carácter de Administración Pública es la Ley 30/2007, de Contratos Sector Público que traspone la Directiva 2004/18/CE.

Para contestar a esta consulta, debemos diferenciar la fase de preparación del contrato de las fases de licitación y adjudicación.

a) Fase de preparación

El artículo 121 de la LCSP (LA LEY 10868/2007) contiene las reglas aplicables a la preparación de los contratos celebrados por poderes adjudicadores que no tengan el carácter de Administraciones Públicas, y en concreto establece:

1. En los contratos celebrados por poderes adjudicadores que no tengan el carácter de Administraciones Públicas, que estén sujetos a regulación armonizada o que sean contratos de servicios comprendidos en las categorías 17 a 27 del Anexo II de cuantía igual o superior a 211.000 euros, así como en los contratos subvencionados a que se refiere el artículo 17, deberán observarse las reglas establecidas en el artículo 101 (LA LEY 10868/2007) para la definición y establecimiento de prescripciones técnicas, siendo igualmente de aplicación lo previsto en los artículos 102 a104 (LA LEY 10868/2007). Si la celebración del contrato es necesaria para atender una necesidad inaplazable o si resulta preciso acelerar la adjudicación por razones de interés público, el órgano de contratación podrá declarar urgente su tramitación, motivándolo debidamente en la documentación preparatoria. En este caso será de aplicación lo previsto en el artículo 96.2.b) (LA LEY 10868/2007) sobre reducción de plazos.

2. En contratos distintos a los mencionados en el apartado anterior de cuantía superior a 50.000 euros, los poderes adjudicadores que no tengan el carácter de Administraciones Públicas deberán elaborar un pliego, en el que se establezcan las características básicas del contrato, el régimen de admisión de variantes, las modalidades de recepción de las ofertas, los criterios de adjudicación y las garantías que deberán constituir, en su caso, los licitadores o el adjudicatario, siendo de aplicación, asimismo, lo dispuesto en el artículo 104. Estos pliegos serán parte integrante del contrato.

b) Fase de licitación y adjudicación

Respecto a la adjudicación de los contratos del sector público celebrados por los poderes adjudicadores que no tienen el carácter de Administración Pública, el artículo 173 (LA LEY 10868/2007) señala que «los poderes adjudicadores que no tengan el carácter de Administraciones Públicas aplicarán, para la adjudicación de sus contratos, las normas de la presente sección.»

En consonancia con la distinción, a efectos de la LCSP, de Poderes adjudicadores que no tienen la condición de «Administración Pública» se prevé un régimen jurídico para la adjudicación de los contratos de estas entidades.

Por su parte, el artículo 174 (LA LEY 10868/2007) regula la adjudicación de los contratos sujetos a regulación armonizada, y expresamente dispone:

1. La adjudicación de los contratos sujetos a regulación armonizada se regirá por las normas establecidas en el Capítulo anterior con las siguientes adaptaciones:

a) No serán de aplicación las normas establecidas en el segundo párrafo del apartado 2 del artículo 134 (LA LEY 10868/2007) sobre intervención del comité de expertos para la valoración de criterios subjetivos, en los apartados 1 y 2 del artículo 136 sobre criterios para apreciar el carácter anormal o desproporcionado de las ofertas, en el artículo 140 (LA LEY 10868/2007) sobre formalización de los contratos, en el artículo 144 (LA LEY 10868/2007) sobre examen de las proposiciones y propuesta de adjudicación, y en el artículo 156 (LA LEY 10868/2007) sobre los supuestos en que es posible acudir a un procedimiento negociado para adjudicar contratos de gestión de servicios públicos.

b) No será preciso publicar las licitaciones y adjudicaciones en los diarios oficiales nacionales a que se refieren el párrafo primero del apartado 1 del artículo 126 (LA LEY 10868/2007) y el párrafo primero del apartado 2 del artículo 138 (LA LEY 10868/2007), entendiéndose que se satisface el principio de publicidad mediante la publicación efectuada en el «Diario Oficial de la Unión Europea» y la inserción de la correspondiente información en la plataforma de contratación a que se refiere el artículo 309 (LA LEY 10868/2007) o en el sistema equivalente gestionado por la Administración Pública de la que dependa la entidad contratante, sin perjuicio de la utilización de medios adicionales con carácter voluntario.

2. Si, por razones de urgencia, resultara impracticable el cumplimiento de los plazos mínimos establecidos, será de aplicación lo previsto en el artículo 96.2.b) (LA LEY 10868/2007) sobre reducción de plazos.

LIBRO III

Selección del contratista y adjudicación de los contratos

TÍTULO I

Adjudicación de los contratos

CAPÍTULO I

Adjudicación de los contratos de las Administraciones Públicas

Sección 1

Normas generales

Subsección 1

Disposiciones directivas

Artículo 138 *Procedimiento de adjudicación*

1. Los contratos que celebren las Administraciones Públicas se adjudicarán con arreglo a las normas del presente Capítulo.

2. La adjudicación se realizará, ordinariamente, utilizando el procedimiento abierto o el procedimiento restringido. En los supuestos enumerados en los artículos 170 a 175, ambos inclusive, podrá seguirse el procedimiento negociado, y en los casos previstos en el artículo 180 podrá recurrirse al diálogo competitivo.

3. Los contratos menores podrán adjudicarse directamente a cualquier empresario con capacidad de obrar y que cuente con la habilitación profesional necesaria para realizar la prestación, cumpliendo con las normas establecidas en el artículo 111.

Se consideran contratos menores los contratos de importe inferior a 50.000 euros, cuando se trate de contratos de obras, o a 18.000 euros, cuando se trate de otros contratos, sin perjuicio de lo dispuesto en el artículo 206 en relación con las obras, servicios y suministros centralizados en el ámbito estatal.

⊠ Consultas

• Publicación en el perfil de contratista la formalización de los contratos

El artículo 154 del Texto Refundido de la Ley de Contratos del Sector Público (LA LEY 21158/2011) (anterior 138 LCSP) establece la obligación de publicar en el perfil de contratista la formalización de los contratos cuya cuantía su igual o superior a las cantidades indicadas en el art. 138.4, es decir, las cuantías que superen el umbral de los contratos menores, indicando, continúa diciendo el precepto, como mínimo los datos mencionados en el anuncio de la adjudicación, ante lo cual se plantea de conformidad con el precepto citado: ¿A pesar de estar ante un negociado sin publicidad se ha de publicar la formalización del contrato con el contenido que establece el Anexo II apartado C) «Modelo de anuncio de formalización de contratos» del RD 300/2011 (LA LEY 4995/2011)?, en cuyo caso, ¿qué pondremos cuando se refiere a medio y fecha de publicación del anuncio, quizás «no procede» al tratarse de un negociado sin publicidad?

Contratación Administrativa Práctica, Nº 117, Sección Usted Pregunta, Marzo 2012, pág. 10, Editorial LA LEY

[LA LEY 249/2012]

Respuesta

La doble exigencia de publicidad tanto de las licitaciones como de las adjudicaciones ha sido objeto de modificación a través de la Ley 34/2010 de 5 agosto (LA LEY 16740/2010). ¿Qué ha concretado dicha publicidad respecto de la convocatoria de las licitaciones y de las formalizaciones de los contratos, régimen actualmente vigente en el artículo 154 del Real Decreto Legislativo 3/2011, de 14 de noviembre, por el que se aprueba el texto refundido de la Ley de Contratos del Sector Público (LA LEY 21158/2011) citado por el consultante?

Respecto de las convocatorias de las licitaciones, el artículo 142 del Texto Refundido (debemos centrarnos en adelante en señalar exclusivamente este texto normativo desde su entrada en vigor el pasado 16 de diciembre) establece la obligatoriedad de publicitar la licitación con excepción de determinados procedimientos negociados, mientras que la dicción literal del artículo 154 respecto de la formalización de los contratos exige la publicación en el perfil respecto de todos los contratos cuya cuantía sea igual o superior a las cantidades indicadas en el artículo 138.3 (contratos menores). Nos remitimos a lo publicado en esta revista en la contestación con número de referencia LA LEY 706/2011, de julio de 2011.

La obligación de publicar la formalización del contrato en el perfil del contratante es, por tanto, obligatoria e ineludible para todos los contratos que no tengan la consideración de menores y, por tanto, también para los contratos adjudicados por el procedimiento negociado sin publicidad. Esta conclusión es mantenida igualmente por la Recomendación 1/2011, de 10 de marzo, de la Junta Consultiva de Contratación Administrativa de la Comunidad de Madrid, sobre la publicidad de la adjudicación y formalización de los contratos (LA LEY 202/2011).

Para materializar dicha publicación de la formalización del contrato se ha de estar al contenido del modelo de anuncio contenido en el Real Decreto 300/2011, de 4 de marzo (LA LEY 4995/2011), por el que se modifica el Real Decreto 817/2009, de 8 de mayo (LA LEY 8536/2009), por el que se desarrolla parcialmente la Ley 30/2007, de 30 de octubre (LA LEY 10868/2007), de contratos del sector público y se habilita al titular del Ministerio de Economía y Hacienda para modificar sus anexos (apartado C del anexo II del Real Decreto 817/2009, de 8 de mayo (LA LEY 8536/2009)). Y en el punto 2 objeto del contrato, se especifica expresamente que se haga constar el medio de publicación del anuncio de licitación (letra g) y la fecha de publicación del anuncio de licitación (letra h). Al respecto hemos de tener presente que el citado artículo 154 del texto refundido señala que en la publicación en el perfil se indicarán, como mínimo, los mismos datos mencionados en el anuncio de la adjudicación. Por tanto, no deberá hacerse mención en la publicación de aquellos datos que no resulten de aplicación al procedimiento de que se trate.

Es cierto que en el modelo del anuncio se indican determinados datos que se harán constar si procede (tales como el lote, sistema dinámico de adquisiciones), pero eso no obliga a que si algún dato no es de aplicación, evidentemente no se contendrá en el anuncio. Hemos examinado diversas publicaciones en distintos perfiles de diferentes administraciones respecto de formalización de contratos adjudicados por el procedimiento negociado sin publicidad y, efectivamente, solo se consignan los datos que son de aplicación a este tipo de procedimientos, por lo que se obvia toda referencia a la publicación del anuncio de licitación (medio y fecha).

En conclusión, siendo el contrato de cuantía igual o superior a las cantidades indicadas en el artículo 138.3 es obligatorio publicar en el perfil la formalización del contrato, en cuyo anuncio se harán constar como mínimo los mismos datos mencionados en el anuncio de la adjudicación, sin que sea necesario hacer referencia en los contratos adjudicados por el procedimiento negociado sin publicidad al medio y fecha de publicación del anuncio de la licitación.

4. En los concursos de proyectos se seguirá el procedimiento regulado en la sección 6.ª de este Capítulo.

➡ **Concordancias normativas**

Artículo 122 de la LCSP 30/2007 y artículos 56, 73, 93.4, 121, 159, 176 y 201 del TRLCAP RDL 2/2000.

Artículo 139 *Principios de igualdad y transparencia*

Los órganos de contratación darán a los licitadores y candidatos un tratamiento igualitario y no discriminatorio y ajustarán su actuación al principio de transparencia.

Concordancias a todo el artículo

➡ **Concordancias normativas**

Artículos 1 y 123 de la LCSP 30/2007 y artículos 11 y 230 del TRLCAP RDL 2/2000.

☞ **Concordancias Jurisprudenciales**

Tribunal Administrativo Central de Recursos Contractuales, Resolución de 29 Feb. 2012, rec. 32/2012

CONTRATO ADMINISTRATIVO DE SERVICIOS. Exclusión de la licitación convocada para adjudicar, mediante procedimiento abierto, el contrato de servicios de edición e impresión de publicaciones periódicas y trabajos preparatorios para su distribución en el IMSERSO. RECURSO ESPECIAL EN MATERIA DE CONTRATACIÓN. Desestimación. La interesada fue correctamente excluida del procedimiento de licitación como consecuencia de la inclusión en el sobre B de información en el sobre B, referida a los plazos de entrega e incremento en el número de ejemplares de las revistas, que debe de incluirse exclusivamente en el sobre C. Tal incumplimiento afecta al procedimiento de selección de los licitadores y, en particular, al principio de igualdad de trato entre los mismos.

Tribunal Administrativo Central de Recursos Contractuales, Resolución de 16 Nov. 2011, rec. 240/2011

[LA LEY 294724/2011]

CONTRATO ADMINISTRATIVO DE SERVICIOS. Adjudicación del contrato de «Servicio de dotación de bomberos auxiliares de empresa para los centros de la CRTVE en Prado del Rey, Torrespaña y Estudios Buñuel». RECURSO ESPECIAL EN MATERIA DE CONTRATACIÓN. Estimación parcial. La notificación de la adjudicación practicada no permite interponer recurso suficientemente fundado contra la decisión de adjudicación. Se indica la puntuación total atribuida a las ofertas de la interesada y de la adjudicataria, pero no aparece desglose entre puntuación técnica ni puntuación económica. Sobre la valoración de la oferta técnica, no se contiene desglose de los criterios valorables y puntuación atribuida a cada uno de ellos con indicación resumida de las causas determinantes de dicha valoración, por lo que el contenido de la notificación no permite realizar una comparación entre las ofertas. Ahora bien, de aquí no se deriva que el acto de adjudicación esté insuficientemente motivado. Procede retrotraer las actuaciones hasta el momento anterior a la notificación de la adjudicación, al objeto de que la misma se notifique debidamente motivada.

Tribunal Administrativo Central de Recursos Contractuales, Resolución de 10 Nov. 2011, rec. 235/2011

[LA LEY 294076/2011]

CONTRATO ADMINISTRATIVO DE CONSULTORÍA. Nulidad de la exclusión de la interesada del procedimiento de adjudicación del contrato de «Dirección facultativa de las Obras de Urbanización del Área de Planeamiento Específico A.P.E.17.02 del PGOUM, de la actuación Parque Central de Ingenieros de Villaverde. RECURSO ESPECIAL EN MATERIA DE CONTRATACIÓN. Estimación. La cláusula controvertida del pliego únicamente puede interpretarse en el sentido de que los licitadores aporten la relación nominal de todo el personal del equipo mínimo exigido con el porcentaje de dedicación que cada uno de ellos dedicará al desarrollo del contrato, pudiendo ofrecer la participación de otro personal.

Tribunal Supremo, Sala Tercera, de lo Contencioso-administrativo, Sección 7.ª, Sentencia de 9 Dic. 2011, rec. 202/2008

[LA LEY 241551/2011]

CONTRATOS ADMINISTRATIVOS. Adjudicación de los contratos. Conformidad a Derecho del Acuerdo de adjudicación del contrato de suministro de equipos de extinción de incendios, por estar debidamente fundado. Correcta conciliación, por la Mesa de Contratación, de los Principios de publicidad y transparencia al valorar, en conjunto, las características y condiciones que concurrían en los proyectos presentados y al decidir, con apoyo en los correspondientes informes y dictámenes técnicos, lo que resultaba más apropiado a los fines del interés público y en coherencia con los criterios jurisprudenciales. Validez del acuerdo basada en que la calidad de la oferta se erige en criterio fundamental para la adjudicación del concurso y las medidas propuestas por la empresa adjudicataria aseguraban la válida ejecución del contrato. Insuficiente entidad de los vicios procedimentales alegados para desvirtuar la validez del contenido del acto de adjudicación. El Principio de transparencia ha regido toda la contratación. Inexistencia de vulneración del Principio de igualdad y no discriminación.

Artículo 140 *Confidencialidad*

1. Sin perjuicio de las disposiciones de la presente Ley relativas a la publicidad de la adjudicación y a la información que debe darse a los candidatos y a los licitadores, los órganos de contratación no podrán divulgar la información facilitada por los empresarios que éstos hayan designado como confidencial; este carácter afecta, en particular, a los secretos técnicos o comerciales y a los aspectos confidenciales de las ofertas.

☞ **Concordancias Jurisprudenciales**

Tribunal Administrativo Central de Recursos Contractuales, Resolución de 29 Feb. 2012, rec. 33/2012

CONTRATO ADMINISTRATIVO DE SUMINISTROS. Nulidad de la adjudicación realizada en procedimiento abierto del contrato de suministro del Lote 2 de maquinaria para el nuevo complejo ferroviario de Valladolid. RECURSO ESPECIAL EN MATERIA DE CONTRATACIÓN. Estimación parcial. Falta de motivación de la notificación de la adjudicación. No contiene motivación suficiente respecto de la oferta del adjudicatario por cuanto no contiene expresión de «las características y ventajas de la proposición del adjudicatario determinantes de que haya sido seleccionada la oferta de éste con preferencia a las que hayan presentado los restantes licitadores cuyas ofertas hayan sido admitidas», como tampoco en relación con el candidato descartado. Deben retrotraerse las actuaciones hasta el momento anterior a la notificación de la adjudicación, al objeto de que la misma se notifique debidamente motivada a todos los licitadores en el procedimiento.

2. El contratista deberá respetar el carácter confidencial de aquella información a la que tenga acceso con ocasión de la ejecución del contrato a la que se le hubiese dado el referido carácter en los pliegos o en el contrato, o que por su propia naturaleza deba ser tratada como tal. Este deber se mantendrá durante un plazo de cinco años desde el conocimiento de esa información, salvo que los pliegos o el contrato establezcan un plazo mayor.

➡ **Concordancias normativas**

Artículo 124 de la LCSP 30/2007 y artículo 79 del TRLCAP RDL 2/2000.

Subsección 2

Publicidad

Artículo 141 *Anuncio previo*

1. Los órganos de contratación podrán publicar un anuncio de información previa con el fin de dar a conocer, en relación con los contratos de obras, suministros y servicios que tengan proyectado adjudicar en los doce meses siguientes, los siguientes datos:

a) En el caso de los contratos de obras, las características esenciales de aquellos cuyo valor estimado sea igual o superior a 4.845.000 euros.

➡ **Concordancias normativas**

Cifra contenida en la letra a) del número 1 del artículo 141 actualizada por el artículo único.1 a) de la Orden EHA/3479/2011, de 19 de diciembre, por la que se publican los límites de los distintos tipos de contratos a efectos de la contratación del sector público a partir del 1 de enero de 2012 («B.O.E». 23 diciembre).

b) En el caso de los contratos de suministro, su valor total estimado, desglosado por grupos de productos referidos a partidas del «Vocabulario Común de los Contratos Públicos» (CPV), cuando ese valor total sea igual o superior a 750.000 euros.

c) En el caso de los contratos de servicios, el valor total estimado para cada categoría de las comprendidas en los números 1 a 16 del anexo II, cuando ese valor total sea igual o superior a 750.000 euros.

2. Los anuncios se publicarán en el «Diario Oficial de la Unión Europea» o en el perfil de contratante del órgano de contratación a que se refiere el artículo 53.

En el caso de que la publicación vaya a efectuarse en el perfil de contratante del órgano de contratación, éste deberá comunicarlo previamente a la Comisión Europea y al «Boletín Oficial del Estado» por medios electrónicos, con arreglo al formato y a las modalidades de transmisión que se establezcan. En el anuncio previo se indicará la fecha en que se haya enviado esta comunicación.

3. Los anuncios se enviarán a la Oficina de Publicaciones Oficiales de las Comunidades Europeas o se publicarán en el perfil de contratante lo antes posible, una vez tomada la decisión por la que se autorice el programa en el que se contemple la celebración de los correspondientes contratos, en el caso de los de obras, o una vez iniciado el ejercicio presupuestario, en los restantes.

4. La publicación del anuncio previo cumpliendo con las condiciones establecidas en los artículos 159.1 y 167.1 permitirá reducir los plazos para la presentación de proposiciones en los procedimientos abiertos y restringidos en la forma que en esos preceptos se determina.

➡ **Concordancias normativas**

Artículo 125 de la LCSP 30/2007 y artículos 135, 177 y 203 del TRLCAP RDL 2/2000.

La Res. de 3 de marzo de 2010, de la Dirección General del Patrimonio del Estado, por la que se publica la Recomendación de la Junta Consultiva de Contratación Administrativa sobre el envío de anuncios a la Comisión Europea («B.O.E». 8 marzo), recomienda a los órganos de contratación del Sector Público que cuando deban enviar anuncios de contratos sujetos a regulación armonizada, ya sean anuncios previos indicativos, anuncios de licitación de contratos, anuncios de adjudicación o de renuncia o desistimiento en el procedimiento de adjudicación iniciado, los remitan directamente a la Oficina de Publicaciones de las Comunidades Europeas, organismo integrado en la Comisión Europea, a ser posible empleando medios electrónicos, bien a la dirección de correo citada, bien mediante el acceso al sistema SIMAP cuya dirección de Internet se cita.

Artículo 142 *Convocatoria de licitaciones*

1. Los procedimientos para la adjudicación de contratos de las Administraciones Públicas, a excepción de los negociados que se sigan en casos distintos de los contemplados en los apartados 1 y 2 del artículo 177, deberán anunciarse en el «Boletín Oficial del Estado». No obstante, cuando se trate de contratos de las Comunidades Autónomas, entidades locales u organismos o entidades de derecho público dependientes de las mismas, se podrá sustituir la publicidad en el «Boletín Oficial del Estado» por la que se realice en los diarios o boletines oficiales autonómicos o provinciales.

Cuando los contratos estén sujetos a regulación armonizada, la licitación deberá publicarse, además, en el «Diario Oficial de la Unión Europea», sin que en este caso la publicidad efectuada en los diarios oficiales autonómicos o provinciales pueda sustituir a la que debe hacerse en el «Boletín Oficial del Estado.»

2. Cuando el órgano de contratación lo estime conveniente, los procedimientos para la adjudicación de contratos de obras, suministros o servicios no sujetos a regulación armonizada podrán ser anunciados, además, en el «Diario Oficial de la Unión Europea.»

3. El envío del anuncio al «Diario Oficial de la Unión Europea» deberá preceder a cualquier otra publicidad. Los anuncios que se publiquen en otros diarios o boletines deberán indicar la fecha de aquel envío, de la que el órgano de contratación dejará prueba suficiente en el expediente, y no podrán contener indicaciones distintas a las incluidas en dicho anuncio.

4. Los anuncios de licitación se publicarán, asimismo, en el perfil de contratante del órgano de contratación. En los procedimientos negociados seguidos en los casos previstos en el artículo 177.2, esta publicidad podrá sustituir a la que debe efectuarse en el «Boletín Oficial del Estado» o en los diarios oficiales autonómicos o provinciales.

Concordancias a todo el artículo

➡ **Concordancias normativas**

Artículo 126 de la LCSP 30/2007 y artículos 78, 135, 177 y 203 del TRLCAP RDL 2/2000.

☞ **Concordancias Jurisprudenciales**

Tribunal Superior de Justicia de Extremadura, Sala de lo Contencioso-administrativo, Sentencia de 13 Dic. 2011, rec. 1340/2009

[LA LEY 242516/2011]

CONTRATO ADMINISTRATIVO DE OBRAS. Conformidad a derecho de la adjudicación provisional de obra consistente en finalización de las obras del Edar en Medellín. La publicidad no es necesaria en este procedimiento negociado, porque la imperiosa urgencia resultante de acontecimientos imprevisibles para el órgano de contratación y no imputables al mismo, que demande una pronta ejecución del contrato que no pueda lograrse mediante la aplicación de la tramitación de urgencia, se justifica y motiva en el expediente y en la resolución, por actos vandálicos, robos y daños.

Tribunal Administrativo Central de Recursos Contractuales, Resolución de 9 Feb. 2011, rec. 058/2010

[LA LEY 14697/2011]

CONTRATO ADMINISTRATIVO DE SERVICIOS. Contratación de servicios a adjudicar por el procedimiento abierto de contrato para la prestación del servicio de gestión de determinados residuos tanto peligrosos como no peligrosos generados en el Laboratorio Central de Veterinaria del Ministerio de Medio Ambiente, y Medio Rural y Marino de Algete. RECURSO ESPECIAL EN MATERIA DE CONTRATACIÓN. Presentación en plazo. La fecha de publicación de los pliegos, ya sea en el perfil del contratante o en la Plataforma de Contratación del Estado, no pueden utilizarse como fecha de cómputo para la interposición del recurso contra los pliegos. Estimación. Nulidad del Anexo I del modelo de pliego de cláusulas administrativas particulares, al exigir que los licitadores dispongan de una planta de gestión de residuos en la Comunidad de Madrid, por vulneración del principio de libre competencia. El propio órgano de contratación reconoce expresamente que los residuos objeto del contrato no van a ser valorizados y que no puede exigirse la ubicación de una planta de gestión de residuos en la Comunidad de Madrid.

Tribunal Superior de Justicia de Madrid, Sala de lo Contencioso-administrativo, Sección 8.ª, Sentencia de 21 Sep. 2009, rec. 901/2007

AYUDAS Y SUBVENCIONES. Reintegro parcial de la ayuda concedida para el abastecimiento de agua potable. El beneficiario no publicó la licitación de las obras en el Boletín Oficial de la Provincia, no siendo suficiente la publicación en el diario oficial del Ayuntamiento. Corrección financiera del 10% del importe contratado excluido el IVA.

Subsección 3

Licitación

Artículo 143 *Plazos de presentación de las solicitudes de participación y de las proposiciones*

Los órganos de contratación fijarán los plazos de recepción de las ofertas y solicitudes de participación teniendo en cuenta el tiempo que razonablemente pueda ser necesario para preparar aquéllas, atendida la complejidad del contrato, y respetando, en todo caso, los plazos mínimos fijados en esta Ley.

Concordancias a todo el artículo

➡ **Concordancias normativas**

Artículo 127 de la LCSP 30/2007 y artículos 178, 179 y 207 del TRLCAP RDL 2/2000.

☞ **Concordancias Jurisprudenciales**

Tribunal Superior de Justicia de Extremadura, Sala de lo Contencioso-administrativo, Sentencia de 22 Jun. 2010, rec. 165/2010

[LA LEY 111130/2010]

CONTRATO ADMINISTRATIVO DE SUMINISTROS. Formas de adjudicación. Concurso.

Artículo 144 *Reducción de plazos en caso de tramitación urgente*

En caso de que el expediente de contratación haya sido declarado de tramitación urgente, los plazos establecidos en este Capítulo se reducirán en la forma prevista en la letra b) del apartado 2 del artículo 112.

➡ **Concordancias normativas**

Artículo 92 de la LCSP 30/2007 y artículo 71 del TRLCAP RDL 2/2000.

Artículo 145 *Proposiciones de los interesados*

1. Las proposiciones de los interesados deberán ajustarse a lo previsto en el pliego de cláusulas administrativas particulares, y su presentación supone la aceptación incondicionada por el empresario del contenido de la totalidad de dichas cláusulas o condiciones, sin salvedad o reserva alguna.

☞ **Concordancias Jurisprudenciales**

Tribunal Administrativo Central de Recursos Contractuales, Resolución de 28 Sep. 2011, rec. 199/2011

[LA LEY 186473/2011]

CONTRATO ADMINISTRATIVO DE OBRAS. Adjudicación del contrato de obras de construcción de un nuevo edificio en la Academia de Oficiales en Aranjuez. RECURSO ESPECIAL EN MATERIA DE CONTRATACIÓN. Desestimación. Correcta valoración de la oferta de la interesada respecto del criterio «Ampliación del plazo de garantía». La oferta realizada por la UTE interesada no aporta toda la documentación exigida. Únicamente incluye el compromiso de ampliar el plazo de garantía por un periodo de dos años, sin que conste «el programa de mantenimiento preventivo, correctivo y reparación de averías de las instalaciones incluidas en el proyecto» exigido en el PCAP.

Tribunal Administrativo Central de Recursos Contractuales, Resolución de 29 Jun. 2011, rec. 138/2011

[LA LEY 83081/2011]

CONTRATO ADMINISTRATIVO DE SUMINISTROS. Procedimiento de adjudicación. Se confirma la exclusión de una sociedad mercantil de un procedimiento de licitación para la adjudicación de un contrato de suministro de una solución de gestión de identidades y accesos para la Subdirección general de nuevas tecnologías de la justicia, dado que incumplió con la exigencia del pliego de condiciones particulares que preveía expresamente que la declaración de la empresa fabricante del software se aportase como requisito de solvencia técnica. La mesa de contratación le requirió la subsanación de este defecto, pero la recurrente no aportó acreditación suficiente que justificase que cumplía dicha exigencia. Además, si consideraba que la cláusula era contraria a derecho, lo procedente era que la hubiera impugnado en su momento, en lugar de esperar a hacerlo más tarde, una vez abiertos los sobres referidos a la documentación administrativa cuando el pliego gozaba ya de plena validez.

Tribunal Administrativo Central de Recursos Contractuales, Resolución de 8 Jun. 2011, rec. 120/2011

[LA LEY 71487/2011]

CONTRATO ADMINISTRATIVO DE SUMINISTROS. Exclusión del proceso de licitación para la adjudicación de contrato de suministro de material consumible de informática, no inventariable, para impresoras, ordenadores y fax del Departamento. RECURSO ESPECIAL EN MATERIA DE CONTRATACIÓN. Desestimación. El silencio del pliego sobre la posibilidad de que los productos ofertados incluyan piezas usadas únicamente puede ser interpretado en el sentido de la exigencia de material o equipos nuevos, determinando su incumplimiento la exclusión del licitador correspondiente.

2. Las proposiciones serán secretas y se arbitrarán los medios que garanticen tal carácter hasta el momento de la licitación pública, sin perjuicio de lo dispuesto en los artículos 148 y 182 en cuanto a la información que debe facilitarse a los participantes en una subasta electrónica o en un diálogo competitivo.

☞ **Concordancias Jurisprudenciales**

Tribunal Administrativo Central de Recursos Contractuales, Resolución de 26 Nov. 2010, rec. 018/2010

[LA LEY 297962/2010]

CONTRATO ADMINISTRATIVO DE SUMINISTROS. De uniformes para el personal funcionario de los centros penitenciarios dependientes de la Secretaría General de Instituciones Penitenciarias. Nulidad de la exclusión del proceso de licitación para la adjudicación del contrato de suministro, por incluirse en el sobre de la documentación técnica documentos que hacen referencia a determinados aspectos de la proposición económica. RECURSO ESPECIAL EN MATERIA DE CONTRATACIÓN. Estimación. No ha existido incumplimiento de los principios de secreto de las proposiciones, ni de igualdad de trato y no discriminación de los candidatos. La información del sobre 3 incluida en el sobre 2, en ningún caso dará lugar a una diferencia de trato o discriminación entre los licitadores, puesto que en la proposición técnica no se realiza una valoración de los criterios que deban servir de fundamento a la adjudicación del contrato, sino una verificación o comprobación de que su contenido se ajusta íntegramente a lo exigido en el Anexo de descripción técnica del suministro. Por tanto, no afecta a la objetividad de la actuación a realizar por los técnicos, dado que en esa fase no existe valoración alguna.

3. Cada licitador no podrá presentar más de una proposición, sin perjuicio de lo dispuesto en el artículo 147 sobre admisibilidad de variantes o mejoras y en el artículo 148 sobre presentación de nuevos precios o valores en el seno de una subasta electrónica. Tampoco podrá suscribir ninguna propuesta en unión temporal con otros si lo ha hecho individualmente o figurar en más de una unión temporal. La infracción de estas normas dará lugar a la no admisión de todas las propuestas por él suscritas.

☞ **Concordancias Jurisprudenciales**

Tribunal Supremo, Sala Tercera, de lo Contencioso-administrativo, Sección 6.ª, Sentencia de 16 Dic. 2009, rec. 6/2008

[LA LEY 254467/2009]

CONTRATOS ADMINISTRATIVOS. RECURSO DE CASACIÓN EN INTERÉS DE LEY. Desestimación. Inexistencia del requisito ineludible del grave daño para el interés general. Solicitud por Ayuntamiento de fijación de la doctrina contenida en la legislación en materia de contratación administrativa, conforme a la cual cada licitador no podrá presentar más de una proposición, no impide ni prohíbe la presentación de proposiciones individuales por empresas pertenecientes a un mismo grupo en el seno de un mismo procedimiento de licitación. Queda derogado por la nueva legislación en materia de contratos del sector público el precepto que contiene la doctrina que el Ayuntamiento interesa que se fije. Resulta impropio de este recurso que se pretenda fijar una doctrina legal fundada en normativa actualmente no vigente, sin perspectiva alguna de futuro.

✉ **Consultas**

• **Presentación de ofertas por dos empresas de un mismo grupo**

¿Qué se debe hacer ante la presentación de 2 ofertas presentadas a un procedimiento negociado por empresas que pertenecen a un mismo grupo?

Contratación Administrativa Práctica, N° 99, Sección Usted Pregunta, Julio 2010, Editorial LA LEY

[LA LEY 1006/2010]

Respuesta

El artículo 42 (LA LEY 1/1885) del Código de Comercio, dispone expresamente:

«Toda sociedad dominante de un grupo de sociedades estará obligada a formular las cuentas anuales y el informe de gestión consolidados en la forma prevista en esta sección. Existe un grupo cuando una sociedad ostente o pueda ostentar, directa o indirectamente, el control de otra u otras. En particular, se presumirá que existe control cuando una sociedad, que se calificará como dominante, se encuentre en relación con otra sociedad, que se calificará como dependiente, en alguna de las siguientes situaciones: a) Posea la mayoría de los derechos de voto. b) Tenga la facultad de nombrar o destituir a la mayoría de los miembros del órgano de administración. c) Pueda disponer, en virtud de acuerdos celebrados con terceros, de la mayoría de los derechos de voto. d) Haya designado con sus votos a la mayoría de los miembros del órgano de administración, que desempeñen su cargo en el momento en que deban formularse las cuentas consolidadas y durante los dos ejercicios inmediatamente anteriores. En particular, se presumirá esta circunstancia cuando la mayoría de los miembros del órgano de administración de la sociedad dominada sean miembros del órgano de administración o altos directivos de la sociedad dominante o de otra dominada por ésta. Este supuesto no dará lugar a la consolidación si la sociedad cuyos administradores han sido nombrados, está vinculada a otra en alguno de los casos previstos en las dos primeras letras de este apartado. A los efectos de este apartado, a los derechos de voto de la entidad dominante se añadirán los que posea a través de otras sociedades dependientes o a través de personas que actúen en su propio nombre pero por cuenta de la entidad dominante o de otras dependientes o aquellos de los que disponga concertadamente con cualquier otra persona».

Por tanto, y en virtud del artículo 129.3 (LA LEY 10868/2007) LCSP que señala que «cada licitador no podrá presentar más de una proposición», no pueden presentarse dos ofertas diferentes en un mismo procedimiento de licitación pues se trata de un único sujeto: un grupo de empresas.

4. En los contratos de concesión de obra pública, la presentación de proposiciones diferentes por empresas vinculadas supondrá la exclusión del procedimiento de adjudicación, a todos los efectos, de las ofertas formuladas. No obstante, si sobreviniera la vinculación antes de que concluya el plazo de presentación de ofertas, o del plazo de presentación de candidaturas en el procedimiento restringido, podrá subsistir la oferta que determinen de común acuerdo las citadas empresas.

En los demás contratos, la presentación de distintas proposiciones por empresas vinculadas producirá los efectos que reglamentariamente se determinen en relación con la aplicación del régimen de ofertas con valores anormales o desproporcionados previsto en el artículo 152.

Se considerarán empresas vinculadas las que se encuentren en alguno de los supuestos previstos en el artículo 42 del Código de Comercio (LA LEY 1/1885).

5. En la proposición deberá indicarse, como partida independiente, el importe del Impuesto sobre el Valor Añadido que deba ser repercutido.

☞ **Concordancias Jurisprudenciales**

Tribunal Administrativo Central de Recursos Contractuales, Resolución de 27 Abr. 2011, rec. 90/2011

[LA LEY 51654/2011]

CONTRATO ADMINISTRATIVO DE SERVICIOS. De asesoramiento en materia laboral y fiscal relacionado con la aplicación de los planes del carbón y sus normas de desarrollo. Adjudicación. Se confirma la adjudicación a una sociedad mercantil de dicho contrato, dado que, aunque la oferta económica presentada por la adjudicataria no indicaba el importe del IVA como partida independiente, en ésta se indicaba claramente que la empresa se comprometía a la ejecución del contrato en una cifra inferior al presupuesto de licitación. Además, incluía un párrafo en el que se indicaba que en el precio ofertado se consideraba incluido el IVA. No existía falta de concordancia entre la proposición económica y el resto de documentación de la adjudicataria examinada y admitida por la Mesa. No se varió sustancialmente el modelo establecido, ni existía error en el importe. La notificación de la Mesa concediendo el plazo de subsanación dejaba absolutamente claro que no era posible alterar la cifra global ofrecida para la ejecución del contrato, por lo que la única opción que tenía la empresa era desagregar la cuantía global ya ofertada por ella, consignando explícitamente la cantidad correspondiente al IVA.

Concordancias a todo el artículo

➡ **Concordancias normativas**

Artículo 129 de la LCSP 30/2007 y artículos 79, 80 y 234 del TRLCAP RDL 2/2000.

☞ **Concordancias Jurisprudenciales**

Tribunal Administrativo Central de Recursos Contractuales, Resolución de 10 Nov. 2011, rec. 233/2011

[LA LEY 232169/2011]

CONTRATO ADMINISTRATIVO DE SERVICIOS. Adjudicación en procedimiento negociado con publicidad, del contrato de servicios de Externalización de los sistemas de ERP de la Sociedad Estatal Correos y Telégrafos S.A. RECURSO ESPECIAL EN MATERIA DE CONTRATACIÓN. Desestimación. Correcta valoración de las ofertas presentadas. No se aprecia arbitrariedad, discriminación o errores materiales, estando además el informe técnico en que se funda la adjudicación, adecuada y suficientemente motivado.

Artículo 146 *Presentación de la documentación acreditativa del cumplimiento de requisitos previos*

1. Las proposiciones en el procedimiento abierto y las solicitudes de participación en los procedimientos restringido y negociado y en el diálogo competitivo deberán ir acompañadas de los siguientes documentos:

a) Los que acrediten la personalidad jurídica del empresario y, en su caso, su representación.

b) Los que acrediten la clasificación de la empresa, en su caso, o justifiquen los requisitos de su solvencia económica, financiera y técnica o profesional.

Si la empresa se encontrase pendiente de clasificación, deberá aportarse el documento acreditativo de haber presentado la correspondiente solicitud para ello, debiendo justificar el estar en posesión de la clasificación exigida en el plazo previsto en las normas de desarrollo de esta Ley para la subsanación de defectos u omisiones en la documentación.

c) Una declaración responsable de no estar incurso en prohibición de contratar. Esta declaración incluirá la manifestación de hallarse al corriente del cumplimiento de las obligaciones tributarias y con la Seguridad Social impuestas por las disposiciones vigentes, sin perjuicio de que la justificación acreditativa de tal requisito deba presentarse, antes de la adjudicación, por el empresario a cuyo favor se vaya a efectuar ésta.

➡ Concordancias normativas

Letra c) del número 1 del artículo 130 redactada por el apartado veintiuno del artículo primero de la Ley 34/2010, de 5 de agosto, de modificación de las Leyes 30/2007, de 30 de octubre, de Contratos del Sector Público, 31/2007, de 30 de octubre, sobre procedimientos de contratación en los sectores del agua, la energía, los transportes y los servicios postales, y 29/1998, de 13 de julio, reguladora de la Jurisdicción Contencioso-Administrativa para adaptación a la normativa comunitaria de las dos primeras («B.O.E». 9 agosto).

d) En su caso, una dirección de correo electrónico en que efectuar las notificaciones.

➡ Concordancias normativas

Letra d) del número 1 del artículo 146 introducida, en su actual redacción, por el apartado veintiuno del artículo primero de la Ley 34/2010, de 5 de agosto, de modificación de las Leyes 30/2007, de 30 de octubre, de Contratos del Sector Público, 31/2007, de 30 de octubre, sobre procedimientos de contratación en los sectores del agua, la energía, los transportes y los servicios postales, y 29/1998, de 13 de julio, reguladora de la Jurisdicción Contencioso-Administrativa para adaptación a la normativa comunitaria de las dos primeras («B.O.E». 9 agosto).

e) Para las empresas extranjeras, en los casos en que el contrato vaya a ejecutarse en España, la declaración de someterse a la jurisdicción de los juzgados y tribunales españoles de cualquier orden, para todas las incidencias que de modo directo o indirecto pudieran surgir del contrato, con renuncia, en su caso, al fuero jurisdiccional extranjero que pudiera corresponder al licitante.

➡ Concordancias normativas

Véase el artículo 20 del R.D. 817/2009, de 8 de mayo, por el que se desarrolla parcialmente la Ley 30/2007, de 30 de octubre, de Contratos del Sector Público («B.O.E». 15 mayo).

Letra e) del número 1 del artículo 130 renumerada por el apartado veintiuno del artículo primero de la Ley 34/2010, de 5 de agosto, de modificación de las Leyes 30/2007, de 30 de octubre, de Contratos del Sector Público, 31/2007, de 30 de octubre, sobre procedimientos de contratación en los sectores del agua, la energía, los transportes y los servicios postales, y 29/1998, de 13 de julio, reguladora de la Jurisdicción Contencioso-

Administrativa para adaptación a la normativa comunitaria de las dos primeras («B.O.E». 9 agosto). Anterior letra d).

☞ **Concordancias Jurisprudenciales**

Tribunal Superior de Justicia de La Rioja, Sala de lo Contencioso-administrativo, Sentencia de 1 Feb. 2012, rec. 181/2011

[LA LEY 15390/2012]

CONTRATO ADMINISTRATIVO DE GESTIÓN DE SERVICIOS PÚBLICOS. Ejecución de la garantía provisional. Modalidad de concesión. Por una causa imputable a la contratista no se ha formalizado en plazo el contrato; tal causa es no hallarse al corriente de las obligaciones tributarias, lo cuál está acreditado, siendo además una de las prohibiciones de contratar. La incautación procede cuando la renuncia a la adjudicación es injustificada. No ha existido ninguna vulneración de la normativa aplicable, al estar ante un supuesto de prohibición de contratar, y tal defecto es insubsanable, pues ha de presentarse entre la documentación administrativa que se acompaña a la oferta, y si el contratista estaba incurso en la prohibición de contratar, no existe ningún plazo que ampliar.

Tribunal Administrativo Central de Recursos Contractuales, Resolución de 14 Sep. 2011, rec. 167/2011

[LA LEY 185601/2011]

CONTRATO ADMINISTRATIVO DE SERVICIOS. Exclusión de la interesada del procedimiento de licitación para contratar el servicio de limpieza en el Museo Sefardí y en el Museo de El Greco de Toledo, por no cumplir el pliego de prescripciones técnicas en el apartado del personal adscrito al Museo Sefardí. RECURSO ESPECIAL EN MATERIA DE CONTRATACIÓN. Desestimación. El pliego de prescripciones técnicas establece, entre otros extremos, los medios humanos mínimos con los que debe contar las empresas para poder licitar para la limpieza del referido museo. Éstos medios humanos mínimos incluyen una persona los lunes en la tienda, y la interesada reconoce que la oferta técnica que ha presentado no incluye a esa persona. El problema que se suscita es que la oferta presentada no cumple con los requisitos mínimos que se exigen en el pliego de prescripciones técnicas, y el precepto aplicable no permite la subsanación de las omisiones que se hayan podido cometer a la hora de presentar la oferta.

Tribunal Administrativo Central de Recursos Contractuales, Resolución de 27 Abr. 2011, rec. 59/2011

[LA LEY 71498/2011]

CONTRATO ADMINISTRATIVO DE SUMINISTROS. Nulidad de la exclusión del proceso de licitación para la adjudicación de contrato de suministro de 2 boyas océano-meteorológicas, para ser instaladas una en mar abierto y otra en un entorno costero, por la falta de validez por el tiempo transcurrido desde que se efectuó de la declaración de no estar incurso en prohibición de contratar y al corriente de las obligaciones tributarias y con la S.S., efectuada ante notario y la no presentación de documentos acreditativos de la cifra de negocios correspondiente al año 2007. RECURSO ESPECIAL EN MATERIA DE CONTRATACIÓN. Estimación. La declaración de que no se está incurso en prohibición de contratar o de que se está al corriente del pago de determinadas obligaciones, no está sujeta, en cuanto a su validez, a ningún plazo temporal, dependiendo exclusivamente de la mera voluntad de quien la hace. Salvo que el propio declarante, al hacer la declaración, haya limitado sus efectos o la desvirtúe y deje si validez mediante actos posteriores la tal declaración sigue siendo plenamente eficaz. Respecto a la falta de acreditación de la cifra de negocios, figurando la cifra del año 2007, en el informe de auditoría de las cuentas correspondientes al año 2008 y siendo la fiabilidad de la misma requisito imprescindible para dotar de fiabilidad a las cuentas del año siguiente, debe considerarse la documentación presentada suficiente para subsanar el defecto observado por la mesa de contratación en la documentación presentada por la interesada.

✉   **Consultas**

• **Repercusión del Impuesto sobre Actividades Económicas en la LCSP**

Con la nueva Ley de Contratos, ¿es obligatorio exigir al licitador copia del último recibo del IAE?, ¿se debe exigir con el resto de la documentación a presentar junto con la oferta?, ¿en caso de no deber pagar IAE, qué deben presentar?, ¿el certificado de estar al corriente de las obligaciones tributarias supone que también estar al corriente del pago del IAE, y por tanto no hace falta pedir nada mas?

Contratación Administrativa Práctica, Nº 89, Sección Usted Pregunta, Septiembre 2009, pág. 9, Editorial LA LEY

[LA LEY 1380/2009]

Respuesta

Todo depende de la fase de adjudicación del contrato en la que nos encontremos. En la fase de licitación no es necesario aportar copia del recibo del IAE, y basta con una declaración responsable de que el licitador no se halla incurso en ninguna de las prohibiciones de contratar que regula el artículo 49 (LA LEY 10868/2007) de la Ley 30/2007, de Contratos del Sector Público.

El recibo del IAE se exige posteriormente en la fase de adjudicación definitiva al licitador al que haya adjudicado el contrato.

Esto queda reflejado con claridad en el artículo 130.1.c) (LA LEY 10868/2007) (presentación de documentación) de la mencionada Ley, que dice: «Una declaración responsable de no estar incurso en prohibición de contratar. Esta declaración incluirá la manifestación de hallarse al corriente del cumplimiento de las obligaciones tributarias y con la Seguridad Social impuestas por las disposiciones vigentes, sin perjuicio de que la documentación acreditativa de tal requisito deba presentarse, antes de la adjudicación definitiva, por el empresario a cuyo favor se vaya a efectuar ésta.»

El Real Decreto 1098/2001 ahonda en este aspecto en sus artículos 13 y siguientes.

En cualquier caso, el recibo del Impuesto sobre Actividades Económicas se exige siempre que se ejerzan actividades sujetas a este impuesto y la Ley 30/2007 no exima su presentación.

2. Cuando con arreglo a esta Ley sea necesaria la presentación de otros documentos se indicará esta circunstancia en el pliego de cláusulas administrativas particulares o en el documento descriptivo y en el correspondiente anuncio de licitación.

3. Cuando la acreditación de las circunstancias mencionadas en las letras a) y b) del apartado 1 se realice mediante la certificación de un Registro Oficial de Licitadores y Empresas Clasificadas prevista en el apartado 2 del artículo 83, o mediante un certificado comunitario de clasificación conforme a lo establecido en el artículo 84, deberá acompañarse a la misma una declaración responsable del licitador en la que manifieste que las circunstancias reflejadas en el correspondiente certificado no han experimentado variación. Esta manifestación deberá

reiterarse, en caso de resultar adjudicatario, en el documento en que se formalice el contrato, sin perjuicio de que el órgano de contratación pueda, si lo estima conveniente, efectuar una consulta al Registro Oficial de Licitadores y Empresas Clasificadas.

El certificado del Registro Oficial de Licitadores y Empresas Clasificadas podrá ser expedido electrónicamente, salvo que se establezca otra cosa en los pliegos o en el anuncio del contrato. Si los pliegos o el anuncio del contrato así lo prevén, la incorporación del certificado al procedimiento podrá efectuarse de oficio por el órgano de contratación o por aquél al que corresponda el examen de las proposiciones, solicitándolo directamente al Registro Oficial de Licitadores y Empresas Clasificadas, sin perjuicio de que los licitadores deban presentar en todo caso la declaración responsable indicada en el párrafo anterior.

Concordancias a todo el artículo

➡ **Concordancias normativas**

Artículo 130 de la LCSP 30/2007 y artículo 79 del TRLCAP RDL 2/2000.

☞ **Concordancias Jurisprudenciales**

Tribunal Administrativo Central de Recursos Contractuales, Resolución de 18 Ene. 2012, rec. 324/2011

CONTRATO ADMINISTRATIVO DE SERVICIOS. De reparto de paquetería para los diversos centros del Instituto Nacional de la Seguridad Social y de mocería en los servicios centrales de la entidad. Adjudicación. RECURSO ESPECIAL EN MATERIA DE CONTRATACIÓN. Desestimación. Si la mercantil adjudicataria del contrato no respeta las tablas salariales del Convenio Colectivo de Transporte de la CA Madrid, el Tribunal considera que no tienen porque ser valoradas esas tablas por el órgano de contratación. La Administración contratante debe considerarse ajena a las cuestiones relativas a los componentes que los licitadores han tomado en consideración para llegar a un resultado concreto en cuanto a la cuantía de su proposición económica. En ningún caso se acredita ser cierto que no se aplica el convenio colectivo correspondiente.

Tribunal Superior de Justicia de Extremadura, Sala de lo Contencioso-administrativo, Sentencia de 22 Sep. 2011, rec. 1649/2009

[LA LEY 182503/2011]

CONTRATOS ADMINISTRATIVOS. Adjudicación de los contratos. Licitación. Concurso-subasta. -- Adjudicación de los contratos. Licitación. Proposiciones de los interesados. -- Adjudicación de los contratos. Selección del adjudicatario. Valoración de las ofertas.

Tribunal Administrativo Central de Recursos Contractuales, Resolución de 11 May. 2011, rec. 107/2011

[LA LEY 29138/2011]

CONTRATO ADMINISTRATIVO DE SERVICIOS. Exclusión de una sociedad mercantil de la licitación de un contrato de servicios de asistencia y asesoramiento técnico continuado al programa de mainstreaming de género, dado que la documentación aportada en periodo de subsanación, aunque hacía referencia a actividades de la persona propuesta como directora del proyecto que podrían admitirse como formación en género, en calidad de profesor o ponente, no permitía determinar de forma fehaciente un número de horas en formación al menos de 200 horas exigidas en el pliego de cláusulas administrativas. Motivación suficiente de la resolución.

✍ **Informes de la Junta Consultiva de Contratación Administrativa**

Informe 65/2009, de 23 de julio de 2010, de la Junta Consultiva de Contratación Administrativa. «Procedimiento negociado; empresas capacitadas.»

[LA LEY 2332/2010]

CONTRATOS ADMINISTRATIVOS. Procedimiento negociado. Planteamiento de diversas Consultas por un Ayuntamiento. Modo de acreditar en el expediente que se ha solicitado oferta a empresas capacitadas. Debe hacerse utilizando todos los elementos de juicio que puedan servir de base para llegar a conocer esta circunstancia, siendo el objeto social uno de los elementos que pueden resultar más resolutorios desde este punto de vista. Una vez solicitadas ofertas a 3 empresas capacitadas, si no presentan oferta las 3 no es necesario seguir formulando solicitudes, si bien es aconsejable para una buena gestión tratar de conseguir el mayor número de ofertas posible.

Informe 12/2009, de fecha 7 de mayo de 2010, de la Junta Superior de Contratación Administrativa de la Generalitat Valenciana. Competencia

para la valoración de las proposiciones. Comité de expertos. Vinculación de su informe a la mesa de contratación.

[LA LEY 1105/2010]

CONTRATO ADMINISTRATIVO GESTIÓN DE SERVICIOS. De abastecimiento de agua a un municipio. Parecer contrario, no vinculante, en relación con la adjudicación provisional de la concesión de la gestión integral del servicio. El único órgano competente para la valoración de los criterios de adjudicación que dependen de juicios valor, al superar éstos en ponderación a los evaluables mediante fórmulas automáticas es el Comité de Expertos, previamente designado e integrado por tres miembros, mínimo requerido por la LCSP. La evaluación que realiza el citado Comité vincula a la Mesa de Contratación. Los criterios de adjudicación que en la presente contratación son evaluables mediante fórmulas automáticas, corresponde la Mesa de Contratación. Incompetencia de profesional externo para realizar tal valoración, aun habiéndose hecho por encargo personal de un miembro de la Mesa, máxime cuando se ha realizado en unidad de acto, sin evaluar previamente los criterios que dependen de un juicio de valor, para posteriormente valorar aquéllos que dependen de fórmulas automáticas, ya que se habrá realizado prescindiendo total y absolutamente del procedimiento establecido para ello.

📖 **Doctrina**

Texto Refundido de la Ley de Contratos del Sector Público. Estudio sistemático. José Antonio Moreno Molina, Francisco Pleite Guadamillas. Editorial LA LEY, Madrid, 2012.

✉ **Consultas**

• **Exigencia de la documentación acreditativa de la capacidad y la solvencia en el procedimiento negociado**

En el procedimiento negociado sin publicidad, ¿el pliego de cláusulas administrativas particulares podría establecer que la documentación administrativa (capacidad, solvencia técnica y profesional y financiera y económica) solo se exigiera al licitador u oferente que, tras la preceptiva negociación, hubiese presentado la oferta económicamente más ventajosa?

Contratación Administrativa Práctica, N° 117, Sección Usted Pregunta, Marzo 2012, pág. 9, Editorial LA LEY

[LA LEY 248/2012]

Respuesta

En el procedimiento negociado el contrato se adjudicará al empresario justificadamente elegido por el órgano de contratación tras efectuar consultas con diversos candidatos y negociar las condiciones del contrato con uno o varios de ellos (art. 153.1 (LA LEY 10868/2007) de la LCSP).

El procedimiento negociado tiene carácter excepcional y actúa, en realidad, como la forma de adjudicación del contrato de máxima discrecionalidad de la Administración, al limitarse la Ley a exigir únicamente la motivación o justificación de su elección sin que deba sujetarse obligatoriamente a criterios objetivos de adjudicación, por tanto, sólo procederá en los casos generales previstos en el art. 154 (LA LEY 10868/2007) de la LCSP y en los particulares previstos para cada tipo de contrato en los arts. 155 (LA LEY 10868/2007), 156 (LA LEY 10868/2007), 157 (LA LEY 10868/2007), 158 (LA LEY 10868/2007) y 159 (LA LEY 10868/2007) de la LCSP. Al carácter excepcional de este procedimiento se refiere el informe de la JCCA 16/1976 y la STS de 20-2-1992.

Debido a la excepcionalidad de este procedimiento deben evitarse interpretaciones amplias de los supuestos que posibilitan la utilización del mismo, por tanto, el procedimiento negociado sólo procederá en los casos concretos y específicos previstos en el ordenamiento jurídico. Debe justificarse en el expediente la procedencia de la adopción de este sistema de contratación (SSTS de 17-10-1991 y 31-3-2004).

Cuando se utilice el procedimiento negociado será necesario solicitar la oferta de empresas capacitadas para la realización del objeto del contrato, sin que su número sea inferior a tres, siempre que ello sea posible, fijando con la seleccionada el precio del mismo y dejando constancia de todo ello en el expediente (art. 162.1 de la LCSP).

En el PCAP se establecerán los aspectos técnicos y económicos sobre los que versará la negociación (art. 160 de la LCSP).

La LCSP introduce la posibilidad de establecer fases sucesivas con el fin de reducir progresivamente el número de ofertas a negociar mediante la aplicación de los criterios de adjudicación señalados en el anuncio de licitación o en el pliego de condiciones, para lo cual se deberá determinar en el PCAP si se va a hacer uso de esta facultad. El número de soluciones que lleguen hasta la fase final deberá ser lo suficientemente amplio como para garantizar una competencia efectiva, siempre que se hayan presentado un número suficiente de soluciones o de candidatos adecuados (art. 162.2 de la LCSP).

Durante la negociación los órganos de contratación velarán porque todos los licitadores reciban igual trato. En particular no facilitarán, de forma discriminatoria, información que pueda dar ventajas a determinados licitadores con respecto al resto. Finalmente diremos que los órganos de contratación negociarán con los licitadores las ofertas que éstos hayan presentado para adaptarlas a los requisitos indicados en el pliego de cláusulas administrativas particulares y en el anuncio de licitación, en su caso, y en los posibles documentos complementarios, con el fin de identificar la oferta económicamente más ventajosa.

Efectivamente, tal y como dispone el art. 130 (LA LEY 10868/2007) de la LCSP («Presentación de la documentación acreditativa del cumplimiento de requisitos previos»), solo deberán presentarse en la fase previa de la licitación las proposiciones en el procedimiento abierto y las solicitudes de participación en los procedimientos restringido y negociado y en el diálogo competitivo, no haciendo referencia, en ningún caso, a que dicha documentación deba obrar en poder del órgano de contratación antes de la adjudicación. Es más, sabida es la tendencia del legislador comunitario a reducir cargas administrativas en el sentido expresado, extremo que ha tenido su reflejo en el recientemente aprobado Texto Refundido de la LCSP que entrará en vigor el próximo viernes 16 de diciembre y que dispone, en su art. 22.2, que: «Los entes, organismos y entidades del sector público velarán por la eficiencia y el mantenimiento de los términos acordados en la ejecución de los procesos de contratación pública, favorecerán la agilización de trámites, valorarán la innovación y la incorporación de alta tecnología como aspectos positivos en los procedimientos de contratación pública y promoverán la participación de la pequeña y mediana empresa y el acceso sin coste a la información, en los términos previstos en la presente Ley.»

• Aplicación de las prohibiciones para contratar a los contratistas en los contratos menores

¿Es necesario exigir a los proveedores en contratos menores el encontrarse al corriente de sus obligaciones tributarias y con la Seguridad Social antes del abono de las facturas? ¿Podría crearse un fichero de proveedores con estos datos actualizable periódicamente?

[08/06/2009 EC 1701/2009]]

Contestación

Lo cierto es que habitualmente cuando se utiliza como forma de adjudicación el contrato menor hay determinados requisitos que no se cumplen, entre ellos el de comprobar que el contratista no está incurso en prohibición de contratar.

Si nos atenemos al tenor literal del art. 49 de la Ley 30/2007, de 30 de octubre (BOE del 31), de Contratos del Sector Público (LCSP), que recoge las prohibiciones de contratar observamos que el precepto es taxativo cuando señala que «no podrán contratar con el sector público las personas en quienes concurra alguna de las circunstancias siguientes», lo que implica que esta prohibición se extiende a todos los contratistas de la administración, con independencia del procedimiento de adjudicación.

Como sabemos, el art. 130 LCSP regula la presentación de la documentación acreditativa de los requisitos previos, entre los que se encuentra una declaración responsable de no estar incurso en prohibición de contratar en la que se incluirá la manifestación de hallarse al corriente del cumplimiento de las obligaciones tributarias y con la Seguridad Social impuestas por las disposiciones vigentes, sin perjuicio de que la justificación acreditativa de tal requisito deba presentarse, antes de la adjudicación definitiva, por el empresario a cuyo favor se vaya a efectuar ésta.

Pero lo cierto es que este precepto se aplica sólo cuando estamos ante los procedimientos abierto, restringido y negociado, pero no cuando se aplica el contrato menor, pero la única diferencia es que son procedimientos de adjudicación diferentes.

Parte de culpa de la no exigencia de determinados requisitos la tiene la dicción literal del art. 95 cuando señala que sólo se requerirá la factura, pero realmente la Administración debería comprobar que el contratista tiene capacidad para contratar con la administración y que no está incurso en prohibición de contratar.

Por tanto, nos parece acertado el hecho de que se decida llevar un control en los contratos menores en el sentido de comprobar que los contratistas están al corriente de sus obligaciones fiscales y de seguridad social. En cuanto al sistema, nos parece adecuado el propuesto de llevar un fichero de contratista de contratos menores en que el que se actualicen periódicamente sus datos. Ahora bien, entendemos que el control, si fuera posible, debería abarcar todas las prohibiciones y no solo la del cumplimiento de las obligaciones fiscales y de seguridad social.

Artículo 147 *Admisibilidad de variantes o mejoras*

1. Cuando en la adjudicación hayan de tenerse en cuenta criterios distintos del precio, el órgano de contratación podrá tomar en consideración las variantes o mejoras que ofrezcan los licitadores, siempre que el pliego de cláusulas administrativas particulares haya previsto expresamente tal posibilidad.

⊠ **Consultas**

• **¿Sería admisible incluir diversos criterios de valoración en este tipo de contratos, estableciendo expresamente que no se admitirán bajas al precio de licitación?**

Contratación Administrativa Práctica, N° 88, Sección Usted Pregunta, Julio 2009, pág. 10, Editorial LA LEY

[LA LEY 1297/2009]

Respuesta

Respecto a la posibilidad de no valorar el precio como criterio de selección de las ofertas en un determinado concurso, el Informe de la Junta Consultiva de Contratación Administrativa (JCCA) 28/1995, de 24 de octubre (LA LEY 25/1995), admite de forma excepcional que el precio puede no ser tenido en cuenta como criterio de valoración en los concursos —hoy procedimiento abierto— si se justifica adecuadamente en el expediente; criterio recogido también en el dictamen de la Junta Regional de Contratación Administrativa de la Comunidad Autónoma de Murcia, informe 4/2003, de 27 de junio (LA LEY 689/2003). El anterior artículo 88.2 (LA LEY 2206/2000) TR LCAP, señalaba que en la valoración de las ofertas se realizaría «sin atender necesariamente al valor económico de la misma», lo cual daba apoyo legal a esta teoría. En todo caso, como señalan estos informes, es una excepcionalidad que exige justificar adecuadamente los motivos por los que se considera que en ese caso concreto —para elegir la oferta «más ventajosa» (artículo. 88.2 TR LCAP)—, el precio no ha de ser tenido en cuenta. Sin perjuicio de esta afirmación, hemos de señalar que el artículo 67.2.K del Reglamento de Contratación parece imponer que el precio siempre ha de ser uno de los criterios de valoración, al exigir que en los Pliegos de Cláusulas de los concursos se establezcan «los criterios objetivos, entre ellos el precio».

Lo que se rechaza reiteradamente por la JCCA y por la Comisión Europea es la valoración del precio de manera que se desvirtúe su importancia relativa. Así, se rechaza el recurso no poco frecuente de dar mayor puntuación a la oferta que más se aproxime a la «baja media», porque en cada criterio la mayor puntuación ha de corresponder a la mejor oferta en cada apartado, y no la «más mediana» (Informe anual del Tribunal de Cuentas de 1996; Dictamen motivado de la Comisión Europea de 23 de diciembre de 1997 dirigido al Reino de España; Dictamen 1/2001, de 21 de mayo, de la Junta Superior de Contratación Administrativa de la Generalitat Valenciana (LA LEY 321/2001); Informe 04/2003, de 27 de junio de la Junta Regional de Contratación Administrativa de la Comunidad Autónoma de Murcia (LA LEY 689/2003); Informe del Tribunal de Cuentas de la Comunidad Autónoma de la Región de Murcia de 30 de enero de 2003).

En definitiva, con mucha cautela, pues el artículo 134 (LA LEY 10868/2007) LSCP no es como el 88.2 del anterior Texto Refundido, podrían no valorar el precio, pero justificándolo en el expediente.

En cuanto a la segunda cuestión, el artículo 131.1 (LA LEY 10868/2007) y 2 (LA LEY 10868/2007) LCSP dispone que cuando en la adjudicación hayan de tenerse en cuenta criterios distintos del precio, el órgano de contratación podrá tomar en consideración las variantes o mejoras que ofrezcan los licitadores, siempre que el pliego de cláusulas administrativas particulares haya previsto expresamente tal posibilidad.

La posibilidad —sigue diciendo— de que los licitadores ofrezcan variantes o mejoras se indicará en el anuncio de licitación del contrato precisando sobre qué elementos y en qué condiciones queda autorizada su presentación.

El precepto transcrito no exige que las mejoras se prevean en el proyecto técnico de obra, sino en el pliego. Por lo tanto, no vemos problema, siempre y cuando se incorporen al expediente informes que justifiquen ese proceder.

2. La posibilidad de que los licitadores ofrezcan variantes o mejoras se indicará en el anuncio de licitación del contrato precisando sobre qué elementos y en qué condiciones queda autorizada su presentación.

3. En los procedimientos de adjudicación de contratos de suministro o de servicios, los órganos de contratación que hayan autorizado la presentación de variantes o mejoras no podrán rechazar una de ellas por el único motivo de que, de ser elegida, daría lugar a un contrato de servicios en vez de a un contrato de suministro o a un contrato de suministro en vez de a un contrato de servicios.

☞ **Concordancias Jurisprudenciales**

Tribunal Superior de Justicia de La Rioja, Sala de lo Contencioso-administrativo, Sentencia de 1 Mar. 2012, rec. 134/2011

CONTRATO ADMINISTRATIVO DE OBRAS. Ejecución. Recepción de la obra. Definitiva. -- Ejecución. Pago del precio. Obligados al pago. -- Ejecución. Pago del precio. Mora. Intereses.

Concordancias a todo el artículo

➡ **Concordancias normativas**

Artículo 131 de la LCSP 30/2007 y artículo 87 del TRLCAP RDL 2/2000.

☞ **Concordancias Jurisprudenciales**

Audiencia Nacional, Sala de lo Contencioso-administrativo, Sección 1.ª, Sentencia de 13 Abr. 2012, rec. 810/2010

CONTRATO ADMINISTRATIVO DE OBRAS. Pago del precio. Intereses de demora por retraso en el abono de certificación Final de obra. Improcedencia. No se ha producido demora en el pago. La Administración tiene un plazo de dos meses, contados a partir de la recepción de las obras para aprobar la certificación final de las obras ejecutadas aplicándose para el pago de la cantidad objeto de la liquidación final el plazo de dos meses previsto en la norma. Esto es, desde el momento de la recepción formal de las obras la Administración dispone de un plazo de cuatro meses hasta el pago del importe de las obras incluidas en la liquidación final.

Tribunal Administrativo Central de Recursos Contractuales, Resolución de 3 Feb. 2012, rec. 345/2012

CONTRATO ADMINISTRATIVO DE SERVICIOS. Adjudicación del contrato de servicio de vigilancia, mediante vigilantes de seguridad sin arma, para la sede conjunta de las Direcciones Provinciales de la Tesorería General de la Seguridad Social y del Instituto Nacional de la Seguridad Social de Las Palmas y las oficinas dependientas de la Tesorería General de la Seguridad Social de Las Palmas. RECURSO ESPECIAL EN MATERIA DE CONTRATACIÓN. Estimación. Nulidad del procedimiento de adjudicación, por la insuficiencia de la autorización administrativa de la adjudicataria para llevar a cabo una de las prestaciones exigidas por los pliegos como objeto del contrato, en particular la conexión con una central receptora de alarmas. Para el ejercicio de las actividades propias de la seguridad privada en España, por empresas españolas o comunitarias, es necesario obtener una autorización previa del Ministerio del Interior. Esta autorización funciona por tanto como título habilitante para el ejercicio de las citadas actividades con independencia de que el pliego incluya o no dicha exigencia. Imposibilidad de que el defecto de habilitación del contratista para realizar la actividad sea suplido por la habilitación del subcontratista, porque el pliego no admite la posibilidad de variantes en la oferta. Procede la reposición de las actuaciones al momento inmediatamente anterior al examen por la mesa de contratación de la documentación contenida en el sobre número 1 de documentación general presentados por los licitadores.

Tribunal Superior de Justicia de La Rioja, Sala de lo Contencioso-administrativo, Sentencia de 1 Mar. 2012, rec. 134/2011

CONTRATO ADMINISTRATIVO DE OBRAS. Ejecución. Recepción de la obra. Definitiva. -- Ejecución. Pago del precio. Obligados al pago. -- Ejecución. Pago del precio. Mora. Intereses.

Tribunal Administrativo Central de Recursos Contractuales, Resolución de 20 Jul. 2011, rec. 155/2011

[LA LEY 105304/2011]

CONTRATO ADMINISTRATIVO DE SERVICIOS. Nulidad de la adjudicación definitiva de acuerdo marco para la contratación de servicios de desarrollo de sistemas de información. RECURSO ESPECIAL EN MATERIA DE CONTRATACIÓN. Estimación. No es posible valorar una mejora que no se ha previsto como tal en los pliegos. La valoración como mejora del suministro de escobillas realizada por la Administración no ha cumplido con lo establecido en los pliegos respecto a la valoración de la mejora, siendo dicha valoración arbitraria y contraria a los Principios de igualdad de trato y no discriminación, así como incluso al Principio de transparencia.

Tribunal Administrativo Central de Recursos Contractuales, Resolución de 20 Jul. 2011, rec. 152/2011

[LA LEY 105306/2011]

CONTRATO ADMINISTRATIVO DE SERVICIOS. Pliego de Cláusulas Administrativas Particulares y de Prescripciones Técnicas que han de regir el procedimiento abierto que se sigue para la contratación anual del servicio de seguridad, del servicio de mantenimiento preventivo y correctivo de los sistemas de protección contra intrusión y atraco, de protección contra incendios, de detección de CO_2, CCTV, megafonía, puertas cortafuegos, iluminación y señalización de emergencia y evacuación, así como los servicios de mantenimiento preventivo y correctivo del conjunto de extintores móviles de los centros de la AEAT dependientes de la Delegación Especial de Andalucía, Ceuta y Melilla. RECURSO ESPECIAL EN MATERIA DE CONTRATACIÓN. Desestimación. La integración realizada de todas las prestaciones de servicios recogidos en el contrato, tiene sentido para incrementar su eficacia, la eficiencia en la ejecución de las prestaciones y a su vez, aprovechar las economías de escala que posibilita dicha integración. Aunque las prestaciones pudieran ser unidades independientes, se aprecia que concurre un componente práctico, al margen de concurrir una optimización de la ejecución global del contrato, en tanto que, es necesario y práctico que, además de prestar servicio de seguridad de edificios, se preste el servicio de protección de incendios, o el mantenimiento de extintores, pues son actividades muy relacionadas. Tales actividades son materia propia de las empresas de seguridad, por lo que las prestaciones son ejercitables por dichas empresas. Todos los grupos, subgrupos y categorías especificados en el pliego están vinculados al objeto del contrato y son proporcionados. La comprobación exterior del edificio en ningún caso se realiza en viario público, sino dentro de la parcela propiedad de la AEAT, que forma parte del bien inmueble cuya custodia tiene encomendada la empresa de seguridad adjudicataria del contrato correspondiente. Es razonable y justificada la exigencia de presentar, antes de la firma del contrato, pólizas de seguro de responsabilidad civil, para responder de los daños personales y/o materiales que se pudieran causar por el personal a su cargo o por la realización del servicio. Está suficientemente justificado el carácter urgente de la tramitación del expediente, debido, fundamentalmente a la naturaleza del contrato, y a la demora en la adjudicación por el recurso especial previamente interpuesto, que han ocasionado el retardo en la nueva prestación del servicio.

Artículo 148 *Subasta electrónica*

1. A efectos de la adjudicación del contrato podrá celebrarse una subasta electrónica, articulada como un proceso iterativo, que tiene lugar tras una primera evaluación completa de las ofertas, para la presentación de mejoras en los precios o de nuevos valores relativos a determinados elementos de las ofertas que las mejoren en su conjunto, basado en un dispositivo electrónico que permita su clasificación a través de métodos de evaluación automáticos.

2. La subasta electrónica podrá emplearse en los procedimientos abiertos, en los restringidos, y en los negociados que se sigan en el caso previsto en el artículo 170 a), siempre que las especificaciones del contrato que deba adjudicarse puedan establecerse de manera precisa y que las prestaciones que constituyen su objeto no tengan carácter intelectual. No podrá recurrirse a las subastas electrónicas de forma abusiva o de modo que se obstaculice, restrinja o falsee la competencia o que se vea modificado el objeto del contrato.

3. La subasta electrónica se basará en variaciones referidas al precio o a valores de los elementos de la oferta que sean cuantificables y susceptibles de ser expresados en cifras o porcentajes.

4. Los órganos de contratación que decidan recurrir a una subasta electrónica deberán indicarlo en el anuncio de licitación e incluir en el pliego de condiciones la siguiente información:

a) Los elementos a cuyos valores se refiera la subasta electrónica;

b) en su caso, los límites de los valores que podrán presentarse, tal como resulten de las especificaciones del objeto del contrato;

c) la información que se pondrá a disposición de los licitadores durante la subasta electrónica y el momento en que se facilitará;

d) la forma en que se desarrollará la subasta;

e) las condiciones en que los licitadores podrán pujar, y en particular las mejoras mínimas que se exigirán, en su caso, para cada puja;

f) el dispositivo electrónico utilizado y las modalidades y especificaciones técnicas de conexión.

5. Antes de proceder a la subasta electrónica, el órgano de contratación efectuará una primera evaluación completa de las ofertas de conformidad con los criterios de adjudicación y a continuación invitará simultáneamente, por medios electrónicos, informáticos o telemáticos, a todos los licitadores que hayan presentado ofertas admisibles a que presenten nuevos precios revisados a la baja o nuevos valores que mejoren la oferta.

6. La invitación incluirá toda la información pertinente para la conexión individual al dispositivo electrónico utilizado y precisará la fecha y la hora de comienzo de la subasta electrónica.

Igualmente se indicará en ella la fórmula matemática que se utilizará para la reclasificación automática de las ofertas en función de los nuevos precios o de los nuevos valores que se presenten. Esta fórmula incorporará la ponderación de todos los criterios fijados para determinar la oferta económicamente más ventajosa, tal como se haya indicado en el anuncio de licitación o en el pliego, para lo cual, las eventuales bandas de valores deberán expresarse previamente con un valor determinado. En caso de que se autorice la presentación de variantes o mejoras, se proporcionarán fórmulas distintas para cada una, si ello es procedente.

Cuando para la adjudicación del contrato deban tenerse en cuenta una pluralidad de criterios, se acompañará a la invitación el resultado de la evaluación de la oferta presentada por el licitador.

7. Entre la fecha de envío de las invitaciones y el comienzo de la subasta electrónica habrán de transcurrir, al menos, dos días hábiles.

8. La subasta electrónica podrá desarrollarse en varias fases sucesivas.

9. A lo largo de cada fase de la subasta, y de forma continua e instantánea, se comunicará a los licitadores, como mínimo, la información que les permita conocer su respectiva clasificación en cada momento. Adicionalmente, se podrán facilitar otros datos relativos a los precios o valores presentados por los restantes licitadores, siempre que ello esté contemplado en el pliego, y anunciarse el número de los que están participando en la correspondiente fase de la subasta, sin que en ningún caso pueda divulgarse su identidad.

10. El cierre de la subasta se fijará por referencia a uno o varios de los siguientes criterios:

a) Mediante el señalamiento de una fecha y hora concretas, que deberán ser indicadas en la invitación a participar en la subasta.

b) Atendiendo a la falta de presentación de nuevos precios o de nuevos valores que cumplan los requisitos establecidos en relación con la formulación de mejoras mínimas.

De utilizarse esta referencia, en la invitación a participar en la subasta se especificará el plazo que deberá transcurrir a partir de la recepción de la última puja antes de declarar su cierre.

c) Por finalización del número de fases establecido en la invitación a participar en la subasta. Cuando el cierre de la subasta deba producirse aplicando este criterio, la invitación a participar en la misma indicará el calendario a observar en cada una de sus fases.

11. Una vez concluida la subasta electrónica, el contrato se adjudicará de conformidad con lo establecido en el artículo 151, en función de sus resultados.

Concordancias a todo el artículo

➡ **Concordancias normativas**

Artículo 132 de la LCSP 30/2007.

☞ **Concordancias Jurisprudenciales**

Tribunal Superior de Justicia de Cataluña, Sala de lo Contencioso-administrativo, Sección 5.ª, Sentencia de 30 Dic. 2009, rec. 417/2007

[LA LEY 320158/2009]

CONTRATO ADMINISTRATIVO DE SERVICIOS. CA Cataluña. Anulación de la convocatoria de licitación de un acuerdo marco de los servicios de limpieza de diversos edificios administrativos de la Generalitat y entidades adheridas. Aun cuando la Administración autonómica se estimase competente para transponer la Directiva 2004/18/CE sobre previsiones básicas en materia de contratación, sin necesidad de esperar a la transposición estatal, debería haberlo hecho mediante una disposición general del vigente Estatuto de Autonomía, pero no mediante la aprobación de un pliego contractual, carente de las elementales exigencias de generalidad y publicidad. La Administración autonómica, sin motivo que lo justifique, es la que decide transponer la Directiva y aplicarla. El Estado español podría no haber transpuesto estas técnicas. No procede indemnización por daños y perjuicios.

📖   Doctrina

«Art. 132. Subasta electrónica». Vicente Iglesias, José Luis. Esta doctrina forma parte del libro *Comentarios a la Ley 30/2007, de 30 de octubre, de contratos del sector público,* edición n.º 2, Editorial LA LEY, Madrid, enero 2011.

[LA LEY 7132/2011]

Artículo 149 *Sucesión en el procedimiento*

Si durante la tramitación de un procedimiento y antes de la adjudicación se produjese la extinción de la personalidad jurídica de una empresa licitadora o candidata por fusión, escisión o por la transmisión de su patrimonio empresarial, le sucederá en su posición en el procedimiento las sociedades absorbentes, las resultantes de la fusión, las beneficiarias de la escisión o las adquirentes del patrimonio o de la correspondiente rama de actividad, siempre que reúna las condiciones de capacidad y ausencia de prohibiciones de contratar y acredite su solvencia y clasificación en las condiciones exigidas en el pliego de cláusulas administrativas particulares para poder participar en el procedimiento de adjudicación.

↪   Concordancias normativas

Artículo 133 de la LCSP 30/2007 y artículo 79 del TRLCAP RDL 2/2000.

Subsección 4

Selección del adjudicatario

Artículo 150 *Criterios de valoración de las ofertas*

1. Para la valoración de las proposiciones y la determinación de la oferta económicamente más ventajosa deberá atenderse a criterios directamente vinculados al objeto del contrato, tales como la calidad, el precio, la

fórmula utilizable para revisar las retribuciones ligadas a la utilización de la obra o a la prestación del servicio, el plazo de ejecución o entrega de la prestación, el coste de utilización, las características medioambientales o vinculadas con la satisfacción de exigencias sociales que respondan a necesidades, definidas en las especificaciones del contrato, propias de las categorías de población especialmente desfavorecidas a las que pertenezcan los usuarios o beneficiarios de las prestaciones a contratar, la rentabilidad, el valor técnico, las características estéticas o funcionales, la disponibilidad y coste de los repuestos, el mantenimiento, la asistencia técnica, el servicio postventa u otros semejantes.

Cuando sólo se utilice un criterio de adjudicación, éste ha de ser, necesariamente, el del precio más bajo.

☞ **Concordancias Jurisprudenciales**

Tribunal Superior de Justicia de Galicia, Sala de lo Contencioso-administrativo, Sección 2.ª, Sentencia de 1 Dic. 2011, rec. 4169/2009

[LA LEY 253121/2011]

CONCESIONES ADMINISTRATIVAS. Otorgamiento. Solicitudes. -- Otorgamiento. Adjudicación. CONTRATO ADMINISTRATIVO DE SERVICIOS. Adjudicación. -- Ejecución. CONTRATOS ADMINISTRATIVOS. Adjudicación de los contratos. Licitación. -- Adjudicación de los contratos. Selección del adjudicatario. Valoración de las ofertas.

Tribunal Superior de Justicia de Galicia, Sala de lo Contencioso-administrativo, Sección 2.ª, Sentencia de 7 Dic. 2011, rec. 4173/2009

[LA LEY 251588/2011]

CONTRATO ADMINISTRATIVO DE GESTIÓN DE SERVICIOS PÚBLICOS. Gestión del servicio de apoyo a la movilidad personal para las personas con discapacidad y/o dependientes. Adjudicación definitiva del contrato en procedimiento negociado con publicidad y tramitación urgente. Que la normativa permita a los licitadores conocer en toda su extensión el contenido de las proposiciones, y que el órgano de contratación esté obligado a ponerlo de manifiesto, no puede ser interpretado en el sentido de que se entregue copia de todo lo presentado por los demás licitadores, especialmente si se trata de proyectos u otros documentos similares respecto de los cuales pueda existir un derecho de propiedad intelectual o industrial. Correcta valoración del perfil profesional y del personal adscrito a la ejecución del contrato. Respecto a la valoración de la oferta económica, la expresión oferta más económica no necesariamente significa oferta mas barata, porque es posible encontrar ofertas económicas bajas, pero que ofertan menos horas de servicio, por lo que en definitiva aunque parezca más barata la oferta puede no ser definitivamente más económica, y por ello la modulación que se introdujo considerando la proposición económica en relación con las horas de prestación de servicio.

Tribunal Administrativo Central de Recursos Contractuales, Resolución de 3 Nov. 2011, rec. 227/2011

[LA LEY 293748/2011]

CONTRATO ADMINISTRATIVO DE SUMINISTROS. De nuevo equipamiento para el centro de operaciones BIEM I de la UME. Nulidad del procedimiento de adjudicación de la contratación del suministro. RECURSO ESPECIAL EN MATERIA DE CONTRATACIÓN. Estimación parcial. El que el órgano de contratación no haya incluido en el Pliego de Cláusulas Administrativas Particulares qué aspectos o consideraciones seguirá para la valoración de los «criterios de solución técnica» supone, una infracción de los principios de objetividad y transparencia, y que las empresas licitadoras formularán sus propuestas sin conocer qué aspectos serán merecedores de una mayor o menor valoración, en relación con este criterio de valoración, lo cual introduce arbitrariedad y subjetividad en la adjudicación del contrato.

⊠   **Consultas**

• **Criterios de valoración de ofertas**

¿Se puede incluir como criterios de valoración que el licitador posea una minusvalía física y/o su situación económica?

Contratación Administrativa Práctica, N° 85, Sección Usted Pregunta, Abril 2009, Editorial LA LEY

[LA LEY 832/2009]

Respuesta

Precisamente, uno de los motivos de la aprobación de la nueva LCSP y, en concreto, de la redacción dada a los artículos reguladores de los criterios de valoración de ofertas, es incorporar la filosofía de las Directivas Europeas con relación a las políticas medioambientales y sociales a la normativa interna española.

En efecto, en el apartado IV.3 de la Exposición de Motivos de la LCSP (LA LEY 10868/2007), el legislador explica este aspecto de una manera relativamente clara y rotunda. En concreto, dispone que «incorporando en sus propios términos y sin reservas las directrices de la Directiva 2004/18/CE (LA LEY 4245/2004), la Ley de Contratos del Sector Público incluye sustanciales innovaciones en lo que se refiere a la preparación y adjudicación de los negocios sujetos a la misma. Sintéticamente expuestas, las principales novedades afectan a la previsión de mecanismos que permiten introducir en la contratación pública consideraciones de tipo social y medioambiental, configurándolas como condiciones especiales de ejecución del contrato o como criterios para valorar las ofertas, prefigurando una estructura que permita acoger pautas de adecuación de los contratos a nuevos requerimientos éticos y sociales...»

El artículo 134.1 de la LCSP dispone que «para la valoración de las proposiciones y la determinación de la oferta económicamente más ventajosa deberá atenderse a criterios directamente vinculados al objeto del contrato, tales como la calidad, el precio, la fórmula utilizable para revisar las retribuciones ligadas a la utilización de la obra o a la prestación del servicio, el plazo de ejecución o entrega de la prestación, el coste de utilización, las características medioambientales o vinculadas con la satisfacción de exigencias sociales que respondan a necesidades, definidas en las especificaciones del contrato, propias de las categorías de población especialmente desfavorecidas a las que pertenezcan los usuarios o beneficiarios de las prestaciones a contratar, la rentabilidad, el valor técnico, las características estéticas o funcionales, la disponibilidad y coste de los repuestos, el mantenimiento, la asistencia técnica, el servicio postventa u otros semejantes.»

En conclusión, de la Exposición de Motivos y del propio texto literal del artículo 134 de la LCSP (LA LEY 10868/2007) se desprende la absoluta corrección de la introducción de criterios como los mencionados en la consulta.

2. Los criterios que han de servir de base para la adjudicación del contrato se determinarán por el órgano de contratación y se detallarán en el anuncio, en los pliegos de cláusulas administrativas particulares o en el documento descriptivo.

En la determinación de los criterios de adjudicación se dará preponderancia a aquellos que hagan referencia a características del objeto del contrato que puedan valorarse mediante cifras o porcentajes obtenidos a través de la mera aplicación de las fórmulas establecidas en los pliegos. Cuando en una licitación que se siga por un procedimiento abierto o restringido se atribuya a los criterios evaluables de forma automática por aplicación de fórmulas una ponderación inferior a la correspondiente a los criterios cuya cuantificación dependa de un juicio de valor, deberá constituirse un comité que cuente con un mínimo de tres miembros, formado por expertos no integrados en el órgano proponente del contrato y con cualificación apropiada, al que corresponderá realizar la evaluación de las ofertas conforme a estos últimos criterios, o encomendar esta evaluación a un organismo técnico especializado, debidamente identificado en los pliegos.

La evaluación de las ofertas conforme a los criterios cuantificables mediante la mera aplicación de fórmulas se realizará tras efectuar previamente la de aquellos otros criterios en que no concurra esta circunstancia, dejándose constancia documental de ello. Las normas de desarrollo de esta Ley determinarán los supuestos y condiciones en que deba hacerse pública tal evaluación previa, así como la forma en que deberán presentarse las proposiciones para hacer posible esta valoración separada.

☞ **Concordancias Jurisprudenciales**

Tribunal Administrativo Central de Recursos Contractuales, Resolución de 29 Feb. 2012, rec. 32/2012

CONTRATO ADMINISTRATIVO DE SERVICIOS. Exclusión de la licitación convocada para adjudicar, mediante procedimiento abierto, el contrato de servicios de edición e impresión de publicaciones periódicas y trabajos preparatorios para su distribución en el IMSERSO. RECURSO ESPECIAL EN MATERIA DE CONTRATACIÓN. Desestimación. La interesada fue correctamente excluida del procedimiento de licitación como consecuencia de la inclusión en el sobre B de información en el sobre B, referida a los plazos de entrega e incremento en el número de ejemplares de las revistas, que debe de incluirse exclusivamente en el sobre C. Tal incumplimiento afecta al procedimiento de selección de los licitadores y, en particular, al principio de igualdad de trato entre los mismos.

Tribunal Administrativo de Recursos Contractuales de la Junta de Andalucía, Resolución de 26 Mar. 2012, rec. 23/2012

CONTRATO ADMINISTRATIVO DE OBRAS. Para la construcción de un observatorio de música profesional. Confirmación de la exclusión de la licitación a una empresa por incluir la mejora en cuanto al plazo de duración de la obra, que debería formar parte de la documentación susceptible de valoración mediante la aplicación de fórmulas, en el sobre que debe contener exclusivamente documentación valorable bajo criterios de juicio de valor. No sólo vulneró el orden procedimental establecido quebrantando el procedimiento, sino que desveló el secreto de la oferta e incumplió lo dispuesto en la normativa vigente. A fin de mantener la máxima objetividad la valoración de los criterios técnicos evaluables mediante un juicio de valor ha de realizarse antes de conocer la oferta económica. El conocimiento de las proposiciones económicas con anterioridad, puede afectar al resultado de la valoración de los criterios técnicos evaluables mediante un juicio de valor y en consecuencia, cuando sólo son conocidas las de alguno de los licitadores, puede implicar desigualdad en el trato de los mismos.

Tribunal Administrativo Central de Recursos Contractuales, Resolución de 19 Oct. 2011, rec. 197/2011

[LA LEY 211680/2011]

CONTRATO ADMINISTRATIVO DE SERVICIOS. Adjudicación de contrato de servicio de contrato de servicios de mantenimiento integral de equipos de electro-medicina para el Hospital Gómez Ulla. RECURSO ESPECIAL EN MATERIA DE CONTRATACIÓN. Estimación parcial. Nulidad de la adjudicación, por falta de motivación del informe del vocal técnico en que se fundó la adjudicación. El informe se limita a referir una mera asignación de puntos, sin hacer una descripción de las ofertas ni del proceso de aplicación a aquellas de los criterios de valoración fijados en el Pliego y que motivan la asignación de puntos expresada.

Tribunal Administrativo Central de Recursos Contractuales, Resolución de 9 Mar. 2011, rec. 042/2011

[LA LEY 14672/2011]

CONTRATO ADMINISTRATIVO DE SERVICIOS. Adjudicación. Se declara la nulidad de un apartado de una de las cláusulas del pliego de condiciones administrativas particulares que han de regir la contratación del servicio para la elaboración del proyecto básico y de ejecución y asistencia a la dirección facultativa para la edificación de inmuebles para archivos y almacenes, así como la necesidad de convocar una nueva licitación en la que sirva de base un nuevo pliego adaptado a estos pronunciamientos dado que dicho apartado tenía en cuenta la participación en concursos y la obtención de premios en los últimos 3 años a efectos de acreditar la solvencia técnica o profesional de los licitadores. Esta condición no acreditaba unos niveles mínimos de solvencia técnica que permitiesen identificar la aptitud de la mercantil para ejecutar un contrato, los cuales debían necesariamente concretarse en el pliego. Además, esta exigencia no se incluía en ninguno de los supuestos establecidos en la Ley que resultaba de aplicación al caso para llevar a cabo dicha acreditación.

✉ Consultas

• Criterios de adjudicación cuya cuantificación dependa de un juicio de valor en el procedimiento negociado

El art. 134 permite, de forma excepcional, que se dé mayor ponderación a criterios de adjudicación subjetivos, si bien debe contarse con un comité de expertos u órgano especializado. ¿Es aplicable en el procedimiento negociado?

[12/07/2010 EC 2168/2010]

Contestación

En efecto, cuando el art. 134.2 (LA LEY 10868/2007) de la Ley 30/2007, de 30 de octubre (BOE del 31), de Contratos del Sector Público (LCSP), se refiere a los criterios que dependen de un juicio de valor, sólo se está refiriendo al procedimiento abierto y al restringido pero no al negociado: «[...] En la determinación de los criterios de adjudicación se dará preponderancia a aquéllos que hagan referencia a características del objeto del contrato que puedan valorarse mediante cifras o porcentajes obtenidos a través de la mera aplicación de las fórmulas establecidas en los pliegos. Cuando en una licitación que se siga por un procedimiento abierto o restringido se atribuya a los criterios evaluables de forma automática por aplicación de fórmulas una ponderación inferior a la correspondiente a los criterios cuya cuantificación dependa de un juicio de valor, deberá constituirse un comité que cuente con un mínimo de tres miembros, formado por expertos no integrados en el órgano proponente del contrato y con cualificación apropiada, al que corresponderá realizar la evaluación de las ofertas conforme a estos últimos criterios, o encomendar esta evaluación a un organismo técnico especializado, debidamente identificado en los pliegos.»

Quizás sea porque la Ley, cuando se refiere al procedimiento negociado, más que de criterios de adjudicación se está refiriendo a los aspectos económicos y técnicos que han de ser objeto de negociación, como dispone el art. 160 y concordantes de la citada LCSP. Sin embargo, lo cierto es que en el procedimiento negociado existen también criterios de adjudicación, tal y como establece el art. 162.2 LCSP.

Por tanto, entendemos que, en el procedimiento negociado, también pueden existir criterios cuya cuantificación dependa de un juicio de valor; si bien consideramos que lo más conveniente y transparente es la existencia de criterios objetivos.

Por otro lado, en el procedimiento negociado no es necesaria la constitución de un comité de expertos, en este sentido se pronuncia claramente el art. 25 (LA LEY 8536/2009) del Real Decreto 817/2009, de 8 de mayo (BOE de 15 de mayo), por el que se desarrolla parcialmente la Ley 30/2007, de 30 de octubre (LA LEY 10868/2007), de Contratos del Sector Público (RCSP), cuando al regular el órgano competente para la valoración —después de establecer que, en los procedimientos de adjudicación, abierto o restringido celebrados por los órganos de las Administraciones públicas, la valoración de los criterios cuya cuantificación dependa de un juicio de valor corresponderá, en los casos en que proceda por tener atribuida una ponderación mayor que la correspondiente a los criterios evaluables de forma automática, bien a un comité formado por expertos bien a un organismo técnico especializado— añade, en su segundo párrafo, que, en los restantes supuestos, la valoración se efectuará por la mesa de contratación, si interviene, o por el órgano de contratación en el caso contrario. Y debe entenderse que, dentro de los restantes supuestos, se encuentra el procedimiento negociado.

• Ponderación de criterios que dependen de juicio de valor en el procedimiento negociado

A la vista del artículo 134.2 de la LCSP parece ser que el comité de expertos que se debe formar si la ponderación de los criterios evaluables de forma automática es menor a la correspondiente a los criterios cuan-

tificables mediante un juicio de valor sólo es necesario si estamos en un procedimiento abierto o restringido.

¿Quiere ello decir que en el caso del procedimiento negociado puede ser mayor la ponderación de los criterios que dependen de juicio de valor que los cuantificados automáticamente sin necesidad de formar este comité de expertos?

Contratación Administrativa Práctica, Nº 92, Sección Usted Pregunta, Diciembre 2009, Editorial LA LEY

[LA LEY 4060/2009]

Respuesta

Efectivamente, a nuestro juicio, el comité de expertos se forma si estamos en un procedimiento abierto o restringido, y no es obligatorio constituirlo en los procedimientos negociados. Y ello es así porque estamos ante dos situaciones distintas.

En el procedimiento negociado, con carácter previo se aprueban los pliegos en base a los cuales se determinará la solvencia de los empresarios que serán invitados a presentar ofertas y los criterios que se servirán de base a la adjudicación. En la modalidad de negociado sin publicidad, el órgano contratante invitará al menos a tres empresarios a presentar sus proposiciones. En el celebrado con publicidad se realiza el anuncio de licitación para que aquellos empresarios que acrediten su personalidad y cumplan los criterios de solvencia que contiene el pliego, soliciten participar en el procedimiento acompañando la documentación procedente.

Seguidamente, de los empresarios presentados, se hace una selección de los más adecuados, invitando al menos a tres de ellos para que presenten sus proposiciones, para a continuación proceder a negociar con cada uno de ellos los términos de las ofertas que hayan presentado con el fin de adaptarlas a las exigencias y requisitos del pliego e identificar la oferta económicamente más ventajosa. Es decir, en este procedimiento, los criterios de adjudicación son diferentes. Se negocia —valga la expresión— y no se especifican unos criterios de valoración como los establecidos en el artículo 134.2 de la Ley de Contratos del Sector Público (LA LEY 10868/2007).

Por todo ello, como usted muy bien dice, en un procedimiento negociado puede ser mayor la ponderación de los criterios que dependen de juicio de valor que los cuantificados automáticamente sin necesidad de formar el comité de expertos.

3. La valoración de más de un criterio procederá, en particular, en la adjudicación de los siguientes contratos:

a) Aquéllos cuyos proyectos o presupuestos no hayan podido ser establecidos previamente y deban ser presentados por los licitadores.

b) Cuando el órgano de contratación considere que la definición de la prestación es susceptible de ser mejorada por otras soluciones técnicas, a proponer por los licitadores mediante la presentación de variantes, o por reducciones en su plazo de ejecución.

c) Aquéllos para cuya ejecución facilite el órgano, organismo o entidad contratante materiales o medios auxiliares cuya buena utilización exija garantías especiales por parte de los contratistas.

d) Aquéllos que requieran el empleo de tecnología especialmente avanzada o cuya ejecución sea particularmente compleja.

e) Contratos de gestión de servicios públicos.

f) Contratos de suministros, salvo que los productos a adquirir estén perfectamente definidos por estar normalizados y no sea posible variar los plazos de entrega ni introducir modificaciones de ninguna clase en el contrato, siendo por consiguiente el precio el único factor determinante de la adjudicación.

g) Contratos de servicios, salvo que las prestaciones estén perfectamente definidas técnicamente y no sea posible variar los plazos de entrega ni introducir modificaciones de ninguna clase en el contrato, siendo por consiguiente el precio el único factor determinante de la adjudicación.

h) Contratos cuya ejecución pueda tener un impacto significativo en el medio ambiente, en cuya adjudicación se valorarán condiciones ambientales mensurables, tales como el menor impacto ambiental, el ahorro y el uso eficiente del agua y la energía y de los materiales, el coste ambiental del ciclo de vida, los procedimientos y métodos de producción ecológicos, la generación y gestión de residuos o el uso de materiales reciclados o reutilizados o de materiales ecológicos.

☞   **Concordancias Jurisprudenciales**

Tribunal Administrativo de Contratación Pública de la Comunidad de Madrid, Acuerdo de 29 Feb. 2012, rec. 2/2012

CONTRATO ADMINISTRATIVO DE SUMINISTRO. De material de laboratorio. Adjudicación por procedimiento abierto mediante el criterio precio, estableciéndose un único criterio de adjudicación: el precio más bajo. Nulidad de la convocatoria y de los pliegos, dado que el órgano de contratación debió haber utilizado más de un criterio en la adjudicación. Restricción legal a la inicial discrecionalidad del contratante, que obliga a utilizar más de un criterio de valoración en los supuestos en los que se requiera el empleo de tecnología especialmente avanzada o cuya ejecución sea particularmente compleja, o en los contratos de suministro, cuyos productos a adquirir no estén perfectamente definidos por no estar normalizados. Aunque no se ha definido la tecnología especialmente avanzada o compleja, resulta evidente que el material de laboratorio no es una tecnología consolidada sino en constante actualización. Tampoco se ha acreditado que los productos estén perfectamente definidos por estar normalizados. Disconformidad a Derecho de la exigencia en el PCAP, como medio de acreditación de la solvencia técnica, de un certificado del fabricante asumiendo un compromiso de suministro. Nulidad del PPT en el apartado que modifica el régimen y condiciones de pago del precio establecido en el PCAP.

4. Cuando se tome en consideración más de un criterio, deberá precisarse la ponderación relativa atribuida a cada uno de ellos, que podrá expresarse fijando una banda de valores con una amplitud adecuada. En el caso de que el procedimiento de adjudicación se articule en varias fases, se indicará igualmente en cuales de ellas se irán aplicando los distintos criterios, así como el umbral mínimo de puntuación exigido al licitador para continuar en el proceso selectivo.

Cuando, por razones debidamente justificadas, no sea posible ponderar los criterios elegidos, éstos se enumerarán por orden decreciente de importancia.

☞   **Concordancias Jurisprudenciales**

Tribunal Superior de Justicia de Extremadura, Sala de lo Contencioso-administrativo, Sentencia de 9 Feb. 2012, rec. 22/2010

[LA LEY 11938/2012]

ACTO ADMINISTRATIVO. Invalidez. Nulidad de pleno derecho. Disposiciones contrarias a las leyes o que vulneren normas de superior rango jerárquico. CONTRATOS ADMINISTRATIVOS. Preparación de los contratos. Expediente de contratación. Pliegos de cláusulas administrativas. -- Adjudicación de los contratos. Selección del adjudicatario. Valoración de las ofertas. TRANSPORTE. Contrato de transporte.

Tribunal Administrativo Central de Recursos Contractuales, Resolución de 23 Mar. 2011, rec. 057/2011

[LA LEY 14696/2011]

CONTRATO ADMINISTRATIVO DE SERVICIOS. Anulación del procedimiento de licitación por el que se adjudicó un contrato de servicios múltiples complementarios del centro de referencia estatal para la atención a personas con grave discapacidad y para la promoción de la autonomía personal y la atención a la dependencia, en tanto que la Administración debe operar sobre unos elementos reglados previamente determinados en el pliego de cláusulas administrativas particulares para la calificación de las propuestas de los licitadores, elementos que no existen en este caso. El hecho de que el órgano de contratación no haya incluido en el pliego de cláusulas administrativas que aspectos o consideraciones seguirá para la valoración de las ofertas de los licitadores, supone una infracción del ordenamiento jurídico y que las empresas licitadoras formularán sus propuestas sin conocer que aspectos serán merecedores de una mayor o menor valoración. Inexistencia de indefensión por haberse producido la notificación por medio de la Plataforma de contratación del Estado.

5. Los criterios elegidos y su ponderación se indicarán en el anuncio de licitación, en caso de que deba publicarse.

6. Los pliegos o el contrato podrán establecer penalidades, conforme a lo prevenido en el artículo 212.1, para los casos de incumplimiento o de cumplimiento defectuoso de la prestación que afecten a características de la misma que se hayan tenido en cuenta para definir los

criterios de adjudicación, o atribuir a la puntual observancia de estas características el carácter de obligación contractual esencial a los efectos señalados en el artículo 223.f).

➡ **Concordancias normativas**

Número 6 del artículo 150 redactado por el número cuatro de la disposición final primera de la Ley 24/2011, de 1 de agosto, de contratos del sector público en los ámbitos de la defensa y de la seguridad («B.O.E». 2 agosto).

Concordancias a todo el artículo

➡ **Concordancias normativas**

Artículo 88 de la LCSP 30/2007 y artículos 26 y 27 del TRLCAP RDL 2/2000.

☞ **Concordancias Jurisprudenciales**

Tribunal Superior de Justicia de Canarias de Las Palmas de Gran Canaria, Sala de lo Contencioso-administrativo, Sección 1.ª, Sentencia de 28 Oct. 2011, rec. 1172/2010

[LA LEY 297981/2011]

CONTRATOS ADMINISTRATIVOS. Adjudicación de los contratos. Publicidad de licitaciones y adjudicaciones. -- Adjudicación de los contratos. Licitación.

Tribunal Superior de Justicia de Castilla y León de Valladolid, Sala de lo Contencioso-administrativo, Sentencia de 31 Ene. 2012, rec. 2811/2008

[LA LEY 9384/2012]

CONTRATO ADMINISTRATIVO DE GESTIÓN DE SERVICIOS PÚBLICOS. Formas de adjudicación. Concurso. CONTRATOS ADMINISTRATIVOS. Partes del contrato. Capacidad y solvencia del empresario. -- Adjudicación de los contratos. Selección del adjudicatario.

✉ **Consultas**

• **Los contratos de explotación de bienes patrimoniales deberán adjudicarse mediante concurso, salvo supuestos excepcionales**

¿Cuál es el procedimiento de contratación a seguir para el arrendamiento de pastos de una finca municipal?

[12/11/2010 EC 3169/2010]

Contestación

Con carácter previo, conviene precisar el sistema normativo de fuentes aplicable a los bienes municipales. El análisis de cuál sea el régimen aplicable a los bienes de las entidades locales viene condicionado por la Ley 33/2003, de 3 de noviembre (LA LEY 1671/2003) (EC 4127/2003), del Patrimonio de las Administraciones Públicas (LPAP), que pretende establecer un marco jurídico uniforme al régimen patrimonial público. Esta vocación de la LPAP tiene incidencia en el régimen general de los bienes de las entidades locales previsto en el Reglamento de Bienes de las Entidades Locales (RB), aprobado por Real Decreto 1372/1986, de 13 de junio (LA LEY 1516/1986) (BOE de 7 de julio). Así se desprende del art. 1 de la ley, que establece como uno de los fines de la norma fijar las bases del régimen patrimonial de las Administraciones públicas; y del art. 2, que incluye dentro del ámbito de aplicación de determinados preceptos de la misma a la Administración local y entidades de derecho público vinculadas o dependientes de ella.

Por tanto, en virtud de lo dispuesto en los preceptos indicados de la LPAP, los artículos de la misma relacionados en la disposición final 2.ª conformarán, junto con los arts. 79 y siguientes de la Ley 7/1985, de 2 de abril (LA LEY 847/1985) (BOE del 3), Reguladora de las Bases del Régimen Local (LRBRL (LA LEY 847/1985)), el marco normativo básico de los bienes de las entidades locales. La compleción del régimen jurídico corresponderá a la legislación de las comunidades autónomas.

De todo ello, resulta que el sistema de fuentes en materia de bienes de las entidades locales queda configurado, tras la entrada en vigor de la LPAP, como sigue:

— Disposiciones estatales dictadas al amparo de la competencia en materia de legislación básica de régimen local con trascendencia en el régimen de los bienes; y los preceptos de la normativa patrimonial pública enunciados en la disposición final 2.ª LPAP.

— Normas dictadas por las comunidades autónomas en ejercicio de sus competencias, ya sea en materia de régimen local, ya sea en materia de derecho de los bienes públicos.

— Normativa estatal que no tenga carácter básico, y que se aplicaría con carácter supletorio. En este supuesto se encontraría el Reglamento de Bienes de las Entidades Locales de 1986 (LA LEY 1516/1986).

— Finalmente, las normas dictadas por las corporaciones locales en el marco de su capacidad de autoorganización (ordenanzas) y en el marco de la legislación estatal y autonómica.

El art. 107 LPAP (procedimiento de adjudicación) dispone que: «Los contratos para la explotación de los bienes y derechos patrimoniales se adjudicarán por concurso salvo que, por las peculiaridades del bien, la limitación de la demanda, la urgencia resultante de acontecimientos imprevisibles o la singularidad de la operación, proceda la adjudicación directa. Las circunstancias determinantes de la adjudicación directa deberán justificarse suficientemente en el expediente.»

La aplicación de la normativa sobre contratación pública venía ya establecida en el Texto Refundido de Régimen Local (TRRL), aprobado por Real Decreto Legislativo 781/1986, de 18 de abril (LA LEY 968/1986) (BOE del 22), que en su art. 83 establecía que el arrendamiento de bienes patrimoniales de las entidades locales se regirá, en todo caso, en cuanto a su preparación y adjudicación por las normas jurídico-públicas que regulen la contratación.

Parecida previsión se contiene en el art. 82 de la Ley 2/2008, de 16 de junio (LA LEY 8032/2008) (DOE de 11 de julio), de Patrimonio de la Comunidad Autónoma de Extremadura (Régimen jurídico de los negocios patrimoniales): «Los contratos, convenios y demás negocios jurídicos sobre bienes y derechos patrimoniales se regirán, en cuanto a su preparación y adjudicación, por esta ley y sus disposiciones de desarrollo y, en lo no previsto en estas normas, por la legislación de contratos de las Administraciones Públicas y demás normativa básica y de aplicación general del Estado. Sus efectos y extinción se regirán por esta ley y las normas de derecho privado.»

Y el art. 140 (explotación por particulares) determina que: «Los contratos para la explotación de los bienes y derechos patrimoniales de la comunidad autónoma por particulares, se adjudicarán ordinariamente por concurso, correspondiendo al órgano directivo que tenga asignadas las funciones patrimoniales preparar las bases del concurso, que será resuelto por el titular de la consejería competente en materia de Hacienda». Precepto que guarda parecido con el art. 107 LPAP, si bien el autonómico no concreta las circunstancias en que podrá prescindirse del concurso.

De la normativa citada cabe concluir que, por un lado, será preciso acudir a la normativa reguladora de la contratación pública para adjudicar los contratos de explotación de bienes patrimoniales. Y, por otro lado, estos contratos deberán adjudicarse, salvo los supuestos excepcionales contemplados en el art. 107 LPAP, mediante concurso. Aquí concurso se emplea frente a adjudicación directa, no frente a subasta. Y es que la distinción entre concurso y subasta, al menos formalmente, parece haber desaparecido de la Ley 30/2007, de 30 de octubre (LA LEY 10868/2007) (BOE del 31), de Contratos del Sector Público (LCSP), si atendemos a la redacción del art. 134 (criterios de valoración de las ofertas): «1. Para la valoración de las proposiciones y la determinación de la oferta económicamente más ventajosa deberá atenderse a criterios directamente vinculados al objeto del contrato, tales como la calidad, el precio, la fórmula utilizable para revisar las retribuciones ligadas a la utilización de la obra o a la prestación del servicio, el plazo de ejecución o entrega de la prestación, el coste de utilización, las características medioambientales o vinculadas con la satisfacción de exigencias sociales que respondan a necesidades, definidas en las especificaciones del contrato, propias de las categorías de población especialmente desfavorecidas a las que pertenezcan los usuarios o beneficiarios de las prestaciones a contratar, la rentabilidad, el valor técnico, las características estéticas o funcionales, la disponibilidad y coste de los repuestos, el mantenimiento, la asistencia técnica, el servicio postventa u otros semejantes». No obstante, el segundo párrafo de este mismo precepto alude indirectamente a lo que tradicionalmente se denominaba subasta: «Cuando sólo se utilice un criterio de adjudicación, éste ha de ser, necesariamente, el del precio más bajo.»

Por tanto, en aplicación de lo dispuesto en el art. 107 LPAP, el ayuntamiento deberá adjudicar el contrato de arrendamiento mediante concurso (no cabrá la adjudicación directa más que en los supuestos contemplados con carácter excepcional en el mismo); y en el mismo podrá atenderse a diversos criterios o únicamente al precio más bajo, conforme al art. 134

LCSP. Y ello, dado que no puede considerarse el contrato de arrendamiento incluido en el listado de contratos incluidos en el apartado 3.º de este mismo artículo, en los que se exige la ponderación de varios criterios.

No obstante, deberán tenerse en cuenta los criterios recogidos en el apartado segundo (también del art. 134 de la LCSP) para determinar los criterios que servirán de base para la adjudicación.

En cuanto al procedimiento, dispone el art. 122 LCSP, en los apartados 2.º y 3.º, que:

«2. La adjudicación se realizará, ordinariamente, utilizando el procedimiento abierto o el procedimiento restringido. En los supuestos enumerados en los artículos 154 a 159, ambos inclusive, podrá seguirse el procedimiento negociado, y en los casos previstos en el artículo 164 podrá recurrirse al diálogo competitivo. 3. Los contratos menores podrán adjudicarse directamente a cualquier empresario con capacidad de obrar y que cuente con la habilitación profesional necesaria para realizar la prestación, cumpliendo con las normas establecidas en el artículo 95. Se consideran contratos menores los contratos de importe inferior a 50.000 euros, cuando se trate de contratos de obras, o a 18.000 euros, cuando se trate de otros contratos, sin perjuicio de lo dispuesto en el artículo 190 en relación con las obras, servicios y suministros centralizados en el ámbito estatal.»

• ¿Sería admisible incluir diversos criterios de valoración en este tipo de contratos, estableciendo expresamente que no se admitirán bajas al precio de licitación?

Contratación Administrativa Práctica, Nº 88, Sección Usted Pregunta, Julio 2009, pág. 10, Editorial LA LEY

[LA LEY 1297/2009]

Respuesta

Respecto a la posibilidad de no valorar el precio como criterio de selección de las ofertas en un determinado concurso, el Informe de la Junta Consultiva de Contratación Administrativa (JCCA) 28/1995, de 24 de octubre (LA LEY 25/1995), admite de forma excepcional que el precio puede no ser tenido en cuenta como criterio de valoración en los concursos —hoy procedimiento abierto— si se justifica adecuadamente en el expediente; criterio recogido también en el dictamen de la Junta Regional de Contratación Administrativa de la Comunidad Autónoma de Murcia, informe 4/2003, de 27 de junio (LA LEY 689/2003). El anterior artículo 88.2 (LA LEY 2206/2000) TR LCAP, señalaba que en la valoración de las ofertas se realizaría «sin atender necesariamente al valor económico de la misma», lo cual daba apoyo legal a esta teoría. En todo caso, como señalan estos informes, es una excepcionalidad que exige justificar adecuadamente los motivos por los que se considera que en ese caso concreto —para elegir la oferta «más ventajosa» (artículo. 88.2 TR LCAP)—, el precio no ha de ser tenido en cuenta. Sin perjuicio de esta afirmación, hemos de señalar que el artículo 67.2.K del Reglamento de Contratación parece imponer que el precio siempre ha de ser uno de los criterios de valoración, al exigir que en los Pliegos de Cláusulas de los concursos se establezcan «los criterios objetivos, entre ellos el precio.»

Lo que se rechaza reiteradamente por la JCCA y por la Comisión Europea es la valoración del precio de manera que se desvirtúe su importancia relativa. Así, se rechaza el recurso no poco frecuente de dar mayor puntuación a la oferta que más se aproxime a la «baja media», porque en cada criterio la mayor puntuación ha de corresponder a la mejor oferta en cada apartado, y no la «más mediana» (Informe anual del Tribunal de Cuentas de 1996; Dictamen motivado de la Comisión Europea de 23 de diciembre de 1997 dirigido al Reino de España; Dictamen 1/2001, de 21 de mayo, de la Junta Superior de Contratación Administrativa de la Generalitat Valenciana (LA LEY 321/2001); Informe 04/2003, de 27 de junio de la Junta Regional de Contratación Administrativa de la Comunidad Autónoma de Murcia (LA LEY 689/2003); Informe del Tribunal de Cuentas de la Comunidad Autónoma de la Región de Murcia de 30 de enero de 2003).

En definitiva, con mucha cautela, pues el artículo 134 (LA LEY 10868/2007) LSCP no es como el 88.2 del anterior Texto Refundido, podrían no valorar el precio, pero justificándolo en el expediente.

En cuanto a la segunda cuestión, el artículo 131.1 (LA LEY 10868/2007) y 2 (LA LEY 10868/2007) LCSP dispone que cuando en la adjudicación hayan de tenerse en cuenta criterios distintos del precio, el órgano de contratación podrá tomar en consideración las variantes o mejoras que ofrezcan los licitadores, siempre que el pliego de cláusulas administrativas particulares haya previsto expresamente tal posibilidad.

La posibilidad —sigue diciendo— de que los licitadores ofrezcan variantes o mejoras se indicará en el anuncio de licitación del contrato precisando sobre qué elementos y en qué condiciones queda autorizada su presentación.

El precepto transcrito no exige que las mejoras se prevean en el proyecto técnico de obra, sino en el pliego. Por lo tanto, no vemos problema, siempre y cuando se incorporen al expediente informes que justifiquen ese proceder.

Artículo 151 *Clasificación de las ofertas, adjudicación del contrato y notificación de la adjudicación*

1. El órgano de contratación clasificará, por orden decreciente, las proposiciones presentadas y que no hayan sido declaradas desproporcionadas o anormales conforme a lo señalado en el artículo siguiente. Para realizar dicha clasificación, atenderá a los criterios de adjudicación señalados en el pliego o en el anuncio pudiendo solicitar para ello cuantos informes técnicos estime pertinentes. Cuando el único criterio a considerar sea el precio, se entenderá que la oferta económicamente más ventajosa es la que incorpora el precio más bajo.

☞ **Concordancias Jurisprudenciales**

Tribunal Administrativo Central de Recursos Contractuales, Resolución de 27 Dic. 2011, rec. 300/2011

CONTRATO ADMINISTRATIVO DE CONSULTORÍA. Adjudicación del contrato de «Servicios de Consultoría y Asistencia Técnica para la redacción del proyecto de construcción del Estanque de Tormentas y Ampliación de la E.D.A.R. de Madridejos. RECURSO ESPECIAL EN MATERIA DE CONTRATACIÓN. Desestimación. Correcta valoración de la adjudicataria. La forma de elaboración de la clasificación que figura en el expediente no es correcta, por cuanto debían haberse excluido las proposiciones consideradas anormales o desproporcionadas. No obstante, la incorrección no es causa de anulación de la adjudicación dado que al tiempo de proponerse un adjudicatario sí se excluyeron aquellos licitadores cuyas proposiciones fueron declaradas anormales o desproporcionadas. La valoración se ha ajustado al pliego y éste no se ha impugnado. Y en ningún caso se propone la adjudicación a favor de una oferta desproporcionada o anormal.

Tribunal Administrativo Central de Recursos Contractuales, Resolución de 3 Nov. 2011, rec. 214/2011

[LA LEY 293641/2011]

CONTRATO ADMINISTRATIVO DE SERVICIOS. Adjudicación de contrato de servicio de Diagnóstico por Imagen en régimen ambulatorio en el ámbito territorial de Asturias. Proposición anormal o desproporcionada. RECURSO ESPECIAL EN MATERIA DE CONTRATACIÓN. Desestimación. La adjudicataria presentó una oferta en la que el precio de contraste y anestesia era de cero euros. La Mesa de Contratación solicitó aclaración a la interesada, que aclaró que el precio estaba incluido en el precio unitario de la RMN. Ante esta aclaración la oferta presentada no debe ser considerada como anormal o desproporcionada. Correcta aplicación de la fórmula matemática de los criterios de adjudicación del Pliego. Para evitar precisamente una indeterminación matemática, el Órgano de Contratación aplicó el valor de 0,01 euros para valorar la oferta presentada por la adjudicataria, otorgando al mejor precio la mayor puntuación.

Tribunal Superior de Justicia de Galicia, Sala de lo Contencioso-administrativo, Sección 2.ª, Sentencia de 28 Jul. 2011, rec. 4125/2011

[LA LEY 173339/2011]

CONTRATOS ADMINISTRATIVOS. Contrato de servicios. Redacción del Plan General de Ordenación Municipal. Declaración de la Administración de tener por desierto el concurso. Facultad discrecional. Limites. Carácter restrictivo. Exigencia de motivación reforzada incluso circunscrita a supuesto de imposibilidad de admisión de la oferta contractual presentada por la Entidad empresarial de que se trate. Efectos. Compensación económica. En el supuesto de desistimiento en el contrato de servicios por la Administración, el contratista tiene derecho al 10% del precio de los estudios, informes, proyectos o trabajos pendientes de realizar en concepto de beneficio dejado de obtener.

Tribunal Administrativo Central de Recursos Contractuales, Resolución de 9 Mar. 2011, rec. 076/2010

[LA LEY 14722/2011]

CONTRATOS ADMINISTRATIVOS. Adjudicación definitiva de acuerdo marco para la contratación de servicios de desarrollo de sistemas de información. RECURSO ESPECIAL EN MATERIA DE CONTRATACIÓN. Estimación. Nulidad del procedimiento de adjudicación, por haberse efectuado ésta en base a un criterio no recogido en el pliego de cláusulas administrativas particulares. El criterio utilizado para seleccionar las ofertas más ventajosas, las incluidas en el 40% de las que hayan obtenido mejor puntuación, no figura ni en los pliegos ni en el anuncio del contrato.

⊠ Consultas

• ¿Qué ocurre cuando los miembros de la mesa de contratación no se presentan a los actos a los que son convocados, tales como el de apertura del sobre relativo a la documentación administrativa?

Contratación Administrativa Práctica, Nº 79, Sección Usted Pregunta, Octubre 2008, pág. 17, Editorial LA LEY

[LA LEY 1276/2008]

Respuesta

1. En primer lugar, debemos comenzar señalando que el órgano de contratación de este concurso es el Alcalde y que la mesa de contratación es «un órgano de asistencia» de acuerdo con el artículo 295 (LA LEY 10868/2007) de la LCSP.

Asimismo, la mesa de contratación es un órgano colegiado, y por tanto, para su composición y funcionamiento habrá que atender a lo establecido no sólo en la LCSP, sino también en la Ley 30/1992, del Régimen Jurídico de las Administraciones Públicas y del Procedimiento Administrativo Común, en concreto a los artículos 26 (LA LEY 3279/1992) y siguientes. En el caso que nos ocupa debemos también atender a lo previsto en la Disposición Adicional 2.ª.10 (LA LEY 10868/2007) de la LCSP, reguladora de las normas específicas de contratación de las entidades locales.

Los miembros de la mesa tienen la obligación de asistir a todas las reuniones que debidamente y conforme a la normativa señalada se convoquen. El artículo 24 (LA LEY 3279/1992) de la Ley 30/1992 especifica las obligaciones y derechos de los miembros de los órganos colegiados, y, entre otras, en su apartado 1.b), señala que «deben participar en los debates de las sesiones», de donde se deduce que si deben cumplir con esta obligación, sólo pueden hacerlo acudiendo y asistiendo a las reuniones que se convoquen debidamente.

Si los miembros de la mesa de contratación del caso que nos ocupa (en este caso, los Concejales) no asisten a las convocatorias efectuadas por su Presidente, y siempre que no se encuentren en alguno de los supuestos de abstención previstos en el artículo 28 (LA LEY 3279/1992) de la Ley

30/1992 (recordemos todos ellos aplicables a las autoridades y el personal al servicio de las Administraciones), están incumpliendo un deber jurídico, y en consecuencia, se les podría exigir, en su caso, la responsabilidad expresamente regulada en los artículos 145 (LA LEY 3279/1992) y siguientes de la mencionada Ley 30/1992.

Por otro lado, el artículo 27 (LA LEY 3279/1992) de la Ley 30/1992, al regular las actas de los órganos colegiados, expresamente dispone que:

1. De cada sesión que celebre el órgano colegiado se levantará acta por el Secretario, que especificará necesariamente los asistentes, el orden del día de la reunión, las circunstancias del lugar y tiempo en que se ha celebrado, los puntos principales de las deliberaciones, así como el contenido de los acuerdos adoptados.

2. En el acta figurará, a solicitud de los respectivos miembros del órgano, el voto contrario al acuerdo adoptado, su abstención y los motivos que la justifiquen o el sentido de su voto favorable. Asimismo, cualquier miembro tiene derecho a solicitar la transcripción íntegra de su intervención o propuesta, siempre que aporte en el acto, o en el plazo que señale el Presidente, el texto que se corresponda fielmente con su intervención, haciéndose así constar en el acta o uniéndose copia a la misma.

3. Los miembros que discrepen del acuerdo mayoritario podrán formular voto particular por escrito en el plazo de cuarenta y ocho horas, que se incorporará al texto aprobado.

4. Cuando los miembros del órgano voten en contra o se abstengan, quedarán exentos de la responsabilidad que, en su caso, pueda derivarse de los acuerdos.

5. Las actas se aprobarán en la misma o en la siguiente sesión, pudiendo no obstante emitir el Secretario certificación sobre los acuerdos específicos que se hayan adoptado, sin perjuicio de la ulterior aprobación del acta. En las certificaciones de acuerdos adoptados emitidas con anterioridad a la aprobación del acta se hará constar expresamente tal circunstancia.

En consecuencia, en caso de que los Concejales no estuvieran de acuerdo con la contratación que se pretende realizar, podrían haber salvado su actuación y opinión mediante lo señalado en el artículo anteriormente transcrito.

2. En segundo lugar, se formulan en el presente caso varias cuestiones que podrían resumirse y resolverse del siguiente modo. Se pregunta, en definitiva, qué solución podría darse a este supuesto de hecho en caso de que el contrato no respondiera a una necesidad pública, o/y el objeto no estuviera bien definido, o/y que el precio no se ajustara al mercado. Se pregunta, asimismo, si procede declarar desierto el concurso o/y el archivo del procedimiento.

Respecto a la posibilidad de declarar desierto el concurso convocado, hay que afirmar su imposibilidad al señalar el artículo 135.1 (LA LEY 10868/2007) de la LCSP que «el órgano de contratación no podrá declarar desierta una licitación cuando exista alguna oferta o proposición que sea admisible de acuerdo con los criterios que figuren en el pliego.»

No obstante, el artículo 139 (LA LEY 10868/2007) de la LCSP concretamente regula de manera novedosa en nuestro ordenamiento jurídico la renuncia a la celebración del contrato y el desistimiento del procedimiento de adjudicación por la Administración, y en concreto señala que:

«1. En el caso en que el órgano de contratación renuncie a celebrar un contrato para el que haya efectuado la correspondiente convocatoria, o decida reiniciar el procedimiento para su adjudicación, lo notificará a los candidatos o licitadores, informando también a la Comisión Europea de esta decisión cuando el contrato haya sido anunciado en el «Diario Oficial de la Unión Europea». 2. La renuncia a la celebración del contrato o el desistimiento del procedimiento sólo podrán acordarse por el órgano de contratación antes de la adjudicación provisional. En ambos casos se compensará a los candidatos o licitadores por los gastos en que hubiesen incurrido, en la forma prevista en el anuncio o en el pliego, o de acuerdo con los principios generales que rigen la responsabilidad de la Administración. 3. Sólo podrá renunciarse a la celebración del contrato por razones de interés público debidamente justificadas en el expediente. En este caso, no podrá promoverse una nueva licitación de su objeto en tanto subsistan las razones alegadas para fundamentar la renuncia. 4. El desistimiento del procedimiento deberá estar fundado en una infracción no subsanable de las normas de preparación del contrato o de las reguladoras del procedimiento de adjudicación, debiendo justificarse en el expediente la concurrencia de la causa. El desistimiento no impedirá la iniciación inmediata de un nuevo procedimiento de licitación».

Se trata de un precepto nuevo, por lo que no hay jurisprudencia ni doctrina sobre el mismo. No obstante, de la letra del mismo se deduce que el órgano de contratación de nuestra consulta tiene dos opciones: a) renunciar a la celebración del contrato, o b) desistir del procedimiento. Analicemos ambas opciones:

a) En el caso de que desee renunciar a la celebración del contrato, el órgano de contratación deberá: 1) justificar debidamente razones de interés público, y 2) no podrá promoverse una nueva licitación de su objeto en tanto subsistan las razones alegadas para fundamentar la renuncia. En el caso que nos ocupa no es posible saber con los datos aportados si existen estas razones. No debemos olvidar que el término «razones de interés público» es un concepto jurídico indeterminado, y por lo tanto, susceptible de múltiples interpretaciones y de un contenido muy flexible. Sin embargo, no por ello debemos incluir dentro del mismo cualquier causa o razón que se nos ocurra sin que realmente responda a un verdadero interés público. En el caso de este Ayuntamiento, si como parece deducirse de la información aportada, no existe necesidad pública para proceder a esta contratación, ello parece que podría ser una razón de interés público para justificar la renuncia para la celebración del mismo.

b) En el caso de que el órgano de contratación quiera utilizar la opción del desistimiento del procedimiento éste deberá: 1) estar fundado en una infracción no subsanable de las normas de preparación del contrato o de las reguladoras del procedimiento de adjudicación, y 2) deberá justificarse en el expediente la concurrencia de esta causa. El desistimiento no impedirá la iniciación inmediata de un nuevo procedimiento de licitación. En principio, en el caso que nos ocupa, la incorrecta determinación del objeto del contrato o/y del precio parecen motivo suficiente para entender que se han infringido «las normas de preparación del contrato», por lo que también el órgano de contratación podría acudir a esta nueva opción permitida por la Ley 30/2007.

En ambos casos, es decir, tanto en el caso de la renuncia como en el de desistimiento, el órgano de contratación deberá también:

— Notificar a los candidatos o licitadores e informar también a la Comisión Europea de esta decisión cuando el contrato haya sido anunciado en el «Diario Oficial de la Unión Europea».

— Compensar a los candidatos o licitadores por los gastos en que hubiesen incurrido, en la forma prevista en el anuncio o en el pliego, o de acuerdo con los principios generales que rigen la responsabilidad de la Administración.

2. El órgano de contratación requerirá al licitador que haya presentado la oferta económicamente más ventajosa para que, dentro del plazo de diez días hábiles, a contar desde el siguiente a aquél en que hubiera recibido el requerimiento, presente la documentación justificativa de hallarse al corriente en el cumplimiento de sus obligaciones tributarias y con la Seguridad Social o autorice al órgano de contratación para obtener de forma directa la acreditación de ello, de disponer efectivamente de los medios que se hubiese comprometido a dedicar o adscribir a la ejecución del contrato conforme al artículo 64.2, y de haber constituido la garantía definitiva que sea procedente. Los correspondientes certificados podrán ser expedidos por medios electrónicos, informáticos o telemáticos, salvo que se establezca otra cosa en los pliegos.

Las normas autonómicas de desarrollo de esta Ley podrán fijar un plazo mayor al previsto en este párrafo, sin que se exceda el de veinte días hábiles.

De no cumplimentarse adecuadamente el requerimiento en el plazo señalado, se entenderá que el licitador ha retirado su oferta, procediéndose en ese caso a recabar la misma documentación al licitador siguiente, por el orden en que hayan quedado clasificadas las ofertas.

☞   **Concordancias Jurisprudenciales**

Tribunal Superior de Justicia del Principado de Asturias, Sala de lo Contencioso-administrativo, Sección 1.ª, Sentencia de 16 Abr. 2012, rec. 128/2011

[LA LEY 46422/2012]

ADMINISTRACIÓN LOCAL. CONTRATO ADMINISTRATIVO DE SUMINISTROS. Objeto. Bienes consumibles. -- Procedimiento de adjudicación.

Tribunal Administrativo Central de Recursos Contractuales, Resolución de 1 Jun. 2011, rec. 117/2011

[LA LEY 51662/2011]

CONTRATO ADMINISTRATIVO DE SERVICIOS. Adjudicación. Se declara la nulidad de la adjudicación realizada a una sociedad mercantil de un contrato de servicios para la asistencia funcional a los usuarios de una aplicación informática, dado que se ha comprobado que la adjudicataria no acreditó, en el plazo de 10 días hábiles, el disponer de los medios personales que se comprometió a adscribir a la ejecución del contrato, de acuerdo con lo previsto al efecto en la Ley de aplicación.

✉ Consultas

• Falta de formalización del contrato en el plazo estipulado por causas imputables al adjudicatario

¿Qué se debe hacer en caso de que un contrato adjudicado, en el que no se exigía garantía provisional, no se formalice en el plazo establecido por causas imputables al adjudicatario? Parece difícil el incautar sobre la fianza definitiva un importe equiparable a la garantía provisional, ya que el importe de ésta no está predeterminado, ya que no es fijo sino hasta un máximo del 3%. Así, y toda vez que ya no es causa de resolución del contrato al no haberse perfeccionado, ¿podría formalizarse pasado el plazo legalmente establecido, si así interesa a la Administración, sin consecuencia alguna? o, ¿cabe su adjudicación al siguiente licitador que más puntuación obtuvo a pesar de que la ley, a diferencia de lo previsto en el art. 135.2 LCSP (LA LEY 10868/2007), no lo contemple expresamente? En caso contrario, ¿cómo y cuándo finalizaría el expediente?

Contratación Administrativa Práctica, N° 113, Sección Usted Pregunta, Noviembre 2011, pág. 11, Editorial LA LEY

[LA LEY 1236/2011]

Respuesta

La falta de formalización del contrato en el plazo establecido por causas imputables al adjudicatario, en coherencia con la nueva configuración de la formalización como acto mediante el que se produce el perfeccionamiento del contrato (art. 27. 1 LCSP (LA LEY 10868/2007)), ya no es causa de resolución del contrato, al no haber nacido éste. La consecuencia de dicho incumplimiento es que la Administración podrá incautar sobre la garantía definitiva el importe de la garantía provisional, que en su caso se hubiese exigido (art. 140.4), lo que no ocurre en el supuesto planteado.

Dispone al art. 135.2 que de no cumplimentarse adecuadamente el requerimiento para presentar la documentación pertinente así como la constitución de la garantía definitiva en el plazo señalado, se entenderá que el licitador ha retirado su oferta, procediéndose en ese caso a recabar la misma documentación al licitador siguiente, por el orden en que hayan quedado clasificadas las ofertas.

Por otra parte, establece el art. 135.3 que no podrá declararse desierta una licitación cuando exista alguna oferta o proposición que sea admisible de acuerdo con los criterios que figuren en el pliego.

Aunque no lo prevea expresamente la ley, a la vista de los artículos anteriores, se puede concluir que la consecuencia de la no formalización del contrato dentro del plazo establecido al efecto, tendrá idénticas consecuencias a la falta de cumplimiento del requerimiento del artículo 135.2. Para ello, se deberá dictar resolución dejando sin efecto la adjudicación operada en su día, continuando con el procedimiento previsto en el citado artículo, procediendo a requerir al licitador siguiente mejor puntuado.

La formalización del contrato transcurrido el plazo legalmente establecido podría ser impugnada por los licitadores no adjudicatarios puesto que los plazos no pueden ser prorrogados al encontrarnos ante un procedimiento de concurrencia competitiva.

✍ **Informes de la Junta Consultiva de Contratación Administrativa**

Informe 18/2011, de 6 de julio, de la Junta Consultiva de Contratación Administrativa de la Comunidad Autónoma de Aragón, sobre consecuencias de que el licitador que ha presentado la oferta económicamente más ventajosa, no cumplimente adecuadamente y en plazo el requerimiento al que se refiere el artículo 135.2 de la Ley 30/2007, de 30 de octubre, de Contratos del Sector Público y actuaciones que debe seguir el órgano de contratación si el licitador propuesto como adjudicatario incurre en una prohibición de contratar sobrevenida.

[LA LEY 621/2011]

ADJUDICACIÓN DE LOS CONTRATOS. Interpretación del artículo 135.2 LCSP. El licitador requerido a presentar la documentación a que se refiere el precepto objeto de interpretación debe cumplimentar el requerimiento de forma adecuada en el plazo que resulte aplicable. De no hacerlo, el órgano de contratación deberá entender que ha retirado su oferta y que en consecuencia queda excluido de la licitación, para lo que dictará un acto motivado que tendrá la calificación de acto de trámite cualificado y deberá ser notificado a los interesados. PROHIBICIÓN

DE CONTRATAR. Incurre en causa de prohibición para contratar, que le impedirá ser adjudicatario del contrato, el licitador que pasa a tener la condición de concejal durante el plazo previsto en la Ley para presentar la documentación a que se refiere el artículo 135.2 LCSP y antes de la adjudicación, sin que quepa entender que se ha producido una retirada indebida de la proposición. Si este mismo supuesto sucede una vez adjudicado el contrato, no procederá su formalización.

3. El órgano de contratación deberá adjudicar el contrato dentro de los cinco días hábiles siguientes a la recepción de la documentación. En los procedimientos negociados y de diálogo competitivo, la adjudicación concretará y fijará los términos definitivos del contrato.

No podrá declararse desierta una licitación cuando exista alguna oferta o proposición que sea admisible de acuerdo con los criterios que figuren en el pliego.

☞ **Concordancias Jurisprudenciales**

Tribunal Administrativo Central de Recursos Contractuales, Resolución de 2 Mar. 2011, rec. 026/2011

[LA LEY 14653/2011]

CONTRATO ADMINISTRATIVO DE SUMINISTROS. De vacunas, tuberculinas, kits de diagnóstico y otros productos necesarios para las campañas de control y erradicación de enfermedades de los animales. Adjudicación provisional del procedimiento abierto. RECURSO ESPECIAL EN MATERIA DE CONTRATACIÓN. Inadmisión. No cabe interponer tal recurso contra la adjudicación provisional, toda vez que no decide sobre la adjudicación, no imposibilita continuar el procedimiento y no produce indefensión ni perjuicios irreparables a derechos o intereses legítimos. Determinación de la normativa aplicable al expediente de contratación por la fecha en que se ha publicado la convocatoria del procedimiento de adjudicación del contrato. En el caso de procedimientos negociados, para determinar el momento de iniciación se tomará en cuenta la fecha de aprobación de los pliegos. El órgano de contratación no ha cumplido con el requisito de motivación de la notificación de la adjudicación provisional exigido en la Ley, y debería declararse la retroacción de las actuaciones al momento en que debió notificarse la adjudicación provisional, al objeto de que ésta se motivara adecuadamente. No obstante, en aras de la economía procesal y visto que procedería la inadmisión del recurso, el Tribunal no debe pronunciarse ordenando la retroacción del procedimiento para dar lugar a un acto, que de ser recurrido nuevamente, motivaría una resolución de inadmisión.

Tribunal Administrativo Central de Recursos Contractuales, Resolución de 24 Feb. 2011, rec. 015/2011

[LA LEY 14643/2011]

CONTRATO ADMINISTRATIVO DE SERVICIOS. Adjudicación mediante procedimiento negociado sin publicidad del contrato de servicios de vigilancia de seguridad en los Servicios Centrales del Consejo de Administración de Patrimonio Nacional. RECURSO ESPECIAL EN MATERIA DE CONTRATACIÓN. Estimación. Nulidad del procedimiento de adjudicación, porque se ha incumplido un trámite esencial del procedimiento negociado, como es la negociación de las ofertas presentadas por los licitadores, en este caso del precio que es el único aspecto de negociación previsto en el pliego de cláusulas administrativas particulares. Procede retrotraer las actuaciones hasta el momento de negociación de los términos del contrato con las empresas licitadoras. El órgano de contratación no ha cumplido con el requisito de motivación de la notificación de la adjudicación provisional exigido en la Ley. Dicha notificación no hace referencia alguna a la existencia o no de negociación de los términos del contrato con los licitadores, en este caso del precio, aspecto éste esencial tratándose de un procedimiento negociado.

✉ **Consultas**

• **Interpretación de los pliegos de cláusulas particulares: compromiso de subrogación de los trabajadores adscritos al servicio de la empresa contratista actual**

Este Ayuntamiento está tramitando la contratación del servicio de limpieza de dependencias municipales y en el pliego de cláusulas administrativas particulares se ha exigido que los licitadores presenten un compromiso de subrogación de los trabajadores adscritos al servicio de la empresa contratista actual.

Al procedimiento de licitación solo se ha presentado una empresa que, efectivamente, ha presentado ese compromiso y lo ha incluido en el sobre de la documentación administrativa, tal y como se exige en el pliego. Sin embargo, a la hora de presentar la oferta económica y detallarnos las contrataciones que va a efectuar no aparece un trabajador de la anterior contrata en cuyo contrato debe subrogarse. Teniendo en cuenta que una de las obligaciones del adjudicatario, detallada en el pliego de cláusulas administrativas, es la de subrogarse en los contratos de los trabajadores de la subcontrata anterior, ¿cómo debe actuar el ayuntamiento ante la oferta económica presentada? ¿Podemos entender que la misma no se ajusta a los pliegos y por tanto declarar desierta la licitación?

Contratación Administrativa Práctica, Nº 108, Sección Usted Pregunta, Mayo 2011, pág. 10, Editorial LA LEY

[LA LEY 502/2011]

Respuesta

En relación con la cuestión suscitada, debemos acudir, en primer lugar, a lo dispuesto por el art. 104 de la Ley de Contratos del Sector Público (LA LEY 10868/2007), según el cual, en aquellos contratos que impongan al adjudicatario la obligación de subrogarse como empleador en determinadas relaciones laborales, el órgano de contratación deberá facilitar a los licitadores, en el propio pliego o en la documentación complementaria, la información sobre las condiciones de los contratos de los trabajadores a los que afecte la subrogación que resulte necesaria para permitir la evaluación de los costes laborales que implicará tal medida. A estos efectos, la empresa que viniese efectuando la prestación objeto del contrato a adjudicar y que tenga la condición de empleadora de los trabajadores afectados estará obligada a proporcionar la referida información al órgano de contratación, a requerimiento de éste.

Por su parte el art. 25 de la LCSP (LA LEY 10868/2007) establece que en los contratos del sector público podrán incluirse cualesquiera pactos, cláusulas y condiciones, siempre que no sean contrarios al interés público, al ordenamiento jurídico y a los principios de buena administración.

Asimismo, el art. 99 de la misma Ley dispone que en los pliegos de cláusulas administrativas particulares se incluirán los pactos y condiciones definidores de los derechos y obligaciones de las partes del contrato y las demás menciones requeridas por esta Ley y sus normas de desarrollo.

Por último, y según el art. 135.3 de la LCSP (LA LEY 10868/2007), no podrá declararse desierta una licitación cuando exista alguna oferta o proposición que sea admisible de acuerdo con los criterios que figuren en el pliego.

En este sentido, y habida cuenta de que parece ser que los pliegos no imponen la obligación de subrogación a que se refiere el art. 104 de la LCSP (LA LEY 10868/2007) (aunque dicho artículo sí prevé expresamente que tal obligación pueda imponerse al licitador) deberá admitirse la proposición, siempre y cuando de su valoración se desprenda que cumple con todos y cada uno de los requisitos establecidos por los pliegos —tanto el administrativo como el técnico— no pudiendo ser, pues, una causa de exclusión la circunstancia de no subrogarse en las obligaciones laborales del anterior adjudicatario del contrato.

4. La adjudicación deberá ser motivada, se notificará a los candidatos o licitadores y, simultáneamente, se publicará en el perfil de contratante.

La notificación deberá contener, en todo caso, la información necesaria que permita al licitador excluido o candidato descartado interponer, conforme al artículo 40, recurso suficientemente fundado contra la decisión de adjudicación.

En particular expresará los siguientes extremos:

a) En relación con los candidatos descartados, la exposición resumida de las razones por las que se haya desestimado su candidatura.

b) Con respecto de los licitadores excluidos del procedimiento de adjudicación, también en forma resumida, las razones por las que no se haya admitido su oferta.

c) En todo caso, el nombre del adjudicatario, las características y ventajas de la proposición del adjudicatario determinantes de que haya sido seleccionada la oferta de éste con preferencia a las que hayan presentado los restantes licitadores cuyas ofertas hayan sido admitidas.

Será de aplicación a la motivación de la adjudicación la excepción de confidencialidad contenida en el artículo 153.

En todo caso, en la notificación y en el perfil de contratante se indicará el plazo en que debe procederse a su formalización conforme al artículo 156.3.

La notificación se hará por cualquiera de los medios que permiten dejar constancia de su recepción por el destinatario. En particular, podrá efectuarse por correo electrónico a la dirección que los licitadores o candidatos hubiesen designado al presentar sus proposiciones, en los términos establecidos en el artículo 28 de la Ley 11/2007, de 22 de junio (LA LEY 6870/2007), de Acceso Electrónico de los Ciudadanos a los Servicios Públicos. Sin embargo, el plazo para considerar rechazada la notificación, con los efectos previstos en el artículo 59.4 de la Ley 30/1992, de 26 de noviembre (LA LEY 3279/1992), será de cinco días.

⭢ Concordancias normativas

Artículo 135 redactado por el apartado veintidós del artículo primero de la Ley 34/2010, de 5 de agosto, de modificación de las Leyes 30/2007, de 30 de octubre, de Contratos del Sector Público, 31/2007, de 30 de octubre, sobre procedimientos de contratación en los sectores del agua, la energía, los transportes y los servicios postales, y 29/1998, de 13 de julio, reguladora de la Jurisdicción Contencioso-Administrativa para adaptación a la normativa comunitaria de las dos primeras («B.O.E». 9 agosto).

☞ Concordancias Jurisprudenciales

Tribunal Administrativo Central de Recursos Contractuales, Resolución de 26 Ene. 2012, rec. 4/2012

[LA LEY 34009/2012]

CONTRATO ADMINISTRATIVO DE SERVICIOS. Para el soporte técnico sobre los sistemas del M.º Política Territorial y Administración Pública ligados a los Servicios Periféricos. Adjudicación definitiva. Proposición anormal o desproporcionada. RECURSO ESPECIAL EN MATERIA DE CONTRATACIÓN. Estimación parcial. Nulidad del acto de adjudicación, porque la mesa de contratación consideró que la proposición de la interesada era anormal o desproporcionada. El informe elaborado por los servicios técnicos no cuenta con la debida motivación. La decisión discrecional del órgano de contratación calificando una oferta de anormal o desproporcionada, cuando, como es el caso, no constan en el expediente las circunstancias que el citado órgano tomó en consideración en el momento de adoptar la correspondiente decisión, cabría calificarla de arbitraria. Procede la retroacción de las actuaciones al momento en que se emitió el informe por la División de Sistemas de la Información y Comunicaciones.

Tribunal Administrativo Central de Recursos Contractuales, Resolución de 26 Ene. 2012, rec. 344/2012

[LA LEY 34006/2012]

CONTRATO ADMINISTRATIVO DE SERVICIOS. De limpieza general del Instituto de Técnica Aeroespacial. Adjudicación definitiva. RECURSO ESPECIAL EN MATERIA DE CONTRATACIÓN. Estimación parcial. Nulidad de las notificaciones individuales a los licitadores de la resolución. No contiene motivación suficiente respecto de la ofertas de los adjudicatarios, por cuanto no contiene expresión de las características y ventajas de la proposición del adjudicatario determinantes de que haya sido seleccionada la oferta de éste con preferencia a las que hayan presentado los restantes licitadores cuyas ofertas hayan sido admitidas, sin que se cumpla con este requisito por la mera información genérica sobre la puntuación obtenida globalmente y en cada criterio por su oferta que hace la notificación. Procede la retroacción de las actuaciones.

Tribunal Administrativo Central de Recursos Contractuales, Resolución de 18 Ene. 2012, rec. 339/2011

[LA LEY 37556/2012]

CONTRATO ADMINISTRATIVO DE OBRAS. De urbanización del área de planeamiento específico APE 17.02 del PGOUM de la actuación Parque Central de Ingenieros en un municipio madrileño. Adjudicación. RECURSO ESPECIAL EN MATERIA DE CONTRATACIÓN. Estimación parcial. Falta de motivación de la notificación de la adjudicación, pues en la practicada, si bien se señalan las características y ventajas por las que se ha seleccionado la oferta del adjudicatario, no aparecen reflejadas las razones determinantes de la exclusión de la UTE interesada. No se justifica suficientemente la razón de su exclusión. No se aprecia la concurrencia de mala fe o temeridad en la interposición del recurso por lo que no procede la imposición de la sanción prevista en la LCSP. Retrotracción de las actuaciones al momento anterior a la notificación de la adjudicación, para que se notifique debidamente motivada a los licitadores en el procedimiento.

Tribunal Superior de Justicia de Canarias de Las Palmas de Gran Canaria, Sala de lo Contencioso-administrativo, Sección 1.ª, Sentencia de 9 Nov. 2011, rec. 26/2011

[LA LEY 297930/2011]

CONTRATO ADMINISTRATIVO DE OBRAS. Procedimiento de adjudicación.

Tribunal Administrativo Central de Recursos Contractuales, Resolución de 9 Feb. 2012, rec. 21/2012

[LA LEY 31512/2012]

CONTRATO ADMINISTRATIVO DE SERVICIOS. Adjudicación de contrato de servicios generales complementarios para la atención de usuarios y de necesidades generales de funcionamiento del Centro de Referencia Estatal de atención a personas con enfermedades raras y sus familias en Burgos. RECURSO ESPECIAL EN MATERIA DE CONTRATACIÓN. Estimación parcial. Nulidad del acto de adjudicación, porque la oferta presentada por la interesada no figura ni valorada ni excluida en la resolución de adjudicación. No fue excluida por la mesa de contratación, y no fue valorada y comparada con las del resto de licitadores porque el representante de la empresa que acudió a la reunión, ante la pregunta que le formuló el Presidente respecto a si su oferta económica era errónea o la mantenía, contestó que era errónea. Sería por tanto el representante de la empresa el que retiró la oferta, no la mesa o el órgano de contratación. Sin embargo, esa persona no exhibió poder alguno que acreditase su capacidad para adoptar tal decisión, que tampoco le fue requerido por la mesa. Procede la retroacción de las actuaciones hasta el momento previo a la valoración de las proposiciones económicas.

Tribunal Administrativo Central de Recursos Contractuales, Resolución de 26 Oct. 2011, rec. 219/2011

[LA LEY 213436/2011]

CONTRATO ADMINISTRATIVO DE SERVICIOS. Adjudicación del servicio de «Mantenimiento, limpieza y servicios de calidad de vida, obras, suministros y otros servicios en los campamentos de Camp Arena y Camp Stone en Herat, Afganistán. RECURSO ESPECIAL EN MATERIA DE CONTRATACIÓN. Inadmisión. Por haber sido interpuesto fuera del plazo establecido de quince días hábiles.

➡ **Concordancias normativas**

Artículo 135 de la LCSP 30/2007 y artículo 83, 84 y 88 del TRLCAP RDL 2/2000.

Artículo 152 *Ofertas con valores anormales o desproporcionados*

1. Cuando el único criterio valorable de forma objetiva a considerar para la adjudicación del contrato sea el de su precio, el carácter desproporcionado o anormal de las ofertas podrá apreciarse de acuerdo con los parámetros objetivos que se establezcan reglamentariamente, por referencia al conjunto de ofertas válidas que se hayan presentado.

☞   **Concordancias Jurisprudenciales**

Tribunal Administrativo Central de Recursos Contractuales, Resolución de 3 Feb. 2012, rec. 10/2012

CONTRATO ADMINISTRATIVO DE SERVICIOS. De grabación de datos, ensobrado, tratamiento manual de documentos y salidas de documentos y escritos en la Subdirección General de Nacionalidad y Estado Civil. Adjudicación de contrato. RECURSO ESPECIAL EN MATERIA DE CONTRATACIÓN. Desestimación. No ha quedado acreditada la temeridad de la oferta presentada. La decisión sobre si la oferta puede cumplirse o no corresponde al órgano de contratación sopesando las alegaciones formuladas por la empresa licitadora y los informes emitidos por los servicios técnicos, alegaciones e informe que en ningún caso tienen carácter vinculante para el órgano de contratación que debe sopesar adecuadamente los mismos y adoptar su decisión en base a ellos.

Tribunal Administrativo Central de Recursos Contractuales, Resolución de 14 Sep. 2011, rec. 190/2011

LA LEY 282461/2011

CONTRATO ADMINISTRATIVO DE OBRAS. Adjudicación del contrato de obras de construcción de un inmueble destinado a sede de las Direcciones Provinciales de la TGSS e INSS en Valladolid. RECURSO ESPECIAL EN MATERIA DE CONTRATACIÓN. Desestimación. La decisión sobre si la oferta puede cumplirse o no corresponde al órgano de contratación sopesando las alegaciones formuladas por la empresa licitadora y los informes emitidos por los servicios técnicos, alegaciones e informe que en ningún caso tienen carácter vinculante para el órgano de contratación que debe sopesar adecuadamente los mismos y adoptar su decisión en base a ellos. Correcta valoración de la oferta de la interesada, toda vez que en este procedimiento el único criterio a tener en cuenta para adjudicar el contrato era el precio, y queda constatado el carácter exageradamente bajo de la oferta presentada por la misma, que hacía inviable el cumplimiento del contrato.

Tribunal Administrativo Central de Recursos Contractuales, Resolución de 8 Jun. 2011, rec. 120/2011

[LA LEY 71487/2011]

CONTRATO ADMINISTRATIVO DE SUMINISTROS. Exclusión del proceso de licitación para la adjudicación de contrato de suministro de material consumible de informática, no inventariable, para impresoras, ordenadores y fax del Departamento. RECURSO ESPECIAL EN MATERIA DE CONTRATACIÓN. Desestimación. El silencio del pliego sobre la posibilidad de que los productos ofertados incluyan piezas usadas únicamente puede ser interpretado en el sentido de la exigencia de material o equipos nuevos, determinando su incumplimiento la exclusión del licitador correspondiente.

2. Cuando para la adjudicación deba considerarse más de un criterio de valoración, podrá expresarse en los pliegos los parámetros objetivos en función de los cuales se apreciará, en su caso, que la proposición no puede ser cumplida como consecuencia de la inclusión de valores anormales o desproporcionados. Si el precio ofertado es uno de los criterios objetivos que han de servir de base para la adjudicación, podrán indicarse en el pliego los límites que permitan apreciar, en su caso, que la proposición no puede ser cumplida como consecuencia de ofertas desproporcionadas o anormales.

☞   **Concordancias Jurisprudenciales**

Tribunal Superior de Justicia del Principado de Asturias, Sala de lo Contencioso-administrativo, Sección 1.ª, Sentencia de 16 Abr. 2012, rec. 128/2011

[LA LEY 46422/2012]

ADMINISTRACIÓN LOCAL. CONTRATO ADMINISTRATIVO DE SUMINISTROS. Objeto. Bienes consumibles. -- Procedimiento de adjudicación.

Tribunal Administrativo Central de Recursos Contractuales, Resolución de 10 Nov. 2011, rec. 239/2011

[LA LEY 236222/2011]

CONTRATO ADMINISTRATIVO DE SERVICIOS. Adjudicación de contrato de «Servicio de dotación de bomberos auxiliares de empresa para los centros de la CRTVE en Prado del Rey, Torrespaña y Estudios Buñuel». RECURSO ESPECIAL EN MATERIA DE CONTRATACIÓN. Estimación parcial. Insuficiente motivación de la notificación practicada. En lo que se refiere a la valoración de la oferta técnica no se contiene desglose de los criterios valorables y puntuación atribuida a cada uno de ellos, por lo que el contenido de la notificación no permite realizar una comparación entre las ofertas de la adjudicataria y de la recurrente.

Tribunal Administrativo Central de Recursos Contractuales, Resolución de 15 Abr. 2011, rec. 079/2011

[LA LEY 14726/2011]

CONTRATO ADMINISTRATIVO DE SERVICIOS. Para la realización de trabajos técnicos de identificación humana mediante análisis de ADN en el departamento de biología del servicio de criminalística de la Guardia civil. Adjudicación. Se confirma la adjudicación a una entidad mercantil de dicho contrato, dado que no se admitía en el pliego de cláusulas administrativas particulares la posibilidad de descartar ninguna oferta como anormalmente baja o desproporcionada. Por el mero hecho de que la oferta de la adjudicataria fuera demasiado baja o contuviese elementos desproporcionados, no tenía que ser excluida de la adjudicación, sino que esta exclusión sólo sería admisible en el caso de que tales circunstancias hicieran que el contrato no fuera ejecutable.

> 3. Cuando se identifique una proposición que pueda ser considerada desproporcionada o anormal, deberá darse audiencia al licitador que la haya presentado para que justifique la valoración de la oferta y precise las condiciones de la misma, en particular en lo que se refiere al ahorro que permita el procedimiento de ejecución del contrato, las soluciones técnicas adoptadas y las condiciones excepcionalmente favorables de que disponga para ejecutar la prestación, la originalidad de las prestaciones propuestas, el respeto de las disposiciones relativas a la protección del empleo y las condiciones de trabajo vigentes en el lugar en que se vaya a realizar la prestación, o la posible obtención de una ayuda de Estado.

En el procedimiento deberá solicitarse el asesoramiento técnico del servicio correspondiente.

Si la oferta es anormalmente baja debido a que el licitador ha obtenido una ayuda de Estado, sólo podrá rechazarse la proposición por esta única causa si aquél no puede acreditar que tal ayuda se ha concedido sin contravenir las disposiciones comunitarias en materia de ayudas públicas. El órgano de contratación que rechace una oferta por esta razón deberá informar de ello a la Comisión Europea, cuando el procedimiento de adjudicación se refiera a un contrato sujeto a regulación armonizada.

☞   **Concordancias Jurisprudenciales**

Tribunal Administrativo Central de Recursos Contractuales, Resolución de 26 Ene. 2012, rec. 4/2012

[LA LEY 34009/2012]

CONTRATO ADMINISTRATIVO DE SERVICIOS. Para el soporte técnico sobre los sistemas del M.º Política Territorial y Administración Pública ligados a los Servicios Periféricos. Adjudicación definitiva. Proposición anormal o desproporcionada. RECURSO ESPECIAL EN MATERIA DE CONTRATACIÓN. Estimación parcial. Nulidad del acto de adjudicación, porque la mesa de contratación consideró que la proposición de la interesada era anormal o desproporcionada. El informe elaborado por los servicios técnicos no cuenta con la debida motivación. La decisión discrecional del órgano de contratación calificando una oferta de anormal o desproporcionada, cuando, como es el caso, no constan en el expediente las circunstancias que el citado órgano tomó en consideración en el momento de adoptar la correspondiente decisión, cabría calificarla de arbitraria. Procede la retroacción de las actuaciones al momento en que se emitió el informe por la División de Sistemas de la Información y Comunicaciones.

Tribunal Administrativo Central de Recursos Contractuales, Resolución de 18 Ene. 2012, rec. 324/2011

[LA LEY 37192/2012]

CONTRATO ADMINISTRATIVO DE SERVICIOS. De reparto de paquetería para los diversos centros del Instituto Nacional de la Seguridad Social y de mocería en los servicios centrales de la entidad. Adjudicación. RECURSO ESPECIAL EN MATERIA DE CONTRATACIÓN. Desestimación. Si la mercantil adjudicataria del contrato no respeta las tablas salariales del Convenio Colectivo de Transporte de la CA Madrid, el Tribunal considera que no tienen porque ser valoradas esas tablas por el órgano de contratación. La Administración contratante debe considerarse ajena a las cuestiones relativas a los componentes que los licitadores han tomado en consideración para llegar a un resultado concreto en cuanto a la cuantía de su proposición económica. En ningún caso se acredita ser cierto que no se aplica el convenio colectivo correspondiente.

Tribunal Administrativo Central de Recursos Contractuales, Resolución de 3 Feb. 2012, rec. 10/2012

[LA LEY 32485/2012]

CONTRATO ADMINISTRATIVO DE SERVICIOS. De grabación de datos, ensobrado, tratamiento manual de documentos y salidas de documentos y escritos en la Subdirección General de Nacionalidad y Estado Civil. Adjudicación de contrato. RECURSO ESPECIAL EN MATERIA DE CONTRATACIÓN. Desestimación. No ha quedado acreditada la temeridad de la oferta presentada. La decisión sobre si la oferta puede cumplirse o no corresponde al órgano de contratación sopesando las alegaciones formuladas por la empresa licitadora y los informes emitidos por los servicios técnicos, alegaciones e informe que en ningún caso tienen carácter vinculante para el órgano de contratación que debe sopesar adecuadamente los mismos y adoptar su decisión en base a ellos.

Tribunal Superior de Justicia de Galicia, Sala de lo Contencioso-administrativo, Sección 2.ª, Sentencia de 8 Mar. 2012, rec. 4456/2010

[LA LEY 30962/2012]

CONTRATOS ADMINISTRATIVOS. Contrato de servicios. Aseguramiento de accidentes, responsabilidad civil y asistencia en viaje para determinadas actividades culturales de la Administración. Nulidad de la exclusión de la oferta de la parte recurrente. La introducción en el sobre correspondiente a la solvencia técnica y profesional de un documento sobre coberturas adicionales no es causa que determine la exclusión de la oferta sino la concurrencia de un defecto formal. Adjudicación del contrato a otra licitadora. Impugnación. La adjudicataria cumple con las condiciones de aptitud requeridas en cuanto a la prestación de servicios de aseguramiento licitados. No se acredita la concurrencia de temeridad en la oferta de la adjudicataria.

> 4. Si el órgano de contratación, considerando la justificación efectuada por el licitador y los informes mencionados en el apartado anterior, estimase que la oferta no puede ser cumplida como consecuencia de la inclusión de valores anormales o desproporcionados, la excluirá de la clasificación y acordará la adjudicación a favor de la proposición económicamente más ventajosa, de acuerdo con el orden en que hayan sido clasificadas conforme a lo señalado en el apartado 1 del artículo anterior.

➡ Concordancias normativas

Número 4 del artículo 136 redactado por el apartado veintitrés del artículo primero de la Ley 34/2010, de 5 de agosto, de modificación de las Leyes 30/2007, de 30 de octubre, de Contratos del Sector Público, 31/2007, de 30 de octubre, sobre procedimientos de contratación en los sectores del agua, la energía, los transportes y los servicios postales, y 29/1998, de 13 de julio, reguladora de la Jurisdicción Contencioso-Administrativa para adaptación a la normativa comunitaria de las dos primeras («B.O.E». 9 agosto).

Concordancias a todo el artículo

➡ Concordancias normativas

Artículo 136 de la LCSP 30/2007 y artículo 83, 85 y 86 del TRLCAP RDL 2/2000.

⊠ Consultas

• Determinación de los criterios de adjudicación del contrato y su ponderación

Se desea saber si se considera correcta la interpretación que se da, a partir de la modificación introducida en ambos artículos por la ley 34/2010, de 5 de agosto (LA LEY 16740/2010), del artículo 135.1 en relación con el artículo 136.4 de la Ley de Contratos del Sector Público (hoy artículos 151 y 152 del texto refundido).

Contratación Administrativa Práctica, N° 118, Sección Usted Pregunta, Abril 2012, pág. 12, Editorial LA LEY

[LA LEY 480/2012]

Respuesta

Si la mesa de contratación, tras valorar las proposiciones y clasificarlas en orden decreciente, tramita el procedimiento del art. 152 en relación a una de las ofertas que contiene valores anormales y termina proponiendo su exclusión (art. 22 de R.D. 817/2009, de 8 de mayo (LA LEY 8536/2009)), será el órgano de contratación quien, tras decidir la exclusión, clasificará por orden decreciente las proposiciones aplicando los criterios de adjudicación del pliego. Es decir: el órgano de contratación realiza en estos casos una nueva clasificación, diferente de la de la mesa (excluidas las ofertas con valores anormales) que significa, cuando el precio es un criterio más, distribuir los puntos correspondientes a este criterio sin tener en consideración (cosa que en caso contrario provocaría un resultado diferente) el valor económico de la proposición excluida de la clasificación.

En relación con la cuestión suscitada, debemos decir, en primer lugar, que la Administración goza de una amplia discrecionalidad para la determinación de los criterios de adjudicación del contrato y su ponderación que se encuentra limitada según la TRLCSP (LA LEY 21158/2011) por el hecho de que deben estar directamente vinculados al objeto del contrato.

Cuando para la adjudicación deba considerarse más de un criterio de valoración, podrá expresarse en los pliegos los parámetros objetivos en función de los cuales se apreciará, en su caso, que la proposición no puede ser cumplida como consecuencia de la inclusión de valores anormales o desproporcionados. Si el precio ofertado es uno de los criterios objetivos que han de servir de base para la adjudicación, podrán indicarse en el pliego los límites que permitan apreciar, en su caso, que la proposición no puede ser cumplida como consecuencia de ofertas desproporcionadas o anormales (art. 152.2 del TRLCSP (LA LEY 21158/2011)), sin que sean de aplicación, a tal efecto, los fijados en el artículo 85 del RGLCAP (LA LEY 1470/2001) aplicables únicamente en caso de utilizar un solo criterio de adjudicación, por así disponerlo el artículo 90 del mismo texto reglamentario como confirma la JCCA en su informe 58/08.

La circunstancia de que la oferta sea calificada de desproporcionada o anormal no determina su automática exclusión, sino que debe seguirse el procedimiento regulado en el apartado 3 del art. 152 del TRLCSP (LA LEY 21158/2011), a cuyo efecto deberá darse audiencia al licitador que la haya presentado para que justifique la valoración de su oferta y precise las condiciones de la misma, en particular en lo que se refiere al ahorro que permita el procedimiento de ejecución del contrato, las soluciones técnicas adoptadas y las condiciones excepcionalmente favorables de que disponga para ejecutar la prestación, la originalidad de las prestaciones propuestas, el respeto de las disposiciones relativas a la protección del empleo y las condiciones de trabajo vigentes en el lugar en que se vaya a realizar la prestación, o la posible obtención de una ayuda de Estado.

En el procedimiento deberá solicitarse el asesoramiento técnico del servicio correspondiente.

Si tenemos en cuenta, además, el cambio producido en la distribución de competencias entre la Mesa de contratación y el órgano de contratación a la luz de la fusión de las adjudicaciones operada por la Ley 34/2010, debemos decir que, efectivamente, si la mesa de adjudicación decide, a la vista del informe técnico y la justificación de la empresa, excluir al licitador, deberá ser el órgano de contratación quien clasifique, nuevamente, por orden decreciente las ofertas presentadas de conformidad con los criterios de valoración de las mismas establecidas en el pliego, atribuyendo nuevas puntuaciones sin tener en cuenta la proposición excluida.

☞ **Concordancias Jurisprudenciales**

Tribunal Administrativo Central de Recursos Contractuales, Resolución de 21 Mar. 2012, rec. 42/2012

CONTRATO ADMINISTRATIVO DE SUMINISTROS. Adjudicación del suministro de piensos para la alimentación del ganado de las Unidades del Organismo Autónomo Cría Caballar de las Fuerzas Armadas. Exclusión de la interesada en el procedimiento de licitación. RECURSO ESPECIAL EN MATERIA DE CONTRATACIÓN. Desestimación. Motivación suficiente de la notificación de la exclusión de la interesada. La nueva Resolución ampliatoria dictada, sí cumple con las exigencias de motivación de la notificación, a los efectos de que pueda interponer recurso debidamente fundado, por lo que cabe entender subsanados los vicios en que se fundamentaba el recurso, habiendo desaparecido el objeto del mismo. Sin que ello genere indefensión a la interesada, por cuanto con la notificación de la segunda Resolución se reabre el plazo para que pueda interponer nuevamente, si lo considera oportuno, el pertinente recurso especial.

Subsección 5

Obligaciones de información sobre el resultado del procedimiento

Artículo 153 *Información no publicable*

El órgano de contratación podrá no comunicar determinados datos relativos a la adjudicación cuando considere, justificándolo debidamente en el expediente, que la divulgación de esa información puede obstaculizar la aplicación de una norma, resultar contraria al interés público o perjudicar intereses comerciales legítimos de empresas públicas o privadas o la competencia leal entre ellas, o cuando se trate de contratos declarados secretos o reservados o cuya ejecución deba ir acompañada de medidas de seguridad especiales conforme a la legislación vigente, o cuando lo exija la protección de los intereses esenciales de la seguridad del Estado y así se haya declarado de conformidad con lo previsto en el artículo 13.2.d).

➡ **Concordancias normativas**

Artículo 153 redactado por el apartado veinticuatro del artículo primero de la Ley 34/2010, de 5 de agosto, de modificación de las Leyes 30/2007, de 30 de octubre, de Contratos del Sector Público, 31/2007, de 30 de octubre, sobre procedimientos de contratación en los sectores del agua, la energía, los transportes y los servicios postales, y 29/1998, de 13 de julio, reguladora de la Jurisdicción Contencioso-Administrativa para adaptación a la normativa comunitaria de las dos primeras («B.O.E». 9 agosto).

Concordancias a todo el artículo

➡ **Concordancias normativas**

Artículo 137 de la LCSP 30/2007 y artículo 93 del TRLCAP RDL 2/2000.

☞ **Concordancias Jurisprudenciales**

Tribunal Superior de Justicia de Galicia, Sala de lo Contencioso-administrativo, Sección 2.ª, Sentencia de 22 Mar. 2012, rec. 4164/2009

[LA LEY 36251/2012]

CONTRATOS ADMINISTRATIVOS. Preparación de los contratos. Expediente de contratación. Pliegos de cláusulas administrativas. -- Adjudicación de los contratos. Licitación. Concurso-subasta. -- Adjudicación de los contratos. Selección del adjudicatario. RECURSO DE APELACIÓN CONTENCIOSO-ADMINISTRATIVO. Capacidad y representación procesal.

Tribunal Superior de Justicia de Galicia, Sala de lo Contencioso-administrativo, Sección 2.ª, Sentencia de 1 Dic. 2011, rec. 4169/2009

[LA LEY 253121/2011]

CONCESIONES ADMINISTRATIVAS. Otorgamiento. Solicitudes. -- Otorgamiento. Adjudicación. CONTRATO ADMINISTRATIVO DE SERVICIOS. Adjudicación. -- Ejecución. CONTRATOS ADMINISTRATIVOS. Adjudicación de los contratos. Licitación. -- Adjudicación de los contratos. Selección del adjudicatario. Valoración de las ofertas.

Tribunal Superior de Justicia de Galicia, Sala de lo Contencioso-administrativo, Sección 2.ª, Sentencia de 7 Dic. 2011, rec. 4173/2009

[LA LEY 251588/2011]

CONTRATO ADMINISTRATIVO DE GESTIÓN DE SERVICIOS PÚBLICOS. Gestión del servicio de apoyo a la movilidad personal para las personas con discapacidad y/o dependientes. Adjudicación definitiva del contrato en procedimiento negociado con publicidad y tramitación urgente. Que la normativa permita a los licitadores conocer en toda su extensión el contenido de las proposiciones, y que el órgano de contratación esté obligado a ponerlo de manifiesto, no puede ser interpretado en el sentido de que se entregue copia de todo lo presentado por los demás licitadores, especialmente si se trata de proyectos u otros documentos similares respecto de los cuales pueda existir un derecho de propiedad intelectual o industrial. Correcta valoración del perfil profesional y del personal adscrito a la ejecución del contrato. Respecto a la valoración de la oferta económica, la expresión oferta más económica no necesariamente significa oferta mas barata, porque es posible encontrar ofertas económicas bajas, pero que ofertan menos horas de servicio, por lo que en definitiva aunque parezca más barata la oferta puede no ser definitivamente más económica, y por ello la modulación que se introdujo considerando la proposición económica en relación con las horas de prestación de servicio.

⊠ **Consultas**

• **¿Pueden los licitadores que no han sido adjudicatarios tener acceso a la documentación presentada por el resto de licitadores?**

Contratación Administrativa Práctica, Nº 92, Sección Usted Pregunta, Diciembre 2009, Editorial LA LEY

[LA LEY 4058/2009]

Respuesta

El acceso a la documentación por parte de los licitadores una vez que ha tenido lugar la adjudicación definitiva está regulado por el artículo 137 de la Ley 30/2007 (LA LEY 10868/2007), de Contratos del Sector Público (LCSP), que, como ley especial, es de aplicación preferente en el ámbito de la contratación pública. Además, la declaración del artículo 35.a) de la Ley 30/1992 (LA LEY 3279/1992) no desvirtúa la disposición de la LCSP a este respecto en el sentido de que si los interesados lo solicitasen, les debe facilitar información en el plazo máximo de 15 días a partir de la recepción de la petición de los extremos siguientes:

a) Motivos del rechazo de su candidatura o proposición.

b) Características de la proposición del adjudicatario que resultaron determinantes para la adjudicación a su favor.

No obstante, el órgano de contratación puede no comunicar determinados datos relativos a la adjudicación en los casos siguientes:

— Cuando considere, a través de la oportuna justificación en el expediente, que la divulgación de dicha información puede obstaculizar la aplicación de una norma, resultar contraria al interés público o perjudicar los intereses comerciales legítimos de empresas públicas o privadas o de la competencia leal entre ellas.

— Cuando se trate de contratos declarados secretos o reservados o cuya ejecución deba ir acompañada de medidas de seguridad especiales, conforme a la legislación vigente.

— Cuando lo exija la protección de los intereses esenciales de la seguridad del Estado y así se haya declarado de conformidad con los previsto en el artículo 13.2 de la LCSP (LA LEY 10868/2007).

Artículo 154 *Publicidad de la formalización de los contratos*

1. La formalización de los contratos cuya cuantía sea igual o superior a las cantidades indicadas en el artículo 138.3 se publicará en el perfil de contratante del órgano de contratación indicando, como mínimo, los mismos datos mencionados en el anuncio de la adjudicación.

2. Cuando la cuantía del contrato sea igual o superior a 100.000 euros o, en el caso de contratos de gestión de servicios públicos, cuando el presupuesto de gastos de primer establecimiento sea igual o superior a dicho importe o su plazo de duración exceda de cinco años, deberá publicarse, además, en el «Boletín Oficial del Estado» o en los respectivos Diarios o Boletines Oficiales de las Comunidades Autónomas o de las Provincias, un anuncio en el que se dé cuenta de dicha formalización, en un plazo no superior a cuarenta y ocho días a contar desde la fecha de la misma.

Cuando se trate de contratos sujetos a regulación armonizada el anuncio deberá enviarse, en el plazo señalado en el párrafo anterior, al «Diario Oficial de la Unión Europea» y publicarse en el «Boletín Oficial del Estado.»

3. En el caso de contratos de servicios comprendidos en las categorías 17 a 27 del Anexo II y de cuantía igual o superior a 193.000 euros, el órgano de contratación comunicará la adjudicación a la Comisión Europea, indicando si estima procedente su publicación.

4. En los casos a que se refiere el artículo anterior, el órgano de contratación podrá no publicar determinada información relativa a la adjudicación y formalización del contrato, justificándolo debidamente en el expediente.

Concordancias a todo el artículo

➡ **Concordancias normativas**

Artículo 138 de la LCSP 30/2007 y artículo 93 del TRLCAP RDL 2/2000.

Artículo 154 redactado por el apartado veinticinco del artículo primero de la Ley 34/2010, de 5 de agosto, de modificación de las Leyes 30/2007, de 30 de octubre, de Contratos del Sector Público, 31/2007, de 30 de octubre, sobre procedimientos de contratación en los sectores del agua, la energía, los transportes y los servicios postales, y 29/1998, de 13 de julio, reguladora de la Jurisdicción Contencioso-Administrativa para adaptación a la normativa comunitaria de las dos primeras («B.O.E». 9 agosto).

Véase R.D. 300/2011, de 4 de marzo, por el que se modifica el R.D. 817/2009, de 8 de mayo, por el que se desarrolla parcialmente la Ley 30/2007, de 30 de octubre, de contratos del sector público y se habilita al titular del Ministerio de Economía y Hacienda para modificar sus anexos («B.O.E». 22 marzo).

☞   **Concordancias Jurisprudenciales**

Tribunal Administrativo Central de Recursos Contractuales, Resolución de 3 Feb. 2012, rec. 8/2012

[LA LEY 30784/2012]

CONTRATO ADMINISTRATIVO DE SUMINISTROS. Para la adquisición de conjuntos de transformación de AMP 12,70 Browning al modelo QCB. Adjudicación mediante procedimiento negociado sin publicidad. RECURSO ESPECIAL EN MATERIA DE CONTRATACIÓN. Inadmisión. Por no ser este contrato susceptible de tal recurso especial. En los contratos de suministros sólo es posible formular el recurso especial en materia de contratación cuando se encuentran sujetos a regulación armonizada. El pliego de cláusulas administrativas particulares indica que el contrato no está sujeto a regulación armonizada al haberse adoptado las medidas previstas en cuanto a la protección de los intereses esenciales en materia de seguridad. El suministro objeto del contrato consiste en la adquisición de conjuntos de transformación de AMP 12,70 Browning al modelo QCB, referido a la ametralladora pesada Browning 12,70 mm, por lo que encaja en los supuestos definidos en la Instrucción aplicable.

✉   **Consultas**

• **No es necesario anunciar en boletines oficiales la adjudicación de bienes patrimoniales**

¿Debe publicarse en los boletines provinciales la adjudicación definitiva de la venta de un bien patrimonial?

[21/02/2012 EC 394/2012]

Ver respuesta en artículo 20.

• Publicidad de la formalización de los contratos

En relación a la publicidad de la formalización de los contratos, el art. 138 LCSP (LA LEY 10868/2007), entre otras cuestiones, nos indica que todos los contratos cuya cuantía sea superior a la de los contratos menores han de ser publicados en el perfil del contratista, así como (art. 138.2 LCSP (LA LEY 10868/2007)) los que sean igual o superior a los 100.000 euros deberán publicarse, además, en el BOE o los respectivos Diarios regionales oficiales.

Bien, pero si se trata de un contrato cuya cuantía es superior a los 100.000 euros, pero por sus características técnicas, solamente se ha podido encomendarse a un empresario determinado (artículo 154.d LCSP (LA LEY 10868/2007)), tramitándose por tanto mediante procedimiento negociado sin publicidad, apoyado en el citado precepto, ¿estaríamos obligados a publicarlo en el BOE o Diario oficial regional? o ¿basta con que sea publicada la formalización del contrato en el perfil del contratante?, dada la naturaleza de dicho contrato.

Contratación Administrativa Práctica, Nº 110, Sección Usted Pregunta, Julio 2011, Editorial LA LEY

[LA LEY 706/2011]

Respuesta

La legislación de contratación administrativa ha venido diferenciando la exigencia de publicidad en el proceso de licitación y tras la adjudicación del contrato. Así se regulaba en el Real Decreto Legislativo 2/2000, de 16 de junio (LA LEY 2206/2000), por el que se aprueba el texto refundido de la Ley de Contratos de las Administraciones Públicas, en los artículos 78 para las licitaciones y 93 respecto a la publicidad de la adjudicación en los boletines oficiales si superaba el importe que en el precepto se indicaba.

La Ley 30/2007, de 30 de octubre (LA LEY 10868/2007), de Contratos del Sector Público también diferenció esa duplicidad de publicidad en los artículos 126 respecto de la convocatoria de las licitaciones y 138 respecto de la adjudicación de los contratos, igualmente si se superan los umbrales económicos indicados.

La Ley 34/2010, de 5 de agosto (LA LEY 16740/2010) de modificación de la Ley 30/2007 (LA LEY 10868/2007), ha introducido importantes novedades en el proceso de adjudicación del contrato, entre ellas la referente a la publicidad de la adjudicación, siendo que ahora se exige dicha publicidad respecto de la formalización del contrato. Sí se mantiene el condicionante de exigir la publicidad si se superan los umbrales establecidos en el artículo 138, de modo que si la cuantía del contrato es igual o superior a la indicada en el artículo 122.3 para los contratos menores, la publicidad de la formalización será en el perfil de contratante del órgano de contratación; y si la cuantía del contrato es igual o superior a 100.000 euros (o en el supuesto específico que se cita respecto de los contratos de gestión de servicios públicos), también se publicará un anuncio donde se dé cuenta de la formalización del contrato en el BOE o diarios o boletines oficiales autonómicos.

Siendo exigible dicha duplicidad de publicidad, también se ha de tener en cuenta que, respecto a la licitación, no resulta necesaria en determinados supuestos contemplados legalmente. Así, el artículo 78 del Texto Refundido decía que la publicidad de las licitaciones era exigible respecto de todos los procedimientos para la adjudicación de los contratos, con excepción de los procedimientos negociados; mientras que la publicidad de la adjudicación era exigible para todos los contratos que superen el umbral establecido.

Y en la Ley 30/2007 (LA LEY 10868/2007), el artículo 126 exige la publicidad en la convocatoria de licitaciones respecto de los procedimientos para la adjudicación de contratos de las Administraciones Públicas, a excepción de los negociados que se sigan en casos distintos de los contemplados en los apartados 1 y 2 del artículo 161, mientras que en el artículo 138, se exige la publicidad de la formalización (solo en el perfil del contratante o, además, en los boletines oficiales) respecto de todos los contratos que superen los importes que se citan.

Por tanto, tratándose de un contrato de importe superior a 100.000 euros es exigible la publicidad de la formalización en el boletín oficial correspondiente, además del perfil del contratante, aun cuando la adjudicación se hubiese efectuado por el procedimiento negociado por tratarse de un supuesto contemplado en el artículo 154.d, sin publicidad conforme a lo dispuesto en el artículo 161.1.

Citamos por su interés la contestación a la consulta publicada en nuestra Revista Contratación Administrativa Práctica, LA LEY 128/2006 (LA LEY 128/2006), respecto a la publicación en el DOCE de contratos adjudicados por procedimientos negociados sin publicidad.

Artículo 155 *Renuncia a la celebración del contrato y desistimiento del procedimiento de adjudicación por la Administración*

1. En el caso en que el órgano de contratación renuncie a celebrar un contrato para el que haya efectuado la correspondiente convocatoria, o decida reiniciar el procedimiento para su adjudicación, lo notificará a los candidatos o licitadores, informando también a la Comisión Europea de esta decisión cuando el contrato haya sido anunciado en el «Diario Oficial de la Unión Europea.»

☞   **Concordancias Jurisprudenciales**

Tribunal Administrativo Central de Recursos Contractuales, Resolución de 1 Dic. 2010, rec. 019/2010

[LA LEY 297963/2010]

CONTRATOS ADMINISTRATIVOS. Desistimiento del procedimiento de contratación iniciado para la realización de trabajos técnicos de identificación humana mediante análisis sobre ADN. RECURSO ESPECIAL EN MATERIA DE CONTRATACIÓN. Estimación parcial. La notificación del acuerdo de desistimiento hecha a la interesada no cumple los requisitos legales para su validez. La publicación en el perfil de contratante no puede ser considerada como un acto con efectos equivalentes a la notificación. Hubiera bastado una mera referencia en la notificación al hecho de que el acuerdo se encontraba publicado en el perfil de contratante si el interesado hubiera aceptado la práctica de las notificaciones por medios telemáticos, pero no en caso contrario. La notificación efectuada ni siquiera contenía referencia a la circunstancia indicada, por lo que tampoco podría considerarse como válida, aunque el interesado hubiera aceptado la utilización de medios telemáticos. Procede que se notifique nuevamente a los licitadores, con observancia de los requisitos establecidos para las notificaciones en la normativa.

2. La renuncia a la celebración del contrato o el desistimiento del procedimiento sólo podrán acordarse por el órgano de contratación antes de la adjudicación. En ambos casos se compensará a los candidatos o licitadores por los gastos en que hubiesen incurrido, en la forma prevista en el anuncio o en el pliego, o de acuerdo con los principios generales que rigen la responsabilidad de la Administración.

➡ **Concordancias normativas**

Número 2 del artículo 155 redactado por el apartado veintiséis del artículo primero de la Ley 34/2010, de 5 de agosto, de modificación de las Leyes 30/2007, de 30 de octubre, de Contratos del Sector Público, 31/2007, de 30 de octubre, sobre procedimientos de contratación en los sectores del agua, la energía, los transportes y los servicios postales, y 29/1998, de 13 de julio, reguladora de la Jurisdicción Contencioso-Administrativa para adaptación a la normativa comunitaria de las dos primeras («B.O.E». 9 agosto).

3. Sólo podrá renunciarse a la celebración del contrato por razones de interés público debidamente justificadas en el expediente. En este caso, no podrá promoverse una nueva licitación de su objeto en tanto subsistan las razones alegadas para fundamentar la renuncia.

➡ **Concordancias normativas**

Cifra contenida en el número 3 del artículo 154 actualizada por el artículo único.1 b) de la Orden EHA/3479/2011, de 19 de diciembre, por la que se publican los límites de los distintos tipos de contratos a efectos de la contratación del sector público a partir del 1 de enero de 2012 («B.O.E». 23 diciembre).

4. El desistimiento del procedimiento deberá estar fundado en una infracción no subsanable de las normas de preparación del contrato o de las reguladoras del procedimiento de adjudicación, debiendo justificarse en el expediente la concurrencia de la causa. El desistimiento no impedirá la iniciación inmediata de un nuevo procedimiento de licitación.

Concordancias a todo el artículo

→ **Concordancias normativas**

Artículo 139 de la LCSP 30/2007 y artículo 93.6 del TRLCAP RDL 2/2000.

☞ **Concordancias Jurisprudenciales**

Tribunal Administrativo Central de Recursos Contractuales, Resolución de 26 Ene. 2012, rec. 3/2012

[LA LEY 34031/2012]

CONTRATO ADMINISTRATIVO DE SUMINISTROS. Nulidad de la renuncia al expediente para la contratación, por el procedimiento restringido, del contrato de suministro de un Sistema Integrado de Riesgos Tecnológicos para la Unidad Militar de Emergencias. RECURSO ESPECIAL EN MATERIA DE CONTRATACIÓN. Estimación. Existía ya acuerdo de adjudicación, circunstancia que, por sí sola, excluía la posibilidad de tal renuncia. La Ley de Contratos aún vigente en la fecha en la que se data el acuerdo de renuncia establece como límite temporal infranqueable para la eventual adopción de un acuerdo de renuncia o desistimiento el de la propia adjudicación del contrato.

Audiencia Nacional, Sala de lo Contencioso-administrativo, Sección 1.ª, Sentencia de 13 Jun. 2011, rec. 381/2010

[LA LEY 77409/2011]

CONTRATOS ADMINISTRATIVOS. Conformidad a derecho de la compensación de gastos fijada por la renuncia a la celebración del contrato de creatividad, diseño, producción, selección, reserva e inserción en los medios de una campaña de publicidad institucional del Gobierno de España, referida al DNI electrónico. No procede compensación por los gastos reclamados por los trabajos de preparación necesarios para poder acudir al concurso público para el desarrollo de una determinada campaña publicitaria que finalmente no se produjo por renuncia de la Administración. Cuando la Administración por causas justificadas renuncia a la continuación del concurso, este supuesto es asimilable a aquellos en los que la empresa no resulta ser adjudicataria de un concurso o se declara desierto el concurso. Se trata de actuaciones que deben considerarse implícitas a su libre decisión de participar en un concurso, un riesgo inherente a la presentación de un proyecto a un concurso en el que se ha de contar con la posibilidad que no resultar adjudicatario del mismo.

✉ **Consultas**

• **Renuncia a la celebración del contrato por parte de la Administración**

El nuevo equipo de gobierno de un ayuntamiento se ha encontrado con un contrato de obras en trámite de adjudicación (está en la fase de valoración de las ofertas) que no desea continuar, por lo que querrían estudiar la renuncia o el desistimiento y las posibles indemnizaciones.

Contratación Administrativa Práctica, Nº 111, Sección Usted Pregunta, Septiembre 2011, Editorial LA LEY

[LA LEY 1012/2011]

Respuesta

A los efectos de responder a la cuestión planteada, debemos tener en cuenta lo establecido por la LCSP en su art. 139 (LA LEY 10868/2007), en virtud del cual, en el caso en que el órgano de contratación renuncie a celebrar un contrato para el que haya efectuado la correspondiente convocatoria, o decida reiniciar el procedimiento para su adjudicación, lo notificará a los candidatos o licitadores, informando también a la Comisión Europea de esta decisión cuando el contrato haya sido anunciado en el «Diario Oficial de la Unión Europea.»

La renuncia a la celebración del contrato o el desistimiento del procedimiento sólo podrán acordarse por el órgano de contratación antes de la adjudicación. En ambos casos se compensará a los candidatos o licitadores por los gastos en que hubiesen incurrido, en la forma prevista en el anuncio o en el pliego, o de acuerdo con los principios generales que rigen la responsabilidad de la Administración.

Sólo podrá renunciarse a la celebración del contrato por razones de interés público debidamente justificadas en el expediente. En este caso, no podrá promoverse una nueva licitación de su objeto en tanto subsistan las razones alegadas para fundamentar la renuncia. Asimismo, el desistimiento del procedimiento deberá estar fundado en una infracción no subsanable de las normas de preparación del contrato o de las reguladoras del procedimiento de adjudicación, debiendo justificarse en el expediente la concurrencia de la causa. El desistimiento no impedirá la iniciación inmediata de un nuevo procedimiento de licitación.

Subsección 6

Formalización del contrato

Artículo 156 *Formalización de los contratos*

1. Los contratos que celebren las Administraciones Públicas deberán formalizarse en documento administrativo que se ajuste con exactitud a las condiciones de la licitación, constituyendo dicho documento título suficiente para acceder a cualquier registro público. No obstante, el contratista podrá solicitar que el contrato se eleve a escritura pública, corriendo de su cargo los correspondientes gastos. En ningún caso se podrán incluir en el documento en que se formalice el contrato cláusulas que impliquen alteración de los términos de la adjudicación.

2. En el caso de los contratos menores definidos en el artículo 138.3 se estará, en cuanto a su formalización, a lo dispuesto en el artículo 111.

☞   Concordancias Jurisprudenciales

Tribunal Superior de Justicia de Canarias de Santa Cruz de Tenerife, Sala de lo Social, Sentencia de 18 Mar. 2011, rec. 976/2010

[LA LEY 78365/2011]

CONTRATO DE TRABAJO. Criterios fundamentales de calificación de la relación como laboral. Dependencia o subordinación. Generalidades. CONTRATOS ADMINISTRATIVOS. Naturaleza del contrato. Criterios de determinación. Generalidades.

Tribunal Administrativo Central de Recursos Contractuales, Resolución de 4 May. 2011, rec. 93/2011

[LA LEY 29295/2011]

CONTRATO ADMINISTRATIVO DE SERVICIOS. Nulidad de varias cláusulas de los pliegos de condiciones administrativas particulares de diversos expedientes de licitación correspondientes a unos contratos de servicios, dado que no se especificaba con claridad si el coste de los repuestos que resultasen necesarios para la correcta prestación de dichos servicios debía ser asumido por el contratista o si tenía que ser facturado a la Administración separadamente del precio del contrato. En relación con los plazos para la adjudicación de los contratos, éste no podía ser de 15 días, contados desde el siguiente al de la notificación de la adjudicación, ya que el contrato era susceptible de recurso especial en materia de contratación.

3. Si el contrato es susceptible de recurso especial en materia de contratación conforme al artículo 40.1, la formalización no podrá efectuarse antes de que transcurran quince días hábiles desde que se remita la notificación de la adjudicación a los licitadores y candidatos. Las Comunidades Autónomas podrán incrementar este plazo, sin que exceda de un mes.

El órgano de contratación requerirá al adjudicatario para que formalice el contrato en plazo no superior a cinco días a contar desde el siguiente a aquel en que hubiera recibido el requerimiento, una vez transcurrido el plazo previsto en el párrafo anterior sin que se hubiera interpuesto recurso que lleve aparejada la suspensión de la formalización del contrato. De igual forma procederá cuando el órgano competente para la resolución del recurso hubiera levantado la suspensión.

En los restantes casos, la formalización del contrato deberá efectuarse no más tarde de los quince días hábiles siguientes a aquél en que se reciba la notificación de la adjudicación a los licitadores y candidatos en la forma prevista en el artículo 151.4.

4. Cuando por causas imputables al adjudicatario no se hubiese formalizado el contrato dentro del plazo indicado, la Administración podrá acordar la incautación sobre la garantía definitiva del importe de la garantía provisional que, en su caso hubiese exigido.

Si las causas de la no formalización fueren imputables a la Administración, se indemnizará al contratista de los daños y perjuicios que la demora le pudiera ocasionar.

5. No podrá iniciarse la ejecución del contrato sin su previa formalización, excepto en los casos previstos en el artículo 113 de esta Ley.

Concordancias a todo el artículo

➡ Concordancias normativas

Artículos 28 y 140 de la LCSP 30/2007 y artículo 54 del TRLCAP RDL 2/2000.

Artículo 140 redactado por el apartado veintisiete del artículo primero de la Ley 34/2010, de 5 de agosto, de modificación de las Leyes 30/2007, de 30 de octubre, de Contratos del Sector Público, 31/2007, de 30 de octubre, sobre procedimientos de contratación en los sectores del agua, la energía, los transportes y los servicios postales, y 29/1998, de 13 de julio, reguladora de la Jurisdicción Contencioso-Administrativa para adaptación a la normativa comunitaria de las dos primeras («B.O.E». 9 agosto).

☞ Concordancias Jurisprudenciales

Tribunal Superior de Justicia de Andalucía de Sevilla, Sala de lo Contencioso-administrativo, Sección 1.ª, Sentencia de 27 Abr. 2011, rec. 287/2010

[LA LEY 190655/2011]

CONTRATO ADMINISTRATIVO DE GESTIÓN DE SERVICIOS PÚBLICOS. Actuaciones administrativas preparatorias. Pliegos y anteproyecto de obra y explotación. -- Derechos y obligaciones de las partes. Del contratista. -- Extinción. Causas. -- Subcontratación.

Tribunal Superior de Justicia de Madrid, Sala de lo Contencioso-administrativo, Sección 3.ª, Sentencia de 28 Mar. 2011, rec. 64/2011

CONTRATO ADMINISTRATIVO DE OBRAS. Improcedencia de la indemnización reclamada por la empresa contratista al Ayuntamiento contratante por incremento extraordinario de costes de transporte de materiales soportados por la realización de las obras adjudicadas. Creación de un nuevo impuesto por la L 6/2003 que establece una tarifa por metro cúbico de residuos procedentes de construcción y demolición. Aunque es cierto que ese nuevo impuesto constituye un hecho que altera el precio que razonablemente el contratista había previsto en su proyecto de licitación —riesgo imprevisible—, su entrada en vigor fue anterior a la firma del contrato, y la recurrente no puede excusarse en el desconocimiento de su aplicación, pues suscribió el contrato sin realizar salvedad alguna ni reservas, y sin prever futuras actualizaciones ni revisiones de precios, siendo además que el contrato debía cumplirse a riesgo y ventura del contratista.

✑ Informes de la Junta Consultiva de Contratación Administrativa

DICTAMEN Núm.: 65/2010, de 3 de febrero, del Consejo Consultivo de Andalucía. Resolución de contrato de obras. Incumplimiento del contratista. Falta de formalización del contrato.

[LA LEY 48/2011]

CONTRATO ADMINISTRATIVO DE OBRAS. Resolución en obras, por falta de formalización del contrato. Perfeccionado el contrato no se cumplió, por causas imputables a la entidad adjudicataria (puesto que la adjudicación definitiva le fue debidamente notificada, advirtiéndole que debía formalizar el contrato en un plazo de diez días), el requisito de la formalización del mismo dentro del plazo previsto. Preceptiva emisión de dictamen, habida cuenta de la oposición manifiesta del contratista. Correcta cumplimentación de los requisitos legales exigidos para la tramitación del procedimiento de resolución. Procede la incautación de la garantía provisional prestada, incluyendo la correspondiente valoración de los daños y perjuicios ocasionados, en su caso, y con independencia de aquélla.

☒ Consultas

• Fecha de inicio de la duración de contrato de arrendamiento

Hace 50 años se formalizó un contrato de arrendamiento sobre una finca municipal, y se pretende no prorrogar el contrato. ¿Cuándo se entiende que comenzó la duración del contrato?

[29/03/2012 EC 781/2012]

Contestación

El art. 45 del Decreto de 9 de enero de 1953, por el que se aprobó el Reglamento de Contratación de las Corporaciones Locales, establecía que el contrato se perfeccionará por la adjudicación definitiva, en virtud de la cual los licitadores y la Corporación quedarán obligados a su cumplimiento. Como sabemos, esta norma ha sido tradicional en la normativa contractual de las Administraciones Públicas hasta la Ley 34/2010, de 5 de agosto (LA LEY 16740/2010), de modificación de la Ley 30/2007, de

30 de octubre (LA LEY 10868/2007) (BOE del 31), de Contratos del Sector Público (LCSP), que estableció el momento de perfección de los contratos en su formalización.

Sin embargo, una cosa es la perfección del contrato a los efectos de vincular a las partes a su cumplimiento, y otra, muy distinta, es qué fecha debe computarse para considerar el inicio del contrato.

Nosotros entendemos que, a los efectos de la consulta planteada, puede mantenerse que el momento que debe tenerse en cuenta para la fijación del comienzo del contrato es el de su formalización; ya que es a partir de este momento cuando el contrato extiende sus efectos, salvo que en el mismo se demore el inicio del contrato a un momento posterior, momento a partir del cual deben contarse los plazos del contrato.

Como argumentos para mantener esta postura se pueden señalar lo siguiente:

— En primer lugar, el propio Reglamento de Contratación de las Corporaciones Locales establece claramente que el hecho de la adjudicación no supone que comiencen a ejecutarse el contrato, y así se desprende de su art. 46 cuando señala que, efectuada la adjudicación definitiva, se notificará al contratista en el plazo de diez días y se le requerirá al mismo tiempo para que, dentro de los diez siguientes al de la fecha en que reciba la notificación, presente el documento que acredite haber constituido la garantía definitiva. Asimismo, en la propia notificación se citará al interesado para que, el día y hora que se le indique, concurra a formalizar el contrato con arreglo a lo determinado en este Reglamento. Y añade que si no atendiere dichos requerimientos, no cumpliese los requisitos para la celebración del contrato o impidiese que se formalice en el término señalado, la adjudicación quedará de pleno derecho sin efecto con las consecuencias previstas en el art. 97. Esto es, a pesar de la adjudicación definitiva, el contrato no ha desplegado ningún efecto, por lo que no puede considerarse, a pesar de la perfección, que el contrato hubiera iniciado el cómputo para su ejecución.

— Por ello, la regla general, recogida entre otros en el art. 54 del Texto Refundido de la Ley de Contratos de las Administraciones Públicas (LA LEY 2206/2000) (TR LCAP), aprobado por Real Decreto Legislativo 2/2000, de 16 de junio (LA LEY 2206/2000) (BOE del 21), o en el actual art. 156.5 del Real Decreto Legislativo 3/2011, de 14 de noviembre (LA LEY 21158/2011) (BOE del 16), por el que se aprueba el texto refundido de la Ley de Contratos del Sector Público (LA LEY 21158/2011) (TR LCSP (LA LEY 10868/2007)), es que no se podrá iniciar la ejecución del contrato sin la previa formalización. Lo que supone que los plazos deben computarse, al menos, desde la formalización del contrato, ya que como sabemos, existen determinados contratos, como el de obras, en el que los plazos se computan desde un acto posterior como es el acta de comprobación del replanteo.

— Por último, tratándose de contratos de arrendamiento, lo habitual es contar los plazos, en el caso de un contrato de un número de años, de fecha a fecha, desde que se inicio la prestación, es decir, desde que el arrendatario empezó a disfrutar del inmueble.

Por tanto, consideramos que, a efectos de requerimiento, puede considerarse la fecha de formalización del contrato, ya que el plazo del contrato no empieza desde la adjudicación, sino desde su formalización o, incluso, desde un momento posterior.

Sección 2

Procedimiento abierto

Artículo 157 *Delimitación*

En el procedimiento abierto todo empresario interesado podrá presentar una proposición, quedando excluida toda negociación de los términos del contrato con los licitadores.

Concordancias a todo el artículo

➡ **Concordancias normativas**

Artículo 141 de la LCSP 30/2007 y artículo 73 del TRLCAP RDL 2/2000.

☞ **Concordancias Jurisprudenciales**

Tribunal Superior de Justicia de Galicia, Sala de lo Contencioso-administrativo, Sección 2.ª, Sentencia de 7 Jul. 2011, rec. 4486/2010

[LA LEY 155849/2011]

CONTRATOS ADMINISTRATIVOS. Contrato de transporte de cadáveres que requieran la práctica de autopsias, necropsias y pruebas de investigación forense. Procedimiento abierto. Adjudicación. Baremación de méritos. Observaciones imprevistas de una de las licitadoras no adjudicataria sobre los medios personales y materiales ofertados que son debidamente justificados por la finalmente adjudicataria. No concurre desigualdad alguna de trato en el procedimiento de concurrencia competitiva.

Audiencia Nacional, Sala de lo Contencioso-administrativo, Sección 5.ª, Sentencia de 14 Jul. 2010, rec. 537/2007

[LA LEY 122056/2010]

RESPONSABILIDAD DE LA ADMINISTRACIÓN DEL ESTADO. Ministerio de Defensa. Improcedencia de indemnización por daños causados como consecuencia de la asistencia sanitaria prestada por un centro hospitalario de una entidad médica concertada. La responsabilidad de la Administración solo se impone cuando los daños deriven de manera inmediata y directa de una orden de la Administración, modulando así la responsabilidad de la Administración en razón de la intervención de un contratista. Inexistencia de infracción a «lex artis ad hoc», en las operaciones de reanimación del nacido. No se ha acreditado que la Clínica no disponga de los recursos técnicos y humanos necesarios para la atención al parto, así como para la atención del recién nacido, sin perjuicio de que existan centros especializados en el tratamiento de neonatales, lo que no implica que aquellos hospitales y clínicas que carezcan de este servicio médico, se vean imposibilitadas de atender partos.

⊠ **Consultas**

• **Naturaleza del contrato de difusión, promoción, publicidad e información de los trabajos de elaboración del PGOU.**

¿Qué tipo de contrato sería el concertado para la difusión, promoción, publicidad e información de los trabajos de elaboración del PGOU con importe inicial aproximado de 100.000 e? ¿Qué procedimiento debería utilizarse?

[15/10/2008 EC 3170/2008]

Contestación

A nuestro entender nos encontramos ante un contrato de servicios, pues conforme al art. 10 de la de la Ley 30/2007, de 30 de octubre (EC

3697/2007), de Contratos del Sector Público (LCSP) son contratos de servicios aquellos cuyo objeto son prestaciones de hacer, consistentes en el desarrollo de una actividad o dirigidas a la obtención de un resultado distinto de una obra o un suministro. Contratos que se enumeran en el Anexo II de la Norma, encuadrándose entre las categorías 1 a 16. En concreto, y según el aspecto que predomine, en las categorías 10 u 11.

En cuanto al procedimiento de adjudicación, los servicios enumerados en el Anexo II se adjudicarán conforme a las normas generales aplicables a todos los contratos. Ello no lleva al art. 122 LCSP, que determina los procedimientos de adjudicación, que serán el procedimiento abierto o el restringido, con carácter general, pues el negociado sólo podrá utilizarse en los supuestos enumerados en los arts. 154, que contempla los supuestos generales, y 158 dedicado específicamente a los contratos de servicios. Entre los que se consideran en este último se encuentran aquellos cuyo valor estimado sea inferior a 100.000 e. En el supuesto que se plantea, si el contrato no alcanza dicha cifra podrá ser objeto de contratación mediante procedimiento negociado con publicidad al superar su valor estimado el importe de 60.000 e establecido en el art. 161.2 LCSP.

En el supuesto de que pueda acudirse, en virtud de su cuantía, al procedimiento negociado, al Pliego de cláusulas administrativas particulares corresponde la determinación de los aspectos económicos y técnicos que hayan de ser objeto de negociación con las empresas. La negociación de los términos del contrato se regula en el art. 162, que obliga a que la verificación de la aptitud de los candidatos en el procedimiento negociado y su selección se realice en condiciones de transparencia. Para lograrla, el poder adjudicador está obligado a indicar, desde el momento en que se convoque la licitación, los criterios que se utilizarán para la selección así como el nivel de capacidades específicas que, en su caso, exija de los operadores económicos para admitirlos en el procedimiento de adjudicación del contrato.

En otro caso, es decir, si no cabe acudir al procedimiento negociado, la adjudicación habrá de llevarse a cabo por procedimiento abierto o restringido, conforme a las prescripciones de los arts. 141 a 152 de la LCSP.

Artículo 158 *Información a los licitadores*

1. Cuando no se haya facilitado acceso por medios electrónicos, informáticos o telemáticos a los pliegos y a cualquier documentación complementaria, éstos se enviarán a los interesados en un plazo de seis

días a partir de la recepción de una solicitud en tal sentido, siempre y cuando la misma se haya presentado, antes de que expire el plazo de presentación de las ofertas, con la antelación que el órgano de contratación, atendidas las circunstancias del contrato y del procedimiento, haya señalado en los pliegos.

2. La información adicional que se solicite sobre los pliegos y sobre la documentación complementaria deberá facilitarse, al menos, seis días antes de la fecha límite fijada para la recepción de ofertas, siempre que la petición se haya presentado con la antelación que el órgano de contratación, atendidas las circunstancias del contrato y del procedimiento, haya señalado en los pliegos.

3. Cuando, los pliegos y la documentación o la información complementaria, a pesar de haberse solicitado a su debido tiempo, no se hayan proporcionado en los plazos fijados o cuando las ofertas solamente puedan realizarse después de una visita sobre el terreno o previa consulta «in situ» de la documentación que se adjunte al pliego, los plazos para la recepción de ofertas se prorrogarán de forma que todos los interesados afectados puedan tener conocimiento de toda la información necesaria para formular las ofertas.

☞   **Concordancias Jurisprudenciales**

Tribunal Superior de Justicia de Aragón, Sala de lo Contencioso-administrativo, Sección 1.ª, Sentencia de 16 May. 2011, rec. 162/2010

[LA LEY 95172/2011]

CONTRATOS ADMINISTRATIVOS. Contrato de servicios de funcionamiento y apoyo técnico administrativo en materia deportiva. Adjudicación provisional. Impugnación. Rectificación de errores, ampliando el plazo de presentación de ofertas ya caducado. Mediante una mera corrección de errores no procede modificar sustancialmente las prescripciones técnicas contractuales. Nulidad del expediente de contratación desde la finalización del primer plazo concedido para concursar.

Concordancias a todo el artículo

➡   **Concordancias normativas**

Artículo 142 de la LCSP 30/2007.

☞ **Concordancias Jurisprudenciales**

Tribunal Superior de Justicia de Galicia, Sala de lo Contencioso-administrativo, Sección 2.ª, Sentencia de 7 Jul. 2011, rec. 4486/2010

[LA LEY 155849/2011]

CONTRATOS ADMINISTRATIVOS. Contrato de transporte de cadáveres que requieran la práctica de autopsias, necropsias y pruebas de investigación forense. Procedimiento abierto. Adjudicación. Baremación de méritos. Observaciones imprevistas de una de las licitadoras no adjudicataria sobre los medios personales y materiales ofertados que son debidamente justificados por la finalmente adjudicataria. No concurre desigualdad alguna de trato en el procedimiento de concurrencia competitiva.

Artículo 159 *Plazos para la presentación de proposiciones*

1. En procedimientos de adjudicación de contratos sujetos a regulación armonizada, el plazo de presentación de proposiciones no será inferior a cincuenta y dos días, contados desde la fecha del envío del anuncio del contrato a la Comisión Europea. Este plazo podrá reducirse en cinco días cuando se ofrezca acceso por medios electrónicos a los pliegos y a la documentación complementaria.

Si se hubiese enviado el anuncio previo a que se refiere el artículo 141, el plazo de presentación de proposiciones podrá reducirse hasta treinta y seis días, como norma general, o, en casos excepcionales debidamente justificados, hasta veintidós días. Esta reducción del plazo sólo será admisible cuando el anuncio de información previa se hubiese enviado para su publicación antes de los cincuenta y dos días y dentro de los doce meses anteriores a la fecha de envío del anuncio de licitación, siempre que en él se hubiese incluido, de estar disponible, toda la información exigida para éste.

Los plazos señalados en los dos párrafos anteriores podrán reducirse en siete días cuando los anuncios se preparen y envíen por medios electrónicos, informáticos o telemáticos. Esta reducción podrá adicionarse, en su caso, a la de cinco días prevista en el inciso final del primer párrafo.

En estos procedimientos, la publicación de la licitación en el «Boletín Oficial del Estado» debe hacerse, en todo caso, con una antelación mínima equivalente al plazo fijado para la presentación de las proposiciones en el apartado siguiente.

2. En los contratos de las Administraciones Públicas que no estén sujetos a regulación armonizada, el plazo de presentación de proposiciones no será inferior a quince días, contados desde la publicación del anuncio del contrato. En los contratos de obras y de concesión de obras públicas, el plazo será, como mínimo, de veintiséis días.

Concordancias a todo el artículo

➡ **Concordancias normativas**

Artículo 143 de la LCSP 30/2007 y artículos 78, 137, 178 y 207 del TRLCAP RDL 2/2000.

☞ **Concordancias Jurisprudenciales**

Tribunal Superior de Justicia de Galicia, Sala de lo Contencioso-administrativo, Sección 2.ª, Sentencia de 7 Jul. 2011, rec. 4486/2010

[LA LEY 155849/2011]

CONTRATOS ADMINISTRATIVOS. Contrato de transporte de cadáveres que requieran la práctica de autopsias, necropsias y pruebas de investigación forense. Procedimiento abierto. Adjudicación. Baremación de méritos. Observaciones imprevistas de una de las licitadoras no adjudicataria sobre los medios personales y materiales ofertados que son debidamente justificados por la finalmente adjudicataria. No concurre desigualdad alguna de trato en el procedimiento de concurrencia competitiva.

Artículo 160 *Examen de las proposiciones y propuesta de adjudicación*

1. El órgano competente para la valoración de las proposiciones calificará previamente la documentación a que se refiere el artículo 146, que deberá presentarse por los licitadores en sobre distinto al que contenga la proposición. Posteriormente procederá a la apertura y examen de las proposiciones, formulando la correspondiente propuesta de adjudicación al órgano de contratación, una vez ponderados los criterios que deban aplicarse para efectuar la selección del adjudicatario, y sin perjuicio de la

intervención del comité de expertos o del organismo técnico especializado a los que hace referencia el artículo 150.2 en los casos previstos en el mismo, cuya evaluación de los criterios que exijan un juicio de valor vinculará a aquél a efectos de formular la propuesta. La apertura de las proposiciones deberá efectuarse en el plazo máximo de un mes contado desde la fecha de finalización del plazo para presentar las ofertas. En todo caso, la apertura de la oferta económica se realizará en acto público, salvo cuando se prevea que en la licitación puedan emplearse medios electrónicos.

Cuando para la valoración de las proposiciones hayan de tenerse en cuenta criterios distintos al del precio, el órgano competente para ello podrá solicitar, antes de formular su propuesta, cuantos informes técnicos considere precisos. Igualmente, podrán solicitarse estos informes cuando sea necesario verificar que las ofertas cumplen con las especificaciones técnicas del pliego.

☞   **Concordancias Jurisprudenciales**

Tribunal Superior de Justicia de Galicia, Sala de lo Contencioso-administrativo, Sección 2.ª, Sentencia de 24 Nov. 2011, rec. 4166/2009

[LA LEY 242610/2011]

CONTRATO ADMINISTRATIVO DE GESTIÓN DE SERVICIOS PÚBLICOS. Actuaciones administrativas preparatorias. Pliegos y anteproyecto de obra y explotación. -- Formas de adjudicación. Concurso. CONTRATOS ADMINISTRATIVOS. Adjudicación de los contratos. Selección del adjudicatario. Valoración de las ofertas.

Tribunal Superior de Justicia de Galicia, Sala de lo Contencioso-administrativo, Sección 2.ª, Sentencia de 24 Nov. 2011, rec. 4171/2009

[LA LEY 241359/2011]

CONCESIONES ADMINISTRATIVAS. Clases. De servicios públicos. -- Otorgamiento. Adjudicación. CONTRATOS ADMINISTRATIVOS. Adjudicación de los contratos. Publicidad de licitaciones y adjudicaciones. -- Adjudicación de los contratos. Licitación. Concurso-subasta. -- Adjudicación de los contratos. Licitación. Proposiciones de los interesados. -- Adjudicación de los contratos. Selección del adjudicatario. Valoración de las ofertas.

Tribunal Administrativo Central de Recursos Contractuales, Resolución de 5 Oct. 2011, rec. 198/2011

[LA LEY 186484/2011]

CONTRATO ADMINISTRATIVO DE SERVICIOS. Adjudicación de contrato del servicio de seguro de asistencia sanitaria para el personal en el exterior del Ministerio de Asuntos Exteriores y de Cooperación. RECURSO ESPECIAL EN MATERIA DE CONTRATACIÓN. Desestimación. Motivación suficiente de la resolución de adjudicación. Las razones determinantes de la decisión adoptada por el órgano de contratación no aparecen reflejadas en la notificación efectuada a la interesada anterior a que ésta interpusiera su recurso, pero sí en la realizada con posterioridad a la interposición del escrito de recurso, cumpliendo así con la solicitud de la misma en lo que se refiere a la petición de remisión del informe de valoración. Cabe entender que a partir de dicha fecha la adjudicación debe de entenderse correctamente notificada, comenzando así el plazo para interponer el pertinente recurso. Si la interesada no ha presentado un nuevo recurso, una vez que la resolución de adjudicación se ha notificado correctamente, es porque ha considerado suficiente para la defensa de su derecho el recurso interpuesto. Correcta valoración de la oferta presentada por la adjudicataria. La inclusión en el sobre n.º 2, no sujeto a valoración subjetiva, de documentación del sobre n.º 3 constituye una irregularidad formal en el procedimiento establecido, si bien esta conducta no puede tener efectos invalidantes que conduzcan a la no valoración de la documentación incluida en el sobre n.º 2, puesto que no existe merma material alguna en las garantías de la contratación. No se ven afectados los principios de igualdad de trato y no discriminación, dado que la información que en su caso debe incluirse en el sobre n.º 3 es documentación objetiva.

2. La propuesta de adjudicación no crea derecho alguno en favor del licitador propuesto frente a la Administración. No obstante, cuando el órgano de contratación no adjudique el contrato de acuerdo con la propuesta formulada deberá motivar su decisión.

Concordancias a todo el artículo

➡ **Concordancias normativas**

Artículo 144 de la LCSP 30/2007 y artículos 82 y 88 del TRLCAP RDL 2/2000.

☞   **Concordancias Jurisprudenciales**

Tribunal Administrativo Central de Recursos Contractuales, Resolución de 18 Ene. 2012, rec. 334/2011

[LA LEY 37190/2012]

CONTRATO ADMINISTRATIVO DE CONSULTORÍA Y ASISTENCIA. Procedimiento de licitación para el contrato «Diseño, desarrollo, puesta en funcionamiento y mantenimiento de un sistema avanzado de monitorización de mercados secundarios». RECURSO ESPECIAL EN MATERIA DE CONTRATACIÓN. Inadmisión. La propuesta de adjudicación realizada es un mero acto de trámite, no una resolución definitiva, pues no pone fin al procedimiento. Será con ocasión de la impugnación de la adjudicación realizada cuando puedan realizarse las alegaciones pertinentes sobre cualesquiera aspectos del procedimiento que hayan desembocado en ese resultado.

Tribunal Superior de Justicia de Galicia, Sala de lo Contencioso-administrativo, Sección 2.ª, Sentencia de 10 Nov. 2011, rec. 4176/2009

[LA LEY 230912/2011]

CONTRATO ADMINISTRATIVO DE GESTIÓN DE SERVICIOS PÚBLICOS. Actuaciones administrativas preparatorias. Pliegos y anteproyecto de obra y explotación. -- Formas de adjudicación. En general. -- Clasificación de empresas contratistas de servicios.

Tribunal Superior de Justicia de Extremadura, Sala de lo Contencioso-administrativo, Sentencia de 22 Sep. 2011, rec. 1649/2009

[LA LEY 182503/2011]

CONTRATOS ADMINISTRATIVOS. Adjudicación de los contratos. Licitación. Concurso-subasta. -- Adjudicación de los contratos. Licitación. Proposiciones de los interesados. -- Adjudicación de los contratos. Selección del adjudicatario. Valoración de las ofertas.

Tribunal Superior de Justicia de Galicia, Sala de lo Contencioso-administrativo, Sección 2.ª, Sentencia de 16 Jun. 2011, rec. 4085/2011

CONTRATOS ADMINISTRATIVOS. Retrotracción del procedimiento de adjudicación del contrato de gestión del servicio público de atención a personas mayores. Presentación de nuevos sobres en el trámite público de apertura de ofertas, con ulterior prosecución del correspondiente procedimiento. La omisión o irregularidad procedimental relativa a la supresión del trámite público de lectura de proposiciones técnicas y de apertura de plicas conlleva trascendencia anulatoria, pues se sustrae a los licitadores la posibilidad de conocer en acto público antes de la adjudicación definitiva la propuesta de adjudicación que realiza la Mesa al Órgano de contratación, así como la posibilidad de realizar observaciones o reservas a ello, afectando a los principios de publicidad, concurrencia competitiva y transparencia del proceso.

Tribunal Superior de Justicia de Andalucía de Sevilla, Sala de lo Contencioso-administrativo, Sección 1.ª, Sentencia de 16 Nov. 2010, rec. 683/2009

[LA LEY 319498/2010]

CONTRATOS ADMINISTRATIVOS. Adjudicación de los contratos. Selección del adjudicatario. Valoración de las ofertas. -- Adjudicación de los contratos. Selección del adjudicatario. Adjudicación provisional y definitiva del contrato. PROCESO CONTENCIOSO-ADMINISTRATIVO. Capacidad procesal. Personas jurídicas. Acuerdo del órgano correspondiente. -- Capacidad procesal. Personas jurídicas. Casos de existencia.

⊠ **Consultas**

• **Adjudicación del contrato a licitador distinto del propuesto por la Mesa**

¿Qué motivos podrían alegarse para adjudicar el contrato a licitador distinto al propuesto por la Mesa de contratación?

[08/02/2011 EC 380/2011]

Contestación

Según dispone el art. 295 de la Ley 30/2007, de 30 de octubre (LA LEY 10868/2007)(BOE del 31), de Contratos del Sector Público (LCSP (LA LEY 10868/2007)), en los procedimientos abiertos y restringidos y en los procedimientos negociados con publicidad, los órganos de contratación de las Administraciones Públicas estarán asistidos por una Mesa de contratación, que será el órgano competente para la valoración de las ofertas. En los procedimientos negociados en que no sea necesario publicar anuncios de licitación, la constitución de la Mesa será potestativa para el órgano de contratación.

Por otro lado, y según establece el art. 144 de la misma norma, el órgano competente para la valoración de las proposiciones, calificará previamente la documentación y procederá, posteriormente, a la apertura y examen de las proposiciones; formulando la correspondiente propuesta de adjudicación al órgano de contratación, una vez ponderados los criterios que deban aplicarse para efectuar la selección del adjudicatario, cuya evaluación de los criterios que exijan un juicio de valor vinculará a aquél a efectos de formular la propuesta.

Así pues, aunque la propuesta de adjudicación no crea derecho alguno en favor del licitador frente a la Administración, cuando el órgano de contratación no adjudique el contrato de acuerdo con la propuesta formulada deberá motivar su decisión.

En este sentido se ha manifestado la JCCA en su Informe 62/1996, al decir que: «Dejando aparte el supuesto de informes vinculantes, equivalentes a verdaderas resoluciones, los no vinculantes (como es el caso de la propuesta de adjudicación de la Mesa) tienen la finalidad de ilustrar al órgano consultante sobre la decisión a adoptar, sin que quede vinculado por el contenido del informe, sino que puede apartarse de sus criterios sin otro requisito que el motivar su decisión, según resulta del artículo 54.1.c) de la Ley 30/1992, de 26 de noviembre (LA LEY 3279/1992), de Régimen Jurídico de las Administraciones Públicas y del Procedimiento Administrativo Común, a cuyo tenor, serán motivados con sucinta referencia de hechos y fundamentos de derecho los actos administrativos que se separen del dictamen de órganos consultivos.»

Para elaborar con acierto la referida motivación, el apartado 1 del art. 144 LCSP (LA LEY 10868/2007) establece que el órgano de contratación, en este caso el Alcalde, podrá solicitar los informes que estime oportunos cuando sea necesario verificar que las ofertas cumplen con las especificaciones técnicas del pliego.

Por otro lado, según el art. 136.4 LCSP (LA LEY 10868/2007), si el órgano de contratación, considerando la justificación efectuada por el licitador y los informes complementarios a ésta, estimase que la oferta no puede ser cumplida como consecuencia de la inclusión de valores anormales o desproporcionados, la excluirá de la clasificación y acordará la adjudicación a favor de la proposición económicamente más ventajosa, de acuerdo con el orden en que hayan sido clasificadas.

En cuanto a las propuestas incorrectas presentadas por los licitadores, habría que estar a lo dispuesto en el art. 84 del Reglamento General de la Ley de Contratos de las Administraciones Públicas (RCAP), aprobado por Real Decreto 1098/2001, de 12 de octubre (LA LEY 1470/2001) (BOE del 26), según el cual si alguna proposición no guardase concordancia con la documentación examinada y admitida, excediese del presupuesto base de licitación, variara sustancialmente el modelo establecido, o comportase error manifiesto en el importe de la proposición, o existiese reconocimiento por parte del licitador de que adolece de error o inconsistencia que la hagan inviable, será desechada por la mesa, en resolución motivada. Por el contrario, el cambio u omisión de algunas palabras del modelo, con tal que lo uno o la otra no alteren su sentido, no será causa bastante para el rechazo de la proposición.

Por último, debemos decir, tal y como apunta acertadamente el Informe 15/2009, de 3 de noviembre, de la Comisión Consultiva de Contratación Administrativa de la Junta de Andalucía que la previsión contenida en el art. 144.2 LCSP (LA LEY 10868/2007), que autoriza al órgano de contratación a no adjudicar el contrato de acuerdo con la propuesta formulada por la Mesa de contratación motivando tal decisión, no es aplicable a los supuestos en que se produzcan infracciones insubsanables en el procedimiento, ya que de ningún modo puede entenderse que tal adjudicación conllevaría la convalidación de todos los defectos producidos durante la tramitación del expediente, puesto que eso sería en definitiva desconocer total y absolutamente el procedimiento establecido por la legislación de contratos.

Artículo 161 *Adjudicación*

1. Cuando el único criterio a considerar para seleccionar al adjudicatario del contrato sea el del precio, la adjudicación deberá recaer en el plazo máximo de quince días a contar desde el siguiente al de apertura de las proposiciones.

➡ Concordancias normativas

Número 1 del artículo 161 redactado por el apartado veintiocho del artículo primero de la Ley 34/2010, de 5 de agosto, de modificación de las

Leyes 30/2007, de 30 de octubre, de Contratos del Sector Público, 31/2007, de 30 de octubre, sobre procedimientos de contratación en los sectores del agua, la energía, los transportes y los servicios postales, y 29/1998, de 13 de julio, reguladora de la Jurisdicción Contencioso-Administrativa para adaptación a la normativa comunitaria de las dos primeras («B.O.E». 9 agosto).

2. Cuando para la adjudicación del contrato deban tenerse en cuenta una pluralidad de criterios, el plazo máximo para efectuar la adjudicación será de dos meses a contar desde la apertura de las proposiciones, salvo que se hubiese establecido otro en el pliego de cláusulas administrativas particulares.

➡ **Concordancias normativas**

Número 2 del artículo 161 redactado por el apartado veintiocho del artículo primero de la Ley 34/2010, de 5 de agosto, de modificación de las Leyes 30/2007, de 30 de octubre, de Contratos del Sector Público, 31/2007, de 30 de octubre, sobre procedimientos de contratación en los sectores del agua, la energía, los transportes y los servicios postales, y 29/1998, de 13 de julio, reguladora de la Jurisdicción Contencioso-Administrativa para adaptación a la normativa comunitaria de las dos primeras («B.O.E». 9 agosto).

3. Los plazos indicados en los apartados anteriores se ampliarán en quince días hábiles cuando sea necesario seguir los trámites a que se refiere el artículo 152.3.

4. De no producirse la adjudicación dentro de los plazos señalados, los licitadores tendrán derecho a retirar su proposición.

Concordancias a todo el artículo

➡ **Concordancias normativas**

Artículo 145 de la LCSP 30/2007 y artículo 89 del TRLCAP RDL 2/2000.

Véase artículo 168 de la presente Ley.

☞ **Concordancias Jurisprudenciales**

Tribunal Superior de Justicia de Galicia, Sala de lo Contencioso-administrativo, Sección 2.ª, Sentencia de 7 Jul. 2011, rec. 4486/2010

[LA LEY 155849/2011]

CONTRATOS ADMINISTRATIVOS. Contrato de transporte de cadáveres que requieran la práctica de autopsias, necropsias y pruebas de investigación forense. Procedimiento abierto. Adjudicación. Baremación de méritos. Observaciones imprevistas de una de las licitadoras no adjudicataria sobre los medios personales y materiales ofertados que son debidamente justificados por la finalmente adjudicataria. No concurre desigualdad alguna de trato en el procedimiento de concurrencia competitiva.

Sección 3

Procedimiento restringido

Artículo 162 *Caracterización*

En el procedimiento restringido sólo podrán presentar proposiciones aquellos empresarios que, a su solicitud y en atención a su solvencia, sean seleccionados por el órgano de contratación. En este procedimiento estará prohibida toda negociación de los términos del contrato con los solicitantes o candidatos.

Concordancias a todo el artículo

➡ **Concordancias normativas**

Artículo 146 de la LCSP 30/2007 y artículo 91 del TRLCAP RDL 2/2000.

☞ **Concordancias Jurisprudenciales**☞ **Concordancias Jurisprudenciales**

Tribunal Superior de Justicia de Castilla-La Mancha, Sala de lo Contencioso-administrativo, Sección 1.ª, Sentencia de 27 Feb. 2009, rec. 741/2005

[LA LEY 119868/2009]

CONTRATO ADMINISTRATIVO DE GESTIÓN DE SERVICIOS PÚBLICOS. Formas de adjudicación. Concurso.

Artículo 163 *Criterios para la selección de candidatos*

1. Con carácter previo al anuncio de la licitación, el órgano de contratación deberá haber establecido los criterios objetivos de solvencia, de entre los señalados en los artículos 75 a 79, con arreglo a

los cuales serán elegidos los candidatos que serán invitados a presentar proposiciones.

2. El órgano de contratación señalará el número mínimo de empresarios a los que invitará a participar en el procedimiento, que no podrá ser inferior a cinco. Si así lo estima procedente, el órgano de contratación podrá igualmente fijar el número máximo de candidatos a los que se invitará a presentar oferta.

En cualquier caso, el número de candidatos invitados debe ser suficiente para garantizar una competencia efectiva.

3. Los criterios o normas objetivos y no discriminatorios con arreglo a los cuales se seleccionará a los candidatos, así como el número mínimo y, en su caso, el número máximo de aquellos a los que se invitará a presentar proposiciones se indicarán en el anuncio de licitación.

Concordancias a todo el artículo

➡ **Concordancias normativas**

Artículo 147 de la LCSP 30/2007 y artículo 91 del TRLCAP RDL 2/2000.

☞ **Concordancias Jurisprudenciales**

Tribunal Administrativo Central de Recursos Contractuales, Resolución de 3 Nov. 2011, rec. 236/2011

[LA LEY 293747/2011]

CONTRATO ADMINISTRATIVO DE CONSULTORÍA. Pliego de cláusulas particulares que ha de regir la contratación, mediante procedimiento restringido, del servicio para la «Redacción de los proyectos básico del conjunto y ejecución para la 1.ª fase y de asistencia técnica a la dirección de obra para la construcción de dicha 1.ª fase del Nuevo Campus para el Instituto de Salud Carlos III en Sanchinarro». RECURSO ESPECIAL EN MATERIA DE CONTRATACIÓN. Desestimación. No se acredita la pretendida desproporcionalidad por limitación a la concurrencia de los criterios de selección. La exigencia de número mínimo que establece la LCSP, no sólo se cumple sino que incluso se admite que puedan pasar a la fase de valoración de las ofertas el doble de candidatos de los que la Ley establece como mínimo.

Tribunal Superior de Justicia de Extremadura, Sala de lo Contencioso-administrativo, Sentencia de 7 Dic. 2011, rec. 1441/2009

[LA LEY 242507/2011]

CONTRATO ADMINISTRATIVO DE OBRAS. Conformidad a derecho de la medición y certificación de obra ejecutada en el contrato de «Refuerzo del firme del SRS de Jerez de los Caballeros a Higuera la Real». La interesada no realizó la obra en las condiciones y circunstancias en que se encontraba proyectada ni existió expediente de modificación, ni se ha acreditado que verbalmente se autorizase. Y de lo plasmado por escrito, precisamente se constata lo contrario, es decir que tal actuación de modificación se llevó a cabo unilateralmente y con ánimo de que no fuese conocida por la Administración.

☒ **Consultas**

• **¿Cuál es, en el procedimiento negociado sin publicidad, el plazo mínimo que se puede conceder a las empresas para presentar las ofertas, siendo la invitación por escrito?**

Contratación Administrativa Práctica, Nº 90, Sección Usted Pregunta, Octubre 2009, pág. 12, Editorial LA LEY

[LA LEY 1927/2009]

Respuesta

La LCSP establece diferente normativa para la adjudicación de contratos dependiendo del tipo de órgano de contratación de que se trate. Así debemos diferenciar los siguientes supuestos:

1. Adjudicación de contratos por las Administraciones Públicas: Capítulo I del Título I del Libro III de la LCSP (arts. 122-172 (LA LEY 10868/2007)).

La LCSP regula expresamente los plazos para presentar las ofertas en el procedimiento negociado con publicidad. Así, el apartado 3.º (LA LEY 10868/2007) del artículo 161 de la LCSP dispone que serán de aplicación al procedimiento negociado, en los casos en que se proceda a la publicación de anuncios de licitación, las normas contenidas en los artículos

147 (LA LEY 10868/2007) a 150 (LA LEY 10868/2007), ambos inclusive. No obstante, en caso de que se decida limitar el número de empresas a las que se invitará a negociar, deberá tenerse en cuenta lo señalado en el apartado 1 del artículo siguiente. Atendiendo a esta remisión, encontramos diferentes plazos expresamente fijados en el artículo 151 (LA LEY 10868/2007) dependiendo de si se trata de contratos sujetos a regulación armonizada o no y de si se ha realizado el anuncio previo.

Sin embargo, la LCSP no establece un plazo expreso para la presentación de ofertas cuando se trata de un procedimiento negociado sin publicidad como se cuestiona en la presente consulta. Por ello, debemos acudir a las normas generales sobre la licitación de los contratos de las Administraciones Públicas contenidas en la Subsección 3, Sección 1 del Capítulo I del Título I del Libro III de dicha Ley. En concreto, debemos acudir al artículo 127 (LA LEY 10868/2007) de la LCSP que señala que «los órganos de contratación fijarán los plazos de recepción de las ofertas y solicitudes de participación teniendo en cuenta el tiempo que razonablemente pueda ser necesario para preparar aquéllas, atendida la complejidad del contrato, y respetando, en todo caso, los plazos mínimos fijados en esta Ley.»

En consecuencia, la LCSP concede a los órganos de contratación un cierto margen de discrecionalidad para fijar los plazos para la presentación de ofertas con los siguientes tres límites señalados en el artículo transcrito: el tiempo razonable para prepararlas, la complejidad del contrato y el respeto a los plazos mínimos fijados en esta Ley.

2. Adjudicación de otros contratos del sector público: Capítulo II del Título I del Libro III de la LCSP (arts. 173-177).

En este apartado se diferencia entre:

a) Normas aplicables por los poderes adjudicadores que no tengan carácter de Administraciones Públicas. Para estos entes, la LCSP remite a la regulación del Capítulo I pero con algunas especialidades expresamente recogidas en el artículo 174 (LA LEY 10868/2007) y 175 (LA LEY 10868/2007) según se trate de contratos sujetos a regulación armonizada o no.

b) Normas aplicables por otros entes, organismos y entidades del sector público. Para estos entes, la LCSP remite a las instrucciones internas sobre contratación administrativa que deben aprobar dichos entes pero siempre sometidos a los principios de publicidad, concurrencia, transparencia, confidencialidad, igualdad y no discriminación tal y como expresamente prevé el artículo 176 (LA LEY 10868/2007).

• En el procedimiento negociado sin publicidad es necesario que se solicite previamente la oferta para que el empresario presente su proposición, pudiendo rechazarse las formuladas por empresarios a los que no se les haya solicitado

¿Es correcto el rechazo en el procedimiento negociado sin publicidad de las ofertas de contratistas «no invitados» o deben aceptarse y negociarse todas las presentadas?

[08/06/2009 EC 1700/2009]

Contestación

En el procedimiento negociado, el art. 161 de la Ley 30/2007, de 30 de octubre (BOE del 31), de Contratos del Sector Público (LCSP), distingue los supuestos en los que se requiere publicidad de la licitación y en los que no se requiere publicidad. Para los primeros establece el apartado 3 que serán de aplicación al procedimiento negociado, en los casos en que se proceda a la publicación de anuncios de licitación, las normas contenidas en los arts. 147 a 150, ambos inclusive. No obstante, en caso de que se decida limitar el número de empresas a las que se invitará a negociar, deberá tenerse en cuenta lo señalado en el apartado 1 del artículo siguiente.

En los supuestos en que no se requiere publicidad la concurrencia se cumple, según la ley, con la solicitud de ofertas, estableciendo el art. 162.1 que en el procedimiento negociado será necesario solicitar ofertas, al menos, a tres empresas capacitadas para la realización del objeto del contrato, siempre que ello sea posible. Y añade en el apartado 5 que en el expediente deberá dejarse constancia de las invitaciones cursadas, de las ofertas recibidas y de las razones para su aceptación o rechazo.

Por tanto, en el denominado procedimiento negociado sin publicidad basta con que el órgano de contratación solicite ofertas al menos a tres empresas capacitadas para la realización del objeto del contrato y si una empresa no ha sido invitada para que presente oferta no puede hacerlo, ya que no se trata de un procedimiento abierto donde cualquier empresa pueda presentar oferta una vez publicado el anuncio de licitación.

Por tanto, está motivado el rechazo de la proposición presentada, ya que la presentación de proposición requiere un acto previo de legitimación que en el caso del procedimiento negociado sin publicidad es la solicitud expresa de la oferta.

En cuanto al art. 1 de la Ley, debe señalarse que establece los principios generales, tales como garantizar que la misma se ajusta a los principios de libertad de acceso a las licitaciones, publicidad y transparencia de los procedimientos, y no discriminación e igualdad de trato entre los candidatos, y de asegurar una eficiente utilización de los fondos destinados a la realización de obras, la adquisición de bienes y la contratación de servicios mediante la exigencia de la definición previa de las necesidades a satisfacer, la salvaguarda de la libre competencia y la selección de la oferta económicamente más ventajosa. Pero esto solo son principios generales, pues luego la norma atendiendo, por ejemplo, al importe de los contratos, va especificando cuál debe ser la concurrencia mínima, y en el procedimiento negociado establece que cuando sea posible al menos habrá de solicitarse oferta a tres empresas capacitadas. Sin embargo, en procedimientos de contratación en los que la Ley considera que no es necesaria la concurrencia no requiere siquiera la existencia de varios oferentes, como ocurre en los contratos menores, en los que en la mayoría de los casos se trata de supuestos de lo que tradicionalmente se denominaban adjudicación directa, y en los que no existe ninguna concurrencia.

Artículo 164 *Solicitudes de participación*

1. En los procedimientos de adjudicación de contratos sujetos a regulación armonizada, el plazo de recepción de las solicitudes de participación no podrá ser inferior a treinta y siete días, a partir de la fecha del envío del anuncio al «Diario Oficial de la Unión Europea». Si se trata de contratos de concesión de obra pública, este plazo no podrá ser inferior a cincuenta y dos días. Este plazo podrá reducirse en siete días cuando los anuncios se envíen por medios electrónicos, informáticos y telemáticos.

En estos casos, la publicación de la licitación en el «Boletín Oficial del Estado» debe hacerse con una antelación mínima equivalente al plazo fijado para la presentación de las solicitudes de participación en el apartado siguiente.

2. Si se trata de contratos no sujetos a regulación armonizada, el plazo para la presentación de solicitudes de participación será, como mínimo, de diez días, contados desde la publicación del anuncio.

2. Si se trata de contratos no sujetos a regulación armonizada, el plazo para la presentación de solicitudes de participación será, como mínimo, de diez días, contados desde la publicación del anuncio.

3. Las solicitudes de participación deberán ir acompañadas de la documentación a que se refiere el artículo 146.1.

➡ **Concordancias normativas**

Artículo 148 de la LCSP 30/2007 y artículos 78, 91 y 138 del TRLCAP RDL 2/2000.

☒ **Consultas**

• **Requisitos del procedimiento negociado sin publicidad**

¿Ha de abrirse un procedimiento de solicitud de participación o es suficiente con la invitación a las empresas que se consideren adecuadas con el objeto del contrato? En consecuencia, ¿sería aplicable lo dispuesto en el art. 130.1 (LA LEY 1470/2001) LCSP a todas las empresas consultadas aunque declinen la invitación o no presenten oferta?

Contratación Administrativa Práctica, Nº 100, Sección Usted Pregunta, Septiembre 2010, pág. 13, Editorial LA LEY

[LA LEY 1198/2010]

Respuesta

El artículo 161 (LA LEY 10868/2007) de la Ley 30/2007, de 30 de octubre, de Contratos del Sector Público distingue entre procedimiento negociado con publicidad y sin publicidad estableciendo las siguientes normas:

«Será necesario anuncio de licitación, y por tanto estaremos en un procedimiento negociado con publicidad:

1. Cuando se acuda al procedimiento negociado por concurrir las circunstancias previstas en las letras a) y b) del artículo 154, en la letra a) del artículo 155, o en la letra a) del artículo 158.

2. Cuando se trate de contratos de obras superiores a 200.000 euros o resto de contrato cuando su valor estimado sea superior a 60.000 euros».

No será necesario anuncio de licitación y por tanto estaremos ante un procedimiento negociado sin publicidad:

— Cuando se acuda al procedimiento negociado por haberse presentado ofertas irregulares o inaceptables en los procedimientos antecedentes, siempre que en la negociación se incluya a todos los licitadores que en el procedimiento abierto o restringido, o en el procedimiento de diálogo competitivo seguido con anterioridad hubiesen presentado ofertas conformes con los requisitos formales exigidos, y solo a ellos.

— Cuando se trate de contratos de obras hasta 200.000 euros o resto de contratos cuando su valor estimado no exceda de 60.000 euros.

Pues bien, una vez hecha esa distinción, el apartado 3 del citado precepto dispone que serán de aplicación al procedimiento negociado, en los casos en que se proceda a la publicación de anuncios de licitación, las normas contenidas en los artículos 147 (LA LEY 1470/2001) a 150 (LA LEY 1470/2001), ambos inclusive. Esto es, solo en los procedimientos negociados con publicidad se aplican las normas establecidas para el procedimiento restringido, en particular el artículo 148, que regula las solicitudes de participación, y que señala, entre otras cosas, que las solicitudes de participación deberán ir acompañadas de la documentación a que se refiere el artículo 130.1.

Por tanto, en el procedimiento negociado sin publicidad no es necesario abrir una fase previa para seleccionar a los proponentes.

En el procedimiento negociado sin publicidad se aplica directamente la norma establecida en el art. 162.1 (LA LEY 1470/2001) LCSP cuando señala que en el procedimiento negociado será necesario solicitar ofertas, al menos, a tres empresas capacitadas para la realización del objeto del contrato, siempre que ello sea posible. Lo que tendrá que hacer el empresario invitado que quiera participar es presentar su oferta con la documentación complementaria. El que no quiera presentar oferta en el procedimiento negociado sin publicidad, no tiene ninguna obligación de presentar la documentación acreditativa del cumplimiento de los requisitos previos.

Solo tiene sentido la presentación de la documentación establecida en el art. 130.1 cuando se aplica el procedimiento previo de elección de solicitantes en el procedimiento negociado con publicidad, precisamente porque en este caso los empresarios solicitan que se les invite a participar en el procedimiento de contratación y es en esa solicitud donde tienen que acreditar el cumplimiento de los requisitos del art. 130.1.

Artículo 165 *Selección de solicitantes*

1. El órgano de contratación, una vez comprobada la personalidad y solvencia de los solicitantes, seleccionará a los que deban pasar a la siguiente fase, a los que invitará, simultáneamente y por escrito, a presentar sus proposiciones en el plazo que proceda conforme a lo señalado en el artículo 167.

2. El número de candidatos invitados a presentar proposiciones deberá ser igual, al menos, al mínimo que, en su caso, se hubiese fijado previamente. Cuando el número de candidatos que cumplan los criterios de selección sea inferior a ese número mínimo, el órgano de contratación podrá continuar el procedimiento con los que reúnan las condiciones exigidas, sin que pueda invitarse a empresarios que no hayan solicitado participar en el mismo, o a candidatos que no posean esas condiciones.

➡ Concordancias normativas

Artículo 149 de la LCSP 30/2007 y artículo 91 del TRLCAP RDL 2/2000.

Artículo 166 *Contenido de las invitaciones e información a los invitados*

1. Las invitaciones contendrán una referencia al anuncio de licitación publicado e indicarán la fecha límite para la recepción de ofertas, la dirección a la que deban enviarse y la lengua en que deban estar redactadas, si se admite alguna otra además del castellano, los criterios de adjudicación del contrato que se tendrán en cuenta y su ponderación relativa o, en su caso, el orden decreciente de importancia atribuido a los mismos, si no figurasen en el anuncio de licitación, y el lugar, día y hora de la apertura de proposiciones.

2. La invitación a los candidatos incluirá un ejemplar de los pliegos y copia de la documentación complementaria, o contendrá las indicaciones pertinentes para permitir el acceso a estos documentos, cuando los mismos se hayan puesto directamente a su disposición por medios electrónicos, informáticos y telemáticos con arreglo a lo dispuesto en el apartado 1 del artículo siguiente.

3. Cuando los pliegos o la documentación complementaria, obren en poder de una entidad u órgano distinto del que tramita el procedimiento, la invitación precisará la forma en que puede solicitarse dicha documentación y, en su caso, la fecha límite para ello, así como el importe y las modalidades de pago de la cantidad que, en su caso, haya de abonarse. Los servicios competentes remitirán dicha documentación sin demora a los interesados tras la recepción de su solicitud.

4. Los órganos de contratación o los servicios competentes deberán facilitar, antes de los seis días anteriores a la fecha límite fijada para la recepción de ofertas, la información suplementaria sobre los pliegos o sobre la documentación complementaria que se les solicite con la debida antelación por los candidatos.

➡ **Concordancias normativas**

Véase artículo 112.2 b) de la presente Ley.

5. Será igualmente de aplicación en este procedimiento lo previsto en el artículo 158.3.

➡ **Concordancias normativas**

Artículo 150 de la LCSP 30/2007 y artículo 91 del TRLCAP RDL 2/2000.

Artículo 167 *Proposiciones*

1. El plazo de recepción de ofertas en los procedimientos relativos a contratos sujetos a regulación armonizada no podrá ser inferior a cuarenta días, contados a partir de la fecha de envío de la invitación escrita. Este plazo podrá reducirse en cinco días cuando se ofrezca acceso por medios electrónicos, informáticos y telemáticos a los pliegos y a la documentación complementaria.

Si se hubiese enviado el anuncio previo a que se refiere el artículo 141, el plazo podrá reducirse, como norma general, hasta treinta y seis días o, en casos excepcionales debidamente justificados, hasta veintidós días. Esta reducción del plazo sólo será admisible cuando el anuncio de información previa se hubiese enviado para su publicación antes de los cincuenta y dos días y después de los doce meses anteriores a la fecha de envío del anuncio de licitación, siempre que en él se hubiese incluido, de estar disponible, toda la información exigida para éste.

2. En los procedimientos relativos a contratos no sujetos a regulación armonizada, el plazo para la presentación de proposiciones no será inferior a quince días, contados desde la fecha de envío de la invitación.

Concordancias a todo el artículo

➡ **Concordancias normativas**

Artículo 151 de la LCSP 30/2007 y artículos 78, 79, 91, 138, 179 y 207 del TRLCAP RDL 2/2000.

☞ **Concordancias Jurisprudenciales**

Tribunal Superior de Justicia de Galicia, Sala de lo Contencioso-administrativo, Sección 2.ª, Sentencia de 1 Dic. 2011, rec. 4200/2010

[LA LEY 251580/2011]

CONTRATOS ADMINISTRATIVOS. Cumplimiento. Obligaciones de la Administración. -- Extinción. En general.

Artículo 168 *Adjudicación*

En la adjudicación del contrato será de aplicación lo previsto en los artículos 160 y 161, salvo lo que se refiere a la necesidad de calificar previamente la documentación a que se refiere el artículo 146.

➡ **Concordancias normativas**

Artículo 152 de la LCSP 30/2007 y artículos 82, 88, 89 y 91 del TRLCAP RDL 2/2000.

Sección 4

Procedimiento negociado

Artículo 169 *Caracterización*

1. En el procedimiento negociado la adjudicación recaerá en el licitador justificadamente elegido por el órgano de contratación, tras efectuar Consultas con diversos candidatos y negociar las condiciones del contrato con uno o varios de ellos.

☞ **Concordancias Jurisprudenciales**

Tribunal Administrativo Central de Recursos Contractuales, Resolución de 24 Feb. 2011, rec. 015/2011

[LA LEY 14643/2011]

CONTRATO ADMINISTRATIVO DE SERVICIOS. Adjudicación mediante procedimiento negociado sin publicidad del contrato de servicios de vigilancia de seguridad en los Servicios Centrales del Consejo de Administración de Patrimonio Nacional. RECURSO ESPECIAL EN MATERIA DE CONTRATACIÓN. Estimación. Nulidad del procedimiento de adjudicación, porque se ha incumplido un trámite esencial del procedimiento negociado, como es la negociación de las ofertas presentadas por los licitadores, en este caso del precio que es el único aspecto de negociación previsto en el pliego de cláusulas administrativas particulares. Procede retrotraer las actuaciones hasta el momento de negociación de los términos del contrato con las empresas licitadoras. El órgano de contratación no ha cumplido con el requisito de motivación de la notificación de la adjudicación provisional exigido en la Ley. Dicha notificación no hace referencia alguna a la existencia o no de negociación de los términos del contrato con los licitadores, en este caso del precio, aspecto éste esencial tratándose de un procedimiento negociado.

✉ **Consultas**

• **Procedimiento negociado en el que se ha acreditado la solicitud de tres ofertas, pero en el que a fecha de finalización del plazo dado para presentarlas solo se ha recibido una**

En procedimiento negociado sin publicidad se acuerda invitar a tres empresas de las que solo una presenta oferta. ¿Puede adjudicarse el contrato o es preciso que presenten oferta las tres?

[24/02/2009 EC 668/2009]

Contestación

En el procedimiento negociado el contrato será adjudicado al empresario justificadamente elegido por la Administración, previa consulta y negociación de los términos del contrato con uno o varios empresarios, de conformidad con lo establecido en el art. 153.1 de Ley 30/2007, de 30 de octubre (BOE del 31), de Contratos del Sector Público (LCSP). En la tramitación de estos procedimientos hay que tener en cuenta tanto sus normas específicas (arts. 153 y ss. LCSP) como las normas generales en materia de adjudicación recogidas en los art. 122 a 140, ambos inclusive, de la LCSP.

De acuerdo al art. 162.1 LCSP, en el procedimiento negociado es necesario solicitar ofertas de, al menos, tres empresas capacitadas para la realización del objeto del contrato (siempre que ello sea posible). Añade el apartado quinto del mismo artículo que en el expediente se deje constancia de las invitaciones cursadas, de las ofertas recibidas y de las razones para su aceptación o rechazo. Por aplicación del art. 295.1 LCSP en los procedimientos negociados en los que no sea necesario publicar un anuncio de licitación (como el de la consulta), la constitución de la Mesa de contratación será potestativa.

A la cuestión planteada cabe dar una respuesta afirmativa, puesto que si se ha acreditado la solicitud de las ofertas en el expediente y ha transcurrido el plazo otorgado a las empresas para ello, y se dispone de una que cumple los requisitos establecidos en el art. 162.1 señalado, será posible, previa negociación en su caso con ella, formular la propuesta de adjudicación provisional a su favor. No obstante hemos de tener en cuenta lo siguiente:

— Parece avalar esta interpretación la dicción literal del art. 166.3 LCSP, que al regular las posibles fases de negociación y la posible reducción de candidatos indica que: «El número de soluciones que lleguen hasta la fase final deberá ser lo suficientemente amplio como para garantizar una competencia efectiva, siempre que se hayan presentado un número suficiente de soluciones o de candidatos adecuados». Esa matización parece enlazar con que la presentación de ofertas no está en manos de la Administración y el procedimiento se continuará con los que haya, matizando únicamente que no será posible reducir en las fases los candidatos si existen pocos, para respetar el principio de competencia efectiva.

Es interesante, no obstante, la reflexión que realiza Guillermo Lago Núñez en su artículo «La negociación como procedimiento contractual», publicado en EC 1772/2008, que afirma que será necesario tener una «previsión suficiente de invitaciones iniciales para garantizar la competencia». Esto es, la legislación establece un mínimo de tres, que en algunos casos puede resultar insuficiente, dadas las circunstancias del mercado, y por ello, en aras de garantizar el respeto al principio de competencia efectiva, es bueno ampliar — Las proposiciones de participación en el procedimiento negociado, y precisamente debido a sus características, no tienen en carácter de oferta o presupuesto cerrado. El Dictamen de la Junta Consultiva de Contratación 21/1997, de 14 de julio, declaraba que las ofertas en los procedimientos negociados no son equiparables a las proposiciones a que se refiere el art. 80 de la LCAP «entre otras razones y como fundamental, porque el precio u oferta económica es uno de los elementos, quizá el fundamental, que se negocia con los empresarios en el procedimiento negociado sin que pueda quedar fijado con carácter inalterable en la oferta a diferencia de lo que ocurre en las proposiciones» (literal del Informe 9/1998, de 11 de junio).

Es posible por ello la negociación con los candidatos, sobre todo en materia de precio, cuestión que es posible hasta en este caso en el que existe un único licitador.

— El Informe de la JCCA 9/1998, de 11 de junio de 1998, analiza varias cuestiones en relación con el procedimiento negociado. Es importante la interpretación que se debe dar a la expresión «capacitadas» y como debe acreditarse su cumplimiento en el expediente, pero en relación al caso que nos ocupa debe tenerse el análisis del funcionamiento del procedimiento que realiza y cómo puede darse por cumplido el requisito de concurrencia. A su juicio, todas las cuestiones planteadas en relación con este procedimiento deben resolverse sin perder de vista el principio de flexibilidad derivado de la negociación que lo caracteriza, siendo posible la formulación de la propuesta a favor de la empresa que haya cumplido todos los requisitos, y, respecto de las demás «que consigne expresamente en la propuesta que no han acreditado tales requisitos».

— En cuanto al cómputo de plazos de presentación de las proposiciones por parte de las empresas, nos remitimos a las reflexiones realizadas en EC 1425/2007, consulta en la que se coincide con el criterio de la presente en cuanto que lo que se debe acreditar en el expediente es la solicitud de tres ofertas, lo que no implica que deban recibirse las tres.

• **Publicidad en las Mesas de contratación en los procedimientos negociados.**

¿Deben ser necesariamente públicas las Mesas de contratación en los procedimientos negociados?

[15/11/2008 EC 3497/2008]

Contestación

El art. 295 de Ley 30/2007, de 30 de octubre (EC 3697/2007), de Contratos del Sector Público (LCSP), se refiere a las Mesas de contratación. Dice que salvo en el caso en que la competencia para contratar corresponda a una Junta de Contratación, en los procedimientos abiertos y restringidos y en los procedimientos negociados con publicidad, los órganos de contratación de las Administraciones Públicas estarán asistidos por una Mesas de contratación, que será el órgano competente para la valoración de las ofertas. En los procedimientos negociados en que no sea necesario publicar anuncios de licitación, la constitución de la Mesas será potestativa para el órgano de contratación.

En todo caso, la apertura de la oferta económica se realizará en acto público, salvo cuando se prevea que en la licitación puedan emplearse medios electrónicos.

Por otro lado, el art. 153 LCSP establece que en el procedimiento negociado la adjudicación recaerá en el licitador justificadamente elegido por el órgano de contratación, tras efectuar consultas con diversos candidatos y negociar las condiciones del contrato con uno o varios de ellos.

El procedimiento negociado será objeto de publicidad previa en los casos previstos en el artículo, en los que será posible la presentación de ofertas en concurrencia por cualquier empresario interesado. En los restantes supuestos, no será necesario dar publicidad al procedimiento, asegurándose la concurrencia mediante el cumplimiento de lo previsto en el art. 162.1.

Tras analizar estos preceptos, lo primero que debemos decir es que si se trata de un procedimiento negociado sin publicidad no es necesaria la constitución de la Mesas. Es potestativo.

Si se decide constituir la misma, y en todo caso si es un procedimiento negociado con publicidad, el acto público de apertura de las proposiciones se celebrará en el lugar y día que previamente se haya señalado. A este respecto, el art. 83 del Reglamento General de la Ley de Contratos de las Administraciones Públicas (RCAP), aprobado por Real Decreto 1098/2001, de 12 de octubre (EC 3784/2001), es bastante claro.

En definitiva, en el procedimiento negociado con publicidad es pública la apertura de las proposiciones (sólo esto, no otros cometidos de la Mesas). Si no es necesaria la publicidad, la constitución de la Mesas es potestativa, pero si se decide dicha constitución, el acto de apertura de proposiciones también será público.

2. El procedimiento negociado será objeto de publicidad previa en los casos previstos en el artículo 177, en los que será posible la presentación de ofertas en concurrencia por cualquier empresario interesado. En los restantes supuestos, no será necesario dar publicidad al procedimiento, asegurándose la concurrencia mediante el cumplimiento de lo previsto en el artículo 178.1.

Concordancias a todo el artículo

➡ **Concordancias normativas**

Artículo 153 de la LCSP 30/2007 y artículo 73.4 del TRLCAP RDL 2/2000.

☞ **Concordancias Jurisprudenciales**

Tribunal Superior de Justicia de Galicia, Sala de lo Contencioso-administrativo, Sección 2.ª, Sentencia de 22 Mar. 2012, rec. 4164/2009

[LA LEY 36251/2012]

CONTRATOS ADMINISTRATIVOS. Preparación de los contratos. Expediente de contratación. Pliegos de cláusulas administrativas. -- Adjudicación de los contratos. Licitación. Concurso-subasta. -- Adjudicación de los contratos. Selección del adjudicatario. RECURSO DE

APELACIÓN CONTENCIOSO-ADMINISTRATIVO. Capacidad y representación procesal.

Tribunal Superior de Justicia de Extremadura, Sala de lo Contencioso-administrativo, Sentencia de 13 Dic. 2011, rec. 1340/2009

[LA LEY 242516/2011]

CONTRATO ADMINISTRATIVO DE OBRAS. Conformidad a derecho de la adjudicación provisional de obra consistente en finalización de las obras del Edar en Medellín. La publicidad no es necesaria en este procedimiento negociado, porque la imperiosa urgencia resultante de acontecimientos imprevisibles para el órgano de contratación y no imputables al mismo, que demande una pronta ejecución del contrato que no pueda lograrse mediante la aplicación de la tramitación de urgencia, se justifica y motiva en el expediente y en la resolución, por actos vandálicos, robos y daños.

Subsección 1

Supuestos de aplicación

Artículo 170 *Supuestos generales*

En los términos que se establecen para cada tipo de contrato en los artículos siguientes, los contratos que celebren las Administraciones Públicas podrán adjudicarse mediante procedimiento negociado en los siguientes casos:

a) Cuando las proposiciones u ofertas económicas en los procedimientos abiertos, restringidos o de diálogo competitivo seguidos previamente sean irregulares o inaceptables por haberse presentado por empresarios carentes de aptitud, por incumplimiento en las ofertas de las obligaciones legales relativas a la fiscalidad, protección del medio ambiente y condiciones de trabajo a que se refiere el artículo 119, por infringir las condiciones para la presentación de variantes o mejoras, o por incluir valores anormales o desproporcionados, siempre que no se modifiquen sustancialmente las condiciones originales del contrato.

☞   **Concordancias Jurisprudenciales**

Tribunal Superior de Justicia de Extremadura, Sala de lo Contencioso-administrativo, Sentencia de 13 Dic. 2011, rec. 1340/2009

[LA LEY 242516/2011]

CONTRATO ADMINISTRATIVO DE OBRAS. Conformidad a derecho de la adjudicación provisional de obra consistente en finalización de las obras del Edar en Medellín. La publicidad no es necesaria en este procedimiento negociado, porque la imperiosa urgencia resultante de acontecimientos imprevisibles para el órgano de contratación y no imputables al mismo, que demande una pronta ejecución del contrato que no pueda lograrse mediante la aplicación de la tramitación de urgencia, se justifica y motiva en el expediente y en la resolución, por actos vandálicos, robos y daños.

b) En casos excepcionales, cuando se trate de contratos en los que, por razón de sus características o de los riesgos que entrañen, no pueda determinarse previamente el precio global.

c) Cuando, tras haberse seguido un procedimiento abierto o restringido, no se haya presentado ninguna oferta o candidatura, o las ofertas no sean adecuadas, siempre que las condiciones iniciales del contrato no se modifiquen sustancialmente. Tratándose de contratos sujetos a regulación armonizada, se remitirá un informe a la Comisión de la Unión Europea, si ésta así lo solicita.

✉   **Consultas**

• **Actuación cuando el procedimiento negociado sin publicidad queda desierto**

Licitada una obra por procedimiento negociado sin publicidad que queda desierto, ¿cabe la adjudicación directa al licitador que cumpla los requisitos señalados en el pliego de condiciones?

[23/04/2009 EC 1284/2009]

Contestación

En primer lugar, nos gustaría hacer una precisión en relación a la consulta, y es que entendemos que aunque se utilice la expresión licitador se está refiriendo a una empresa que no ha sido licitadora ya que en caso contrario no cabría hablar de procedimiento desierto.

Como sabemos, la Ley 30/2007, de 30 de octubre (BOE del 31), de Contratos del Sector Público (LCSP), al igual que hiciera el derogado Texto Refundido de la Ley de Contratos de las Administraciones Públicas, no prevé la situación de un procedimiento negociado desierto y solo prevé esta posibilidad para el procedimiento abierto y el procedimiento restringido, estableciendo en su art. 154.c) que, cuando tras haberse seguido un procedimiento abierto o restringido no se haya presentado ninguna oferta o candidatura, podrá adjudicarse el contrato mediante procedimiento negociado sin necesidad de anuncio de convocatoria, según se desprende del art. 161 LCSP.

Diremos que es realmente extraño que un contrato de obra por procedimiento negociado sin publicidad quede desierto, lo que se puede deber a dos circunstancias: o bien que el ayuntamiento no haya acertado al elegir las empresas a las que ha solicitado las ofertas; o bien que el presupuesto por el que se licita la obra esté muy por debajo del precio de mercado.

Si estamos ante el primer caso, entendemos que lo que debe hacer el ayuntamiento es, con el mismo pliego de cláusulas administrativas, volver a solicitar ofertas a otras empresas distintas (entre ellas, a la empresa que está dispuesta a hacer la obra). Incluso podría justificarse en el expediente que solo se solicita a una empresa, y no a las tres mínimas que exige el art. 162.1 LCSP, porque ya se han solicitado a varias empresas y se ha cumplido el requisito establecido en dicho precepto.

Si nos encontráramos en el segundo supuesto, lo que procedería sería modificar el proyecto de la obra y volver a abrir un nuevo procedimiento de contratación.

No creemos que la solución sea una adjudicación directa porque en ningún precepto de la ley está prevista dicha posibilidad. Además hay que considerar lo que hemos señalado en relación a que en un procedimiento negociado sin publicidad pueden solicitarse ofertas a un gran número de empresas, por lo que es difícil ampararse en que el procedimiento ha quedado desierto.

Por tanto, nuestra solución es, amparándose en el principio de derecho administrativo de conservación o mantenimiento de los actos administrativos, realizar una nueva solicitud de ofertas partiendo del expediente de contratación ya aprobado.

• ¿Es necesario publicar anuncio de licitación para un contrato de más de 100.000 euros que se adjudica mediante procedimiento negociado por existir razones técnicas que hacen que el contrato sólo pueda encomendarse a un empresario determinado?

Contratación Administrativa Práctica, N° 84, Sección Usted Pregunta, Marzo 2009, pág. 17, Editorial LA LEY

[LA LEY 172/2009]

Respuesta

Imaginamos que se refieren al supuesto contemplado en el artículo 154.c) (LA LEY 10868/2007) de la Ley 30/2007, de 30 de octubre, de Contratos del Sector Público, cuando dice que los contratos que celebren las Administraciones Públicas podrán adjudicarse mediante procedimiento negociado en el supuesto de que, por razones técnicas o artísticas o por motivos relacionados con la protección de derechos de exclusiva el contrato sólo pueda encomendarse a un empresario determinado.

Si como indican se adjudica por razones técnicas en particular o general, y a supuestos en que no es posible promover la concurrencia como causa justificativa de la utilización de dicho procedimiento de adjudicación, no tiene sentido dar publicidad al expediente, sea cual sea la cuantía. Lo que deberá justificarse en el expediente es que el contrato sólo puede adjudicarse a esa persona.

d) Cuando, por razones técnicas o artísticas o por motivos relacionados con la protección de derechos de exclusiva el contrato sólo pueda encomendarse a un empresario determinado.

⊠   **Consultas**

• El contrato de mantenimiento de aplicaciones informáticas debe calificarse como contrato de servicios.

¿Qué naturaleza tiene el contrato de mantenimiento y actualización de aplicaciones informáticas?

[15/08/2008 EC 2662/2008]

Contestación

Los contratos de mantenimiento de las aplicaciones informáticas constituyen un problema que no estaba bien resuelto ni por el derogado Texto Refundido de la Ley de Contratos de las Administraciones Públicas (TR LCAP), aprobado por Real Decreto Legislativo 2/2000, de 16 de junio (EC 2287/2000), ni por la actual Ley 30/2007, de 30 de octubre (EC 3697/2007), de Contratos del Sector Público (LCSP), porque no se han tenido en cuenta dos factores:

— En primer lugar que las administraciones pequeñas, como son la mayoría de los municipios españoles, no puede tener un departamento de informática que les resuelva los problemas diarios que plantean las aplicaciones informáticas.

— En segundo lugar que los programas que existen en el mercado para numerosos servicios como padrón, registro, contabilidad, gestión tributaria, recaudación, etc. se adquieren con una vocación de permanencia, lo que es incompatible con la limitación de la duración de este tipo de contratos. A lo que debe añadirse que el servicio de mantenimiento sólo puede contratarse con la empresa que ha suministrado el programa en cuestión.

Dicho esto, entendemos que estos contratos de mantenimiento son contratos de servicios según se desprende del art. 10 LCSP, que considera como tales «aquellos cuyo objeto son prestaciones de hacer consistentes en el desarrollo de una actividad o dirigidas a la obtención de un resultado distinto de una obra o de un suministro», añadiendo que a efectos de aplicación de esta Ley, los contratos de servicios se dividen en las categorías enumeradas en el Anexo II que en su categoría 7 incluye los «servicios de informática y servicios conexos.»

Por tanto, y en virtud del art. 279.1 LCSP estos contratos no podrán tener una duración superior a 4 años más dos años de prórroga, de forma que no puede exceder de un total de 6 años.

Transcurridos estos 6 años deberá hacerse un nuevo procedimiento de adjudicación, siendo a nuestro juicio aplicable el art. 154 d) LCSP que permite la utilización del procedimiento negociado cuando por razones técnicas solo pueda encomendarse a un empresario determinado.

e) Cuando una imperiosa urgencia, resultante de acontecimientos imprevisibles para el órgano de contratación y no imputables al mismo, demande una pronta ejecución del contrato que no pueda lograrse mediante la aplicación de la tramitación de urgencia regulada en el artículo 112.

☞ **Concordancias Jurisprudenciales**

Tribunal Administrativo Central de Recursos Contractuales, Resolución de 27 Jul. 2011, rec. 161/2011

[LA LEY 119690/2011]

CONTRATO ADMINISTRATIVO DE SERVICIOS. De control de accesos, vigilancia y seguridad en diversos edificios. Adjudicación. Procedimiento negociado. RECURSO ESPECIAL EN MATERIA DE CONTRATACIÓN. Desestimación. La alegación de inadecuación del procedimiento negociado puede alegarse como causa de la impugnación del contenido del pliego de cláusulas administrativas particulares. Pero resultando consentido el contenido del referido pliego, resulta inhábil para obtener una declaración de nulidad de los actos dictados al amparo de aquél. La voluntad del órgano de contratación no ha sido sustituir la adjudicación del contrato mediante procedimiento abierto por una adjudicación por procedimiento negociado, sino cubrir el eventual retraso en la adjudicación del contrato, ocasionado por la fecha en que se le notificó la anterior resolución del TACRC que anuló parcialmente los pliegos de cláusulas administrativas particulares y de prescripciones técnicas. El órgano de contratación no estaba obligado a invitar a la totalidad de los licitadores que concurrieron al procedimiento del que se desistió, sino que su obligación se limitaba a invitar a, al menos, 3 licitadores, lo cual fue realizado en este caso. La posibilidad de invitar a más licitadores es una cuestión que queda dentro de la discrecionalidad del órgano de contratación.

f) Cuando el contrato haya sido declarado secreto o reservado, o cuando su ejecución deba ir acompañada de medidas de seguridad especiales conforme a la legislación vigente, o cuando lo exija la protección de los intereses esenciales de la seguridad del Estado y así se haya declarado de conformidad con lo previsto en el artículo 13.2.d).

g) Cuando se trate de contratos incluidos en el ámbito del artículo 346 del Tratado de Funcionamiento de la Unión Europea (LA LEY 6/1957).

☞ **Concordancias Jurisprudenciales**

Tribunal Administrativo Central de Recursos Contractuales, Resolución de 3 Feb. 2012, rec. 8/2012

[LA LEY 30784/2012]

CONTRATO ADMINISTRATIVO DE SUMINISTROS. Para la adquisición de conjuntos de transformación de AMP 12,70 Browning al modelo QCB. Adjudicación mediante procedimiento negociado sin publicidad. RECURSO ESPECIAL EN MATERIA DE CONTRATACIÓN. Inadmisión. Por no ser este contrato susceptible de tal recurso especial. En los contratos de suministros sólo es posible formular el recurso especial en materia de contratación cuando se encuentran sujetos a regulación armonizada. El pliego de cláusulas administrativas particulares indica que el contrato no está sujeto a regulación armonizada al haberse adoptado las medidas previstas en cuanto a la protección de los intereses esenciales en materia de seguridad. El suministro objeto del contrato consiste en la adquisición de conjuntos de transformación de AMP 12,70 Browning al modelo QCB, referido a la ametralladora pesada Browning 12,70 mm, por lo que encaja en los supuestos definidos en la Instrucción aplicable.

Concordancias a todo el artículo

➡ **Concordancias normativas**

Artículo 154 de la LCSP 30/2007 y artículos 140, 141, 181, 182, 209 y 210 del TRLCAP RDL 2/2000.

Artículo 171 *Contratos de obras*

Además de en los casos previstos en el artículo 170, los contratos de obras podrán adjudicarse por procedimiento negociado en los siguientes supuestos:

a) Cuando las obras se realicen únicamente con fines de investigación, experimentación o perfeccionamiento y no con objeto de obtener una rentabilidad o de cubrir los costes de investigación o de desarrollo.

b) Cuando se trate de obras complementarias que no figuren en el proyecto ni en el contrato, o en el proyecto de concesión y su contrato inicial, pero que debido a una circunstancia que no pudiera haberse previsto por un poder adjudicador diligente pasen a ser necesarias para ejecutar la obra tal y como estaba descrita en el proyecto o en el contrato sin modificarla, y cuya ejecución se confíe al contratista de la obra principal o al concesionario de la obra pública de acuerdo con los precios que rijan para el contrato primitivo o que, en su caso, se fijen contradictoriamente, siempre que las obras no puedan separarse técnica o económicamente del contrato primitivo sin causar grandes inconvenientes al órgano de contratación o que, aunque resulten separables, sean estrictamente necesarias para su perfeccionamiento, y que el importe acumulado de las obras complementarias no supere el 50 por ciento del importe primitivo del contrato.

➡ **Concordancias normativas**

Letra b) del artículo 155 redactada por el apartado nueve de la disposición final decimosexta de la Ley 2/2011, de 4 de marzo, de Economía Sostenible («B.O.E». 5 marzo).

c) Cuando las obras consistan en la repetición de otras similares adjudicadas por procedimiento abierto o restringido al mismo contratista por el órgano de contratación, siempre que se ajusten a un proyecto base que haya sido objeto del contrato inicial adjudicado por dichos procedimientos, que la posibilidad de hacer uso de este procedimiento esté indicada en el anuncio de licitación del contrato inicial y que el importe de las nuevas obras se haya computado al fijar la cuantía total del contrato.

Únicamente se podrá recurrir a este procedimiento durante un período de tres años, a partir de la formalización del contrato inicial.

d) En todo caso, cuando su valor estimado sea inferior a un millón de euros.

Concordancias a todo el artículo

➡ **Concordancias normativas**

Artículo 155 de la LCSP 30/2007 y artículo 140 y 141 del TRLCAP RDL 2/2000.

📖 **Doctrina**

«La fijación de precios en el contrato de obras complementario». García Ortells, Francisco. *Diario La Ley,* N.º 7783, Año XXXIII, 25 Ene. 2012, Ref. D-32, Editorial LA LEY

[LA LEY 22190/2011]

Uno de los principios que inspiran la contratación administrativa consiste en que el precio del contrato sea adecuado a mercado tanto en el momento de su licitación como a lo largo de la vida de éste; de ahí la importancia que la revisión de los precios —como medida de estabilización— tiene en la vida de los contratos

✉ **Consultas**

• **¿Debe entenderse que la adjudicación de la obra complementaria ha de realizarla el mismo órgano de contratación que adjudicó el contrato principal?**

Contratación Administrativa Práctica, N° 83, Sección Usted Pregunta, Febrero 2009, pág. 13, Editorial LA LEY

[LA LEY 18/2009]

Respuesta

En principio, y analizando la normativa vigente nada impide que un contrato complementario se adjudique por un órgano de contratación diferente al que adjudicó el principal. Ni la LCSP ni la normativa anterior de contratos establecen requisitos de carácter subjetivo para la adjudicación de contratos complementarios. No obstante, en el expediente deberían aclararse y justificarse los motivos de este cambio de órgano.

Esta situación se ha dado cuando ha habido transferencias de competencias entre órganos administrativos. Así, por ejemplo, ha ocurrido en los casos en los que debido al proceso de transferencias en materia de sanidad del Estado a las Comunidades, el Estado fue el adjudicatario de un contrato cuyo objeto era la construcción de un centro sanitario y, al poco tiempo, una vez transferidas las competencias a la Comunidad Autónoma correspondiente, ésta ha adjudicado el contrato complementario de dicho contrato principal.

El principal problema que ocasionan los complementarios es que en numerosas ocasiones no cumplen con los requisitos objetivos señalados en la normativa desde hace ya varias décadas. El legislador consciente de esta problemática ha venido estableciendo límites y cautelas para la tramitación y adjudicación de los mismos. En la actualidad, están expresamente recogidos en el artículo 155 (LA LEY 10868/2007) de la LCSP. Estos requisitos objetivos son los realmente transcendentes a la hora de querer respetar la normativa vigente así como los principios de transparencia, libre concurrencia y publicidad.

Artículo 172 *Contratos de gestión de servicios públicos*

Además de en los supuestos previstos en el artículo 170, podrá acudirse al procedimiento negociado para adjudicar contratos de gestión de servicios públicos en los siguientes casos:

a) Cuando se trate de servicios públicos respecto de los cuales no sea posible promover concurrencia en la oferta.

b) Los de gestión de servicios cuyo presupuesto de gastos de primer establecimiento se prevea inferior a 500.000 euros y su plazo de duración sea inferior a cinco años.

c) Los relativos a la prestación de asistencia sanitaria concertados con medios ajenos, derivados de un Convenio de colaboración entre las Administraciones Públicas o de un contrato marco, siempre que éste haya sido adjudicado con sujeción a las normas de esta Ley.

☞ **Concordancias Jurisprudenciales**

Audiencia Nacional, Sala de lo Contencioso-administrativo, Sección 5.ª, Sentencia de 14 Jul. 2010, rec. 537/2007

[LA LEY 122056/2010]

RESPONSABILIDAD DE LA ADMINISTRACIÓN DEL ESTADO. Ministerio de Defensa. Improcedencia de indemnización por daños causados como consecuencia de la asistencia sanitaria prestada por un centro hospitalario de una entidad médica concertada. La responsabilidad de la Administración solo se impone cuando los daños deriven de manera inmediata y directa de una orden de la Administración, modulando así la responsabilidad de la Administración en razón de la intervención de un contratista. Inexistencia de infracción a «lex artis ad hoc», en las operaciones de reanimación del nacido. No se ha acreditado que la Clínica no disponga de los recursos técnicos y humanos necesarios para la atención al parto, así como para la atención del recién nacido, sin perjuicio de que existan centros especializados en el tratamiento de neonatales, lo que no implica que aquellos hospitales y clínicas que carezcan de este servicio médico, se vean imposibilitadas de atender partos.

Audiencia Nacional, Sala de lo Contencioso-administrativo, Sección 5.ª, Sentencia de 2 Jun. 2010, rec. 971/2008

[LA LEY 78837/2010]

RESPONSABILIDAD DE LAS ADMINISTRACIONES PÚBLICAS. Administración del Estado. Ministerio de Defensa. Improcedencia de indemnización por defectuosa praxis médica en la atención dispensada al interesado por los facultativos de una entidad concertada con el ISFAS. El daño es atribuible exclusivamente a la conducta y actuación directa del contratista en la ejecución del contrato bajo su responsabilidad. La prestación sanitaria a través de una Entidad o Sociedad concertada incumbe exclusivamente a ésta a través de los profesionales y medios establecidos previamente y, dentro de ellos, de los elegidos por el mutualista o beneficiario.

Concordancias a todo el artículo

➡ **Concordancias normativas**

Artículo 156 de la LCSP 30/2007 y artículo 159 del TRLCAP RDL 2/2000.

✉ **Consultas**

• **Adjudicación del contrato de gestión del servicio de agua potable mediante procedimiento negociado sin publicidad**

El ayuntamiento pretende contratar la gestión del servicio de agua potable mediante procedimiento negociado sin publicidad por razón de la cuantía, ¿se deben incluir los gastos de primer establecimiento para determinar el valor del contrato?

[26/01/2009 EC 171/2009]

Contestación

El art. 161.2 de la Ley 30/2007, de 30 de octubre (BOE del 31), de Contratos del Sector Público (LCSP) establece que, en los contratos no sujetos a regulación armonizada que puedan adjudicarse por procedimiento negociado por ser su cuantía inferior a la indicada, entre otros en el art. 156 letra b), deberán publicarse anuncios conforme a lo previsto en el art. 126 cuando su valor estimado sea superior a 200.000 euros si se trata de contratos de obras o a 60.000 euros cuando se trate de otros contratos.

La letra b del art. 156 LCSP señala que podrá acudirse al procedimiento negociado para adjudicar contratos de gestión de servicios públicos cuyo presupuesto de gastos de primer establecimiento se prevea inferior a 500.000 euros y su plazo de duración sea inferior a cinco años.

Sin embargo, la ley no define qué debe considerarse como gastos de primer establecimiento.

Para una primera aproximación al concepto tenemos que referirnos a los siguientes preceptos del Reglamento de Servicios de las Corporaciones Locales (RS), aprobado por Decreto de 17 de junio de 1955:

— El art. 126.2.b) cuando señala la retribución económica del concesionario, cuyo equilibrio, a tenor de las bases que hubieren servido para su otorgamiento, deberá mantenerse en todo caso y en función de la necesaria amortización, durante el plazo de concesión, del coste de establecimiento del servicio que hubiere satisfecho, así como de los gastos de explotación y normal beneficio industrial.

— El art. 129.3 añade que en todo caso la retribución prevista para el concesionario deberá ser calculada de modo que permita, mediante una buena y ordenada administración, amortizar durante el plazo de la concesión el costo de establecimiento del servicio y cubrir los gastos de explotación y un margen normal de beneficio industrial.

Partiendo de estos preceptos se puede considerar que los gastos de primer establecimiento son todos aquellos en que incurre el concesionario para poner en funcionamiento el servicio, que deben diferenciarse de los gastos de explotación.

Sin ánimo de hacer una enumeración exhaustiva entendemos que dentro del concepto se pueden incluir:

— Todos los gastos en obras de inversión que corran a cargo del concesionario. Esto es, si para la prestación del servicio de piscina pública la obra de construcción de la misma corre a cargo de concesionario tendrá la consideración de gastos de primer establecimiento.

— Todos los gastos en instalaciones nuevas o reposición de las antiguas que corran a cargo del concesionario. Por ejemplo, si dentro de las condiciones de la concesión se encuentra que el concesionario deba construir o reponer un número de metros de tuberías, este gasto tendrá tal consideración.

— La inversión que deba realizar el concesionario en maquinaria, vehículos o equipos para el proceso de información también tendrán dicha consideración.

— El importe de la expropiación de bienes o terrenos que sean necesarios para poner en funcionamiento el servicio, cuando dicho coste corra a cargo del concesionario.

Entendemos que debe darse un sentido amplio a los gastos de primer establecimiento para incluir todos aquellos costes en que incurra el concesionario y sean necesarios para poner en funcionamiento el servicio o para seguir prestándolo, siempre que no tengan la consideración de coste de explotación (nóminas, mantenimiento, reparaciones, etc.).

Según el art. 76, el valor estimado de los contratos vendrá determinado por el importe total, sin incluir el Impuesto sobre el Valor Añadido, pagadero según las estimaciones del órgano de contratación. En el cálculo del importe total estimado deberán tenerse en cuenta cualquier forma de opción eventual y las eventuales prórrogas del contrato.

Cuando se haya previsto abonar primas o efectuar pagos a los candidatos o licitadores, la cuantía de los mismos se tendrá en cuenta en el cálculo del valor estimado del contrato.

Hemos desarrollado ampliamente el concepto de gastos de primer establecimiento para fundamentar nuestra opinión. Por todas estas consideraciones estimamos que sí que debe considerarse a la hora de determinación del valor del contrato dichos gastos de primer establecimiento. Si superan los 60.000 euros deberemos acudir a un procedimiento negociado pero con publicidad.

Artículo 173 *Contratos de suministro*

Además de en los casos previstos en el artículo 170, los contratos de suministro podrán adjudicarse mediante el procedimiento negociado en los siguientes supuestos:

a) Cuando se trate de la adquisición de bienes muebles integrantes del Patrimonio Histórico Español, previa su valoración por la Junta de Calificación, Valoración y Exportación de Bienes del Patrimonio Histórico Español u organismo reconocido al efecto de las Comunidades Autónomas, que se destinen a museos, archivos o bibliotecas.

b) Cuando los productos se fabriquen exclusivamente para fines de investigación, experimentación, estudio o desarrollo; esta condición no se aplica a la producción en serie destinada a establecer la viabilidad comercial del producto o a recuperar los costes de investigación y desarrollo.

c) Cuando se trate de entregas complementarias efectuadas por el proveedor inicial que constituyan bien una reposición parcial de suministros o instalaciones de uso corriente, o bien una ampliación de los suministros o instalaciones existentes, si el cambio de proveedor obligase al órgano de contratación a adquirir material con características técnicas diferentes, dando lugar a incompatibilidades o a dificultades técnicas de uso y de mantenimiento desproporcionadas. La duración de tales contratos, así como la de los contratos renovables, no podrá, por regla general, ser superior a tres años.

☒ **Consultas**

• **Duración y prórroga de los contratos de suministro**

¿Cuál es la duración máxima de un contrato de suministro según la LCSP?

[12/12/2008]

Ver respuesta en artículo 25

d) Cuando se trate de la adquisición en mercados organizados o bolsas de materias primas de suministros que coticen en los mismos.

e) Cuando se trate de un suministro concertado en condiciones especialmente ventajosas con un proveedor que cese definitivamente en sus actividades comerciales, o con los administradores de un concurso, o a través de un acuerdo judicial o un procedimiento de la misma naturaleza.

f) En todo caso, cuando su valor estimado sea inferior a 100.000 euros.

Concordancias a todo el artículo

➡ **Concordancias normativas**

Artículo 157 de la LCSP 30/2007 y artículos 181 y 182 del TRLCAP RDL 2/2000.

☞ **Concordancias Jurisprudenciales**

Tribunal Superior de Justicia de Extremadura, Sala de lo Contencioso-administrativo, Sentencia de 13 Dic. 2011, rec. 1340/2009

[LA LEY 242516/2011]

CONTRATO ADMINISTRATIVO DE OBRAS. Conformidad a derecho de la adjudicación provisional de obra consistente en finalización de las obras del Edar en Medellín. La publicidad no es necesaria en este procedimiento negociado, porque la imperiosa urgencia resultante de acontecimientos imprevisibles para el órgano de contratación y no imputables al mismo, que demande una pronta ejecución del contrato que no pueda lograrse mediante la aplicación de la tramitación de urgencia, se justifica y motiva en el expediente y en la resolución, por actos vandálicos, robos y daños.

Artículo 174 *Contratos de servicios*

Además de en los casos previstos en el artículo 170, los contratos de servicios podrán adjudicarse por procedimiento negociado en los siguientes supuestos:

a) Cuando debido a las características de la prestación, especialmente en los contratos que tengan por objeto prestaciones de carácter intelectual y en los comprendidos en la categoría 6 del Anexo II, no sea posible establecer sus condiciones con la precisión necesaria para adjudicarlo por procedimiento abierto o restringido.

b) Cuando se trate de servicios complementarios que no figuren en el proyecto ni en el contrato pero que debido a una circunstancia que no pudiera haberse previsto por un poder adjudicador diligente pasen a ser necesarios para ejecutar el servicio tal y como estaba descrito en el proyecto o en el contrato sin modificarlo, y cuya ejecución se confíe al empresario al que se adjudicó el contrato principal de acuerdo con los precios que rijan para éste o que, en su caso, se fijen contradictoriamente, siempre que los servicios no puedan separarse técnica o económicamente del contrato primitivo sin causar grandes inconvenientes al órgano de contratación o que, aunque resulten separables, sean estrictamente necesarios para su perfeccionamiento y que el importe acumulado de los servicios complementarios no supere el 50 por ciento del importe primitivo del contrato.

➡ Concordancias normativas

Letra b) del artículo 158 redactada por el apartado diez de la disposición final decimosexta de Ley 2/2011, de 4 de marzo, de Economía Sostenible («B.O.E». 5 marzo)

c) Cuando los servicios consistan en la repetición de otros similares adjudicados por procedimiento abierto o restringido al mismo contratista por el órgano de contratación, siempre que se ajusten a un proyecto base que haya sido objeto del contrato inicial adjudicado por dichos procedimientos, que la posibilidad de hacer uso de este procedimiento esté indicada en el anuncio de licitación del contrato inicial y que el importe de los nuevos servicios se haya computado al fijar la cuantía total del contrato.

Únicamente se podrá recurrir a este procedimiento durante un período de tres años, a partir de la formalización del contrato inicial.

d) Cuando el contrato en cuestión sea la consecuencia de un concurso y, con arreglo a las normas aplicables, deba adjudicarse al ganador. En caso de que existan varios ganadores se deberá invitar a todos ellos a participar en las negociaciones.

e) En todo caso, cuando su valor estimado sea inferior a 100.000 euros.

Concordancias a todo el artículo

➡ **Concordancias normativas**

Artículo 158 de la LCSP 30/2007 y artículos 209 y 210 del TRLCAP RDL 2/2000.

☞ **Concordancias Jurisprudenciales**

Audiencia Nacional, Sala de lo Contencioso-administrativo, Sección 1.ª, Sentencia de 19 Dic. 2011, rec. 459/2010

[LA LEY 260804/2011]

CONTRATO ADMINISTRATIVO DE SERVICIOS. Nulidad de la adjudicación del contrato de servicios para asistencia psicológica a la Fundación Universitaria. La exigencia de motivación o justificación de adjudicación no ha sido cumplida, al echarse de menos, a lo largo de tal proceso de adjudicación, razonamiento alguno sobre los criterios utilizados para asignar la puntuación a cada uno de los aspectos valorados, el método de ponderación y su relación con la oferta presentada por cada licitador. Dado el tiempo transcurrido y que el contrato se halla totalmente ejecutado, procede la indemnización de daños y perjuicios a la interesada, en función de los beneficios que hubiera obtenido de haber sido adjudicataria del servicio.

✉ **Consultas**

• **Publicidad en los contratos de servicios de importe no superior a 60.000 Euros.**

¿Puede utilizarse el procedimiento negociado sin publicidad para contratar la escuela de música y danza por importe de 40.000 euros?

[15/09/2008 EC 2856/2008]

Contestación

Salvo los casos de excepción previstos en el art. 26 de la Ley de 16 de diciembre de 1954 (EC 1259/1954), de Expropiación Forzosa (LEF) ha de tramitarse un expediente individual a cada uno de los propietarios de los bienes expropiados y a su vez un expediente individual para cada uno de los bienes o fincas afectadas aunque pudieran pertenecer a una sola persona. Se incurre en nulidad de actuaciones cuando se engloban en un solo expediente y acuerdo varios inmuebles pertenecientes a un solo propietario, si bien debe recalcarse que aunque se trate de varias fincas el expediente puede ser único hasta llegar a la fase de justiprecio en que las piezas han de ser separadas e individuales para cada predio. También ha de ser individual y separada la pieza correspondiente a la determinación de indemnizaciones a arrendatarios de inmuebles rústicos o urbanos (art. 4 LEF). Toda finca inscrita en el Registro bajo un mismo número o susceptible de serlo será objeto de pieza separada de justiprecio (art. 8 LH).

Obviamente todo lo expuesto es aplicable exclusivamente al procedimiento de tasación individual; en el de tasación conjunta también las fincas han de ser valoradas individualmente, pero sobre unos criterios generales. No es preciso tramitar un expediente individual para cada uno de los propietarios y para cada una de las fincas. Los arrendamientos serán valorados independientemente.

El valor que los bienes tengan ha de ser tasado al momento de iniciación del expediente de justiprecio individualizado o al momento de exposición al público del proyecto de expropiación, si se sigue el procedimiento de tasación conjunta.

Las tasaciones en el procedimiento de tasación individual han de referirse al valor que tengan los bienes al tiempo de iniciarse el expediente de justiprecio, y es sabido que se inicia a todos los efectos legales el día siguiente a aquel en que ha adquirido firmeza el acuerdo declaratorio de la necesidad de ocupación según el art. 28 del Reglamento de la Ley de Expropiación Forzosa (REF), aprobado por Decreto de 26 de abril de 1957 (EC 679/1957) (SSTS de 20 de mayo de 1961 y 16 de octubre de 1968).

El art. 28 de la Ley 29/1994, de 24 de noviembre (EC 2841/1994), de Arrendamientos Urbanos (LAU) determina que la declaración de ruina de la finca supone la extinción del arrendamiento; pero no dice que ello se produzca automáticamente ya que, en efecto, la ruina es una causa de extinción, pero la extinción del derecho no se produce automáticamente sino que debe ser acordada por el Juzgado competente en el pleito correspondiente. En definitiva el arrendador puede promover la extinción alegando como causa la ruina. Y en todo caso no siempre la declaración de ruina conduce a la demolición del inmueble sino que la legislación urbanística puede determinar la obligación de rehabilitar y no de demoler.

Mientras la resolución judicial de extinción no devenga firme, o lo que es igual mientras no se hayan agotado todos los recursos, el derecho de arrendamiento existe y debe constar en la relación de derecho y ser objeto de justiprecio en la forma indicada. No parece aconsejable paralizar el expediente mientras dure la tramitación del expediente y los recursos que contra la declaración se produzca. En definitiva, para que la causa de extinción se produzca es necesario que el acto declaratorio sea firme y sólo a partir de la firmeza se convierte en causa de resolución y solo cuando la jurisdicción civil declare la extinción del derecho de arrendamiento y se convierta en firme se extingue el derecho. Ello seguramente supondrá el transcurso de varios años.

En definitiva, ni pueden ni deben excluirlo de la relación de bienes y derechos mientras no se extinga el derecho de arrendamiento y así se declare por el juez civil. Y no parece razonable paralizar el expediente durante tanto tiempo. En todo caso, podrían consignar el pago del justiprecio, como medida precautoria, hasta que el juez civil se pronuncie y determine los efectos de la causa de extinción, pero aun en este caso deberá paralizarse el expediente hasta que el ayuntamiento resuelva sobre el expediente de ruina y la declare.

Artículo 175 *Otros contratos*

Salvo que se disponga otra cosa en las normas especiales por las que se regulen, los restantes contratos de las Administraciones Públicas podrán ser adjudicados por procedimiento negociado en los casos previstos en el artículo 170 y, además, cuando su valor estimado sea inferior a 100.000 euros.

Concordancias a todo el artículo

➡ **Concordancias normativas**

Artículo 159 de la LCSP 30/2007.

✉ **Consultas**

• **Posible constitución de servidumbre para poder disponer del agua y conducirla por fincas ajenas**

El Ayuntamiento quiere comprar una parcela porque en ella existe una captación de agua potable, pero no está inscrita en el Registro. ¿Cómo debemos proceder para su compra y para constituir una servidumbre para conducir el agua por fincas ajenas?

[10/06/2010 EC 1837/2010]

Contestación

A la adquisición de bienes mediante contrato se refiere el art. 11 del Reglamento de Bienes de las Entidades Locales (RB), aprobado por Real Decreto 1372/1986, de 13 de junio (LA LEY 1516/1986) (BOE de 7 de julio). El contrato de compraventa es un contrato privado [arts. 5.2 y 20.3 de la Ley 30/2007, de 30 de octubre (LA LEY 10868/2007) (BOE del 31), de Contratos del Sector Público (LCSP)], sin perjuicio de que su preparación y adjudicación, en cuanto elementos formales separables, vengan regulados en el ordenamiento administrativo (art. 20.2 LCSP).

Las adquisiciones a título oneroso exigen previo informe pericial, que no sólo tiene por objeto valorar el bien —con determinación del precio de adquisición— sino también justificar, atendiendo a las circunstancias de éste (localización, descripción, titulación etc.), la razón o razones determinantes de la procedencia o conveniencia de su adquisición. En su caso, además, deberá emitirse informe jurídico en el que se analicen lar razones que impiden su constancia en el Registro y su posible solución y, en definitiva, los problemas de titularidad.

A la vista de ello, deberán determinar la procedencia de la adquisición de la parcela. Hay que hacer constar que la inscripción en el Registro de las fincas no es obligatoria para los particulares o personas privadas, por lo que el no contar en él no constituye impedimento para su posible venta y adquisición, mucho más si el propietario lo es en virtud de título público como es la Escritura. Sí deberán concretar si los inconvenientes y defectos que han impedido su acceso al Registro son subsanables y en qué forma, puesto que el Ayuntamiento tiene obligación de inscribir una vez adquirido el bien.

El procedimiento a través del cual debe instrumentarse la adquisición es el concurso o excepcionalmente la adquisición directa, por el procedimiento negociado, fundamentándose en los supuestos generales contenidos en el art. 154 LCSP y el específico del art. 159 por razón de la cuantía.

En cuanto al problema de la servidumbre de acueducto y paso, nos remitimos a los arts. 47 (LA LEY 1110/2001) y siguientes del Real Decreto

Legislativo 1/2001, de 20 de julio (BOE del 24), por el que se aprueba el texto refundido de la Ley de Aguas; 18 y siguientes del Reglamento del Dominio Público Hidráulico, aprobado por Real Decreto 849/1986, de 11 de abril (LA LEY 877/1986) de 1986 (BOE del 30); y 557 a 561 del Código Civil. El art. 18.2 del Reglamento citado establece una jerarquía normativa, a saber, la Ley de Aguas, el Reglamento y subsidiariamente el Código Civil. El art. 48.1 del Texto refundido de la Ley de Aguas dispone que: «Los organismos de cuenca podrán imponer, con arreglo a lo dispuesto en el Código Civil y en el Reglamento de esta Ley, la servidumbre forzosa de acueducto, si el aprovechamiento del recurso o su evacuación lo exigiera». Se trata de una servidumbre de constitución administrativa, no judicial (art. 36 y siguientes del Reglamento del Dominio Público Hidráulico).

La servidumbre de acueducto puede imponerse tanto cuando el agua se destine a algún servicio público como cuando tenga por finalidad un interés particular.

Como regla, el órgano competente para resolver sobre la solicitud de imposición de servidumbre de acueducto y paso lo es el organismo de cuenca, donde deberán presentar la correspondiente solicitud, acompañando los correspondientes títulos jurídicos, planos, etc. El establecimiento de la servidumbre forzosa de acueducto exigirá el previo abono de la indemnización que corresponda, de acuerdo con lo dispuesto en la legislación de expropiación forzosa (art. 25 del Reglamento del Dominio Público Hidráulico).

• **Adquisición de bien inmueble de valor artístico con destino a Museo**

¿Es necesario que se informe autonómicamente la superación del importe del 1 % de los recursos ordinarios para adquirir un inmueble de valor histórico-artístico para destinarlo a un museo? ¿Cómo deberá instrumentarse dicha adquisición?

[29/09/2009 EC 2747/2009]

Contestación

A la adquisición de bienes inmuebles por medio de contrato se refiere el art. 11 del Reglamento de Bienes de las Entidades Locales (RB), aprobado por Real Decreto 1372/1986, de 13 de junio (BOE de 7 de julio), estatal que se remite a la normativa de contratación. El contrato de compraventa es un contrato privado, sin perjuicio de que su preparación y adjudicación

—en cuanto elementos formales separables— vengan regulados por el Derecho Administrativo, en cuanto quede vinculado directamente a una finalidad o servicio público.

Para la adquisición a título oneroso de bienes inmuebles se exigen, en virtud del art. 11 RB, las siguientes actuaciones formales: a) Informe pericial previo que ha de tener por objeto valorar el bien y justificar atendiendo a las circunstancias de éste la razón o razones determinantes de la procedencia o conveniencia de esta adquisición y si el bien que se pretende adquirir es de carácter histórico o artístico justificarlo y razonarlo; b) Informe del órgano autonómico competente en caso de inmuebles de valor histórico o artístico cuyo valor de adquisición exceda del 1% de los recursos ordinarios del Presupuesto de la Corporación o del límite general establecido para la contratación directa. Este informe corresponde emitirlo al órgano autonómico competente en materia de patrimonio histórico o artístico.

La adquisición habrá de instrumentarse a través del procedimiento correspondiente normalmente el concurso —hay varios criterios de adjudicación—, y excepcionalmente, de forma directa por el procedimiento negociado conforme a la Ley 30/2007, de 30 de octubre (BOE del 31), de Contratos del Sector Público (LCSP), que en todo caso exigirá la tramitación del correspondiente expediente de contratación o adquisición de modo previo a la apertura del procedimiento de adjudicación.

La posibilidad de utilizar la adjudicación directa o procedimiento negociado para la adquisición de bienes de carácter histórico o artístico está reconocida en la legislación local autonómica de bienes [Ley 7/1999, de 29 de septiembre (BOJA de 26 de octubre), de Bienes de las Entidades Locales de Andalucía (art. 10); Decreto 347/2002, de 19 de noviembre (BOA del 25), por el que se aprueba el Reglamento de bienes, actividades, servicios y obras de las entidades locales de Aragón (art. 17); etc.]; en el art. 115.4 de la Ley 33/2003, de 3 de noviembre (EC 4127/2003), del Patrimonio de las Administraciones Públicas (LPAP), que establece la regla del concurso pero que permite la adquisición directa «por la especial idoneidad del bien» para la finalidad que se pretende, siendo el artículo citado de carácter supletorio; y en la LCSP, cuyo art. 154, que enuncia los supuestos generales en que es posible utilizar el procedimiento negociado, en su apartado d) contempla la posibilidad de utilizarlo cuando por razones técnicas o artísticas [...] sólo pueda encontrarse a un empresario determinado.

Por otra parte, el art. 159 LCSP referido a los supuestos específicos de otros contratos permite utilizar el procedimiento negociado cuando el valor del bien no exceda de 100.000 euros.

En conclusión, el contrato de adquisición de bienes es un contrato privado cuya preparación y adjudicación se rige por la normativa de la LCSP (art. 20). El informe a que hace referencia el art. 11 RB debe solicitarse al órgano autonómico competente en materia de patrimonio histórico y artístico. Finalmente, si se acredita el carácter histórico-artístico y la especial idoneidad del bien para el fin que pretenden, es legal y posible utilizar la adquisición directa (procedimiento negociado sin publicidad).

El informe a que hace referencia el art. 11 RB debe solicitarse al órgano autonómico competente en materia de patrimonio histórico y artístico. Si se acredita el carácter histórico-artístico y la especial idoneidad del bien para el fin que pretenden, es legal y posible utilizar la adquisición directa (procedimiento negociado sin publicidad).

Subsección 2

Tramitación

Artículo 176 *Delimitación de la materia objeto de negociación*

En el pliego de cláusulas administrativas particulares se determinarán los aspectos económicos y técnicos que, en su caso, hayan de ser objeto de negociación con las empresas.

Concordancias a todo el artículo

➡ **Concordancias normativas**

Artículo 160 de la LCSP 30/2007 y artículo 92 del TRLCAP RDL 2/2000.

☞ **Concordancias Jurisprudenciales**

Tribunal Superior de Justicia de Galicia, Sala de lo Contencioso-administrativo, Sección 2.ª, Sentencia de 22 Mar. 2012, rec. 4164/2009

[LA LEY 36251/2012]

CONTRATOS ADMINISTRATIVOS. Preparación de los contratos. Expediente de contratación. Pliegos de cláusulas administrativas. -- Adjudicación de los contratos. Licitación. Concurso-subasta. -- Adjudicación de los contratos. Selección del adjudicatario. RECURSO DE APELACIÓN CONTENCIOSO-ADMINISTRATIVO. Capacidad y representación procesal.

Tribunal Superior de Justicia de Galicia, Sala de lo Contencioso-administrativo, Sección 2.ª, Sentencia de 10 Nov. 2011, rec. 4177/2009

[LA LEY 230910/2011]

CONTRATOS ADMINISTRATIVOS. Contratos de gestión de servicios públicos. Apoyo a la movilidad personal de personas con discapacidad o dependientes. Adjudicación. Impugnación. Procedimiento. Negociado con publicidad y tramitación urgente. No es exigible la vista entera del expediente contractual. En el procedimiento negociado, la adjudicación recae en el licitador justificadamente elegido por el órgano de contratación. No obstante, la motivación de la adjudicación no se discute por la parte recurrente, ni concreta puntuaciones ni ofrece prueba técnica contradictoria de la obrante en el expediente.

Tribunal Administrativo Central de Recursos Contractuales, Resolución de 24 Feb. 2011, rec. 015/2011

[LA LEY 14643/2011]

CONTRATO ADMINISTRATIVO DE SERVICIOS. Adjudicación mediante procedimiento negociado sin publicidad del contrato de servicios de vigilancia de seguridad en los Servicios Centrales del Consejo de Administración de Patrimonio Nacional. RECURSO ESPECIAL EN MATERIA DE CONTRATACIÓN. Estimación. Nulidad del procedimiento de adjudicación, porque se ha incumplido un trámite esencial del procedimiento negociado, como es la negociación de las ofertas presentadas por los licitadores, en este caso del precio que es el único aspecto de negociación previsto en el pliego de cláusulas administrativas particulares. Procede retrotraer las actuaciones hasta el momento de negociación de los términos del contrato con las empresas licitadoras. El órgano de contratación no ha cumplido con el requisito de motivación de la notificación de la adjudicación provisional exigido en la Ley. Dicha notificación no hace referencia alguna a la existencia o no de negociación de los términos del contrato con los licitadores, en este caso del precio, aspecto éste esencial tratándose de un procedimiento negociado.

✉ **Consultas**

• **Criterios de adjudicación cuya cuantificación dependa de un juicio de valor en el procedimiento negociado**

El art. 134 permite, de forma excepcional, que se dé mayor ponderación a criterios de adjudicación subjetivos, si bien debe contarse con un comité de expertos u órgano especializado. ¿Es aplicable en el procedimiento negociado?

[12/07/2010 EC 2168/2010]

Ver respuesta en artículo 150

Artículo 177 *Anuncio de licitación y presentación de solicitudes de participación*

1. Cuando se acuda al procedimiento negociado por concurrir las circunstancias previstas en las letras a) y b) del artículo 170, en la letra a) del artículo 171, o en la letra a) del artículo 174, el órgano de contratación deberá publicar un anuncio de licitación en la forma prevista en el artículo 142.

Podrá prescindirse de la publicación del anuncio cuando se acuda al procedimiento negociado por haberse presentado ofertas irregulares o inaceptables en los procedimientos antecedentes, siempre que en la negociación se incluya a todos los licitadores que en el procedimiento abierto o restringido, o en el procedimiento de diálogo competitivo seguido con anterioridad hubiesen presentado ofertas conformes con los requisitos formales exigidos, y sólo a ellos.

✉ **Consultas**

• **Publicidad de la formalización de los contratos**

En relación a la publicidad de la formalización de los contratos, el art. 138 LCSP (LA LEY 10868/2007), entre otras cuestiones, nos indica que todos los contratos cuya cuantía sea superior a la de los contratos menores han de ser publicados en el perfil del contratista, así como (art. 138.2 LCSP (LA LEY 10868/2007)) los que sean igual o superior a los 100.000 euros deberán publicarse, además, en el BOE o los respectivos Diarios regionales oficiales.

[08/06/2011]

Ver respuesta en artículo 153

2. Igualmente, en los contratos no sujetos a regulación armonizada que puedan adjudicarse por procedimiento negociado por ser su cuantía inferior a la indicada en los artículos 171, letra d), 172, letra b), 173, letra f), 174, letra e) y 175, deberán publicarse anuncios conforme a lo previsto en el artículo 142 cuando su valor estimado sea superior a 200.000 euros, si se trata de contratos de obras, o a 60.000 euros, cuando se trate de otros contratos.

3. Serán de aplicación al procedimiento negociado, en los casos en que se proceda a la publicación de anuncios de licitación, las normas contenidas en los artículos 163 a 166, ambos inclusive. No obstante, en caso de que se decida limitar el número de empresas a las que se invitará a negociar, deberá tenerse en cuenta lo señalado en el apartado 1 del artículo siguiente.

Concordancias a todo el artículo

➡ **Concordancias normativas**

Artículo 161 de la LCSP 30/2007 y artículos 78, 92, 140, 141, 181, 182, 209 y 210 del TRLCAP RDL 2/2000.

☞ **Concordancias Jurisprudenciales**

Tribunal Superior de Justicia de Galicia, Sala de lo Contencioso-administrativo, Sección 2.ª, Sentencia de 19 May. 2011, rec. 4157/2009

[LA LEY 84459/2011]

ACTO ADMINISTRATIVO. CONCESIONES ADMINISTRATIVAS. Clases. De servicios públicos. -- Otorgamiento. Pliegos de condiciones. -- Otorgamiento. Adjudicación. -- Otorgamiento. Materias en particular. Transporte.

Audiencia Nacional, Sala de lo Contencioso-administrativo, Sección 5.ª, Sentencia de 2 Jun. 2010, rec. 971/2008

[LA LEY 78837/2010]

RESPONSABILIDAD DE LAS ADMINISTRACIONES PÚBLICAS. Administración del Estado. Ministerio de Defensa. Improcedencia de indemnización por defectuosa praxis médica en la atención dispensada al interesado por los facultativos de una entidad concertada con el ISFAS. El daño es atribuible exclusivamente a la conducta y actuación directa del contratista en la ejecución del contrato bajo su responsabilidad. La prestación sanitaria a través de una Entidad o Sociedad concertada incumbe exclusivamente a ésta a través de los profesionales y medios establecidos previamente y, dentro de ellos, de los elegidos por el mutualista o beneficiario.

✉ **Consultas**

• **Publicidad de los procedimientos negociados**

El ayuntamiento ha sacado a concurso una obra sujeta a regulación armonizada con publicidad. Al no haberse presentado ninguna empresa ¿se puede acudir al procedimiento negociado sin publicidad?

[12/11/2010 EC 3171/2010]

Contestación

Como sabemos, el art. 14 de la Ley 30/2007, de 30 de octubre (LA LEY 10868/2007) (BOE del 31), de Contratos del Sector Público (LCSP), regula la cifra de los contratos de obras sujetos a regulación armonizada que implica la publicación en el Diario Oficial de la Unión Europea.

Por su parte, el art. 154 LCSP regula los supuestos generales en los que procede el procedimiento negociado, señalando en la letra c) «Cuando, tras haberse seguido un procedimiento abierto o restringido, no se haya presentado ninguna oferta o candidatura, o las ofertas no sean adecuadas, siempre que las condiciones iniciales del contrato no se modifiquen sustancialmente. Tratándose de contratos sujetos a regulación armonizada, se remitirá un informe a la Comisión de las Comunidades Europeas, si ésta así lo solicita.»

Por su parte, el art. 161 LCSP regula los supuestos en los que es necesario el anuncio de licitación en el procedimiento negociado, señalando los siguientes supuestos:

«Cuando se acuda al procedimiento negociado por concurrir las circunstancias previstas en las letras a) y b) del artículo 154, en la letra a) del artículo 155, o en la letra a) del artículo 158, el órgano de contratación deberá publicar un anuncio de licitación en la forma prevista en el artículo 126 [...]. Igualmente, en los contratos no sujetos a regulación armonizada que puedan adjudicarse por procedimiento negociado por ser su cuantía inferior a la indicada en los artículos 155, letra d), 156, letra b), 157, letra f), 158, letra e) y 159, deberán publicarse anuncios conforme a lo previsto en el artículo 126 cuando su valor estimado sea superior a 200.000 euros, si se trata de contratos de obras, o a 60.000 euros, cuando se trate de otros contratos».

A esto debe añadirse lo dispuesto en el art. 153.2 LCSP cuando señala que el procedimiento negociado será objeto de publicidad previa en los casos previstos en el art. 161, en los que será posible la presentación de ofertas en concurrencia por cualquier empresario interesado. En los restantes supuestos, no será necesario dar publicidad al procedimiento, asegurándose la concurrencia mediante el cumplimiento de lo previsto en el art. 162.1.

Por consiguiente, al no estar previsto expresamente en el art. 161 LCSP, habrá que concluir que no es necesaria la publicidad en este supuesto, y que la concurrencia se conseguirá solicitando al menos tres ofertas tal y como establece el art. 162.2.

A esta misma conclusión llega Esteban Corral García, en su artículo «El contrato de suministro en la nueva Ley de Contratos del Sector Público», publicado en esta revista (EC 2117/2008), cuando señala: «(...) 2.º Supuestos generales en que no procede la publicidad. Comprende los demás supuestos del art. 154 y entre ellos el apartado e) del art. 154 cuando una imperiosa urgencia lo demande. La urgencia ha de ser imperiosa, imprevisible y no imputable a la Administración. En todo caso la urgencia debe quedar justificada en el expediente con el Informe del Secretario y del Interventor (DA 2.ª.9). Tampoco es obligada la publicidad en el supuesto general contemplado en el apartado c) del art. 154, esto es, cuando tras un procedimiento abierto o restringido no se haya presentado ninguna oferta o las presentadas no sean adecuadas, siempre que no se modifiquen sustancialmente las condiciones iniciales del contrato. Cuando se trate de contratos sujetos a regulación armonizada debe remitirse un informe a la Comisión de las Comunidades Europeas, si ésta lo solicita. En todo caso debe invitarse a presentar ofertas a tres empresas como mínimo.»

- • **Actuación cuando el procedimiento negociado sin publicidad queda desierto**

Licitada una obra por procedimiento negociado sin publicidad que queda desierto, ¿cabe la adjudicación directa al licitador que cumpla los requisitos señalados en el pliego de condiciones?

[23/04/2009 EC 1284/2009]

Ver respuesta en artículo 170

Artículo 178 *Negociación de los términos del contrato*

1. En el procedimiento negociado será necesario solicitar ofertas, al menos, a tres empresas capacitadas para la realización del objeto del contrato, siempre que ello sea posible.

☞   **Concordancias Jurisprudenciales**

Tribunal Administrativo Central de Recursos Contractuales, Resolución de 3 Feb. 2012, rec. 8/2012

[LA LEY 30784/2012]

CONTRATO ADMINISTRATIVO DE SUMINISTROS. Para la adquisición de conjuntos de transformación de AMP 12,70 Browning al modelo QCB. Adjudicación mediante procedimiento negociado sin publicidad. RECURSO ESPECIAL EN MATERIA DE CONTRATACIÓN. Inadmisión. Por no ser este contrato susceptible de tal recurso especial. En los contratos de suministros sólo es posible formular el recurso especial en materia de contratación cuando se encuentran sujetos a regulación armonizada. El pliego de cláusulas administrativas particulares indica que el contrato no está sujeto a regulación armonizada al haberse adoptado las medidas previstas en cuanto a la protección de los intereses esenciales en materia de seguridad. El suministro objeto del contrato consiste en la adquisición de conjuntos de transformación de AMP 12,70 Browning al modelo QCB, referido a la ametralladora pesada Browning 12,70 mm, por lo que encaja en los supuestos definidos en la Instrucción aplicable.

Tribunal Administrativo Central de Recursos Contractuales, Resolución de 27 Jul. 2011, rec. 161/2011

[LA LEY 119690/2011]

CONTRATO ADMINISTRATIVO DE SERVICIOS. De control de accesos, vigilancia y seguridad en diversos edificios. Adjudicación. Procedimiento negociado. RECURSO ESPECIAL EN MATERIA DE CONTRATACIÓN. Desestimación. La alegación de inadecuación del procedimiento negociado puede alegarse como causa de la impugnación del contenido del pliego de cláusulas administrativas particulares. Pero resultando consentido el contenido del referido pliego, resulta inhábil para obtener una declaración de nulidad de los actos dictados al amparo de aquél. La voluntad del órgano de contratación no ha sido sustituir la adjudicación del contrato mediante procedimiento abierto por una adjudicación por procedimiento negociado, sino cubrir el eventual retraso en la adjudicación del contrato, ocasionado por la fecha en que se le notificó la anterior resolución del TACRC que anuló parcialmente los pliegos de cláusulas administrativas particulares y de prescripciones técnicas. El órgano de contratación no estaba obligado a invitar a la totalidad de los licitadores que concurrieron al procedimiento del que se desistió, sino que su obligación se limitaba a invitar a, al menos, 3 licitadores, lo cual fue realizado en este caso. La posibilidad de invitar a más licitadores es una cuestión que queda dentro de la discrecionalidad del órgano de contratación.

⊠ **Consultas**

• **Procedimiento negociado en el que se ha acreditado la solicitud de tres ofertas, pero en el que a fecha de finalización del plazo dado para presentarlas solo se ha recibido una**

En procedimiento negociado sin publicidad se acuerda invitar a tres empresas de las que solo una presenta oferta. ¿Puede adjudicarse el contrato o es preciso que presenten oferta las tres?

[24/02/2009 EC 668/2009]

Ver respuesta en artículo 169

2. Los órganos de contratación podrán articular el procedimiento negociado en fases sucesivas, a fin de reducir progresivamente el número de ofertas a negociar mediante la aplicación de los criterios de adjudicación señalados en el anuncio de licitación o en el pliego de condiciones, indicándose en éstos si se va a hacer uso de esta facultad. El número de soluciones que lleguen hasta la fase final deberá ser lo suficientemente amplio como para garantizar una competencia efectiva, siempre que se hayan presentado un número suficiente de soluciones o de candidatos adecuados.

3. Durante la negociación, los órganos de contratación velarán porque todos los licitadores reciban igual trato. En particular no facilitarán, de forma discriminatoria, información que pueda dar ventajas a determinados licitadores con respecto al resto.

4. Los órganos de contratación negociarán con los licitadores las ofertas que éstos hayan presentado para adaptarlas a los requisitos indicados en el pliego de cláusulas administrativas particulares y en el anuncio de licitación, en su caso, y en los posibles documentos complementarios, con el fin de identificar la oferta económicamente más ventajosa.

5. En el expediente deberá dejarse constancia de las invitaciones cursadas, de las ofertas recibidas y de las razones para su aceptación o rechazo.

Concordancias a todo el artículo

➡ **Concordancias normativas**

Artículo 162 de la LCSP 30/2007 y artículo 92 del TRLCAP RDL 2/2000.

☞ **Concordancias Jurisprudenciales**

Tribunal Administrativo Central de Recursos Contractuales, Resolución de 10 Nov. 2011, rec. 233/2011

[LA LEY 232169/2011]

CONTRATO ADMINISTRATIVO DE SERVICIOS. Adjudicación en procedimiento negociado con publicidad, del contrato de servicios de Externalización de los sistemas de ERP de la Sociedad Estatal Correos y Telégrafos S.A. RECURSO ESPECIAL EN MATERIA DE CONTRATACIÓN. Desestimación. Correcta valoración de las ofertas presentadas. No se aprecia arbitrariedad, discriminación o errores materiales, estando además el informe técnico en que se funda la adjudicación, adecuada y suficientemente motivado.

Sección 5

Diálogo competitivo

Artículo 179 *Caracterización*

1. En el diálogo competitivo, el órgano de contratación dirige un diálogo con los candidatos seleccionados, previa solicitud de los mismos, a fin de desarrollar una o varias soluciones susceptibles de satisfacer sus necesidades y que servirán de base para que los candidatos elegidos presenten una oferta.

2. Los órganos de contratación podrán establecer primas o compensaciones para los participantes en el diálogo.

➡ **Concordancias normativas**

Artículo 163 de la LCSP 30/2007.

Artículo 180 *Supuestos de aplicación*

1. El diálogo competitivo podrá utilizarse en el caso de contratos particularmente complejos, cuando el órgano de contratación considere que el uso del procedimiento abierto o el del restringido no permite una adecuada adjudicación del contrato.

2. A estos efectos, se considerará que un contrato es particularmente complejo cuando el órgano de contratación no se encuentre objetivamente capacitado para definir, con arreglo a las letras b), c) o d) del apartado 3 del artículo 117, los medios técnicos aptos para satisfacer sus necesidades u objetivos, o para determinar la cobertura jurídica o financiera de un proyecto.

☞ **Concordancias Jurisprudenciales**

Tribunal Superior de Justicia de Andalucía de Sevilla, Sala de lo Contencioso-administrativo, Sección 1.ª, Sentencia de 27 Abr. 2011, rec. 103/2011

[LA LEY 190681/2011]

CONTRATOS ADMINISTRATIVOS. Clases de contratos del sector público. Contrato de colaboración entre el sector público y el sector privado. DERECHO DE LA UNIÓN EUROPEA. Competencias de la Unión. Eficacia de la normativa.

3. Los contratos de colaboración entre el sector público y el sector privado a que se refiere el artículo 11 se adjudicarán por este procedimiento, sin perjuicio de que pueda seguirse el procedimiento negociado con publicidad en el caso previsto en el artículo 170.a).

➡ **Concordancias normativas**

Artículo 164 de la LCSP 30/2007.

Véase artículo 138 de la presente Ley.

Artículo 181 *Apertura del procedimiento y solicitudes de participación*

1. Los órganos de contratación publicarán un anuncio de licitación en el que darán a conocer sus necesidades y requisitos, que definirán en dicho anuncio o en un documento descriptivo.

➡ **Concordancias normativas**

Véase artículo 109.3 de la presente Ley.

2. Serán de aplicación en este procedimiento las normas contenidas en los artículos 163 a 165, ambos inclusive. No obstante, en caso de que se decida limitar el número de empresas a las que se invitará a tomar parte en el diálogo, éste no podrá ser inferior a tres.

3. Las invitaciones a tomar parte en el diálogo contendrán una referencia al anuncio de licitación publicado e indicarán la fecha y el lugar de inicio de la fase de consulta, la lengua o lenguas utilizables, si se admite alguna otra, además del castellano, los documentos relativos a las condiciones de aptitud que, en su caso, se deban adjuntar, y la ponderación relativa de los criterios de adjudicación del contrato o, en su caso, el orden decreciente de importancia de dichos criterios, si no figurasen en el anuncio de licitación. Serán aplicables las disposiciones de los apartados 2 a 5 del artículo 166, en cuanto a la documentación que debe acompañar a las invitaciones, si bien las referencias a los pliegos deben entenderse hechas al documento descriptivo y el plazo límite previsto en el apartado 4 para facilitar información suplementaria se entenderá referido a los seis días anteriores a la fecha fijada para el inicio de la fase de diálogo.

➡ Concordancias normativas

Artículo 165 de la LCSP 30/2007.

Artículo 182 *Diálogo con los candidatos*

1. El órgano de contratación desarrollará, con los candidatos seleccionados, un diálogo cuyo fin será determinar y definir los medios adecuados para satisfacer sus necesidades. En el transcurso de este diálogo, podrán debatirse todos los aspectos del contrato con los candidatos seleccionados.

2. Durante el diálogo, el órgano de contratación dará un trato igual a todos los licitadores y, en particular, no facilitará, de forma discriminatoria, información que pueda dar ventajas a determinados licitadores con respecto al resto.

El órgano de contratación no podrá revelar a los demás participantes las soluciones propuestas por un participante u otros datos confidenciales que éste les comunique sin previo acuerdo de éste.

3. El procedimiento podrá articularse en fases sucesivas, a fin de reducir progresivamente el número de soluciones a examinar durante la fase de diálogo mediante la aplicación de los criterios indicados en el anuncio de licitación o en el documento descriptivo, indicándose en éstos si se va a hacer uso de esta posibilidad. El número de soluciones que se examinen en la fase final deberá ser lo suficientemente amplio como para garantizar una competencia efectiva entre ellas, siempre que se hayan presentado un número suficiente de soluciones o de candidatos adecuados.

4. El órgano de contratación proseguirá el diálogo hasta que se encuentre en condiciones de determinar, después de compararlas, si es preciso, las soluciones que puedan responder a sus necesidades.

Tras declarar cerrado el diálogo e informar de ello a todos los participantes, el órgano de contratación les invitará a que presenten su oferta final, basada en la solución o soluciones presentadas y especificadas durante la fase de diálogo, indicando la fecha límite, la dirección a la que deba enviarse y la lengua o lenguas en que puedan estar redactadas, si se admite alguna otra además del castellano.

➡ **Concordancias normativas**

Artículo 166 de la LCSP 30/2007.

Artículo 183 *Presentación y examen de las ofertas*

1. Las ofertas deben incluir todos los elementos requeridos y necesarios para la realización del proyecto.

El órgano de contratación, podrá solicitar precisiones o aclaraciones sobre las ofertas presentadas, ajustes en las mismas o información complementaria relativa a ellas, siempre que ello no suponga una modificación de sus elementos fundamentales que implique una variación que pueda falsear la competencia o tener un efecto discriminatorio.

2. El órgano de contratación evaluará las ofertas presentadas por los licitadores en función de los criterios de adjudicación establecidos en el anuncio de licitación o en el documento descriptivo y seleccionará la oferta económicamente más ventajosa. Para esta valoración habrán de tomarse en consideración, necesariamente, varios criterios, sin que sea posible adjudicar el contrato únicamente basándose en el precio ofertado.

3. El órgano de contratación podrá requerir al licitador cuya oferta se considere más ventajosa económicamente para que aclare determinados aspectos de la misma o ratifique los compromisos que en ella figuran, siempre que con ello no se modifiquen elementos sustanciales de la oferta o de la licitación, se falsee la competencia, o se produzca un efecto discriminatorio.

➡ **Concordancias normativas**

Artículo 167 de la LCSP 30/2007 y artículo 92 del TRLCAP RDL 2/2000.

Sección 6

Normas especiales aplicables a los concursos de proyectos

Artículo 184 *Ámbito de aplicación*

1. Son concursos de proyectos los procedimientos encaminados a la obtención de planos o proyectos, principalmente en los campos de la arquitectura, el urbanismo, la ingeniería y el procesamiento de datos, a través de una selección que, tras la correspondiente licitación, se encomienda a un jurado.

2. Las normas de la presente sección se aplicarán a los concursos de proyectos que respondan a uno de los tipos siguientes:

a) Concursos de proyectos organizados en el marco de un procedimiento de adjudicación de un contrato de servicios.

b) Concursos de proyectos con primas de participación o pagos a los participantes.

☞ **Concordancias Jurisprudenciales**

Tribunal Superior de Justicia del País Vasco, Sala de lo Contencioso-administrativo, Sección 1.ª, Sentencia de 23 May. 2011, rec. 586/2010

[LA LEY 140367/2011]

CONTRATOS ADMINISTRATIVOS. Adjudicación de los contratos. Confirmación del empleo del procedimiento abierto de licitación para la adjudicación de la redacción de proyectos y dirección facultativa de obras. Contrato mixto de contratación conjunta de la redacción de varios proyectos y la dirección de la obra subsiguiente. El expediente no sólo ofrece un extraordinario detalle de cómo ha de ser la edificación para la que se ofertan la redacción de planos y proyectos, sino que se está ofertando simultáneamente la dirección de la obra. Por esta razón, la oferta tiene lugar en el seno del procedimiento de adjudicación más amplio, pero de un contrato de obra de resultado esencial. Ha sido correcto el actuar administrativo al ofertar en primer lugar el proyecto, y también lo es el grado de precisión exigido en la oferta.

3. No se aplicarán las normas de la presente sección a los concursos de proyectos que se encuentren en casos equiparables a los previstos en el artículo 4 y en el apartado 2 del artículo 13.

4. Se consideran sujetos a regulación armonizada los concursos de proyectos cuya cuantía sea igual o superior a los umbrales fijados en el artículo 16 en función del órgano que efectúe la convocatoria.

La cuantía de los concursos de proyectos se calculará aplicando las siguientes reglas a los supuestos previstos en el apartado 2 de este artículo: en el caso de la letra a), se tendrá en cuenta el valor estimado del contrato de servicios y las eventuales primas de participación o pagos a los participantes;, en el caso previsto en la letra b), se tendrá en cuenta el importe total de los pagos y primas, e incluyendo el valor estimado del contrato de servicios que pudiera adjudicarse ulteriormente con arreglo a la letra d) del artículo 174, si el órgano de contratación no excluyese esta adjudicación en el anuncio del concurso.

Concordancias a todo el artículo

➡ **Concordancias normativas**

Artículo 168 de la LCSP 30/2007 y artículo 216 del TRLCAP RDL 2/2000.

☞ **Concordancias Jurisprudenciales**

Tribunal Superior de Justicia de Galicia, Sala de lo Contencioso-administrativo, Sección 2.ª, Sentencia de 6 Oct. 2011, rec. 4545/2009

[LA LEY 215166/2011]

CONTRATOS ADMINISTRATIVOS. Anulación de la adjudicación definitiva del proyecto para la construcción de un edificio judicial. Las bases del concurso establecen que quien no podía participar en el concurso había de acreditar la causa, mediante declaración responsable, como paso previo a la percepción del premio. No figuran en el expediente las Actas de deliberación previa del Jurado, ni las Actas donde se refleje la puntuación otorgada por el Jurado a cada anteproyecto, ni la relación de la puntuación obtenida por cada participante, pues no existen. No hay constancia de los criterios de puntuación que fijados, suponiéndose que la valoración se hizo a tanto alzado, no existiendo constancia de cual ha sido el modo y manera por el cual el Jurado ha adjudicado los puntos que se establecían en las bases. No hay informe donde el Jurado hubiera hecho constar la clasificación de los proyectos, teniendo en cuenta los méritos de cada proyecto, junto con sus observaciones y cualesquiera aspectos que requiriesen aclaración, ni consta acta especificando los puntos principales de las deliberaciones, ni referencia a los criterios del anuncio de celebración del concurso, ni el órgano calificador exteriorizó la puntuación exigida por la norma, no motivándose el acto que puso fin al concurso, de conformidad con las normas que regulaban su convocatoria.

✉ **Consultas**

• **¿Es posible iniciar mediante procedimiento restringido la adjudicación de un concurso de proyectos regulado en el art. 168.1 de la Ley 30/2007 de Contratos del Sector Público?**

Contratación Administrativa Práctica, Nº 88, Sección Usted Pregunta, Julio 2009, pág. 11, Editorial LA LEY

[LA LEY 1298/2009]

Respuesta

En principio, debemos afirmar que la nueva LCSP permite adjudicar los contratos que tengan por objeto la redacción de un proyecto mediante las dos opciones que pasamos a analizar:

Antes de profundizar en ambas opciones, conviene comenzar señalando que el artículo 122 (LA LEY 10868/2007) de la LCSP enumera los diferentes procedimientos de adjudicación y señala en su apartado 2 que «la adjudicación se realizará, ordinariamente, utilizando el procedimiento abierto o el procedimiento restringido», mientras que sólo permite el procedimiento negociado en los supuestos enumerados en los artículos 154 a 159 (LA LEY 10868/2007), ambos inclusive y el nuevo procedimiento del diálogo competitivo en los casos previstos en el artículo 164 (LA LEY 10868/2007) de la ley. Posteriormente, se refiere a los contratos menores, que no nos interesa para resolver la consulta planteada. Y, por último, en el apartado 4 se recoge un nuevo procedimiento de adjudicación que es el relativo a los concursos de proyectos para los cuales el precepto prevé que se siga el procedimiento regulado en la sección 6.ª de este Capítulo de la LCSP.

En definitiva, la nueva LCSP establece dos procedimientos ordinarios de adjudicación de contratos: abierto y restringido y tres procedimientos extraordinarios (llamados así porque solo se permite su utilización en los casos expresamente tasados en la ley): negociados, diálogo competitivo y concurso de proyecto con jurado.

Opción 1: contratación mediante procedimiento restringido:

El artículo 10 define los contratos de servicios como «aquellos cuyo objeto son prestaciones de hacer consistentes en el desarrollo de una actividad o dirigidas a la obtención de un resultado distinto de una obra o un suministro. A efectos de aplicación de esta Ley, los contratos de servicios se dividen en las categorías enumeradas en el Anexo II.»

En el mencionado Anexo II (LA LEY 10868/2007) se recogen diferentes categorías, de entre las que conviene destacar para poder contestar a esta consulta, la número 12 que hace referencia a servicios de arquitectura, de ingeniería, de planificación urbana, de arquitectura paisajística, etc...

En consecuencia, los contratos que tengan por objeto la redacción de un proyecto (de arquitectura, de ingeniería o de cualquier otro tipo) son contratos de servicios y por lo tanto se podrán adjudicar por los procedimientos señalados en la ley: abierto (arts. 141 (LA LEY 10868/2007) y ss.), restringido (arts. 146 (LA LEY 10868/2007) y ss.) y negociado (art. 158 (LA LEY 10868/2007) de la LCSP). En este último caso, y por su carácter excepcional anteriormente explicado, sólo se podrá adjudicar mediante negociado si nos encontramos en algunos de los supuestos concretamente tasados en este artículo 158 de la LCSP.

Opción 2: contratación mediante concurso de proyecto con jurado:

En este sentido la regulación concreta de los concursos de proyectos con jurados se regula en los artículos 168 (LA LEY 10868/2007) y siguientes de la LCSP. En concreto, el primero de estos preceptos al regular el ámbito de aplicación, dispone que «son concursos de proyectos los procedimientos encaminados a la obtención de planos o proyectos, principalmente en los campos de la arquitectura, el urbanismo, la ingeniería y el procesamiento de datos, a través de una selección que, tras la correspondiente licitación, se encomienda a un jurado.»

Posteriormente, en su apartado 2 señala que «Las normas de la presente sección se aplicarán a los concursos de proyectos que respondan a uno de los tipos siguientes:

a) Concursos de proyectos organizados en el marco de un procedimiento de adjudicación de un contrato de servicios.

b) Concursos de proyectos con primas de participación o pagos a los participantes».

En consecuencia, los órganos de contratación podrán utilizar este procedimiento de adjudicación de concursos con jurados únicamente cuando esté en alguno de los supuestos mencionados en el artículo 168 (LA LEY 10868/2007) de la LCSP y deseen la participación y adjudicación de este contrato por medio de la institución del jurado perfectamente regulada en la nueva LCSP.

Artículo 185 *Bases del concurso*

Las normas relativas a la organización de un concurso de proyectos se establecerán de conformidad con lo regulado en la presente sección y se pondrán a disposición de quienes estén interesados en participar en el mismo.

➡ Concordancias normativas

Artículo 169 de la LCSP 30/2007 y artículo 216 del TRLCAP RDL 2/2000.

Artículo 186 *Participantes*

En caso de que se decida limitar el número de participantes, la selección de éstos deberá efectuarse aplicando criterios objetivos, claros y no discriminatorios, sin que el acceso a la participación pueda limitarse a un determinado ámbito territorial, o a personas físicas con exclusión de las jurídicas o a la inversa. En cualquier caso, al fijar el número de candidatos invitados a participar, deberá tenerse en cuenta la necesidad de garantizar una competencia real.

Concordancias a todo el artículo

➡ Concordancias normativas

Artículo 170 de la LCSP 30/2007 y artículo 216 del TRLCAP RDL 2/2000.

☞ **Concordancias Jurisprudenciales**

Tribunal Administrativo Central de Recursos Contractuales, Resolución de 29 Jun. 2011, rec. 123/2011

[LA LEY 82791/2011]

CONTRATO ADMINISTRATIVO DE SERVICIOS. Bases que han de regir el concurso de ideas con intervención de jurado para la redacción del proyecto de ejecución de fachadas y zonas de oficinas del edificio sede del Consorcio Ess Bilbao. Criterios de selección en la primera fase del concurso. RECURSO ESPECIAL EN MATERIA DE CONTRATACIÓN. Desestimación. La utilización de la experiencia como criterio de valoración de la aptitud puede ser considerada como un criterio de selección de los participantes, que no de adjudicación, en cuanto que lo que se persigue con la cláusula impugnada es una selección previa de candidatos a los cuales se les aplicarán los criterios de adjudicación previstos en el pliego. La superior valoración que hace el criterio de los edificios científicos respecto de las oficinas, se justifica porque el edificio en cuestión no se destinará exclusivamente a oficinas, y se refiere además de a la zona de oficinas a la zona de laboratorios, lo cual es indicativo del carácter industrial. En relación con el criterio de la titulación del firmante del proyecto, la indefinición de las ingenierías en absoluto discrimina o limita la concurrencia, sino, al contrario, la favorece. Es plenamente admisible la exigencia de dichos certificados, aún cuando se trate de licitadores que sean personas físicas. El certificado en cuestión lo que acredita es una calidad mínima en el proceso de realización de los trabajos, sin perjuicio de la habilitación necesaria para su realización, que vendrá determinada por la posesión de la correspondiente titulación. La ley permite la exigencia de titulaciones, cumpliéndose los requisitos de vinculación y proporcionalidad.

Artículo 187 *Publicidad*

1. La licitación del concurso de proyectos se publicará en la forma prevista en el artículo 142.

2. Los resultados del concurso se publicarán en la forma prevista en el artículo 154.

➡ **Concordancias normativas**

Artículo 171 de la LCSP 30/2007 y artículo 216 del TRLCAP RDL 2/2000.

Artículo 188 *Decisión del concurso*

1. El jurado estará compuesto por personas físicas independientes de los participantes en el concurso de proyectos.

2. Cuando se exija una cualificación profesional específica para participar en un concurso de proyectos, al menos un tercio de los miembros del jurado deberá poseer dicha cualificación u otra equivalente.

3. El jurado adoptará sus decisiones o dictámenes con total independencia, sobre la base de proyectos que le serán presentados de forma anónima, y atendiendo únicamente a los criterios indicados en el anuncio de celebración del concurso.

4. El jurado tendrá autonomía de decisión o de dictamen.

5. El jurado hará constar en un informe, firmado por sus miembros, la clasificación de los proyectos, teniendo en cuenta los méritos de cada proyecto, junto con sus observaciones y cualesquiera aspectos que requieran aclaración.

6. Deberá respetarse el anonimato hasta que el jurado emita su dictamen o decisión.

7. De ser necesario, podrá invitarse a los participantes a que respondan a preguntas que el jurado haya incluido en el acta para aclarar cualquier aspecto de los proyectos, debiendo levantarse un acta completa del diálogo entre los miembros del jurado y los participantes.

8. Conocido el dictamen del jurado y teniendo en cuenta el contenido de la clasificación y del acta a que se refiere el artículo anterior el órgano de contratación procederá a la adjudicación, que deberá ser motivada si no se ajusta a la propuesta o propuestas del jurado.

9. En lo no previsto por esta sección el concurso de los proyectos se regirá por las disposiciones reguladoras de la contratación de servicios.

Concordancias a todo el artículo

➡ **Concordancias normativas**

Artículo 172 de la LCSP 30/2007 y artículo 216 del TRLCAP RDL 2/2000.

☞ **Concordancias Jurisprudenciales**

Tribunal Superior de Justicia de Madrid, Sala de lo Contencioso-administrativo, Sección 3.ª, Sentencia de 27 Ene. 2010, rec. 3783/2008

[LA LEY 1008/2010]

CONTRATO ADMINISTRATIVO DE SERVICIOS. Concurso de proyectos con intervención de jurado convocado por el Ministerio de Defensa para la adjudicación de proyecto de diseño urbanístico y arquitectónico. Nulidad de varias de las cláusulas del pliego de prescripciones técnicas y de las cláusulas administrativas particulares. Infracción de la garantía de anonimato al exigirse la identificación de las propuestas técnicas de los licitadores, lo que permitió al jurado conocer en todo momento quienes eran los autores. Falta de cualificación profesional específica de la Mesa del Jurado, en cuanto que no se preveía que al menos uno de los 3 miembros que lo integran fuesen arquitectos o ingenieros de caminos provistos de los conocimientos necesarios para la adecuada valoración de las propuestas. Fijación de criterios de valoración de las ofertas no concretado ni objetivizado, que otorgan al jurado seleccionador facultades que exceden de su competencia. Nulidad de los actos administrativos de contratación dictados con posterioridad en aplicación directa de las cláusulas declaradas nulas.

CAPÍTULO II

Adjudicación de otros contratos del sector público

Sección 1

Normas aplicables por los poderes adjudicadores que no tengan el carácter de administraciones públicas

Artículo 189 *Delimitación general*

Los poderes adjudicadores que no tengan el carácter de Administraciones Públicas aplicarán, para la adjudicación de sus contratos, las normas de la presente sección.

Concordancias a todo el artículo

➡ **Concordancias normativas**

Artículo 173 de la LCSP 30/2007.

✉ **Consultas**

• **Diferencias en el régimen jurídico aplicable a los contratos de ayuntamiento y de sociedad municipal**

¿Qué diferencias existen entre la actuación contractual de un ayuntamiento y de una sociedad de capital íntegramente municipal?

[21/07/2009 EC 2178/2009]

Contestación

El art. 3 de la Ley 30/2007, de 30 de octubre (BOE del 31), de Contratos del Sector Público (LCSP), al regular el ámbito subjetivo de aplicación de la ley, señala en su apartado 1 letra d) que a los efectos de esta Ley se considera que forman parte del sector público los siguientes entes, organismos y entidades: d) Las sociedades mercantiles en cuyo capital social la participación, directa o indirecta, de entidades de las mencionadas en las letras a) a f) del presente apartado sea superior al 50 por ciento.

Sin embargo, esto no quiere decir ni mucho menos que le sea aplicable íntegramente la LCSP; muy al contrario, y como puso de manifiesto el Consejo de Estado en su dictamen al anteproyecto de ley, aunque la ley se titule de contratos del «sector público», realmente el grueso de la norma sigue regulando los contratos administrativos de las Administraciones Públicas, estableciendo sólo una serie de normas que son aplicables a los entes que forman parte del sector público pero que no tienen la consideración de administración pública, distinguiendo según tenga la consideración o no de poderes adjudicadores según establece el propio artículo 3.

Y para ello vamos a poner dos ejemplos muy clarificadores. En primer lugar los arts. 19 y 20 cuando regulan los contratos que tiene la consideración de contratos administrativos y contratos privados. Para definir los primeros establece el art. 19 que tendrán carácter administrativo los contratos siguientes, siempre que se celebren por una Administración Pública:

a) Los contratos de obra, concesión de obra pública, gestión de servicios públicos, suministro y servicios, así como los contratos de colaboración entre el sector público y el sector privado. No obstante, los contratos de servicios comprendidos en la categoría 6 del Anexo II y los que tengan por objeto la creación e interpretación artística y literaria y los de espectáculos comprendidos en la categoría 26 del mismo Anexo no tendrán carácter administrativo.

b) Los contratos de objeto distinto a los anteriormente expresados, pero que tengan naturaleza administrativa especial por estar vinculados al giro o tráfico específico de la Administración contratante o por satisfacer de forma directa o inmediata una finalidad pública de la específica competencia de aquélla, siempre que no tengan expresamente atribuido el carácter de contratos privados conforme al párrafo segundo del artículo 20.1, o por declararlo así una Ley.

Y a la hora de regular los contratos privados, el art. 20.1 señala que tendrán la consideración de contratos privados los celebrados por los entes, organismos y entidades del sector público que no reúnan la condición de Administraciones Públicas. Es decir, los contratos celebrados por una sociedad mercantil, al carecer del carácter de administración pública, no es un contrato administrativo, sino que se trata de un contrato privado.

El segundo ejemplo que vamos a poner es en lo referente a las normas sobre selección del contratista y adjudicación de los contratos, recogido en el Libro II de la Ley. Si nos fijamos, este Libro en su Título I se refiere a la Adjudicación de los contratos, y se divide en dos capítulos. El primero, muy prolijo, regula los procedimientos de adjudicación de los contratos de las administraciones públicas y recoge los arts. 122 a 172. En tanto que el segundo capítulo, con la rúbrica de «adjudicación de otros contratos del sector público», se incluyen solo los arts. 173 a 178, en los que se distingue según se trate de contratos de entes que tengan la consideración de poderes adjudicadores y no sean administraciones públicas, contratos de otros entes que no tengan la consideración de poderes adjudicadores y contratos subvencionados. Pues bien, en este caso, al no ser una sociedad mercantil un poder adjudicador, por tener carácter industrial o mercantil, les sería aplicable únicamente el art. 176, en el que se establecen unos principios generales que deben regir en la adjudicación de estos contratos.

Por tanto, se puede concluir que existen muchas diferencias en el régimen jurídico aplicable según si el contrato lo adjudica una administración pública o una sociedad mercantil de capital íntegramente público.

• **En los contratos no sujetos a regulación armonizada se entenderán cumplidas las exigencias derivadas del principio de publicidad con la inserción de la información relativa a la licitación de los contratos cuyo importe supere los 50.000 euros en el perfil del contratante de la entidad**

¿Es legal que una empresa de capital íntegramente municipal licite unas obras por importe superior a 232.000 euros (IVA incluido) por un procedimiento que no sea el abierto y siguiendo las disposiciones del art. 175 LCSP?

[07/04/2009 EC 1112/2009]

Ver respuesta en artículo 3

Artículo 190 *Adjudicación de los contratos sujetos a regulación armonizada*

1. La adjudicación de los contratos sujetos a regulación armonizada se regirá por las normas establecidas en el Capítulo anterior con las siguientes adaptaciones:

a) No serán de aplicación las normas establecidas en el segundo párrafo del apartado 2 del artículo 150 sobre intervención del comité de expertos para la valoración de criterios subjetivos, en los apartados 1 y 2 del artículo 152 sobre criterios para apreciar el carácter anormal o desproporcionado de las ofertas, en el artículo 156 sobre formalización de los contratos sin perjuicio de que deba observarse el plazo establecido en su apartado 3 y lo previsto en el apartado 5, en el artículo 160 sobre examen de las proposiciones y propuesta de adjudicación, y en el artículo 172 sobre los supuestos en que es posible acudir a un procedimiento negociado para adjudicar contratos de gestión de servicios públicos.

➡ **Concordancias normativas**

Letra a) del número 1 del artículo 174 redactada por el apartado veintinueve del artículo primero de la Ley 34/2010, de 5 de agosto, de modificación de las Leyes 30/2007, de 30 de octubre, de Contratos del Sector

Público, 31/2007, de 30 de octubre, sobre procedimientos de contratación en los sectores del agua, la energía, los transportes y los servicios postales, y 29/1998, de 13 de julio, reguladora de la Jurisdicción Contencioso-Administrativa para adaptación a la normativa comunitaria de las dos primeras («B.O.E». 9 agosto).

b) No será preciso publicar las licitaciones y adjudicaciones en los diarios oficiales nacionales a que se refieren el párrafo primero del apartado 1 del artículo 142 y el párrafo primero del apartado 2 del artículo 154, entendiéndose que se satisface el principio de publicidad mediante la publicación efectuada en el «Diario Oficial de la Unión Europea» y la inserción de la correspondiente información en la plataforma de contratación a que se refiere el artículo 334 o en el sistema equivalente gestionado por la Administración Pública de la que dependa la entidad contratante, sin perjuicio de la utilización de medios adicionales con carácter voluntario.

2. Si, por razones de urgencia, resultara impracticable el cumplimiento de los plazos mínimos establecidos, será de aplicación lo previsto en el artículo 112.2.b) sobre reducción de plazos.

☞ **Concordancias Jurisprudenciales**

Tribunal Administrativo Central de Recursos Contractuales, Resolución de 16 Dic. 2010, rec. 039/2010

[LA LEY 297980/2010]

CONTRATO ADMINISTRATIVO DE SUMINISTRO. Impugnación de resolución por la que se adjudica provisionalmente el suministro de cobertura quirúrgica desechable y guantes, al no aparecer como adjudicataria la mercantil recurrente. RECURSO ESPECIAL EN MATERIA DE CONTRATACIÓN. Inadmisión. Por haber sido interpuesto contra un acto de trámite no susceptible de ser recurrido, al no encontrarse en ninguno de los supuestos del art. 310.2 b) LCSP. En el caso, la adjudicación provisional, una vez hecha, no podría subsumirse en ninguno de estos supuestos, pues ni decide sobre la adjudicación ni produce indefensión o perjuicio irreparable, ni finalmente determina la imposibilidad de continuar el procedimiento pues la oferta de la recurrente aún no ha sido definitivamente descartada pudiendo ser adjudicataria mientras no se resuelva definitivamente sobre la adjudicación. Normativa aplicable. LCSP, al haberse iniciado el expediente antes de la entrada en vigor de la Ley 34/2010, de 5 Ag. El procedimiento de adjudicación deberá tramitarse de conformidad con la redacción anterior de la misma, respetándose la existencia de dos adjudicaciones, provisional y definitiva. Incumplimiento por el órgano de contratación del requisito de motivación de la notificación de la adjudicación provisional exigido legalmente. Posibilidad de que la mercantil de, una vez acordada la adjudicación definitiva, pueda interponer recurso contra la misma, si concurrieran motivos para ello. Procede el levantamiento de la suspensión automática.

Concordancias a todo el artículo

➡ **Concordancias normativas**

Artículo 174 de la LCSP 30/2007.

☞ **Concordancias Jurisprudenciales**

Tribunal Administrativo Central de Recursos Contractuales, Resolución de 9 Feb. 2011, rec. 073/2010

[LA LEY 14717/2011]

CONTRATO ADMINISTRATIVO DE OBRAS. Anuncio de licitación y pliego de condiciones particulares que han de regir la contratación, mediante procedimiento abierto, de las obras de construcción de Centro Integral de Servicios de IBERMUTUAMUR en Armilla. Pliego de cláusulas particulares. RECURSO ESPECIAL EN MATERIA DE CONTRATACIÓN. Estimación. No procede la exigencia del certificado del sistema de gestión de la I+D+i, contenida en el pliego de condiciones particulares, visto el objeto del contrato ejecución de obras de un Centro para prestar servicios fundamentalmente de carácter sanitario. La exigencia de calidad extra no justificada en el expediente de contratación y fundamentalmente en los pliegos, referida a la gestión de investigación, desarrollo e innovación para un contrato de obras, aún cuando se trate de construir un inmueble de carácter mayoritariamente sanitario, supone una discriminación de unas empresas frente a otras. Así, la exigencia de normas de garantía de la calidad deben respetar los principios que deben presidir la contratación, debiendo destacarse para este supuesto concreto el de concurrencia.

Tribunal Administrativo Central de Recursos Contractuales, Resolución de 9 Feb. 2011, rec. 064/2010

[LA LEY 14705/2011]

CONTRATO ADMINISTRATIVO DE SERVICIOS. Adjudicación de contrato relativo a «Servicio de destrucción de subproductos de origen animal clasificados como material de categoría I, procedentes de la Comunidad Autónoma de Castilla-La Mancha». Temeridad de la oferta presentada. RECURSO ESPECIAL EN MATERIA DE CONTRATACIÓN. Desestimación. No ha quedado acreditado que la adjudicataria no esté en condiciones de ejecutar el contrato en los términos de la proposición presentada. Simplemente se ha tratado de acreditar vía costes de producción que la oferta de la adjudicataria es inferior al coste de prestación del servicio. Pero aun admitiendo que la forma normal de actuar en el mundo empresarial no es hacerlo presumiendo que se sufrirán pérdidas como consecuencia de una determinada operación, es claro también que entre las motivaciones del empresario para emprender un determinado negocio no sólo se contemplan las específicas de ese negocio concreto, sino que es razonable admitir que para establecer el resultado de cada contrato, se haga una evaluación conjunta con los restantes negocios celebrados por la empresa y que, analizado desde esta perspectiva, pueda apreciarse que produce un resultado favorable.

Tribunal Administrativo Central de Recursos Contractuales, Resolución de 16 Feb. 2011, rec. 014/2011

[LA LEY 14642/2011]

CONTRATO ADMINISTRATIVO DE CONSULTORÍA Y ASISTENCIA. Pliego de cláusulas particulares que ha de regir la contratación, por procedimiento abierto, de los trabajos de consultoría y asistencia técnica al proceso de expropiaciones de los bienes y derechos afectados por las obras de ampliación y mejora del sistema de abastecimiento de una Mancomunidad de Aguas. RECURSO ESPECIAL EN MATERIA DE CONTRATACIÓN. Estimación parcial. Nulidad de la exigencia de acreditación del cumplimiento de normas de gestión medioambiental. Visto el objeto del contrato, actuaciones de carácter técnico, es totalmente innecesario que las empresas licitadoras deban disponer de normas de gestión medioambiental. Su exigencia supone una discriminación de unas empresas frente a otras, lo cual afecta claramente al Principio de concurrencia consagrado en la contratación pública.

Artículo 191 *Adjudicación de los contratos que no estén sujetos a regulación armonizada*

En la adjudicación de contratos no sujetos a regulación armonizada serán de aplicación las siguientes disposiciones:

a) La adjudicación estará sometida, en todo caso, a los principios de publicidad, concurrencia, transparencia, confidencialidad, igualdad y no discriminación.

b) Los órganos competentes de las entidades a que se refiere esta sección aprobarán unas instrucciones, de obligado cumplimiento en el ámbito interno de las mismas, en las que se regulen los procedimientos de contratación de forma que quede garantizada la efectividad de los principios enunciados en la letra anterior y que el contrato es adjudicado a quien presente la oferta económicamente más ventajosa. Estas instrucciones deben ponerse a disposición de todos los interesados en participar en los procedimientos de adjudicación de contratos regulados por ellas, y publicarse en el perfil de contratante de la entidad.

En el ámbito del sector público estatal, la aprobación de las instrucciones requerirá el informe previo de la Abogacía del Estado.

c) Se entenderán cumplidas las exigencias derivadas del principio de publicidad con la inserción de la información relativa a la licitación de los contratos cuyo importe supere los 50.000 euros en el perfil del contratante de la entidad, sin perjuicio de que las instrucciones internas de contratación puedan arbitrar otras modalidades, alternativas o adicionales, de difusión.

☞ **Concordancias Jurisprudenciales**

Tribunal Administrativo Central de Recursos Contractuales, Resolución de 21 Sep. 2011, rec. 171/2011

[LA LEY 191941/2011]

CONTRATO ADMINISTRATIVO DE SERVICIOS. Pliego de Cláusulas Administrativas particulares y de Prescripciones Técnicas que ha de regir el proceso de licitación para la contratación del servicio de vigilancia armado y de seguridad de las personas y bienes en la presa de Itoiz. RECURSO ESPECIAL EN MATERIA DE CONTRATACIÓN. Estimación. Nulidad de las cláusulas impugnadas. La exigencia de que todas las empresas que quieran participar en la licitación tengan ya, con anterioridad a la presentación de solicitudes, un mínimo de 100 vigilantes con licencia de armas tipo C trabajando en Navarra es desproporcionada, cuando el número de vigilantes que hacen falta para cumplir el objeto del contrato es, según el pliego, de seis, cinco más un coordinador. Si la clasificación sustituye la acreditación de solvencia a través de los medios establecidos en la Ley, la referencia a la posibilidad de exigir medios adicionales para su acreditación cuando sea exigible la clasificación no es posible desde el punto de vista legal. No cabe exigir la suscripción de pólizas de seguro que tengan como finalidad acreditar la solvencia financiera o económica de las empresas en aquellos casos en que sea legalmente exigible la clasificación. La segunda póliza de responsabilidad exigida cumple la misma finalidad que la garantía definitiva, pero sin cumplir el requisito de limitación de su cuantía ni el de exigirla tan sólo al que haya de resultar adjudicatario del contrato que se establece en la Ley. Es razonable y justificada la exigencia del requisito, aunque exclusivamente para la empresa que resulte adjudicataria.

Concordancias a todo el artículo

➡ **Concordancias normativas**

Artículo 175 de la LCSP 30/2007.

☞ **Concordancias Jurisprudenciales**

Tribunal Administrativo Central de Recursos Contractuales, Resolución de 9 Feb. 2011, rec. 064/2010

[LA LEY 14705/2011]

CONTRATO ADMINISTRATIVO DE SERVICIOS. Adjudicación de contrato relativo a «Servicio de destrucción de subproductos de origen animal clasificados como material de categoría I, procedentes de la Comunidad Autónoma de Castilla—La Mancha». Temeridad de la oferta presentada. RECURSO ESPECIAL EN MATERIA DE CONTRATACIÓN. Desestimación. No ha quedado acreditado que la adjudicataria no esté en condiciones de ejecutar el contrato en los términos de la proposición presentada. Simplemente se ha tratado de acreditar vía costes de producción que la oferta de la adjudicataria es inferior al coste de prestación del servicio. Pero aun admitiendo que la forma normal de actuar en el mundo empresarial no es hacerlo presumiendo que se sufrirán pérdidas como consecuencia de una determinada operación, es claro también que entre las motivaciones del empresario para emprender un determinado negocio no sólo se contemplan las específicas de ese negocio concreto, sino que es razonable admitir que para establecer el resultado de cada contrato, se haga una evaluación conjunta con los restantes negocios celebrados por la empresa y que, analizado desde esta perspectiva, pueda apreciarse que produce un resultado favorable.

Tribunal Administrativo Central de Recursos Contractuales, Resolución de 23 Mar. 2011, rec. 053/2011

[LA LEY 14688/2011]

CONTRATO ADMINISTRATIVO DE SERVICIOS. De pruebas biomecánicas a la población protegida de una mutua de accidentes de trabajo y enfermedades profesionales de la S.S. Impugnación de resolución por la que se adjudica el servicio, al no aparecer como adjudicataria la mercantil recurrente. RECURSO ESPECIAL EN MATERIA DE CONTRATACIÓN. Desestimación. Por ajustarse la proposición de la adjudicataria al pliego de condiciones. No pudo apreciarse la existencia de oferta anormal o desproporcionada, ya que aunque estaba previsto en el pliego, no se fijaban los criterios objetivos para su consideración. Además, la oferta presentada incluía la documentación necesaria que acreditaba que el licitador disponía de los equipos necesarios para la prestación del servicio y que acompañaba su protocolo de uso. No era posible presumir a priori la imposibilidad del cumplimiento de la obligación asumida por el adjudicatario.

Sección 2

Normas aplicables por otros entes, organismos y entidades del sector público

Artículo 192 *Régimen de adjudicación de contratos*

1. Los entes, organismos y entidades del sector público que no tengan la consideración de poderes adjudicadores deberán ajustarse, en la adjudicación de los contratos, a los principios de publicidad, concurrencia, transparencia, confidencialidad, igualdad y no discriminación.

2. La adjudicación de los contratos deberá efectuarse de forma que recaiga en la oferta económicamente más ventajosa.

3. En las instrucciones internas en materia de contratación que se aprueben por estas entidades se dispondrá lo necesario para asegurar la efectividad de los principios enunciados en el apartado 1 de este artículo y la directriz establecida en el apartado 2. Estas instrucciones deben ponerse a disposición de todos los interesados en participar en los procedimientos de adjudicación de contratos regulados por ellas, y publicarse en el perfil de contratante de la entidad.

En el ámbito del sector público estatal, estas instrucciones deberán ser informadas antes de su aprobación por el órgano al que corresponda el asesoramiento jurídico de la correspondiente entidad.

Concordancias a todo el artículo

➡ Concordancias normativas

Artículo 176 de la LCSP 30/2007.

☞ Concordancias Jurisprudenciales

Tribunal Superior de Justicia de Madrid, Sala de lo Contencioso-administrativo, Sección 3.ª, Sentencia de 25 Mar. 2009, rec. 1229/2007

[LA LEY 336386/2009]

CONTRATO ADMINISTRATIVO DE SERVICIOS. Conformidad a derecho de la denegación a la interesada de la clasificación como empresa de servicios. IFEMA es un organismo público constituido como un Consorcio por el Ayuntamiento de Madrid, la Comunidad de Madrid, la Cámara Oficial de Comercio e Industria y la Caja de Ahorros de Madrid, y, en consecuencia, es un órgano de contratación y no entidad contratista que pueda ser clasificada como empresa de servicios.

Sección 3

Normas aplicables en la adjudicación de contratos subvencionados

Artículo 193 *Adjudicación de contratos subvencionados*

La adjudicación de los contratos subvencionados a que se refiere el artículo 17 de esta Ley se regirá por las normas establecidas en el artículo 190.

➡ Concordancias normativas

Artículo 177 de la LCSP 30/2007.

Véase artículo 17 de la presente Ley.

TÍTULO II

Racionalización técnica de la contratación

CAPÍTULO I

Normas generales

Artículo 194 *Sistemas para la racionalización de la contratación de las Administraciones Públicas*

Para racionalizar y ordenar la adjudicación de contratos las Administraciones Públicas podrán concluir acuerdos marco, articular sistemas dinámicos, o centralizar la contratación de obras, servicios y suministros en servicios especializados, conforme a las normas de este Título.

Concordancias a todo el artículo

➡ **Concordancias normativas**

Artículo 178 de la LCSP 30/2007.

☞ **Concordancias Jurisprudenciales**

Tribunal Supremo, Sala Tercera, de lo Contencioso-administrativo, Sección 7.ª, Sentencia de 8 Mar. 2012, rec. 2517/2009

[LA LEY 24810/2012]

CONTRATOS ADMINISTRATIVOS. Correcta interpretación del convenio de colaboración suscrito entre la propia Comunidad de Madrid y la entidad interesada para la prolongación de la línea 1 del Metro de Madrid. Los preceptos del Código Civil, en el ámbito de la contratación administrativa, deben ponerse necesariamente en adecuada correlación hermenéutica con la temática de los límites de las prerrogativas de la Administración para la interpretación de los propios contratos administrativos. La interesada no alude de forma expresa y pormenorizada a los concretos preceptos que, por parte de la sentencia impugnada, se hubieran vulnerado, no bastando, a los pretendidos efectos casacionales, las meras referencias genéricas y no individualizadas. Los argumentos utilizados en la sentencia no pueden tacharse de ilógicos e irracionales, en tanto que la cantidad máxima objeto de la controversia suscitada tiene carácter fijo y no revisable.

Artículo 195 *Sistemas para la racionalización de la contratación de otras entidades del sector público*

Los sistemas para la racionalización de la contratación que establezcan las entidades del sector público que no tengan el carácter de Administraciones Públicas en sus normas e instrucciones propias, deberán ajustarse a las disposiciones de este Título para la adjudicación de contratos sujetos a regulación armonizada.

➡ **Concordancias normativas**

Artículo 179 de la LCSP 30/2007.

CAPÍTULO II

Acuerdos marco

✐ **Informes de la Junta Consultiva de Contratación Administrativa**

Acuerdo 12/2010, de 21 de diciembre, de la Junta Consultiva de Contratación Administrativa de la Comunidad de Madrid, sobre la inscripción en el registro de contratos de la Comunidad de Madrid de los Acuerdos Marco y de los contratos basados en un Acuerdo Marco.

[LA LEY 200/2011]

REGISTRO DE CONTRATOS DEL SECTOR PÚBLICO. Acuerdo Marco. Inscripción en el registro de contratos de la CA Madrid de los Acuerdos Marco y de los contratos basados en uno de ellos. Criterios de actuación establecidos por la Comisión Permanente para los distintos supuestos que se pueden presentar respecto a contratos basados en un Acuerdo Marco. La LCSP regula el Acuerdo Marco como uno de los sistemas de racionalización de la contratación pública y deben ser objeto de inscripción en el Registro de Contratos de la CA Madrid. Dicho Registro se integra en la Consejería de Economía y Hacienda, bajo la dependencia orgánica de la Dirección General de Política Financiera, Tesorería y Patrimonio, a la que corresponde su gestión y con dependencia funcional de la Junta Consultiva de Contratación Administrativa.

Informe 5/2010, de 14 de abril, de la Junta Consultiva de Contratación Administrativa de la Comunidad Autónoma de Aragón, sobre forma y procedimiento de adhesión de las entidades locales de la provincia de Huesca a un acuerdo marco de su Diputación Provincial para la contratación del suministro de energía eléctrica.

[LA LEY 199/2010]

CONTRATACIÓN DEL SUMINISTRO DE ENERGÍA ELÉCTRICA. Examen del procedimiento y formalidades para la adhesión de entidades locales de una provincia a un acuerdo marco de su Diputación Provincial para la contratación del suministro. Análisis del acuerdo marco como sistema de racionalización técnica de la contratación. Aunque no es necesario en todo caso la creación de una Central de contratación para extender el acuerdo marco del suministro a las entidades locales que deseen adherirse, su creación es conforme al Derecho comunitario, al suponer que los sujetos que contratan a través de la Central de contratación cumplen y respetan las normas de licitación y adjudicación en la medida en que la Central lo haga, permitiendo la transparencia y simplificación en el procedimiento. Se estima dicha solución especialmente adecuada en el caso del ámbito de la Administración local de Aragón, que dispone de escasos recursos humanos y se encuentra excesivamente fragmentada. Conveniencia de conocer con antelación el número de municipios que deseen adherirse y sus necesidades, al objeto de determinar el valor estimado del contrato aunque no es estrictamente necesario. En cuanto al procedimiento de adhesión, no es necesario realizar una encomienda de gestión siendo suficiente la redacción de un convenio o instrumento jurídico similar, pues no implica necesariamente una transferencia de funciones o actividades o delegación alguna de competencias.

Acuerdo 3/2009, de 6 de marzo de 2009, de la Junta Consultiva de Contratación Administrativa de la Comunidad de Madrid, por el que se informa favorablemente el modelo de pliego de cláusulas administrativas particulares de acuerdo marco para suministro.

[LA LEY 401/2009]

CONTRATO ADMINISTRATIVO DE SUMINISTRO. Sistema de racionalización técnica. Modelo de pliego de cláusulas administrativas particulares de general aplicación que ha de regir el acuerdo marco para contratos de suministro por procedimiento abierto y pluralidad de criterios. Se recomienda la utilización del citado modelo para acuerdos marco de naturaleza análoga.

Informe 7/2008, de 7 de julio de 2008,de de la Junta Consultiva de Contratación Administrativa de la Generalidad de Cataluña, relativo a las Características de los sistemas dinámicos de contratación y de los Acuerdos Marco

[LA LEY 641/2008]

RACIONALIZACIÓN TÉCNICA DE LA CONTRATACIÓN. Deslinde del campo de actuación de los sistemas dinámicos de contratación respecto del propio de los acuerdos marco. Comisión Central de Suministros.

📖 **Doctrina**

«Racionalización de la contratación». Escrihuela Morales, Javier. Esta doctrina forma parte del libro *La Contratación del Sector Público*, edición n.º 4, Editorial El Consultor de los Ayuntamientos y de los Juzgados, Madrid, 2012.

Artículo 196 *Funcionalidad y límites*

1. Los órganos de contratación del sector público podrán concluir acuerdos marco con uno o varios empresarios con el fin de fijar las condiciones a que habrán de ajustarse los contratos que pretendan adjudicar durante un período determinado, siempre que el recurso a estos instrumentos no se efectúe de forma abusiva o de modo que la competencia se vea obstaculizada, restringida o falseada.

2. Cuando el acuerdo marco se concluya con varios empresarios, el número de éstos deberá ser, al menos, de tres, siempre que exista un número suficiente de interesados que se ajusten a los criterios de selección o de ofertas admisibles que respondan a los criterios de adjudicación.

3. La duración de un acuerdo marco no podrá exceder de cuatro años, salvo en casos excepcionales, debidamente justificados.

Concordancias a todo el artículo

➡ **Concordancias normativas**

Artículo 180 de la LCSP 30/2007.

✉ **Consultas**

• **Utilización de la figura del acuerdo marco**

Una Administración Pública amparándose en los artículos 180 y ss de la Ley de Contratos del Sector Público (LA LEY 10868/2007) (LCSP), abre convocatoria para mediante un Acuerdo Marco contratar un máximo de 6 equipos multidisciplinares para la realización de labores de asistencia técnica en la redacción de proyectos y dirección de obras. En los Pliegos que rigen el Acuerdo Marco no se establecen todas las condiciones de ejecución del contrato; es más, las actuaciones incluidas en la convocatoria podrían verse reducidas o ampliadas, aumentando con ello la inseguridad generada a los licitadores. Así mismo, para las 64 actuaciones previstas, con presupuestos que van desde los 100.000 euros hasta los 34.000.000 euros, la Institución convocante exige la acreditación de una solvencia mas acorde con la segunda de las cuantías señaladas.

Atendiendo a lo expresado en los párrafos precedentes, se plantean las siguientes cuestiones:

1. ¿Se estaría incumpliendo el artículo 180.1 LCSP en lo relativo a la obstaculización de la competencia?

2. ¿La necesidad de realizar una nueva licitación para cada proyecto no pone en peligro el cumplimiento de los principios de no discriminación, igualdad y transparencia proclamados en los artículos 1 y 123 LCSP?

Contratación Administrativa Práctica, N° 98, Sección Usted Pregunta, Junio 2010, pág. 12, Editorial LA LEY

[LA LEY 832/2010]

Respuesta

En primer lugar, hay que señalar que la utilización de la figura del Acuerdo Marco prevista en el artículo 180 de la Ley 30/2007 (LA LEY 10868/2007) no es obligatoria.

Por otra parte, del texto de la consulta, se deduce que el objeto del Acuerdo Marco sería contratar la asistencia técnica para la redacción de proyectos y dirección de obras, no la ejecución de la obra en sí, con lo que no tiene sentido la duda que se suscita respecto a las 64 actuaciones previstas, ya que éstas no son objeto del Acuerdo Marco.

En segundo lugar, por razones de eficiencia, no de legalidad, resulta imprescindible que todos los términos esenciales de los sucesivos contratos que potencialmente se puedan celebrar en el futuro, estén bien especificados en el Acuerdo Marco, ya que, si no es así, de acuerdo con las previsiones contenidas en el artículo 182 (LA LEY 10868/2007), apartados 1 y 4, habría que convocar una nueva licitación, lo que eliminaría todas las ventajas de agilidad administrativa que supone la utilización de esta figura jurídica.

Por último, tal como dispone el artículo 181.1 de la Ley 30/2007 (LA LEY 10868/2007), la celebración de un Acuerdo Marco se hace por un procedimiento abierto, que, además debe de reunir los requisitos que se contemplan en los apartados 2 y 3 de este mismo artículo. Si se sigue este procedimiento, ni se obstaculiza la competencia ni los principios de no discriminación, igualdad y transparencia.

• Los criterios de valoración de las ofertas en los acuerdos marco

La Institución precisa seleccionar a distintos profesionales de la traducción e interpretación para encargar la realización de distintos trabajos. En este sentido, la figura licitatoria más adecuada para llevar a cabo dicha selección es a nuestro criterio, el acuerdo marco regulado en el art. 180 y concordantes de la LCSP.

En el acuerdo marco se establecerían todas las condiciones de ejecución del contrato, tanto las de contenido contractual (plazo y condiciones de entrega de los trabajos, pago del precio, control de calidad, etc.) como las que afectan al contenido de los trabajos de traducción o interpretación a realizar y que tienen una naturaleza técnica (criterios lingüísticos que deben aplicar, uso de tesauro, uso de vocabulario etc.). Ello nos permitiría que durante la vigencia del acuerdo marco la Institución podría encargar la realización de diversos servicios de traducción sin tener que concurrir cada vez a un procedimiento licitatorio (art. 182.4 LCSP).

En el procedimiento para la celebración del acuerdo marco se establecerían en un primer momento, las condiciones de capacidad y solvencia establecidas en el capítulo II del Título II de la LCSP. En este punto, los medios para proceder a la acreditación de la solvencia técnica o profesional previstos en el art. 67 de la LCSP, son a criterio de la Institución un poco insuficientes.

Ello es así toda vez que la Institución precisa seleccionar a los profesionales técnicamente más cualificados, sin vulnerar el principio de igualdad de oportunidades y de libre concurrencia. Ello implicaría llevar a acabo un proceso de verificación y comprobación de unos estándares de calidad preestablecidos por la Institución y que ésta consideraría como mínimos para que los profesionales puedan seguir el procedimiento licitatorio, todo ello sin perjuicio de que los profesionales (personas físicas o jurídicas) acrediten la capacidad de obrar, y que no están incursas en una prohibición de contratar y acrediten su solvencia económica, financiera y técnica o profesional a través de los medios ya establecidos en los artículos 64 y 67 de la LCSP, respectivamente.

En este proceso «de homologación» es donde se procedería a la eliminación o selección de los candidatos, de modo que sólo los candidatos que superen unos estándares de calidad mínima estarían en condiciones de concluir con la Institución el acuerdo marco, siempre y cuando ellos estén de acuerdo con las condiciones preestablecidas en el mismo.

En este punto se llega a la conclusión de que el candidato pasaría a formar parte del acuerdo marco en función de una especie de «proceso de homologación» que se habría llevado a cabo en la fase de acreditación de la solvencia técnica o profesional, lo cual hay el temor de que pueda suponer una vulneración de los principios de la licitación, en especial, el de libre concurrencia, al tener la acreditación de dicha solvencia una función de selección.

Teniendo en cuenta que al acuerdo marco le son de aplicación los criterios de valoración de las ofertas establecidas en el art. 134 de la LCSP a tenor de la remisión que efectúa el art. 181 LCSP, y que en definitiva lo que interesa es que sólo puedan formar parte del acuerdo quienes reúnan unos estándares de calidad técnica establecidos por la Institución y además hayan presentado «una proposición económicamente más ventajosa» se plantean las siguientes dudas:

1. ¿Se pueden eliminar candidatos en la fase de acreditación de la solvencia técnica o profesional a que se refiere el art. 144.1 (documentación sobre A) independientemente de su proposición técnica? ¿O se debe efectuar la selección en el momento de llevar a cabo la aplicación de los criterios de selección de las ofertas, mediante la aplicación de criterios adjudicación como la «calidad» y el «valor técnico» a que se refiere el art. 134.1 LCSP?

2. ¿En qué consistiría la aplicación de este tipo de criterios de adjudicación como la «calidad» y el «valor técnico»?

3. Además de exigir la acreditación de los medios del art. 67 de la LCSP, ¿es posible efectuar una valoración sustantiva de la documentación que se aportaría en cumplimiento del apartado a) de modo que permita efectuar una valoración cualitativa? ¿Este es el sentido del alcance del art. 67, letra d)?

4. ¿Cuál es la frontera que sirve para diferenciar entre la aplicación de los criterios de solvencia técnica y profesional del art. 67 de la LCSP y la aplicación de los criterios de adjudicación como la calidad y el valor técnico del art. 134.1 de la LCSP?

5. Teniendo en cuenta que pueden concurrir tanto personas físicas (profesionales autónomos) como personas jurídicas (empresas), ¿sería posible llevar a cabo alguna prueba o examen? Y en caso afirmativo, ¿en qué fase del procedimiento? ¿Podría ser eliminatoria de modo que sólo pasarían a la siguiente fase del proceso aquéllos que superen una determinada puntuación y antes de pasar al examen de sus proposiciones económicas?

Contratación Administrativa Práctica, Nº 93, Sección Usted Pregunta, Enero 2010, Editorial LA LEY

[LA LEY 4178/2009]

Respuesta

La Ley 30/2007 de Contratos del Sector Público (LCSP) dispone en su artículo 181 (LA LEY 10868/2007) que para la celebración de un acuerdo marco se seguirán las normas de procedimiento establecidas en el Libro III y en el capítulo I del Título I del Libro II.

En relación con la fase de valoración de la solvencia técnica y profesional incluida en las ofertas de los candidatos, el propio artículo 135 (LA LEY 10868/2007), incluido en el capítulo, título y libro citados de la LCSP dispone que el órgano de contratación clasificará las proposiciones presentadas por orden decreciente, atendiendo a los criterios a que hace referencia el artículo 134 (LA LEY 10868/2007). También señala que el órgano de contratación no podrá declarar desierta una licitación cuando exista alguna oferta o proposición que sea admisible de acuerdo con los criterios establecidos.

Por otra parte, el artículo 134 dispone en su apartado 4 que cuando, para la valoración de ofertas se tome en consideración más de un criterio deberá precisarse la ponderación relativa atribuida a cada uno de ellos, fijando una banda de valores. Si el procedimiento se articula en varias fases debe indicarse en cuál de cada una de ellas se irán aplicando los diferentes criterios; además, cuando por razones justificadas no sea posible ponderar los criterios escogidos se enumeran por orden decreciente de importancia.

Los criterios de adjudicación en que se valora la solvencia técnica y profesional de los licitadores se aprecia teniendo en cuenta conocimientos técnicos, experiencia y fiabilidad en la calidad, lo cual debe acreditarse por alguno de los medios siguientes:

a) Relación de los principales servicios o trabajos realizados en los últimos tres años en que se incluya el importe, las fechas y el destinatario, público o privado. Los servicios o trabajos realizados deben acreditarse mediante certificados expedidos o visados por el órgano competente cuando el destinatario sea una entidad del sector público o mediante un certificado cuando sea un sujeto privado, siendo aceptada una declaración por escrito.

b) Indicación de las personas que están encargadas de realizar el control de calidad que corresponda.

c) Descripción de las medidas, instalaciones, instrumentos que van a emplearse para llevar a cabo el control de calidad, así como los medios de estudio e investigación.

d) Cuando se trate de servicios o trabajos complejos o cuando deban responder a una finalidad específica, un control realizado por el órgano de contratación o realizado en nombre de éste por un organismo oficial u homologado. El control debe versar sobre la capacidad técnica del empresario y si es preciso sobre los medios de estudio e investigación y sobre las medidas de control de calidad.

e) Titulaciones académicas y profesionales del licitador y de su personal acompañada de documentación justificativa.

f) En los casos que corresponda, medidas de gestión medioambiental que puedan aplicarse en la ejecución del contrato.

g) Declaración sobre el material y equipo técnico de que se dispondrá en la ejecución de trabajos o prestaciones, adjuntando la documentación acreditativa correspondiente.

La acreditación de los medios no exime de la valoración del medio por el que se acredita, en este sentido el criterio es igual tanto en los procedimientos de contratación como en otros procedimientos administrativos. De este modo cuando el apartado d) del artículo 67 LCSP (LA LEY 10868/2007) dispone que el control versará sobre la capacidad técnica del empresario y, si fuese necesario, sobre los medios de estudio y de investigación de que disponga y sobre las medidas del control de la calidad se refiere tanto al los extremos que se acreditan como al modo como se acreditan dichos extremos.

En un contrato de servicios como el que se plantea en la consulta la justificación de la solvencia técnica o profesional de los profesionales y empresarios debe apreciarse teniendo en cuenta sus conocimientos técnicos, experiencia, eficacia y fiabilidad, lo cual puede acreditarse por uno o varios de los medios que se han indicado anteriormente entre ellos un control realizado por el órgano de contratación u otro organismo oficial u homologado que menciona el apartado d) del artículo 65 (LA LEY 10868/2007) LCSP que debe realizarse en el momento en que la propia ley lo dispone para valorar la solvencia técnica y que, en nuestra opinión, puede servir como la prueba o examen a que se hace referencia en la consulta.

Artículo 197 *Procedimiento de celebración de acuerdos marco*

1. Para la celebración de un acuerdo marco se seguirán las normas de procedimiento establecidas en el Libro II, y en el Capítulo I del Título I de este Libro.

2. La celebración del acuerdo marco se publicará en el perfil de contratante del órgano de contratación y, en un plazo no superior a cuarenta y

ocho días, se publicará además en el «Boletín Oficial del Estado» o en los respectivos Diarios o Boletines Oficiales de las Comunidades Autónomas o de las Provincias. La posibilidad de adjudicar contratos sujetos a regulación armonizada con base en el acuerdo marco estará condicionada a que en el plazo de cuarenta y ocho días desde su celebración, se hubiese remitido el correspondiente anuncio de la misma al «Diario Oficial de la Unión Europea» y efectuado su publicación en el «Boletín Oficial del Estado.»

3. En los casos a que se refiere el artículo 153, el órgano de contratación podrá no publicar determinada información relativa a la celebración del acuerdo marco, justificándolo debidamente en el expediente.

→ **Concordancias normativas**

Número 3 del artículo 197 redactado por el apartado treinta del artículo primero de la Ley 34/2010, de 5 de agosto, de modificación de las Leyes 30/2007, de 30 de octubre, de Contratos del Sector Público, 31/2007, de 30 de octubre, sobre procedimientos de contratación en los sectores del agua, la energía, los transportes y los servicios postales, y 29/1998, de 13 de julio, reguladora de la Jurisdicción Contencioso-Administrativa para adaptación a la normativa comunitaria de las dos primeras («B.O.E». 9 agosto).

Concordancias a todo el artículo

→ **Concordancias normativas**

Artículo 181 de la LCSP 30/2007.

Artículo 198 *Adjudicación de contratos basados en un acuerdo marco*

1. Sólo podrán celebrarse contratos basados en un acuerdo marco entre los órganos de contratación y las empresas que hayan sido originariamente partes en aquél. En estos contratos, en particular en el caso previsto en el apartado 3 de este artículo, las partes no podrán, en ningún caso, introducir modificaciones sustanciales respecto de los términos establecidos en el acuerdo marco.

2. Los contratos basados en el acuerdo marco se adjudicarán de acuerdo con lo previsto en los apartados 3 y 4 de este artículo.

3. Cuando el acuerdo marco se hubiese concluido con un único empresario, los contratos basados en aquél se adjudicarán con arreglo a los términos en él establecidos. Los órganos de contratación podrán consultar por escrito al empresario, pidiéndole, si fuere necesario, que complete su oferta.

4. Cuando el acuerdo marco se hubiese celebrado con varios empresarios, la adjudicación de los contratos en él basados se efectuará aplicando los términos fijados en el propio acuerdo marco, sin necesidad de convocar a las partes a una nueva licitación.

Cuando no todos los términos estén establecidos en el acuerdo marco, la adjudicación de los contratos se efectuará convocando a las partes a una nueva licitación, en la que se tomarán como base los mismos términos, formulándolos de manera más precisa si fuera necesario, y, si ha lugar, otros a los que se refieran las especificaciones del acuerdo marco, con arreglo al procedimiento siguiente:

a) Por cada contrato que haya de adjudicarse, se consultará por escrito a todas las empresas capaces de realizar el objeto del contrato; no obstante, cuando los contratos a adjudicar no estén sujetos, por razón de su objeto y cuantía, a procedimiento armonizado, el órgano de contratación podrá decidir, justificándolo debidamente en el expediente, no extender esta consulta a la totalidad de los empresarios que sean parte del acuerdo marco, siempre que, como mínimo, solicite ofertas a tres de ellos.

b) Se concederá un plazo suficiente para presentar las ofertas relativas a cada contrato específico, teniendo en cuenta factores tales como la complejidad del objeto del contrato y el tiempo necesario para el envío de la oferta.

c) Las ofertas se presentarán por escrito y su contenido será confidencial hasta el momento fijado para su apertura.

d) De forma alternativa a lo señalado en las letras anteriores, el órgano de contratación podrá abrir una subasta electrónica para la adjudicación del contrato conforme a lo establecido en el artículo 148.

e) El contrato se adjudicará al licitador que haya presentado la mejor oferta, valorada según los criterios detallados en el acuerdo marco.

f) Si lo estima oportuno, el órgano de contratación podrá decidir la publicación de la adjudicación conforme a lo previsto en el artículo 154.

5. En los procedimientos de adjudicación a que se refieren los apartados anteriores podrá efectuarse la formalización del contrato sin necesidad de observar el plazo de espera previsto en el artículo 156.3.

➡ **Concordancias normativas**

Número 5 del artículo 198 introducido por el apartado treinta y uno del artículo primero de la Ley 34/2010, de 5 de agosto, de modificación de las Leyes 30/2007, de 30 de octubre, de Contratos del Sector Público, 31/2007, de 30 de octubre, sobre procedimientos de contratación en los sectores del agua, la energía, los transportes y los servicios postales, y 29/1998, de 13 de julio, reguladora de la Jurisdicción Contencioso-Administrativa para adaptación a la normativa comunitaria de las dos primeras («B.O.E». 9 agosto).

Concordancias a todo el artículo

➡ **Concordancias normativas**

Artículo 182 de la LCSP 30/2007.

Véase artículo 206.3 de la presente Ley.

CAPÍTULO III

Sistemas dinámicos de contratación

Artículo 199 *Funcionalidad y límites*

1. Los órganos de contratación del sector público podrán articular sistemas dinámicos para la contratación de obras, servicios y suministros de uso corriente cuyas características, generalmente disponibles en el

mercado, satisfagan sus necesidades, siempre que el recurso a estos instrumentos no se efectúe de forma que la competencia se vea obstaculizada, restringida o falseada.

2. La duración de un sistema dinámico de contratación no podrá exceder de cuatro años, salvo en casos excepcionales debidamente justificados.

➡ **Concordancias normativas**

Artículo 183 de la LCSP 30/2007.

Artículo 200 *Implementación*

1. El sistema dinámico de contratación se desarrollará de acuerdo con las normas del procedimiento abierto a lo largo de todas sus fases y hasta la adjudicación de los correspondientes contratos, que se efectuará en la forma prevista en el artículo 202. Todos los licitadores que cumplan los criterios de selección y que hayan presentado una oferta indicativa que se ajuste a lo señalado en los pliegos serán admitidos en el sistema.

2. Para la implementación de un sistema dinámico de contratación se observarán las siguientes normas:

a) El órgano de contratación deberá publicar un anuncio de licitación, en la forma establecida en el artículo 142, en el que deberá indicar expresamente que pretende articular un sistema dinámico de contratación.

b) En los pliegos deberá precisarse, además de los demás extremos que resulten pertinentes, la naturaleza de los contratos que podrán celebrarse mediante el sistema, y toda la información necesaria para incorporarse al mismo y, en particular, la relativa al equipo electrónico utilizado y a los arreglos y especificaciones técnicas de conexión.

c) Desde la publicación del anuncio y hasta la expiración del sistema, se ofrecerá acceso sin restricción, directo y completo, por medios electrónicos, informáticos y telemáticos, a los pliegos y a la documentación complementaria. En el anuncio a que se refiere la letra a) anterior, se indicará la dirección de Internet en la que estos documentos pueden consultarse.

3. El desarrollo del sistema, y la adjudicación de los contratos en el marco de éste deberán efectuarse, exclusivamente, por medios electrónicos, informáticos y telemáticos.

4. La participación en el sistema será gratuita para las empresas, a las que no se podrá cargar ningún gasto.

Concordancias a todo el artículo

➡ **Concordancias normativas**

Artículo 184 de la LCSP 30/2007.

✉ **Consultas**

• **Aunque se haya pagado el precio del contrato, debe procederse a la recepción formal de la prestación**

Se ha pagado un servicio sin haberse levantado acta de recepción o conformidad. ¿Es posible formalizarlo con posterioridad?

[10/01/2012 EC 150/2012]

Contestación

Cuando el art. 222 de Real Decreto Legislativo 3/2011, de 14 de noviembre (LA LEY 21158/2011) (BOE del 16), por el que se aprueba el texto refundido de la Ley de Contratos del Sector Público (TR LCSP (LA LEY 21158/2011)), regula el cumplimiento de los contratos y recepción de la prestación, establece, en lo que aquí interesa, lo siguiente:

— El contrato se entenderá cumplido por el contratista cuando éste haya realizado, de acuerdo con los términos del mismo y a satisfacción de la Administración, la totalidad de la prestación.

— En todo caso, su constatación exigirá por parte de la Administración un acto formal y positivo de recepción o conformidad dentro del mes siguiente a la entrega o realización del objeto del contrato, o en el plazo que se determine en el pliego de cláusulas administrativas particulares por razón de sus características. A la Intervención de la Administración correspondiente le será comunicado, cuando ello sea preceptivo, la fecha y lugar del acto, para su eventual asistencia en ejercicio de sus funciones de comprobación de la inversión.

— Excepto en los contratos de obras, que se regirán por lo dispuesto en el art. 235, dentro del plazo de un mes, a contar desde la fecha del acta de recepción o conformidad, deberá acordarse y ser notificada al contratista la liquidación correspondiente del contrato y abonársele, en su caso, el saldo resultante.

Como se puede apreciar, no se asocia el pago del precio a la conformidad de la Administración con la prestación realizada; se limita a establecer la necesidad de un acto formal y positivo de recepción o conformidad. Esto es, no se exige que el acto formal de recepción sea previo al pago. En el mismo sentido se pronuncia el art. 307.1, en sede de contrato de servicios, cuando dispone que la Administración determinará si la prestación realizada por el contratista se ajusta a las prescripciones establecidas para su ejecución y cumplimiento, requiriendo, en su caso, la realización de las prestaciones contratadas y la subsanación de los defectos observados con ocasión de su recepción. Si los trabajos efectuados no se adecuan a la prestación contratada, como consecuencia de vicios o defectos imputables al contratista, podrá rechazar la misma quedando exento de la obligación de pago o teniendo derecho, en su caso, a la recuperación del precio satisfecho.

En este sentido se manifiesta el Informe 71/2008, de 31 de marzo de 2009: «Efectos de los pagos periódicos realizados en un contrato de servicios respecto de la conformidad por parte de la Administración de los trabajos ejecutados durante el período a que se contrae el pago», cuando señala lo siguiente:

«(...) A ello debe añadirse el hecho de que en ningún momento la Ley relaciona el pago con la presunción de buena ejecución por parte del contratista, limitándose a decir que «él tendrá derecho al abono de la prestación realizada en los términos establecidos en esta Ley y en el contrato, con arreglo al precio convenido» (art. 200.1 LCSP). En efecto, de la redacción del precepto últimamente trascrito no debe deducirse que la realización del pago implica que la Administración haya aceptado como correctamente ejecutada la prestación sino que el derecho del contratista al abono del precio no surge si previamente no ha ejecutado la prestación en los términos establecidos en la Ley y en la documentación del contrato. Esta interpretación, por lo que se refiere a los contratos de servicios, está confirmada en términos bien claros en el art. 283.1 que dispone: «la Administración determinará si la prestación realizada por el contratista se ajusta a las prescripciones establecidas para su ejecución y cumplimiento, requiriendo, en su caso, la realización de las prestaciones contratadas y la subsanación de los defectos observados con ocasión de su recepción. Si los trabajos efectuados no se adecuan a la prestación contratada, como consecuencia de vicios o defectos imputables al contratista, podrá rechazar la misma quedando exento de la obligación de pago o teniendo derecho, en su caso, a la recuperación del precio satisfecho». Como se ve, el precepto anterior no sólo contempla la posibilidad de que la Administración rechace la prestación y suspenda el pago cuando la prestación no haya sido ejecutada adecuadamente, sino que admite, también, que se reclame la devolución del precio pagado cuando se den las mencionadas circunstancias. De ello debe deducirse que desde el punto de vista legal el pago del precio no presupone conformidad con la calidad de la prestación (...)». Por consiguiente, desde el punto de vista legal, el pago del precio no presupone conformidad con la calidad de la prestación, por lo que, aunque se haya pagado el precio, debe procederse a la recepción formal de la prestación.

Artículo 201 *Incorporación de empresas al sistema*

1. Durante la vigencia del sistema, todo empresario interesado podrá presentar una oferta indicativa a efectos de ser incluido en el mismo.

2. La evaluación de las ofertas indicativas deberá efectuarse en un plazo máximo de quince días a partir de su presentación. Este plazo podrá prorrogarse por el órgano de contratación, siempre que, entretanto, no convoque una nueva licitación.

➡ Concordancias normativas

Véase artículo 206.3 de la presente Ley

3. El órgano de contratación deberá comunicar al licitador su admisión en el sistema dinámico de contratación, o el rechazo de su oferta indicativa, que sólo procederá en caso de que la oferta no se ajuste a lo establecido en el pliego, en el plazo máximo de dos días desde que se efectúe la evaluación de su oferta indicativa.

4. Las ofertas indicativas podrán mejorarse en cualquier momento siempre que sigan siendo conformes al pliego.

➡ **Concordancias normativas**

Artículo 185 de la LCSP 30/2007.

Artículo 202 *Adjudicación de contratos en el marco de un sistema dinámico de contratación*

1. Cada contrato específico que se pretenda adjudicar en el marco de un sistema dinámico de contratación deberá ser objeto de una licitación.

2. Cuando, por razón de su cuantía, los contratos a adjudicar estén sujetos a regulación armonizada, antes de proceder a la licitación los órganos de contratación publicarán un anuncio simplificado, en los medios que se detallan en el artículo 142, invitando a cualquier empresario interesado a presentar una oferta indicativa, en un plazo no inferior a quince días, que se computarán desde el envío del anuncio a la Unión Europea. Hasta que se concluya la evaluación de las ofertas indicativas presentadas en plazo no podrán convocarse nuevas licitaciones.

3. Todos los empresarios admitidos en el sistema serán invitados a presentar una oferta para el contrato específico que se esté licitando, a cuyo efecto se les concederá un plazo suficiente, que se fijará teniendo en cuenta el tiempo que razonablemente pueda ser necesario para prepararla, atendida la complejidad del contrato. El órgano de contratación podrá, asimismo, abrir una subasta electrónica conforme a lo establecido en el artículo 148.

4. El contrato se adjudicará al licitador que haya presentado la mejor oferta, valorada de acuerdo con los criterios señalados en el anuncio de licitación a que se refiere el artículo 200.2.a). Estos criterios deberán precisarse en la invitación a la que se refiere el apartado anterior.

5. El resultado del procedimiento deberá anunciarse dentro de los cuarenta y ocho días siguientes a la adjudicación de cada contrato en la forma prevista en el apartado 1 del artículo 154, siendo igualmente de aplicación lo previsto en su apartado 4. No obstante, estos anuncios podrán agruparse trimestralmente, en cuyo caso el plazo de cuarenta y ocho días se computará desde la terminación del trimestre.

6. La adjudicación prevista en el apartado 4 de este artículo podrá ir seguida de forma inmediata por la formalización del contrato.

➡ **Concordancias normativas**

Número 6 del artículo 186 introducido por el apartado treinta y dos del artículo primero de la Ley 34/2010, de 5 de agosto, de modificación de las Leyes 30/2007, de 30 de octubre, de Contratos del Sector Público, 31/2007, de 30 de octubre, sobre procedimientos de contratación en los sectores del agua, la energía, los transportes y los servicios postales, y 29/1998, de 13 de julio, reguladora de la Jurisdicción Contencioso-Administrativa para adaptación a la normativa comunitaria de las dos primeras («B.O.E». 9 agosto).

Concordancias a todo el artículo

➡ **Concordancias normativas**

Artículo 186 de la LCSP 30/2007.

CAPÍTULO IV

Centrales de contratación

Sección 1

Normas generales

Artículo 203 *Funcionalidad y principios de actuación*

1. Las entidades del sector público podrán centralizar la contratación de obras, servicios y suministros, atribuyéndola a servicios especializados.

2. Las centrales de contratación podrán actuar adquiriendo suministros y servicios para otros órganos de contratación, o adjudicando contratos o celebrando acuerdos marco para la realización de obras, suministros o servicios destinados a los mismos.

3. Las centrales de contratación se sujetarán, en la adjudicación de los contratos y acuerdos marco que celebren, a las disposiciones de la presente Ley y sus normas de desarrollo.

→ **Concordancias normativas**

Artículo 187 de la LCSP 30/2007.

Artículo 204 *Creación de centrales de contratación por las Comunidades Autónomas y Entidades Locales*

1. La creación de centrales de contratación por las Comunidades Autónomas, así como la determinación del tipo de contratos y el ámbito subjetivo a que se extienden, se efectuará en la forma que prevean las normas de desarrollo de esta Ley que aquéllas dicten en ejercicio de sus competencias.

2. En el ámbito de la Administración local, las Diputaciones Provinciales podrán crear centrales de contratación por acuerdo del Pleno.

→ **Concordancias normativas**

Artículo 188 de la LCSP 30/2007.

Véase Disposición Adicional 2.ª de la presente Ley.

Artículo 205 *Adhesión a sistemas externos de contratación centralizada*

1. Las Comunidades Autónomas y las Entidades locales, así como los Organismos autónomos y entes públicos dependientes de ellas podrán adherirse al sistema de contratación centralizada estatal regulado en el artículo 206, para la totalidad de los suministros, servicios y obras incluidos en el mismo o sólo para determinadas categorías de ellos. La adhesión requerirá la conclusión del correspondiente acuerdo con la Dirección General del Patrimonio del Estado.

2. Igualmente, mediante los correspondientes acuerdos, las Comunidades Autónomas y las Entidades locales podrán adherirse a sistemas de adquisición centralizada de otras Comunidades Autónomas o Entidades locales.

3. Las sociedades y fundaciones y los restantes entes, organismos y entidades del sector público podrán adherirse a los sistemas de contratación centralizada establecidos por las Administraciones Públicas en la forma prevista en los apartados anteriores.

➡ **Concordancias normativas**

Artículo 189 de la LCSP 30/2007 y DA 10.ª del TRLCAP RDL 2/2000.

Sección 2
Contratación centralizada en el ámbito estatal

Artículo 206 *Régimen general*

1. En el ámbito de la Administración General del Estado, sus Organismos autónomos, Entidades gestoras y Servicios comunes de la Seguridad Social y demás Entidades públicas estatales, el Ministro de Economía y Hacienda podrá declarar de contratación centralizada los suministros, obras y servicios que se contraten de forma general y con características esencialmente homogéneas por los diferentes órganos y organismos.

➡ **Concordancias normativas**

Véase Orden EHA/1049/2008, de 10 de abril, de declaración de bienes y servicios de contratación centralizada («B.O.E». 17 abril).

2. La contratación de estos suministros, obras o servicios deberá efectuarse a través de la Dirección General del Patrimonio del Estado, que operará, respecto de ellos, como central de contratación única en el ámbito definido en el apartado 1. La financiación de los correspondientes contratos, correrá a cargo del organismo peticionario.

3. La contratación de obras, suministros o servicios centralizados podrá efectuarse por la Dirección General del Patrimonio del Estado a través de los siguientes procedimientos:

a) Mediante la conclusión del correspondiente contrato, que se adjudicará con arreglo a las normas procedimentales contenidas en el Capítulo I del Título I de este Libro.

b) A través del procedimiento especial de adopción de tipo. Este procedimiento se desarrollará en dos fases, la primera de las cuales tendrá por objeto la adopción de los tipos contratables para cada clase de bienes, obras o servicios mediante la conclusión de un acuerdo marco o la apertura de un sistema dinámico, mientras que la segunda tendrá por finalidad la contratación específica, conforme a las normas aplicables a cada uno de dichos sistemas contractuales, de los bienes, servicios u obras de los tipos así adoptados que precisen los diferentes órganos y organismos.

En tanto no se produzca la adopción de tipos conforme a lo señalado en el apartado anterior, o cuando los tipos adoptados no reúnan las características indispensables para satisfacer las necesidades del organismo peticionario, la contratación de los suministros, obras o servicios se efectuará, con arreglo a las normas generales de procedimiento, por la Dirección General del Patrimonio del Estado. No obstante, si la Orden por la que se acuerda la centralización de estos contratos así lo prevé, la contratación podrá realizarse, de acuerdo con las normas generales de competencia y procedimiento, por el correspondiente órgano de contratación, previo informe favorable de la Dirección General del Patrimonio del Estado.

Cuando la contratación de los suministros, servicios u obras deba efectuarse convocando a las partes en un acuerdo marco a una nueva licitación conforme a lo previsto en las letras a) a d) del apartado 4 del artículo 198, la consulta por escrito a los empresarios capaces de realizar la prestación, así como la recepción y examen de las proposiciones serán responsabilidad del organismo interesado en la adjudicación del contrato, que elevará la correspondiente propuesta a la Dirección General del Patrimonio del Estado.

Si la adopción de tipo se hubiese efectuado mediante la articulación de un sistema dinámico de contratación, en la adjudicación de los contratos que, por razón de su cuantía, no estén sujetos a un procedimiento armonizado, no regirá lo dispuesto en el artículo 201.2 y en el artículo 202.2 sobre la imposibilidad de convocar nuevas licitaciones mientras esté pendiente la evaluación de las ofertas presentadas.

☞ **Concordancias Jurisprudenciales**

Tribunal Administrativo Central de Recursos Contractuales, Resolución de 9 Mar. 2011, rec. 003/2011

[LA LEY 14631/2011]

CONTRATOS ADMINISTRATIVOS. Adjudicación definitiva de acuerdo marco para la contratación de servicios de desarrollo de sistemas de información. RECURSO ESPECIAL EN MATERIA DE CONTRATACIÓN. Inadmisión. La previa declaración de nulidad del acto recurrido ha hecho desaparecer el objeto del recurso.

4. La conclusión por la Administración General del Estado, sus Organismos autónomos, Entidades gestoras y Servicios comunes de la Seguridad Social y demás Entidades públicas estatales de acuerdos marco que tengan por objeto bienes, servicios u obras no declarados de contratación centralizada requerirá el informe favorable de la Dirección General del Patrimonio del Estado, que deberá obtenerse antes de iniciar el procedimiento dirigido a su adjudicación, cuando esos bienes, servicios u obras se contraten de forma general y con características esencialmente homogéneas en el referido ámbito. Igualmente, será necesario el previo informe favorable de la Dirección General del Patrimonio del Estado para la celebración de acuerdos marco que afecten a más de un Departamento ministerial, Organismo autónomo o entidad de las mencionadas en este apartado.

➡ **Concordancias normativas**

Artículo 190 de la LCSP 30/2007 y artículos 183 y 199 del TRLCAP RDL 2/2000.

Véase el artículo 24 del R.D. 817/2009, de 8 de mayo, por el que se desarrolla parcialmente la Ley 30/2007, de 30 de octubre, de Contratos del Sector Público («B.O.E». 15 mayo).

Artículo 207 *Adquisición centralizada de equipos y sistemas para el tratamiento de la información*

1. La competencia para adquirir equipos y sistemas para el tratamiento de la información y sus elementos complementarios o auxiliares en el ámbito definido en el apartado 1 del artículo anterior que no hayan sido declarados de adquisición centralizada conforme a lo señalado en el mismo corresponderá, en todo caso, al Director General del Patrimonio del Estado, oídos los Departamentos ministeriales u organismos interesados en la compra en cuanto sus necesidades.

➡ **Concordancias normativas**

Véase la disposición adicional tercera de la LCSP 30/2007.

2. El Ministro de Economía y Hacienda podrá atribuir la competencia para adquirir los bienes a que se refiere este artículo a otros órganos de la Administración General del Estado, sus Organismos autónomos, Entidades gestoras y Servicios comunes de la Seguridad Social y Entidades públicas estatales, cuando circunstancias especiales o el volumen de adquisiciones que realicen así lo aconsejen.

Concordancias a todo el artículo

➡ **Concordancias normativas**

Artículo 191 de la LCSP 30/2007 y artículo 184 del TRLCAP RDL 2/2000.

✉ **Consultas**

• **La resolución de un contrato de gestión de servicio público no implica la municipalización del servicio**

En el supuesto de resolución por mutuo acuerdo del contrato de gestión del servicio de basuras, ¿es necesario acuerdo plenario acordando la gestión directa de forma provisional hasta que se vuelva a licitar el servicio?

[09/05/2012 EC 1177/2012]

Contestación

El art. 22.2.f) de la Ley 7/1985, de 2 de abril (LA LEY 847/1985) (BOE del 3), Reguladora de las Bases del Régimen Local (LRBRL (LA LEY 847/1985)), atribuye al Pleno la competencia para la aprobación de las formas de gestión de los servicios y de los expedientes de municipalización. Añadiendo, el art. 47.2. de la misma ley, que se requiere el voto favorable de la mayoría absoluta del número legal de miembros de las corporaciones para la municipalización o provincialización de actividades en régimen de monopolio y aprobación de la forma concreta de gestión del servicio correspondiente.

Pero debemos partir de diferenciar el acuerdo de resolución de un contrato de un expediente de municipalización. Y es que, en el caso consultado, aunque se produzca la resolución del contrato de gestión de servicio público, ello no influye en la característica de servicio municipal que ya tenía y sigue teniendo la recogida de basuras; porque el hecho de que se prestara bajo una forma de gestión indirecta implica, precisamente, que se trataba de un servicio municipalizado; porque la titularidad de servicio correspondía ya al municipio, aunque se prestara por una empresa a través de un contrato de gestión de servicio público.

Por otra parte, aunque no nos dan datos sobre el motivo de resolución del contrato, queremos recordar que con arreglo al art 207.4 de la Ley 30/2007, de 30 de octubre (LA LEY 10868/2007) (BOE del 31), de Contratos del Sector Público (LCSP (LA LEY 10868/2007)), la resolución por mutuo acuerdo sólo podrá tener lugar cuando no concurra otra causa de resolución que sea imputable al contratista; y siempre que razones de interés público hagan innecesaria o inconveniente la permanencia del contrato. Por lo que deberá justificarse, en el expediente de resolución, estas circunstancias. Y decimos esto, porque si el ayuntamiento pretende que el contrato se siga prestando de forma indirecta mediante un contrato de gestión de servicio público, no vemos la razón para resolver de mutuo acuerdo el contrato de gestión de servicio público vigente.

Dicho esto, en cuanto a la pregunta concreta que nos plantean, en principio, consideramos que el acuerdo de resolución de un contrato no implica necesariamente la adopción del acuerdo de cambio de forma de gestión del servicio; sobre todo cuando la voluntad de la corporación es que el servicio se siga gestionando indirectamente por un contrato de gestión de servicio público a través de otra empresa. Ahora bien, precisamente, el hecho de que el la resolución del contrato sea por mutuo acuerdo plantea dudas, ya que tal resolución tendría sentido si el ayuntamiento hubiera decidido cambiar la forma de gestión del servicio público a una forma de gestión directa y el concesionario hubiera aceptado voluntariamente la resolución por mutuo acuerdo. Pero si, a renglón seguido, se va a iniciar un procedimiento de licitación para adjudicar la gestión del servicio, no tiene mucho sentido adoptar un acuerdo de cambio de forma de gestión del servicio para, inmediatamente después, tener que adoptar un nuevo acuerdo de cambio de gestión del servicio para poder gestionarlo de forma indirecta, otra vez.

Por tanto, aun con las dudas planteadas, desde nuestro punto de vista no es necesario, en ningún caso, el acuerdo de municipalización del servicio; porque el servicio de recogida de basuras ya es municipal. En cuanto al acuerdo sobre la forma de prestación del servicio, nosotros entendemos que podría adoptarse en el mismo acuerdo por el que se resuelve el contrato, pero no lo consideramos esencial si el ayuntamiento va a iniciar inmediatamente un procedimiento para adjudicar de nuevo la licitación del contrato; ya que realmente no se cambia la forma de prestación del servicio, sino que, eventualmente, el ayuntamiento gestiona el servicio mientras se produce una nueva adjudicación.

LIBRO IV

Efectos, cumplimiento y extinción de los contratos administrativos

TÍTULO I

Normas Generales

CAPÍTULO I

Efectos de los contratos

Artículo 208 *Régimen jurídico*

Los efectos de los contratos administrativos se regirán por las normas a que hace referencia el artículo 19.2 y por los pliegos de cláusulas administrativas y de prescripciones técnicas, generales y particulares.

Concordancias a todo el artículo

→ **Concordancias normativas**

Artículo 192 de la LCSP 30/2007 y artículo 94 del TRLCAP RDL 2/2000.

☞ **Concordancias Jurisprudenciales**

Tribunal Superior de Justicia de Castilla y León de Valladolid, Sala de lo Contencioso-administrativo, Sentencia de 2 Mar. 2011, rec. 1812/2006

[LA LEY 37906/2011]

HACIENDAS LOCALES. Ordenanzas Fiscales. Impugnación. Revocación del convenio de delegación de la gestión de impuestos municipales en la Diputación Provincial. Aplicación de lo dispuesto en el artículo 102 de la Ley 30/1992, de 26 de noviembre. Nulidad de la resolución unilateral acordada por el Ayuntamiento. Indemnización procedente. Siendo radicalmente nulo el acuerdo impugnado, procede acceder a la pretensión subsidiaria de reconocimiento de su situación jurídica individual, concretada en el abono del premio de cobranza contemplado en el convenio controvertido (IBI-IBICES E IAE), junto con los intereses legales que igualmente han sido reclamados.

Tribunal Administrativo Central de Recursos Contractuales, Resolución de 14 Sep. 2011, rec. 167/2011

[LA LEY 185601/2011]

CONTRATO ADMINISTRATIVO DE SERVICIOS. Exclusión de la interesada del procedimiento de licitación para contratar el servicio de limpieza en el Museo Sefardí y en el Museo de El Greco de Toledo, por no cumplir el pliego de prescripciones técnicas en el apartado del personal adscrito al Museo Sefardí. RECURSO ESPECIAL EN MATERIA DE CONTRATACIÓN. Desestimación. El pliego de prescripciones técnicas establece, entre otros extremos, los medios humanos mínimos con los que deben contar las empresas para poder licitar para la limpieza del referido museo. Éstos medios humanos mínimos incluyen una persona los lunes en la tienda, y la interesada reconoce que la oferta técnica que ha presentado no incluye a esa persona. El problema que se suscita es que la oferta presentada no cumple con los requisitos mínimos que se exigen en el pliego de prescripciones técnicas, y el precepto aplicable no permite la subsanación de las omisiones que se hayan podido cometer a la hora de presentar la oferta.

Artículo 209 *Vinculación al contenido contractual*

Los contratos deberán cumplirse a tenor de sus cláusulas, sin perjuicio de las prerrogativas establecidas por la legislación en favor de las Administraciones Públicas.

➥ **Concordancias normativas**

Artículo 193 de la LCSP 30/2007 y artículo 4 del TRLCAP RDL 2/2000.

Artículos 1278 y 1281 del Código Civil.

CAPÍTULO II

Prerrogativas de la Administración Pública en los contratos administrativos

Artículo 210 *Enumeración*

Dentro de los límites y con sujeción a los requisitos y efectos señalados en la presente Ley, el órgano de contratación ostenta la prerrogativa de interpretar los contratos administrativos, resolver las dudas que ofrezca su cumplimiento, modificarlos por razones de interés público, acordar su resolución y determinar los efectos de ésta.

Concordancias a todo el artículo

➡ **Concordancias normativas**

Artículo 194 de la LCSP 30/2007 y artículo 59 del TRLCAP RDL 2/2000.

☞ **Concordancias Jurisprudenciales**

Tribunal Superior de Justicia de Extremadura, Sala de lo Contencioso-administrativo, Sentencia de 20 Mar. 2012, rec. 846/2010

[LA LEY 30838/2012]

CONTRATOS ADMINISTRATIVOS. Objeto del contrato. -- Preparación de los contratos. Expediente de contratación. Pliegos de cláusulas administrativas. -- Interpretación. TRANSPORTE. Contrato de transporte.

Tribunal Superior de Justicia del Principado de Asturias, Sala de lo Contencioso-administrativo, Sección 1.ª, Sentencia de 19 Ene. 2012, rec. 265/2010

[LA LEY 5985/2012]

CONTRATOS ADMINISTRATIVO. Contrato de transporte escolar. Resolución. Incumplimiento culpable del contratista. Incautación de la garantía constituida. Carga de la prueba. No se desvirtúan los hechos relativos a la subcontratación, por parte del contratista e incumpliendo los requisitos legalmente exigidos, del transporte escolar durante, al menos, la primera semana de prestación del servicio. Condiciones técnicas de capacidad. El vehículo utilizado supera la antigüedad permitida. Las alegaciones sobre el procedimiento sancionador seguido por los mismos hechos no pueden ser examinadas, toda vez que estamos ante un procedimiento previsto especialmente en la legislación sobre contratos administrativos que no supone el ejercicio del derecho punitivo del Estado, y dada la autonomía e independencia de cada uno de los dos procedimientos incoados.

Audiencia Nacional, Sala de lo Contencioso-administrativo, Sección 8.ª, Sentencia de 24 Oct. 2011, rec. 403/2009

[LA LEY 208193/2011]

CONCESIONES ADMINISTRATIVAS. Autopistas. Improcedencia de la desestimación presunta de solicitud de concesionaria de Autopista para que la Administración concedente, se manifieste expresamente sobre si la obligación de desbroce que dimana de la Ley autonómica resulta o no aplicable a la autopista, en cuanto se trata de una infraestructura de titularidad estatal, y sobre si los costes asociados a las citadas labores serían asumidos por la Administración concedente, siempre que vayan más allá del mero mantenimiento de la infraestructura en condiciones idóneas para ser utilizada por los usuarios. No sólo la Administración ha orillado la tramitación debida, sino que existe un apartamiento radical de cuanto sobre interpretación de contratos administrativos contempla el ordenamiento para la salvaguardia de los intereses públicos y de los contratistas, a través de un cauce procedimental. Procede la tramitación del procedimiento previsto en la Ley.

⊠ **Consultas**

• **La competencia para la modificación de los contratos corresponde al órgano de contratación**

¿Puede la alcaldía aprobar una modificación de un proyecto de una depuradora cuyo presupuesto supera el 10% de los recursos ordinarios del presupuesto que solo implica pequeñas modificaciones que no alteran el precio del proyecto original?

[21/07/2009 EC 2177/2009]

Contestación

El carácter inexcusable del expediente de imposición constituyó una de las novedades más significativas en esta materia de la Ley 39/1988, de 28 de diciembre, reguladora de las Haciendas Locales (LRHL) sobre el régimen anterior, en el que, al existir supuestos de imposición obligatoria, prevenía en tales casos la suficiencia del llamado «expediente de aplicación». Actualmente, por el contrario, la exacción de las contribuciones especiales precisará la previa adopción del acuerdo de imposición en cada caso concreto (art. 34.1 LRHL). Siendo igualmente trascendente el tiempo de su adopción, pues, según el apartado 2 del mismo art. 34: «El acuerdo relativo a la realización de una obra o al establecimiento o ampliación de un servicio que deba costearse mediante contribuciones especiales no podrá ejecutarse hasta que se haya aprobado la ordenación concreta de éstas.»

Y, en efecto, el art. 15.1 LRHL dispone que, salvo en los supuestos previstos en el art. 59.1 de esta Ley, o sea, los impuestos de exigencia obligatoria, las entidades locales deberán acordar la imposición y supresión de sus tributos propios y aprobar las correspondientes ordenanzas fiscales reguladoras de los mismos. Y el art. 16.1 en su penúltimo párrafo establece que los acuerdos de aprobación de estas ordenanzas fiscales deberán adoptarse simultáneamente a los de imposición de los respectivos tributos. Conforme a estos textos, parece que los acuerdos de imposición y ordenación de contribuciones habrían de ser de adopción simultánea.

Sin embargo, la propia redacción del art. 34, específicamente dedicado a la imposición y ordenación de las contribuciones especiales, nos induce a pensar en la no simultaneidad de sus acuerdos de imposición y ordenación, pues dicho artículo regula esos acuerdos en sendos apartados independientes (el 1 y el 3): En el primero habla de «previa adopción del acuerdo de imposición»; en el tercero sienta el carácter inexcusable del acuerdo de ordenación, al que ya ha aludido, en el apartado 2, para prohibir la ejecución de las obras o servicios que hayan de costearse mediante contribuciones especiales hasta tanto «se haya aprobado la ordenación concreta de éstas.»

Hay, pues, unas especialidades de procedimiento que no se dan en la regulación de los restantes tributos, en los que para nada se trata este tema, ya regulado en los arts. 15 a 19. Bien es cierto que el apartado 2 del art. 33 habla del «acuerdo concreto de imposición y ordenación», como si se tratara de uno solo. Pero el apartado 4 de este mismo artículo se refiere exclusivamente al de ordenación, para el momento en que, finalizadas las obras o iniciada la prestación del servicio, se proceda al señalamiento de los sujetos pasivos, la base y las cuotas individualizadas definitivas. Igualmente, el art. 36.2 establece que los propietarios o afectados podrán constituirse en asociaciones administrativas de contribuyentes «en el período de exposición al público del acuerdo de ordenación» de las contribuciones especiales. Tesis que es la asumida por la STSJ de Baleares de 15 de septiembre de 1998 (LA LEY JURIS 1229/1999), a la cual le remitimos. Lo que queda claro, sin embargo, es que por tratarse de acuerdos de imposición y ordenación han de adoptarse por el órgano que tiene atribuida la competencia para la aprobación de las ordenanzas fiscales, que es el ayuntamiento pleno, competencia que, a nuestro entender, por aplicación del art. 22.4 LRBRL, tiene carácter de indelegable.

Requisito fundamental es, también, la existencia de un proyecto aprobado, pues, como dice la STS de 17 de abril de 1997 (LA LEY JURIS 6712/1997) «lo que justifica el establecimiento de contribuciones especiales no es la posibilidad de realizar una obra, sino la decisión de ejecutarla; sólo puede determinarse el coste de las obras cuando existe un proyecto en el que se especifican las condiciones de su realización; únicamente las asociaciones de contribuyentes pueden desempeñar las funciones que se les encomienda, entre ellas la de solicitar la ejecución por sí mismas de las obras, cuando el proyecto aprobado cuenta con las suficientes previsiones para su ejecución.»

Por lo que se refiere a los extremos a determinar en el acuerdo de ordenación, se regulan en el apartado 3 del art. 34. Pero, además, el acuerdo ordenación (no así en el de imposición) debe identificar los sujetos pasivos y sus cuotas individuales, según se deduce del inciso «la persona que figure como sujeto pasivo en el acuerdo de ordenación y haya sido notificada de ello», contenido en el art. 33.3, así como de los arts. 36 y 37, relativos a la posibilidad de constituir la asociación administrativa de contribuyentes. Y el motivo de que el acuerdo de ordenación no necesite ser notificado individualmente al tiempo de su exposición pública es porque lo que se notifica de forma individual, una vez adoptado el acuerdo concreto de ordenación, son las cuotas a satisfacer por cada sujeto pasivo, notificación que abre para cada uno de ellos la posibilidad de interponer recurso de reposición contra todos los aspectos de la imposición (art. 34.4 LRHL).

Este art. 34.4 regula la notificación individual, que se llevará a cabo una vez adoptado el acuerdo concreto de ordenación de contribuciones especiales y determinadas las cuotas a satisfacer, lo que supone que la aprobación definitiva del acuerdo concreto de imposición y ordenación y de la respectiva ordenanza fiscal determina el momento a partir del cual la entidad local impositora puede dirigirse al sujeto pasivo para la cobranza de la misma, aunque sea a título de pago anticipado, previo al devengo. Notificación individualizada que ha de practicarse con anterioridad a la ejecución de las obras.

Por último, el señalamiento definitivo de cuotas y liquidación de las entregas a cuenta se regula en los dos últimos apartados del art. 33 TR LRHL, que concretan el momento en que ha de efectuarse: una vez finalizada la realización total o parcial de las obras, o iniciada la prestación del servicio. Su contenido: se procederá a señalar los sujetos pasivos, la base y las cuotas individualizadas definitivas, girando las liquidaciones que procedan y compensando como entrega a cuenta los pagos anticipados que se hubieran efectuado; la competencia y forma de tramitación: por los órganos competentes de la entidad impositora ajustándose a las normas del acuerdo concreto de ordenación del tributo para la obra o servicio de que se trate; y las reglas para el caso de cambio de sujetos pasivos durante la ejecución de las obras.

En definitiva, es necesario acuerdo de imposición en cada caso concreto, adoptado por el Pleno, sin que quepa delegación la Junta de Gobierno, pues al tratarse de órgano incompetente para ello acarrearía la nulidad del expediente. Tampoco sería delegable el acuerdo de ordenación, sino que la competencia del Alcalde, que puede delegarla en la Junta o en el propio Pleno, se limitaría a la aprobación de las liquidaciones de cada uno de los contribuyentes, como ocurre con cualquier otra liquidación de carácter tributario.

✍ Informes de la Junta Consultiva de Contratación Administrativa

Informe 2/2011, de 9 de julio de 2011, de la Junta Consultiva de Contratación Administrativa, sobre la forma en que debe aplicarse el límite de un año desde la adjudicación del contrato, como requisito para la aplicación de la revisión de precios en los contratos de obra.

[LA LEY 619/2011]

CONTRATO ADMINISTRATIVO DE OBRAS. Revisión de precios. Forma en que debe aplicarse el límite de 1 año desde la adjudicación del contrato, como requisito para la aplicación de tal revisión. En la certificación de obra correspondiente al mes en el que se cumpla el citado plazo, el director facultativo deberá incluir el detalle del importe correspondiente a las unidades de obra que, de acuerdo con los requisitos establecidos en la

LCSP, sean susceptibles de revisión de precios. A efectos de expedir dicha certificación, el director debería llevar, en el mes de que se trate, el control de las unidades de obra que, ejecutadas después de la fecha en que se cumple el citado plazo de 1 año, hayan de ser incluidas con revisión de precios en la certificación correspondiente. En los PCAP se podrá prever que, en el supuesto de que sea imposible tener datos ciertos respecto a la fecha real de ejecución de determinadas unidades de obra ejecutadas en el mes en que se cumpla el límite controvertido, la revisión de precios se realice aplicando sobre el importe total de la certificación, el porcentaje correspondiente a la proporción de los días transcurridos después de cumplido dicho plazo. En los supuestos en que no se haya incluido tal estipulación en el pliego, si al expedir la certificación correspondiente al periodo mensual en el que se cumpla tal plazo, no fuera posible contar con el dato indicado, ambas partes podrán acordar que la revisión de precios de las unidades ejecutadas en dicho periodo se realice proporcionalmente en la forma expuesta. Si dicho acuerdo no se produjera, el órgano de contratación podría aplicar dicha solución en ejercicio de la prerrogativa de interpretación del contrato que le confiere el art. 194 LCSP, siguiendo el procedimiento previsto en el art. 195.

Dictamen N.º. 89/2011, de 13 de abril, del Consejo Consultivo de Castilla-La Mancha. Expediente relativo a resolución del contrato de aprovechamiento cinegético del monte de propiedad municipal denominado «La Cereceda», instruido por el Ayuntamiento de Fuencaliente (Ciudad Real).

[LA LEY 824/2011]

CONTRATOS ADMINISTRATIVOS. De carácter especial. De aprovechamiento cinegético de un monte de propiedad municipal, suscrito entre un Ayuntamiento castellano-manchego y sociedad mercantil. Parecer favorable a la resolución del contrato, por incumplir la contratista ciertas obligaciones de carácter de esencial, al concurrir la imposibilidad de ejecutar la prestación en los términos inicialmente pactados y por otras causas establecidas expresamente como tales en el contrato y a los efectos de la consecución del interés público subyacente, que es la gestión forestal sostenible de un monte de utilidad pública. Dicho objetivo exige que su aprovechamiento se realice en forma e intensidad que permita mantener su diversidad, productividad, potencialidad y capacidad de regeneración, como se determina legalmente, sin que el mismo pueda alcanzarse sin adoptar las medidas de conservación, mejora y custodia establecidas en el contrato e incumplidas por el contratista. Incumplimiento, perfectamente acreditado en el expediente, del nombramiento de 2 guardas jurados para la vigilancia de la caza y no ejecución de las mejoras ofertadas por el contratista en su proposición, que implicaba la realización de inversiones de mejora en el coto por importe de 50.000 euros anuales, que debían realizarse durante los 3 primeros años del contrato. Habiendo transcurrido tanto la temporada 2009-2010, durante la cual se inició el contrato, como la 2010-2011, dichas mejoras no se habían llevado a la práctica, pues así lo certifica el Ayuntamiento, sin que tal afirmación haya sido rebatida por el contratista, si bien, tampoco existe un acta levantada sobre el terreno por funcionario público que de fe de este extremo. Procede la incautación de la garantía definitiva.

Informe 5/2010, de 23 de julio de 2010, de la Junta Consultiva de Contratación Administrativa.» Consulta sobre la posibilidad de modificar un contrato de obras por causas imprevistas »

[LA LEY 2343/2010]

CONTRATOS ADMINISTRATIVOS. Modificación. En general, en los términos previstos en los pliegos de cláusulas administrativas particulares. Fuera de tales casos, con carácter general, en los supuestos de los arts. 194 y 202 LCSP y en particular, para cada uno de los tipos contractuales regulados en la citada Ley, de conformidad con los artículos que regulan cada uno de ellos. Para determinar si una circunstancia acaecida con posterioridad a la adjudicación de un contrato y que afecta a la ejecución del mismo es o no imprevista, deben tenerse en cuenta que tal circunstancia, de conformidad con las reglas del criterio humano hubiera podido o debido ser prevista y que la falta de previsión no se haya debido a negligencia en el modo de proceder de los órganos que intervinieron en la preparación del contrato. Para determinar cuándo una modificación contractual afecta a las condiciones esenciales del contrato, el legislador prevé dos casos, cuando se produce una alteración cualitativa del proyecto inicial —fines y características básicas— y cuando tal alteración es cuantitativa, establecida en el límite de que deban sustituirse unidades previstas por otras, cuyo importe suponga al menos un 30% del precio primitivo del contrato. Fuera de estos casos, será preciso el análisis pormenorizado de cada supuesto concreto. En concreto, la modificación de los contratos de obras que exceda del 20% del precio primitivo del contrato, puede dar lugar a la resolución del mismo si lo solicita el contratista, pudiendo mantenerse la relación jurídica, en caso contrario.

Dictamen Núm.: 622/2010, de 3 de noviembre, del Consejo Consultivo de Andalucía, de Modificación de contrato de servicios. Causas técnicas imprevistas.

[LA LEY 236/2011]

CONTRATO ADMINISTRATIVO DE SERVICIOS. De limpieza, conserjería y mantenimiento de los edificios públicos municipales. Modificación contractual que suprime la prestación de los servicios de conserjería y mantenimiento de las instalaciones deportivas. Concurrencia de razones de interés público que fundamentan la modificación, consistentes en el cambio en la forma de gestión del servicio público de «Explotación de Instalaciones Deportivas», así como en la reducción de la periodicidad de los servicios de limpieza, por razones de austeridad. Resulta conveniente la supresión de la prestación de los servicios de conserjería y mantenimiento de estas instalaciones en orden a evitar su duplicidad, ya que el servicio público de «Explotación de Instalaciones Deportivas» conlleva la gestión íntegra de estas instalaciones, lo que incluye la conserjería y mantenimiento». Cumplimentación de las exigencias formales. Análisis de la potestad administrativa denominada «ius variandi.»

Artículo 211 *Procedimiento de ejercicio*

1. En los procedimientos que se instruyan para la adopción de acuerdos relativos a la interpretación, modificación y resolución del contrato deberá darse audiencia al contratista.

2. En la Administración General del Estado, sus Organismos autónomos, Entidades gestoras y Servicios comunes de la Seguridad Social y demás Entidades públicas estatales, los acuerdos a que se refiere el apartado anterior deberán ser adoptados previo informe del Servicio Jurídico correspondiente, salvo en los casos previstos en los artículos 99 y 213.

3. No obstante lo anterior, será preceptivo el informe del Consejo de Estado u órgano consultivo equivalente de la Comunidad Autónoma respectiva en los casos de:

a) Interpretación, nulidad y resolución, cuando se formule oposición por parte del contratista.

b) Modificaciones del contrato, cuando su cuantía, aislada o conjuntamente, sea superior a un 10 por ciento del precio primitivo del contrato, cuando éste sea igual o superior a 6.000.000 de euros.

4. Los acuerdos que adopte el órgano de contratación pondrán fin a la vía administrativa y serán inmediatamente ejecutivos.

☞ **Concordancias Jurisprudenciales**

Tribunal Superior de Justicia de Cantabria, Sala de lo Contencioso-administrativo, Sentencia de 12 Ene. 2010, rec. 328/2009

[LA LEY 168842/2010]

CONTRATO ADMINISTRATIVO DE SUMINISTROS. Reclamación de facturas e intereses de demora de suministro de productos farmacéuticos. PROCEDIMIENTO CONTENCIOSO-ADMINISTRATIVO. Impugnación de acto presunto. Plazo de interposición del recurso. El incumplimiento de resolver por la Administración impide que pueda invocarse la falta de agotamiento de la previa vía administrativa en base al principio de tutela judicial efectiva y por razones de economía procesal; doctrina jurisprudencial aplicable. Requisitos de admisibilidad. RECURSO DE APELACIÓN CONTENCIOSO-ADMINISTRATIVO. Irrecurribilidad por razón de la cuantía. COMPETENCIA JUDICIAL. Competencia del Juzgado Contencioso-Administrativo en razón a la cuantía de lo reclamado. Imposibilidad de decisión sobre el fondo del asunto por la Sala del Tribunal Superior de Justicia.

➡ **Concordancias normativas**

Artículo 195 redactado por el apartado once de la disposición final decimosexta de la Ley 2/2011, de 4 de marzo, de Economía Sostenible («B.O.E». 5 marzo).

Concordancias a todo el artículo

➡ **Concordancias normativas**

Artículo 195 de la LCSP 30/2007 y artículo 59 del TRLCAP RDL 2/2000.

☞ **Concordancias Jurisprudenciales**

Audiencia Nacional, Sala de lo Contencioso-administrativo, Sección 8.ª, Sentencia de 24 Oct. 2011, rec. 403/2009

[LA LEY 208193/2011]

CONCESIONES ADMINISTRATIVAS. Autopistas. Improcedencia de la desestimación presunta de solicitud de concesionaria de Autopista para que la Administración concedente, se manifieste expresamente sobre si la obligación de desbroce que dimana de la Ley autonómica resulta o no aplicable a la autopista, en cuanto se trata de una infraestructura de titularidad estatal, y sobre si los costes asociados a las citadas labores serían asumidos por la Administración concedente, siempre que vayan más allá del mero mantenimiento de la infraestructura en condiciones idóneas para ser utilizada por los usuarios. No sólo la Administración ha orillado la tramitación debida, sino que existe un apartamiento radical de cuanto sobre interpretación de contratos administrativos contempla el ordenamiento para la salvaguardia de los intereses públicos y de los contratistas, a través de un cauce procedimental. Procede la tramitación del procedimiento previsto en la Ley.

CAPÍTULO III

Ejecución de los contratos

Artículo 212 *Ejecución defectuosa y demora*

1. Los pliegos o el documento contractual podrán prever penalidades para el caso de cumplimiento defectuoso de la prestación objeto del mismo o para el supuesto de incumplimiento de los compromisos o de las condiciones especiales de ejecución del contrato que se hubiesen establecido conforme a los artículos 64.2 y 118.1. Estas penalidades deberán ser proporcionales a la gravedad del incumplimiento y su cuantía no podrá ser superior al 10 por 100 del presupuesto del contrato.

⊠   **Consultas**

• **Cuando la Ley establece que para determinados contrato se requiere estar clasificado, la acreditación de esta clasificación basta para acreditar la solvencia técnica**

Para la contratación de una dirección de obra, cuyo precio superará los 120.000 euros ¿es obligatoria la clasificación? Si se presenta la clasificación ¿se puede exigir algún otro tipo de documentación acreditativo de la solvencia?

[12/04/2010 EC 1208/2010]

Ver respuesta en artículo 62

2. El contratista está obligado a cumplir el contrato dentro del plazo total fijado para la realización del mismo, así como de los plazos parciales señalados para su ejecución sucesiva.

3. La constitución en mora del contratista no precisará intimación previa por parte de la Administración.

4. Cuando el contratista, por causas imputables al mismo, hubiere incurrido en demora respecto al cumplimiento del plazo total, la Administración podrá optar indistintamente por la resolución del contrato o por la imposición de las penalidades diarias en la proporción de 0,20 euros por cada 1.000 euros del precio del contrato.

El órgano de contratación podrá acordar la inclusión en el pliego de cláusulas administrativas particulares de unas penalidades distintas a las enumeradas en el párrafo anterior cuando, atendiendo a las especiales características del contrato, se considere necesario para su correcta ejecución y así se justifique en el expediente.

⊠ **Consultas**

• **Incumplimiento del plazo del contrato de obras y subsanación de deficiencias**

Cuestiones varias sobre el procedimiento a seguir en caso de demora en la ejecución del contrato por falta de subsanación de deficiencias

Contratación Administrativa Práctica, Nº 81, Sección Usted Pregunta, Diciembre 2008, pág. 10, Editorial LA LEY

[LA LEY 2303/2008]

Respuesta

Analizaremos las preguntas una por una.

1.ª) Dado que la obra está prácticamente terminada, a falta de subsanar unas deficiencias, ¿podemos resolver el contrato por incumplimiento del plazo o necesariamente deben imponerse penalidades, descartando la resolución?

El punto 4 del artículo 196 (LA LEY 10868/2007) de la Ley de Contratos del Sector público establece que cuando el contratista, por causas imputables al mismo, hubiere incurrido en demora respecto al cumplimiento del plazo total, la Administración podrá optar indistintamente por la resolución del contrato o por la imposición de las penalidades diarias en la proporción de 0,20 euros por cada 1.000 euros del precio del contrato.

Entendemos que aunque la obra esté acabada pero sin subsanar deficiencias, el Ayuntamiento puede optar por las dos soluciones, aunque en este estado del proceso parece más pertinente imponer penalidades. Pero el artículo es claro. Puede optarse por una de las dos posibilidades.

2.ª) Si transcurrido el plazo otorgado para subsanar las deficiencias, no se subsanan todas quedando pendientes algunos defectos, ¿podemos resolver ahora el contrato?

Vale la misma respuesta anterior. Pueden resolver el contrato.

3.ª) Si imponemos penalidades, ¿cuál sería la fecha tope de cómputo del retraso, el día en que subsanen la última deficiencia?

En principio sí, pero en el pliego debe estar especificado cómo se va a hacer dicho cómputo.

4.ª) Subsanadas todas las deficiencias se recibe la obra, pero una vez recibida, surgen nuevos defectos, ya con el edificio ocupado por los servicios administrativos correspondientes. Se le otorga un plazo para la subsanación y transcurrido el cual, siguen sin subsanarse completamente. ¿Cómo debemos actuar? ¿Podemos resolver ahora el contrato, una vez finalizado y recibida la obra, es decir, durante el plazo de garantía?, o ¿debemos optar por la ejecución subsidiaria con cargo a la garantía definitiva del contrato?

Si ha recepcionado la obra estamos dentro del plazo de garantía, el cual debe figurar en el pliego de cláusulas administrativas particulares atendiendo a la naturaleza y complejidad de la obra y no podrá ser inferior a un año, salvo casos especiales (artículo 218 LCSP (LA LEY 10868/2007)). En este momento ya no cabe la resolución del contrato.

A este respecto, la Sentencia del Tribunal Supremo de 12 de enero de 2004 se pronuncia en el sentido de que el periodo de garantía presupone que el contrato está ejecutado y recibida la obra. No puede, pues, resolverse, sino liquidarse. El significado del periodo de garantía viene claramente expresado ahora en el Reglamento de Contratos, en cuanto supone la extensión de la obligación de conservación por la contrata, y el deber de efectuar las reparaciones debidas, pudiendo hacerlas a su contra la Administración.

Durante este periodo de garantía el contratista tiene las siguientes obligaciones y responsabilidades:

— Está obligado a cuidar de la conservación y policía de las obras con arreglo a lo previsto en los pliegos y a las instrucciones que diere el director de la obra. De forma que responde de los daños que puedan producirse por incumplimiento de su obligación de conservación. En tal caso, se ejecutarán por la Administración y a costa del contratista los trabajos necesarios para evitar el daño.

— Sigue respondiendo de los defectos de construcción que puedan observarse en las obras.

5.ª) Si durante el plazo de garantía de la obra surgen defectos y requerido el contratista no los subsana, y optamos por la ejecución subsidiaria por parte del Ayuntamiento, con cargo a la garantía definitiva, ¿debemos requerir al contratista para que vuelva a constituir la garantía definitiva por el importe total? Porque lo cierto es que a la obra todavía le restan dos años de garantía y pueden volver a surgir problemas. Si no cumple con el requerimiento de constitución de la garantía por el importe total, ¿procede resolver el contrato?

Tal y como hemos argumentado en la pregunta anterior, no procede resolver el contrato. Vale lo dicho en la misma.

En cuanto a si deben requerir al contratista para que vuelva a constituir la garantía, entendemos que no es necesario.

Deben señalar un plazo improrrogable para subsanar las deficiencias. De no cumplir, deben proceder a la ejecución forzosa con cargo a la garantía y, en lo que no baste, procederán a su cobro por la vía de apremio.

5. Cada vez que las penalidades por demora alcancen un múltiplo del 5 por 100 del precio del contrato, el órgano de contratación estará facultado para proceder a la resolución del mismo o acordar la continuidad de su ejecución con imposición de nuevas penalidades.

6. La Administración tendrá la misma facultad a que se refiere el apartado anterior respecto al incumplimiento por parte del contratista de los plazos parciales, cuando se hubiese previsto en el pliego de cláusulas administrativas particulares o cuando la demora en el cumplimiento de aquéllos haga presumir razonablemente la imposibilidad de cumplir el plazo total.

7. Cuando el contratista, por causas imputables al mismo, hubiere incumplido la ejecución parcial de las prestaciones definidas en el contrato, la Administración podrá optar, indistintamente, por su resolución o por la imposición de las penalidades que, para tales supuestos, se determinen en el pliego de cláusulas administrativas particulares.

8. Las penalidades se impondrán por acuerdo del órgano de contratación, adoptado a propuesta del responsable del contrato si se hubiese designado, que será inmediatamente ejecutivo, y se harán efectivas mediante deducción de las cantidades que, en concepto de pago total o parcial, deban abonarse al contratista o sobre la garantía que, en su caso, se hubiese constituido, cuando no puedan deducirse de las mencionadas certificaciones.

Concordancias a todo el artículo

➡ **Concordancias normativas**

Artículo 196 de la LCSP 30/2007 y artículo 95 del TRLCAP RDL 2/2000.

☞ **Concordancias Jurisprudenciales**

Tribunal Superior de Justicia de Galicia, Sala de lo Social, Sentencia de 23 Feb. 2011, rec. 4896/2010

[LA LEY 23974/2011]

CONTRATO DE TRABAJO. Criterios fundamentales de calificación de la relación como laboral. Dependencia o subordinación. Generalidades. CONTRATOS ADMINISTRATIVOS. Naturaleza del contrato. Criterios de determinación. Generalidades. DESPIDO. Despido disciplinario. Calificación del despido. Despido nulo.

Tribunal Superior de Justicia de Madrid, Sala de lo Contencioso-administrativo, Sección 3.ª, Sentencia de 11 Jun. 2010, rec. 113/2010

[LA LEY 135728/2010]

CONTRATO ADMINISTRATIVO DE OBRAS. Ejecución. Plazos. -- Ejecución. Recepción de la obra. -- Ejecución. Pago del precio. Certificaciones.

✉ **Consultas**

• **Demora en la ejecución de un Programa de Actuación Integrada en el ámbito de la legislación valenciana: imposición de penalidades no sancionadoras**

¿Cuál es el procedimiento para la imposición de penalizaciones por demora del agente urbanizador en la ejecución de las obras del PAI?

[26/08/2009 EC 2455/2009]

Ver respuesta en artículo 99

✎ **Informes de la Junta Consultiva de Contratación Administrativa**

Dictamen 251/2011, de 31 de marzo de 2011, del Consejo Consultivo de Castilla y León, relativo al expediente de resolución del contrato de servicios suscrito entre la Diputación Provincial de xxxxx y la empresa «qqqqq, S.L»., consistente en el servicio de conservación y mantenimiento de las carreteras provinciales mediante su señalización horizontal.

[LA LEY 301/2011]

CONTRATO ADMINISTRATIVO DE SERVICIOS. De conservación y mantenimiento de las carreteras provinciales mediante su señalización horizontal, suscrito entre una Diputación Provincial castellanoleonesa y entidad mercantil. Parecer favorable a la resolución del contrato por incumplimiento grave de la mercantil, por demora en el cumplimiento de los plazos por parte de la mercantil contratista. Incumplimiento culpable, ya que la señalización no se realizó en el plazo establecido para ello después de los requerimientos efectuados. Por ello, no se trata de un simple retraso del contratista, sino de un incumplimiento a él imputable motivado por su pasividad culposa o negligente, que ocasiona un grave perjuicio para el interés público. Procedente incautación de la garantía constituida, sin perjuicio de la liquidación de la obra ejecutada que proceda y de la indemnización de los daños y perjuicios que hayan podido ocasionarse a la Administración contratante por la actuación de la contratista, en lo que exceda de dicha garantía.

📖 **Doctrina**

— *Texto Refundido de la Ley de Contratos del Sector Público. Estudio sistemático.* José Antonio Moreno Molina, Francisco Pleite Guadamillas. Editorial LA LEY, Madrid, 2012.

— «Normas específicas de responsabilidad de la administración y el contratista, derivada de incumplimiento contractual». Bravo Rey, Irene; Koninckx Frasquet, Amparo; Martí Selva, Enrique. Esta doctrina forma parte del libro *Aspectos prácticos y novedades de la contratación pública. En especial en la administración local,* edición n.º 2, Editorial LA LEY, Madrid, 2012.

Artículo 213 *Resolución por demora y prórroga de los contratos*

1. En el supuesto a que se refiere el artículo anterior, si la Administración optase por la resolución ésta deberá acordarse por el órgano de contratación o por aquel que tenga atribuida esta competencia en las Comunidades Autónomas, sin otro trámite preceptivo que la audiencia del contratista y, cuando se formule oposición por parte de éste, el dictamen del Consejo de Estado u órgano consultivo equivalente de la Comunidad Autónoma respectiva.

2. Si el retraso fuese producido por motivos no imputables al contratista y éste ofreciera cumplir sus compromisos dándole prórroga del tiempo que se le había señalado, se concederá por la Administración un plazo que será, por lo menos, igual al tiempo perdido, a no ser que el contratista pidiese otro menor.

✉ **Consultas**

• **Duración y prórroga de los contratos de suministro**

¿Cuál es la duración máxima de un contrato de suministro según la LCSP?

[12/12/2008]

Ver respuesta en artículo 25

Concordancias a todo el artículo

→ **Concordancias normativas**

Artículo 197 de la LCSP 30/2007 y artículo 96 del TRLCAP RDL 2/2000.

☞ **Concordancias Jurisprudenciales**

Tribunal Superior de Justicia de Madrid, Sala de lo Social, Sección 5.ª, Sentencia de 3 Feb. 2011, rec. 2857/2010

[LA LEY 25383/2011]

CONTRATOS TEMPORALES. Contratos celebrados por la Administración. Sometimiento a las reglas de la contratación laboral. En general. JURISDICCIÓN SOCIAL. Competencia por el carácter de la relación de trabajo. Relación laboral. PROCESO LABORAL. Proceso por despido. Generalidades.

Artículo 214 *Indemnización de daños y perjuicios*

1. Será obligación del contratista indemnizar todos los daños y perjuicios que se causen a terceros como consecuencia de las operaciones que requiera la ejecución del contrato.

2. Cuando tales daños y perjuicios hayan sido ocasionados como consecuencia inmediata y directa de una orden de la Administración, será ésta responsable dentro de los límites señalados en las Leyes. También será la Administración responsable de los daños que se causen a terceros como consecuencia de los vicios del proyecto elaborado por ella misma en el contrato de obras o en el de suministro de fabricación.

3. Los terceros podrán requerir previamente, dentro del año siguiente a la producción del hecho, al órgano de contratación para que éste, oído el contratista, se pronuncie sobre a cuál de las partes contratantes corresponde la responsabilidad de los daños. El ejercicio de esta facultad interrumpe el plazo de prescripción de la acción.

4. La reclamación de aquéllos se formulará, en todo caso, conforme al procedimiento establecido en la legislación aplicable a cada supuesto.

Concordancias a todo el artículo

➡ **Concordancias normativas**

Artículo 198 de la LCSP 30/2007 y artículo 97 del TRLCAP RDL 2/2000.

☞ **Concordancias Jurisprudenciales**

Tribunal Superior de Justicia de Castilla y León de Valladolid, Sala de lo Contencioso-administrativo, Sentencia de 9 Mar. 2012, rec. 2799/2003

[LA LEY 29121/2012]

RESPONSABILIDAD DE LAS ADMINISTRACIONES PÚBLICAS. Administración autonómica. Indemnización por daños en vivienda como consecuencia de obras de construcción de carretera. Exclusiva responsabilidad de las contratistas, toda vez que los daños reclamados no son consecuencia de una orden de la Administración o de vicios del proyecto elaborado por la misma. El movimiento de la edificación causante de los daños se debió a las vibraciones transmitidas por las máquinas empleadas en la construcción de la carretera colindante. La mera utilización de la maquinaria pesada causó sobre la edificación colindante del recurrente un daño indemnizable, y ello al margen de que no existiera incumplimiento del contrato por las constructoras, aspecto irrelevante al encontrarnos ante una responsabilidad extracontractual.

Audiencia Provincial de Asturias, Sección 7.ª, Sentencia de 25 Nov. 2011, rec. 357/2011

[LA LEY 243123/2011]

CARRETERAS. Explotación. -- Autovías. RESPONSABILIDAD CIVIL. Responsabilidad extracontractual. Daños causados por animales. Daños a automóviles por irrupción de animales en la calzada.

Audiencia Provincial de Navarra, Sección 2.ª, Sentencia de 27 Jun. 2011, rec. 117/2010

[LA LEY 290148/2011]

CONCENTRACIONES PARCELARIAS. JURISDICCIÓN CIVIL. JURISDICCIÓN CONTENCIOSO-ADMINISTRATIVA. PRUEBA. Apreciación

de la prueba. RESPONSABILIDAD CIVIL. Responsabilidad extracontractual. Daños causados en edificios, obras o construcciones. Exca-
vaciones.

**Tribunal Administrativo de Navarra, Sección 3.ª, Resolución de 10
Ene. 2011, rec. 10-04692/2010**

[LA LEY 127898/2011]

RESPONSABILIDAD DE LAS ADMINISTRACIONES PÚBLICAS.
Administración Local. Nulidad del reconocimiento del derecho a
indemnización por daños sufridos en vehículo por accidente al pasar
junto a una tapa de alcantarilla en una zona de pavimento deteriorado,
y de la determinación de la responsabilidad del contratista de obras
de pavimentación y renovación de redes. Insuficiencia de la prueba
practicada para justificar la traslación íntegra y completa al contratista del importe de la indemnización reconocida al perjudicado por
la Administración. Las meras interpretaciones o calificaciones de los
hechos relatados en las denuncias no pueden beneficiarse de la misma
presunción de veracidad que el relato fáctico propiamente dicho. Y eso
es aplicable a la opinión del Agente de la Policía Municipal sobre la
causa del mal estado del pavimento y la tapa de alcantarilla causantes
del accidente. La posibilidad jurídica de compatibilizar una declaración
municipal de responsabilidad, la cual, según la jurisprudencia, conlleva un reconocimiento implícito de «culpa in vigilando» del propio
Ayuntamiento, cuando menos, con un reparto indemnizatorio en el que
al contratista le corresponde el 100% del coste de la indemnización y
a la Administración el 0%, plantea serias dudas jurídicas. Procede la
retroacción del expediente municipal sobre repetición de la indemnización en el contratista a su fase de prueba.

✉ **Consultas**

**• El art. 198 LCSP establece un régimen específico de responsabilidad
patrimonial en los daños causados por un contratista**

**En el caso de daños causados durante la ejecución de una obra, si los
técnicos municipales informan que la responsabilidad es del contratista,
¿quién debe responder ante el ciudadano afectado?**

[21/12/2009 EC 7/2010]

Contestación

Hemos de señalar que, aunque el art. 139 de la Ley 30/1992, de 26 de noviembre (BOE del 27), de Régimen Jurídico de las Administraciones Públicas y del Procedimiento Administrativo Común (LRJAP), dispone, siguiendo al art. 106 CE, que los particulares tendrán derecho a ser indemnizados por las Administraciones Públicas correspondientes de toda lesión que sufran en cualquiera de sus bienes y derechos, salvo en los casos de fuerza mayor, siempre que la lesión sea consecuencia del funcionamiento normal o anormal de los servicios públicos; sin embargo, cuando se trata de una daño producido por un contratista de la Administración, no se aplica esta regla general, sino que se establece una norma especial, actualmente recogida en el art. 198 de la Ley 30/2007, de 30 de octubre (BOE del 31), de Contratos del Sector Público (LCSP), con la misma redacción que el art. 97 del Texto Refundido de la Ley de Contratos de las Administraciones Públicas (TR LCAP), aprobado por Real Decreto Legislativo 2/2000, de 16 de junio (BOE del 21).

Esta regulación ha sido objeto de críticas por la doctrina —y en este sentido nos pronunciamos en el comentario al art. 198 en la obra de esta editorial «Contratación del Sector Público Local», El Consultor 2008— ya que no se entiende muy bien por qué se modifica el régimen de responsabilidad patrimonial cuando el que lo causa es un contratista de la administración, pero lo cierto es que así es.

Así pues, si analizamos lo dispuesto en el art. 198 LCSP, hemos de señalar lo siguiente:

Es obligación del contratista, y no de la Administración, indemnizar todos los daños y perjuicios que se causen a terceros como consecuencia de las operaciones que requiera la ejecución del contrato.

Sólo pasa esa obligación a la Administración en dos supuestos:

1. Cuando tales daños y perjuicios hayan sido ocasionados como consecuencia inmediata y directa de una orden de la Administración.

2. Cuando los daños que se causen a terceros sean como consecuencia de los vicios del proyecto elaborado por la Administración, en el contrato de obras o en el de suministro de fabricación.

En su caso, si los servicios técnicos han llegado a la conclusión de que la responsabilidad es del contratista, la reclamación hecha a la Administración debe considerarse como el requerimiento a que se refiere el apartado 3. del art. 198 LCSP. De forma que lo que tiene que hacer el Ayuntamiento es, oído el contratista, pronunciarse sobre cuál de las partes contratantes ha sido la responsable, que en este caso, parece ser que ha sido el contratista.

Una vez que se ha determinado quién es el responsable, se notificará al tercero perjudicado para que interponga su reclamación contra el contratista.

Es decir, no rige el procedimiento general, en cuya virtud respondería la Administración y luego repetiría contra el contratista.

Artículo 215 *Principio de riesgo y ventura*

La ejecución del contrato se realizará a riesgo y ventura del contratista, sin perjuicio de lo establecido para el de obras en el artículo 231, y de lo pactado en las cláusulas de reparto de riesgo que se incluyan en los contratos de colaboración entre el sector público y el sector privado.

Concordancias a todo el artículo

➡ **Concordancias normativas**

Artículo 199 de la LCSP 30/2007 y artículo 98 del TRLCAP RDL 2/2000.

☞ **Concordancias Jurisprudenciales**

Tribunal Superior de Justicia de Galicia, Sala de lo Contencioso-administrativo, Sección 2.ª, Sentencia de 16 Feb. 2012, rec. 4582/2011

[LA LEY 21748/2012]

CONTRATOS ADMINISTRATIVOS. Libertad de pactos y contenido mínimo del contrato. -- Cumplimiento. Obligaciones del contratista. -- Cumplimiento. Incumplimiento. Fuerza mayor. PRUEBA. Carga de la prueba. Proceso Contencioso-Administrativo. -- Apreciación de la prueba. Apreciación conjunta de la prueba. Proceso Contencioso-Administrativo.

Tribunal Superior de Justicia de Madrid, Sala de lo Contencioso-administrativo, Sección 3.ª, Sentencia de 28 Mar. 2011, rec. 64/2011

[LA LEY 182069/2011]

CONTRATO ADMINISTRATIVO DE OBRAS. Improcedencia de la indemnización reclamada por la empresa contratista al Ayuntamiento contratante por incremento extraordinario de costes de transporte de materiales soportados por la realización de las obras adjudicadas. Creación de un nuevo impuesto por la L 6/2003 que establece una tarifa por metro cúbico de residuos procedentes de construcción y demolición. Aunque es cierto que ese nuevo impuesto constituye un hecho que altera el precio que razonablemente

✉ **Consultas**

• **Posibilidad de renuncia a la revisión de precios**

Un contratista plantea la renuncia a la revisión de precios prevista en el pliego, porque aplicando el IPC podría resultar una revisión de precios negativa ¿Podemos aceptar la renuncia?

[10/06/2010 EC 1840/2010]

Ver respuesta en artículo 89

Artículo 216 *Pago del precio*

1. El contratista tendrá derecho al abono de la prestación realizada en los términos establecidos en esta Ley y en el contrato, con arreglo al precio convenido.

2. El pago del precio podrá hacerse de manera total o parcial, mediante abonos a cuenta o, en el caso de contratos de tracto sucesivo, mediante pago en cada uno de los vencimientos que se hubiesen estipulado.

3. El contratista tendrá también derecho a percibir abonos a cuenta por el importe de las operaciones preparatorias de la ejecución del contrato y que estén comprendidas en el objeto del mismo, en las condiciones señaladas en los respectivos pliegos, debiéndose asegurar los referidos pagos mediante la prestación de garantía.

4. La Administración tendrá la obligación de abonar el precio dentro de los treinta días siguientes a la fecha de la expedición de las certificaciones de obras o de los correspondientes documentos que acrediten la realización total o parcial del contrato, sin perjuicio del plazo especial establecido en el artículo 222.4, y, si se demorase, deberá abonar al

contratista, a partir del cumplimiento de dicho plazo de treinta días, los intereses de demora y la indemnización por los costes de cobro en los términos previstos en la Ley 3/2004, de 29 de diciembre (LA LEY 1704/2004), por la que se establecen medidas de lucha contra la morosidad en las operaciones comerciales. Cuando no proceda la expedición de certificación de obra y la fecha de recibo de la factura o solicitud de pago equivalente se preste a duda o sea anterior a la recepción de las mercancías o a la prestación de los servicios, el plazo de treinta días se contará desde dicha fecha de recepción o prestación.

➡ Concordancias normativas

Número 4 del artículo 200 redactado por el apartado uno del artículo tercero de la Ley 15/2010, de 5 de julio, de modificación de la Ley 3/2004, de 29 de diciembre, por la que se establecen medidas de lucha contra la morosidad en las operaciones comerciales («B.O.E». 6 julio).

La Disposición transitoria sexta de la presente Ley, sobre plazos a los que se refiere el presente 216, establece que: El plazo de treinta días a que se refiere el apartado 4 del artículo 216, se aplicará a partir del 1 de enero de 2013. Desde la entrada en vigor de esta disposición y el 31 de diciembre de 2010 el plazo en el que las Administraciones tienen la obligación de abonar el precio de las obligaciones a las que se refiere el apartado 4 del artículo 200 será dentro de los cincuenta y cinco días siguientes a la fecha de la expedición de las certificaciones de obras o de los correspondientes documentos que acrediten la realización total o parcial del contrato. Entre el 1 de enero de 2011 y el 31 de diciembre de 2011, el plazo en el que las Administraciones tienen la obligación de abonar el precio de las obligaciones a las que se refiere el apartado 4 del artículo 216 será dentro de los cincuenta días siguientes a la fecha de la expedición de las certificaciones de obra o de los correspondientes documentos que acrediten la realización total o parcial del contrato. Entre el 1 de enero de 2012 y el 31 de diciembre de 2012, el plazo en el que las Administraciones tienen la obligación de abonar el precio de las obligaciones a las que se refiere el apartado 4 del artículo 216 será dentro de los cuarenta días siguientes a la fecha de la expedición de las certificaciones de obra o de los correspondientes documentos que acrediten la realización total o parcial del contrato.

☒ **Consultas**

• **Indemnización por retraso en el pago**

En el caso una factura endosada que se pagó con morosidad, ¿debe indemnizarse por costes de cobro por tal endoso?

[04/05/2012 EC 1049/2012]

Contestación

El art. 8 de la Ley 3/2004, de 29 de diciembre (BOE del 30), por la que se establecen medidas de lucha contra la morosidad en las operaciones comerciales, bajo la rúbrica de «indemnización por costes de cobro», dispone, en su apartado 1, que cuando el deudor incurra en mora, el acreedor tendrá derecho a reclamar al deudor una indemnización por todos los costes de cobro debidamente acreditados que haya sufrido a causa de la mora de éste. En la determinación de estos costes de cobro, se aplicarán los principios de transparencia y proporcionalidad respecto a la deuda principal. La indemnización no podrá superar, en ningún caso, el 15 por ciento de la cuantía de la deuda; excepto en los casos en que no supere los 30.000 euros, en los que el límite de la indemnización estará constituido por el importe de la deuda de que se trate.

Ahora bien, esta indemnización por los costes de cobro debe acreditarse —en el sentido de probar que el intento de cobro de la factura le ha producido unos costes adicionales— y se está refiriendo esencialmente a todas aquellas actuaciones que el acreedor ha debido realizar para el cobro de la factura y que le han hecho incurrir en unos costes que no se hubieran tenido de haber procedido a su pago voluntario en plazo. Esto es, se está refiriendo, esencialmente, a los gastos de asesoramiento jurídico, abogado o gestor en que ha incurrido para el cobro de la factura. De hecho, en la anterior redacción existía un párrafo, ahora eliminado, en el que señalaba que «no procederá esta indemnización cuando el coste de cobro de que se trate haya sido cubierto por la condena en costas del deudor»; lo que indica que el espíritu del precepto es hacer frente a este tipo de costes y no otros.

Desde nuestro punto de vista, en el caso consultado, no entendemos que un mayor pago de comisiones, por haber transmitido o endosado su derecho de cobro a un tercero, sea un coste de cobro en el sentido a que se refiere el art. 8 de la Ley 3/2004. Y, en tal caso, lo que procede es la solicitud de los intereses moratorios de conformidad con lo dispuesto en el art. 216.4 del Real Decreto Legislativo 3/2011, de 14 de noviembre (BOE del 16), por el que se aprueba el texto refundido de la Ley de Contratos del Sector Público (TRLCSP), en relación con los arts. 6 y 7 de la citada Ley de lucha contra la morosidad.

Es decir, el contrato de transmisión de derechos de cobro es un contrato entre el contratista de la Administración y un tercero —normalmente una entidad financiera— que tiene por objeto «descontar» la factura o certificación de obra. En el sentido de que la entidad financiera adelanta el importe de la misma al contratista, a cambio del cobro de un interés (normalmente), por el tiempo que transcurre desde que el cesionario paga la factura hasta que recibe el dinero de la Administración; pero la entidad financiera no realiza ninguna actuación de gestión de ese cobro, se limita a esperar a que la administración le pague. Este coste no puede entenderse como un coste del cobro; porque no se trata de ninguna acción tendente al cobro de la deuda, sino de obtener el dinero de un tercero que queda subrogado en su lugar a cambio de un precio. Por tanto, entendemos que podrán pedirse intereses moratorios, pero no el coste que ha tenido el contratista por haber transmitido su derecho de cobro.

• **Plazo de pago en los contratos de suministro**

¿Cuál es el plazo de que dispone la Administración para pagar los servicios prestados en los contratos de suministros?

[29/12/2010 EC 8/2011]

Contestación

La cuestión planteada en la consulta parece bastante pacífica cuando nos referimos a los contratos de obras. La problemática surge en los demás contrato. Así, en el ámbito del contrato de suministro, se ha discutido si dicho documento lo constituye la factura, o por el contrario, lo es el documento que certifica la recepción.

Pues bien, la jurisprudencia ha entendido, de forma unánime, que el dies a quo para el pago es la fecha que aparece en la factura emitida, salvo que el suministro sea posterior a dicha fecha, caso en el que la fecha de entrega del material es el día inicial del cómputo del plazo para pagarla. Así, según la STSJ de Baleares de 25 de junio de 2008, «[...] Atendida la práctica comercial común, que consiste en la emisión de la factura a la recepción del material suministrado al que aquélla se refiere, la jurisprudencia —por todas, sentencias del Tribunal Supremo de 18 de enero de 1995 y 1 de abril de 1996— ha reiterado que, de no ser que el suministro fuera entregado después de la fecha de la factura, esta fecha es el día inicial del cómputo del plazo para pagarla y, de no hacerlo en tal plazo, para que entonces ya el acreedor incorpore a su cartera de derechos el relativo al abono de intereses legales por demora.»

La profesora GALLEGO CÓRCOLES señala que, en este mismo sentido, se pronunció la STSJ de Baleares de 29 de abril de 2008 (LA LEY 184994/2008), cuando afirma que: «Ha de empezarse diciendo que el mencionado apartado 4 del art. 99 del TRLCAP, si bien regula que la Administración tendrá la obligación de abonar el precio dentro de los dos meses siguientes a la fecha de la expedición, se está refiriendo a las «certificaciones de obras o de los correspondientes documentos que acrediten la realización total o parcial del contrato..». Es decir, contempla la fecha de la expedición sólo de aquellos documentos que por sí solos acreditan que el contrato, en este caso, el suministro, se ha realizado. [...] la factura de un suministro por sí sola no acredita ninguna realización; y por eso la jurisprudencia [...] ha procedido a realizar una «interpretación integradora» (SSTSJ Valencia: 15 de mayo de 2006; 15 de junio de 2007; 4 de junio de 2007; Madrid: 24 de abril de 2004, etc.).»

Por su parte, PLEITE GUADALMILLAS analiza esta cuestión y, refiriéndose al Informe de la Junta Consultiva de Contratación Administrativa del Gobierno de Canarias 7/2008, de 24 de septiembre, ha señalado que, en primer lugar, la Junta Consultiva considera que la redacción de los arts. 200.4 (LA LEY 10868/2007) y 205.2 de la Ley 30/2007, de 30 de octubre (LA LEY 10868/2007)(BOE del 31), de Contratos del Sector Público (LCSP) puede provocar confusión cuando hay que interpretarlos conjuntamente, a efectos de determinar el plazo máximo de pago. Interpretación a la que no ayuda en nada, sino todo lo contrario, la remisión que hace el art. 200.4 al art. 205.4, pues este último se refiere tan sólo a los supuestos de contratos en cuya extinción la Administración haya de practicar y notificar al contratista una liquidación.

De una mera interpretación literal de los preceptos contenidos en los arts. 200.4 y 205.2, podrían obtenerse dos conclusiones opuestas:

— Si el término «documento que acredite la realización del contrato», a que se refiere el art. 200.4, es equiparable al término «acto formal y positivo de recepción o conformidad», a que se refiere el art. 205.2, con independencia del momento en que efectivamente se hubiera realizado la entrega de los bienes o la prestación de los servicios, se obtiene la conclusión de que el plazo para pagar la correspondiente factura no empezará a computarse hasta el momento en que se haya realizado el citado acto formal de manifestación de conformidad, para lo cual la Administración contratante dispone de un plazo previo al inicio del plazo para pagar, que el propio art. 205.2 fija en un mes a partir de la entrega o realización efectiva del objeto del contrato. De manera que, ambos plazos, se han de computar sucesivamente, de forma acumulada.

— Sin embargo, la conclusión anterior puede quedar en entredicho a la vista de los equívocos términos utilizados en el último inciso del art. 200.4, cuando, en aparente contradicción con el acto formal de recepción previsto en el art. 205.2, dispone que «cuando (...) la fecha de recibo de la factura (...) se preste a duda o sea anterior a la recepción de las mercancías o a la prestación de los servicios, el plazo de sesenta días se contará desde dicha fecha de recepción o prestación».

Tales términos permiten generar la duda de si se podría interpretar que el «documento que acredite la realización del contrato», a que se refiere el primer inciso del propio art. 200.4 LCSP, se refiere al momento de la entrega o realización efectiva de la prestación, que, tal y como es habitual en la práctica comercial, se ha de acreditar, bien mediante un albarán de entrega, o bien, en defecto de éste, mediante la correspondiente factura. En tal caso, el «acto formal y positivo de recepción o conformidad», a que alude el art. 205.2 LCSP no sería equiparable al documento que acredita la efectiva realización del contrato a efectos del cómputo del plazo para el pago, sino que tan sólo guardaría relación con la facultad de que dispone la Administración para poder constatar, en aras del interés público, la correcta ejecución del contrato mediante un acto formal distinto y posterior al momento en que efectivamente fue realizado o entregado el objeto del contrato.

A la vista de los equívocos términos, respecto a si el documento a que se refiere la LCSP para determinar el cómputo del plazo máximo para el pago ha de ser el que acredita la recepción efectiva de las prestaciones, o, por el contrario, aquel en que posteriormente se constata la conformidad de su recepción, resulta conveniente acudir a los preceptos contenidos en la Ley 3/2004, de 29 de diciembre (LA LEY 1704/2004) (BOE del 30), por la que se establecen medidas de lucha contra la morosidad en las operaciones comerciales, a la que el art. 200.4 LCSP no sólo se remite, sino que toma de ella lo esencial de su contenido normativo que, por otra parte, es el resultado de la trasposición de la Directiva 2000/35/CE (LA LEY 7609/2000) sobre la misma materia.

El art. 4.1 Ley 3/2004, al establecer el sistema de determinación del plazo de pago, preceptúa que éste será «el que se hubiera pactado entre las partes dentro del marco legal aplicable y, en su defecto, el establecido de acuerdo con lo dispuesto en el apartado siguiente». Por su directa relación con la cuestión a que nos estamos refiriendo, se reproduce a continuación la literalidad de los siguientes apartados del artículo 4.2 de la citada Ley:

«El plazo de pago, a falta de pacto entre las partes, será el siguiente:

a) Treinta días después de la fecha en que el deudor haya recibido la factura o una solicitud de pago equivalente.

b) Si la fecha de recibo de la factura o la solicitud de pago equivalente se presta a duda, treinta días después de la fecha de recepción de las mercancías o prestación de los servicios.

c) Si el deudor recibe la factura o la solicitud de pago equivalente antes que los bienes o servicios, treinta días después de la entrega de los bienes o de la prestación de los servicios.

d) Si legalmente o en el contrato se ha dispuesto un procedimiento de aceptación o de comprobación mediante el cual deba verificarse la conformidad de los bienes o los servicios con lo dispuesto en el contrato y si el deudor recibe la factura o la solicitud de pago equivalente antes o en la fecha en que tiene lugar dicha aceptación o verificación, treinta días después de esta última fecha».

Vemos cómo el citado artículo, con mayor claridad que la LCSP, y en los mismos términos que la Directiva 2000/35/CE (LA LEY 7609/2000), tras establecer en el apartado a) el cómputo del plazo de pago partiendo, como regla general, de la fecha de recepción de la factura, o bien, como excepción en los supuestos previstos en los apartados b) y c), partiendo de la fecha de recepción efectiva de la prestación, cuando la fecha de recibo de la factura genere dudas, o cuando ésta se reciba antes que la efectiva realización de la prestación, contempla a continuación, en el apartado d), de forma netamente diferenciada, los supuestos en que, por disposición legal o por pacto contractual, se haya establecido un acto de comprobación de la conformidad de las prestaciones realizadas, en cuyo caso el plazo de pago se computará a partir de la fecha en que se lleve a cabo dicha comprobación, que en la práctica se realiza mediante un acto posterior reflejado en acta formal (cuando sea preceptiva la asistencia de la intervención), o bien mediante un informe emitido por el designado por la Administración como supervisor o responsable del contrato, o bien diligenciando éste la propia factura con su firma de conformidad con lo facturado, ya sea en el mismo momento de su recepción, o bien fechándola en un momento posterior.

Quedan, así, resueltas las posibles dudas interpretativas antes expuestas, dado que el acto formal de recepción preceptuado por el art. 205.2 LCSP, como forma obligada de constatación de la correcta ejecución de los contratos de las Administraciones Públicas, distinta del mero acto de recepción efectiva de la prestación y posterior a éste, es el momento previsto en el apartado d) del art. 4.2 para establecer el inicio del plazo de sesenta días para el pago, y, en consecuencia, su cómputo se iniciará a continuación de que haya transcurrido el plazo para realizar el acto formal de recepción de conformidad.

Aclarados, como cuestión previa, los citados aspectos básicos del régimen regulador del pago del precio de los contratos administrativos, procede dar respuesta a la concreta cuestión sobre si la Administración puede exigir a los contratistas la entrega de la correspondiente factura en el momento de la entrega de los bienes objeto del contrato, y, en tal caso, si se pudiera incluir dicha exigencia en los correspondientes pliegos.

El Real Decreto 1496/2003, de 28 de noviembre (LA LEY 1812/2003) (BOE del 29), por el que se aprueba el Reglamento por el que se regulan las obligaciones de facturación, establece en sus arts. 9 y 16, como regla general, que las facturas deberán ser expedidas y remitidas en el momento de realizarse la prestación objeto del contrato; mientras que, para los supuestos en que el destinatario de la prestación actúe como empresario o profesional, permite que las facturas sean expedidas dentro del mes siguiente al momento en que se haya realizado la prestación, así como que las facturas puedan remitirse al destinatario empresario o profesional, tan sólo en esos supuestos, dentro del mes siguiente a la fecha de su expedición.

Se responde así la cuestión planteada, en el sentido de que no sólo la Administración podrá incluir en los pliegos de cláusulas la exigencia de la entrega de las facturas en el mismo momento de la recepción de las prestaciones objeto del contrato, sino que tal entrega en dicho momento es obligada para el contratista por la propia normativa reguladora de las obligaciones de facturación, dado que la Administración, destinataria de la factura, no actúa como empresario o profesional.

Debemos concluir que el plazo de sesenta días establecido en el art. 200.4 LCSP para el pago del precio de las prestaciones objeto del contrato se computará a partir de la fecha en que se lleve a cabo la comprobación formal de la conformidad de lo ejecutado con lo estipulado en el contrato. Pero, además, es necesario que la factura esté en manos de la Administración demandada para su pago y que se entienda formalmente recibido, pues si no se presenta al cobro no se puede pagar y con ello no pueden computarse los sesenta días establecidos. No obstante, si la Administración recibiese la factura con posterioridad a la comprobación formal de la conformidad de lo ejecutado, el plazo para el pago se computará a partir de la fecha de recepción de la factura.

Tal conclusión, coincidente también con la prevista para el supuesto del apartado c) del art. 4.2 Ley 3/2004, es, además, plenamente consecuente con el precepto del art. 9 del RD 1496/2003 (LA LEY 1812/2003), que, estableciendo la obligación del contratista de expedir y entregar la factura en el mismo momento de la recepción, permite obtener la obvia conclusión de que, un posible retraso en su expedición y entrega, debido a una actuación unilateral del contratista con infracción de la normativa aplicable al respecto, nunca podrá operar en perjuicio de la Administración contratante, en el sentido de ver reducido el plazo máximo establecido legalmente para tramitar el pago sin incurrir en mora.

• **Problemas para hacer frente a las obligaciones de pago con la empresa suministradora de energía eléctrica**

Debido a los problemas que tiene el ayuntamiento para hacer frente al pago de sus obligaciones con la compañía suministradora de electricidad ésta ha amenazado con cortar el suministro en dependencias y servicios municipales. ¿Qué puede hacer el ayuntamiento?

[30/10/2009 EC 3097/2009]

Contestación

La norma que rige esta materia es el Real Decreto 1955/2000, de 1 de diciembre (BOE del 27), por el que se regulan las actividades de transporte, distribución, comercialización, suministro y procedimientos de autorización de instalaciones de energía eléctrica, que en su art. 85, en relación con las Administraciones públicas, fija el plazo de cuatro meses desde el primer requerimiento para que la empresa distribuidora pueda proceder a la suspensión del suministro por impago, requiriéndose para que ello sea posible que el servicio no haya sido declarado esencial. Declarando que son servicios esenciales los enumerados en su art. 89.2. Si observamos atentamente la enumeración que se realiza por el precepto comprobaremos que, en su conjunto, recoge los que la Ley 7/1985, de 2 de abril (BOE del 3), Reguladora de las Bases de Régimen Local (LRBRL) en su art. 26 considera como servicios mínimos indispensables: alumbrado público, suministro de aguas para el consumo humano a través de red, bomberos, protección civil y policía municipal, transportes de servicio público y sus equipamientos y las instalaciones dedicadas directamente a la seguridad del tráfico terrestre, centros sanitarios en que existan quirófanos, salas de curas y aparatos de alimentación eléctrica acoplables a los pacientes, hospitales y servicios funerarios. Incluso enumera algunos que no son mínimos en municipios de población inferior a 50.000 habitantes.

Por otra parte, ha de tenerse en cuenta la obligación que impone el art. 170.2 b) del Texto Refundido de la Ley Reguladora de las Haciendas Locales (TR LRHL), aprobado por Real Decreto Legislativo 2/2004, de 5 de marzo (BOE del 9), en cuanto a la obligación de incluir en el presupuesto el crédito necesario para el cumplimiento de las obligaciones exigibles en virtud de cualquier título legítimo, como es el contrato con la compañía eléctrica, de manera que dicho Presupuesto puede ser recurrido en el caso de que no se cumpla tal exigencia. Por su parte, el art. 187 de la misma norma establece dos condiciones para la expedición de las órdenes de pago: por una parte, ha de acomodarse al Plan de Disposición de Fondos de la tesorería que se establezca por el Presidente, y por otra que por dicho Plan ha de respetarse la prioridad de los gastos de personal y de las obligaciones contraídas en ejercicios anteriores. Ha desaparecido, como vemos, la obligación que recogía el art. 440 del Texto Refundido de Régimen Local (TRRL), aprobado por Real Decreto Legislativo 781/1986, de 18 de abril (BOE del 22), que clasificaba los gastos en preferentes, obligatorios y voluntarios, de manera que no podían atenderse los de la categoría siguiente en tanto no estuvieran solventados los de la anterior. Esto lo deja ahora al Plan de Disposición de Fondos de la Tesorería, que a pesar de no recoger expresamente la previsión de la legislación derogada, no lo hace porque la realización de los pagos a los contratistas viene establecida en otra norma del mismo rango: en la Ley 30/2007, de 30 de octubre (BOE del 31), de Contratos del Sector Público (LCSP), que en su art. 200.4 obliga a la Administración a pagar el precio dentro de los sesenta días siguientes a la fecha de expedición de los documentos que acrediten la realización del contrato. Habilitando a la compañía suministradora el número 5 del mismo precepto, para suspender el cumplimiento del contrato. Mismo plazo que, como hemos visto, establece el Real Decreto 1955/2000.

En definitiva, somos de la opinión de que ha de respetarse la preferencia de los pagos, tal como establecen las distintas normas, dejando de realizar y de pagar los gastos voluntarios en tanto no estén cubiertos los preferentes y los obligatorios, aunque tales denominaciones ya no se recojan expresamente en la Ley.

El incumplimiento en esta materia podría, incluso, derivar en una denuncia por prevaricación, como ya ha sido reconocido en diversas sentencias por la jurisprudencia del Tribunal Supremo, por todas, la Sentencia de la Sala 2.ª de lo Penal, de 29 de enero de 2001 (LEY JURIS 400495/2001).

•¿Desde cuándo se computa exactamente el plazo para el abono de intereses por demora en el pago de certificaciones?

Contratación Administrativa Práctica, N° 90, Sección Usted Pregunta, Octubre 2009, pág. 13, Editorial LA LEY

[LA LEY 1928/2009]

Respuesta

El Capítulo II, relativo a la ejecución de los contratos, del Libro IV de la Ley 30/2007, de Contratos del Sector Público (LCSP), bajo la rúbrica «Efectos, cumplimiento y extinción de los contratos administrativos» dedica el artículo 200 (LA LEY 10868/2007) al pago del precio. Según este precepto, el contratista tendrá derecho al abono de la prestación realizada en los términos establecidos en esta Ley y en el contrato, con arreglo al precio convenido.

El precepto clave para responder a la consulta planteada es el número cuatro (LA LEY 10868/2007) del artículo antes citado. Dice que la Administración tendrá la obligación de abonar el precio dentro de los sesenta días siguientes a la fecha de la expedición de las certificaciones de obras o de los correspondientes documentos que acrediten la realización total o parcial del contrato, sin perjuicio del plazo especial establecido en el artículo 205.4 (LA LEY 10868/2007).

Según este ultimo precepto, excepto en los contratos de obras, que se regirán por lo dispuesto en el artículo 218, dentro del plazo de un mes, a contar desde la fecha del acta de recepción o conformidad, deberá acordarse y ser notificada al contratista la liquidación correspondiente del contrato y abonársele, en su caso, el saldo resultante. Si se produjera demora en el pago del saldo de liquidación, el contratista tendrá derecho a percibir los intereses de demora y la indemnización por los costes de cobro en los términos previstos en la Ley 3/2004, de 29 de diciembre, por la que se establecen medidas de lucha contra la morosidad en las operaciones comerciales.

Según el artículo 218 (LA LEY 10868/2007) antes citado, dentro del plazo de tres meses contados a partir de la recepción, el órgano de contratación deberá aprobar la certificación final de las obras ejecutadas, que será abonada al contratista a cuenta de la liquidación del contrato

Decir, además que, según dispone la Ley 3/2004, de 29 de diciembre, por la que se establecen medidas de lucha contra la morosidad en las operaciones comerciales, el devengo del interés de demora se produce automáticamente, sin necesidad de aviso de vencimiento ni intimación alguna por parte del contratista.

En fin, si la Administración tiene obligación de abonar el precio dentro de los sesenta días siguientes a la fecha de la expedición de las certificaciones de obras o de los correspondientes documentos que acrediten la realización total o parcial del contrato, los intereses de demora se computarán, a partir del día siguiente desde la finalización de este plazo.

Sobre jurisprudencia, podemos citar las Sentencias de 15 de octubre de 1999 y 12 de julio de 2004.

• El plazo de sesenta días para el pago de facturas debe contarse desde su presentación en el Registro del ayuntamiento

¿Cómo se computa el plazo máximo para el pago de una factura de contrato menor presentada en el ayuntamiento seis meses después de la prestación del servicio?

[25/06/2009 EC 1864/2009]

Contestación

En efecto, muchos empresarios y contratistas incumplen reiteradamente la obligación de entregar la factura en los plazos establecidos por el Real Decreto 1496/2003, de 28 de noviembre (BOE del 29), por el que se aprueba el Reglamento regulador de las obligaciones de facturación y se modifica el Reglamento del IVA. Este reglamento, en su art. 16, bajo la rúbrica de «plazo para la remisión de las facturas o documentos sustitutivos», señala que la obligación de remisión de las facturas o documentos sustitutivos que se establece en el art. 15 deberá cumplirse en el mismo momento de su expedición, o bien, cuando el destinatario sea un empresario o profesional que actúe como tal, en el plazo de un mes a partir de la fecha de su expedición.

Por su parte, el art. 200.4 de la Ley 30/2007, de 30 de octubre (BOE del 31), de Contratos del Sector Público (LCSP), dispone que la Administración tendrá la obligación de abonar el precio dentro de los sesenta días siguientes a la fecha de la expedición de las certificaciones de obras o de los correspondientes documentos que acrediten la realización total o parcial del contrato, sin perjuicio del plazo especial establecido en el art. 205.4, y, si se demorase, deberá abonar al contratista, a partir del cumplimiento de dicho plazo de sesenta días, los intereses de demora y la indemnización por los costes de cobro en los términos previstos en la Ley 3/2004, de 29 de diciembre, por la que se establecen medidas de lucha contra la morosidad en las operaciones comerciales. Cuando no proceda la expedición de certificación de obra y la fecha de recibo de la factura o solicitud de pago equivalente se preste a duda o sea anterior a la recepción de las mercancías o a la prestación de los servicios, el plazo de sesenta días se contará desde dicha fecha de recepción o prestación.

Obviamente, existe un fallo legislativo que además se mantiene prácticamente desde la redacción del anterior Texto Refundido de la Ley de Contratos de las Administraciones Públicas, ya que la fecha de la expedición de las facturas es desconocida por la Administración hasta el momento en que éstas se presentan para su pago. Por ello, entendemos que la ley debería decir que el plazo de los sesenta días deberá contarse desde la presentación de la factura y no desde su expedición, ya que como hace el Real Decreto 1496/2003, debe distinguirse claramente entre «expedición» y «remisión.»

Por otra parte, si tenemos presente que conforme al art. 59 del Real Decreto 500/1990 de 20 de abril (BOE del 27), de desarrollo de la Ley de Haciendas Locales en materia de presupuestos, previamente al reconocimiento de las obligaciones habrá de acreditarse documentalmente ante el órgano competente la realización de la prestación o el derecho del acreedor de conformidad con los acuerdos que en su día autorizaron y comprometieron el gasto, es obvio que mientras que no se acredita documentalmente el derecho del acreedor (que es lo mismo que decir que mientras no se presenta la factura), no se puede proceder al reconocimiento de la obligación.

Por tanto, nosotros entendemos que el plazo de los 60 días debe contarse desde la presentación de la factura a través del Registro del ayuntamiento, ya que la interpretación literal (desde la fecha de la expedición) llevaría a resultados absurdos, como por ejemplo el tener que pagar intereses sin culpa alguna de la administración.

• La regla general es que el reconocimiento de la obligación y, por tanto, el pago del precio, debe ser posterior a la realización de la prestación por el contratista

¿Existe fundamento legal para que los ayuntamientos no paguen las facturas hasta la realización de los servicios contratados?

[25/05/2009 EC 1587/2009]

Contestación

La regla general en materia de reconocimiento de la obligación y, consiguientemente del pago del precio de los contratos administrativos, es que se requiere la previa realización de la prestación para proceder al reconocimiento de la obligación y al pago del precio. Y en este sentido se ha pronunciado la Revista en varias ocasiones.

Esta regla general se deriva más que de la normativa contractual de la normativa presupuestaria. Para la Administración Local esta normativa se contiene en los arts. 58 y 59 del Real Decreto 500/1990, de 20 de abril (BOE del 27), de desarrollo de la Ley de Haciendas Locales en Materia de Presupuestos. Dispone el primero de ellos que «el reconocimiento y liquidación de la obligación es el acto mediante el cual se declara la existencia de un crédito exigible contra la Entidad derivado de un gasto autorizado y comprometido.»

Y añade el art. 59.1 que «previamente al reconocimiento de las obligaciones habrá de acreditarse documentalmente ante el Órgano competente la realización de la prestación o el derecho del acreedor de conformidad con los acuerdos que en su día autorizaron y comprometieron el gasto.»

Esto es, en la tramitación de las facturas, con arreglo a las bases de ejecución de cada ayuntamiento, lo normal es establecer que la conformidad con la factura implica la comprobación de que la prestación o el servicio está prestado, porque así lo exige claramente el art. 59 del citado RD 500/1990, al igual que lo establece la Ley General Presupuestaria para la Administración del Estado.

Por ello, también la Ley 30/2007, de 30 de octubre (BOE del 31), de Contratos del Sector Público (LCSP), al igual que hacía el derogado Texto Refundido de la Ley de Contratos de las Administraciones Públicas, dispone en su art. 200.4 la regla general de que «la Administración tendrá la obligación de abonar el precio dentro de los sesenta días siguientes a la fecha de la expedición de las certificaciones de obras o de los correspondientes documentos que acrediten la realización total o parcial del contrato.»

Hablamos de regla general, porque lo cierto es que existen determinados contratos que se satisfacen por adelantado, pero ello se debe en la mayoría de los casos, porque los efectos de estos contratos se rigen por la normativa civil o mercantil, como ocurre por ejemplo con el arrendamiento de bienes muebles o inmuebles en el que las cuotas del arrendamiento se pagan por anticipado. También ocurre esto en los contratos de seguro, ya que si no se paga la prima del seguro no se garantiza la cobertura del riesgo. Existen otros más dudosos que también se suelen admitir en la administración local más por la presión de las empresas que por aplicación de la normativa, como por ejemplo determinados contratos de mantenimiento de bienes y equipos en los que se paga una cuota fija periódica (por ejemplo mantenimiento de ascensores, impresoras, etc).

Por tanto, la norma general está claramente establecida y en los contratos administrativos el reconocimiento de la obligación y el pago del precio debe realizarse una vez que se ha prestado el servicio, ya que se entiende también que, por regla general, la factura o documento que le sustituya solo puede emitirse una vez que se ha realizado la prestación que se factura.

Otra excepción es la introducida por la disposición adicional duodécima de la citada LCSP, en la que bajo la rúbrica de «Normas especiales para la contratación del acceso a bases de datos y la suscripción a publicaciones», establece que «la suscripción a revistas y otras publicaciones, cualquiera que sea su soporte, así como la contratación del acceso a la información contenida en bases de datos especializadas, podrán efectuarse, cualquiera que sea su cuantía siempre que no tengan el carácter de contratos sujetos a regulación armonizada, de acuerdo con las normas establecidas en esta Ley para los contratos menores y con sujeción a las condiciones generales que apliquen los proveedores, incluyendo las referidas a las fórmulas de pago. El abono del precio, en estos casos, se hará en la forma prevenida en las condiciones que rijan estos contratos, siendo admisible el pago con anterioridad a la entrega o realización de la prestación, siempre que ello responda a los usos habituales del mercado.»

De la propia lectura de esta disposición adicional duodécima se desprende también claramente que se trata de una excepción a la regla general de que el reconocimiento de la obligación y el pago debe ser posterior a la entrega o realización de la prestación, ya que entre las normas especiales que establece para este tipo de contratos está la de admitir el pago con anterioridad a la entrega o realización de la prestación.

5. Si la demora en el pago fuese superior a cuatro meses, el contratista podrá proceder, en su caso, a la suspensión del cumplimiento del contrato, debiendo comunicar a la Administración, con un mes de antelación, tal circunstancia, a efectos del reconocimiento de los derechos que puedan derivarse de dicha suspensión, en los términos establecidos en esta Ley.

6. Si la demora de la Administración fuese superior a ocho meses, el contratista tendrá derecho, asimismo, a resolver el contrato y al resarcimiento de los perjuicios que como consecuencia de ello se le originen.

7. Sin perjuicio de lo establecido en las normas tributarias y de la Seguridad Social, los abonos a cuenta que procedan por la ejecución del contrato, sólo podrán ser embargados en los siguientes supuestos:

a) Para el pago de los salarios devengados por el personal del contratista en la ejecución del contrato y de las cuotas sociales derivadas de los mismos.

b) Para el pago de las obligaciones contraídas por el contratista con los subcontratistas y suministradores referidas a la ejecución del contrato.

⊠ **Consultas**

• **Embargo de certificaciones**

Están pendiente de pago varias certificaciones a un contratista. Sobre las primeras se anotó cesión de créditos. Recibido embargo de la Agencia Tributaria, se anota sobre las no cedidas. ¿Qué orden debe seguirse para el pago de las certificaciones?

[08/02/2011 EC 379/2011]

Contestación

Conforme al art. 200.7 de la Ley 30/2007, de 30 de octubre (LA LEY 10868/2007)(BOE del 31), de Contratos del Sector Público (LCSP (LA LEY 10868/2007)), los abonos a cuentas que procedan por la ejecución de un contrato podrán ser embargado conforme a lo establecido en las normas tributarias. En este sentido, el art. 169 de la Ley 58/2003, de 17 de diciembre (LA LEY 1914/2003) (BOE del 18), General Tributaria (LGT 2003 (LA LEY 1914/2003)), establece, en su apartado 2, que si la Administración y el obligado tributario no hubieran acordado otro orden diferente, en virtud de lo dispuesto en el apartado 4 de este artículo, se embargarán los bienes del obligado teniendo en cuenta la mayor facilidad de su enajenación y la menor onerosidad de ésta para el obligado. Y, si los criterios establecidos en el párrafo anterior fueran de imposible o muy difícil aplicación, los bienes se embargarán por el orden que se establece; incluyendo en la letra b) los créditos, efectos, valores y derechos realizables en el acto o a corto plazo. Añadiendo, en el apartado 3, que a efectos de embargo se entiende que un crédito, efecto, valor o derecho es realizable a corto plazo cuando, en circunstancias normales y a juicio del órgano de recaudación, pueda ser realizado en un plazo no superior a seis meses. Los demás se entienden realizables a largo plazo.

Por consiguiente, el pago de una certificación de obra se considera, en principio, un crédito a corto plazo, ya que conforme al art. 200.4 de la citada LCSP (LA LEY 10868/2007) debe ser satisfecho en el plazo de 60 días.

Ahora bien, debemos distinguir entre la traba, que es el momento en que se notifica al deudor, en este caso, el Ayuntamiento; la diligencia de embargo; y el pago de la cantidad trabada. De forma que el hecho de que el crédito esté trabado o embargado no significa que su pago deba ser inmediato, ni que altere para nada el orden en que tiene que realizar los pagos el deudor. La traba significa que, cuando se haga el pago, sólo podrá realizarse a favor de la Administración que practica el embargo y no a favor del acreedor embargado; pero el embargo no implica que se anticipe el vencimiento de los créditos embargados, como se aprecia claramente en el art. 93 (LA LEY 1313/2005) del Reglamento General de Recaudación (RGR 2005 (LA LEY 1313/2005)), aprobado por Real Decreto 939/2005, de 29 de julio (LA LEY 1313/2005) (BOE de 2 de septiembre), cuando regula el embargo de los créditos a largo plazo.

Y también se ve claramente, en el art. 81 RGR 2005 (LA LEY 1313/2005), que al regular el embargo de otros créditos, efectos y derechos realizables en el acto o a corto plazo, dispone que se procederá como sigue: a) Si se trata de créditos, efectos y derechos sin garantía, se notificará la diligencia de embargo a la persona o entidad deudora del obligado al pago, apercibiéndole de que, a partir de ese momento, no tendrá carácter liberatorio el pago efectuado al obligado. Cuando el crédito o derecho embargado haya vencido, la persona o entidad deudora del obligado al pago deberá ingresar en el Tesoro el importe hasta cubrir la deuda. En otro caso, el crédito quedará afectado a dicha deuda hasta su vencimiento, si antes no resulta solventada. Si el crédito o derecho conlleva la realización de pagos sucesivos, se ordenará al pagador ingresar en el Tesoro los respectivos importes hasta el límite de la cantidad adeudada, salvo que reciba notificación en contrario por parte del órgano de recaudación.

Esto es, el pago a la entidad que practica el embargo deberá realizarlo en el momento que, con arreglo a las normas por las que se rige el crédito a corto plazo, haya de ser pagada, no antes («haya vencido» dice el art. 81). Lo que significa, a efectos de la consulta, que el embargo de la certificación no debe alterar el orden en el pago de las certificaciones de obra.

Por consiguiente deberá pagarse en primer lugar la certificación de obra más antigua, aunque no sea la embargada, y por lo tanto deberá pagar la certificación cedida a favor del cesionario.

• El reintegro de un pago indebido debe considerarse como un ingreso de derecho público, exigible por la vía de apremio

A efectos de poder embargar los abonos a cuenta realizados a un contratista, ¿se pueden entender los reintegros de pagos indebidos como deudas tributarias?

[15/10/2010 EC 2925/2010]

Contestación

El reintegro de pagos indebidos no se regula por el Texto Refundido de la Ley Reguladora de las Haciendas Locales (LA LEY 362/2004)(TR LRHL), aprobado por Real Decreto Legislativo 2/2004 (LA LEY 362/2004), de 5 de marzo (BOE del 9), ni por el Real Decreto 500/1990 (LA LEY 1180/1990), de 20 de abril (BOE del 27), denominado Reglamento Presupuestario.

Pero, si acudimos a la Ley 47/2003, de 26 de noviembre (LA LEY 1781/2003) (BOE del 27), General Presupuestaria (LGP), nos encontramos con que su art. 77 señala entre otras cosas lo siguiente:

«1. A los efectos de esta ley se entiende por pago indebido el que se realiza por error material, aritmético o de hecho, en favor de persona en quien no concurra derecho alguno de cobro frente a la Administración con respecto a dicho pago o en cuantía que excede de la consignada en el acto o documento que reconoció el derecho del acreedor. 2. El perceptor de un pago indebido total o parcial queda obligado a su restitución. El órgano que haya cometido el error que originó el pago indebido dispondrá, de inmediato, de oficio, la restitución de las cantidades indebidamente pagadas conforme a los procedimientos reglamentariamente establecidos y, en defecto de procedimiento específico, con arreglo al que establezca el Ministro de Economía y Hacienda, o el de Trabajo y Asuntos Sociales en el ámbito de la Seguridad Social». En desarrollo de este precepto, la Orden Ministerial EHA/4077/2005 (LA LEY 1845/2005), de 26 de diciembre (BOE del 29), de reintegro de pagos indebidos, regula el procedimiento para reclamar la restitución de las cantidades indebidamente pagadas. Pues bien, de esta regulación se desprende claramente que el reintegro de pagos indebidos tiene la naturaleza de ingreso de derecho público; y, como tal ingreso de derecho público, puede ser reclamado mediante el procedimiento de apremio, como claramente se establece para el Estado en la orden ministerial citada.

Ahora bien, lo que no puede ser considerado es como una deuda tributaria. En este sentido, debemos estar al art. 2 de la Ley 58/2003, de 17 de diciembre (LA LEY 1914/2003) (BOE del 18), General Tributaria (LGT 2003) (LA LEY 1914/2003), donde se definen los tributos, estableciendo, en lo que aquí interesa, lo siguiente:

«1. Los tributos son los ingresos públicos que consisten en prestaciones pecuniarias exigidas por una Administración pública como consecuencia de la realización del supuesto de hecho al que la ley vincula el deber de contribuir, con el fin primordial de obtener los ingresos necesarios para el sostenimiento de los gastos públicos [...]. 2. Los tributos, cualquiera que sea su denominación, se clasifican en tasas, contribuciones especiales e impuestos: a) Tasas son los tributos cuyo hecho imponible consiste en la utilización privativa o el aprovechamiento especial del dominio público, la prestación de servicios o la realización de actividades en régimen de derecho público que se refieran, afecten o beneficien de modo particular al obligado tributario, cuando los servicios o actividades no sean de solicitud o recepción voluntaria para los obligados tributarios o no se presten o realicen por el sector privado. [...] b) Contribuciones especiales son los tributos cuyo hecho imponible consiste en la obtención por el obligado tributario de un beneficio o de un aumento de valor de sus bienes como consecuencia de la realización de obras públicas o del establecimiento o ampliación de servicios públicos. c) Impuestos son los tributos exigidos sin contraprestación cuyo hecho imponible está constituido por negocios, actos o hechos que ponen de manifiesto la capacidad económica del contribuyente».

En conclusión, el reintegro de un pago indebido nunca puede tener la naturaleza de deuda tributaria, aunque tiene la naturaleza de ingreso de derecho público. Por ello, no le es aplicable la excepción prevista en el art. 200.7 de la Ley 30/2007, de 30 de octubre (LA LEY 10868/2007) (BOE del 31), de Contratos del Sector Público (LCSP) para poder embargar los abonos a cuenta que procedan por la ejecución de los contratos.

- **Consecuencias del incumplimiento de obligaciones del contratista respecto a subcontratistas y suministradores**

En el marco de los Planes de Inversión Local, una empresa suministradora nos ha informado de que no ha cobrado en el plazo de 30 días. ¿Estaríamos ante un cumplimiento defectuoso por parte del contratista? ¿Cómo debe actuar el Ayuntamiento?

[04/05/2010 EC 1391/2010]

Contestación

El art. 9.5 (LA LEY 17475/2008) del Real Decreto ley 9/2008, de 28 de noviembre (BOE de 2 de diciembre), de creación de un Fondo Estatal de Inversión Local y un Fondo Especial del Estado para la Dinamizacion de la Economía y el Empleo y aprobación de créditos extraordinarios para atender a su financiación, dispone los siguiente: los ayuntamientos tendrán la obligación de abonar a los contratistas el precio de las obras dentro de los treinta días naturales siguientes a la fecha de expedición de las certificaciones de obra o de los correspondientes documentos que acrediten la realización parcial o total del contrato. Y añade que los contratistas deberán abonar a los subcontratistas el precio pactado por las prestaciones cuya realización les hayan encomendado en el plazo máximo de treinta días naturales, computado desde la fecha de aprobación por el contratista principal de la factura emitida por el subcontratista o suministrador.

Ahora bien, a nuestro juicio, el hecho de que el contratista del Ayuntamiento incumpla el plazo de la obligación de pago respecto a subcontratista o suministradores no implica incumplimiento del contrato que tiene con la Administración.

Como venimos reiterando desde esta revista, el subcontrato o el suministro, en la contratación administrativa, supone un nuevo contrato celebrado entre el contratista principal o un subcontratista con una tercera empresa, dando lugar a una relación jurídica contractual en la que la Administración tiene la condición de tercero ajeno.

Como tal tercero, queda al margen de las vicisitudes que se produzcan en la relación contractual entre contratista y subcontratista.

Así se deriva claramente de la regulación que se ha contenido tradicionalmente en la normativa contractual; actualmente contenida en los arts. 210 y 211 de la Ley 30/2007, de 30 de octubre (LA LEY 10868/2007) (BOE del 31), de Contratos del Sector Público (LCSP).

Por ello, cuando el art. 211 regula el pago a subcontratista y suministradores, sólo se está refiriendo a las obligaciones del contratista; limitándose a señalar que el contratista deberá abonar las facturas en el plazo fijado de conformidad con lo previsto en el apartado 2 del mismo precepto. Añadiendo que, en caso de demora en el pago, el subcontratista o el suministrador tendrá derecho al cobro de los intereses de demora y la indemnización por los costes de cobro en los términos previstos en la Ley 3/2004, de 29 de diciembre (LA LEY 1704/2004) (BOE del 30), por la que se establecen medidas de lucha contra la morosidad en las operaciones comerciales. Pero se está refiriendo, como no podía ser de otra forma, al contratista, no a la Administración.

Distinto es el art. 200.7 LCSP, cuando dispone que sin perjuicio de lo establecido en las normas tributarias y de la Seguridad Social, los abonos a cuenta que procedan por la ejecución del contrato sólo podrán ser embargados en los siguientes supuestos:

a) Para el pago de los salarios devengados por el personal del contratista en la ejecución del contrato y de las cuotas sociales derivadas de los mismos.

b) Para el pago de las obligaciones contraídas por el contratista con los subcontratistas y suministradores referidas a la ejecución del contrato.

Esto es, se admite que el subcontratista o el suministrador puedan solicitar el embargo de los importes debidos y no abonados al contratista para cobrarse lo que le adeuda el contratista principal.

A ello debe añadirse que la Jurisprudencia ha reconocido acción directa al subcontratista respecto a los importes que la Administración adeude al contratista principal. En este sentido, la Sentencia del Tribunal Supremo, Sala Primera, de lo Civil, de 12 de diciembre de 2007 (LA LEY JURIS: 10344/2008), ha reconocido la aplicación del art. 1597 (LA LEY 1/1889) del CC cuando considera que los que ponen su trabajo y materiales en una obra ajustada alzadamente por el contratista no tienen acción contra el dueño de ella sino hasta la cantidad que éste adeude a aquél cuando se hace la reclamación. De forma que si, en el momento de la reclamación, el Ayuntamiento adeuda un importe al contratista, el subcontratista tiene muchas posibilidades de que prospere su acción.

En conclusión, consideramos que, en el caso que nos consultan, con los antecedentes aportados por el motivo de retraso en el pago al suministrador, no existe un incumplimiento del contrato por el contratista, sin perjuicio de que el suministrador pueda reclamarle los intereses e indemnización correspondiente al contratista.

- **Embargo de certificaciones de obra**

Se han recibido órdenes de embargo sobre certificaciones de obra. El contratista ha presentado escrito alegando que tal embargo es improcedente al amparo del art. 200.7 LCSP. ¿Debemos proceder al embargo?

[10/09/2009 EC 2580/2009]

Contestación

El art. 200.7 de la Ley 30/2007, de 30 de octubre (BOE del 31), de Contratos del Sector Público (LCSP), establece que, sin perjuicio de lo establecido en las normas tributarias y de la Seguridad Social, los abonos a cuenta que procedan por la ejecución del contrato sólo podrán ser embargados en los siguientes supuestos:

a) Para el pago de los salarios devengados por el personal del contratista en la ejecución del contrato y de las cuotas sociales derivadas de los mismos.

b) Para el pago de las obligaciones contraídas por el contratista con los subcontratistas y suministradores referidas a la ejecución del contrato.

Esta normativa ya se recogía en el Texto Refundido de la Ley de Contratos de las Administraciones Públicas (TR LCAP), aprobado por Real Decreto Legislativo 2/2000, de 16 de junio (BOE del 21). Como señalaba Ángel Ballesteros Fernández en su artículo «El contrato de obra» publicado en esta revista (EC) y «Según el art. 99.7 TR LCAP sin perjuicio de lo establecido en las normas tributarias y de la Seguridad Social, los abonos a cuenta que procedan por la ejecución del contrato sólo podrán ser embargados en los siguientes supuestos: a) para el pago de salarios devengados por el personal del contratista en la ejecución del contrato y de las cuotas sociales derivadas de los mismos; b) para el pago de las obligaciones contraídas por el contratista con los subcontratistas y suministradores referidas a la ejecución del contrato. La STC 169/1993, de 27 de mayo (LA LEY 2236-TC/1993) declaró la constitucionalidad de la inembargabilidad de las certificaciones de obras porque dichas certificaciones constituyen fondos públicos destinados al fin exclusivo de la obra pública. Las excepciones a la inembargabilidad establecidas en el art. 99.7 TR LCAP guardan relación con la acción directa que concede el art. 1597 CC a quienes ponen su trabajo o sus materiales en una obra para reclamar al dueño de la obra sus créditos contra el contratista hasta el límite de lo que a éste le sea debido por aquél. La Junta Consultiva de Contratación del Estado, en Informe 63/1996, de 18 de diciembre, indica que en cuanto a las actuaciones del órgano de contratación en relación con los requerimientos que reciba de órganos judiciales o administrativos que decretan embargos, ha de limitarse a cumplimentar dichos requerimientos o, en su caso, indicar al órgano requirente sobre la procedencia o improcedencia del embargo, pero sin que en ningún caso corresponda al órgano de contratación decidir sobre este extremo [...].»

Por tanto, se puede concluir lo siguiente:

Los abonos a cuentas por regla general son inembargables por constituir fondos públicos que están destinados al fin exclusivo del contrato público; y las certificaciones de obra, en cuanto entregas a cuenta, son inembargables, salvo en las excepciones que establece la ley.

Se establecen tres excepciones a la inembargabilidad:

1. Que se trate de deudas tributarias o de la Seguridad Social.

2. Que se trate de deudas devengadas por salarios o cuotas de la Seguridad Social del personal del contratista en la ejecución del contrato.

3. Que se trate de deudas del contratista con subcontratistas o suministradores referido a la ejecución del contrato.

El órgano de contratación puede alegar la improcedencia del embargo, pero en ningún caso le corresponde decidir sobre tal extremo. El contratista tendrá razón, y las certificaciones de obras no podrán embargarse si no se encuentran en alguno de los supuestos excepcionales que establece la ley.

• La garantía definitiva no responde de la falta de pago del contratista al subcontratista

¿Podría responder la fianza definitiva de la falta de pago del contratista al subcontratista una vez finalizada y liquidada la obra?

[11/05/2009 EC 1420/2009]

Ver respuesta en artículo 100

8. Las Comunidades Autónomas podrán reducir los plazos de treinta días, cuatro meses y ocho meses establecidos en los apartados 4, 5 y 6 de este artículo.

➡ **Concordancias normativas**

Véase, respecto a los plazos, la disposición transitoria sexta del presente R.D. Legislativo 3/2011, de 14 de noviembre, por el que se aprueba el texto refundido de la Ley de Contratos del Sector Público.

Concordancias a todo el artículo

➡ **Concordancias normativas**

Artículo 200 de la LCSP 30/2007 y artículo 99 del TRLCAP RDL 2/2000.

☞ **Concordancias Jurisprudenciales**

Tribunal Superior de Justicia del Principado de Asturias, Sala de lo Contencioso-administrativo, Sección 1.ª, Sentencia de 7 Mar. 2012, rec. 385/2010

[LA LEY 27468/2012]

CONTRATOS ADMINISTRATIVOS. Contratos de transporte escolar. Pago. Intereses de demora. Impugnada la inactividad de la Administración no puede ser la misma el objeto del proceso toda vez que el recurrente reclama el pago de los intereses y no le son abonados, en consecuencia, si existe acto administrativo expreso o presunto, no existe inactividad de la Administración, siendo presupuesto de ésta la inexistencia del acto. los intereses legales de los intereses de demora vencidos. Realmente se impugna la desestimación presunta del abono de intereses. La procedencia de los intereses reclamados, tanto los de demora como los legales de estos moratorios, debe limitarse a los casos en que el importe de las facturas es abonado excediendo el plazo de sesenta días y por el período que a partir del mismo se produce el retraso.

Tribunal Superior de Justicia de Extremadura, Sala de lo Contencioso-administrativo, Sentencia de 7 Dic. 2011, rec. 1441/2009

[LA LEY 242507/2011]

CONTRATO ADMINISTRATIVO DE OBRAS. Conformidad a derecho de la medición y certificación de obra ejecutada en el contrato de «Refuerzo del firme del SRS de Jerez de los Caballeros a Higuera la Real». La interesada no realizó la obra en las condiciones y circunstancias en que se encontraba proyectada ni existió expediente de modificación, ni se ha acreditado que verbalmente se autorizase. Y de lo plasmado por escrito, precisamente se constata lo contrario, es decir que tal actuación de modificación se llevó a cabo unilateralmente y con ánimo de que no fuese conocida por la Administración.

📖 **Doctrina**

«Análisis del mecanismo de financiación para el pago a proveedores de las entidades locales: la pretendida solución definitiva». Emiliano Sanz Rubio. Artículo de opinión publicado en *Boletín de Derecho Local* núm. 35, mayo 2012.

Artículo 217 *Procedimiento para hacer efectivas las deudas de las Administraciones Públicas*

Transcurrido el plazo a que se refiere el artículo 216.4 de esta Ley, los contratistas podrán reclamar por escrito a la Administración contratante el cumplimiento de la obligación de pago y, en su caso, de los intereses de demora. Si, transcurrido el plazo de un mes, la Administración no hubiera contestado, se entenderá reconocido el vencimiento del plazo de pago y los interesados podrán formular recurso contencioso-administrativo contra la inactividad de la Administración, pudiendo solicitar como medida cautelar el pago inmediato de la deuda. El órgano judicial adoptará la medida cautelar, salvo que la Administración acredite que no concurren las circunstancias que justifican el pago o que la cuantía reclamada no corresponde a la que es exigible, en cuyo caso la medida cautelar se limitará a esta última. La sentencia condenará en costas a la Administración demandada en el caso de estimación total de la pretensión de cobro.

Concordancias a todo el artículo

☞   **Concordancias Jurisprudenciales**

Juzgado de lo Contencioso-administrativo N.°. 4 de Valladolid, Auto de 12 Mar. 2012, rec. 6/2012

CONTRATO ADMINISTRATIVO DE SUMINISTROS. Inactividad de la Administración frente a las reclamaciones de pago de cantidades no satisfechas en relación con suministros de medicamentos más los intereses devengados por la falta de pago de las facturas emitidas. PROCESO CONTENCIOSO-ADMINISTRATIVO. Solicitud de adopción de una medida cautelar positiva, consistente en que la Administración impugnada abone la cantidad reclamada. Aplicación de la doctrina de apariencia de buen derecho. Una vez acreditado que el recurso contencioso-administrativo se dirige contra la inactividad de la Administración impugnada y que esta inactividad se ha producido, por no existir constancia de la respuesta de la Administración, en el plazo de un mes, a la reclamación formulada por el contratista, se acuerda la medida cautelar solicitada por la parte interesada y, como consecuencia de ello, se ordena a la Administración que proceda, de forma inmediata, a pagar el importe principal que, adeude en relación con cada una de las facturas que se detallan en el listado acompañado con el escrito de demanda hasta el importe máximo total fijado.

➡ Concordancias normativas

Artículo 200 bis de la LCSP 30/2007.

Artículo 217 (antiguo 200 bis en la LCSP 2007) introducido por el apartado dos del artículo tercero de la Ley 15/2010, de 5 de julio, de modificación de la Ley 3/2004, de 29 de diciembre, por la que se establecen medidas de lucha contra la morosidad en las operaciones comerciales («B.O.E». 6 julio).

Artículo 218 *Transmisión de los derechos de cobro*

1. Los contratistas que, conforme al artículo anterior, tengan derecho de cobro frente a la Administración, podrán ceder el mismo conforme a Derecho.

2. Para que la cesión del derecho de cobro sea efectiva frente a la Administración, será requisito imprescindible la notificación fehaciente a la misma del acuerdo de cesión.

3. La eficacia de las segundas y sucesivas cesiones de los derechos de cobro cedidos por el contratista quedará condicionada al cumplimiento de lo dispuesto en el número anterior.

4. Una vez que la Administración tenga conocimiento del acuerdo de cesión, el mandamiento de pago habrá de ser expedido a favor del cesionario. Antes de que la cesión se ponga en conocimiento de la Administración, los mandamientos de pago a nombre del contratista o del cedente surtirán efectos liberatorios.

Concordancias a todo el artículo

➡ Concordancias normativas

Artículo 201 de la LCSP 30/2007 y artículo 100 del TRLCAP RDL 2/2000.

✉ Consultas

• Fiscalización de endosos

En relación con la función interventora, ¿cuáles son los aspectos de los endosos susceptibles de fiscalización y sus posibles consecuencias para el Ayuntamiento?

[05/03/2012 EC 530/2012]

Contestación

La transmisión de los derechos de cobro viene regulada en el art. 218 del Real Decreto Legislativo 3/2011, de 14 de noviembre (LA LEY 21158/2011) (BOE del 16), por el que se aprueba el texto refundido de la Ley de Contratos del Sector Público (LA LEY 21158/2011) (TR LCSP (LA LEY 10868/2007)). El número 1 de dicho precepto establece que los contratistas que tengan derecho de cobro frente a la Administración podrán ceder el mismo conforme a derecho. A su vez, el art. 1112 del Código Civil (LA LEY 1/1889) establece que todos los derechos adquiridos en virtud de una obligación son transmisibles con sujeción a las leyes, si no se hubiese pactado lo contrario.

Por tanto, será la regulación civil —admitida por la legislación de contratos la traslación de la certificación— la que nos valga para resolver la problemática que la corta regulación administrativa nos pueda ir dejando. Aplicabilidad de la legislación civil que ha sido reconocida por la jurisprudencia del Tribunal Supremo en diversas ocasiones, como pone de manifiesto la STS de 31 de octubre de 1992 (LA LEY 12888/1992) (LA LEY 12888/1992).

En cuanto al momento en que se puede producir la transmisión del crédito, la Junta Consultiva de Contratación Administrativa estima, en su informe 63/1996, de 18 de diciembre (LA LEY 6478/1996), que «desde el momento mismo de su existencia, que en la legislación de contratos de las Administraciones Públicas se liga a la expedición de las certificaciones, según resulta claramente del apartado 4 del art. 100, que se refiere de manera expresa a la fecha de expedición de las certificaciones o de los correspondientes documentos que acrediten la realización total o parcial del contrato...»

En este mismo informe, la Junta Consultiva de Contratación Administrativa dictaminó, con independencia de que la toma de razón se estime como aceptación o no, que «en cuanto al momento procedimental oportuno para que por los Servicios de Contabilidad se tome razón en el Libro Registro y se diligencie en las certificaciones, de conformidad con el art. 145 del Reglamento General de Contratación del Estado, la respuesta debe darse de acuerdo con el criterio del art. 101 de la Ley de Contratos de las Administraciones Pública (hoy art. 218.2 del TRLCSP (LA LEY 21158/2011)), que sólo exige, para que la cesión surta efectos frente a la Administración, la notificación fehaciente a la misma y nunca la aprobación y conformidad por parte de ella». Y en el mismo sentido se pronuncia la STS de 16 de abril de 1999 (LA LEY 5292/1999) (LA LEY 5292/1999), que sólo exige que la cesión haya sido puesta en conocimiento de la Administración y hubiera tomado razón antes de ser reclamado el pago.

Ello no implica, sin embargo, que la Administración, al tomar razón del endoso, no deba dejar constancia en el mismo de la situación en que se pudiera encontrar el crédito. Respecto a esta obligación se ha pronunciado también la Junta Consultiva, en el citado informe 66/1996, de 18 de diciembre (LA LEY 6477/1996), diciendo que «en cuanto a las cuestiones de si ha de dejarse constancia en la toma de razón del endoso de que la certificación no está aprobada o que existe orden de embargo, parece lógico, aunque no existe norma expresa que imponga esta obligación, hacer constar estas circunstancias en la toma de razón del endoso...»

En cuanto a la contabilización de los pagos cedidos que han de realizarse a las cesionarias, no han de reflejarse en contabilidad en tanto no se produzca su pago. En cuyo momento, se contabilizarán reflejando la persona o entidad o personas o entidades que perciben su importe. No del endosante, sino del o de los endosatarios. El hecho del endoso se reflejará en un Libro Registro de Endosos o en cualquier otro medio que permita el control de la existencia de dicha figura. Pues, una vez conocido el hecho del endoso por la Administración, ésta sólo se liberará de la deuda cuando el pago se realice al endosatario.

En relación al IVA, de acuerdo con lo establecido en el número Dos del art. 75 de la Ley 37/1992, de 28 de diciembre (LA LEY 3625/1992) (BOE del 29), del Impuesto sobre el Valor Añadido (LIVA), cuando se produzcan pagos anticipados anteriores a la realización del hecho imponible, el impuesto se devengará en el momento del cobro total o parcial del precio por los importes efectivamente percibidos. Existe, pues, un estricto criterio de caja, tal y como ha señalado la doctrina, para el devengo de las operaciones, vinculado al cobro efectivo de la operación; por lo que si éste no se produce, el impuesto no se devenga, y esto con independencia de que exista pacto sobre el pago u otra circunstancia. La Dirección General de Tributos ha considerado que el mero endoso, descuento o pignoración de una certificación de obra no puede considerarse como pago anticipado de la obra a realizar y no determina, por tanto, el devengo correspondiente de dicha obra.

Sin embargo, la Sala 3.ª del Tribunal Supremo dictó la Sentencia de 5 de marzo de 2001 (LA LEY 3592/2001) (LA LEY 3592/2001), en recurso de casación para la unificación de doctrina, que recoge la doctrina de que con la emisión de las certificaciones se está produciendo una entrega de unidades de obra y su puesta a disposición de la Administración. Y, basándose en dicha teoría, sostiene que el devengo del IVA tiene lugar en el momento de la expedición de las certificaciones, en virtud de la regla general del devengo en entrega de bienes.

Ante dicha doctrina, la Ley 24/2001, de 27 de diciembre (LA LEY 1785/2001), de Medidas Fiscales, Administrativas y del Orden Social, en su art. 5 Tres, modificó la redacción del art. 75 Uno LIVA, incorporando el punto 2 bis, estableciendo que el devengo del Impuesto, cuando las destinatarias sean las Administraciones Públicas, se producirá en el momento de la recepción de las obras, conforme a lo dispuesto en el art. 147 del TRLCAP (LA LEY 2206/2000) (hoy art. 235 TRLCSP (LA LEY 21158/2011)). Sin embargo, a pesar de la modificación introducida por la referida Norma, el Tribunal Supremo ha seguido manteniendo el criterio reflejado en la Sentencia de 5 de marzo de 2001, basándose en la naturaleza de las certificaciones de obra, cuyo pago no tiene el carácter de anticipado.

La Dirección General de Tributos en diversas Resoluciones —entre otras, en la de 4 de septiembre de 2002 (número 1195-02)— sostiene que en el supuesto de que se produzca el endoso, descuento o pignoración de una certificación de obra, estaremos ante un nuevo hecho imponible, como es el de cesión de crédito, sin que se considere como pago anticipado, y por tanto, sin determinar el pago del impuesto.

En definitiva, el devengo se produce conforme a la regla especial del art. 72 Dos LIVA, y no conforme a la regla general; de tal modo que se producirá en el momento del cobro. Si bien, hemos de tener presente que el devengo, cuando se recepcionen las obras antes del pago de las certificaciones, se producirá con la recepción de las obras y no con el pago de las certificaciones, ya que esta recepción entraña la entrega de las obras, es decir, la puesta de las mismas en poder y posesión de la Administración. Particularidad que puede ocasionar graves perjuicios a las empresas contratistas, o a sus endosatarios, que deberán ingresar un IVA no recaudado.

En resumen, y dado que el endoso es un negocio que se desarrolla entre dos partes ajenas al Ayuntamiento, desde el punto de vista de la Intervención Municipal, la única repercusión es la de tener en cuenta que el pago ha de realizarse a persona distinta del titular de la certificación; pues si, conocido el endoso, se paga al contratista, dicho pago no tiene efecto liberatorio para la Administración, por lo que, reclamado el pago por el endosatario, el Ayuntamiento habría de volver a pagar el importe de la certificación. Por último, la legislación aplicable está constituida por el art. 218 TRLCSP (LA LEY 21158/2011) y el Código Civil.

• Embargo de certificaciones endosadas

Hemos recibido diligencia de embrago contra una empresa adjudicataria de obra. ¿Qué debe hacer el Ayuntamiento si las certificaciones están endosadas?

[12/07/2010 EC 2178/2010]

Contestación

De conformidad con lo establecido en el art. 201 (LA LEY 10868/2007) de la Ley 30/2007, de 30 de octubre (BOE del 31), de Contratos del Sector Público (LCSP) —Transmisión de los derechos de cobro— «1. Los contratistas que, conforme al artículo anterior, tengan derecho de cobro frente a la Administración, podrán ceder el mismo conforme a Derecho. 2. Para que la cesión del derecho de cobro sea efectiva frente a la Administración, será requisito imprescindible la notificación fehaciente a la misma del acuerdo de cesión. 3. La eficacia de las segundas y sucesivas cesiones de los derechos de cobro cedidos por el contratista quedará condicionada al cumplimiento de lo dispuesto en el número anterior. 4. Una vez que la Administración tenga conocimiento del acuerdo de cesión, el mandamiento de pago habrá de ser expedido a favor del cesionario. Antes de que la cesión se ponga en conocimiento de la Administración, los mandamientos de pago a nombre del contratista o del cedente surtirán efectos liberatorios.»

Pueden transmitirse los derechos de cobro sustentados en facturas o certificaciones. Pero, previamente, debe notificarse el acuerdo de cesión a la Administración, de modo fehaciente. Debe tratarse de derechos ya nacidos, es decir, que sólo es posible el endoso de las facturas o certificaciones concretas y determinadas.

En la actualidad, no es preceptiva la «toma de razón», que se exigía por el Reglamento General de Contratación del Estado (aprobado por Real Decreto 3410/1975 de 25 de noviembre) hoy derogado y sustituido por el Reglamento General de la Ley de Contratos de las Administraciones Publicas (RCAP), aprobado por Real Decreto 1098/2001, de 12 de octubre (LA LEY 1470/2001) (BOE del 26), en vigor desde el día 26 de abril de 2002, el cual no contiene ninguna disposición en tal sentido, Así pues, será el propio Interventor quien establecerá el mecanismo para que quede constancia del endoso; podría ser el mismo del art. 145 del derogado Reglamento: se consignará mediante diligencia en el documento justificativo del crédito la toma de razón en un libro registro de transmisiones de certificaciones habilitado al efecto.

Por lo que se refiere al supuesto de que el derecho de cobro haya sido endosado, no es la Administración pagadora sino el órgano que haya decretado el embargo el que ha de resolver el problema que pueda plantear el endosatario a la vista del embargo decretado.

En estos términos se ha pronunciado la Junta Consultiva de Contratación Administrativa en su Informe 63/1996, de 18 de diciembre (LA LEY 6478/1996) (Boletín Informativo de la Intervención General de la Administración del Estado n.º 33, año 1997), dictaminando que, en cuanto a las actuaciones del órgano de contratación en relación con los requerimientos que reciban de órganos judiciales o administrativos que decretan embargos, ha de limitarse a cumplimentar dichos requerimientos o, en su caso, indicar al órgano requirente su criterio sobre la procedencia o improcedencia del embargo del crédito decretado; pero sin que, en ningún caso, corresponda al órgano de contratación el decidir sobre este extremo; siendo los que se sienten perjudicados por las decisiones del órgano judicial o administrativo que decreta el embargo, los que deben plantear sus reclamaciones y recursos ante estos últimos y no ante el órgano de contratación.

Y ello es así aun en el caso de que, recibida por la Administración contratante una orden de traba por la autoridad judicial o administrativa, la misma afecte a certificaciones endosadas a terceros. Como máximo, la Administración habría de limitarse a exponer la improcedencia, a su juicio, de embargar. Cuestión que habrá de decidir la autoridad judicial o administrativa que decretó la medida.

CAPÍTULO IV

Modificación de los contratos

Artículo 219 *Potestad de modificación del contrato*

1. Los contratos administrativos solo podrán ser modificados por razones de interés público en los casos y en la forma previstos en el título V del libro I, y de acuerdo con el procedimiento regulado en el artículo 211.

En estos casos, las modificaciones acordadas por el órgano de contratación serán obligatorias para los contratistas.

✉ **Consultas**

• Propuesta de modificación del contrato de concesión de obra pública en lo relativo al proyecto técnico

Se planteó en noviembre de 2008 consulta en relación con un expediente de contratación de concesión de obra pública (redacción de proyecto, construcción y explotación de aparcamiento subterráneo) mediante procedimiento abierto y forma de concurso (se adjudicó en el año 2006, por lo que se rige por el TRLCAP RDL 2/2000). Aquí se plantea nueva consulta que afecta nuevamente a este contrato.

En esta ocasión, la concesionaria continúa ejecutando la obra (ya prácticamente ultimada). El Ayuntamiento, ante los problemas y dudas que planteaba modificar el contrato, variando el proyecto en lo relativo a la obra en superficie (plaza pública que va sobre el aparcamiento subterráneo) modificando las calidades de los materiales que pretenden emplearse y el diseño (el coste en obra previsto, con la modificación, ascendería finalmente a unos 180.000 euros), desistió, dado que el Pliego de cláusulas que rige el contrato, en su cláusula 8.ª, Financiación, prevé que «En las obras de superficie se utilizarán como mínimo los materiales que se definan en el diseño de la superficie que se proyectó y que será un concepto fundamental a tener en cuenta en el concurso, toda vez que se trata de un espacio público emblemático de la ciudad, por lo que cualquier modificación que se propusiera a posteriori deberá ser aceptada por el órgano de contratación, sin que esto comporte aumento de la cantidad prevista como gasto en la ejecución de la obra»; y que, además, la modificación sólo podría financiarse variando las cláusulas económicas incluidas en el contrato (artículo 248 TRLCAP), y entre dichas cláusulas no se contempla una aportación económica por el Ayuntamiento a la contratista (de modo que sólo se podría variar, por tanto, modificando las tarifas al alza, o rebajando el canon, pues el plazo de duración ya está fijado en el máximo legal).

Pues bien, la propuesta ahora pasa por modificar el contrato de concesión de obra pública en lo relativo al proyecto técnico, de modo que se eliminarían los capítulos de obra relativos al acabado en superficie (plaza pública), y se mejorarían las calidades (supuestamente) de los materiales a emplear en otros capítulos de obra, de modo que la variación económica del modificado sea cero euros. Quedando, por lo tanto, la plaza pública inejecutada (al ser suprimida del proyecto que inicialmente se aprobó), el Ayuntamiento, una vez que se aprobara dicha modificación del contrato de concesión de obra pública por el Pleno (y tras dar audiencia al contratista), procedería a contratar de forma independiente, mediante un contrato de obras, la ejecución de la plaza pública con el diseño y nuevos materiales que ahora ha decidido el Ayuntamiento (al ser su cuantía de 180.000 euros, se acudiría al procedimiento negociado sin publicidad para este contrato de obras). La justificación que se utilizará en la modificación pasa por la variación del criterio del Ayuntamiento en los acabados de la plaza pública, alegando que es un espacio emblemático del municipio, y que se prefiere utilizar materiales más caros a estos efectos.

A la vista de todo lo expuesto:

1. ¿Procede aprobar la modificación del contrato de concesión de obra pública en el sentido ahora indicado: estamos ante «necesidades nuevas o causas imprevistas» y «razones de interés público» en el sentido de la LCAP? La cláusula 8.ª del pliego precitada, ¿puede representar algún problema para ello?

2. ¿Es viable legalmente, por tanto, la operación en su conjunto (modificar proyecto de obra del contrato, con coste económico nulo, y contratar independientemente la obra de la plaza pública en cuestión?

Contratación Administrativa Práctica, Nº 87, Sección Usted Pregunta, Junio 2009, Editorial LA LEY

[LA LEY 1158/2009]

Respuesta

Ya dijimos en la anterior consulta los trámites necesarios para proceder a la modificación de los contratos administrativos. Por no reiterarnos, nos remitimos a lo que allí dijimos.

Según nos indican, la propuesta ahora pasa por modificar el contrato de concesión de obra pública en lo relativo al proyecto técnico, de modo que se eliminarían los capítulos de obra relativos al acabado en superficie (plaza pública), y se mejorarían las calidades de los materiales a emplear en otros capítulos de obra, de modo que la variación económica del modificado sea cero euros.

En principio, si en los informes técnicos quedan justificadas las razones de interés público, no vemos problema en aprobar la modificación del contrato. Una de las cuestiones en que incidíamos en la consulta anterior es que la modificación la decidía la Administración y no el contratista. Parece que esta decisión ha sido tomada por el equipo de gobierno. Tramitando el expediente como se indicó en la contestación a la anterior consulta, nos parece correcta esta modificación, y la cláusula octava que nos transcriben, no es óbice para proceder a la misma.

Es viable legalmente el modificar el proyecto de obra del contrato y contratar independientemente la obra de la plaza pública. Están aplicando el artículo 202.1 (LA LEY 10868/2007) de la Ley 30/2007, de 30 de octubre, de Contratos del Sector Público (LCSP), que en su párrafo segundo excluye del concepto de modificación de los contratos las ampliaciones de su objeto que no puedan integrarse en el proyecto inicial mediante una «corrección del mismo» o que consistan en la realización de una prestación susceptible de utilización o aprovechamiento independiente o dirigida a satisfacer necesidades nuevas no contempladas en la documentación preparatoria del contrato.

2. Las modificaciones del contrato deberán formalizarse conforme a lo dispuesto en el artículo 156.

➡ Concordancias normativas

Artículo 219 redactado por el apartado doce de la disposición final decimosexta de la Ley 2/2011, de 4 de marzo, de Economía Sostenible («B.O.E». 5 marzo).

Concordancias a todo el artículo

➡ Concordancias normativas

Artículo 202 de la LCSP 30/2007 y artículo 101 del TRLCAP RDL 2/2000.

☞ Concordancias Jurisprudenciales

Juzgado de lo Contencioso-administrativo N.º. 2 de Zaragoza, Sentencia de 16 Mar. 2012, rec. 388/2010

[LA LEY 57435/2012]

CONTRATO ADMINISTRATIVO DE CONCESIÓN DE OBRAS PÚBLICAS. Anulación de la modificación de un contrato de concesión de un aparcamiento subterráneo, adjudicado en el año 1990, por incumplirse los requisitos legales para proceder a la misma. Inexistencia de interés público que la ampare. Existencia de desviación de poder al tratar el Ayuntamiento de solucionar un problema económico municipal mediante la modificación sustancial del contrato. LEGITIMACIÓN. Activa. De las mercantiles afectadas para oponerse a la modificación. Imposibilidad de negarles la legitimidad en consideración a que no participaron en el antiguo concurso. Concesión de 1990, que no se llevó a cabo y que casi 20 años después sufre una modificación muy importante, que afecta directamente a la esfera de derechos o intereses de las mercantiles recurrentes, que habían iniciado previamente los trámites para realizar un aparcamiento justo, enfrente y enfocado a la misma población que el municipal. Por el procedimiento de realizar una modificación indebida, en lugar de un nuevo concurso, se les está impidiendo oponerse a la modificación, cuando sí podrían oponerse a un nuevo concurso, de haberse declarado caducado el expediente anterior. RESPONSABILIDAD DE LAS ADMINISTRACIONES PÚBLICAS. Administración local. Inadmisión de las solicitudes de responsabilidad patrimonial. Inexistencia de nexo directo entre la modificación de la concesión, aunque haya sido antijurídica, y el daño, puesto que las mercantiles afectadas ni tienen un monopolio para hacer un aparcamiento, ni se han visto privadas de licencia para el suyo ni tampoco han probado que la renovación contractual haya llevado de modo necesario a la pérdida de financiación.

Tribunal Superior de Justicia de Castilla y León de Burgos, Sala de lo Contencioso-administrativo, Sección 1.ª, Sentencia de 23 Sep. 2011, rec. 137/2011

[LA LEY 225033/2011]

ARQUITECTOS. Honorarios. Trabajos para la Administración. CONTRATO ADMINISTRATIVO DE SERVICIOS. Precio. CONTRATOS ADMINISTRATIVOS. Precio del contrato. Revisión del precio. Procedencia. -- Preparación de los contratos. Expediente de contratación. Pliegos de cláusulas administrativas. -- Cumplimiento. Obligaciones de la Administración. PRUEBA. Apreciación de la prueba. Apreciación conjunta de la prueba. Proceso Contencioso-Administrativo.

Artículo 220 *Suspensión de los contratos*

1. Si la Administración acordase la suspensión del contrato o aquélla tuviere lugar por la aplicación de lo dispuesto en el artículo 216, se levantará un acta en la que se consignarán las circunstancias que la han motivado y la situación de hecho en la ejecución de aquél.

✉ **Consultas**

• **En el caso que se acuerde la suspensión de la ejecución del contrato debe darse audiencia al contratista**

Se pretende suspender la ejecución de un contrato de obra. ¿Debe darse audiencia al contratista? ¿Es necesario tramitar expediente contradictorio por incidencias en la ejecución?

[20/11/2009 EC 3441/2009]

Contestación

Entendemos que sí que debe darse audiencia al contratista para proceder a la suspensión del contrato. En este sentido se pronuncia Enrique Muñoz López en la obra de esta editorial «Contratación del Sector Público Local», El Consultor 2008, cuando señala que «el art. 203 LCSP mantiene el mismo texto del art. 102 TRLCAP, y se refiere básicamente a dos supuestos: en primer lugar, el de que la suspensión sea acordada por la propia administración, lo que no es sino una manifestación más de sus prerrogativas y, en cierto sentido, una modalidad del ius variandi, si bien en este supuesto la modificación del contrato no supone alteración de sus elementos subjetivos ni de su objeto. Es por eso que le da un tratamiento especial, pero debe reiterarse, en todo caso, que sólo por razones de interés público debidamente justificadas en el expediente y siempre con audiencia del contratista, puede acordar la Administración la suspensión del contrato.»

Sin embargo, no consideramos que la suspensión del contrato tenga la naturaleza de una incidencia de las reguladas en el art. 97 del Reglamento General de la Ley de Contratos de las Administraciones Públicas (RCAP), aprobado por Real Decreto 1098/2001, de 12 de octubre (BOE del 26), ya que este precepto se está refiriendo a las incidencias que surjan entre la Administración y el contratista en la ejecución de un contrato por diferencias en la interpretación de lo convenido o por la necesidad de modificar las condiciones contractuales, en cuyo caso deberá tramitarse expediente contradictorio.

Y consideramos que la suspensión de la ejecución del contrato acordada por la Administración no entra en ninguno de los supuestos señalados en el art. 97 RCAP, además de no ser propiamente un expediente contradictorio.

El art. 203.1 de la Ley 30/2007, de 30 de octubre (BOE del 31), de Contratos del Sector Público (LCSP), exige que, en caso de suspensión, se levante acta en la que se consignarán las circunstancias que la han motivado y la situación de hecho en la ejecución del contrato. En realidad, la exigencia del acta es para que quede acreditado, tanto para la Administración como para el contratista, el momento en que se declara la suspensión de las obras, las causas que lo motivan y el estado de ejecución de las obras. Como en cualquier acta que se levante entre los representantes de la Administración, la dirección de obra y el contratista, constará que todos han tenido conocimiento de la suspensión y de sus circunstancias.

Por ejemplo, en el supuesto a que se refiere el art. 220.b) LCSP, si no se ha iniciado la ejecución, la suspensión vendrá motivada normalmente por el resultado de la comprobación del replanteo. Como sabemos, la comprobación del replanteo determina el inicio de las obras, siempre que el resultado de esa comprobación sea favorable respecto a la disponibilidad de los terrenos y a la viabilidad de la obra. Ahora bien, no siempre la comprobación del replanteo supone el inicio de las obras, ya que el resultado de esa comprobación puede ser desfavorable. En el caso de que sea por iniciativa de la Administración, la suspensión se regula en la regla 4.ª del artículo 139 del RCAP, al disponer que «cuando no resulten acreditadas las circunstancias a que se refiere el apartado anterior o el director de la obra considere necesaria la modificación de las obras proyectadas quedará suspendida la iniciación de las mismas, haciéndolo constar en el acta, hasta que el órgano de contratación adopte la resolución procedente dentro de las facultades que le atribuye la legislación de contratos de las Administraciones públicas. En tanto sea dictada esta resolución quedará suspendida la iniciación de las obras desde el día siguiente a la firma del acta, computándose a partir de dicha fecha el plazo de seis meses a que se refiere el artículo 149, párrafo b) (actual

220 b), de la Ley, sin perjuicio de que, si fueren superadas las causas que impidieron la iniciación de las obras, se dicte acuerdo autorizando el comienzo de las mismas, notificándolo al contratista y computándose el plazo de ejecución desde el día siguiente al de la notificación». Esto es, en este caso es la propia dirección de obra la que aprecia que, al no darse todos los requisitos que deben comprobarse en la comprobación del replanteo (v.gr. disponibilidad de los terrenos, viabilidad del proyecto...) propone en el acta la suspensión del comienzo de ejecución de las obras hasta que se solucionen los problemas detectados, quedando suspendida desde el día en que se firma el acta.

Por tanto, el problema que se puede plantear es a efectos de prueba del momento de la suspensión de la obra, ahora bien, realmente consideramos que, a efectos de prueba del momento de la suspensión basta con el acuerdo de suspensión notificado fehacientemente al contratista.

2. Acordada la suspensión, la Administración abonará al contratista los daños y perjuicios efectivamente sufridos por éste.

Concordancias a todo el artículo

➡ **Concordancias normativas**

Artículo 203 de la LCSP 30/2007 y artículo 102 del TRLCAP RDL 2/2000.

☞ **Concordancias Jurisprudenciales**

Tribunal Supremo, Sala Tercera, de lo Contencioso-administrativo, Sección 4.ª, Sentencia de 24 Abr. 2008, rec. 398/2006

[LA LEY 32036/2008]

CONTRATO ADMINISTRATIVO DE OBRAS. Indemnización de daños y perjuicios derivados de la paralización de las obras. Alcance de la expresión «perjuicios efectivamente sufridos» recogida en la normativa legal. No resulta aceptable excluir los «costes indirectos» ni los «gastos generales» como concepto indemnizable, cuando ambos se toman en cuenta para determinar el presupuesto.

CAPÍTULO V

Extinción de los contratos

Sección 1
Disposición general

Artículo 221 *Extinción de los contratos*

Los contratos se extinguirán por cumplimiento o por resolución.

Concordancias a todo el artículo

➡ **Concordancias normativas**

Artículo 204 de la LCSP 30/2007 y artículo 109 del TRLCAP RDL 2/2000.

☞ **Concordancias Jurisprudenciales**

Tribunal Superior de Justicia de Galicia, Sala de lo Social, Sentencia de 23 Feb. 2011, rec. 4896/2010

[LA LEY 23974/2011]

CONTRATO DE TRABAJO. Criterios fundamentales de calificación de la relación como laboral. Dependencia o subordinación. Generalidades. CONTRATOS ADMINISTRATIVOS. Naturaleza del contrato. Criterios de determinación. Generalidades. DESPIDO. Despido disciplinario. Calificación del despido. Despido nulo.

Tribunal Superior de Justicia de Galicia, Sala de lo Social, Sentencia de 17 Dic. 2010, rec. 4151/2010

[LA LEY 261135/2010]

CONTRATO DE TRABAJO. Criterios fundamentales de calificación de la relación como laboral. Dependencia o subordinación. Generalidades. CONTRATOS ADMINISTRATIVOS. Naturaleza del contrato. Criterios de determinación. Generalidades. DESPIDO. Despido disciplinario. Calificación del despido. Despido improcedente. -- Despido disciplinario. Calificación del despido. Efectos del despido. SALARIOS DE TRAMITACIÓN. Cuantificación. En general.

Tribunal Superior de Justicia de Galicia, Sala de lo Social, Sentencia de 17 Dic. 2010, rec. 4104/2010

[LA LEY 255915/2010]

CONTRATO DE TRABAJO. Criterios fundamentales de calificación de la relación como laboral. Dependencia o subordinación. Generalidades. CONTRATOS ADMINISTRATIVOS. Naturaleza del contrato. Criterios de determinación. Generalidades. DESPIDO. Despido disciplinario. Forma. Despido discriminatorio o en fraude de ley. -- Despido disciplinario. Calificación del despido. Despido nulo.

✉ **Consultas**

• **Requisitos para la cesión de contratos**

El Ayuntamiento gestiona el aparcamiento de vehículos pesados a través de una concesión de servicio público. ¿Es posible su cesión sin cumplirse el plazo del contrato? ¿La nueva empresa deberá hacerse cargo del personal?

[24/05/2010 EC 1680/2010]

Contestación

La cesión del contrato supone una novación subjetiva de éste; y, para que tenga validez, es necesario que la Administración la consienta de manera expresa. Para que pueda otorgarse ese consentimiento administrativo es necesario que concurran los requisitos exigidos en el art. 209 de la Ley 30/2007, de 30 de octubre (LA LEY 10868/2007) (BOE del 31), de Contratos del Sector Público (LCSP), ya que la norma es clara en su redacción imperativa.

Por lo tanto, será necesario que el contrato de gestión de servicios públicos se haya explotado al menos en una quinta parte.

Existen dos informes de la Junta Consultiva de Contratación Administrativa en relación con la interpretación del plazo de ejecución en los contratos de gestión de servicios públicos (Informe 15/2006, de 24 de marzo de 2006, sobre cesión del contrato para la construcción y explotación de aparcamientos y el Informe 24/1996, de 30 de mayo de 1996, sobre requisitos de capacidad de las empresas para concurrir a un contrato de concesión de obra pública) y en ambos considera determinante la ejecución durante la quinta parte del plazo de ejecución de la explotación para que sea posible la cesión. Puede consultarse también, sobre esta materia, el artículo «La cesión de los contratos administrativos» de Ángel Cea Ayala, publicado en Contratación Administrativa Práctica 11/2002 (LA LEY), páginas 55 a 64.

Añadimos que, aunque la empresa propuesta como cesionaria afirme que tiene capacidad suficiente, esta debe acreditarse tal y como en el pliego se estableció, y siempre con respeto a lo establecido en la LCSP.

Sobre otras soluciones, si no es posible la cesión, y de acuerdo a lo establecido en el art. 204 LCSP, los contratos sólo pueden extinguirse por cumplimiento o por resolución. Recordamos, a estos efectos, que el rescate de un contrato de gestión sólo es posible para que la Administración lo gestione directamente (263.2 LCSP).

Para que sea posible la resolución por mutuo acuerdo, no debe existir ningún incumplimiento culpable que imputar a las partes, y el interés público debe fundamentar la inconveniencia de continuar con la ejecución del contrato. El cumplimiento de todos estos requisitos ha de tenerse en cuenta en el expediente, y sin la concurrencia de todos ellos no es posible la resolución por esta causa. Debe tenerse también en cuenta cómo se financió la inversión, en caso de que haya existido construcción de obra, ya que si ésta se financió por el Ayuntamiento, y durante la explotación iba a resultar un canon a su favor (o no), la empresa ya ha obtenido el beneficio de la construcción y por eso puede que no le interese seguir adelante con la explotación, que no le es tan beneficiosa como la construcción, y por ello debería indemnizarse al Ayuntamiento. En caso de que la financiación de la obra, si es que existió obra, se haya incluido como amortización en el plan de explotación, no existiría este inconveniente a tener en cuenta desde el punto de vista económico.

Si la gestión es únicamente del aparcamiento de vehículos pesados, sin que tenga nada que ver con la obligación municipal de disponer de un lugar dispuesto para el depósito de vehículos previsto en el Código de la Circulación, en las condiciones que recoge el art. 292 del Código de la Circulación, aprobado por Decreto de 25 de septiembre de 1934, entendemos que el supuesto objeto de consulta podría conceptuarse como una actividad económica, ya que no está declarado como un servicio público obligatorio de los que han de prestar necesariamente los municipios en función de su población [recogidos en el art. 26 (LA LEY 847/1985) de la Ley 7/1985, de 2 de abril (BOE del 3), Reguladora de las Bases del Régimen Local (LRBRL (LA LEY 847/1985))], ni uno de los servicios reservados a los Ayuntamientos en el art. 86.3 de la misma norma. Al no estar el Ayuntamiento obligado a prestarlo, entendemos que puede dejar la realización de esta actividad a la iniciativa privada a través de una concesión demanial.

La sucesión de empresa se regula en nuestro derecho interno en el art. 44 del Estatuto de los Trabajadores (ET), Texto Refundido aprobado por Real Decreto Legislativo 1/1995, de 24 marzo (LA LEY 1270/1995) (BOE del 29); y, además, es de aplicación la Directiva 98/50/CE (LA LEY 5926/1998) del Consejo, de 29 de junio de 1998 y la doctrina del Tribunal de Justicia de las CE. Aunque en el pliego nada se dijera sobre esta cuestión, el derecho de los trabajadores no puede verse vulnerado por los acuerdos de las partes en relación con él, ya que es un derecho de terceros sobre el que no pueden transigir.

Es un derecho de los trabajadores que se materializa «si se produce el traslado de un centro de actividad que mantiene su identidad, un cambio del contratista acompañado de una cesión, entre ambos empresarios, del activo material o inmaterial». Supone que el nuevo empresario queda subrogado en todos los derechos y obligaciones laborales y de Seguridad Social del anterior y, en general, cuantas obligaciones en materia de protección social complementaria hubiere adquirido el cedente.

En el Derecho comunitario, la directiva citada, en su art. 1.1.b, precisa que es necesario el traspaso de «una entidad económica que mantenga su identidad». La interpretación de esta afirmación podemos buscarla, entre otras, en las sentencias de 17 de marzo de 1997 (caso Süzen, asunto C13/1995 en un asunto sobre limpieza de interiores) en el que entiende que no existe transmisión «si la operación no va acompañada de una cesión entre ambos empresarios de elementos significativos del activo material o inmaterial, ni el nuevo empresario se hace cargo de una parte esencial, en términos de número y competencia, de los trabajadores que su antecesor destinaba al cumplimiento de la contrata»; o en la de 10 de diciembre de 1998 (asuntos acumulados C173/1996 y 247/1996, en un asunto sobre ayuda a domicilio), en la que afirma que la Directiva se aplicará «siempre y cuando la operación vaya acompañada de la transmisión entre ambas empresas de una entidad económica, pues la mera circunstancia de que las prestaciones realizadas sucesivamente por el antiguo y el nuevo concesionario de la contrata sean similares no permite llegar a la conclusión de que existe una transmisión de tal entidad.»

Es interesante a estos efectos la doctrina de la Sentencia del Tribunal Supremo de 05-04-1993. El tribunal viene entendiendo que para que se materialice el derecho es necesaria la transmisión al nuevo empresario de elementos patrimoniales que configuran la infraestructura u organización empresarial básica de la explotación (deberá verificarse por la Entidad Local que esto se efectúa, lo que parece probable atendiendo a que se gestiona un inmueble que probablemente sea de titularidad municipal y esté afecto a servicio).

La sucesión en las relaciones laborales no suele operar cuando se trata de la mera sucesión en la actividad de una contrata que gestiona el servicio con sus propios medios, salvo que lo imponga en este caso una norma sectorial eficaz, por ejemplo el convenio colectivo aplicable en cada caso, que también deberá ser analizado por la Entidad Local, si no les es de aplicación el primero de los supuestos atendiendo a la transmisión de los elementos patrimoniales.

Sección 2

Cumplimiento de los contratos

Artículo 222 *Cumplimiento de los contratos y recepción de la prestación*

1. El contrato se entenderá cumplido por el contratista cuando éste haya realizado, de acuerdo con los términos del mismo y a satisfacción de la Administración, la totalidad de la prestación.

2. En todo caso, su constatación exigirá por parte de la Administración un acto formal y positivo de recepción o conformidad dentro del mes siguiente a la entrega o realización del objeto del contrato, o en el plazo que se determine en el pliego de cláusulas administrativas particulares por razón de sus características. A la Intervención de la Administración correspondiente le será comunicado, cuando ello sea preceptivo, la fecha y lugar del acto, para su eventual asistencia en ejercicio de sus funciones de comprobación de la inversión.

→ **Concordancias normativas**

Véase artículo 235.1 de la presente Ley

3. En los contratos se fijará un plazo de garantía a contar de la fecha de recepción o conformidad, transcurrido el cual sin objeciones por parte de la Administración, salvo los supuestos en que se establezca otro plazo en esta Ley o en otras normas, quedará extinguida la responsabilidad del contratista. Se exceptúan del plazo de garantía aquellos contratos en que por su naturaleza o características no resulte necesario, lo que deberá justificarse debidamente en el expediente de contratación, consignándolo expresamente en el pliego.

4. Excepto en los contratos de obras, que se regirán por lo dispuesto en el artículo 235, dentro del plazo de un mes, a contar desde la fecha del acta de recepción o conformidad, deberá acordarse y ser notificada al contratista la liquidación correspondiente del contrato y abonársele, en su caso, el saldo resultante. Si se produjera demora en el pago del saldo de liquidación, el contratista tendrá derecho a percibir los intereses de demora y la indemnización por los costes de cobro en los términos previstos en la Ley 3/2004, de 29 de diciembre (LA LEY 1704/2004), por la que se establecen medidas de lucha contra la morosidad en las operaciones comerciales.

Concordancias a todo el artículo

→ **Concordancias normativas**

Artículo 205 de la LCSP 30/2007 y artículo 110 del TRLCAP RDL 2/2000.

✉ **Consultas**

• **Aunque se haya pagado el precio del contrato, debe procederse a la recepción formal de la prestación**

Se ha pagado un servicio sin haberse levantado acta de recepción o conformidad. ¿Es posible formalizarlo con posterioridad?

[10/01/2012 EC 150/2012]

Ver respuesta en artículo 200

• **Extinción del contrato**

En el caso de que la adjudicataria de un contrato de suministro sea una UTE, si plazo de garantía que empieza a computar desde la finalización del contrato ¿puede extinguirse antes la UTE?

[14/01/2010 EC 174/2010]

Ver respuesta en artículo 59

• **El plazo de sesenta días para el pago de facturas debe contarse desde su presentación en el Registro del ayuntamiento**

¿Cómo se computa el plazo máximo para el pago de una factura de contrato menor presentada en el ayuntamiento seis meses después de la prestación del servicio?

[25/06/2009 EC 1864/2009]

Ver respuesta en artículo 216

Sección 3

Resolución de los contratos

Artículo 223 *Causas de resolución*

Son causas de resolución del contrato:

a) La muerte o incapacidad sobrevenida del contratista individual o la extinción de la personalidad jurídica de la sociedad contratista, sin perjuicio de lo previsto en el artículo 85.

b) La declaración de concurso o la declaración de insolvencia en cualquier otro procedimiento.

c) El mutuo acuerdo entre la Administración y el contratista.

d) La demora en el cumplimiento de los plazos por parte del contratista y el incumplimiento del plazo señalado en la letra c) del apartado 2 del artículo 112.

e) La demora en el pago por parte de la Administración por plazo superior al establecido en el apartado 6 del artículo 216 o el inferior que se hubiese fijado al amparo de su apartado 8.

f) El incumplimiento de las restantes obligaciones contractuales esenciales, calificadas como tales en los pliegos o en el contrato.

g) La imposibilidad de ejecutar la prestación en los términos inicialmente pactados o la posibilidad cierta de producción de una lesión grave al interés público de continuarse ejecutando la prestación en esos términos, cuando no sea posible modificar el contrato conforme a lo dispuesto en el título V del libro I.

⊠ **Consultas**

• **Cuando la Ley establece que para determinados contrato se requiere estar clasificado, la acreditación de esta clasificación basta para acreditar la solvencia técnica**

Para la contratación de una dirección de obra, cuyo precio superará los 120.000 euros ¿es obligatoria la clasificación? Si se presenta la clasificación ¿se puede exigir algún otro tipo de documentación acreditativo de la solvencia?

[12/04/2010 EC 1208/2010]

Ver respuesta en artículo 62

✍ **Informes de la Junta Consultiva de Contratación Administrativa**

Dictamen N.º. 89/2011, de 13 de abril, del Consejo Consultivo de Castilla-La Mancha. Expediente relativo a resolución del contrato de aprovechamiento cinegético del monte de propiedad municipal denominado «La Cereceda», instruido por el Ayuntamiento de Fuencaliente (Ciudad Real).

[LA LEY 824/2011]

CONTRATOS ADMINISTRATIVOS. De carácter especial. De aprovechamiento cinegético de un monte de propiedad municipal, suscrito entre un Ayuntamiento castellano-manchego y sociedad mercantil. Parecer favorable a la resolución del contrato, por incumplir la contratista ciertas obligaciones de carácter de esencial, al concurrir la imposibilidad de ejecutar la prestación en los términos inicialmente pactados y por otras causas establecidas expresamente como tales en el contrato y a los efectos de la consecución del interés público subyacente, que es la gestión forestal sostenible de un monte de utilidad pública. Dicho objetivo exige que su aprovechamiento se realice en forma e intensidad que permita mantener su diversidad, productividad, potencialidad y capacidad de regeneración, como se determina legalmente, sin que el mismo pueda alcanzarse sin adoptar las medidas de conservación, mejora y custodia establecidas en el contrato e incumplidas por el contratista. Incumplimiento, perfectamente acreditado en el expediente, del nombramiento de 2 guardas jurados para la vigilancia de la caza y no ejecución de las mejoras ofertadas por el contratista en su proposición, que implicaba la realización de inversiones de mejora en el coto por importe de 50.000 euros anuales, que debían realizarse durante los 3 primeros años del contrato. Habiendo transcurrido tanto la temporada 2009-2010, durante la cual se inició el contrato, como la 2010-2011, dichas mejoras no se habían llevado a la práctica, pues así lo certifica el Ayuntamiento, sin que tal afirmación haya sido rebatida por el contratista, si bien, tampoco existe un acta levantada sobre el terreno por funcionario público que dé fe de este extremo. Procede la incautación de la garantía definitiva.

h) Las establecidas expresamente en el contrato.

i) Las que se señalen específicamente para cada categoría de contrato en esta Ley.

➡ **Concordancias normativas**

Artículo 223 redactado por el apartado trece de la disposición final decimosexta de la Ley 2/2011, de 4 de marzo, de Economía Sostenible («B.O.E». 5 marzo).

Concordancias a todo el artículo

➡ **Concordancias normativas**

Artículo 206 de la LCSP 30/2007 y artículo 111 del TRLCAP RDL 2/2000.

☞ **Concordancias Jurisprudenciales**

Tribunal Superior de Justicia de Galicia, Sala de lo Contencioso-administrativo, Sección 2.ª, Sentencia de 16 Feb. 2012, rec. 4542/2011

[LA LEY 25782/2012]

CONTRATOS ADMINISTRATIVOS. Cumplimiento. Incumplimiento. Efectos del incumplimiento. PRUEBA. Apreciación de la prueba. Apreciación conjunta de la prueba. Proceso Contencioso-Administrativo.

Tribunal Superior de Justicia del Principado de Asturias, Sala de lo Contencioso-administrativo, Sección 1.ª, Sentencia de 19 Ene. 2012, rec. 265/2010

[LA LEY 5985/2012]

CONTRATOS ADMINISTRATIVO. Contrato de transporte escolar. Resolución. Incumplimiento culpable del contratista. Incautación de la garantía constituida. Carga de la prueba. No se desvirtúan los hechos relativos a la subcontratación, por parte del contratista e incumpliendo los requisitos legalmente exigidos, del transporte escolar durante, al menos, la primera semana de prestación del servicio. Condiciones técnicas de capacidad. El vehículo utilizado supera la antigüedad permitida. Las alegaciones sobre el procedimiento sancionador seguido por los mismos hechos no pueden ser examinadas, toda vez que estamos ante un procedimiento previsto especialmente en la legislación sobre contratos administrativos que no supone el ejercicio del derecho punitivo del Estado, y dada la autonomía e independencia de cada uno de los dos procedimientos incoados.

Tribunal Superior de Justicia de Andalucía de Sevilla, Sala de lo Contencioso-administrativo, Sección 1.ª, Sentencia de 27 Abr. 2011, rec. 287/2010

[LA LEY 190655/2011]

CONTRATO ADMINISTRATIVO DE GESTIÓN DE SERVICIOS PÚBLICOS. Actuaciones administrativas preparatorias. Pliegos y anteproyecto de obra y explotación. -- Derechos y obligaciones de las partes. Del contratista. -- Extinción. Causas. -- Subcontratación.

✉ **Consultas**

• **Ejecución de obras de urbanización ante la falta de liquidez**

En un PAI, el agente urbanizador es una agrupación de interés urbanístico. Como la mayoría de los miembros han decidido contribuir a las cargas de urbanización aportando terrenos, es inviable su ejecución. ¿Qué solución nos aconsejan?

[03/10/2011 EC 2246/2011]

Contestación

La consulta plantea una situación en la que la agrupación de interés urbanístico no podrá continuar con la ejecución del planeamiento porque la mayoría de los miembros que la integran han decidido contribuir a las cargas de urbanización aportando terrenos urbanizados, de manera que aquella no contará con liquidez suficiente para contratar las obras.

El art. 162 de la Ley 16/2005, de 30 de diciembre (LA LEY 256/2006) (DOCV del 31), urbanística de la Comunidad Valenciana, establece que el urbanizador debe soportar las cargas de la urbanización en la medida en que le sean compensadas por los propietarios; y que los propietarios afectados pueden cooperar con el urbanizador mediante la compensación de las cargas de la urbanización en alguna de las siguientes modalidades:

a) Mediante cesión de terrenos. Se compensará al urbanizador las cargas de urbanización con la proporción de terrenos que se establezca en el Programa, según el coeficiente de canje establecido en la proposición seleccionada en pública competencia.

b) Mediante pago en metálico, que solo puede ser impuesto por el Programa con carácter obligatorio cuando, por consolidación de la edificación o tratarse de ámbitos previamente reparcelados, sea imposible la retribución en suelo o cuando haya acuerdo unánime de los afectados. Procederá también la retribución en metálico a solicitud del propietario interesado en ella.

c) El abono mixto se producirá mediante el pago de una parte en metálico y el resto mediante cesión de terrenos. El Programa podrá imponer esta modalidad cuando concurran parcialmente las circunstancias previstas en el apartado anterior. También procede esta modalidad de retribución por libre acuerdo entre los interesados y el urbanizador.

De manera que, el pago en metálico únicamente puede ser impuesto en los supuestos contemplados en el apartado 2.b) del precepto citado. Por lo que no puede obligarse a los propietarios a que sufraguen las cuotas de urbanización mediante pago en metálico.

Respecto a las consecuencias de la imposibilidad de continuar con la ejecución urbanística, es preciso destacar que el art. 332 del Reglamento de Ordenación y Gestión Territorial y Urbanística de la Comunidad Valenciana [Decreto 67/2006, de 19 de mayo (LA LEY 5012/2006) (DOCV del

23)] exige el inicio de las obras de urbanización en el plazo de tres meses desde la aprobación definitiva del Proyecto de Reparcelación, acreditándose mediante acta de replanteo suscrita por la dirección de las obras y, al menos, por un técnico municipal. Y, por otra parte, la finalización de las mismas en el plazo máximo de treinta y seis meses desde su inicio.

Plazos que únicamente podrán ser prorrogados y suspendidos de acuerdo con lo dispuesto en la legislación de contratos de las Administraciones Públicas. En particular:

a) En lo relativo a la redacción de textos refundidos y Proyecto de Reparcelación, resultarán aplicables las reglas propias del contrato administrativo de consultoría y asistencia técnica.

b) Por lo que se refiere a la ejecución de las obras, serán aplicables los preceptos relativos al contrato administrativo de obras.

Por tanto, la primera solución que se nos ofrece es la suspensión de la ejecución del contrato conforme a las reglas previstas en la Ley 30/2007, de 30 de octubre (LA LEY 10868/2007) (BOE del 31), de Contratos del Sector Público (LCSP) para los contratos administrativos de obras.

Por otro lado, la demora o la inactividad del agente urbanizador dan lugar a la imposición de penalizaciones, conforme a lo dispuesto en los arts. 336 y 337 del reglamento valenciano citado: «El retraso en el inicio de la ejecución material de las obras o la demora injustificada en el cumplimiento de los plazos de realización o terminación de las obras establecidos en la Ley Urbanística Valenciana y en este Reglamento, comportará la aplicación de las reglas sobre resolución de contratos y penalizaciones por retraso previstas en la legislación de contratos de las Administraciones Públicas» (art. 336). «La inactividad injustificada del Urbanizador durante un período de seis meses consecutivos o nueve alternos determinará la resolución del Contrato con la Administración. A los efectos de computar el plazo de inactividad del Urbanizador se estará a los documentos y antecedentes obrantes en el expediente administrativo, sin perjuicio de la potestad inspectora que, en todo caso, corresponde a la Administración» (art. 337).

Por ello, si la agrupación de interés urbanístico no va a poder acometer la ejecución de las obras de urbanización en un plazo razonable, la mejor solución será la resolución del contrato. Nuevamente, tendremos que acudir a las normas sobre resolución de contratos previstas en la LCSP

(LA LEY 10868/2007), cuyo art. 206 recoge, entre otras causas, el mutuo acuerdo entre la Administración y el contratista.

Sin embargo, esta causa de resolución únicamente podrá invocarse cuando convenga al interés público y siempre que no concurra otra causa: «La resolución por mutuo acuerdo solo podrá tener lugar cuando no concurra otra causa de resolución que sea imputable al contratista, y siempre que razones de interés público hagan innecesaria o inconveniente la permanencia del contrato» (art. 207.4.º LCSP (LA LEY 10868/2007)).

Desde este punto de vista, no podemos concluir otra causa de resolución del contrato, pues lo que en realidad subyace es la voluntad del urbanizador de desistir de la ejecución del contrato; por lo que no vemos viable la resolución del contrato de mutuo acuerdo. Salvo que por razones que desconozcamos, y que consten en el procedimiento, puedan aplicarse razonablemente las reglas de los arts. 206 y 207 citadas. Es decir, que la Administración pueda concluir que no concurre otra causa de resolución y que existen razones de interés público que hagan innecesaria o inconveniente la continuación del procedimiento. En este caso deberá restituirse la garantía al contratista.

> • **¿Es factible resolver el contrato de obras por causa imputable al contratista si dentro del plazo de garantía no son subsanadas las deficiencias observadas?**

Contratación Administrativa Práctica, Nº 93, Sección Usted Pregunta, Enero 2010, Editorial LA LEY

[LA LEY 4174/2009]

Respuesta

La recepción de las obras no exonera al contratista de toda responsabilidad, pues a partir de ese momento comienza a correr el plazo de garantía a favor de la administración contratante y las deficiencias observadas son de cuenta del contratista que está obligado a subsanarlas.

Entre las causas generales de resolución del contrato que regula el artículo 206 de la Ley de Contratos del Sector Público (LA LEY 10868/2007) y las causas específicas de resolución del contrato de obras, artículo 220 LCSP (LA LEY 10868/2007), no se encuentra la no subsanación en plazo de las deficiencias observadas durante el período de garantía.

Por ello, si las deficiencias observadas en la obra durante el plazo de garantía y comunicadas al contratista no son subsanadas por éste en plazo, la Administración podrá utilizar los medios oportunos para que se subsanen a su costa.

• ¿Cómo debe proceder la Administración ante el abandono de la obra por parte de un contratista declarado en situación de concurso voluntario de acreedores?

Contratación Administrativa Práctica, Nº 89, Sección Usted Pregunta, Septiembre 2009, pág. 9, Editorial LA LEY

[LA LEY 1381/2009]

Respuesta

Antes de entrar al fondo de la pregunta, es muy importante tener en cuenta que al contratista ya se le ha pagado la mayor parte de la obra, y si esto ha sido así es porque se han expedido las correspondientes actas de conformidad por parte de la Administración contratante respecto de la obra realizada.

En segundo lugar, es imprescindible que el acuerdo de resolución se enmarque dentro de un procedimiento que viene regulado en los artículos 109 a 113 (LA LEY 1470/2001) del Real Decreto 1098/2001. En este procedimiento hay que dar audiencia al contratista y al avalista, y el director de la obra acompañará un informe con la valoración de los daños y perjuicios que el retraso en la entrega de la obra ha causado a la Administración.

Las causas de resolución, en este caso, son varias y vienen recogidas en el artículo 206 (LA LEY 10868/2007) de la Ley de Contratos del Sector Público: la declaración de concurso, la demora en el cumplimiento de los plazos por parte del contratista y otras que pueden estar contempladas en los pliegos.

Efectivamente, y de acuerdo con lo previsto en el artículo 207 (LA LEY 10868/2007) de la Ley de Contratos, el órgano de contratación es el que tiene que acordar la resolución del contrato, pero siguiendo, como ya se ha comentado, un procedimiento.

Respecto a la imposición de penalidades hay que estar a lo dispuesto en el apartado 2.6 de este mismo artículo, y también en el artículo 196.4 (LA LEY 10868/2007).

Para concluir, el artículo 208.4 (LA LEY 10868/2007) afirma que el incumplimiento culpable por parte del contratista obliga a éste a indemnizar a la Administración por los daños y perjuicios causados, y en el punto 5 (LA LEY 10868/2007) se dice que todas estas circunstancias se deben hacer constar de forma expresa en el acuerdo de resolución.

• **Enajenación de solar por procedimiento negociado**

El ayuntamiento procedió a la enajenación de un solar urbano mediante subasta. Al quedar desierta tramitó y adjudicó mediante procedimiento negociado. Se deniega la inscripción en el Registro alegando que el procedimiento negociado no puede utilizarse para enajenar bienes inmuebles. ¿Es así?

[11/02/2009 EC 510/2009]

Contestación

Al contrario de lo que opina el Registrador respecto de la posibilidad de acudir al procedimiento negociado sin publicidad para la enajenación de parcelas, dado que la subasta celebrada se declaró desierta, nuestra respuesta es que es perfectamente legal.

El art. 80 del Texto Refundido de Régimen Local (TRRL), aprobado por Real Decreto Legislativo 781/1986, de 18 de abril (BOE del 22), precepto básico, sienta el principio general de que «las enajenaciones de bienes patrimoniales habrán de realizarse por subasta pública». Establece, pues, el principio de subasta necesaria. Pese al carácter básico de tal precepto, no hay que olvidar que el art. 112.1 del Reglamento de bienes de las Entidades Locales (RB), aprobado por Real Decreto 1372/1986, de 13 de junio (BOE de 7 de julio) se remite a la normativa reguladora de la contratación de las Corporaciones Locales. El art. 154 de la Ley 30/2007, de 30 de octubre (BOE del 31), de Contratos del Sector Público establece que los contratos podrán adjudicarse por procedimiento negociado en varios supuestos, entre los que cabe destacar la no presentación de ofertas o que no sean adecuadas en un procedimiento abierto. En el anterior texto refundido se contemplaba esta posibilidad en caso de que la subasta quedase desierta.

Como ha señalado la Junta Consultiva de Contratación, en Informes 67/1996, de 18 de diciembre de 1996 y 4/1998, de 2 de marzo de 1998, los procedimientos y formas de adjudicación de los contratos previstos en el antiguo TR LCAP —aplicable en este caso—, son de aplicación a los contratos privados y administrativos especiales.

Pues bien, tanto el antiguo TR LCAP como la LCSP actual, al regular en cada tipo de contrato los supuestos de posible utilización del procedimiento negociado, reiteradamente admite la posibilidad de utilizarlo cuando se haya declarado desierta la licitación. En consecuencia, aplicando por analogía el TR LCAP —insistimos que parece que era aplicable a ese momento por la terminología utilizada en la consulta—, en la enajenación de parcelas, declarada desierta la subasta por falta de licitadores cabe acudir al procedimiento negociado.

Por otro lado, cabe aplicar con carácter supletorio la legislación patrimonial de Estado (art. 1 RB). A estos efectos, el art. 137.1 de la Ley 33/2003, de 3 de noviembre (BOE del 4), del Patrimonio de las Administraciones Públicas (LPAP) establece que: «La enajenación de los inmuebles podrá realizarse mediante concurso, subasta o adjudicación directa». En el apartado 4.º de este mismo precepto se establecen nueve supuestos en los que cabe la adjudicación directa.

Como señala Esteban Corral García en «El contrato de enajenación onerosa de bienes patrimoniales», publicado en la Revista Contratación Administrativa Práctica n.º 30, el problema radica en determinar si los supuestos contemplados en el referido artículo 137.4 LPAP pueden ser aplicados en el ámbito local. Llegando a la conclusión de que si cabe la analogía en la aplicación de los supuestos en que es posible utilizar el procedimiento negociado de los contratos tipificados, conforme al Informe de la Junta Consultiva de Contratación, la respuesta debería ser positiva. Y ello porque el sistema de fuentes en materia del régimen de bienes de las Corporaciones Locales configurado por el art. 1 RB declara en su apartado b) la legislación básica del Estado regidora del régimen jurídico de los bienes de las Administraciones públicas. No obstante, continúa este autor, los preceptos referentes a los procedimientos y formas de adquisición y enajenación de bienes contenido en la LPAP no son preceptos básicos: pero lo que sí es cierto es que con arreglo al sistema jerárquico de fuentes determinado en el art. 1 RB de modo supletorio hay que entender aplicable la normativa contenida en la legislación de patrimonio del Estado hoy representada por la Ley 33/2003 de Patrimonio de las Administraciones Públicas. Por lo que en defecto de normativa estatal o autonómica (Leyes y Reglamentos de las Comunidades Autónomas en materia de régimen local o de bienes) considera aplicables, con la debida prudencia, estos supuestos.

En definitiva, entendemos que si la subasta se declaró desierta podría acudirse al procedimiento negociado sin publicidad.

• La extinción de la personalidad jurídica no es causa de resolución del contrato ejecutado pendiente de pago

Contratada una empresa mercantil para la redacción de un proyecto de urbanización, nos ha comunicado que se va a extinguir. Nos entregó el proyecto, pero está pendiente de pago el 50% del importe por no haber concluido el trámite de aprobación definitiva. ¿Es causa de resolución?

[27/01/2009 EC 334/2009]

Contestación

Es cierto que el art. 206 de la Ley 30/2007, de 30 de octubre (BOE del 31), de Contratos del Sector Público (LCSP) —al igual que establecía su artículo concordante del derogado Texto Refundido de la Ley de Contratos de las Administraciones Públicas (TR LCAP), aprobado por Real Decreto Legislativo 2/2000, de 16 de junio (BOE del 21)— establece, entre las causas de resolución, la extinción de la personalidad jurídica de la sociedad contratista; pero esta extinción no es automática, ni se produce de un día para otro. Es más, tanto el Real Decreto Legislativo 1564/1989, de 22 de diciembre (BOE del 27), por el que se aprueba el Texto Refundido de la Ley de Sociedades Anónimas, como la Ley 2/1995, de 23 de marzo (BOE del 24), de sociedades de responsabilidad limitada, distinguen, a la hora de la extinción de la personalidad jurídica, dos momentos: el de la disolución y el de la liquidación. Esto es, una vez que la sociedad decide, a través de sus órganos sociales, el disolverse, empieza un periodo de liquidación, en protección de sus acreedores; y en este periodo de liquidación, habitualmente largo, los liquidadores de la sociedad tiene como función el terminar las operaciones pendientes, entre ellas, la de cobrar los créditos que tuviera pendiente la sociedad.

De forma que, la extinción de la personalidad no se produce hasta que, aprobado el balance de liquidación, se otorga escritura pública de extinción de la sociedad.

Por otra parte, hemos de tener en cuenta que, según la descripción de los hechos que realizan, la sociedad ha cumplido el contrato, que consistía en la elaboración de un proyecto de obra de urbanización, y que este proyecto ha sido entregado; sin que haya existido ningún reparo por parte del Ayuntamiento, con lo que debe entenderse que la prestación se ha realizado a satisfacción de la Administración. En este sentido, el art. 283 de la citada LCSP, bajo la rúbrica de «cumplimiento de los contratos», dispone que la Administración determinará si la prestación realizada por el contratista se ajusta a las prescripciones establecidas para su ejecución y cumplimiento, requiriendo, en su caso, la realización de las prestaciones contratadas y la subsanación de los defectos observados con ocasión de su recepción. Si los trabajos efectuados no se adecuan a la prestación contratada, como consecuencia de vicios o defectos imputables al contratista, podrá rechazar la misma, quedando exento de la obligación de pago o teniendo derecho, en su caso, a la recuperación del precio satisfecho. Otra cosa es que haya empezado el plazo de garantía, y que en su caso se pudieran exigir responsabilidad con arreglos a los arts. 286 a 288 de la citada ley.

Pero dejando al margen esta última posibilidad, lo cierto es que la entrega del proyecto de obras supone, en principio, la ejecución total del contrato. Otra cosa distinta es que la Administración haya condicionado el pago del 50% al momento de aprobación del proyecto de urbanización, aprobación que por otra parte sólo depende del Ayuntamiento.

Por todo ello, entendemos que no procede hablar de resolución del contrato, ya que éste ha sido ejecutado totalmente por parte del contratista; y lo único que falta es el pago del 50 % del precio por el Ayuntamiento.

Entendemos que lo normal es que la empresa se mantenga en liquidación hasta que cobre todos los créditos de los trabajos efectuados; o, en caso contrario, ceda ese crédito como pago de su cuota de liquidación a uno de los socios: por ello, entendemos que el pago se haría a la sociedad en liquidación o al socio al que se hubiera cedido el crédito.

✍ Informes de la Junta Consultiva de Contratación Administrativa

Informe 1/2011, de 18 de abril, de la Junta Consultiva de Contractació Administrativa (Illes Balears). Proyecto de decreto por el que se establecen los criterios y principios generales para la concertación de servicios en el ámbito público de servicios sociales.

[LA LEY 438/2011]

CONTRATO ADMINISTRATIVO DE GESTIÓN DE SERVICIOS. Parecer desfavorable sobre el proyecto de Decreto por el que se establecen los criterios y principios generales para la concertación de servicios en el ámbito del sistema público de servicios sociales, dado que vulnera tanto la regulación del procedimiento de contratación previsto para los contratos de gestión de servicios públicos mediante la modalidad de concierto en la LCSP, como la Ley 4/2009, de 11 Jun., de servicios sociales de las Illes Balears. No se respetan las normas relativas a la preparación del expediente de contratación ni los plazos que la Ley de Contratos establece, con carácter básico, para la presentación de proposiciones por parte de los licitadores. Se prevé que la selección de las entidades la lleve a cabo la Comisión de Conciertos y no la Mesa de Contratación y la existencia de una propuesta provisional de adjudicación y de una propuesta definitiva. En cambio, no se prevé un procedimiento de recurso contra la adjudicación, sino un trámite de alegaciones contra la propuesta provisional de adjudicación. Regulación confusa y contraria a derecho de la posibilidad de incluir cláusulas sociales en los pliegos y en la adjudicación de los contratos. En cuanto a las causas de resolución, no se citan las previstas en el art. 206 LCSP, aplicable a todos los tipos de contratos.

Artículo 224 *Aplicación de las causas de resolución*

1. La resolución del contrato se acordará por el órgano de contratación, de oficio o a instancia del contratista, en su caso, siguiendo el procedimiento que en las normas de desarrollo de esta Ley se establezca.

2. La declaración de insolvencia en cualquier procedimiento y, en caso de concurso, la apertura de la fase de liquidación, darán siempre lugar a la resolución del contrato.

En los restantes casos, la resolución podrá instarse por aquella parte a la que no le sea imputable la circunstancia que diere lugar a la misma, sin perjuicio de lo establecido en el apartado 7.

⊠ **Consultas**

• **Efectos de la declaración de concurso del contratista**

¿Cómo debe procederse ante la declaración en concurso de un contratista de obra?

[30/05/2011 EC 1336/2011]

Contestación

En primer lugar, debemos decir que la redacción del art. 207.5 de la Ley 30/2007, de 30 de octubre (LA LEY 10868/2007) (BOE del 31), de Contratos del Sector Público (LCSP (LA LEY 10868/2007)) se debe poner en relación con los profundos cambios que en la materia que nos ocupa supuso la Ley 22/2003, de 9 de julio (LA LEY 1181/2003) (BOE del 10), Concursal. Ley que, como es sabido, unifica bajo esta denominación todos los procedimientos judiciales de carácter universal destinados a declarar la insolvencia; sustituyéndose así a las cuatro figuras antes existentes (quiebra, concurso, suspensión de pagos y quita y espera). El art. 67 de la Ley Concursal, apartado primero, remite a la legislación de contratos de las Administraciones públicas el tema de los efectos del concurso sobre los contratos administrativos; y su apartado segundo, para los contratos privados de la Administración, remite a la propia Ley Concursal.

Conforme al art. 207.2 LCSP (LA LEY 10868/2007), la declaración de insolvente fallido en cualquier procedimiento, o la de concurso una vez abierta la fase de liquidación, ocasionan siempre la resolución del contrato. Si el concurso se halla simplemente en fase de convenio (arts. 98 y ss. de la Ley Concursal), no procederá la extinción automática del contrato; sin que a este respecto sea de aplicación el art. 207.5 LCSP (LA LEY 10868/2007). Este precepto establece que en caso de declaración de concurso, y mientras no se haya procedido a la apertura de la fase de liquidación, la Administración, potestativamente, podrá continuar con el contrato si el contratista prestara garantías suficientes a juicio de la misma.

Por tanto, una vez declarado fallido el contratista o una vez ha entrado el concurso en fase de liquidación, la resolución es automática y no potestativa para la Administración; a diferencia de lo que pasa en las restantes causas de resolución, que son potestativas para la parte a quien no le sea imputable.

La ley presume iuris et de iure que, en estos casos, el contratista deja de ser merecedor de la confianza de la Administración; sea cual fuere la calificación del concurso en fase de liquidación (incluso aunque sea fortuito). Estamos, por tanto, ante una causa objetiva de extinción. Ahora bien, la resolución del contrato requerirá, también en estos casos, seguir el correspondiente procedimiento.

Démonos cuenta de que el art. 49 LCSP (LA LEY 10868/2007), en redacción dada por el Real Decreto-Ley 6/2010, de 9 de abril (LA LEY 6879/2010) (BOE del 13), de medidas para el impulso de la recuperación económica y el empleo, dispone que es causa de prohibición para contratar haberse solicitado la declaración de concurso, haber sido declarado insolvente en cualquier procedimiento, haber sido declarado en concurso salvo que este haya adquirido la eficacia en un convenio, estar sujeto a intervención judicial o haber sido inhabilitado, conforme a la ley concursal, sin que haya finalizado el período de inhabilitación señalado en la sentencia de calificación del concurso. Pero no todas las prohibiciones del referido art. 49, ni siquiera todas las de su apartado b), se identifican con esa causa automática de resolución: sólo los casos de declaración de insolvencia en cualquier procedimiento o de concurso en fase de liquidación son causa de resolución. Y es que no es lo mismo elegir ex novo a un contratista, que resolver un contrato que se está ejecutando, que suele ser perturbador incluso para el interés general.

Esta fase de liquidación se regula en los arts. 142 ss. de la Ley Concursal. El deudor está obligado a pedir la liquidación si conoce, durante la vigencia del convenio, la imposibilidad de hacer frente a los pagos comprometidos y las obligaciones contraídas con posterioridad a aquél. El art. 143 regula las causas de declaración de oficio de la liquidación, que produce la disolución de la persona jurídica concursada y el cese de sus administradores y, en el caso de las personas físicas, la suspensión del ejercicio de sus facultades de administración (art. 145).

En cambio, el art. 207.5 LCSP (LA LEY 10868/2007), no básico, añade que, en el concurso, mientras no se haya producido la apertura de la fase de liquidación, la Administración potestativamente continuará el contrato si el contratista prestare garantías suficientes, a juicio de aquélla, para su ejecución. Es decir, el mismo régimen que antes tenían la suspensión de pagos y la quita y espera. Y, que en último término, no sólo exige un acuerdo de la Administración en que ésta valore la suficiencia de las garantías aportadas en relación con las posibilidades de ejecución con éxito del contrato, sino también el previo ofrecimiento de tales garantías por la contratista; lo que supone que, si ésta no desea continuar con el contrato, lo único que tiene que hacer, pura y simplemente, es no aportar esas garantías.

Posiblemente, esta regulación se debe a la amplitud con que se concibe la insolvencia, actual o inminente, que es presupuesto de declaración del concurso. Así, el art. 2 de esa ley liga simplemente la insolvencia a la imposibilidad de cumplimiento regular de sus obligaciones; no ya a que el pasivo sea superior al activo. Pensemos, además, que, conforme al art. 40 de la Ley Concursal, en el concurso voluntario el concursado conserva las facultades de administración y disposición sobre su patrimonio, aunque subordinadas en su ejercicio a la intervención de los administradores concursales.

El art. 208.4 LCSP (LA LEY 10868/2007) permite la devolución de la garantía depositada por el contratista, en el caso de resolución del contrato, cuando la ejecución de la prestación no se hubiera interrumpido hasta el momento de declaración de la insolvencia y el concurso no hubiera sido calificado como culpable (Véase la Exposición de Motivos del RD-Ley 6/2010 (LA LEY 6879/2010)). En concordancia con ello, el art. 111 del Reglamento General de la Ley de Contratos de las Administraciones Publicas (RCAP), aprobado por Real Decreto 1098/2001, de 12 de octubre (LA LEY 1470/2001) (BOE del 26) especifica que la quiebra del contratista, cuando sea fraudulenta o culpable, llevará consigo la pérdida de la garantía definitiva. Aunque, en la actualidad, hay que hablar de calificación del concurso, regulada en los arts. 163 y siguientes de la Ley Concursal, que diferencian entre concurso culpable o fortuito. Cuando el concurso sea fortuito, no procederá la aplicación del art. 111 RCAP; sólo cuando sea culpable (vid. art. 164 de la Ley Concursal, que dispone que el concurso se califica como culpable cuando en la generación o agravación del estado de insolvencia hubiera mediado dolo o culpa grave del deudor o sus representantes legales, o de los administradores o liquidadores de la persona jurídica concursada).

Respecto al problema de qué ocurre si el contratista comunica a la Administración que se encuentra en una de estas situaciones y ésta no procede a resolver el contrato. En estos casos, jurisprudencia reiterada afirma que el incumplimiento del contratista, bajo tal circunstancia, no le es imputable. En este sentido, la Sentencia del Tribunal Superior de Justicia de Cataluña de 30 de marzo de 2004 (LA LEY78338/2004), afirma que procede la resolución por incumplimiento en un caso en que el contratista, tras comunicarlo a la Administración, abandona un contrato de servicios de mantenimiento una vez iniciado el procedimiento de suspensión de pagos; si bien es verdad que, en este caso, la Administración contratante había intentado infructuosamente ponerse en contacto con el contratista a efectos de determinar si éste podía prestar las fianzas complementarias y continuar con la ejecución del contrato.

En el supuesto de que se hubieran emitido certificaciones de obra con anterioridad a la declaración de concurso y habiendo cedido el adjudicatario el derecho de cobro a terceros, éstas deberán ser abonadas necesariamente a éste (el tercero) por cuanto la Intervención municipal ha tomado razón de dicho extremo y, en tanto en cuanto no se varíen las circunstancias de la empresa, así se deberá proceder. No obstante, una vez que la empresa adjudicataria sea declarada en concurso, ya no podrá girar de nuevo certificaciones de obra a favor de un tercero habida cuenta de que el control de las operaciones del la misma recaerán en la administración concursal.

3. Cuando la causa de resolución sea la muerte o incapacidad sobrevenida del contratista individual la Administración podrá acordar la continuación del contrato con sus herederos o sucesores.

4. La resolución por mutuo acuerdo sólo podrá tener lugar cuando no concurra otra causa de resolución que sea imputable al contratista, y siempre que razones de interés público hagan innecesaria o inconveniente la permanencia del contrato.

✉ **Consultas**

• **Solicitud de modificación del contrato por la empresa adjudicataria del servicio que en realidad constituye una ampliación del mismo.**

La empresa adjudicataria del contrato de gestión del servicio municipal de limpieza viaria, recogida de residuos, limpieza de sumideros, transporte y eliminación de residuos, jardinería de parques y zonas verdes, solicita la modificación del contrato para incluir el servicio de limpieza viaria y jardinería a nuevas urbanizaciones y zonas que no existían, modificación contractual que superaría el 10% del precio de adjudicación. ¿Cabe esta modificación contractual? ¿Puede rescatarse del contrato el servicio de limpieza viaria y jardinería?

[15/08/2008 EC 2661/2008]

Contestación

El art. 202.1 de la Ley 30/2007, de 30 de octubre (EC 3697/2007), de Contratos del Sector Público (LCSP), en su párrafo segundo, excluye del concepto de modificación de los contratos las ampliaciones de su objeto que no puedan integrarse en el proyecto inicial mediante una «corrección del mismo» o que consistan en la realización de una prestación susceptible de utilización o aprovechamiento independiente o dirigida a satisfacer necesidades nuevas no contempladas en la documentación preparatoria del contrato. Es decir, las variaciones que se enumeran en la consulta han de excluirse del concepto de modificación del contrato, pues tan sólo constituyen ampliaciones del mismo. Ampliaciones que, en efecto, originan un derecho de cobro del contratista.

El Consejo de Estado, en su Dictamen de 1 de abril de 1993, ha afirmado que la referencia a causas imprevistas debe interpretarse en el sentido de que concurran razones técnicas imprevisibles en el proyecto originario, no pudiendo concebirse la expresión necesidades nuevas de una manera tan amplia que permita cualquier variación, incluso cuando entrañe una alteración sustancial en el objeto del contrato.

La conclusión que se obtiene, de acuerdo con lo anterior, es que en el supuesto de la consulta no estamos ante una modificación del contrato sino ante una ampliación de su objeto. Ampliación que originará un derecho de cobro a favor del contratista, a los precios unitarios que estuvieran fijados en el contrato para las unidades por las cuales se produjo la licitación en su día. Si existieran unidades no contempladas inicialmente habría de acudirse a su fijación mediante la fórmula de precios contradictorios.

Por último, y en relación a la posibilidad de resolución parcial del contrato, dependerá de las cláusulas por las que se rigió su otorgamiento. El art. 206 LCSP contempla como causas de resolución el mutuo acuerdo, así como el incumplimiento de las obligaciones contractuales, además del rescate, causa prevista en el apartado b) del art. 262. Pero el mutuo acuerdo, conforme al número 4 del art. 207 sólo podrá tener lugar siempre que razones de interés público hagan innecesaria o inconveniente la permanencia del contrato. Algo que no se da en el presente supuesto, en el que el contratista pretende obtener un mayor precio que aquel por el que se adjudicó el contrato. En consecuencia, si se resuelve habrá de indemnizar a la Administración conforme a lo previsto en el art. 208.4 LCSP.

> 5. En caso de declaración de concurso y mientras no se haya producido la apertura de la fase de liquidación, la Administración potestativamente continuará el contrato si el contratista prestare las garantías suficientes a juicio de aquélla para su ejecución.

6. En el supuesto de demora a que se refiere la letra e) del artículo anterior, si las penalidades a que diere lugar la demora en el cumplimiento del plazo alcanzasen un múltiplo del 5 por ciento del importe del contrato, se estará a lo dispuesto en el artículo 212.5.

7. El incumplimiento de las obligaciones derivadas del contrato por parte de la Administración originará la resolución de aquél sólo en los casos previstos en esta Ley.

➡ **Concordancias normativas**

Artículo 224 redactado por el apartado catorce de la disposición final decimosexta de la Ley 2/2011, de 4 de marzo, de Economía Sostenible («B.O.E». 5 marzo).

Concordancias a todo el artículo

➡ **Concordancias normativas**

Artículo 207 de la LCSP 30/2007 y artículo 112 del TRLCAP RDL 2/2000.

✉ **Consultas**

• **Prohibición de contratar. Adjudicación de contratos a empresas que han solicitado o están declaradas en concurso de acreedores**

¿Puede adjudicarse un contrato a una UTE cuando una de las empresas de la misma solicita concurso de acreedores antes de la adjudicación? ¿Podría ampararse en el art. 44 de la Ley Concursal?

[12/01/2009 EC 7/2009]

Ver respuesta en artículo 60

Artículo 225 *Efectos de la resolución*

1. Cuando la resolución se produzca por mutuo acuerdo, los derechos de las partes se acomodarán a lo válidamente estipulado por ellas.

2. El incumplimiento por parte de la Administración de las obligaciones del contrato determinará para aquélla, con carácter general, el pago de los daños y perjuicios que por tal causa se irroguen al contratista.

3. Cuando el contrato se resuelva por incumplimiento culpable del contratista, éste deberá indemnizar a la Administración los daños y perjuicios ocasionados. La indemnización se hará efectiva, en primer término, sobre la garantía que, en su caso, se hubiese constituido, sin perjuicio de la subsistencia de la responsabilidad del contratista en lo que se refiere al importe que exceda del de la garantía incautada.

4. En todo caso el acuerdo de resolución contendrá pronunciamiento expreso acerca de la procedencia o no de la pérdida, devolución o cancelación de la garantía que, en su caso, hubiese sido constituida. Sólo se acordará la pérdida de la garantía en caso de resolución del contrato por concurso del contratista cuando el concurso hubiera sido calificado como culpable.

5. Cuando la resolución se acuerde por las causas recogidas en la letra g) del artículo 223, el contratista tendrá derecho a una indemnización del 3 por ciento del importe de la prestación dejada de realizar, salvo que la causa sea imputable al contratista.

➡ **Concordancias normativas**

Número 5 del artículo 208 introducido por el apartado quince de la disposición final decimosexta de la Ley 2/2011, de 4 de marzo, de Economía Sostenible («B.O.E». 5 marzo).

6. Al tiempo de incoarse el expediente administrativo de resolución del contrato por la causa establecida en la letra g) del artículo 223, podrá iniciarse el procedimiento para la adjudicación del nuevo contrato, si bien la adjudicación de éste quedará condicionada a la terminación del expediente de resolución. Se aplicará la tramitación de urgencia a ambos procedimientos.

Hasta que se formalice el nuevo contrato, el contratista quedará obligado, en la forma y con el alcance que determine el órgano de contratación, a adoptar las medidas necesarias por razones de seguridad, o indispensables para evitar un grave trastorno al servicio público o la ruina de lo construido o fabricado. A falta de acuerdo, la retribución del contratista se fijará a instancia de éste por el órgano de contratación, una vez concluidos los trabajos y tomando como referencia los precios

que sirvieron de base para la celebración del contrato. El contratista podrá impugnar esta decisión ante el órgano de contratación que deberá resolver lo que proceda en el plazo de quince días hábiles.

Concordancias a todo el artículo

➡ **Concordancias normativas**

Artículo 208 de la LCSP 30/2007 y artículo 113 del TRLCAP RDL 2/2000.

✍ **Informes de la Junta Consultiva de Contratación Administrativa**

DICTAMEN Núm.: 158/2010, de 17 de marzo, del Consejo Consultivo de Andalucía. Resolución de contrato de servicios. Incumplimiento del contratista. Obligaciones esenciales.

[LA LEY 72/2011]

CONTRATO ADMINISTRATIVO DE SERVICIOS. Resolución de contrato para el servicio de control y prevención de la legionelosis en las instalaciones de riesgo del Ayuntamiento, por la falta de acreditación, por parte del adjudicatario, de la realización efectiva de todos los controles y análisis mensuales de las instalaciones. La simple remisión por correo ordinario de los partes de trabajo y resultados analíticos obtenidos no sirve para acreditar la realización de los referidos controles. Una cuestión tan importante como la salud humana, requiere un control preventivo de las instalaciones efectuado de forma rigurosa, que ha de ser debidamente acreditado. No puede ser invocado como causa de resolución, el incumplimiento de los compromisos extracontractuales. Procede la devolución al contratista de la garantía definitiva depositada, al no constar en el expediente que se hayan producido daños y perjuicios a la Administración.

CAPÍTULO VI

Cesión de los contratos y subcontratación

Sección 1

Cesión de los contratos

Artículo 226 *Cesión de los contratos*

1. Los derechos y obligaciones dimanantes del contrato podrán ser cedidos por el adjudicatario a un tercero siempre que las cualidades

técnicas o personales del cedente no hayan sido razón determinante de la adjudicación del contrato, y de la cesión no resulte una restricción efectiva de la competencia en el mercado. No podrá autorizarse la cesión a un tercero cuando esta suponga una alteración sustancial de las características del contratista si éstas constituyen un elemento esencial del contrato.

2. Para que los adjudicatarios puedan ceder sus derechos y obligaciones a terceros deberán cumplirse los siguientes requisitos:

a) Que el órgano de contratación autorice, de forma previa y expresa, la cesión.

b) Que el cedente tenga ejecutado al menos un 20 por 100 del importe del contrato o, cuando se trate de la gestión de servicio público, que haya efectuado su explotación durante al menos una quinta parte del plazo de duración del contrato. No será de aplicación este requisito si la cesión se produce encontrándose el adjudicatario en concurso aunque se haya abierto la fase de liquidación.

➡ **Concordancias normativas**

Letra b) del número 2 del artículo 209 redactada por el número tres del artículo 4 del R.D.—ley 6/2010, de 9 de abril, de medidas para el impulso de la recuperación económica y el empleo («B.O.E». 13 abril).

c) Que el cesionario tenga capacidad para contratar con la Administración y la solvencia que resulte exigible, debiendo estar debidamente clasificado si tal requisito ha sido exigido al cedente, y no estar incurso en una causa de prohibición de contratar.

d) Que la cesión se formalice, entre el adjudicatario y el cesionario, en escritura pública.

3. El cesionario quedará subrogado en todos los derechos y obligaciones que corresponderían al cedente.

Concordancias a todo el artículo

➡ Concordancias normativas

Artículo 209 de la LCSP 30/2007 y artículo 114 del TRLCAP RDL 2/2000.

Véase artículo 245 f) de la presente Ley.

✉ Consultas

• **Cesión de contrato en caso de no hallarse al corriente de las obligaciones con la Seguridad Social**

Una empresa concesionaria solicita autorización para ceder el contrato. No obstante, consta en el Ayuntamiento un embargo de créditos por parte de la Seguridad Social a dicha empresa. ¿Debemos autorizar la cesión?

[15/10/2010 EC 2917/2010]

Contestación

No se indica en la consulta si el embargo puede ser atendido con el ingreso en la Tesorería de la Seguridad Social de las facturas que pueda haber pendientes de pago en el Ayuntamiento, lo que simplificaría totalmente el problema, ya que una vez atendido el embargo, queda cancelado y no es necesario tomar ninguna actuación en relación con la empresa que una vez fue deudora. Expondremos la solución considerando que, de producirse la cesión del contrato, va a existir deuda pendiente, aun sumando toda la facturación que no se haya abonado a la empresa.

La cesión de contrato supone una simple novación subjetiva de una de las partes contractuales, el adjudicatario; pero de un contrato cuyas cláusulas no varían [«el concesionario quedará subrogado en todos los derechos y obligaciones que corresponderían al cedente», dispone el art. 209 de la Ley 30/2007, de 30 de octubre (BOE del 31), de Contratos del Sector Público (LCSP)]. La STS de 9 de diciembre de 1999 (LA LEY 2373/2000) define así la cesión de contratos: «Aquel acuerdo de todas las voluntades contractuales que produce la transmisión del conjunto de todos los efectos de un determinado contrato a un tercero, pero siempre entendiendo dicha cesión con carácter unitario, o sea, con todo lo explicitado en el primitivo contrato, o sea, sin que suponga la sustitución de un contrato por otro posterior.»

La cesión de un contrato con la Administración requiere la autorización previa de ésta, como impone el artículo citado de la LCSP. Se puede plantear si la Administración tiene libertad absoluta para aceptar o no la cesión o si, por el contrario, una vez verificado el cumplimiento de los requisitos debe autorizar la cesión. Aunque alguna STS considera que la «Administración es totalmente libre para hacerlo o no (autorizar la cesión) según tenga por conveniente» [STS de 20 de abril de 1992 (LA LEY 14694-R/1992)], es cuestionable que esa discrecionalidad del poder adjudicador sea absoluta. Aparte de la imprescindible motivación del acuerdo que adopte ex art. 54 Ley 30/1992, de 26 de noviembre (BOE del 27), de Régimen Jurídico de las Administraciones Públicas y del Procedimiento Administrativo Común (LRJAP), no parece existir justificación para que la Administración, si al realizar el contrato no impuso limitaciones a su transmisión en el pliego o las cualidades técnicas o personales del cedente no fueron razón determinante de la adjudicación del contrato, pueda oponerse a la cesión de su contrato, una vez cumplidos los requisitos que establece el art. 209 LCSP. De lo contrario, entendemos que estaría interfiriendo en el tráfico mercantil por encima de las facultades que a tal respecto le reconoce el ordenamiento jurídico. En este sentido, ya el Consejo de Estado, en su dictamen de 9 de junio de 1970, consideraba que «dicha autorización debe entenderse no como un nuevo otorgamiento discrecional, sino como un mero control de la regularidad de la transmisión, que sólo podrá negarse en los supuestos en que implique infracción legal o suponga la introducción de circunstancias incompatibles con los fines de la concesión o con su condicionamiento originario». La tesis del carácter reglado de la potestad para autorizar la cesión es la defendida en nuestra reciente obra «Contratación del Sector Público Local», 2.ª edición, El Consultor 2010 (página 1054), al comentar el artículo 209 LCSP, de donde se han extraído las citas apuntadas.

Así pues, en principio, si se dan los requisitos la Administración tendría que dar esa autorización de forma necesaria.

Tal afirmación, que puede ser sostenida jurídicamente, cabría ser matizada con las siguientes consideraciones:

— La normativa aplicable a la contratación administrativa no determina nada en relación con la capacidad del cedente, aunque sí exige para el cesionario capacidad y solvencia, por lo que este segundo sí deberá realizar la acreditación de que se halla al corriente de sus obligaciones tributarias y con la Seguridad Social.

— El adjudicatario de un contrato, de acuerdo al Informe de la Junta Consultiva de contratación administrativa, 28/2002, de 23 de octubre de 2002, sobre la fecha a que debe referirse la acreditación del cumplimiento de las obligaciones tributarias y con la Seguridad Social, ha de realizarla referida a la fecha de adjudicación o celebración del contrato o, lo que es más exacto, a una fecha inmediata anterior a la adjudicación, pero nunca a la fecha de expiración del plazo de presentación de proposiciones, que puede ser muy anterior. Por lo tanto, la única regulación existente de esta materia es en relación con el momento de la adjudicación, pues nada dice en relación con la liquidación del contrato, caso al que se podría asimilar el presente.

— No obstante, existe jurisprudencia del Tribunal Supremo que resuelve en el sentido de responsabilizar a los Entes Locales por las deudas que sus contratistas tengan con la Tesorería General de la Seguridad Social, derivadas de las obligaciones de naturaleza salarial contraídas con sus trabajadores «y de las referidas a la Seguridad Social durante el período de vigencia de la contrata». Así, las sentencias de 15 de julio, 27 de septiembre y 14 de diciembre de 1996 (EC 2967/1997, LA LEY JURIS 9346/1996 y 2695/1997) y el recurso de casación para la unificación de doctrina, de 3 de marzo de 1997 (LA LEY JURIS 4479/1997). Por lo que en la consulta EC 3704/2004, se concluye que se deben realizar comprobaciones permanentes durante la ejecución del contrato, si bien la normativa ha variado desde esos pronunciamientos.

— Por último, hemos de tener en cuenta que la Junta Consultiva de Contratación Administrativa en su Informe 63/1996, de 18 de diciembre concluye que dictaminando que «en cuanto a las actuaciones del órgano de contratación en relación con los requerimientos que reciban de órganos judiciales o administrativos que decretan embargos, ha de limitarse a cumplimentar dichos requerimientos o, en su caso, indicar al órgano requirente su criterio sobre la procedencia o improcedencia del embargo del crédito decretado, pero sin que en ningún caso corresponda al órgano de contratación el decidir sobre este extremo, siendo los que se sienten perjudicados por las decisiones del órgano judicial o administrativo que decreta el embargo los que deben plantear sus reclamaciones y recursos ante estos últimos y no ante el órgano de contratación». Este criterio también se utiliza por la Intervención General de la Administración del Estado en su Informe de 15 de marzo de 1985, que incluye un Informe de la Dirección General de lo Contencioso del Estado de 18 de julio de 1983, que busca a su vez apoyo en los Decretos resolutorios de cuestiones de competencia de 5 de octubre de 1973, de 2 de noviembre de 1967, 4 de diciembre de 1969, 30 de abril de 1970, 18 de noviembre de 1971 y 8 de febrero de 1977. Igual criterio se mantiene por el Consejo de Estado, en su Dictamen de 22 de junio de 1978.

Con todo lo hasta ahora manifestado, cabe concluir que la actuación más adecuada sería poner en conocimiento de la Administración embargante la intención que la Administración Local tiene de proceder a autorizar la cesión del contrato y desde qué fecha; tanto por interpretar que es una potestad reglada, como anteriormente se ha dicho, como por razones de interés público.

Una vez acreditado en el expediente que se cumplen las exigencias legales del art. 209 LCSP, y pasado el plazo otorgado a la Seguridad Social en la comunicación referida para que realicen las manifestaciones que tenga oportunas en defensa de su derecho, entendemos, como se ha expuesto, que no puede la Administración negar la autorización de la cesión, salvo que alguna de las manifestaciones deba ser estimada por alguna razón de interés público (contratación fraudulenta, tercerías de mejor derecho, etc.); por lo que deberán posteriormente realizarse el resto de los trámites formales o procedimentales marcados en la norma.

Una vez completado el procedimiento, se producirá la subrogación del cesionario en todos los derechos y obligaciones que correspondían al cedente en virtud del contrato cedido. Es necesario tener en cuenta que el cedente y el cesionario pueden pactar el alcance de esta subrogación. Así en la STS de 14 de octubre de 2005 (LA LEY JURIS: 1938/2005), las empresas acordaron que los contratos y compromisos de la empresa cedente anteriores a la cesión serían satisfechos y asumidos por aquella; por lo que era la cedente y su avalista quienes debían responder de las deudas por anticipos de maquinaria existentes frente a la Administración.

• **Requisitos para la cesión de contratos**

El Ayuntamiento gestiona el aparcamiento de vehículos pesados a través de una concesión de servicio público. ¿Es posible su cesión sin cumplirse el plazo del contrato? ¿La nueva empresa deberá hacerse cargo del personal?

[24/05/2010 EC 1680/2010]

Ver respuesta en artículo 221

• No es causa justificativa la cesión de un contrato para imponer nuevas obligaciones al cesionario

¿Puede cederse un contrato de renting con una duración de 18 años de los cuales todavía no se ha cumplido el primero? ¿Podría plantearse alguna modificación si llegara a autorizarse la cesión?

[13/11/2009 EC 3249/2009]

Contestación

Dos son las cuestiones planteadas en la consulta: la posible cesión del contrato y la modificación del mismo, que entendemos no debe subordinarse una a otra.

En cuanto a la cesión del contrato, está regulada en el art. 209 de la Ley 30/2007, de 30 de octubre (BOE del 31), de Contratos del Sector Público (LCSP), que después de señalar que los derechos y obligaciones dimanantes del contrato podrán ser cedidos por el adjudicatario a un tercero siempre que las cualidades técnicas o personales del cedente no hayan sido razón determinante de la adjudicación del contrato, añade que para que los adjudicatarios puedan ceder sus derechos y obligaciones a terceros deberán cumplirse los siguientes requisitos:

a) Que el órgano de contratación autorice, de forma previa y expresa, la cesión.

b) Que el cedente tenga ejecutado al menos un 20 por ciento del importe del contrato o, cuando se trate de la gestión de servicio público, que haya efectuado su explotación durante al menos una quinta parte del plazo de duración del contrato.

c) Que el cesionario tenga capacidad para contratar con la Administración y la solvencia que resulte exigible, debiendo estar debidamente clasificado si tal requisito ha sido exigido al cedente, y no estar incurso en una causa de prohibición de contratar.

d) Que la cesión se formalice, entre el adjudicatario y el cesionario, en escritura pública.

Entendemos que en este caso no se da el requisito establecido en el art. 209.2.b), ya que si en el contrato de renting el arrendador se obliga a entregar el uso de una cosa por un tiempo determinado a cambio de una renta, es claro que el arrendador no ha ejecutado el 20 % del contrato, ya que de 18 años ni siquiera se ha completado el primero, por lo que el contrato no puede considerarse ejecutado en el porcentaje fijado por la ley.

Por otra parte, en cuanto a la segunda pregunta, debe partirse de la base de que si fuera posible la cesión del contrato, ésta se caracteriza precisamente porque el cesionario queda en idéntica posición jurídica que el cedente tenía, por tanto, no es causa justificativa la cesión de un contrato para imponer nuevas obligaciones al cesionario.

La modificación del contrato de suministro debe sujetarse a los requisitos generales que establece el art. 202 LCSP, con las peculiaridades que establece el art. 272, a cuyo tenor, cuando como consecuencia de las modificaciones del contrato de suministro acordadas conforme a lo establecido en el artículo 202, se produzca aumento, reducción o supresión de las unidades de bienes que integran el suministro o la sustitución de unos bienes por otros, siempre que los mismos estén comprendidos en el contrato, estas modificaciones serán obligatorias para el contratista, sin que tenga derecho alguno en caso de supresión o reducción de unidades o clases de bienes a reclamar indemnización por dichas causas, siempre que no se encuentren en los casos previstos en la letra c) del artículo 275, que establece como causa de resolución del contrato de suministro las modificaciones en el contrato, aunque fueran sucesivas, que impliquen, aislada o conjuntamente, alteraciones del precio del contrato en cuantía superior, en más o en menos, al 20 por ciento del precio primitivo del contrato, con exclusión del Impuesto sobre el Valor Añadido, o representen una alteración sustancial de la prestación inicial.

Sección 2

Subcontratación

Artículo 227 *Subcontratación*

1. El contratista podrá concertar con terceros la realización parcial de la prestación, salvo que el contrato o los pliegos dispongan lo contrario o que por su naturaleza y condiciones se deduzca que aquél ha de ser ejecutado directamente por el adjudicatario.

2. La celebración de los subcontratos estará sometida al cumplimiento de los siguientes requisitos:

a) Si así se prevé en los pliegos o en el anuncio de licitación, los licitadores deberán indicar en la oferta la parte del contrato que tengan previsto subcontratar, señalando su importe, y el nombre o el perfil empresarial, definido por referencia a las condiciones de solvencia profesional o técnica, de los subcontratistas a los que se vaya a encomendar su realización.

b) En todo caso, el adjudicatario deberá comunicar anticipadamente y por escrito a la Administración la intención de celebrar los subcontratos, señalando la parte de la prestación que se pretende subcontratar y la identidad del subcontratista, y justificando suficientemente la aptitud de éste para ejecutarla por referencia a los elementos técnicos y humanos de que dispone y a su experiencia. En el caso que el subcontratista tuviera la clasificación adecuada para realizar la parte del contrato objeto de la subcontratación, la comunicación de esta circunstancia eximirá al contratista de la necesidad de justificar la aptitud de aquél. La acreditación de la aptitud del subcontratista podrá realizarse inmediatamente después de la celebración del subcontrato si ésta es necesaria para atender a una situación de emergencia o que exija la adopción de medidas urgentes y así se justifica suficientemente.

c) Si los pliegos o el anuncio de licitación hubiesen impuesto a los licitadores la obligación de comunicar las circunstancias señaladas en la letra a), los subcontratos que no se ajusten a lo indicado en la oferta, por celebrarse con empresarios distintos de los indicados nominativamente en la misma o por referirse a partes de la prestación diferentes a las señaladas en ella, no podrán celebrarse hasta que transcurran veinte días desde que se hubiese cursado la notificación y aportado las justificaciones a que se refiere la letra b), salvo que con anterioridad hubiesen sido autorizados expresamente, siempre que la Administración no hubiese notificado dentro de este plazo su oposición a los mismos. Este régimen será igualmente aplicable si los subcontratistas hubiesen sido identificados en la oferta mediante la descripción de su perfil profesional.

Bajo la responsabilidad del contratista, los subcontratos podrán concluirse sin necesidad de dejar transcurrir el plazo de veinte días si su celebración es necesaria para atender a una situación de emergencia o que exija la adopción de medidas urgentes y así se justifica suficientemente.

d) En los contratos de carácter secreto o reservado, o en aquellos cuya ejecución deba ir acompañada de medidas de seguridad especiales de acuerdo con disposiciones legales o reglamentarias o cuando lo exija la protección de los intereses esenciales de la seguridad del Estado, la subcontratación requerirá siempre autorización expresa del órgano de contratación.

e) Las prestaciones parciales que el adjudicatario subcontrate con terceros no podrán exceder del porcentaje que se fije en el pliego de cláusulas administrativas particulares. En el supuesto de que no figure en el pliego un límite especial, el contratista podrá subcontratar hasta un porcentaje que no exceda del 60 por 100 del importe de adjudicación.

Para el cómputo de este porcentaje máximo, no se tendrán en cuenta los subcontratos concluidos con empresas vinculadas al contratista principal, entendiéndose por tales las que se encuentren en algunos de los supuestos previstos en el artículo 42 del Código de Comercio (LA LEY 1/1885).

☞   **Concordancias Jurisprudenciales**

Tribunal Administrativo Central de Recursos Contractuales, Resolución de 27 Abr. 2011, rec. 084/2011

[LA LEY 14731/2011]

CONTRATO ADMINISTRATIVO DE SERVICIOS. Confirmación de la adjudicación del contrato para la prestación del Servicio de vigilancia de las instalaciones de las jefaturas provinciales y oficinas locales de tráfico en la Comunidad Autónoma, en tanto que es perfectamente posible y jurídicamente admisible que la adjudicataria subcontrate la parte del servicio para la que no dispone de autorización suficiente, en concreto la relativa a la centralización de alarmas, acudas y custodia de llaves, siendo obligación del órgano de contratación asegurarse de que se cumplen las condiciones y requisitos exigidos. No se ha probado que la adjudicataria no vaya a poder cumplir el contrato y, la Administración no puede presumir de antemano la imposibilidad del cumplimiento de una obligación asumida voluntariamente dentro de la exacta letra del pliego de prescripciones técnicas, pues ello supondría una grave vulneración del principio de igualdad, del principio de concurrencia y, en definitiva, del principio de seguridad jurídica.

Tribunal Administrativo Central de Recursos Contractuales, Resolución de 24 Feb. 2011, rec. 012/2011

[LA LEY 14640/2011]

CONTRATO ADMINISTRATIVO DE OBRAS. Exclusión del proceso de licitación para la adjudicación por procedimiento abierto del contrato de obras de «demolición y construcción de la nueva residencia de la Embajada de España en Rabat», por no haber aportado ni subsanado dentro de plazo documento que acredite que se encuentra al corriente del pago de la póliza de responsabilidad civil mínima exigida por el pliego de cláusulas administrativas particulares. RECURSO ESPECIAL EN MATERIA DE CONTRATACIÓN. Estimación parcial. Oscuridad del pliego de cláusulas administrativas particulares, que en modo alguno puede perjudicar a los licitadores. No se puede hablar de «integración de la solvencia» porque, el contrato exige «clasificación», que sustituirá a la solvencia cuando así se exija. La expresión relativa a la suplencia de la clasificación puede inducir a error a los licitadores. Procede la retroacción del procedimiento al momento anterior a la redacción de los pliegos, a fin de que estos se redacten correctamente.

Audiencia Provincial de Almería, sec. 2.ª, S 9-12-2010, n.º 205/2010, rec. 116/2010. Pte: Ruiz-Rico y Ruiz-Morón, Juan

La sentencia de instancia que condenó al ayuntamiento demandado y a la promotora al pago de una determinada cantidad a la subcontratista actora, por los trabajos realizados en un contrato de obra, es recurrida en apelación. La Audiencia Provincial desestima el recurso y explica que el contrato entre la Administración del Estado y entidad constructora tiene carácter administrativo, pero planteándose el objeto de litigio respecto del subcontrato entre la primera empresa contratante y otra subcontratada por ésta, este contrato tiene naturaleza civil. Por otro lado señala el Tribunal que la condición de subcontratistas de la demandante y ahora apelada no le impide ejercitar la acción directa del art. 1597 CC, ya que la interpretación de esta norma implica incluir a los subcontratistas entre los titulares de la acción directa, a quienes no afecta en este concreta acción el principio de relatividad de los contratos, por ser el art. 1597 CC una excepción establecida en su favor para evitar consecuencias indeseables.

✉   **Consultas**

• **Documentación exigible a las empresas subcontratistas de un contrato de servicios**

¿Se exige a los subcontratistas la declaración responsable de no estar incursos en las prohibiciones del artículo 49 de la LCSP? ¿Qué documentación deben aportar?

Contratación Administrativa Práctica, Nº 93, Sección Usted Pregunta, Enero 2010, Editorial LA LEY

[LA LEY 4175/2009]

Respuesta

Comencemos señalando que el artículo 43. 2. (LA LEY 10868/2007) dispone que «los empresarios deberán contar, asimismo, con la habilitación empresarial o profesional que, en su caso, sea exigible para la realización de la actividad o prestación que constituya el objeto del contrato». Y, este requisito de aptitud es predicable tanto de los contratistas como de los subcontratistas del sector público, pues la LCSP no establece ninguna concreción al respecto, por lo que donde la ley no establece diferencia, tampoco debe establecerlas el aplicador de la misma.

El artículo 43.1 de la LCSP (LA LEY 10868/2007) al regular las condiciones de aptitud, expresamente dispone que «sólo podrán contratar con el sector público las personas naturales o jurídicas, españolas o extranjeras, que tengan plena capacidad de obrar, no estén incursas en una prohibición de contratar, y acrediten su solvencia económica, financiera y técnica o profesional o, en los casos en que así lo exija esta Ley, se encuentren debidamente clasificadas».

Por lo tanto, las prohibiciones de contratar es uno de los componentes a tener en cuenta a la hora de determinar la aptitud para contratar con el sector público. Ello debemos tenerlo muy presente al analizar el artículo 210.2.b) de la LCSP (LA LEY 10868/2007) que señala que «en todo caso, el adjudicatario deberá comunicar anticipadamente y por escrito a la Administración la intención de celebrar los subcontratos, señalando la parte de la prestación que se pretende subcontratar y la identidad del subcontratista, y justificando suficientemente la aptitud de éste para ejecutarla por referencia a los elementos técnicos y humanos de que dispone y a su experiencia.

En el caso que el subcontratista tuviera la clasificación adecuada para realizar la parte del contrato objeto de la subcontratación, la comunicación de esta circunstancia eximirá al contratista de la necesidad de justificar la aptitud de aquél. La acreditación de la aptitud del subcontratista podrá realizarse inmediatamente después de la celebración del subcontrato si ésta es necesaria para atender a una situación de emergencia o que exija la adopción de medidas urgentes y así se justifica suficientemente».

Y, por si quedaba alguna duda el artículo 210.5.º (LA LEY 10868/2007) señala que «en ningún caso podrá concertarse por el contratista la ejecución parcial del contrato con personas inhabilitadas para contratar de acuerdo con el ordenamiento jurídico o comprendidas en alguno de los supuestos del artículo 49.»

En conclusión, los subcontratistas deben acreditar mediante declaración responsable que no están incursos en prohibiciones de contratar, justificando suficientemente su aptitud para ejecutar los servicios (subcontratados) haciendo referencia a los elementos técnicos y humanos de que dispone y a su experiencia, justificación ésta que puede ser sustituida por la clasificación del subcontratista siempre que sea adecuada para realizar la parte del contrato asignada.

Respecto a la documentación a aportar, puede ser el acuerdo relativo a su clasificación o bien si no posee dicha clasificación, toda la documentación que acredite:

— que tiene plena capacidad de obrar.

— que no está incurso en una prohibición de contratar.

— y que acrediten su solvencia económica, financiera y técnica o profesional.

3. La infracción de las condiciones establecidas en el apartado anterior para proceder a la subcontratación, así como la falta de acreditación de la aptitud del subcontratista o de las circunstancias determinantes de la situación de emergencia o de las que hacen urgente la subcontratación, podrá dar lugar, en todo caso, a la imposición al contratista de una penalidad de hasta un 50 por 100 del importe del subcontrato.

☒   **Consultas**

• **Los subcontratistas quedan afectos a los mismos requisitos de capacidad que los contratistas.**

¿Puede el ayuntamiento contratar con una empresa que subcontrate al marido de una concejala o para la que trabaje éste?

[15/07/2008 EC 2277/2008]

Contestación

La cuestión que nos plantea es uno de los viejos problemas que se han ido sintiendo en el ámbito de la contratación del sector público. Porque las administraciones tienen unos ciertos poderes para investigar a quienes se va a contratar, en el sentido de contratación directa, pero esa facultad se pierde cuando se produce la subcontratación, porque hasta este momento los particulares no tenían la obligación de transmitir toda esta información a la Administración.

En la actualidad la Ley 30/2007, de 30 de octubre (EC 3697/2007), de Contratos del Sector Público nos aporta una regulación novedosa en materia de subcontratación, en concreto en la misma se establece la posibilidad de que el contratista concierte con terceros la realización parcial de la prestación, salvo que el contrato o los pliegos dispongan lo contrario o que por su naturaleza y condiciones se deduzca que aquél ha de ser ejecutado directamente por el adjudicatario. Por tanto, como premisa principal la administración puede prohibir la subcontratación, a sensu contrario si no lo prohíbe de manera expresa ésta es posible.

En este mismo artículo se establece la obligación del contratista de comunicar cuál va a ser la empresa con la que se va a subcontratar. Así, se establece que la celebración de los subcontratos estará sometida al cumplimiento de una serie de requisitos. Nos centraremos en el establecido en la letra b, para el caso de que en los pliegos no se haya establecido una condición específica; se establece que:

«b) En todo caso, el adjudicatario deberá comunicar anticipadamente y por escrito a la Administración la intención de celebrar los subcontratos, señalando la parte de la prestación que se pretende subcontratar y la identidad del subcontratista, y justificando suficientemente la aptitud de éste para ejecutarla por referencia a los elementos técnicos y humanos de que dispone y a su experiencia. En el caso que el subcontratista tuviera la clasificación adecuada para realizar la parte del contrato objeto de la subcontratación, la comunicación de esta circunstancia eximirá al contratista de la necesidad de justificar la aptitud de aquél. La acreditación de la aptitud del subcontratista podrá realizarse inmediatamente después de la celebración del subcontrato si ésta es necesaria para atender a una situación de emergencia o que exija la adopción de medidas urgentes y así se justifica suficientemente».

Por tanto como la administración tiene el derecho de exigir al contratista la comunicación de quien es el subcontratista se podrá comprobar que los subcontratistas cumplen con los requisitos para acceder a este contrato.

En cuanto a cuáles son estos requisitos, los establece el art. 210.5 cuando dice de manera textual que: «En ningún caso podrá concertarse por el contratista la ejecución parcial del contrato con personas inhabilitadas para contratar de acuerdo con el ordenamiento jurídico o comprendidas en alguno de los supuestos del artículo 49.»

Lo que no dice la legislación es cuál es la sanción que debe suponer el incumplimiento de esta obligación. Podríamos optar por el simple acto de sancionar conforme establece el mismo artículo en su apartado 3 (la infracción de las condiciones establecidas en el apartado anterior para proceder a la subcontratación, así como la falta de acreditación de la aptitud del subcontratista o de las circunstancias determinantes de la situación de emergencia o de las que hacen urgente la subcontratación, podrá dar lugar, en todo caso, a la imposición al contratista de una penalidad de hasta un 50 por ciento del importe del subcontrato), es decir, imponer el 50% del coste del subcontrato, pero esta sanción se prevé por la simple ausencia de la notificación o comunicación de la subcontratación y no por el hecho, objetivamente más grave, de incumplir las normas de capacidad, o bien por la declaración de la nulidad del contrato íntegro, conforme actuaríamos si aplicáramos lo que se establece para los casos de incumplimiento de la capacidad del contratista.

4. Los subcontratistas quedarán obligados sólo ante el contratista principal que asumirá, por tanto, la total responsabilidad de la ejecución del contrato frente a la Administración, con arreglo estricto a los pliegos de cláusulas administrativas particulares y a los términos del contrato.

El conocimiento que tenga la Administración de los subcontratos celebrados en virtud de las comunicaciones a que se refieren las letras b) y c) del apartado 1 de este artículo, o la autorización que otorgue en el supuesto previsto en la letra d) de dicho apartado, no alterarán la responsabilidad exclusiva del contratista principal.

✉ **Consultas**

• **En los contratos administrativos no existe una acción directa del subcontratista contra la Administración**

Un subcontratista reclama al Ayuntamiento impagadas por el contratista. ¿Tiene el Ayuntamiento obligación de pagar?

[19/10/2011 EC 2346/2011]

Contestación

La consulta que nos realizan han sido objeto del Informe 13/2009, de 3 de noviembre, de la Comisión Consultiva de Contratación Administrativa de la Junta de Andalucía, sobre posibilidad de reclamación de los subcontratistas a la Administración por los trabajos o materiales adeudados por el contratista, que transcribimos parcialmente. «Por tanto, la cuestión objeto de consulta es si al amparo del Texto Refundido de la Ley 2/2000 que rige los contratos de obras y servicios suscritos por la Empresa y de la nueva Ley de Contratos del Sector Público, resulta de aplicación a las relaciones contractuales de la Empresa Pública de Suelo de Andalucía el mencionado art. 1597 del Código Civil.»

El art. 1597 del Código Civil dispone que: «Los que ponen su trabajo y materiales en una obra ajustada alzadamente por el contratista, no tienen acción contra el dueño de ella sino hasta la cantidad que éste adeude a aquél cuando se hace la reclamación».

La regulación de la subcontratación, en el ámbito de la contratación pública, aparece recogida en el art. 210 de la Ley 30/2007, de 30 de octubre (BOE del 31), de Contratos del Sector Público (LCSP). De forma que, cumpliendo los requisitos establecidos en su apartado segundo, podrá el adjudicatario concertar con terceros la realización parcial de la prestación, salvo que el contrato o los pliegos dispongan lo contrario o por su naturaleza y condiciones se deduzca que ha de ser ejecutada directamente por el adjudicatario.

El subcontrato vincula exclusivamente al contratista-subcontratante y al subcontratista; y en el ámbito de los dos quedan circunscritos sus efectos. La Administración contratante (parte del contrato principal) no entabla vínculo contractual alguno con el subcontratista, de tal manera que sólo y exclusivamente tiene frente a sí al contratista principal. Ello no es óbice para que en la LCSP se hayan introducido diversas cautelas en relación con las personas que pretenden convertirse en subcontratistas en el ámbito de la contratación pública, a pesar de que no sustituyan al contratista principal ni entablen vínculo contractual directo alguno con la Administración.

Congruentemente con ello, el art. 210.4 de la LCSP señala que los subcontratistas quedarán obligados «sólo» ante el contratista principal. Dicho contratista principal asume, por tanto, la total responsabilidad de la ejecución del contrato frente a la Administración.

Por ello, si se produce un incumplimiento del subcontrato, puede producirse, también, un incumplimiento del contrato principal; y si la Administración pretende resolver el contrato como consecuencia de dicho incumplimiento, no deberá aducir que el subcontratista incumplió. Simplemente, sin entrar en las relaciones jurídico-privadas entabladas como consecuencia del subcontrato, podrá alegar que el contratista ha incumplido sus obligaciones contractuales. Y las acciones que el contratista pudiera emprender contra el subcontratista incumplidor serían ajenas al contrato administrativo mismo.

La misma lógica que se desprende del art. 210.4 LCSP ha de ser aplicada al problema sobre la existencia o no de acción directa del subcontratista frente a la Administración.

En efecto, cuando el art. 210.4 LCSP señala que el subcontratista «sólo» quedará obligado frente al contratista principal, añadiendo que éste asume la «total responsabilidad» de la ejecución del contrato frente a la Administración, se está poniendo de manifiesto la imposibilidad de que proceda la referida acción directa, tanto en el sentido del subcontratista hacia la Administración, como a la inversa.

Frente a ello, no han de dejar de destacarse reiterados fallos del Tribunal Supremo —Sala de lo Civil— que sí admiten dicha acción directa frente a la Administración que celebra contratos administrativos de obras: sentencias de 16 de julio de 2003 (recurso núm. 3449/1998); de 10 de marzo de 2005 (recurso núm. 2836/1998; de 24 de enero de 2006 (recurso núm. 2094/1999; de 17 de julio de 2007 (recurso núm. 4143/2000), de 12 de diciembre de 2007 (recuso núm. 3876/2000).

Ahora bien, ninguna de estas sentencias han revisado contratos administrativos de obras sujetos ni a la Ley de Contratos de las Administraciones Públicas ni a la Ley de Contratos del Sector Público, sino contratos anteriores regidos por la Ley de Contratos del Estado de 1965, la cual no recogía la norma que fundamenta el criterio refractario a admitir la acción directa del subcontratista frente a la Administración Pública.

En cambio, respecto de los contratos a los que les era de aplicación la regla contenida en el art. 115.3 de la Ley de Contratos de las Administraciones Públicas, y contenida actualmente en el art. 210.4 LCSP, los Tribunales han concluido en sentido diferente.

El Tribunal Superior de Justicia de Andalucía, Sala de Granada, en su sentencia de 17 de septiembre de 2001 (recurso núm. 343/2000) señaló que «En una relación sinalagmática, como es la derivada del contrato de obras, si el subcontratista queda obligado sólo ante el contratista principal (excluyendo a la Administración Pública) sólo a éste podrá exigir la satisfacción de sus derechos». En igual sentido se pronuncia la Audiencia Nacional en su Sentencia de 22 de noviembre de 2005 (Recurso núm. 1538/2002).

El Tribunal Superior de Justicia de Cataluña, en su sentencia de 9 de junio de 2006 (recurso núm. 563/2003) añade que «el subcontratista puede accionar contra el contratista, pero no existe propiamente una relación directa entre la Administración y el subcontratista ni, en consecuencia, está reconocida la posibilidad de entablar una acción contra aquélla».

Por todo ello, el citado informe 13/2009, llega a la conclusión de que la prescripción contenida en el artículo 210.4 de la LCSP de que los subcontratistas quedarán obligados sólo ante el contratista principal, impide el ejercicio de la acción directa, contenida en el art. 1597 del Código Civil, del subcontratista frente a la Administración Pública.

A la misma conclusión llega el Tribunal Superior de Justicia de Cataluña, Sala de lo Contencioso-Administrativo, Sección 5.ª, en sentencia de 5 de mayo de 2005 (LA LEY98/2006), cuando señala

«(...) Así pues, cabalmente, lo que la actora ha ejercitado, como subcontratista del contrato de obra de referencia, es la acción directa frente al promotor y dueño de la misma, prevista en el art. 1597 del Código Civil, a cuyo tenor «los que ponen su trabajo y materiales en una obra ajustada alzadamente por el contratista, no tienen acción contra el dueño de ella sino hasta la cantidad que éste adeude a aquél cuando se hace la reclamación.»

Frente a tal planteamiento, alega la defensa procesal del Ayuntamiento demandado, en el escrito de contestación a la demanda, que no tenía conocimiento de la subcontratación de la obra, y que no resulta aplicable a la contratación administrativa la acción directa prevista en el art. 1597 del Código Civil, además de que, en la fecha de la inicial reclamación (30 de septiembre de 1999), ninguna cantidad adeudaba a la contratista, que pudiera derivar en favor de la subcontratista.

[...] La cuestión aquí planteada consiste en dilucidar si, a resultas de la contratación administrativa que está en el origen del proceso, la actora-subcontratista tiene acción directa, como pretende, para resarcirse de la deuda —parte de ella en este caso— que acredita ante el contratista, mediante su reclamación al Ayuntamiento dueño y promotor de la obra.

Al respecto y atendida la fecha de la adjudicación y del otorgamiento del contrato administrativo, resulta aplicable al supuesto, con arreglo a la Disposición transitoria primera del RD Leg. 2/2000, de 16 de junio, la Ley 13/1995, de 18 de mayo, de Contratos de las Administraciones Públicas, en su redacción anterior a la modificación operada por Ley 53/1999, de 28 de diciembre, y asimismo, el Decreto 3410/1975, de 25 de noviembre, Reglamento General de Contratación entonces vigente.

Con arreglo al art. 116.1 a) de la Ley 13/1995, constituye uno de los requisitos de la subcontratación, en el ámbito de los contratos administrativos, «que en todo caso se dé conocimiento por escrito a la Administración del subcontrato a celebrar, con indicación de las partes del contrato a realizar por el subcontratista».

A su vez, el apdo. 3 del precepto prevé que «los subcontratistas quedarán obligados sólo ante el contratista principal, que asumirá, por tanto, la total responsabilidad de la ejecución del contrato frente a la Administración, con arreglo estricto a los pliegos de cláusulas administrativas particulares y a los términos del contrato».

Los arts. 184 a 186 del RGC aplicable contienen previsiones del mismo tenor.

[...] Tal como esta Sala y Sección ha puesto de manifiesto, entre otras, en Sentencias n.º 587, de 9 de julio de 1997, rec. 2170/1993, y n.º 93, de 31 de enero de 2005 (LA LEY 23544/2005), rec. 54/2002, «el subcontrato resulta un negocio jurídico derivado o secundario, destacándose que se trata de un negocio estructuralmente autónomo y funcionalmente dependiente:

autónomo y de naturaleza civil, por una parte, pero también dependiente, porque si se extingue el principal, se produce la imposibilidad sobrevenida de cumplirlo. Puede el subcontratista en tal hipótesis accionar contra el contratista, pero no existe propiamente una relación directa entre la Administración y el subcontratista, ni, en consecuencia, tampoco está reconocida la posibilidad de entablar una acción contra aquélla, al ser las relaciones entre las empresas contratista y subcontratista meramente civiles.»

Así pues y tal como se señala en la Sentencia de esta Sala y Sección n.º 1077, de 13 de octubre de 2001 (LA LEY 181439/2001), rec. 46/2001, «si en la subcontratación no cabe reconocer acción directa del subcontratista contra la Administración, menos cabe reconocerla en aquellos supuestos en los que no se han cumplido los requisitos exigidos por la ley para la válida subcontratación, de forma que la acción deberá dirigirse contra el contratista principal.»

Partiendo pues de lo antedicho, aplicable al caso, se colige que el Ayuntamiento demandado, aunque a tenor de lo referido en el fundamento 1.º C) precedente, sí existían pagos pendientes con el contratista, no tenía la obligación legal de atender con ellos el requerimiento del subcontratista, siendo por ende conforme a derecho la posterior resolución, desestimatoria de la reclamación de aquél. Procede por ello la desestimación del presente recurso contencioso.»

Por consiguiente, teniendo en cuenta esta doctrina, habrá que concluir que el Ayuntamiento debe rechazar la reclamación efectuada por el subcontratista; ya que al ser el subcontrato una relación exclusiva entre contratista y subcontratista, éste no tiene acción directa contra la Administración.

- **Posibilidad de que el subcontratista ejercite frente a la Administración contratante la acción directa que deriva del artículo 1597 del Código Civil**

¿Cabe la aplicación del artículo 1597 del Código Civil contra una administración pública en el marco de un subcontrato o suministro en un contrato de naturaleza administrativa? ¿Cuál sería la jurisdicción competente?

Contratación Administrativa Práctica, Nº 108, Sección Usted Pregunta, Mayo 2011, pág. 11, Editorial LA LEY

[LA LEY 504/2011]

Respuesta

En relación con la cuestión suscitada, en primer lugar debe tomarse en consideración el hecho de que el artículo 210 de la Ley de Contratos del Sector Público (LA LEY 10868/2007) en su apartado 4 dispone que «los subcontratistas quedarán obligados sólo ante el contratista principal que asumirá, por tanto, la total responsabilidad de la ejecución del contrato frente a la Administración, con arreglo estricto a los pliegos de cláusulas administrativas particulares y a los términos del contrato». De donde cabe deducir con toda claridad la voluntad del legislador de deslindar el ámbito del contrato celebrado entre el órgano de contratación y el contratista del propio de la relación jurídico privada surgida entre contratista y subcontratista.

Por si ello no fuera suficiente, la Ley de Contratos del Sector Público (LA LEY 10868/2007) ha introducido una aclaración respecto de la posibilidad de admitir que el subcontratista pueda dirigirse frente a la Administración contratante para exigir el pago directo, al decir en el párrafo segundo del precepto antes trascrito que «el conocimiento que tenga la Administración de los subcontratos celebrados en virtud de las comunicaciones a que se refieren las letras b) y c) del apartado 1 de este artículo, o la autorización que otorgue en el supuesto previsto en la letra d) de dicho apartado, no alterarán la responsabilidad exclusiva del contratista principal», de lo cual cabe deducir que el subcontratista jamás será responsable frente al órgano de contratación, puesto que esa responsabilidad es «exclusiva del contratista principal». Pero al mismo tiempo —y por la misma razón— significa que el contratista es el único responsable frente al subcontratista por las obligaciones contraídas con éste.

Los subcontratistas no tienen acción directa contra los órganos de contratación para conseguir el pago directo por éstos de las cantidades que les adeuden los contratistas

No desconocemos, no obstante, que la cuestión planteada ha sido objeto de alguna sentencia dictada por la Sala de lo Civil del Tribunal Supremo admitiendo de forma explícita la posibilidad de que el subcontratista ejercite frente a la Administración contratante la acción directa que deriva del artículo 1597 del Código Civil (LA LEY 1/1889): «Los que ponen su trabajo y materiales en una obra ajustada alzadamente por el contratista, no tienen acción contra el dueño de ella sino hasta la cantidad que éste adeude a aquél cuando se hace la reclamación.»

Sin embargo, las indicadas resoluciones han sido dictadas al amparo de las regulaciones contenidas en la Ley de Contratos del Estado y en la de Contratos de las Administraciones Públicas, es decir antes de la entrada en vigor de la actual Ley de Contratos del Sector Público (LA LEY 10868/2007). Esta circunstancia, sin embargo, es decisiva para la cuestión que analizamos toda vez que entre la regulación de la Ley de Contratos de las Administraciones Públicas y de la de Contratos del Sector Público existe una diferencia sustancial consistente, en concreto, en la introducción del párrafo segundo del artículo 210.4 anteriormente trascrito que, según hemos tenido ocasión de exponer anteriormente, deja zanjada la cuestión poniendo el límite final de la responsabilidad en el contratista.

En conclusión podemos afirmar que:

1. La Administración no puede ejercitar directamente ni establecer en los pliegos de cláusulas particulares la posibilidad de ejercitar potestad alguna de disposición sobre la retribución del contratista con objeto de atender o asegurar los pagos de éste a los subcontratistas.

2. De igual modo, y atendiendo a lo dispuesto en el artículo 210.4 párrafo segundo, los subcontratistas no tienen acción directa contra los órganos de contratación para conseguir el pago directo por éstos de las cantidades que les adeuden los contratistas, siendo la Jurisdicción Civil el Orden competente para resolver las controversias que entre ambos puedan suscitarse.

5. En ningún caso podrá concertarse por el contratista la ejecución parcial del contrato con personas inhabilitadas para contratar de acuerdo con el ordenamiento jurídico o comprendidas en alguno de los supuestos del artículo 60.

6. El contratista deberá informar a los representantes de los trabajadores de la subcontratación, de acuerdo con la legislación laboral.

7. Los órganos de contratación podrán imponer al contratista, advirtiéndolo en el anuncio o en los pliegos, la subcontratación con terceros no vinculados al mismo, de determinadas partes de la prestación que no excedan en su conjunto del 50 por ciento del importe del presupuesto del contrato, cuando gocen de una sustantividad propia dentro del conjunto que las haga susceptibles de ejecución separada, por tener que ser realizadas por empresas que cuenten con una determinada habilitación

profesional o poder atribuirse su realización a empresas con una clasificación adecuada para realizarla.

Las obligaciones impuestas conforme a lo previsto en el párrafo anterior se considerarán condiciones especiales de ejecución del contrato a los efectos previstos en los artículos 212.1 y 223.f)

➡ Concordancias normativas

Párrafo 2.º del número 7 del artículo 210 redactado por el número cinco de la disposición final primera de la Ley 24/2011, de 1 de agosto, de contratos del sector público en los ámbitos de la defensa y de la seguridad («B.O.E». 2 agosto).

Número 7 del artículo 210 redactado por el apartado dieciséis de la disposición final decimosexta de la Ley 2/2011, de 4 de marzo, de Economía Sostenible («B.O.E». 5 marzo).

8. Los subcontratistas no tendrán en ningún caso acción directa frente a la Administración contratante por las obligaciones contraídas con ellos por el contratista como consecuencia de la ejecución del contrato principal y de los subcontratos.

➡ Concordancias normativas

Número 8 del artículo 210 introducido por el número seis de la disposición final primera de la Ley 24/2011, de 1 de agosto, de contratos del sector público en los ámbitos de la defensa y de la seguridad («B.O.E». 2 agosto).

9. Lo dispuesto en este artículo será de aplicación a las Entidades públicas empresariales y a los organismos asimilados dependientes de las restante Administraciones Públicas, si bien la referencia a las prohibiciones de contratar que se efectúa en el apartado 5 de este artículo debe entenderse limitada a las que se enumeran en el artículo 60.1.

Concordancias a todo el artículo

➡ Concordancias normativas

Artículo 210 de la LCSP 30/2007 y artículo 115 del TRLCAP RDL 2/2000.

Artículo 1597 del Código Civil.

☞ **Concordancias Jurisprudenciales**

Audiencia Provincial de Barcelona, Sección 16.ª, Sentencia de 27 Dic. 2011, rec. 912/2010

[LA LEY 258945/2011]

CONTRATO ADMINISTRATIVO DE OBRAS. ENRIQUECIMIENTO INJUSTO. SUBCONTRATA DE OBRAS O SERVICIOS.

✉ **Consultas**

• **La Administración no puede ejercer ningún tipo de acción si no es con el contratista principal de la obra**

Ejecutada una obra, y abonada al contratista, el subcontratista que instaló el ascensor no quiere realizar los trámites para su puesta en funcionamiento porque el contratista no le ha pagado. ¿Podemos obligar al contratista a su pago?

[21/02/2012 EC 395/2012]

Contestación

El Real Decreto Legislativo 3/2011, de 14 de noviembre (LA LEY 21158/2011) (BOE del 16), por el que se aprueba el texto refundido de la Ley de Contratos del Sector Público (TR LCSP), viene a dar, finalmente, una solución a las frecuentes controversias que se suscitaban en relación con la aplicatoriedad o no del art. 1597 del Código Civil (LA LEY 1/1889) en el contexto de las relaciones administración-contratista principal-subcontratistas.

Recordemos que la Ley 30/2007, de 30 de octubre (LA LEY 10868/2007) (BOE del 31), de Contratos del Sector Público (LCSP), establecía literalmente que «Los subcontratistas quedarán obligados sólo ante el contratista principal que asumirá, por tanto, la total responsabilidad de la ejecución del contrato frente a la Administración, con arreglo estricto a los pliegos de cláusulas administrativas particulares y a los términos del contrato. El conocimiento que tenga la Administración de los subcontratos celebrados en virtud de las comunicaciones a que se refieren las letras b) y c) del apartado 1 de este artículo, o la autorización que otorgue en el supuesto previsto en la letra d) de dicho apartado, no alterarán la responsabilidad exclusiva del contratista principal.»

Anteriormente, en el art. 115.3 del Texto Refundido de la Ley de Contratos de las Administraciones Públicas (TR LCAP), aprobado por Real Decreto Legislativo 2/2000, de 16 de junio (LA LEY 2206/2000) (BOE del 21), se establecía que «Los subcontratistas quedarán obligados sólo ante el contratista principal que asumirá, por tanto, la total responsabilidad de la ejecución del contrato frente a la Administración, con arreglo estricto a los pliegos de cláusulas administrativas particulares y a los términos del contrato.»

Esta regulación era, en una primera lectura, aparentemente protectora para la Administración frente a posibles pretensiones de los subcontratistas; porque se suponía que se quedaba a salvo de las reclamaciones frente a la Administración por deudas contraídas por el contratista principal. Sin embargo, de hecho no era así; y la jurisprudencia se había venido decantando por permitir y amparar las citadas reclamaciones de subcontratistas frente a la Administración al amparo del art. 1597 Código Civil (LA LEY 1/1889), que establece literal y brevemente que «Los que ponen su trabajo y materiales en una obra ajustada alzadamente por el contratista, no tienen acción contra el dueño de ella sino hasta la cantidad que éste adeude a aquél cuando se hace la reclamación». Este precepto había venido inclinando a los tribunales civiles ordinarios por la opción de la protección de subcontratistas en vía civil; obligando a la Administración a abonar las cantidades pendientes que el contratista principal les adeudase. En este sentido, son numerosas las sentencias que así lo reconocen.

Mucho se ha escrito y se ha debatido doctrinalmente. En nuestra opinión, parece que existía una cierta extralimitación de los tribunales civiles que, bajo el argumento de la vis atractiva preferencial civil y la calificación de civil, también, a la acción de reclamación contra la Administración, amparaban a los subcontratistas. Esclarecedora de ello es la Sentencia del Tribunal Supremo de 17 de julio de 2007 (LA LEY 79299/2007) (LA LEY 79299/2007) que, además de proclamar y confirmar la vis atractiva civil declaraba que «el art. 1597 del Código Civil (LA LEY 1/1889) convierte a los acreedores en titulares de una acción, que no es precisamente sustitutiva de la del contratista, sino que se sobrepone a la misma, para hacer valer su crédito por vía directa mediante el pago de su satisfacción a cargo del comitente o dueño de la obra, en razón de que éste retiene sumas dinerarias y resulta deudor de las mismas al contratista o subcontratistas que generaron el débito reclamado por razón de trabajos encargados y materiales que se aportaron». En el mismo sentido se pronunciaron las Sentencias, por ejemplo, de 16 de julio de 2003, de 10 de marzo de 2005 o de 24 de enero de 2006.

De ello se derivaba la admisión de la reclamación en la vía civil con incompetencia en la vía contencioso-administrativa; si bien, también existían sentencias en lo contencioso que afirmaban que la voluntad del legislador había querido excluir la aplicación del art. 1597 CC (LA LEY 1/1889) a las relaciones con la Administración.

La jurisdicción civil, pues, se ha considerado en numerosas ocasiones competente y no ha tenido en cuenta el carácter público de la contratación administrativa. Partía el problema de la propia admisión a trámite de las demandas civiles que los subcontratistas entablaban contra la Administración. Ésta se ha visto frecuentemente, con ello, en una posición ciertamente difícil, ya que, ante los impagos del contratista principal a los subcontratistas, se encontraba con demandas de éstos por la vía jurisdiccional civil. Si interpretaba que no era jurídicamente sostenible (como interpreta una gran parte de la doctrina) que hubiese que pagar a los subcontratistas ante la redacción del TRLCAP (LA LEY 2206/2000) y de la LCSP, se veía ante una demanda civil. Si admitía el pago, suponía someterse a una posible reclamación en lo contencioso por parte del contratista adjudicatario. De lo cual se ha venido infiriendo que dependía ante qué instancia jurisdiccional se formulase la demanda para obtener un resultado u otro.

Admitir la pretensión en vía civil suponía, además del inconveniente de verse demandado en vía contenciosa por el principal, tener que tramitar verdaderos subexpedientes o piezas separadas con los subcontratistas; toda vez que, en cualquier caso, siempre se debería acreditar fehacientemente la veracidad de la deuda, su importe exacto, que la misma estaba vencida, que no había sido abonada previamente por el contratista, que las prestaciones se habían hecho correctamente y valorar todo ello para llegar a considerar si era procedente el pago; convirtiendo a la Administración en juez y parte. Todo ello, por supuesto, desconociendo si pudiese haber pactos privados entre contratista y subcontratistas que podrían establecer determinadas condiciones que el Ayuntamiento ignoraría. Por supuesto, abriendo un expediente contradictorio con el contratista principal para que alegase. Esto suponía un grave riesgo; además de incrementar la carga de trabajo de los funcionarios, que se veían compelidos a posicionarse como lo haría un juez para dar la razón a una u otra parte para, finalmente, acabar ante la jurisdicción civil o la contenciosa.

El art. 227 TR LCSP reitera el precepto que ya se establecía en la normativa anterior. En el apartado 4.º se recuerda que «Los subcontratistas quedarán obligados sólo ante el contratista principal que asumirá, por tanto, la total responsabilidad de la ejecución del contrato frente a la Administración, con arreglo estricto a los pliegos de cláusulas administrativas particulares y a los términos del contrato». Pero, para clarificar definitivamente la materia, introduce un apartado 8.º en el que literalmente se dice que «Los subcontratistas no tendrán en ningún caso acción directa frente a la Administración contratante por las obligaciones contraídas con ellos por el contratista como consecuencia de la ejecución del contrato principal y de los subcontratos.»

Sin embargo, la cuestión aquí planteada es precisamente la contraria, la posibilidad de que la Administración contratante ejerza para con el subcontratista (proveedor) la acción directa por el incumplimiento del contrato. En este sentido, parece claro aplicar la misma lógica que la apuntada anteriormente para el supuesto contrario, lo que nos lleva a la misma conclusión: la Administración no puede ejercer ningún tipo de acción si no es con el contratista principal de la obra, pues es éste quien tiene suscrito el contrato con la misma y, por lo tanto, quien está obligado a su cumplimiento.

Artículo 228 *Pagos a subcontratistas y suministradores*

1. El contratista debe obligarse a abonar a los subcontratistas o suministradores el precio pactado en los plazos y condiciones que se indican a continuación.

2. Los plazos fijados no podrán ser más desfavorables que los previstos en el artículo 216.4 para las relaciones entre la Administración y el contratista, y se computarán desde la fecha de aprobación por el contratista principal de la factura emitida por el subcontratista o el suministrador, con indicación de su fecha y del período a que corresponda.

3. La aprobación o conformidad deberá otorgarse en un plazo máximo de treinta días desde la presentación de la factura. Dentro del mismo plazo deberán formularse, en su caso, los motivos de disconformidad a la misma.

4. El contratista deberá abonar las facturas en el plazo fijado de conformidad con lo previsto en el apartado 2. En caso de demora en el pago, el subcontratista o el suministrador tendrá derecho al cobro de los intereses de demora y la indemnización por los costes de cobro en los términos previstos en la Ley 3/2004, de 29 de diciembre (LA LEY 1704/2004).

5. El contratista podrá pactar con los suministradores y subcontratistas plazos de pago superiores a los establecidos en el presente artículo siempre que dicho pacto no constituya una cláusula abusiva de acuerdo con los criterios establecidos en el artículo 9 de la Ley 3/2004, de 29 de diciembre (LA LEY 1704/2004), y que el pago se instrumente mediante un documento negociable que lleve aparejada la acción cambiaria, cuyos gastos de descuento o negociación corran en su integridad de cuenta del contratista. Adicionalmente, el suministrador o subcontratista podrá exigir que el pago se garantice mediante aval.

Concordancias a todo el artículo

➡ **Concordancias normativas**

Artículo 211 de la LCSP 30/2007 y artículo 116 del TRLCAP RDL 2/2000.

Véase artículo 217 de la presente Ley.

✉ **Consultas**

• **La garantía definitiva no responde de la falta de pago del contratista al subcontratista**

¿Podría responder la fianza definitiva de la falta de pago del contratista al subcontratista una vez finalizada y liquidada la obra?

[11/05/2009 EC 1420/2009]

Ver respuesta en artículo 100

TÍTULO II

Normas especiales para contratos de obras, concesión de obra pública, gestión de servicios públicos, suministros, servicios y de colaboración entre el sector público y el sector privado

CAPÍTULO I

Contrato de obras

Sección 1
Ejecución del contrato de obras

Artículo 229 *Comprobación del replanteo*

La ejecución del contrato de obras comenzará con el acta de comprobación del replanteo. A tales efectos, dentro del plazo que se consigne en el contrato que no podrá ser superior a un mes desde la fecha de su formalización salvo casos excepcionales justificados, el servicio de la Administración encargada de las obras procederá, en presencia del contratista, a efectuar la comprobación del replanteo hecho previamente a la licitación, extendiéndose acta del resultado que será firmada por ambas partes interesadas, remitiéndose un ejemplar de la misma al órgano que celebró el contrato.

➡ **Concordancias normativas**

Artículo 212 de la LCSP 30/2007 y artículo 142 del TRLCAP RDL 2/2000.

Artículo 230 *Ejecución de las obras y responsabilidad del contratista*

1. Las obras se ejecutarán con estricta sujeción a las estipulaciones contenidas en el pliego de cláusulas administrativas particulares y al proyecto que sirve de base al contrato y conforme a las instrucciones que en interpretación técnica de éste dieren al contratista el Director facultativo de las obras, y en su caso, el responsable del contrato, en los ámbitos de su respectiva competencia.

2. Cuando las instrucciones fueren de carácter verbal, deberán ser ratificadas por escrito en el más breve plazo posible, para que sean vinculantes para las partes.

3. Durante el desarrollo de las obras y hasta que se cumpla el plazo de garantía el contratista es responsable de los defectos que en la construcción puedan advertirse.

➡ **Concordancias normativas**

Artículo 213 de la LCSP 30/2007 y artículo 143 del TRLCAP RDL 2/2000.

Véanse artículos 237 a) y 239.2 de la presente Ley.

Artículo 231 *Fuerza mayor*

1. En casos de fuerza mayor y siempre que no exista actuación imprudente por parte del contratista, éste tendrá derecho a una indemnización por los daños y perjuicios que se le hubieren producido.

2. Tendrán la consideración de casos de fuerza mayor los siguientes:

a) Los incendios causados por la electricidad atmosférica.

b) Los fenómenos naturales de efectos catastróficos, como maremotos, terremotos, erupciones volcánicas, movimientos del terreno, temporales marítimos, inundaciones u otros semejantes.

c) Los destrozos ocasionados violentamente en tiempo de guerra, robos tumultuosos o alteraciones graves del orden público.

✉   **Consultas**

• **El concierto como modo de gestión de los servicios públicos subsiste tras la entrada en vigor de la LCSP.**

Por un ayuntamiento capital de provincia se pretende formalizar convenio con los municipios de su alfoz para que estos conecten sus emisarios de aguas residuales y depuren en la EDAR del primero, gestionada a través de concesionario, cobrando un canon de utilización. ¿Es legal este planteamiento? ¿Sigue existiendo el concierto con la nueva LCSP?

[30/07/2008 EC 2444/2008]

Contestación

El concierto con persona natural o jurídica se regula en el art. 253 c) de la Ley 30/2007, de 30 de octubre (EC 3697/2007), de Contratos del Sector Público (LCSP) como una de las modalidades de contratación de la gestión de servicios públicos. Es una fórmula contractual que permite a la Administración Pública titular del servicio valerse, en forma indirecta, de establecimientos, instalaciones y medios personales y técnicos de una empresa ya constituida con fines parecidos, mediante la correspondiente compensación económica. Dicha compensación económica, de acuerdo con el art. 146 del Reglamento de Servicios de las Corporaciones Locales (RS), aprobado por Decreto de 17 de junio de 1955, se fijará en un tanto alzado inalterable, bien por la totalidad del servicio en un tiempo determinado, o por unidades de precio fijo. Se trata de un contrato que se suscribe a riesgo y ventura del contratista, no obstante la posible revisión de precios que autoriza la LCSP, y en el que, como ha declarado la jurisprudencia, STS de 14 de mayo de 1999 (ponente: CANCER LALANNE), no resulta aplicable el principio de mantenimiento del equilibrio financiero, que es únicamente predicable respecto de la concesión administrativa, salvo que ese desequilibrio se derive de la concurrencia de la causa de fuerza mayor específicamente regulada en el art. 214.2 LCSP.

Es una fórmula que puede operar tanto entre entidades locales y personas físicas o jurídicas privadas, en cuyo caso constituye un contrato, como entre Entidades Locales y otras Administraciones Públicas, en cuyo caso ha de adoptar la forma de convenio. Igualmente, es uno de los supuestos en los que se da la nota de extraterritorialidad, en cuanto el art. 145.1 RS permite celebrarlo con personas o entidades que radiquen fuera del término municipal. No da lugar al nacimiento de una nueva persona jurídica, ni aun en el caso de que el concierto se celebre entre administraciones, pues en tal caso estaríamos ante entidades de derecho público de naturaleza asociativa, como las mancomunidades o consorcios administrativos, que son modalidades diferentes. Y, finalmente, nota característica es la de su transitoriedad, como ha señalado el Tribunal Supremo en Sentencia de 21 de febrero de 1990 (ponente: DE ORO-PULIDO LÓPEZ), en cuanto tiene su duración condicionada a un plazo máximo, que en el art. 144.1 RS es de 10 años, límite que cabe entender modificado por el art. 254 LCSP, de carácter básico.

Por tanto, es posible el planteamiento a que se refiere la consulta, pues sigue existiendo la figura del concierto como modo de gestión de los servicios públicos, tras la entrada en vigor de la LCSP.

Concordancias a todo el artículo

→ Concordancias normativas

Artículo 214 de la LCSP 30/2007 y artículo 144 del TRLCAP RDL 2/2000.

☞ Concordancias Jurisprudenciales

Tribunal Superior de Justicia de Galicia, Sala de lo Contencioso-administrativo, Sección 2.ª, Sentencia de 16 Feb. 2012, rec. 4582/2011

[LA LEY 21748/2012]

CONTRATOS ADMINISTRATIVOS. Libertad de pactos y contenido mínimo del contrato. -- Cumplimiento. Obligaciones del contratista. -- Cumplimiento. Incumplimiento. Fuerza mayor. PRUEBA. Carga de la prueba. Proceso Contencioso-Administrativo. -- Apreciación de la prueba. Apreciación conjunta de la prueba. Proceso Contencioso-Administrativo.

Tribunal Supremo, Sala Tercera, de lo Contencioso-administrativo, Sección 4.ª, Sentencia de 10 Mar. 2008, rec. 5816/2005

[LA LEY 20955/2008]

CONTRATO ADMINISTRATIVO DE OBRAS. Indemnización por los daños y perjuicios derivados de la paralización de obras por causa de fuerza mayor. Supuesto en el que resulta de aplicación la Ley de Contratos de las Administraciones Públicas. Inclusión de todos los daños efectivos o reales que hubiere sufrido el contratista. Pueden tomarse en cuenta tanto el daño emergente como el lucro cesante y, por ende, comprende tanto los perjuicios materiales que abarcan las unidades de obras ejecutadas pero destruidas, las pérdidas de instalaciones, materiales y equipos necesarios para las obras, el deterioro de la maquinaria, como los perjuicios derivados por su paralización y el coste financiero ya que todos esos conceptos se engloban en el marco legal aplicable.

⊠ **Consultas**

• **Abastecimiento de aguas.— Gestión indirecta y equilibrio económico. Interpretación del artículo 258.4.c LCSP**

¿Es obligatorio restablecer el desequilibrio económico de una concesión de suministro domiciliario de agua por el aumento de las tarifas eléctricas? ¿Puede denegarse por no encontrarse en los supuestos establecidos en la LCSP?

[03/12/2009 EC 3578/2009]

Contestación

Antes de entrar a analizar el caso concreto, parece necesario realizar algunas precisiones generales en relación con el principio del mantenimiento del equilibrio económico en las concesiones. La reclamación de una supuesta ruptura del equilibrio económico concesional es una constante de las empresas concesionarias (muy especialmente en los sectores de recogida de residuos y de abastecimiento y depuración de aguas, pero también en transportes, gestión de instalaciones deportivas etc.). Frente a estas reclamaciones, pocas veces, si es que hay alguna, las Entidades locales reclaman a los concesionarios el restablecimiento del equilibrio económico en su favor.

Los precedentes normativos de la actual regulación del principio son escasos, y la construcción jurisprudencial existente nunca se pronunció claramente sobre determinados extremos: no acota cuestiones elementales como el porcentaje de riesgo que siempre ha de asumir el contratista, o el reparto del desequilibrio entre ambas partes en caso de acreditarse éste, o incluso las causas que pueden justificar esa demanda de restablecimiento del desequilibrio producido. Por ello, los pliegos siempre han sido un arma fundamental frente a las peticiones de los concesionarios en esta materia.

Ciertamente, como indica la entidad consultante, en el artículo 214 de la Ley 30/2007, de 30 de octubre (BOE del 31), de Contratos del Sector Público (LCSP), dedicado al mantenimiento del equilibrio económico en la concesión bajo la denominación «Modificación del contrato y mantenimiento de su equilibrio económico», se recogen dos de los tres grupos de causas que tradicionalmente se ha considerado que podrían originar la ruptura del equilibrio económico según la doctrina de manera similar a la que hasta ahora se aplicaban: por un acuerdo del órgano de contratación de modificación del contrato (ius variandi, artículo 258.4.a); o una decisión de política general (factum principis, artículo 258.4.b); y una reformulación del tercero, una circunstancia totalmente imprevisible (riesgo imprevisible), pero de un modo más limitado, circunscrito a la fuerza mayor según se define en el artículo 214 LCSP.

Parece, a primera vista, que, como indica el consultante, podríamos pensar que cualquier otra circunstancia diferente de lo definido en la norma como fuerza mayor no es capaz de desvirtuar el equilibrio financiero de la concesión; y, por lo tanto, podría admitirse la negativa municipal a lo solicitado por el concesionario, ya que el incremento de las tarifas eléctricas no entra dentro del ámbito del artículo 214 LCSP.

A favor de esta orientación restrictiva de la LCSP, lo que puede suponer, en definitiva, una variación en las circunstancias del contrato más que restablecer el equilibrio financiero, conlleva la introducción de nuevos elementos de compensación que minimizan el riesgo que debe asumir el contratista para que pueda considerarse el contrato como de gestión de servicio público, con todo lo que ello supone en cuanto a la calificación del contrato y la elección del tipo contractual puede leerse el Dictamen de la Comisión de las Comunidades Europeas dirigido al Reino de España el 1 de diciembre de 2008 en el procedimiento de infracción número 2008/2014, debido a la incompatibilidad, entre otros, del artículo 258 LCSP con los artículos 2,28,31 y 61 de la Directiva 2004/18/CE, con los artículos 10 y 40 de la Directiva 2004/17/CE y con los principios de igualdad de trato, no discriminación y transparencia que se derivan tanto de la normativa citada como de los artículos 12, 43 y 49 del Tratado de la Comunidad Europea.

Sin embargo, y hasta que no exista modificación normativa, en su caso, es de suponer que la LCSP se interprete bajo las construcciones doctrinales y jurisprudenciales existentes con la normativa anterior. Máxime cuando el Reglamento de Servicios de las Corporaciones Locales (RS), aprobado por Decreto de 17 de junio de 1955, sigue conteniendo la previsión del artículo 127.2.2 de mantener el equilibrio financiero de las concesiones de servicios.

Recordemos, en primer lugar, que el mantenimiento del equilibrio económico actúa como sistema extraordinario de revisión de precios cuando el sistema de compensación ordinario que supone la revisión de precios no es suficiente para compensar el desequilibrio que ha sufrido el contratista. Es precisamente en los artículos dedicados a la revisión de precios, concretamente en el artículo 79 LCSP relativo a las fórmulas, donde aparece la siguiente previsión:

«Cuando por circunstancias excepcionales la evolución de los costes de mano de obra o financieros acaecida en un periodo experimente desviaciones al alza que puedan reputarse como impredecibles en el momento de la adjudicación del contrato, el Consejo de Ministros o el órgano competente de las Comunidades Autónomas podrá autorizar, con carácter transitorio, la introducción de factores correctores de esta desviación para su consideración en la revisión del precio, sin que, en ningún caso, puedan superar el 80 por 100 de la desviación efectivamente producida. Se considerará que concurren las circunstancias a que se refiere el párrafo anterior cuando la evolución del deflactor del Producto Interior Bruto oficialmente determinado por el Instituto Nacional de Estadística supere en 5 puntos porcentuales las previsiones macroeconómicas oficiales efectivas en el momento de la adjudicación o el tipo de interés de las letras del Tesoro supere en cinco puntos porcentuales al último disponible en el momento de la adjudicación del contrato. Los pliegos de cláusulas administrativas particulares podrán incluir las referencias a las previsiones macroeconómicas y tipo de interés existentes en el momento de la licitación».

Su construcción recuerda a la jurisprudencial en torno al riesgo imprevisible, pero tratando de incluir algunos límites claros: atribución a ambas partes del gasto (hasta el 80% puede ser soportado por la Administración, nunca más; el deflactor del PIB debe estar 5 puntos porcentuales por encima de las previsiones, y sólo para costes de mano de obra o financieros).

El caso planteado no entraría siguiera en este supuesto, puesto que se aduce una elevación de tarifas eléctricas. Sin embargo, si se quiere entrar a examinar la solicitud, por evitar un conflicto jurisdiccional, habría que examinarla a la luz de los principios manejados por la jurisprudencia en relación al mantenimiento del equilibrio en estos casos de riesgo imprevisible:

— El desequilibrio en la economía del contrato ha de haberse producido por circunstancias independientes de la buena gestión del empresario y que éste no hubiera podido prever normalmente [STS de 6 de octubre de 1992, Recurso núm. 3718/1990, Ponente, García Estartús; y STSJ de Madrid de 27 de enero de 2005, Recurso contencioso-administrativo núm. 1139/2001, Ponente Arana Azpitarte].

— Simultáneamente habrán de analizarse detalladamente los demás gastos y la evolución de los ingresos.

— Si, finalmente, se constatase que el aumento de gastos que alega la empresa concesionaria es efectivamente extraordinario e imprevisible para ella en el momento de presentar su oferta, debe precisarse el quantum exacto del «desequilibrio» que no ha sido compensado por la revisión ordinaria de precios prevista en el contrato.

— A continuación entra en juego un principio jurisprudencial básico en materia de mantenimiento del equilibrio económico: el reparto del desequilibrio entre ambas partes.

En conclusión, y a pesar de no existir previsión legal para el caso planteado, es posible su examen bajo el prisma de la construcción jurisprudencial del mantenimiento del equilibrio económico en las concesiones de servicios; teniendo en cuenta que para determinar la ruptura del equilibrio económico no es suficiente con constatar un incremento determinado en alguno de los costes, se han de analizar el resto de gastos y la evolución de los ingresos. La prueba de la ruptura corre a cargo de quien la alega y ha de ser independiente de la buena gestión de concesionario o de errores en sus cálculos económicos sobre la evolución de los gastos. Acreditado el desequilibrio objetivo, deben repartirse sus consecuencias entre el Ayuntamiento y el adjudicatario.

Artículo 232 *Certificaciones y abonos a cuenta*

1. A los efectos del pago, la Administración expedirá mensualmente, en los primeros diez días siguientes al mes al que correspondan, certificaciones que comprendan la obra ejecutada durante dicho período de tiempo, salvo prevención en contrario en el pliego de cláusulas administrativas particulares, cuyos abonos tienen el concepto de pagos a cuenta sujetos

a las rectificaciones y variaciones que se produzcan en la medición final y sin suponer en forma alguna, aprobación y recepción de las obras que comprenden.

2. El contratista tendrá también derecho a percibir abonos a cuenta sobre su importe por las operaciones preparatorias realizadas como instalaciones y acopio de materiales o equipos de maquinaria pesada adscritos a la obra, en las condiciones que se señalen en los respectivos pliegos de cláusulas administrativas particulares y conforme al régimen y los límites que con carácter general se determinen reglamentariamente, debiendo asegurar los referidos pagos mediante la prestación de garantía.

⊠   **Consultas**

• **Garantías que deben prestarse en caso de acopio de materiales**

En caso de solicitud de abonos a cuenta de contratista de obras en concepto de acopio de materiales, ¿qué garantía debe exigirse?

[14/01/2010 EC 173/2010]

Contestación

Señalamos en nuestra obra «Contratación del Sector Público Local» (EL CONSULTOR, 2008), el artículo 215.2 de la Ley 30/2007, de 30 de octubre (BOE del 31), de Contratos del Sector Público (LCSP) se remite a la normativa reglamentaria; constituida por los arts. 155 a 157 del Reglamento General de la Ley de Contratos de las Administraciones Públicas (RCAP), aprobado por Real Decreto 1098/2001, de 12 de octubre (BOE del 26), para fijar los requisitos que han de cumplirse para poder abonar estos pagos a cuenta, y que se puede resumir en los siguientes:

1. Que se encuentre previsto en los Pliegos de Cláusulas Administrativas Particulares. En este sentido se pronunció ya el informe de la JCCA 19/1998 de 30 de junio que señalaba, entre otras cosas, que «(...) los pliegos de cláusulas administrativas particulares cumplen la función de regular expresamente respecto de cada contrato sus aspectos singulares, que serán el resultado de su propio objeto, por lo que es evidente que será el pliego de cláusulas administrativas particulares, como expresión de los pactos y condiciones a que lleguen la Administración y el contratista,

el que determinará los límites concretos de los abonos a cuenta (...). Tal criterio se corrobora por lo dispuesto en el citado artículo 50 de la misma Ley, cuando establece que los pliegos de cláusulas administrativas particulares incluirán los pactos y condiciones definidoras de los derechos y obligaciones que asumirán las partes del contrato, y en el supuesto que se plantea es evidente que corresponde al órgano de contratación definir la procedencia de los abonos a cuenta y los límites y condiciones que se fijan para hacerse efectivos (...)».

2. Que exista previa autorización del órgano de contratación.

3. Que exista petición expresa del contratista, acompañando documentación justificativa de la propiedad o posesión de los materiales, así como de la disponibilidad de las instalaciones y maquinaria.

4. Que hayan sido recibidos como útiles y almacenados en la obra o lugares autorizados para ello.

5. Que no exista peligro de que los materiales recibidos, las instalaciones o la maquinaria sufran deterioro o desaparezcan.

6. Que el contratista preste su conformidad al plan de devolución que realice la dirección de obra.

7. Que exista consignación presupuestaria suficiente procediendo solo el abono de la valoración realizada por la dirección de obra cuando exista crédito suficiente con cargo a la anualidad correspondiente en el ejercicio económico vigente. En el caso de que no se pudiera cubrir la totalidad del abono a cuenta reflejado en la relación valorada, se procederá al abono que corresponda al crédito disponible de la anualidad del ejercicio económico de que se trate.

8. Que se preste la garantía correspondiente a la que será aplicable el régimen general de las garantías establecido por la normativa de contratos.

Por tanto, por aplicación del art. 157 RCAP, habrá que estar a lo señalado en el art. 84 LCSP.

Dicho precepto legal, bajo la rúbrica de «garantías admitidas» dispone, en su apartado 1, que las garantías exigidas en los contratos celebrados con las Administraciones Públicas podrán prestarse en alguna de las siguientes formas:

a) En efectivo o en valores de Deuda Pública, con sujeción, en cada caso, a las condiciones establecidas en las normas de desarrollo de esta Ley. El efectivo y los certificados de inmovilización de los valores anotados se depositarán en la Caja General de Depósitos o en sus sucursales encuadradas en las Delegaciones de Economía y Hacienda, o en las Cajas o establecimientos públicos equivalentes de las Comunidades Autónomas o Entidades locales contratantes ante las que deban surtir efectos, en la forma y con las condiciones que las normas de desarrollo de esta Ley establezcan.

b) Mediante aval, prestado en la forma y condiciones que establezcan las normas de desarrollo de esta Ley, por alguno de los bancos, cajas de ahorros, cooperativas de crédito, establecimientos financieros de crédito y sociedades de garantía recíproca autorizados para operar en España, que deberá depositarse en los establecimientos señalados en la letra a) anterior.

c) Mediante contrato de seguro de caución, celebrado en la forma y condiciones que las normas de desarrollo de esta Ley establezcan, con una entidad aseguradora autorizada para operar en el ramo. El certificado del seguro deberá entregarse en los establecimientos señalados en la letra a) anterior.

Concordancias a todo el artículo

➡ **Concordancias normativas**

Artículo 215 de la LCSP 30/2007 y artículo 145 del TRLCAP RDL 2/2000.

☞ **Concordancias Jurisprudenciales**

Tribunal Superior de Justicia de Les Illes Balears, Sala de lo Contencioso-administrativo, Sentencia de 30 Mar. 2010, rec. 443/2006

CONTRATO ADMINISTRATIVO DE OBRAS. Ejecución. Pago del precio. Obligados al pago. -- Ejecución. Pago del precio. Certificaciones. -- Ejecución. Pago del precio. Mora. Intereses.

Tribunal Superior de Justicia de Les Illes Balears, Sala de lo Contencioso-administrativo, Sentencia de 23 Abr. 2009, rec. 43/2009

CONTRATO ADMINISTRATIVO DE OBRAS. Ejecución. Pago del precio. Certificaciones. -- Ejecución. Pago del precio. Mora. Intereses.

Artículo 233 *Obras a tanto alzado y obras con precio cerrado*

1. Cuando la naturaleza de la obra lo permita, se podrá establecer el sistema de retribución a tanto alzado, sin existencia de precios unitarios, de acuerdo con lo establecido en los apartados siguientes cuando el criterio de retribución se configure como de precio cerrado o en las circunstancias y condiciones que se determinen en las normas de desarrollo de esta Ley para el resto de los casos.

2. El sistema de retribución a tanto alzado podrá, en su caso, configurarse como de precio cerrado, con el efecto de que el precio ofertado por el adjudicatario se mantendrá invariable no siendo abonables las modificaciones del contrato que sean necesarias para corregir errores u omisiones padecidos en la redacción del proyecto conforme a lo establecido en las letras a) y b) del apartado 1 del artículo 107.

3. La contratación de obras a tanto alzado con precio cerrado requerirá que se cumplan las siguientes condiciones:

a) Que así se prevea en el pliego de cláusulas administrativas particulares del contrato, pudiendo éste establecer que algunas unidades o partes de la obra se excluyan de este sistema y se abonen por precios unitarios.

b) Las unidades de obra cuyo precio se vaya a abonar con arreglo a este sistema deberán estar previamente definidas en el proyecto y haberse replanteado antes de la licitación. El órgano de contratación deberá garantizar a los interesados el acceso al terreno donde se ubicarán las obras, a fin de que puedan realizar sobre el mismo las comprobaciones que consideren oportunas con suficiente antelación a la fecha límite de presentación de ofertas.

c) Que el precio correspondiente a los elementos del contrato o unidades de obra contratados por el sistema de tanto alzado con precio cerrado sea abonado mensualmente, en la misma proporción que la obra ejecutada en el mes a que corresponda guarde con el total de la unidad o elemento de obra de que se trate.

d) Cuando, de conformidad con lo establecido en el apartado 2 del artículo 147, se autorice a los licitadores la presentación de variantes o mejoras sobre determinados elementos o unidades de obra que de acuerdo con el pliego de cláusulas administrativas particulares del contrato deban ser ofertadas por el precio cerrado, las citadas variantes deberán ser ofertadas bajo dicha modalidad.

En este caso, los licitadores vendrán obligados a presentar un proyecto básico cuyo contenido se determinará en el pliego de cláusulas administrativas particulares del contrato.

El adjudicatario del contrato en el plazo que determine dicho pliego deberá aportar el proyecto de construcción de las variantes o mejoras ofertadas, para su preceptiva supervisión y aprobación. En ningún caso el precio o el plazo de la adjudicación sufrirá variación como consecuencia de la aprobación de este proyecto.

Concordancias a todo el artículo

➡ **Concordancias normativas**

Artículo 216 de la LCSP 30/2007 y artículo 126 del TRLCAP RDL 2/2000.

Artículo 233 redactado por el apartado diecisiete de la disposición final decimosexta de la Ley 2/2011, de 4 de marzo, de Economía Sostenible («B.O.E». 5 marzo).

☞ **Concordancias Jurisprudenciales**

Audiencia Provincial de Barcelona, Sección 16.ª, Sentencia de 27 Dic. 2011, rec. 912/2010

CONTRATO ADMINISTRATIVO DE OBRAS. ENRIQUECIMIENTO INJUSTO. SUBCONTRATA DE OBRAS O SERVICIOS.

Sección 2

Modificación del contrato de obras

Artículo 234 *Modificación del contrato de obras*

1. Serán obligatorias para el contratista las modificaciones del contrato de obras que se acuerden de conformidad con lo establecido en el artículo 219 y en el título V del libro I.

En caso de que la modificación suponga supresión o reducción de unidades de obra, el contratista no tendrá derecho a reclamar indemnización alguna.

2. Cuando las modificaciones supongan la introducción de unidades de obra no previstas en el proyecto o cuyas características difieran de las fijadas en éste, los precios aplicables a las mismas serán fijados por la Administración, previa audiencia del contratista por plazo mínimo de tres días hábiles. Si éste no aceptase los precios fijados, el órgano de contratación podrá contratarlas con otro empresario en los mismos precios que hubiese fijado o ejecutarlas directamente.

⊠ Consultas

• **¿Están afectadas las unidades nuevas por la baja de adjudicación?**

Contratación Administrativa Práctica, N° 77, Sección Usted Pregunta, Julio 2008, pág. 10, Editorial LA LEY

[LA LEY 890/2008]

Respuesta

Con la finalidad de ir centrando la respuesta a esta cuestión, comencemos señalando que del texto de la pregunta se deduce que estamos hablando de un contrato de obra.

Además, y más en concreto, parece que nos encontramos ante un contrato modificado puesto que las unidades de obras nuevas se introducen vía este tipo de adicional.

Por todo ello, debemos acudir al artículo 217.2 (LA LEY 10868/2007) de la LCSP que expresamente dispone que «cuando las modificaciones supongan la introducción de unidades de obra no comprendidas en el proyecto o cuyas características difieran sustancialmente de ellas, los precios de aplicación de las mismas serán fijados por la Administración, previa audiencia del contratista por plazo mínimo de tres días hábiles. Si éste no aceptase los precios fijados, el órgano de contratación podrá contratarlas con otro empresario en los mismos precios que hubiese fijado o ejecutarlas directamente. La contratación con otro empresario podrá realizarse por el procedimiento negociado sin publicidad, siempre que su importe no exceda del 20 por ciento del precio primitivo del contrato.»

En conclusión, los precios de las unidades de obra nueva serán fijados por la Administración, previa audiencia del contratista.

3. Cuando el Director facultativo de la obra considere necesaria una modificación del proyecto, recabará del órgano de contratación autorización para iniciar el correspondiente expediente, que se sustanciará con carácter de urgencia con las siguientes actuaciones:

a) Redacción de la modificación del proyecto y aprobación técnica de la misma.

b) Audiencia del contratista y del redactor del proyecto, por plazo mínimo de tres días.

c) Aprobación del expediente por el órgano de contratación, así como de los gastos complementarios precisos.

No obstante, podrán introducirse variaciones sin necesidad de previa aprobación cuando éstas consistan en la alteración en el número de unidades realmente ejecutadas sobre las previstas en las mediciones del proyecto, siempre que no representen un incremento del gasto superior al 10 por ciento del precio primitivo del contrato.

⊠ **Consultas**

• **Necesidad de crédito presupuestario para las variaciones sobre las unidades de obra ejecutadas que impliquen mayor gasto**

En el caso de la modificación de un contrato de obras que implique un aumento del 7% sobre las unidades previstas ¿es necesario la existencia de crédito presupuestario?

[20/11/2009 EC 3443/2009]

Contestación

El art. 217.3 de la Ley 30/2007, de 30 de octubre (BOE del 31), de Contratos del Sector Público (LCSP), al regular las modificaciones del contrato de obras, ha incluido, como excepción a la necesidad de aprobación del expediente por el órgano de contratación, el supuesto que contiene el artículo 160.1 Reglamento General de la Ley de Contratos de las Administraciones Publicas (RCAP), aprobado por Real Decreto 1098/2001, de 12 de octubre (BOE del 26), que bajo la rúbrica de variaciones sobre las unidades de obras ejecutadas, dispone que sólo podrán introducirse variaciones sin previa aprobación cuando consistan en la alteración en el número de unidades realmente ejecutadas sobre las previstas en las mediciones del proyecto, siempre que no representen un incremento del gasto superior al 10 por 100 del precio primitivo del contrato, Impuesto sobre el Valor Añadido excluido.

En cuanto a su tramitación, dispone el artículo 160.2 RCAP que estas variaciones se irán incorporando a las relaciones valoradas mensuales y deberán ser recogidas y abonadas en las certificaciones mensuales, conforme a lo prescrito en el artículo 145 (hoy 215 LCSP) de la Ley, o con cargo al crédito adicional del 10 por 100 a que alude la disposición adicional decimocuarta de la Ley, en la certificación final a que se refiere el artículo 147.1 (hoy 218 LCSP) de la Ley, una vez cumplidos los trámites señalados en el artículo 166 de este Reglamento.

Debe tenerse en cuenta la disposición final segunda de la LCSP, por la que se modifica el segundo párrafo del apartado 2 del artículo 47 de la Ley 47/2003, de 26 de noviembre (BOE del 27), General Presupuestaria (LGP 2003), que queda redactado en los siguientes términos: «En los contratos de obra de carácter plurianual, con excepción de los realizados bajo la modalidad de abono total del precio, se efectuará una retención adicional de crédito del 10 por ciento del importe de adjudicación, en el momento en que ésta se realice. Esta retención se aplicará al ejercicio en que finalice el plazo fijado en el contrato para la terminación de la obra o al siguiente, según el momento en que se prevea realizar el pago de la certificación final. Estas retenciones computarán dentro de los porcentajes establecidos en este artículo». Se está recogiendo, por tanto, a través de la Ley General Presupuestaria, la norma que se contenía en la disposición adicional decimocuarta del Texto Refundido de la Ley de Contratos de las Administraciones Públicas (TR LCAP), aprobado por Real Decreto Legislativo 2/2000, de 16 de junio (BOE del 21).

Como vemos, la ley sólo se preocupa del caso de los contratos plurianuales, en los que exige que se realice esa retención de crédito adicional del 10 %, pero no dice nada respecto a los contratos de obras que no exceden de un ejercicio, pero en lo que también puede haber defectos de mediciones que impliquen el que se realicen más unidades de obra de las establecidas en el proyecto. Es obvio que con arreglo al principio presupuestario de especialidad cuantitativa, a cuyo tenor no podrán adquirirse compromisos de gastos por importe superior a los créditos presupuestados, será necesaria la previa retención de crédito para poder aprobar las certificaciones de obras donde se introduzcan los excesos de medición.

Podemos concluir que, para poder introducir variaciones sobre las unidades de obra ejecutadas que impliquen mayor gasto del presupuestado, será necesario previamente que se acredite la existencia de crédito presupuestario.

4. Cuando la tramitación de un modificado exija la suspensión temporal parcial o total de la ejecución de las obras y ello ocasione graves perjuicios para el interés público, el Ministro, si se trata de la Administración General del Estado, sus Organismos autónomos, Entidades gestoras y Servicios comunes de la Seguridad Social y demás Entidades públicas estatales, podrá acordar que continúen provisionalmente las mismas tal y como esté previsto en la propuesta técnica que elabore la dirección facultativa, siempre que el importe máximo previsto no supere el 10 por ciento del precio primitivo del contrato y exista crédito adecuado y suficiente para su financiación.

El expediente de modificado a tramitar al efecto exigirá exclusivamente la incorporación de las siguientes actuaciones:

a) Propuesta técnica motivada efectuada por el director facultativo de la obra, donde figure el importe aproximado de la modificación así como la descripción básica de las obras a realizar.

b) Audiencia del contratista.

c) Conformidad del órgano de contratación.

d) Certificado de existencia de crédito.

En el plazo de seis meses deberá estar aprobado técnicamente el proyecto, y en el de ocho meses el expediente del modificado.

Dentro del citado plazo de ocho meses se ejecutarán preferentemente, de las unidades de obra previstas, aquellas partes que no hayan de quedar posterior y definitivamente ocultas. La autorización del Ministro para iniciar provisionalmente las obras implicará en el ámbito de la Administración General del Estado, sus Organismos autónomos y Entidades gestoras y Servicios comunes de la Seguridad Social la aprobación del gasto, sin perjuicio de los ajustes que deban efectuarse en el momento de la aprobación del expediente del gasto.

➡ **Concordancias normativas**

Artículo 234 redactado por el apartado dieciocho de la disposición final decimosexta de la Ley 2/2011, de 4 de marzo, de Economía Sostenible («B.O.E». 5 marzo).

Concordancias a todo el artículo

➡ **Concordancias normativas**

Artículo 217 de la LCSP 30/2007 y artículo 146 del TRLCAP RDL 2/2000.

⊠ **Consultas**

• **Modificación de obras sin tramitación previa del expediente de modificación**

Cómo debe actuarse en el caso de unas obras que ya han finalizado y se han introducido modificaciones (unidades de obras nuevas, reducción en unidades del proyecto, etc.) sin que se haya tramitado expediente de modificado. El contratista no tiene culpa alguna, pues realizó sobre la marcha las modificaciones que el funcionario municipal (que actuó como Director de Obra) le iba planteando. El contratista solicita se reciban las obras puesto que hace meses que están terminadas. ¿Pueden recibirse las obras a pesar de que las mismas no se ajustan al proyecto aprobado? ¿Puede tramitarse un expediente de modificación a pesar de que las obras ya hace meses que finalizaron? Si no se tramita un modificado, ¿Cómo certifica el director de obra las unidades no contempladas en el proyecto original y único aprobado?

Contratación Administrativa Práctica, Nº 94, Sección Usted Pregunta, Febrero 2010, Editorial LA LEY

[LA LEY 63/2010]

Respuesta

Quizá lo primero que debemos señalar es que de acuerdo con el último inciso del apartado 3.º del artículo 217 de la LCSP (LA LEY 10868/2007) «podrán introducirse variaciones sin necesidad de previa aprobación cuando éstas consistan en la alteración en el número de unidades realmente ejecutadas sobre las previstas en las mediciones del proyecto, siempre que no representen un incremento del gasto superior al 10% del precio primitivo del contrato.»

Vamos a suponer que aunque en la consulta no se menciona, se ha superado dicho porcentaje en el caso que se nos plantea.

El artículo 213.1.º de la LCSP (LA LEY 10868/2007) al regular la ejecución de las obras y la responsabilidad del contratista señala que «las obras se ejecutarán con estricta sujeción a las estipulaciones contenidas en el pliego de cláusulas administrativas particulares y al proyecto que sirve de base al contrato y conforme a las instrucciones que en interpretación técnica de éste dieren al contratista el Director facultativo de las obras, y en su caso, el responsable del contrato, en los ámbitos de su respectiva competencia.

Sin embargo, el apartado 2.º (LA LEY 10868/2007)de este mismo artículo dispone que «cuando las instrucciones fueren de carácter verbal, deberán ser ratificadas por escrito en el más breve plazo posible, para que sean vinculantes para las partes.»

En consecuencia, el Director de las obras debió haber puesto por escrito las órdenes verbales que dio al contratista para posteriormente exigírselas al contratista, certificarlas y pagarlas.

Por su parte, no debemos olvidar que cuando el Director de las obras entienda que es necesario tramitar una modificación de las obras, debe ajustarse a las exigencias formales y esenciales previstas en la LCSP. En concreto, el artículo 217.3. de la LCSP (LA LEY 10868/2007) exige que «cuando el Director facultativo de la obra considere necesaria una modificación del proyecto, recabará del órgano de contratación autorización para iniciar el correspondiente expediente, que se sustanciará con carácter de urgencia con las siguientes actuaciones:

• Redacción de la modificación del proyecto y aprobación técnica de la misma.

• Audiencia del contratista, por plazo mínimo de tres días.

• Aprobación del expediente por el órgano de contratación, así como de los gastos complementarios precisos».

Por lo tanto, parece bastante obvio que el Director de las obras no se ajustó a las obligaciones que le impone la normativa de contratación.

Una posible solución para resolver «este despiste» podría ser, de un modo excepcional, la tramitación de un reconocimiento extrajudicial de créditos conforme al artículo 79 de la Ley General Presupuestaria (LA LEY 1781/2003).

Este tipo de incidencias son frecuentes en la actividad ordinaria de contratación administrativa por parte de los órganos de contratación. Sin embargo, deben evitarse pues conlleva no sólo una clara infracción de la LCSP sino además una importante inseguridad jurídica tanto para el contratista como para el órgano de contratación.

Sección 3

Cumplimiento del contrato de obras

Artículo 235 *Recepción y plazo de garantía*

1. A la recepción de las obras a su terminación y a los efectos establecidos en el artículo 222.2 concurrirá el responsable del contrato a que se refiere el artículo 52 de esta Ley, si se hubiese nombrado, o un facultativo designado por la Administración representante de ésta, el facultativo encargado de la dirección de las obras y el contratista asistido, si lo estima oportuno, de su facultativo.

Dentro del plazo de tres meses contados a partir de la recepción, el órgano de contratación deberá aprobar la certificación final de las obras ejecutadas, que será abonada al contratista a cuenta de la liquidación del contrato en el plazo previsto en el artículo 216.4 de esta Ley.

2. Si se encuentran las obras en buen estado y con arreglo a las prescripciones previstas, el funcionario técnico designado por la Administración contratante y representante de ésta, las dará por recibidas, levantándose la correspondiente acta y comenzando entonces el plazo de garantía.

Cuando las obras no se hallen en estado de ser recibidas se hará constar así en el acta y el Director de las mismas señalará los defectos observados y detallará las instrucciones precisas fijando un plazo para remediar aquéllos. Si transcurrido dicho plazo el contratista no lo hubiere efectuado, podrá concedérsele otro nuevo plazo improrrogable o declarar resuelto el contrato.

3. El plazo de garantía se establecerá en el pliego de cláusulas administrativas particulares atendiendo a la naturaleza y complejidad de la obra y no podrá ser inferior a un año salvo casos especiales.

Dentro del plazo de quince días anteriores al cumplimiento del plazo de garantía, el director facultativo de la obra, de oficio o a instancia del contratista, redactará un informe sobre el estado de las obras. Si éste fuera favorable, el contratista quedará relevado de toda responsabilidad, salvo lo dispuesto en el artículo siguiente, procediéndose a la devolución o cancelación de la garantía, a la liquidación del contrato y, en su caso, al pago de las obligaciones pendientes que deberá efectuarse en el plazo de sesenta días. En el caso de que el informe no fuera favorable y los defectos observados se debiesen a deficiencias en la ejecución de la obra y no al uso de lo construido, durante el plazo de garantía, el director facultativo procederá a dictar las oportunas instrucciones al contratista para la debida reparación de lo construido, concediéndole un plazo para ello durante el cual continuará encargado de la conservación de las obras, sin derecho a percibir cantidad alguna por ampliación del plazo de garantía.

4. No obstante, en aquellas obras cuya perduración no tenga finalidad práctica como las de sondeos y prospecciones que hayan resultado infructuosas o que por su naturaleza exijan trabajos que excedan el concepto de mera conservación como los de dragados no se exigirá plazo de garantía.

5. Podrán ser objeto de recepción parcial aquellas partes de obra susceptibles de ser ejecutadas por fases que puedan ser entregadas al uso público, según lo establecido en el contrato.

6. Siempre que por razones excepcionales de interés público debidamente motivadas en el expediente el órgano de contratación acuerde la ocupación efectiva de las obras o su puesta en servicio para el uso público, aun sin el cumplimiento del acto formal de recepción, desde que concurran dichas circunstancias se producirán los efectos y consecuencias propios del acto de recepción de las obras y en los términos en que reglamentariamente se establezcan.

Concordancias a todo el artículo

➡ Concordancias normativas

Artículo 218 de la LCSP 30/2007 y artículo 147 del TRLCAP RDL 2/2000.

✉ **Consultas**

• **URBANISMO. Gestión Urbanística. Recepción tácita de las obras de urbanización**

En un polígono construido hace más de 25 años, pese a que no ha sido recepcionado, nos solicitan la señalización de viales, concesión de vados, etc. ¿Cuál es la responsabilidad del Ayuntamiento sobre esos viales?

[06/02/2012 EC 304/2012]

Contestación

La consulta plantea dos interesantes cuestiones relacionadas con la ejecución de la actuación urbanística; y más concretamente con su fase final, referida a la determinación del momento de adquisición por la Administración de la titularidad de los viales e infraestructuras ejecutadas y el transcurso del tiempo sin que se produzca la recepción de las obras de urbanización estando en uso y servicio las mismas.

Por lo que respecta al momento en que los viales ejecutados pasan a ser de titularidad municipal, dicho momento se ha de concretar en el de aprobación del correspondiente instrumento de equidistribución y su inscripción en el Registro de la Propiedad, ya que el Proyecto de Reparcelación se constituye en el título de adjudicación al Ayuntamiento de las parcelas dotacionales de cesión obligatoria y gratuita. Así resulta del art. 84.2 del Decreto Legislativo 1/2000, de 8 de mayo (LA LEY 6343/2000) (BOIC del 15), por el que se aprueba el Texto Refundido de las Leyes de Ordenación del Territorio y de Espacios Naturales de Canarias, cuando señala que uno de los objetos de la reparcelación es la adjudicación al Ayuntamiento de los terrenos de cesión obligatoria y gratuita.

Pero, sin perjuicio de la adquisición de la titularidad por la Administración, es la recepción de las obras el acto que determina el nacimiento de la responsabilidad de la Administración en la conservación y mantenimiento de las obras de urbanización; y, por tanto, en la legitimidad de otorgar autorizaciones sobre dominio público.

En este sentido, la doctrina jurisprudencial ha establecido el criterio de la recepción tácita y le ha otorgado plenos efectos, como lo podría tener el acto de recepción expresa o presunta por silencio.

Efectivamente, el acto de recepción expresa tiene un carácter formal que no impide que sus efectos propios se produzcan por silencio; impidiendo la voluntad de la Administración de dilatar la obligación que le incumbe al respecto; y también impide que los efectos propios de la recepción se produzcan cuando las obras de urbanización están en uso y servicio a través de una actitud de tolerancia y consentimiento de la Administración e incluso actitud activa, concediendo licencias de ocupación que requerirán de manera ineludible el uso de la urbanización (viales, servicios e infraestructuras). Debe tenerse en cuenta que el acto de recepción no tiene carácter constitutivo, sino meramente probatorio o de comprobación de la idoneidad de las obras para su puesta en uso o, al contrario, para dejar constancia de las deficiencias que hayan de ser subsanadas.

La recepción tácita ha sido admitida, como decimos, en numerosos pronunciamientos jurisprudenciales y también por el Consejo de Estado, que ya se pronunció de manera favorable en Dictamen de 7 de enero de 1996. Expresamente, también, la legislación de contratación administrativa prevé dicha recepción tácita de las obras en el art. 235 del Real Decreto Legislativo 3/2011, de 14 de noviembre (LA LEY 21158/2011) (BOE del 16), por el que se aprueba el Texto Refundido de la Ley de Contratos del Sector Público (LA LEY 21158/2011) (TR LCSP). Manteniendo, la doctrina, la opinión de que la inauguración oficial de las obras, su utilización y en general todos los actos de la administración o conductas que denoten la recepción suponen la misma; sin que luego la administración pueda ir contra sus propios actos y denegarla.

Lo anterior nos permite mantener la opinión de que si las obras de urbanización han sido ejecutadas y están en uso consentido y tolerado por la Administración, desarrollándose sobre el ámbito una auténtica actuación de edificación y concesión de licencias de ocupación, han de entenderse recepcionadas de manera tácita. Produciéndose, por tanto, los efectos propios de dicha asunción de responsabilidad.

En esos términos se ha pronunciado la Sentencia del Tribunal Supremo de 30 de octubre de 2007 (LA LEY 180119/2007) (LA LEY 180119/2007), que reconoce expresamente una actuación municipal sobre un ámbito con las obras de urbanización no recepcionadas, concretada dicha actuación en «la prestación del servicio de recogida de basura, la exigencia de tributos locales (IBI, ICIO, IVA, Tasa de basura, etc.), la instalación de señalización de tráfico en los viales, la elaboración del proyecto de alcantarillado. Concluye dicha sentencia que el hecho de que no hubiera concluido las obras de urbanización —o bien, concluidas en su día, por el transcurso del tiempo, desde una perspectiva turística, no resultaran adecuadas— y que, por ello, no fuera posible una recepción expresa o por vía de silencio, no es, en modo alguno, incompatible con —pese a tal situación— una actuación activa y evidente de la corporación local en relación con la situación de la urbanización (...) supone un fundamento más que razonable para entender producida la citada y tácita recepción (...).»

En sentido negativo, la reciente Sentencia del Tribunal Superior de Justicia de Andalucía de Granada de 20 de junio de 2011 (LA LEY 167337/2011) (LA LEY 167337/2011) ha negado la recepción tácita de unas obras por cuanto no se acreditó «un uso concreto de las instalaciones que hubiera ejecutado en virtud del proyecto de urbanización que permitan afirmar inequívocamente como hecho concluyente la recepción de la misma por la Administración a modo de una toma de posesión material de la misma.»

En consecuencia, si por el transcurso del tiempo desde la terminación de las obras de urbanización puede deducirse de manera indubitada una puesta en servicio de las instalaciones y viales, de forma consentida y tolerada por la Administración, que incluso haya permitido y autorizado actos edificatorios y concedido licencias de ocupación, hemos de mantener que se ha producido una recepción tácita; asumiendo la Administración las responsabilidades derivadas de la conservación y titularidad plena del dominio público y concediendo las autorizaciones, licencias y concesiones que procedan por el uso y limitación a favor de los particulares del dominio público.

- **Deducción del IVA en parte no pagada de la certificación de obra**

¿Nos podemos deducir el IVA de la parte no pagada de una certificación de obra?

[10/01/2012 EC 158/2012]

Contestación

Para la contestación al supuesto planteado, hay que examinar, en primer lugar, los requisitos de deducción de cuotas soportadas fijados en la Ley 37/1992, de 28 de diciembre (LA LEY 3625/1992) (BOE del 29), del Impuesto sobre el Valor Añadido (LIVA). Acto seguido, y habida cuenta de que el hecho del devengo es crucial para poder deducir dichas cuotas, analizaremos los principios básicos relativos al devengo del impuesto; y ello implica entrar a analizar las contrapuestas posturas jurisprudenciales y doctrinales.

Por ello, vamos a examinar más en profundidad los requisitos objetivos y subjetivos de la deducibilidad de las cuotas soportadas por el Ayuntamiento en las certificaciones de obra y el IVA que éste repercuta en operaciones sujetas y no exentas que establece la ley en función de su destino. Y, así, las cuotas tributarias deducibles se regulan en el art. 92 Uno y Dos LIVA, según el cual:

«Uno. Los sujetos pasivos podrán deducir de las cuotas del Impuesto sobre el Valor Añadido devengadas por las operaciones gravadas que realicen en el interior del país las que, devengadas en el mismo territorio, hayan soportado por repercusión directa o satisfecho por las siguientes operaciones: 1.º Las entregas de bienes y prestaciones de servicios efectuadas por otro sujeto pasivo del Impuesto, es decir, por otro empresario o profesional (...). Dos. El derecho a la deducción, establecido en el apartado anterior solo procederá en la medida en que los bienes y servicios adquiridos se utilicen en la realización de las operaciones comprendidas en el artículo 94, apartado uno, de esta Ley».

En cuanto a las Operaciones cuya realización origina el derecho a la deducción, el art. 94 Uno y Tres disponen que:

«Uno. Los sujetos pasivos a que se refiere el apartado uno del artículo anterior podrán deducir las cuotas del Impuesto sobre el Valor Añadido comprendidas en el artículo 92 en la medida en que los bienes o servicios, cuya adquisición o importación determinen el derecho a la deducción, se utilicen por el sujeto pasivo en la realización de las siguientes operaciones: 1.º Las efectuadas en el ámbito espacial de aplicación del impuesto que se indican a continuación: a) Las entregas de bienes y prestaciones de servicios sujetas y no exentas del Impuesto sobre el Valor Añadido. (...). (...) Tres. En ningún caso procederá la deducción de las cuotas en cuantía superior a la que legalmente corresponda ni antes de que se hubiesen devengado con arreglo a derecho (...)».

Por último, el art. 98.1 LIVA establece, sobre el nacimiento del derecho a deducir, que:

«1. El derecho a la deducción nace en el momento en que se devengan las cuotas deducibles».

Lo anterior no significa en absoluto que sea necesario que se haya pagado todo o parte de la factura, tal y como se desprende de la consulta, por el sujeto Ayuntamiento que trata de deducir la cuota soportada de la parte de la certificación de obra abonada. No obstante lo anterior, en los casos de pagos anticipados como parece que es el de las certificaciones de obra el hecho del pago es generador del devengo y necesariamente ha de haberse satisfecho la factura, pero ello no implica que el ingreso sea requisito necesario de la deducibilidad de las cuotas.

Visto lo anterior, hemos de concluir que es básico fijar el momento del devengo del impuesto en caso de certificaciones de obra; ya que la deducción exige, como requisito objetivo imprescindible, que se trate de cuotas ya devengadas. Por ello, hemos de analizar las contrapuestas posturas jurisprudenciales y doctrinales respecto al devengo del IVA en las certificaciones de obra.

En principio, el art. 90.2 LIVA dispone que el tipo impositivo aplicable a cada operación será el vigente en el momento del devengo. Por otra parte, y para establecer el momento del devengo, el art. 75 Uno de la ley citada dispone que será, en las entregas de bienes, cuando tenga lugar su puesta a disposición del adquirente o, en su caso, cuando se efectúen conforme a la legislación que les sea aplicable. El número Dos bis del citado precepto establece que «(...) 2.bis. Cuando se trate de ejecuciones de obra, con o sin aportación de materiales, cuyas destinatarias sean las Administraciones públicas, en el momento de su recepción, conforme a lo dispuesto en el art. 147 del texto refundido de la Ley de Contratos de las Administraciones Públicas, aprobado por el Real Decreto Legislativo 2/2000, de 16 de junio (LA LEY 2206/2000)» [actual art. 235 Real Decreto Legislativo 3/2011, de 14 de noviembre (LA LEY 21158/2011) (BOE del 16), por el que se aprueba el texto refundido de la Ley de Contratos del Sector Público (TR LCSP (LA LEY 21158/2011))].

Así, una corriente jurisprudencial, con pronunciamientos de diversos Tribunales Superiores de Justicia, del Tribunal Económico-Administrativo Central y de la Dirección General de Tributos (Resoluciones a consultas vinculantes de 28-09-1999 y 7-12-1999), es favorable a considerar que los abonos al contratista, resultantes de las certificaciones expedidas, son pagos a cuenta, sujetos a variaciones y rectificaciones que se producen cunado se mide y decepciona finalmente la obra, en cuyo momento resultará definitivamente aprobada. El devengo se produciría en el momento del cobro de la certificación, en base a que la expedición de la certificación no comporta la entrega de bienes, pues ésta no se produce hasta la recepción provisional de la obra, en base, hoy, al art. 235 TRLCSP (LA LEY 21158/2011). Por tanto, los abonos de las certificaciones que se iban expidiendo, tenían el carácter de pagos anticipados, y el devengo se produciría en el momento del cobro.

No obstante lo anterior, existe otra postura mantenida por la Sentencia del Tribunal Supremo de 5 de marzo de 2001 (LA LEY 3592/2001) (LA LEY 3592/2001) y seguida por la jurisprudencia de los Tribunales Superiores de Justicia de la Comunidad Valenciana y de Cataluña, a favor de considerar que el devengo se producía en el momento de expedición de las certificaciones. Por tanto, los pagos que se realicen no tiene el carácter de pagos anticipados, sino de pago final de la obra certificada, y el tipo de gravamen a aplicar será el vigente en el momento de la expedición de la certificación.

Así, la referida STS de 5 de marzo de 2001, en recurso de casación para la unificación de la doctrina, recoge la doctrina según la cual con la emisión de las certificaciones se está produciendo una entrega de unidades de obra y su puesta a disposición de la Administración. De esta forma se recoge que la emisión de la certificación supone la entrega de unidades de obra ejecutadas, porque las certificaciones responden a resultados parciales de la obra realmente ejecutada y permiten que, una vez realizada y, por tanto, puesta a disposición de la Administración a partir de que se expide la certificación, el contratista pueda exigir el pago a cuenta de la obra realizada. Por ello, según el Alto Tribunal el devengo del IVA se produce en el momento en que las certificaciones de obra se expiden o emiten y no en el momento en que las mismas se abonan, ya que «los contratos de obra, cuya ejecución en tramos se paga paralelamente mediante certificaciones de «lo hecho», van haciendo nacer, así, simultáneamente, la correspondiente cuota, también a trozos o parcialmente del IVA.»

Expuestas las anteriores teorías, si consideramos, a pesar de la citada Sentencia del Tribunal Supremo, que los abonos de las certificaciones que se van expidiendo tienen el carácter de pagos anticipados, y el devengo se produce en el momento del cobro, hasta que no se ingresara la totalidad de la factura desde luego no se habría devengado el impuesto, por lo que no cabría deducir la cuota por la parte no ingresada.

Artículo 236 *Responsabilidad por vicios ocultos*

1. Si la obra se arruina con posterioridad a la expiración del plazo de garantía por vicios ocultos de la construcción, debido a incumplimiento del contrato por parte del contratista, responderá éste de los daños y perjuicios que se manifiesten durante un plazo de quince años a contar desde la recepción.

2. Transcurrido este plazo sin que se haya manifestado ningún daño o perjuicio, quedará totalmente extinguida la responsabilidad del contratista.

Concordancias a todo el artículo

➡ Concordancias normativas

Artículo 219 de la LCSP 30/2007 y artículo 148 del TRLCAP RDL 2/2000.

☞ Concordancias Jurisprudenciales

Tribunal Superior de Justicia de Galicia, Sala de lo Contencioso-administrativo, Sección 2.ª, Sentencia de 23 Abr. 2009, rec. 4576/2007

CONTRATO ADMINISTRATIVO DE OBRAS. Actuaciones preparatorias de la adjudicación. El pliego de condiciones. -- Formas de adjudicación. Concurso-subasta. -- Procedimiento de adjudicación.

Tribunal Supremo, Sala Tercera, de lo Contencioso-administrativo, Sección 4.ª, Sentencia de 2 Abr. 2008, rec. 3268/2005

CONTRATO ADMINISTRATIVO DE OBRAS. Trabajos de reparación de cubiertas de edificio de juzgados. Vicios ocultos de la construcción llevada a cabo por la empresa adjudicataria. Ruina tras el plazo de garantía. Prueba.

✉ Consultas

• **Responsabilidad por vicios ocultos**

¿Cómo debe tramitarse la reclamación por vicios ocultos en un contrato de obras?

[21/02/2012 EC 397/2012]

Contestación

Dispone el art. 236 del Real Decreto Legislativo 3/2011, de 14 de noviembre (LA LEY 21158/2011) (BOE del 16), por el que se aprueba el texto refundido de la Ley de Contratos del Sector Público (LA LEY 21158/2011) (TR LCSP), al igual que hacían sus predecesores de la Ley de Contratos del Sector Público y del Texto Refundido de la Ley de Contratos de las Administraciones Públicas, que si la obra se arruina con posterioridad a la expiración del plazo de garantía por vicios ocultos de la construcción, debido a incumplimiento del contrato por parte del contratista, responderá éste de los daños y perjuicios que se manifiesten durante un plazo de quince años, a contar desde la recepción. Añadiendo que, transcurrido este plazo sin que se haya manifestado ningún daño o perjuicio, quedará totalmente extinguida la responsabilidad del contratista.

Para que surja la responsabilidad del contratista se tiene que dar una serie de requisitos:

— Que se produzca la ruina del edificio.

— Que la ruina se deba a vicios ocultos de la construcción.

— Que se deba al incumplimiento del contrato por parte del contratista.

— Que la ruina se manifieste durante el plazo de 15 años a contar desde la recepción.

Por consiguiente, deberá tramitarse el correspondiente expediente administrativo en el que queda acreditado que se cumplen los requisitos establecidos en el citado precepto, para proceder a reclamar las responsabilidad por vicios ocultos.

En cuanto al concepto de ruina, como sabemos, se trata de un concepto jurídico indeterminado, que se ha ido desarrollando jurisprudencialmente. Haciendo un resumen del desarrollo doctrinal y jurisprudencial del concepto, podemos distinguir los siguientes tipos de ruina:

1. La ruina en su sentido estricto, esto es, que la obra quede destruida.

2. Que sufra vicios constructivos graves que entrañan una ruina potencial que haga temer por su pérdida futura.

3. Que tenga defectos o vicios que afecten a elementos esenciales de la construcción excediendo de las imperfecciones corrientes. Por ejemplo, como señala la Ley 38/1999, de 5 de noviembre (LA LEY 4217/1999) (BOE del 6), de Ordenación de la Edificación (LOE), los «vicios o defectos que afecten a la cimentación, los soportes, las vigas, los forjados, los muros de carga u otros elementos estructurales, y que comprometan directamente la resistencia mecánica y la estabilidad del edificio».

4. Que adolezca de vicios que la hagan inútil para la finalidad que le es propia, esto es, la llamada ruina funcional.

5. La denominada ruina económica, que es aquella en el que el importe de la reparación supera el 50 % del valor real de la construcción. En este sentido se reconoce por la STS de 13 de junio de 2000 (EC 3547/2000), que confirma la sentencia recurrida en la que «(...) se reconocía la situación de arruinamiento de dichas obras, al ser necesario un importe de reparación superior al cincuenta por ciento del valor real en aquel momento, y ante los defectos estructurales que desde el inicio adolecía de la edificación, lo que implicó que, por parte de la Diputación Provincial, se interesase el resarcimiento de gastos y perjuicios producidos como consecuencia de la defectuosa realización de la obra(...)».

Por otra parte, es necesario acreditar que esta ruina se debe a vicios o defectos ocultos. Según la doctrinal civil, vicios o defectos ocultos son aquellos que no se encuentran a la vista y que no son manifiestos (art. 1484 CC (LA LEY 1/1889)). Por ello, realmente en la mayoría de los casos que se encuentran en la Jurisprudencia, la ruina de las obras se produce no por vicios de la construcción, sino por vicios del suelo o del proyecto. Así, por ejemplo, son habituales las construcciones que se arruinan porque el informe geotécnico no ha detectado las condiciones reales del suelo y, por lo tanto, no se han adoptado las soluciones constructivas adecuadas. También son bastante frecuentes los problemas de ruina por errores en los cálculos contenidos en el proyecto.

Como decimos, es más difícil una ruina por motivos exclusivos de su ejecución. Pero sí que hay un supuesto habitual, que es la utilización de materiales o productos de construcción de baja calidad; supuesto en que la responsabilidad es del constructor, sin perjuicio de que si esta utilización ha sido involuntaria, pueda repetir contra el suministrador de los materiales y productos. También pueden producirse vicios en la construcción derivados de la impericia o de la falta de capacidad técnica de las personas encargadas de la ejecución.

Este aspecto tiene gran importancia, porque, a la hora de exigir responsabilidades al contratista, habrá que tener muy claro que la responsabilidad es del constructor; ya que, en otro caso, habrá de dirigirse la acción de responsabilidad contra otro de los agentes que ha intervenido, como puede ser el autor del proyecto o el del proyecto geotécnico.

Por otra parte, el precepto exige que haya un incumplimiento del contrato por el contratista. Esto es, exige que concurra culpa del contratista. Por lo que, en principio, habría que probar la actitud negligente del contratista, o como señala la Ley de Ordenación de la Edificación, que los daños materiales causados en el edificio lo han sido por vicios o defectos derivados de la impericia, falta de capacidad profesional o técnica, negligencia o incumplimiento de las obligaciones atribuidas al jefe de obra y demás personas físicas o jurídicas que de él dependan. Esto es, se está hablando en todo momento de incumplimiento, impericia o negligencia, conceptos todos que implican una actividad culposa que habrá que probar.

Una vez que se hayan puesto de manifiesto todos estos requisitos en el expediente administrativo, deberá darse audiencia al contratista para que alegue lo que estime pertinente. Una vez concluido el plazo y presentadas las alegaciones que corresponda, se dictará resolución acordando la declaración de responsabilidad por vicios ocultos.

Lo más probable es que un procedimiento de este tipo termine ante los Tribunales; por lo que habrá de procederse a presentar la oportuna reclamación judicial solicitando la declaración de responsabilidad.

📖 Doctrina

«Normas específicas de responsabilidad de la administración y el contratista, derivada de incumplimiento contractual». Bravo Rey, Irene; Koninckx Frasquet, Amparo; Martí Selva, Enrique. Esta doctrina forma parte del libro *Aspectos prácticos y novedades de la contratación pública. En especial en la administración local*, edición n.º 2, Editorial LA LEY, Madrid, 2012.

✍ Informes de la Junta Consultiva de Contratación Administrativa

Informe 9/2011, de 6 de abril, de la Junta Consultiva de Contratación Administrativa de la Comunidad Autónoma de Aragón, sobre Variación de

unidades de obra y modificaciones en contratos de obras, que requieran la redacción de un proyecto. Límites a las facultades del director facultativo.

CONTRATO ADMINISTRATIVO DE OBRAS. Excesos de medición. Interpretación del artículo 217 LCSP, respecto a los criterios a emplear para conocer cuando estamos ante simples excesos de medición y cuando ante verdaderas modificaciones de contrato. Del contenido del apartado 3 del precepto citado, siempre que no se introduzcan nuevas unidades de obra, se concluye que pueden sustituirse las previstas en el proyecto, con el límite cuantitativo del 10 % de incremento sobre el precio adjudicado, IVA excluido, y que no se altere el contenido esencial del contrato. Tal posibilidad es un supuesto de modificación contractual. Limitación de las facultades del Director Facultativo cuando las variaciones realizadas supongan una alteración sustancial del proyecto, pudiendo la Administración y el contratista instar la resolución del contrato. Novedades legislativas. No se suprime por la Ley de Economía Sostenible la posibilidad de introducir variaciones en el proyecto, con el límite del 10 % de incremento de gasto, respecto al precio de adjudicación, si bien la facultad del director de la obra alcanza su límite cuando pudieran existir circunstancias que deben ser apreciadas por el órgano de contratación.

Sección 4

Resolución del contrato de obras

Artículo 237 *Causas de resolución*

Son causas de resolución del contrato de obras, además de las señaladas en el artículo 223, las siguientes:

a) La demora en la comprobación del replanteo, conforme al artículo 229.

b) La suspensión de la iniciación de las obras por plazo superior a seis meses por parte de la Administración.

⊠   **Consultas**

• **En el caso que se acuerde la suspensión de la ejecución del contrato debe darse audiencia al contratista**

Se pretende suspender la ejecución de un contrato de obra. ¿Debe darse audiencia al contratista? ¿Es necesario tramitar expediente contradictorio por incidencias en la ejecución?

[20/11/2009 EC 3441/2009]

Contestación

Entendemos que sí que debe darse audiencia al contratista para proceder a la suspensión del contrato. En este sentido se pronuncia Enrique Muñoz López en la obra de esta editorial «Contratación del Sector Público Local», El Consultor 2008, cuando señala que «el art. 203 LCSP mantiene el mismo texto del art. 102 TRLCAP, y se refiere básicamente a dos supuestos: en primer lugar, el de que la suspensión sea acordada por la propia administración, lo que no es sino una manifestación más de sus prerrogativas y, en cierto sentido, una modalidad del ius variandi, si bien en este supuesto la modificación del contrato no supone alteración de sus elementos subjetivos ni de su objeto. Es por eso que le da un tratamiento especial, pero debe reiterarse, en todo caso, que sólo por razones de interés público debidamente justificadas en el expediente y siempre con audiencia del contratista, puede acordar la Administración la suspensión del contrato.»

Sin embargo, no consideramos que la suspensión del contrato tenga la naturaleza de una incidencia de las reguladas en el art. 97 del Reglamento General de la Ley de Contratos de las Administraciones Públicas (RCAP), aprobado por Real Decreto 1098/2001, de 12 de octubre (BOE del 26), ya que este precepto se está refiriendo a las incidencias que surjan entre la Administración y el contratista en la ejecución de un contrato por diferencias en la interpretación de lo convenido o por la necesidad de modificar las condiciones contractuales, en cuyo caso deberá tramitarse expediente contradictorio.

Y consideramos que la suspensión de la ejecución del contrato acordada por la Administración no entra en ninguno de los supuestos señalados en el art. 97 RCAP, además de no ser propiamente un expediente contradictorio.

El art. 203.1 de la Ley 30/2007, de 30 de octubre (BOE del 31), de Contratos del Sector Público (LCSP), exige que, en caso de suspensión, se levante acta en la que se consignarán las circunstancias que la han motivado y la situación de hecho en la ejecución del contrato. En realidad, la exigencia del acta es para que quede acreditado, tanto para la Administración como para el contratista, el momento en que se declara la suspensión de las obras, las causas que lo motivan y el estado de ejecución de las obras. Como en cualquier acta que se levante entre los representantes de la Administración, la dirección de obra y el contratista, constará que todos han tenido conocimiento de la suspensión y de sus circunstancias.

Por ejemplo, en el supuesto a que se refiere el art. 220.b) LCSP, si no se ha iniciado la ejecución, la suspensión vendrá motivada normalmente por el resultado de la comprobación del replanteo. Como sabemos, la comprobación del replanteo determina el inicio de las obras, siempre que el resultado de esa comprobación sea favorable respecto a la disponibilidad de los terrenos y a la viabilidad de la obra. Ahora bien, no siempre la comprobación del replanteo supone el inicio de las obras, ya que el resultado de esa comprobación puede ser desfavorable. En el caso de que sea por iniciativa de la Administración, la suspensión se regula en la regla 4.ª del artículo 139 del RCAP, al disponer que «cuando no resulten acreditadas las circunstancias a que se refiere el apartado anterior o el director de la obra considere necesaria la modificación de las obras proyectadas quedará suspendida la iniciación de las mismas, haciéndolo constar en el acta, hasta que el órgano de contratación adopte la resolución procedente dentro de las facultades que le atribuye la legislación de contratos de las Administraciones públicas. En tanto sea dictada esta resolución quedará suspendida la iniciación de las obras desde el día siguiente a la firma del acta, computándose a partir de dicha fecha el plazo de seis meses a que se refiere el artículo 149, párrafo b) (actual 220 b), de la Ley, sin perjuicio de que, si fueren superadas las causas que impidieron la iniciación de las obras, se dicte acuerdo autorizando el comienzo de las mismas, notificándolo al contratista y computándose el plazo de ejecución desde el día siguiente al de la notificación». Esto es, en este caso es la propia dirección de obra la que aprecia que, al no darse todos los requisitos que deben comprobarse en la comprobación del replanteo (v.gr. disponibilidad de los terrenos, viabilidad del proyecto...) propone en el acta la suspensión del comienzo de ejecución de las obras hasta que se solucionen los problemas detectados, quedando suspendida desde el día en que se firma el acta.

Por tanto, el problema que se puede plantear es a efectos de prueba del momento de la suspensión de la obra, ahora bien, realmente consideramos que, a efectos de prueba del momento de la suspensión basta con el acuerdo de suspensión notificado fehacientemente al contratista.

c) El desistimiento o la suspensión de las obras por un plazo superior a ocho meses acordada por la Administración.

Concordancias a todo el artículo

➡ **Concordancias normativas**

Artículo 220 de la LCSP 30/2007 y artículo 149 del TRLCAP RDL 2/2000.

Artículo 237 redactado por el apartado diecinueve de la disposición final decimosexta de la Ley 2/2011, de 4 de marzo, de Economía Sostenible («B.O.E». 5 marzo).

Artículo 238 *Suspensión de la iniciación de la obra*

En la suspensión de la iniciación de las obras por parte de la Administración, cuando ésta dejare transcurrir seis meses a contar de la misma sin dictar acuerdo sobre dicha situación y notificarlo al contratista, éste tendrá derecho a la resolución del contrato.

➡ **Concordancias normativas**

Artículo 221 de la LCSP 30/2007 y artículo 150 del TRLCAP RDL 2/2000.

Artículo 238 redactado por el apartado diecinueve de la disposición final decimosexta de la Ley 2/2011, de 4 de marzo, de Economía Sostenible («B.O.E». 5 marzo).

Artículo 239 *Efectos de la resolución*

1. La resolución del contrato dará lugar a la comprobación, medición y liquidación de las obras realizadas con arreglo al proyecto, fijando los saldos pertinentes a favor o en contra del contratista. Será necesaria la citación de éste, en el domicilio que figure en el expediente de contratación, para su asistencia al acto de comprobación y medición.

2. Si se demorase la comprobación del replanteo, según el artículo 229, dando lugar a la resolución del contrato, el contratista sólo tendrá derecho a una indemnización equivalente al 2 por 100 del precio de la adjudicación.

3. En el supuesto de suspensión de la iniciación de las obras por parte de la Administración por tiempo superior a seis meses el contratista tendrá

derecho a percibir por todos los conceptos una indemnización del 3 por 100 del precio de adjudicación.

4. En caso de desistimiento o suspensión de las obras iniciadas por plazo superior a ocho meses, el contratista tendrá derecho al 6 por 100 del precio de las obras dejadas de realizar en concepto de beneficio industrial, entendiéndose por obras dejadas de realizar las que resulten de la diferencia entre las reflejadas en el contrato primitivo y sus modificaciones y las que hasta la fecha de notificación de la suspensión se hubieran ejecutado.

5. Cuando las obras hayan de ser continuadas por otro empresario o por la propia Administración, con carácter de urgencia, por motivos de seguridad o para evitar la ruina de lo construido, el órgano de contratación, una vez que haya notificado al contratista la liquidación de las ejecutadas, podrá acordar su continuación, sin perjuicio de que el contratista pueda impugnar la valoración efectuada ante el propio órgano. El órgano de contratación resolverá lo que proceda en el plazo de quince días.

Concordancias a todo el artículo

➡ **Concordancias normativas**

Artículo 222 de la LCSP 30/2007 y artículo 151 del TRLCAP RDL 2/2000.

✎ **Informes de la Junta Consultiva de Contratación Administrativa**

Dictamen Núm.: 541/2010, de 22 de septiembre, del Consejo Consultivo de Andalucía, de Resolución de contrato de obras. Incumplimiento del contratista. Plazo de ejecución.

CONTRATO ADMINISTRATIVO DE OBRAS. De reforma y ordenación de una plaza sita en municipio andaluz y construcción de un edificio social en la misma, suscrito entre el Ayuntamiento y entidad mercantil. Parecer favorable a la resolución del contrato por incumplimiento grave y culpable de la contratista por la demora en el cumplimiento de los plazos. Consta acreditado que el plazo de ejecución se ha sobrepasado con creces, estando la obra aún sin terminar, acumulando 1 año de retraso, sin que el contratista haya reiniciado las mismas. Procedente incautación de la garantía definitiva prestada. Procedente indemnización de los daños y perjuicios ocasionados, haciendo efectiva dicha indemnización sobre la garantía constituida, y con independencia de aquélla. Si la Administración ha efectuado prestaciones a cambio de las cuales nada ha recibido, puede reclamarlas, y ello con independencia de la incautación de la fianza y la eventual exigencia de daños y perjuicios por encima de la cuantía de ésta. Para efectuar esta reclamación debe liquidar el contrato.

DICTAMEN Núm.: 18/2010, de 13 de enero, del Consejo Consultivo de Andalucía. Resolución de contrato de obras. Incumplimiento del contratista. Plazo de ejecución.

CONTRATO ADMINISTRATIVO DE OBRAS. De urbanización de una Unidad de Actuación, suscrito entre la Empresa Pública del Suelo de Andalucía (EPSA) y entidad mercantil. Parecer favorable a la resolución del contrato, por incumplimiento del plazo de ejecución por la contratista. Constatado tal incumplimiento, la entidad fue declarada en situación de concurso necesario, manifestando la propia contratista que ante la llegada de más solicitudes de tal concurso presentó solicitud de concurso voluntario. Aunque haya acontecido con posterioridad otra causa de resolución, cual es la citada declaración de concurso, procede en Derecho que la propuesta de resolución se fundamente en el incumplimiento culpable, de acuerdo con el criterio de prioridad temporal, habida cuenta de los diferentes efectos jurídicos que ambas causas de resolución pueden llevar aparejadas. Procedente incautación de la garantía definitiva. Evaluación por los servicios técnicos de los posibles daños y perjuicios que la resolución haya podido ocasionar a la EPSA, por si fuese necesario indemnizar a la misma por un importe superior a la garantía incautada.

CAPÍTULO II

Contrato de concesión de obra pública

Sección 1

Construcción de las obras objeto de concesión

Artículo 240 *Modalidades de ejecución de las obras*

1. Las obras se realizarán conforme al proyecto aprobado por el órgano de contratación y en los plazos establecidos en el pliego de cláusulas

administrativas particulares, pudiendo ser ejecutadas con ayuda de la Administración. La ejecución de la obra que corresponda al concesionario podrá ser contratada en todo o en parte con terceros, de acuerdo con lo dispuesto en esta Ley y en el pliego de cláusulas administrativas particulares.

2. La ayuda de la Administración en la construcción de la obra podrá consistir en la ejecución por su cuenta de parte de la misma o en su financiación parcial. En el primer supuesto la parte de obra que ejecute deberá presentar características propias que permitan su tratamiento diferenciado, y deberá ser objeto a su terminación de la correspondiente recepción formal. Si no dispusiera otra cosa el pliego de cláusulas administrativas particulares, el importe de la obra se abonará de acuerdo con lo establecido en el artículo 232. En el segundo supuesto, el importe de la financiación que se otorgue podrá abonarse en los términos pactados, durante la ejecución de las obras, de acuerdo con lo establecido en el artículo 232, o bien una vez que aquéllas hayan concluido, en la forma en que se especifica en el artículo 254.

Concordancias a todo el artículo

➡ **Concordancias normativas**

Artículo 223 de la LCSP 30/2007 y artículo 236 del TRLCAP RDL 2/2000.

Véanse artículos 242.1, 253.2 y 254.1 de la presente Ley.

📖 **Doctrina**

«Normas específicas de responsabilidad de la administración y el contratista, derivada de incumplimiento contractual». Bravo Rey, Irene; Koninckx Frasquet, Amparo; Martí Selva, Enrique. Esta doctrina forma parte del libro *Aspectos prácticos y novedades de la contratación pública. En especial en la administración local*, edición n.º 2, Editorial LA LEY, Madrid, 2012.

✉ **Consultas**

• **El contrato para la construcción y gestión del servicio de tanatorio puede ser tanto un contrato de concesión de obra pública como un contrato de gestión de servicio público con obra.**

Ver respuesta en artículo 128.

Artículo 241 *Responsabilidad en la ejecución de las obras por terceros*

1. Corresponde al concesionario el control de la ejecución de las obras que contrate con terceros debiendo ajustarse el control al plan que el concesionario elabore y resulte aprobado por el órgano de contratación. Éste podrá en cualquier momento recabar información sobre la marcha de las obras y girar a las mismas las visitas de inspección que estime oportunas.

2. El concesionario será responsable ante el órgano de contratación de las consecuencias derivadas de la ejecución o resolución de los contratos que celebre con terceros y responsable asimismo único frente a éstos de las mismas consecuencias.

➡ Concordancias normativas

Artículo 224 de la LCSP 30/2007 y artículo 238 del TRLCAP RDL 2/2000.

Véanse artículo 274 y Disposición Adicional 19.ª de la presente Ley.

Artículo 242 *Principio de riesgo y ventura en la ejecución de las obras*

1. Las obras se ejecutarán a riesgo y ventura del concesionario, de acuerdo con lo dispuesto en los artículos 215 y 231, salvo para aquella parte de la obra que pudiera ser ejecutada por cuenta de la Administración, según lo previsto en el artículo 240.2, en cuyo caso regirá el régimen general previsto para el contrato de obras.

2. No se tendrán en cuenta a efectos del cómputo del plazo de duración de la concesión y del establecido para la ejecución de la obra aquellos períodos en los que ésta deba suspenderse por una causa imputable a la Administración concedente o debida a fuerza mayor. Si el concesionario fuera responsable del retraso en la ejecución de la obra se estará a lo dispuesto en el régimen de penalidades contenido en el pliego de cláusulas administrativas particulares y en esta Ley, sin que haya lugar a la ampliación del plazo de la concesión.

3. Si la concurrencia de fuerza mayor implicase mayores costes para el concesionario se procederá a ajustar el plan económico-financiero. Si la fuerza mayor impidiera por completo la realización de las obras se procederá a resolver el contrato, debiendo abonar el órgano de contratación al concesionario el importe total de las ejecutadas, así como los mayores costes en que hubiese incurrido como consecuencia del endeudamiento con terceros.

Concordancias a todo el artículo

➡ **Concordancias normativas**

Artículo 195 de la LCSP 30/2007 y artículo 59 del TRLCAP RDL 2/2000.

Artículo 242 redactado por el apartado veintiuno de la disposición final decimosexta de la Ley 2/2011, de 4 de marzo, de Economía Sostenible («B.O.E». 5 marzo).

☞ **Concordancias Jurisprudenciales**

Tribunal Superior de Justicia de Madrid, Sala de lo Contencioso-administrativo, Sección 3.ª, Sentencia de 28 Mar. 2011, rec. 64/2011

CONTRATO ADMINISTRATIVO DE OBRAS. Improcedencia de la indemnización reclamada por la empresa contratista al Ayuntamiento contratante por incremento extraordinario de costes de transporte de materiales soportados por la realización de las obras adjudicadas. Creación de un nuevo impuesto por la L 6/2003 que establece una tarifa por metro cúbico de residuos procedentes de construcción y demolición. Aunque es cierto que ese nuevo impuesto constituye un hecho que altera el precio que razonablemente el contratista había previsto en su proyecto de licitación —riesgo imprevisible—, su entrada en vigor fue anterior a la firma del contrato, y la recurrente no puede excusarse en el desconocimiento de su aplicación, pues suscribió el contrato sin realizar salvedad alguna ni reservas, y sin prever futuras actualizaciones ni revisiones de precios, siendo además que el contrato debía cumplirse a riesgo y ventura del contratista.

> **Artículo 243** *Modificación del proyecto*
>
> Una vez perfeccionado el contrato, el órgano de contratación sólo podrá introducir modificaciones en el proyecto de acuerdo con lo establecido en el Título V del Libro I y en el artículo 249.1.b). El plan

económico-financiero de la concesión deberá recoger en todo caso, mediante los oportunos ajustes, los efectos derivados del incremento o disminución de los costes.

➡ **Concordancias normativas**

Artículo 227 de la LCSP 30/2007 y artículo 240 del TRLCAP RDL 2/2000.

Artículo 243 redactado por el apartado veintiuno de la disposición final decimosexta de la Ley 2/2011, de 4 de marzo, de Economía Sostenible («B.O.E». 5 marzo).

Artículo 244 *Comprobación de las obras*

1. A la terminación de las obras, y a efectos del seguimiento del correcto cumplimiento del contrato por el concesionario, se procederá al levantamiento de un acta de comprobación por parte de la Administración concedente. El acta de recepción formal se levantará al término de la concesión cuando se proceda a la entrega de bienes e instalaciones al órgano de contratación. El levantamiento y contenido del acta de comprobación se ajustarán a lo dispuesto en el pliego de cláusulas administrativas particulares y los del acta de recepción a lo establecido en el artículo 235.

2. Al acta de comprobación se acompañará un documento de valoración de la obra pública ejecutada y, en su caso, una declaración del cumplimiento de las condiciones impuestas en la declaración de impacto ambiental, que será expedido por el órgano de contratación y en el que se hará constar la inversión realizada.

3. En las obras financiadas parcialmente por la Administración concedente, mediante abonos parciales al concesionario con base en las certificaciones mensuales de la obra ejecutada, la certificación final de la obra acompañará al documento de valoración y al acta de comprobación a que se refiere el apartado anterior.

4. La aprobación del acta de comprobación de las obras por el órgano de la Administración concedente llevará implícita la autorización para la apertura de las mismas al uso público, comenzando desde ese momento el plazo de garantía de la obra cuando haya sido ejecutada por terceros distintos del concesionario, así como la fase de explotación.

Concordancias a todo el artículo

➡ **Concordancias normativas**

Artículo 226 de la LCSP 30/2007 y artículo 241 del TRLCAP RDL 2/2000.

Véase artículo 229 de la presente Ley.

✉ **Consultas**

• **La recepción de la obra por la Administración no se produce hasta el momento de extinción de la concesión**

El concesionario de una obra pública ha paralizado la ejecución. Resuelto el contrato ¿de quién es la obra ejecutada? ¿Hay que indemnizar al concesionario?

[14/01/2011 EC 130/2011]

Contestación

La Ley 30/2007, de 30 de octubre (LA LEY 10868/2007) (BOE del 31), de Contratos del Sector Público (LCSP (LA LEY 10868/2007)), lejos de aclarar los extremos que nos consultan, no se pronuncia expresamente sobre la titularidad de la obra. Y, por ejemplo, cuando enumera en su art. 228 los derechos del concesionario, habla simplemente del derecho a explotar la obra pública durante el tiempo de la concesión, y no dice nada sobre la titularidad de la citada obra pública. Creemos que el único precepto que arroja algo de luz sobre la cuestión planteada es el art. 227 LCSP (LA LEY 10868/2007), cuando habla de la comprobación de las obras. Es de destacar de este precepto, cuando señala que a la terminación de las obras, y a efectos del seguimiento del correcto cumplimiento del contrato por el concesionario, se procederá al levantamiento de un acta de comprobación por parte de la Administración concedente. El acta de recepción formal se levantará al término de la concesión cuando se proceda a la entrega de bienes e instalaciones al órgano de contratación. El levantamiento y contenido del acta de comprobación se ajustarán a lo dispuesto en el pliego de cláusulas administrativas particulares y los del acta de recepción a lo establecido en el art. 218. Esto es, parece que mientras no se extingue la concesión, no existe entrega de bienes a la Administración; por lo que, en principio, hay que suponer que la titularidad de la obra corresponde al concesionario.

En cuanto a la pregunta de si el Ayuntamiento debe indemnizar al contratista por la obra ejecutada, hay que señalar que después de señalar el art. 245 las causas de resolución, entre las que señala la declaración de concurso y el abandono, la renuncia unilateral, así como el incumplimiento por el concesionario de sus obligaciones contractuales esenciales, el art. 247, al regular los efectos de la resolución, dispone, sin distinguir a quien sea imputable la causa de resolución que «en los supuestos de resolución, la Administración abonará al concesionario el importe de las inversiones realizadas por razón de la expropiación de terrenos, ejecución de obras de construcción y adquisición de bienes que sean necesarios para la explotación de la obra objeto de la concesión. Al efecto, se tendrá en cuenta su grado de amortización en función del tiempo que restara para el término de la concesión y lo establecido en el plan económico-financiero. La cantidad resultante se fijará dentro del plazo de seis meses, salvo que se estableciera otro en el pliego de cláusulas administrativas particulares.»

Por consiguiente, parece claro que en el supuesto de resolución del contrato de concesión de obra pública, al ser un supuesto de extinción anticipada de la concesión, la obra construida pasa a ser de titularidad de la Administración, que tendrá que abonar al concesionario el importe de las obras ejecutadas.

Por otra parte, hay que tener en cuenta que, conforme al apartado 4 del citado art. 247, cuando el contrato se resuelva por causa imputable al concesionario, le será incautada la fianza y deberá, además, indemnizar a la Administración los daños y perjuicios ocasionados en lo que exceda del importe de la garantía incautada.

Sección 2

Derechos y obligaciones del concesionario y prerrogativas de la administración concedente

Subsección 1

Derechos y obligaciones del concesionario

Artículo 245 *Derechos del concesionario*

Los concesionarios tendrán los siguientes derechos:

a) El derecho a explotar la obra pública y percibir la retribución económica prevista en el contrato durante el tiempo de la concesión.

b) El derecho al mantenimiento del equilibrio económico de la concesión, en la forma y con la extensión prevista en el artículo 258.

c) El derecho a utilizar los bienes de dominio público de la Administración concedente necesarios para la construcción, modificación, conservación y explotación de la obra pública. Dicho derecho incluirá el de utilizar, exclusivamente para la construcción de la obra, las aguas que afloren o los materiales que aparezcan durante su ejecución, previa autorización de la Administración competente, en cada caso, para la gestión del dominio público correspondiente.

☞   **Concordancias Jurisprudenciales**

Audiencia Provincial de Albacete, Sección 2.ª, Sentencia de 8 Abr. 2011, rec. 142/2010

RESPONSABILIDAD EXTRACONTRACTUAL. Accidente de circulación. AUTOVÍA. Reclamación de indemnización por la concesionaria de la autovía por daños en las instalaciones de la carretera. Inclusión de las cantidades reclamadas por mano de obra y maquinaria necesarias para reparar los daños causados. Es la concesionaria la que ostenta la condición de perjudicada por el siniestro y no el Estado, no debiendo asumir la reparación de los perjuicios ocasionados. El contrato administrativo de concesión no le obliga a ello al ser daños derivados de negligencia de un tercero y no por el uso normal de la vía. Debe ser indemnizada por el causante de los perjuicios reclamados. La cuantía indemnizatoria no se limita al material de sustitución, debiendo comprender todos los perjuicios causados, incluidos los gastos de personal y técnicos aunque éstos formen parte de la propia infraestructura de la concesionaria. Determinación del importe cuantitativo de dichos gastos, considerándose excesivo el importe reclamado. Procedente la inclusión del IVA.

d) El derecho a recabar de la Administración la tramitación de los procedimientos de expropiación forzosa, imposición de servidumbres y desahucio administrativo que resulten necesarios para la construcción, modificación y explotación de la obra pública, así como la realización de cuantas acciones sean necesarias para hacer viable el ejercicio de los derechos del concesionario.

e) Los bienes y derechos expropiados que queden afectos a la concesión se incorporarán al dominio público.

f) El derecho a ceder la concesión de acuerdo con lo previsto en el artículo 226 y a hipotecar la misma en las condiciones establecidas en la Ley, previa autorización del órgano de contratación en ambos casos.

⊠ **Consultas**

• **Hipoteca sobre concesión de obra pública**

¿Cuál es el procedimiento para autorizar una hipoteca sobre concesión de obra pública?

[30/05/2011 EC 1338/2011]

Contestación

El art. 228 de la Ley 30/2007, de 30 de octubre (LA LEY 10868/2007) (BOE del 31), de Contratos del Sector Público (LCSP (LA LEY 10868/2007)), se limita a establecer, en su letra f), como derecho del concesionario el de ceder la concesión de acuerdo con lo previsto en el art. 209 y a hipotecar la misma en las condiciones establecidas en la Ley, previa autorización del órgano de contratación en ambos casos.

Sin embargo, ni la misma Ley de Contratos del Sector Público (LA LEY 10868/2007), ni la Ley Hipotecaria (LH), aprobada por Decreto de 8 de febrero de 1946 (LA LEY 3/1946), ni el Reglamento Hipotecario (RH), aprobado por Decreto de 14 de febrero de 1947, establecen norma especial alguna para la constitución de la hipoteca sobre concesión de obra pública.

La Ley Hipotecaria se limita a señalar en su art. 107.6 que podrán también hipotecarse las concesiones administrativas de minas, ferrocarriles, canales, puentes y otras obras destinadas al servicio público, y los edificios o terrenos que, no estando directa y exclusivamente destinados al referido servicio, pertenezcan al dominio particular, si bien se hallen agregados a aquellas obras, quedando pendiente la hipoteca, en el primer caso, de la resolución del derecho del concesionario.

Y el art. 175 del Reglamento hipotecario, únicamente establece una regla especial en materia de cancelación, cuando dispone en su regla 3.ª que las inscripciones de hipotecas constituidas sobre obras destinadas al servicio público cuya explotación conceda el Gobierno y que estén directa y exclusivamente afectas al referido servicio, se cancelarán si se declarase resuelto el derecho del concesionario, en virtud del mismo título en que se haga constar esa extinción y del documento que acredite haberse consignado en debida forma, para atender al pago de los créditos hipotecarios inscritos, el importe de la indemnización que en su caso deba percibir el concesionario.

Pero en materia de constitución no se establece ninguna norma específica. Hemos de señalar que el art. 255 del Texto Refundido de la Ley de Contratos de las Administraciones Públicas (TR LCAP), aprobado por Real Decreto Legislativo 2/2000, de 16 de junio (LA LEY 2206/2000) (BOE del 21), establecía que no se admitía la hipoteca de concesiones de obras públicas en garantía de deudas que no guarden relación con la concesión correspondiente; y que las solicitudes referentes a las autorizaciones administrativas previstas en este artículo y en el siguiente se resolverán por el órgano competente en el plazo de un mes, debiendo entenderse desestimadas si no resuelve y notifica en ese plazo. Sin embargo, en la actualidad la LCSP (LA LEY 10868/2007) no dice nada al respecto, si bien, la doctrina entiende que debe seguir rigiendo la limitación de que la hipoteca sólo debe prestarse en garantía de las deudas que tengan relación con la concesión correspondiente.

Por tanto, partiendo de los señalados hasta ahora, podemos decir que el procedimiento no es complicado; bastando que conste la solicitud de autorización de hipoteca de la concesión presentada por el concesionario al órgano de contratación y el compromiso de que la hipoteca se solicita en garantía de deudas relacionadas con la concesión.

Por otra parte, al no haber otros requisitos específicos establecidos por la legislación vigente, se emitirán los informes correspondientes y se adoptará, en su caso, el acuerdo de autorización por el órgano de contratación. Sujeto, en principio, sólo a la condición de que la hipoteca se presta en garantía de las deudas que se derivan de la concesión.

g) El derecho a titulizar sus derechos de crédito, en los términos previstos en la Ley.

h) Cualesquiera otros que le sean reconocidos por ésta u otras Leyes o por los pliegos de condiciones.

Concordancias a todo el artículo

➡ **Concordancias normativas**

Artículo 228 de la LCSP 30/2007 y artículo 242 del TRLCAP RDL 2/2000.

✍ **Informes de la Junta Consultiva de Contratación Administrativa**

Informe 10/2011, de 6 de abril, de la Junta Consultiva de Contratación Administrativa de la Comunidad Autónoma de Aragón, sobre Proyecto de Decreto sobre la aplicación del contrato de concesión de obra pública para la creación, modernización y mejora de regadíos.

CONTRATO ADMINISTRATIVO DE CONCESIÓN DE OBRAS PÚBLICAS. Para la creación, modernización y mejora de regadíos. Se informa favorablemente el proyecto de Decreto sobre la aplicación de tal contrato, en tanto se incorporen las sugerencias y observaciones realizadas, y en especial las relativas a la relación con sus medios propios y el sistema de retribución. El objeto del contrato es la construcción y explotación de obras de regadío, tanto de las que crean nuevas zonas regables como de las de modernización de regadíos ya existentes. La entidad contratante será la Administración de la CA Aragón, a través del departamento competente en materia de agricultura, si bien se prevé que para ello podrá contar con la colaboración de sus medios propios instrumentales. El plazo de duración de la concesión no se regula de forma general en el proyecto, que se limita a establecer que la fase de explotación tendrá una duración máxima de 30 años. La retribución al concesionario se configura de manera dual. Por una parte percibirá una retribución económica del concedente —Administración autonómica— como compensación a la inversión y por los costes de explotación y por otro lado, percibirá las retribuciones que se fijen con cargo a las comunidades de regantes, en este caso fijadas únicamente en función de los costes de explotación. El contrato se ejecutará a riesgo y ventura del concesionario.

📖 **Doctrina**

— «Contenido del contrato» Koninckx Frasquet, Amparo; Vidal Monferrer, Rosa María. Esta doctrina forma parte del libro *Aspectos prácticos y novedades de la contratación pública. En especial en la administración local,* edición nº 1, Editorial LA LEY, Madrid, 2009.

[LA LEY 2572/2010]

— Derechos del concesionario. Morcillo Moreno, Juana; Puerta Seguido, Francisco. Esta doctrina forma parte del libro *El contrato de concesión de obras públicas en la Ley de Contratos del Sector Público*, edición n° 1, Editorial LA LEY, Madrid, Febrero 2009.

[LA LEY 4227/2010]

Artículo 246 *Obligaciones del concesionario*

Serán obligaciones generales del concesionario:

a) Ejecutar las obras con arreglo a lo dispuesto en el contrato.

b) Explotar la obra pública, asumiendo el riesgo económico de su gestión con la continuidad y en los términos establecidos en el contrato u ordenados posteriormente por el órgano de contratación.

c) Admitir la utilización de la obra pública por todo usuario, en las condiciones que hayan sido establecidas de acuerdo con los principios de igualdad, universalidad y no discriminación, mediante el abono, en su caso, de la correspondiente tarifa.

⊠ **Consultas**

• **Naturaleza de las tarifas de las empresas concesionarias de servicios**

¿Cuál es la naturaleza de las tarifas a cobrar por las empresas concesionarias de servicios?

[11/03/2010 EC 867/2010]

Ver respuesta en artículo 133

d) Cuidar del buen orden y de la calidad de la obra pública, y de su uso, pudiendo dictar las oportunas instrucciones, sin perjuicio de los poderes de policía que correspondan al órgano de contratación.

e) Indemnizar los daños que se ocasionen a terceros por causa de la ejecución de las obras o de su explotación, cuando le sean imputables de acuerdo con el artículo 214.

f) Proteger el dominio público que quede vinculado a la concesión, en especial, preservando los valores ecológicos y ambientales del mismo.

g) Cualesquiera otras previstas en ésta u otra Ley o en el pliego de cláusulas administrativas particulares.

Concordancias a todo el artículo

➡ Concordancias normativas

Artículo 229 de la LCSP 30/2007 y artículo 243 del TRLCAP RDL 2/2000.

☞ Concordancias Jurisprudenciales

Tribunal Superior de Justicia de Madrid, Sala de lo Contencioso-administrativo, Sección 3.ª, Sentencia de 28 Mar. 2011, rec. 64/2011

CONTRATO ADMINISTRATIVO DE OBRAS. Improcedencia de la indemnización reclamada por la empresa contratista al Ayuntamiento contratante por incremento extraordinario de costes de transporte de materiales soportados por la realización de las obras adjudicadas. Creación de un nuevo impuesto por la L 6/2003 que establece una tarifa por metro cúbico de residuos procedentes de construcción y demolición. Aunque es cierto que ese nuevo impuesto constituye un hecho que altera el precio que razonablemente el contratista había previsto en su proyecto de licitación —riesgo imprevisible—, su entrada en vigor fue anterior a la firma del contrato, y la recurrente no puede excusarse en el desconocimiento de su aplicación, pues suscribió el contrato sin realizar salvedad alguna ni reservas, y sin prever futuras actualizaciones ni revisiones de precios, siendo además que el contrato debía cumplirse a riesgo y ventura del contratista.

📖 Doctrina

— «Normas específicas de responsabilidad de la administración y el contratista, derivada de incumplimiento contractual». Bravo Rey, Irene; Koninckx Frasquet, Amparo; Martí Selva, Enrique. Esta doctrina forma parte del libro *Aspectos prácticos y novedades de la contratación pública. En especial en la administración local* , edición nº 1, Editorial LA LEY, Madrid, 2009.

[LA LEY 2579/2010]

— «Normas específicas de responsabilidad de la administración y el contratista por daños a terceros». Bravo Rey, Irene; Koninckx Frasquet, Amparo; Martí Selva, Enrique. Esta doctrina forma parte del libro *Aspectos prácticos y novedades de la contratación pública. En especial en la administración local,* edición n° 1, Editorial LA LEY, Madrid, 2009.

[LA LEY 2577/2010]

— «Contenido del contrato», Alonso Mas, María José, Koninckx Frasquet, Amparo. Esta doctrina forma parte del libro *Aspectos prácticos y novedades de la contratación pública. En especial en la administración loca"* edición n° 1, Editorial LA LEY, Madrid, 2009..

[LA LEY 2547/2010]

— «Obligaciones del concesionario». Morcillo Moreno, Juana; Puerta Seguido, Francisco. Esta doctrina forma parte del libro *El contrato de concesión de obras públicas en la Ley de Contratos del Sector Público,* edición n° 1, Editorial LA LEY, Madrid, Febrero 2009.

[LA LEY 4228/2010]

Artículo 247 *Uso y conservación de la obra pública*

1. El concesionario deberá cuidar de la adecuada aplicación de las normas sobre uso, policía y conservación de la obra pública.

2. El personal encargado de la explotación de la obra pública, en ausencia de agentes de la autoridad, podrá adoptar las medidas necesarias en orden a la utilización de la obra pública, formulando, en su caso, las denuncias pertinentes. A estos efectos, servirán de medio de prueba las obtenidas por el personal del concesionario debidamente acreditado y con los medios previamente homologados por la Administración competente, así como cualquier otro admitido en derecho.

3. El concesionario podrá impedir el uso de la obra pública a aquellos usuarios que no abonen la tarifa correspondiente, sin perjuicio de lo que, a este respecto, se establezca en la legislación sectorial correspondiente.

4. El concesionario deberá mantener la obra pública de conformidad con lo que, en cada momento y según el progreso de la ciencia, disponga la normativa técnica, medioambiental, de accesibilidad y eliminación de barreras y de seguridad de los usuarios que resulte de aplicación.

5. La Administración podrá incluir en los pliegos de condiciones mecanismos para medir la calidad del servicio ofrecida por el concesionario, y otorgar ventajas o penalizaciones económicas a éste en función de los mismos.

➡ **Concordancias normativas**

Artículo 230 de la LCSP 30/2007 y artículo 244 del TRLCAP RDL 2/2000.

Artículo 248 *Zonas complementarias de explotación comercial*

1. Atendiendo a su finalidad, las obras públicas podrán incluir, además de las superficies que sean precisas según su naturaleza, otras zonas o terrenos para la ejecución de actividades complementarias, comerciales o industriales que sean necesarias o convenientes por la utilidad que prestan a los usuarios de las obras y que sean susceptibles de un aprovechamiento económico diferenciado, tales como establecimientos de hostelería, estaciones de servicio, zonas de ocio, estacionamientos, locales comerciales y otros susceptibles de explotación.

2. Estas actividades complementarias se implantarán de conformidad con lo establecido en los pliegos generales o particulares que rijan la concesión y, en su caso, con lo determinado en la legislación o el planeamiento urbanístico que resulte de aplicación.

3. Las correspondientes zonas o espacios quedarán sujetos al principio de unidad de gestión y control de la Administración Pública concedente y serán explotados conjuntamente con la obra por el concesionario, directamente o a través de terceros, en los términos establecidos en el oportuno pliego de la concesión.

Concordancias a todo el artículo

➡ **Concordancias normativas**

Artículo 231 de la LCSP 30/2007 y artículo 223 del TRLCAP RDL 2/2000.

📖 **Doctrina**

«Delimitación con figuras jurídicas afines». Koninckx Frasquet, Amparo; Vidal Monferrer, Rosa María. Esta doctrina forma parte del libro *Aspectos prácticos y novedades de la contratación pública. En especial en la administración loca"*, edición nº 1, Editorial LA LEY, Madrid, 2009.

[LA LEY 2568/2010]

Subsección 2

Prerrogativas y derechos de la Administración

Artículo 249 *Prerrogativas y derechos de la Administración*

1. Dentro de los límites y con sujeción a los requisitos y con los efectos señalados en esta Ley, el órgano de contratación o, en su caso, el órgano que se determine en la legislación específica, ostentará las siguientes prerrogativas y derechos en relación con los contratos de concesión de obras públicas:

a) Interpretar los contratos y resolver las dudas que ofrezca su cumplimiento.

b) Modificar los contratos por razones de interés público debidamente justificadas, de acuerdo con lo previsto en el título V del libro I.

c) Restablecer el equilibrio económico de la concesión a favor del interés público, en la forma y con la extensión prevista en el artículo 258.

d) Acordar la resolución de los contratos en los casos y en las condiciones que se establecen en los artículos 269 y 270.

e) Establecer, en su caso, las tarifas máximas por la utilización de la obra pública.

f) Vigilar y controlar el cumplimiento de las obligaciones del concesionario, a cuyo efecto podrá inspeccionar el servicio, sus obras, instalaciones y locales, así como la documentación, relacionados con el objeto de la concesión.

g) Asumir la explotación de la obra pública en los supuestos en que se produzca el secuestro de la concesión.

h) Imponer al concesionario las penalidades pertinentes por razón de los incumplimientos en que incurra.

i) Ejercer las funciones de policía en el uso y explotación de la obra pública en los términos que se establezcan en la legislación sectorial específica.

j) Imponer con carácter temporal las condiciones de utilización de la obra pública que sean necesarias para solucionar situaciones excepcionales de interés general, abonando la indemnización que en su caso proceda.

k) Cualesquiera otros derechos reconocidos en ésta o en otras leyes.

☞ **Concordancias Jurisprudenciales**

Tribunal Superior de Justicia de Galicia, Sala de lo Contencioso-administrativo, Sección 2.ª, Sentencia de 1 Dic. 2011, rec. 4159/2009

ACTO ADMINISTRATIVO. Requisitos formales. Motivación. Motivación suficiente. -- Invalidez. Anulabilidad. Infracciones procedimentales del ordenamiento jurídico. CONTRATOS ADMINISTRATIVOS. Preparación de los contratos. Expediente de contratación. Pliegos de cláusulas administrativas. -- Adjudicación de los contratos. Selección del adjudicatario. Valoración de las ofertas. PRINCIPIO DE IGUALDAD. Principio de igualdad en el ámbito administrativo. Contratación administrativa.

2. El ejercicio de las prerrogativas administrativas previstas en este artículo se ajustará a lo dispuesto en esta Ley y en la legislación específica que resulte de aplicación.

En particular, será preceptivo el dictamen del Consejo de Estado u órgano consultivo equivalente de la Comunidad Autónoma respectiva en los casos de interpretación, modificación, nulidad y resolución, cuando se formule oposición por parte del concesionario, en las modificaciones acordadas en la fase de ejecución de las obras que se encuentren en el caso previsto en el artículo 211.3.b) y en aquellos supuestos previstos en la legislación específica.

➡ **Concordancias normativas**

Artículo 232 de la LCSP 30/2007 y artículo 249 del TRLCAP RDL 2/2000.

Artículo 232 redactado por el apartado veintitrés de la disposición final decimosexta de la Ley 2/2011, de 4 de marzo, de Economía Sostenible («B.O.E». 5 marzo).

Véase artículo 210 de la presente Ley.

Artículo 250 *Modificación de la obra pública*

1. El órgano de contratación podrá acordar, cuando el interés público lo exija y si concurren las circunstancias previstas en el Título V del Libro I, la modificación de la obra pública, así como su ampliación o, si concurren las circunstancias previstas en el artículo 171.b), la realización de obras complementarias directamente relacionadas con el objeto de la concesión durante la vigencia de ésta, procediéndose, en su caso, a la revisión del plan económico-financiero al objeto de acomodarlo a las nuevas circunstancias.

2. Toda modificación que afecte el equilibrio económico de la concesión se regirá por lo dispuesto en el artículo 258.

3. Las modificaciones que, por sus características físicas y económicas, permitan su explotación independiente serán objeto de nueva licitación para su construcción y explotación.

➡ **Concordancias normativas**

Artículo 233 de la LCSP 30/2007 y artículo 250 del TRLCAP RDL 2/2000.

Artículo 250 redactado por el apartado veinticuatro de la disposición final decimosexta de la Ley 2/2011, de 4 de marzo, de Economía Sostenible («B.O.E». 5 marzo).

Artículo 251 *Secuestro de la concesión*

1. El órgano de contratación, previa audiencia del concesionario, podrá acordar el secuestro de la concesión en los casos en que el concesionario no pueda hacer frente, temporalmente y con grave daño social, a la explotación de la obra pública por causas ajenas al mismo o incurriese en un incumplimiento grave de sus obligaciones que pusiera en peligro dicha explotación. El acuerdo del órgano de contratación será notificado

al concesionario y si éste, dentro del plazo que se le hubiera fijado, no corrigiera la deficiencia se ejecutará el secuestro. Asimismo, se podrá acordar el secuestro en los demás casos recogidos en esta Ley con los efectos previstos en la misma.

2. Efectuado el secuestro, corresponderá al órgano de contratación la explotación directa de la obra pública y la percepción de la contraprestación establecida, pudiendo utilizar el mismo personal y material del concesionario. El órgano de contratación designará uno o varios interventores que sustituirán plena o parcialmente al personal directivo de la empresa concesionaria. La explotación de la obra pública objeto de secuestro se efectuará por cuenta y riesgo del concesionario, a quien se devolverá, al finalizar aquél, con el saldo que resulte después de satisfacer todos los gastos, incluidos los honorarios de los interventores, y deducir, en su caso la cuantía de las penalidades impuestas.

☞   **Concordancias Jurisprudenciales**

Juzgado de lo Mercantil N.°. 1 de Almería, Auto de 22 Jun. 2011, proc. 325/2011

PROCEDIMIENTO CONCURSAL. Declaración de concurso voluntario. Empresa mixta de servicios municipales. Concurre el presupuesto subjetivo de la declaración. La solicitante es una mercantil vinculada a una Administración pública, pero no una corporación de Derecho público en el sentido del art. 1.3 de la Ley Concursal. Es una empresa de servicios que no implican el ejercicio de autoridad (agua, alumbrado, parques y jardines y conservación de la red viaria y de edificios públicos), en la que el capital público es minoritario, y en la que, según sus estatutos, las facultades de disolución y liquidación no están sujetas a ningún tipo de obstáculo administrativo. También concurre el presupuesto objetivo de la declaración. De la documentación aportada se desprende el estado de insolvencia de la deudora, generado por los impagos municipales. Cumplimentación por la solicitante de los requisitos legales de capacidad procesal, postulación y legitimación. Supuesto en el que el Ayuntamiento ha ordenado el secuestro temporal de la gestión de los servicios, nombrando a tal efecto un interventor. Éste no sustituye a los administradores de la sociedad y, por lo tanto, siguen legitimados a efectos de la declaración concursal. Conservación por la deudora de sus facultades de administración y disposición de su patrimonio, sometida en su ejercicio a los administradores concursales.

3. El secuestro tendrá carácter temporal y su duración será la que determine el órgano de contratación sin que pueda exceder, incluidas las posibles prórrogas, de tres años. El órgano de contratación acordará de oficio o a petición del concesionario el cese del secuestro cuando resultara acreditada la desaparición de las causas que lo hubieran motivado y el concesionario justificase estar en condiciones de proseguir la normal explotación de la obra pública. Transcurrido el plazo fijado para el secuestro sin que el concesionario haya garantizado la asunción completa de sus obligaciones, el órgano de contratación resolverá el contrato de concesión.

➡ Concordancias normativas

Artículo 234 de la LCSP 30/2007 y artículo 251 del TRLCAP RDL 2/2000.

Artículo 252 *Penalidades por incumplimientos del concesionario*

1. Los pliegos de cláusulas administrativas particulares establecerán un catálogo de incumplimientos de las obligaciones del concesionario, distinguiendo entre los de carácter leve y grave. Deberán considerarse penalizables el incumplimiento total o parcial por el concesionario de las prohibiciones establecidas en esta Ley, la omisión de actuaciones que fueran obligatorias conforme a ella y, en particular, el incumplimiento de los plazos para la ejecución de las obras, la negligencia en el cumplimiento de sus deberes de uso, policía y conservación de la obra pública, la interrupción injustificada total o parcial de su utilización, y el cobro al usuario de cantidades superiores a las legalmente autorizadas.

2. El órgano de contratación podrá imponer penalidades de carácter económico, que se establecerán en los pliegos de forma proporcional al tipo de incumplimiento y a la importancia económica de la explotación. El límite máximo de las penalidades a imponer no podrá exceder del 10 por 100 del presupuesto total de la obra durante su fase de construcción. Si la concesión estuviera en fase de explotación, el límite máximo de las penalidades anuales no podrá exceder del 20 por 100 de los ingresos obtenidos por la explotación de la obra pública durante el año anterior.

3. Los incumplimientos graves darán lugar, además, a la resolución de la concesión en los casos previstos en el correspondiente pliego.

4. Además de los supuestos previstos en esta Ley, en los pliegos se establecerán los incumplimientos graves que pueden dar lugar al secuestro temporal de la concesión, con independencia de las penalidades que en cada caso procedan por razón del incumplimiento.

5. Durante la fase de ejecución de la obra el régimen de penalidades a imponer al concesionario será el establecido en el artículo 212.

6. Con independencia del régimen de penalidades previsto en el pliego, la Administración podrá también imponer al concesionario multas coercitivas cuando persista en el incumplimiento de sus obligaciones, siempre que hubiera sido requerido previamente y no las hubiera cumplido en el plazo fijado. A falta de determinación por la legislación específica, el importe diario de la multa será de 3.000 euros.

➡ **Concordancias normativas**

Artículo 235 de la LCSP 30/2007 y artículo 252 del TRLCAP RDL 2/2000.

Véase artículo 196 de la presente Ley.

Concordancias a todo el artículo

📖 **Doctrina**

«Régimen económico-financiero del contrato de concesión de obra pública». Koninckx Frasquet, Amparo; Vidal Monferrer, Rosa María. Esta doctrina forma parte del libro *Aspectos prácticos y novedades de la contratación pública. En especial en la administración local*, edición nº 1, Editorial LA LEY, Madrid, 2009.

[LA LEY 2573/2010]

Sección 3

Régimen económico-financiero de la concesión

Artículo 253 *Financiación de las obras*

1. Las obras públicas objeto de concesión serán financiadas, total o parcialmente, por el concesionario que, en todo caso, asumirá el riesgo en función de la inversión realizada.

2. Cuando existan razones de rentabilidad económica o social, o concurran singulares exigencias derivadas del fin público o interés general de la obra objeto de concesión, la Administración podrá también aportar recursos públicos para su financiación, que adoptará la forma de financiación conjunta de la obra, mediante subvenciones o préstamos reintegrables, con o sin interés, de acuerdo con lo establecido en el artículo 240 y en esta sección, y de conformidad con las previsiones del correspondiente pliego de cláusulas administrativas particulares, debiendo respetarse en todo caso el principio de asunción de riesgo por el concesionario.

✉ **Consultas**

• **Ejecución de dos obras públicas mediante concesión de obra pública**

Para la ejecución de dos obras públicas con prestaciones vinculadas, ¿puede realizarse un único contrato?

[24/02/2011 EC 513/2011]

Contestación

No se concreta en la consulta el objeto de las dos obras públicas a las que se refiere, indicándose, aunque no lo reproducimos en los antecedentes, que una será financiada exclusivamente por la Administración y la otra mediante el régimen de concesión a lo largo de la fase de explotación. Sí resulta de extraordinario interés para su resolución el siguiente dato: las prestaciones se encuentran directamente vinculadas entre sí y mantienen relaciones de complementariedad que exigen su consideración y tratamiento como una unidad funcional dirigida a la satisfacción de una determinada necesidad o a la consecución de un fin institucional propio del ente, organismo o entidad contratante [art. 25.2 de la Ley 30/2007, de 30 de octubre (LA LEY 10868/2007) (BOE del 31), de Contratos del Sector Público (LCSP (LA LEY 10868/2007))].

La cuestión fundamental consiste en determinar si puede licitarse como un contrato mixto, entendiendo que de contrato de obra y de concesión de obra pública. Al respecto, hemos de estar en primer lugar a la definición del contrato mixto, como aquel que tiene por objeto la realización por el concesionario de algunas de las prestaciones a que se refiere el art. 6 LCSP (LA LEY 10868/2007) y en el que la contraprestación a favor de aquél consiste, o bien únicamente en el derecho a explotar la obra, o bien en dicho derecho acompañado del de percibir un precio (art. 7 LCSP (LA LEY 10868/2007)). Y en cuanto al contrato de obra, se señalan en el art. 6 citado las prestaciones que comprende su objeto.

De manera semejante, el contrato de obras y el contrato de concesión de obra pública se definen en la Directiva 2004/18/CE, de 31 de marzo de 2004 (LA LEY 4245/2004), sobre coordinación de los procedimientos de adjudicación de los contratos públicos de obras, de suministro y de servicios, en los arts. 1.1.2.b y 1.3, respectivamente. Expresamente, respecto al contrato de concesión de obra pública, se dice que la concesión de obras públicas es un contrato que presenta las mismas características que el contrato público de obras, con la salvedad de que la contrapartida de las obras consista, o bien únicamente en el derecho a explotar la obra, o bien a dicho derecho acompañado de un precio.

De este modo, podemos compartir la afirmación contenida en el Informe 12/2008, de 17 de marzo de 2009, de la Comisión Permanente de la Junta Consultiva de Contratación Administrativa de las Islas Baleares, en el sentido de que la concesión de obras públicas se configura como una modalidad de contrato que presenta las mismas características que el contrato público de obras, con la diferencia de que la contrapartida de las obras consiste, bien únicamente en el derecho a explotar la obra, bien en este derecho acompañado de un precio.

Tradicionalmente, la concesión de obra pública en los términos definidos se había configurado como un contrato mixto de obras y de gestión de servicio público. Fue la Ley 13/2003, de 23 de mayo (LA LEY 919/2003) (BOE del 24), reguladora del contrato de concesión de obra pública, la que insertó esta modalidad contractual en la legislación de contratación administrativa, por cuanto, sin perjuicio del reconocimiento de prestaciones distintas —objeto típico de un contrato mixto—, demandaba un régimen jurídico singularizado atendiendo a sus características especiales.

Hemos de partir, además, de la expresa regulación de los contratos mixtos en el art. 12 LCSP (LA LEY 10868/2007), que exige la concurrencia de prestaciones correspondientes a otro u otros de distinta clase.

De conformidad con todo lo anteriormente expuesto, podemos concluir que en la contratación de distintas obras públicas, las prestaciones son coincidentes (algunas de las que se refiere el art. 6); siendo, como se ha dicho, que la diferencia entre el contrato de obras y el de concesión de obra pública está, no en las diferentes prestaciones, sino en las diferentes contrapartidas. De este modo, si no existen diferentes prestaciones, no estaremos ante una modalidad de contrato mixto.

Centrándonos, pues, en la modalidad de contrato de concesión de obra pública, y admitiendo que las prestaciones están directamente vinculadas entre sí, consideramos aplicable el art. 240 LCSP (LA LEY 10868/2007), por cuanto se refiere a dos o más obras públicas que mantienen una relación funcional entre ellas. Siempre que lo interpretemos en el sentido de que la remuneración que se producirá a lo largo de la fase de explotación, se referirá solo a una de las obras; mientras que la otra será retribuida mediante recursos públicos de conformidad con lo dispuesto en el art. 236.2 LCSP (LA LEY 10868/2007).

Además de lo anterior, para admitir la posibilidad la concesión de obra pública, se hace preciso acreditar el cumplimiento de un requisito añadido: que de las dos obras públicas —y sin perjuicio de su relación funcional— una tenga carácter principal y otra accesoria; de modo que esta última sea la que no sea susceptible de remuneración mediante su explotación. Se trata, con esta interpretación, de evitar que se cubra con el manto del negocio jurídico concesional a una obra que no es susceptible de explotación económica, cuando la retribución que el contratista haya de obtener por la explotación no es significativa respecto del grueso de la contraprestación total.

En este punto recomendamos la lectura del Dictamen 276/2006, de 30 de mayo del Consejo Consultivo de la Comunidad Valenciana en relación con la Ciudad de la Justicia de Elche, constituida por un edificio destinado a sede judicial y otro a aparcamiento y zonas de cafetería y despachos. El Dictamen es contrario a la consideración de la licitación como una concesión de obra pública, precisamente porque la obra principal es difícilmente susceptible de explotación económica. Pero termina indicando que nada obsta, en una interpretación flexible y finalista del contrato de concesión de obra pública, a la aplicación del art. 226 del Texto Refundido de la Ley de Contratos de las Administraciones Públicas (TR LCAP), aprobado por Real Decreto Legislativo 2/2000, de 16 de junio (LA LEY 2206/2000) (BOE del 21) —antecedente del art. 240 LCSP— al tratarse de dos obras públicas con relación funcional entre ambas, en las que una de ellas (el edificio) no está sujeta a remuneración (o lo que es lo mismo, no es susceptible de explotación), pero sí la otra obra pública (la zona de aparcamientos y la zona de cafetería, despachos, etc.), por lo que el contrato no perdería la naturaleza de concesión de obra pública.

En conclusión, acreditándose el cumplimiento de los requisitos anteriores, será de aplicación el régimen jurídico del contrato de concesión de obra pública contenido en los arts. 223 y siguientes LCSP (LA LEY 10868/2007), sin atender en exclusiva y de manera diferenciada al presupuesto de las prestaciones correspondientes a cada obra pública.

3. La construcción de la obra pública objeto de concesión podrá asimismo ser financiada con aportaciones de otras Administraciones Públicas distintas a la concedente, en los términos que se contengan en el correspondiente convenio, y con la financiación que pueda provenir de otros organismos nacionales o internacionales.

➡ **Concordancias normativas**

Artículo 236 de la LCSP 30/2007 y artículo 224 del TRLCAP RDL 2/2000.

Artículo 254 *Aportaciones públicas a la construcción*

1. Las Administraciones Públicas podrán contribuir a la financiación de la obra mediante aportaciones que serán realizadas durante la fase de ejecución de las obras, tal como dispone el artículo 240 de esta Ley, una vez concluidas éstas o al término de la concesión, y cuyo importe será fijado en los pliegos de condiciones correspondientes o por los licitadores en sus ofertas cuando así se establezca en dichos pliegos. En los dos últimos supuestos, resultará de aplicación la normativa sobre contratos de obra bajo la modalidad de abono total, salvo en la posibilidad de fraccionar el abono.

2. Las aportaciones públicas a que se refiere el apartado anterior podrán consistir en aportaciones no dinerarias del órgano de contratación o de cualquier otra Administración con la que exista convenio al efecto, de acuerdo con la valoración de las mismas que se contenga en el pliego de cláusulas administrativas particulares.

Los bienes inmuebles que se entreguen al concesionario se integrarán en el patrimonio afecto a la concesión, destinándose al uso previsto en el proyecto de la obra, y revertirán a la Administración en el momento de su extinción, debiendo respetarse, en todo caso, lo dispuesto en los planes de ordenación urbanística o sectorial que les afecten.

Concordancias a todo el artículo

➡ **Concordancias normativas**

Artículo 237 de la LCSP 30/2007 y artículo 245 del TRLCAP RDL 2/2000.

Véase artículo 240.2 de la presente Ley.

📖 **Doctrina**

«Ejecución de las obras». Koninckx Frasquet, Amparo; Vidal Monferrer, Rosa María. Esta doctrina forma parte del libro *Aspectos prácticos y novedades de la contratación pública. En especial en la administración local,* edición nº 1, Editorial LA LEY, Madrid, 2009.

[LA LEY 2571/2010]

Artículo 255 *Retribución por la utilización de la obra*

1. El concesionario tendrá derecho a percibir de los usuarios o de la Administración una retribución por la utilización de la obra en la forma prevista en el pliego de cláusulas administrativas particulares y de conformidad con lo establecido en este artículo.

2. Las tarifas que abonen los usuarios por la utilización de las obras públicas serán fijadas por el órgano de contratación en el acuerdo de adjudicación. Las tarifas tendrán el carácter de máximas y los concesionarios podrán aplicar tarifas inferiores cuando así lo estimen conveniente.

✉ **Consultas**

• **Naturaleza de las tarifas de las empresas concesionarias de servicios**

¿Cuál es la naturaleza de las tarifas a cobrar por las empresas concesionarias de servicios?

[11/03/2010 EC 867/2010]

Ver respuesta en artículo 133

3. Las tarifas serán objeto de revisión de acuerdo con el procedimiento que determine el pliego de cláusulas administrativas particulares.

De conformidad con el artículo 131.1.c).4.º, el plan económico-financiero de la concesión establecerá la incidencia en las tarifas de los rendimientos de la demanda de utilización de la obra y, cuando exista, de los beneficios derivados de la explotación de la zona comercial, cuando no alcancen o cuando superen, respectivamente, los niveles mínimo y máximo que se consideren en la oferta.

4. La retribución por la utilización de la obra podrá ser abonada por la Administración teniendo en cuenta su utilización y en la forma prevista en el pliego de cláusulas administrativas particulares.

5. El concesionario se retribuirá igualmente con los ingresos procedentes de la explotación de la zona comercial vinculada a la concesión, en el caso de existir ésta, según lo establecido en el pliego de cláusulas administrativas particulares.

6. El concesionario deberá separar contablemente los ingresos provenientes de las aportaciones públicas y aquellos otros procedentes de las tarifas abonadas por los usuarios de la obra y, en su caso, los procedentes de la explotación de la zona comercial.

Concordancias a todo el artículo

➡ Concordancias normativas

Artículo 238 de la LCSP 30/2007 y artículos 225 y 246 del TRLCAP RDL 2/2000.

✉ Consultas

• Enajenación de solar por procedimiento negociado

El ayuntamiento procedió a la enajenación de un solar urbano mediante subasta. Al quedar desierta tramitó y adjudicó mediante procedimiento negociado. Se deniega la inscripción en el Registro alegando que el procedimiento negociado no puede utilizarse para enajenar bienes inmuebles. ¿Es así?

[11/02/2009 EC 510/2009]

Ver respuesta en artículo 223.

• **La extinción de la personalidad jurídica no es causa de resolución del contrato ejecutado pendiente de pago**

Contratada una empresa mercantil para la redacción de un proyecto de urbanización, nos ha comunicado que se va a extinguir. Nos entregó el proyecto, pero está pendiente de pago el 50% del importe por no haber concluido el trámite de aprobación definitiva. ¿Es causa de resolución?

[27/01/2009 EC 334/2009]

Ver respuesta en artículo 223

Artículo 256 *Aportaciones públicas a la explotación*

Las Administraciones Públicas podrán otorgar al concesionario las siguientes aportaciones a fin de garantizar la viabilidad económica de la explotación de la obra:

a) Subvenciones, anticipos reintegrables, préstamos participativos, subordinados o de otra naturaleza, aprobados por el órgano de contratación para ser aportados desde el inicio de la explotación de la obra o en el transcurso de la misma cuando se prevea que vayan a resultar necesarios para garantizar la viabilidad económico-financiera de la concesión. La devolución de los préstamos y el pago de los intereses devengados en su caso por los mismos se ajustarán a los términos previstos en la concesión.

b) Ayudas en los casos excepcionales en que, por razones de interés público, resulte aconsejable la promoción de la utilización de la obra pública antes de que su explotación alcance el umbral mínimo de rentabilidad.

Concordancias a todo el artículo

➡ **Concordancias normativas**

Artículo 239 de la LCSP 30/2007 y artículo 247 del TRLCAP RDL 2/2000.

✉ **Consultas**

• **Ejecución de dos obras públicas mediante concesión de obra pública**

Para la ejecución de dos obras públicas con prestaciones vinculadas, ¿puede realizarse un único contrato?

[24/02/2011 EC 513/2011]

Ver respuesta en artículo 253

Artículo 257 *Obras públicas diferenciadas*

1. Cuando dos o más obras públicas mantengan una relación funcional entre ellas, el contrato de concesión de obra pública no pierde su naturaleza por el hecho de que la utilización de una parte de las obras construidas no esté sujeta a remuneración siempre que dicha parte sea, asimismo, competencia de la Administración concedente e incida en la explotación de la concesión.

2. El correspondiente pliego de cláusulas administrativas particulares especificará con claridad los aspectos concernientes a la obra objeto de concesión, según se determina en esta Ley, distinguiendo, a estos efectos, la parte objeto de remuneración de aquella que no lo es.

Los licitadores deberán presentar el correspondiente plan económico-financiero que contemple ambas partes de las obras.

3. En todo caso, para la determinación de las tarifas a aplicar por la utilización de la obra objeto de concesión se tendrá en cuenta el importe total de las obras realizadas.

➡ **Concordancias normativas**

Artículo 240 de la LCSP 30/2007 y artículo 226 del TRLCAP RDL 2/2000.

Artículo 258 *Mantenimiento del equilibrio económico del contrato*

1. El contrato de concesión de obras públicas deberá mantener su equilibrio económico en los términos que fueron considerados para su adjudicación, teniendo en cuenta el interés general y el interés del concesionario, de conformidad con lo dispuesto en el apartado siguiente.

2. La Administración deberá restablecer el equilibrio económico del contrato, en beneficio de la parte que corresponda, en los siguientes supuestos:

a) Cuando la Administración modifique, por razones de interés público y de acuerdo con lo previsto en el título V del libro I, las condiciones de explotación de la obra.

b) Cuando causas de fuerza mayor o actuaciones de la Administración determinaran de forma directa la ruptura sustancial de la economía de la concesión. A estos efectos, se entenderá por causa de fuerza mayor las enumeradas en el artículo 231.

c) Cuando se produzcan los supuestos que se establezcan en el propio contrato para su revisión, de acuerdo con lo previsto en el apartado 4.º de la letra c), y en la letra d) del artículo 131.1.

3. En los supuestos previstos en el apartado anterior, el restablecimiento del equilibrio económico del contrato se realizará mediante la adopción de las medidas que en cada caso procedan. Estas medidas podrán consistir en la modificación de las tarifas establecidas por la utilización de la obra, la reducción del plazo concesional, y, en general, en cualquier modificación de las cláusulas de contenido económico incluidas en el contrato. Asimismo, en los casos previstos en el apartado 2.b), y siempre que la retribución del concesionario proviniere en más de un 50 por ciento de tarifas abonadas por los usuarios, podrá prorrogarse el plazo de la concesión por un período que no exceda de un 15 por ciento de su duración inicial. En el supuesto de fuerza mayor previsto en el apartado 2.b), la Administración concedente asegurará los rendimientos mínimos acordados en el contrato siempre que aquella no impidiera por completo la realización de las obras o la continuidad de su explotación.

➡ **Concordancias normativas**

Artículo 241 de la LCSP 30/2007 y artículo 248 del TRLCAP RDL 2/2000.

Artículo 258 redactado por el apartado veinticinco de la disposición final decimosexta de la Ley 2/2011, de 4 de marzo, de Economía Sostenible («B.O.E». 5 marzo).

Sección 4
Financiación privada

Subsección 1
Emisión de títulos por el concesionario

Artículo 259 *Emisión de obligaciones y otros títulos*

1. El concesionario podrá apelar al crédito en el mercado de capitales, tanto exterior como interior, mediante la emisión de toda clase de obligaciones, bonos u otros títulos semejantes admitidos en derecho.

✉ **Consultas**

• **Restablecimiento del equilibrio económico a favor del Ayuntamiento**

En 1970 se otorgó concesión para la construcción y explotación de un aparcamiento subterráneo, por un periodo de 50 años. Gracias a la zona azul y a que se han peatonalizado las calles aledañas, consideramos que la inversión se ha amortizado antes de agotarse el plazo concesional. ¿Podemos reclamar al concesionario el pago del canon que, en su día, se previó que no debía aportar?

[05/06/2012 EC 1329/2012]

Contestación

El objeto de la consulta es la posibilidad de aplicar el principio del mantenimiento del equilibrio económico de una concesión en favor de la Administración.

En el ámbito local, la bilateralidad de este principio está formulada legalmente, al menos, desde el Reglamento de Servicios de las Corporaciones Locales (RS), aprobado por Decreto de 17 de junio de 1955, cuyo art. 127.2.2.b prevé expresamente que el restablecimiento del equilibrio económico concesional debe garantizarse cuando «circunstancias sobrevenidas e imprevisibles determinen, en cualquier sentido, la ruptura de la economía de la concesión». Se trata de un principio que, de acuerdo con la doctrina reiterada del Tribunal Supremo, deriva directamente de los principios generales de la contratación de «buena fe», «equivalencia sinalagmática de las prestaciones», «rebus sic stantibus» y «enriquecimiento injusto»; por lo que ha de aplicarse en todos los contratos concesionales, aunque en la normativa estatal este carácter bidireccional del principio no se introdujo hasta la Ley 13/2003, de 23 de mayo, ahora recogido expresamente en los arts. 258.2 y 282.4 del Real Decreto Legislativo 3/2011, de 14 de noviembre (BOE del 16), por el que se aprueba el texto refundido de la Ley de Contratos del Sector Público (TRLCSP).

Los requisitos generales para que opere el restablecimiento del equilibrio económico se recogen con mejor precisión en el RS que la normativa de contratación estatal. Con un amplio desarrollo jurisprudencial que, lamentablemente, no ha tenido un correcto traslado a la legislación de contratos del sector público: circunstancias ajenas a la buena gestión del concesionario acaecidas durante la ejecución del contrato (modificación del contrato —*ius variandi*—, decisiones de política general —*facttum principis*— o causas sobrevenidas imprevisibles), producen una «subversión» en la economía de la concesión por un incremento de ingresos o de gastos que suponen una involución en los datos económicos considerados al otorgarse la concesión [arts. 126.2.b, 127.1.2.ª, 128.1.1.ª y 3.2.º, 129.3 RS; STS de 10 de noviembre de 2009 (LA LEY 222758/2009); 29 de noviembre de 2006 (LA LEY 175940/2006); de 27 de diciembre de 1990; de 21 de octubre de 1980; de 11 de junio de 1978, por citar sólo algunas desde la fecha del otorgamiento de la concesión objeto de esta consulta].

En el caso objeto de consulta, se han producido circunstancias sobrevenidas y no pudieron preverse en la fecha de otorgamiento de la concesión, que han supuesto un incremento más que considerable de los ingresos del concesionario; sin que nada indique que, paralelamente, hayan aumentado los gastos: aumento sustancial del número de vehículos particulares en general y restricciones al tráfico y al aparcamiento en el entorno del parking subterráneo que han elevado exponencialmente la utilización del mismo (circunstancias sobrevenidas y *Facttum principis*).

El problema que se plantea (aunque no lo hemos reproducido en los antecedentes), por otro lado habitual, es que el pliego no da un tratamiento completo a esta cuestión, ni se dispone de un estudio económico al licitarse la concesión, que permita conocer con precisión en qué cifras se consideró equilibrado el contrato cuando se adjudicó. Ha de suplirse, por ello, esta lamentable carencia volviendo al vetusto RS. De acuerdo con lo que establece en sus arts. 126.2.b, y 129.3, la retribución del concesionario debe permitirle, «mediante una buena y ordenada administración, amortizar durante el plazo de la concesión el costo de establecimiento del servicio y cubrir los gastos de explotación y un margen normal de beneficio industria» [art. 129.3, y en términos similares el art. 126.2.b del RS y la Comunicación sobre concesiones en Derecho comunitario (2000/C 121/02), donde considera una exigencia del «principio de proporcionalidad» la necesidad de conciliar competencia y equilibrio financiero para «garantizar la amortización de las inversiones y una «remuneración razonable a los capitales invertidos»].

No cabe duda de que si el desequilibrio se hubiese producido en perjuicio del concesionario, éste hubiese reclamado al Ayuntamiento medidas correctoras en forma inmediata, apelando a que, pese a la falta de un tratamiento completo en el pliego concesional, la exigencia *ope legis* [STS de 16 de junio de 2004 (LA LEY 13757/2004)] del mantenimiento del equilibrio económico del contrato exige al Ayuntamiento acudir en rescate del concesionario, como se ha sufrido de manera abusiva en muchos Ayuntamientos. El mismo derecho tiene el Ayuntamiento a plantear el mantenimiento del equilibrio económico en su favor.

Ante la falta previsión expresa en el pliego, el Ayuntamiento debe reclamar al contratista toda la documentación económica de la concesión. Amparado en el derecho que, al efecto, le confiere el art. 127.1.2 RS: «fiscalizar la gestión del concesionario, a cuyo efecto podrá inspeccionar el servicio, sus obras, instalaciones, documentación y locales...».; derecho también previsto, por ejemplo, en el art. 259.1.f TRLCSP. A la vista de la contabilidad de la concesión, podrá determinarse qué inversión realizó, cuáles son los gastos de explotación, la ocupación, y, en definitiva, los beneficios del concesionario. Determinar cuál es el margen «normal o razonable» no es del todo sencillo, pues no deja de ser un concepto jurídico indeterminado que hay que colmar en el caso concreto. Puede tomarse, como punto de partida, el del 6% que para los contratos de obras establece el art. 131 del Reglamento General de la Ley de Contratos de las Administraciones Públicas (RCAP), aprobado por Real Decreto 1098/2001, de 12 de octubre (BOE del 26); las ratios de beneficios por sectores de actividad que realiza el Banco Mundial; o las rentabilidades que se obtendrían por esos capitales en otras inversiones de similar o menor riesgo.

Si, tras el estudio de la información económica de la concesión, se constata que el empresario está obteniendo unos beneficios sensiblemente superiores a los que serían «razonables», el Ayuntamiento debe determinar, inicialmente de mutuo acuerdo, y ante falta de éste, haciendo ejercicio de su facultad de interpretación unilateral de los contratos (art. 210 TRLCSP), la forma de «repartir» esos beneficios extraordinarios. La regla del reparto del desequilibrio entre las partes es de formulación jurisprudencial, para conjugar los principios de «riesgo y ventura» y «equilibrio económico» [STS de 13 de noviembre de 1986; de 6 de julio de 1998, de 16 de mayo de 2008 (LA LEY 53399/2008)]. Para ese reparto, pueden servir las medidas de los arts. 258.3 y 282.5 TRLCSP. Estando en el marco de la ejecución de planes de ajuste, debe primarse la obtención de ingresos por el Ayuntamiento; en principio, con una participación cercana a un 50% en los beneficios extraordinarios que se estén obteniendo de la concesión (por encima del margen operacional normal estimado).

No restablecer el mantenimiento del equilibrio en favor del Ayuntamiento es permitir el enriquecimiento injusto de un particular a costa del interés general municipal; algo que podría ser constitutivo, incluso, de ilícito penal [véase, por ejemplo, una condena por prevaricación por omisión a un alcalde en la reciente sentencia de 17 de febrero de 2012 del Juzgado de lo Penal N.° 3 de Palma (EC 1035/2012)].

2. No podrán emitirse títulos cuyo plazo de reembolso total o parcial finalice en fecha posterior al término de la concesión.

3. Las emisiones de obligaciones podrán contar con el aval del Estado y de sus organismos públicos, que se otorgará con arreglo a las prescripciones de la normativa presupuestaria. La concesión del aval por parte de las Comunidades Autónomas, entidades locales, de sus organismos públicos respectivos y demás sujetos sometidos a esta Ley se otorgará conforme a lo que establezca su normativa específica.

4. La emisión de las obligaciones, bonos u otros títulos referidos deberá ser comunicada al órgano de contratación en el plazo máximo de un mes desde la fecha en que cada emisión se realice.

5. A las emisiones de valores reguladas en este artículo y en el siguiente les resultará de aplicación lo dispuesto en la Ley 24/1988, de 28 de julio (LA LEY 1562/1988), del Mercado de Valores.

6. Si la emisión ha sido objeto de registro ante la Comisión Nacional del Mercado de Valores y el riesgo financiero correspondiente a los valores ha sido evaluado positivamente por una entidad calificadora reconocida por dicha entidad supervisora, no será de aplicación el límite del importe previsto en el artículo 405 del Texto Refundido de la Ley de Sociedades de

Capital y en el párrafo segundo del artículo 1 de la Ley 211/1964, de 24 de diciembre (LA LEY 82/1964), sobre regulación de la emisión de obligaciones por sociedades que no hayan adoptado la forma de anónimas, asociaciones u otras personas jurídicas y la constitución del sindicato de obligacionistas.

Concordancias a todo el artículo

➡ **Concordancias normativas**

Disposición Derogatoria y DF 10.ª de la LCSP 30/2007 y artículo 253 del TRLCAP RDL 2/2000.

☞   **Concordancias Jurisprudenciales**

Audiencia Nacional, Sala de lo Contencioso-administrativo, Sección 5.ª, Sentencia de 19 Ene. 2011, rec. 546/2009

RESPONSABILIDAD DE LAS ADMINISTRACIONES PÚBLICAS. Administración del Estado. Ministerio de Defensa. Improcedencia de indemnización por defectuosa praxis médica en la atención dispensada al interesado por los facultativos de una entidad concertada con el ISFAS. El daño es atribuible exclusivamente a la conducta y actuación directa del contratista en la ejecución del contrato bajo su responsabilidad. La prestación sanitaria a través de una Entidad o Sociedad concertada incumbe exclusivamente a ésta a través de los profesionales y medios establecidos previamente y, dentro de ellos, de los elegidos por el mutualista o beneficiario. PROCESO CONTENCIOSO-ADMINISTRATIVO. Falta del presupuesto previo e inexcusable, consistente en que la acción se dirija, además de contra la Administración, contra los sujetos privados, pues, de lo contrario, es decir, de realizar el examen y llegarse a una condena para estos últimos sujetos, pese a que no se haya formulado una pretensión contra ellos, se incurriría en incongruencia por exceso.

Artículo 260 *Incorporación a títulos negociables de los derechos de crédito del concesionario*

1. Podrán emitirse valores que representen una participación en uno o varios de los derechos de crédito a favor del concesionario consistentes

en el derecho al cobro de las tarifas, los ingresos que pueda obtener por la explotación de los elementos comerciales relacionados con la concesión, así como los que correspondan a las aportaciones que, en su caso, deba realizar la Administración. La cesión de estos derechos se formalizará en escritura pública que, en el supuesto de cesión de las aportaciones a efectuar por la Administración, se deberá notificar al órgano contratante y ello sin perjuicio de lo dispuesto en el párrafo quinto de este apartado.

Los valores negociables anteriormente referidos se representarán en títulos o en anotaciones en cuenta, podrán realizarse una o varias emisiones y podrán afectar derechos de crédito previstos para uno o varios ejercicios económicos distintos.

Tanto las participaciones como directamente los derechos de crédito a que se refiere el primer párrafo de este apartado podrán incorporarse a fondos de titulización de activos que se regirán por la normativa específica que les corresponda.

De la suscripción y tenencia de estos valores que no esté limitada a inversores institucionales o profesionales, se dejará nota marginal en la inscripción registral de la concesión correspondiente. Asimismo, las características de las emisiones deberán constar en las memorias anuales de las sociedades que las realicen.

La emisión de estos valores requerirá autorización administrativa previa del órgano de contratación, cuyo otorgamiento sólo podrá denegarse cuando el buen fin de la concesión u otra razón de interés público relevante lo justifiquen.

2. Siempre que designen previamente a una persona física o jurídica que actúe como representante único ante la Administración a los solos efectos previstos en este apartado, los tenedores de valores a que se refiere el apartado 1 de este artículo podrán ejercer las facultades que se atribuyen al acreedor hipotecario en el artículo 262. Si, además, las operaciones a que dicho apartado 1 se refiere hubieran previsto expresamente la satisfacción de los derechos de los tenedores antes del transcurso del plazo concesional, éstos podrán ejercer las facultades a que se refiere el apartado 3 del citado artículo 262 a partir del vencimiento de los títulos.

3. Cuando se produzca causa de resolución de la concesión imputable al concesionario sin que los acreedores hayan obtenido el reembolso correspondiente a sus títulos, la Administración concedente podrá optar por alguna de las siguientes actuaciones:

a) Salvo que las causas de extinción fuesen las previstas en el artículo 269.b), acordar el secuestro de la concesión conforme a lo previsto en el artículo 251 de esta Ley a los solos efectos de satisfacer los derechos de los acreedores sin que el concesionario pueda percibir ingreso alguno.

b) Resolver la concesión, acordando con el representante de los acreedores la cuantía de la deuda y las condiciones en que deberá ser amortizada. A falta de acuerdo, la Administración quedará liberada con la puesta a disposición de los acreedores de la menor de las siguientes cantidades:

1. El importe de la indemnización que correspondiera al concesionario por aplicación de lo previsto en el artículo 271 de esta Ley.

2. La diferencia entre el valor nominal de la emisión y las cantidades percibidas hasta el momento de resolución de la concesión tanto en concepto de intereses como de amortizaciones parciales.

4. Si se produjera causa de resolución no imputable al concesionario y los acreedores no se hubiesen satisfecho íntegramente de sus derechos, la Administración podrá optar por actuar conforme a lo previsto en el párrafo a) del apartado anterior o bien por resolver la concesión acordando con el representante de los acreedores la cuantía de la deuda y las condiciones en que deberá ser amortizada. A falta de acuerdo, la Administración quedará liberada con la puesta a disposición de la diferencia entre el valor nominal de su inversión y las cantidades percibidas hasta el momento de resolución de la concesión tanto en concepto de intereses como de amortizaciones parciales.

5. Quedará siempre a salvo la facultad de acordar la licitación de una nueva concesión una vez resuelta la anterior.

6. Las solicitudes referentes a las autorizaciones administrativas previstas en este artículo se resolverán por el órgano competente en el plazo de un mes, debiendo entenderse desestimadas si no resolviera y notificara en ese plazo.

→ Concordancias normativas

Disposición Derogatoria y DF 10.ª de la LCSP 30/2007 y artículo 254 del TRLCAP RDL 2/2000.

Subsección 2

Hipoteca de la concesión

Artículo 261 *Objeto de la hipoteca de la concesión*

1. Las concesiones de obras públicas con los bienes y derechos que lleven incorporados serán hipotecables conforme a lo dispuesto en la legislación hipotecaria, previa autorización del órgano de contratación.

No se admitirá la hipoteca de concesiones de obras públicas en garantía de deudas que no guarden relación con la concesión correspondiente.

2. Las solicitudes referentes a las autorizaciones administrativas previstas en este artículo y en el siguiente se resolverán por el órgano competente en el plazo de un mes, debiendo entenderse desestimadas si no resuelve y notifica en ese plazo.

→ Concordancias normativas

Disposición Derogatoria y DF 10.ª de la LCSP 30/2007 y artículo 255 del TRLCAP RDL 2/2000.

Artículo 262 *Derechos del acreedor hipotecario*

1. Cuando el valor de la concesión hipotecada sufriera grave deterioro por causa imputable al concesionario, el acreedor hipotecario podrá solicitar del órgano de contratación pronunciamiento sobre la existencia efectiva de dicho deterioro. Si éste se confirmara podrá, asimismo, solicitar de la Administración que, previa audiencia del concesionario, ordene a éste hacer o no hacer lo que proceda para evitar o remediar el daño, sin perjuicio del posible ejercicio de la acción de devastación prevista en el artículo 117 de la Ley Hipotecaria (LA LEY 3/1946). No obstante, en el caso de ejercitarse la acción administrativa prevista en este apartado, se entenderá que el acreedor hipotecario renuncia a la acción prevista en el citado artículo 117 de la Ley Hipotecaria.

2. Cuando procediera la resolución de la concesión por incumplimiento de alguna de las obligaciones del concesionario, la Administración, antes de resolver, dará audiencia al acreedor hipotecario por si éste ofreciera subrogarse en su cumplimiento y la Administración considerara compatible tal ofrecimiento con el buen fin de la concesión.

3. Si la obligación garantizada no hubiera sido satisfecha total o parcialmente al tiempo de su vencimiento, antes de promover el procedimiento de ejecución correspondiente, el acreedor hipotecario podrá ejercer las siguientes facultades siempre que así se hubiera previsto en la correspondiente escritura de constitución de hipoteca:

a) Solicitar de la Administración concedente que, previa audiencia del concesionario, disponga que se asigne a la amortización de la deuda una parte de la recaudación y de las cantidades que, en su caso, la Administración tuviese que hacer efectivas al concesionario. A tal efecto, se podrá, por cuenta y riesgo del acreedor, designar un interventor que compruebe los ingresos así obtenidos y se haga cargo de la parte que se haya señalado, la cual no podrá exceder del porcentaje o cuantía que previamente se determine.

b) Si existiesen bienes aptos para ello, solicitar de la Administración concedente que, previa audiencia al concesionario, le otorgue la explotación durante un determinado período de tiempo de todas o de parte de las zonas complementarias de explotación comercial. En el caso de que estas zonas estuvieran siendo explotadas por un tercero en virtud de una relación jurídico-privada con el concesionario, la medida contemplada por este apartado deberá serle notificada a dicho tercero con la indicación de que queda obligado a efectuar al acreedor hipotecario los pagos que debiera hacer al concesionario.

➡ **Concordancias normativas**

Disposición Derogatoria y DF 10.ª de la LCSP 30/2007 y artículo 256 del TRLCAP RDL 2/2000.

Artículo 263 *Ejecución de la hipoteca*

1. El adjudicatario en el procedimiento de ejecución hipotecaria quedará subrogado en la posición del concesionario, previa autorización administrativa, en los términos que se establecen en el apartado siguiente.

2. Todo el que desee participar en el procedimiento de ejecución hipotecaria en calidad de postor o eventual adjudicatario, incluso el propio acreedor hipotecario si la legislación sectorial no lo impidiera, deberá comunicarlo al órgano de contratación para obtener la oportuna autorización administrativa, que deberá notificarse al interesado en el plazo máximo de 15 días, y sin la cual no se le admitirá en el procedimiento. La autorización tendrá carácter reglado y se otorgará siempre que el peticionario cumpla los requisitos exigidos al concesionario.

Si hubiera finalizado la fase de construcción o ésta no formara parte del objeto de la concesión, sólo se exigirán los requisitos necesarios para llevar a cabo la explotación de la obra.

3. Si la subasta quedara desierta o ningún interesado fuese autorizado por el órgano de contratación para participar en el procedimiento de ejecución hipotecaria, la Administración concedente podrá optar por alguna de las siguientes actuaciones en el supuesto de que el acreedor hipotecario autorizado, en su caso, para ser concesionario no opte por el ejercicio del derecho que le atribuye el artículo 671 de la Ley 1/2000, de 7 de enero (LA LEY 58/2000), e Enjuiciamiento Civil:

a) Acordar el secuestro de la concesión conforme a lo previsto en el artículo 251 de esta Ley sin que el concesionario pueda percibir ingreso alguno. Se dará trámite de audiencia al acreedor hipotecario para ofrecerle la posibilidad de proponer un nuevo concesionario. Si la propuesta no se produjera o el candidato propuesto no cumpliera los requisitos exigibles conforme a lo establecido en el apartado anterior, se procederá a la licitación de la misma concesión en el menor plazo posible.

b) Resolver la concesión y, previo acuerdo con los acreedores hipotecarios, fijar la cuantía de la deuda y las condiciones en que deberá ser amortizada. A falta de acuerdo, la Administración quedará liberada con la puesta a disposición de los acreedores del importe de la indemnización que correspondiera al concesionario por aplicación de lo previsto en el artículo 271 de esta Ley.

Concordancias a todo el artículo

➡ **Concordancias normativas**

Disposición Derogatoria y DF 10.ª de la LCSP 30/2007 y artículo 257 del TRLCAP RDL 2/2000.

☞   **Concordancias Jurisprudenciales**

Audiencia Nacional, Sala de lo Contencioso-administrativo, Sección 4.ª, Sentencia de 29 Feb. 2012, rec. 152/2011

CONTRATO ADMINISTRATIVO DE SUMINISTRO. Nulidad de la penalización impuesta a la interesada por incumplimiento de los plazos de entrega de suministro de diversos modelos de impresos de solicitudes de prestaciones con destino a los Servicios Centrales y Direcciones Provinciales del INSS. Las multas proceden si persiste el incumplimiento de las obligaciones, de lo que se deduce que se trata de coerciones añadidas o agravadas. A las penalidades contractuales les son aplicables, por analogía, el régimen de las multas coercitivas como instrumento de ejecución forzosa. La resolución debió dictarse cuando la obligación contractual de realizar el suministro estaba viva y pendiente, pero no cuando ya se ha ejecutado. De no ser así tal potestad de imposición de penalidades incurre en desviación de poder, pues, al carecer ya de utilidad coercitiva, buscaría un fin sancionador o indemnizador.

Artículo 264 *Derechos de titulares de cargas inscritas o anotadas sobre la concesión para el caso de resolución concesional*

1. Cuando procediera la resolución de la concesión y existieran titulares de derechos o cargas inscritos o anotados en el Registro de la Propiedad sobre la concesión, se observarán las siguientes reglas:

a) La Administración, comenzado el procedimiento, deberá solicitar para su incorporación al expediente certificación del Registro de la Propiedad, al objeto de que puedan ser oídos todos los titulares de tales cargas y derechos.

b) El registrador, al tiempo de expedir la certificación a que se refiere el párrafo anterior, deberá extender nota al margen de la inscripción de la concesión sobre la iniciación del procedimiento de resolución.

c) Para cancelar los asientos practicados a favor de los titulares de las citadas cargas y derechos, deberá mediar resolución administrativa firme que declare la resolución de la concesión y el previo depósito a disposición de los referidos titulares de las cantidades y eventuales indemnizaciones que la Administración debiera abonar al concesionario conforme a lo previsto en el artículo 271.

2. Sin perjuicio de lo dispuesto en el artículo anterior, para el caso de que la subasta quedara desierta, cuando la resolución de la concesión procediera por causa imputable al concesionario, los titulares de los derechos y cargas a que se refiere el apartado precedente podrán ejercitar, por su orden, el derecho de subrogarse en la posición jurídica del concesionario, siempre que, por reunir los requisitos necesarios para ello, fueran autorizados previamente por el órgano de contratación.

➡ **Concordancias normativas**

Disposición Derogatoria y DF 10.ª de la LCSP 30/2007 y artículo 258 del TRLCAP RDL 2/2000.

Subsección 3
Otras fuentes de financiación

Artículo 265 *Créditos participativos*

1. Se admiten los créditos participativos para la financiación de la construcción y explotación, o sólo la explotación, de las obras públicas objeto de concesión. En dichos supuestos la participación del prestamista se producirá sobre los ingresos del concesionario.

2. El concesionario podrá amortizar anticipadamente el capital prestado en las condiciones pactadas.

3. Excepcionalmente, las Administraciones públicas podrán contribuir a la financiación de la obra mediante el otorgamiento de créditos participativos. En tales casos, y salvo estipulación expresa en contrario, el concesionario no podrá amortizar anticipadamente el capital prestado, a no ser que la amortización anticipada implique el abono por el concesionario del valor actual neto de los beneficios futuros esperados según el plan económico-financiero revisado y aprobado por el órgano competente de la Administración en el momento de la devolución del capital.

4. La obtención de estos créditos deberá comunicarse al órgano de contratación en el plazo máximo de un mes desde la fecha en que cada uno hubiera sido concedido.

➡ **Concordancias normativas**

Disposición Derogatoria y DF 10.ª de la LCSP 30/2007 y artículo 259 del TRLCAP RDL 2/2000.

Sección 5

Extinción de las concesiones

Artículo 266 *Modos de extinción*

Las concesiones de obra pública se extinguirán por cumplimiento o por resolución.

➡ **Concordancias normativas**

Artículo 242 de la LCSP 30/2007 y artículo 261 del TRLCAP RDL 2/2000.

Véase artículo 221 de la presente Ley.

Artículo 267 *Extinción de la concesión por transcurso del plazo*

1. La concesión se entenderá extinguida por cumplimiento cuando transcurra el plazo inicialmente establecido o, en su caso, el resultante de las prórrogas acordadas conforme al artículo 258.3, o de las reducciones que se hubiesen decidido.

2. Quedarán igualmente extinguidos todos los contratos vinculados a la concesión y a la explotación de sus zonas comerciales.

➡ **Concordancias normativas**

Artículo 243 de la LCSP 30/2007 y artículo 262 del TRLCAP RDL 2/2000.

Artículo 267 redactado por el apartado veintiséis de la disposición final decimosexta de la Ley 2/2011, de 4 de marzo, de Economía Sostenible («B.O.E». 5 marzo).

Artículo 268 *Plazo de las concesiones*

1. Las concesiones de construcción y explotación de obras públicas se otorgarán por el plazo que se acuerde en el pliego de cláusulas administrativas particulares, que no podrá exceder de 40 años.

2. Los plazos fijados en los pliegos de condiciones sólo podrán ser prorrogados por las causas previstas en el artículo 258.3.

⊠ **Consultas**

• **Compensación al contratista por la ruptura del equilibrio económico en contrato de gestión de servicio público.**

El concesionario de la gestión de servicio público de suministro de agua potable, retribuido con el cobro de la tarifa que abonan los usuarios, reclama al Ayuntamiento el mantenimiento del equilibrio económico por un aumento en los costes de explotación en los dos años que lleva otorgada la concesión, concretamente por la compra de agua y el servicio de depuración ¿Ha de entenderse producida la ruptura del equilibrio económico? ¿Tiene el contratista derecho a compensación?

[30/04/2008 EC 1471/2008]

Contestación

Antes de entrar a analizar el caso concreto, parece necesario realizar algunas precisiones generales en relación con el maquiavélico principio del mantenimiento del desequilibrio económico, que se presenta como una pesadilla periódica a todos los Secretarios e Interventores locales en todas sus concesiones.

El carácter sinalagmático del derecho al mantenimiento del equilibrio económico parece obligado desde los principios elementales de la contratación (equivalencia de prestaciones y principio rebus sic stantibus), y se reconoce expresamente a las entidades locales al menos desde 1955 en el art. 127.2.2.º.b) del Reglamento de Servicios de las Corporaciones Locales (RS), aprobado por Decreto de 17 de junio de 1955, aunque su proclamación general en la contratación administrativa no se hace hasta la Ley 13/2003, de 23 de mayo (BOE del 24), de concesión de obra pública para este contrato [art. 248.3 Texto Refundido de la Ley de Contratos de las Administraciones Públicas (TR LCAP), aprobado por Real Decreto Legislativo 2/2000, de 16 de junio (EC 2287/2000)] ahora por fin se generaliza para todas las Administraciones y en todos los servicios públicos en el art. 258.4 de la Ley 30/2007, de 30 de octubre (EC 3697/2007), de Contratos del Sector Público (LCSP), y en el art. 244.2 —en las concesiones de obra pública—.

Son muy numerosas las consultas que se plantean sobre este tema, lo que constata esa realidad de constantes reclamaciones de restablecimiento del equilibrio económico por parte de grandes concesionarias. Pocas veces las entidades locales pueden hacer frente a las demandas de subidas de precios, reducción de cánones o prórrogas de plazos abanderadas por nutridos grupos de especializados gabinetes técnicos, jurídicos y económicos frente a los que suele estar un solitario Secretario y/o Interventor local, y mucho menos pueden los funcionarios locales analizar las cuentas reales de la explotación del servicio (si es que es que tiene acceso a ellas) para reclamar el mantenimiento del equilibrio en favor del Ayuntamiento, es decir, a favor de los vecinos.

Esta situación, ya de facto difícil de superar, se complica aún más con una regulación del principio de mantenimiento del equilibrio económico muy escasa e imprecisa y con una doctrina jurisprudencial que no acota cuestiones elementales como el porcentaje de riesgo que siempre ha de asumir el contratista o el reparto del desequilibrio entre ambas partes en caso de acreditarse éste, o incluso las causas que pueden justificar esa demanda de restablecimiento del desequilibrio producido. Aunque la nueva LCSP da algunos pasos en estas cuestiones en sus arts. 78, 79, 244 y 258, la cuestión está aún muy lejos de quedar legalmente acotada. Por ello las previsiones al respecto de los pliegos de cláusulas administrativas generales de las concesiones son, como Ley del contrato, la única herramienta eficaz para poder precisar el juego y el alcance de este principio, y si los pliegos no abordan esta cuestión con total precisión, habremos de aplicar elementales criterios asentados por la jurisprudencia para tratar de no otorgar a los concesionarios mucho más de lo que realmente les corresponde.

Recordemos en primer lugar que el mantenimiento del equilibrio económico actúa como sistema extraordinario de revisión de precios cuando el sistema de compensación ordinario que supone la revisión de precios no es suficiente para compensar el desequilibrio que ha sufrido el contratista por una circunstancia totalmente imprevisible («riesgo imprevisible»), por una decisión de política general (factum principis) o por un acuerdo del órgano de contratación de modificación del contrato (ius variandi) (los tres grupos de causas que pueden originar la ruptura del equilibrio económico según la doctrina y la jurisprudencia, que no coinciden ahora con lo previsto en el art. 258 LCSP).

Pese a que suele calificarse el «equilibrio económico» como «concepto jurídico indeterminado», cuando nos encontramos ante un contrato concreto se trata de un concepto numérico y bien determinado que debe haberse reflejado ese equilibrio en términos económicos bien precisos. En el estudio económico que preceptivamente ha de haber elaborado la Administración y en el que han de aportar los licitadores y que será base de la adjudicación, ha de quedar perfectamente definido el punto de equilibrio entre ingresos y gastos, de manera que el adjudicatario, mediante una «buena y ordenada administración», pueda «amortizar durante el plazo de la concesión el costo del establecimiento del servicio y cubrir los gastos de explotación y un margen normal de beneficio industrial» (art. 129.3 RS). El art. 163.2 TRLCAP señala expresamente que el equilibrio económico que debe mantenerse es el considerado en el momento de la adjudicación. Por tanto, al adjudicarse un contrato de gestión de servicios públicos debe quedar perfectamente establecido el nivel previsto de ingresos y gastos y el margen de beneficio del adjudicatario y en ese punto se considera equilibrado el contrato, comprometiéndose ambas partes a mantener ese statu quo. Debería también establecerse un margen de fluctuación hacia arriba y hacia abajo en el que juega el otro principio básico de la contratación administrativa, el «riesgo y ventura del contratista». No debe olvidarse que ambos principios juegan simultánea y coordinadamente en los contratos de gestión de servicios públicos, como señala la jurisprudencia [STS de 9 de octubre de 1987 (Ponente: Excmo. Sr. D. Manuel Gordillo García)].

Para poder apreciar si se ha producido o no ese desequilibrio que reclama el concesionario, deberán analizarse los datos numéricos de la concesión y la causa de que no se estén cumpliendo las previsiones; ha de tenerse en cuenta que la Administración debe siempre exigir a los licitadores una «diligencia de buen empresario» y una actuación de «buena fe». Primero habrá que comprobar si la previsión de ingresos y gastos que no se cumple (en el caso objeto de consulta, el aumento en los costes de depuración y compra del agua) fue dada por el Ayuntamiento o fue analizada por el concesionario, como parece que ha sucedido. La evolución de los precios ha de haberla previsto en concesionario, pues sin duda disponía de datos para ello y por lo tanto debió tener en cuenta cómo esa evolución se iba a compensar con las propias subidas que experimentarían sus ingresos (en el contrato en cuestión se establece que las tarifas se revisarían anualmente con el IPC). Si se equivocó en sus previsiones, no puede reclamar en desequilibrio derivado de su error a la Administración (y por ende a los vecinos). El desequilibrio en la economía del contrato ha de haberse producido por circunstancias independientes de la buena gestión del empresario y que éste no hubiera podido prever normalmente: SSTS de 6 de octubre de 1992 (Ponente: García Estartús) y 11 de noviembre de 1998 (Ponente: Yagüe Gil), y STSJ Madrid 27 de enero de 2005 (Ponente: Arana Azpitarte).

Simultáneamente habrán de analizarse detalladamente los demás gastos y la evolución de los ingresos: puede, por ejemplo, que se haya producido un aumento en el consumo del agua si la población del Municipio ha crecido en los dos años que lleva funcionando la concesión, o que los costes reales que soporta la empresa sean inferiores a los que previó en su estudio económico (quizá no haya contratado a todo el personal previsto o lo haya hecho con contratos bonificados fiscalmente o en las cuotas a la seguridad social, ser inferior el consumo eléctrico, etc.) El equilibrio económico se determina en función de los ingresos y gastos; por ello, no debe tenerse en cuenta sólo un aumento de algunos gastos, sino el estado real de la balanza de todos los ingresos y gastos del servicio.

Si finalmente se constatase que el aumento de gastos que alega la empresa es efectivamente extraordinario e imprevisible para ella en el momento de presentar su oferta y no se ve enjugado suficiente por el aumento de ingresos y por la fórmula de revisión de precios, procedería aplicar el principio del mantenimiento del equilibrio económico, en primer lugar con el alcance previsto en el PCAP. En este caso, nos encontraríamos ante una ruptura del equilibrio económico por un «riesgo imprevisible» (y no por un factum principis o ius variandi).

Lo segundo que ha de precisarse es el quantum exacto del desequilibrio que no ha sido compensado por la revisión ordinaria de precios prevista en el contrato.

Y a continuación entra en juego un principio jurisprudencial básico en materia de mantenimiento del equilibrio económico: el reparto del desequilibrio. El criterio del reparto de cargas o de los mayores beneficios no es discutido ni por la doctrina ni por la jurisprudencia, que reiteradamente ha declarado que no procede la reparación integral del concesionario, sino la compensación o reparto entre ambas partes [STS de 13 de noviembre de 1986 (Ponente: García-Ramos Iturralde)].

El problema con el que nos encontramos para articular este reparto del desequilibrio es que ni el Derecho positivo ni la jurisprudencia concretan en qué porcentaje debe hacerse, por lo que debe ser en los pliegos donde se previese esta situación. Si no ha sido así, no quedará más remedio que negociar con la empresa, teniendo como límite que los datos económicos han de garantizar que el servicio siga siendo rentable, pero que la empresa deberá conformarse con un menor beneficio. En el art. 79.2 LCSP hay ya una previsión para cubrir, aunque sólo parcialmente, este vacío legal, imponiendo al menos al contratista que como mínimo ha de asumir un 20% de los mayores gastos en los casos de mayores costes financieros y de la mano de obra que sean impredecibles.

En cuanto a la forma de compensar al contratista por el desequilibrio económico, deberá estarse a la previsión contenida al respecto en el pliego de cláusulas administrativas que rige el contrato. En defecto de previsiones expresas precisas, sólo podrán articularse alguna de las medidas previstas en el art. 127 RS (compensación económica directa o revisión de tarifas o subvención).

> 3. Las concesiones relativas a obras hidráulicas se regirán, en cuanto a su duración, por el artículo 134.1.a) del texto refundido de la Ley de Aguas, aprobado por el Real Decreto Legislativo 1/2001, de 20 de julio (LA LEY 1110/2001).

Concordancias a todo el artículo

➡ Concordancias normativas

Artículo 244 de la LCSP 30/2007 y artículo 263 del TRLCAP RDL 2/2000.

Artículo 268 redactado por el apartado veintisiete de la disposición final decimosexta de la Ley 2/2011, de 4 de marzo, de Economía Sostenible («B.O.E». 5 marzo).

Véanse artículos 23 y 314 de la presente Ley.

✉ Consultas

• **Abastecimiento de aguas. Gestión indirecta y equilibrio económico de los contratos**

El adjudicatario de un contrato de concesión de servicios, que se retribuye de los usuarios, reclama la ampliación del plazo concesional para absorber el déficit de gestión sin incrementar las tarifas, al tiempo que solicita la compensación por el incremento de costes debida a la falta de demanda. ¿Tiene derecho si el contrato se adjudicó en el año 2000?

[10/06/2010 EC 1851/2010]

Contestación

El carácter sinalagmático del derecho al mantenimiento del equilibrio económico parece obligado desde los principios elementales de la contratación (equivalencia de prestaciones y principio rebus sic stantibus); y se reconoce expresamente a las Entidades Locales, al menos, desde 1955 en el art. 127.2.2.º.b del Reglamento de Servicios de las Corporaciones Locales (RS), aprobado por Decreto de 17 de junio de 1955, aunque su proclamación general en la contratación administrativa no se hace hasta la Ley 13/2003, de 23 de mayo (LA LEY 919/2003) (BOE del 24), reguladora del contrato de concesión de obras públicas, para este contrato, y ahora, por fin, se generaliza para todas las Administraciones y en todos los servicios públicos en el art. 258.4 (LA LEY 10868/2007) de la Ley 30/2007, de 30 de octubre (BOE del 31), de Contratos del Sector Público (LCSP). Ahora bien, por la fecha de adjudicación del contrato, habrá que estar a la regulación del Texto Refundido de la Ley de Contratos de las Administraciones Públicas (TR LCAP), aprobado por Real Decreto Legislativo 2/2000, de 16 de junio (LA LEY 2206/2000) (BOE del 21).

Recordemos, en primer lugar, que el mantenimiento del equilibrio económico actúa como sistema extraordinario de revisión de precios cuando el sistema de compensación ordinario que supone la revisión de precios no es suficiente para compensar el desequilibrio que ha sufrido el contratista por una circunstancia totalmente imprevisible (riesgo imprevisible), por una decisión de política general (factum principis) o por un acuerdo del órgano de contratación de modificación del contrato (ius variandi); los tres grupos de causas que pueden originar la ruptura del equilibrio económico según la doctrina y la jurisprudencia, que no coinciden ahora con lo previsto en el art. 258 de la LCSP.

Pese a que suele calificarse el «equilibrio económico» como «concepto jurídico indeterminado», cuando nos encontramos ante un contrato concreto se trata de un concepto numérico y bien determinado, que debe haber reflejado ese equilibrio en términos económicos bien precios. En el estudio económico que preceptivamente ha de haber elaborado la Administración y en el que han de aportar los licitadores y que será base de la adjudicación, ha de quedar perfectamente definido el punto de equilibrio entre ingresos y gastos; de manera que el adjudicatario, mediante una «buena y ordenada administración» pueda «amortizar durante el plazo de la concesión el costo del establecimiento del servicio y cubrir los gastos de explotación y un margen normal de beneficio industrial» (art. 129.3 del RS).

Por lo tanto, al adjudicarse un contrato de gestión de servicios públicos debe quedar perfectamente establecido el nivel previsto de ingresos y gastos y el margen de beneficio del adjudicatario; y, en ese punto, se considera equilibrado el contrato, comprometiéndose ambas partes a mantener ese status quo. Debería también establecerse un margen de fluctuación hacia arriba y hacia abajo, en el que juega el otro principio básico de la contratación administrativa, el «riesgo y ventura del contratista». No debe olvidarse que ambos principios juegan simultánea y coordinadamente en los contratos de gestión de servicios públicos, como reitera la jurisprudencia (STS de 9 de octubre de 1987, Ponente Gordillo García).

Para poder apreciar si se ha producido o no ese desequilibrio que reclama el concesionario, deberán analizarse los datos numéricos de la concesión y la causa de que no se estén cumpliendo las previsiones. Ha de tenerse en cuenta que la Administración debe siempre exigir a los licitadores una «diligencia de buen empresario» y una actuación de «buena fe».

Primero, habrá que comprobar si la previsión de ingresos y gastos que no se cumple fue dada por el Ayuntamiento o fue analizada por el concesionario. Si se equivocó en sus previsiones, no puede reclamar el desequilibrio derivado de su error a la Administración (y por ende a los vecinos). El desequilibrio en la economía del contrato ha de haberse producido por circunstancias independientes de la buena gestión del empresario y que éste no hubiera podido prever normalmente [por todas, STS de 1 de julio de 1992 (EC 2007/1994)].

Simultáneamente, habrán de analizarse, detalladamente, los demás gastos y la evolución de los ingresos: puede que otros gastos no se hayan incrementado como el eléctrico, e incluso que algunos hayan disminuido porque dependan de otras variables. El equilibrio económico se determina en función de los ingresos y gastos. Por ello, no debe tenerse en cuenta sólo un aumento de algunos gastos, o una disminución de ingresos, sino el estado real de la balanza de todos los ingresos y gastos del servicio.

En cualquier caso, y aun existiendo ese balance real desfavorable para el concesionario, tendremos que tener en cuenta que gestiona a su riesgo y ventura y que el riesgo de demanda debe ser afrontado por él, teniendo como punto de partida la oferta que él presentó y los estudios que hizo.

Si, finalmente, se constatase que la disminución de ingresos o el aumento de gastos que alega la empresa es efectivamente extraordinario e imprevisible para ella en el momento de presentar su oferta y no se ve enjugado suficiente por el aumento de ingresos y por la fórmula de revisión de precios, procedería aplicar el principio del mantenimiento del equilibrio económico, en primer lugar con el alcance previsto en el pliego. En este caso, nos encontraríamos ante una ruptura del equilibrio económico por un «riesgo imprevisible» (y no por un factum principis o ius variandi).

Un elemento que ofrece la LCSP, en relación con el deflactor del gasto público, puede ser una referencia a la hora de juzgar la imprevisibilidad de alguna variación.

Lo segundo que ha de precisarse es el quantum exacto del «desequilibrio» que no ha sido compensado por la revisión ordinaria de precios prevista en el contrato (en este caso, incremento de las tarifas de los abonados con el IPC).

Y, a continuación, entra en juego un principio jurisprudencial básico en materia de mantenimiento del equilibrio económico: el reparto del desequilibrio. El criterio del reparto de cargas o de los mayores beneficios no es discutido ni por la doctrina (A. Ballesteros Fernández, E. García de Enterría, T. Ramón Fernández, F. Sosa Wagner, Muñoz Machado...) ni por la jurisprudencia [por todas, STS de 18 de diciembre de 2001 (LA LEY 229061/2001) (LA LEY 229061/2001)].

El problema con el que nos encontramos para articular este reparto del desequilibrio es que ni el derecho positivo ni la jurisprudencia concretan en qué porcentaje debe hacerse, por lo que debe ser en los pliegos donde se previese esta situación. Si no ha sido así, no quedará más remedio que negociar con la empresa, teniendo como límite que los datos económicos han de garantizar que el servicio siga siendo rentable, pero que la empresa deberá conformarse con un menor beneficio. En el art. 79.2 LCSP hay ya una previsión para cubrir, aunque sólo parcialmente, este vacío legal, imponiendo al menos al contratista que como mínimo ha de asumir un 20% de los mayores gastos en los casos de mayores costes financieros y de la mano de obra que sean impredecibles.

En cuanto a la forma de compensar al contratista por el desequilibrio económico, deberá estarse a la previsión contenida al respecto en el pliego de cláusulas administrativas que rige el contrato.

En el caso consultado, no podrá articularse algún otro de los sistemas compensatorios previstos ahora en el art. 248.3 TR LCAP, pues sólo son aplicables a la concesión de obra pública (se generalizan en el art. 258.5 LCSP), y no podrá ampliarse el plazo concesional inicial si no está expresamente previsto en el pliego que rige el contrato (en este sentido, el IJCCA 7/06 de 24 de marzo de 2006; STS de 25 de mayo de 2006 (LA LEY 62806/2006) Recurso núm. 8777/2003. Ponente: Excmo. Sr. D. Santiago Martínez-Vares García). Cualquier modificación en ese sentido debería considerarse como sustancial en relación con las condiciones que definieron inicialmente la licitación, y por lo tanto, contraria a los principios de transparencia e igualdad en la contratación inspiradores de las Directivas comunitarias y de la normativa interna que las ha traspuesto.

Artículo 269 *Causas de resolución*

Son causas de resolución del contrato de concesión de obras públicas las siguientes:

a) La muerte o incapacidad sobrevenida del concesionario individual o la extinción de la personalidad jurídica de la sociedad concesionaria.

b) La declaración de concurso o la declaración de insolvencia en cualquier otro procedimiento.

c) La ejecución hipotecaria declarada desierta o la imposibilidad de iniciar el procedimiento de ejecución hipotecaria por falta de interesados autorizados para ello en los casos en que así procediera, de acuerdo con lo establecido en la Ley.

d) El mutuo acuerdo entre el concedente y el concesionario.

e) El secuestro de la concesión por un plazo superior al establecido como máximo sin que el contratista haya garantizado la asunción completa de sus obligaciones.

f) La demora superior a seis meses por parte del órgano de contratación en la entrega al concesionario de la contraprestación, de los terrenos o de los medios auxiliares a que se obligó según el contrato.

g) El rescate de la explotación de la obra pública por el órgano de contratación. Se entenderá por rescate la declaración unilateral del órgano contratante, discrecionalmente adoptada, por la que dé por terminada la concesión, no obstante la buena gestión de su titular.

h) La supresión de la explotación de la obra pública por razones de interés público.

i) La imposibilidad de la explotación de la obra pública como consecuencia de acuerdos adoptados por la Administración concedente con posterioridad al contrato.

j) El abandono, la renuncia unilateral, así como el incumplimiento por el concesionario de sus obligaciones contractuales esenciales.

k) Cualesquiera otras causas expresamente contempladas en ésta u otra Ley o en el contrato.

Concordancias a todo el artículo

➡ **Concordancias normativas**

Artículo 245 de la LCSP 30/2007 y artículo 264 del TRLCAP RDL 2/2000.

Véanse artículos 223 y 249.1 d) de la presente Ley.

📖 **Doctrina**

«La resolución del contrato de concesión de obras públicas». Gallego Córcoles, Isabel; Puerta Seguido, Francisco. Esta doctrina forma parte del libro *El contrato de concesión de obras públicas en la Ley de Contratos del Sector Público*, edición nº 1, Editorial LA LEY, Madrid, Febrero 2009.

[LA LEY 4254/2010]

Artículo 270 *Aplicación de las causas de resolución*

1. La resolución del contrato se acordará por el órgano de contratación, de oficio o a instancia del concesionario, mediante el procedimiento que resulte de aplicación de acuerdo con la legislación de contratos.

2. La declaración de insolvencia y, en caso de concurso, la apertura de la fase de liquidación, así como las causas de resolución previstas en los párrafos e), g), h) e i) del artículo anterior originarán siempre la resolución del contrato. En los restantes casos, será potestativo para la parte a la que no le sea imputable la causa instar la resolución.

3. Cuando la causa de resolución sea la muerte o incapacidad sobrevenida del contratista individual, la Administración podrá acordar la continuación del contrato con sus herederos o sucesores, siempre que éstos cumplan o se comprometan a cumplir, en el plazo que se establezca al efecto, los requisitos exigidos al concesionario inicial.

4. La resolución por mutuo acuerdo sólo podrá tener lugar si la concesión no se encontrara sometida a secuestro acordado por infracción grave del concesionario y siempre que razones de interés público hagan innecesaria o inconveniente la continuación del contrato.

5. En los casos de fusión de empresas en los que participe la sociedad concesionaria, será necesaria la autorización administrativa previa para que la entidad absorbente o resultante de la fusión pueda continuar con la concesión y quedar subrogada en todos los derechos y obligaciones dimanantes de aquélla.

6. En los supuestos de escisión, aportación o transmisión de empresas, sólo podrá continuar el contrato con la entidad resultante o beneficiaria en el caso en que así sea expresamente autorizado por el órgano de contratación considerando los requisitos establecidos para la adjudicación de la concesión en función del grado de desarrollo del negocio concesional en el momento de producirse estas circunstancias.

➡ Concordancias normativas

Artículo 246 de la LCSP 30/2007 y artículo 265 del TRLCAP RDL 2/2000.

Véanse artículos 224 y 232.1 d) de la presente Ley.

Artículo 271 *Efectos de la resolución*

1. En los supuestos de resolución, la Administración abonará al concesionario el importe de las inversiones realizadas por razón de la expropiación de terrenos, ejecución de obras de construcción y adquisición

de bienes que sean necesarios para la explotación de la obra objeto de la concesión. Al efecto, se tendrá en cuenta su grado de amortización en función del tiempo que restara para el término de la concesión y lo establecido en el plan económico-financiero. La cantidad resultante se fijará dentro del plazo de seis meses, salvo que se estableciera otro en el pliego de cláusulas administrativas particulares.

2. En el supuesto del párrafo f) del artículo 269, el concesionario podrá optar por la resolución del contrato, con los efectos establecidos en el apartado siguiente, o por exigir el abono del interés legal de las cantidades debidas o los valores económicos convenidos, a partir del vencimiento del plazo previsto para el cumplimiento de la contraprestación o entrega de los bienes pactados.

3. En los supuestos de los párrafos g), h) e i) del artículo 269, y sin perjuicio de lo dispuesto en el apartado 1 de este artículo, la Administración concedente indemnizará al concesionario por los daños y perjuicios que se le irroguen. Para determinar la cuantía de la indemnización se tendrán en cuenta los beneficios futuros que el concesionario dejará de percibir, atendiendo a los resultados de explotación en el último quinquenio cuando resulte posible, y a la pérdida del valor de las obras e instalaciones que no hayan de ser entregadas a aquélla, considerando su grado de amortización.

4. Cuando el contrato se resuelva por causa imputable al concesionario, le será incautada la fianza y deberá, además, indemnizar a la Administración los daños y perjuicios ocasionados en lo que exceda del importe de la garantía incautada.

5. El órgano de contratación podrá acordar también la resolución de los contratos otorgados por el concesionario para el aprovechamiento de las zonas complementarias. El órgano de contratación podrá acordar también, como consecuencia de la resolución de la concesión, la resolución de los contratos otorgados de explotación comercial, abonando la indemnización que en su caso correspondiera. Esta indemnización será abonada con cargo al concesionario cuando la resolución se produjera como consecuencia de causa imputable a éste. Cuando no se acuerde la resolución de los citados contratos, los titulares de los derechos de aprovechamiento seguirán ejerciéndolos, quedando obligados frente al órgano de contratación en los mismos términos en que lo estuvieran frente al concesionario, salvo que se llegara, de mutuo acuerdo, a la revisión del correspondiente contrato.

6. Cuando el contrato se resuelva por mutuo acuerdo, los derechos de las partes se acomodarán a lo válidamente estipulado entre ellas.

➡ **Concordancias normativas**

Artículo 247 de la LCSP 30/2007 y artículo 266 del TRLCAP RDL 2/2000.

Véase artículo 225 de la presente Ley.

Artículo 272 *Destino de las obras a la extinción de la concesión*

1. El concesionario quedará obligado a hacer entrega a la Administración concedente, en buen estado de conservación y uso, de las obras incluidas en la concesión, así como de los bienes e instalaciones necesarios para su explotación y de los bienes e instalaciones incluidos en la zona de explotación comercial, si la hubiera, de acuerdo con lo establecido en el contrato, todo lo cual quedará reflejado en el acta de recepción.

2. No obstante, los pliegos podrán prever que, a la extinción de la concesión, estas obras, bienes e instalaciones, o algunos de ellos, deban ser demolidos por el concesionario, reponiendo los bienes sobre los que se asientan al estado en que se encontraban antes de su construcción.

➡ **Concordancias normativas**

Artículo 248 de la LCSP 30/2007 y artículo 261 del TRLCAP RDL 2/2000.

Sección 6

Ejecución de obras por terceros

Artículo 273 *Subcontratación*

1. El órgano de contratación podrá imponer al concesionario de obras públicas que confíe a terceros un porcentaje de los contratos que represente, como mínimo, un 30 por 100 del valor global de las obras objeto de la concesión, previendo al mismo tiempo la facultad de que los candidatos

incrementen dicho porcentaje; este porcentaje mínimo deberá constar en el contrato de concesión de obras.

2. En caso de no hacer uso de la facultad a que se refiere el apartado anterior, el órgano de contratación podrá invitar a los candidatos a la concesión a que indiquen en sus ofertas, si procede, el porcentaje del valor global de las obras objeto de la concesión que se proponen confiar a terceros.

➡ Concordancias normativas

Artículo 249 de la LCSP 30/2007 y artículo 237 del TRLCAP RDL 2/2000.

Artículo 274 *Adjudicación de contratos de obras por el concesionario*

1. Cuando el concesionario de la obra pública tenga el carácter de poder adjudicador conforme al artículo 3.3, deberá respetar, en relación con aquellas obras que hayan de ser ejecutadas por terceros, las disposiciones de la presente Ley sobre adjudicación de contratos de obras.

2. La adjudicación de contratos de obras por los concesionarios de obras públicas que no tengan el carácter de poderes adjudicadores se regulará por las normas contenidas en los apartados 3 y 4 de este artículo cuando la adjudicación se realice a un tercero y el valor del contrato sea igual o superior a 4.845.000 euros, salvo que en el contrato concurran circunstancias que permitan su adjudicación por un procedimiento negociado sin publicidad.

➡ Concordancias normativas

Cifra del número 2 del artículo 274 actualizada por el artículo único de la Orden EHA/3497/2009, de 23 de diciembre, por la que se hacen públicos los límites de los distintos tipos de contratos a efectos de la contratación administrativa a partir del 1 de enero de 2010 («B.O.E». 29 diciembre).

No tendrán la consideración de terceros aquellas empresas que se hayan agrupado para obtener la concesión ni las empresas vinculadas a ellas. Se entenderá por empresa vinculada cualquier empresa en la que el concesionario pueda ejercer, directa o indirectamente, una influencia dominante, o cualquier empresa que pueda ejercer una influencia dominante en el concesionario o que, del mismo modo que el concesionario, esté sometida a la influencia dominante de otra empresa por razón de propiedad, participación financiera o normas reguladoras. Se presumirá que existe influencia dominante cuando una empresa, directa o indirectamente, se encuentre en una de las siguientes situaciones con respecto a otra:

a) Que posea la mayoría del capital suscrito de la empresa;

b) que disponga de la mayoría de los votos correspondientes a las participaciones emitidas por la empresa;

c) que pueda designar a más de la mitad de los miembros del órgano de administración, de dirección o de vigilancia de la empresa.

La lista exhaustiva de estas empresas debe adjuntarse a la candidatura para la concesión, y actualizarse en función de las modificaciones que se produzcan posteriormente en las relaciones entre las empresas.

3. Serán de aplicación a estos procedimientos las normas sobre publicidad contenidas en el artículo 142.

4. El concesionario fijará el plazo de recepción de las solicitudes de participación, que no podrá ser inferior a treinta y siete días a partir de la fecha de envío del anuncio de licitación, y el plazo de recepción de las ofertas, que no podrá ser inferior a cuarenta días a partir de la fecha del envío del anuncio de licitación al «Diario Oficial de la Unión Europea» o de la invitación a presentar una oferta.

Cuando los anuncios se preparen y envíen por medios electrónicos, informáticos o telemáticos se podrán reducir en siete días los plazos de recepción de las ofertas y el plazo de recepción de las solicitudes de participación.

Será posible reducir en cinco días los plazos de recepción de las ofertas cuando se ofrezca acceso sin restricción, directo y completo, por medios electrónicos, informáticos o telemáticos, al pliego de condiciones y a cualquier documentación complementaria, especificando en el texto del anuncio la dirección de Internet en la que dicha documentación pueda consultarse. Esta reducción se podrá sumar a la prevista en el párrafo anterior.

En todo caso será de aplicación lo previsto en el artículo 158.3 y la prohibición de contratar prevista en el artículo 60.1.a), en relación con los adjudicatarios de estos contratos.

Concordancias a todo el artículo

➡ Concordancias normativas

Artículo 250 de la LCSP 30/2007 y artículo 237 del TRLCAP RDL 2/2000.

📖 Doctrina

«Ejecución de las obras». Koninckx Frasquet, Amparo; Vidal Monferrer, Rosa María. Esta doctrina forma parte del libro *Aspectos prácticos y novedades de la contratación pública. En especial en la administración local,* edición nº 1, Editorial LA LEY, Madrid, 2009.

[LA LEY 2571/2010]

CAPÍTULO III

Contrato de gestión de servicios públicos

📖 Doctrina

«El embargo de dinero de las Administraciones Públicas». Blas Galbete, Ander de. *Diario LA LEY,* N.º 7861, Año XXXIII, 18 May. 2012, Editorial LA LEY

[LA LEY 5111/2012]

En un contexto de enorme preocupación por las dimensiones de la deuda pública, es más necesario que nunca volver a plantearse un tema que, aunque bien estudiado por la doctrina, no acaba de recibir solución. La imposibilidad del embargo del dinero de los entes públicos lastra irremisiblemente la viabilidad del sistema de ejecución de sentencias contra la Administración. Pensando en «el día después» y no tanto en la actual coyuntura, es preciso afrontar esta carencia de nuestro ordenamiento procesal.

Sección 1

Disposiciones generales

Artículo 275 *Ámbito del contrato*

1. La Administración podrá gestionar indirectamente, mediante contrato, los servicios de su competencia, siempre que sean susceptibles de explotación por particulares. En ningún caso podrán prestarse por gestión indirecta los servicios que impliquen ejercicio de la autoridad inherente a los poderes públicos.

⊠ Consultas

• **Delegación de la facultad de incoar, gestionar y resolver los expedientes de corte de suministro de agua por falta de pago**

¿Es posible la delegación de la facultad de incoar, gestionar y resolver los expedientes de corte de suministro de agua por falta de pago? En el reglamento regulador del servicio se determina la necesidad de que sea el propio ayuntamiento el que tramite dicho expediente a solicitud de la empresa concesionaria.

[25/05/2009 EC 1590/2009]

Contestación

En nuestra opinión, dicha delegación no es posible. A pesar de que podríamos hablar de una relación cuasi-jerárquica entre el concesionario y la Entidad Local, evidentemente el límite en las atribuciones que pueden hacerse vía pliego de cláusulas administrativas particulares (o en delegaciones posteriores, que de alguna manera modifican ese contrato existente, al introducir nuevas obligaciones no previstas en el contrato inicial, aunque el empresario esté dispuesto a asumirlas sin coste, puesto que representan una mejora importante en sus facultades frente a los usuarios que repercutirán en los ingresos de la explotación, y por lo tanto en sus beneficios) se encuentra en la imposibilidad de gestionar de manera indirecta las potestades que impliquen ejercicio de autoridad [art. 251.1 de la Ley 30/2007, de 30 de octubre (BOE del 31), de Contratos del Sector Público (LCSP)]. Dicho ejercicio debe ser directo por la organización general [art. 95 del Texto Refundido de Régimen Local (TRRL), aprobado por Real Decreto Legislativo 781/1986, de 18 de abril (BOE del 22)] sin que quepa la gestión indirecta, ni la directa por organismo especializado, organismo autónomo o sociedad mercantil.

Se considera mayoritariamente por la doctrina que conllevan el ejercicio de autoridad la seguridad de lugares públicos, la ordenación del tráfico y personas en vías públicas, protección y extinción de incendios y disciplina urbanística. La actuación a realizar por el concesionario en este caso debería asimilarse a las disciplinarias, si bien la jurisprudencia no es clara en su consideración o no como sanción, la cuestión indubitable es que se decide de manera ejecutiva sobre el derecho a recibir un servicio público.

Del mismo modo que el concesionario no puede apremiar el patrimonio de los usuarios del servicio, siendo necesario que la recaudación en periodo ejecutivo se realice por la Entidad Local, entendemos que la decisión sobre el cese de la prestación en el servicio debe también recaer en el Ayuntamiento.

La STSJ de Galicia de 31 de enero de 2003 (LA LEY JURIS: 1456144/2003) que aborda el tema de la autorización de la Administración al concesionario para el corte del suministro en la prestación del servicio, indica que permaneciendo la Administración como titular del servicio, ha transferido al concesionario únicamente las facultades de gestión, concluyendo en el caso, que el corte del suministro es una facultad que debe ejecutarse si los «usuarios persisten en la actitud de impago de las cantidades devengadas y no prescritas después incluso de ofrecerles la posibilidad de abono en plazos razonables, procedería la autorización del corte de suministro.»

Sobre la trascendencia en relación con el delito de coacciones de la autorización de corte sin observar las necesarias garantías en relación con los usuarios, es interesante el artículo de Jesús CATALÁN SENDER «El corte en el suministro de agua potable, la actividad material de la policía local y otros actos y hechos que pueden generar responsabilidad penal por coacciones» (EC 683/1998) que concluye, sobre la premisa de que únicamente puede autorizarse por la Administración, que el delito de coacciones (del 172 CP, puesto que no existe figura paralela dentro del apartado de «los delitos cometidos por funcionarios públicos contra las garantías constitucionales») por corte en el suministro de agua, sólo puede cometerse por funcionarios y autoridades de la Administración Local cuando se hace por la vía de hecho o cuando se han obviado trámites esenciales y fundamentales de dicho procedimiento.

En cualquier caso, y como recuerda la STSJ de Castilla y León de 22 de mayo de 2007 (LA LEY 138276/2007), el ejercicio de autoridad debe abarcar la totalidad del procedimiento, así, anula un contrato de servicios auxiliares a la recaudación por haber creado con él una estructura paralela a la del Ayuntamiento, que supuestamente retiene ese ejercicio porque existe un funcionario que firma las providencias de apremio, considerando que así se vacía de contenido una facultad reservada al ejercicio directo por la autoridad administrativa.

• **Naturaleza jurídica del contrato de conservación y mantenimiento del alumbrado público municipal.**

¿**Qué naturaleza jurídica tiene el contrato de conservación y mantenimiento del alumbrado público municipal? ¿Contrato de servicios o de gestión de servicios públicos?**

[30/09/2008 EC 3004/2008]

Ver respuesta en artículo 8

2. El contrato expresará con claridad el ámbito de la gestión, tanto en el orden funcional, como en el territorial.

Concordancias a todo el artículo

➡ **Concordancias normativas**

Artículo 251 de la LCSP 30/2007 y artículo 155 del TRLCAP RDL 2/2000.

✉ **Consultas**

• **Procedimiento para la municipalización de un servicio que se presta en el municipio**

¿**Qué procedimiento habría de seguirse para municipalizar el servicio de residencia para la tercera edad que presta una fundación privada?**

[13/09/2010 EC 2669/2010]

Contestación

La consulta planteada no deja claras algunas cuestiones del relato fáctico, por lo que se partirá de suponer que los servicios a la tercera edad que presta la fundación privada sita en el municipio son completamente privados, y que el municipio no tiene ninguna relación con ellos, ni presta otros similares.

Si suponemos que en la actualidad el Ayuntamiento no ofrece las prestaciones que la fundación privada está dando a los residentes del municipio en sus instalaciones, la primera actuación será tramitar el expediente de «municipalización» del mismo. Esto es, en palabras del Texto Refundido de Régimen Local (TRRL), aprobado por Real Decreto Legislativo 781/1986 (LA LEY 968/1986), de 18 de abril (BOE del 22), el expediente que acredite «la conveniencia y oportunidad de la medida» (art. 97).

Aunque tanto este precepto como el art. 86 de la Ley 7/1985, de 2 de abril (LA LEY 847/1985) (BOE del 3), Reguladora de las Bases del Régimen Local (LRBRL (LA LEY 847/1985)), exigen la tramitación de este expediente solo para «ejercer la iniciativa pública para el ejercicio de actividades económicas», parece que se va imponiendo en la jurisprudencia la necesidad de este expediente para el ejercicio de cualquier nueva actividad económica o servicio por parte de una Entidad local. Indirectamente se refiere a esta cuestión también la Ley 30/2007, de 30 de octubre (LA LEY 10868/2007) (BOE del 31), de Contratos del Sector Público (LCSP), cuando requiere, al definir el ámbito del contrato de gestión de servicios públicos, que el servicio sea «de su competencia» (art. 251), para que pueda iniciarse el expediente de contratación, la Publicatio, la declaración pública y formal de que la Entidad local va asumir la prestación de ese servicio.

En nuestra revista 22, de 2003 (EC 3753/2003), considerábamos que el expediente de conveniencia y oportunidad solo sería necesario para prestar en régimen de monopolio los servicios reservados del art. 86.3 LRBRL (LA LEY 847/1985) o para el ejercicio de una actividad económica de mercado; pero no sería necesario para el establecimiento de la gestión directa de servicios que no tengan carácter económico, mercantil o industrial, ni para la prestación de los servicios que no tengan carácter económico, industrial o mercantil, ni para implantar, sin monopolio, los servicios mínimos u obligatorios del art. 26 LRBRL (LA LEY 847/1985). Esta postura se recoge también en la obra de esta editorial Manual de Gestión de Servicios Públicos Locales, de Ángel y Manuel ballesteros fernández (EL CONSULTOR, 2005, págs. 132 a133).

Sin embargo, como se ha indicado, este planteamiento parece estar superándose por la jurisprudencia, que extiende la necesidad de tramitar el expediente «acreditativo de la conveniencia y oportunidad de la medida» siempre que el Ayuntamiento promueva una actividad económica, aunque caiga dentro de la órbita de los cometidos que para un Ayuntamiento revistan la condición de servicio.

La no tramitación previa de este expediente es considerada causa de nulidad de pleno derecho del expediente de manera reiterada por la jurisprudencia, incluso en casos en los que el servicio ya estaba implantado y simplemente se cambia la forma de gestión [STS de 21 de diciembre de 2000 (LA LEY 5614/2001) (LA LEY 5614/2001); STSJ de Castilla y León de 5 de junio de 2001 (LA LEY 112924/2001) (LA LEY 112924/2001); STSJ de Andalucía de 25 de febrero de 2002 (LA LEY JURIS: 1100388/2002); STS 1 de febrero de 2002 (EC 1419/2002); STS de 3 de diciembre de 2004 (LA LEY JURIS: 450/2005)].

En cuanto a los trámites del expediente acreditativo de la conveniencia y oportunidad de la medida, siguiendo la terminología del art. 97 TRRL, o de establecimiento del servicio, serían:

1. Acuerdo inicial de la Corporación, previa designación de una Comisión de estudio compuesta por miembros de la misma y por personal técnico [arts. 56-57 del Reglamento de Servicios de las Corporaciones Locales (RS), aprobado por Decreto de 17 de junio de 1955].

2. Redacción por dicha Comisión de una memoria relativa a los aspectos social (art. 59 RS), jurídico (art. 60 RS), técnico (art. 61 RS) y financiero (art. 62 RS) de la actividad económica de que se trate, en la que deberá determinarse la forma de gestión, entre las previstas por la Ley, y los casos en que debe cesar la prestación de la actividad. Asimismo, deberá acompañarse un proyecto de precios del servicio.

3. Exposición pública de la memoria junto con el proyecto de tarifas después de ser tomada en consideración por la Corporación, y por plazo no inferior a treinta días naturales, durante los cuales podrán formular observaciones los particulares y Entidades.

4. Aprobación del proyecto por el Pleno de la Entidad local.

5. En el caso de ejercer la actividad en régimen de monopolio (art. 86.3 LRBRL (LA LEY 847/1985)) se requiere el ulterior acuerdo del órgano competente de la Comunidad Autónoma en el plazo de tres meses y que el acuerdo plenario lo sea por mayoría absoluta. Los hermanos Ballesteros, como hemos indicado, afirman que todo ejercicio de actividades reservadas lo será en régimen de monopolio, siendo necesaria la Comunidad Autónoma para la expropiación de empresas preexistentes.

En el expediente tiene que quedar justificado el cumplimiento de los requisitos expuestos anteriormente. En la motivación de la forma de gestión del servicio o de realización de la actividad, debe hacerse referencia, siquiera someramente, a los argumentos en base a los que se rechazan otros posibles modos de gestores.

En el caso que nos ocupa, aun sin haberse determinado con claridad en la consulta si el régimen de asunción de competencias va a ser en monopolio o no, teniendo en cuenta las repercusiones económicas del servicio, entendemos que la tramitación del expediente es necesaria.

Una de las conclusiones que han de deducirse del expediente será el mejor modo en que el servicio, en caso de ser necesario que su prestación se asuma por la Entidad Local, pueda gestionarse. En relación con esa necesidad, queremos indicar que en el País Vasco, el art. 21 de la Ley 12/2008, de 5 de diciembre (LA LEY 19635/2008), de Servicios Sociales (BOPV del 24), en adelante LSSPV, indica que el Catalogo de prestaciones y servicios del sistema vasco de Servicios Sociales identifica el conjunto de prestaciones económicas y servicios cuya provisión deben garantizar las Administraciones públicas vascas competentes; identificando el art. 22.2.4, entre ellos, los centros residenciales para personas mayores.

El modo de gestión del servicio deberá ser analizado por una de las comisiones que se creen en la tramitación del expediente, y la solución a la que se llegue será muy distinta en caso de asumirse la competencia en monopolio o no; ya que, en el primer caso, se debería incluir una expropiación de las actividades privadas que en el municipio ofrezcan las prestaciones objeto de monopolización.

La LSSPV permite la coexistencia de la iniciativa privada y la pública en la prestación de servicios sociales de responsabilidad pública. Asumiendo, por lo tanto, que en el mercado puedan existir operadores de ambas naturalezas con iniciativa individual y no únicamente la iniciativa pública y la privada subordinada a ella. El art. 59, no obstante, regula la autorización y homologación de servicios y centros, de manera que para prestar los servicios objeto del catálogo, hay que contar con una homologación pública (art. 59.2). Ser un centro homologado, no obstante, no garantiza que las Administraciones competentes concierten la prestación de los servicios públicos.

Las Administraciones, según el art. 60 LSSPV, pueden organizar la prestación de los servicios incluidos en el Catálogo que sean de su competencia, a través de las siguientes fórmulas:

— Gestión directa.

— Régimen de Concierto previsto en la LSSPV.

— Gestión indirecta en el marco de la LCSP.

— Convenios con entidades sin ánimo de lucro.

Entendemos que la fundación que actualmente presta esos servicios deberá estar homologada, de acuerdo a lo previsto en el art. 59.2 LSSPV. Si la asunción competencial no va a monopolizar la prestación de los servicios, será posible el concierto de las prestaciones con ella, de acuerdo a lo previsto en el art. 61 y siguientes de la norma citada o cualquiera de las otras modalidades relacionadas en el párrafo anterior. Teniendo en cuenta que la LSSPV parece establecer una preferencia del concierto frente a otros sistemas como el convenio, al prever estos en su art. 69 para los casos en los que por alguna razón justificada se aconseje la no aplicación del régimen del concierto.

✍ **Informes de la Junta Consultiva de Contratación Administrativa**

Informe 12/2010, de 23 de julio de 2010, de la Junta Consultiva de Contratación Administrativa. «Diferencia entre el contrato de gestión de servicios públicos, bajo la modalidad de concesión de servicios, y los contratos de servicios.»

CONTRATOS ADMINISTRATIVOS. Diferencia entre el contrato de gestión de servicios públicos —bajo la modalidad de concesión— y los contratos de servicios. Por el primero, se encomienda a un particular la gestión de servicios asumidos como de su competencia por una Administración Pública y por ende, la organización del mismo, el servicio debe ser susceptible de explotación empresarial y el carácter de servicio público debe ser especificado en una norma vigente, el concesionario debe asumir el riesgo de la explotación, es decir, su retribución se establece de un modo cierto, variable e independientemente del grado de utilización del servicio por los usuarios, además de no estar en ningún caso sujeto a regulación armonizada. En cambio, serán contratos de servicios si su objeto puede ser subsumido dentro de las actividades enumeradas en el Anexo II LCSP, siendo susceptibles de sujeción a regulación armonizada, si superan los umbrales previstos. En cambio, si sus servicios no son subsumibles en tal Anexo, podrán ser calificados como contratos administrativos especiales.

Informe 2/2010, de 1 de junio, de la Junta Consultiva de Contratación Administrativa de Madrid, sobre calificación de los negocios jurídicos a suscribir para la ejecución de las medidas judiciales acordadas en los procedimientos de declaración de responsabilidad penal de los menores.

CONTRATO ADMINISTRATIVO DE GESTIÓN DE SERVICIOS. Gestión indirecta, bajo la modalidad de concesión. Calificación de los negocios jurídicos a suscribir para la ejecución de las medidas judiciales acordadas en los procedimientos de declaración de responsabilidad penal de los menores. La Agencia de la CA Madrid para la Reeducación y Reinserción del Menor Infractor, puede establecer los convenios o acuerdos de colaboración que considere necesarios con otras entidades, bien sean públicas —de la Administración del Estado, Local o de otras CC.AA—, o privadas sin ánimo de lucro, para la ejecución de las medidas adoptadas por los Jueces de Menores que sean de su competencia. Los acuerdos o convenios deberán establecer las condiciones para cumplir las exigencias legales sin que se produzca cesión de la titularidad ni de la responsabilidad derivada de la ejecución. El empresario gestionará el servicio a su propio riesgo y ventura, sin que puedan incluirse en la gestión aquellas actividades competencia de la Agencia que impliquen ejercicio de la autoridad de los poderes públicos.

Artículo 276 *Régimen jurídico*

Los efectos, cumplimiento y extinción de los contratos de gestión de servicios públicos se regularán por la presente Ley, excluidos los artículos 212, apartados 2 a 7, ambos inclusive, 213, 220 y 222, y por las disposiciones especiales del respectivo servicio, en cuanto no se opongan a ella.

➡ **Concordancias normativas**

Artículos 8 y 252 de la LCSP 30/2007 y artículo 154 del TRLCAP RDL 2/2000.

Artículo 277 *Modalidades de la contratación*

La contratación de la gestión de los servicios públicos podrá adoptar las siguientes modalidades:

a) Concesión, por la que el empresario gestionará el servicio a su propio riesgo y ventura.

☞　Concordancias Jurisprudenciales

Audiencia Nacional, Sala de lo Contencioso-administrativo, Sección 5.ª, Sentencia de 15 Jun. 2011, rec. 1113/2009

RESPONSABILIDAD DE LAS ADMINISTRACIONES PÚBLICAS. Administración del Estado. Ministerio de Defensa. Improcedencia de indemnización por daños derivados de defectuosa asistencia sanitaria por una entidad médica con la que el ISFAS, de cuyo régimen sanitario es beneficiario el interesado, ha suscrito el oportuno concierto para la prestación de dicha asistencia. Los conciertos del tipo del que trae causa la asistencia prestada se encuadran en el régimen del contrato de gestión de servicio público, excluyendo la responsabilidad de la Administración, por ser atribuible el daño a la conducta y actuación directa del contratista en la ejecución del contrato bajo su responsabilidad.

Audiencia Nacional, Sala de lo Contencioso-administrativo, Sección 1.ª, Sentencia de 24 Oct. 2011, rec. 800/2009

RESPONSABILIDAD DE LAS ADMINISTRACIONES PÚBLICAS. Administración autonómica. Asistencia sanitaria. Procedencia de indemnización por no detectar el síndrome de Down que padece la hija de los interesados, por la realización errónea de prueba citogenética tendente al diagnóstico de dicha malformación. Daño moral consistente en no haber conocido la patología en un momento lo suficientemente temprano como para decidir poner fin legalmente al embarazo, por la pérdida de oportunidad. Indemnización por la lesión puramente económica consistente en el notablemente mayor coste de criar a una hija con síndrome de Down. Responsabilidad solidaria de la entidad aseguradora médica y del Hospital por la actuación médica.

b) Gestión interesada, en cuya virtud la Administración y el empresario participarán en los resultados de la explotación del servicio en la proporción que se establezca en el contrato.

c) Concierto con persona natural o jurídica que venga realizando prestaciones análogas a las que constituyen el servicio público de que se trate.

d) Sociedad de economía mixta en la que la Administración participe, por sí o por medio de una entidad pública, en concurrencia con personas naturales o jurídicas.

Concordancias a todo el artículo

➡ Concordancias normativas

Artículo 253 de la LCSP 30/2007 y artículo 156 del TRLCAP RDL 2/2000.

⊠ Consultas

• **Constitución de sociedad de responsabilidad limitada mixta**

¿Cuál es el procedimiento para la constitución de una sociedad limitada para la gestión y construcción de una plataforma logística de transportes en la que el ayuntamiento participa con el 12% y el resto es capital privado? Salvo el capital inicial, la aportación del ayuntamiento consistiría en el impulso, gestión y tramitación de los expedientes para su puesta en marcha.

[23/03/2009 EC 978/2009]

Ver respuesta en artículo 133.

✍ Informes de la Junta Consultiva de Contratación Administrativa

Informe 22/2009, de 25 de septiembre de 2009, de la Junta Consultiva de Contratación Administrativa, sobre «Diversas cuestiones sobre un contrato de gestión de servicio público para recogida selectiva de residuos».

CONTRATO ADMINISTRATIVO DE GESTIÓN DE SERVICIOS PÚBLICOS. Supuesto de concesión administrativa para la recogida, tratamiento y aprovechamiento de residuos, en el que el contratista percibe la remuneración directamente de la Administración. Gestión indirecta que tiene como requisito imprescindible que el importe de la retribución se encuentre directamente vinculado con el rendimiento obtenido de la explotación del servicio. Únicamente pueden ser objeto de gestión indirecta los servicios que puedan reportar un beneficio —o correlativamente pérdidas— para el empresario o la entidad que los gestiona. Respecto al volumen de los ingresos del empresario depende exclusivamente de que se acomode o no a determinados indicadores de control de calidad en su prestación toda vez que ello se vincula directamente con la voluntad del concesionario y con el riesgo derivado de la explotación del servicio. Posibilidad de prestar directamente por la entidad titular aquellos servicios públicos, no susceptibles de prestarse indirectamente, mediante la colaboración de empresarios que pongan a su disposición sus medios celebrando para ello los correspondientes contratos de servicios.

Artículo 278 *Duración*

El contrato de gestión de servicios públicos no podrá tener carácter perpetuo o indefinido, fijándose necesariamente en el pliego de cláusulas administrativas particulares su duración y la de las prórrogas de que pueda ser objeto, sin que pueda exceder el plazo total, incluidas las prórrogas, de los siguientes períodos:

a) Cincuenta años en los contratos que comprendan la ejecución de obras y la explotación de servicio público, salvo que éste sea de mercado o lonja central mayorista de artículos alimenticios gestionados por sociedad de economía mixta municipal, en cuyo caso podrá ser hasta 60 años.

b) Veinticinco años en los contratos que comprendan la explotación de un servicio público no relacionado con la prestación de servicios sanitarios.

c) Diez años en los contratos que comprendan la explotación de un servicio público cuyo objeto consista en la prestación de servicios sanitarios siempre que no estén comprendidos en la letra a).

➡ Concordancias normativas

Artículo 254 de la LCSP 30/2007 y artículo 157 del TRLCAP RDL 2/2000.

Véase artículo 23 de la presente Ley.

Sección 2

Ejecución del contrato de gestión de servicios públicos

Artículo 279 *Ejecución del contrato*

1. El contratista está obligado a organizar y prestar el servicio con estricta sujeción a las características establecidas en el contrato y dentro de los plazos señalados en el mismo, y, en su caso, a la ejecución de las obras conforme al proyecto aprobado por el órgano de contratación.

2. En todo caso, la Administración conservará los poderes de policía necesarios para asegurar la buena marcha de los servicios de que se trate.

➡ **Concordancias normativas**

Artículo 255 de la LCSP 30/2007 y artículo 160 del TRLCAP RDL 2/2000.

Artículo 280 *Obligaciones generales*

El contratista estará sujeto al cumplimiento de las siguientes obligaciones:

a) Prestar el servicio con la continuidad convenida y garantizar a los particulares el derecho a utilizarlo en las condiciones que hayan sido establecidas y mediante el abono, en su caso, de la contraprestación económica comprendida en las tarifas aprobadas.

✉ **Consultas**

• **Naturaleza de las tarifas de las empresas concesionarias de servicios**

¿Cuál es la naturaleza de las tarifas a cobrar por las empresas concesionarias de servicios?

[11/03/2010 EC 867/2010]

Ver respuesta en artículo 133

b) Cuidar del buen orden del servicio, pudiendo dictar las oportunas instrucciones, sin perjuicio de los poderes de policía a los que se refiere el artículo anterior.

☞   **Concordancias Jurisprudenciales**

Tribunal Supremo, Sala Tercera, de lo Contencioso-administrativo, Sección 4.ª, Sentencia de 12 Dic. 2008, rec. 1050/2006

PROCESO CONTENCIOSO-ADMINISTRATIVO. Admisión del recurso. El defecto consistente en haberlo formulado el director del Organismo Autónomo «Parques Nacionales», quedó subsanada con la presentación de copia del acuerdo de su presidente convalidando la decisión de aquél. ORDENANZAS MUNICIPALES. Nulidad de la Ordenanza Municipal Reguladora del Servicio de Transporte de Turistas en Camello en la Montaña del Fuego del Parque Nacional de Timanfaya. El Ayuntamiento, carece de competencia para regular el servicio público de transporte de turistas en camello. Correcta calificación que, como contratista o concesionario del servicio, se atribuye en instancia al Ayuntamiento, que puede dictar instrucciones para cuidar del buen orden del servicio, pero que no pueden traducirse en una Ordenanza que lo regule.

c) Indemnizar los daños que se causen a terceros como consecuencia de las operaciones que requiera el desarrollo del servicio, excepto cuando el daño sea producido por causas imputables a la Administración.

☞   **Concordancias Jurisprudenciales**

Audiencia Nacional, Sala de lo Contencioso-administrativo, Sección 5.ª, Sentencia de 16 Feb. 2011, rec. 527/2009

RESPONSABILIDAD DE LAS ADMINISTRACIONES PÚBLICAS. Administración sanitaria. Improcedencia de indemnización de daños y perjuicios por defectuosa asistencia sanitaria en una entidad médica con la que el ISFAS, de cuyo régimen sanitario es beneficiario, ha suscrito el oportuno concierto. Los conciertos del tipo del que trae causa la asistencia prestada, celebrado entre el Instituto Social de las Fuerzas Armadas y la entidad de seguros, se encuadran en el régimen del contrato de gestión de servicio público, excluyendo la responsabilidad de la Administración, por ser atribuible el daño a la conducta y actuación directa del contratista en la ejecución del contrato bajo su responsabilidad.

✉   **Consultas**

• **Responsabilidad en caso de daños a un tercero por la actuación del concesionario**

Un camión de la concesionaria del servicio de basuras, arrastró el cableado eléctrico al pasar por una calle que no estaba abierta al tráfico. ¿Quién es el responsable de los daños?

[03/10/2011 EC 2240/2011]

Contestación

Antes de entrar a analizar el caso concreto, determinaremos la normativa a aplicar. El art. 256.c de la Ley 30/2007, de 30 de octubre (BOE del 31), de Contratos del Sector Público (LCSP), manifiesta en similares términos al art. 97 del Texto Refundido de la Ley de Contratos de las Administraciones Públicas (TR LCAP), aprobado por Real Decreto Legislativo 2/2000, de 16 de junio (BOE del 21), estableciendo que una de las obligaciones del contratista gestor de servicios públicos, es la de indemnizar los daños que se causen a terceros como consecuencia de las operaciones que requiera el desarrollo del servicio; excepto cuando el daño sea producido por causas imputables a la Administración. El anterior texto indicaba que si los daños habían sido ocasionados como consecuencia inmediata y directa de una orden de la Administración, esta sería la que respondería; la redacción actual es más amplia. Ambas normas recogen lo que ya con anterioridad disponían los arts. 121.2 de la Ley de 16 de diciembre de 1954 (BOE del 17), de Expropiación Forzosa (LEF) y 128.1.3.ª del Reglamento de Servicios de las Corporaciones Locales (RS), aprobado por Decreto de 17 de junio de 1955.

Así pues, con estos antecedentes normativos, que se han mantenido en una línea similar en los últimos cincuenta años, la jurisprudencia que los ha interpretado debe ser una fuente importante a la que acudir, en orden a determinar la cuestión planteada.

La jurisprudencia del Tribunal Supremo ha evolucionado en este medio siglo desde una postura en la que la Administración respondía cuasi objetivamente, con derecho a repetir en su caso, frente a cualquier daño del contratista [STS de 9 de mayo de 1989 (EC 57/1991) o STS de 9 de mayo de 1995 (LA LEY 8337/1995)] a otra, de la que resulta representativa la STS de 30 de octubre de 2003 (LA LEY 287/2004), en la que se interpreta el antiguo 134 Reglamento General de Contratación del Estado de 1975 «según su literalidad, es decir, como una acción dirigida a obtener un pronunciamiento sobre la responsabilidad en atención a la carga indemnizatoria en los términos del propio precepto; es decir, que la Administración, declarará que la responsabilidad es del contratista, salvo que exista una orden de aquella que haya provocado el daño.»

La regla general, por lo tanto, es que el contratista es quien indemniza por los daños causados durante la ejecución de sus prestaciones [salvo si existe orden de la Administración, como así recoge igualmente la STS de 20 de junio de 2006 (LA LEY 63150/2006)].

Como señala Beladiez Rojo (citado por Isabel Gallego Córcoles en «La responsabilidad patrimonial de los concesionarios y contratistas», Contratación Administrativa Práctica, julio 2007, LA LEY), la expresión legal quiere determinar que las meras sugerencias o recomendaciones no eximirán al contratista de la responsabilidad que la ley le impone, sino que tiene que tratarse de una auténtica orden, confirmada, para que sea vinculante, por escrito del responsable del contrato u órgano competente.

En la situación sobre la que se consulta, debería analizarse la existencia de este tipo de órdenes al contratista, para que pudiera hablarse de responsabilidad solidaria con él; así como de la posible imputación por culpa *in vigilando,* si es que ha existido una actuación u omisión en la conducta de la Administración, que pueda situarse como causa o concausa de la producción del daño. El Tribunal Supremo se muestra exigente en la apreciación de este tipo de responsabilidad en su sala contenciosa [la civil la ha apreciado con más facilidad: STS 26 de noviembre de 2004 y de 14 de diciembre de 2006 (LA LEY 144970/2006)], así por ejemplo la STS de 29 de septiembre de 1998 (LA LEY 9457/1998), no niega la procedencia de este título de imputación, sino que duda que la omisión de la Administración tenga relevancia causal suficiente como para imputársele el daño. Esto es, volviendo al incidente del concesionario, aunque el Ayuntamiento hubiera permitido la ruta (no se entiende muy bien como la permitía, si la calle no estaba abierta al público), la existencia de un obstáculo en la vía debe ser evitada por el concesionario que trabaja con una diligencia normal, y no puede ampararse en que la Administración ha permitido la ruta, ya que es diferente autorizar la circulación a autorizar, por ejemplo, chocar contra una vivienda que estuviera en esa calle.

Suponemos que es esta la estrategia de la aseguradora de la concesionaria, ya que los seguros no suelen cubrir los siniestros causados dolosamente o con culpa grave, que suponen en el conductor del vehículo que no esquivó el obstáculo (y evidentemente nadie le va a dar una orden directa en ese sentido, sino que es su diligencia personal la que debe respetar estos elementos).

Otra cuestión que debe tenerse en cuenta a la hora de determinar la responsabilidad del concesionario, es el tema de que «la calle no estaba abierta al tráfico», afirmación bastante indeterminada que no deja claro si la obra estaba recibida o no (quizá no formalmente, pero si es posible hablar de una recepción tácita o de una puesta en funcionamiento), si circulaban más vehículos por la calle habitualmente, y si nada de esto es así, si la señalización era la adecuada, ya que es frecuente relativamente la condena a la Administración por accidentes ocasionados por mala señalización [como muestra, STS de 2 de octubre de 2003 (LA LEY 10827/2004)].

Por último, y en caso de reclamación formulada por la compañía suministradora para determinar quién debe hacerse cargo de los daños, debería aplicarse la concurrencia de culpas, frecuentemente usada en este ámbito de la responsabilidad. Pues aunque el productor de los daños se identifique y exista nexo causal entre su actuación y el daño producido, si quien soporta los daños no había actuado de acuerdo a las prescripciones aplicables, y sus instalaciones no estaban correctamente situadas, de manera que pudo confundir a quien realizó la acción (si normalmente las salva en otras calles, pudo despreocuparse en esta, argumento este que debería utilizarse contra la aseguradora si fuera posible y el accidente no fuera flagrante un choque frontal, sino una colisión incidental, ya que entonces no existe dolo o culpa grave, sino negligencia).

d) Respetar el principio de no discriminación por razón de nacionalidad, respecto de las empresas de Estados miembros de la Comunidad Europea o signatarios del Acuerdo sobre Contratación Pública de la Organización Mundial del Comercio, en los contratos de suministro consecuencia del de gestión de servicios públicos.

Concordancias a todo el artículo

➡ **Concordancias normativas**

Artículo 256 de la LCSP 30/2007 y artículo 161 del TRLCAP RDL 2/2000.

☞ **Concordancias Jurisprudenciales**

Audiencia Provincial de Asturias, Sección 5.ª, Sentencia de 13 Abr. 2012, rec. 118/2012

CARRETERAS. Explotación. RESPONSABILIDAD CIVIL. Responsabilidad extracontractual. Daños causados por animales. Daños a automóviles por irrupción de animales en la calzada.

Artículo 281 *Prestaciones económicas*

1. El contratista tiene derecho a las contraprestaciones económicas previstas en el contrato, entre las que se incluirá, para hacer efectivo su derecho a la explotación del servicio, una retribución fijada en función de su utilización que se percibirá directamente de los usuarios o de la propia Administración.

2. Las contraprestaciones económicas pactadas serán revisadas, en su caso, en la forma establecida en el contrato.

➡ **Concordancias normativas**

Artículo 257 de la LCSP 30/2007 y artículo 162 del TRLCAP RDL 2/2000.

Véase artículo 77.1 de la presente Ley.

✍ **Informes de la Junta Consultiva de Contratación Administrativa**

Informe 2/2008, de 28 de noviembre de 2008, de la Comisión Permanente de la Junta Consultiva de Contratación Administrativa. Calificación de un contrato para la gestión de un teatro municipal

NATURALEZA DEL CONTRATO. CRITERIOS PARA SU DETERMINACIÓN. Gestión de un teatro municipal, bien de dominio público, de servicio público cultural. Posible calificación como contrato de gestión de servicios o como contrato administrativo especial. Atención al objeto y a las características de las obligaciones de las partes. Será calificado como contrato administrativo especial, en los supuestos en los que no sea posible encuadrarlo como de gestión de servicios, dado que su objeto satisface una finalidad pública de competencia municipal. Dificultad para calificar el contrato como de gestión de servicios públicos al tener que fijar a priori los precios de las entradas a los espectáculos teatrales y conciertos musicales y, por lo tanto, de hacer un proyecto de explotación del servicio. Posibilidad de fijar un precio o un rango de precios en función del coste del artista contratado.

Sección 3

Modificación del contrato de gestión de servicios públicos

Artículo 282 *Modificación del contrato y mantenimiento de su equilibrio económico*

1. La Administración podrá modificar por razones de interés público y si concurren las circunstancias previstas en el título V del libro I, las características del servicio contratado y las tarifas que han de ser abonadas por los usuarios.

2. Cuando las modificaciones afecten al régimen financiero del contrato, la Administración deberá compensar al contratista de manera que se mantenga el equilibrio de los supuestos económicos que fueron considerados como básicos en la adjudicación del contrato.

3. En el caso de que los acuerdos que dicte la Administración respecto al desarrollo del servicio carezcan de trascendencia económica el contratista no tendrá derecho a indemnización por razón de los mismos.

4. La Administración deberá restablecer el equilibrio económico del contrato, en beneficio de la parte que corresponda, en los siguientes supuestos:

a) Cuando la Administración modifique, por razones de interés público y de acuerdo con lo establecido en el título V del libro I, las características del servicio contratado.

b) Cuando actuaciones de la Administración determinaran de forma directa la ruptura sustancial de la economía del contrato.

c) Cuando causas de fuerza mayor determinaran de forma directa la ruptura sustancial de la economía del contrato. A estos efectos, se entenderá por causas de fuerza mayor las enumeradas en el artículo 231 de esta Ley.

5. En los supuestos previstos en el apartado anterior, el restablecimiento del equilibrio económico del contrato se realizará mediante la adopción de las medidas que en cada caso procedan. Estas medidas podrán consistir en la modificación de las tarifas a abonar por los usuarios, la reducción del plazo del contrato y, en general, en cualquier

modificación de las cláusulas de contenido económico incluidas en el contrato. Así mismo, en los casos previstos en los apartados 4.b) y c), podrá prorrogarse el plazo del contrato por un período que no exceda de un 10 por ciento de su duración inicial, respetando los límites máximos de duración previstos legalmente.

Concordancias a todo el artículo

➡ **Concordancias normativas**

Artículo 258 de la LCSP 30/2007 y artículo 163 del TRLCAP RDL 2/2000.

Artículo 282 redactado por el apartado veintiocho de la disposición final decimosexta de la Ley 2/2011, de 4 de marzo, de Economía Sostenible («B.O.E». 5 marzo).

✉ **Consultas**

• **Modificación de un contrato para garantizar el equilibrio económico**

El 22 de octubre se adjudicó el servicio integral del agua. Los estudios económicos se hicieron con los datos que nos facilitaron las anteriores adjudicatarias, por lo que se han fijado las tarifas para garantizar el equilibrio en base a los datos recibidos. Hechos recientes parecen indicar que los datos que nos facilitaron no son los correctos, estando sobredimensionados, y que los costes de personal que se metieron en el estudio son elevados, no siendo necesario tanto personal. La pregunta es: ¿si se demuestra que los costes son menos, se pueden bajar la tarifas para garantizar el equilibrio económico a la baja?

Contratación Administrativa Práctica, Nº 120, Sección Usted Pregunta, del 1 Jun. al 31 Jul. 2012, pág. 11, Editorial LA LEY

[LA LEY 773/2012]

Respuesta

La concesión de un servicio público supone que la actividad en cuestión ha sido asumida por la Administración como propia de la misma. Para ello, la Administración establecerá su régimen jurídico, regulando aspectos económicos, jurídicos y administrativos y además, ostentará una serie de prerrogativas sobre la concesión.

En el supuesto planteado, ha habido un error en los datos que sirvieron de base para establecer el régimen jurídico de la concesión, sin embargo, se puede salvar esa situación al haberse establecido una fórmula o unas bases para mantener el equilibrio económico de aquélla. Para ello, la Administración tendrá que realizar un nuevo estudio económico con los datos reales y, a la vista de dicho estudio, podrá modificar las tarifas a la baja en beneficio del interés público.

Establece el artículo 126.2 del Reglamento de Servicios de las Corporaciones Locales (RSCL) que en el régimen de la concesión, las características del servicio serán libremente modificables por el poder concedente y por motivos de interés público, y dispone también, que el equilibrio de la retribución económica del concesionario, a tenor de las bases que hubieren servido para su otorgamiento, deberá mantenerse en todo caso y en función de la necesaria amortización, durante el plazo de concesión, del coste de establecimiento del servicio que hubiere satisfecho, así como de los gastos de explotación y normal benéfico industrial.

Además, la Corporación concedente ostenta la potestad de ordenar discrecionalmente, como podría disponer si gestionarse directamente el servicio, las modificaciones que aconsejare el interés público, y, entre otras, la variación en la calidad, cantidad, tiempo o lugar de las prestaciones en que el servicio consista, la alteración de las tarifas a cargo del público y en la forma de retribución del concesionario, así como fiscalizar la gestión del concesionario (artículo 127.1 RSCL).

Por otra parte, el texto refundido de la Ley de Contratos del Sector Público (TRLCSP (LA LEY 21158/2011)), en su artículo 282.4. (LA LEY 21158/2011), permite a la Administración, restablecer el equilibrio económico del contrato, en beneficio de la parte que corresponda, en los siguientes supuestos:

«a) Cuando la Administración modifique, por razones de interés público y de acuerdo con lo establecido en el título V del libro I, las características del servicio contratado. b) Cuando actuaciones de la Administración determinaran de forma directa la ruptura sustancial de la economía del contrato. c) Cuando causas de fuerza mayor determinaran de forma directa la ruptura sustancial de la economía del contrato. A estos efectos, se entenderá por causas de fuerza mayor las enumeradas en el artículo 231 de esta Ley».

Con anterioridad a la Ley de Contratos del Sector Público, únicamente se contemplaba la posibilidad de compensar al contratista, sin embargo, tras la citada ley, el restablecimiento del equilibrio económico puede ir en beneficio tanto del concesionario como de la Administración Pública.

El restablecimiento del equilibrio económico del contrato se realizará mediante la adopción de las medidas que en cada caso procedan. Estas medidas podrán consistir en la modificación de las tarifas a abonar por los usuarios, la reducción del plazo del contrato y, en general, en cualquier modificación de las cláusulas de contenido económico incluidas en el contrato (art. 282.5 TRLCSP (LA LEY 21158/2011)).

Por lo expuesto, la Administración, podrá modificar la prestación del servicio, variando el número de personas que deberán llevar a cabo el servicio, lo que repercutirá directamente en el equilibrio económico del contrato, pudiéndose compensar al establecer unas tarifas más beneficiosas para los usuarios.

• Posibilidad de subvencionar la explotación para el restablecimiento del equilibrio económico del contrato

El concesionario de un servicio público alega, mediante informes económicos, que el servicio es deficitario. ¿Podría hacerse uso de una subvención?

[09/05/2012 EC 1178/2012]

Contestación

Nos señala en la consulta que el concesionario alega que el servicio es deficitario, aportando informes económicos. Ahora bien, a esta afirmación deben hacerse dos apreciaciones:

— Que no bastan unos «informes económicos» para adoptar una decisión en esta materia, sino que el concesionario deberá presentar toda la documentación que le requiera el Ayuntamiento, incluidos, claro está, sus estados contables, para que se pueda determinar si concurre, en efecto, el desequilibrio económico que alega el concesionario.

— Que una simple disminución de ingresos o un menor beneficio al esperado inicialmente por el concesionario no es causa para modificar las condiciones económicas de la concesión.

Como ha señalado el Tribunal Supremo, el mantenimiento del equilibrio económico establecido por la normativa contractual no puede entenderse como una cláusula de salvaguarda para asegurar al contratista un determinado importe de beneficios; ya que no hay que olvidar que la regla general es que el contrato se ejecuta a riesgo y ventura del contratista, conforme a lo previsto en el art. 215 del Real Decreto Legislativo 3/2011, de 14 de noviembre (BOE del 16), por el que se aprueba el texto refundido de la Ley de Contratos del Sector Público (TRLCSP).

Es más, la regulación actual contenida en el art. 282 TRLCSP limita el restablecimiento del equilibrio económico a supuestos tasados, en los que no entra el caso consultado. En este sentido, dispone el apartado 4 que la Administración deberá restablecer el equilibrio económico del contrato, en beneficio de la parte que corresponda, en los siguientes supuestos:

a) Cuando la Administración modifique, por razones de interés público y de acuerdo con lo establecido en el título V del libro I, las características del servicio contratado.

b) Cuando actuaciones de la Administración determinaran de forma directa la ruptura sustancial de la economía del contrato.

c) Cuando causas de fuerza mayor determinaran de forma directa la ruptura sustancial de la economía del contrato. A estos efectos, se entenderá por causas de fuerza mayor las enumeradas en el artículo 214 de esta Ley. Precepto que considera como causas de fuerza mayor los siguientes: los incendios causados por la electricidad atmosférica; los fenómenos naturales de efectos catastróficos, como maremotos, terremotos, erupciones volcánicas, movimientos del terreno, temporales marítimos, inundaciones u otros semejantes; y los destrozos ocasionados violentamente en tiempo de guerra, robos tumultuosos o alteraciones graves del orden público.

Por consiguiente, una simple disminución de los ingresos no tiene por qué suponer la ruptura del equilibrio económico de los contratos. En este sentido se pronuncia la Sentencia del Tribunal Supremo de 4 de julio de 2006 (LA LEY 77546/2006), cuando señala lo siguiente: «Ahora bien sobre esta cuestión conviene exponer lo que sigue: en primer término que la oferta y el porcentaje de tarifas especiales la realizó libremente la empresa, y si erró en las apreciaciones que efectuó, a ella, exclusivamente, es imputable esa circunstancia. Que esa errónea apreciación no es un riesgo imprevisible es obvio. Pero, sobre todo, y esto es lo más importante, que los ingresos por esa circunstancia sean menores que los esperados no rompe el equilibrio financiero de la concesión, ya que eso no significa que la concesionaria no esté obteniendo beneficios y, por tanto, explotando satisfactoriamente la carretera construida. Tanto más cuanto que las tarifas se revisan del modo previsto en el Pliego de Cláusulas Generales como ya quedó expuesto en su momento.»

Con todo ello, queremos decir que realmente deberá acreditarse que el servicio es deficitario y, por lo tanto, insostenible en esta situación. Ya que, para adoptar una solución de equilibrio económico deberá estar adecuadamente justificada en el expediente. Como no parece que se den ninguna de las circunstancias antes enumeradas, el único motivo para el restablecimiento del equilibrio económico, sería justificarlo en el interés público del mantenimiento del servicio y en la imposibilidad de su mantenimiento en las circunstancias actuales.

En cuanto a los medios, el propio art. 282 TRLCSP señala, en su apartado 5, que el restablecimiento del equilibrio económico del contrato se realizará mediante la adopción de las medidas que en cada caso procedan. Estas medidas podrán consistir en la modificación de las tarifas a abonar por los usuarios, la reducción del plazo del contrato y, en general, en cualquier modificación de las cláusulas de contenido económico incluidas en el contrato.

Por consiguiente, debe entenderse que es posible restablecer ese equilibrio económico mediante una subvención a la explotación. Posibilidad admitida por el art. 129.2 del Reglamento de Servicios de las Corporaciones Locales (RS), aprobado por Decreto de 17 de junio de 1955, a cuyo tenor, también podrá consistir la retribución, juntamente con alguno de los conceptos anteriores, o exclusivamente si el servicio hubiere de prestarse gratuitamente, en subvención a cargo de los fondos de la Corporación.

• **Forma de establecer el canon en los contratos de gestión de servicios públicos**

Un Ayuntamiento se plantea contratar el servicio de abastecimiento y depuración de aguas del municipio a través de un contrato de gestión de servicios públicos, modalidad concesión, por un plazo de 15 años. A la hora de elaborar los pliegos se propone establecer que el canon concesional a ofertar por los licitadores (y calculado por el plazo de duración total, esto es, los 15 años) deba ser abonado por el que resulte adjudicatario mediante un pago único por dicho total en el primer mes de vigencia del contrato, en vez de ir realizando pagos con carácter anual. ¿Es viable esta forma de establecer el pago del canon y su fijación?

Contratación Administrativa Práctica, Nº 90, Sección Usted Pregunta, Octubre 2009, Editorial LA LEY

[LA LEY 1946/2009]

Respuesta

No es viable la forma de establecer el pago del canon y su fijación que plantea en su consulta, y así ha sido puesto de manifiesto por el informe de la Junta Consultiva de Contratación Administrativa número 67/2004, de 11 de marzo de 2005.

Este contrato se regula en los artículos 251 a 265 (LA LEY 10868/2007) de la Ley 30/2007, de 30 de octubre, de Contratos del Sector Público.

Aunque ningún artículo hace referencia específica a este particular, el artículo 258 (LA LEY 10868/2007) «Modificación del contrato y mantenimiento del equilibrio económico», hace que sea de imposible aplicación.

Por otra parte, se rompe con el precepto de la relación que tiene que existir entre la prestación realizada y la contraprestación recibida.

Aun optando por su admisión, haciendo caso omiso de todo lo anterior, la duración del contrato, 15 años, la indeterminación del número de usuarios, el precisar qué tarifa va a cobrar el concesionario a los mismos, cómo pueden variar esas tarifas, el mantenimiento en la calidad en la prestación del servicio y la posible resolución del contrato, entre otros factores, harían que la elaboración de los pliegos de cláusulas administrativas particulares tuviese una tremenda complejidad

• **Compensación al contratista por la ruptura del equilibrio económico en contrato de gestión de servicio público.**

El concesionario de la gestión de servicio público de suministro de agua potable, retribuido con el cobro de la tarifa que abonan los usuarios, reclama al Ayuntamiento el mantenimiento del equilibrio económico por un aumento en los costes de explotación en los dos años que lleva otorgada la concesión, concretamente por la compra de agua y el servicio de depuración ¿Ha de entenderse producida la ruptura del equilibrio económico? ¿Tiene el contratista derecho a compensación?

[30/04/2008 EC 1471/2008]

Ver respuesta en artículo 268

Sección 4

Cumplimiento y efectos del contrato de gestión de servicios públicos

Artículo 283 *Reversión*

1. Cuando finalice el plazo contractual el servicio revertirá a la Administración, debiendo el contratista entregar las obras e instalaciones a que esté obligado con arreglo al contrato y en el estado de conservación y funcionamiento adecuados.

2. Durante un período prudencial anterior a la reversión, que deberá fijarse en el pliego, el órgano competente de la Administración adoptará las disposiciones encaminadas a que la entrega de los bienes se verifique en las condiciones convenidas.

Concordancias a todo el artículo

➡ **Concordancias normativas**

Artículo 259 de la LCSP 30/2007 y artículo 164 del TRLCAP RDL 2/2000.

☞ **Concordancias Jurisprudenciales**

Tribunal Superior de Justicia del País Vasco, Sala de lo Contencioso-administrativo, Sección 2.ª, Sentencia de 20 Ene. 2010, rec. 657/2009

PERSONAL LABORAL DE LA ADMINISTRACIÓN. Modificación y suspensión del contrato.

Tribunal Superior de Justicia de Les Illes Balears, Sala de lo Contencioso-administrativo, Sentencia de 20 Nov. 2008, rec. 1276/2003

CONTRATO ADMINISTRATIVO DE GESTIÓN DE SERVICIOS PÚBLICOS. Actuaciones administrativas preparatorias. -- Formas de adjudicación. Concurso. -- Derechos y obligaciones de las partes. CONTRATOS ADMINISTRATIVOS. Cumplimiento. Obligaciones de la Administración.

✍ **Informes de la Junta Consultiva de Contratación Administrativa**

Informe 3/2010, de 30 de septiembre de 2010. de la Junta Consultiva de Contratación Administrativa. Contratos de gestión de servicio público: la concesión administrativa. La reversión de los bienes

CONTRATO ADMINISTRATIVO DE GESTIÓN DE SERVICIOS. Concesión administrativa. Reversión de los bienes. Efecto de la extinción normal de la concesión administrativa, producida por la finalización del plazo de duración del contrato. Con carácter general, el contratista debe entregar a la Administración, de forma gratuita y sin indemnización, los bienes a que esté obligado de acuerdo con el contrato, en adecuado estado de conservación y funcionamiento, sin perjuicio de que pueda haber situaciones en las que únicamente se produzca la reversión del título que habilita para la gestión del servicio sin el traspaso de los elementos materiales. Pago de las tarifas y su actualización. La normativa reguladora de las concesiones prevé la existencia de tarifas y la obligatoriedad de revisarlas para mantener el equilibrio financiero de la concesión, por lo que su actualización es una obligación de la Administración concedente. Incautación de la garantía. Medida adecuada para los casos en que la reversión de los bienes no sea total. Indemnización por daños y perjuicios. Requerirá, en todo caso, la acreditación y cuantificación correctas y la instrucción del procedimiento que corresponda, sin perjuicio de las acciones que se puedan iniciar dirigidas a recuperar los bienes e instalaciones que deben revertir a la Administración. En cambio, el eventual incumplimiento, una vez finalizada normalmente la concesión, por parte del concesionario, de la obligación de revertir los bienes e instalaciones adecuados, difícilmente puede ser causa de resolución del vínculo contractual, que ya ha finalizado.

Artículo 284 *Falta de entrega de contraprestaciones económicas y medios auxiliares*

Si la Administración no hiciere efectiva al contratista la contraprestación económica o no entregare los medios auxiliares a que se obligó en el contrato dentro de los plazos previstos en el mismo y no procediese la resolución del contrato o no la solicitase el contratista, éste tendrá derecho al interés de demora de las cantidades o valores económicos que aquéllos signifiquen, de conformidad con lo establecido en el artículo 216.

➡ **Concordancias normativas**

Artículo 260 de la LCSP 30/2007 y artículo 165 del TRLCAP RDL 2/2000.

☞ **Concordancias Jurisprudenciales**

Tribunal Superior de Justicia de Madrid, Sala de lo Contencioso-administrativo, Sección 3.ª, Sentencia de 3 Oct. 2011, rec. 896/2009

CONTRATO ADMINISTRATIVO DE OBRAS. Ejecución. Pago del precio. Generalidades. -- Ejecución. Pago del precio. Obligados al pago. -- Ejecución. Pago del precio. Certificaciones. -- Ejecución. Pago del precio. Mora. Intereses.

Artículo 285 *Incumplimiento del contratista*

Si del incumplimiento por parte del contratista se derivase perturbación grave y no reparable por otros medios en el servicio público y la Administración no decidiese la resolución del contrato, podrá acordar la intervención del mismo hasta que aquélla desaparezca. En todo caso, el contratista deberá abonar a la Administración los daños y perjuicios que efectivamente le haya irrogado.

➡ **Concordancias normativas**

Artículo 261 de la LCSP 30/2007 y artículo 166 del TRLCAP RDL 2/2000.

Sección 5

Resolución del contrato de gestión de servicios públicos

Artículo 286 *Causas de resolución*

Son causas de resolución del contrato de gestión de servicios públicos, además de las señaladas en el artículo 223, con la excepción de las contempladas en sus letras d) y e), las siguientes:

a) La demora superior a seis meses por parte de la Administración en la entrega al contratista de la contraprestación o de los medios auxiliares a que se obligó según el contrato.

b) El rescate del servicio por la Administración.

✉ **Consultas**

• **Solicitud de modificación del contrato por la empresa adjudicataria del servicio que en realidad constituye una ampliación del mismo.**

Ver respuesta en artículo 224.

c) La supresión del servicio por razones de interés público.

d) La imposibilidad de la explotación del servicio como consecuencia de acuerdos adoptados por la Administración con posterioridad al contrato.

➡ Concordancias normativas

Artículo 262 de la LCSP 30/2007 y artículo 167 del TRLCAP RDL 2/2000.

Artículo 287 *Aplicación de las causas de resolución*

1. Cuando la causa de resolución sea la muerte o incapacidad sobrevenida del contratista, la Administración podrá acordar la continuación del contrato con sus herederos o sucesores, salvo disposición expresa en contrario de la legislación específica del servicio.

2. Por razones de interés público la Administración podrá acordar el rescate del servicio para gestionarlo directamente.

✉ Consultas

• Requisitos para la cesión de contratos

El Ayuntamiento gestiona el aparcamiento de vehículos pesados a través de una concesión de servicio público. ¿Es posible su cesión sin cumplirse el plazo del contrato? ¿La nueva empresa deberá hacerse cargo del personal?

[24/05/2010 EC 1680/2010]

Contestación

La cesión del contrato supone una novación subjetiva de éste; y, para que tenga validez, es necesario que la Administración la consienta de manera expresa. Para que pueda otorgarse ese consentimiento administrativo es necesario que concurran los requisitos exigidos en el art. 209 de la Ley 30/2007, de 30 de octubre (LA LEY 10868/2007) (BOE del 31), de Contratos del Sector Público (LCSP), ya que la norma es clara en su redacción imperativa.

Por lo tanto, será necesario que el contrato de gestión de servicios públicos se haya explotado al menos en una quinta parte.

Existen dos informes de la Junta Consultiva de Contratación Administrativa en relación con la interpretación del plazo de ejecución en los contratos de gestión de servicios públicos (Informe 15/2006, de 24 de marzo de 2006, sobre cesión del contrato para la construcción y explotación de aparcamientos y el Informe 24/1996, de 30 de mayo de 1996, sobre requisitos de capacidad de las empresas para concurrir a un contrato de concesión de obra pública) y en ambos considera determinante la ejecución durante la quinta parte del plazo de ejecución de la explotación para que sea posible la cesión. Puede consultarse también, sobre esta materia, el artículo «La cesión de los contratos administrativos» de Ángel Cea Ayala, publicado en Contratación Administrativa Práctica 11/2002 (LA LEY), páginas 55 a 64.

Añadimos que, aunque la empresa propuesta como cesionaria afirme que tiene capacidad suficiente, esta debe acreditarse tal y como en el pliego se estableció, y siempre con respeto a lo establecido en la LCSP.

Sobre otras soluciones, si no es posible la cesión, y de acuerdo a lo establecido en el art. 204 LCSP, los contratos sólo pueden extinguirse por cumplimiento o por resolución. Recordamos, a estos efectos, que el rescate de un contrato de gestión sólo es posible para que la Administración lo gestione directamente (263.2 LCSP).

Para que sea posible la resolución por mutuo acuerdo, no debe existir ningún incumplimiento culpable que imputar a las partes, y el interés público debe fundamentar la inconveniencia de continuar con la ejecución del contrato. El cumplimiento de todos estos requisitos ha de tenerse en cuenta en el expediente, y sin la concurrencia de todos ellos no es posible la resolución por esta causa. Debe tenerse también en cuenta cómo se financió la inversión, en caso de que haya existido construcción de obra, ya que si ésta se financió por el Ayuntamiento, y durante la explotación iba a resultar un canon a su favor (o no), la empresa ya ha obtenido el beneficio de la construcción y por eso puede que no le interese seguir adelante con la explotación, que no le es tan beneficiosa como la construcción, y por ello debería indemnizarse al Ayuntamiento. En caso de que la financiación de la obra, si es que existió obra, se haya incluido como amortización en el plan de explotación, no existiría este inconveniente a tener en cuenta desde el punto de vista económico.

Si la gestión es únicamente del aparcamiento de vehículos pesados, sin que tenga nada que ver con la obligación municipal de disponer de un lugar dispuesto para el depósito de vehículos previsto en el Código de la Circulación, en las condiciones que recoge el art. 292 del Código de la Circulación, aprobado por Decreto de 25 de septiembre de 1934, entendemos que el supuesto objeto de consulta podría conceptuarse como una actividad económica, ya que no está declarado como un servicio público obligatorio de los que han de prestar necesariamente los municipios en función de su población [recogidos en el art. 26 (LA LEY 847/1985) de la Ley 7/1985, de 2 de abril (BOE del 3), Reguladora de las Bases del Régimen Local (LRBRL (LA LEY 847/1985))], ni uno de los servicios reservados a los Ayuntamientos en el art. 86.3 de la misma norma. Al no estar el Ayuntamiento obligado a prestarlo, entendemos que puede dejar la realización de esta actividad a la iniciativa privada a través de una concesión demanial.

La sucesión de empresa se regula en nuestro derecho interno en el art. 44 del Estatuto de los Trabajadores (ET), Texto Refundido aprobado por Real Decreto Legislativo 1/1995, de 24 marzo (LA LEY 1270/1995) (BOE del 29); y, además, es de aplicación la Directiva 98/50/CE (LA LEY 5926/1998) del Consejo, de 29 de junio de 1998 y la doctrina del Tribunal de Justicia de las CE. Aunque en el pliego nada se dijera sobre esta cuestión, el derecho de los trabajadores no puede verse vulnerado por los acuerdos de las partes en relación con él, ya que es un derecho de terceros sobre el que no pueden transigir.

Es un derecho de los trabajadores que se materializa «si se produce el traslado de un centro de actividad que mantiene su identidad, un cambio del contratista acompañado de una cesión, entre ambos empresarios, del activo material o inmaterial». Supone que el nuevo empresario queda subrogado en todos los derechos y obligaciones laborales y de Seguridad Social del anterior y, en general, cuantas obligaciones en materia de protección social complementaria hubiere adquirido el cedente.

En el Derecho comunitario, la directiva citada, en su art. 1.1.b, precisa que es necesario el traspaso de «una entidad económica que mantenga su identidad». La interpretación de esta afirmación podemos buscarla, entre otras, en las sentencias de 17 de marzo de 1997 (caso Süzen, asunto C13/1995 en un asunto sobre limpieza de interiores) en el que entiende que no existe transmisión «si la operación no va acompañada de una cesión entre ambos empresarios de elementos significativos del activo material o inmaterial, ni el nuevo empresario se hace cargo de una parte esencial, en términos de número y competencia, de los trabajadores que su antecesor destinaba al cumplimiento de la contrata»; o en la de 10 de diciembre de 1998 (asuntos acumulados C173/1996 y 247/1996, en un asunto sobre ayuda a domicilio), en la que afirma que la Directiva se aplicará «siempre y cuando la operación vaya acompañada de la transmisión entre ambas empresas de una entidad económica, pues la mera circunstancia de que las prestaciones realizadas sucesivamente por el antiguo y el nuevo concesionario de la contrata sean similares no permite llegar a la conclusión de que existe una transmisión de tal entidad.»

Es interesante a estos efectos la doctrina de la Sentencia del Tribunal Supremo de 05-04-1993. El tribunal viene entendiendo que para que se materialice el derecho es necesaria la transmisión al nuevo empresario de elementos patrimoniales que configuran la infraestructura u organización empresarial básica de la explotación (deberá verificarse por la Entidad Local que esto se efectúa, lo que parece probable atendiendo a que se gestiona un inmueble que probablemente sea de titularidad municipal y esté afecto a servicio).

La sucesión en las relaciones laborales no suele operar cuando se trata de la mera sucesión en la actividad de una contrata que gestiona el servicio con sus propios medios, salvo que lo imponga en este caso una norma sectorial eficaz, por ejemplo el convenio colectivo aplicable en cada caso, que también deberá ser analizado por la Entidad Local, si no les es de aplicación el primero de los supuestos atendiendo a la transmisión de los elementos patrimoniales.

➡ Concordancias normativas

Artículo 263 de la LCSP 30/2007 y artículo 168 del TRLCAP RDL 2/2000.

Véase el artículo 224 de la presente Ley («B.O.E». 31 octubre).

Artículo 288 *Efectos de la resolución*

1. En los supuestos de resolución, la Administración abonará, en todo caso, al contratista el precio de las obras e instalaciones que, ejecutadas por éste, hayan de pasar a propiedad de aquélla, teniendo en cuenta su estado y el tiempo que restare para la reversión.

2. Con independencia de lo dispuesto en el artículo 225, el incumplimiento por parte de la Administración o del contratista de las obligaciones del contrato producirá los efectos que según las disposiciones específicas del servicio puedan afectar a estos contratos.

3. En el supuesto de la letra a) del artículo 286, el contratista tendrá derecho al abono del interés de demora previsto en la Ley por la que se establecen medidas de lucha contra la morosidad en operaciones comerciales de las cantidades debidas o valores económicos convenidos, a partir del vencimiento del plazo previsto para su entrega, así como de los daños y perjuicios sufridos.

4. En los supuestos de las letras b), c) y d) del artículo 286, sin perjuicio de lo dispuesto en el apartado 1 de este artículo, la Administración indemnizará al contratista de los daños y perjuicios que se le irroguen, incluidos los beneficios futuros que deje de percibir, atendiendo a los resultados de la explotación en el último quinquenio y a la pérdida del valor de las obras e instalaciones que no hayan de revertir a aquélla, habida cuenta de su grado de amortización.

➡ **Concordancias normativas**

Artículo 264 de la LCSP 30/2007 y artículo 164 del TRLCAP RDL 2/2000.

Véase el artículo 225 de la presente Ley («B.O.E». 31 octubre).

Sección 6

Subcontratación del contrato de gestión de servicios públicos

Artículo 289 *Subcontratación*

En el contrato de gestión de servicios públicos, la subcontratación sólo podrá recaer sobre prestaciones accesorias.

➡ **Concordancias normativas**

Artículo 265 de la LCSP 30/2007 y artículo 170 del TRLCAP RDL 2/2000.

Véase el artículo 226 de la presente Ley («B.O.E». 31 octubre).

CAPÍTULO IV

Contrato de suministro

Sección 1

Regulación de determinados contratos de suministro

Artículo 290 *Arrendamiento*

1. En el contrato de arrendamiento, el arrendador o empresario asumirá durante el plazo de vigencia del contrato la obligación del mantenimiento del objeto del mismo. Las cantidades que, en su caso, deba satisfacer la Administración en concepto de canon de mantenimiento se fijarán separadamente de las constitutivas del precio del arriendo.

2. En el contrato de arrendamiento no se admitirá la prórroga tácita y la prórroga expresa no podrá extenderse a un período superior a la mitad del contrato inmediatamente anterior.

➡ **Concordancias normativas**

Artículo 266 de la LCSP 30/2007 y artículo 174 del TRLCAP RDL 2/2000.

Artículo 291 *Contratos de fabricación y aplicación de normas y usos vigentes en comercio internacional*

1. A los contratos de fabricación, a los que se refiere la letra c) del apartado 3 del artículo 9, se les aplicarán directamente las normas generales y especiales del contrato de obras que el órgano de contratación determine en el correspondiente pliego de cláusulas administrativas particulares, salvo las relativas a su publicidad que se acomodarán, en todo caso, al contrato de suministro.

2. Los contratos que se celebren con empresas extranjeras, cuando su objeto se fabrique o proceda de fuera del territorio nacional y los de suministro que, con estas empresas, celebre el Ministerio de Defensa y que deban ser ejecutados fuera del territorio nacional, se regirán por la presente Ley, sin perjuicio de lo que se convenga entre las partes de acuerdo con las normas y usos vigentes en el comercio internacional.

➡ **Concordancias normativas**

Artículo 267 de la LCSP 30/2007 y artículo 175 del TRLCAP RDL 2/2000.

Sección 2

Ejecución del contrato de suministro

Artículo 292 *Entrega y recepción*

1. El contratista estará obligado a entregar los bienes objeto de suministro en el tiempo y lugar fijados en el contrato y de conformidad con las prescripciones técnicas y cláusulas administrativas.

2. Cualquiera que sea el tipo de suministro, el adjudicatario no tendrá derecho a indemnización por causa de pérdidas, averías o perjuicios ocasionados en los bienes antes de su entrega a la Administración, salvo que ésta hubiere incurrido en mora al recibirlos.

3. Cuando el acto formal de la recepción de los bienes, de acuerdo con las condiciones del pliego, sea posterior a su entrega, la Administración será responsable de la custodia de los mismos durante el tiempo que medie entre una y otra.

4. Una vez recibidos de conformidad por la Administración bienes o productos perecederos, será ésta responsable de su gestión, uso o caducidad, sin perjuicio de la responsabilidad del suministrador por los vicios o defectos ocultos de los mismos.

➡ **Concordancias normativas**

Artículo 268 de la LCSP 30/2007 y artículo 185 del TRLCAP RDL 2/2000.

Artículo 293 *Pago del precio*

El adjudicatario tendrá derecho al abono del precio de los suministros efectivamente entregados y formalmente recibidos por la Administración con arreglo a las condiciones establecidas en el contrato.

➡ **Concordancias normativas**

Artículo 269 de la LCSP 30/2007 y artículo 186 del TRLCAP RDL 2/2000.

Artículo 294 *Pago en metálico y en otros bienes*

1. Cuando razones técnicas o económicas debidamente justificadas en el expediente lo aconsejen, podrá establecerse en el pliego de cláusulas administrativas particulares que el pago del precio total de los bienes a suministrar consista parte en dinero y parte en la entrega de otros bienes de la misma clase, sin que, en ningún caso, el importe de éstos pueda superar el 50 por 100 del precio total. A estos efectos, el compromiso de gasto correspondiente se limitará al importe que, del precio total del contrato, no se satisfaga mediante la entrega de bienes al contratista, sin que tenga aplicación lo dispuesto en el artículo 27.4 de la Ley 47/2003, de 26 de noviembre, General Presupuestaria (LA LEY 1781/2003), en el apartado 3 del artículo 165 de la Ley Reguladora de las Haciendas Locales, aprobada por Real Decreto Legislativo 2/2004, de 5 de marzo (LA LEY 362/2004), o en análogas regulaciones contenidas en las normas presupuestarias de las distintas Administraciones públicas sujetas a esta Ley.

2. La entrega de los bienes por la Administración se acordará por el órgano de contratación, por el mismo procedimiento que se siga para la adjudicación del contrato de suministro, implicando dicho acuerdo por sí solo la baja en el inventario y, en su caso, la desafectación de los bienes de que se trate.

3. En este supuesto el importe que del precio total del suministro corresponda a los bienes entregados por la Administración será un elemento económico a valorar para la adjudicación del contrato y deberá consignarse expresamente por los empresarios en sus ofertas.

4. El contenido de este artículo será de aplicación a los contratos de servicios para la gestión de los sistemas de información, los de servicios de telecomunicación y los contratos de mantenimiento de estos sistemas, suministros de equipos y terminales y adaptaciones necesarias como cableado, canalizaciones y otras análogas, siempre que vayan asociadas a la prestación de estos servicios y se contraten conjuntamente con ellos, entendiéndose que los bienes a entregar, en su caso, por la Administración han de ser bienes y equipos informáticos y de telecomunicaciones.

Concordancias a todo el artículo

➡ **Concordancias normativas**

Artículo 270 de la LCSP 30/2007 y artículo 187 del TRLCAP RDL 2/2000.

✍ **Informes de la Junta Consultiva de Contratación Administrativa**

Informe 12/2010, de 3 de noviembre, de la Junta Consultiva de Contratación Administrativa de la Comunidad Autónoma de Aragón, sobre posibilidad de pago del precio de una obra pública de un Ayuntamiento mediante la cesión de terrenos integrantes del Patrimonio Público del Suelo.

CONTRATO ADMINISTRATIVO DE OBRAS. Públicas. Parecer favorable a su celebración por un Ayuntamiento aragonés, fijando como medio de pago del precio, la entrega de un bien integrante del Patrimonio Municipal del Suelo —pago en especie—, en todo caso, condicionada a la concurrencia de 2 requisitos exigidos por del art. 114.2 LUA. La totalidad del pago del precio se puede llevar a cabo a través de la entrega de la propiedad de estos bienes particulares, por no existir limitación alguna en tal previsión. Pese a la existencia de este elemento patrimonial en el contrato, siendo el objeto principal del mismo una obra pública, y la enajenación de un bien patrimonial sólo el medio de pago, el contrato a celebrar es un contrato público de obras, sometido en su totalidad a la LCSP. El pago en especie del precio de un contrato público es una posibilidad señalada en la LCSP sin limitación alguna de carácter general, sin perjuicio de las que se establezcan en las previsiones legales correspondientes. El pliego de condiciones que rija el contrato expuesto deberá introducir determinadas cláusulas que reflejen la especialidad en cuanto a la modalidad del pago, así como el momento y condiciones del mismo, mediante la transmisión de la propiedad de dicho bien y sus necesarias formalidades.

Artículo 295 *Facultades de la Administración en el proceso de fabricación*

La Administración tiene la facultad de inspeccionar y de ser informada del proceso de fabricación o elaboración del producto que haya de ser entregado como consecuencia del contrato, pudiendo ordenar o realizar por sí misma análisis, ensayos y pruebas de los materiales que se vayan a emplear, establecer sistemas de control de calidad y dictar cuantas disposiciones estime oportunas para el estricto cumplimiento de lo convenido.

➡ Concordancias normativas

Artículo 271 de la LCSP 30/2007 y artículo 188 del TRLCAP RDL 2/2000.

Sección 3
Modificación del contrato de suministro

Artículo 296 *Modificación del contrato de suministro*

Cuando como consecuencia de las modificaciones del contrato de suministro acordadas conforme a lo establecido en el artículo 219 y en el título V del libro I, se produzca aumento, reducción o supresión de las unidades de bienes que integran el suministro o la sustitución de unos bienes por otros, siempre que los mismos estén comprendidos en el contrato, estas modificaciones serán obligatorias para el contratista, sin que tenga derecho alguno en caso de supresión o reducción de unidades o clases de bienes a reclamar indemnización por dichas causas.

Concordancias a todo el artículo

➡ Concordancias normativas

Artículo 272 de la LCSP 30/2007 y artículo 189 del TRLCAP RDL 2/2000.

Artículo 296 redactado por el apartado veintinueve de la disposición final decimosexta de la Ley 2/2011, de 4 de marzo, de Economía Sostenible («B.O.E». 5 marzo).

✉ Consultas

• **No es causa justificativa la cesión de un contrato para imponer nuevas obligaciones al cesionario**

¿Puede cederse un contrato de renting con una duración de 18 años de los cuales todavía no se ha cumplido el primero? ¿Podría plantearse alguna modificación si llegara a autorizarse la cesión?

[13/11/2009 EC 3249/2009]

Ver respuesta en artículo 226

Sección 4

Cumplimiento del contrato de suministro

Artículo 297 *Gastos de entrega y recepción*

1. Salvo pacto en contrario, los gastos de la entrega y transporte de los bienes objeto del suministro al lugar convenido serán de cuenta del contratista.

2. Si los bienes no se hallan en estado de ser recibidos se hará constar así en el acta de recepción y se darán las instrucciones precisas al contratista para que subsane los defectos observados o proceda a un nuevo suministro de conformidad con lo pactado.

➡ Concordancias normativas

Artículo 273 de la LCSP 30/2007 y artículo 190 del TRLCAP RDL 2/2000.

Artículo 298 *Vicios o defectos durante el plazo de garantía*

1. Si durante el plazo de garantía se acreditase la existencia de vicios o defectos en los bienes suministrados tendrá derecho la Administración a reclamar del contratista la reposición de los que resulten inadecuados o la reparación de los mismos si fuese suficiente.

2. Durante este plazo de garantía tendrá derecho el contratista a conocer y ser oído sobre la aplicación de los bienes suministrados.

3. Si el órgano de contratación estimase, durante el plazo de garantía, que los bienes suministrados no son aptos para el fin pretendido,

como consecuencia de los vicios o defectos observados en ellos e imputables al contratista y exista la presunción de que la reposición o reparación de dichos bienes no serán bastantes para lograr aquel fin, podrá, antes de expirar dicho plazo, rechazar los bienes dejándolos de cuenta del contratista y quedando exento de la obligación de pago o teniendo derecho, en su caso, a la recuperación del precio satisfecho.

4. Terminado el plazo de garantía sin que la Administración haya formalizado alguno de los reparos o la denuncia a que se refieren los apartados 1 y 3 de este artículo, el contratista quedará exento de responsabilidad por razón de los bienes suministrados.

➡ **Concordancias normativas**

Artículo 274 de la LCSP 30/2007 y artículo 191 del TRLCAP RDL 2/2000.

✉ **Consultas**

• **Extinción del contrato**

En el caso de que la adjudicataria de un contrato de suministro sea una UTE, sin plazo de garantía que empieza a computar desde la finalización del contrato ¿puede extinguirse antes la UTE?

[14/01/2010 EC 174/2010]

Ver respuesta en artículo 59

Sección 5

Resolución del contrato de suministro

Artículo 299 *Causas de resolución*

Son causas de resolución del contrato de suministro, además de las señaladas en el artículo 223, las siguientes:

a) La suspensión, por causa imputable a la Administración, de la iniciación del suministro por plazo superior a seis meses a partir de la fecha señalada en el contrato para la entrega, salvo que en el pliego se señale otro menor.

b) El desistimiento o la suspensión del suministro por un plazo superior al año acordada por la Administración, salvo que en el pliego se señale otro menor.

➡ **Concordancias normativas**

Artículo 275 de la LCSP 30/2007 y artículo 192 del TRLCAP RDL 2/2000.

Artículo 299 redactado por el apartado treinta de la disposición final decimosexta de la Ley 2/2011, de 4 de marzo, de Economía Sostenible («B.O.E». 5 marzo).

Artículo 300 *Efectos de la resolución*

1. La resolución del contrato dará lugar a la recíproca devolución de los bienes y del importe de los pagos realizados, y, cuando no fuera posible o conveniente para la Administración, habrá de abonar ésta el precio de los efectivamente entregados y recibidos de conformidad.

2. En el supuesto de suspensión de la iniciación del suministro por tiempo superior a seis meses, sólo tendrá derecho el contratista a percibir una indemnización del 3 por 100 del precio de la adjudicación.

3. En el caso de desistimiento o de suspensión del suministro por plazo superior a un año por parte de la Administración, el contratista tendrá derecho al 6 por 100 del precio de las entregas dejadas de realizar en concepto de beneficio industrial.

➡ **Concordancias normativas**

Artículo 276 de la LCSP 30/2007 y artículo 193 del TRLCAP RDL 2/2000.

Véase artículo 225 de la presente Ley.

CAPÍTULO V

Contratos de servicios

Sección 1

Disposiciones generales

Artículo 301 *Contenido y límites*

1. No podrán ser objeto de estos contratos los servicios que impliquen ejercicio de la autoridad inherente a los poderes públicos.

☞ **Concordancias Jurisprudenciales**

Tribunal Superior de Justicia de Madrid, Sala de lo Social, Sección 2.ª, Sentencia de 16 Nov. 2010, rec. 3421/2010

PERSONAL LABORAL DE LA ADMINISTRACIÓN. CONTRATOS ADMINISTRATIVOS. DESPIDO IMPROCEDENTE. Cese del trabajador sin causa. Concurrencia de las notas propias de la relación laboral, voluntariedad, remuneración, ajenidad y prestación dentro del ámbito de organización y dirección de la empresa. JURISDICCIÓN LABORAL. Es competente el orden de la jurisdicción social para conocer de la demanda de despido por existir entre las partes relación laboral, no obstante el contrato administrativo.

2. Salvo que se disponga otra cosa en los pliegos de cláusulas administrativas o en el documento contractual, los contratos de servicios que tengan por objeto el desarrollo y la puesta a disposición de productos protegidos por un derecho de propiedad intelectual o industrial llevarán aparejada la cesión de éste a la Administración contratante. En todo caso, y aun cuando se excluya la cesión de los derechos de propiedad intelectual, el órgano de contratación podrá siempre autorizar el uso del correspondiente producto a los entes, organismos y entidades pertenecientes al sector público a que se refiere el artículo 3.1.

☞ **Concordancias Jurisprudenciales**

Tribunal Superior de Justicia de Castilla y León de Valladolid, Sala de lo Social, Sentencia de 28 Abr. 2010, rec. 436/2010

DESPIDO IMPROCEDENTE. Inexistencia de cesión ilegal. Los supuestos de nulidad del despido de trabajo se encuentran tasados en el Estatuto de los Trabajadores y Ley de Procedimiento Laboral, no incluyéndose entre tales supuestos el despido que tiene lugar en el contexto de una hipótesis de cesión ilegal de mano de obra.

3. Los contratos de servicios que celebre el Ministerio de Defensa con empresas extranjeras y que deban ser ejecutados fuera del territorio nacional, se regirán por la presente Ley, sin perjuicio de lo que se convenga entre las partes de acuerdo con las normas y usos vigentes en el comercio internacional.

4. A la extinción de los contratos de servicios, no podrá producirse en ningún caso la consolidación de las personas que hayan realizado los trabajos objeto del contrato como personal del ente, organismo o entidad del sector público contratante.

☞ **Concordancias Jurisprudenciales**

Tribunal Superior de Justicia de Andalucía de Granada, Sala de lo Social, Sentencia de 21 Jul. 2011, rec. 1608/2011

CONTRATO DE TRABAJO. Criterios fundamentales de calificación de la relación como laboral. En general. CONTRATOS TEMPORALES. Contratos celebrados por la Administración. En general. PROCESO LABORAL. Proceso por despido. Sentencia. El fallo.

Tribunal Superior de Justicia de la Región de Murcia, Sala de lo Social, Sentencia de 1 Dic. 2010, rec. 540/2010

CESIÓN ILEGAL DE TRABAJADORES. Contratos de asistencia técnica o de servicios otorgados por la Administración demandada a favor de una empresa privada. Los trabajadores han prestado servicios en el centro de trabajo de la Administración, bajo sus instrucciones y con el mismo horario y vacaciones con régimen igual al del personal laboral, y realizando la actividad que con carácter permanente se desarrolla en la Administración. PERSONAL LABORAL DE LA ADMINISTRACIÓN. Derecho de los actores a adquirir la condición de trabajador indefinido, no fijo, a media jornada. Prestación ininterrumpidamente, de servicios al amparo de sucesivos contratos administrativos. Regulación de los contratos de consultoría y asistencia técnica, y de servicios. Posibilidad de las administraciones para contratar en régimen administrativo los servicios de personas físicas.

JURISDICCIÓN LABORAL. Competencia. Laboralidad de la relación que no puede ceder como consecuencia de la calificación formal del contrato como administrativo.

Tribunal Superior de Justicia de Madrid, Sala de lo Social, Sección 2.ª, Sentencia de 19 Oct. 2010, rec. 3759/2010

CONTRATOS ADMINISTRATIVOS. Naturaleza del contrato. Criterios de determinación. Generalidades. CONTRATOS TEMPORALES. Contratos celebrados por la Administración. Contratación en fraude de ley. Supuestos. -- Contratos celebrados por la Administración. Efectos de la declaración de improcedencia del despido. PERSONAL LABORAL DE LA ADMINIS-TRACIÓN. Extinción del contrato. Despido del trabajador. En general.

✉ **Consultas**

• **Subrogación del personal en caso de nueva licitación de servicio público**

Se va a licitar el contrato de servicio de limpieza. ¿Es posible incluir como criterio de adjudicación el empadronamiento del personal a contratar? ¿Se produce la subrogación del personal de la anterior adjudicataria?

[21/10/2011 EC 2485/2011]

Contestación

Comenzaremos por la segunda cuestión. La Ley 30/2007, de 30 de octubre (LA LEY 10868/2007) (BOE del 31), de Contratos del Sector Público (LCSP), en su art. 277.4, indica que a la extinción de los contratos de servicios, no podrá producirse, en ningún caso, la consolidación de las personas que hayan realizado los trabajos objeto del contrato, como personal del ente, organismo o entidad pública contratante. Por lo tanto, estos trabajadores no van a integrarse en la entidad local.

Hemos de abordar, no obstante, la figura de la sucesión de empresa; que se regula, en nuestro derecho interno, en el art. 44 del Estatuto de los Trabajadores (LA LEY 1270/1995) (ET), Texto Refundido aprobado por Real Decreto Legislativo 1/1995, de 24 marzo (LA LEY 1270/1995) (BOE del 29), y que opera no sólo en las relaciones con la Administración, sino también entre empresas únicamente. Además, es de aplicación la Directiva 98/50/CE (LA LEY 5926/1998) del Consejo, de 29 de junio de 1998, y la doctrina del Tribunal de Justicia de la CE. Junto con este cuerpo normativo, es necesario examinar el convenio colectivo del sector. No influye, en la aplicación de estas normas, la naturaleza pública o privada de quien continúa desarrollando la actividad (en este caso, si la va a asumir la Administración o va a existir una nueva licitación pública).

En principio, según la normativa de aplicación general, interpretada jurisprudencialmente, la sucesión de empresa es un derecho de los trabajadores que se materializa «si se produce el traslado de un centro de actividad que mantiene su identidad, un cambio del contratista acompañado de una cesión, entre ambos empresarios, del activo material o inmaterial». Supone que el nuevo empresario queda subrogado en todos los derechos y obligaciones laborales y de Seguridad Social del anterior y, en general, cuantas obligaciones en materia de protección social complementaria hubiere adquirido el cedente.

En el Derecho comunitario, la Directiva citada, en su art. 1.1.b, precisa que es necesario el traspaso de «una entidad económica que mantenga su identidad». La interpretación de esta afirmación podemos buscarla, entre otras, en las sentencias de 17 de marzo de 1997 (caso Süzen, asunto C13/1995 en un asunto sobre limpieza de interiores), en el que entiende que no existe transmisión «si la operación no va acompañada de una cesión entre ambos empresarios de elementos significativos del activo material o inmaterial, ni el nuevo empresario se hace cargo de una parte esencial, en términos de número y competencia, de los trabajadores que su antecesor destinaba al cumplimiento de la contrata»; o en la de 10 de diciembre de 1998 (asuntos acumulados C173/1996 y 247/1996, en un asunto sobre ayuda a domicilio), en la que afirma que la Directiva se aplicará «siempre y cuando la operación vaya acompañada de la transmisión entre ambas empresas de una entidad económica, pues la mera circunstancia de que las prestaciones realizadas sucesivamente por el antiguo y el nuevo concesionario de la contrata sean similares no permite llegar a la conclusión de que existe una transmisión de tal entidad.»

Es interesante, a estos efectos, la doctrina de la Sentencia del Tribunal Supremo de 5 de abril de 1993. El tribunal viene entendiendo que para que se materialice el derecho es necesaria la transmisión al nuevo empresario de elementos patrimoniales que configuran la infraestructura u organización empresarial básica de la explotación.

Atendiendo a estas cuestiones de ámbito general, la sucesión en las relaciones laborales no suele operar cuando se trata de la mera sucesión en la actividad de una contrata que gestiona el servicio con sus propios medios, como pudiera suponerse en el ámbito de la limpieza que ahora se contrata, en el que no existe en principio traslado de inmovilizado material.

Sin embargo, puede existir una norma que obligue a las empresas del sector en ese ámbito territorial, elemento que deberá ser tenido en cuenta por la entidad local; esto es, la existencia de una norma sectorial eficaz que lo imponga, por ejemplo el convenio colectivo aplicable en cada caso. Será necesario analizar, en cualquier caso, los trabajadores que están asociados directamente al centro productivo (pueden existir responsables que tengan a su cargo varias unidades productivas), ya que la subrogación sólo se aplicará a los primeros. Es muy interesante, en esta materia, la reciente Sentencia del Tribunal de Justicia (CE) Sala 3.ª, de 20 de enero de 2011, n.º C-463/2009. (LA LEY 52/2011)

Otra cuestión a tener en cuenta es si, en el primer contrato en el que se externalizó la actividad, se determinó que el personal que hasta ese momento realizaba esas funciones en el Ayuntamiento debía ser subrogado, o se reubicó en la entidad local. En el primero de los casos, seguirá existiendo obligación de subrogarlo.

Recordamos que, de acuerdo al art. 104 LCSP (LA LEY 10868/2007), en el pliego será necesario dar información sobre las condiciones de subrogación en los contratos de trabajo.

Por otra parte, el criterio del empadronamiento municipal debemos considerarlo como discriminatorio, a la luz de la doctrina que actualmente mantiene la Junta Consultiva de Contratación Administrativa desde su Informe 3/09, de 25 de septiembre de 2009, sobre las posibilidades de utilización de los criterios sociales en contratación; a cuya lectura nos remitimos, y que concluye expresamente que «no es admisible de conformidad con el artículo 134.1 de la Ley de Contratos del Sector Público (LA LEY 10868/2007) el establecimiento en los pliegos de cláusulas administrativas particulares de criterios de adjudicación que valoren el empleo en la ejecución del contrato de personas desempleadas inscritas en oficinas de empleo correspondientes a un determinado lugar geográfico.»

Concordancias a todo el artículo

➡ **Concordancias normativas**

Artículo 277 de la LCSP 30/2007 y artículo 196 del TRLCAP RDL 2/2000.

☞ **Concordancias Jurisprudenciales**

Tribunal Superior de Justicia de Madrid, Sala de lo Social, Sección 6.ª, Sentencia de 27 Jun. 2011, rec. 884/2011

CONTRATO DE TRABAJO. Exclusiones. En general. CONTRATOS TEMPORALES. Contratos celebrados por la Administración. En general. PROCESO LABORAL. Proceso por despido. Generalidades.

📖 **Doctrina**

«¿Es factible contratar un servicio de colaboración externo en la gestión de expedientes sancionadores por infracciones a la normativa de tráfico vial urbano?». Pleite Guadamillas, Francisco. *Contratación Administrativa Práctica,* N.º 91, noviembre 2009, pág. 24, Editorial LA LEY

Se plantea la viabilidad de contratar el servicio de colaboración en la gestión de los expedientes sancionadores por infracciones a la normativa de tráfico vial urbano, dado que, por su relación con la potestad sancionadora, podría infringir la prohibición prevista en los artículos 196.4 del Texto refundido de la Ley de Contratos de las Administraciones Públicas, aprobado por el Real decreto legislativo 2/2000, de 16 de junio, y 277 de la Ley 30/2007, de 30 de octubre, de Contratos del Sector Público.

Artículo 302 *Determinación del precio*

En el pliego de cláusulas administrativas se establecerá el sistema de determinación del precio de los contratos de servicios, que podrá estar referido a componentes de la prestación, unidades de ejecución o unidades de tiempo, o fijarse en un tanto alzado cuando no sea posible o conveniente su descomposición, o resultar de la aplicación de honorarios por tarifas o de una combinación de varias de estas modalidades.

Concordancias a todo el artículo

➡ **Concordancias normativas**

Artículo 278 de la LCSP 30/2007 y artículo 202 del TRLCAP RDL 2/2000.

☞ **Concordancias Jurisprudenciales**

Tribunal Superior de Justicia de Andalucía de Granada, Sala de lo Social, Sentencia de 7 Jul. 2010, rec. 1218/2010

PERSONAL LABORAL DE LA ADMINISTRACIÓN. DESPIDO IMPRO-CEDENTE. Despido verbal. CONTRATO DE TRABAJO. Concurrencia de relación laboral. La sentencia que calificó la relación jurídica de trabajo existente entre las partes como laboral, ha adquirido firmeza, al no haber sido recurrida en plazo, por la recurrente. DERECHO DE OPCIÓN. No procede reconocer a la trabajadora, el derecho de opción. El derecho de opción de readmisión establecido en la norma convencional, en el supuesto de declaración de improcedencia del despido, corresponde a los trabajadores, pero cuando la causa del cese sea la comisión de faltas sancionables con despido.

Tribunal Superior de Justicia de Andalucía de Granada, Sala de lo Social, Sentencia de 22 Jul. 2009, rec. 1396/2009

CONTRATO DE TRABAJO. Criterios fundamentales de calificación de la relación como laboral. Dependencia o subordinación. Generalidades. CONTRATOS ADMINISTRATIVOS. Naturaleza del contrato. Criterios de determinación. Generalidades. DESPIDO. Despido disciplinario. Califi-cación del despido. Despido improcedente.

 ✍ **Informes de la Junta Consultiva de Contratación Administrativa**

Informe 1/2009, de 26 de febrero de 2009, de la Junta Consultiva de Contratación Administrativa, sobre la modalidad de contrato aplicable a los servicios de mantenimiento y conservación de mobiliario urbano

CONTRATO ADMINISTRATIVO DE SERVICIOS. Aplicación de la modalidad de contrato de servicios para el mantenimiento y conservación de mobiliario urbano. La contratación de la prestación de tales servicios, no se encuentra sujeta al abono de una tarifa en función del número de usuarios de los bienes a conservar. Exigencia de clasificación administrativa a los licitadores en concursos para la prestación del servicio. Al tener por finalidad la atención directa de necesidades de los ciudadanos, o posi-bilitarles el mejor uso de los bienes de uso público forman parte de los servicios públicos de competencia municipal. Aspectos diferenciadores del contrato de gestión de servicios públicos y del contrato de servicios: atendiendo al destinatario y al sistema retributivo del contrato.

Artículo 303 *Duración*

1. Los contratos de servicios no podrán tener un plazo de vigencia superior a cuatro años con las condiciones y límites establecidos en las

respectivas normas presupuestarias de las Administraciones Públicas, si bien podrá preverse en el mismo contrato su prórroga por mutuo acuerdo de las partes antes de la finalización de aquél, siempre que la duración total del contrato, incluidas las prórrogas, no exceda de seis años, y que las prórrogas no superen, aislada o conjuntamente, el plazo fijado originariamente. La celebración de contratos de servicios de duración superior a la señalada podrá ser autorizada excepcionalmente por el Consejo de Ministros o por el órgano autonómico competente de forma singular, para contratos determinados, o de forma genérica, para ciertas categorías.

☞ **Concordancias Jurisprudenciales**

Tribunal Superior de Justicia de Madrid, Sala de lo Social, Sección 2.ª, Sentencia de 19 Oct. 2010, rec. 3759/2010

CONTRATOS ADMINISTRATIVOS. Naturaleza del contrato. Criterios de determinación. Generalidades. CONTRATOS TEMPORALES. Contratos celebrados por la Administración. Contratación en fraude de ley. Supuestos. -- Contratos celebrados por la Administración. Efectos de la declaración de improcedencia del despido. PERSONAL LABORAL DE LA ADMINISTRACIÓN. Extinción del contrato. Despido del trabajador. En general.

✉ **Consultas**

• **Duración de un contrato mixto de suministro y servicios**

Un Ayuntamiento tiene la intención de sacar a licitación un contrato mixto de suministro y servicios para el mantenimiento integral con gestión de servicios energéticos y garantía total de las instalaciones de energía térmica generada con biomasa en dos colegios públicos. El contrato tendrá una duración, para que pueda interesar a posibles licitadores, de 12 años. Al tratarse de un contrato mixto de suministro y servicio, ¿tendríamos la limitación de los cuatro más dos años prevista en el art. 303 TRLCSP.

[16/05/2012]

Ver respuesta en artículo 23

• **El contrato de mantenimiento de aplicaciones informáticas debe calificarse como contrato de servicios.**

¿Qué naturaleza tiene el contrato de mantenimiento y actualización de aplicaciones informáticas?

[15/08/2008 EC 2662/2008]

Ver respuesta en artículo 170

2. No obstante lo dispuesto anteriormente, los contratos regulados en este Título que sean complementarios de contratos de obras o de suministro podrán tener un plazo superior de vigencia que, en ningún caso, excederá del plazo de duración del contrato principal, salvo en los contratos que comprenden trabajos relacionados con la liquidación del contrato principal, cuyo plazo final excederá al del mismo en el tiempo necesario para realizarlos. La iniciación del contrato complementario a que se refiere este apartado quedará en suspenso, salvo causa justificada derivada de su objeto y contenido, hasta que comience la ejecución del correspondiente contrato de obras.

Solamente tendrán el concepto de contratos complementarios aquellos cuyo objeto se considere necesario para la correcta realización de la prestación o prestaciones objeto del contrato principal.

3. Los contratos para la defensa jurídica y judicial de la Administración tendrán la duración precisa para atender adecuadamente sus necesidades.

4. Los contratos de servicios que tengan por objeto la asistencia a la dirección de obra o la gestión integrada de proyectos tendrán una duración igual a la del contrato de obras al que están vinculados más el plazo estimado para proceder a la liquidación de las obras.

➡ **Concordancias normativas**

Artículo 279 de la LCSP 30/2007 y artículo 198 del TRLCAP RDL 2/2000.

Véanse artículos 23 y 294.4 de la presente Ley.

Artículo 304 *Régimen de contratación para actividades docentes*

1. En los contratos regulados en este Título que tengan por objeto la prestación de actividades docentes en centros del sector público desarrolladas

en forma de cursos de formación o perfeccionamiento del personal al servicio de la Administración o cuando se trate de seminarios, coloquios, mesas redondas, conferencias, colaboraciones o cualquier otro tipo similar de actividad, siempre que dichas actividades sean realizadas por personas físicas, las disposiciones de esta Ley no serán de aplicación a la preparación y adjudicación del contrato.

2. En esta clase de contratos podrá establecerse el pago parcial anticipado, previa constitución de garantía por parte del contratista, sin que pueda autorizarse su cesión.

3. Para acreditar la existencia de los contratos a que se refiere este artículo, bastará la designación o nombramiento por autoridad competente.

Concordancias a todo el artículo

➡ Concordancias normativas

Artículo 280 de la LCSP 30/2007 y artículo 200 del TRLCAP RDL 2/2000.

☞ Concordancias Jurisprudenciales

Tribunal Superior de Justicia de Galicia, Sala de lo Social, Sentencia de 12 Dic. 2011, rec. 2119/2011

JURISDICCIÓN LABORAL. Competencia del orden jurisdiccional social. Ha quedado probado que el trabajador ha sido contratado por la Consejería de Trabajo con contratos laborales y administrativos, compatibilizando ambos tipos de contratación. Condición de indefinido discontinuo. Acreditación de que la formación profesional impartida por parte del trabajador, constituye una actividad permanente y ordinaria dentro de la actividad normal de la Administración, reiterándose durante años. ANTIGÜEDAD. Cómputo a efectos de antigüedad, de la totalidad de la contratación. Sucesión de contratos temporales en los que existe una unidad esencial del vínculo contractual, al no ser la interrupción existente entre contratos, que en un caso es superior a veinte días, suficientemente significativa.

Sección 2

Ejecución de los contratos de servicios

Artículo 305 *Ejecución y responsabilidad del contratista*

1. El contrato se ejecutará con sujeción a lo establecido en su clausulado y en los pliegos, y de acuerdo con las instrucciones que para su interpretación diere al contratista el órgano de contratación.

2. El contratista será responsable de la calidad técnica de los trabajos que desarrolle y de las prestaciones y servicios realizados, así como de las consecuencias que se deduzcan para la Administración o para terceros de las omisiones, errores, métodos inadecuados o conclusiones incorrectas en la ejecución del contrato.

➡ **Concordancias normativas**

Artículo 281 de la LCSP 30/2007 y artículo 211 del TRLCAP RDL 2/2000.

Sección 3

Modificación de los contratos de servicios de mantenimiento

Artículo 306 *Modificación de estos contratos*

Cuando como consecuencia de modificaciones del contrato de servicios de mantenimiento acordadas conforme a lo establecido en el artículo 219 y en el título V del libro I, se produzca aumento, reducción o supresión de equipos a mantener o la sustitución de unos equipos por otros, siempre que los mismos estén contenidos en el contrato, estas modificaciones serán obligatorias para el contratista, sin que tenga derecho alguno, en caso de supresión o reducción de unidades o clases de equipos, a reclamar indemnización por dichas causas.

Concordancias a todo el artículo

➡ **Concordancias normativas**

Artículo 282 de la LCSP 30/2007 y artículo 211 del TRLCAP RDL 2/2000.

Artículo 306 redactado por el apartado treinta y uno de la disposición final decimosexta de la Ley 2/2011, de 4 de marzo, de Economía Sostenible («B.O.E». 5 marzo).

☞   **Concordancias Jurisprudenciales**

Tribunal Superior de Justicia de Castilla y León de Burgos, Sala de lo Contencioso-administrativo, Sección 1.ª, Sentencia de 23 Sep. 2011, rec. 137/2011

ARQUITECTOS. Honorarios. Trabajos para la Administración. CONTRATO ADMINISTRATIVO DE SERVICIOS. Precio. CONTRATOS ADMINISTRATIVOS. Precio del contrato. Revisión del precio. Procedencia. -- Preparación de los contratos. Expediente de contratación. Pliegos de cláusulas administrativas. -- Cumplimiento. Obligaciones de la Administración. PRUEBA. Apreciación de la prueba. Apreciación conjunta de la prueba. Proceso Contencioso-Administrativo.

Sección 4
Cumplimiento de los contratos de servicios

Artículo 307 *Cumplimiento de los contratos*

1. La Administración determinará si la prestación realizada por el contratista se ajusta a las prescripciones establecidas para su ejecución y cumplimiento, requiriendo, en su caso, la realización de las prestaciones contratadas y la subsanación de los defectos observados con ocasión de su recepción. Si los trabajos efectuados no se adecuan a la prestación contratada, como consecuencia de vicios o defectos imputables al contratista, podrá rechazar la misma quedando exento de la obligación de pago o teniendo derecho, en su caso, a la recuperación del precio satisfecho.

2. Si durante el plazo de garantía se acreditase la existencia de vicios o defectos en los trabajos efectuados el órgano de contratación tendrá derecho a reclamar al contratista la subsanación de los mismos.

3. Terminado el plazo de garantía sin que la Administración haya formalizado alguno de los reparos o la denuncia a que se refieren los apartados anteriores, el contratista quedará exento de responsabilidad por razón de la prestación efectuada, sin perjuicio de lo establecido en los artículos 310,

311 y 312 sobre subsanación de errores y responsabilidad en los contratos que tengan por objeto la elaboración de proyectos de obras.

4. El contratista tendrá derecho a conocer y ser oído sobre las observaciones que se formulen en relación con el cumplimiento de la prestación contratada.

➡ **Concordancias normativas**

Artículo 283 de la LCSP 30/2007 y artículo 213 del TRLCAP RDL 2/2000.

Sección 5

Resolución de los contratos de servicios

Artículo 308 *Causas de resolución*

Son causas de resolución de los contratos de servicios, además de las señaladas en el artículo 223, las siguientes:

a) La suspensión por causa imputable a la Administración de la iniciación del contrato por plazo superior a seis meses a partir de la fecha señalada en el mismo para su comienzo, salvo que en el pliego se señale otro menor.

b) El desistimiento o la suspensión del contrato por plazo superior a un año acordada por la Administración, salvo que en el pliego se señale otro menor.

☞ **Concordancias Jurisprudenciales**

Tribunal Superior de Justicia de Galicia, Sala de lo Contencioso-administrativo, Sección 2.ª, Sentencia de 28 Jul. 2011, rec. 4125/2011

CONTRATOS ADMINISTRATIVOS. Contrato de servicios. Redacción del Plan General de Ordenación Municipal. Declaración de la Administración de tener por desierto el concurso. Facultad discrecional. Limites. Carácter restrictivo. Exigencia de motivación reforzada incluso circunscrita a supuesto de imposibilidad de admisión de la oferta contractual presentada por la Entidad empresarial de que se trate. Efectos. Compensación económica. En el supuesto de desistimiento en el contrato de servicios por la Administración, el contratista tiene derecho al 10% del precio de los estudios, informes, proyectos o trabajos pendientes de realizar en concepto de beneficio dejado de obtener.

c) Los contratos complementarios a que se refiere el artículo 303.2 quedarán resueltos, en todo caso, cuando se resuelva el contrato principal.

➡ **Concordancias normativas**

Artículo 284 redactado por el apartado treinta y dos de la disposición final decimosexta de la Ley 2/2011, de 4 de marzo, de Economía Sostenible («B.O.E». 5 marzo).

Concordancias a todo el artículo

➡ **Concordancias normativas**

Artículo 284 de la LCSP 30/2007 y artículo 214 del TRLCAP RDL 2/2000.

☞ **Concordancias Jurisprudenciales**

Tribunal Superior de Justicia de Galicia, Sala de lo Contencioso-administrativo, Sección 2.ª, Sentencia de 16 Feb. 2012, rec. 4542/2011

CONTRATOS ADMINISTRATIVOS. Cumplimiento. Incumplimiento. Efectos del incumplimiento. PRUEBA. Apreciación de la prueba. Apreciación conjunta de la prueba. Proceso Contencioso-Administrativo.

Artículo 309 *Efectos de la resolución*

1. La resolución del contrato dará derecho al contratista, en todo caso, a percibir el precio de los estudios, informes, proyectos, trabajos o servicios que efectivamente hubiese realizado con arreglo al contrato y que hubiesen sido recibidos por la Administración.

2. En el supuesto de suspensión de la iniciación del contrato por tiempo superior a seis meses, el contratista sólo tendrá derecho a percibir una indemnización del 5 por 100 del precio de aquél.

3. En el caso de la letra b) del artículo anterior el contratista tendrá derecho al 10 por 100 del precio de los estudios, informes, proyectos o trabajos pendientes de realizar en concepto de beneficio dejado de obtener.

➡ **Concordancias normativas**

Artículo 285 de la LCSP 30/2007 y artículo 215 del TRLCAP RDL 2/2000.

Véase artículo 225 de la presente Ley.

Sección 6

De la subsanación de errores y responsabilidades en el contrato de elaboración de proyectos de obras

Artículo 310 *Subsanación de errores y corrección de deficiencias*

1. Cuando el contrato de servicios consista en la elaboración íntegra de un proyecto de obra, el órgano de contratación exigirá la subsanación por el contratista de los defectos, insuficiencias técnicas, errores materiales, omisiones e infracciones de preceptos legales o reglamentarios que le sean imputables, otorgándole al efecto el correspondiente plazo que no podrá exceder de dos meses.

2. Si transcurrido este plazo las deficiencias no hubiesen sido corregidas, la Administración podrá, atendiendo a las circunstancias concurrentes, optar por la resolución del contrato o por conceder un nuevo plazo al contratista.

3. En el primer caso procederá la incautación de la garantía y el contratista incurrirá en la obligación de abonar a la Administración una indemnización equivalente al 25 por 100 del precio del contrato.

4. En el segundo caso el nuevo plazo concedido para subsanar las deficiencias no corregidas será de un mes improrrogable, incurriendo el contratista en una penalidad equivalente al 25 por 100 del precio del contrato.

5. De producirse un nuevo incumplimiento procederá la resolución del contrato con obligación por parte del contratista de abonar a la Administración una indemnización igual al precio pactado con pérdida de la garantía.

6. Cuando el contratista, en cualquier momento antes de la concesión del último plazo, renunciare a la realización del proyecto deberá abonar a la Administración una indemnización igual a la mitad del precio del contrato con pérdida de la garantía.

Concordancias a todo el artículo

➡ **Concordancias normativas**

Artículo 286 de la LCSP 30/2007 y artículo 217 del TRLCAP RDL 2/2000.

Véanse artículos 124.3 y 223 de la presente Ley.

✉ **Consultas**

• **Enajenación de solar por procedimiento negociado**

El ayuntamiento procedió a la enajenación de un solar urbano mediante subasta. Al quedar desierta tramitó y adjudicó mediante procedimiento negociado. Se deniega la inscripción en el Registro alegando que el procedimiento negociado no puede utilizarse para enajenar bienes inmuebles. ¿Es así?

[11/02/2009 EC 510/2009]

Ver respuesta en artículo 223

• **La extinción de la personalidad jurídica no es causa de resolución del contrato ejecutado pendiente de pago**

Contratada una empresa mercantil para la redacción de un proyecto de urbanización, nos ha comunicado que se va a extinguir. Nos entregó el proyecto, pero está pendiente de pago el 50% del importe por no haber concluido el trámite de aprobación definitiva. ¿Es causa de resolución?

[27/01/2009 EC 334/2009]

Ver respuesta en artículo 223

Artículo 311 *Indemnizaciones*

1. Para los casos en que el presupuesto de ejecución de la obra prevista en el proyecto se desviare en más de un 20 por 100, tanto por exceso como por defecto, del coste real de la misma como consecuencia de errores u omisiones imputables al contratista consultor, la Administración podrá establecer, en el pliego de cláusulas administrativas particulares, un sistema de indemnizaciones consistente en una minoración del precio del contrato de elaboración del proyecto, en función del porcentaje de desviación, hasta un máximo equivalente a la mitad de aquél.

2. El baremo de indemnizaciones será el siguiente:

a) En el supuesto de que la desviación sea de más del 20 por 100 y menos del 30 por 100, la indemnización correspondiente será del 30 por 100 del precio del contrato.

b) En el supuesto de que la desviación sea de más del 30 por 100 y menos del 40 por 100, la indemnización correspondiente será del 40 por 100 del precio del contrato.

c) En el supuesto de que la desviación sea de más del 40 por 100, la indemnización correspondiente será del 50 por 100 del precio del contrato.

3. El contratista deberá abonar el importe de dicha indemnización en el plazo de un mes a partir de la notificación de la resolución correspondiente, que se adoptará, previa tramitación de expediente con audiencia del interesado.

➡ Concordancias normativas

Artículo 287 de la LCSP 30/2007 y artículo 218 del TRLCAP RDL 2/2000.

Artículo 312 *Responsabilidad por defectos o errores del proyecto*

1. Con independencia de lo previsto en los artículos anteriores, el contratista responderá de los daños y perjuicios que durante la ejecución o explotación de las obras se causen tanto a la Administración como a terceros, por defectos e insuficiencias técnicas del proyecto o por

los errores materiales, omisiones e infracciones de preceptos legales o reglamentarios en que el mismo haya incurrido, imputables a aquél.

2. La indemnización derivada de la responsabilidad exigible al contratista alcanzará el 50 por 100 del importe de los daños y perjuicios causados, hasta un límite máximo de cinco veces el precio pactado por el proyecto y será exigible dentro del término de diez años, contados desde la recepción del mismo por la Administración, siendo a cargo de esta última, en su caso, el resto de dicha indemnización cuando deba ser satisfecha a terceros.

Concordancias a todo el artículo

➡ **Concordancias normativas**

Artículo 288 de la LCSP 30/2007 y artículo 219 del TRLCAP RDL 2/2000.

Véase artículo 123 de la presente Ley.

☞ **Concordancias Jurisprudenciales**

Tribunal Administrativo de Navarra, Sección 2.ª, Resolución de 25 May. 2011, rec. 10-08802/2010

PREVENCIÓN DE RIESGOS LABORALES. Infracciones y sanciones. Nulidad parcial de la exigencia de pago a una contratista del importe de una sanción impuesta al Ayuntamiento de Pamplona por infracción en materia de prevención de riesgos laborales, por haber incurrido en responsabilidad contractual. Inexistencia de extemporaneidad de la exigencia de responsabilidad. Desde el momento en que la sanción es firme en vía administrativa nace el devengo y comienza el cómputo de los intereses legales que resulten del pago atrasado, incluso aunque la ejecutividad de la sanción se suspenda, y salvo que finalmente la sentencia declare la ilegalidad de la deuda, en cuyo caso se anulan el principal e intereses devengados. Inexistencia de indefensión. Corresponde el reparto de la sanción entre el Ayuntamiento y la contratista a partes iguales. El legislador ha optado por reducir la responsabilidad del contratista a la mitad del daño que ocasione a la Administración contratante o a terceros en este tipo de contratos, y no puede sostenerse la pretensión municipal de exigencia de toda la responsabilidad al contratista, al encontrarnos con una regulación legal específica para el contrato de asistencia que se debe aplicar preferentemente sobre la regla general.

CAPÍTULO VI

Contratos de colaboración entre el sector público y el sector privado

Artículo 313 *Régimen jurídico*

Los contratos de colaboración entre el sector público y el sector privado se regirán por las normas generales contenidas en el Título I del presente Libro y por las especiales correspondientes al contrato típico cuyo objeto se corresponda con la prestación principal de aquél, identificada conforme a lo dispuesto en el artículo 136.a), en lo que no se opongan a su naturaleza, funcionalidad y contenido peculiar conforme al artículo 11.

Estas normas delimitarán los deberes y derechos de las partes y las prerrogativas de la Administración.

➡ Concordancias normativas

Artículo 289 de la LCSP 30/2007.

Véase artículo 136 a) de la presente Ley.

Artículo 314 *Duración*

La duración de los contratos de colaboración entre el sector público y el sector privado no podrá exceder de 20 años. No obstante, cuando por razón de la prestación principal que constituye su objeto y de su configuración, el régimen aplicable sea el propio de los contratos de concesión de obra pública, se estará a lo dispuesto en el artículo 268 sobre la duración de éstos.

➡ Concordancias normativas

Artículo 290 de la LCSP 30/2007.

Véanse artículo 23 y 268 de la presente Ley.

Artículo 315 *Financiación*

1. La financiación de los colaboradores privados en los contratos de colaboración entre el sector público y el sector privado, en los supuestos en que por razón del objeto tengan naturaleza de concesión de obra pública, se llevará a cabo en las condiciones y términos previstos para este último contrato.

2. La regulación de la financiación de los adjudicatarios de contratos de colaboración entre el sector público y el sector privado en los supuestos no previstos en el apartado anterior se regirá por las siguientes normas:

a) Cuando se determine el régimen de remuneración del contratista, con el alcance previsto en artículo 136, letras d), e) y f) de esta Ley, podrán establecerse previsiones sobre las garantías que conforme a lo previsto en las disposiciones reguladoras de la financiación privada de las concesiones de obras públicas puede obtener el contratista para la captación de la financiación necesaria para la ejecución de contrato.

b) El contrato preverá un régimen de notificación por el contratista de las operaciones financieras que concierte para la financiación del contrato.

En el caso de que proceda la resolución del contrato, el órgano de contratación, antes de acordar ésta, dará audiencia a los acreedores por si éstos ofrecen subrogarse en el cumplimiento del contrato, directamente o a través de una entidad participada, en condiciones que se consideren compatibles con su buen fin, siempre que reúnan los requisitos exigidos al adjudicatario.

c) Cuando la ejecución del contrato lleve aparejados costes de inversión iniciales y se prevea que las obras o equipamientos que se generen vayan a incorporarse al patrimonio de la entidad contratante al concluir o resolverse el contrato, podrá establecerse que, cuando proceda la resolución del contrato, la entidad contratante pueda poner a disposición de los acreedores una cantidad no superior al 80 por ciento del coste real de las inversiones realmente ejecutadas detrayendo esta cantidad de la liquidación del contrato.

➡ **Concordancias normativas**

Artículos 37.2 y 3 de la Ley 2/2011.

LIBRO V

Organización administrativa para la gestión de la contratación

TÍTULO I

Órganos competentes en materia de contratación

CAPÍTULO I

Órganos de contratación

Artículo 316 *Órganos de contratación*

1. Los Ministros y los Secretarios de Estado son los órganos de contratación de la Administración General del Estado y, en consecuencia, están facultados para celebrar en su nombre los contratos en el ámbito de su competencia.

En los departamentos ministeriales en los que existan varios órganos de contratación, la competencia para celebrar los contratos de suministro y de servicios que afecten al ámbito de más de uno de ellos corresponderá al Ministro, salvo en los casos en que la misma se atribuya a la Junta de Contratación.

2. Los Presidentes o Directores de los organismos autónomos, Agencias Estatales, entidades públicas empresariales y demás entidades públicas estatales y los Directores generales de las distintas entidades gestoras y servicios comunes de la Seguridad Social, son los órganos de contratación de unos y otros, a falta de disposición específica sobre el particular, recogida en las correspondientes normas de creación o reguladoras del funcionamiento de esas entidades.

3. El Director General del Patrimonio del Estado es el órgano de contratación del sistema estatal de contratación centralizada regulado en los artículos 206 y 207.

4. En los departamentos ministeriales y en los organismos autónomos, Agencias Estatales, entidades públicas empresariales y demás entidades de derecho público estatales, así como en las entidades gestoras y servicios comunes de la Seguridad Social, podrán constituirse Juntas de Contratación, que actuarán como órganos de contratación, con los límites cuantitativos o referentes a las características de los contratos que determine el titular del departamento, en los siguientes contratos:

a) Contratos de obras comprendidas en los párrafos b) y c) del apartado 1 del artículo 122, salvo que las mismas hayan sido declaradas de contratación centralizada.

b) Contratos de suministro que se refieran a bienes consumibles o de fácil deterioro por el uso, salvo los relativos a bienes declarados de adquisición centralizada.

c) Contratos de servicios no declarados de contratación centralizada.

d) Contratos de suministro y de servicios, distintos de los atribuidos a la competencia de la Junta con arreglo a las dos letras anteriores que afecten a más de un órgano de contratación, exceptuando los que tengan por objeto bienes o servicios de contratación centralizada.

La composición de las Juntas de Contratación se fijará reglamentariamente, debiendo figurar entre sus vocales un funcionario que tenga atribuido, legal o reglamentariamente, el asesoramiento jurídico del órgano de contratación y un interventor.

➡ **Concordancias normativas**

Véase Orden DEF/2021/2011, de 13 de julio, por la que se regula la contratación centralizada y se modifica la composición y competencias de las Juntas de Contratación del Ministerio de Defensa, del Estado Mayor de la Defensa y de los Ejércitos («B.O.E». 19 julio).

5. Excepcionalmente, cuando el contrato resulte de interés para varios departamentos ministeriales y, por razones de economía y eficacia, la tramitación del expediente deba efectuarse por un único órgano de contratación, los demás departamentos interesados podrán contribuir a su financiación, en los términos que se establezcan reglamentariamente y con respeto a la normativa presupuestaria, en la forma que se determine en convenios o protocolos de actuación.

6. La capacidad para contratar de los representantes legales de las sociedades y fundaciones del sector público estatal se regirá por lo dispuesto en los estatutos de estas entidades y por las normas de derecho privado que sean en cada caso de aplicación.

Concordancias a todo el artículo

⇒ Concordancias normativas

Artículo 291 de la LCSP 30/2007 y artículo 12 del TRLCAP RDL 2/2000.

☞ Concordancias Jurisprudenciales

Tribunal Superior de Justicia de Andalucía de Granada, Sala de lo Contencioso-administrativo, Sección 1.ª, Sentencia de 22 Feb. 2010, rec. 4843/2002

CONTRATO ADMINISTRATIVO DE SERVICIOS. Reclamación de intereses de demora en el pago del precio por parte de la Administración y anatocismo. Rescisión del contrato por incumplimiento de los pagos por el servicio de limpieza en Centro Cultural. Consideración de Administración Pública de la Fundación no habiéndose sometido el procedimiento de contratación al régimen administrativo por causa imputable a la Administración.

Artículo 317 *Autorización para contratar*

1. Los órganos de contratación de los departamentos ministeriales, organismos autónomos, Agencias Estatales y entidades de derecho público estatales, así como los de las entidades gestoras y servicios comunes de la Seguridad Social, necesitarán la autorización del Consejo de Ministros para celebrar contratos en los siguientes supuestos:

a) Cuando el valor estimado del contrato, calculado conforme a lo señalado en el artículo 88, sea igual o superior a doce millones de euros.

b) En los contratos de carácter plurianual cuando se modifiquen los porcentajes o el número de anualidades legalmente previstos a los que se refiere el artículo 47 de la Ley 47/2003, de 26 de noviembre (LA LEY 1781/2003).

c) Cuando el pago de los contratos se concierte mediante el sistema de arrendamiento financiero o mediante el sistema de arrendamiento con opción de compra y el número de anualidades supere cuatro años.

2. La autorización del Consejo de Ministros a que se refiere el apartado anterior deberá obtenerse antes de la aprobación del expediente. La aprobación del expediente y la aprobación del gasto corresponderán al órgano de contratación.

3. El Consejo de Ministros podrá reclamar discrecionalmente el conocimiento y autorización de cualquier otro contrato. Igualmente, el órgano de contratación, a través del Ministro correspondiente, podrá elevar un contrato no comprendido en el apartado 1 a la consideración del Consejo de Ministros.

4. Cuando el Consejo de Ministros autorice la celebración del contrato deberá autorizar igualmente su modificación, cuando sea causa de resolución, y la resolución misma, en su caso.

5. Los titulares de los departamentos ministeriales a que se hallen adscritos los organismos autónomos, entidades públicas y las entidades gestoras y servicios comunes de la Seguridad Social podrán fijar la cuantía a partir de la cual será necesaria su autorización para la celebración de los contratos.

6. En el ámbito del Sector Público Estatal, antes de autorizar un contrato de colaboración entre el sector público y el sector privado, así como un contrato de concesión de obra pública, cuyo valor estimado sea igual o superior a doce millones de euros, será preceptivo y vinculante un informe del Ministerio de Economía y Hacienda que se pronuncie sobre las repercusiones presupuestarias y compromisos financieros que conlleva, así como sobre su incidencia en el cumplimiento del objetivo de estabilidad presupuestaria, según lo establecido en el Texto Refundido de la Ley General de Estabilidad Presupuestaria, aprobado por Real Decreto Legislativo 2/2007, de 28 de diciembre (LA LEY 13244/2007).

A tal efecto, el órgano de contratación deberá proporcionar información completa acerca de los aspectos financieros y presupuestarios del contrato, incluyendo los mecanismos de captación de financiación y garantías que se prevea utilizar, durante toda la vigencia del mismo, así como, en su caso, el documento de evaluación previa a que se refiere el artículo 134 de esta Ley.

En estos contratos, con carácter previo a la aprobación del expediente de contratación o de la modificación de los mismos, será igualmente necesario recabar el informe del Ministerio de Economía y Hacienda cuando, con independencia de la cuantía del contrato, en su financiación se prevea cualquier forma de ayuda o aportación estatal, o el otorgamiento de préstamos o anticipos.

➡ Concordancias normativas

Artículo 292 de la LCSP 30/2007 y artículo 12 del TRLCAP RDL 2/2000.

Artículo 318 *Desconcentración*

1. Las competencias en materia de contratación podrán ser desconcentradas por Real Decreto acordado en Consejo de Ministros, en cualesquiera órganos, sean o no dependientes del órgano de contratación.

2. En las Entidades gestoras y Servicios comunes de la Seguridad Social, las competencias en materia de contratación de sus Directores podrán desconcentrarse en la forma y con los requisitos establecidos en la Ley General de la Seguridad Social, Texto Refundido aprobado por Real Decreto Legislativo 1/1994, de 20 de junio (LA LEY 2305/1994).

➡ Concordancias normativas

Artículo 293 de la LCSP 30/2007 y artículo 12 del TRLCAP RDL 2/2000.

☞ Concordancias Jurisprudenciales

Tribunal Supremo, Sala Tercera, de lo Contencioso-administrativo, Sección 4.ª, Sentencia de 17 Mar. 2010, rec. 2450/2008

MEDIO AMBIENTE. ORDENANZAS MUNICIPALES. Conformidad a derecho e indebida anulación por el tribunal de instancia, del artículo 4 de la Ordenanza del Ayuntamiento de Madrid sobre evaluación ambiental de actividades, que señala la obligatoriedad de comunicar al órgano ambiental del Consistorio cualquier cambio de titularidad que afecte a una actividad sometida al ámbito de aplicación de la Ordenanza. Desconcentración de competencias.

Artículo 319 *Abstención y recusación*

Las autoridades y el personal al servicio de las Administraciones Públicas que intervengan en los procedimientos de contratación deberán abstenerse o podrán ser recusados en los casos y en la forma previstos en los artículos 28 (LA LEY 3279/1992) y 29 de la Ley 30/1992, de 26 de noviembre (LA LEY 3279/1992).

➡ **Concordancias normativas**

Artículo 294 de la LCSP 30/2007.

CAPÍTULO II

Órganos de asistencia

Artículo 320 *Mesas de contratación*

1. Salvo en el caso en que la competencia para contratar corresponda a una Junta de Contratación, en los procedimientos abiertos y restringidos y en los procedimientos negociados con publicidad a que se refiere el artículo 177.1, los órganos de contratación de las Administraciones Públicas estarán asistidos por una Mesa de contratación, que será el órgano competente para la valoración de las ofertas. En los procedimientos negociados en que no sea necesario publicar anuncios de licitación, la constitución de la Mesa será potestativa para el órgano de contratación.

⊠ **Consultas**

• **Procedimiento negociado en el que se ha acreditado la solicitud de tres ofertas, pero en el que a fecha de finalización del plazo dado para presentarlas solo se ha recibido una**

En procedimiento negociado sin publicidad se acuerda invitar a tres empresas de las que solo una presenta oferta. ¿Puede adjudicarse el contrato o es preciso que presenten oferta las tres?

[24/02/2009 EC 668/2009]

Ver respuesta en artículo 169

2. La Mesa estará constituida por un Presidente, los vocales que se determinen reglamentariamente, y un Secretario.

3. Los miembros de la Mesa serán nombrados por el órgano de contratación.

El Secretario deberá ser designado entre funcionarios o, en su defecto, otro tipo de personal dependiente del órgano de contratación, y entre los vocales deberán figurar necesariamente un funcionario de entre quienes tengan atribuido legal o reglamentariamente el asesoramiento jurídico del órgano de contratación y un interventor, o, a falta de éstos, una persona al servicio del órgano de contratación que tenga atribuidas las funciones correspondientes a su asesoramiento jurídico, y otra que tenga atribuidas las relativas a su control económico-presupuestario.

Concordancias a todo el artículo

➡ Concordancias normativas

Artículo 295 de la LCSP 30/2007 y artículo 81 del TRLCAP RDL 2/2000.

Véase el artículo 21 del R.D. 817/2009, de 8 de mayo, por el que se desarrolla parcialmente la Ley 30/2007, de 30 de octubre, de Contratos del Sector Público («B.O.E». 15 mayo).

Véase artículo 169 de la presente Ley.

☞ Concordancias Jurisprudenciales

Tribunal Administrativo Central de Recursos Contractuales, Resolución de 9 Feb. 2012, rec. 21/2012

CONTRATO ADMINISTRATIVO DE SERVICIOS. Adjudicación de contrato de servicios generales complementarios para la atención de usuarios y de necesidades generales de funcionamiento del Centro de Referencia Estatal de atención a personas con enfermedades raras y sus familias en Burgos. RECURSO ESPECIAL EN MATERIA DE CONTRATACIÓN. Estimación parcial. Nulidad del acto de adjudicación, porque la oferta presentada por la interesada no figura ni valorada ni excluida en la resolución de adjudicación. No fue excluida por la mesa de contratación, y no fue valorada y comparada con las del resto de licitadores porque el representante de la empresa que acudió a la reunión, ante la pregunta que le formuló el Presidente respecto a si su oferta económica era errónea o la mantenía, contestó que era errónea. Sería por tanto el representante de la empresa el que retiró la oferta, no la mesa o el órgano de contratación. Sin embargo, esa persona no exhibió poder alguno que acreditase su capacidad para adoptar tal decisión, que tampoco le fue requerido por la mesa. Procede la retroacción de las actuaciones hasta el momento previo a la valoración de las proposiciones económicas.

⊠   **Consultas**

• **Publicidad en las Mesas de contratación en los procedimientos negociados.**

¿Deben ser necesariamente públicas las Mesas de contratación en los procedimientos negociados?

[15/11/2008 EC 3497/2008]

Ver respuesta en artículo 169

• **El Secretario, cuando es el único funcionario de la corporación, puede actuar como Vocal y como Secretario de la mesa de contratación.**

¿Debe asumir el Secretario las funciones de vocal y de secretario de la mesa de contratación cuando es el único funcionario de la corporación?

15/10/2008 EC 3170/2008

Contestación

A nuestro entender nos encontramos ante un contrato de servicios, pues conforme al art. 10 de la de la Ley 30/2007, de 30 de octubre (EC 3697/2007), de Contratos del Sector Público (LCSP) son contratos de servicios aquellos cuyo objeto son prestaciones de hacer, consistentes en el desarrollo de una actividad o dirigidas a la obtención de un resultado distinto de una obra o un suministro. Contratos que se enumeran en el Anexo II de la Norma, encuadrándose entre las categorías 1 a 16. En concreto, y según el aspecto que predomine, en las categorías 10 u 11.

En cuanto al procedimiento de adjudicación, los servicios enumerados en el Anexo II se adjudicarán conforme a las normas generales aplicables a todos los contratos. Ello no lleva al art. 122 LCSP, que determina los procedimientos de adjudicación, que serán el procedimiento abierto o el restringido, con carácter general, pues el negociado sólo podrá utilizarse en los supuestos enumerados en los arts. 154, que contempla los supuestos generales, y 158 dedicado específicamente a los contratos de servicios. Entre los que se consideran en este último se encuentran aquellos cuyo valor estimado sea inferior a 100.000 e. En el supuesto que se plantea, si el contrato no alcanza dicha cifra podrá ser objeto de contratación mediante procedimiento negociado con publicidad al superar su valor estimado el importe de 60.000 e establecido en el art. 161.2 LCSP.

En el supuesto de que pueda acudirse, en virtud de su cuantía, al procedimiento negociado, al Pliego de cláusulas administrativas particulares corresponde la determinación de los aspectos económicos y técnicos que hayan de ser objeto de negociación con las empresas. La negociación de los términos del contrato se regula en el art. 162, que obliga a que la verificación de la aptitud de los candidatos en el procedimiento negociado y su selección se realice en condiciones de transparencia. Para lograrla, el poder adjudicador está obligado a indicar, desde el momento en que se convoque la licitación, los criterios que se utilizarán para la selección así como el nivel de capacidades específicas que, en su caso, exija de los operadores económicos para admitirlos en el procedimiento de adjudicación del contrato.

En otro caso, es decir, si no cabe acudir al procedimiento negociado, la adjudicación habrá de llevarse a cabo por procedimiento abierto o restringido, conforme a las prescripciones de los arts. 141 a 152 de la LCSP.

✍   **Informes de la Junta Consultiva de Contratación Administrativa**

Informe 3/2008, de 7 de julio de 2008, de la Junta Consultiva de Contratación Administrativa de la Generalidad de Cataluña, Composición y funcionamiento de las mesas de contratación

MESAS DE CONTRATACIÓN. Régimen jurídico aplicable. Constitución y quórum de presencia. Régimen de sustitución de los presidentes o presidentas y los secretarios o secretarias.

Informe 21/2009, de 16 de septiembre, de la Junta Consultiva de Contratación Administrativa de la Comunidad Autónoma de Aragón. Composición de las mesas de contratación y de los comités de expertos en el ámbito de las entidades locales.

ADMINISTRACIÓN LOCAL. Composición de las mesas de contratación y del comité de expertos de las entidades locales. Conforme a la LCSP el número mínimo de vocales de las mesas ha de ser de tres. Resulta necesario que los miembros del comité reúnan la cualificación profesional adecuada en razón de la materia sobre la que versa la valoración y no deben encontrarse integrados en el órgano proponente del contrato. Imposibilidad de que una persona sea en un mismo procedimiento miembro de la mesa y del comité. Adopción de la forma nominativa para la publicidad de la composición del comité en el perfil de contratante.

📖 Doctrina

«¿Puede el personal eventual de libre designación formar parte de las Mesas de contratación y actuar en funciones de asesoramiento técnico de las mismas?». Pleite Guadamillas, Francisco. *Contratación Administrativa Práctica*, N.º 86, Mayo 2009, Editorial LA LEY

La cuestión que plantea se refiere a la interpretación que se haya de dar al artículo 320 de la presente Ley, en relación con la composición y funcionamiento de las Mesas de contratación y en concreto si éstas pueden solicitar cuantos informes técnicos consideren precisos y se relacionen con el objeto del contrato, así como si a la vista de la regulación contenida en el Estatuto Básico del Empleado Público, si es posible que en ámbito local el personal eventual de libre designación puedan actuar también como órgano asesor de las Mesas de contratación, emitiendo sus informes respecto a las ofertas presentadas.

Artículo 321 *Mesa especial del diálogo competitivo*

1. Para asistir al órgano de contratación en los procedimientos de diálogo competitivo que se sigan por las Administraciones Públicas estatales, se constituirá una Mesa con la composición señalada en el apartado 2 del artículo anterior a la que se incorporarán personas especialmente cualificadas en la materia sobre la que verse el diálogo, designadas por el órgano de contratación. El número de estas personas será igual o superior a un tercio de los componentes de la Mesa y participarán en las deliberaciones con voz y voto.

2. En los expedientes que se tramiten para la celebración de contratos de colaboración entre el sector público y el sector privado, corresponderá a la Mesa especial del diálogo competitivo la elaboración del documento de evaluación previa a que se refiere el artículo 134.

➡ **Concordancias normativas**

Artículo 296 de la LCSP 30/2007.

Véanse artículos 163 a 167 de la presente Ley.

Artículo 322 *Mesa de contratación del sistema estatal de contratación centralizada*

En sus funciones como órgano de contratación del sistema estatal de contratación centralizada, el Director General del Patrimonio del Estado estará asistido por una Mesa de contratación interdepartamental, cuya composición se determinará reglamentariamente.

➡ **Concordancias normativas**

Artículo 297 de la LCSP 30/2007.

Véanse artículos 190 y 191 de la presente Ley.

Artículo 323 *Jurados de concursos*

1. En los concursos de proyectos, la Mesa de contratación se constituirá en Jurado de los concursos de proyectos, incorporando a su composición hasta cinco personalidades de notoria competencia en el ámbito relevante, designadas por el órgano de contratación, que puedan contribuir de forma especial a evaluar las propuestas presentadas, y que participarán en las deliberaciones con voz y voto.

2. Los miembros del Jurado deben ser personas físicas independientes de los participantes en el concurso. Cuando se exija a los candidatos poseer una determinada cualificación o experiencia, al menos una tercera parte de los miembros del Jurado deben estar en posesión de la misma u otra equivalente.

➡ **Concordancias normativas**

Artículo 298 de la LCSP 30/2007.

Véanse artículos 168 a 172 de la presente Ley.

CAPÍTULO III

Órganos consultivos

Artículo 324 *Junta Consultiva de Contratación Administrativa del Estado*

1. La Junta Consultiva de Contratación Administrativa del Estado es el órgano consultivo específico de la Administración General del Estado, de sus organismos autónomos, Agencias y demás entidades públicas estatales, en materia de contratación administrativa. La Junta Consultiva de Contratación Administrativa del Estado estará adscrita al Ministerio de Economía y Hacienda, y su composición y régimen jurídico se establecerán reglamentariamente.

2. La Junta Consultiva de Contratación Administrativa del Estado podrá promover la adopción de las normas o medidas de carácter general que considere procedentes para la mejora del sistema de contratación en sus aspectos administrativos, técnicos y económicos.

3. La Junta podrá exponer directamente a los órganos de contratación o formular con carácter general las recomendaciones pertinentes, si de los estudios sobre contratación administrativa o de un contrato particular se dedujeran conclusiones de interés para la Administración.

➡   Concordancias normativas

Artículo 299 de la LCSP 30/2007 y artículos 10 y 119 del TRLCAP RDL 2/2000.

Artículo 325 *Órganos consultivos en materia de contratación de las Comunidades Autónomas*

Los órganos consultivos en materia de contratación que creen las Comunidades Autónomas ejercerán su competencia en su respectivo ámbito territorial, en relación con la contratación de las Administraciones autonómicas, de los organismos y entidades dependientes o vinculados a las mismas y, de establecerse así en sus normas reguladoras, de las entidades locales incluidas en el mismo, sin perjuicio de las competencias de la Junta Consultiva de Contratación Administrativa del Estado.

➡ **Concordancias normativas**

Artículo 300 de la LCSP 30/2007 y artículo 10 del TRLCAP RDL 2/2000.

TÍTULO II

Registros Oficiales

CAPÍTULO I

Registros Oficiales de Licitadores y Empresas Clasificadas

Artículo 326 *Registro Oficial de Licitadores y Empresas Clasificadas del Estado*

1. El Registro Oficial de Licitadores y Empresas Clasificadas del Estado dependerá del Ministerio de Economía y Hacienda, y su llevanza corresponderá a los órganos de apoyo técnico de la Junta Consultiva de Contratación Administrativa del Estado.

2. En el Registro Oficial de Licitadores y Empresas Clasificadas del Estado se harán constar los datos relativos a la capacidad de los empresarios que hayan sido clasificados por la Junta Consultiva de Contratación Administrativa del Estado, así como aquéllos otros que hayan solicitado la inscripción de alguno de los datos mencionados en las letras a) a d) del apartado 1 del artículo 328.

Concordancias a todo el artículo

➡ Concordancias normativas

Artículo 301 de la LCSP 30/2007 y artículo 34 y DA 15.ª del TRLCAP RDL 2/2000.

Véanse los artículos 8 y 9 del R.D. 817/2009, de 8 de mayo, por el que se desarrolla parcialmente la Ley 30/2007, de 30 de octubre, de Contratos del Sector Público («B.O.E». 15 mayo).

☒ **Consultas**

• **Solvencia de las empresas invitadas a participar en procedimiento negociado sin publicidad. Publicación en el perfil del contratante.**

En los procedimientos negociados sin publicidad para la adjudicación de obras este ayuntamiento cursa invitación a tres empresas y solo se recibe oferta de una ¿cómo puede saberse si las otras cuentan con la solvencia necesaria? ¿Queda garantiza la concurrencia en la licitación en este caso? ¿Es necesario publicar estos procedimientos en el perfil del contratante?

[15/12/2008 EC 3816/2008]

Ver respuesta en artículo 53

Artículo 327 *Registros Oficiales de licitadores y empresas clasificadas de las Comunidades Autónomas*

Las Comunidades Autónomas podrán crear sus propios Registros Oficiales de licitadores y empresas clasificadas, en los que se inscribirán las condiciones de aptitud de los empresarios que así lo soliciten, que hayan sido clasificados por ellas, o que hayan incurrido en alguna prohibición de contratar cuya declaración corresponda a las mismas o a las Entidades locales incluidas en su ámbito territorial.

➡ **Concordancias normativas**

Artículo 302 de la LCSP 30/2007 y artículo 34y DA 15.ª del TRLCAP RDL 2/2000.

Véase el D [ANDALUCÍA] 39/2011, 22 febrero, por el que se establece la organización administrativa para la gestión de la contratación de la Administración de la Junta de Andalucía y sus entidades instrumentales y se regula el régimen de bienes y servicios homologados («B.O.J.A». 15 marzo).

Artículo 328 *Contenido del Registro*

1. En el Registro podrán constar, para cada empresa inscrita en el mismo, los siguientes datos:

a) Los correspondientes a su personalidad y capacidad de obrar, en el caso de personas jurídicas.

b) Los relativos a la extensión de las facultades de los representantes o apoderados con capacidad para actuar en su nombre y obligarla contractualmente.

c) Los referentes a las autorizaciones o habilitaciones profesionales y a los demás requisitos que resulten necesarios para actuar en su sector de actividad.

d) Los datos relativos a la solvencia económica y financiera, que se reflejarán de forma independiente si el empresario carece de clasificación.

e) La clasificación obtenida conforme a lo dispuesto en los artículos 65 a 71, así como cuantas incidencias se produzcan durante su vigencia; en esta inscripción, y como elemento desagregado de la clasificación, se indicará la solvencia económica y financiera del empresario.

f) Las prohibiciones de contratar que les afecten.

g) Cualesquiera otros datos de interés para la contratación pública que se determinen reglamentariamente.

2. En todo caso, se harán constar en el Registro, las prohibiciones de contratar a que se refiere el apartado 4 del artículo 61.

➡ **Concordancias normativas**

Artículo 303 de la LCSP 30/2007 y DA 15.ª del TRLCAP RDL 2/2000.

Véanse los artículos 10 y 12 del R.D. 817/2009, de 8 de mayo, por el que se desarrolla parcialmente la Ley 30/2007, de 30 de octubre, de Contratos del Sector Público («B.O.E». 15 mayo).

Artículo 329 *Voluntariedad de la inscripción*

1. Sin perjuicio de lo dispuesto en cuanto a la necesidad de inscribir la clasificación obtenida y las prohibiciones de contratar referenciadas en el artículo 61.4, la inscripción en los Registros Oficiales de Licitadores y Empresas Clasificadas es voluntaria para los empresarios, los cuales

podrán determinar qué datos de entre los mencionados en el artículo anterior desean que se reflejen en ellos.

2. No obstante, la inscripción de la clasificación obtenida por el empresario requerirá la constancia en el Registro de las circunstancias mencionadas en las letras a) y c) del apartado 1 del artículo anterior. De igual modo, la inscripción de los datos a que se refieren las letras b), c) y d) del mismo apartado no podrá hacerse sin que consten los que afectan a la personalidad y capacidad de obrar del empresario.

➡ **Concordancias normativas**

Artículo 304 de la LCSP 30/2007 y DA 15.ª del TRLCAP RDL 2/2000.

Véase el artículo 15 del R.D. 817/2009, de 8 de mayo, por el que se desarrolla parcialmente la Ley 30/2007, de 30 de octubre, de Contratos del Sector Público («B.O.E». 15 mayo).

Artículo 330 *Responsabilidad del empresario en relación con la actualización de la información registral*

Los empresarios inscritos están obligados a poner en conocimiento del Registro cualquier variación que se produzca en los datos reflejados en el mismo, así como la superveniencia de cualquier circunstancia que determine la concurrencia de una prohibición de contratar. La omisión de esta comunicación, mediando dolo culpa o negligencia, hará incurrir al empresario en la circunstancia prevista en la letra e) del apartado 1 del artículo 60.

➡ **Concordancias normativas**

Artículo 305 de la LCSP 30/2007 y DA 15.ª del TRLCAP RDL 2/2000.

Artículo 331 *Publicidad*

El Registro será público para todos los que tengan interés legítimo en conocer su contenido. El acceso al mismo se regirá por lo dispuesto en el artículo 37 de la Ley 30/1992, de 26 de noviembre (LA LEY 3279/1992), y en las normas que desarrollen o complementen este precepto.

➡ **Concordancias normativas**

Artículo 306 de la LCSP 30/2007 y artículo 34 y DA 15.ª del TRLCAP RDL 2/2000.

Artículo 332 *Colaboración entre Registros*

El Registro Oficial de Licitadores y Empresas Clasificadas del Estado y los Registros Oficiales de Empresas Clasificadas de las Comunidades Autónomas, en el desarrollo de su actividad y en sus relaciones recíprocas, facilitarán a las otras Administraciones la información que éstas precisen sobre el contenido de los respectivos Registros.

➡ **Concordancias normativas**

Artículo 307 de la LCSP 30/2007 y artículo 34 y DA 15.ª del TRLCAP RDL 2/2000.

CAPÍTULO II

Registro de Contratos del Sector Público

Artículo 333 *Registro de Contratos del Sector Público*

1. El Ministerio de Economía y Hacienda creará y mantendrá un Registro de Contratos, en el que se inscribirán los datos básicos de los contratos adjudicados por las distintas administraciones públicas y demás entidades del sector público sujetos a esta Ley.

2. El Registro de Contratos del Sector Público constituye el sistema oficial central de información sobre la contratación pública en España y, como tal, el soporte para el conocimiento, análisis e investigación de la contratación pública, para la estadística en materia de contratos públicos, para el cumplimiento de las obligaciones internacionales de España en materia de información sobre la contratación pública, para las comunicaciones de los datos sobre contratos a otros órganos de la Administración que estén legalmente previstas y, en general, para la difusión pública de dicha información, de conformidad con el principio de transparencia.

El Registro constituirá el instrumento de los poderes públicos para la revisión y mejora continuas de los procedimientos y prácticas de la contratación pública, el análisis de la calidad, fiabilidad y eficiencia de sus proveedores, y la supervisión de la competencia y transparencia en los mercados públicos.

3. Los órganos de contratación de todas las Administraciones públicas y demás entidades incluidas en el ámbito de aplicación de esta Ley comunicarán al Registro de Contratos del Sector Público, para su inscripción, los datos básicos de los contratos adjudicados, así como, en su caso, sus modificaciones, prórrogas, variaciones de plazos o de precio, su importe final y extinción. El contenido de dichas comunicaciones y el plazo para efectuarlas se establecerán reglamentariamente.

4. Las comunicaciones de datos de contratos al Registro de Contratos del Sector Público se efectuarán por medios electrónicos, informáticos o telemáticos, en la forma que determine el Ministro de Economía y Hacienda de conformidad con las Comunidades Autónomas.

5. El Registro de Contratos del Sector Público facilitará el acceso a sus datos de modo telemático a los órganos de la Administración que los precisen para el ejercicio de sus competencias legalmente atribuidas, y en particular a los órganos competentes en materia de fiscalización del gasto o inspección de tributos, en la forma en que reglamentariamente se determine.

Asimismo, y con las limitaciones que imponen las normas sobre protección de datos de carácter personal, facilitará el acceso público a los datos que no tengan el carácter de confidenciales y que no hayan sido previamente publicados de modo telemático y a través de Internet.

6. En los casos de Administraciones Públicas que dispongan de Registros de Contratos análogos en su ámbito de competencias, la comunicación de datos a que se refiere el apartado 3 podrá ser sustituida por comunicaciones entre los respectivos Registros de Contratos. El Ministerio de Economía y Hacienda determinará reglamentariamente las especificaciones y requisitos para la sincronización de datos entre el Registro de Contratos del Sector Público y los demás Registros de Contratos.

7. Al objeto de garantizar la identificación única y precisa de cada contrato, las Administraciones y entidades comunicantes asignarán a cada

uno de ellos un código identificador, que será único en su ámbito de competencias. El Ministerio de Economía y Hacienda determinará las reglas de asignación de dichos identificadores únicos que resulten necesarios para asegurar la identificación unívoca de cada contrato dentro del Registro de Contratos del Sector Público, así como para su coordinación con los demás Registros de Contratos.

8. El Gobierno elevará anualmente a las Cortes Generales un informe sobre la contratación pública en España, a partir de los datos y análisis proporcionados por el Registro de Contratos del Sector Público.

➡ Concordancias normativas

Artículo 308 de la LCSP 30/2007 y artículo 118 del TRLCAP RDL 2/2000.

Véase el artículo 31 del R.D. 817/2009, de 8 de mayo, por el que se desarrolla parcialmente la Ley 30/2007, de 30 de octubre, de Contratos del Sector Público («B.O.E». 15 mayo).

TÍTULO III

Gestión de la publicidad contractual por medios electrónicos, informáticos y telemáticos

CAPÍTULO ÚNICO

Plataforma de Contratación del Estado

Artículo 334 *Plataforma de Contratación del Estado*

1. La Junta Consultiva de Contratación Administrativa del Estado, a través de sus órganos de apoyo técnico, pondrá a disposición de todos los órganos de contratación del sector público una plataforma electrónica que permita dar publicidad a través de internet a las convocatorias de licitaciones y sus resultados y a cuanta información consideren relevante relativa a los contratos que celebren, así como prestar otros servicios complementarios asociados al tratamiento informático de estos datos. En todo caso, los perfiles de contratante de los órganos de contratación del sector público estatal deberán integrarse en esta plataforma, gestionándose y difundiéndose exclusivamente a través de la misma. En las sedes electrónicas de estos órganos se incluirá un enlace a su perfil del contratante situado en la Plataforma de Contratación del Estado.

➡ **Concordancias normativas**

Número 1 del artículo 334 redactado por el apartado treinta y tres de la disposición final decimosexta de Ley 2/2011, de 4 de marzo, de Economía Sostenible («B.O.E». 5 marzo).

✉   **Consultas**

• **Difusión del perfil del contratante**

¿El perfil del contratante ha de ser difundido a través de Internet por cada órgano de contratación? ¿Bastaría con difundir un perfil de contratante único para toda la actividad contractual del Ayuntamiento en su página Web institucional?

[12/01/2009 EC 6/2009]

Ver respuesta en artículo 53

2. La plataforma deberá contar con un dispositivo que permita acreditar fehacientemente el inicio de la difusión pública de la información que se incluya en la misma.

3. La publicación de anuncios y otra información relativa a los contratos en la plataforma surtirá los efectos previstos en la Ley.

4. El acceso de los interesados a la plataforma de contratación se efectuará a través de un portal único. Reglamentariamente se definirán las modalidades de conexión de la Plataforma de Contratación con el portal del «Boletín Oficial del Estado.»

5. La Plataforma de Contratación del Estado se interconectará con los servicios de información similares que articulen las Comunidades Autónomas y las Entidades locales en la forma que se determine en los convenios que se concluyan al efecto.

Concordancias a todo el artículo

➡   **Concordancias normativas**

Artículo 309 de la LCSP 30/2007.

Véase O [GALICIA] 4 junio 2010 por la que se regula la Plataforma de Contratos Públicos de Galicia («D.O.G». 23 junio).

Véase Orden [COMUNIDAD VALENCIANA] 17 septiembre 2008, de la Conselleria de Economía, Hacienda y Empleo, por la que se aprueba la aplicación de la Plataforma de Contratación de la Generalitat («D.O.C.V». 1 octubre).

Véase Orden [CATALUÑA] ECF/313/2008, 23 junio, por la que se aprueba la aplicación de la Plataforma de servicios de contratación pública («D.O.G.C». 30 junio).

☞   **Concordancias Jurisprudenciales**

Tribunal Administrativo Central de Recursos Contractuales, Resolución de 29 Jun. 2011, rec. 136/2011

CONTRATO ADMINISTRATIVO DE SERVICIOS. De realización de pruebas diagnósticas de resonancias magnéticas. Impugnación de resolución por la que se anuncia la licitación y los actos de trámite que se hubieren acordado hasta el momento para la adjudicación de un contrato de servicios. No podía aceptarse el argumento del recurrente de que no pudo enterarse de la licitación porque no se había implantado el mecanismo previsto en la nueva redacción de la Ley de contratos, pues el anuncio de la misma se publicó en el perfil de contratante, exactamente igual que se había hecho hasta ese momento y se pudo acceder a la información publicada de la misma forma en que se accedía anteriormente. RECURSO ESPECIAL EN MATERIA DE CONTRATACIÓN. Inadmisión. Por extemporáneo. El plazo transcurrido entre la fecha en la que se efectúa la publicación del anuncio de licitación y la fecha de presentación del recurso ante el órgano de contratación superaba los 15 días hábiles legalmente establecidos.

✉   **Consultas**

• **¿Cuál es la situación actual de la utilización de medios electrónicos, informáticos y telemáticos en los Contratos del Sector Público?**

Contratación Administrativa Práctica, Nº 88, Sección Usted Pregunta, Julio 2009, pág. 13, Editorial LA LEY

[LA LEY 1299/2009]

Respuesta

La regulación de la utilización de instrumentos electrónicos en la contratación administrativa (1), es muy amplia en nuestra legislación. Además de la Ley 30/2007, existen las siguientes normas con rango de ley:

1. Ley 34/2002, de 11 de julio, de servicios de la sociedad de la información y de comercio electrónico.

2. Ley 59/2003, de 19 de diciembre de firma electrónica.

3. Ley 11/2007, de 22 de junio, de acceso electrónico de los ciudadanos a los servicios públicos.

4. Ley 56/2007, de 28 de diciembre, de Medidas de impulso de la Sociedad de la Información.

Además existen una multitud de normas con rango de Real Decreto y Orden Ministerial, así como Resoluciones.

Aunque a nivel normativo, los avances han sido significativos, a nivel práctico la implementación es mucho más lenta. Podemos citar como avances más significativos los siguientes:

1. La utilización de la firma electrónica. Está muy extendida, en las licitaciones públicas se puede comprobar en la presentación de las certificaciones de la Seguridad Social y de la Agencia Tributaria, de estar al corriente con las respectivas obligaciones.

2. La publicidad de las licitaciones. La Ley 30/2007 lo regula en los artículos 42 (LA LEY 10868/2007) y 309 (LA LEY 10868/2007), en la disposición adicional decimonovena, y en la disposición final novena. El perfil del contratante y la plataforma de contratación del Estado son la manifestación práctica de estas normas así como la obligación de publicar en el perfil del contratante la adjudicación provisional de los contratos. En dicho perfil, también se puede tener acceso a los pliegos que rigen una licitación determinada.

3. La facturación electrónica. Es otro de los avances que se implementarán de forma efectiva en un corto espacio de tiempo, tanto en España como en la Unión Europea. Será requisito obligatorio para facturar a entidades del Sector Público.

•¿Cuánto tiempo debe mantenerse la información publicada en el perfil del contratante?

[08/04/2009]

Ver respuesta en artículo 53

✍   **Informes de la Junta Consultiva de Contratación Administrativa**

Informe 72/2008, de 31 de marzo de 2009, de la Junta Consultiva de Contratación Administrativa, sobre «Configuración del perfil del con-

tratante de cada órgano de contratación de las Corporaciones locales. Función del perfil».

PLATAFORMA DE CONTRATACIÓN DEL ESTADO. Conforme a la Ley de Contratos del Sector Público puede admitirse que exista un perfil de contratante en que se haga pública la información sobre los contratos de diversos órganos de contratación, con especial referencia a la diversidad de estos en los Ayuntamientos. Sin perjuicio de que cada órgano disponga de su propio perfil, éste puede situarse físicamente en una plataforma común, ubicada a nivel estatal, autonómico, provincial o municipal. En la Plataforma de Contratación del Estado se incluye la información que corresponde tanto a los alcaldes y presidentes como al Pleno, los Organismos Autónomos o Juntas de Contratación, que la han elegido voluntariamente como soporte de su perfil del contratante.

DISPOSICIONES ADICIONALES

Disposición adicional primera *Contratación en el extranjero*

1. Los contratos que se formalicen y ejecuten en el extranjero, sin perjuicio de tener en cuenta los principios de esta Ley para resolver las dudas y lagunas que, en su aplicación, puedan presentarse, se regirán por las siguientes normas:

a) En la Administración General del Estado, la formalización de estos contratos corresponderá al Ministro de Asuntos Exteriores y de Cooperación, que la ejercitará a través de las representaciones diplomáticas o consulares y que podrá delegarla en favor de otros órganos, funcionarios o personas particulares. Sin embargo, en el ámbito del Ministerio de Defensa, la formalización de los mismos corresponderá al titular de este Departamento, que podrá delegar esta competencia y, cuando se trate de contratos necesarios para el cumplimiento de misiones de paz en las que participen las Fuerzas y Cuerpos de Seguridad españolas, su formalización corresponderá al Ministro del Interior.

En los Organismos autónomos, Entidades gestoras y Servicios comunes de la Seguridad Social la formalización de estos contratos corresponde a sus representantes legales o a las personas en quienes los mismos deleguen.

En los demás organismos y entidades sujetos a esta Ley, la formalización de los contratos corresponderá a sus representantes legales.

Los artículos 316 a 319 serán de aplicación en cuanto a la tramitación, autorización en su caso, adjudicación, modificación y resolución de estos contratos.

b) Sin perjuicio de los requisitos de capacidad que puedan exigir las Leyes del Estado en que se celebre el contrato, para empresas de Estados miembros de la Comunidad Europea se estará a lo dispuesto en esta Ley.

c) El pliego de cláusulas administrativas particulares podrá ser sustituido por el propio clausulado del contrato.

d) Sin perjuicio de lo establecido para los contratos menores, los contratos podrán adjudicarse por procedimiento negociado, debiendo conseguirse, siempre que sea posible, al menos tres ofertas de empresas capaces de cumplir los mismos.

e) La formalización se llevará a cabo mediante documento fehaciente, remitiendo los datos de estos contratos al Ministerio de Economía y Hacienda a los efectos previstos en el artículo 333, sin perjuicio de la obligación de la remisión al Tribunal de Cuentas prevista en el artículo 29. En cuanto a los contratos menores se estará a lo dispuesto con carácter general para los mismos en esta Ley.

f) Al adjudicatario se le podrán exigir unas garantías análogas a las previstas en esta Ley para asegurar la ejecución del contrato, siempre que ello sea posible y adecuado a las condiciones del Estado en que se efectúa la contratación y, en su defecto, las que sean usuales y autorizadas en dicho Estado o resulten conformes con las prácticas comerciales internacionales. Las garantías se constituirán en la Representación Diplomática o Consular correspondiente.

g) El pago del precio se condicionará a la entrega por el contratista de la prestación convenida, salvo que se oponga a ello el derecho o las costumbres del Estado, en cuyo supuesto se deberá exigir garantía que cubra el anticipo, prestada en la forma prevista en la letra f). Excepcionalmente, por resolución motivada del órgano de contratación, y cuando las circunstancias así lo impongan, podrá eximirse de la prestación de esta garantía, siempre que ello sea conforme con las prácticas comerciales internacionales.

h) En estos contratos se procurará incluir estipulaciones tendentes a preservar los intereses de la Administración ante posibles incumplimientos del contratista y a autorizar las modificaciones del contrato que puedan hacerse convenientes.

i) Por el órgano de contratación podrá establecerse en la documentación contractual un régimen de revisión de precios diferente al previsto con carácter general en esta Ley, atendiendo a la legislación del país en que haya de ejecutarse el contrato y a sus circunstancias socioeconómicas. En cualquier caso, el régimen de revisión de precios que se establezca se basará en parámetros objetivos y, a ser posible, públicos o, cuando menos, fácilmente medibles, pudiendo utilizarse a estos efectos los calculados por Organismos Internacionales.

2. En los contratos con empresas españolas se incluirán cláusulas de sumisión a los Tribunales españoles.

3. En los contratos con empresas extranjeras se procurará, cuando las circunstancias lo aconsejen, la incorporación de cláusulas tendentes a resolver las discrepancias que puedan surgir mediante fórmulas sencillas de arbitraje. Igualmente se procurará incluir cláusulas de sumisión a los Tribunales españoles. En estos contratos se podrá transigir previa autorización del Consejo de Ministros o del órgano competente de las Comunidades Autónomas y entidades locales.

4. Las reglas contenidas en este artículo no obstan para que, en los contratos sujetos a regulación armonizada que se formalicen y ejecuten en los restantes Estados miembros de la Unión Europea, deban cumplirse las normas de esta Ley referentes a la publicidad comunitaria y a los procedimientos de adjudicación de los contratos.

5. Los contratos formalizados en el extranjero que deban ejecutarse total o parcialmente en España y que estén vinculados directamente a la realización de programas o proyectos de cooperación en materia cultural o de investigación o de cooperación al desarrollo, podrán adjudicarse por procedimiento negociado sin publicidad y con sujeción a las condiciones libremente pactadas por la Administración con el contratista extranjero, cuando la intervención de éste sea absolutamente indispensable para la ejecución del proyecto o programa, por requerirlo así las condiciones de participación en los programas o proyectos de cooperación, y así se acredite en el expediente.

6. Los documentos contractuales y toda la documentación necesaria para la preparación, adjudicación y ejecución de los contratos deberá estar

redactada en castellano, idioma al que, en su caso, deberán traducirse desde el idioma local que corresponda. No obstante, por el órgano de contratación y bajo su responsabilidad podrán aceptarse, sin necesidad de traducción al castellano, los documentos redactados en inglés o en francés, que surtirán los efectos que correspondan. La aceptación de documentos redactados en otras lenguas podrá acordarse singularmente para cada contrato por el órgano de contratación mediante resolución motivada y bajo su responsabilidad. En estos casos, el Ministerio de Asuntos Exteriores y de Cooperación garantizará la disponibilidad de la traducción al castellano de los documentos redactados en lengua extranjera, a efectos de fiscalización del contrato.

➡ **Concordancias normativas**

DA 1.ª de la LCSP 30/2007 y artículo 117 del TRLCAP RDL 2/2000.

Disposición adicional segunda *Normas específicas de contratación en las Entidades Locales*

1. Corresponden a los Alcaldes y a los Presidentes de las Entidades locales las competencias como órgano de contratación respecto de los contratos de obras, de suministro, de servicios, de gestión de servicios públicos, los contratos administrativos especiales, y los contratos privados cuando su importe no supere el 10 por 100 de los recursos ordinarios del presupuesto ni, en cualquier caso, la cuantía de seis millones de euros, incluidos los de carácter plurianual cuando su duración no sea superior a cuatro años, siempre que el importe acumulado de todas sus anualidades no supere ni el porcentaje indicado, referido a los recursos ordinarios del presupuesto del primer ejercicio, ni la cuantía señalada.

Asimismo corresponde a los Alcaldes y a los Presidentes de las Entidades locales la adjudicación de concesiones sobre los bienes de las mismas y la adquisición de bienes inmuebles y derechos sujetos a la legislación patrimonial cuando su valor no supere el 10 por 100 de los recursos ordinarios del presupuesto ni el importe de tres millones de euros, así como la enajenación del patrimonio, cuando su valor no supere el porcentaje ni la cuantía indicados.

2. Corresponde al Pleno las competencias como órgano de contratación respecto de los contratos no mencionados en el apartado anterior que celebre la Entidad local.

Asimismo corresponde al Pleno la adjudicación de concesiones sobre los bienes de la Corporación y la adquisición de bienes inmuebles y derechos sujetos a la legislación patrimonial así como la enajenación del patrimonio cuando no estén atribuidas al Alcalde o al Presidente, y de los bienes declarados de valor histórico o artístico cualquiera que sea su valor.

✉ **Consultas**

• **Órgano competente para adoptar acuerdo de cesión de terrenos patrimoniales a una sociedad de capital íntegramente municipal.**

¿Cuál es el órgano competente en Andalucía para ceder un terreno patrimonial a una sociedad municipal de capital íntegro con destino a VPO?

[30/07/2008 EC 2443/2008]

Contestación

El art. 50.6 del Decreto 18/2006, de 24 de enero (BOJA de 15 de febrero), por el que se aprueba el Reglamento de Bienes de las Entidades Locales de Andalucía, excluye de su ámbito de aplicación las cesiones gratuitas de bienes integrantes del Patrimonio Municipal del Suelo, que se regirán por lo dispuesto por su legislación específica.

El régimen jurídico del Patrimonio Municipal de Suelo se encuentra en los arts. 69 a 76 de la Ley 7/2002, de 17 de diciembre (BOJA del 31), de Ordenación Urbanística de Andalucía (LOUA) recogiéndose en su art. 76 lo relativo a la disposición sobre los bienes de los patrimonios públicos de suelo, que podrán ser cedidos gratuitamente, entre otras, a entidades o sociedades de capital íntegramente público, como es el objeto de la consulta.

Centrado el régimen jurídico a aplicar para la cesión gratuita de terrenos, queda por precisar el órgano competente para adoptar el acuerdo pertinente.

Los arts. 21.1 p) y 22.1. o) de la Ley 7/1985, de 2 de abril (EC 404/1985), Reguladora de las Bases de Régimen Local (LRBRL) que regulaban las competencias o atribuciones del alcalde y del pleno del ayuntamiento, han sido derogados por la Disposición derogatoria única de la Ley 30/2007, de 30 de octubre (EC 3697/2007), de Contratos del Sector Público (LCSP), fijándose en su Disposición adicional segunda las competencias de los alcaldes y del pleno, entre otras, para la enajenación del patrimonio, fijándose la cuantía del mismo como referente para otorgar la competencia a uno u otro, disponiéndose, y esto es novedoso, que no es necesario que la enajenación esté prevista en el presupuesto para atribuir la competencia al alcalde. Así la citada Disposición adicional segunda, en su párrafo segundo dice que «corresponde a los Alcaldes y a los Presidentes de las Entidades Locales la adjudicación de concesiones sobre los bienes de las mismas y la adquisición de bienes inmuebles y derechos sujetos a la legislación patrimonial cuando su valor no supere el 10 por ciento de los recursos ordinarios del presupuesto ni el importe de tres millones de euros, así como la enajenación del patrimonio, cuando su valor no supere el porcentaje ni la cuantía indicados».

En el apartado 2 de la Disposición adicional segunda se atribuye al pleno la enajenación del patrimonio cuando no esté atribuida al alcalde.

Con los referentes legislativos anteriores podría pensarse que, con los límites previstos, el alcalde es el competente para acordar la enajenación del patrimonio. Sin embargo, esta afirmación necesita de una matización, cual es que cuando el legislador habla de enajenación del patrimonio no se refiere a todo el patrimonio municipal, sino que está excluyendo la disposición gratuita del mismo, esto es la cesión a otras administraciones o instituciones, entre las que cabe incluir las del art. 76 b) y c) LOUA, disponiendo el art. 47.2. ñ) que se requiere el voto favorable de la mayoría absoluta del número legal de miembros de las corporaciones para la adopción de acuerdos relativos a la cesión gratuita de bienes a otras administraciones o instituciones públicas.

En conclusión, corresponde al ayuntamiento pleno, por mayoría absoluta la adopción de acuerdos de cesión gratuita de terrenos incluidos en el patrimonio público de suelo.

Puede resultar de utilidad la consulta publicada en EC 3142/2002, en la que se planteaba un supuesto de cesión de terrenos a una Empresa Municipal de Vivienda para la construcción de VPO.

3. En los municipios de gran población a que se refiere el artículo 121 de la Ley 7/1985, de 2 de abril (LA LEY 847/1985), Reguladora de las Bases del Régimen Local, las competencias que se describen en los apartados

anteriores se ejercerán por la Junta de Gobierno Local, cualquiera que sea el importe del contrato o la duración del mismo.

✉ **Consultas**

• **Procedimiento de aprobación de los pliegos de cláusulas administrativas generales**

¿Cuál sería el trámite a seguir de conformidad con el art. 116.2 de la presente Ley, para la creación de un pliego tipo de prescripciones técnicas para la contratación de un servicio de prevención ajeno en el ámbito de la Administración Local-Municipios de Gran Población?

[11/04/2011]

Ver respuesta en artículo 114

4. En las Entidades locales será potestativa la constitución de Juntas de Contratación que actuarán como órganos de contratación en los contratos de obras que tengan por objeto trabajos de reparación simple, de conservación y de mantenimiento, en los contratos de suministro que se refieran a bienes consumibles o de fácil deterioro por el uso, y en los contratos de servicios cuando su importe no supere el 10 por 100 de los recursos ordinarios de la Entidad, o cuando superen este importe las acciones estén previstas en el presupuesto del ejercicio a que corresponda y se realicen de acuerdo con lo dispuesto en las bases de ejecución de éste.

Corresponde al Pleno acordar la constitución de las Juntas de Contratación y determinar su composición, debiendo formar parte de las mismas necesariamente el Secretario o el titular del órgano que tenga atribuida la función de asesoramiento jurídico de la Corporación, y el Interventor de la misma. Los límites cuantitativos, que podrán ser inferiores a los señalados en el párrafo anterior, o los referentes a las características de los contratos en los que intervendrá la Junta de Contratación como órgano de contratación, se determinarán, en las entidades locales de régimen común, por el Pleno, a propuesta del Alcalde o del Presidente cuando sean, de acuerdo con el apartado 1, el órgano que tenga atribuida la competencia sobre dichos contratos, y por la Junta de Gobierno Local en los municipios de gran población.

En los casos de actuación de las Juntas de Contratación se prescindirá de la intervención de la Mesa de contratación.

5. En los municipios de población inferior a 5.000 habitantes las competencias en materia de contratación podrán ser ejercidas por los órganos que, con carácter de centrales de contratación, se constituyan en la forma prevista en el artículo 204, mediante acuerdos al efecto.

Asimismo podrán concertarse convenios de colaboración en virtud de los cuales se encomiende la gestión del procedimiento de contratación a las Diputaciones provinciales o a las Comunidades Autónomas de carácter uniprovincial.

6. En los municipios de población inferior a 5.000 habitantes la aprobación del gasto será sustituida por una certificación de existencia de crédito que se expedirá por el Secretario Interventor o, en su caso por el Interventor de la Corporación.

7. Corresponde al órgano de contratación la aprobación del expediente y la apertura del procedimiento de adjudicación en los términos que se regulan en el artículo 110.

La aprobación del pliego de cláusulas administrativas particulares irá precedida de los informes del Secretario o, en su caso, del titular del órgano que tenga atribuida la función de asesoramiento jurídico de la Corporación, y del Interventor.

8. Los informes que la Ley asigna a los servicios jurídicos se evacuarán por el Secretario o por el órgano que tenga atribuida la función de asesoramiento jurídico de la Corporación.

Los actos de fiscalización se ejercen por el Interventor de la Entidad local.

9. Cuando se aplique el procedimiento negociado en supuestos de urgencia a que hacen referencia el artículo 170, letra e), deberán incorporarse al expediente los correspondientes informes del Secretario o, en su caso, del titular del órgano que tenga atribuida la función de asesoramiento jurídico de la Corporación, y del Interventor, sobre justificación de la causa de urgencia apreciada.

10. La Mesa de contratación estará presidida por un miembro de la Corporación o un funcionario de la misma, y formarán parte de ella, como vocales, el Secretario o, en su caso, el titular del órgano que tenga atribuida

la función de asesoramiento jurídico, y el Interventor, así como aquellos otros que se designen por el órgano de contratación entre el personal funcionario de carrera o personal laboral al servicio de la Corporación, o miembros electos de la misma, sin que su número, en total, sea inferior a tres. Actuará como Secretario un funcionario de la Corporación.

En las entidades locales municipales podrán integrarse en la Mesa personal al servicio de las correspondientes Diputaciones Provinciales o Comunidades Autónomas uniprovinciales.

11. En los municipios de población inferior a 5.000 habitantes, en los contratos de obras cuyo período de ejecución exceda al de un presupuesto anual, podrán redactarse proyectos independientes relativos a cada una de las partes de la obra, siempre que éstas sean susceptibles de utilización separada en el sentido del uso general o del servicio, o puedan ser sustancialmente definidas, y preceda autorización concedida por el Pleno de la Corporación, adoptada con el voto favorable de la mayoría absoluta legal de sus miembros, autorización que no podrá ser objeto de delegación.

12. Serán de aplicación a los contratos de obras las normas sobre supervisión de proyectos establecidas en el artículo 125. La supervisión podrá efectuarse por las oficinas o unidades competentes de la propia entidad contratante o, en el caso de municipios que carezcan de ellas, por las de la correspondiente Diputación provincial.

13. En los contratos que tengan por objeto la adquisición de bienes inmuebles, el importe de la adquisición podrá ser objeto de un aplazamiento de hasta cuatro años, con sujeción a los trámites previstos en la normativa reguladora de las Haciendas Locales para los compromisos de gastos futuros.

14. Para determinar el importe de los contratos regulados en esta disposición a los efectos de determinar la competencia de los diferentes órganos se incluirá en el mismo el importe del Impuesto sobre el Valor Añadido.

Concordancias a todo el artículo

➡ **Concordancias normativas**

DA 2.ª de la LCSP 30/2007 y DA 9.ª del TRLCAP RDL 2/2000.

➡ **Concordancias normativas**

Artículo 195 de la LCSP 30/2007 y artículo 59 del TRLCAP RDL 2/2000.

✉ **Consultas**

• **Imposibilidad de delegar las competencias de contratación en un funcionario**

¿Es posible que el Alcalde delegue su competencia en un contrato menor en un funcionario?

[06/05/2011 EC 1073/2011]

Contestación

— El Reglamento de Organización, Funcionamiento y Régimen Jurídico de las Entidades Locales (ROF), aprobado por Real Decreto 2568/1986, de 28 de noviembre (LA LEY 2574/1986) (BOE de 22 de diciembre), en desarrollo de la Ley 7/1985, de 2 de abril (BOE del 3), Reguladora de las Bases del Régimen Local (LRBRL (LA LEY 847/1985)) y del Texto Refundido de Régimen Local (TRRL), aprobado por Real Decreto Legislativo 781/1986, de 18 de abril (LA LEY 968/1986) (BOE del 22), estableció, para el ámbito local, una regulación general de la delegación interorgánica, especificando qué órgano puede delegar y a favor de quién.

En opinión de González Navarro, «aunque puede discutirse sobre la bondad de algunas de las soluciones que se establecen, en general hay que valorar positivamente la nueva regulación de esta materia, no solo porque aborda con criterio de generalidad lo que hasta venía adoleciendo de lamentable dispersión, sino porque aporta algunas soluciones de interés a problemas que en la legislación del Estado no están ni siquiera apuntados».

Los supuestos de delegación interorgánica que establece la legislación local para el ámbito municipal son los siguientes:

a) Del Alcalde (art. 43 ROF): en la Comisión de Gobierno, miembros de la Junta de Gobierno y en los Tenientes de Alcalde cuando aquella no exista;

b) Del Pleno (art. 51 del ROF): en el Alcalde y en la Junta de Gobierno.

No obstante, la ampliación del elemento subjetivo de la delegación que ha originado la Ley 30/1992, de 26 de noviembre (LA LEY 3279/1992) (BOE del 27), de Régimen Jurídico de las Administraciones Públicas y del Procedimiento Administrativo Común (LRJAP (LA LEY 3279/1992)), ha traído como consecuencia que a partir de su reforma por la Ley 4/1999 se pueda delegar por parte del Pleno y del Alcalde, además de en los órganos anteriormente señalados, en los siguientes: a) órganos de gobierno de los Organismos Autónomos y entes descentralizados; y b) órganos de gobierno de las Entidades Locales Menores.

La importancia de las competencias que la legislación local le ha atribuido al Alcalde le configuran dentro del modelo de alcalde fuerte, especialmente después de la Ley 11/1999, de 21 de abril (LA LEY 1714/1999). Esto se ve acrecentado, además, por la cláusula residual que establece que las competencias que la legislación estatal o autonómica atribuyen al municipio sin especificar el órgano competente, le corresponden al Alcalde. Entre las competencias del Alcalde se distingue entre las delegables y no delegables.

La delegación de las atribuciones que realiza el Alcalde puede ser a favor de la Junta de Gobierno, de los Tenientes de Alcalde o de los Concejales, dejando a salvo la sustitución en la totalidad de las funciones del Alcalde que corresponde a los Tenientes de Alcalde.

Las delegaciones genéricas que puede realizar el Alcalde han de recaer en los miembros de la Junta de Gobierno o en los Tenientes de Alcalde o en los propios Concejales; y se referirán a una o varias áreas o materias determinadas. Junto a estas delegaciones genéricas, puede el Alcalde efectuar delegaciones especiales en cualquier concejal para la dirección de asuntos determinados incluidos en las citadas áreas; que pueden ser de tres tipos: a) relativas a un Proyecto o asunto determinado; b) relativo a un determinado servicio, y c) relativas a un distrito o barrio.

Como bien puede apreciarse, ni el ROF, ni la LRBRL (LA LEY 847/1985) ni el TRRL, que regulan el régimen específico de la delegación de competencias en el ámbito local, ni especifican ni contemplan que el Alcalde pueda delegar sus competencias de cualquier clase en un funcionario o Jefe administrativo.

Como es perfectamente conocido, las competencias del Alcalde en materia de contratación se regulan en la DA 2.ª LCSP (LA LEY 10868/2007), que contiene las normas específicas de contratación en las Entidades locales. En el supuesto de que fuera posible la delegación a que nos hacen referencia, que no lo es, el Alcalde podría limitar qué competencias delega. Lo que nunca podrá es delegar competencias que no le corresponden.

- **No es posible la abstención del Secretario en la Mesa de Contratación**

Si la mujer del Secretario es empleada de una empresa que concurre a una licitación ¿debe abstenerse aquél en la Mesa de Contratación?

[28/09/2010 EC 2784/2010]

Contestación

La disposición adicional segunda de la Ley 30/2007, de 30 de octubre (LA LEY 10868/2007) (BOE del 31), de Contratos del Sector Público (LCSP), regula, en su apartado 10, la composición de la mesa de contratación en las entidades locales, que tiene que estar presidida por un miembro de la corporación o un funcionario o funcionaria de la misma. Los arts. 21 (LA LEY 8536/2009) a 25 del Real Decreto 817/2009 (LA LEY 8536/2009), de 8 de mayo (BOE de 15 de mayo), por el que se desarrolla parcialmente la Ley 30/2007, (LA LEY 10868/2007) de 30 de octubre, de Contratos del Sector Público (RCSP), regulan la composición y funcionamiento de la Mesa, que deben completarse con lo establecido en los arts. 79 a 93 del Reglamento General de la Ley de Contratos de las Administraciones Publicas (RCAP), aprobado por Real Decreto 1098/2001 (LA LEY 1470/2001), de 12 de octubre (BOE del 26). Siendo obligatoria, para la válida constitución del órgano colegiado, la presencia, como vocales, del Secretario y el Interventor. La secretaría de la Mesa ha de ser ejercida por un funcionario o funcionaria de la corporación, ya que el titular de la secretaría es vocal de la misma.

La composición de las Mesas ha de publicarse en el perfil del contratante siete días antes de la sesión de la mismas, por exigencia del art. 21 del RCSP, se entiende que a efectos de la posible recusación de alguno de sus miembros. Por ello, parece recomendable incluir, en el propio pliego de cláusulas administrativas particulares, los nombres de los integrante de la Mesa (titulares y suplentes, por si hay ausencias) para luego no tener que hacer un anuncio específico y esperar esos siete días adicionales para constituir la Mesa.

Según con lo dispuesto en el art. 24.3 de la Ley 30/1992, de 26 de noviembre (LA LEY 3279/1992) (BOE del 27), de Régimen Jurídico de las Administraciones Públicas y del Procedimiento Administrativo Común (LRJAP) (LA LEY 3279/1992), los vocales designados podrán ser sustituidos en casos de ausencia, enfermedad, o en general cuando concurra causa justificada, por sus suplentes, si los hubiera (que, en todo caso, deberán tener la misma condición que los vocales titulares). Lo que no es posible, de acuerdo al Informe 17/2000, de 6 de julio, de la Junta Consultiva de Contratación Administrativa, es la delegación de los vocales de los órganos colegiados, al no establecer tal posibilidad la legislación de contratos administrativos.

Únicamente cabe la posibilidad de designar vocales suplentes para cubrir aquellos supuestos en que los vocales, cualquiera que fueran, puedan ser sustituidos. Ese es el régimen, debido a que en sus actuaciones como vocales de la Mesa de contratación no adoptan ninguna resolución, sino que se limitan a expresar su opinión sobre las cuestiones relativas a la calificación documental que se acompaña a las proposiciones, a la valoración de las ofertas y a la proposición del adjudicatario del contrato al órgano de contratación; actuaciones que no conllevan la adopción de una resolución. Cuestión distinta es la referida al Presidente de la Mesa, ya que la legislación prevé la posibilidad de delegación en otro miembro de la Corporación.

Las decisiones de la Mesa se adoptan por mayoría de sus miembros. Y entendemos que en las votaciones no cabe la abstención, pues al tratarse de un órgano de asesoramiento técnico, ha de emitirse un pronunciamiento. No puede eludirse esta responsabilidad, de la misma manera que no pude abstenerse un técnico de emitir cualquier informe jurídico que le sea solicitado por los órganos de la entidad.

El informe de la Junta de Contratación Administrativa de Cataluña 3/2008, de 7 de julio de 2008, analiza la composición de las Mesas, el quórum para su válida constitución y las funciones de los miembros de las mismas. Teniendo en cuenta su necesaria composición técnica y de imparcialidad, afirma que la composición obligatoria no puede quedar circunscrita al momento de la constitución formal del órgano, porque si fuera así, perdería buena parte de su sentido.

Por lo tanto, y en conclusión, el Secretario debe formar parte obligatoriamente de la Mesa de Contratación, tanto en su constitución como en el resto de las reuniones, sin que sea posible su abstención, pero es posible prever el régimen de su sustitución.

Respecto al deber de abstención, el art. 28.2 LRJAP, (LA LEY 3279/1992) determina, en varios de sus apartados, el interés personal en el asunto, la amistad o el parentesco con los interesados como redacciones genéricas que podrían ser utilizadas para motivar la recusación (o el deber de abstención del Secretario cuyo caso se plantea en la consulta); que se reproduce en el art. 21 del Reglamento de Organización, Funcionamiento y Régimen Jurídico de las Entidades Locales (ROF), aprobado por Real Decreto 2568/1986 (LA LEY 2574/1986), de 28 de noviembre (BOE de 22 de diciembre). El art. 185 ROF dispone que la actuación de los miembros en que concurran los motivos de abstención implicará la invalidez de los actos en los que hayan intervenido cuando dicha actuación haya sido determinante. Es decir, como puntualiza el profesor González Pérez, cuando hubiese tenido influencia decisiva en la formación de la voluntad, o sea como dice a su vez la Sentencia del Tribunal Supremo de 6 de diciembre de 1985 (EC 1696/1988) «cuando con tal participación se conculquen las reglas esenciales para la formación de la voluntad de los órganos colegiados», como si fuera necesario un margen a la discrecionalidad para ser necesaria la abstención.

Sin embargo, otras opiniones afirman el deber de abstención de los concejales en la votación del convenio colectivo de empleados municipales entre los que se encuentran algunos de sus familiares.

En cualquier caso, y ante la posible duda sobre la necesidad de abstenerse del secretario, nos inclinamos por la abstención, ya que coincidimos con la valoración de Marcos Sánchez Adsuar sobre el incumplimiento de los deberes de abstención, sigilo e incompatibilidad, cuando afirma que «deben dejar de ser considerados como simples irregularidades o meros pecados veniales, para considerarse como lo que son, graves ilícitos disciplinarios», que evidentemente no deben llevarse al ámbito penal, pero que no son conductas adecuadas para un funcionario cuya integridad e imparcialidad nunca debe estar en entredicho.

Todo ello porque la solución, esto es, la sustitución por funcionario propio habilitado para ello, en sus ausencias reglamentarias, tiene cobertura legal en el art. 33 del Real Decreto 1732/1994 (LA LEY 2881/1994), de 29 de julio (BOE de 9 de agosto), de Provisión de Puestos de Trabajo Reservados a Funcionarios de Administración Local con Habilitación de Carácter Nacional; o bien en el art. 36 de la citada disposición que establece que, en los supuestos de ausencia, enfermedad o abstención legal del funcionario con habilitación nacional, a petición de la Corporación, la Administración que atienda a los servicios de asistencia (Diputación Provincial) podrá designar a un funcionario con dicha habilitación para realización de cometidos especiales de carácter circunstancial y por el tiempo imprescindible. Creemos que es razonable el recurso al citado art. 33, habilitando accidentalmente a uno de sus funcionarios suficientemente capacitado (Véase EC 1767/1999); sobre todo teniendo en cuenta las serias dificultades en que puede encontrarse la Corporación para dar solución a las comisiones circunstanciales cuando, prácticamente, no existe tiempo material para cumplir con lo preceptuado o en el supuesto en que la Diputación no atienda la petición. Por tanto, como la función secretarial no puede quedar inasistida, consideramos que en tanto los Servicios de Asistencia provinciales no designen a quien debe sustituir al Secretario, procede el nombramiento accidental de funcionario propio.

• **Posibilidad de concertar una operación de crédito con una cooperativa**

Se quiere ayudar a una cooperativa de capital privado para evitar que su cierre conlleve la pérdida de puestos de trabajo. Entiendo que no podría ser una subvención. ¿Existe algún impedimento para que el Ayuntamiento le preste dinero?

[03/09/2010 EC 2489/2010]

Contestación

Ciertamente, no es de aplicación la Ley 38/2003, de 17 de noviembre (LA LEY 1730/2003) (BOE del 18), General de Subvenciones, pues no se trata de una subvención, al no cumplir los requisitos establecidos por el art. 2 de la referida Ley. Se trata de una operación de crédito, concedida por el Ayuntamiento. Operación que no se encuentra prohibida por el vigente ordenamiento.

La estructura presupuestaria, aprobada por Orden EHA/3565/2008 (LA LEY 18063/2008), de 3 de diciembre (BOE del 10), en los conceptos 830 y 831, recoge el reintegro de préstamos de fuera del sector público. Préstamos que, desde el punto de vista del gasto, figurarán en el concepto presupuestario 831, anticipos y préstamos concedidos por la Entidad local, por ser su plazo de reembolso superior a 12 meses.

Desde el punto de vista contable, el Plan General de Contabilidad Pública adaptado a la Administración Local prevé las cuentas 252 «Créditos a largo plazo», y 542 «Créditos a corto plazo».

En el movimiento de las Cuentas representativas, de conformidad con lo establecido por las Instrucciones de Contabilidad, hemos de distinguir:

a) Formación del préstamo: Se cargan dichas cuentas, con abono a cuentas del Subgrupo 40.

Así:

(252) Créditos a largo plazo

a   **Acreedores por obligaciones reconocidas.**
                   Pto. de gastos corriente (400)

La entrega al prestatario de la cantidad en que el préstamo consiste se contabilizará mediante un cargo en la cuenta 400, con abono de la cuenta del Subgrupo 57 «Tesorería» que corresponda.

b) Por el reintegro total o parcial se abonan dichas cuentas con cargo a cuentas del Subgrupo 43. Esto es:

(430) Deudores por derechos reconocidos
Pto. de ingresos corriente

a   **Créditos a largo plazo (252)**

Sin embargo, y salvo cancelación anticipada, el reintegro del crédito se registrará a través de una cuenta de créditos concedidos a corto plazo, puesto que al finalizar el ejercicio se procederá a su clasificación a corto, conforme a las Reglas 72 Instrucción de Contabilidad, Modelo Normal y 61 de la Instrucción Simplificada, según las cuales «a fin de ejercicio se procederá a la reclasificación contable en rúbricas a corto plazo de aquellos débitos y créditos registrados en rúbricas a largo plazo, por la parte de los mismos que venza en el ejercicio siguiente.»

El asiento será el siguiente:

(542) Créditos a corto plazo

a   **Créditos a largo plazo (252)**

En el caso de insolvencia del deudor, se carga la cuenta 667 «Pérdidas de créditos», con abono a las que correspondan, según se trate de créditos a largo o a corto plazo. Se abonará por su saldo, al cierre del ejercicio, con cargo a la cuenta 129 «Resultados del ejercicio.»

En cuanto al órgano competente, teniendo en cuenta de que estamos ante un contrato, habremos de acudir a la correspondiente normativa reguladora, que está constituida por la Disposición Adicional Segunda de la Ley 30/2007, de 30 de octubre (LA LEY 10868/2007) (BOE del 31), de Contratos del Sector Público (LCSP), conforme a la cual es competencia del Alcalde cuando su importe no supere el 10% de los recursos ordinarios del Presupuesto ni, en cualquier caso, seis millones de euros, incluidos los de carácter plurianual cuando su duración no sea superior a cuatro años. En este caso, al ser la duración de seis años, creemos que el órgano competente es el Pleno, conforme al número 2 de la misma Disposición Adicional.

Finalmente, en cuanto a las garantías, habrá de estarse a lo dispuesto en los arts. 83 y siguientes de la LCSP.

• Prestación indirecta de los servicios públicos

Se está ejecutando una nueva edificación destinada a la implantación de una escuela infantil de 0 a 3 años. El Equipo de Gobierno pretende que el servicio sea prestado de forma indirecta, a través de una concesión administrativa de servicio público.

[18/05/2010]

Ver respuesta en artículo 132

• Posibilidad de ubicar elementos de un servicio de abastecimiento de agua en territorio de otro municipio limítrofe

En unas obras de abastecimiento de aguas que acomete el Ayuntamiento, resulta necesario ocupar el subsuelo de un monte vecinal sito en el término municipal limítrofe. La Comunidad de Montes titular de los terrenos ha acordado la cesión temporal de su uso, ¿cuál sería el procedimiento a seguir?

[27/01/2009 EC 344/2008]

Contestación

Ciertamente, los límites territoriales de los términos municipales determinan, como dice el art. l1 del Real Decreto 1690/1986, de 11 de julio (BOE de 14 de agosto), por el que se aprueba el Reglamento de Población y Demarcación Territorial de las Entidades Locales (RP), el ámbito del ejercicio de las respectivas competencias.

Ahora bien, la limitación territorial no significa que, en todo caso y absolutamente, un Ayuntamiento no pueda extender algunas de de sus actividades y servicios más allá de su término municipal, es decir en otro municipio.

Dicho esto y viniendo al caso concreto de la consulta, no encontramos obstáculo legal para que ese Ayuntamiento ocupe, mediante la oportuna cesión de uso, el subsuelo de un terreno sito en el municipio limítrofe, con motivo de las obras de abastecimiento de agua del primero. No se trata, ni tan siquiera, de que el Ayuntamiento adquiera la titularidad de los terrenos, sino simplemente el derecho al uso temporal de los mismos.

La jurisprudencia que conocemos ha declarado, en materia de prestación de servicios —por ejemplo en sentencia del Tribunal Supremo de 21 de octubre de 1988— que no hay inconveniente a que elementos de un determinado servicio circunscrito a un municipio se encuentren fuera del mismo; y, en otra ocasión —sentencia del Tribunal Supremo de 8 de noviembre de 1988— manifiesta que la municipalización (diríamos que, en general, la gestión de un servicio) tiene como límite objetivo el propio término municipal, permitiéndose sólo la localización fuera de él de una parte de las instalaciones.

En cuanto a las actuaciones a seguir con la Comunidad de Montes titular de los terrenos para la efectividad de la ocupación por parte del Ayuntamiento, tratándose de un monte vecinal que se rige en la actualidad por la Ley 55/1980, de 11 de noviembre (BOE del 21), de Montes vecinales en mano común (LMV), y que tiene naturaleza privada, aunque pertenezcan a agrupaciones vecinales en su calidad de grupos sociales y no como entidades administrativas, pueden ser objeto de cesión temporal, en todo o en parte a título oneroso o gratuito, para fines que redunden de modo principal en beneficio directo de los vecinos (art. 3 LMV). Pero parece que deben ser los Estatutos de la Comunidad vecinal (art. 4 LMV) los que determinen la forma en que se haya de llevar a cabo la cesión de uso con adecuación a lo dispuesto en la Ley.

En conclusión, consideramos que correspondería a la Comunidad de Montes titular de los terrenos comunicar al Ayuntamiento la forma adoptada para la cesión de uso y sus condiciones; que, de ser conformes para la Corporación local, habrían de ser objeto de un contrato aprobado por el Ayuntamiento en Pleno o, en su caso, por el Alcalde, con arreglo a lo dispuesto en los arts. 21.1 letra ñ) y 22.2, letra n) de la Ley 7/1985, de 2 de abril (BOE del 3), Reguladora de las Bases del Régimen Local (LRBRL), en la redacción dada por la disposición adicional segunda de la Ley 30/2007, de 30 de octubre (BOE del 31), de Contratos del Sector Público (LCSP).

✍ Informes de la Junta Consultiva de Contratación Administrativa

Informe 10/2010, de 15 de septiembre, de la Junta Consultiva de Contratación Administrativa de la Comunidad Autónoma de Aragón, sobre Procedimiento para la adjudicación de un contrato patrimonial. Necesidad de pliego de condiciones. Las prohibiciones de contratar del artículo 49 LCSP y los contratos patrimoniales celebrados por una entidad local.

CONTRATOS PATRIMONIALES. De compraventa de un inmueble situado en un término municipal y de propiedad particular, para lo que se cuenta con una subvención autonómica. El procedimiento para la adjudicación de este contrato, por parte del Ayuntamiento, es el negociado, por concurrir en el inmueble características de singularidad y especificidad histórica, cultural, artística, técnica o social. Necesariedad de la existencia de un documento, en el expediente en que se formalice el procedimiento de adquisición, que contenga y defina el objeto contractual, su régimen jurídico, efectos, cumplimiento y extinción, los pactos y condiciones definidores de los derechos y obligaciones de las partes y las demás menciones que sean necesarias para el buen fin del contrato. No aplicación a los contratos patrimoniales, de las prohibiciones de contratar del art. 49 LCSP, derivada de la exclusión, con carácter general, de dichos contratos en la LCSP. El examen concreto de las incompatibilidades en que puedan incurrir los miembros de una entidad local y la declaración, en su caso, de las mismas, corresponde al Pleno de la Corporación. En todo caso, un concejal copropietario del condominio del inmueble que pretende adquirir el Ayuntamiento, incurre en la obligación legal de abstención.

📖 Doctrina

— «Disposición adicional segunda. Normas específicas de contratación en las Entidades Locales» Vicente Iglesias, José Luis. Esta doctrina forma parte del libro *Comentarios a la Ley 30/2007, de 30 de octubre, de contratos del sector público*, edición n.º 2, Editorial LA LEY, Madrid, enero 2011.

—«Contratación de entidades locales». Escrihuela Morales, Javier. Esta doctrina forma parte del libro *La Contratación del Sector Público*, edición n.º 4, Editorial El Consultor de los Ayuntamientos y de los Juzgados, Madrid, 2012.

Disposición adicional tercera *Reglas especiales sobre competencia para adquirir equipos y sistemas para el tratamiento de la información y de las comunicaciones*

No obstante lo señalado en el artículo 207.1, la competencia para adquirir equipos y sistemas para el tratamiento de la información y elementos complementarios o auxiliares que no hayan sido declarados de adquisición centralizada corresponderá al Ministro de Defensa y a los órganos de contratación de las Entidades gestoras y Servicios comunes de la Seguridad Social en el ámbito de sus respectivas competencias.

➡ **Concordancias normativas**

DA 4.ª de la LCSP 30/2007 y DA 3.ª del TRLCAP RDL 2/2000.

Véanse artículos 51 y 103 de la presente Ley.

Disposición adicional cuarta *Contratación con empresas que tengan en su plantilla personas con discapacidad o en situación de exclusión social y con entidades sin ánimo de lucro*

1. Los órganos de contratación ponderarán en los supuestos que ello sea obligatorio, que los licitadores cumplen lo dispuesto en la Ley 13/1982, de 7 de abril (LA LEY 886/1982), de integración social de los minusválidos, relativo a la obligación de contar con un dos por ciento de trabajadores con discapacidad o adoptar las medidas alternativas correspondientes.

A tal efecto y en su caso, los pliegos de cláusulas administrativas particulares podrán incorporar en la cláusula relativa a la documentación a aportar por los licitadores, la exigencia de que se aporte un certificado de la empresa en que conste tanto el número global de trabajadores de plantilla como el número particular de trabajadores con discapacidad en la misma, o en el caso de haberse optado por el cumplimiento de las medidas alternativas legalmente previstas, una copia de la declaración de excepcionalidad y una declaración del licitador con las concretas medidas a tal efecto aplicadas.

2. Los órganos de contratación podrán señalar en los pliegos de cláusulas administrativas particulares la preferencia en la adjudicación de los contratos

para las proposiciones presentadas por aquellas empresas públicas o privadas que, en el momento de acreditar su solvencia técnica, tengan en su plantilla un número de trabajadores con discapacidad superior al 2 por 100, siempre que dichas proposiciones igualen en sus términos a las más ventajosas desde el punto de vista de los criterios que sirvan de base para la adjudicación.

Si varias empresas licitadoras de las que hubieren empatado en cuanto a la proposición más ventajosa acreditan tener relación laboral con personas con discapacidad en un porcentaje superior al 2 por 100, tendrá preferencia en la adjudicación del contrato el licitador que disponga del mayor porcentaje de trabajadores fijos con discapacidad en su plantilla.

3. Igualmente podrá establecerse la preferencia en la adjudicación de contratos, en igualdad de condiciones con las que sean económicamente más ventajosas, para las proposiciones presentadas por las empresas de inserción reguladas en la Ley 44/2007, de 13 de diciembre (LA LEY 12400/2007), para la regulación del régimen de las empresas de inserción, que cumplan con los requisitos establecidos en dicha normativa para tener esta consideración.

4. En la misma forma y condiciones podrá establecerse tal preferencia en la adjudicación de los contratos relativos a prestaciones de carácter social o asistencial para las proposiciones presentadas por entidades sin ánimo de lucro, con personalidad jurídica, siempre que su finalidad o actividad tenga relación directa con el objeto del contrato, según resulte de sus respectivos estatutos o reglas fundacionales y figuren inscritas en el correspondiente registro oficial. En este supuesto el órgano de contratación podrá requerir de estas entidades la presentación del detalle relativo a la descomposición del precio ofertado en función de sus costes.

5. Los órganos de contratación podrán señalar en los pliegos de cláusulas administrativas particulares la preferencia en la adjudicación de los contratos que tengan como objeto productos en los que exista alternativa de Comercio Justo para las proposiciones presentadas por aquellas entidades reconocidas como Organizaciones de Comercio Justo, siempre que dichas proposiciones igualen en sus términos a las más ventajosas desde el punto de vista de los criterios que sirvan de base para la adjudicación.

Concordancias a todo el artículo

➡ **Concordancias normativas**

DA 6.ª de la LCSP 30/2007 y DA 8.ª del TRLCAP RDL 2/2000.

✉ **Consultas**

• **Vigencia del derecho de tanteo del art. 88 del RB estatal a los promotores de concesiones demaniales**

¿En qué se traduce, hoy, el derecho de tanteo previsto en el art. 88 RB?

[26/03/2010 EC 1013/2010]

Contestación

Tanto el art. 88 del Reglamento de Bienes de las Entidades Locales (RB), aprobado por Real Decreto 1372/1986, de 13 de junio (BOE de 7 de julio), como el art. 118 del Reglamento de Servicios de las Corporaciones Locales (RS), aprobado por Decreto de 17 de junio de 1955, contienen normas sobre la iniciativa privada en la promoción de concesiones, concediendo derecho de tanteo al promotor y, en su caso, al autor del proyecto. Como afirma Ángel Ballesteros Fernández, en principio, nada se opone a la pervivencia de estos derechos de tanteo al venir establecidos en legislación especial; y dado que concesiones demaniales y de servicios se otorgan por procedimiento abierto y restringido en forma de concurso (hoy varios criterios de adjudicación) no parece que se oponga —ni a lo antes dispuesto en el Texto Refundido de la Ley de Contratos de las Administraciones Públicas (TR LCAP), aprobado por Real Decreto Legislativo 2/2000, de 16 de junio (BOE del 21), ni a la Ley 30/2007, de 30 de octubre (BOE del 31), de Contratos del Sector Público (LCSP)— la regla especial de conceder derecho de tanteo a los licitadores que han intervenido en el procedimiento de la concesión con anterioridad a la convocatoria del concurso.

Como decimos, esta posibilidad de derecho de tanteo ni era ajena al TR LCAP, en cuanto a su disposición adicional 8.ª señalaba que los órganos de contratación, en los pliegos de condiciones administrativas particulares, podían conceder preferencia en la adjudicación de los contratos a las proposiciones presentadas por aquellas empresas que, en el momento de acreditar su solvencia técnica, tengan en su plantilla un número de trabajadores minusválidos no inferior al 2%, siempre que dichas proposiciones igualaran en sus términos a las más ventajosas; y en los mismos términos podían otorgar preferencia en la adjudicación de los contratos relativos a prestaciones de carácter social o asistencial a las proposiciones presentadas por entidades sin ánimo de lucro. Hoy, la disposición adicional 6.ª de la LCSP no sólo reitera lo dicho, sino que desarrolla, precisa y amplía esta posibilidad.

Admitida, en principio, la licitud del derecho de tanteo, la cuestión estriba en si para la validez del mismo basta la sola referencia a la comparación de la oferta económica o si, por el contrario, ésta sólo podrá ser tenida en cuenta en caso de igualdad en el resto de los criterios a valorar para la adjudicación del contrato.

La primera tesis tiene su apoyo en que el RS y el RB atienden sólo a la oferta económica. La segunda se ampara en que para la efectividad del derecho de tanteo es precisa su regulación en el pliego de cláusulas administrativas particulares, en el que deben determinarse los criterios para la adjudicación del contrato. El Pliego debe regular, para el caso de que sea ejercitado el derecho de tanteo por un licitador, que su proposición iguale en sus términos a la más ventajosa desde el punto de vista de los criterios objetivos que sirven de base a la adjudicación.

No obstante, algunos otros autores como López Pellicer dudan de la vigencia de los preceptos del RS y del RB que regulan el derecho de tanteo, en cuanto que, a su juicio, las normas de rango reglamentario limitativas de la regla de concurrencia competitiva han de establecerse por normas con rango de Ley formal. También, Gómez-Ferrer Morant se muestra crítico con dichas normas, puesto que pueden resultar de aplicación compleja y dan lugar, en la práctica, a que la Administración ostente un poder discrecional, que aunque puede ser adecuado desde el punto de vista del interés general, no se adecua a la línea de avance en la igualdad, seguridad y transparencia de la Directiva europea.

El Consultor ha venido defendiendo la tesis expuesta de Ángel Ballesteros Fernández y se ha pronunciado por la vigencia y posible aplicación de estos derechos de tanteo, en la medida que los titulares del derecho de tanteo igualen en sus términos a las proposiciones más ventajosas que sirvan de base para la adjudicación (DA 6.ª.4 LCSP).

✍ **Informes de la Junta Consultiva de Contratación Administrativa**

Informe 3/2011, de 29 de septiembre, de la Junta Consultiva de Contratación Administrativa de la Comunidad de Madrid, sobre igualdad de proposiciones.

ADJUDICACIÓN DE LOS CONTRATOS. Empate en la puntuación obtenida por las empresas. Aplicación de los criterios de desempate que se hayan establecido en el pliego de cláusulas administrativas particulares, en caso de igualdad de puntuación entre proposiciones, tanto en procedimientos de contratación a adjudicar mediante criterio precio como mediante pluralidad de criterios. En su defecto, o caso de continuar el empate, se decidirá la propuesta de adjudicación mediante sorteo, que deberá efectuarse en acto público, a fin de cumplir con los principios de transparencia, no discriminación e igualdad de trato.

Disposición adicional quinta *Contratos reservados*

Podrá reservarse la participación en los procedimientos de adjudicación de contratos a Centros Especiales de Empleo, o reservar su ejecución en el marco de programas de empleo protegido, cuando al menos el 70 por 100 de los trabajadores afectados sean personas con discapacidad que, debido a la índole o a la gravedad de sus deficiencias, no puedan ejercer una actividad profesional en condiciones normales. En el anuncio de licitación deberá hacerse referencia a la presente disposición.

➡ **Concordancias normativas**

DA 7.ª de la LCSP 30/2007.

✎ **Informes de la Junta Consultiva de Contratación Administrativa**

Informe 16/2010, de 1 de diciembre, de la Junta Consultiva de Contratación Administrativa de la Comunidad Autónoma de Aragón, sobre Consideraciones sobre la reserva de contratos en favor de Centros Especiales de Empleo y otros aspectos vinculados con la contratación de personas discapacitadas.

CONTRATOS ADMINISTRATIVOS. CA Aragón. Consideraciones sobre la reserva de contratos en favor de Centros Especiales de Empleo y otros aspectos vinculados con la contratación de personas discapacitadas. Admisión y fomento de criterios sociales por las instituciones comunitarias, dado que la contratación pública no es un fin en sí misma, sino que es un instrumento al servicio de otros fines de interés general permitiendo dar efectividad a valores superiores actualmente recogidos en el TFUE. Carácter potestativo, no obligatorio, de la reserva de contratos para los órganos de contratación mediante cada licitación, regulado tanto en el art. 19 Directiva 2004/18/

CE como en la disp. adic. 7.ª LCSP, aunque actualmente, con la normativa vigente, no es posible la aplicación con carácter obligatorio de esta última. La declaración responsable, aportada en el momento de presentación de la documentación acreditativa del cumplimiento de requisitos previos por los licitadores, es la forma de documentar el cumplimiento de la exigencia legal de contratación de personas discapacitadas. Admisibilidad de la incorporación en los PCAP, como causa de resolución del contrato, el incumplimiento sobrevenido a la adjudicación de las obligaciones impuestas por la legislación vigente en materia de integración laboral y de igualdad de oportunidades de las personas con discapacidad. No admisibilidad ni de la pretensión de exigir como criterio de adjudicación la obligación del número de personas con discapacidad en plantilla vinculadas directamente a la ejecución del contrato, ni de que se valore como criterio de adjudicación el número de personas con discapacidad en plantilla. La posibilidad de excluir de la libre concurrencia determinados contratos públicos por causas sociales, supone una excepción a la apertura al libre mercado de la contratación pública reservado a los Estados miembros, que debe necesariamente realizarse por norma con rango de ley. Competencia de la CA Aragón para regular tal reserva, siguiendo el modelo de otras CC.AA.

Informe 59/2008, de 31 de marzo de 2009, de la Junta Consultiva de Contratación Administrativa, «Diferencia entre el contenido normativo de la disposición adicional sexta, apartado 3, sobre consideración del número de personas minusválidas integradas en las plantillas de personal de las empresas licitadoras, y la disposición adicional séptima, sobre reserva de contratos a favor de empresas cuya finalidad es la promoción de personas con discapacidad que no puedan ejercer una actividad profesional en condiciones normales».

CONTRATOS RESERVADOS. Interpretación de las disposiciones adicionales cuarta y quinta del TR. Inexistencia de interacción entre los aspectos regulados en las disposiciones objeto de interpretación, ya que la primera establece opciones de decidir quién será el adjudicatario de un contrato cuando se produzca una situación de empate en la valoración de las proposiciones, cuando así se haya previsto expresamente en el pliego de cláusulas administrativas particulares y la segunda confiere al

Disposición adicional sexta *Disposiciones aplicables a las Universidades Públicas*

1. A efectos de lo establecido en el apartado 2 del artículo 68, para los contratos que adjudiquen las Universidades Públicas dependientes de las

Comunidades Autónomas, surtirán efecto los acuerdos de clasificación y revisión de clasificaciones adoptados por los correspondientes órganos de la Comunidad Autónoma respectiva.

2. No será exigible la clasificación a las Universidades Públicas para ser adjudicatarias de contratos en los supuestos a que se refiere el apartado 1 del artículo 83 de la Ley Orgánica 6/2001, de 21 de diciembre (LA LEY 1724/2001), de Universidades.

➡ **Concordancias normativas**

DA 8.ª de la LCSP 30/2007 y DA 7.ª y 12.ª del TRLCAP RDL 2/2000.

Disposición adicional séptima *Exención de requisitos para los Organismos Públicos de Investigación en cuanto adjudicatarios de contratos*

1. Las Agencias Estatales, los Organismos Públicos de Investigación y organismos similares de las Comunidades Autónomas no necesitarán estar clasificados ni acreditar su solvencia económica y financiera y la solvencia técnica para ser adjudicatarios de contratos del sector público.

2. Estas entidades estarán igualmente exentas de constituir garantías, en los casos en que sean exigibles.

Concordancias a todo el artículo

➡ **Concordancias normativas**

DA 10.ª de la LCSP 30/2007.

✉ **Consultas**

• **Excepciones a la exigencia de clasificación**

La Disposición Adicional 9.ª de la LCSP, exime a las Universidades Públicas del requisito de la clasificación, para ser adjudicatarias de contratos en los supuestos a que se refiere el apartado 1 del artículo 83 de la Ley Orgánica 6/2001, de 21 de diciembre, de Universidades.

Por otra parte la Disposición Adicional 10.ª LCSP, también exime del requisito de la clasificación a los Organismos Públicos de Investigación, Agencias Estatales, Organismos Públicos de Investigación y organismos

similares de las Comunidades Autónomas. En estos casos también se les exime de constituir garantías.

¿Significa esto que para los contratos no sujetos al apartado 1 del art.83 LOU, debe exigirse la clasificación a las Universidades Públicas, es decir, cualquier contrato regulado por la LCSP? Además, ¿deben las Universidades constituir las garantías cuando liciten o resulten adjudicatarias de estos mismos contratos?

Contratación Administrativa Práctica, Nº 85, Sección Usted Pregunta, Abril 2009, Editorial LA LEY

[LA LEY 837/2009]

Respuesta

En efecto, la Disposición Adicional 9.ª de la Ley 30/2007 (LA LEY 10868/2007), de contratos del sector público exime de clasificación a las universidades solo para ser adjudicatarias de los contratos a los que se refiere el apartado 1 del artículo 83 (LA LEY 1724/2001) de la Ley Orgánica 6/2001, es decir, contratos con personas, universidades o entidades públicas y privadas para la realización de trabajos de carácter científico o artístico, así como para el desarrollo de enseñanzas de especialización o actividades específicas de formación.

La disposición adicional 10.ª (LA LEY 10868/2007) por su parte exonera de la obligación general de estar clasificado para ser adjudicatario y de prestar garantías en la contratación pública a los Organismos Públicos de investigación estatales o autonómicos conocidos generalmente en ámbitos administrativos como «OPIS» (Consejo Superior de Investigaciones Científicas, Instituto Español de Oceanografía, Instituto de Técnica Aeroespacial Esteban Terradas, etcétera) y a las agencias estatales reguladas por la Ley de agencias estatales para mejora de los servicios públicos. Los demás casos están sujetos a las citadas obligaciones de clasificación y prestación de garantías para contratar con las administraciones públicas, salvo que se obtenga una exoneración específica acordada por Consejo de Ministros (art. 55 LCSP (LA LEY 10868/2007)).

Disposición adicional octava *Contratos celebrados en los sectores del agua, de la energía, de los transportes y de los servicios postales*

1. La celebración por las Administraciones Públicas de contratos comprendidos en la Ley 31/2007, de 30 de octubre (LA LEY 10869/2007),

sobre procedimientos de contratación en los sectores del agua, la energía, los transportes y los servicios postales, se regirá, en todo caso, por la presente Ley,. No obstante, y a los efectos de aplicar la presente Ley a estos contratos, sólo tendrán la consideración de contratos sujetos a regulación armonizada los que, por razón de su naturaleza, objeto, características y cuantía, estén sometidos a la mencionada Ley 31/2007, de 30 de octubre (LA LEY 10869/2007).

2. La celebración por los entes, organismos y entidades del sector público que no tengan el carácter de Administraciones Públicas de contratos comprendidos en la Ley 31/2007, de 30 de octubre (LA LEY 10869/2007), se regirá por esta norma, salvo que una Ley sujete estos contratos al régimen previsto en la presente Ley para las Administraciones Públicas, en cuyo caso se les aplicarán también las normas previstas para los contratos sujetos a regulación armonizada. Los contratos excluidos de la aplicación de la Ley 31/2007, de 30 de octubre (LA LEY 10869/2007), que se celebren en los sectores del agua, la energía, los transportes y los servicios postales por los entes, organismos y entidades mencionados, se regirán por las disposiciones pertinentes de la presente Ley, sin que les sean aplicables, en ningún caso, las normas que en ésta se establecen exclusivamente para los contratos sujetos a regulación armonizada.

Concordancias a todo el artículo

➡ **Concordancias normativas**

DA 11.ª de la LCSP 30/2007 y DA 11.ª del TRLCAP RDL 2/2000.

☞ **Concordancias Jurisprudenciales**

Tribunal Administrativo Central de Recursos Contractuales, Resolución de 26 Oct. 2011, rec. 207/2011

CONTRATO ADMINISTRATIVO DE SERVICIOS. Anuncio de convocatoria y el pliego de condiciones particulares que rige la contratación para la adjudicación del servicio de actividades auxiliares en la Estación de Dos Hermanas del Núcleo de Cercanías de Sevilla de la Gerencia Andalucía, de la Dirección de Viajeros Urbanos e Interurbanos de la Dirección General de Viajeros de RENFE-operadora. RECURSO ESPECIAL EN MATERIA DE CONTRATACIÓN. Inadmisión. El contrato no es susceptible de recurso especial en materia de contratación. Es un contrato de servicio comprendido en la categoría 1 del Anexo II de la LCSP, y a pesar de ser RENFE-operadora una entidad pública empresarial, el contrato tiene un valor estimado inferior al requerido para los contratos sujetos a regulación armonizada.

☒ Consultas

• **Legislación aplicable a la adjudicación de un contrato de gestión del servicio de abastecimiento de agua por una administración pública**

¿Qué normativa debe aplicarse para adjudicar la concesión administrativa del servicio público de suministro de agua?

[26/08/2009 EC 2435/2009]

Contestación

La Ley 31/2007, de 30 de octubre (BOE del 31), de contratos celebrados en los sectores del agua, de la energía, de los transportes y de los servicios postales, establece en su art. 1 su objeto al señalar que «la presente ley tiene como objeto la regulación del procedimiento de adjudicación de los contratos de obras, suministro y servicios cuando contraten las entidades públicas y privadas que se recogen en el artículo 3.1 que operen en los sectores de actividad relacionados con el agua, la energía, los transportes y los servicios postales, tal como se concreta en los artículos 7 a 12, cuando su importe sea igual o superior al que se establece, respecto de cada tipo de contrato, en el artículo 16.»

Por su parte, el art. 3 al definir la entidades contratantes señala que «quedarán sujetas a la presente ley, siempre que realicen alguna de las actividades enumeradas en los artículos 7 a 12, las entidades contratantes que sean organismos de derecho público o empresas públicas y las entidades contratantes que sin ser organismos de derecho público o empresas públicas, tengan derechos especiales o exclusivos según se establece en el artículo 4. Asimismo quedarán sujetas a la presente ley las asociaciones formadas por varias entidades contratantes. Añade que se entenderá por:

a) Organismo de derecho público: cualquier entidad que reúna los siguientes requisitos:

1.º Creada específicamente para satisfacer necesidades de interés general que no tengan carácter industrial o mercantil

2.º dotada de personalidad jurídica propia y

3.º cuya actividad esté financiada mayoritariamente por la Administración General del Estado, las Administraciones de las Comunidades Autónomas, las entidades que integran la Administración Local, u otros organismos de Derecho público, o cuya gestión esté sujeta a un control por parte de estos últimos, o que cuenten con un órgano de administración, de dirección o de vigilancia más de la mitad de cuyos miembros sean nombrados por la Administración General del Estado, las Comunidades Autónomas, las entidades que integran la Administración Local u otros organismos de Derecho público.

b) Empresa pública: las entidades públicas empresariales de la Administración General del Estado así como las entidades de igual carácter de las Comunidades Autónomas y de las entidades que integran la Administración Local, las sociedades mercantiles de carácter público y toda aquella entidad u organismo sobre la que los poderes adjudicadores puedan ejercer, directa o indirectamente, una influencia dominante por el hecho de tener la propiedad o una participación financiera en las mismas, o en virtud de las normas que las rigen.

Se considerará que los poderes adjudicadores ejercen una influencia dominante, directa o indirecta, sobre una empresa, cuando:

1.º Tengan la mayoría del capital suscrito de la empresa, o

2.º dispongan de la mayoría de los votos correspondientes a las participaciones emitidas por la empresa, o

3.º puedan designar a más de la mitad de los miembros del órgano de administración, de dirección o de vigilancia de la empresa.

c) Entidades contratantes que tengan derechos especiales o exclusivos: aquellas entidades que sin ser poderes adjudicadores ni empresas públicas, ejerzan, entre sus actividades, alguna de las contempladas en los artículos 7 a 12 o varias de estas actividades y tengan derechos especiales o exclusivos concedidos por un órgano competente de una Administración Pública, de un organismo de derecho público o de una entidad pública empresarial».

Por su parte, el art. 5 es claro al afirmar que quedan excluidos del ámbito de aplicación de esta ley los contratos que celebren los entes, organismos y entidades que, con arreglo al artículo 3.2 de la Ley de Contratos del Sector Público, tengan la consideración de Administraciones Públicas, que se regirán por la mencionada ley, en todo caso y sin perjuicio de lo dispuesto en el artículo 6 de esta ley, si bien los interesados podrán utilizar el procedimiento de conciliación regulado en el Capítulo IV del Título VII.

Por último, la disposición adicional undécima de la Ley 30/2007, de 30 de octubre (BOE del 31), de Contratos del Sector Público (LCSP) señala que la celebración por las Administraciones Públicas de contratos comprendidos en la Ley sobre procedimientos de contratación en los sectores del agua, la energía, los transportes y los servicios postales (...) se regirá, en todo caso, por la presente Ley, si bien los interesados podrán utilidad el procedimiento de conciliación, regulado en el Capítulo IV del Título VII de aquella norma.

Por tanto, parece claro que si el es el ayuntamiento el que adjudica el contrato, como Administración pública, queda excluido el contrato del ámbito de aplicación de la Ley 31/2007, de 30 de octubre, aplicándose para su adjudicación la Ley 30/2007, de Contratos del Sector Público.

📖 Doctrina

«Sectores especiales». Escrihuela Morales, Javier. Esta doctrina forma parte del libro *La Contratación del Sector Público*, edición n.º 4, Editorial El Consultor de los Ayuntamientos y de los Juzgados, Madrid, 2012.

Disposición adicional novena *Normas especiales para la contratación del acceso a bases de datos y la suscripción a publicaciones*

1. La suscripción a revistas y otras publicaciones, cualquiera que sea su soporte, así como la contratación del acceso a la información contenida en bases de datos especializadas, podrán efectuarse, cualquiera que sea su cuantía siempre que no tengan el carácter de contratos sujetos a regulación armonizada, de acuerdo con las normas establecidas en esta Ley para los contratos menores y con sujeción a las condiciones generales que apliquen los proveedores, incluyendo las referidas a las fórmulas de pago. El abono del precio, en estos casos, se hará en la forma prevenida en las condiciones que rijan estos contratos, siendo admisible el pago con anterioridad a la entrega o realización de la prestación, siempre que ello responda a los usos habituales del mercado.

2. Cuando los contratos a que se refiere el apartado anterior se celebren por medios electrónicos, informáticos o telemáticos, los entes, organismos y entidades del sector público contratantes tendrán la consideración de consumidores, a los efectos previstos en la legislación de servicios de la sociedad de la información y comercio electrónico.

Concordancias a todo el artículo

➡ **Concordancias normativas**

DA 12.ª de la LCSP 30/2007.

✉ **Consultas**

• **La regla general es que el reconocimiento de la obligación y, por tanto, el pago del precio, debe ser posterior a la realización de la prestación por el contratista**

¿Existe fundamento legal para que los ayuntamientos no paguen las facturas hasta la realización de los servicios contratados?

[25/05/2009 EC 1587/2009]

Contestación

La regla general en materia de reconocimiento de la obligación y, consiguientemente del pago del precio de los contratos administrativos, es que se requiere la previa realización de la prestación para proceder al reconocimiento de la obligación y al pago del precio. Y en este sentido se ha pronunciado la Revista en varias ocasiones.

Esta regla general se deriva más que de la normativa contractual de la normativa presupuestaria. Para la Administración Local esta normativa se contiene en los arts. 58 y 59 del Real Decreto 500/1990, de 20 de abril (BOE del 27), de desarrollo de la Ley de Haciendas Locales en Materia de Presupuestos. Dispone el primero de ellos que «el reconocimiento y liquidación de la obligación es el acto mediante el cual se declara la existencia de un crédito exigible contra la Entidad derivado de un gasto autorizado y comprometido.»

Y añade el art. 59.1 que «previamente al reconocimiento de las obligaciones habrá de acreditarse documentalmente ante el Órgano competente la realización de la prestación o el derecho del acreedor de conformidad con los acuerdos que en su día autorizaron y comprometieron el gasto.»

Esto es, en la tramitación de las facturas, con arreglo a las bases de ejecución de cada ayuntamiento, lo normal es establecer que la conformidad con la factura implica la comprobación de que la prestación o el servicio está prestado, porque así lo exige claramente el art. 59 del citado RD 500/1990, al igual que lo establece la Ley General Presupuestaria para la Administración del Estado.

Por ello, también la Ley 30/2007, de 30 de octubre (BOE del 31), de Contratos del Sector Público (LCSP), al igual que hacía el derogado Texto Refundido de la Ley de Contratos de las Administraciones Públicas, dispone en su art. 200.4 la regla general de que «la Administración tendrá la obligación de abonar el precio dentro de los sesenta días siguientes a la fecha de la expedición de las certificaciones de obras o de los correspondientes documentos que acrediten la realización total o parcial del contrato.»

Hablamos de regla general, porque lo cierto es que existen determinados contratos que se satisfacen por adelantado, pero ello se debe en la mayoría de los casos, porque los efectos de estos contratos se rigen por la normativa civil o mercantil, como ocurre por ejemplo con el arrendamiento de bienes muebles o inmuebles en el que las cuotas del arrendamiento se pagan por anticipado. También ocurre esto en los contratos de seguro, ya que si no se paga la prima del seguro no se garantiza la cobertura del riesgo. Existen otros más dudosos que también se suelen admitir en la administración local más por la presión de las empresas que por aplicación de la normativa, como por ejemplo determinados contratos de mantenimiento de bienes y equipos en los que se paga una cuota fija periódica (por ejemplo mantenimiento de ascensores, impresoras, etc).

Por tanto, la norma general está claramente establecida y en los contratos administrativos el reconocimiento de la obligación y el pago del precio debe realizarse una vez que se ha prestado el servicio, ya que se entiende también que, por regla general, la factura o documento que le sustituya solo puede emitirse una vez que se ha realizado la prestación que se factura.

Otra excepción es la introducida por la disposición adicional duodécima de la citada LCSP, en la que bajo la rúbrica de «Normas especiales para la contratación del acceso a bases de datos y la suscripción a publicaciones», establece que «la suscripción a revistas y otras publicaciones, cualquiera que sea su soporte, así como la contratación del acceso a la información contenida en bases de datos especializadas, podrán efectuarse, cualquiera que sea su cuantía siempre que no tengan el carácter de contratos sujetos a regulación armonizada, de acuerdo con las normas establecidas en esta Ley para los contratos menores y con sujeción a las condiciones generales que apliquen los proveedores, incluyendo las referidas a las fórmulas de pago. El abono del precio, en estos casos, se hará en la forma prevenida en las condiciones que rijan estos contratos, siendo admisible el pago con anterioridad a la entrega o realización de la prestación, siempre que ello responda a los usos habituales del mercado.»

De la propia lectura de esta disposición adicional duodécima se desprende también claramente que se trata de una excepción a la regla general de que el reconocimiento de la obligación y el pago debe ser posterior a la entrega o realización de la prestación, ya que entre las normas especiales que establece para este tipo de contratos está la de admitir el pago con anterioridad a la entrega o realización de la prestación.

✍ Informes de la Junta Consultiva de Contratación Administrativa

Informe 4/2010, de 29 de octubre. de la Junta Consultiva de Contratación Administrativa. Contratos menores. Principios generales de la contratación. Fraccionamiento del objeto de un contrato.

CONTRATOS ADMINISTRATIVOS. Contratos menores. En su tramitación deben respetarse las prescripciones de la LCSP y, por tanto, estos contratos menores no pueden tener una duración superior a 1 año ni pueden ser el resultado del fraccionamiento del objeto de un contrato. Para determinar si en el caso de que se contrate, mediante un contrato menor, la misma prestación año tras año, hay una vulneración de las normas que regulan la contratación, hay que tener en cuenta las consideraciones que se han realizado anteriormente y aplicarlas caso a caso. Aplicación de los principios generales de la contratación a toda la contratación pública, de manera que puede entenderse que la no aplicación de estos principios tiene carácter excepcional, a pesar de que la propia configuración del procedimiento de adjudicación de los contratos menores no permite evidenciar la aplicabilidad de estos principios durante su tramitación. Fraccionamiento del objeto de un contrato. Se produce con independencia de que los contratos presuntamente fraccionados se hayan adjudicado a personas diferentes.

Disposición adicional décima *Modificaciones de cuantías, plazos y otras derivadas de los Anexos de directivas comunitarias*

Se autoriza al Consejo de Ministros para que pueda modificar, mediante Real Decreto, previa audiencia de las Comunidades Autónomas, y de acuerdo con la coyuntura económica, las cuantías que se indican en los artículos de esta Ley. Igualmente, se autoriza al Consejo de Ministros para incorporar a la Ley las oportunas modificaciones derivadas de los Anexos de las directivas comunitarias que regulan la contratación pública.

➡ **Concordancias normativas**

DA 13.ª de la LCSP 30/2007 y DA 1.ª del TRLCAP RDL 2/2000.

Disposición adicional undécima *Actualización de cifras fijadas por la Unión Europea*

Las cifras que, en lo sucesivo, se fijen por la Comisión Europea sustituirán a las que figuran en el texto de esta Ley. El Ministerio de Economía y Hacienda adoptará las medidas pertinentes para asegurar su publicidad.

➡ **Concordancias normativas**

DA 14.ª de la LCSP 30/2007 y DA 2.ª del TRLCAP RDL 2/2000.

Véase la Orden EHA/3479/2011, de 19 de diciembre, por la que se publican los límites de los distintos tipos de contratos a efectos de la contratación del sector público a partir del 1 de enero de 2012 («B.O.E». 23 diciembre).

Disposición adicional duodécima *Cómputo de plazos*

Los plazos establecidos por días en esta Ley se entenderán referidos a días naturales, salvo que en la misma se indique expresamente que sólo deben computarse los días hábiles. No obstante, si el último día del plazo fuera inhábil, éste se entenderá prorrogado al primer día hábil siguiente.

Concordancias a todo el artículo

➡ **Concordancias normativas**

DA 15.ª de la LCSP 30/2007 y artículo 76 del TRLCAP RDL 2/2000.

⊠ **Consultas**

• **En las penalidades por demora en la ejecución del contrato el cómputo de plazos se entiende por días naturales, salvo que se indique expresamente lo contrario.**

En el caso de imponer las penalidades por demora en la ejecución de un contrato de obras ¿Han en entenderse los días hábiles o naturales?

[30/11/2007 EC 3546/2007]

Contestación

El art. 95.3 del Texto Refundido de la Ley de Contratos de las Administraciones Públicas (TR LCAP), aprobado por Real Decreto Legislativo 2/2000, de 16 de junio (EC 2287/2000) únicamente indica que en caso de demora en la ejecución del contrato e incumplimiento del plazo total, la administración podrá optar indistintamente por la resolución o por la imposición de penalidades diarias al contratista, en la proporción de 0,12 por cada 601,01 euros. La referencia temporal no lleva ningún tipo de especificación.

Tampoco hace ninguna otra puntualización. Por ejemplo, el art. 99.4 TR LCAP al regular la obligación de la administración de abonar intereses de demora al contratista por el retraso en el pago de los documentos acreditativos de la realización del contrato sólo indica que se abone a partir del cumplimiento del plazo de dos meses desde la expedición de dicha documentación.

Tanto en uno como en otro caso se deberá aplicar la regla general recogida en el art. 76 TR LCAP, que determina que salvo que se indique expresamente en la ley que los días son hábiles, los plazos se entenderán referidos a días naturales.

A favor de esta interpretación, además de la analogía de otros casos de la ley, como el referido, debe tenerse en cuenta que el plazo de ejecución incumplido del contrato de obras, que se estableció en el PCAP y que se aceptó por el adjudicatario al firmar el contrato (o en su caso mejoró, si se dio tal posibilidad a los licitadores) quedó referido a días naturales. Para controlar su cumplimiento se han estado computado tanto hábiles como festivos, y por ello en el de demora debe seguirse el mismo régimen de cómputo que se venía realizando para vigilar el cumplimiento, siendo la demora por días naturales y la sanción también por ellos.

La diferencia de utilizar uno u otro sistema de cómputo serían los días festivos o inhábiles, que no se incluirían para determinar la sanción a abonar, siendo esta por ello de un importe menor al que corresponde.

Añadimos además que el cómputo de días hábiles tampoco es unívoco, sino que depende del ámbito administrativo en el que nos movemos. Así, en el derecho procesal español y tras la última reforma operada en este sentido por la LOPJ, que los sábados son inhábiles a efectos procesales, es decir, deben ser excluidos del cómputo para la realización de cualquier acto procesal. Esta disposición se extiende a todos los órdenes jurisdiccionales, excepto para la instrucción de los procedimientos penales, en que serán hábiles todos los días del año, incluyendo domingos y festivos. No es ésta, sin embargo, la regla de la Ley 30/1992, de 26 de noviembre reguladora del régimen jurídico de las Administraciones Públicas y del procedimiento administrativo común.

Existiendo en el mismo cuerpo normativo que el art. 95.3 TR LCAP una norma específica, el art. 76 TR LCAP, en relación con el cómputo de plazos, su aplicación ha de realizarse sin más interpretación.

La nueva Ley 30/2007, de 30 de octubre, de Contratos del Sector Público (EC 3697/2007), que entrará en vigor en un plazo de seis meses, regula este tema en similares términos a los actuales en el art. 196.4, utilizando el mismo concepto de «penalidades diarias», siendo la disposición adicional decimoquinta la que es equivalente al art. 76 TR LCAP, al entender que los plazos establecidos por días deben entenderse referidos a naturales salvo que en la misma se indique expresamente que solo deben computar los naturales.

Únicamente añadir que el Informe 4/04, de 12 de marzo de 2004 de la JCCA sobre aplicación de penalidades por demora en la ejecución y valoración de las causas, en relación con un contrato de obras en el que existió reducción de plazo porque así se valoraba como criterio de adjudicación, concluye que el mero retraso en la ejecución, constatando que cumplido dicho plazo el contrato se encuentra sin ejecutar, y el contratista no puede probar que la demora no le es imputable (la lluvia como determinante de la falta de imputabilidad ha de señalarse que supuestos normales de lluvia, teniendo en cuenta la zona geográfica y período del año en que se producen, no deben dar lugar a la exclusión de la imputabilidad al contratista, que deberá prever estos fenómenos al realizar su oferta y, sobre todo, al ofrecer como mejora la reducción del plazo de ejecución del contrato), procede la imposición de penalidades, de acuerdo al art. 95.3 TR LCAP.

Disposición adicional decimotercera *Referencias al Impuesto sobre el Valor Añadido*

Las referencias al Impuesto sobre el Valor Añadido deberán entenderse realizadas al Impuesto General Indirecto Canario o al Impuesto sobre la Producción, los Servicios y la Importación, en los territorios en que rijan estas figuras impositivas.

➡ Concordancias normativas

Artículo 76.1 y DA 16.ª de la LCSP 30/2007 y artículo 77 del TRLCAP RDL 2/2000.

Disposición adicional decimocuarta *Espacio Económico Europeo*

Las referencias a Estados miembros de la Unión Europea contenidas en esta Ley se entenderá que incluyen a los Estados signatarios del Acuerdo sobre el Espacio Económico Europeo.

➡ Concordancias normativas

DA 17.ª de la LCSP 30/2007.

Disposición adicional decimoquinta *Normas relativas a los medios de comunicación utilizables en los procedimientos regulados en esta Ley*

1. Las comunicaciones e intercambios de información que deban efectuarse en los procedimientos regulados en esta Ley podrán hacerse, de acuerdo con lo que establezcan los órganos de contratación o los órganos a los que corresponda su resolución, por correo, por telefax, o por medios electrónicos, informáticos o telemáticos. Las solicitudes de participación

en procedimientos de adjudicación podrán también hacerse por teléfono, en el caso y en la forma previstos en el apartado 4 de esta disposición adicional.

2. Para que puedan declararse admisibles, los medios de comunicación deberán estar disponibles de forma general y, por tanto, de su uso no debe derivarse ninguna restricción al acceso de los empresarios e interesados a los correspondientes procedimientos.

3. Las comunicaciones, los intercambios y el almacenamiento de información se realizarán de modo que se garantice la protección de la integridad de los datos y la confidencialidad de las ofertas y de las solicitudes de participación, así como que el contenido de las ofertas y de las solicitudes de participación no será conocido hasta después de finalizado el plazo para su presentación o hasta el momento fijado para su apertura.

4. Los órganos de contratación podrán admitir la comunicación telefónica para la presentación de solicitudes de participación, en cuyo caso el solicitante que utilice este medio deberá confirmar su solicitud por escrito antes de que expire el plazo fijado para su recepción.

Los órganos de contratación podrán exigir que las solicitudes de participación enviadas por telefax sean confirmadas por correo o por medios electrónicos, informáticos o telemáticos, cuando ello sea necesario para su constancia. Esta exigencia deberá ser recogida en el anuncio de licitación, con indicación del plazo disponible para su cumplimentación.

5. Los medios electrónicos, informáticos y telemáticos utilizables deberán cumplir, además, los requisitos establecidos en la disposición adicional decimosexta.

⟶ **Concordancias normativas**

DA 18.ª de la LCSP 30/2007.

Disposición adicional decimosexta *Uso de medios electrónicos, informáticos y telemáticos en los procedimientos regulados en la Ley*

1. El empleo de medios electrónicos, informáticos y telemáticos en los procedimientos contemplados en esta Ley se ajustará a las normas siguientes:

a) Los medios electrónicos, informáticos y telemáticos utilizables deberán ser no discriminatorios, estar a disposición del público y ser compatibles con las tecnologías de la información y de la comunicación de uso general.

b) La información y las especificaciones técnicas necesarias para la presentación electrónica de las ofertas y solicitudes de participación deberán estar a disposición de todas las partes interesadas, no ser discriminatorios y ser conformes con estándares abiertos, de uso general y amplia implantación.

c) Los programas y aplicaciones necesarios para la presentación electrónica de las ofertas y solicitudes de participación deberán ser de amplio uso, fácil acceso y no discriminatorios, o deberán ponerse a disposición de los interesados por el órgano de contratación.

d) Los sistemas de comunicaciones y para el intercambio y almacenamiento de información deberán poder garantizar de forma razonable, según el estado de la técnica, la integridad de los datos transmitidos y que sólo los órganos competentes, en la fecha señalada para ello, puedan tener acceso a los mismos, o que en caso de quebrantamiento de esta prohibición de acceso, la violación pueda detectarse con claridad. Estos sistemas deberán asimismo ofrecer suficiente seguridad, de acuerdo con el estado de la técnica, frente a los virus informáticos y otro tipo de programas o códigos nocivos, pudiendo establecerse reglamentariamente otras medidas que, respetando los principios de confidencialidad e integridad de las ofertas e igualdad entre los licitadores, se dirijan a minimizar su incidencia en los procedimientos.

e) Las aplicaciones que se utilicen para efectuar las comunicaciones, notificaciones y envíos documentales entre el licitador o contratista y el órgano de contratación deben poder acreditar la fecha y hora de su emisión o recepción, la integridad de su contenido y el remitente y destinatario de las mismas. En especial, estas aplicaciones deben garantizar que se deja constancia de la hora y la fecha exactas de la recepción de las proposiciones o de las solicitudes de participación y de cuanta documentación deba presentarse ante el órgano de contratación.

f) Todos los actos y manifestaciones de voluntad de los órganos administrativos o de las empresas licitadoras o contratistas que tengan efectos jurídicos y se emitan tanto en la fase preparatoria como en las fases de licitación, adjudicación y ejecución del contrato deben ser autenticados mediante una firma electrónica reconocida de acuerdo con la Ley 59/2003, de 19 de diciembre (LA LEY 1935/2003), de Firma Electrónica. Los medios electrónicos, informáticos o telemáticos empleados deben poder garantizar que la firma se ajusta a las disposiciones de esta norma.

g) Los licitadores o los candidatos deberán presentar los documentos, certificados y declaraciones que no estén disponibles en forma electrónica antes de que expire el plazo previsto para la presentación de ofertas o de solicitudes de participación.

h) Las referencias de esta Ley a la presentación de documentos escritos no obstarán a la presentación de los mismos por medios electrónicos. En los procedimientos de adjudicación de contratos, el envío por medios electrónicos de las ofertas podrá hacerse en dos fases, transmitiendo primero la firma electrónica de la oferta, con cuya recepción se considerará efectuada su presentación a todos los efectos, y después la oferta propiamente dicha en un plazo máximo de 24 horas; de no efectuarse esta segunda remisión en el plazo indicado, se considerará que la oferta ha sido retirada. Las copias electrónicas de los documentos que deban incorporarse al expediente, autenticadas con la firma electrónica reconocida del órgano administrativo habilitado para su recepción surtirán iguales efectos y tendrán igual valor que las copias compulsadas de esos documentos.

i) Los formatos de los documentos electrónicos que integran los expedientes de contratación deberán ajustarse a especificaciones públicamente disponibles y de uso no sujeto a restricciones, que garanticen la libre y plena accesibilidad a los mismos por el órgano de contratación, los órganos de fiscalización y control, los órganos jurisdiccionales y los interesados, durante el plazo por el que deba conservarse el expediente. En los procedimientos de adjudicación de contratos, los formatos admisibles deberán indicarse en el anuncio o en los pliegos.

j) Como requisito para la tramitación de procedimientos de adjudicación de contratos por medios electrónicos, los órganos de contratación podrán exigir a los licitadores la previa inscripción en el Registro Oficial de Licitadores y Empresas Clasificadas que corresponda de los datos a que se refieren las letras a) a d) del artículo 328.1.

2. Ajustándose a los requisitos establecidos en el apartado anterior y a los señalados en las normas que regulen con carácter general su

uso en el tráfico jurídico, las disposiciones de desarrollo de esta Ley establecerán las condiciones en que podrán utilizarse facturas electrónicas en la contratación del sector público.

3. En cumplimiento del principio de transparencia en la contratación y de eficacia y eficiencia de la actuación administrativa, se fomentará y preferirá el empleo de medios electrónicos, informáticos y telemáticos en los procedimientos contemplados en esta Ley por parte de los licitadores o los candidatos. En todo caso en el ámbito de la Administración General del Estado y los organismos públicos vinculados o dependientes de ésta, dichos medios deberán estar disponibles en relación con la totalidad de los procedimientos de contratación de su competencia.

4. Las comunicaciones entre los órganos competentes para la resolución de los recursos o de las reclamaciones y los órganos de contratación o las Entidades Contratantes, se harán, siempre que sea posible, por medios informáticos, electrónicos o telemáticos.

Las notificaciones a los recurrentes y demás interesados intervinientes en los procedimientos de recurso se harán por los medios establecidos en la Ley 30/1992, de 26 de noviembre (LA LEY 3279/1992). No obstante, cuando el recurrente hubiese admitido las notificaciones por medios informáticos, electrónicos o telemáticos durante la tramitación del procedimiento de adjudicación, en el caso de que hubiese intervenido en él, y, en todo caso, cuando lo solicitara en el escrito de interposición del recurso, las notificaciones se le efectuarán por estos medios.

➡ **Concordancias normativas**

DA 19.ª de la LCSP 30/2007.

Número 3 de la disposición adicional decimosexta introducido por el apartado treinta y seis del artículo primero de la Ley 34/2010, de 5 de agosto, de modificación de las Leyes 30/2007, de 30 de octubre, de Contratos del Sector Público, 31/2007, de 30 de octubre, sobre procedimientos de contratación en los sectores del agua, la energía, los transportes y los servicios postales, y 29/1998, de 13 de julio, reguladora de la Jurisdicción Contencioso-Administrativa para adaptación a la normativa comunitaria de las dos primeras («B.O.E». 9 agosto).

Véase D [CASTILLA-LA MANCHA] 54/2011, 17 mayo, por el que se regula la utilización de medios electrónicos y se establecen medidas de organización y de mejora de la transparencia en la contratación del Sector Público de la Junta de Comunidades de Castilla-La Mancha («D.O.C.M». 20 mayo).

Véase D [GALICIA] 3/2010, 8 enero, por el que se regula la factura electrónica y la utilización de medios electrónicos, informáticos y telemáticos en materia de contratación pública de la Administración de la Comunidad Autónoma de Galicia y entes del sector público dependientes de la misma («D.O.G». 25 enero).

Véase D [COMUNIDAD DE MADRID] 62/2009, 25 junio, del Consejo de Gobierno, por el que se regula la utilización de medios electrónicos, informáticos y telemáticos en la contratación pública de la Comunidad de Madrid («B.O.C.M». 30 junio).

Véase D [CATALUÑA] 96/2004, 20 de enero, por el que se regula la utilización de los medios electrónicos, informáticos y telemáticos en la contratación de la Administración de la Generalidad. («D.O.G.C». 23 enero)

Disposición adicional decimoséptima *Sustitución de letrados en las Mesas de contratación*

Para las Entidades gestoras y Servicios comunes de la Seguridad Social podrán establecerse reglamentariamente los supuestos en que formarán parte de la Mesa de contratación letrados habilitados específicamente para ello en sustitución de quienes tengan atribuido legal o reglamentariamente el asesoramiento jurídico del órgano de contratación.

Concordancias a todo el artículo

➡ **Concordancias normativas**

DA 20.ª de la LCSP 30/2007 y DA 13.ª del TRLCAP RDL 2/2000.

☞ **Concordancias Jurisprudenciales**

Audiencia Nacional, Sala de lo Contencioso-administrativo, Sección 5.ª, Sentencia de 14 Jul. 2010, rec. 537/2007

RESPONSABILIDAD DE LA ADMINISTRACIÓN DEL ESTADO. Ministerio de Defensa. Improcedencia de indemnización por daños causados como consecuencia de la asistencia sanitaria prestada por un centro hospitalario de una entidad médica concertada. La responsabilidad de la Administración solo se impone cuando los daños deriven de manera inmediata y directa de una orden de la Administración, modulando así la responsabilidad de la Administración en razón de la intervención de un contratista. Inexistencia de infracción a «lex artis ad hoc», en las operaciones de reanimación del nacido. No se ha acreditado que la Clínica no disponga de los recursos técnicos y humanos necesarios para la atención al parto, así como para la atención del recién nacido, sin perjuicio de que existan centros especializados en el tratamiento de neonatales, lo que no implica que aquellos hospitales y clínicas que carezcan de este servicio médico, se vean imposibilitadas de atender partos.

Disposición adicional decimoctava *Garantía de accesibilidad para personas con discapacidad*

En el ámbito de la contratación pública, la determinación de los medios de comunicación admisibles, el diseño de los elementos instrumentales y la implantación de los trámites procedimentales, deberán realizarse teniendo en cuenta criterios de accesibilidad universal y de diseño para todos, tal y como son definidos estos términos en la Ley 51/2003, de 2 de diciembre (LA LEY 1828/2003), de Igualdad de Oportunidades, no Discriminación y Accesibilidad Universal de las Personas con Discapacidad.

➡ Concordancias normativas

DA 21.ª de la LCSP 30/2007.

Disposición adicional decimonovena *Responsabilidad de las autoridades y del personal al servicio de las Administraciones Públicas*

1. La responsabilidad patrimonial de las autoridades y del personal al servicio de las Administraciones Públicas derivada de sus actuaciones en materia de contratación administrativa, tanto por daños causados a particulares como a la propia Administración, se exigirá con arreglo a lo dispuesto en el Título X de la Ley 30/1992, de 26 de noviembre (LA LEY 3279/1992), y en el Real Decreto 429/1993, de 26 de marzo (LA LEY 1636/1993), por el que se aprueba el Reglamento de los procedimientos de las Administraciones Públicas en materia de responsabilidad patrimonial.

2. La infracción o aplicación indebida de los preceptos contenidos en la presente Ley por parte del personal al servicio de las Administraciones Públicas, cuando mediare al menos negligencia grave, constituirá falta muy grave cuya responsabilidad disciplinaria se exigirá conforme a la normativa específica en la materia.

Concordancias a todo el artículo

➡ Concordancias normativas

DA 22.ª de la LCSP 30/2007 y DA 5.ª del TRLCAP RDL 2/2000.

📖 Doctrina

«Procedimiento y orden jurisdiccional competente para conocer de las reclamaciones de los daños derivados de la ejecución del contrato de concesión de obra pública». Alonso García, María Consuelo; Puerta Seguido, Francisco. Esta doctrina forma parte del libro *El contrato de concesión de obras públicas en la Ley de Contratos del Sector Público*, edición n.º 1, Editorial LA LEY, Madrid, febrero 2009.

Disposición adicional vigésima *Conciertos para la prestación de asistencia sanitaria y farmacéutica celebrados por la Mutualidad de Funcionarios Civiles del Estado, la Mutualidad General Judicial y el Instituto Social de las Fuerzas Armadas*

1. Los conciertos que tengan por objeto la prestación de servicios de asistencia sanitaria y farmacéutica y que, para el desarrollo de su acción protectora, celebren la Mutualidad de Funcionarios Civiles del Estado y el Instituto Social de las Fuerzas Armadas con entidades públicas, entidades aseguradoras, sociedades médicas, colegios farmacéuticos y otras entidades o empresas, cualquiera que sea su importe y modalidad, tendrán la naturaleza de contratos de gestión de servicio público regulándose por la normativa especial de cada mutualidad y, en todo lo no previsto por la misma, por la legislación de contratos del sector público.

☞ Concordancias Jurisprudenciales

Audiencia Nacional, Sala de lo Contencioso-administrativo, Sección 5.ª, Sentencia de 15 Jun. 2011, rec. 1113/2009

RESPONSABILIDAD DE LAS ADMINISTRACIONES PÚBLICAS. Administración del Estado. Ministerio de Defensa. Improcedencia de indemnización por daños derivados de dfectuosa asistencia sanitaria por una entidad médica con la que el ISFAS, de cuyo régimen sanitario es beneficiario el interesado, ha suscrito el oportuno concierto para la prestación de dicha asistencia. Los conciertos del tipo del que trae causa la asistencia prestada se encuadran en el régimen del contrato de gestión de servicio público, excluyendo la responsabilidad de la Administración, por ser atribuible el daño a la conducta y actuación directa del contratista en la ejecución del contrato bajo su responsabilidad.

2. Los conciertos que la Mutualidad General Judicial celebre para la prestación de servicios de asistencia sanitaria y farmacéutica con entidades públicas, entidades aseguradoras, sociedades médicas, colegios farmacéuticos y otras entidades o empresas, y que sean precisos para el desarrollo de su acción protectora, se convendrán de forma directa entre la Mutualidad y la Entidad correspondiente, previo informe de la Abogacía del Estado del Ministerio de Justicia y de la Intervención Delegada en el Organismo.

Concordancias a todo el artículo

➡ **Concordancias normativas**

DA 23.ª de la LCSP 30/2007.

Disposición adicional vigésima redactada por el número nueve de la disposición final primera de la Ley 24/2011, de 1 de agosto, de contratos del sector público en los ámbitos de la defensa y de la seguridad («B.O.E». 2 agosto).

☞ **Concordancias Jurisprudenciales**

Audiencia Nacional, Sala de lo Contencioso-administrativo, Sección 5.ª, Sentencia de 16 Feb. 2011, rec. 527/2009

RESPONSABILIDAD DE LAS ADMINISTRACIONES PÚBLICAS. Administración sanitaria. Improcedencia de indemnización de daños y perjuicios por defectuosa asistencia sanitaria en una entidad médica con la que el ISFAS, de cuyo régimen sanitario es beneficiario, ha suscrito el oportuno concierto. Los conciertos del tipo del que trae causa la asistencia prestada, celebrado entre el Instituto Social de las Fuerzas Armadas y la entidad de seguros, se encuadran en el régimen del contrato de gestión de servicio público, excluyendo la responsabilidad de la Administración, por ser atribuible el daño a la conducta y actuación directa del contratista en la ejecución del contrato bajo su responsabilidad.

Audiencia Nacional, Sala de lo Contencioso-administrativo, Sección 1.ª, Sentencia de 24 Oct. 2011, rec. 800/2009

RESPONSABILIDAD DE LAS ADMINISTRACIONES PÚBLICAS. Administración autonómica. Asistencia sanitaria. Procedencia de indemnización por no detectar el síndrome de Down que padece la hija de los interesados, por la realización errónea de prueba citogenética tendente al diagnóstico de dicha malformación. Daño moral consistente en no haber conocido la patología en un momento lo suficientemente temprano como para decidir poner fin legalmente al embarazo, por la pérdida de oportunidad. Indemnización por la lesión puramente económica consistente en el notablemente mayor coste de criar a una hija con síndrome de Down. Responsabilidad solidaria de la entidad aseguradora médica y del Hospital por la actuación médica.

Disposición adicional vigésima primera *Contratos incluidos en los ámbitos de la defensa y de la seguridad*

La preparación, selección y adjudicación de los contratos comprendidos en el ámbito de aplicación de la Ley 24/2011, de 1 de agosto (LA LEY 15915/2011), de Contratos del Sector Público en los ámbitos de la Defensa y de la Seguridad, así como las normas reguladoras del régimen de la subcontratación establecido en la misma, en primer lugar se regirán por ella y supletoriamente por la presente Ley.

➡ **Concordancias normativas**

DA 24.ª de la LCSP 30/2007.

Disposición adicional vigésimo primera redactada por el número nueve de la disposición final primera de la Ley 24/2011, de 1 de agosto, de contratos del sector público en los ámbitos de la defensa y de la seguridad («B.O.E». 2 agosto).

Disposición adicional vigésima segunda *Régimen de contratación de ciertos Organismos*

1. El régimen de contratación de la Sociedad Estatal de Participaciones Industriales, el ente público Puertos del Estado y las Autoridades Portuarias será el establecido en esta Ley para las entidades públicas empresariales.

2. Las instrucciones reguladoras de los procedimientos de contratación de las Autoridades Portuarias y Puertos del Estado serán elaboradas y aprobadas por el Ministro de Fomento, previo informe de la Abogacía del Estado.

3. En los contratos a que se refiere el artículo 16.2 de la Ley 46/2003, de 25 de noviembre (LA LEY 1768/2003), Reguladora del Museo Nacional del Prado, esta entidad aplicará las normas previstas en esta Ley para los contratos de poderes adjudicadores que no tengan el carácter de Administraciones Públicas. Estos contratos no tendrán carácter de contratos administrativos.

➡ **Concordancias normativas**

DA 25.ª de la LCSP 30/2007.

Véase artículo 98 de la presente Ley.

Disposición adicional vigésima tercera *Prácticas contrarias a la libre competencia*

Los órganos de contratación, la Junta Consultiva de Contratación Administrativa del Estado y los órganos competentes para resolver el recursos especial a que se refiere el artículo 40 de esta Ley notificarán a la Comisión Nacional de la Competencia cualesquiera hechos de los que tengan conocimiento en el ejercicio de sus funciones que puedan constituir infracción a la legislación de defensa de la competencia. En particular, comunicarán cualquier indicio de acuerdo, decisión o recomendación colectiva, o práctica concertada o conscientemente paralela entre los licitadores, que tenga por objeto, produzca o pueda producir el efecto de impedir, restringir o falsear la competencia en el proceso de contratación.

➡ **Concordancias normativas**

DA 27.ª de la LCSP 30/2007.

Disposición adicional vigésimo tercera redactada por el apartado treinta y siete del artículo primero de la Ley 34/2010, de 5 de agosto, de modificación de las Leyes 30/2007, de 30 de octubre, de Contratos del Sector Público, 31/2007, de 30 de octubre, sobre procedimientos de contratación en los sectores del agua, la energía, los transportes y los servicios postales, y 29/1998, de 13 de julio, reguladora de la Jurisdicción Contencioso-Administrativa para adaptación a la normativa comunitaria de las dos primeras («B.O.E». 9 agosto).

Disposición adicional vigésima cuarta *Prestación de asistencia sanitaria en situaciones de urgencia*

1. En los contratos relativos a la prestación de asistencia sanitaria en supuestos de urgencia y por importe inferior a 30.000 euros, no serán de aplicación las disposiciones de esta Ley relativas a la preparación y adjudicación del contrato.

2. Para proceder a la contratación en estos casos bastará que, además justificarse la urgencia, se determine el objeto de la prestación, se fije el precio a satisfacer por la asistencia y se designe por el órgano de contratación la empresa a la que corresponderá la ejecución.

➡ **Concordancias normativas**

DA 29.ª de la LCSP 30/2007.

Disposición adicional vigésima quinta *Régimen jurídico de la «Empresa de Transformación Agraria, Sociedad Anónima» (TRAGSA), y de sus filiales*

1. El grupo de sociedades mercantiles estatales integrado por la «Empresa de Transformación Agraria, Sociedad Anónima» (TRAGSA), y las sociedades cuyo capital sea íntegramente de titularidad de ésta, tiene por función la prestación de servicios esenciales en materia de desarrollo rural, conservación del medioambiente, atención a emergencias, y otros ámbitos conexos, con arreglo a lo establecido en esta disposición.

Disposición adicional vigésima quinta *Régimen jurídico de la «Empresa de Transformación Agraria, Sociedad Anónima» (TRAGSA), y de sus filiales*

1. El grupo de sociedades mercantiles estatales integrado por la «Empresa de Transformación Agraria, Sociedad Anónima» (TRAGSA), y las sociedades cuyo capital sea íntegramente de titularidad de ésta, tiene por función la prestación de servicios esenciales en materia de desarrollo rural, conservación del medioambiente, atención a emergencias, y otros ámbitos conexos, con arreglo a lo establecido en esta disposición.

2. TRAGSA y sus filiales integradas en el grupo definido en el apartado anterior tienen la consideración de medios propios instrumentales y servicios técnicos de la Administración General del Estado, las Comunidades Autónomas y los poderes adjudicadores dependientes de ellas, estando obligadas a realizar, con carácter exclusivo, los trabajos que éstos les encomienden en las materias señaladas en los apartados 4 y 5, dando una especial prioridad a aquéllos que sean urgentes o que se ordenen como consecuencia de las situaciones de emergencia que se declaren. De acuerdo con esta obligación, los bienes y efectivos de TRAGSA y sus filiales podrán incluirse en los planes y dispositivos de protección civil y de emergencias.

Las relaciones de las sociedades del grupo TRAGSA con los poderes adjudicadores de los que son medios propios instrumentales y servicios técnicos tienen naturaleza instrumental y no contractual, articulándose a través de encomiendas de gestión de las previstas en el artículo 24.6 de esta Ley, por lo que, a todos los efectos, son de carácter interno, dependiente y subordinado.

La comunicación efectuada por uno de estos poderes adjudicadores encargando una actuación a alguna de las sociedades del grupo supondrá la orden para iniciarla.

3. El capital social de TRAGSA será íntegramente de titularidad pública.

Las Comunidades Autónomas podrán participar en el capital social de TRAGSA mediante la adquisición de acciones, cuya enajenación será autorizada por el Ministerio de Economía y Hacienda, a iniciativa del Ministerio de Medio Ambiente, Medio Rural y Marino. Las Comunidades Autónomas sólo podrán enajenar sus participaciones a favor de la Administración General del Estado o de organismos de derecho público vinculados o dependientes de aquélla.

4. Las sociedades del grupo TRAGSA prestarán, por encargo de los poderes adjudicadores de los que son medios propios instrumentales, las siguientes funciones:

a) La realización de todo tipo de actuaciones, obras, trabajos y prestación de servicios agrícolas, ganaderos, forestales, de desarrollo rural, de conservación y protección del medio natural y medioambiental, de acuicultura y de pesca, así como los necesarios para el mejor uso y gestión de los recursos naturales, y para la mejora de los servicios y recursos públicos, incluida la ejecución de obras de conservación o enriquecimiento del Patrimonio Histórico Español en el medio rural, al amparo de lo establecido en el artículo 68 de la Ley 16/1985, de 25 de junio, del Patrimonio Histórico Español (LA LEY 1629/1985).

b) La actividad agrícola, ganadera, animal, forestal y de acuicultura y la comercialización de sus productos, la administración y la gestión de fincas, montes, centros agrarios, forestales, medioambientales o de conservación de la naturaleza, así como de espacios y de recursos naturales.

c) La promoción, investigación, desarrollo, innovación, y adaptación de nuevas técnicas, equipos y sistemas de carácter agrario, forestal, medioambiental, de acuicultura y pesca, de protección de la naturaleza y para el uso sostenible de sus recursos.

d) La fabricación y comercialización de bienes muebles para el cumplimiento de sus funciones.

e) La prevención y lucha contra las plagas y enfermedades vegetales y animales y contra los incendios forestales, así como la realización de obras y tareas de apoyo técnico de carácter urgente.

f) La financiación, en los términos que se establezcan reglamentariamente, de la construcción o de la explotación de infraestructuras agrarias, medioambientales y de equipamientos de núcleos rurales, así como la constitución de sociedades y la participación en otras ya constituidas, que tengan fines relacionados con el objeto social de la empresa.

g) La planificación, organización, investigación, desarrollo, innovación, gestión, administración y supervisión de cualquier tipo de servicios ganaderos, veterinarios, de seguridad y sanidad animal y alimentaria.

h) La recogida, transporte, almacenamiento, transformación, valorización, gestión y eliminación de productos, subproductos y residuos de origen animal, vegetal y mineral.

i) La realización de tareas o actividades complementarias o accesorias a las citadas anteriormente.

Las sociedades del grupo TRAGSA también estarán obligadas a satisfacer las necesidades de los poderes adjudicadores de los que son medios propios instrumentales en la consecución de sus objetivos de interés público mediante la realización, por encargo de los mismos, de la planificación, organización, investigación, desarrollo, innovación, gestión, administración y supervisión de cualquier tipo de asistencias y servicios técnicos en los ámbitos de actuación señalados en el apartado anterior, o mediante la adaptación y aplicación de la experiencia y conocimientos desarrollados en dichos ámbitos a otros sectores de la actividad administrativa.

Asimismo, las sociedades del grupo TRAGSA estarán obligadas a participar y actuar, por encargo de los poderes adjudicadores de los que son medios propios instrumentales, en tareas de emergencia y protección civil de todo tipo, en especial, la intervención en catástrofes medioambientales o en crisis o necesidades de carácter agrario, pecuario o ambiental; a desarrollar tareas de prevención de riesgos y emergencias de todo tipo; y a realizar actividades de formación e información pública en supuestos de interés público y, en especial, para la prevención de riesgos, catástrofes o emergencias.

5. Las sociedades del grupo TRAGSA podrán realizar actuaciones de apoyo y servicio institucional a la cooperación española en el ámbito internacional.

6. Las sociedades del grupo TRAGSA no podrán participar en los procedimientos para la adjudicación de contratos convocados por los poderes adjudicadores de los que sea medio propio. No obstante, cuando no concurra ningún licitador podrá encargarse a estas sociedades la ejecución de la actividad objeto de licitación pública.

En el supuesto de que la ejecución de obras, la fabricación de bienes muebles o la prestación de servicios por las sociedades del grupo se lleve a cabo con la colaboración de empresarios particulares, el importe de la parte de prestación a cargo de éstos deberá ser inferior al 50 por 100 del importe total del proyecto, suministro o servicio.

7. El importe de las obras, trabajos, proyectos, estudios y suministros realizados por medio del grupo TRAGSA se determinará aplicando a las unidades ejecutadas las tarifas correspondientes. Dichas tarifas se calcularán de manera que representen los costes reales de realización y su aplicación a las unidades producidas servirá de justificante de la inversión o de los servicios realizados.

La elaboración y aprobación de las tarifas se realizará por las Administraciones de las que el grupo es medio propio instrumental, con arreglo al procedimiento establecido reglamentariamente.

8. A los efectos de la aplicación de la presente Ley, las sociedades integradas en el grupo TRAGSA tendrán la consideración de poderes adjudicadores de los previstos en el artículo 3.3.

Concordancias a todo el artículo

➡ **Concordancias normativas**

DA 30.ª de la LCSP 30/2007.

Véase el R.D. 1072/2010, de 20 de agosto, por el que se desarrolla el régimen jurídico de la Empresa de Transformación Agraria, Sociedad Anónima, y de sus filiales («B.O.E». 8 septiembre).

☞ **Concordancias Jurisprudenciales**

Tribunal Superior de Justicia de Castilla y León de Valladolid, Sala de lo Social, Sentencia de 6 Jul. 2011, rec. 816/2011

CESIÓN DE TRABAJADORES. Inexistencia de cesión ilegal. Cesión de trabajadores entre sujetos públicos que cooperan entre sí. Delimitación del ámbito de la cesión de trabajadores frente a las contratas, cuya licitud, como forma de descentralización productiva, reconoce el artículo 42 ET. Empresa estatal filial de otra, también sociedad mercantil estatal incluida en el patrimonio empresarial de la Administración General del Estado, que se relacionan a través de encomiendas de gestión. La empleadora para la prestación de servicios encomendados pone en juego su organización y medios materiales propios y ejerce los poderes propios de un empresario, por lo que no se dan los elementos precisos para que se considere que se ha producido una cesión ilegal de mano de obra.

Tribunal Administrativo Central de Recursos Contractuales, Resolución de 9 Feb. 2011, rec. 064/2010

CONTRATO ADMINISTRATIVO DE SERVICIOS. Adjudicación de contrato relativo a «Servicio de destrucción de subproductos de origen animal clasificados como material de categoría I, procedentes de la Comunidad Autónoma de Castilla-La Mancha». Temeridad de la oferta presentada. RECURSO ESPECIAL EN MATERIA DE CONTRATACIÓN. Desestimación. No ha quedado acreditado que la adjudicataria no esté en condiciones de ejecutar el contrato en los términos de la proposición presentada. Simplemente se ha tratado de acreditar vía costes de producción que la oferta de la adjudicataria es inferior al coste de prestación del servicio. Pero aun admitiendo que la forma normal de actuar en el mundo empresarial no es hacerlo presumiendo que se sufrirán pérdidas como consecuencia de una determinada operación, es claro también que entre las motivaciones del empresario para emprender un determinado negocio no sólo se contemplan las específicas de ese negocio concreto, sino que es razonable admitir que para establecer el resultado de cada contrato, se haga una evaluación conjunta con los restantes negocios celebrados por la empresa y que, analizado desde esta perspectiva, pueda apreciarse que produce un resultado favorable.

✍ **Informes de la Junta Consultiva de Contratación Administrativa**

Informe 7/2007, de 21 de abril de 2008, de la Junta Superior de Contratación Administrativa de la Generalidad Valenciana, relativo a la aplicación del sistema de tarifas para la retribución de la ejecución de las prestaciones encomendadas a las empresas públicas en cuanto medio propio y servicio técnico de la Generalitat

Informe 7/2007, de 21 de abril de 2008, de la Junta Superior de Contratación Administrativa de la Generalitat Valenciana, sobre aplicación del sistema de tarifas para la retribución de la ejecución de las prestaciones encomendadas a las empresas públicas en cuanto medio propio y servicio técnico de la Generalitat. El informe tiene carácter no vinculante.

Disposición adicional vigésima sexta *Protección de datos de carácter personal*

1. Los contratos regulados en la presente Ley que impliquen el tratamiento de datos de carácter personal deberán respetar en su integridad la Ley Orgánica 15/1999, de 13 de diciembre (LA LEY 4633/1999), de Protección de Datos de Carácter Personal, y su normativa de desarrollo.

2. Para el caso de que la contratación implique el acceso del contratista a datos de carácter personal de cuyo tratamiento sea responsable la entidad contratante, aquél tendrá la consideración de encargado del tratamiento.

En este supuesto, el acceso a esos datos no se considerará comunicación de datos, cuando se cumpla lo previsto en el artículo 12.2 (LA LEY 4633/1999) y 3 de la Ley Orgánica 15/1999, de 13 de diciembre. En todo caso, las previsiones del artículo 12.2 de dicha Ley deberán de constar por escrito.

Cuando finalice la prestación contractual los datos de carácter personal deberán ser destruidos o devueltos a la entidad contratante responsable, o al encargado de tratamiento que ésta hubiese designado.

El tercero encargado del tratamiento conservará debidamente bloqueados los datos en tanto pudieran derivarse responsabilidades de su relación con la entidad responsable del tratamiento.

3. En el caso de que un tercero trate datos personales por cuenta del contratista, encargado del tratamiento, deberán de cumplirse los siguientes requisitos:

a) Que dicho tratamiento se haya especificado en el contrato firmado por la entidad contratante y el contratista.

b) Que el tratamiento de datos de carácter personal se ajuste a las instrucciones del responsable del tratamiento.

c) Que el contratista encargado del tratamiento y el tercero formalicen el contrato en los términos previstos en el artículo 12.2 de la Ley Orgánica 15/1999, de 13 de diciembre (LA LEY 4633/1999).

En estos casos, el tercero tendrá también la consideración de encargado del tratamiento.

➡ **Concordancias normativas**

DA 31.ª de la LCSP 30/2007.

Disposición adicional vigésima séptima *Agrupaciones europeas de cooperación territorial*

Las Agrupaciones europeas de cooperación territorial reguladas en el Reglamento (CE) número 1082/2006 (LA LEY 7893/2006) del Parlamento Europeo y del Consejo, de 5 de julio de 2006, cuando tengan su domicilio social en España, ajustarán la preparación y adjudicación de sus contratos a las normas establecidas en esta Ley para los poderes adjudicadores.

➡ **Concordancias normativas**

DA 32.ª de la LCSP 30/2007.

Disposición adicional vigésima octava *Adquisición Centralizada de medicamentos y productos sanitarios con miras al Sistema Nacional de Salud*

1. Mediante Orden del Ministerio de Sanidad, Política Social e Igualdad, previo informe favorable de la Dirección General del Patrimonio del Estado, se podrá declarar de adquisición centralizada los suministros de medicamentos y productos sanitarios que se contraten en el ámbito estatal por los diferentes órganos y organismos. La contratación de estos suministros deberá efectuarse a través del Ministerio de Sanidad, Política Social e Igualdad. La financiación de los correspondientes contratos correrá a cargo del organismo o entidad peticionarios. Las competencias que el artículo 206 atribuye a la Dirección General del Patrimonio del Estado y al Ministerio de Economía y Hacienda corresponderán en relación al suministro de medicamentos y productos sanitarios al Ministerio de Sanidad, Política Social e Igualdad.

Las Comunidades Autónomas y las entidades locales, así como las entidades y organismos dependientes de ellas e integradas en el Sistema Nacional de Salud, podrán adherirse al sistema de adquisición centralizada estatal de medicamentos y productos sanitarios, para la totalidad de los suministros incluidos en el mismo o sólo para determinadas categorías de ellos. La adhesión requerirá la conclusión del correspondiente acuerdo con el Ministerio de Sanidad, Política Social e Igualdad.

2. Los órganos de contratación de la Administración General del Estado, de las Comunidades Autónomas y de las entidades locales, así como las entidades y organismos dependientes de ellas e integradas en el Sistema Nacional de Salud, podrán concluir de forma conjunta acuerdos marco de los previstos en el artículo 196, con uno o varios empresarios con el fin de fijar las condiciones a que habrán de ajustarse los contratos de suministro de medicamentos y productos sanitarios que pretendan adjudicar durante un período determinado, siempre que el recurso a estos instrumentos no se efectúe de forma abusiva o de modo que la competencia se vea obstaculizada, restringida o falseada.

➡ **Concordancias normativas**

DA 34.ª de la LCSP 30/2007.

Disposición adicional vigésimo octava introducida por el artículo 13 del R.D.—ley 8/2010, de 20 de mayo, por el que se adoptan medidas extraordinarias para la reducción del déficit público («B.O.E». 24 mayo).

Disposición adicional vigésima novena *Fórmulas institucionales de colaboración entre el sector público y el sector privado*

1. Los contratos públicos y concesiones podrán adjudicarse directamente a una sociedad de economía mixta en la que concurra capital público y privado, siempre que la elección del socio privado se haya efectuado de conformidad con las normas establecidas en esta Ley para la adjudicación del contrato cuya ejecución constituya su objeto, y en su caso, las relativas al contrato de colaboración entre el sector público y el sector privado, y siempre que no se introduzcan modificaciones en el objeto y las condiciones del contrato que se tuvieron en cuenta en la selección del socio privado.

2. Sin perjuicio de la posibilidad de utilizar medios de financiación tales como emisión de obligaciones, empréstitos o créditos participativos, las sociedades de economía mixta constituidas para la ejecución de un contrato público previstas en esta disposición adicional podrán:

a) Acudir a ampliaciones de capital, siempre que la nueva estructura del mismo no modifique las condiciones esenciales de la adjudicación salvo que hubiera estado prevista en el contrato.

b) Titulizar los derechos de cobro que ostenten frente a la entidad adjudicadora del contrato cuya ejecución se le encomiende, previa autorización del órgano de contratación, cumpliendo los requisitos previstos en la normativa sobre mercado de valores.

➡ **Concordancias normativas**

DA 35.ª de la LCSP 30/2007.

Disposición adicional vigésimo novena introducida por el apartado treinta y cuatro de la disposición final decimosexta de Ley 2/2011, de 4 de marzo, de Economía Sostenible («B.O.E». 5 marzo).

Disposición adicional trigésima *Régimen de los órganos competentes para resolver los recursos de la Administración General del Estado y Entidades Contratantes adscritas a ella*

1. A medida que el número de asuntos sometidos al conocimiento y resolución del Tribunal Administrativo Central de Recursos Contractuales lo exija se podrán constituir Tribunales Administrativos Territoriales de Recursos Contractuales con sede en cada una de las capitales de Comunidad Autónoma.

Estos Tribunales tendrán competencia exclusiva para la resolución de los recursos a que se refiere el artículo 40 de esta Ley, interpuestos contra los actos de la Administración territorial del Estado o de los Organismos y Entidades dependientes del mismo que tengan competencia en todo o parte del territorio de la correspondiente Comunidad Autónoma.

El nombramiento del Presidente y los vocales de estos Tribunales se hará en los mismos términos y requisitos previstos para el del Tribunal Administrativo Central de Recursos Contractuales, si bien sólo se le exigirán diez años de antigüedad.

2. Reglamentariamente se incrementará el número de vocales que hayan de integrar los Tribunales Territoriales a medida que lo requiera el volumen de asuntos sometidos a su conocimiento.

La primera renovación de los Tribunales se hará de forma parcial a los tres años del nombramiento. A este respecto, antes de cumplirse el plazo indicado se determinará, mediante sorteo, los que deban cesar.

En cualquier caso, cesado un vocal, éste continuará en el ejercicio de sus funciones hasta que tome posesión de su cargo el que lo haya de sustituir.

➡ **Concordancias normativas**

DA 3.ª de la Ley 13/2003.

Disposición adicional trigésima primera *Autorización del Consejo de Ministros en concesiones de autopistas de competencia estatal*

Será necesaria la autorización del Consejo de Ministros para la celebración, y, en su caso, modificación y resolución de los contratos de concesión de autopistas de competencia estatal.

➡ **Concordancias normativas**

DA 7.ª.2 de la Ley 13/2003.

DISPOSICIONES TRANSITORIAS

Disposición transitoria primera *Expedientes iniciados y contratos adjudicados con anterioridad a la entrada en vigor de esta Ley*

1. Los expedientes de contratación iniciados antes de la entrada en vigor de esta Ley se regirán por la normativa anterior. A estos efectos se entenderá que los expedientes de contratación han sido iniciados si se hubiera publicado la correspondiente convocatoria del procedimiento de adjudicación del contrato. En el caso de procedimientos negociados, para determinar el momento de iniciación se tomará en cuenta la fecha de aprobación de los pliegos.

2. Los contratos administrativos adjudicados con anterioridad a la entrada en vigor de la presente Ley se regirán, en cuanto a sus efectos, cumplimiento y extinción, incluida su duración y régimen de prórrogas, por la normativa anterior.

Concordancias a todo el artículo

➡ **Concordancias normativas**

DT 1.ª de la LCSP 30/2007.

☞ **Concordancias Jurisprudenciales**

Juzgado de lo Contencioso-administrativo N.°. 2 de Zaragoza, Sentencia de 16 Mar. 2012, rec. 388/2010

CONTRATO ADMINISTRATIVO DE CONCESIÓN DE OBRAS PÚBLICAS. Anulación de la modificación de un contrato de concesión de un aparcamiento subterráneo, adjudicado en el año 1990, por incumplirse los requisitos legales para proceder a la misma. Inexistencia de interés público que la ampare. Existencia de desviación de poder al tratar el Ayuntamiento de solucionar un problema económico municipal mediante la modificación sustancial del contrato. LEGITIMACIÓN. Activa. De las mercantiles afectadas para oponerse a la modificación. Imposibilidad de negarles la legitimidad en consideración a que no participaron en el antiguo concurso. Concesión de 1990, que no se llevó a cabo y que casi 20 años después sufre una modificación muy importante, que afecta directamente a la esfera de derechos o intereses de las mercantiles recurrentes, que habían iniciado previamente los trámites para realizar un aparcamiento justo, enfrente y enfocado a la misma población que el municipal. Por el procedimiento de realizar una modificación indebida, en lugar de un nuevo concurso, se les está impidiendo oponerse a la modificación, cuando sí podrían oponerse a un nuevo concurso, de haberse declarado caducado el expediente anterior. RESPONSABILIDAD DE LAS ADMINISTRACIONES PÚBLICAS. Administración local. Inadmisión de las solicitudes de responsabilidad patrimonial. Inexistencia de nexo directo entre la modificación de la concesión, aunque haya sido antijurídica, y el daño, puesto que las mercantiles afectadas ni tienen un monopolio para hacer un aparcamiento, ni se han visto privadas de licencia para el suyo ni tampoco han probado que la renovación contractual haya llevado de modo necesario a la pérdida de financiación.

Tribunal Administrativo Central de Recursos Contractuales, Resolución de 23 Dic. 2010, rec. 034/2010

CONTRATOS ADMINISTRATIVOS. Adjudicación definitiva de contrato de seguro colectivo de accidentes para los conductores y ocupantes de los vehículos terrestres al servicio del Ejército de Tierra con seguro obligatorio de responsabilidad civil en la circulación de vehículos a motor. Oferta supuestamente anormal en lo relativo a su cuantía. RECURSO ESPECIAL EN MATERIA DE CONTRATACIÓN. Desestimación. No se acredita que el licitador que resultó adjudicatario no se encuentra en condiciones de cumplir el contrato en los términos de la proposición presentada. La apreciación de que la oferta contiene valores anormales o desproporcionados no es un fin en sí misma, sino un medio para establecer que la proposición no puede ser cumplida como consecuencia de ello y que, por tanto, no debe hacerse la adjudicación a quien la hubiera presentado. La apreciación de si es posible el cumplimiento de la proposición o no, fue consecuencia de una valoración por el órgano de contratación de los diferentes elementos que concurren en la oferta y de las características de la propia empresa licitadora, no siendo posible su aplicación automática. La adjudicación debe ser notificada a los candidatos y licitadores, y solo si lo solicitan se les facilitará información sobre «los motivos del rechazo de su candidatura o de su proposición y de las características de la proposición del adjudicatario que fueron determinantes de la adjudicación a su favor.»

Tribunal Administrativo Central de Recursos Contractuales, Resolución de 1 Dic. 2010, rec. 023/2010

CONTRATO ADMINISTRATIVO DE SERVICIOS. De transporte de personal a un centro penitenciario. Adjudicación provisional por procedimiento abierto. RECURSO ESPECIAL EN MATERIA DE CONTRATACIÓN. Inadmisión. Acto de trámite no susceptible de recurso especial en materia de contratación. Contra una adjudicación provisional sólo se puede interponer recurso cuando se trate de actos que decidan directa o indirectamente sobre la adjudicación, determinen la imposibilidad de continuar el procedimiento o produzcan indefensión o perjuicio irreparable a derechos o intereses legítimos. Determinación de la normativa aplicable al expediente de contratación por la fecha en que se ha publicado la convocatoria del procedimiento de adjudicación del contrato. El órgano de contratación no ha cumplido con el requisito de motivación de la notificación de la adjudicación provisional exigido en la Ley, y debería declararse la retroacción de las actuaciones al momento en que debió notificarse la adjudicación provisional, al objeto de que ésta se motivara adecuadamente. No obstante, en aras de la economía procesal y visto que procedería la inadmisión del recurso, el Tribunal no debe pronunciarse ordenando la retroacción del procedimiento para dar lugar a un acto, que de ser recurrido nuevamente, motivaría una resolución de inadmisión.

✍　**Informes de la Junta Consultiva de Contratación Administrativa**

Dictamen 0291/2009, de 23 de abril, del Consell Jurídic Consultiu de la Comunitat Valenciana, sobre Resolución de contrato administrativo de Ayuntamiento de Cortes de Pallás

CONTRATO ADMINISTRATIVO DE CONSULTORÍA Y ASISTENCIA TÉCNICA. Para la redacción del Plan General de Ordenación Urbana de un municipio de la CA Valenciana. Parecer favorable a la resolución del contrato, por causas imputables, en gran parte a la empresa contratista, pero también al Ayuntamiento contratante, por las demoras e inactividades producidas. No queda probado que el Ayuntamiento cumpliera con la obligación prevista en el pliego de prescripciones técnicas particulares de entregar diversa documentación al contratista para la realización del contrato, de forma total y absoluta, demostrando una conducta excesivamente pasiva. Tampoco consta cumplimiento del contrato por la contratista, que ni siquiera ha comenzado su ejecución, sea cualquiera la fecha de inicio del plazo que se fije, en cuyo extremo también existe discrepancia entre las partes. Procedente incautación de la fianza, pero en la proporción de un 10% de su importe, pues la propia Administración puede haber generado, en buena parte, la causa del retraso.

Dictamen N.º. 89/2009, de 29 de abril, del Consejo Consultivo de Castilla-La Mancha. Expediente relativo a resolución del contrato marco de suministro de reactivos para la detección genómica viral y cribado serológico suscrito con la empresa W, instruido por el Servicio de Salud de Castilla— La Mancha (SESCAM).

CONTRATO ADMINISTRATIVO DE SUMINISTROS DE MATERIAL SANITARIO. Formalización del contrato en el plazo previsto. Dictamen desfavorable a la resolución del contrato marco de suministro de reactivos para la detección genómica viral y cribado serológico instruido por el Servicio de Salud. La falta de formalización del contrato por no prestarse previamente la garantía definitiva no puede ser plenamente imputable al contratista, al no prever expresamente el Pliego la sustitución de la garantía definitiva establecida para el lote en cuestión, por ninguna otra. PRINCIPIO DE PROPORCIONALIDAD. La pretensión resolutoria no se concilia con el principio de proporcionalidad, atendiendo al interés público implicado. La resolución del contrato no tiene efecto positivo alguno, quedando reducidas las posibilidades elección de los bienes a suministrar al reducirse el número de posibles adjudicatarios de los procedimientos negociados sin publicidad. Por contra, de mantenerse el contrato los órganos de contratación dispondrán de mayor capacidad de elección y existirá mayor garantía de disponibilidad de los productos. DERECHO TRANSITORIO. Examen de la normativa aplicable al haberse publicado la licitación un día antes de la entrada en vigor de la LCSP, mientras que la adjudicación del contrato se produjo estando dicha norma plenamente vigente. Cuestión de derecho transitorio que ha de resolverse aplicando la normativa anterior, en aplicación de la Disp. Trans. 1.ª de la LCSP, en lo relativo a los actos de preparación de adjudicación, mientras que lo relativo a la ejecución, efectos y extinción del contrato ha de regirse por la norma vigente en el momento de la adjudicación, aún cuando sea distinta de la anterior. Aplicación al caso la causa resolutoria de la ley actualmente vigente.

✉ **Consultas**

• **Normativa aplicable a la modificación de los contratos**

¿Qué normativa tenemos que aplicar para modificar un contrato adjudicado con anterioridad a la entrada en vigor del TRLCSP?

[05/06/2012 EC 1313/2012]

Contestación

Tanto la disposición transitoria primera del Real Decreto Legislativo 3/2011, de 14 de noviembre (LA LEY 21158/2011) (BOE del 16), por el que se aprueba el texto refundido de la Ley de Contratos del Sector Público (TRLCSP (LA LEY 21158/2011)), como la disposición transitoria séptima de la Ley 2/2011, de 4 de marzo (BOE del 5), de Economía Sostenible (LES), disponen que su regulación se aplicará a los contratos que se adjudiquen tras su entrada en vigor. Esta previsión se incluye en el TRLCSP (LA LEY 21158/2011) pese a que la Abogacía del Estado, en su Circular 1/2011, de 7 de abril, sobre el Régimen de Modificación de los Contratos del Sector Público, había acertadamente señalado que la nueva regulación que sobre esta potestad de modificación contractual introducía la LES debió haberse aplicado, en nuestro país, al menos desde la transposición al derecho interno de las Directivas 2004/17 y 2004/18 en las Leyes 30/2007 (LA LEY 10868/2007) y 31/2007, en cuanto que la nueva regulación que aprobó la LES tenía su origen en un procedimiento abierto por la Comisión Europea contra el Reino de España por no haber incorporado a la Ley 30/2007, de 30 de octubre (LA LEY 10868/2007) (BOE del 31), de Contratos del Sector Público (LCSP), la doctrina del Tribunal de Justicia de la Unión Europea (TJUE) que limitaba la potestad de modificación contractual.

Por lo tanto, aplicando la literalidad de la norma vigente (disposición transitoria primera, apartado 2), si el contrato administrativo ha sido adjudicado con anterioridad a la entrada en vigor del TRLCSP (LA LEY

21158/2011), se regirá, en cuanto a sus efectos, cumplimiento y extinción, incluida su duración y régimen de prórrogas, por la normativa anterior.

Sin embargo, hemos de tener en cuenta que el reciente Informe de la Junta Consultiva de Contratación Administrativa de Cataluña 4/2012, de 30 de marzo, concluye que, para que pueda modificarse un contrato adjudicado bajo la vigencia del Texto Refundido de la Ley de Contratos de las Administraciones Públicas (TR LCAP), aprobado por Real Decreto Legislativo 2/2000, de 16 de junio (LA LEY 2206/2000) (BOE del 21), además de cumplir los requisitos establecidos en esa disposición, deben respetar, en todo caso, las exigencias del derecho comunitario y, en especial, los principios generales que informan la contratación pública según la doctrina jurisprudencial del Tribunal de Justicia de la Unión Europea [puede consultarse, entre otras, la Sentencia del TJUE de 22 de abril de 2010 (LA LEY 26640/2010) (LA LEY 26640/2010), que declara ilegal una modificación del contrato de la concesión de la autopista A-6 por vulnerar los principios comunitarios], incluyendo en la consideración jurídica III del informe la interpretación de este órgano consultivo en relación con los principios.

Por ello, y pese a la literalidad del régimen transitorio del TRLCSP (LA LEY 21158/2011), es posible mantener que, para modificar un contrato adjudicado con la normativa anterior a la LCSP (LA LEY 10868/2007), deberán tenerse en cuenta las limitaciones de configuración jurisprudencial realizadas por el TJUE en aplicación de la normativa comunitaria, recogidas doctrinalmente en el Informe citado, y en otros anteriores de la Junta Consultiva de Contratación Administrativa; que de manera reiterada ha puesto de manifiesto el carácter restrictivo que debe tener esta potestad administrativa a la luz de los principios comunitarios, cuya infracción puede invocarse ante el TJUE.

Tanto los tribunales nacionales como el TJUE han hecho uso en numerosas ocasiones de esos principios, anulando las modificaciones contractuales que suponían, de facto, una alteración «sustancial» de un contrato; por considerar que suponen una vulneración de los principios de «libertad de competencia», «igualdad de trato» y «trasparencia» que deben presidir la contratación pública. Limitaciones que han quedado recogidas en los arts. 105 (LA LEY 21158/2011) a 108 del TRLCSP (LA LEY 21158/2011); que se han redactado teniendo en cuenta la doctrina consolidada tanto del TJUE, como del TS y de la JCCA sobre modificaciones contractuales.

Esta postura, fundamentada en la doctrina jurisprudencial española y comunitaria, se mantenía ya por el coordinador de este número especial José Manuel Martínez Fernández, en su trabajo «Las modificaciones contractuales. La potestad de modificación de los contratos administrativos y su regulación en el TRLCAP (LA LEY 2206/2000)», publicado en la revista (EC 443/2001).

En esta línea, se recomienda la lectura del Informe de la Junta Consultiva de Contratación Administrativa 23/2011, de 28 de octubre, sobre una concesión del servicio de transporte urbano de viajeros en autobús, que aunque recurre a la aplicación de la normativa vigente cuando se otorgó la concesión por imperativo legal, recuerda el carácter restrictivo de las modificaciones contractuales y sus límites.

Puede concluirse que la modificación de cualquier contrato celebrado por un poder adjudicador, esté o no sometido íntegramente a las Directivas comunitarias, o se haya concertado con la vigente normativa o con cualquier otra anterior, está sujeta a los siguientes límites consecutivos:

— La modificación de los contratos es una potestad de la Administración (art. 210 TRLCSP (LA LEY 21158/2011)). No cabe atribuir la iniciativa y el contenido de la modificación al contratista (IJCCA 42/02, de 17 de diciembre de 2002, reproducido en el 50/03, de 12 de marzo de 2004).

— Esta potestad ha de ser utilizada con «carácter restrictivo»: sólo puede ser ejercida excepcionalmente cuando sea necesario para satisfacer una razón de «interés público» objetiva, concreta y acreditada (arts. 210 (LA LEY 21158/2011), 219 (LA LEY 21158/2011), 250 (LA LEY 21158/2011) y 282 TRLCSP (LA LEY 21158/2011)). Los arts. 105.1, 107.1 y 219.1 TRLCSP literalmente señalan «sólo podrán». La JCCA ha esgrimido siempre este carácter restrictivo y excepcional de las modificaciones contractuales: IJCCA de 21 de diciembre de 1995, 50/03 de 12 de marzo de 2004, 59/03 de 7 de junio de 2004; 12/06 de 24 de marzo de 2006, 7/06 de 24 de marzo; 54/06, de 11 de diciembre de 2006; 43/08, de 28 de julio de 2008; 23/2011, de 28 de octubre de 2011. Por su parte, el Consejo de Estado, ya desde su Dictamen n.º 5171 de 19 de abril de 1983, recogía esta exigencia.

— La modificación del contrato, salvo que estuviese prevista en el Pliego de Cláusulas Administrativas Particulares con precisión, no puede suponer una «alteración sustancial» del contrato. No pueden modificarse sus elementos básicos, de manera que con los cambios pretendidos sea razonablemente presumible que hubieran concurrido otros licitadores, o que los que lo hicieron hubieran presentado otras ofertas.

— La modificación sólo puede tener el alcance estrictamente imprescindible para cumplir esa demanda que requiere el interés general (criterio recogido ahora en el art. 107.2 TRLCSP (LA LEY 21158/2011)).

— La modificación ha de articularse a través de un procedimiento formal, cuyos trámites obligatorios determinan la validez del acuerdo de modificación (arts. 108, y 211.3 TRLCSP (LA LEY 21158/2011)).

Disposición transitoria segunda *Fórmulas de revisión*

Hasta que se aprueben las nuevas fórmulas de revisión por el Consejo de Ministros adaptadas a lo dispuesto en el artículo 91, seguirán aplicándose las aprobadas por el Decreto 3650/1970, de 19 de diciembre (LA LEY 1583/1970); por el Real Decreto 2167/1981, de 20 de agosto (LA LEY 1929/1981), por el que se complementa el anterior, y por el Decreto 2341/1975, de 22 de agosto (LA LEY 1339/1975), para contratos de fabricación del Ministerio de Defensa, con exclusión del efecto de la variación de precios de la mano de obra.

➡ **Concordancias normativas**

DT 2.ª de la LCSP 30/2007.

☞ **Concordancias Jurisprudenciales**

Tribunal Administrativo Central de Recursos Contractuales, Resolución de 9 Feb. 2012, rec. 13/2012

[LA LEY 31510/2012]

CONTRATO ADMINISTRATIVO DE SERVICIOS. De taxi para el traslado de pacientes beneficiarios de la asistencia sanitaria de UMIIVALE en la localidad de Valencia y Zona Metropolitana. Adjudicación. RECURSO ESPECIAL EN MATERIA DE CONTRATACIÓN. Inadmisión, en cuanto impugna extremos contenidos en el pliego de cláusulas administrativas particulares. La impugnación de la composición de la mesa de contratación resulta extemporánea. Desestimación, en todo lo demás. La mesa de contratación no ha realizado dejación del ejercicio de sus competencias al solicitar informe de terceros. La mesa presentó la propuesta de adjudicación que incorporada al informe de valoración, posibilidad expresamente prevista en el pliego de cláusulas administrativas particulares. Correcta valoración de las ofertas.

Disposición transitoria tercera *Determinación de cuantías por los departamentos ministeriales respecto de los Organismos autónomos adscritos a los mismos*

Hasta el momento en que los titulares de los departamentos ministeriales fijen la cuantía para la autorización establecida en el artículo 317.5 será de aplicación la cantidad, calculada de conformidad con el artículo 88, de 900.000 euros.

Concordancias a todo el artículo

➡ **Concordancias normativas**

DT 3.ª de la LCSP 30/2007.

☞ **Concordancias Jurisprudenciales**

Tribunal Administrativo Central de Recursos Contractuales, Resolución de 9 Feb. 2011, rec. 068/2010

CONTRATO ADMINISTRATIVO DE SERVICIOS. Adjudicación de la licitación para la contratación por procedimiento abierto del Servicio de hostelería para varias dependencias, promovido por el órgano de contratación del Arsenal La Carraca, M.º Defensa. RECURSO ESPECIAL EN MATERIA DE CONTRATACIÓN. Inadmisión. Tramitación incorrecta del recurso. No hubo escrito de anuncio previo, ni el escrito de recurso se presentó en ninguno de los lugares estipulados legalmente para ello. A la sede del órgano de contratación llegó absolutamente fuera del plazo legalmente previsto.

Disposición transitoria cuarta *Determinación de los casos en que es exigible la clasificación de las empresas*

El apartado 1 del artículo 65, en cuanto determina los contratos para cuya celebración es exigible la clasificación previa, entrará en vigor conforme a lo que se establezca en las normas reglamentarias de desarrollo de esta Ley por las que se definan los grupos, subgrupos y categorías en que se clasificarán esos contratos, continuando vigente, hasta entonces, el párrafo primero del apartado 1 del artículo 25 del Texto Refundido de la Ley de Contratos de las Administraciones Públicas.

No obstante lo anterior, no será exigible la clasificación en los contratos de obras de valor inferior a 350.000 euros.

➡ **Concordancias normativas**

Téngase en cuenta que la disposición adicional sexta del R.D.—ley 9/2008, de 28 de noviembre, por el que se crean un Fondo Estatal de Inversión Local y un Fondo Especial del Estado para la Dinamización de la Economía y el Empleo y se aprueban créditos extraordinarios para atender a su financiación («B.O.E». 2 diciembre), establece que a partir del 3 de diciembre de 2008, fecha de su entrada en vigor, no será exigible la clasificación en los contratos de obras de valor inferior a 350.000 euros.

Concordancias a todo el artículo

➡ **Concordancias normativas**

DT 5.ª de la LCSP 30/2007 y DA 6.ª del RDL 9/2008.

☞ **Concordancias Jurisprudenciales**

Tribunal Superior de Justicia de Galicia, Sala de lo Contencioso-administrativo, Sección 2.ª, Sentencia de 19 Ene. 2012, rec. 4465/2011

CONTRATOS ADMINISTRATIVOS. Partes del contrato. Capacidad y solvencia del empresario. Solvencia. -- Partes del contrato. Capacidad y solvencia del empresario. Clasificación de empresas. -- Preparación de los contratos. Expediente de contratación. Pliegos de cláusulas administrativas.

☒ **Consultas**

• **Clasificación del contratista en los contratos de obras y servicios**

La disposición transitoria quinta de la LCSP (LA LEY 10868/2007) plantea una serie de dudas respecto a la aplicación efectiva del nuevo régimen de clasificación empresarial. En este sentido, la Comisión Permanente de la Junta Consultiva de Contratación Administrativa del Ministerio de Economía y Hacienda emitió el informe 37/08, de 25 de abril, en el que se concluye que los nuevos límites cuantitativos de los contratos a partir de los cuales se debe exigir la clasificación empresarial recogidos en el artículo 54.1 de la LCSP (LA LEY 10868/2007), así como la clasificación de los empresarios que opten a la adjudicación de los contratos de servicios incluidos anteriormente en la categoría de contratos de consultoría y asistencia, no será exigible sino a partir del momento en que las futuras normas de desarrollo reglamentario hayan establecido el régimen jurídico correspondiente. El expresado informe considera que la remisión que la disposición transitoria quinta hace al párrafo primero del artículo 25.1 del Real Decreto Legislativo 2/2000, de 16 de junio (LA LEY 2206/2000), por el que se aprueba el Texto Refundido de la Ley de Contratos de las Administraciones Públicas, es a la totalidad del precepto y no solamente a la exigencia de clasificación a los empresarios que opten a la adjudicación de los contratos de servicios anteriormente incluidos en la categoría de contratos de consultoría y asistencia.

Congruentemente se debería entender, aunque en el citado informe no se hace ninguna referencia, que la demora en la aplicación del párrafo primero del artículo 54.1 de la LCSP (LA LEY 10868/2007) afectaría también al régimen de exención de la exigencia de clasificación empresarial de las categorías de contratos de servicios recogidos en éste (categorías 6, 8, 21, 26, y 27 del Anexo II de la LCSP (LA LEY 10868/2007)), manteniendo, pues, su vigencia las exenciones del artículo 25.1 del Texto Refundido.

Por todo ello se solicita informe sobre las siguientes cuestiones:

a) Si en los contratos de obras y en los de servicios superiores a los 120.202,42 euros debe ser exigida necesariamente la correspondiente clasificación de contratista.

b) Si los contratos de servicios incardinados en la categoría 27.ª del anexo II de la LCSP (LA LEY 10868/2007) están excluidos o, en su defecto, sujetos a clasificación empresarial.

c) Si los contratos de servicios incardinados o incluidos en la categoría 27.ª del anexo II de la LCSP (LA LEY 10868/2007) están o no sujetos a regulación armonizada, siempre que la cuantía sea superior a los 193.000 euros.

d) Si el artículo 54.1 de la LCSP (LA LEY 10868/2007) no resulta aplicable en tanto no entre en vigor la norma reglamentaria que desarrolle los correspondientes preceptos de la LCSP (LA LEY 10868/2007), con relación a las cuantías de los contratos de obras y de servicios y el régimen de exención de la clasificación.

Contratación Administrativa Práctica, N° 108, Sección Usted Pregunta, Mayo 2011, pág. 8, Editorial LA LEY

[LA LEY 501/2011]

Respuesta

De las distintas cuestiones planteadas en la consulta, sin duda la de mayor interés y complejidad viene dada por la determinación del alcance de lo dispuesto en la Disposición Transitoria Quinta de la Ley 30/2007, de 30 de octubre (LA LEY 10868/2007), de Contratos del Sector Público, en cuanto mantiene vigente el régimen de clasificación de contratistas de determinados contratos regulado en el artículo 25.1 del Real Decreto Legislativo 2/2000, de 16 de junio (LA LEY 2206/2000), por el que se aprueba el Texto Refundido de la Ley de Contratos de las Administraciones Públicas, postergando la entrada en vigor de la regulación contenida en el artículo 54.1 de la Ley 30/2007. (LA LEY 10868/2007) De este modo, y en atención al régimen de transitoriedad previsto, el artículo 54.1 entrará en vigor conforme se establezca en las disposiciones reglamentarias de desarrollo de la Ley 30/2007 (LA LEY 10868/2007) por las que se definan los grupos, subgrupos y categorías en que se clasificarán estos contratos.

Sin embargo, otros acontecimientos normativos han precipitado las previsiones de la Ley 30/2007 en su Disposición Transitoria Quinta (LA LEY 10868/2007), en cuanto se remitía a lo que resultase de su desarrollo reglamentario. Así, el Real Decreto-Ley 9/2008, de 28 de noviembre (LA LEY 17475/2008), por el que se crean un Fondo Estatal de Inversión Local y un Fondo Especial del Estado para la Dinamización de la Economía y el Empleo y se aprueban créditos extraordinarios para atender a su financiación (BOE n.º 0290, de 2 de diciembre de 2008) dispone en su Disposición Adicional Sexta que, a partir de la entrada en vigor de este Real Decreto-Ley, no será exigible la clasificación en los contratos de obras de valor inferior a 350.000 euros.

Para concretar la adecuada interpretación del conjunto de normas antes referidas (Ley 30/2007 en su artículo 54.1 (LA LEY 10868/2007) y Disposición Transitoria Quinta, Texto Refundido de la Ley de Contratos, artículo 25.1 y Disposición Adicional Sexta del Real Decreto-Ley 9/2008 (LA LEY 17475/2008)), recomendamos la lectura de la Circular n.º 2/2009 de la Abogacía General del Estado, el Informe 1/2009, de 6 de febrero de la Comisión Consultiva de Contratación Administrativa de la Junta de Andalucía y el Informe 32/2009, de 1 de febrero de 2010, de la Junta Consultiva de Contratación Administrativa. Con meridiana claridad, en los documentos citados se señala en primer lugar que, a pesar de referirse el Real Decreto-Ley a contratos que se financien con cargo al Fondo Estatal de Inversión Local y el Fondo Estatal de Inversión Local para Dinamización de la Economía y el Empleo, la sistemática de su ubicación (Disposición Adicional sin referencia al contenido dispositivo de la norma en la que se enmarca) y la interpretación finalista del propio Real Decreto-Ley (concretar medidas para paliar la grave situación económica), justifican que el contenido de la Disposición Adicional Sexta sea de aplicación general.

Y, en segundo lugar, y como consecuencia inmediata, se concluye que la referida Disposición Adicional Sexta ha modificado el contenido de la Disposición Transitoria Quinta de la Ley 30/2007 (LA LEY 10868/2007) y que, por consiguiente, a partir de la entrada en vigor del Real Decreto-Ley 9/2008 (LA LEY 17475/2008) no es exigible la clasificación en los contratos de obras de valor inferior a 350.000 euros; o dicho de otro modo, que el umbral de 350.000 euros que determina el Real Decreto-Ley 9/2008 (LA LEY 17475/2008), es el único aplicable a los contratos de obra estén o no sometidos a los citados Fondos.

La Disposición Adicional Sexta ha modificado el contenido de la Disposición Transitoria Quinta de la Ley 30/2007 (LA LEY 10868/2007) y, por consiguiente, a partir de la entrada en vigor del Real Decreto-Ley 9/2008 (LA LEY 17475/2008) no es exigible la clasificación en los contratos de obras de valor inferior a 350.000 euros

Es decir, aun cuando el desarrollo reglamentario a que se refiere la Disposición Transitoria quinta de la Ley 30/2007 (LA LEY 10868/2007) no se haya producido, el Real Decreto-ley 9/2008 (LA LEY 17475/2008) ha efectuado un adelanto en tal entrada en vigor, favoreciendo de esta manera, de acuerdo con una interpretación teleológica, la participación en los procesos licitatorios de las obras a un mayor número de empresas.

Por lo que se refiere a la expresa referencia a los contratos de servicios incardinados en la categoría 27 del anexo II de la Ley 30/2007 (LA LEY 10868/2007) (otros servicios), lo anteriormente comentado respecto a la Adicional Sexta del Real Decreto-Ley 9/2008 (LA LEY 17475/2008) solo se refiere a los contratos de obras, con lo que la remisión contenida en la Disposición Transitoria Quinta de la Ley 30/2007 (LA LEY 10868/2007) a su desarrollo reglamentario para determinar la entrada en vigor del artículo 51.4, continuará en vigor respecto a los contratos distintos a los de obra. Y dicho artículo exige la clasificación para los contratos de servicios de presupuesto superior a 120.000 euros salvo, entre otros, los de la categoría 27 del anexo II. Por tanto, conforme a la Ley 30/2007 (LA LEY 10868/2007) tales contratos no están sujetos a clasificación. Partiendo, pues, de la redacción literal de la Disposición Transitoria citada, que se refiere al artículo 54.1 con la expresión en cuanto determina los contratos para cuya celebración es exigible la clasificación previa, entendemos que la suspensión de su entrada en vigor no afecta a la regla de exclusión de clasificación para los contratos que cita. Por tanto, en aplicación del artículo 54.1 de la Ley 30/2007 (LA LEY 10868/2007), a los contratos de servicios de la categoría 27 no es exigible la clasificación de contratistas.

Y, finalmente, también referido a los contratos de servicios de la categoría 27 del anexo II de la Ley 30/2007 (LA LEY 10868/2007), no se entenderán sujetos a regulación armonizada por cuanto el artículo 13, al establecer la delimitación general de los contratos sujetos a dicho régimen, se refiere a los contratos de servicios comprendidos en las categorías 1 a 16 del Anexo II, quedando excluidos, por tanto, los de la categoría 27. La misma conclusión resulta del artículo 16.1 de la Ley 30/2007. (LA LEY 10868/2007)

• Contratos de obra: cuantía a partir de la cual es exigible la clasificación del Contratista

¿A partir de qué cuantía es exigible la clasificación del contratista en los contratos de obras?

[29/09/2009 EC 2751/2009]

Contestación

El art. 54 de la Ley 30/2007, de 30 de octubre (BOE del 31), de Contratos del Sector Público (LCSP), establece que la clasificación del contratista para los contratos de obra será exigible cuando su importe sea igual o superior a 350.000 euros. Sin embargo, la DT 5.ª demora la entrada en vigor del precepto hasta su desarrollo reglamentario. La Junta Consultiva de Contratación en Informe 37/2008, de 25 de abril, aborda este problema con sentido crítico, pero concluye que la suspensión de la entrada en vigor del art. 54.1 por la disposición transitoria citada es de aplicación a la totalidad del art. 54 y por supuesto, a la exigencia de clasificación a los empresarios en cuanto a los contratos de obra.

La duda que suscita la DA 6.ª del Real Decreto-ley 9/2008, de 28 de noviembre (BOE de 2 de diciembre), que establece que: «A partir de la entrada en vigor de este Real Decreto-Ley no será exigible la clasificación en los contratos de obras de valor inferior a 350.000 euros», es si la misma resulta aplicable a todos los contratos de obra, o bien solo a aquellos que son financiados a cargo del Fondo Estatal de Inversión Local (ello supondría elevar el umbral de 120.2002,42 euros a 350.000 euros). Lo cierto es que la referida DA no hace distinciones y se refiere a los contratos de obra de forma genérica, sin precisar si la medida es a efectos de este RD-Ley. Si se interpreta en sentido de que afecta a todos los contratos de obras y no solo a las financiadas con este Fondo, sería la única disposición de esta norma de carácter extraordinario con un alcance global y general, ya que todas las disposiciones del RD-Ley van referidas a los contratos de obras financiadas con cargo al Fondo Especial. Sí se precisa que la nueva exigencia de clasificación surte efectos «a partir de la entrada en vigor de este RD-Ley.»

En definitiva, puede entenderse que, dado que no se realizan distinciones y de los términos en que se expresa, la disposición será aplicable a todo tipo de contratos de obra, financiadas o no con el Fondo. Con ello, si la demora de la entrada en vigor del art. 54.1 LCSP no parecía muy justificada según la JCCA, tampoco parece correcto desde una perspectiva de técnica legislativa y procedimental que una norma especial como es el RD-Ley deje sin efecto y derogue una Ley que además remitía a una norma reglamentaria el desarrollo del art. 54 LCSP. Hechos, por otra parte, no novedosos, pues son abundantes los supuestos en que aprovechando la aprobación de una Ley se modifica otra que poco o nada tiene que ver con la nueva.

En consecuencia, nos inclinamos por la aplicación general de la DA 6.ª del RD-Ley 9/2008 —aplicable a todo tipo de contratos de obra, financiadas o no, con el Fondo—, pero no deja de tratarse de una cuestión discutible.

✍ Informes de la Junta Consultiva de Contratación Administrativa

Informe 32/2009, de 1 de febrero de 2010, de la Junta Consultiva de Contratación Administrativa. «Valor del contrato que determina la exigencia de clasificación en los contratos de obras.»

CLASIFICACIÓN DE EMPRESAS CONTRATISTAS DE OBRAS. Exigibilidad de clasificación en todos los contratos de obras, estén o no sometidos al Fondo Estatal de Inversión Local, cuyo valor supere el umbral 350.000 euros. Inaplicación del anterior límite de 120.000 euros previsto en la Ley de Contratos de las Administraciones Públicas.

Informe 1/2009, de 6 de febrero, de la Comisión Consultiva de Contratación Administrativa de la Junta de Andalucía, sobre la exigencia de clasificación en los contratos de obras establecida en la disposición adicional sexta del Real Decreto-Ley 9/2008, de 28 de noviembre

CLASIFICACIÓN DE EMPRESAS CONTRATISTAS DE OBRAS. No será exigible la clasificación en los contratos de obras de valor inferior a 350.000 euros a partir del 3 de diciembre de 2008. Interpretación y aplicación de la disposición adicional sexta del Real Decreto-ley 9/2008, de 28 de noviembre, en relación con el artículo 54.1 y la disposición transitoria quinta de la Ley 30/2007 de Contratos del Sector Público referentes al límite cuantitativo para la exigencia de clasificación de las empresas en los contratos de obras.

Disposición transitoria quinta *Régimen transitorio de los procedimientos de adjudicación de los contratos no sujetos a regulación armonizada celebrados por entidades que no tienen el carácter de Administración Pública*

1. En tanto no se aprueben las instrucciones internas a que se refiere el artículo 191.b), los poderes adjudicadores que no tengan el carácter de Administraciones Públicas se regirán, para la adjudicación de contratos no sujetos a regulación armonizada, por las normas establecidas en el artículo 190.

2. Estas normas deberán igualmente aplicarse por las restantes entidades del sector público que no tengan el carácter de Administraciones Públicas para la adjudicación de contratos, en tanto no aprueben las instrucciones previstas en el artículo 192.3.

➡ **Concordancias normativas**

DT 6.ª de la LCSP 30/2007.

Disposición transitoria sexta *Plazos a los que se refiere el artículo 216 de la Ley*

El plazo de treinta días a que se refiere el apartado 4 del artículo 216 de esta Ley, se aplicará a partir del 1 de enero de 2013.

Desde la entrada en vigor de esta Ley y el 31 de diciembre de 2011, el plazo en el que las Administraciones tienen la obligación de abonar el precio de las obligaciones a las que se refiere el apartado 4 del artículo 216 será dentro de los cincuenta días siguientes a la fecha de la expedición de las certificaciones de obra o de los correspondientes documentos que acrediten la realización total o parcial del contrato.

Entre el 1 de enero de 2012 y el 31 de diciembre de 2012, el plazo en el que las Administraciones tienen la obligación de abonar el precio de las obligaciones a las que se refiere el apartado 4 del artículo 216 será dentro de los cuarenta días siguientes a la fecha de la expedición de las certificaciones de obra o de los correspondientes documentos que acrediten la realización total o parcial del contrato.

➡ **Concordancias normativas**

DT 8.ª de la LCSP 30/2007.

Disposición transitoria sexta introducido por el apartado tres del artículo tercero de la Ley 15/2010, de 5 de julio, de modificación de la Ley 3/2004, de 29 de diciembre, por la que se establecen medidas de lucha contra la morosidad en las operaciones comerciales («B.O.E». 6 julio).

Disposición transitoria séptima *Régimen supletorio para las Comunidades Autónomas*

En tanto una Comunidad Autónoma no regule ante quién debe incoarse la cuestión de nulidad prevista en los artículos 37 a 39 de esta Ley, o interponerse el recurso contra los actos indicados en el artículo 40.1 y 2, y qué efectos derivarán de su interposición, serán de aplicación las siguientes normas:

a) Serán recurribles los actos mencionados en el artículo 40.2 cuando se refieran a alguno de los contratos que se enumeran en el apartado 1 del mismo artículo.

b) La competencia para la resolución de los recursos continuará encomendada a los mismos órganos que la tuvieran atribuida con anterioridad.

c) Los recursos se tramitarán de conformidad con lo establecido en los artículos 42 a 48 de esta Ley.

d) Las resoluciones dictadas en estos procedimientos serán susceptibles de recurso contencioso-administrativo. Cuando las resoluciones no sean totalmente estimatorias o cuando siéndolo hubiesen comparecido en el procedimiento otros interesados distintos del recurrente, no serán ejecutivas hasta que sean firmes o, si hubiesen sido recurridas, hasta tanto el órgano jurisdiccional competente no decida acerca de la suspensión de las mismas.

➡ **Concordancias normativas**

DT 2.ª de la Ley 34/2010.

Véase la Res. de 28 de marzo de 2012, de la Dirección General de Patrimonio del Estado, por la que se publica la Recomendación de la Junta Consultiva de Contratación Administrativa sobre la interpretación del régimen contenido dentro de la disposición transitoria séptima, norma d) del Texto Refundido de la Ley de Contratos del Sector Público («B.O.E». 10 abril).

Disposición transitoria octava *Procedimientos en curso*

1. Los procedimientos de recurso iniciados al amparo del artículo 37 de la Ley 30/2007, de 30 de octubre (LA LEY 10868/2007), en la redacción vigente con anterioridad a la entrada en vigor de la Ley 34/2010, de 5 de agosto (LA LEY 16740/2010) seguirán tramitándose hasta su resolución con arreglo al mismo.

2. En los expedientes de contratación iniciados antes de la entrada en vigor de la Ley 34/2010, de 5 de agosto (LA LEY 16740/2010) podrán interponerse la cuestión de nulidad y el recurso previsto en el artículo 40 de esta Ley, contra actos susceptibles de ser recurridos o reclamados en esta vía, siempre que se hayan dictado con posterioridad a su entrada en vigor.

➡ **Concordancias normativas**

DT 2.ª de la Ley 34/2010.

DISPOSICIONES FINALES

Disposición final primera *Actualización de las referencias a determinados órganos*

Las referencias que se contienen en las normas vigentes a la Junta de Compras Interministerial y al Servicio Central de Suministros se entenderán realizadas, respectivamente, a la Mesa del sistema estatal de contratación centralizada regulada en el artículo 322 de esta Ley y a la Dirección General del Patrimonio del Estado.

➡ Concordancias normativas

Disposición Final 6.ª de la LCSP 30/2007.

Disposición final segunda *Títulos competenciales*

1. Los artículos 21 y 50 se dictan al amparo de la regla 6.ª del artículo 149.1 de la Constitución (LA LEY 2500/1978), que atribuye al Estado la competencia sobre «legislación procesal, sin perjuicio de las necesarias especialidades que en este orden se deriven de las particularidades del derecho sustantivo de las Comunidades Autónomas.»

2. Los artículos que se indican a continuación se dictan al amparo de las competencias exclusivas que corresponden al Estado para dictar la legislación civil y mercantil en virtud de lo dispuesto en el artículo 149.1.6.ª y 8.ª, artículo 259.1, artículo 260.1 y 2, artículo 261.1, artículo 262, artículo 263 y artículo 264.

3. Los restantes artículos de la presente Ley constituyen legislación básica dictada al amparo del artículo 149.1.18.ª de la Constitución (LA LEY 2500/1978) en materia de legislación básica sobre contratos administrativos y, en consecuencia, son de aplicación general a todas las Administraciones Públicas y organismos y entidades dependientes de ellas. No obstante, no tendrán carácter básico los siguientes artículos o partes de los mismos: letra a) del apartado 1 del artículo 15; letra a) del apartado 1 del artículo 16; apartados 1 a 5 del artículo 24; artículo 29.4; artículo 41.1 y 3; artículo 59.2; artículo 60.2.c); artículo 64; artículo 71; artículo 71; artículo 82; artículo 83; párrafo segundo del apartado 1 del artículo 84; segundo párrafo del apartado 3 y apartado 5 del artículo 09; artículo 111.2; letras a) y c) del apartado 2 del artículo 112; letras b) y c) del artículo 113.1; apartados 1 y 2 del artículo 114; apartados 4, 5 y 6 del artículo 115; artículo 116; apartados 1.e) y 4 del artículo 123; artículo 124; artículo 125; artículo 126; apartados e), g), h), i), j) y l) del artículo 136; segundo párrafo del apartado 3 del artículo 152; 1 artículo 156; apartado 2 del artículo 205; artículo 206; artículo 207; artículo 211.2; apartados 3 a 8, ambos inclusive, del artículo 212;

segundo inciso del artículo 222.2; apartados 3 y 5 del artículo 224; apartado 8 del artículo 227; artículo 229; artículo 230.2; artículo 232; apartado 1 del artículo 233; apartados 3, salvo la previsión de la letra b), y 4 del artículo 234; artículo 235; apartado 1 del artículo 241; artículo 244; artículo 248; apartados 2 y 3 del artículo 251; artículo 254; apartado 5 del artículo 255; artículo 256; artículo 260.7; artículo 261.2; artículo 287; artículo 290; apartados 2 y 3 del artículo 292; artículo 294; artículo 295; artículo 297; artículo 298; apartados 2 y 3 del artículo 300; apartado 3 del artículo 301; apartados 2 y 3 del artículo 309; apartados 3, 4, 5 y 6 del artículo 310; artículo 311; artículos 316 a 318; artículos 320 a 324, ambos inclusive; artículo 334;; letra a) del apartado 1 de la disposición adicional primera; disposición adicional tercera; disposición adicional decimoséptima; disposición adicional vigésima; disposición adicional vigésimo primera; disposición adicional vigésimo segunda; disposición adicional vigésimo tercera; disposición adicional vigésimo quinta; disposición adicional trigésima; disposición adicional trigésimo primera; disposición transitoria tercera; disposición transitoria séptima; disposición transitoria octava; disposición final primera; disposición final tercera, disposición final cuarta, y disposición final quinta.

A los mismos efectos previstos en el párrafo anterior tendrán la consideración de mínimas las exigencias que para los contratos menores se establecen en el artículo 111.1 y tendrán la consideración de máximos los siguientes porcentajes, cuantías o plazos:

El porcentaje del 5 por 100 del artículo 95.1 y 2.

El porcentaje del 3 por 100 del artículo 103.2.

Las cuantías del artículo 138.3.

Los plazos de un mes establecidos en los apartados 2 y 4 del artículo 222.

➡ **Concordancias normativas**

Disposición Final 7.ª de la LCSP 30/2007.

Disposición final primera redactada por el apartado treinta y ocho del artículo primero de la Ley 34/2010, de 5 de agosto, de modificación de las Leyes 30/2007, de 30 de octubre, de Contratos del Sector Público,

31/2007, de 30 de octubre, sobre procedimientos de contratación en los sectores del agua, la energía, los transportes y los servicios postales, y 29/1998, de 13 de julio, reguladora de la Jurisdicción Contencioso-Administrativa para adaptación a la normativa comunitaria de las dos primeras («B.O.E». 9 agosto).

Disposición final tercera *Normas aplicables a los procedimientos regulados en esta Ley*

1. Los procedimientos regulados en esta Ley se regirán, en primer término, por los preceptos contenidos en ella y en sus normas de desarrollo y, subsidiariamente, por los de la Ley 30/1992, de 26 de noviembre (LA LEY 3279/1992), y normas complementarias.

☞ **Concordancias Jurisprudenciales**

Audiencia Nacional, Sala de lo Contencioso-administrativo, Sección 1.ª, Sentencia de 12 Mar. 2012, rec. 641/2010

OBRAS PÚBLICAS. Nulidad del proyecto de paseo marítimo. CADUCIDAD. Del procedimiento. La obra proyectada tiene efectos desfavorables o de gravamen sobre los titulares de los locales que, como es el caso del interesado, se verán afectados por el nuevo trazado del paseo marítimo con incidencia directa en las terrazas y los propios locales existentes en la actualidad, que serán expropiados y se limitará el uso y aprovechamiento actualmente existente como consecuencia del proyecto impugnado. Al no existir una norma legal que establezca un plazo legal más amplio para la resolución de este procedimiento, es de aplicación supletoria la LRJAP.

2. En todo caso, en los procedimientos iniciados a solicitud de un interesado para los que no se establezca específicamente otra cosa y que tengan por objeto o se refieran a la reclamación de cantidades, el ejercicio de prerrogativas administrativas o a cualquier otra cuestión relativa de la ejecución, consumación o extinción de un contrato administrativo, una vez transcurrido el plazo previsto para su resolución sin haberse notificado ésta, el interesado podrá considerar desestimada su solicitud por silencio administrativo, sin perjuicio de la subsistencia de la obligación de resolver.

➡ **Concordancias normativas**

Número 2 de la disposición final tercera redactado por el apartado treinta y cinco de la disposición final decimosexta de la Ley 2/2011, de 4 de marzo, de Economía Sostenible («B.O.E». 5 marzo).

☞ **Concordancias Jurisprudenciales**

Tribunal Supremo, Sala Tercera, de lo Contencioso-administrativo, Sección 4.ª, Sentencia de 17 Dic. 2008, rec. 2864/2005

CONTRATOS ADMINISTRATIVOS. Solicitud de suspensión temporal total de las obras efectuadas para la ejecución en el plazo de seis meses de un muelle nuevo en la zona de la rampa de varada de un puerto. Silencio administrativo. Interpretación de las normas jurídicas. Si el procedimiento, como ocurre en los procedimientos de contratación administrativa, se inicia de oficio, los efectos del silencio quedan regidos, por lo que dispone el artículo 44 de la Ley de Régimen Jurídico de las Administraciones Públicas y del procedimiento administrativo Común, debiendo la contratista entender desestimada su pretensión por silencio administrativo.

3. La aprobación de las normas procedimentales necesarias para desarrollar la presente Ley se efectuará por el Consejo de Ministros, a propuesta del Ministro de Economía y Hacienda y previo dictamen del Consejo de Estado.

Concordancias a todo el artículo

➡ **Concordancias normativas**

Disposición Final 9.ª de la LCSP 30/2007.

☞ **Concordancias Jurisprudenciales**

Tribunal Superior de Justicia de Andalucía de Málaga, Sala de lo Contencioso-administrativo, Sentencia de 14 Jul. 2009, rec. 244/2003

CONTRATO ADMINISTRATIVO DE OBRAS. Reclamación de intereses de demora como consecuencia del retraso en el pago de certificaciones de obra y liquidación final. Naturaleza del silencio en el ámbito de los procedimientos contractuales; procedimientos iniciados de oficio entendiéndose desestimados por el silencio administrativo. Fecha del momento inicial que marca la obligación de pago de los intereses de demora, desde la fecha del transcurso del plazo legal y no el de la fecha de la intimación, ni el de la certificación. Doctrina jurisprudencial aplicable. Inexistencia en el pliego aceptado por el contratista ni en la liquidación percibida de la expresa renuncia al cobro de los intereses, siendo debidos por mandato legal al contratista. Reclamación de intereses de los intereses de demora, desde la fecha de interposición del recurso contencioso-administrativo, siempre que en vía administrativa se hubieren reclamado los intereses de demora en cantidad líquida.

Tribunal Administrativo Central de Recursos Contractuales, Resolución de 24 Feb. 2011, rec. 029/2011

CONTRATO ADMINISTRATIVO DE SERVICIOS. De limpieza de las dependencias del edificio del Archivo de la Real Chancillería de Valladolid. Exclusión de la recurrente del procedimiento de licitación para contratar el servicio. RECURSO ESPECIAL EN MATERIA DE CONTRATACIÓN. Inadmisión. Extemporaneidad. El plazo transcurrido entre la fecha de la notificación y la fecha en la que se considera efectuada la presentación del recurso supera los 15 días hábiles establecidos en la normativa. La interesada presenta su escrito de recurso en una oficina de Correos, para su envío al órgano de contratación, pero no puede considerarse ésa la fecha de interposición, en cuanto que dicha modalidad no se prevé en la Ley. La presentación del escrito de interposición, determinante de la fecha de interposición, deberá hacerse necesariamente en el registro del órgano de contratación o en el del TACRC.

Disposición final cuarta *Habilitación normativa en materia de uso de medios electrónicos, informáticos o telemáticos, y uso de factura electrónica*

1. Se autoriza al Ministro de Economía y Hacienda para aprobar, previo dictamen del Consejo de Estado, las normas de desarrollo de la disposición adicional decimosexta que puedan ser necesarias para hacer plenamente efectivo el uso de medios electrónicos, informáticos o telemáticos en los procedimientos regulados en esta Ley.

2. Igualmente, el Ministro de Economía y Hacienda, mediante Orden, definirá las especificaciones técnicas de las comunicaciones de datos que deban efectuarse en cumplimiento de la presente Ley y establecerá los modelos que deban utilizarse.

➡ **Concordancias normativas**

Véase Orden EHA/1490/2010, de 28 de mayo, por la que se regula el funcionamiento del Registro Oficial de Licitadores y Empresas Clasificadas del Estado («B.O.E». 10 junio).

3. El Consejo de Ministros, a propuesta de los Ministros de Economía y Hacienda y de Industria, Turismo y Comercio, adoptará las medidas necesarias para facilitar la emisión de facturas electrónicas por las personas y entidades que contraten con el sector público estatal, garantizando la gratuidad de los servicios de apoyo que se establezcan para las empresas cuya cifra de negocios en el año inmediatamente anterior y para el conjunto de sus actividades sea inferior al umbral que se fije en la Orden a que se refiere el párrafo anterior.

➡ **Concordancias normativas**

Disposición Final 9.ª de la LCSP 30/2007.

Véase Disposición Adicional 19.ª de la presente Ley.

Disposición final quinta *Fomento de la contratación precomercial*

El Consejo de Ministros, mediante acuerdo, fijará dentro de los presupuestos de cada Departamento ministerial y de cada Organismo público vinculado con o dependiente de la Administración General del Estado, las cuantías necesariamente destinadas a la financiación de contratos a los que hace referencia el artículo 4.1.r) de esta Ley. Una parte de las mismas podrá reservarse a pequeñas y medianas empresas innovadoras.

➡ **Concordancias normativas**

Artículo 38 de la Ley 2/2011.

Disposición final sexta *Habilitación para el desarrollo reglamentario*

Se habilita al Gobierno para, en el ámbito de sus competencias, dictar las disposiciones necesarias para el desarrollo y aplicación de lo establecido en esta Ley.

➡ **Concordancias normativas**

Disposición Final 11.ª de la LCSP 30/2007.

Véase O.M. PRE/116/2008, de 21 de enero, por la que se publica el Acuerdo de Consejo de Ministros por el que se aprueba el Plan de Contratación Pública Verde de la Administración General del Estado y sus Organismos Públicos, y las Entidades Gestoras de la Seguridad Social («B.O.E». 31 enero).

ANEXO I

Actividades a que se refiere el apartado 1 del artículo 6

☞ Concordancias Jurisprudenciales

Tribunal Administrativo Central de Recursos Contractuales, Resolución de 21 Dic. 2011, rec. 297/2011

CONTRATO ADMINISTRATIVO DE SERVICIOS. Adjudicación del «contrato que tiene por objeto el servicio de detectives para ASEPEYO, Mutua de Accidentes de Trabajo y Enfermedades Profesionales de la Seguridad Social, por contingencias comunes y/o profesionales». RECURSO ESPECIAL EN MATERIA DE CONTRATACIÓN. Desestimación. Correcta valoración de la oferta presentada por la interesada, en cuanto a la «Valoración del perfil personal currículum profesional de las personas designadas como responsables directas de la prestación del servicio». Como no ha aportado al efectuar su Proposición Técnica el currículo profesional de las personas designadas como responsables directos de la prestación del servicio de detectives, exigido como criterio de la misma, no cabe sino valorar este aspecto con una puntuación de cero.

Nace (1)					Código CPV
Sección F			Construcción		
División	Grupo	Clase	Descripción	Notas	
45			Construcción	Esta división comprende: • las construcciones nuevas, obras de restauración y reparaciones corrientes	45000000

Nace (1)					Código CPV
Sección F			**Construcción**		
División	**Grupo**	**Clase**	**Descripción**	**Notas**	
	45.1		Preparación de obras		45100000
		45.11	Demolición de inmuebles y movimientos de tierras	Esta clase comprende: • la demolición y derribo de edificios y otras estructuras • la limpieza de escombros • los trabajos de movimiento de tierras: excavación, rellenado y nivelación de emplazamientos de obras, excavación de zanjas, despeje de rocas, voladuras, etc. • la preparación de explotaciones mineras: • obras subterráneas, despeje de montera y otras actividades de preparación de minas Esta clase comprende también: • el drenaje de emplazamientos de obras • el drenaje de terrenos agrícolas y forestales	45110000
		45.12	Perforaciones y sondeos	Esta clase comprende: • las perforaciones, sondeos y muestreos con fines de construcción, geofísicos, geológicos u otros Esta clase no comprende: • la perforación de pozos de producción de petróleo y gas natural (véase 11.20)	45120000

Nace (1)					Código CPV
Sección F			**Construcción**		
División	**Grupo**	**Clase**	**Descripción**	**Notas**	
		45.12	Perforaciones y sondeos	• la perforación de pozos hidráulicos (véase 45.25) • la excavación de pozos de minas (véase 45.25). • la prospección de yacimientos de petróleo y gas natural y los estudios geofísicos, geológicos o sísmicos (véase 74.20)	45120000
	45.2		Construcción general de inmuebles y oras de ingeniería civil		45200000
		45.21	Construcción general de edificios y obras singulares de ingeniería civil (puentes, túneles, etc.)	Esta clase comprende: • la construcción de todo tipo de edificios • la construcción de obras de ingeniería civil: • puentes (incluidos los de carreteras elevadas), viaductos, túneles y pasos subterráneos • redes de energía, comunicación y conducción de larga distancia • instalaciones urbanas de tuberías, redes de energía y de comunicaciones • obras urbanas anejas el montaje in situ de construcciones prefabricadas Esta clase no comprende:	45210000 (Excepto: 45213316, 45220000, 45231000, 45232000

Nace (1)					Código CPV
Sección F			Construcción		
División	Grupo	Clase	Descripción	Notas	
		45.21	Construcción general de edificios y obras singulares de ingeniería civil (puentes, túneles, etc.)	• los servicios relacionados con la extracción de gas y de petróleo (véase 11.20) • el montaje de construcciones prefabricadas completas a partir de piezas de producción propia que no sean de hormigón (véanse las divisiones 20, 26 y 28) • la construcción de equipamientos de estadios, piscinas, gimnasios, pistas de tenis, campos de golf y otras instalaciones deportivas, excluidos sus edificios (véase 45.23) • las instalaciones de edificios y obras (véase 45.3) • las actividades de arquitectura e ingeniería (véase 74.20) • la dirección de obras de construcción (véase 74.20)	45210000 (Excepto: 45213316, 45220000, 45231000, 45232000
		45.22	Construcción de cubiertas y estructuras de cerramiento	Esta clase comprende: • la construcción de tejados • la cubierta de tejados • la impermeabilización de edificios y balcones	45261000

Nace (1)					Código CPV
Sección F			Construcción		
División	Grupo	Clase	Descripción	Notas	
		45.23	Construcción de autopistas, carreteras, campos de aterrizaje, vías férreas y centros deportivos	Esta clase comprende: • la construcción de autopistas, calles, carreteras y otras vías de circulación de vehículos y peatones • la construcción de vías férreas • la construcción de pistas de aterrizaje • la construcción de equipamientos de estadios, piscinas, gimnasios, pistas de tenis, campos de golf y otras instalaciones deportivas, excluidos sus edificios • la pintura de señales en carreteras y aparcamientos. Esta clase no comprende: • el movimiento de tierras previo (véase 45.11)	45212212 y DA 0345230000 excepto: 45231000 45232000 45234115
		45.24	Obras hidráulicas	Esta clase comprende: • la construcción de: • vías navegables, instalaciones portuarias y fluviales, puertos deportivos, esclusas, etc. • presas y diques • dragados • obras subterráneas	45240000
		45.25	Otras construcciones especializadas	Esta clase comprende: • las actividades de construcción que se especialicen en un aspecto común a diferentes tipos	45250000 45262000

Nace (1)					Código CPV
Sección F			Construcción		
División	Grupo	Clase	Descripción	Notas	
		45.25	Otras construcciones especializadas	de estructura y que requieran aptitudes o materiales específicos: • obras de cimentación, incluida la hinca de pilotes construcción y perforación de pozos hidráulicos, excavación de pozos de minas • montaje de piezas de acero que no sean de producción propia • curvado del acero • montaje y desmantelamiento de andamios y plataformas de trabajo, incluido su alquiler • montaje de chimeneas y hornos industriales. Esta clase no comprende: • el alquiler de andamios sin montaje ni desmantelamiento (véase 71.32)	45250000 45262000
	45.3		Instalación de edificios y obras.		45300000
		45.31	Instalación eléctrica	Esta clase comprende: • la instalación en edificios y otras obras de construcción de: • cables y material eléctrico • sistemas de telecomunicación • instalaciones de calefacción eléctrica • antenas de viviendas • alarmas contra incendios	45213316 4531000 Excepto: 45316000

Nace (1)					Código CPV
Sección F			Construcción		
División	Grupo	Clase	Descripción	Notas	
		45.31	Instalación eléctrica	• sistemas de alarma de protección contra robos • ascensores y escaleras mecánicas • pararrayos, etc.	45213316 4531000 Excepto: 45316000
		45.32	Aislamiento térmico, acústico y antivibratorio	Esta clase comprende: • la instalación en edificios y otras obras de construcción de aislamiento térmico, acústico o antivibratorio. Esta clase no comprende: • la impermeabilización de edificios y balcones (véase 45.22)	45320000
		45.33	Fontanería	Esta clase comprende: • la instalación en edificios y otras obras de construcción de: • fontanería y sanitarios • aparatos de gas • aparatos y conducciones de calefacción, ventilación, refrigeración o aire acondicionado • la instalación de extintores automáticos de incendios. Esta clase no comprende: • la instalación y reparación de instalaciones de calefacción eléctrica (véase 45.31)	45330000

Nace (1)					Código CPV
Sección F			**Construcción**		
División	**Grupo**	**Clase**	**Descripción**	**Notas**	
		45.34	Otras instalaciones de edificios y obras	Esta clase comprende: • la instalación de sistemas de iluminación y señalización de carreteras, puertos y aeropuertos • la instalación en edificios y otras obras de construcción de aparatos y dispositivos no clasificados en otra parte	45234115 45316000 45340000
	45.4		Acabado de edificios y obras		45400000
		45.41	Revocamiento	Esta clase comprende: • la aplicación en edificios y otras obras de construcción de yeso y estuco interior y exterior, incluidos los materiales de listado correspondientes	45410000
		45.42	Instalaciones de carpintería	Esta clase comprende: • la instalación de puertas, ventanas y marcos, cocinas equipadas, escaleras, mobiliario de trabajo y similares de madera u otros materiales, que no sean de producción propia • los acabados interiores, como techos, revestimientos de madera para paredes, tabiques móviles, etc. Esta clase no comprende: • los revestimientos de parqué y otras maderas para suelos (véase 45.43)	45420000

Nace (1)					Código CPV
Sección F			Construcción		
División	Grupo	Clase	Descripción	Notas	
		45.43	Revestimiento de suelos y paredes	Esta clase comprende: • la colocación en edificios y otras obras de construcción de: • revestimientos de cerámica, hormigón o piedra tallada para suelos • revestimientos de parqué y otras maderas para suelos • revestimientos de moqueta y linóleo para paredes y suelos, incluidos el caucho o los materiales plásticos • revestimientos de terrazo, mármol, granito o pizarra para paredes y suelos • papeles pintados	45430000
		45.44	Pintura y acristalamiento	Esta clase comprende: • la pintura interior y exterior de edificios • la pintura de obras de ingeniería civil • la instalación de cristales, espejos, etc. Esta clase no comprende: • la instalación de ventanas (véase 45.42)	45440000
		45.45	Otros acabados de edificios y obras	Esta clase comprende: • la instalación de piscinas particulares • la limpieza al vapor, con chorro de arena o similares, del exterior de los edificios	45212212 y DA04 45450000

Nace (1)					Código CPV
Sección F			Construcción		
División	Grupo	Clase	Descripción	Notas	
		45.45	Otros acabados de edificios y obras	• otras obras de acabado de edificios no citadas en otra parte. Esta clase no comprende: • la limpieza interior de edificios y obras (véase 74.70)	45212212 y DA04 45450000
	45.5		Alquiler de equipo de construcción o demolición dotado de operario		45500000
		45.50	Alquiler de equipo de construcción o demolición dotado de operario	Esta clase no comprende: • el alquiler de equipo y maquinaria de construcción o demolición desprovisto de operario (véase 71.32)	45500000

(1) Reglamento (CEE) n.º 3037/90 del Consejo, de 9 de octubre de 1990, relativo a la nomenclatura estadística de actividades económicas en la Comunidad Europea (DO L 293 de 24.10.1990, p. 1). Reglamento modificado en último lugar por el Reglamento (CEE) n.º 761/93 de la Comisión (DO L 83 de 3.4.1993, p. 1).

En caso de diferentes interpretaciones entre CPV y NACE, se aplicará la nomenclatura NACE.

ANEXO II

Servicios a que se refiere el artículo 10

📖 **Doctrina**

Reflexiones prácticas sobre la notificación y la forma de llevarla a cabo (especial referencia al ámbito local). Por D. Francisco Antonio Cholbi Cachá. Derecho local, enero 2009.

Categorías	Descripción	Número de referencia CPC (2)	Número de referencia CPV
1	Servicios de mantenimiento y reparación.	6112, 6122, 633, 886.	De 50100000-6 a 50884000-5 (excepto de 50310000-1 a 50324200-4 y 50116510-9, 50190000-3, 50229000-6, 50243000-0) y de 51000000-9 a 51900000-1.
2	Servicios de transporte por vía terrestre (3), incluidos los servicios de furgones blindados y servicios de mensajería, excepto el transporte de correo.	712 (excepto 71235), 7512, 87304.	De 60100000-9 a 60183000-4 (excepto 60160000-7, 60161000-4, 60220000-6), y de 64120000-3 a 64121200-2.
3	Servicios de transporte aéreo: transporte de pasajeros y carga, excepto el transporte de correo.	73 (excepto 7321).	De 60410000-5 a 60424120-3 (excepto 60411000-2, 60421000-5), y 60500000-3 De 60440000-4 a 60445000-9.

Categorías	Descripción	Número de referencia CPC (2)	Número de referencia CPV
4	Transporte de correo por vía terrestre (3) y por vía aérea.	71235, 7321.	60160000-7, 60161000-4 60411000-2, 60421000-5.
5	Servicios de telecomunicación.	752.	De 64200000-8 a 64228200-2 72318000-7, y de 72700000-7 a 72720000-3.
6	Servicios financieros: a) servicios de seguros b) servicios bancarios y de inversión (4).	ex 81, 812, 814 7.	De 66100000-1 a 66720000-3 (4) .
7	Servicios de informática y servicios conexos.	84.	De 50310000-1 a 50324200-4 de 72000000-5 a 72920000-5 (excepto 72318000-7 y desde 72700000-7 a72720000-3), 79342410-4.
8	Servicios de investigación y desarrollo (5).	85.	De 73000000-2 a 73436000-7 (excepto 73200000-4, 73210000-7, 73220000-0.
9	Servicios de contabilidad, auditoría y teneduría de libros.	862.	De 79210000-9 a 79223000-3.
10	Servicios de investigación de estudios y encuestas de la opinión pública.	864.	De 79300000-7 a 79330000-6, y 79342310-9, 79342311-6.
11	Servicios de consultores de dirección (6) y servicios conexos.	865, 866.	De 73200000-4 a 73220000-0 de 79400000-8 a 79421200-3 y 79342000-3, 79342100-4 79342300-6, 79342320-2 79342321-9, 79910000-6, 79991000-7 98362000-8.
12	Servicios de arquitectura; servicios de ingeniería y servicios integrados de ingeniería;	867.	De 71000000-8 a 71900000-7 (excepto 71550000-8) y 79994000-8.

Categorías	Descripción	Número de referencia CPC (2)	Número de referencia CPV
12	servicios de planificación urbana y servicios de arquitectura paisajista. Servicios conexos de consultores en ciencia y tecnología. Servicios de ensayos y análisis técnicos.	867.	De 71000000-8 a 71900000-7 (excepto 71550000-8) y 79994000-8.
13	Servicios de publicidad.	871.	De 79341000-6 a 79342200-5 (excepto 79342000-3 y 79342100-4.
14	Servicios de limpieza de edificios y servicios de administración de bienes raíces.	874, 82201 a 82206.	De 70300000-4 a 70340000-6, y de 90900000-6 a 90924000-0.
15	Servicios editoriales y de imprenta, por tarifa o por contrato.	88442.	De 79800000-2 a 79824000-6 De 79970000-6 a 79980000-7.
16	Servicios de alcantarillado y eliminación de desperdicios: servicios de saneamiento y servicios similares.	94.	De 90400000-1 a 90743200-9 (excepto 90712200-3 De 90910000-9 a 90920000-2 y 50190000-3, 50229000-6 50243000-0.
17	Servicios de hostelería y restaurante.	64.	De 55100000-1 a 55524000-9, y de 98340000-8 a 98341100-6.
18	Servicios de transporte por ferrocarril.	711.	De 60200000-0 a 60220000-6.
19	Servicios de transporte fluvial y marítimo.	72.	De 60600000-4 a 60653000-0, y de 63727000-1 a 63727200-3.
20	Servicios de transporte complementarios y auxiliares.	74.	De 63000000-9 a 63734000-3 (excepto 63711200-8, 63712700-0, 63712710-3,

Categorías	Descripción	Número de referencia CPC (2)	Número de referencia CPV
20	Servicios de transporte complementarios y auxiliares.	74.	y de 63727000-1 a 63727200- 3), y 98361000-1.
21	Servicios jurídicos.	861.	De 79100000-5 a 79140000-7.
22	Servicios de colocación y suministro de personal (7).	872.	De 79600000-0 a 79635000-4 (excepto 79611000-0, 79632000- 3, 79633000-0), y de 98500000-8 a 98514000-9.
23	Servicios de investigación y seguridad, excepto los servicios de furgones blindados.	873 (excepto 87304).	De 79700000-1 a 79723000-8.
24	Servicios de educación y formación profesional.	92.	De 80100000-5 a 80660000-8 (excepto 80533000-9, 80533100-0, 80533200-1.
25	Servicios sociales y de salud.	93.	79611000-0, y de 85000000-9 a 85323000-9 (excepto 5321000-5 y 85322000-2.
26	Servicios de esparcimiento, culturales y deportivos (8).	96.	De 79995000-5 a 79995200-7, y de 92000000-1 a 92700000-8 (excepto 92230000-2, 92231000-9, 92232000-6.
27	Otros servicios.		

---

(2) En caso de diferentes interpretaciones entre CPV y CPC, se aplicará la nomenclatura CPC. [1] Nomenclatura CPC (versión provisional) empleada para definir el ámbito de aplicación de la Directiva 92/50/CEE.

(3) Exceptuando los servicios de transporte por ferrocarril incluidos en la categoría 18.

(4) Exceptuando los servicios financieros relativos a la emisión, compra, venta y transferencia de títulos u otros instrumentos financieros, y los servicios prestados por los bancos centrales. Quedan también excluidos los servicios que consistan en la adquisición o el arrendamiento, independientemente del sistema de financiación, de terrenos, edificios ya existentes u otros bienes inmuebles, o relativos a derechos sobre estos bienes; no obstante, los servicios financieros prestados, bien al mismo tiempo, bien con anterioridad o posterioridad al contrato de adquisición o de arrendamiento, en cualquiera de sus formas, se regularán por lo dispuesto en la presente Directiva.

(5) Exceptuando los servicios de investigación y desarrollo distintos de aquellos cuyos resultados correspondan al poder adjudicador y/o a la entidad adjudicadora para su uso exclusivo, siempre que este remunere íntegramente la prestación del servicio.

(6) Exceptuando los servicios de arbitraje y conciliación.

(7) Exceptuando los contratos de trabajo.

(8) Exceptuando los contratos para la compra, el desarrollo, la producción o la coproducción de material de programación por parte de los organismos de radiodifusión y los contratos relativos al tiempo de radiodifusión.

ANEXO III

Lista de productos contemplados en la letra a) del apartado 1 del artículo 15, en lo que se refiere a los contratos de suministros adjudicados por órganos de contratación del sector de la defensa

Capítulo 25: Sal; azufre; tierras y piedras; yesos, cales y cementos.

Capítulo 26: Minerales, escorias y cenizas.

Capítulo 27: Combustibles minerales, aceites minerales y productos de su destilación; materias bituminosas; ceras minerales, excepto:

Ex 27.10: carburantes especiales.

Capítulo 28: Productos químicos inorgánicos; compuestos inorgánicos u orgánicos de los metales preciosos, de los elementos radiactivos, de los metales de las tierras raras o de isótopos, excepto:

Ex 28.09: explosivos.

Ex 28.13: explosivos.

Ex 28.14: gases lacrimógenos.

Ex 28.28: explosivos.

Ex 28.32: explosivos.

Ex 28.39: explosivos.

Ex 28.50: productos toxicológicos.

Ex 28.51: productos toxicológicos.

Ex 28.54: explosivos.

Capítulo 29: Productos químicos orgánicos, excepto:

Ex 29.03: explosivos.

Ex 29.04: explosivos.

Ex 29.07: explosivos.

Ex 29.08: explosivos.

Ex 29.11: explosivos.

Ex 29.12: explosivos.

Ex 29.13: productos toxicológicos.

Ex 29.14: productos toxicológicos.

Ex 29.15: productos toxicológicos.

Ex 29.21: productos toxicológicos.

Ex 29.22: productos toxicológicos.

Ex 29.23: productos toxicológicos.

Ex 29.26: explosivos.

Ex 29.27: productos toxicológicos.

Ex 29.29: explosivos.

Capítulo 30: Productos farmacéuticos.

Capítulo 31: Abonos.

Capítulo 32: Extractos curtientes o tintóreos; taninos y sus derivados; pigmentos y demás materias colorantes; pinturas y barnices; mástiques; tintas.

Capítulo 33: Aceites esenciales y resinoides; preparaciones de perfumería, de tocador o de cosmética.

Capítulo 34: Jabones, agentes de superficie orgánicos, preparaciones para lavar, preparaciones lubricantes, ceras artificiales, ceras preparadas, productos de limpieza, velas y artículos similares, pastas para modelar, ceras para odontología y preparaciones para odontología a base de yeso.

Capítulo 35: Materias albuminóideas; colas; enzimas.

Capítulo 37: Productos fotográficos o cinematográficos.

Capítulo 38: Productos diversos de las industrias químicas, excepto:

Ex 38.19: productos toxicológicos.

Capítulo 39: Materias plásticas, éteres y ésteres de la celulosa, resinas artificiales y manufacturas de estas materias, excepto:

Ex 39.03: explosivos.

Capítulo 40: Caucho natural o sintético, caucho facticio y manufacturas de caucho, excepto:

Ex 40.11: neumáticos para automóviles.

Capítulo 41: Pieles y cueros.

Capítulo 42: Manufacturas de cuero; artículos de guarnicionería o de talabartería; artículos de viaje, bolsos de mano y continentes similares; manufacturas de tripa.

Capítulo 43: Peletería y confecciones de peletería; peletería artificial o facticia.

Capítulo 44: Madera, carbón vegetal y manufacturas de madera.

Capítulo 45: Corcho y sus manufacturas.

Capítulo 46: Manufacturas de espartería o de cestería.

Capítulo 47: Materias destinadas a la fabricación de papel.

Capítulo 48: Papel y cartón; manufacturas de pasta de celulosa, de papel o de cartón.

Capítulo 49: Artículos de librería y productos de las artes gráficas.

Capítulo 65: Sombreros y demás tocados, y sus partes.

Capítulo 66: Paraguas, quitasoles, bastones, látigos, fustas y sus partes.

Capítulo 67: Plumas y plumón preparados y artículos de plumas o plumón; flores artificiales; manufacturas de cabello.

Capítulo 68: Manufacturas de piedra, yeso fraguable, cemento, amianto (asbesto), mica o materias análogas.

Capítulo 69: Productos cerámicos.

Capítulo 70: Vidrio y sus manufacturas.

Capítulo 71: Perlas finas, piedras preciosas o semipreciosas, metales preciosos, chapados de metal precioso (plaqué) y manufacturas de estas materias; bisutería.

Capítulo 73: Fundición, hierro y acero.

Capítulo 74: Cobre.

Capítulo 75: Níquel.

Capítulo 76: Aluminio.

Capítulo 77: Magnesio, berilio.

Capítulo 78: Plomo.

Capítulo 79: Cinc.

Capítulo 80: Estaño.

Capítulo 81: Otros metales comunes.

Capítulo 82: Herramientas, artículos de cuchillería y cubiertos de mesa, de metal común, excepto:

Ex 82.05: herramientas.

Ex 82.07: piezas de herramientas.

Capítulo 83: Manufacturas diversas de metal común.

Capítulo 84: Calderas, máquinas, aparatos y artefactos mecánicos, excepto:

Ex 84.06: motores.

Ex 84.08: los demás propulsores.

Ex 84.45: máquinas.

Ex 84.53: máquinas automáticas de tratamiento de la información.

Ex 84.55: piezas del núm. 84.53.

Ex 84.59: reactores nucleares.

Capítulo 85: Máquinas y aparatos eléctricos y objetos que sirvan para usos electrotécnicos, excepto:

Ex 85.13: telecomunicaciones.

Ex 85.15: aparatos de transmisión.

Capítulo 86: Vehículos y material para vías férreas, aparatos de señalización no eléctricos para vías de comunicación, excepto:

Ex 86.02: locomotoras blindadas.

Ex 86.03: las demás locomotoras blindadas.

Ex 86.05: vagones blindados.

Ex 86.06: vagones taller.

Capítulo 87: Vehículos automóviles, tractores, velocípedos y demás vehículos terrestres, excepto:

Ex 87.08: tanques y demás vehículos automóviles blindados.

Ex 87.01: tractores.

Ex 87.02: vehículos militares.

Ex 87.03: vehículos para reparaciones.

Ex 87.09: motocicletas.

Ex 87.14: remolques.

Capítulo 89: Navegación marítima y fluvial, excepto:

Ex 89.01A: barcos de guerra.

Capítulo 90: Instrumentos y aparatos de óptica, fotografía o cinematografía, de medida, control o de precisión; instrumentos y aparatos medicoquirúrgicos, excepto:

Ex 90.05: binoculares.

Ex 90.13: instrumentos diversos, láser.

Ex 90.14: telémetros.

Ex 90.28: instrumentos de medida eléctricos o electrónicos.

Ex 90.11: microscopios.

Ex 90.17: instrumentos médicos.

Ex 90.18: aparatos para mecanoterapia.

Ex 90.19: aparatos para ortopedia.

Ex 90.20: aparatos de rayos X.

Capítulo 91: Relojería.

Capítulo 92: Instrumentos musicales, aparatos de grabación o reproducción de sonido, aparatos de grabación o reproducción de imágenes y sonido en televisión, y las partes y accesorios de estos aparatos.

Capítulo 94: Muebles; mobiliario medicoquirúrgico; artículos de cama y similares, excepto:

Ex 94.01A: asientos para aeronaves.

Capítulo 95: Materias para tallar o moldear, trabajadas (incluidas las manufacturas).

Capítulo 96: Manufacturas de cepillería, brochas y pinceles, escobas, borlas, tamices, cedazos y cribas.

Capítulo 98: Manufacturas diversas.

§ 2. Ley 31/2007, de 30 de octubre, sobre procedimientos de contratación en los sectores del agua, la energía, los transportes y los servicios postales

(*BOE* de 31 de Octubre de 2007)

JUAN CARLOS I REY DE ESPAÑA

A todos los que la presente vieren y entendieren.

Sabed: Que las Cortes Generales han aprobado y Yo vengo en sancionar la siguiente ley.

EXPOSICIÓN DE MOTIVOS

La presente ley incorpora al ordenamiento jurídico español la Directiva 2004/17/CE del Parlamento Europeo y del Consejo, de 31 de marzo de 2004, sobre la coordinación de los procedimientos de contratación en los sectores del agua, la energía, de los transportes y de los servicios postales y la Directiva 92/13/CEE del Consejo, de 25 de febrero de 1992, sobre coordinación de las disposiciones legales, reglamentarias y administrativas referentes a la aplicación de las normas comunitarias en los procedimientos de adjudicación de contratos de las entidades que operan en dichos sectores.

La Ley 48/1998, de 30 de diciembre, sobre procedimientos de contratación en los sectores del agua, la energía, los transportes y las telecomunicaciones, tuvo por finalidad la transposición al ordenamiento jurídico español las Directivas 93/38/CEE y 92/13/CEE. La Directiva 93/38/CEE ha sido sustituida por la Directiva 2004/17/CE, cuya entrada en vigor se produce el día de su publicación en el Diario Oficial de la Unión Europea, el día 30 de abril de 2004. La Directiva 92/13/CEE permanece sin variación alguna.

Respecto del ámbito de actividades cubierto cabe resaltar que dejan de estar sometidas a la ley las actividades desarrolladas en el sector de las telecomunicaciones, al constituir un sector liberalizado, y se incorpora a la misma el sector de los servicios postales.

La nueva Directiva en aquellos aspectos básicos conserva la regulación anterior, referida a los sectores cubiertos por la misma, e incorpora nuevas técnicas de contratación basadas fundamentalmente en el uso de los medios electrónicos y de las comunicaciones aplicados a los procedimientos de adjudicación de los contratos, conservando la necesaria aplicación de los principios derivados del Tratado Constitutivo de las Comunidades Europeas de igualdad de trato, del que el principio de no discriminación no es sino una expresión concreta, de reconocimiento mutuo y de proporcionalidad, así como en el principio de transparencia, y en tal sentido se deja constancia en el considerando noveno de la nueva directiva, por lo que obviamente se conservan los mismos motivos que impulsaron la promulgación de la anterior ley.

En esta ocasión el legislador comunitario ha querido dejar constancia en el considerando primero de la Directiva que la misma se basa en la jurisprudencia del Tribunal de Justicia, en particular la relativa a los criterios de adjudicación, incluyendo el ámbito medioambiental y social, lo que sin duda constituirá un elemento muy importante para hacer posible su interpretación.

Tal y como se manifestaba en la anterior Ley 48/1998, de 30 de diciembre, el Derecho comunitario europeo ha previsto para los sectores del agua, la energía, los transportes y los servicios postales, un régimen normativo distinto al aplicable a los contratos de las Administraciones públicas, cuyas directivas reguladoras fueron objeto de transposición por la Ley de Contratos de las Administraciones Públicas. Este régimen singular en lo que concierne a determinados aspectos de la ordenación de su actividad contractual, entre ellos la selección del contratista, es menos estricto y rígido que el establecido en la Directiva 2004/18/CE del Parlamento Europeo y del Consejo, de 31 de marzo de 2004, sobre coordinación de los procedimientos de adjudicación de los contratos públicos de obras, de suministro y de servicios, asegurando en todo caso los principios de apertura del mercado principios de publicidad y concurrencia.

La Comisión Europea estimó en su momento, ponderando, como se preocupó de señalar, razones políticas, estratégicas, económicas, industriales y jurídicas, que era oportuno introducir criterios originales o específicos en el campo contractual de los entonces denominados sectores excluidos, ya que éstos, en el contexto de los países comunitarios, están gestionados por entidades u organismos públicos o privados de manera indistinta.

La ley recoge en el Título preliminar su objeto y las definiciones adecuadas a los diferentes conceptos manejados a lo largo del texto legislativo de tal manera que se respeten las interpretaciones comunitarias originarias de la Directiva 2004/17/CE.

El ámbito subjetivo de la ley, tal como especifica el Capítulo I del mismo Título I, se proyecta sobre las entidades públicas y privadas, exceptuándose sin embargo las Administraciones públicas y los Organismos autónomos, que quedan sujetos a la regulación más estricta de la Ley 30/2007, de 30 de octubre, de Contratos del Sector Público por razones de disciplina y control de su funcionamiento, aspectos éstos que parece aconsejable primar, respetando los umbrales establecidos en la Directiva 2004/17/CE a efectos de la publicidad de los anuncios de los contratos en el Diario Oficial de la Unión Europea. Ello es plenamente compatible con el Derecho comunitario, ya que esta opción garantiza obviamente los principios de publicidad, concurrencia, igualdad y no discriminación en materia contractual al exigirse con mayor rigor en la esfera estrictamente administrativa.

La ley define en el Título I, con estricta fidelidad al contenido de la Directiva 2004/17/CE, su ámbito objetivo de aplicación, concretando tanto la naturaleza de los contratos que regula como el contenido material de los mismos. Igualmente, se recogen los principios que regirán la contratación con especial referencia al tratamiento de la confidencialidad y se establecen los requisitos relativos a la capacidad de los operadores económicos. Finalmente, se recoge un sistema potestativo de clasificación de contratistas cuyo objetivo o finalidad será, asimismo, definido por la entidad contratante, aunque esté llamado, en principio, tanto a facilitar la selección del contratista como a simplificar el propio procedimiento cuando opere como medio de convocatoria. Los criterios de clasificación serán también de libre elección por la entidad contratante, que deberá asegurar en todo caso la publicidad de los mismos y la no discriminación entre los aspirantes. Como alternativa, dichas entidades podrán, si lo desean, remitirse al Registro Oficial de Licitadores y Empresas Clasificadas del Ministerio de Economía y Hacienda, en su caso, a los correspondientes registros de las Comunidades Autónomas, y a otros registros oficiales siempre que respeten las exigencias marcadas por la Directiva 2004/17/CE.

En el Título III la Ley precisa las exigencias y particularidades de la documentación de los contratos.

El Título IV establece los requisitos de adecuación y objetividad de los criterios de selección cualitativa.

El Título V recoge bajo la denominación de nuevas técnicas de contratación relacionadas con las nuevas técnicas electrónicas de compra. Dichas técnicas permiten ampliar la competencia y mejorar la eficacia del sistema público de compras a través de la posibilidad de que las entidades contratantes recurran a centrales de compras, a sistemas dinámicos de adquisición y/o a subastas electrónicas.

En cuanto a los procedimientos de adjudicación de los contratos, el Título VI de la Ley distingue los procedimientos abierto, restringido y negociado, recogidos ya en la normativa de contratación de las Administraciones públicas, si bien introduce la novedad de no establecer supuestos concretos para la utilización del procedimiento negociado con publicidad, por el que podrá optar libremente la entidad contratante. Se prevé también la posibilidad de acudir, en determinados supuestos tasados, a un procedimiento sin publicidad previa y se regula el denominado concurso de proyectos.

En cuanto a los criterios de adjudicación de los contratos, la ley sigue los criterios tradicionales de adjudicación de la contratación pública.

El Título VII recoge nuevamente, y con escasas variaciones con respecto a la ley anterior que aclaran su contenido, la Directiva 92/13/CEE y tiene por objeto garantizar la aplicación, mediante diversas medidas, de los procedimientos de adjudicación regulados en el Título anterior.

La ley contiene, en su disposición adicional segunda una enumeración de entidades contratantes que se consideran sujetas a la misma. Estas entidades se incluyen unas veces de forma individual y otras de forma genérica, suficiente en todo caso para su identificación, por su pertenencia a una categoría, ante la imposibilidad de llegar a una relación exhaustiva, habilitando al Ministro de Economía y Hacienda para modificar la lista de entidades contratantes.

La disposición transitoria establece, excluyendo al sector de los servicios postales que no se encontraba sometido a la Ley 48/1998, de 30 de diciembre, la norma aplicable a los expedientes de contratación iniciados y a los contratos adjudicados con anterioridad a la entrada en vigor de esta ley.

En la disposición final tercera se establece el procedimiento para la actualización de las cifras que se fijan en esta ley cuando tal variación se acuerde por la Comisión Europea habilitando al Ministro de Economía y Hacienda para tal fin, habilitación que se hace extensiva en la disposición final cuarta respecto de las modificaciones de los plazos que se acuerden también por la Unión Europea.

En cuanto se refiere a la entrada en vigor de la ley se establece en el plazo de seis meses a partir de su publicación, si bien, haciendo uso de la habilitación establecida en el artículo 71 de la Directiva 2004/17/CE se pospone respecto de los servicios postales hasta el día 1 de enero de 2009.

Por último, procede señalar que la ley se dicta al amparo de los títulos competenciales que corresponden al Estado en materia de contratación administrativa, especificando la disposición final segunda el carácter de legislación básica de la ley en lo que se refiere al régimen de contratación de los organismos y entidades públicas y del sistema de reclamaciones con los actos de los mismos en tal materia.

TÍTULO PRELIMINAR
OBJETO DE LA LEY Y DEFINICIONES

Artículo 1. *Objeto de la Ley.* La presente ley tiene como objeto la regulación del procedimiento de adjudicación de los contratos de obras, suministro y servicios cuando contraten las entidades públicas y privadas que se recogen en el artículo

3.1 que operen en los sectores de actividad relacionados con el agua, la energía, los transportes y los servicios postales, tal como se concreta en los artículos 7 a 12, cuando su importe sea igual o superior al que se establece, respecto de cada tipo de contrato, en el artículo 16.

Artículo 2. *Definiciones.* Se entenderá por:

1.

a) Contratos de obras, de suministro y de servicios: los contratos a título oneroso celebrados por escrito entre una o varias de las entidades contratantes sujetas al ámbito de aplicación de esta ley y uno o varios contratistas, proveedores o prestadores de servicios.

b) Contratos de obras: aquellos contratos cuyo objeto sea o bien la ejecución de una obra, o bien, conjuntamente, el proyecto y la ejecución de obras relativas a una de las actividades mencionadas en el anexo I o bien la realización, por cualquier medio, de una obra que responda a las necesidades especificadas por la entidad contratante. Por obra se entenderá el resultado de un conjunto de actividades de construcción o de ingeniería civil destinado a cumplir por sí mismas una función económica o técnica.

c) Contratos de suministro: los contratos distintos de los contemplados en la letra b) cuyo objeto sea la compra, la compra a plazos, el arrendamiento financiero y el arrendamiento con o sin opción de compra, de productos.

Un contrato cuyo objeto sea el suministro de productos y, de forma accesoria, operaciones de colocación e instalación, se considerará un contrato de suministro.

d) Contratos de servicios: los contratos distintos de los contratos de obras o de suministro cuyo objeto sea la prestación de los servicios mencionados en el anexo II.

Un contrato que tenga por objeto al mismo tiempo el suministro de productos y la prestación de servicios en el sentido del anexo II se considerará un contrato de servicios cuando el valor de los servicios en cuestión sea superior al de los productos incluidos en el contrato.

Un contrato que tenga por objeto la prestación de servicios mencionados en el anexo II e incluya actividades contempladas en el anexo I que sean accesorias en relación con el objeto principal del contrato se considerará un contrato de servicios.

2.

a) Concesión de obras: un contrato que presente las mismas características que el contrato de obras, con la salvedad de que la contrapartida de las obras a realizar consista, bien únicamente en el derecho a explotar la obra, bien en dicho derecho acompañado de un pago.

b) Concesión de servicios: un contrato que presente las mismas características que el contrato de servicios, con la salvedad de que la contrapartida de prestación de servicios consista, bien únicamente en el derecho a explotar el servicio, bien en dicho derecho acompañado de un pago.

3.

a) «Envío postal»: el envío con destinatario, constituido en la forma definitiva en la que deba ser transportado, cualquiera que sea su peso. Aparte de los envíos de correspondencia incluirá los libros, catálogos, diarios, publicaciones periódicas y paquetes postales que contengan mercancías con o sin valor comercial, cualquiera que sea su peso.

b) «Servicios postales»: los servicios consistentes en la recogida, la clasificación, la expedición y la distribución de envíos postales. Estos servicios incluyen:

1.º Los «servicios postales reservados»: los que tengan dicho carácter o puedan tenerlo conforme al artículo 18 de la Ley 24/1998, de 13 de julio, del Servicio Postal Universal y de Liberalización de los Servicios Postales.

2.º Otros «servicios postales» los servicios postales que no puedan ser reservados conforme al artículo 18 de la Ley 24/1998, de 13 de julio.

4. Acuerdo marco: un acuerdo celebrado entre una o varias de las entidades contratantes y uno o varios operadores económicos, que tenga por objeto establecer los términos que deberán regir los contratos que se hayan de adjudicar en el transcurso de un período determinado, particularmente en lo que se refiere a los precios y, en su caso, a las cantidades previstas.

5. Sistema dinámico de adquisición: un proceso de adquisición enteramente electrónico para compras de uso corriente, cuyas características generalmente disponibles en el mercado satisfacen las necesidades de la entidad contratante, limitado en el tiempo y abierto durante toda su duración a cualquier operador económico que cumpla los criterios de selección y haya presentado una oferta indicativa que se ajuste al pliego de condiciones.

6. Subasta electrónica: un proceso repetitivo basado en un dispositivo electrónico de presentación de nuevos precios, revisados a la baja, o de nuevos valores relativos a determinados elementos de las ofertas que tiene lugar tras una primera evaluación completa de las ofertas y que permite proceder a su clasificación mediante métodos de evaluaciones automáticos.

No podrán ser objeto de subastas electrónicas determinados contratos de obras y determinados contratos de servicios cuyo contenido implique el desempeño de funciones de carácter intelectual, como la elaboración de proyectos de obras.

7. Poder adjudicador: la Administración General del Estado, las Administraciones de las Comunidades Autónomas, las Entidades que integran la Administración Local, los organismos de derecho público, las asociaciones formadas por uno o varios de dichos poderes o uno o varios de dichos organismos de derecho público.

8. Contratista, proveedor o prestador de servicios: una persona física o jurídica, una entidad contratante de las contempladas en el apartado 1 del artículo 3 ó una agrupación de tales personas o entidades que ofrezca en el mercado, respectivamente, la realización de obras y/o obras, productos o servicios.

9. Operador económico: tanto el contratista como el proveedor o el prestador de servicios. La presente definición se utilizará únicamente con fines de simplificación del texto.

10. Licitador: el operador económico que haya presentado una oferta; por candidato se entenderá aquel que haya solicitado una invitación para participar en un procedimiento restringido o negociado.

11. Central de compras: una entidad contratante que:

a) Adquiere suministros y/o servicios destinados a entidades contratantes, o

b) adjudica contratos o celebra acuerdos marco de obras, suministro o servicios destinados a entidades contratantes.

12. Escrito o «por escrito»: cualquier expresión consistente en palabras o cifras que pueda leerse, reproducirse y después comunicarse. Podrá incluir información transmitida y almacenada por medios electrónicos.

13. Medio electrónico: un medio que utilice equipos electrónicos de tratamiento (incluida la compresión digital) y almacenamiento de datos y que se transmita, se envíe y se reciba por medios alámbricos, radiofónicos, ópticos o por otros medios electromagnéticos.

14. Vocabulario Común de Contratos Públicos, denominado en lo sucesivo CPV: la nomenclatura de referencia aplicable a los contratos públicos adoptada mediante el Reglamento (CE) n.º 2195/2002 del Parlamento Europeo y del Consejo, de 15 de noviembre de 2002, por el que se aprueba el Vocabulario común de contratos públicos (CPV), modificado por Reglamento (CE) 2151/2003 de la Comisión, de 16 de diciembre de 2003, garantizando al mismo tiempo la correspondencia con las demás nomenclaturas existentes.

En caso de diferencias de interpretación sobre el ámbito de aplicación, a causa de posibles divergencias entre la Nomenclatura CPV y la Nomenclatura General de Actividades Económicas de las Comunidades Europeas, aprobada por el Reglamento CEE) 3037/90 del Consejo, relativo a la nomenclatura estadística de actividades económicas en la Comunidad Europea, Revisión 1.1 (NACE-Rev.1.1), modificado por el Reglamento (CE) 29/2002 de la Comisión, de 19 de diciembre de 2001 mencionada en el anexo I o entre la nomenclatura CPV y la nomenclatura CCP (Clasificación Central de Productos) (versión provisional) mencionada en el anexo II, prevalecerán la nomenclatura NACE y la nomenclatura CCP, respectivamente.

TÍTULO I
DISPOSICIONES GENERALES

CAPÍTULO I
ÁMBITO DE APLICACIÓN SUBJETIVA

Artículo 3. *Entidades contratantes.* 1. Quedarán sujetas a la presente ley, siempre que realicen alguna de las actividades enumeradas en los artículos 7 a 12, las entidades contratantes que sean organismos de derecho público o empresas públicas y las entidades contratantes que sin ser organismos de derecho público o empresas públicas, tengan derechos especiales o exclusivos según se establece en el artículo 4.

Asimismo quedarán sujetas a la presente ley las asociaciones formadas por varias entidades contratantes.

2. Se entenderá por:

a) Organismo de derecho público: cualquier entidad que reúna los siguientes requisitos:

1.º Creada específicamente para satisfacer necesidades de interés general que no tengan carácter industrial o mercantil,

2.º dotada de personalidad jurídica propia y

3.º cuya actividad esté financiada mayoritariamente por la Administración General del Estado, las Administraciones de las Comunidades Autónomas, las entidades que integran la Administración Local, u otros organismos de Derecho público, o cuya gestión esté sujeta a un control por parte de estos últimos, o que cuenten con un órgano de administración, de dirección o de vigilancia más de la mitad de cuyos miembros sean nombrados por la Administración General del Estado, las Comunidades Autónomas, las entidades que integran la Administración Local u otros organismos de Derecho público.

b) Empresa pública: las entidades públicas empresariales de la Administración General del Estado así como las entidades de igual carácter de las Comunidades Autónomas y de las entidades que integran la Administración Local, las sociedades mercantiles de carácter público y toda aquella entidad u organismo sobre la que los poderes adjudicadores puedan ejercer, directa o indirectamente, una influencia dominante por el hecho de tener la propiedad o una participación financiera en las mismas, o en virtud de las normas que las rigen.

Se considerará que los poderes adjudicadores ejercen una influencia dominante, directa o indirecta, sobre una empresa, cuando:

1.º Tengan la mayoría del capital suscrito de la empresa, o

2.º dispongan de la mayoría de los votos correspondientes a las participaciones emitidas por la empresa, o

3.º puedan designar a más de la mitad de los miembros del órgano de administración, de dirección o de vigilancia de la empresa.

c) Entidades contratantes que tengan derechos especiales o exclusivos: aquellas entidades que sin ser poderes adjudicadores ni empresas públicas, ejerzan, entre sus actividades, alguna de las contempladas en los artículos 7 a 12 o varias de estas actividades y tengan derechos especiales o exclusivos concedidos por un órgano competente de una Administración Pública, de un organismo de derecho público o de una entidad pública empresarial.

Artículo 4. *Derechos especiales.* Se considera que una entidad contratante goza de derechos especiales o exclusivos, cuando estos sean concedidos por los órganos competentes de una Administración Pública en virtud de cualquier disposición legal, reglamentaria o administrativa que tenga como efecto limitar a una o más entidades el ejercicio de una actividad contemplada en los artículos 7 a 12 y que afecte sustancialmente a la capacidad de las demás entidades de ejercer dicha actividad.

Artículo 5. *Contratos de las Administraciones Públicas.* Quedan excluidos del ámbito de aplicación de esta ley los contratos que celebren los entes, organismos y entidades que, con arreglo al artículo 3.2 de la Ley de Contratos del Sector Público, tengan la consideración de Administraciones Públicas, que se regirán por la mencionada ley, en todo caso y sin perjuicio de lo dispuesto en el artículo 6 de esta ley, si bien los interesados podrán utilizar el procedimiento de conciliación regulado en el Capítulo IV del Título VII.

Artículo 6. *Exclusiones y umbrales aplicables a los contratos de las Administraciones públicas.* No obstante lo dispuesto en el artículo anterior, cuando las Administraciones públicas adjudiquen contratos que se refieran a actividades recogidas en los artículos 7 a 12, tendrán en cuenta, para determinar si los mismos deben considerarse sujetos a regulación armonizada a los efectos de la Ley de Contratos del Sector Público, los umbrales establecidos en el artículo 16 y las exclusiones contenidas en los artículos 14 y 18.

CAPÍTULO II
ÁMBITO DE APLICACIÓN OBJETIVA

SECCIÓN 1.ª
DE LAS ACTIVIDADES

Artículo 7. *Agua.* 1. La presente Ley se aplicará a las actividades siguientes:
a) La puesta a disposición o la explotación de redes fijas destinadas a prestar un servicio al público en relación con la producción, transporte o distribución de agua potable o
b) el suministro de agua potable a dichas redes.
2. La presente ley se aplicará, asimismo, a los contratos o a los concursos de proyectos adjudicados u organizados por las entidades que ejerzan una actividad contemplada en el apartado 1, siempre y cuando tales contratos:
a) Estén relacionados con proyectos de ingeniería hidráulica, irrigación o drenaje y el volumen de agua destinado al abastecimiento de agua potable represente más del 20 por ciento del volumen de agua total disponible gracias a dichos proyectos o a dichas instalaciones de irrigación o drenaje, o
b) estén relacionados con la evacuación o tratamiento de aguas residuales.
3. No se considerará como una actividad con arreglo al apartado 1 el suministro de agua potable a redes destinadas a prestar un servicio al público por parte de una entidad contratante distinta de los poderes adjudicadores, cuando:
a) La producción de agua potable por parte de la entidad de que se trate se realice porque su consumo es necesario para el ejercicio de una actividad distinta de las contempladas en el presente artículo y en los artículos 8 a 12, y

b) la alimentación de la red pública dependa exclusivamente del propio consumo de la entidad y no haya superado el 30 por ciento de la producción total de agua potable de la entidad tomando en consideración la media de los tres últimos años, incluido el año en curso.

Artículo 8. *Gas y calefacción.* 1. La presente Ley se aplicará a las actividades siguientes:

a) La puesta a disposición o la explotación de redes fijas destinadas a prestar un servicio al público en relación con la producción, transporte o distribución de gas o calefacción, o

b) el suministro de gas o calefacción a dichas redes.

2. No se considerará como una actividad con arreglo al apartado 1 el suministro de gas o calefacción a redes destinadas a prestar un servicio al público por parte de una entidad contratante distinta de los poderes adjudicadores, cuando:

a) La producción de gas o de calefacción por la entidad de que se trate sea una consecuencia inevitable del ejercicio de una actividad distinta de las contempladas en el apartado 1 del presente artículo o en los artículos 7 y 9 a 12.

b) La alimentación de la red pública tenga el único propósito de explotar, desde el punto de vista económico, dicha producción y corresponda, como máximo, al 20 por ciento del volumen de negocios de la entidad tomando en consideración la media de los tres últimos años, incluido el año en curso.

Artículo 9. *Electricidad.* 1. La presente Ley se aplicará a las actividades siguientes:

a) La puesta a disposición o la explotación de redes fijas destinadas a prestar un servicio al público en relación con la producción, transporte o distribución de electricidad o

b) el suministro de electricidad a dichas redes.

2. No se considerará como una actividad con arreglo al apartado 1 el suministro de electricidad a redes destinadas a proporcionar un servicio al público por parte de una entidad contratante distinta de los poderes adjudicadores cuando:

a) La producción de electricidad por parte de la entidad de que se trate se realice porque su consumo es necesario para el ejercicio de una actividad distinta de las contempladas en los apartado 1 del presente artículo y en los artículos 7, 8 y 10 a 12.

b) La alimentación de la red pública dependa exclusivamente del propio consumo de la entidad y no haya superado el 30 por ciento de la producción total de energía de la entidad tomando en consideración la media de los tres últimos años, incluido el año en curso.

Artículo 10. *Servicios de transporte.* 1. La presente ley se aplicará a las actividades de puesta a disposición o explotación de redes que presten un servicio público en el campo del transporte por ferrocarril, sistemas automáticos, tranvía, trolebús, autobús o cable.

2. Se considerará que existe una red en los servicios de transporte cuando el servicio se preste con arreglo a las condiciones operativas establecidas por la autoridad competente. Estas condiciones harán referencia a los itinerarios, a la capacidad de transporte disponible o a la frecuencia del servicio.

3. La presente ley no se aplicará a las entidades que prestan al público un servicio de transporte en autobús cuando otras entidades puedan prestar libremente dicho servicio, bien con carácter general o bien en una zona geográfica determinada, en las mismas condiciones que las entidades contratantes.

Artículo 11. *Servicios postales.* 1. La presente ley se aplicará a las actividades relacionadas con la prestación de servicios postales o, en las actividades previstas en el apartado 2, de servicios distintos de los servicios postales siempre y cuando dichos servicios los preste una entidad que preste igualmente servicios postales en el sentido de las definiciones de la letra b) del apartado 3 del artículo 2 y no se trate de una actividad sometida directamente a la competencia en mercados cuyo acceso no esté limitado.

2. Las actividades relacionadas con la prestación de servicios distintos de los servicios postales son:

a) Los servicios de gestión de servicios de correo. Tanto los servicios previos al envío como los posteriores a él tales como los servicios de gestión de salas de correo.

b) Los servicios de valor añadido vinculados a medios electrónicos y prestados íntegramente por esta vía incluida la transmisión segura de documentos codificados por vía electrónica, los servicios de gestión de direcciones y la transmisión de correo electrónico certificado.

c) Los servicios relativos a envíos postales no incluidos en la definición de la letra a) del apartado 3 del artículo 2, como la publicidad directa sin indicación de destinatario.

d) Los servicios financieros tal y como se definen en la categoría 6 del anexo II A que incluyen, en particular, los giros y las transferencias postales, excepto aquellos que se excluyen en el artículo 18.3, letra d), supuesto 3.º

e) Los servicios filatélicos.

f) Los servicios logísticos, entendiéndose por tales aquellos servicios que combinan la distribución física y la lista de correos con otras funciones no postales.

> *Téngase en cuenta que respecto a las actividades a que se refiere el artículo 11, la presente Ley entrará en vigor el día 1 de enero de 2009, conforme establece el número 2 de su disposición final décima.*

Artículo 12. *Prospección y extracción de petróleo, gas, carbón y otros combustibles sólidos, y puesta a disposición de terminales de transportes.* La presente ley se aplicará a las actividades de explotación de una zona geográfica determinada para:

a) La prospección o extracción de petróleo, gas, carbón u otros combustibles sólidos o

b) la puesta a disposición de los transportistas aéreos, marítimos o fluviales, de los aeropuertos, de los puertos marítimos o interiores o de otras terminales de transporte.

Artículo 13. *Contratos relativos a diversas actividades.* 1. Un contrato destinado a la realización de varias actividades incluidas en los artículos 7 a 12 seguirá las normas aplicables a la actividad a la que esté destinado principalmente. No obstante, la opción entre adjudicar un solo contrato o varios contratos por separado no podrá ejercerse con el objetivo de excluirla del ámbito de aplicación de la presente ley o, si procede, de la Ley 30/2007, de Contratos del Sector Público.

2. Si una de las actividades a que se destine el contrato está sometida a la presente ley y la otra a la Ley de Contratos del Sector Público y si resulta imposible objetivamente establecer a qué actividad se destina principalmente el contrato, éste se adjudicará con arreglo a la mencionada Ley de Contratos del Sector Público.

3. Si una de las actividades a las que se destine el contrato está sometida a la presente ley y la otra no está sometida ni a ésta ni a la Ley de Contratos del Sector Público y resulta imposible objetivamente establecer a qué actividad se destina principalmente el contrato, éste se adjudicará con arreglo a la presente ley.

SECCIÓN 2.ª
EXCLUSIÓN DE ACTIVIDADES LIBERALIZADAS

Artículo 14. *Exclusión por liberalización de una actividad.* 1. La presente ley no se aplicará a los contratos destinados a hacer posible la prestación de una actividad contemplada en los artículos 7 a 12, siempre que tal actividad esté sometida directamente a la competencia en mercados cuyo acceso no esté limitado.

2. A efectos del apartado 1, para determinar si una actividad está sometida directamente a la competencia, se utilizarán criterios que sean conformes a las disposiciones del Tratado Constitutivo de la Comunidad Europea en materia de competencia, como las características de los bienes o servicios de que se trate, la existencia de bienes o servicios alternativos, los precios y la presencia real o potencial de más de un proveedor de los bienes o servicios de que se trate.

3. La exclusión de tal actividad se efectuará conforme a los requisitos y procedimiento establecidos en el artículo 30 de la Directiva 2004/17/CE del Parlamento Europeo y del Consejo, de 31 de marzo de 2004, sobre la coordinación de los procedimientos de adjudicación de contratos en los sectores del agua, de la energía, de los transportes y de los servicios postales.

A tal efecto, cuando se considere que es de aplicación a una determinada actividad la exclusión de aplicación a que hace referencia el apartado 1, el Ministro de Economía y Hacienda, a iniciativa del Ministerio competente por razón de la actividad o, en su caso, de las Comunidades Autónomas o de las correspondientes Corporaciones Locales,, deberá comunicarlo a la Comisión de las Comunidades Europeas, a quien informará de todas las circunstancias pertinentes y, en especial, de cualquier disposición legal, reglamentaria o administrativa o de cualquier acuerdo relativo a la conformidad con las condiciones mencionadas en el apartado 2, en su caso, junto con el criterio que sobre la efectiva liberalización de la actividad y la procedencia de exclusión de aplicación de esta ley se exprese por una autoridad nacional independiente que sea competente en la actividad de que se trate.

Cuando una empresa pública o una entidad contratante a que se refieren, respectivamente, las letras b) y c) del apartado 2 del artículo 3 considere que se dan los requisitos establecidos en los apartados 1 y 2, podrán recabar del Ministerio o del órgano competente de la Comunidad Autónoma correspondiente que se solicite la tramitación del procedimiento a que se refiere el párrafo anterior. Si transcurrieran dos meses sin que se hubiera dado trámite a la citada petición, la empresa pública o la entidad contratante podrán solicitar a la Comisión de las Comunidades Europeas que establezca la aplicabilidad del apartado 1 a una determinada actividad mediante una decisión de conformidad con el apartado 6 del artículo 30 de la Directiva 2004/17/CE.

SECCIÓN 3.ª
DE LOS CONTRATOS DE SERVICIOS

Artículo 15. *Régimen aplicable a los contratos de servicios.* 1. Los contratos que tengan por objeto servicios enumerados en el anexo II A se adjudicarán con arreglo a lo dispuesto en esta ley.

2. La adjudicación de los contratos que tengan por objeto servicios enumerados en el anexo II B estará sometida únicamente a lo dispuesto en los artículos 34 y 67.

3. Los contratos que tengan por objeto simultáneamente servicios incluidos en el anexo II A y en el anexo II B se adjudicarán con arreglo a lo dispuesto en esta ley cuando conforme a las normas que se establecen en el artículo 17 el valor de los

servicios del anexo II A sea superior al valor de los servicios del anexo II B. En los demás casos, se adjudicarán con arreglo a lo dispuesto en los artículos 34 y 67.

SECCIÓN 4.ª
IMPORTE DE LOS CONTRATOS Y PROCEDIMIENTO DE CÁLCULO DE SU VALOR

Artículo 16. *Importe de los umbrales de los contratos.* La presente ley se aplicará a los contratos cuyo valor estimado, excluido el Impuesto sobre el Valor Añadido (IVA), sea igual o superior a los siguientes límites:

a) 400.000 euros en los contratos de suministro y servicios.

> *Cifra contenida en la letra a) del artículo 16 actualizada por el artículo único.2 b) de la Orden EHA/3479/2011, de 19 de diciembre, por la que se publican los límites de los distintos tipos de contratos a efectos de la contratación del sector público a partir del 1 de enero de 2012 («B.O.E.» 23 diciembre).*
> *Vigencia: 1 enero 2012*

b) 5.000.000 euros en los contratos de obras.

> *Cifra contenida en la letra b) del artículo 16 actualizada por el artículo único.2 a) de la Orden EHA/3479/2011, de 19 de diciembre, por la que se publican los límites de los distintos tipos de contratos a efectos de la contratación del sector público a partir del 1 de enero de 2012 («B.O.E.» 23 diciembre).*
> *Vigencia: 1 enero 2012*

Artículo 17. *Métodos para calcular el valor estimado de los contratos, de los acuerdos marco y de los sistemas dinámicos de adquisición.* 1. El cálculo del valor estimado de un contrato se basará en el importe total a pagar, excluido el IVA, estimado por la entidad contratante. Dicho cálculo tendrá en cuenta el importe total estimado, incluido cualquier tipo de opción y las eventuales prórrogas del contrato.

Cuando la entidad contratante haya previsto otorgar premios o efectuar pagos a los candidatos o licitadores, tendrá en cuenta la cuantía de los mismos en el cálculo del valor estimado del contrato.

2. Las entidades contratantes no podrán eludir la aplicación de la presente ley dividiendo los proyectos de obras o los proyectos de adquisición de productos o de prestación de servicios destinados a obtener una determinada cantidad de suministros o de servicios ni empleando modalidades particulares de cálculo del valor de los contratos.

3. Para los acuerdos marco y para los sistemas dinámicos de adquisición el valor que se tendrá en cuenta es el valor máximo estimado, excluido el IVA, del conjunto de contratos contemplados durante la duración total del acuerdo marco o del sistema dinámico de adquisición.

4. A efectos de la aplicación del artículo anterior, las entidades contratantes incluirán en el valor estimado de los contratos de obras el valor de las obras y de todos los suministros o servicios necesarios para la ejecución de las obras que dichas entidades pongan a disposición del contratista.

5. El valor de los suministros o de los servicios que no sean necesarios para la ejecución de un contrato de obras determinado no podrá añadirse al valor de dicho contrato de forma tal que la adquisición de tales suministros o servicios se sustraiga a la aplicación de la presente ley.

6. Cuando una obra proyectada o una compra de servicios puedan derivar en contratos que se adjudiquen al mismo tiempo en forma de lotes separados, deberá tenerse en cuenta el valor total estimado de todos los lotes.

Si el valor acumulado de dichos lotes es igual o superior al umbral previsto en el artículo 16, se aplicarán las disposiciones de la presente ley a la adjudicación de cada lote.

Las entidades contratantes podrán renunciar a dicha aplicación respecto de lotes cuyo valor estimado, excluido el IVA, sea inferior a un millón de euros para las obras o a 80.000 euros para los servicios, siempre que el coste acumulado de dichos lotes no exceda del 20 por ciento del valor acumulado del conjunto de los lotes.

7. Cuando una propuesta para la adquisición de suministros similares pueda derivar en contratos que se adjudiquen al mismo tiempo en forma de lotes separados, deberá tenerse en cuenta el valor total estimado de todos los lotes al aplicarse el artículo 16.

Si el valor acumulado de dichos lotes es igual o superior al umbral previsto en el artículo 16, se aplicarán las disposiciones de la presente ley a la adjudicación de cada lote.

Las entidades contratantes podrán renunciar a dicha aplicación respecto de lotes cuyo valor estimado, excluido el IVA, sea inferior a 80.000 euros, siempre que el coste acumulado de dichos lotes no exceda del 20 por ciento del valor acumulado del conjunto de los lotes.

8. En el caso de contratos de suministro o de servicios que tengan carácter periódico o que estén destinados a renovarse en un período determinado, el cálculo del valor estimado del contrato se basará en lo siguiente:

a) Bien el valor real total de los contratos sucesivos del mismo tipo adjudicados durante los doce meses anteriores o el ejercicio presupuestario precedente, corregido en lo posible para tener en cuenta las modificaciones previsibles de cantidad o valor que pudieran sobrevenir durante los doce meses siguientes al contrato inicial.

b) Bien el valor estimado total de los contratos sucesivos adjudicados durante los doce meses siguientes a la primera entrega, o durante el ejercicio presupuestario si éste excede de los doce meses.

9. La base del cálculo del valor estimado de un contrato que incluya servicios y suministros será el valor total de los servicios y de los suministros, independientemente del porcentaje con que participen en el contrato. Dicho cálculo incluirá el valor de las operaciones de colocación e instalación.

10. En lo que se refiere a los contratos de suministro relativos al arrendamiento financiero, el alquiler o la compra a plazos de productos, el valor que se tomará como base para el cálculo del valor estimado del contrato será el siguiente:

a) En el caso de contratos de duración determinada, si dicho plazo es menor o igual a doce meses, el valor estimado total para el plazo del contrato o, si el plazo del contrato es superior a doce meses, el valor total del contrato con inclusión del valor residual estimado.

b) En el caso de contratos sin plazo fijo o cuyo plazo no pueda definirse, el valor mensual multiplicado por 48.

11. A efectos del cálculo del valor estimado del contrato en los contratos de servicios, se tendrán en cuenta, según corresponda, los siguientes importes:

a) En los contratos de seguros, la prima y las demás remuneraciones.

b) En los contratos de servicios bancarios y otros servicios financieros, los honorarios, comisiones, intereses y otras remuneraciones.

c) En los contratos que impliquen un proyecto, los honorarios, comisiones y otras remuneraciones.

12. En los casos de contratos de servicios en los que no se indique un precio total, el valor que se tomará como base para el cálculo del valor estimado de contrato será el siguiente:

a) En los contratos de duración determinada, si dicho plazo es menor o igual que cuarenta y ocho meses: el valor total para la totalidad de su plazo.

b) En los contratos sin plazo fijo con un plazo superior a cuarenta y ocho meses: el valor mensual multiplicado por 48.

SECCIÓN 5.ª
CONTRATOS EXCLUIDOS

Artículo 18. *Contratos excluidos.* 1. La presente ley no se aplica a los contratos o a los concursos de proyectos que las entidades contratantes celebren u organicen para fines distintos de la realización de las actividades mencionadas en los artículos 7 a 12, ni para la realización de dichas actividades en un país tercero, en circunstancias que no supongan la explotación física de una red o de un área geográfica dentro de la Unión Europea.

2. Las entidades contratantes comunicarán a la Comisión Europea, a petición de ésta, todas las categorías de productos y actividades que consideren excluidas en virtud del apartado 1.

3. Quedan fuera, asimismo, del ámbito de aplicación:

a) Los contratos que se adjudiquen a efectos de reventa o arrendamiento financiero o a terceros, siempre y cuando la entidad contratante no goce de derechos especiales o exclusivos de venta o arrendamiento del objeto de dichos contratos y existan otras entidades que puedan venderlos o arrendarlos libremente en las mismas condiciones que la entidad contratante. Las entidades contratantes comunicarán a la Comisión Europea, a petición de ésta, todas las categorías de productos y actividades que consideren excluidas en virtud de este apartado.

b) Los contratos de adquisición de agua que adjudiquen las entidades contratantes recogidas en el apartado 1 de la disposición adicional segunda.

c) Los contratos que las entidades contratantes recogidas en los apartados 2, 3, 4 y 5 de la disposición adicional segunda que adjudiquen para el suministro de energía o de combustibles destinados a la producción de energía.

d) Los contratos que tengan por objeto:

1.º La adquisición o arrendamiento, independientemente del sistema de financiación, de terrenos, edificios ya existentes u otros bienes inmuebles o relativos a derechos sobre estos bienes. No obstante, los contratos de servicios financieros adjudicados simultáneamente con anterioridad o posterioridad al contrato de adquisición o arrendamiento, en cualquiera de sus formas, se regularán por la presente ley.

2.º El arbitraje y conciliación.

3.º La emisión, compra, venta y transferencia de títulos o de otros instrumentos financieros, en particular, las transacciones de las entidades contratantes para obtener dinero o capital.

4.º Contratos regulados en la legislación laboral.

5.º Servicios de investigación y desarrollo distintos de aquellos cuyos beneficios pertenezcan exclusivamente a la entidad contratante para su utilización en el ejercicio de su propia actividad, siempre que la entidad remunere totalmente la prestación del servicio.

e) Los contratos de servicios que se adjudiquen a una entidad que sea a su vez un poder adjudicador de los incluidos en el artículo 3 de la Ley de Contratos del Sector Público, o una asociación de dichas entidades, basándose en un derecho exclusivo del que goce en virtud de disposiciones legales, reglamentarias o administrativas publicadas, siempre que dichas disposiciones sean compatibles con el Tratado Constitutivo de la Comunidad Europea.

f) Los contratos que hayan sido declarados secretos por el órgano competente o cuya ejecución deba ir acompañada de especiales medidas de seguridad con arreglo a las disposiciones legales, reglamentarias o administrativas, o cuando así lo requiera la protección de los intereses esenciales de la seguridad del Estado.

g) Los contratos regulados por normas de procedimiento distintas y adjudicados en virtud de un acuerdo internacional celebrado de conformidad con el Tratado entre un Estado miembro de la Unión Europea y uno o varios terceros países, que cubra obras, servicios o suministros o concursos de proyectos destinados a la ejecución o explotación conjunta por los Estados signatarios de un proyecto.

h) Los contratos efectuados en virtud de un acuerdo internacional celebrado en relación con el estacionamiento de tropas.

i) Los contratos efectuados por el procedimiento específico de una organización internacional.

j) Las concesiones de obras o de servicios que sean adjudicadas por las entidades contratantes que ejerzan una o varias de las actividades contempladas en los artículos 7 a 12, cuando estas concesiones se adjudiquen para desarrollar dichas actividades.

4. Siempre y cuando se cumplan las condiciones previstas en el apartado siguiente, la presente ley no se aplicará a los contratos adjudicados:

a) Por una entidad contratante a una empresa asociada, entendiéndose como tal a los efectos de esta ley la empresa que, en virtud del artículo 42 del Código de Comercio presente cuentas anuales consolidadas con las de la entidad contratante. Se entenderá, asimismo, como empresa asociada, en el supuesto de entidades no incluidas en dicho precepto, aquélla sobre la cual la entidad contratante pueda ejercer, directa o indirectamente, una influencia dominante, según se define en el artículo 3.2, letra b), o que pueda ejercer una influencia dominante sobre la entidad contratante, o que, como la entidad contratante, esté sometida a la influencia dominante de otra empresa por razón de propiedad o participación financiera o en virtud de las normas que las rigen.

b) Por una empresa conjunta, constituida exclusivamente por varias entidades contratantes con el fin de desarrollar las actividades contempladas en los artículos 7 a 12, a una empresa asociada a una de dichas entidades contratantes.

5. El apartado anterior será de aplicación:

a) A los contratos de servicios, siempre que como mínimo el 80 por ciento del promedio del volumen de negocios que la empresa asociada haya efectuado en los últimos tres años en materia de servicios provenga de la prestación de estos servicios a las empresas con las que esté asociada.

b) A los contratos de suministro, siempre que como mínimo el 80 por ciento del promedio del volumen de negocios que la empresa asociada haya efectuado en los últimos tres años en materia de suministros provenga de la prestación de estos suministros a las empresas con las que esté asociada.

c) A los contratos de obras, siempre que como mínimo el 80 por ciento del promedio del volumen de negocios que la empresa asociada haya efectuado en los últimos tres años en materia de obras provenga de la prestación de estas obras a las empresas con las que esté asociada.

Cuando no se disponga del volumen de negocios de los tres últimos años, debido a la fecha de creación o de inicio de las actividades de la empresa asociada, será suficiente que dicha empresa demuestre que la realización del volumen de negocios exigidos sea verosímil, en especial mediante proyecciones de actividades.

Cuando más de una empresa asociada a la entidad contratante preste obras, servicios o suministros, idénticos o similares, los porcentajes mencionados se calcularán teniendo en cuenta el volumen de negocios total resultante respectivamente de la realización de obras, prestación de servicios o suministros por dichas empresas asociadas.

6. La presente ley no se aplicará a los contratos adjudicados:

a) por una empresa conjunta, constituida exclusivamente por varias entidades contratantes con el fin de desarrollar las actividades contempladas en los artículos 7 a 12, a una de dichas entidades contratantes.

b) por una entidad contratante a una empresa conjunta de la que forme parte, siempre que la empresa conjunta se haya constituido para desarrollar la actividad de que se trate durante un período mínimo de tres años y que el instrumento por el que se haya constituido la empresa conjunta estipule que las entidades contratantes que la constituyen serán parte de la misma al menos durante el mismo período.

7. Cuando las entidades contratantes apliquen alguno de los supuestos a que hacen referencia los apartados 4, 5 y 6 comunicarán a la Comisión Europea, a petición de ésta, las siguientes informaciones:

a) el nombre de las empresas o empresas conjuntas de que se trate.

b) La naturaleza y el valor de los contratos de que se trate.

c) los elementos que la Comisión Europea considere necesarios para probar que las relaciones entre la entidad contratante y la empresa o la empresa conjunta a la que se adjudiquen los contratos cumplen los requisitos del presente artículo.

CAPÍTULO III
PRINCIPIOS DE CONTRATACIÓN Y CONFIDENCIALIDAD

Artículo 19. *Principios de la contratación.* Los contratos que se adjudiquen en virtud de la presente ley se ajustarán a los principios de no discriminación, de reconocimiento mutuo, de proporcionalidad, de igualdad de trato, así como al principio de transparencia.

Artículo 20. *Confidencialidad.* 1. En el momento de comunicar las prescripciones técnicas a las empresas interesadas, de clasificar y seleccionar a las mismas y de adjudicar los contratos, las entidades contratantes podrán imponer requisitos destinados a proteger el carácter confidencial de la información que comuniquen.

2. Sin perjuicio de las disposiciones de la presente ley, en particular las relativas a las obligaciones en materia de publicidad de los contratos adjudicados y de información a los candidatos y a los licitadores, la entidad contratante no divulgará la información facilitada por los operadores económicos que éstos hayan designado como confidencial. Dicha información incluye en particular los secretos técnicos o comerciales y los aspectos confidenciales de las ofertas.

TÍTULO II
CAPACIDAD Y CLASIFICACIÓN DE LOS OPERADORES ECONÓMICOS

CAPÍTULO I
CAPACIDAD

Artículo 21. *Capacidad de los operadores económicos.* Podrán contratar con las entidades contratantes las personas físicas o jurídicas, españolas o extranjeras, que tengan plena capacidad de obrar, acrediten el cumplimiento de los criterios de selección cualitativa que haya determinado la entidad contratante o, en su caso, la correspondiente clasificación en el supuesto de que la citada entidad haya establecido dicho sistema.

Artículo 22. *Agrupaciones de empresarios.* Estarán autorizadas a licitar o presentarse como candidatos a la adjudicación de un contrato las agrupaciones de operadores económicos. Para la presentación de una oferta o de una solicitud de participación, las entidades contratantes no podrán exigir que las agrupaciones de operadores económicos tengan una forma jurídica determinada; no obstante, la agrupación seleccionada podrá estar obligada por la misma a revestir una forma jurídica determinada cuando se le haya adjudicado el contrato, en la medida en que dicha transformación sea necesaria para la correcta ejecución del mismo. Dicha obligación deberá contemplarse en los pliegos de condiciones del concurso.

CAPÍTULO II
CLASIFICACIÓN DE LAS EMPRESAS

Artículo 23. *Régimen de clasificación.* 1. Las entidades contratantes podrán, si lo desean, establecer y gestionar un sistema propio de clasificación de operadores económicos o remitirse a cualquiera otro que estimen responde a sus exigencias.

2. Cuando las entidades contratantes establezcan un sistema de clasificación permitirán que los operadores económicos puedan solicitar su clasificación en cualquier momento.

3. Tendrán validez, en función de cada tipo de contrato, las clasificaciones efectuadas por la Administración General del Estado o por las Comunidades Autónomas, según intervengan en los procedimientos de contratación entidades contratantes dependientes o vinculadas a una u otra de las citadas Administraciones o en función, asimismo, de la Administración que haya autorizado la actividad que desarrolla. La clasificación será acreditada por la empresa interesada mediante certificación del correspondiente registro en el que figuren inscritas en el plazo señalado por la entidad contratante.

Artículo 24. *Sistema de clasificación propio.* 1. Cuando las entidades contratantes opten por establecer un sistema propio de clasificación deberá gestionarse con arreglo a criterios y normas objetivas.

2. Cuando tales criterios y normas comporten prescripciones técnicas, serán aplicables las disposiciones de los artículos 34 y 38.

3. Dichos criterios y normas podrán actualizarse en caso necesario.

Artículo 25. *Publicidad del sistema de clasificación propio de las entidades contratantes.* 1. El sistema de clasificación propio que adopte la entidad contratante deberá ser objeto de un anuncio, con arreglo al anexo IV, en el Diario Oficial de la Unión Europea.

2. El anuncio indicará el objetivo del sistema de clasificación y las modalidades de acceso a las normas que lo rigen.

3. Cuando el sistema tenga una duración superior a tres años, el anuncio deberá publicarse anualmente. En caso de tener una duración inferior, bastará con un anuncio inicial.

Artículo 26. *Criterios de clasificación.* Los acuerdos de clasificación inicial, revisión o denegación de clasificaciones deberán adoptarse motivadamente por la entidad contratante de conformidad con criterios objetivos, pudiendo remitirse las entidades contratantes a los establecidos en la legislación de contratos del sector público. Igualmente, corresponderá a dichas entidades fijar el plazo de duración de la clasificación, que podrá ser definido de acuerdo con lo establecido en la citada legislación.

Artículo 27. *Requisitos relativos a capacidades de otras entidades.* 1. Cuando los criterios y normas de clasificación a que se refiere el artículo 24 incluyan requisitos relativos a la capacidad económica y financiera y/o a las capacidades técnicas y profesionales del operador económico, éste podrá, si lo desea, basarse en las capacidades de otras entidades, independientemente del carácter jurídico de los vínculos que tenga con ellas. En tal caso, deberá demostrar ante la entidad contratante que dispondrá de los medios requeridos para la ejecución de los contratos durante la totalidad del período de validez del sistema de clasificación.

2. En las mismas condiciones, las agrupaciones de operadores económicos podrán basarse en las capacidades de los participantes en las agrupaciones o de otras entidades.

Artículo 28. *Información a los candidatos.* 1. Los criterios y normas de clasificación serán facilitados a las empresas que lo soliciten, comunicándose su actualización a las empresas interesadas. Las entidades contratantes pondrán también en conocimiento de las mismas los nombres de las entidades u organismos terceros cuyo sistema de clasificación consideren que responde a sus exigencias.

2. La entidad contratante deberá notificar a los candidatos, en un plazo máximo de seis meses, contados desde la presentación de la solicitud de clasificación, la decisión adoptada sobre su clasificación.

3. Si la decisión de clasificación requiriese un plazo superior a cuatro meses desde la presentación de la citada solicitud, la entidad competente deberá notificar al candidato, dentro de los dos meses siguientes a dicha presentación, las razones que justifican la prolongación del plazo y la fecha de resolución de su solicitud.

4. A los solicitantes cuya clasificación haya sido rechazada se les deberá informar motivadamente en el plazo máximo de quince días desde la fecha de la decisión sobre las razones del rechazo.

Artículo 29. *Imparcialidad en la clasificación y relación de empresas clasificadas.* 1. Al actualizar las normas y los criterios referentes a la clasificación de las empresas o al decidir sobre la clasificación, el órgano competente deberá abstenerse de imponer a determinadas empresas condiciones administrativas, técnicas o financieras que no hayan sido impuestas a otras y de exigir pruebas o justificantes que constituyan una repetición de pruebas objetivas ya disponibles.

2. Se conservará una relación de las empresas clasificadas, mediante su incorporación a un registro, pudiendo dividirse en categorías de empresas según el tipo de contratos para cuya realización sea válida la clasificación.

Artículo 30. *Anulación de clasificaciones.* 1. Únicamente se podrá anular la clasificación de una empresa por razones basadas en los criterios aplicables en cada caso a que se refiere el artículo 24.

2. Se deberá notificar por escrito a la empresa la intención de anular la clasificación como mínimo quince días antes a la fecha prevista para poner fin a la clasificación indicando la razón o razones que justifican dicha decisión, disponiendo aquélla de un plazo de diez días para alegar y presentar los documentos y justificaciones que estime pertinentes.

Artículo 31. *Convocatoria de licitación por medio de un anuncio sobre la existencia de un sistema de clasificación.* Cuando se lleve a cabo una convocatoria de licitación por medio de un anuncio sobre la existencia de un sistema de clasificación, se seleccionará a los licitadores en un procedimiento restringido o a los participantes en un procedimiento negociado entre los candidatos clasificados con arreglo a tal sistema.

TÍTULO III
DOCUMENTACIÓN DEL CONTRATO

Artículo 32. *Pliegos de condiciones.* Las entidades contratantes incluirán en el pliego de condiciones propias de cada contrato las prescripciones jurídicas, económicas y técnicas que hayan de regir la ejecución de la prestación, de conformidad con los requisitos que para cada contrato establece la presente ley.

Artículo 33. *Comunicación de las prescripciones.* 1. La entidad contratante comunicará a las empresas interesadas en obtener un contrato y que lo soliciten, las prescripciones a que hace referencia el artículo anterior mencionadas habitualmente en sus contratos de obras, suministro o servicios, o aquellas prescripciones que tengan intención de aplicar a los contratos que sean objeto de un anuncio periódico indicativo publicado con arreglo a lo establecido en el artículo 66.

2. Cuando dichas prescripciones estén contenidas en documentos que puedan ser obtenidos por las empresas interesadas, será suficiente la referencia a dichos documentos.

Artículo 34. *Prescripciones técnicas.* 1. Las prescripciones técnicas figurarán en la documentación del contrato, ya sea en los anuncios de licitación, en el pliego de condiciones o en los documentos complementarios.

2. En la medida de lo posible las prescripciones técnicas deberán definirse teniendo en cuenta:

a) Los criterios de accesibilidad para personas con discapacidad o el diseño para todos los usuarios.

b) Cuando el objeto del contrato afecte o pueda afectar al medio ambiente, criterios de sostenibilidad y protección ambiental, de acuerdo con las definiciones y principios informadores regulados en los artículos 3 y 4, respectivamente, de la Ley 16/2002, de 1 de julio, de prevención y control integrados de la contaminación.

De no ser posible definir las prescripciones técnicas teniendo en cuenta los criterios de accesibilidad universal y de diseño para todos, deberá motivarse suficientemente esta circunstancia.

3. Las prescripciones técnicas deberán permitir a todos los licitadores el acceso en condiciones de igualdad y no tendrán por efecto la creación de obstáculos injustificados a la apertura de los contratos a la competencia.

4. Sin perjuicio de las normas técnicas vigentes, en la medida en que sean compatibles con la legislación comunitaria, las prescripciones técnicas deberán formularse:

a) Bien por referencia a prescripciones técnicas y, por orden de preferencia, a las normas por las que se adapta la legislación española a las normas europeas, a los documentos de idoneidad técnica europeos, a las prescripciones técnicas comunes, a las normas internacionales, a otros sistemas de referencias técnicas elaborados por los organismos europeos de normalización o, en su defecto, a las normas, a los documentos de idoneidad técnica o a las prescripciones técnicas en materia de proyecto, cálculo y ejecución de obras y de uso de productos. Cada referencia deberá ir acompañada de la mención «o equivalente».

b) Bien en términos de rendimiento o exigencias funcionales, pudiendo esta última incluir características medioambientales. Estos parámetros deberán ser suficientemente precisos para permitir a los licitadores determinar el objeto del contrato y a las entidades contratantes adjudicar el contrato.

c) Bien en los términos de rendimiento o exigencias funcionales mencionados en la letra b), haciendo referencia, como medio de presunción de conformidad con estas exigencias de rendimiento o funcionales, a las prescripciones contempladas en la letra a).

d) Bien mediante referencia a las prescripciones técnicas de la letra a) para ciertas características y mediante referencia al rendimiento o exigencias funcionales de la letra b) para otras características.

5. Cuando las entidades contratantes hagan uso de la opción de referirse a las prescripciones señaladas en la letra a) del apartado 4, no podrán rechazar una oferta basándose en que los productos y servicios ofrecidos no son conformes a las prescripciones a que se hayan referido, siempre que en su oferta el licitador prue-

be, a satisfacción de la entidad contratante y por cualquier medio adecuado, que las soluciones que propone cumplen de forma equivalente los requisitos definidos por las prescripciones técnicas.

Un expediente técnico del fabricante o un informe de pruebas de un organismo reconocido podrán constituir un medio adecuado de prueba.

6. Cuando las entidades contratantes hagan uso de la opción prevista en el apartado 4 de especificar en términos de rendimiento o exigencias funcionales, no podrán rechazar una oferta de obras, suministros o servicios que se ajusten a una norma nacional que incorpore una norma europea, a un documento de idoneidad técnica europeo, a una especificación técnica común, a una norma internacional o a un sistema de referencias técnicas elaborado por un organismo europeo de normalización, si tales prescripciones tienen por objeto definir los requisitos de rendimiento o exigencias funcionales exigidos por ellas.

En su oferta, el licitador deberá probar a satisfacción de la entidad contratante, por cualquier medio adecuado, que la obra, suministro o servicio conforme a la norma reúne los requisitos de rendimiento o exigencias funcionales establecidos por la entidad contratante.

Un expediente técnico del fabricante o un informe de pruebas de un organismo reconocido podrían constituir un medio adecuado de prueba.

7. Cuando las entidades contratantes prescriban características medioambientales en términos de rendimientos o de exigencias funcionales, tal como se contemplan en la letra b) del apartado 4, utilizarán las prescripciones detalladas o, si fuera necesario, partes de éstas, tal como se definen en las etiquetas ecológicas europeas o plurinacionales, o en cualquier otra etiqueta ecológica siempre que:

a) esas prescripciones sean adecuadas para definir las características de los suministros o servicios objeto del contrato.

b) las exigencias de la etiqueta se desarrollen basándose en una información científica.

c) las etiquetas ecológicas se adopten mediante un proceso en el que puedan participar todas las partes implicadas, como son las Administraciones Públicas, organismos gubernamentales, consumidores, fabricantes, distribuidores y organizaciones medioambientales, y

d) sean accesibles a todas las partes interesadas.

Las entidades contratantes podrán indicar que los suministros o servicios provistos de la etiqueta ecológica se consideran acordes con las prescripciones técnicas definidas en el pliego de condiciones, y deberán aceptar cualquier otro medio de prueba adecuado, como un expediente técnico del fabricante o un informe de pruebas de un organismo reconocido.

8. A efectos del presente artículo se entenderá por «organismos reconocidos» los laboratorios de pruebas y de calibrado y los organismos de inspección y certificación conformes a las normas europeas aplicables.

Las entidades contratantes aceptarán los certificados expedidos por organismos reconocidos establecidos en otros Estados miembros de la Unión Europea.

9. Salvo que lo justifique el objeto del contrato, las prescripciones técnicas no podrán mencionar una fabricación o una procedencia determinada o un procedimiento concreto, ni hacer referencia a una marca, a una patente o a un tipo, a un origen o a una producción determinados con la finalidad de favorecer o descartar ciertas empresas o ciertos productos.

Tal mención o referencia se autorizará, con carácter excepcional, en el caso en que no sea posible hacer una descripción lo bastante precisa e inteligible del objeto del contrato con arreglo a los apartados 4 y 5, y deberá ir acompañada de la mención «o equivalente».

Artículo 35. *Certificados expedidos por organismos independientes.* Cuando las entidades contratantes exijan la presentación de certificados expedidos por organismos independientes que acrediten que el operador económico cumple determinadas normas de garantía de calidad, las entidades contratantes harán referencia a los sistemas de garantía de calidad basados en las series de normas europeas en la materia, certificadas por organismos conformes a las series de normas europeas relativas a la certificación.

Artículo 36. *Medidas de gestión medioambiental.* 1. Para los contratos de obras y de servicios las entidades contratantes podrán exigir en los casos adecuados, a fin de comprobar la capacidad técnica del operador económico, que se indiquen las medidas de gestión medioambiental que el operador económico podrá aplicar al ejecutar el contrato.
2. Cuando las entidades contratantes exijan la presentación de certificados expedidos por organismos independientes que acrediten que el operador económico cumple determinadas normas de gestión medioambiental, deberán hacer referencia al Sistema comunitario de gestión y auditorías medioambientales, regulado en el Reglamento (CE) n.º 761/2001 del Parlamento Europeo y del Consejo, de 19 de marzo de 2001 (EMAS) o a las normas de gestión medioambiental basadas en las normas internacionales o europeas en la materia y certificadas por organismos conformes a la legislación comunitaria o a las normas internacionales o europeas en la materia relativas a la certificación.

Artículo 37. *Reconocimiento mutuo en cuanto a condiciones técnicas o financieras y en cuanto a certificados, pruebas y justificantes.* 1. Las entidades contratantes reconocerán certificados equivalentes expedidos por organismos establecidos en otros Estados miembros de la Unión Europea.
2. También aceptarán otras pruebas de medidas equivalentes de garantía de calidad y de gestión medioambiental que presenten los operadores económicos.

Artículo 38. *Definiciones de las prescripciones técnicas.* Se entenderá por:
1. «Prescripción técnica»:
a) Cuando se trate de contratos de obras: el conjunto de las prescripciones técnicas contenidas principalmente en los pliegos de condiciones, en las que se definan las características requeridas de un material, producto o suministro, y que permitan caracterizarlos de manera que respondan a la utilización a que los destine la entidad contratante. Estas características incluyen los niveles de actuación sobre el medio ambiente, el diseño para todas las necesidades, incluyendo la accesibilidad de los discapacitados, y evaluación de la conformidad, el rendimiento, la seguridad, o las dimensiones; asimismo los procedimientos que garanticen la calidad, la terminología, los símbolos, las pruebas y métodos de prueba, el envasado, marcado y etiquetado, las instrucciones de uso y los procesos y métodos de producción. Incluyen asimismo las reglas de elaboración del proyecto y cálculo de las obras, las condiciones de prueba, control y recepción de las obras, así como las técnicas o métodos de construcción y todas las demás condiciones de carácter técnico que la entidad contratante pueda prescribir, por vía de reglamentación general o específica, en lo referente a obras acabadas y a los materiales o elementos que las constituyan.
b) Cuando se trate de contratos de servicios o de suministro: aquella especificación que figure en un documento en el que se definen las características exigidas de un producto o de un servicio, como, por ejemplo, los niveles de calidad, los niveles de actuación sobre el medio ambiente, el diseño para todas las necesidades, incluyendo la accesibilidad de los discapacitados, y evaluación de la conformidad, rendimiento, utilización del producto, su seguridad, o sus dimensiones; asimismo

las prescripciones aplicables al producto en lo referente a la denominación de venta, la terminología, los símbolos, las pruebas y métodos de prueba, el envasado, marcado y etiquetado, las instrucciones para el usuario, los procedimientos y métodos de producción, así como los procedimientos de evaluación de la conformidad.

2. «Norma» una especificación técnica aprobada por un organismo de normalización reconocido para una aplicación repetida o continuada cuyo cumplimiento no sea obligatorio y que esté incluida en una de las categorías siguientes:

1.º «Norma internacional»: norma adoptada por una organización internacional de normalización y puesta a disposición del público.

2.º «Norma europea»: norma adoptada por un organismo europeo de normalización y puesta a disposición del público.

3.º «Norma nacional»: norma adoptada por un organismo nacional de normalización y puesta a disposición del público.

3. «Documento de idoneidad técnica europeo»: la evaluación técnica favorable de la idoneidad de un producto para el uso asignado, basada en el cumplimiento de los requisitos básicos para la construcción, de acuerdo con las características intrínsecas del producto y las condiciones de aplicación y utilización establecidas. El documento de idoneidad técnica europeo será expedido por un organismo autorizado.

4. «Prescripciones técnicas comunes»: las prescripciones técnicas elaboradas según un procedimiento reconocido por los Estados miembros de la Unión Europea que hayan sido publicadas en el Diario Oficial de la Unión Europea.

5. «Referencia técnica»: cualquier producto elaborado por los organismos europeos de normalización, distinto de las normas oficiales, con arreglo a procedimientos adaptados a la evolución de las necesidades del mercado.

Artículo 39. *Instrucciones y reglamentos técnicos obligatorios.* 1. Los proyectos y la ejecución de obras deberán sujetarse a las instrucciones y los reglamentos técnicos que sean de obligado cumplimiento.

2. Serán de aplicación prioritaria las instrucciones y los reglamentos técnicos obligatorios conformes con el Derecho comunitario.

TÍTULO IV
SELECCIÓN CUALITATIVA DE LOS OPERADORES ECONÓMICOS

Artículo 40. *Criterios de selección cualitativa.* 1. Las entidades contratantes que fijen criterios de selección en un procedimiento abierto deberán hacerlo según normas y criterios objetivos que estarán a disposición de los operadores económicos interesados.

2. Las entidades contratantes que seleccionen a los candidatos para un procedimiento restringido o negociado deberán hacerlo de acuerdo con las normas y criterios objetivos que hayan definido y que estén a disposición de los operadores económicos interesados.

3. Cuando los criterios contemplados en los apartados 1 y 2 incluyan requisitos relativos a la capacidad económica, financiera, técnica y profesional del operador económico, éste podrá, si lo desea, y para un contrato determinado, basarse en las capacidades de otras entidades, independientemente del carácter jurídico de los vínculos que tenga con ellas. En tal caso, deberá demostrar ante la entidad contratante que dispone de manera efectiva de los medios necesarios.

En las mismas condiciones, las agrupaciones de operadores económicos a que hace referencia el artículo 22 podrán basarse en las capacidades de los participantes en las agrupaciones o de otras entidades.

TÍTULO V
TÉCNICAS DE CONTRATACIÓN

CAPÍTULO I
CENTRALES DE COMPRAS

Artículo 41. *Contratos y acuerdos marco celebrados con las centrales de compras.* Se considerará que las entidades contratantes que contraten la realización de obras, la adquisición de suministros o la prestación de servicios por medio de una central de compras, en los supuestos contemplados en el apartado 11 del artículo 2, han respetado las disposiciones de la presente ley siempre que la central de compras cumpla tales disposiciones o, en su caso, lo dispuesto en la Ley de Contratos del Sector Público.

CAPÍTULO II
ACUERDOS MARCO

Artículo 42. *Acuerdos marco.* 1. Las entidades contratantes podrán considerar un acuerdo marco como un contrato con arreglo al apartado 4 del artículo 2 y adjudicarlo de conformidad con lo dispuesto en la presente ley.

2. Cuando las entidades contratantes hayan celebrado un acuerdo marco de conformidad con lo dispuesto en la presente ley, podrán recurrir al procedimiento negociado sin previa convocatoria de licitación, cuando celebren contratos que se basen en dicho acuerdo marco.

3. Cuando un acuerdo marco no se haya celebrado de conformidad con lo dispuesto en la presente ley, las entidades contratantes no podrán recurrir al procedimiento negociado sin previa convocatoria de licitación.

4. Las entidades contratantes no podrán recurrir a los acuerdos marco de una manera abusiva con objeto de impedir, restringir o falsear la competencia.

CAPÍTULO III
SISTEMAS DINÁMICOS DE ADQUISICIÓN

Artículo 43. *Sistema dinámico de adquisición.* 1. Al aplicar un sistema dinámico de adquisición, las entidades contratantes seguirán las normas del procedimiento abierto en todas sus fases hasta la adjudicación del contrato en el marco de este sistema.

2. Durante toda la duración del sistema dinámico de adquisición, las entidades contratantes ofrecerán a cualquier operador económico la posibilidad de ser incluido en el sistema en tanto cumplan los criterios de selección y de presentar una oferta indicativa ajustada al pliego de condiciones. A tal fin, las entidades contratantes determinarán en el pliego de condiciones, de acuerdo con lo dispuesto en el artículo 40, los criterios de selección cualitativa que permitan a los candidatos presentar las ofertas.

Artículo 44. *Utilización de medios electrónicos en un sistema dinámico de adquisición.* Para la aplicación del sistema y la adjudicación de los contratos en el marco de éste, las entidades contratantes sólo utilizarán medios electrónicos, de acuerdo con lo dispuesto en los apartados 2 y 3 del artículo 72 y en el artículo 73.

Artículo 45. *Obligaciones de la entidad contratante.* A efectos de la aplicación del sistema dinámico de adquisición la entidad contratante:

a) Publicará un anuncio de licitación en el que se precisará que se trata de un sistema dinámico de adquisición.

b) Precisará en el pliego de condiciones la naturaleza de las adquisiciones previstas en el marco de este sistema, toda la información necesaria relativa al sistema de adquisición, al equipo electrónico utilizado y a las modalidades y prescripciones técnicas de conexión.

c) Ofrecerá, desde la publicación del anuncio hasta la expiración del sistema, por medios electrónicos, el acceso libre, directo y completo al pliego de condiciones y a toda documentación adicional e indicará en el anuncio la dirección de Internet en la que estos documentos pueden consultarse.

d) Admitirá que las ofertas indicativas puedan mejorarse en cualquier momento siempre que sigan siendo conformes al pliego de condiciones.

e) Concluirá la evaluación de la oferta indicativa en un plazo máximo de quince días a partir de la presentación de la misma. No obstante, podrán prolongar dicha evaluación siempre que entretanto no se convoque una nueva licitación.

f) Informará cuanto antes al licitador de su admisión en el sistema dinámico de adquisición, o del rechazo de su oferta indicativa.

g) Anunciará el resultado de la adjudicación de los contratos basados en un sistema dinámico de adquisición.

Artículo 46. *Desarrollo del procedimiento de licitación en un sistema dinámico de adquisición.* 1. Cada contrato específico en el marco de un sistema dinámico de adquisición será objeto de una licitación.

2. Antes de proceder a la licitación, las entidades contratantes publicarán un anuncio de licitación simplificado en el que se invite a todos los operadores económicos interesados a presentar una oferta indicativa, con arreglo al apartado 2 del artículo 43, en un plazo que no podrá ser inferior a quince días a partir de la fecha de envío del citado anuncio. Las entidades contratantes no convocarán una nueva licitación hasta haber concluido la evaluación de todas las ofertas indicativas presentadas en el plazo citado.

3. Las entidades contratantes invitarán a todos los licitadores admitidos en el sistema a presentar una oferta para cada contrato específico que se vaya a adjudicar en el marco del sistema dinámico de adquisición. Con este fin, establecerán un plazo suficiente, en relación con el objeto del contrato, para la presentación de las ofertas.

4. Adjudicarán el contrato al licitador que haya presentado la mejor oferta, basándose en los criterios de adjudicación detallados en el pliego y en el anuncio de licitación para la puesta en práctica del sistema dinámico de adquisición. De ser necesario, los criterios se precisarán en la invitación para presentar una oferta mencionada en el apartado anterior.

Artículo 47. *Convocatoria del sistema dinámico de adquisición y de la licitación de los contratos basados en él.* La convocatoria de licitación del sistema se efectuará mediante un anuncio de licitación contemplado en los apartados A, B o C del anexo III mientras que la convocatoria de licitación de los contratos basados en tales sistemas se efectuará mediante un anuncio de licitación simplificado contemplado en el apartado D del anexo III.

Artículo 48. *Condiciones de aplicación del sistema dinámico de adquisición.* 1. La duración de un sistema dinámico de adquisición no podrá ser superior a cuatro años, salvo en casos excepcionales debidamente justificados.

2. No se podrá cargar a los operadores económicos interesados o a quienes sean parte en el sistema ningún precio o gasto administrativo de tramitación.

3. Las entidades contratantes no podrán recurrir a este sistema de manera que la competencia se vea obstaculizada, restringida o falseada.

CAPÍTULO IV
SUBASTAS ELECTRÓNICAS

Artículo 49. *Subastas electrónicas.* 1. En los procedimientos abiertos, restringidos o negociados sin previa convocatoria de licitación, las entidades contratantes podrán decidir que se efectúe una subasta electrónica previa a la adjudicación de un contrato cuando el pliego de condiciones de dicho contrato pueda establecerse de manera precisa.

2. Cuando tal condición se cumpla, podrá utilizarse la subasta electrónica cuando se convoque a una licitación en el marco de un sistema dinámico de adquisición.

Artículo 50. *Anuncio de licitación.* Las entidades contratantes que decidan recurrir a una subasta electrónica harán mención, en su caso, de ello en el anuncio de licitación.

Artículo 51. *Criterios de valoración de las ofertas en la subasta electrónica.* La subasta electrónica se basará:

a) O bien únicamente en los precios, cuando el contrato se adjudique al precio más bajo.

b) O bien en los precios o en los nuevos valores de los elementos de las ofertas indicados en el pliego de condiciones o en ambos, cuando el contrato se adjudique a la oferta económicamente más ventajosa.

Artículo 52. *Pliego de condiciones en la subasta electrónica.* El pliego de condiciones incluirá en particular la información siguiente:

a) Los criterios de adjudicación y su valoración expresada en cifras o porcentajes.

b) En su caso, los límites de los valores que podrán presentarse, tal como resultan de las prescripciones relativas al objeto del contrato.

c) La información que se pondrá a disposición de los licitadores durante la subasta electrónica y en qué momento dispondrán, llegado el caso, de dicha información.

d) La información pertinente sobre el desarrollo de la subasta electrónica.

e) Las condiciones en las que los licitadores podrán pujar, y en particular las diferencias mínimas que se exigirán, en su caso, para pujar.

f) La información pertinente sobre el dispositivo electrónico utilizado y sobre las modalidades y prescripciones técnicas de conexión.

Artículo 53. *Contenido de la invitación.* 1. Se invitará simultáneamente por medios electrónicos a todos los licitadores que hayan presentado ofertas admisibles a que presenten nuevos precios y/o nuevos valores.

2. La invitación para participar en una subasta electrónica incluirá toda la información pertinente para la conexión individual al dispositivo electrónico utilizado y precisará la fecha y la hora de comienzo de la subasta electrónica.

3. Cuando el contrato vaya a adjudicarse a la oferta económicamente más ventajosa hará expresa mención al resultado de la evaluación completa de la oferta del destinatario, efectuada con arreglo a la ponderación contemplada en el párrafo primero del apartado 1 del artículo 61 e indicará asimismo la fórmula matemática en virtud de la cual se establecerán durante la subasta electrónica las reclasificaciones automáticas en función de los nuevos precios y/o de los nuevos valores presentados. Dicha fórmula incorporará la ponderación de todos los criterios establecidos para determinar la oferta económicamente más ventajosa, tal como se haya

indicado en el anuncio de licitación o en el pliego de condiciones. Para ello, las eventuales bandas de valores deberán expresarse previamente mediante un valor determinado. En caso de que se autoricen variantes, deberán proporcionarse fórmulas distintas para cada variante.

Artículo 54. *Desarrollo de la subasta electrónica.* 1. La subasta electrónica podrá desarrollarse en varias fases sucesivas.

2. La subasta electrónica sólo podrá comenzar como mínimo transcurridos dos días hábiles a contar desde la fecha de envío de las invitaciones.

3. Antes de proceder a la subasta electrónica, las entidades contratantes procederán a una primera evaluación completa de las ofertas de acuerdo con el o los criterios de adjudicación establecidos y a su ponderación.

4. A lo largo de cada una de las fases de la subasta electrónica, las entidades contratantes comunicarán la información que permita a todos los licitadores, de forma instantánea, conocer en todo momento su respectiva clasificación. Esta información incluye su puntuación, el número de partes que participan en la fase en que se halle la subasta y el lugar que ocupan en la misma. También podrán comunicar otros datos relativos a otros precios o valores presentados, siempre que ello esté contemplado en el pliego de condiciones. No obstante, en ningún caso podrán divulgar la identidad de los licitadores durante el desarrollo de la subasta electrónica.

Artículo 55. *Cierre de la subasta.* Las entidades contratantes cerrarán la subasta electrónica de conformidad con una o varias de las siguientes modalidades:

a) Indicando la fecha y la hora fijadas previamente en la invitación a participar en la subasta.

b) Cuando no reciban nuevos precios o nuevos valores que respondan a los requisitos relativos a las diferencias mínimas. En tal caso, las entidades contratantes especificarán en la invitación a participar en la subasta el plazo que respetarán a partir de la recepción de la última presentación antes de dar por concluida la subasta electrónica.

c) Cuando concluya el número de fases de la subasta establecido en la invitación a participar en la subasta.

Cuando las entidades contratantes decidan que el cierre de la subasta electrónica vaya a producirse con arreglo a la letra c), en su caso conjuntamente con las modalidades previstas en la letra b), la invitación a participar en la subasta indicará los calendarios de cada fase de la subasta.

Artículo 56. *Adjudicación del contrato en la subasta electrónica.* Una vez concluida la subasta electrónica, las entidades contratantes adjudicarán el contrato en función de los resultados obtenidos durante la subasta electrónica de acuerdo con los criterios de adjudicación del contrato.

Artículo 57. *Límites a la aplicación de las subastas electrónicas.* Las entidades contratantes no podrán recurrir a las subastas electrónicas de manera abusiva o de manera que la competencia se vea obstaculizada, restringida o falseada o que se vea modificado el objeto del contrato tal como se ha definido en el anuncio utilizado como medio de convocatoria de licitación y en el pliego de condiciones.

TÍTULO VI
PROCEDIMIENTOS DE ADJUDICACIÓN DE CONTRATOS

CAPÍTULO I
PROCEDIMIENTOS Y FORMAS DE ADJUDICACIÓN

SECCIÓN 1.ª
PROCEDIMIENTOS DE ADJUDICACIÓN

Artículo 58. *Procedimientos de adjudicación.* 1. La entidad contratante podrá elegir entre la adopción del procedimiento abierto, restringido o negociado, siempre que se haya efectuado una convocatoria de licitación con arreglo a lo dispuesto en el artículo 65. También podrá utilizarse el procedimiento negociado sin previa convocatoria de licitación en los casos previstos en el artículo 59.

2. En el procedimiento abierto todo operador económico interesado podrá presentar una proposición.

3. En el procedimiento restringido cualquier operador económico puede solicitar participar y sólo pueden presentar una oferta los candidatos invitados por la entidad contratante.

4. En el procedimiento negociado, el contrato será adjudicado al operador económico elegido por la entidad contratante, previa consulta y negociación de los términos del contrato con uno o varios de los mismos.

Artículo 59. *Procedimiento negociado sin previa convocatoria de licitación.* La entidad contratante podrá utilizar un procedimiento negociado sin convocatoria de licitación previa, en los casos siguientes:

a) Cuando, en respuesta a un procedimiento con convocatoria de licitación previa, no se haya presentado ninguna oferta o ninguna oferta adecuada o ninguna candidatura, siempre y cuando no se modifiquen sustancialmente las condiciones iniciales del contrato.

b) Cuando se adjudique un contrato únicamente con fines de investigación, experimentación, estudio o desarrollo y no con el fin de obtener una rentabilidad o de recuperar los costes de investigación y desarrollo, y siempre que la celebración de tal contrato se entienda sin perjuicio de la convocatoria de una licitación para los contratos subsiguientes que persigan los mismos fines.

c) Cuando, por razones técnicas, artísticas o motivos relacionados con la protección de derechos exclusivos, el contrato solo pueda ser ejecutado por un operador económico determinado.

d) En la medida en que sea estrictamente necesario, cuando por razones de extremada urgencia, resultante de hechos imprevisibles para la entidad contratante, no puedan cumplirse los plazos estipulados en los procedimientos abiertos o restringidos y en los procedimientos negociados con convocatoria de licitación.

e) En el caso de contratos de suministro, para las entregas adicionales efectuadas por el proveedor inicial que constituyan, bien una reposición parcial de suministros o instalaciones de uso corriente, o bien una extensión de suministros o instalaciones existentes, cuando un cambio de proveedor obligue a la entidad contratante a adquirir material con características técnicas diferentes, dando lugar a incompatibilidades o problemas desproporcionados de utilización y mantenimiento.

f) Cuando se trate de obras o servicios adicionales que no figuren en el proyecto inicialmente adjudicado, ni en el primer contrato celebrado, pero que resulte necesario ejecutar como consecuencia de circunstancias imprevistas, siempre que su ejecución se confíe al contratista o prestador de servicios que ejecute el contrato inicial y dichas obras o servicios no puedan separarse técnica o financieramente del contrato principal, sin causar graves inconvenientes a la entidad contratante, o, aún pudiendo separarse de la ejecución del contrato inicial, sean estrictamente necesarias para su perfeccionamiento.

g) En el caso de contratos de obras, los nuevos trabajos que consistan en la repetición de obras similares confiadas al contratista titular de un primer contrato adjudicado por la misma entidad contratante, siempre que las obras se ajusten a un proyecto base para el que se haya formalizado un primer contrato tras la licitación correspondiente. En el anuncio de licitación del primer proyecto deberá indicarse la posibilidad de recurrir a este procedimiento y la entidad contratante, cuando aplique lo dispuesto en los artículos 16 y 17, tendrá en cuenta el coste total considerado para la continuación de las obras.

h) Cuando se trate de suministros cotizados y comprados en una bolsa de materias primas.

i) Aquellos contratos adjudicados sobre la base de un acuerdo marco, de conformidad con lo dispuesto en el artículo 42.

j) En los supuestos de compras de ocasión, siempre que sea posible adquirir suministros aprovechando una ocasión especialmente ventajosa que se haya presentado en un período de tiempo muy breve y cuyo precio de compra sea considerablemente más bajo al habitual del mercado.

k) Cuando exista la posibilidad de comprar mercancías en condiciones especialmente ventajosas, bien a un suministrador que cese definitivamente en su actividad comercial, bien a los administradores o liquidadores de una sociedad inmersa en un procedimiento concursal u otro que pudiera desembocar en su liquidación.

l) Cuando el contrato de servicios resulte de un concurso de proyectos organizado de conformidad con las disposiciones de la presente ley y con arreglo a las normas que lo regulan, deba adjudicarse al ganador o a uno de los ganadores del concurso. En este caso, todos los ganadores del concurso deberán ser invitados a participar en las negociaciones.

SECCIÓN 2.ª
FORMAS DE ADJUDICACIÓN

Artículo 60. *Criterios de adjudicación.* Sin perjuicio de las disposiciones legales, reglamentarias o administrativas relativas a la remuneración de determinados servicios, los criterios en que se basarán las entidades contratantes para adjudicar los contratos serán los siguientes:

a) El precio más bajo solamente.

b) La oferta económicamente más ventajosa.

Artículo 61. *Criterios de valoración de las ofertas.* 1. En la oferta económicamente más ventajosa la adjudicación recaerá sobre el licitador que, en su conjunto, haga la proposición más ventajosa en función de los criterios objetivos que se establezcan en el pliego y en el anuncio.

Para la valoración de las proposiciones y determinación de la oferta económicamente más ventajosa deberá atenderse a criterios directamente vinculados al objeto del contrato, tales como la calidad, el precio, la fórmula utilizable para revisar las retribuciones ligadas a la utilización de la obra o a la prestación del servicio, el plazo de ejecución o entrega de la prestación, el coste de utilización, características medioambientales o vinculadas con la satisfacción de exigencias sociales que respondan a necesidades, definidas en las especificaciones del contrato, propias de las categorías de población especialmente desfavorecidas a las que pertenezcan los usuarios o beneficiarios de las prestaciones a contratar, la rentabilidad, el valor técnico, las características estéticas o funcionales, la disponibilidad y coste de los repuestos, el mantenimiento, la asistencia técnica, el servicio postventa u otros semejantes.

En el caso de contratos cuya ejecución tenga o pueda tener un impacto significativo en el medio ambiente se valorarán condiciones ambientales mensurables tales como el menor impacto ambiental, la eficiencia energética, el coste del ciclo de vida, la generación de residuos o el uso de materiales reciclados o reutilizados o de materiales ecológicos.

2. La entidad contratante hará constar en el pliego de condiciones, todos los criterios de adjudicación que tiene previsto aplicar.

3. La entidad contratante precisará la ponderación relativa que atribuya a cada uno de los criterios elegidos para determinar la oferta económicamente más ventajosa. Esta ponderación podrá expresarse fijando una banda de valores que deberá tener una amplitud máxima adecuada.

4. Cuando, a juicio de la entidad contratante, la ponderación no sea posible debido a motivos demostrables, las entidades contratantes indicarán el orden decreciente de importancia atribuido a los criterios.

Artículo 62. *Admisión de variantes.* 1. Cuando el criterio de adjudicación del contrato sea la oferta económicamente más ventajosa, la entidad contratante podrá tomar en consideración variantes o alternativas presentadas por un licitador siempre que cumplan las condiciones mínimas y los requisitos para su presentación establecidos por la citada entidad en el pliego de condiciones.

2. Las entidades contratantes indicarán en el pliego de condiciones si autorizan o no las variantes y, en caso afirmativo, las condiciones mínimas que deben reunir las variantes, así como los requisitos para su presentación.

3. La entidad contratante no podrá rechazar la presentación de una variante por la exclusiva razón de haber sido elaborada de conformidad con prescripciones técnicas definidas mediante referencia a prescripciones técnicas europeas o a prescripciones técnicas nacionales reconocidas de conformidad con los requisitos esenciales definidos en el Real Decreto 1630/1992, de 29 de diciembre, por el que se dictan disposiciones para la libre circulación de productos de construcción, en aplicación de la Directiva 89/106/CEE.

4. En los procedimientos de adjudicación de contratos de suministro o de servicios, las entidades contratantes que, según lo dispuesto en los apartados 1 y 2, autoricen variantes, no podrán rechazar una de ellas por el solo motivo de que, de ser elegida, daría lugar bien a un contrato de servicios en vez de un contrato de suministro, bien a un contrato de suministro en lugar de un contrato de servicios.

CAPÍTULO II
PUBLICIDAD DE LAS LICITACIONES

Artículo 63. *Principio de publicidad.* Todos los procedimientos para la adjudicación de los contratos deberán publicarse mediante el correspondiente anuncio en el Diario Oficial de la Unión Europea, de acuerdo con el formato establecido por el Reglamento n.º 1564/2005 de la Comisión, de 7 de septiembre de 2005, por el que se establecen los formularios normalizados para la publicación de anuncios en el marco de los procedimientos de adjudicación de contratos públicos con arreglo a las Directivas 2004/17/CE y 2004/18/CE del Parlamento Europeo y del Consejo, y en el Boletín Oficial del Estado.

Asimismo, se publicará el citado anuncio en los respectivos diarios o boletines oficiales de las Comunidades Autónomas o de las provincias cuando las entidades contratantes dependan de una Comunidad Autónoma o de una Corporación local, así como cuando o se encuentren vinculadas a las mismas o cuando su actividad sea autorizada por éstas.

Artículo 64. *Anuncios periódicos indicativos.* 1. Las entidades contratantes darán a conocer, al menos una vez al año, mediante un anuncio periódico indicativo contemplado en el anexo V A, publicado por la Comisión Europea o por las propias entidades, en su «perfil del contratante» tal como se contempla en la letra b) del punto 2 del anexo IX.

a) Para los suministros, el valor total estimado de los contratos o de los acuerdos marco, por grupos de productos, que se propongan adjudicar durante los doce meses siguientes cuando, teniendo en cuenta lo dispuesto en los artículos 16 y 17, sea igual o superior a 750.000 euros. Las entidades contratantes determinarán los grupos de productos haciendo referencia a la nomenclatura del Vocabulario Común de Contratos Públicos.

b) Para los servicios, el valor total estimado de los contratos o los acuerdos marco para cada una de las categorías de servicios enumeradas en el anexo II A que se propongan adjudicar durante los doce meses siguientes cuando, teniendo en cuenta lo dispuesto en los artículos 16 y 17, sea igual o superior a 750.000 euros.

c) Para las obras, las características esenciales de los contratos de obras o de los acuerdos marco que se propongan adjudicar durante los doce meses siguientes y cuyo valor estimado sea igual o superior al umbral indicado en el artículo 16, teniendo en cuenta lo dispuesto en el artículo 17.

2. Los anuncios previstos en las letras a) y b) del apartado anterior se enviarán a la Oficina de Publicaciones de las Comunidades Europeas o se publicarán en el perfil del contratante lo antes posible una vez iniciado el ejercicio presupuestario.

3. El anuncio contemplado en la letra c) del apartado 1 se enviará a la Oficina de Publicaciones de las Comunidades Europeas o se publicará en el perfil del contratante lo antes posible una vez tomada la decisión de autorizar el programa en el que se enmarcan los contratos de obras o los acuerdos marco que las entidades contratantes se propongan adjudicar.

4. Las entidades contratantes que publiquen el anuncio periódico indicativo en su perfil de comprador, enviarán a la Oficina de Publicaciones de las Comunidades Europeas, por medios electrónicos y con arreglo al formato y a las modalidades de transmisión electrónica mencionadas en el punto 3 del anexo IX, un anuncio en el que se mencione la publicación de un anuncio periódico indicativo sobre un perfil del contratante.

5. La publicación de los anuncios contemplados en las letras a), b) y c) del apartado 1 será obligatoria sólo cuando las entidades contratantes opten por reducir los plazos para la recepción de ofertas tal como se establece en el apartado 2 del artículo 77.

El presente apartado no será de aplicación a los procedimientos sin convocatoria de licitación previa.

6. Las entidades contratantes podrán, en particular, publicar anuncios periódicos indicativos referentes a proyectos importantes, sin repetir la información que ya se haya incluido en un anuncio periódico indicativo, siempre que se mencione claramente que dichos anuncios constituyen anuncios adicionales.

Artículo 65. *Convocatoria de licitación.* En los contratos de obras, suministro o servicios, la convocatoria de licitación podrá efectuarse:

a) Por medio de un anuncio periódico indicativo contemplado en el anexo V A o

b) por medio de un anuncio sobre la existencia de un sistema de clasificación contemplado en el anexo IV o

c) por medio de un anuncio de licitación contemplado en las partes A, B o C del anexo III.

Artículo 66. *Convocatoria de licitación por medio de un anuncio periódico indicativo.* 1. La convocatoria de licitación por medio de un anuncio periódico indicativo solo procederá en los procedimientos restringidos o negociados.

2. Cuando se efectúe una convocatoria de licitación por medio de un anuncio periódico indicativo, dicho anuncio deberá:

a) Hacer referencia específicamente a las obras, los suministros o los servicios que sean objeto del contrato que vaya a adjudicarse.

b) Mencionar que el contrato se adjudicará por procedimiento restringido o negociado sin ulterior publicación de un anuncio de convocatoria de licitación e instará a los operadores económicos interesados a que manifiesten su interés por escrito; y

c) Haberse publicado de conformidad con el anexo IX, un máximo de doce meses antes de la fecha de envío de la invitación contemplada en el apartado 4. La entidad contratante habrá de respetar, además, los plazos previstos en los artículos 77 y 78.

3. Cuando se efectúe una convocatoria de licitación por medio de un anuncio periódico indicativo, las entidades contratantes invitarán posteriormente a todos los candidatos a que confirmen su interés con arreglo a la información detallada relativa al contrato de que se trate, antes de comenzar la selección de licitadores o de participantes de una negociación.

La invitación incluirá como mínimo los siguientes datos:

a) Naturaleza y cantidad, incluidas todas las opciones relativas a los contratos adicionales y, si fuera posible, plazo estimado para el desarrollo de dichas opciones; cuando se trate de contratos renovables, naturaleza y cantidad y, si fuera posible, plazo estimado de publicación de los posteriores anuncios de licitación para los suministros, obras o servicios que vayan a ser objeto de licitación.

b) Carácter del procedimiento: restringido o negociado.

c) En su caso, fecha de comienzo o de finalización de la ejecución de obras o servicios o de la entrega de suministros.

d) Dirección, fecha límite de presentación de solicitudes y de los documentos relativos a la licitación, así como lengua o lenguas en que esté autorizada su presentación.

e) Dirección postal de la entidad que suministrará la información necesaria para la obtención del pliego de condiciones y demás documentos.

f) Condiciones de carácter económico y técnico, garantías financieras e información exigida a los operadores económicos.

g) Importe y modalidades de pago de cualquier cantidad adeudada para la obtención de la documentación relativa al procedimiento de adjudicación del contrato.

h) Naturaleza del contrato que constituye el objeto de la invitación a presentar ofertas: compra, arrendamiento financiero, arrendamiento o alquiler con opción de compra, o varias de estas formas.

i) Los criterios de adjudicación y su ponderación o, cuando corresponda, el orden de importancia de dichos criterios, en caso de que esta información no figure en el anuncio indicativo o en el pliego de condiciones o en la invitación a presentar ofertas o a negociar.

Artículo 67. *Anuncios de contratos adjudicados.* 1. Las entidades contratantes que hayan celebrado un contrato o un acuerdo marco enviarán, en un plazo de dos meses a partir de la adjudicación de dicho contrato o acuerdo marco, un anuncio relativo al contrato adjudicado, según se especifica en el anexo VI.

2. En el caso de contratos adjudicados con arreglo a un acuerdo marco sin convocatoria de licitación previa, las entidades contratantes no tendrán que enviar un anuncio sobre los resultados del procedimiento de adjudicación de cada contrato

basado en el acuerdo marco, siempre que se haya dado cumplimiento a lo dispuesto en el artículo 42.

3. Las entidades contratantes anunciarán el resultado de la adjudicación de los contratos basados en un sistema dinámico de adquisición a más tardar dos meses después de la adjudicación de cada contrato. No obstante, podrán agrupar estos anuncios trimestralmente. En ese caso, enviarán los anuncios agrupados a más tardar en los dos meses siguientes al trimestre vencido.

4. La información suministrada con arreglo al anexo VI y destinada a ser publicada lo será de conformidad con el anexo IX. A este respecto, las entidades contratantes determinarán el carácter comercial, reservado de confidencialidad, que presente tal información.

5. En los casos de contratos adjudicados para la prestación de los servicios enumerados en el anexo II B, las entidades contratantes deberán indicar en el anuncio si aceptan la publicación de los mismos.

Artículo 68. *Contratos de servicios de investigación y desarrollo.* 1. Cuando las entidades contratantes adjudiquen un contrato de servicios de investigación y desarrollo mediante un procedimiento sin previa convocatoria de licitación de conformidad con el apartado b) del artículo 59, podrán limitar la información que deban proporcionar con arreglo al anexo VI relativa a la índole y la cantidad de los servicios suministrados, mencionando solamente en el anuncio que se trata de «servicios de investigación y desarrollo».

2. Cuando las entidades contratantes adjudiquen un contrato de servicios de investigación y desarrollo que no pueda efectuarse mediante un procedimiento sin convocatoria de licitación de conformidad con el apartado b) del artículo 59, podrán limitar la información que deban proporcionar con arreglo al anexo VI relativa a la índole y la cantidad de los servicios suministrados por motivos de secreto comercial. En tales casos, la entidad contratante velará porque la información publicada con arreglo al presente apartado sea al menos tan detallada como la contenida en la convocatoria de licitación publicada de conformidad con el artículo 65.

3. En caso de que utilicen un sistema de clasificación, las entidades contratantes deberán velar porque dicha información sea al menos tan detallada como la categoría señalada en la relación de los prestadores de servicios clasificados, establecida con arreglo al apartado 2 del artículo 29.

Artículo 69. *Criterios y modalidades de publicación de los anuncios.* 1. Los anuncios incluirán la información indicada en los anexos III, IV, V A y V B y VI así como cualquier otra información que la entidad contratante considere útil según el formato de los formularios normalizados a los que hace referencia el artículo 63.

2. Los anuncios que las entidades contratantes envíen a la Oficina de Publicaciones de las Comunidades Europeas serán transmitidos, bien por medios electrónicos con arreglo al formato y a las modalidades de transmisión previstas en el punto 3 del anexo IX, bien por otros medios.

Los anuncios contemplados en los artículos 64, 65 y 67 se publicarán conforme a las características técnicas de publicación mencionadas en las letras a) y b) del punto 1 del anexo IX.

3. Los anuncios y su contenido no se podrán publicar antes de la fecha en que se envíen a la Oficina de Publicaciones de las Comunidades Europeas.

La Res. de 3 de marzo de 2010, de la Dirección General del Patrimonio del Estado, por la que se publica la Recomendación de la Junta Consultiva de Contratación Administrativa sobre el envío de anuncios a la Comisión Europea («B.O.E.» 8 marzo), recomienda a los órganos de contratación del Sector Público que cuando deban enviar anuncios de contratos sujetos a regulación armonizada, ya sean anuncios previos indicativos, anuncios de licitación de contratos, anuncios de adjudicación o de renuncia o desistimiento en el procedimiento de adjudicación iniciado, los remitan directamente a la Oficina de Publicaciones de las Comunidades Europeas, organismo integrado en la Comisión Europea, a ser posible empleando medios electrónicos, bien a la dirección de correo citada, bien mediante el acceso al sistema SIMAP cuya dirección de Internet se cita.

4. Los anuncios publicados en el ámbito nacional no incluirán información distinta de la que figure en los anuncios enviados a la Oficina de Publicaciones de las Comunidades Europeas o de la que se haya publicado en un perfil del contratante, y deberán mencionar la fecha de envío del anuncio a la citada Oficina o de la publicación en el perfil de comprador.

5. Los anuncios periódicos indicativos no podrán publicarse en un perfil del contratante antes de que se envíe a la Oficina de Publicaciones de las Comunidades Europeas el anuncio de su publicación en la citada forma y deberán mencionar la fecha de dicho envío.

6. Las entidades contratantes deberán poder demostrar la fecha de envío de los anuncios.

7. La confirmación de la publicación entregada a la entidad contratante por la Oficina de Publicaciones de las Comunidades Europeas con mención expresa de la fecha de dicha publicación constituirá prueba de la misma.

8. Las entidades contratantes podrán publicar, con arreglo a los apartados 1 a 7, anuncios de licitaciones que no estén sometidos a la publicación obligatoria prevista en la presente ley.

Artículo 70. *Envío y publicación de anuncios en el Diario Oficial de la Unión Europea.* 1. Los anuncios se prepararán y enviarán con arreglo a los formatos y formularios normalizados para la publicación de anuncios a los que hace referencia el artículo 63 y con el contenido que se especifica respecto de cada tipo de anuncio en los anexos III a VIII, ambos inclusive.

2. Los anuncios que se remitan a la Oficina de Publicaciones de las Comunidades Europeas se publican en los plazos que se expresan en el apartado 3 del anexo IX en función del medio de envío empleado.

3. En casos excepcionales y previa petición de la entidad contratante dirigida a la Oficina de Publicaciones de las Comunidades Europeas, los anuncios de contratos mencionados en la letra c) del artículo 64 se publicarán en el plazo y forma establecidos en el anexo IX.

CAPÍTULO III
DESARROLLO DEL PROCEDIMIENTO

Artículo 71. *Cómputo de plazos.* Todos los plazos establecidos en esta Ley, salvo que en la misma se indique que son de días hábiles, se entenderán referidos a días naturales. Si el último día del plazo fuera inhábil, se entenderá que aquél concluye el primer día hábil siguiente. No obstante, deberá indicarse en el anuncio el día y hora en que finalice el plazo para la presentación de proposiciones o de solicitudes de participación.

Artículo 72. *Comunicaciones.* 1. Todas las comunicaciones e intercambios de información mencionados en el presente Título podrán hacerse por correo, por fax, por medios electrónicos de conformidad con el artículo 73, por teléfono en los casos y circunstancias a que se refiere el artículo 74 o combinando dichos medios.

2. Los medios de comunicación elegidos deberán estar disponibles de forma general y, por tanto, no deberán restringir el acceso de los operadores económicos al procedimiento de adjudicación.

3. Las comunicaciones, los intercambios y el almacenamiento de información se realizarán de modo que se garantice la protección de la integridad de los datos y la confidencialidad de las ofertas y de las solicitudes de participación y de forma que las entidades contratantes no conozcan el contenido de las ofertas y de las solicitudes de participación hasta que expire el plazo previsto para su presentación.

Artículo 73. *Comunicaciones por medios electrónicos.* 1. El equipo que deberá utilizarse para la comunicación por medios electrónicos, así como sus características técnicas, deberán ser no discriminatorios, generalmente disponibles e interoperables con los productos de las tecnologías de la información y la comunicación de uso general.

2. Para los dispositivos de transmisión y recepción electrónica de las ofertas y los dispositivos de recepción electrónica de las solicitudes de participación se aplicarán las normas siguientes:

a) La información relativa a las prescripciones necesarias para la presentación electrónica de las ofertas y solicitudes de participación, incluido el cifrado, deberá estar a disposición de todas las partes interesadas. Además, los dispositivos de recepción electrónica de las ofertas y de las solicitudes de participación deberán ser conformes con los requisitos del anexo X.

b) Se exigirá que las ofertas transmitidas por vía electrónica vayan acompañadas de una firma electrónica avanzada con arreglo a la Ley 59/2003, de 29 de diciembre, de Firma Electrónica.

c) Los licitadores o los candidatos se comprometerán a presentar los documentos, certificados, justificantes y declaraciones mencionados en los artículos 35, 36 y 37, en caso de que no estén disponibles en forma electrónica, antes de que expire el plazo previsto para la presentación de ofertas o de solicitudes de participación.

3. En los procedimientos de adjudicación de contratos deberán indicarse en el pliego de condiciones y en el anuncio los formatos admisibles.

Artículo 74. *Solicitudes de participación.* 1. Las solicitudes de participación en los procedimientos de adjudicación de contratos podrán hacerse por escrito o por teléfono.

2. Cuando las solicitudes de participación se hagan por teléfono, deberá remitirse una confirmación por escrito antes de que expire el plazo fijado para su recepción.

3. Las entidades contratantes podrán exigir que las solicitudes de participación enviadas por fax sean confirmadas por carta o por medios electrónicos cuando ello sea necesario como medio de prueba a efectos legales. En este caso, las entidades contratantes indicarán este requisito y el plazo en el que debe satisfacerse en el anuncio que se utilice como medio de convocatoria de licitación o en la invitación contemplada en el apartado 3 del artículo 66.

Artículo 75. *Envío de pliegos de condiciones y de documentación complementaria.* 1. En los procedimientos abiertos, cuando las entidades contratantes no proporcionen, por vía electrónica acceso libre, directo y completo al pliego de condiciones y a toda la documentación adicional, éstos se enviarán a los operadores económicos en los seis días siguientes a la recepción de la solicitud, siempre y cuando dicha solicitud se haya realizado con la debida antelación antes de la fecha de presentación de las ofertas.

2. Siempre que se le haya solicitado con la debida antelación, las entidades contratantes o los servicios competentes proporcionarán información adicional sobre los pliegos de condiciones y, en su caso, permitirán las visitas técnicas necesarias

para completar la información para presentar la proposición, a más tardar seis días antes de la fecha límite fijada para la recepción de ofertas.

Artículo 76. *Plazos de recepción de solicitudes de participación y de ofertas.*
Al fijar los plazos de recepción de las solicitudes de participación y de las ofertas, las entidades contratantes tendrán especialmente en cuenta la complejidad del contrato y el tiempo necesario para preparar las ofertas, sin perjuicio de los plazos mínimos que se regulan en los artículos siguientes.

Artículo 77. *Plazos de recepción de ofertas en los procedimientos abiertos.*
1. En los procedimientos abiertos, el plazo que se fije por la entidad contratante para la recepción de ofertas no será inferior a cincuenta y dos días, contados desde la fecha de envío del anuncio del contrato a la Oficina de Publicaciones de las Comunidades Europeas.

2. Dicho plazo podrá sustituirse por un plazo suficientemente amplio para que los interesados puedan presentar proposiciones válidas, y en general, no será inferior a treinta y seis días y, en ningún caso, inferior a veintidós días, a partir de la fecha de envío del anuncio de contrato, si las entidades contratantes hubieran enviado al Diario Oficial de la Unión Europea un anuncio periódico indicativo, conforme a lo dispuesto en el artículo 64.

Estos plazos reducidos se admitirán siempre y cuando el anuncio periódico indicativo, además de la información exigida en el apartado A del anexo V, haya incluido toda la información exigida en el apartado B del anexo V, siempre que se disponga de esta última información en el momento de publicación del anuncio y que el anuncio haya sido enviado para su publicación entre un mínimo de cincuenta y dos días y un máximo de doce meses antes de la fecha de envío del anuncio de licitación previsto en la apartado c) del artículo 65.

Artículo 78. *Plazos de recepción de solicitudes de participación y ofertas en los procedimientos restringidos y negociados con anuncio de licitación previa.*
En los procedimientos restringidos y en los negociados con anuncio de licitación previa, se aplicarán las siguientes reglas:

a) El plazo de recepción de las solicitudes de participación, como respuesta a un anuncio periódico indicativo o a una invitación de la entidad contratante efectuada con arreglo a lo dispuesto en el apartado 3 del artículo 66, será en general, como mínimo de treinta y siete días, a partir de la fecha de envío del anuncio o de la invitación y, en ningún caso, podrá ser inferior a veintidós días si el anuncio se envía para su publicación por medios distintos de los electrónicos o el fax, ni inferior a quince días si el anuncio se envía por tales medios.

b) El plazo de recepción de las ofertas podrá fijarse de mutuo acuerdo entre la entidad contratante y los candidatos seleccionados, siempre que todos los candidatos dispongan de un plazo idéntico para preparar y presentar sus ofertas.

c) Cuando no sea posible llegar a un acuerdo sobre el plazo de recepción de ofertas, la entidad contratante fijará un plazo que, en general, será, como mínimo, de veinticuatro días y, en ningún caso, inferior a diez días a partir de la fecha de la invitación a presentar ofertas. La duración de dicho plazo deberá tener en cuenta, en particular, el examen de una documentación muy voluminosa, de prescripciones técnicas muy extensas, visitas o consultas sobre el terreno de los documentos adjuntos al pliego de condiciones.

Artículo 79. *Supuestos de reducción de los plazos de recepción de solicitudes de participación y de recepción de ofertas.* 1. Cuando los anuncios se preparen y envíen por medios electrónicos con arreglo al formato y a las modalidades de transmisión mencionadas en el punto 3 del anexo IX, los plazos de recepción de las solicitudes de participación en los procedimientos restringidos y en los procedimientos negociados y los plazos de recepción de las ofertas en los procedimientos abiertos podrán acortarse hasta en siete días.

2. Salvo en el caso de un plazo fijado de común acuerdo conforme a la letra b) del artículo 78, será posible una reducción adicional de cinco días de los plazos para la recepción de ofertas en los procedimientos abiertos, restringidos y negociados cuando la entidad contratante dé acceso libre, directo y completo por vía electrónica a los documentos del contrato y a toda documentación adicional, desde la fecha de publicación del anuncio que se utilice como medio de convocatoria de licitación, con arreglo al anexo IX. Este anuncio deberá indicar la dirección de Internet en que puedan consultarse dichos documentos.

3. En los procedimientos abiertos, el efecto acumulado de las reducciones previstas en el apartado 2 del artículo 77 y en los apartados 1 y 2 de este artículo no podrá en ningún caso dar lugar a un plazo para la recepción de ofertas inferior a quince días a partir de la fecha de envío del anuncio de licitación. No obstante, cuando el anuncio de licitación no se envíe por fax o por medios electrónicos, el efecto acumulado de las reducciones previstas en el apartado 2 del artículo 77 y en los apartados 1 y 2 de este artículo no podrá en ningún caso dar lugar a un plazo para la recepción de ofertas en un procedimiento abierto inferior a veintidós días a partir de la fecha de envío del anuncio del contrato.

4. El efecto acumulado de tales reducciones no podrá en ningún caso dar lugar a un plazo para la recepción de la solicitud de participación, en respuesta a un anuncio periódico indicativo o en respuesta a una invitación de las entidades contratantes en virtud del apartado 3 del artículo 66, inferior a quince días a partir de la fecha de envío del anuncio de licitación o de la invitación.

En los procedimientos restringidos y negociados, excepto cuando exista un plazo fijado de común acuerdo con arreglo a la letra b) del artículo 78, el efecto acumulado de las reducciones previstas en el apartado anterior, no podrá en ningún caso dar lugar a un plazo para la recepción de ofertas inferior a diez días a partir de la fecha de envío de la invitación a presentar ofertas.

5. Cuando, por algún motivo, los documentos del contrato y la documentación o la información adicional, a pesar de haberse solicitado con la debida antelación, no se hayan proporcionado en los plazos fijados en los artículos 75 y 81 o cuando las ofertas sólo puedan realizarse después de visitar los lugares o previa consulta «in situ» de la documentación que se adjunte a los documentos del contrato, el plazo para la recepción de ofertas se prorrogará en consecuencia, de forma que todos los operadores económicos tengan conocimiento de toda la información necesaria para formular las ofertas, salvo cuando exista un plazo fijado de común acuerdo de conformidad con el apartado b) del artículo 78.

Artículo 80. *Selección de candidatos en los procedimientos restringidos y en los procedimientos negociados.* 1. En el caso de los procedimientos restringidos o negociados, los criterios de selección cualitativa a que se refiere el artículo 40 podrán basarse en la necesidad objetiva, para la entidad contratante, de reducir el número de candidatos hasta un nivel justificado por la necesidad de equilibrio entre las características específicas del procedimiento de adjudicación de contratos y los medios necesarios para su realización. No obstante, el número de candidatos seleccionados deberá tener en cuenta la necesidad de garantizar una competencia suficiente.

2. A la hora de seleccionar a los participantes en un procedimiento restringido o negociado, al decidir sobre la clasificación o al actualizar los criterios y normas, las entidades contratantes deberán abstenerse de:

a) Imponer a determinados operadores económicos condiciones administrativas, técnicas o financieras que no hayan sido impuestas a otros.

b) Exigir pruebas o justificantes que constituyan una repetición de pruebas objetivas ya disponibles.

Artículo 81. *Invitación a los candidatos seleccionados en los procedimientos restringidos y negociados.* 1. La entidad contratante invitará simultáneamente y por escrito a los candidatos seleccionados a presentar ofertas o a negociar. La carta de invitación deberá ir acompañada bien de un ejemplar del pliego de condiciones y de la documentación complementaria o bien de la indicación del acceso al pliego y a los documentos anteriormente citados cuando se hayan puesto directamente a su disposición por medios electrónicos según lo dispuesto en el apartado 2 del artículo 79.

2. Cuando una entidad distinta de la entidad contratante responsable del procedimiento de adjudicación disponga del pliego de condiciones o de documentación adicional, la invitación precisará la dirección del servicio al que puedan solicitarse y, en su caso, la fecha límite para realizar dicha solicitud, así como el importe y las modalidades de pago de la cantidad que haya que abonar para obtener la documentación. Los servicios competentes remitirán dicha documentación a los operadores económicos tras la recepción de su solicitud.

3. Las entidades contratantes o los servicios competentes deberán enviar la información complementaria sobre los pliegos de condiciones o documentación adicional a más tardar seis días antes de la fecha límite fijada para la recepción de las ofertas, siempre que la hayan solicitado con la debida antelación.

4. Además, la invitación incluirá, como mínimo, la información siguiente:

a) Fecha límite para solicitar la documentación adicional, así como la cantidad y forma de pago del importe que, en su caso, se deba satisfacer para la obtención de dichos documentos.

b) Fecha límite de recepción de ofertas, dirección a la que deben remitirse e idioma o idiomas en que deben redactarse.

c) Referencia a cualquier anuncio de licitación publicado.

d) Indicación de la documentación que debe adjuntarse, si procede, a la presentación de la oferta.

e) Criterios de adjudicación relacionados con el objeto del contrato, cuando no figuren en el anuncio sobre la existencia de un sistema de clasificación que se utilice como medio de convocatoria de licitación.

f) La ponderación relativa de los criterios de adjudicación del contrato, o bien el orden de importancia de dichos criterios, en caso de que esta información no figure en el anuncio de licitación, en el anuncio sobre la existencia de un sistema de clasificación o en el pliego de condiciones.

Artículo 82. *Ofertas anormalmente bajas.* 1. Si las ofertas resultasen anormalmente bajas en relación con la prestación que se ha de ejecutar, la entidad contratante, antes de poder rechazarlas, pedirá por escrito a quienes hubieran presentado dichas ofertas las precisiones que juzgue oportunas sobre la composición de la oferta correspondiente y comprobará dicha composición teniendo en cuenta las explicaciones que le sean facilitadas, para lo cual podrá fijar un plazo de respuesta no inferior a tres días contados desde la recepción de la petición de estas explicaciones.

2. Tales precisiones podrán referirse en particular a:

a) El ahorro que permita el procedimiento de fabricación de los productos, la prestación de servicios o el procedimiento de construcción.

b) Las soluciones técnicas adoptadas y/o las condiciones excepcionalmente favorables de que disponga el licitador para suministrar los productos, prestar los servicios o ejecutar las obras.

c) La originalidad de los suministros, servicios u obras propuestos por el licitador.

d) El respeto de las disposiciones vigentes relativas a la protección del empleo y las condiciones de trabajo en el lugar en que se vaya a llevar a cabo la obra, el servicio o el suministro.

e) La posible obtención de una ayuda estatal por parte del licitador.

3. Cuando la entidad contratante compruebe que una oferta es anormalmente baja debido a que el licitador ha obtenido una ayuda estatal, sólo podrá rechazar dicha oferta por esa única razón si consulta al licitador y éste no puede demostrar, en un plazo suficiente fijado por la entidad contratante, que tal ayuda fue concedida de forma legal. Cuando en estas circunstancias la entidad contratante rechace una oferta, informará de ello a la Comisión.

Artículo 83. *Adjudicación de los contratos.* 1. La entidad contratante a la vista de la valoración de las ofertas y en función del criterio de adjudicación empleado comunicará motivadamente al licitador que hubiere formulado la oferta de precio más bajo o aquella que resulte ser la oferta económicamente más ventajosa, la adjudicación del contrato.

2. Asimismo comunicará también de forma motivada a los restantes operadores económicos el resultado de la adjudicación acordada.

3. No podrá procederse a la formalización del contrato hasta tanto transcurra el plazo de quince días hábiles a que se refiere el apartado 2 del artículo 104

> *Número 3 del artículo 83 redactado por el apartado seis del artículo segundo de la Ley 34/2010, de 5 de agosto, de modificación de las Leyes 30/2007, de 30 de octubre, de Contratos del Sector Público, 31/2007, de 30 de octubre, sobre procedimientos de contratación en los sectores del agua, la energía, los transportes y los servicios postales, y 29/1998, de 13 de julio, reguladora de la Jurisdicción Contencioso-Administrativa para adaptación a la normativa comunitaria de las dos primeras («B.O.E.» 9 agosto).*
> *Vigencia: 9 septiembre 2010*

4. Corresponderá, en todo caso, a la entidad contratante el derecho a declarar desierto el procedimiento de adjudicación de forma motivada siempre que las ofertas recibidas no se adecuen a los criterios establecidos.

Artículo 84. *Información a los licitadores.* 1. Las entidades contratantes informarán a los operadores económicos participantes en el menor plazo posible de las decisiones tomadas en relación con la adjudicación del contrato, con la celebración de un acuerdo marco o con la admisión a un sistema dinámico de adquisición, incluidos los motivos por los que hayan decidido no adjudicar un contrato para el que se haya efectuado una convocatoria de licitación o volver a iniciar el procedimiento, no celebrar un acuerdo marco o no aplicar un sistema dinámico de adquisición. Esta información se facilitará por escrito en caso de que así se solicite a las entidades contratantes.

2. En los casos incluidos en el anexo II B las entidades contratantes deberán indicar en el anuncio si aceptan la publicación del mismo.

3. Las entidades contratantes comunicarán, a todo candidato o licitador descartado en un plazo que no podrá en ningún caso sobrepasar los quince días a partir de la recepción de una solicitud por escrito los motivos del rechazo de su candidatura o de su oferta, incluidos los motivos de su decisión de no equivalencia o de su decisión, que las obras, suministros o servicios no se ajustan a las prescripciones de rendimiento o a las exigencias funcionales requeridas y, con respecto a todo contratista que haya efectuado una oferta admisible, las características y ventajas relativas de la oferta seleccionada, así como el nombre del adjudicatario o las partes en el acuerdo marco.

No obstante, las entidades contratantes podrán decidir no dar a conocer determinada información relativa a la adjudicación del contrato cuando su divulgación dificulte la aplicación de la ley, sea contraria al interés público, perjudique los intereses comerciales legítimos de determinadas empresas, públicas o privadas, incluidos los de la empresa a la que se haya adjudicado el contrato, la celebración de un acuerdo marco o la admisión a un sistema dinámico de adquisición o pueda falsear la competencia.

Artículo 85. *Información sobre los contratos.* 1. Las entidades contratantes incluidas en el ámbito de aplicación de esta Ley comunicarán al Registro de Contratos del Sector Público a que se refiere el artículo 308 de la Ley de Contratos del Sector Público, los datos correspondientes a la adjudicación del contrato en un plazo de dos meses desde su adjudicación.

2. Las comunicaciones de datos de contratos al Registro de Contratos del Sector Público se efectuarán por medios electrónicos, informáticos o telemáticos, en la forma que determine el Ministro de Economía y Hacienda de conformidad con las Comunidades Autónomas.

3. En los casos de las Administraciones Públicas que dispongan de Registros de Contratos análogos en su ámbito de competencias, la comunicación de datos a que se refiere el apartado 1 podrá ser sustituida por comunicaciones entre los respectivos Registros de Contratos. El Ministerio de Economía y Hacienda determinará reglamentariamente las especificaciones y requisitos para la sincronización de datos entre el Registro de Contratos del Sector Público y los demás Registros de Contratos.

4. Las entidades contratantes conservarán, al menos durante un período de cuatro años a partir de la fecha de adjudicación, la información adecuada sobre cada contrato que les permita facilitar a la Comisión Europea la información que necesite y justificar posteriormente las decisiones relativas a los siguientes aspectos:

a) Clasificación, selección de las empresas y adjudicación de los contratos.

b) Utilización de las excepciones a la aplicación de las prescripciones técnicas europeas, de acuerdo con lo dispuesto en el artículo 34.

c) Utilización de procedimientos negociados sin previa convocatoria de licitación de conformidad con lo establecido en el artículo 59.

d) Inaplicación de las disposiciones de los Títulos II, III y IV, en virtud de las excepciones previstas en el Título I.

5. Las entidades contratantes adoptarán las medidas apropiadas para dar a conocer el desarrollo de los procedimientos de adjudicación llevados a cabo por medios electrónicos.

Artículo 86. *Desistimiento.* La entidad contratante podrá desistir del procedimiento de adjudicación de un contrato iniciado, con anterioridad a su adjudicación, siempre que exista causa que lo justifique y se determine en la resolución que se adopte a tal fin, debiendo comunicar tal decisión a los operadores económicos que hubieran presentado una oferta o que hubieren solicitado participar en el mismo.

CAPÍTULO IV
DISPOSICIONES COMUNES

Artículo 87. *Subcontratación.* 1. El contratista podrá concertar con terceros la realización parcial de la prestación, salvo que los pliegos o, en su caso, el contrato dispongan lo contrario o que por su naturaleza y condiciones se deduzca que aquél ha de ser ejecutado directamente por el adjudicatario.

2. La celebración de los subcontratos estará sometida al cumplimiento de los siguientes requisitos:

a) Si así se prevé en los pliegos, los licitadores deberán indicar en la oferta la parte del contrato que tenga previsto subcontratar, señalando su importe, y el nombre o el perfil empresarial, definido por referencia a los criterios de selección cualitativa a que se refiere el artículo 40 de los subcontratistas a los que se vaya a encomendar su realización.

b) Las prestaciones parciales que el adjudicatario subcontrate con terceros no podrán exceder del porcentaje que se fije en el pliego. En todo caso en los contratos adjudicados por las entidades contratantes que sean organismos de derecho público, a que se refiere el artículo 3.1, las prestaciones parciales que el adjudicatario subcontrate con terceros no podrán exceder del porcentaje que se fije en el pliego. En el supuesto de que no figure en el pliego un límite especial, el contratista podrá subcontratar hasta un porcentaje que no exceda del 60 por ciento del importe de adjudicación. A efectos de cómputo de este porcentaje máximo, no se tendrán en cuenta los subcontratos concluidos con empresas vinculadas al contratista principal, entendiéndose por tales las que se encuentren en algunos de los supuestos previstos en el artículo 42 del Código de Comercio. Así mismo respecto de tales entidades, si los pliegos hubiesen impuesto a los licitadores la obligación de comunicar las circunstancias señaladas en la letra a), los subcontratos que no se ajusten a lo indicado en la oferta, por celebrarse con empresarios distintos de los indicados nominativamente en la misma o por referirse a partes de la prestación diferentes a las señaladas en ella, no podrán celebrarse hasta que transcurran veinte días desde que se hubiese cursado la notificación y aportado las justificaciones a que se refiere la letra b), siempre que el órgano de contratación no hubiese notificado dentro de este plazo su oposición a los mismos. Este régimen será igualmente aplicable si los subcontratistas hubiesen sido identificados en la oferta mediante la descripción de su perfil profesional. Bajo la responsabilidad del contratista, los subcontratos podrán concluirse sin necesidad de dejar transcurrir el plazo de veinte días si su celebración es necesaria para atender a una situación de emergencia o que exija la adopción de medidas urgentes y así se justifica suficientemente.

c) En los contratos adjudicados por las entidades contratantes que sean organismos de derecho público, a que se refiere el artículo 3.1, que tengan el carácter secreto o reservado, o cuya ejecución deba ir acompañada de medidas de seguridad especiales de acuerdo con disposiciones legales o reglamentarias o cuando lo exija la protección de los intereses esenciales de la seguridad del Estado, la subcontratación requerirá siempre autorización expresa del órgano de contratación.

3. La infracción de las condiciones establecidas en el apartado anterior para proceder a la subcontratación, así como la falta de acreditación de la aptitud del subcontratista o de las circunstancias determinantes de la situación de emergencia o de las que hacen urgente la subcontratación, podrá dar lugar, en todo caso, a la imposición al contratista de una penalidad de hasta un 50 por ciento del importe del subcontrato.

4. Los subcontratistas quedarán obligados sólo ante el contratista principal que asumirá, por tanto, la total responsabilidad de la ejecución del contrato frente a la entidad contratante, con arreglo estricto a los pliegos y a los términos del contrato.

Artículo 88. *Condiciones de ejecución del contrato.* 1. Las entidades contratantes podrán establecer condiciones especiales relativas a la ejecución del contrato siempre que sean compatibles con el Derecho comunitario y se indiquen en el anuncio utilizado como medio de convocatoria de licitación o en el pliego de condiciones.

2. Las condiciones que regulen la ejecución de un contrato podrán referirse, en especial, a consideraciones de tipo medioambiental o a consideraciones de tipo social, con el fin de promover el empleo de personas con dificultades particulares de

inserción en el mercado laboral, eliminar las desigualdades entre el hombre y la mujer en dicho mercado, combatir el paro, favorecer la formación en el lugar de trabajo, u otras finalidades que se establezcan con referencia a la estrategia coordinada para el empleo, definida en el artículo 125 del Tratado Constitutivo de la Comunidad Europea, o garantizar el respeto a los derechos laborales básicos a lo largo de la cadena de producción mediante la exigencia del cumplimiento de las Convenciones fundamentales de la Organización Internacional del Trabajo.

3. En el pliego o en el contrato se podrán establecer penalidades para el caso de incumplimiento de estas condiciones especiales de ejecución, o atribuírseles el carácter de obligaciones contractuales esenciales.

Artículo 89. *Contratos reservados.* 1. Las entidades contratantes podrán reservar la participación en los procedimientos de adjudicación de contratos a Centros especiales de empleo o prever su ejecución en el contexto de programas de empleo protegido cuando al menos el 70 por ciento de los trabajadores afectados sean personas con discapacidad que, debido a la índole o a la gravedad de sus discapacidades, no puedan ejercer una actividad profesional en condiciones normales.

2. En el anuncio utilizado para convocar la licitación deberá hacerse mención del artículo 28 de la Directiva 2004/17/CE.

Artículo 90. *Obligaciones relativas a las disposiciones en materia fiscal, de protección del medio ambiente, del empleo y de condiciones de trabajo.* 1. La entidad contratante podrá señalar en el pliego de condiciones, el organismo u organismos de los que los candidatos o los licitadores pueden obtener la información pertinente sobre obligaciones fiscales, de protección del medio ambiente, de protección de empleo y de condiciones de trabajo que estén vigentes en el Estado, en la Comunidad Autónoma y en la localidad en que vayan a realizarse las prestaciones y que serán aplicables a las obras realizadas o a los servicios prestados durante la ejecución del contrato.

2. La entidad contratante que facilite la información a que se refiere el apartado 1 solicitará a los licitadores o candidatos a una licitación que indiquen que en la elaboración de su oferta han tenido en cuenta las obligaciones relativas a las disposiciones en materia de protección del empleo y de protección del medio ambiente y a las condiciones de trabajo vigentes en el lugar donde se vaya a realizar la prestación.

3. Lo dispuesto en el apartado primero no obstará para la aplicación de lo dispuesto en el artículo 82.

Artículo 91. *Exclusión de actuaciones restrictivas de la competencia.* 1. En los procedimientos de adjudicación, ya sean abiertos, restringidos o negociados, particularmente en el caso de adjudicación sobre la base de un acuerdo marco, quedará excluido cualquier tipo de acuerdo, práctica restrictiva o abusiva que produzca o pueda producir el efecto de impedir, restringir o falsear la competencia en los términos previstos en la Ley 15/2007, de 3 de julio, de Defensa de la Competencia. Únicamente podrá requerirse información a los candidatos o los licitadores con el objeto de que precisen o completen el contenido de sus ofertas, así como los requisitos exigidos por las entidades contratantes, siempre que ello no tenga un efecto discriminatorio.

2. Cualquiera que sea el procedimiento de adjudicación de un contrato no podrá rechazarse ningún candidato o licitador por la sola circunstancia de su condición de persona física o jurídica. No obstante, podrá exigirse a las personas jurídicas que indiquen en sus ofertas, o en sus solicitudes de participación, el nombre y la cualificación profesional de las personas responsables de la ejecución del servicio de que se trate.

Artículo 92. *Preferencia de ofertas comunitarias en los contratos de suministro.* 1. El presente artículo será de aplicación a las ofertas que contengan productos originarios de países terceros con los cuales la Unión Europea no haya celebrado, en un marco multilateral o bilateral, un acuerdo que garantice un acceso comparable y efectivo de las empresas de la Unión a los mercados de dichos países terceros, sin perjuicio de las obligaciones de la Unión o de sus Estados miembros respecto a los países terceros.

2. Cualquier oferta presentada para la adjudicación de un contrato de suministro, podrá rechazarse cuando la parte de los productos originarios de los países terceros, determinados de conformidad con el Reglamento (CEE) número 2913/92, del Consejo 12 de octubre de 1992, por el que se aprueba el Código aduanero común, sea superior al 50 por ciento del valor total de los productos que componen esta oferta. A efectos del presente artículo, los soportes lógicos utilizados en los equipos de redes de telecomunicación serán considerados productos.

3. Cuando dos o más ofertas sean equivalentes respecto a los criterios de adjudicación utilizados en cada caso, se dará preferencia a aquella que no pueda ser rechazada en aplicación de lo dispuesto en el apartado anterior. El precio de las ofertas será considerado equivalente, a efectos del presente artículo, cuando su diferencia no exceda del 3 por ciento.

No obstante, no se dará preferencia a la oferta que resultaría elegida si se aplicase lo dispuesto anteriormente, cuando ésta obligue a la entidad contratante a adquirir material con características técnicas diferentes de las del material existente y ello dé lugar a incompatibilidades o dificultades técnicas excesivas, de funcionamiento o de mantenimiento, o implique un coste desproporcionado.

CAPÍTULO V
CONCURSOS DE PROYECTOS

Artículo 93. *Concursos de proyectos.* Se considera concursos de proyectos a los procedimientos que permiten a la entidad contratante adquirir, principalmente en los ámbitos de la ordenación territorial y el urbanismo, la arquitectura, la ingeniería o el procesamiento de datos, planes o proyectos seleccionados por un jurado después de haber sido objeto de una licitación, con o sin asignación de premios.

Artículo 94. *Organización del concurso.* 1. Las normas relativas a la organización de un concurso de proyectos se establecerán de conformidad con los requisitos del presente Capítulo y se pondrán a disposición de quienes estén interesados en participar en el concurso.

2. Al fijar el número de candidatos invitados a participar en los concursos de proyectos, se deberá tener en cuenta la necesidad de garantizar una verdadera competencia sin que el acceso a la participación pueda ser limitado a un determinado ámbito territorial o a personas físicas con exclusión de las jurídicas o a la inversa. En todo caso, si el número de participantes es reducido, su selección se llevará a cabo mediante criterios objetivos, claros y no discriminatorios.

Artículo 95. *Ámbito de aplicación.* 1. Lo dispuesto en el presente Capítulo se aplicará a los concursos de proyectos organizados en el marco de un procedimiento de adjudicación de contratos de servicios cuyo valor estimado, excluido el IVA, sea igual o superior a 400.000 euros. A efectos del presente apartado, se entenderá por «umbral» el valor estimado, sin IVA, del contrato de servicios, incluidos los eventuales premios o pagos a los participantes.

2. Lo dispuesto en el presente Capítulo se aplicará a todos los casos de concursos de proyectos cuando el importe total de los premios y pagos a los participantes sea igual o superior a 400.000 euros. A tal efecto, se entenderá por umbral el im-

porte total de los premios y pagos, incluido el valor estimado, sin IVA, del contrato de servicios que pudiera adjudicarse ulteriormente con arreglo a un procedimiento sin convocatoria de licitación previa, si la entidad contratante no excluyese dicha adjudicación en el anuncio de concurso.

Cifras contenidas en el artículo 95 actualizadas por el artículo único.2 b) de la Orden EHA/3479/2011, de 19 de diciembre, por la que se publican los límites de los distintos tipos de contratos a efectos de la contratación del sector público a partir del 1 de enero de 2012 («B.O.E.» 23 diciembre).
Vigencia: 1 enero 2012

Artículo 96. *Concursos de proyectos excluidos.* Lo dispuesto en el presente Capítulo no se aplicará:

a) a los concursos de proyectos que se organicen en iguales casos que los contemplados en el apartado 1 del artículo 18 y en las letras g), h) e i) del apartado 3 del artículo 18 para los contratos de servicios.

b) a los concursos de proyectos organizados para el desarrollo de una actividad para la que la aplicación del apartado 1 del artículo 30 de la Directiva 2004/17/CE haya sido establecida por una decisión de la Comisión Europea o se haya considerado aplicable en virtud del párrafo segundo o tercero de su apartado 4, o del párrafo cuarto de su apartado 5.

Artículo 97. *Publicidad.* 1. Las entidades contratantes que deseen organizar un concurso de proyectos convocarán la licitación mediante un anuncio de concurso de proyectos.

Dicha convocatoria de licitación incluirá la información mencionada en el anexo VII con arreglo al formulario normalizado.

2. Las entidades contratantes que hayan organizado un concurso de proyectos darán a conocer los resultados en un anuncio con arreglo al formulario normalizado.

El anuncio sobre el resultado de un concurso de proyectos incluirá la información mencionada en el anexo VIII con arreglo al formulario normalizado.

3. El anuncio sobre el resultado de un concurso de proyectos se transmitirá a la Oficina de Publicaciones de las Comunidades Europeas en un plazo de dos meses después de la conclusión del concurso.

Artículo 98. *Comunicaciones en los concursos de proyectos.* 1. El artículo 72 y el apartado 1 del artículo 73 serán aplicables a todas las comunicaciones relativas a los concursos de proyectos.

2. Las comunicaciones, los intercambios y el almacenamiento de información se realizarán de modo que se garantice la protección de la integridad y la confidencialidad de cualquier información transmitida por los participantes en el concurso de proyectos y de forma que el jurado no conozca el contenido de los planos y proyectos hasta que expire el plazo previsto para su presentación.

Artículo 99. *Recepción electrónica de los planos y proyectos.* 1. La información relativa a las características necesarias para la presentación electrónica de los planos y proyectos, incluido el cifrado, deberá estar a disposición de todas las partes concernidas. Además, los dispositivos de recepción electrónica de los planos y proyectos deberán ser conformes con los requisitos del anexo X.

2. Las entidades contratantes podrán crear o mantener regímenes voluntarios de acreditación encaminados a mejorar el nivel del servicio de certificación de dichos dispositivos.

Artículo 100. *Jurado del concurso de proyectos.* 1. El jurado estará compuesto exclusivamente por personas físicas sin ninguna vinculación con los participantes en los concursos de proyectos. A estos efectos, se entiende que no existe vinculación alguna cuando no concurra ninguna de las causas de abstención previstas en el artículo 28 de la Ley 30/1992, de 26 de noviembre, de Régimen Jurídico de las Administraciones Públicas y del Procedimiento Administrativo Común.

2. En aquellos casos en que se exija una cualificación profesional específica para participar en el concurso, al menos un tercio de los miembros del jurado deberá poseer las mismas cualificaciones u otras equivalentes.

3. El jurado adoptará sus decisiones o dictámenes con total independencia, sobre la base de proyectos que le serán presentados de forma anónima y atendiendo únicamente a los criterios indicados en el anuncio de celebración del concurso de proyectos.

4. El jurado tendrá autonomía de decisión o de dictamen.

5. El jurado hará constar en un informe, firmado por sus miembros, la clasificación de los proyectos, teniendo en cuenta los méritos de cada proyecto, junto con sus observaciones y cualesquiera aspectos que requieran aclaración.

6. Deberá respetarse el anonimato de los participantes en el concurso hasta que el jurado emita su dictamen o decisión.

7. De ser necesario, podrá invitarse a los participantes a que respondan a preguntas que el jurado haya incluido en el acta para aclarar cualquier aspecto de los proyectos.

8. Se redactará un acta completa del diálogo entre los miembros del jurado y los participantes.

TÍTULO VII
RECLAMACIONES EN LOS PROCEDIMIENTOS DE ADJUDICACIÓN Y DECLARACIÓN DE NULIDAD DE LOS CONTRATOS

Rúbrica del título VII redactada por el apartado uno del artículo segundo de la Ley 34/2010, de 5 de agosto, de modificación de las Leyes 30/2007, de 30 de octubre, de Contratos del Sector Público, 31/2007, de 30 de octubre, sobre procedimientos de contratación en los sectores del agua, la energía, los transportes y los servicios postales, y 29/1998, de 13 de julio, reguladora de la Jurisdicción Contencioso-Administrativa para adaptación a la normativa comunitaria de las dos primeras («B.O.E.» 9 agosto).
Vigencia: 9 septiembre 2010

CAPÍTULO I
RECLAMACIONES EN LOS PROCEDIMIENTOS DE ADJUDICACIÓN DE LOS CONTRATOS

Capítulo I del título VII modificado conforme establece el apartado dos del artículo segundo de la Ley 34/2010, de 5 de agosto, de modificación de las Leyes 30/2007, de 30 de octubre, de Contratos del Sector Público, 31/2007, de 30 de octubre, sobre procedimientos de contratación en los sectores del agua, la energía, los transportes y los servicios postales, y 29/1998, de 13 de julio, reguladora de la Jurisdicción Contencioso-Administrativa para adaptación a la normativa comunitaria de las dos primeras («B.O.E.» 9 agosto).
Vigencia: 9 septiembre 2010

Artículo 101. *Competencia.* 1. Los órganos indicados en el artículo 311 de la Ley 30/2007, de 30 de octubre, de Contratos del Sector Público, serán los competentes en sus ámbitos respectivos y en relación con las entidades enumeradas en el apartado 1 del artículo 3 de esta Ley, así como a las que estén adscritas o vinculadas a ellas, o a las que hayan otorgado un derecho especial o exclusivo, para ejercer las siguientes competencias respecto de los contratos cuyos procedimientos de adjudicación se regulan:

a) Resolver las reclamaciones y cuestiones de nulidad que se planteen por infracción de las normas contenidas en esta Ley.

b) Acordar las medidas cautelares de carácter provisional necesarias para asegurar la eficacia de la resolución que en su momento se dicte.

c) Fijar las indemnizaciones que procedan, previa la correspondiente reclamación de daños y perjuicios, por infracción, asimismo, de las disposiciones contenidas en esta Ley.

2. Si la entidad contratante fuera una asociación de las contempladas en el apartado 1 del artículo 3 y hubiera varias Administraciones públicas de referencia por la diferente adscripción o vinculación de sus miembros, o una sola entidad contratante se encontrara en el mismo supuesto, por operar en varios sectores de los incluidos en los artículos 7 a 12, la reclamación podrá ser presentada ante cualquiera de los órganos competentes mencionados en el artículo 311 de la Ley 30/2007, de 30 de octubre, de Contratos del Sector Público, que vendrá obligado a resolver.

3. A los efectos del apartado 1, cuando la entidad contratante tenga relación con más de una Administración pública, en razón de su adscripción o vinculación formal y del título administrativo que explota, la reclamación deberá presentarse ante el órgano independiente que tenga atribuida la competencia para resolver las reclamaciones en el ámbito de la Administración que haya otorgado el título administrativo.

Artículo 102. *Legitimación.* Podrá interponer la correspondiente reclamación toda persona física o jurídica cuyos derechos o intereses legítimos se hayan visto perjudicados o puedan resultar afectados por las decisiones objeto de reclamación.

Artículo 103. *Solicitud de medidas provisionales.* 1. Antes de interponer la reclamación regulada en este Título, las personas físicas y jurídicas, legitimadas para ello con arreglo a lo dispuesto en el artículo anterior, podrán solicitar ante el órgano competente para resolver la reclamación la adopción de medidas provisionales. Tales medidas irán dirigidas a corregir infracciones de procedimiento o impedir que se causen otros perjuicios a los intereses afectados, y podrán estar incluidas, entre ellas, las destinadas a suspender o a hacer que se suspenda el procedimiento de adjudicación del contrato en cuestión o la ejecución de cualquier decisión adoptada por los órganos de contratación.

2. El órgano competente para resolver la reclamación deberá adoptar la decisión en forma motivada sobre las medidas provisionales dentro de los cinco días hábiles siguientes, a la presentación del escrito en que se soliciten.

A estos efectos, el órgano decisorio, en el mismo día en que se reciba la petición de la medida provisional, comunicará la misma a la entidad contratante, que dispondrá de un plazo de dos días hábiles, para presentar las alegaciones que considere oportunas referidas a la adopción de las medidas solicitadas o a las propuestas por el propio órgano decisorio. Si transcurrido este plazo no se formulasen alegaciones se continuará el procedimiento.

Si antes de dictar resolución se hubiese interpuesto la reclamación, el órgano decisorio acumulará a ésta la solicitud de medidas provisionales y resolverá sobre ellas en la forma prevista en el artículo105, sin que sea de aplicación, en tal caso, el plazo para entender desestimada la solicitud por silencio administrativo.

Contra las resoluciones dictadas en este procedimiento no cabrá recurso alguno, sin perjuicio de los que procedan contra las resoluciones que se dicten en el procedimiento principal.

3. Cuando de la adopción de las medidas provisionales puedan derivarse perjuicios de cualquier naturaleza, la resolución podrá imponer la constitución de caución o garantía suficiente para responder de ellos, sin que aquéllas produzcan efectos hasta que dicha caución o garantía sea constituida.

Reglamentariamente se determinará la cuantía y forma de la garantía a constituir así como los requisitos para su devolución.

4. La suspensión del procedimiento que pueda acordarse cautelarmente no afectará, en ningún caso, al plazo concedido para la presentación de ofertas o proposiciones por los interesados.

5. Las medidas provisionales que se soliciten y acuerden con anterioridad a la presentación de la reclamación decaerán una vez transcurra el plazo establecido para su interposición sin que el interesado la haya deducido.

Artículo 104. *Iniciación del procedimiento.* 1. Todo aquel que se proponga interponer reclamación en los términos previstos en el artículo 101 deberá anunciarlo previamente mediante escrito presentado ante la entidad contratante en el plazo previsto en el apartado siguiente para la interposición de la reclamación. En dicho escrito deberá indicarse el acto del procedimiento contra el que irá dirigida la reclamación que se interponga.

2. El procedimiento se iniciará mediante escrito que deberá presentarse en el plazo de quince días hábiles, a contar desde el siguiente al de la publicación en su caso de la licitación del contrato en el "Diario Oficial de la Unión Europea" cuando se interponga contra dicha licitación, desde que se anuncie en el perfil de contratante del órgano de contratación o desde que los licitadores tengan conocimiento de la infracción que se denuncia.

3. La presentación del escrito de interposición deberá hacerse necesariamente en el registro del órgano competente para resolver la reclamación.

4. En el escrito de interposición se hará constar el acto reclamado, el motivo que fundamente la reclamación, los medios de prueba de que pretenda valerse el reclamante y, en su caso, las medidas cautelares mencionadas en el artículo anterior, cuya adopción solicite.

A este escrito se acompañará:

a) El documento que acredite la representación del compareciente, salvo si figurase unido a las actuaciones de otro procedimiento pendiente ante el mismo órgano, en cuyo caso podrá solicitarse que se expida certificación para su unión al procedimiento.

b) El documento o documentos que acrediten la legitimación del actor cuando la ostente por habérsela transmitido otro por herencia o por cualquier otro título.

c) La copia o traslado del acto expreso que se recurran, o indicación del expediente en que haya recaído el acto, el periódico oficial o perfil de contratante en que se haya publicado.

d) El documento o documentos en que funde su derecho.

e) El justificante de haber dado cumplimiento a lo establecido en el apartado 1 de este artículo. Sin este justificante no se dará curso al escrito de interposición, aunque su omisión podrá subsanarse de conformidad con lo establecido en el apartado siguiente.

5. Para la subsanación de los defectos que puedan afectar al escrito de reclamación, se requerirá al interesado a fin de que, en un plazo tres días hábiles, subsane la falta o acompañe los documentos preceptivos, con indicación de que, si así no lo hiciera, se le tendrá por desistido de su petición, quedando suspendida la tramitación del expediente con los efectos previstos en el apartado 5 del artículo 42 de la Ley 30/1992, de 26 de noviembre de Régimen Jurídico de las Administraciones Públicas y del Procedimiento Administrativo Común.

6. Una vez interpuesta la reclamación, si el acto recurrido es el de adjudicación, quedará en suspenso la tramitación del expediente de contratación.

Artículo 105. *Tramitación del procedimiento.* 1. El procedimiento para tramitar las reclamaciones se regirá por las disposiciones de la Ley 30/1992, de 26 de noviembre, con las especialidades que se recogen en los apartados siguientes.

2. Interpuesta la reclamación, el órgano encargado de resolverlo lo notificará en el mismo día a la entidad contratante con remisión de la copia del escrito de interposición y reclamará el expediente de contratación a la entidad que lo hubiese tramitado, quien deberá remitirlo dentro de los dos días hábiles siguientes acompañado del correspondiente informe.

3. Dentro de los cinco días hábiles siguientes a la interposición de la reclamación, dará traslado de la misma a los restantes interesados, concediéndoles un plazo de cinco días hábiles para formular alegaciones, y, de forma simultánea a este trámite, decidirá acerca de las medidas cautelares si se hubiese solicitado la adopción de alguna en el escrito de interposición de la reclamación o se hubiera procedido a la acumulación prevista en el párrafo tercero del artículo 103.2. A la adopción de estas medidas será de aplicación, en todo caso, lo dispuesto en el artículo 103 en cuanto a la audiencia de la entidad contratante. Serán igualmente aplicables los apartados 3 y 4 del citado artículo.

En este mismo acto, resolverá, en su caso, sobre si procede o no el mantenimiento de la suspensión automática prevista en el artículo anterior. Si las medidas provisionales se hubieran solicitado después de la interposición del recurso, el órgano competente resolverá sobre ellas en los términos previstos en el párrafo anterior sin suspender el procedimiento principal.

4. Los hechos relevantes para la decisión de la reclamación podrán acreditarse por cualquier medio de prueba admisible en Derecho. Cuando los interesados lo soliciten o el órgano de resolución no tenga por ciertos los hechos alegados por los interesados o la naturaleza del procedimiento lo exija, podrá acordarse la apertura del período de prueba por plazo de diez días hábiles, a fin de que puedan practicarse cuantas juzgue pertinentes.

El órgano competente para resolver la reclamación podrá rechazar las pruebas propuestas por los interesados cuando sean manifiestamente improcedentes o innecesarias, mediante resolución motivada.

La práctica de las pruebas se anunciará con antelación suficiente a los interesados.

5. El órgano competente para la resolución de la reclamación deberá, en todo caso, garantizar la confidencialidad y el derecho a la protección de los secretos comerciales en relación con la información contenida en el expediente de contratación, sin perjuicio de que pueda conocer y tomar en consideración dicha información a la hora de resolver. Corresponderá a dicho órgano resolver acerca de cómo garantizar la confidencialidad y el secreto de la información que obre en el expediente de contratación, sin que por ello, resulten perjudicados los derechos de los demás interesados a la protección jurídica efectiva y al derecho de defensa en el procedimiento.

Artículo 106. *Resolución.* 1. Una vez recibidas las alegaciones de los interesados, o transcurrido el plazo señalado para su formulación, y el de la prueba, en su caso, el órgano competente deberá resolver la reclamación dentro de los cinco días hábiles siguientes, notificándose a continuación la resolución a todos los interesados.

2. La resolución de la reclamación estimará en todo o en parte o desestimará las pretensiones formuladas o declarará su inadmisión, decidiendo motivadamente cuantas cuestiones se hubiesen planteado. En todo caso, la resolución será congruente con la petición y, de ser procedente, se pronunciará sobre la anulación de las decisiones ilegales adoptadas durante el procedimiento de adjudicación, incluyendo la supresión de las características técnicas, económicas o financieras discri-

minatorias contenidas en el anuncio de licitación, anuncio indicativo, pliegos, condiciones reguladoras del contrato o cualquier otro documento relacionado con la licitación o adjudicación, así como, si procede, sobre la retroacción de actuaciones.

3. Asimismo, a solicitud del interesado y si procede, podrá imponerse a la entidad contratante la obligación de indemnizar a la persona interesada por los daños y perjuicios que le haya podido ocasionar la infracción legal que hubiese dado lugar a la reclamación.

4. La resolución deberá acordar, también, el levantamiento de la suspensión del acto de adjudicación si en el momento de dictarla continuase suspendido, así como de las restantes medidas cautelares que se hubieran acordado y la devolución de las garantías cuya constitución se hubiera exigido para la efectividad de las mismas, si procediera.

5. En caso de que el órgano competente aprecie temeridad o mala fe en la interposición de la reclamación o en la solicitud de medidas cautelares, podrá acordar la imposición de una multa al responsable de la misma. El importe de la multa será de entre 1.000 y 15.000 euros determinándose su cuantía en función de la mala fe apreciada y el perjuicio ocasionado a la entidad contratante y a los restantes licitadores. Las cuantías indicadas en este apartado serán actualizadas cada dos años mediante Orden Ministerial, por aplicación del Índice de Precios al Consumo calculado por el Instituto Nacional de Estadística.

Artículo 107. *Determinación de la indemnización.* 1. Cuando proceda la indemnización prevista en el apartado 3 del artículo anterior, ésta se fijará atendiendo en lo posible a los criterios de los apartados 2 y 3 del artículo 141 de la Ley 30/1992, de 26 de noviembre.

2. La indemnización deberá resarcir al reclamante cuando menos de los gastos ocasionados por la preparación de la oferta o la participación en el procedimiento de contratación.

Artículo 108. *Efectos de la resolución.* 1. Contra la resolución dictada en este procedimiento sólo cabrá la interposición de recurso contencioso-administrativo conforme a lo dispuesto en el artículo 10, letras k) y l) del apartado 1 y en el artículo 11, letra f) de su apartado 1 de la Ley 29/1998, de 13 de julio, reguladora de la Jurisdicción Contencioso-Administrativa.

No procederá la revisión de oficio regulada en el artículo 34 de esta Ley y en el Capítulo I del Título VII de la Ley 30/1992, de 26 de noviembre, de la resolución ni de ninguno de los actos dictados por los órganos regulados en el artículo 311. Tampoco estarán sujetos a fiscalización por los órganos de control financiero de las Administraciones a que cada uno de ellos se encuentre adscrito.

2. Sin perjuicio de lo dispuesto en el apartado anterior, la resolución será directamente ejecutiva resultando de aplicación, en su caso, lo dispuesto en el artículo 97 de la Ley 30/1992, de 26 de noviembre.

CAPÍTULO II
SUPUESTOS ESPECIALES DE NULIDAD DE LOS CONTRATOS

Capítulo II del título VII modificado conforme establecen los apartados tres y cuatro del artículo segundo de la Ley 34/2010, de 5 de agosto, de modificación de las Leyes 30/2007, de 30 de octubre, de Contratos del Sector Público, 31/2007, de 30 de octubre, sobre procedimientos de contratación en los sectores del agua, la energía, los transportes y los servicios postales, y 29/1998, de 13 de julio, reguladora de la Jurisdicción Contencioso-Administrativa para adaptación a la normativa comunitaria de las dos primeras («B.O.E.» 9 agosto). Téngase en cuenta que los artículos 109, 110 y 111

han sido modificados por el apartado cuatro del artículo segundo y los artículos 112 a 121 ha sido derogados por la disposición derogatoria de citada norma.
Vigencia: 9 septiembre 2010

Artículo 109. *Declaración de la nulidad del contrato.* 1. Los contratos celebrados de conformidad con lo dispuesto en esta Ley serán nulos en los siguientes casos:

a) Cuando el contrato se haya adjudicado sin cumplir previamente con el requisito de publicación del anuncio de licitación en el Diario Oficial de la Unión Europea, en la forma prevista en el artículo 65.

b) Cuando a pesar de haberse interpuesto una reclamación por infracción de las normas de esta Ley, se hubiese formalizado el contrato sin tener en cuenta la suspensión automática del acto de adjudicación en los casos en que fuera procedente, y sin esperar a que se dicte resolución sobre el mantenimiento o no de la suspensión del acto recurrido.

c) Cuando no se hubiese respetado el plazo de quince días hábiles previsto en el artículo 83.3 antes de proceder a la formalización del contrato siempre que por esta causa el licitador se hubiese visto privado de la posibilidad de interponer el recurso regulado en los artículos 101 y siguientes y, además, hubiera concurrido con alguna infracción de los preceptos que regulan el procedimiento de adjudicación de los contratos que le hubiera impedido obtener ésta.

d) Cuando se trate de la adjudicación de un contrato específico basado en un sistema dinámico de contratación en el que estuviesen admitidos varios empresarios, siempre que el contrato a adjudicar tenga un importe superior a los umbrales establecidos en el artículo 16 y se hubieran incumplido las normas sobre adjudicación de tales contratos establecidas en el artículo 46.

2. No obstante lo dispuesto en el apartado anterior, no procederá la declaración de nulidad a que se refiere dicho apartado en el supuesto de la letra a) si concurren conjuntamente las tres circunstancias siguientes:

a) Que de conformidad con el criterio de la entidad contratante el contrato esté incluido en alguno de los supuestos de exención de publicación del anuncio de licitación en el Diario Oficial de la Unión Europea previstos en esta Ley.

b) Que el órgano de contratación publique en el Diario Oficial de la Unión Europea un anuncio de transparencia previa voluntaria en el que se manifieste su intención de celebrar el contrato y que contenga los siguientes extremos:
- identificación del órgano de contratación
- descripción de la finalidad del contrato
- justificación de la decisión de adjudicar el contrato sin el requisito de publicación
- identificación del adjudicatario del contrato
- cualquier otra información que el órgano de contratación considere relevante

c) Que el contrato no se haya formalizado hasta transcurridos diez días hábiles desde la publicación del anuncio.

3. No procederá la declaración de nulidad a que se refiere este artículo en el supuesto de la letra d) si concurren conjuntamente las dos condiciones siguientes:

a) Que el órgano de contratación haya notificado a todos los licitadores afectados la adjudicación del contrato y, si lo solicitan, los motivos del rechazo de su candidatura o de su proposición y de las características de la proposición del adjudicatario que fueron determinantes de la adjudicación a su favor, sin perjuicio lo dispuesto en el artículo 20.2 en cuanto a los datos cuya comunicación no fuera procedente.

b) Que el contrato no se hubiera celebrado hasta transcurridos quince días hábiles contados desde el siguiente al de la remisión de la notificación a los licitadores afectados.

Artículo 110. *Consecuencias jurídicas de la declaración de nulidad regulada en el artículo anterior.* 1. Las consecuencias jurídicas de la declaración de nulidad por las causas previstas en el artículo anterior se determinarán por el órgano que la acuerde quien podrá declarar la nulidad de pleno derecho o limitar el alcance de la anulación a las obligaciones que estén aún por ejecutar. En este último supuesto, se estará a lo establecido en el apartado siguiente en cuanto a la aplicación de sanciones.

2. No obstante lo dispuesto en el apartado anterior, el órgano competente para declarar la nulidad, podrá no declararla y acordar el mantenimiento de los efectos del contrato, si, atendiendo a las circunstancias concurrentes, considerara que existen razones imperiosas de interés general que lo exijan.

Sólo se considerará que los intereses económicos constituyen las razones imperiosas mencionadas en el primer párrafo de este apartado en los casos excepcionales en que la nulidad del contrato dé lugar a consecuencias desproporcionadas.

Asimismo, no se considerará que constituyen razones imperiosas de interés general, los intereses económicos directamente vinculados al contrato en cuestión, tales como los costes derivados del retraso en la ejecución del contrato, de la convocatoria de un nuevo procedimiento de contratación, del cambio del operador económico que habrá de ejecutar el contrato o de las obligaciones jurídicas derivadas de la nulidad.

3. En el caso previsto en el apartado anterior, la declaración de nulidad podrá sustituirse por alguna de las sanciones alternativas siguientes:

a) La imposición de multas a la entidad contratante por un importe que no podrá ser inferior al 5 por ciento ni superar el 20 por ciento del precio de adjudicación del contrato.

Para determinar la cuantía en la imposición de las multas, el órgano competente tomará en consideración la reiteración, el porcentaje del contrato que haya sido ejecutado o el daño causado a los intereses públicos o, en su caso, al licitador, de tal forma que éstas sean eficaces, proporcionadas y disuasorias.

b) La reducción proporcionada de la duración del contrato. En este caso, el órgano competente tomará en consideración la reiteración, el porcentaje del contrato que haya sido ejecutado o el daño causado a los intereses públicos o, en su caso, al licitador. Asimismo determinará la indemnización que corresponda al contratista por el lucro cesante derivado de la reducción temporal del contrato, siempre que la infracción que motive la sanción alternativa no le sea imputable.

4. Lo dispuesto en todos los apartados anteriores se entenderá sin perjuicio de las sanciones disciplinarias que corresponda imponer al responsable de las infracciones legales.

Artículo 111. *Interposición de la cuestión de nulidad.* 1. La cuestión de nulidad deberá plantearse ante el órgano previsto en el artículo 101 que será el competente para tramitar el procedimiento y resolverla.

2. Podrá plantear la cuestión de nulidad toda persona física o jurídica cuyos derechos o intereses legítimos se hayan visto perjudicados o puedan resultar afectados por los supuestos de nulidad del artículo 109 y, en todo caso, los licitadores. El órgano competente, sin embargo, podrá inadmitirla cuando el interesado hubiera interpuesto el recurso especial regulado en los artículos 101 y siguientes sobre el mismo acto habiendo respetado el órgano de contratación la suspensión del acto impugnado y la resolución dictada.

3. El plazo para la interposición de la cuestión de nulidad será de treinta días hábiles a contar:

a) desde la publicación en el Diario oficial de la Unión europea de la adjudicación del contrato en la forma prevista en los artículos 63, 67 y 69, incluyendo las razones justificativas de la no publicación de la licitación en el Diario citado,

b) o desde la notificación a los licitadores afectados, de los motivos del rechazo de su candidatura o de su proposición y de las características de la proposición del adjudicatario que fueron determinantes de la adjudicación a su favor, a que se refieren los artículos 83 y 84.

4. Fuera de los casos previstos en el apartado anterior, la cuestión de nulidad deberá interponerse antes de que transcurran seis meses a contar desde la adjudicación del contrato.

5. La cuestión de nulidad se tramitará de conformidad con lo dispuesto en los artículos 104 y siguientes con las siguientes salvedades:

a) No será de aplicación lo dispuesto en el artículo 104.1 de la citada Ley en cuanto a la exigencia de anunciar la interposición del recurso.

b) La interposición de la cuestión de nulidad no producirá efectos suspensivos de ninguna clase por sí sola.

c) El plazo establecido en el artículo 103.2, párrafo segundo y en el 105.3 para que el órgano de contratación formule alegaciones en relación con la solicitud de medidas cautelares se elevará a siete días hábiles.

d) El plazo establecido en el artículo 105.2 para la remisión del expediente por el órgano de contratación, acompañado del correspondiente informe, se elevará a siete días hábiles.

e) En la resolución de la cuestión de nulidad, el órgano competente para dictarla deberá resolver también sobre la procedencia de aplicar las sanciones alternativas si la entidad contratante lo hubiera solicitado en el informe que debe acompañar la remisión del expediente de contratación.

f) Cuando la entidad contratante no lo hubiera solicitado en la forma establecida en la letra anterior podrá hacerlo en el trámite de ejecución de la resolución. En tal caso el órgano competente, previa audiencia por plazo de cinco días a las partes comparecidas en el procedimiento, resolverá sobre la procedencia o no de aplicar la sanción alternativa solicitada dentro de los cinco días siguientes al transcurso del plazo anterior. Contra esta resolución cabrá interponer recurso en los mismos términos previstos para las resoluciones dictadas resolviendo sobre el fondo.

Artículo 112. *Determinación de la indemnización. ...*

Artículo 113. *Control y ejecutividad de las resoluciones. ...*

Artículo 114. *Medidas provisionales. ...*

CAPÍTULO III
RÉGIMEN DE CERTIFICADOS

Artículo 115. *Sistema de certificación. ...*

Artículo 116. *Referencia a los certificados. ...*

Artículo 117. *Competencia para emitir certificados. ...*

> *Capítulo III del título VII suprimido por el apartado cinco del artículo segundo de la Ley 34/2010, de 5 de agosto, de modificación de las Leyes 30/2007, de 30 de octubre, de Contratos del Sector Público, 31/2007, de 30 de octubre, sobre procedimientos de contratación en los sectores del agua, la energía, los transportes y los servicios postales, y 29/1998, de 13 de julio, reguladora de la Jurisdicción Contencioso-Administrativa para adaptación a la normativa comunitaria de las dos primeras («B.O.E.» 9 agosto). Vigencia: 9 septiembre 2010*

CAPÍTULO IV
PROCEDIMIENTO DE CONCILIACIÓN

Artículo 118. *Solicitud.* ...

Artículo 119. *Procedimiento.* ...

Artículo 120. *Concurrencia del procedimiento con otros procedimientos de control.* ...

Artículo 121. *Efectos del procedimiento de conciliación.* ...

> *Capítulo IV del título VII suprimido por el apartado cinco del artículo segundo de la Ley 34/2010, de 5 de agosto, de modificación de las Leyes 30/2007, de 30 de octubre, de Contratos del Sector Público, 31/2007, de 30 de octubre, sobre procedimientos de contratación en los sectores del agua, la energía, los transportes y los servicios postales, y 29/1998, de 13 de julio, reguladora de la Jurisdicción Contencioso-Administrativa para adaptación a la normativa comunitaria de las dos primeras («B.O.E.» 9 agosto). Vigencia: 9 septiembre 2010*

DISPOSICIONES ADICIONALES

Disposición adicional primera. *Impuesto sobre el Valor Añadido.* En las cantidades establecidas en la presente ley, no se considerará incluido el importe correspondiente al Impuesto sobre el Valor Añadido, ni el Impuesto General Indirecto Canario, ni el Impuesto sobre la Producción, los Servicios y la Importación en función de los territorios en que sean aplicables.

Disposición adicional segunda. *Entidades contratantes* .
1. Entidades contratantes del sector de la producción, transporte o distribución de agua potable:
Mancomunidad de Canales de Taibilla.
Aigües de Barcelona, S.A. y sociedades filiales.
Canal de Isabel II.
Agencia Andaluza del Agua.
Agencia Balear de Agua y de Calidad Ambiental.
Otras entidades públicas dependientes de las Comunidades Autónomas y de las Corporaciones locales y que operan en el ámbito de la distribución de agua potable.
Otras entidades privadas que gozan de derechos especiales o exclusivos otorgados por las Corporaciones locales en el ámbito de la distribución de agua potable.
2. Entidades contratantes del sector de la producción, transporte o distribución de electricidad:
Red Eléctrica de España, S.A.
Endesa, S.A.
Iberdrola, S.A.
Unión Fenosa, S.A.
Hidroeléctrica del Cantábrico, S.A.
Electra del Viesgo, S.A.
Otras entidades encargadas de la producción, el transporte y la distribución de electricidad de conformidad con la Ley 54/1997, de 27 de noviembre, del Sector eléctrico y sus normas de desarrollo.
3. Entidades contratantes del sector del transporte o distribución de gas o combustible para calefacción:
Enagas, S.A.

Bahía de Bizkaia Gas, S.L.
Gasoducto Al Andalus, S.A.
Gasoducto de Extremadura, S.A.
Infraestructuras Gasistas de Navarra, S.A.
Regasificadora del Noroeste, S.A.
Sociedad de Gas de Euskadi, S.A.
Transportista Regional de Gas, S.A.
Unión Fenosa de Gas, S.A.
Bilbogas, S.A.
Compañía Española de Gas, S.A.
Distribución y Comercialización de Gas de Extremadura, S.A.
Distribuidora Regional de Gas, S.A.
Donostigas, S.A.
Gas Alicante, S.A.
Gas Andalucía, S.A.
Gas Aragón, S.A.
Gas Asturias, S.A.
Gas Castilla-La Mancha, S.A.
Gas Directo, S.A.
Gas Figueres, S.A.
Gas Galicia SDG, S.A.
Gas Hernani, S.A.
Gas Natural de Cantabria, S.A.
Gas Natural de Castilla y León, S.A.
Gas Natural SDG, S.A.
Gas Natural de Álava, S.A.
Gas Natural de La Coruña, S.A.
Gas Natural de Murcia SDG, S.A.
Gas Navarra, S.A.
Gas Pasaia, S.A.
Gas Rioja, S.A.
Gas y Servicios Mérida, S.L.
Gesa Gas, S.A.
Meridional de Gas, S.A.U.
Sociedad del Gas Euskadi, S.A.
Tolosa Gas, S.A.
4. Entidades contratantes de prospección y extracción de petróleo o gas:
BG International Limited Quanum, Asesores & Consultores, S.A.
Cambria Europe, Inc.
CNWL oil (España), S.A.
Compañía de investigación y explotaciones petrolíferas, S.A.
Conoco limited.
Eastern España, S.A.
Enagas, S.A.
España Canadá resources Inc.
Fugro-Geoteam, S.A.
Galioil, S.A.
Hope petróleos, S.A.
Locs oil compay of Spain, S.A.
Medusa oil Ltd.
Murphy Spain oil company.
Onempm España, S.A.
Petroleum oil & gas España, S.A.
Repsol Investigaciones petrolíferas, S.A.

Sociedad de hidrocarburos de Euskadi, S.A.
Taurus petroleum, AN.
Teredo oil limited.
Unión Fenosa gas exploración y producción, S.A.
Wintersahll, AG.
YCI España, L.C.
Demás entidades que operan de conformidad con la Ley 34/1998, de 7 de octubre, del Sector de hidrocarburos y sus normas de desarrollo.
5. Entidades contratantes del sector de la prospección y extracción de carbón u otros combustibles sólidos:
Alto Bierzo, S.A.
Antracitas de Arlanza, S.A.
Antracitas de Gillón, S.A.
Antracitas de La Granja, S.A.
Antracitas de Tineo, S.A.
Campomanes Hermanos, S.A.
Carbones de Arlanza, S.A.
Carbones de Linares, S.A.
Carbones de Pedraforca, S.A.
Carbones del Puerto, S.A.
Carbones el Túnel, S.L.
Carbones San Isidro y María, S.A.
Carbonífera del Narcea, S.A.
Compañía Minera Jove, S.A.
Compañía General Minera de Teruel, S.A.
Coto minero del Narcea, S.A.
Coto minero del Sil, S.A.
Empresa Nacional Carbonífera del Sur, S.A.
Endesa, S.A.
González y Díez, S.A.
Hijos de Baldomero García, S.A.
Hullas del Coto Cortés, S.A.
Hullera Vasco-leonesa, S.A.
Hulleras del Norte, S.A.
Industrial y Comercial Minera, S.A.
La Carbonífera del Ebro, S.A.
Lignitos de Meirama, S.A.
Malaba, S.A.
Mina Adelina, S.A.
Mina Escobal, S.A.
Mina La Camocha, S.A.
Mina La Sierra, S.A.
Mina Los Compadres, S.A.
Minas de Navaleo, S.A.
Minas del Principado, S.A.
Minas de Valdeloso, S.A.
Minas Escucha, S.A.
Mina Mora primera bis, S.A.
Minas y explotaciones industriales, S.A.
Minas y ferrocarriles de Utrillas, S.A.
Minera del Bajo Segre, S.A.
Minera Martín Aznar, S.A.
Minero Siderúrgica de Ponferrada, S.A.
Muñoz Sole hermanos, S.A.

Promotora de Minas de carbón, S.A.

Sociedad Anónima Minera Catalano-aragonesa.

Sociedad minera Santa Bárbara, S.A.

Unión Minera del Norte, S.A.

Unión Minera Ebro Segre, S.A.

Viloria Hermanos, S.A.

Virgilio Riesco, S.A.

Otras entidades que operan en el sector de la prospección y extracción de carbón u otros combustibles sólidos de conformidad con la Ley 22/1973, de 21 de julio, de Minas y sus normas de desarrollo.

6. Entidades contratantes del sector de los servicios de ferrocarriles:

Ente público Administrador de Infraestructuras Ferroviarias (ADIF).

Renfe Operadora.

Ferrocarriles de Vía Estrecha (FEVE).

Ferrocarrils de la Generalitat de Catalunya (FGC).

Eusko Trenbideak (Bilbao).

Ferrocarrils de la Generalitat Valenciana (FGV).

Serveis Ferroviaris de Mallorca (Ferrocarriles de Mallorca).

Ferrocarril de Soller.

Funicular de Bulnes.

7. Entidades contratantes del sector de los servicios de ferrocarriles urbanos, tranvías, trolebuses o autobuses:

Entidades que prestan servicios públicos de transporte urbano de conformidad con la Ley 7/1985, de 2 de abril, Reguladora de las Bases de Régimen Local; el Real Decreto Legislativo 781/1986, de 18 de abril, por el que se aprueba el texto refundido de las disposiciones legales vigentes en materia de régimen local y la correspondiente legislación autonómica, en su caso.

Entidades que prestan servicios públicos de transporte en autobús de conformidad con la disposición transitoria tercera de la Ley 16/1987, de 30 de julio, de Ordenación de los Transportes Terrestres.

Ejemplos:

Empresa Municipal de Transportes de Madrid.

Empresa Municipal de Transportes de Málaga.

Empresa Municipal de Transportes Urbanos de Palma de Mallorca.

Empresa Municipal de Transportes Públicos de Tarragona.

Empresa Municipal de Transportes de Valencia.

Transporte Urbano de Sevilla, S.A.M. (TUSSAM).

Transporte Urbano de Zaragoza, S.A. (TUZSA).

Entitat Metropolitana de Transport-AMB.

Eusko Trenbideak, S.A.

Ferrocarril Metropolità de Barcelona, S.A.

Ferrocarriles de la Generalitat Valenciana.

Consorcio de Transportes de Mallorca.

Metro de Madrid.

Metro de Málaga, S.A.

Renfe Operadora.

8. Entidades contratantes en el sector de los servicios postales: Correos y Telégrafos, S.A.

9. Entidades contratantes del sector de las instalaciones de aeropuertos: Ente público Aeropuertos Españoles y Navegación Aérea (AENA).

10. Entidades contratantes del sector de los puertos marítimos o fluviales u otras terminales:

Ente público Puertos del Estado.

Autoridad Portuaria de A Coruña.

Autoridad Portuaria de Alicante.
Autoridad Portuaria de Almería-Motril.
Autoridad Portuaria de Avilés.
Autoridad Portuaria de la Bahía de Algeciras.
Autoridad Portuaria de la Bahía de Cádiz.
Autoridad Portuaria de Baleares.
Autoridad Portuaria de Barcelona.
Autoridad Portuaria de Bilbao.
Autoridad Portuaria de Cartagena.
Autoridad Portuaria de Castellón.
Autoridad Portuaria de Ceuta.
Autoridad Portuaria de Ferrol-San Cibrao.
Autoridad Portuaria de Gijón.
Autoridad Portuaria de Huelva.
Autoridad Portuaria de Las Palmas.
Autoridad Portuaria de Málaga.
Autoridad Portuaria de Marín y Ría de Pontevedra.
Autoridad Portuaria de Melilla.
Autoridad Portuaria de Motril.
Autoridad Portuaria de Pasajes.
Autoridad Portuaria de Santa Cruz de Tenerife.
Autoridad Portuaria de Santander.
Autoridad Portuaria de Sevilla.
Autoridad Portuaria de Tarragona.
Autoridad Portuaria de Valencia.
Autoridad Portuaria de Vigo.
Autoridad Portuaria de Villagarcía de Arousa.
Otras autoridades portuarias de las Comunidades Autónomas de Andalucía, Asturias, Baleares, Canarias, Cantabria, Cataluña, Galicia, Murcia, País Vasco y Valencia.

> *«Lista de las entidades contratantes» de la disposición adicional segunda redactada por el artículo único de la Orden EHA/1420/2009, de 22 de mayo, por la que se modifica la lista de entidades contratantes que figuran en la disposición adicional segunda de la Ley 31/2007, de 30 de octubre, sobre procedimientos de contratación en los sectores del agua, la energía, los transportes y los servicios postales («B.O.E.» 2 junio).*
> *Vigencia: 3 junio 2009*

> *Véase O.M. FOM/4003/2008, de 22 de julio, por la que se aprueban las normas y reglas generales de los procedimientos de contratación de Puertos del Estado y Autoridades Portuarias («B.O.E.» 24 enero 2009).*

Disposición adicional tercera. *Prohibiciones de contratar.* Los supuestos de prohibición de contratar establecidos en el artículo 49.1 de la Ley de Contratos del Sector Público serán de aplicación a las entidades contratantes que sean organismos de derecho público, a que se refiere el artículo 3.1, y a las empresas públicas.

Disposición adicional cuarta. *Régimen aplicable a los contratos excluidos del ámbito de esta ley que se celebren por organismos de derecho público, entidades públicas empresariales y sociedades mercantiles de carácter público.* Los organismos de derecho público a que hace referencia el artículo 3, apartado 2, letra a), las entidades públicas empresariales de la Administración General del Estado así como las entidades de igual carácter de las Comunidades Autónomas y de las entidades que integran la Administración Local y las sociedades mercantiles de carácter público sometidas a esta ley aplicarán, respecto de los contratos de obras, suministro y servicios que se refieran a las actividades indicadas en los artículos 7 a 12 cuyo importe sea inferior al establecido en el artículo 16, así como en aquellos otros excluidos de la presente ley en virtud de lo dispuesto en los artículos 14 y 18, las normas pertinentes de la Ley de Contratos del Sector Público.

Disposición adicional quinta. *Subcontratación. Pagos a subcontratistas y suministradores.* 1. El contratista debe obligarse a abonar a los subcontratistas o suministradores el precio pactado en los plazos y condiciones que se indican a continuación.

2. Los plazos fijados no podrán ser más desfavorables que los previstos en el artículo 4 de la Ley 3/2004, de 29 de diciembre, por la que se establecen medidas de lucha contra la morosidad en las operaciones comerciales. En los contratos adjudicados por las entidades contratantes que sean organismos de derecho público, a que se refiere el artículo 3.1, el plazo será de sesenta días y se computará desde la fecha de aprobación por el contratista principal de la factura emitida por el subcontratista o el suministrador, con indicación de su fecha y del período a que corresponda. En tales casos, la aprobación o conformidad deberá otorgarse en un plazo máximo de treinta días desde la presentación de la factura. Dentro del mismo plazo deberán formularse, en su caso, los motivos de disconformidad a la misma.

3. El contratista deberá abonar las facturas en el plazo fijado de conformidad con lo previsto en el apartado 2. En caso de demora en el pago, el subcontratista o el suministrador tendrá derecho al cobro de los intereses de demora y la indemnización por los costes de cobro en los términos previstos en la Ley 3/2004, de 29 de diciembre.

4. El contratista podrá pactar con los suministradores y subcontratistas plazos de pago superiores a los establecidos en el presente artículo siempre que dicho pacto no constituya una cláusula abusiva de acuerdo con los criterios establecidos en el artículo 9 de la Ley 3/2004, de 29 de diciembre, y que el pago se instrumente mediante un documento negociable que lleve aparejada la acción cambiaria, cuyos gastos de descuento o negociación corran en su integridad de cuenta del contratista. Adicionalmente, el suministrador o subcontratista podrá exigir que el pago se garantice mediante aval.

Disposición adicional sexta. En el ámbito de la contratación sujeta a esta Ley, la determinación de los medios de comunicación admisibles, el diseño de los elementos instrumentales y el desarrollo del procedimiento deberán realizarse teniendo en cuenta criterios de accesibilidad universal y de diseño para todos, tal y como son definidos estos términos en la Ley 51/2003, de 2 de diciembre, de igual de oportunidades, no discriminación y accesibilidad universal de las personas con discapacidad.

DISPOSICIÓN TRANSITORIA ÚNICA

Con excepción de los contratos incluidos en el ámbito del sector de los servicios postales, los expedientes de contratación iniciados y los contratos adjudicados con anterioridad a la entrada en vigor de esta Ley se regirán por la Ley 48/1998, de 30 de diciembre, sobre procedimientos de contratación en los sectores del agua, la energía, los transportes y las telecomunicaciones, por la que se incorporan al ordenamiento jurídico español las Directivas 93/38/CEE y 92/13/CEE.

A estos efectos se entenderá que los expedientes de contratación han sido iniciados si se hubiera publicado la correspondiente convocatoria de adjudicación del contrato o si se hubiera enviado la invitación para presentar ofertas en los procedimientos negociados sin convocatoria de licitación previa que se regulan en el artículo 59.

DISPOSICIÓN DEROGATORIA ÚNICA

Queda derogada la Ley 48/1998, de 30 de diciembre, sobre procedimientos de contratación en los sectores del agua, la energía, los transportes y las telecomunicaciones, por la que se incorporan al ordenamiento jurídico español las Directivas 93/38/CEE y 92/13/CEE, excepto su disposición adicional cuarta y todas las disposiciones de igual o inferior rango en cuanto se opongan a lo establecido en esta ley.

DISPOSICIONES FINALES

Disposición final primera. *Justificación de esta ley.* Mediante la presente ley se incorpora al ordenamiento jurídico la Directiva 2004/17/CE del Paramento Europeo y del Consejo, de 31 de marzo de 2004, sobre la coordinación de los procedimientos de contratación en los sectores del agua, de la energía, de los transportes y de los servicios postales, y la Directiva 92/13/CEE del Consejo, de 25 de febrero de 1992, sobre coordinación de las disposiciones legales, reglamentarias y administrativas referentes a la aplicación de las normas comunitarias en los procedimientos de adjudicación de contratos de las entidades que operan en dichos sectores.

Disposición final segunda. *Títulos competenciales y carácter de la legislación.* El contenido de esta ley tiene el carácter de legislación básica, dictada al amparo del artículo 149.1.18.ª de la Constitución, salvo los siguientes artículos o partes de los mismos:
Artículo 24.3.
Artículo 64.6.
Artículo 74.3.
Artículo 82.2.
Artículo 99.2.

Disposición final tercera. *Actualización de cifras fijadas por la Unión Europea.* Las cifras que en lo sucesivo se fijen por la Comisión Europea, y se publiquen por orden del Ministro de Economía y Hacienda, respecto de los contratos regulados por la Directiva 2004/17/CE del Parlamento Europeo y del Consejo, de 31 de marzo de 2004, sobre la coordinación de los procedimientos de adjudicación de contratos en los sectores del agua, de la energía, de los transportes y de los servicios postales, sustituirán a las que figuren en el texto de esta ley.

Disposición final cuarta. *Actualización de plazos y lista de entidades contratantes.* 1. Se autoriza al Ministro de Economía y Hacienda para que pueda modificar, previo informe de la Junta Consultiva de Contratación Administrativa, las previsiones que la presente ley contiene en materia de plazos para su adaptación a los que establezca la Unión Europea.
2. Se autoriza al Ministro de Economía y Hacienda, previo informe de la Junta Consultiva de Contratación Administrativa, para modificar la lista de entidades contratantes que figura en la disposición adicional segunda.

Disposición final quinta. *Modelos de notificación de adjudicación de contratos.* Se autoriza al Ministro de Economía y Hacienda, previo informe de la Junta Consultiva de Contratación Administrativa, oídas las Comunidades Autónomas, para establecer los modelos de notificación de la adjudicación de contratos al Registro de Contratos del Sector Público a que se refiere el artículo 85, así como a la modificación de los plazos que a tal fin se establecen.

Disposición final sexta. *Modificación de las cuantías de las tasas portuarias por utilización privativa o aprovechamiento especial del dominio público portuario y supresión de la tasa por servicios generales.* 1. Se modifican los tipos de gravamen y las cuantías de las siguientes tasas portuarias exigidas por la utilización privativa o aprovechamiento especial del dominio público portuario, en el siguiente sentido:

a) *Tasa por ocupación privativa del dominio público portuario.* Los tipos de gravamen anual previstos en las letras a), b) y c) del apartado 4 del artículo 19 de la Ley 48/2003, de 26 de noviembre, se incrementarán en un 20 por ciento, salvo el relativo al valor de la depreciación anual asignada que se mantiene.

b) *Tasa del buque.* Los apartados 5 y 8 del artículo 21 de la Ley 48/2003 quedan redactados como sigue:

«5. La cuota de la tasa es la siguiente:

I. Por el acceso y estancia en el puesto de atraque o de fondeo en zona I o interior de las aguas portuarias de los buques o artefactos flotantes, por cada 100 GT de arqueo bruto del buque, con un mínimo de 100 GT, y tiempo de estancia:

a) Atracados de costado a muelles o pantalanes: 1,52 €.

b) Atracados de punta a muelles o pantalanes, a buques abarloados, a buques amarrados a boyas u otros puntos fijos que no tengan la consideración de atraques, y a buques fondeados: 1,38 €.

II. Por el acceso y, en su caso, estancia de los buques o artefactos flotantes en atraques en concesión o autorización en la zona I o interior de las aguas portuarias, y por cada 100 GT de arqueo bruto del buque, con un mínimo de 100 GT, y tiempo de estancia en el puesto de atraque o de fondeo:

a) Atracado o fondeado con espacio de agua en concesión o autorización: 0,95 €.

b) Atracado sin espacio de agua en concesión o autorización: 1,05 €.

El tiempo de estancia en el puesto de atraque o de fondeo previsto en los apartados I y II se computará en períodos de una hora o fracción con un mínimo de tres horas por escala y un máximo de 15 horas por escala cada 24 horas.

En el caso de que en la misma escala se utilicen varios atraques, se considerará una única estancia para toda la escala. Si de ello resultase la existencia de distintos sujetos pasivos, se repartirá el tiempo de estancia de forma proporcional a la estancia en cada atraque.

III. Por la estancia y utilización prolongada de las instalaciones de atraque o de las aguas del puerto por los buques y por las instalaciones flotantes que no tengan espacio de agua en concesión o autorización, por cada 100 GT de arqueo bruto del buque, con un mínimo de 100 GT, y día de estancia o fracción:

a) Buques de tráfico interior de pasajeros y mercancías: 7,34 €.

b) Buques destinados al dragado o al avituallamiento: 7,34 €.

c) Buques en construcción, gran reparación, transformación y desguace: 2,45 €.

d) Buques pesqueros cuya última operación de descarga se haya efectuado en el puerto o por paro biológico y por carencia de licencia y buques en depósito judicial: 1,22 €.

e) Buques inactivos, incluso pesqueros, y artefactos flotantes: 7,34 €.

f) Buques destinados a la prestación de los servicios de remolque, amarre, practicaje y a otros servicios portuarios: 3,67 €.

g) Otros buques cuya estancia sea superior a un mes: 7,34 €.

Cuando la estancia o utilización prolongada tenga lugar en muelles o instalaciones de atraque en concesión o autorización, la cuota de la tasa será el 75 por ciento de la prevista en el cuadro anterior, cuando ocupe un espacio de agua que no esté en concesión o autorización, y del 40 por ciento cuando el espacio de agua ocupado esté en concesión.

IV. Por el acceso y estancia en el puesto de atraque del buque o artefacto flotante únicamente en la zona II o exterior de las aguas portuarias o en puertos en régimen concesional, la cuota de la tasa será el 30 por ciento de la prevista en los apartados anteriores, según corresponda, salvo en el supuesto previsto en los párrafos a) y b) del apartado III, en los que la cuota permanecerá invariable.

En el supuesto de fondeo en la zona II o exterior de las aguas portuarias, la cuota de la tasa será de 1,22 € por cada 100 GT de arqueo bruto del buque, con un mínimo de 100 GT y por día de estancia o fracción, y se devengará desde el cuarto día de estancia, salvo que se hayan realizado operaciones comerciales, incluido el avituallamiento, en cuyo caso se devengará a partir del día de inicio de la operación.

El tiempo de estancia en fondeo en la zona II se computará separadamente del que pueda corresponder a otros modos de utilización por el buque de la zona de servicio del puerto y de las obras e instalaciones portuarias.»

«8. Por el acceso directo de los buques a dique seco, grada o varadero situado en la zona I de las aguas portuarias, la cuota de la tasa será de 4,90 € por cada 100 GT de arqueo bruto del buque, con un mínimo de 100 GT y una única vez. Cuando se encuentre situado en zona II, la cuota será el 30 por ciento de la anterior.»

c) *Tasa de las embarcaciones deportivas y de recreo.* El apartado 5 del artículo 22 de la Ley 48/2003 tendrá la siguiente redacción:

«5. La cuota de esta tasa es la siguiente:

i) En dársenas o instalaciones náutico-deportivas no concesionadas ni autorizadas:

a) Por el acceso y estancia de las embarcaciones en el puesto de atraque o de fondeo en la zona I o interior de las aguas portuarias, por unidad de superficie ocupada y por día natural o fracción:

Atracadas de costado: 0,36 €.
Atracadas de punta y abarloadas: 0,12 €.
En puesto de fondeo con amarre a muerto: 0,07 €.
En puesto de fondeo con medios propios: 0,05 €.
En zonas con calados inferiores a dos metros en bajamar máxima viva equinoccial, la cuota de la tasa será de 65 por ciento de las señaladas en el cuadro anterior.

b) Por disponibilidad de servicios, por unidad de superficie ocupada y por día natural o fracción:

Toma de agua: 0,024 €.

Toma de energía eléctrica: 0,036 €.

Los consumos de agua y energía eléctrica efectuados serán facturados con independencia de la liquidación de esta tasa.

c) Por estancia transitoria en seco en zonas no dedicadas a invernada, reparación, mantenimiento ni a estancias prolongadas en el puerto, por unidad de superficie ocupada y por día natural o fracción:

Hasta el día 7.°: 0,12 €.
Desde el día 8.° al 14.°: 0,24 €.
Desde el día 15.°: 0,72 €.

Para las embarcaciones que tengan su base en el puerto la cuota de la tasa será el 80 por ciento de la señalada en los párrafos a) y b).

ii) En dársenas o instalaciones náutico-deportivas otorgadas en concesión o autorización:

Por el acceso y estancia de las embarcaciones a puestos de atraque o de fondeo en la zona I o interior de las aguas portuarias, por unidad de superficie ocupada y por día natural o fracción:

1.° A las embarcaciones transeúntes o de paso: 0,06 €.
2.° A las embarcaciones que tienen su base en el puerto: 0,05 €.

Si, excepcionalmente, el espacio de agua no estuviera otorgado en concesión o autorización, la cuota de la tasa será el doble de la prevista en este apartado.

La superficie ocupada se determinará en metros cuadrados, y será el resultado del producto de la eslora máxima de la embarcación por la manga máxima.

Cuando la embarcación ocupe o utilice únicamente la zona II o exterior de las aguas portuarias, la cuota de la tasa será el 30 por ciento de la prevista en los apartados I.a) y II anteriores para la zona I, según corresponda.»

d) *Tasa del pasaje.* El apartado 5 del artículo 23 de la Ley 48/2003 tendrá la siguiente redacción:

«5. La cuota de la tasa aplicable a cada pasajero y vehículo en régimen de pasaje, será la siguiente:

a) En atraques y estaciones marítimas no concesionadas o autorizadas:

Concepto	Euros/unidad
Pasajero en régimen de transporte, en embarque o desembarque	3,43
Pasajero de crucero turístico, en embarque o desembarque	4,04
Motocicletas y vehículos de dos ruedas	4,28
Automóviles de turismo y vehículos similares	9,79
Autocares y vehículos de transporte colectivo	52,63

Al pasajero de crucero turístico en tránsito la cuota de la tasa será de 2,45 € por pasajero y día o fracción de estancia en puerto. En el puerto de embarque o desembarque los pasajeros abonarán la cuota señalada en el cuadro anterior correspondiente a la operación de embarque o desembarque y, en los días posteriores al de embarque o anteriores al de desembarque, la cuota de pasajero en tránsito.

Cuando la navegación se produzca exclusivamente en las aguas de la zona de servicio de un puerto o en una ría y a las embarcaciones en viaje turístico local, en cada embarque y desembarque la cuota de la tasa será:

Concepto	Euros/unidad
Pasajero	0,07
Motocicleta	1,22
Automóvil	3,06

En este supuesto, la tasa podrá exigirse en régimen de estimación simplifica-da, salvo renuncia expresa del sujeto pasivo. La cuota tributaria se establecerá teniendo en cuenta los datos estadísticos de tráfico de los dos últimos años, efectuándose periódicamente una liquidación global por el importe que corres-ponda a la ocupación estimada. Quienes se acojan a este régimen tendrán una bonificación del 30 por ciento en el importe de la cuota tributaria.

b) En atraques y estaciones marítimas otorgadas conjuntamente en conce-sión o autorización, la cuota de la tasa será el 50 por ciento de la señalada en el párrafo a).

Cuando sólo se otorgue en concesión o autorización la estación marítima, la cuota de la tasa será el 75 por ciento de la señalada en el párrafo a).»

e) *Tasa de la mercancía.* El apartado 5 del artículo 24 de la Ley 48/2003 tendrá la siguiente redacción:

«5. La cuota de esta tasa será la siguiente:

I. En terminales y otras instalaciones de manipulación de mercancías no concesionadas ni autorizadas:

A) A las mercancías y sus elementos de transporte, según el tipo de opera-ción que se desarrolle:

a) Cuando se embarquen o desembarquen se les aplicará la cuota que resul-te de alguno de los siguientes regímenes:

a.1) Régimen por grupos de mercancías: la cuota de la tasa será el resultado de sumar las cantidades que, en su caso, resulten de los siguientes conceptos:

1.º A las mercancías se les aplicará la cantidad que corresponda de las indi-cadas en el cuadro siguiente, en función del grupo al que pertenezcan conforme a lo establecido en el anexo I de esta ley:

Grupo de Mercancía	€/tonelada
Primero	0,48
Segundo	0,83
Tercero	1,31
Cuarto	2,20
Quinto	3,08

2.º A los envases, embalajes, contenedores, cisternas u otros recipientes o elementos que tengan o no el carácter de perdidos o efímeros y que se utilicen para contener las mercancías en su transporte, así como a los camiones, a los remolques y semirremolques que, como tales elementos de transporte terrestre, se embarquen o desembarquen, vacíos o no de mercancías, se les aplicará la cantidad siguiente:

Elemento de transporte tipo	€/unidad
Contenedor ≤ 20' (incluida en su caso una plataforma de transporte), camión con caja de hasta 6 metros o plataforma de hasta 6 metros	3,06
Contenedor > 20' (incluida en su caso una plataforma de transporte), semirremolque, camión o vehículo articulado con caja de hasta 12 metros o plataforma de hasta 12 metros	6,12
Cabezas tractoras	1,84
Camión con remolque (tren de carretera)	9,18

A otros elementos no relacionados en el cuadro anterior, se les aplicará la cantidad de 1,53 €/tonelada.

Cuando el elemento de transporte vacío tenga la condición de mercancía será de aplicación la cuantía del grupo correspondiente, no siendo aplicable el régimen simplificado.

a.2) Régimen de estimación simplificada: para las mercancías transportadas en los elementos de transporte que se relacionan a continuación, la cuota tributaria será el resultado de aplicar a cada unidad de carga (uc) las siguientes cantidades:

Unidad de carga tipo	€/uc
Contenedor ≤ 20' (incluida en su caso una plataforma de transporte), camión con caja de hasta 6 metros	33,90
Contenedor > 20' (incluida en su caso una plataforma de transporte), semirremolque y camión o vehículo articulado con caja de hasta 12 m	55,45
Camión con remolque (tren de carretera)	89,35

A los elementos de transporte que vayan vacíos se les aplicará la cuota prevista en el apartado a.1).

Este régimen se aplicará a solicitud del sujeto pasivo a la totalidad de su carga unitaria en un mismo buque.

b) Cuando efectúen tránsito marítimo, siempre que las mercancías y sus elementos de transporte hayan sido declarados en dicho régimen, la cuota de la tasa se calculará con arreglo a lo establecido en el párrafo a). Esta tasa, incluyendo la ocupación de la zona de tránsito a que se refiere la letra B) si la hubiera, se liquidará al sujeto pasivo que haya declarado la mercancía en la descarga.

Las mercancías y sus elementos de transporte en tránsito marítimo, con origen o destino en otro puerto de interés general de un mismo archipiélago, estarán exentas del pago de esta tasa, salvo cuando se autorice la ocupación de la zona de tránsito por período superior al previsto en el apartado 1 de este artículo, en cuyo caso deberán abonar la cuota prevista en la letra B).

c) Cuando se transborden se les aplicará la siguiente cuota:

c.1) Entre buques que se encuentren atracados: el 50 por ciento de la cuota prevista en el apartado a).

c.2) Entre buque abarloado a otro atracado o abarloado: el 30 por ciento de la cuota prevista en el párrafo a).

d) Cuando efectúen tráfico interior marítimo dentro de la zona de servicio de un puerto o en una ría, así como a las mercancías para avituallamiento, la cuota tributaria será la prevista en el párrafo a). En este supuesto únicamente se liquidará una de las operaciones realizadas.

e) Cuando efectúen tránsito terrestre con ruptura de carga se le aplicará el 75 por ciento de la cuota prevista en el párrafo a).

B) *Ocupación de la zona de tránsito.* Cuando se autorice la ocupación de la zona de tránsito por período superior a cuatro horas para aquellas mercancías en las que un medio rodante forme parte del transporte marítimo, o superior al mismo día de embarque o desembarque y su inmediato anterior o posterior en otro caso, la cuota de la tasa será el resultado de sumar a la cuantía correspondiente del apartado A) la cuantía de 0,10 € por metro cuadrado y día de estancia o fracción. A esta última cantidad se le aplicarán los siguientes coeficientes de progresividad, en función de la duración de la ocupación:

Hasta el día 7.º	1
Desde el día 8.º al 30.º	5
Desde el día 31.º al 60.º	10

Si excepcionalmente se autoriza la ocupación de la zona de tránsito por período superior a sesenta días, el coeficiente de progresividad será de 20 a partir del día 61.

Como superficie ocupada se computará la superficie rectangular envolvente de la mercancía depositada.

En el supuesto de que excepcionalmente se autorice la ocupación de la zona de maniobra por las mercancías, serán de aplicación las cuantías previstas en este apartado.

La delimitación de las zonas de tránsito y de maniobra, en las que se divida la zona de usos comerciales, que se efectuará de conformidad con lo previsto en el Reglamento de Explotación y Policía y en las ordenanzas portuarias, será aprobada por el Consejo de Administración de la Autoridad Portuaria correspondiente.

II. En terminales y otras instalaciones de manipulación de mercancías en concesión o autorización:

a) Con el atraque otorgado en concesión o autorización, a las mercancías y sus elementos de transporte se les aplicará la siguiente cuota, en función de la operación que se desarrolle:

1.ª Cuando se embarquen o desembarquen: el 50 por ciento de la establecida en el párrafo a) del apartado I.A).

2.ª Cuando efectúen tránsito marítimo: el 25 por ciento de la establecida en el párrafo b) del apartado 1.A).

3.ª Cuando se transborden: el 20 por ciento de la prevista en el párrafo c.1) del apartado I.A).

4.ª Cuando efectúen tráfico interior marítimo y las operaciones se realicen en instalaciones otorgadas ambas en concesión o autorización, así como de avituallamiento: el 50 por ciento de la establecida en el párrafo d) del apartado I.A). En el supuesto de que sólo una de ellas esté concesionada o autorizada, se aplicará la misma cuota prevista en el párrafo d).

5.ª Cuando efectúen tránsito terrestre: el 65 por ciento de la prevista en el párrafo e) del apartado I.A).

b) Sin el atraque otorgado en concesión o autorización, a las mercancías y sus elementos de transporte se les aplicará la siguiente cuota, en función de la operación que se desarrolle:

1.ª Cuando se embarquen, desembarquen, efectúen tránsito marítimo o tráfico interior marítimo: el 90 por ciento de la cuota establecida en los párrafos a), b) y d) del apartado I.A). No obstante, cuando efectúen tráfico interior marítimo y únicamente una sola instalación de manipulación de mercancías esté en concesión o autorización se aplicará la misma cuota prevista en el párrafo d) del apartado I.A).

2.ª Cuando se transborden: la establecida en el párrafo c) del apartado I.A).

3.ª Cuando efectúen tránsito terrestre: el 65 por ciento de la cuota establecida en el párrafo e) del apartado I.A).

En el caso de tránsito marítimo y transbordo, esta tasa se liquidará al sujeto pasivo que haya declarado la mercancía en la descarga.»

f) *Tasa de la pesca fresca.* Los tipos de gravamen establecidos en la letra b) del apartado 6, del artículo 25 de la Ley 48/2003, de 26 de noviembre, para la determinación de la cuantía de la tasa de la pesca fresca, se incrementan en un 20 por ciento.

g) *Tasa por aprovechamiento especial del dominio público en el ejercicio de actividades comerciales, industriales y de servicios.*

Se incrementan en un 20 por ciento los porcentajes establecidos en el número 1.º y 3.º de la letra a) del apartado 5.B) del artículo 28 de la Ley 48/2003, de 26 de noviembre. Además, se modifican las cuantías establecidas en el número 2.º de la misma letra y apartado de dicho artículo, que serán las siguientes:

0,60 € por tonelada de granel líquido.

0,90 € por tonelada de granel sólido.

1,20 € por tonelada de mercancía general.

10,00 € por contenedor o unidad de transporte.

2,00 € por vehículo.

1,80 € por pasajero.

3,00 € por vehículo en régimen de pasaje.

2. Se suprime la tasa por servicios generales prevista en el artículo 29 de la Ley 48/2003, de 26 de noviembre.

3. En la determinación de la cuantía de cada una de las tasas portuarias exigidas por la utilización privativa o aprovechamiento especial del dominio público portuario a que se refiere el apartado 1 de esta disposición, se incluyen los costes de los servicios generales a que se refiere el artículo 58 de la Ley 48/2003, de 26 de no-

viembre, relacionados con los elementos del dominio público portuario que las definen.

La cuantía de las tasas por utilización especial de las instalaciones portuarias y de la tasa por servicio de señalización marítima se actualizarán anualmente de conformidad con lo previsto en la Ley de Presupuestos Generales del Estado para las tasas de la Hacienda estatal, salvo que en dicha Ley se establezca un régimen específico de actualización de estas tasas.

Disposición final séptima. *Adaptación de la tasa por ocupación privativa del dominio público portuario y de la tasa por aprovechamiento especial del dominio público portuario en el ejercicio de actividades comerciales, industriales y de servicios, en concesiones y autorizaciones otorgadas con anterioridad a la entrada en vigor de esta Ley.* 1. Respecto de las concesiones y autorizaciones otorgadas con anterioridad a la entrada en vigor de la presente Ley, el tipo de gravamen de la tasa por ocupación privativa del dominio público portuario deberá incrementarse conforme a lo establecido en la disposición final sexta de esta Ley, con el límite del 7,2 por ciento. Dicho incremento deberá efectuarse a partir de la primera liquidación que se practique tras la entrada en vigor de esta Ley. En el caso de que se produzca una modificación sustancial de las condiciones de la concesión será de aplicación el tipo de gravamen que corresponda según el artículo 19 de la Ley 48/2003, de 26 de noviembre, de régimen económico y prestación de servicios de los puertos de interés general, con el incremento establecido en la disposición final sexta de la presente Ley. El límite del tipo del 7,2 por ciento a que se refiere esta disposición no será de aplicación a las concesiones y autorizaciones otorgadas entre el 1 de enero de 2004 y la entrada en vigor de esta Ley.

2. En las concesiones y autorizaciones otorgadas con anterioridad a la entrada en vigor de esta Ley deberá adaptarse la tasa por aprovechamiento especial del dominio público portuario en el ejercicio de actividades industriales, comerciales y de servicios a lo establecido en la disposición final sexta de esta Ley, de manera que el nuevo tipo de gravamen sea el resultante de multiplicar el valor asignado al mismo a la fecha de entrada en vigor de esta Ley por el coeficiente 1,2. Dicha adaptación se producirá en la primera liquidación que se practique tras la entrada en vigor de esta Ley. En todo caso, la cuota de la tasa deberá cumplir con los límites establecidos en el artículo 28 de la Ley 48/2003, de 26 de noviembre, con las modificaciones establecidas en la disposición final sexta de la presente Ley.

Disposición final octava. *Modificación de la Ley del Sector Ferroviario.* Se modifica el apartado 2 del artículo 36 de la Ley 39/2003, de 17 de noviembre, del Sector Ferroviario, que tendrá la siguiente redacción:

> «La Autoridad Portuaria de cada puerto de interés general ejercerá respecto de las infraestructuras ferroviarias existentes en los puertos de interés general, las funciones que se atribuyen al administrador de infraestructuras ferroviarias en los párrafos a), b), c), d), e), j), k), l) y o) del apartado 1 del artículo 21.»

Disposición final novena. *Modificación del artículo 42 de la Ley 13/1996, de 30 de diciembre.* 1. Se modifica el apartado nueve del artículo 42 de la Ley 13/1996, de Medidas Fiscales, Administrativas y del Orden Social, que queda redactado como sigue:

> «Nueve. El importe de lo recaudado por esta tasa formará parte del presupuesto de ingresos de la Entidad pública empresarial Aeropuertos Españoles y Navegación Aérea. No obstante, el 30 por ciento de lo recaudado por esta tasa, o el importe que se fije en la Ley de Presupuestos, se ingresará en el Tesoro Público.»

2. Queda derogado el apartado 2 del artículo 77 de la Ley 42/2006, de 28 de diciembre, de Presupuestos Generales del Estado para el año 2007.

Disposición final décima. *Entrada en vigor.* 1. La presente Ley entrará en vigor a los seis meses de su publicación en el Boletín Oficial del Estado, con las excepciones que se relacionan en los apartados siguientes.

2. La presente Ley entrará en vigor el día 1 de enero de 2009, respecto de las actividades a que se refiere el artículo 11.

3. La modificación de la Ley del Sector Ferroviario y la modificación de la Tasa de Seguridad, establecidas, respectivamente, en las disposiciones finales octava y novena entrarán en vigor el día siguiente al de su publicación en el Boletín Oficial del Estado.

Por tanto,

Mando a todos los españoles, particulares y autoridades, que guarden y hagan guardar esta ley.

ANEXO I

LISTA DE ACTIVIDADES CONTEMPLADAS EN LA LETRA B) DEL APARTADO 1 DEL ARTÍCULO 2 DE LA LEY 31/2007, DE 30 DE OCTUBRE SOBRE PROCEDIMIENTOS DE CONTRATACIÓN EN LOS SECTORES DEL AGUA, LA ENERGÍA, LOS TRANSPORTES Y LOS SERVICIOS POSTALES

Anexo I modificado conforme establece la disposición final cuarta del R.D. 817/2009, de 8 de mayo, por el que se desarrolla parcialmente la Ley 30/2007, de 30 de octubre, de Contratos del Sector Público («B.O.E.» 15 mayo).
Vigencia: 16 junio 2009

NACE [1]					
Sección F				**Construcción**	**Código CPV**
División	**Grupo**	**Clase**	**Descripción**	**Notas**	
45			Construcción.	Esta división comprende: Las construcciones nuevas, obras de restauración y reparaciones corrientes.	45000000
	45.1		Preparación de obras.		45100000
		45.11	Demolición de inmuebles y movimientos de tierras.	Esta clase comprende: La demolición y derribo de edificios y otras estructuras. La limpieza de escombros. Los trabajos de movimiento de tierras: excavación, rellenado y nivelación de emplazamientos de obras, excavación de zanjas, despeje de rocas, voladuras, etc. La preparación de explotaciones mineras: Obras subterráneas, despeje de montera y otras actividades de preparación de minas. Esta clase comprende también: El drenaje de emplazamientos de obras.	45110000

NACE [1]					
Sección F			**Construcción**		**Código CPV**
División	**Grupo**	**Clase**	**Descripción**	**Notas**	
				El drenaje de terrenos agrícolas y forestales.	
		45.12	Perforaciones y sondeos.	Esta clase comprende: Las perforaciones, sondeos y muestreos con fines de construcción, geofísicos, geológicos u otros. Esta clase no comprende: La perforación de pozos de producción de petróleo y gas natural (véase 11.20). La perforación de pozos hidráulicos (véase 45.25). La excavación de pozos de minas (véase 45.25). La prospección de yacimientos de petróleo y gas natural y los estudios geofísicos, geológicos o sísmicos (véase 74.20).	45120000

NACE [1]					
Sección F			**Construcción**		**Código CPV**
División	**Grupo**	**Clase**	**Descripción**	**Notas**	
	45.2		Construcción general de inmuebles y obras de ingeniería civil.		45200000
		45.21	Construcción general de edificios y obras singulares de ingeniería civil (puentes, túneles, etc.).	Esta clase comprende: La construcción de todo tipo de edificios. La construcción de obras de ingeniería civil: Puentes (incluidos los de carreteras elevadas), viaductos, túneles y pasos subterráneos Redes de energía, comunicación y conducción de larga distancia. Instalaciones urbanas de tuberías, redes de energía y de comunicaciones. Obras urbanas anejas el montaje in situ de construcciones prefabricadas. Esta clase no comprende: Los servicios relacionados con la extracción de gas y de petróleo (véase 11.20). El montaje de construcciones prefabricadas completas a partir de piezas de pro-	45210000 (Excepto: 45213316 45220000 45231000 45232000)

NACE [1]					
Sección F			**Construcción**		**Código CPV**
División	**Grupo**	**Clase**	**Descripción**	**Notas**	
				ducción propia que no sean de hormigón (véanse las divisiones 20, 26 y 28). La construcción de equipamientos de estadios, piscinas, gimnasios, pistas de tenis, campos de golf y otras instalaciones deportivas, excluidos sus edificios (véase 45.23). Las instalaciones de edificios y obras (véase 45.3) Las actividades de arquitectura e ingeniería (véase 74.20). La dirección de obras de construcción (véase 74.20).	
		45.22	Construcción de cubiertas y estructuras de cerramiento.	Esta clase comprende: La construcción de tejados. La cubierta de tejados. La impermeabilización de edificios y balcones.	45261000
		45.23	Construcción de autopistas, carreteras, campos de aterrizaje, vías férreas y centros deportivos.	Esta clase comprende: La construcción de autopistas, calles, carreteras y otras vías de circulación de vehículos y peatones. La construcción de vías férreas. La construcción de pistas de aterrizaje.	45212212 y DA03 45230000 Excepto: 45231000 45232000 45234115

NACE [1]					
Sección F			**Construcción**		**Código CPV**
División	**Grupo**	**Clase**	**Descripción**	**Notas**	
				La construcción de equipamientos de estadios, piscinas, gimnasios, pistas de tenis, campos de golf y otras instalaciones deportivas, excluidos sus edificios. La pintura de señales en carreteras y aparcamientos. Esta clase no comprende: El movimiento de tierras previo (véase 45.11).	
		45.24	Obras hidráulicas.	Esta clase comprende: La construcción de: Vías navegables, instalaciones portuarias y fluviales, puertos deportivos, esclusas, etc.	45240000

NACE [1]					
Sección F			Construcción		Código CPV
División	Grupo	Clase	Descripción	Notas	
				Presas y diques. Dragados. Obras subterráneas.	
		45.25	Otras construcciones especializadas.	Esta clase comprende: Las actividades de construcción que se especialicen en un aspecto común a diferentes tipos de estructura y que requieran aptitudes o materiales específicos: Obras de cimentación, incluida la hinca de pilotes, construcción y perforación de pozos hidráulicos, excavación de pozos de minas. Montaje de piezas de acero que no sean de producción propia. Curvado del acero. Montaje y desmantelamiento de andamios y plataformas de trabajo, incluido su alquiler. Montaje de chimeneas y hornos industriales. Esta clase no comprende: El alquiler de andamios sin montaje ni desmantelamiento (véase 71.32).	45250000 45262000

NACE [1]					
Sección F			Construcción		Código CPV
División	Grupo	Clase	Descripción	Notas	
	45.3		Instalación de edificios y obras.		45300000
		45.31	Instalación eléctrica.	Esta clase comprende: La instalación en edificios y otras obras de construcción de: Cables y material eléctrico. Sistemas de telecomunicación. Instalaciones de calefacción eléctrica. Antenas de viviendas. Alarmas contra incendios. Sistemas de alarma de protección contra robos. Ascensores y escaleras mecánicas. Pararrayos, etc.	45213316 45310000 Excepto: 45316000
		45.32	Aislamiento térmico,	Esta clase comprende:	45320000

NACE [1]					
Sección F			**Construcción**		**Código CPV**
División	**Grupo**	**Clase**	**Descripción**	**Notas**	
			acústico y antivibratorio.	La instalación en edificios y otras obras de construcción de aislamiento térmico, acústico o antivibratorio. Esta clase no comprende: La impermeabilización de edificios y balcones (véase 45.22).	
		45.33	Fontanería.	Esta clase comprende: La instalación en edificios y otras obras de construcción de: Fontanería y sanitarios. Aparatos de gas. Aparatos y conducciones de calefacción, ventilación, refrigeración o aire acondicionado. La instalación de extintores automáticos de incendios. Esta clase no comprende: La instalación y reparación de instalaciones de calefacción eléctrica (véase 45.31).	45330000

NACE [1]					
Sección F			**Construcción**		**Código CPV**
División	**Grupo**	**Clase**	**Descripción**	**Notas**	
		45.34	Otras instalaciones de edificios y obras.	Esta clase comprende: La instalación de sistemas de iluminación y señalización de carreteras, puertos y aeropuertos. La instalación en edificios y otras obras de construcción de aparatos y dispositivos no clasificados en otra parte.	45234115 45316000 45340000
	45.4		Acabado de edificios y obras.		45400000
		45.41	Revocamiento.	Esta clase comprende: La aplicación en edificios y otras obras de construcción de yeso y estuco interior y exterior, incluidos los materiales de listado correspondientes.	45410000

NACE [1]					
Sección F			**Construcción**		**Código CPV**
División	**Grupo**	**Clase**	**Descripción**	**Notas**	
		45.42	Instalaciones de carpintería.	Esta clase comprende: La instalación de puertas, ventanas y marcos, cocinas equipadas, escaleras, mobiliario de trabajo y similares de madera u otros materiales, que no sean de producción propia. Los acabados interiores, como techos, revestimientos de madera para paredes, tabiques móviles, etc. Esta clase no comprende: Los revestimientos de parqué y otras maderas para suelos (véase 45.43).	45420000
		45.43	Revestimiento de suelos y paredes.	Esta clase comprende: La colocación en edificios y otras obras de construcción de: Revestimientos de cerámica, hormigón o piedra tallada para suelos. Revestimientos de parqué y otras maderas para suelos. Revestimientos de moqueta y linóleo para paredes y suelos, incluidos el caucho o los materiales plásticos. Revestimientos de terrazo, mármol, granito o pizarra para paredes y suelos. Papeles pintados.	45430000

NACE [1]					
Seccion F			**Construcción**		**Código CPV**
División	**Grupo**	**Clase**	**Descripción**	**Notas**	
		45.44	Pintura y acristalamiento.	Esta clase comprende: La pintura interior y exterior de edificios. La pintura de obras de ingeniería civil. La instalación de cristales, espejos, etc. Esta clase no comprende: La instalación de ventanas (véase 45.42).	45440000
		45.45	Otros acabados de edificios y obras.	Esta clase comprende: La instalación de piscinas particulares.	45212212 y DA04 45450000

NACE (1)					
Seccion F			Construcción		Código CPV
División	Grupo	Clase	Descripción	Notas	
				La limpieza al vapor, con chorro de arena o similares, del exterior de los edificios. Otras obras de acabado de edificios no citadas en otra parte. Esta clase no comprende: La limpieza interior de edificios y obras (véase 74.70).	
	45.5		Alquiler de equipo de construcción o demolición dotado de operario.		45500000
		45.50	Alquiler de equipo de construcción o demolición dotado de operario.	Esta clase no comprende: El alquiler de equipo y maquinaria de construcción o demolición desprovisto de operario (véase 71.32).	45500000

ANEXO II.A
SERVICIOS A QUE SE REFIERE EL ARTÍCULO 15.1 DE LA LEY 31/2007, DE 30 DE OCTUBRE, SOBRE PROCEDIMIENTOS DE CONTRATACIÓN EN LOS SECTORES DEL AGUA, LA ENERGÍA, LOS TRANSPORTES Y LOS SERVICIOS POSTALES

Anexo II.A modificado conforme establece la disposición final cuarta del R.D. 817/2009, de 8 de mayo, por el que se desarrolla parcialmente la Ley 30/2007, de 30 de octubre, de Contratos del Sector Público («B.O.E.» 15 mayo; Corrección de errores «B.O.E.» 3 octubre).
Vigencia: 16 junio 2009

Categorías	Descripción	Número de referencia CPC (2)	Número de referencia CPV
1	Servicios de mantenimiento y reparación.	6112, 6122, 633, 886	De 50100000-6 a 50884000-5 (excepto de 50310000-1 a 50324200-4 y 50116510-9, 50190000-3, 50229000-6, 50243000-0) y de 51000000-9 a 51900000-1.
2	Servicios de transporte por vía terrestre (3), incluidos los servicios de furgones	712 (excepto 71235),	De 60100000-9 a 60183000-4 (excepto 60160000-7, 60161000-4,

Categorías	Descripción	Número de referencia CPC (2)	Número de referencia CPV
	blindados y servicios de mensajería, excepto el transporte de correo.	7512, 87304	60220000-6), y de 64120000-3 a 64121200-2.
3	Servicios de transporte aéreo: transporte de pasajeros y carga, excepto el transporte de correo.	73 (excepto 7321)	De 60410000-5 a 60424120-3 (excepto 60411000-2, 60421000-5), y 60500000-3. De 60440000-4 a 60445000-9.
4	Transporte de correo por vía terrestre [3] y por vía aérea.	71235, 7321	60160000-7, 60161000-4, 60411000-2, 60421000-5.
5	Servicios de telecomunicación.	752	De 64200000-8 a 64228200-2, 72318000-7, y de 72700000-7 a 72720000-3.
6	Servicios financieros: a) Servicios de seguros. b) Servicios bancarios y de inversión [4].	ex 81, 812, 814 7	De 66100000-1 a 66720000-3.
7	Servicios de informática y servicios conexos.	84	De 50310000-1 a 50324200-4, de 72000000-5 a 72920000-5 (excepto 72318000-7 y desde 72700000-7 a 72720000-3), 79342410-4.
8	Servicios de investigación y desarrollo [5].	85	De 73000000-2 a 73436000-7 (excepto 73200000-4, 73210000-7, 73220000-0.
9	Servicios de contabilidad, auditoría y teneduría de libros.	862	De 79210000-9 a 79223000-3.
10	Servicios de investigación de estudios y encuestas de la opinión pública.	864	De 79300000-7 a 79330000-6 y 79342310-9, 79342311-6.
11	Servicios de consultores de dirección [6] y servicios conexos.	865, 866	De 73200000-4 a 73220000-0, de 79400000-8 a 79421200-3 y 79342000-3, 79342100-4, 79342300-6, 79342320-2, 79342321-9, 79910000-6, 79991000-7, 98362000-8.
12	Servicios de arquitectura; servicios de ingeniería y servicios integrados de ingeniería; servicios de planificación urbana y servicios de arquitectura paisajista. Servicios conexos de consultores en ciencia y	867	De 71000000-8 a 71900000-7 (excepto 71550000-8) y 79994000-8.

Categorías	Descripción	Número de referencia CPC (2)	Número de referencia CPV
	tecnología. Servicios de ensayos y análisis técnicos.		
13	Servicios de publicidad.	871	De 79341000-6 a 79342200-5 (excepto 79342000-3 y 79342100-4.
14	Servicios de limpieza de edificios y servicios de administración de bienes raíces.	874, 82201 a 82206	De 70300000-4 a 70340000-6 y de 90900000-6 a 90924000-0.
15	Servicios editoriales y de imprenta, por tarifa o por contrato.	88442	De 79800000-2 a 79824000-6, de 79970000-6 a 79980000-7
16	Servicios de alcantarillado y eliminación de desperdicios: servicios de saneamiento y servicios similares.	94	De 90400000-1 a 90743200-9 (excepto 90712200-3). De 90910000-9 a 90920000-2 y 50190000-3, 50229000-6, 50243000-0.

ANEXO II B
SERVICIOS A QUE SE REFIERE EL ARTÍCULO 15.2 DE LA LEY 31/2007, DE 30 DE OCTUBRE, SOBRE PROCEDIMIENTOS DE CONTRATACIÓN EN LOS SECTORES DEL AGUA, LA ENERGÍA, LOS TRANSPORTES Y LOS SERVICIOS POSTALES

Anexo II.B modificado conforme establece la disposición final cuarta del R.D. 817/2009, de 8 de mayo, por el que se desarrolla parcialmente la Ley 30/2007, de 30 de octubre, de Contratos del Sector Público («B.O.E.» 15 mayo; Corrección de errores «B.O.E.» 3 octubre).
Vigencia: 16 junio 2009

Categorías	Descripción	Número de referencia CPC (7)	Número de referencia CPV
17	Servicios de hostelería y restaurante.	64	De 55100000-1 a 55524000-9 y de 98340000-8 a 98341100-6.
18	Servicios de transporte por ferrocarril.	711	De 60200000-0 a 60220000-6.
19	Servicios de transporte fluvial y marítimo.	72	De 60600000-4 a 60653000-0 y de 63727000-1 a 63727200-3.
20	Servicios de transporte complementarios y auxiliares.	74	De 63000000-9 a 63734000-3 (excepto 63711200-8, 63712700-0, 63712710-3 y de

Categorías	Descripción	Número de referencia CPC (7)	Número de referencia CPV
			63727000-1 a 63727200- 3) y 98361000-1.
21	Servicios jurídicos.	861	De 79100000-5 a 79140000-7.
22	Servicios de colocación y suministro de personal [8] .	872	De 79600000-0 a 79635000-4 (excepto 79611000-0, 79632000-3, 79633000-0) y de 98500000-8 a 98514000-9.
23	Servicios de investigación y seguridad, excepto los servicios de furgones blindados.	873 (excepto 87304)	De 79700000-1 a 79723000-8.
24	Servicios de educación y formación profesional.	92	De 80100000-5 a 80660000-8 (excepto 80533000-9, 80533100-0, 80533200-1.
25	Servicios sociales y de salud.	93	79611000-0 y de 85000000-9 a 85323000-9 (excepto 5321000-5 y 85322000-2).
26	Servicios de esparcimiento, culturales y deportivos [9] .	96	De 79995000-5 a 79995200-7 y de 92000000-1 a 92700000-8 (excepto 92230000-2, 92231000-9, 92232000-6).
27	Otros servicios.		

ANEXO III
INFORMACIÓN QUE DEBE FIGURAR EN LOS ANUNCIOS DE LICITACIONES

A. *Procedimientos abiertos.*

1. Nombre, dirección, dirección telegráfica, dirección electrónica, números de teléfono, télex y fax de la entidad contratante.

2. Si procede, deberá indicarse si el contrato está reservado para talleres protegidos, o si su ejecución está reservada para programas de empleo protegidos.

3. Naturaleza del contrato (suministro, obras o servicios; indíquese, en su caso, si se trata de un acuerdo marco o un sistema dinámico de adquisición).

Categoría del servicio a efectos del anexo II A o II B y descripción del mismo [número(s) de referencia en la nomenclatura].

Deberá indicarse, cuando proceda, si la oferta se refiere a compra, compra a plazos, arrendamiento, arrendamiento financiero o a una combinación de los mismos.

4. Lugar de entrega, de ejecución o de prestación.

5. Para suministros y obras:

a) Características y cantidad de los productos solicitados (número(s) de referencia en la nomenclatura). Indicar las opciones para licitaciones complementarias y, cuando sea posible, el plazo estimado previsto para ejercer dichas opciones, así como el número de prórrogas posibles. En el caso de una serie de contratos renovables también se precisará, de ser posible, el calendario provisional de las convocatorias de licitación posteriores para los productos que se vayan a suministrar o la naturaleza y el alcance de las prestaciones, y las características generales de la obra (número(s) de referencia en la nomenclatura).

b) Deberá indicarse si los proveedores pueden licitar por partes de los suministros solicitados o por su totalidad.

En caso de que, para los contratos de obras, la obra o el contrato esté dividido en varios lotes, magnitud de los distintos lotes y posibilidad de licitar por uno, varios o todos ellos.

c) Para los contratos de obras: indicaciones sobre el objetivo de la obra o del contrato, cuando en este último se incluya también la elaboración de proyectos.

6. Para servicios:

a) Características y cantidad de los productos solicitados. Indicar las opciones para licitaciones complementarias y, cuando sea posible, el plazo estimado previsto para ejercer dichas opciones, así como el número de prórrogas posibles. En el caso de una serie de contratos renovables también se precisará, de ser posible, el calendario provisional de las convocatorias de licitación posteriores para los servicios que se vayan a prestar.

b) Posibilidad de que, con arreglo a disposiciones legales, reglamentarias y administrativas, se reserve la prestación del servicio a una determinada profesión.

c) Referencia a dicha norma legal, reglamentaria o administrativa.

d) Deberá indicarse si las personas jurídicas deben citar los nombres y las cualificaciones profesionales del personal responsable de la ejecución del servicio.

e) Deberá indicarse si los prestadores de servicios pueden licitar por una parte de los servicios de que se trate.

7. Si se supiera, indíquese si está autorizada o no la presentación de variantes.

8. Plazo de entrega o ejecución o duración del contrato de servicios y, en la medida de lo posible, la fecha de inicio.

9.

a) Nombre y dirección del departamento al que pueden solicitarse los documentos del contrato y la documentación adicional.

b) Si procede, importe y forma de pago de la suma que deba abonarse para obtener dichos documentos.

10.

a) Fecha límite de recepción de las ofertas o de las ofertas indicativas cuando se trate de la aplicación de un sistema dinámico de adquisición.

b) Dirección a la que deben transmitirse.

c) Lengua o lenguas en que deben redactarse.

11.

a) Si procede, personas admitidas a asistir a la apertura de las plicas.

b) Fecha, hora y lugar de dicha apertura.

12. En su caso, depósitos y garantías exigidos.

13. Modalidades básicas de financiación y de pago y/o referencias a las disposiciones pertinentes.

14. En su caso, forma jurídica que deberá adoptar la agrupación de operadores económicos adjudicataria del contrato.

15. Condiciones mínimas de carácter económico y técnico a las que deberá ajustarse el operador económico adjudicatario del contrato.

16. Plazo durante el cual el licitador estará obligado a mantener su oferta.

17. En su caso, condiciones particulares a las que está sometida la ejecución del contrato.

18. Criterios previstos en el artículo 60 que se utilizarán para la adjudicación del contrato: «el precio más bajo» u «oferta económicamente más ventajosa». Se mencionarán asimismo los criterios que constituyan la oferta económicamente más ventajosa así como su ponderación, o en su caso, el orden de importancia de los mismos cuando no figuren en el pliego de condiciones.

19. Si procede, la referencia de la publicación en el Diario Oficial de la Unión Europea del anuncio periódico o del anuncio de la publicación del presente anuncio en el perfil del contratante al que se refiere el contrato.

20. Nombre y dirección del órgano competente para los procedimientos de recurso y, en su caso, de mediación. Indicación del plazo de presentación de recursos, o, en caso necesario, el nombre, la dirección, los números de teléfono y de fax y la dirección electrónica del departamento del que pueda obtenerse dicha información.

21. Fecha de envío del anuncio por la entidad contratante.

22. Fecha de recepción del anuncio por la Oficina de Publicaciones Oficiales de las Comunidades Europeas (deberá señalarla dicha Oficina).

23. Cualquier otra información de interés.

B. *Procedimientos restringidos.*

1. Nombre, dirección, dirección telegráfica, dirección electrónica, números de teléfono, télex y fax de la entidad contratante.

2. Si procede, deberá indicarse si el contrato está reservado para talleres protegidos, o si su ejecución está reservada para programas de empleo protegidos.

3. Naturaleza del contrato (suministro, obras o servicios; indíquese, en su caso, si se trata de un acuerdo marco).

Categoría del servicio a efectos del anexo II A o II B y descripción del mismo (número(s) de referencia en la nomenclatura).

Deberá indicarse, cuando corresponda, si la oferta se refiere a compra, compra a plazos, arrendamiento, arrendamiento financiero o a una combinación de los mismos.

4. Lugar de entrega, de ejecución o de prestación.

5. Para suministros y obras:

a) Características y cantidad de los productos solicitados (número(s) de referencia en la nomenclatura). Indicar las opciones para licitaciones complementarias y, cuando sea posible, el plazo estimado para ejercer dichas opciones, así como el número de prórrogas posibles. En el caso de una serie de contratos renovables también se precisará, de ser posible, el calendario provisional de las convocatorias de licitación posteriores para los productos que se vayan a suministrar o la naturaleza y el alcance de las prestaciones, y las características generales de la obra (número(s) de referencia en la nomenclatura).

b) Deberá indicarse si los proveedores pueden licitar por partes de los suministros solicitados o por su totalidad.

En caso de que, para los contratos de obras, la obra o el contrato esté dividido en varios lotes, magnitud de los distintos lotes y posibilidad de licitar por uno, varios o todos ellos.

c) Para los contratos de obras: indicaciones sobre el objetivo de la obra o del contrato, cuando en este último se incluya también la elaboración de proyectos.

6. Para servicios:

a) Características y cantidad de los productos solicitados. Indicar las opciones para licitaciones complementarias y, cuando sea posible, el plazo estimado previsto para ejercer dichas opciones, así como el número de prórrogas posibles. En el caso de una serie de contratos renovables también se precisará, de ser posible, el calendario provisional de las convocatorias de licitación posteriores para los servicios que se vayan a prestar.

b) Posibilidad de que, con arreglo a disposiciones legales, reglamentarias y administrativas, se reserve la prestación del servicio a una determinada profesión.

c) Referencia a dicha norma legal, reglamentaria o administrativa.

d) Se señalará si las personas jurídicas deben indicar los nombres y la cualificación profesional del personal responsable de la ejecución del servicio.

e) Posibilidad de que los prestadores de servicios liciten por una parte de los servicios de que se trate.

7. Si se supiera, indíquese si está autorizada o no la presentación de variantes.

8. Plazo de entrega o ejecución o duración del contrato de servicios y, en la medida de lo posible, la fecha de inicio.

9. En su caso, forma jurídica que deberá adoptar la agrupación de operadores económicos adjudicataria del contrato.

10.

a) Fecha límite de recepción de las solicitudes de participación.

b) Dirección a la que deben transmitirse.

c) Lengua o lenguas en que deben redactarse.

11. Fecha límite de envío de las invitaciones a licitar.

12. En su caso, depósitos y garantías exigidos.

13. Modalidades básicas de financiación y de pago y/o referencias a las disposiciones pertinentes.

14. Datos referentes a la situación del operador económico y condiciones mínimas de carácter económico y técnico a las que deberá ajustarse.

15. Criterios previstos en el artículo 60 que se utilizarán para la adjudicación del contrato: «el precio más bajo» u «oferta económicamente más ventajosa». Se mencionarán asimismo los criterios que constituyan la oferta económicamente más ventajosa así como su ponderación, o en su caso, el orden de importancia de los mismos cuando no figuren en el pliego de condiciones o no vayan a aparecer en la invitación a presentar ofertas.

16. Si procede, condiciones particulares a las que está sometida la ejecución del contrato.

17. Si procede, la referencia de la publicación en el Diario Oficial de la Unión Europea del anuncio periódico o del anuncio de la publicación del presente anuncio en el perfil del contratante al que se refiere el contrato.

18. Nombre y dirección del órgano competente para los procedimientos de recurso y, en su caso, de mediación. Indicación del plazo de presentación de recursos, o, en caso necesario, el nombre, la dirección, los números de teléfono y de fax y la dirección electrónica del servicio del que pueda obtenerse dicha información.

19. Fecha de envío del anuncio por la entidad contratante.

20. Fecha de recepción del anuncio por la Oficina de Publicaciones Oficiales de las Comunidades Europeas (deberá señalarla dicha Oficina).

21. Cualquier otra información de interés.

C. *Procedimientos negociados.*

1. Nombre, dirección, dirección telegráfica, dirección electrónica, números de teléfono, télex y fax de la entidad contratante.

2. Si procede, deberá indicarse si el contrato está reservado para talleres protegidos, o si su ejecución está reservada para programas de empleo protegidos.

3. Naturaleza del contrato (suministro, obras o servicios; indíquese, en su caso, si se trata de un acuerdo marco).

Categoría del servicio a efectos del anexo II A o II B y descripción del mismo (número(s) de referencia en la nomenclatura).

Deberá indicarse, cuando proceda, si la oferta se refiere a compra, compra a plazos, arrendamiento, arrendamiento financiero o a una combinación de los mismos.

4. Lugar de entrega, de ejecución o de prestación.

5. Para suministros y obras:

a) Características y cantidad de los productos solicitados (número(s) de referencia en la nomenclatura). Indicar las opciones para licitaciones complementarias y, cuando sea posible, el plazo estimado previsto para ejercer dichas opciones, así como el número de prórrogas posibles. En el caso de una serie de contratos renovables también se precisará, de ser posible, el calendario provisional de las convocatorias de licitación posteriores para los productos que se vayan a suministrar o la naturaleza y el alcance de las prestaciones, y las características generales de la obra (número(s) de referencia en la nomenclatura).

b) Deberá indicarse si los proveedores pueden licitar por partes de los suministros solicitados o por su totalidad.

En caso de que, para los contratos de obras, la obra o el contrato esté dividido en varios lotes, magnitud de los distintos lotes y posibilidad de licitar por uno, varios o todos ellos.

c) Para los contratos de obras: indicaciones sobre el objetivo de la obra o del contrato, cuando en este último se incluya también la elaboración de proyectos.

6. Para servicios:

a) Características y cantidad de los productos solicitados. Indicar las opciones para licitaciones complementarias y, cuando sea posible, el plazo estimado previsto para ejercer dichas opciones, así como el número de prórrogas posibles. En el caso de una serie de contratos renovables también se precisará, de ser posible, el calendario provisional de las convocatorias de licitación posteriores para los servicios que se vayan a prestar.

b) Posibilidad de que, con arreglo a disposiciones legales, reglamentarias y administrativas, se reserve la prestación del servicio a una determinada profesión.

c) Referencia a dicha norma legal, reglamentaria o administrativa.

d) Deberá indicarse si las personas jurídicas deben citar los nombres y las cualificaciones profesionales del personal responsable de la ejecución del servicio.

e) Posibilidad de que los prestadores de servicios liciten por una parte de los servicios.

7. Si se supiera, indíquese si está autorizada o no la presentación de variantes.

8. Plazo de entrega o ejecución o duración del contrato de servicios y, en la medida de lo posible, la fecha de inicio.

9. En su caso, forma jurídica que deberá adoptar la agrupación de operadores económicos adjudicataria del contrato.

10.

a) Fecha límite de recepción de las solicitudes de participación.

b) Dirección a la que deben transmitirse.

c) Lengua o lenguas en que deben redactarse.

11. En su caso, depósitos y garantías exigidos.

12. Modalidades básicas de financiación y de pago y/o referencias a las disposiciones pertinentes.

13. Datos referentes a la situación del operador económico y condiciones mínimas de carácter económico y técnico a las que deberá ajustarse.

14. Criterios previstos en el artículo 60 que se utilizarán para la adjudicación del contrato: «el precio más bajo» u «oferta económicamente más ventajosa». Se mencionarán asimismo los criterios que constituyan la oferta económicamente más ventajosa así como su ponderación, o en su caso, el orden de importancia de los mismos cuando no figuren en el pliego de condiciones o no vayan a aparecer en la invitación a negociar.

15. Si procede, nombres y direcciones de los operadores económicos ya seleccionados por la entidad contratante.

16. En su caso, fecha(s) de las publicaciones anteriores en el Diario Oficial de la Unión Europea.

17. En su caso, condiciones particulares a las que está sometida la ejecución del contrato.

18. Si procede, la referencia de la publicación en el Diario Oficial de la Unión Europea del anuncio periódico o del anuncio de la publicación del presente anuncio en el perfil del contratante al que se refiere el contrato.

19. Nombre y dirección del órgano competente para los procedimientos de recurso y, en su caso, de mediación. Indicación del plazo de presentación de recursos, o

en caso necesario el nombre, la dirección, los números de teléfono y de fax y la dirección electrónica del servicio del que pueda obtenerse dicha información.
20. Fecha de envío del anuncio por la entidad contratante.
21. Fecha de recepción del anuncio por la Oficina de Publicaciones Oficiales de las Comunidades Europeas (deberá señalarla dicha Oficina).
22. Cualquier otra información de interés.
D. *Anuncio de licitación simplificado en el marco de un sistema dinámico de adquisición.*
1. País de la entidad contratante.
2. Nombre y dirección electrónica de la entidad contratante.
3. Recordatorio de la publicación del anuncio de licitación relativo al sistema dinámico de adquisición.
4. Dirección electrónica en la que se encuentran disponibles los documentos del contrato y la documentación adicional relativos al sistema dinámico de adquisición.
5. Objeto del contrato: descripción por número(s) de referencia de la nomenclatura CPV y cantidad o alcance del contrato que deberá adjudicarse.
6. Plazo de presentación de las ofertas indicativas.

ANEXO IV
INFORMACIÓN QUE DEBE FIGURAR EN LOS ANUNCIOS SOBRE LA EXISTENCIA DE UN SISTEMA DE CLASIFICACIÓN

1. Nombre, dirección, dirección telegráfica, dirección electrónica, números de teléfono, télex y fax de la entidad contratante.
2. Si procede, deberá indicarse si el contrato está reservado para talleres protegidos, o si su ejecución está reservada para programas de empleo protegidos.
3. Objeto del sistema de clasificación (descripción de los productos, servicios u obras o categorías de los mismos que deban contratarse a través del sistema de número(s) de referencia en la nomenclatura).
4. Condiciones que deberán cumplir los operadores económicos con vistas a su clasificación con arreglo al sistema y métodos de verificación de las mismas. Cuando la descripción de estas condiciones y de los métodos de verificación sea voluminosa y se base en documentos a disposición de los operadores económicos interesados, bastará un resumen de las condiciones y los métodos más importantes y una referencia a dichos documentos.
5. Período de validez del sistema de clasificación y trámites para su renovación.
6. Mención de que el anuncio sirve de convocatoria de licitación.
7. Dirección en la que se puede obtener información adicional y la documentación relativa al sistema de clasificación (cuando dicha dirección sea diferente de las indicadas en el punto 1).
8. Nombre y dirección del órgano competente para los procedimientos de recurso y, en su caso, de mediación.
Indicación del plazo de presentación de recursos, o en caso necesario el nombre, la dirección, los números de teléfono y de fax y la dirección electrónica del servicio del que pueda obtenerse dicha información.
9. Si se supiera, los criterios contemplados en el artículo 60 que se utilizarán para la adjudicación del contrato: «el precio más bajo» u «oferta económicamente más ventajosa». Se mencionarán asimismo los criterios que constituyan la oferta económicamente más ventajosa así como su ponderación, o en su caso, el orden de importancia de los mismos cuando no figuren en el pliego de condiciones o no vayan a aparecer en la invitación a presentar ofertas o a negociar.
10. Si procede, otras informaciones.

ANEXO V A
INFORMACIÓN QUE DEBE FIGURAR EN LOS ANUNCIOS PERIÓDICOS INDICATIVOS

A. *Rúbricas que deberán rellenarse en todos los casos.*

1. Nombre, dirección, dirección telegráfica, dirección electrónica, números de teléfono, télex y fax de la entidad contratante o del departamento del que pueda obtenerse información adicional.

2.

a) Para los contratos de suministro: naturaleza y cantidad o valor de las prestaciones o de los productos que se deben suministrar (número(s) de referencia de la nomenclatura).

b) Para los contratos de obras: naturaleza y amplitud de las prestaciones, características generales de la obra o de los lotes relacionados con la obra (número(s) de referencia de la nomenclatura).

c) Para los contratos de servicios: importe total de las compras contempladas en cada una de las categorías de servicios que figuran en el anexo XVII A (número(s) de referencia de la nomenclatura).

3. Fecha de envío del anuncio o del envío del anuncio relativo a la publicación del presente anuncio sobre el perfil del contratante.

4. Fecha de recepción del anuncio por la Oficina de Publicaciones Oficiales de las Comunidades Europeas (deberá señalarla dicha Oficina).

5. Si procede, otras informaciones.

B. *Información que debería facilitarse si el anuncio sirve de convocatoria de licitación o permite una reducción de los plazos de recepción de las ofertas.*

6. Mención de que los proveedores interesados deben comunicar a la entidad su interés por el o los contratos.

7. Si procede, deberá indicarse si el contrato está reservado para talleres protegidos, o si su ejecución está reservada para programas de empleo protegidos.

8. Fecha límite de recepción de las solicitudes que tengan por objeto obtener una invitación a presentar ofertas o a negociar.

9. Características y cantidad de los productos solicitados o características generales de la obra o categoría del servicio con arreglo al anexo II A y su descripción, precisando si se prevé uno o varios acuerdos marco. Debe indicar las opciones para licitaciones complementarias y el plazo estimado previsto para ejercer dichas opciones, así como el número de prórrogas posibles. En el caso de una serie de contratos renovables, deberá precisarse también el calendario provisional de las convocatorias de licitación posteriores.

10. Deberá indicarse si se trata de compra, compra a plazos, arrendamiento, arrendamiento financiero, o de una combinación de los mismos.

11. Plazo de entrega o ejecución o duración del contrato y, en la medida de lo posible, fecha de inicio.

12. Dirección a la que las empresas interesadas deben enviar su manifestación de interés por escrito.

Fecha límite de recepción de manifestaciones de interés.

Lengua o lenguas autorizadas para la presentación de candidaturas o de ofertas.

13. Condiciones de carácter económico y técnico, garantías financieras y técnicas exigidas a los proveedores.

14.

a) Fecha estimada, si se conoce, del inicio de los procedimientos de adjudicación del o de los contratos.

b) Tipo de procedimiento de adjudicación (restringido o negociado).

c) Importe y forma de pago de la suma que deba abonarse para obtener la documentación relativa a la consulta.

15. Condiciones particulares a las que está sometida la ejecución del contrato o los contratos.

16. Nombre y dirección del órgano competente para los procedimientos de recurso y, en su caso, de mediación. Indicación del plazo de presentación de recursos, o en caso necesario el nombre, la dirección, los números de teléfono y de fax y la dirección electrónica del servicio del que pueda obtenerse dicha información.

17. Los criterios contemplados en el artículo 60 que se utilizarán para la adjudicación del contrato: «el precio más bajo» u «oferta económicamente más ventajosa». Se mencionarán asimismo los criterios que constituyan la oferta económicamente más ventajosa así como su ponderación, o en su caso el orden de importancia de los mismos cuando no figuren en el pliego de condiciones o no figuren en la invitación a confirmar el interés a que se refiere el apartado 3 del artículo 66 ni en la invitación a presentar ofertas o a negociar.

ANEXO V B
INFORMACIÓN QUE DEBE FIGURAR EN LOS ANUNCIOS DE LA PUBLICACIÓN EN EL PERFIL DEL CONTRATANTE DE UN ANUNCIO PERIÓDICO INDICATIVO QUE NO SIRVA DE CONVOCATORIA DE LICITACIÓN

1. País de la entidad contratante.
2. Nombre de la entidad contratante.
3. Dirección de Internet del «perfil del contratante» (URL).
4. Número(s) de referencia de la nomenclatura del CPV.

ANEXO VI
INFORMACIÓN QUE DEBE FIGURAR EN LOS ANUNCIOS SOBRE CONTRATOS ADJUDICADOS

A. *Información que se publicará en el Diario Oficial de la Unión Europea.* [10]
1. Nombre y dirección de la entidad contratante.
2. Naturaleza del contrato (suministro, obras o servicios y número(s) de referencia en la nomenclatura; indíquese, en su caso, si se trata de un acuerdo marco).
3. Al menos, un resumen de las características y la cantidad de los productos, obras o servicios suministrados.
4.
a) Forma de la convocatoria de licitación (anuncio sobre la existencia de un sistema de clasificación, anuncio periódico, solicitud pública de ofertas).
b) Referencia de la publicación del anuncio en el Diario Oficial de la Unión Europea.
c) En el caso de contratos adjudicados sin convocatoria de licitación previa, se indicará la disposición pertinente del artículo 59 o el apartado 2 del artículo 15.
5. Procedimiento de adjudicación del contrato (procedimiento abierto, restringido o negociado).
6. Número de ofertas recibidas.
7. Fecha de adjudicación del contrato.
8. Precio pagado por las compras de ocasión realizadas en virtud de la letra j) del artículo 17.
9. Nombre y dirección de los operadores económicos.
10. Indicar, en su caso, si el contrato se ha subcontratado o puede subcontratarse.
11. Precio pagado o precio de la oferta más elevada y de la más baja que se hayan tenido en cuenta en la adjudicación del contrato.
12. Nombre y dirección del órgano competente para los procedimientos de recurso y, en su caso, de mediación. Indicación del plazo de presentación de recursos, o

en caso necesario el nombre, la dirección, los números de teléfono y de fax y la dirección electrónica del servicio del que pueda obtenerse dicha información.

13. Información facultativa: porcentaje del contrato que se haya subcontratado o pueda subcontratarse a terceros e importe del mismo, criterios de adjudicación del contrato.

B *Información no destinada a la publicación.*

14. Número de contratos adjudicados (cuando se haya dividido el contrato entre más de un proveedor).

15. Valor de cada contrato adjudicado.

16. País de origen del producto o del servicio (origen comunitario o no comunitario, desglosado, en este último caso, por terceros países).

17. Indicar los criterios de adjudicación empleados (oferta económicamente más ventajosa, precio más bajo).

18. Indicar si se ha adjudicado el contrato a un licitador que, en virtud del apartado 2 del artículo 62, ofrecía una variante.

19. Indicar si han existido ofertas que no se han aceptado por ser anormalmente bajas, de conformidad con el artículo 82.

20. Fecha de envío del anuncio por la entidad contratante.

21. Respecto de los contratos que tengan por objeto servicios que figuran en el anexo II B, conformidad de la entidad contratante para la publicación del anuncio.

ANEXO VII
INFORMACIÓN QUE DEBE FIGURAR EN LOS ANUNCIOS DE CONCURSOS DE PROYECTOS

1. Nombre, dirección, dirección electrónica, números de teléfono, telégrafo, télex y fax de los poderes adjudicadores y del departamento del que pueda obtenerse la documentación adicional.

2. Descripción del proyecto (número(s) de referencia en la nomenclatura).

3. Tipo de concurso: abierto o restringido.

4. Cuando se trate de concursos abiertos: fecha límite de presentación de los proyectos.

5. Cuando se trate de concursos restringidos:
a) número previsto o número mínimo y máximo de participantes.
b) en su caso, nombre de los participantes ya seleccionados.
c) criterios de selección de los participantes.
d) fecha límite de recepción de las solicitudes de participación.

6. En su caso, indicar si la participación está reservada a una determinada profesión.

7. Criterios que se aplicarán para valorar los proyectos.

8. En su caso, nombre de los miembros del jurado que hayan sido seleccionados.

9. Posibilidad de que la decisión del jurado sea obligatoria para el poder adjudicador.

10. En su caso, número e importe de los premios.

11. En su caso, posibles pagos a todos los participantes.

12. Posibilidad de que se adjudiquen contratos complementarios a los ganadores de premios.

13. Nombre y dirección del órgano competente para los procedimientos de recurso y, en su caso, de mediación. Indicación del plazo de presentación de recursos, o en caso necesario el nombre, la dirección, los números de teléfono y de fax y la dirección electrónica del servicio del que pueda obtenerse dicha información.

14. Fecha de envío del anuncio.

15. Fecha de recepción del anuncio por la Oficina de Publicaciones Oficiales de las Comunidades Europeas.

16. Cualquier otra información de interés.

ANEXO VIII
INFORMACIÓN QUE DEBE FIGURAR EN LOS ANUNCIOS SOBRE LOS RESULTADOS DE LOS CONCURSOS DE PROYECTOS

1. Nombre, dirección, dirección telegráfica, números de teléfono, telégrafo, télex y fax de los poderes adjudicadores.
2. Descripción del proyecto (número(s) de referencia en la nomenclatura).
3. Número total de participantes.
4. Número de participantes extranjeros.
5. Ganador(es) del concurso.
6. En su caso, premio(s).
7. Otra información.
8. Referencia al anuncio de concurso.
9. Nombre y dirección del órgano competente para los procedimientos de recurso y, en su caso, de mediación. Indicación del plazo de presentación de recursos, o en caso necesario el nombre, la dirección, los números de teléfono y de fax y la dirección electrónica del servicio del que pueda obtenerse dicha información.
10. Fecha de envío del anuncio.
11. Fecha de recepción del anuncio por la Oficina de Publicaciones Oficiales de las Comunidades Europeas.

ANEXO IX
PRESCRIPCIONES RELATIVAS A LA PUBLICACIÓN

1. *Publicación de los anuncios.*

a) Los anuncios mencionados en los artículos 64, 65, 66 y 67 serán enviados por las entidades contratantes a la Oficina de Publicaciones de las Comunidades Europeas en el formato establecido por el Reglamento número 1564/2005 de la Comisión, de 7 de septiembre de 2005, por el que se establecen los formularios normalizados para la publicación de anuncios en el marco de los procedimientos de adjudicación de contratos públicos con arreglo a las Directivas 2004/17/CE y 2004/18/CE del Parlamento Europeo y del Consejo.

b) Los anuncios contemplados en los artículos 64, 65, 66 y 67 los publicará la Oficina de Publicaciones Oficiales de las Comunidades Europeas o las entidades contratantes en el caso de los anuncios periódicos indicativos publicados en el perfil del contratante de conformidad con el apartado 1 del artículo 64.

Las entidades contratantes podrán, además, publicar esta información a través de Internet en un «perfil del contratante», tal como se define en la letra b) del punto 2.

c) La Oficina de Publicaciones de las Comunidades Europeas entregará a la entidad contratante la confirmación de publicación contemplada en el apartado 5 del artículo 67.

2. *Publicación de información complementaria o adicional*

a) Se alentará a las entidades contratantes a que publiquen en Internet la totalidad del pliego de condiciones y de la documentación complementaria.

b) El perfil del contratante puede incluir anuncios periódicos indicativos, contemplados en el apartado 1 del artículo 64, información sobre las convocatorias en curso, las compras programadas, los contratos adjudicados, los procedimientos anulados y cualquier otra información útil de tipo general como, por ejemplo, puntos de contacto, números de teléfono y de fax, dirección postal y dirección electrónica.

3. *Formato y modalidades para la transmisión de los anuncios por medios electrónicos.*

El formato de los formularios de anuncios es el establecido por el Reglamento n.º 1564/2005 de la Comisión, de 7 de septiembre de 2005, por el que se establecen los formularios normalizados para la publicación de anuncios en el marco de los procedimientos de adjudicación de contratos públicos con arreglo a las Directivas 2004/17/CE y 2004/18/CE del Parlamento Europeo y del Consejo, están disponibles en la dirección de Internet «http://simap.eu.int»;;.

Cuando los anuncios se preparen y envíen por medios electrónicos con arreglo a los formatos y formularios normalizados, se publicarán en un plazo máximo de cinco días después de su envío en el Diario Oficial de la Unión Europea.

Cuando los anuncios se envíen por otro medio, siempre con arreglo al formulario normalizado, se publicarán en el citado Diario Oficial en un plazo máximo de doce días a partir de su envío. En casos excepcionales y previa petición de la entidad contratante dirigida a la Oficina de Publicaciones de las Comunidades Europeas, los anuncios de contratos mencionados en la letra c) del artículo 64 se publicarán en un plazo de cinco días, siempre que el anuncio se haya enviado por fax.

ANEXO X
REQUISITOS RELATIVOS A LOS DISPOSITIVOS DE RECEPCIÓN ELECTRÓNICA DE LAS OFERTAS, DE LAS SOLICITUDES DE PARTICIPACIÓN, DE LAS SOLICITUDES DE CLASIFICACIÓN O DE LOS PLANOS Y PROYECTOS EN LOS CONCURSOS

Los dispositivos de recepción electrónica de las ofertas, de las solicitudes de participación, de las solicitudes de clasificación y de los planos y proyectos en los concursos deberán garantizar, como mínimo y por los medios técnicos y procedimientos adecuados, que:

a) las firmas electrónicas relativas a las ofertas, a las solicitudes de participación, a las solicitudes de clasificación y a los envíos de planos y proyectos se ajusten a la Ley 59/2003, de 29 de diciembre, de Firma electrónica.

b) pueda determinarse con precisión la hora y la fecha exactas de la recepción de las ofertas, de las solicitudes de participación, de las solicitudes de clasificación y del envío de los planos y proyectos.

c) pueda garantizarse razonablemente que nadie tenga acceso a los datos transmitidos a tenor de los presentes requisitos antes de que finalicen los plazos especificados.

d) en caso de violación de esa prohibición de acceso, pueda garantizarse razonablemente que la violación pueda detectarse con claridad.

e) únicamente las personas autorizadas puedan fijar o modificar las fechas de apertura de los datos presentados.

f) en las diferentes fases del proceso de clasificación, del procedimiento de adjudicación de contrato o del concurso, sólo la acción simultánea de las personas autorizadas pueda permitir el acceso a la totalidad o a parte de los datos presentados.

g) la acción simultánea de las personas autorizadas sólo pueda dar acceso después de la fecha especificada a los datos transmitidos.

h) los datos recibidos y abiertos en aplicación de los presentes requisitos sólo sean accesibles a las personas autorizadas a tener conocimiento de los mismos.

---

(1)   Reglamento (CEE) n.º 3037/90 del Consejo, de 9 de octubre de 1990, relativo a la nomenclatura estadística de actividades económicas en la Comunidad Europea (DO L 293 de 24.10.1990, p. 1). Reglamento modificado en último lugar por el Reglamento (CEE) n.º 761/93 de la Comisión (DO L 83 de 3.4.1993, p. 1).

En caso de diferentes interpretaciones entre CPV y NACE, se aplicará la nomenclatura NACE.

(2) Nomenclatura CPC (versión provisional) empleada para definir el ámbito de aplicación de la Directiva 92/50/CEE. En caso de diferentes interpretaciones entre CPV y CPC, se aplicará la nomenclatura CPC.

(3) Exceptuando los servicios de transporte por ferrocarril incluidos en la categoría 18.

(4) Exceptuando los servicios financieros relativos a la emisión, compra, venta y transferencia de títulos u otros instrumentos financieros, y los servicios prestados por los bancos centrales. Quedan también excluidos los servicios que consistan en la adquisición o el arrendamiento, independientemente del sistema de financiación, de terrenos, edificios ya existentes u otros bienes inmuebles, o relativos a derechos sobre estos bienes; no obstante, los servicios financieros prestados, bien al mismo tiempo, bien con anterioridad o posterioridad al contrato de adquisición o de arrendamiento, en cualquiera de sus formas, se regularán por lo dispuesto en la presente Ley.

(5) Exceptuando los servicios de investigación y desarrollo distintos de aquellos cuyos resultados corresponden al poder adjudicador y/o a la entidad adjudicadora para su uso exclusivo, siempre que éste remunere íntegramente la prestación del servicio.

(6) Exceptuando los servicios de arbitraje y conciliación.

(7) Nomenclatura CPC (versión provisional) empleada para definir el ámbito de aplicación de la Directiva 92/50/CEE. En caso de diferentes interpretaciones entre CPV y CPC, se aplicará la nomenclatura CPC.

(8) Exceptuando los contratos de trabajo.

(9) Exceptuando los contratos para la compra, el desarrollo, la producción o la coproducción de material de programación por parte de los organismos de radiodifusión y los contratos relativos al tiempo de radiodifusión.

(10) La información de los puntos 6, 9 y 11 se considerará información no destinada a ser publicada si la entidad contratante considera que su publicación puede perjudicar un interés comercial sensible

§ 3. Ley 32/2006, de 18 de octubre, reguladora de la subcontratación en el Sector de la Construcción

(*BOE* de 19 de Octubre de 2006)

JUAN CARLOS I REY DE ESPAÑA

A todos los que la presente vieren y entendieren.

Sabed: Que las Cortes Generales han aprobado y Yo vengo en sancionar la siguiente ley.

EXPOSICIÓN DE MOTIVOS

Tras diez años de promulgación de la Ley 31/1995, de 8 de noviembre, de Prevención de Riesgos Laborales, y después su desarrollo reglamentario, es un hecho incontestable que, pese a todo, y a los ingentes esfuerzos realizados por los distintos actores implicados en la prevención de riesgos laborales (Estado, Comunidades Autónomas, Agentes Sociales, Entidades especializadas, etcétera), existe un sector como el de la construcción que, constituyendo uno de los ejes del crecimiento económico de nuestro país, está sometido a unos riesgos especiales y continúa registrando una siniestralidad laboral muy notoria por sus cifras y gravedad.

Son numerosos los estudios y análisis desarrollados para evaluar las causas de tales índices de siniestralidad en este sector, sin que resulte posible atribuir el origen de esta situación a una causa única, dada su complejidad.

Uno de esos factores puede estar relacionado con la utilización de una forma de organización productiva, que tiene una importante tradición en el sector, pero que ha adquirido en las últimas décadas un especial desarrollo en el mismo, también como reflejo de la externalización productiva que se da en otros sectores, aunque en éste con especial intensidad. Esta forma de organización no es otra que la denominada «subcontratación».

Hay que tener en cuenta que la contratación y subcontratación de obras o servicios es una expresión de la libertad de empresa que reconoce la Constitución Española en su artículo 38 y que, en el marco de una economía de mercado, cualquier forma de organización empresarial es lícita, siempre que no contraríe el ordenamiento jurídico. La subcontratación permite en muchos casos un mayor grado de especialización, de cualificación de los trabajadores y una más frecuente utilización de los medios técnicos que se emplean, lo que influye positivamente en la inversión en nueva tecnología. Además, esta forma de organización facilita la participación de las pequeñas y medianas empresas en la actividad de la construcción, lo que contribuye a la creación de empleo. Estos aspectos determinan una mayor eficiencia empresarial.

Sin embargo, el exceso en las cadenas de subcontratación, especialmente en este sector, además de no aportar ninguno de los elementos positivos desde el punto de vista de la eficiencia empresarial que se deriva de la mayor especialización y cualificación de los trabajadores, ocasiona, en no pocos casos, la participación de empresas sin una mínima estructura organizativa que permita garantizar que se hallan en condiciones de hacer frente a sus obligaciones de protección de la salud y

la seguridad de los trabajadores, de tal forma que su participación en el encadena-
miento sucesivo e injustificado de subcontrataciones opera en menoscabo de los
márgenes empresariales y de la calidad de los servicios proporcionados de forma
progresiva hasta el punto de que, en los últimos eslabones de la cadena, tales
márgenes son prácticamente inexistentes, favoreciendo el trabajo sumergido, justo
en el elemento final que ha de responder de las condiciones de seguridad y salud
de los trabajadores que realizan las obras. Es por ello por lo que los indicados excesos de subcontratación pueden facilitar la aparición de prácticas incompatibles
con la seguridad y salud en el trabajo.

Reconociendo esa realidad, la presente Ley aborda por primera vez, y de forma
estrictamente sectorial, una regulación del régimen jurídico de la subcontratación
que, reconociendo su importancia para el sector de la construcción y de la especialización para el incremento de la productividad, establece una serie de garantías
dirigidas a evitar que la falta de control en esta forma de organización productiva
ocasione situaciones objetivas de riesgo para la seguridad y salud de los trabajadores.

Dichas cautelas se dirigen en una triple dirección. En primer lugar, exigiendo el
cumplimiento de determinadas condiciones para que las subcontrataciones que se
efectúen a partir del tercer nivel de subcontratación respondan a causas objetivas,
con el fin de prevenir prácticas que pudieran derivar en riesgos para la seguridad y
salud en el trabajo. En segundo lugar, exigiendo una serie de requisitos de calidad
o solvencia a las empresas que vayan a actuar en este sector, y reforzando estas
garantías en relación con la acreditación de la formación en prevención de riesgos
laborales de sus recursos humanos, con la acreditación de la organización preventiva de la propia empresa y con la calidad del empleo precisando unas mínimas
condiciones de estabilidad en el conjunto de la empresa. Y, en tercer lugar, intro-
duciendo los adecuados mecanismos de transparencia en las obras de construcción, mediante determinados sistemas documentales y de reforzamiento de los
mecanismos de participación de los trabajadores de las distintas empresas que intervienen en la obra.

Finalmente, para asegurar la efectividad de esta novedosa regulación en las
obras de construcción, la Ley introduce las oportunas modificaciones del vigente
Texto Refundido de la Ley de Infracciones y Sanciones en el Orden Social, aprobado por Real Decreto Legislativo 5/2000, de 4 de agosto, estableciendo la adecuada
tipificación de las infracciones administrativas que pueden derivarse de la deficiente aplicación de la presente Ley.

Todo ello se estructura en dos capítulos, sobre el objeto y ámbito de aplicación
de la Ley y definiciones, el primero, y las normas generales sobre subcontratación
en el sector de la construcción, el segundo, con once artículos, tres disposiciones
adicionales, dos disposiciones transitorias, tres disposiciones finales y un anexo.

CAPÍTULO I
OBJETO Y ÁMBITO DE APLICACIÓN DE LA LEY Y DEFINICIONES

Artículo 1. *Objeto de la Ley.* 1. La presente Ley regula la subcontratación en el
sector de la construcción y tiene por objeto mejorar las condiciones de trabajo del
sector, en general, y las condiciones de seguridad y salud de los trabajadores del
mismo, en particular.

2. Lo previsto en esta Ley se entiende sin perjuicio de la aplicación a las subcontrataciones que se realicen en el sector de la construcción de lo dispuesto en el artículo 42 del Texto Refundido de la Ley del Estatuto de los Trabajadores, aprobado
por Real Decreto Legislativo 1/1995, de 24 de marzo, y en el resto de la legislación
social.

Artículo 2. *Ámbito de aplicación.* La presente Ley será de aplicación a los contratos que se celebren, en régimen de subcontratación, para la ejecución de los siguientes trabajos realizados en obras de construcción: Excavación; movimiento de tierras; construcción; montaje y desmontaje de elementos prefabricados; acondicionamientos o instalaciones; transformación; rehabilitación; reparación; desmantelamiento; derribo; mantenimiento; conservación y trabajos de pintura y limpieza; saneamiento.

Artículo 3. *Definiciones.* A efectos de esta Ley se entenderá por:

a) Obra de construcción u obra: cualquier obra, pública o privada, en la que se efectúen trabajos de construcción o de ingeniería civil.

b) Promotor: cualquier persona física o jurídica por cuenta de la cual se realice la obra.

c) Dirección facultativa: el técnico o técnicos competentes designados por el promotor, encargados de la dirección y del control de la ejecución de la obra.

d) Coordinador en materia de seguridad y de salud durante la ejecución de la obra: el técnico competente integrado en la dirección facultativa, designado por el promotor para llevar a cabo las tareas establecidas para este coordinador en la reglamentación de seguridad y salud en las obras de construcción.

e) Contratista o empresario principal: la persona física o jurídica, que asume contractualmente ante el promotor, con medios humanos y materiales, propios o ajenos, el compromiso de ejecutar la totalidad o parte de las obras con sujeción al proyecto y al contrato.

Cuando el promotor realice directamente con medios humanos y materiales propios la totalidad o determinadas partes de la obra, tendrá también la consideración de contratista a los efectos de la presente Ley; asimismo, cuando la contrata se haga con una Unión Temporal de Empresas, que no ejecute directamente la obra, cada una de sus empresas miembro tendrá la consideración de empresa contratista en la parte de obra que ejecute.

f) Subcontratista: la persona física o jurídica que asume contractualmente ante el contratista u otro subcontratista comitente el compromiso de realizar determinadas partes o unidades de obra, con sujeción al proyecto por el que se rige su ejecución. Las variantes de esta figura pueden ser las del primer subcontratista (subcontratista cuyo comitente es contratista), segundo subcontratista (subcontratista cuyo comitente es el primer subcontratista), y así sucesivamente.

g) Trabajador autónomo: la persona física distinta del contratista y del subcontratista, que realiza de forma personal y directa una actividad profesional, sin sujeción a un contrato de trabajo, y que asume contractualmente ante el promotor, el contratista o el subcontratista el compromiso de realizar determinadas partes o instalaciones de la obra. Cuando el trabajador autónomo emplee en la obra a trabajadores por cuenta ajena, tendrá la consideración de contratista o subcontratista a los efectos de la presente Ley.

h) Subcontratación: la práctica mercantil de organización productiva en virtud de la cual el contratista o subcontratista encarga a otro subcontratista o trabajador autónomo parte de lo que a él se le ha encomendado.

i) Nivel de subcontratación: cada uno de los escalones en que se estructura el proceso de subcontratación que se desarrolla para la ejecución de la totalidad o parte de la obra asumida contractualmente por el contratista con el promotor.

CAPÍTULO II
NORMAS GENERALES SOBRE SUBCONTRATACIÓN EN EL SECTOR DE LA CONSTRUCCIÓN

Artículo 4. *Requisitos exigibles a los contratistas y subcontratistas.* 1. Para que una empresa pueda intervenir en el proceso de subcontratación en el sector de la construcción, como contratista o subcontratista, deberá:

a) Poseer una organización productiva propia, contar con los medios materiales y personales necesarios, y utilizarlos para el desarrollo de la actividad contratada.

b) Asumir los riesgos, obligaciones y responsabilidades propias del desarrollo de la actividad empresarial.

c) Ejercer directamente las facultades de organización y dirección sobre el trabajo desarrollado por sus trabajadores en la obra y, en el caso de los trabajadores autónomos, ejecutar el trabajo con autonomía y responsabilidad propia y fuera del ámbito de organización y dirección de la empresa que le haya contratado.

2. Además de los anteriores requisitos, las empresas que pretendan ser contratadas o subcontratadas para trabajos de una obra de construcción deberán también:

a) Acreditar que disponen de recursos humanos, en su nivel directivo y productivo, que cuentan con la formación necesaria en prevención de riesgos laborales, así como de una organización preventiva adecuada a la Ley 31/1995, de 8 de noviembre, de Prevención de Riesgos Laborales.

b) Estar inscritas en el Registro de Empresas Acreditadas al que se refiere el artículo 6 de esta Ley. La inscripción se realizará de oficio por la autoridad laboral competente, sobre la base de la declaración del empresario a que se refiere el apartado siguiente.

Letra b) del número 2 del artículo 4 redactada por el número uno del artículo 16 de la Ley 25/2009, de 22 de diciembre, de modificación de diversas leyes para su adaptación a la Ley sobre el libre acceso a las actividades de servicios y su ejercicio («B.O.E.» 23 diciembre).

Vigencia: 27 diciembre 2009

3. Las empresas contratistas o subcontratistas acreditarán el cumplimiento de los requisitos a que se refieren los apartados 1 y 2.a) de este artículo mediante una declaración suscrita por su representante legal formulada ante el Registro de Empresas Acreditadas.

4. Las empresas cuya actividad consiste en ser contratadas o subcontratadas habitualmente para la realización de trabajos en obras del sector de la construcción deberán contar, en los términos que se determine reglamentariamente, con un número de trabajadores contratados con carácter indefinido que no será inferior al 10 por ciento durante los dieciocho primeros meses de vigencia de esta Ley, ni al 20 por ciento durante los meses del decimonoveno al trigésimo sexto, ni al 30 por ciento a partir del mes trigésimo séptimo, inclusive.

A estos efectos, en las cooperativas de trabajo asociado los socios trabajadores serán computados de manera análoga a los trabajadores por cuenta ajena en los términos que se determine reglamentariamente.

Número 4 del artículo 4 redactado por el número dos del artículo 16 de la Ley 25/2009, de 22 de diciembre, de modificación de diversas leyes para su adaptación a la Ley sobre el libre acceso a las actividades de servicios y su ejercicio («B.O.E.» 23 diciembre).

Vigencia: 27 diciembre 2009

Artículo 5. *Régimen de la subcontratación.* 1. La subcontratación, como forma de organización productiva, no podrá ser limitada, salvo en las condiciones y en los supuestos previstos en esta Ley.

2. Con carácter general, el régimen de la subcontratación en el sector de la construcción será el siguiente:

a) El promotor podrá contratar directamente con cuantos contratistas estime oportuno ya sean personas físicas o jurídicas.

b) El contratista podrá contratar con las empresas subcontratistas o trabajadores autónomos la ejecución de los trabajos que hubiera contratado con el promotor.

c) El primer y segundo subcontratistas podrán subcontratar la ejecución de los trabajos que, respectivamente, tengan contratados, salvo en los supuestos previstos en la letra f) del presente apartado.

d) El tercer subcontratista no podrá subcontratar los trabajos que hubiera contratado con otro subcontratista o trabajador autónomo.

e) El trabajador autónomo no podrá subcontratar los trabajos a él encomendados ni a otras empresas subcontratistas ni a otros trabajadores autónomos.

f) Asimismo, tampoco podrán subcontratar los subcontratistas, cuya organización productiva puesta en uso en la obra consista fundamentalmente en la aportación de mano de obra, entendiéndose por tal la que para la realización de la actividad contratada no utiliza más equipos de trabajo propios que las herramientas manuales, incluidas las motorizadas portátiles, aunque cuenten con el apoyo de otros equipos de trabajo distintos de los señalados, siempre que éstos pertenezcan a otras empresas, contratistas o subcontratistas, de la obra.

3. No obstante lo dispuesto en el apartado anterior, cuando en casos fortuitos debidamente justificados, por exigencias de especialización de los trabajos, complicaciones técnicas de la producción o circunstancias de fuerza mayor por las que puedan atravesar los agentes que intervienen en la obra, fuera necesario, a juicio de la dirección facultativa, la contratación de alguna parte de la obra con terceros, excepcionalmente se podrá extender la subcontratación establecida en el apartado anterior en un nivel adicional, siempre que se haga constar por la dirección facultativa su aprobación previa y la causa o causas motivadoras de la misma en el Libro de Subcontratación al que se refiere el artículo 7 de esta Ley.

No se aplicará la ampliación excepcional de la subcontratación prevista en el párrafo anterior en los supuestos contemplados en las letras e) y f) del apartado anterior, salvo que la circunstancia motivadora sea la de fuerza mayor.

4. El contratista deberá poner en conocimiento del coordinador de seguridad y salud y de los representantes de los trabajadores de las diferentes empresas incluidas en el ámbito de ejecución de su contrato que figuren relacionados en el Libro de Subcontratación la subcontratación excepcional prevista en el apartado anterior.

Asimismo, deberá poner en conocimiento de la autoridad laboral competente la indicada subcontratación excepcional mediante la remisión, en el plazo de los cinco días hábiles siguientes a su aprobación, de un informe en el que se indiquen las circunstancias de su necesidad y de una copia de la anotación efectuada en el Libro de Subcontratación.

Artículo 6. *Registro de Empresas Acreditadas.* 1. A efectos de lo dispuesto en el artículo anterior, se creará el Registro de Empresas Acreditadas, que dependerá de la autoridad laboral competente, entendiéndose por tal la correspondiente al territorio de la Comunidad Autónoma donde radique el domicilio social de la empresa contratista o subcontratista.

2. La inscripción en el Registro de Empresas Acreditadas tendrá validez para todo el territorio nacional, siendo sus datos de acceso público con la salvedad de los referentes a la intimidad de las personas.

3. Reglamentariamente se establecerán el contenido, la forma y los efectos de la inscripción en dicho registro, así como los sistemas de coordinación de los distintos registros dependientes de las autoridades laborales autonómicas.

> *Véase Res. [PRINCIPADO DE ASTURIAS] 15 julio 2008, de la Consejería de Industria y Empleo, por la que se establece el Registro de Empresas Acreditadas del Principado de Asturias («B.O.P.A.» 11 agosto).*

> *Véase O [CANARIAS] 23 julio 2008, por la que se crea el Registro de Empresas Acreditadas de la Comunidad Autónoma de Canarias («B.O.I.C.» 6 agosto).*

> *Véase D [PAÍS VASCO] 142/2008, 22 julio, por el que se crea en Euskadi, el Registro de Empresas Acreditadas en el Sector de la Construcción / Eraikuntzako Enpresa Bermatuen Erregistroa (REASC/EEBE) y se regula su funcionamiento («B.O.P.V.» 1 agosto).*

> *Véase D [BALEARES] 84/2008, 25 julio, por el que se crea el Registro de Empresas Acreditadas en el Sector de la Construcción de la Comunidad Autónoma de las Illes Balears («B.O.I.B.» 31 julio).*

> *Véase D [REGIÓN DE MURCIA] 209/2008, 18 julio, por el que se crea el Registro de Empresas acreditadas como Contratistas y Subcontratistas en el Sector de la Construcción en la Región de Murcia («B.O.R.M.» 21 julio).*

> *Véase D [EXTREMADURA] 143/2008, 11 julio, por el que se crea el Registro de empresas acreditadas en el sector de la construcción de la Comunidad Autónoma de Extremadura («D.O.E.» 17 julio).*

> *Véase D [COMUNIDAD DE MADRID] 91/2008, 10 julio, del Consejo de Gobierno, por el que se crea el Registro de Empresas Acreditadas como Contratistas y Subcontratistas en el Sector de la Construcción de la Comunidad de Madrid («B.O.C.M.» 14 julio).*

> *Véase O [COMUNIDAD VALENCIANA] 27 junio 2008, de la Conselleria de Economía, Hacienda y Empleo, por la que se crea el Registro de Empresas Acreditadas, en el sector de la construcción, en el ámbito de la Comunitat Valenciana («D.O.C.V.» 9 julio).*

> *Véase D [CANTABRIA] 65/2008, 3 julio, por el que se crea el Registro de Empresas Acreditadas como Contratistas o Subcontratistas del Sector de la Construcción de la Comunidad Autónoma de Cantabria («B.O.C.» 8 julio).*

> *Véase D [LA RIOJA] 46/2008, 4 julio, por el que se crea el Registro de Empresas Acreditadas en La Rioja del Sector de la Construcción («B.O.L.R.» 5 julio).*

> *Véase D [CASTILLA-LA MANCHA] 78/2008, 10 junio, por el que se crea y regula el Registro de Empresas acreditadas en el sector de la construcción de la comunidad autónoma de Castilla–La Mancha («D.O.C.M.» 13 junio).*

> *Véase O [ANDALUCÍA] 23 mayo 2008, por la que se crea el Registro de Empresas Acreditadas como Contratistas o Subcontratistas del Sector de la Construcción de la Comunidad Autónoma de Andalucía («B.O.J.A.» 12 junio).*

> *Véase O [CASTILLA Y LEÓN] EYE/880/2008, 30 mayo, por la que se crea el Registro de Empresas Acreditadas en el sector de la Construcción en la Comunidad Autónoma de Castilla y León («B.O.C.L.» 6 junio).*

> *Véase O Foral [COMUNIDAD FORAL DE NAVARRA] 170/2008, 22 mayo, del Consejero de Innovación, Empresa y Empleo, por la que se crea el Registro de Empresas Acreditadas en el Sector de la Construcción («B.O.N.» 4 junio).*

> *Véase D [ARAGÓN] 93/2008, 27 mayo, por el que se crea el Registro de Empresas Acreditadas en el sector de la construcción en el ámbito de la Comunidad Autónoma de Aragón («B.O.A.» 3 junio).*

Véase Orden PRE/1390/2008, de 20 de mayo, por la que se establece el Registro de Empresas Acreditadas de la Ciudad de Ceuta («B.O.E.» 22 mayo).

Véase Orden PRE/1391/2008, de 20 de mayo, por la que se establece el Registro de Empresas Acreditadas de la Ciudad de Melilla («B.O.E.» 22 mayo).

Véase O [GALICIA] 15 mayo 2008, por la que se crea el Registro de Empresas Acreditadas de Galicia para intervenir en el proceso de contratación en el sector de la construcción («D.O.G.» 22 mayo).

Véase D [CATALUÑA] 102/2008, 6 mayo, de creación del Registro de Empresas Acreditadas de Cataluña para intervenir en el proceso de contratación en el sector de la construcción («D.O.G.C.» 8 mayo).

Artículo 7. *Deber de vigilancia y responsabilidades derivadas de su incumplimiento.* 1. Las empresas contratistas y subcontratistas que intervengan en las obras de construcción incluidas en el ámbito de aplicación de esta Ley deberán vigilar el cumplimiento de lo dispuesto en la misma por las empresas subcontratistas y trabajadores autónomos con que contraten; en particular, en lo que se refiere a las obligaciones de acreditación y registro reguladas en el artículo 4.2 y al régimen de la subcontratación que se regula en el artículo 5.

A efectos de lo dispuesto en el párrafo anterior, las empresas subcontratistas deberán comunicar o trasladar al contratista, a través de sus respectivas empresas comitentes en caso de ser distintas de aquél, toda información o documentación que afecte al contenido de este capítulo.

2. Sin perjuicio de otras responsabilidades establecidas en la legislación social, el incumplimiento de las obligaciones de acreditación y registro exigidas en el artículo 4.2, o del régimen de subcontratación establecido en el artículo 5, determinará la responsabilidad solidaria del subcontratista que hubiera contratado incurriendo en dichos incumplimientos y del correspondiente contratista respecto de las obligaciones laborales y de Seguridad Social derivadas de la ejecución del contrato acordado que correspondan al subcontratista responsable del incumplimiento en el ámbito de ejecución de su contrato, cualquiera que fuera la actividad de dichas empresas.

3. En todo caso será exigible la responsabilidad establecida en el artículo 43 del Estatuto de los Trabajadores cuando se den los supuestos previstos en el mismo.

Artículo 8. *Documentación de la subcontratación.* 1. En toda obra de construcción, incluida en el ámbito de aplicación de esta Ley, cada contratista deberá disponer de un Libro de Subcontratación.

En dicho libro, que deberá permanecer en todo momento en la obra, se deberán reflejar, por orden cronológico desde el comienzo de los trabajos, todas y cada una de las subcontrataciones realizadas en una determinada obra con empresas subcontratistas y trabajadores autónomos, su nivel de subcontratación y empresa comitente, el objeto de su contrato, la identificación de la persona que ejerce las facultades de organización y dirección de cada subcontratista y, en su caso, de los representantes legales de los trabajadores de la misma, las respectivas fechas de entrega de la parte del plan de seguridad y salud que afecte a cada empresa subcontratista y trabajador autónomo, así como las instrucciones elaboradas por el coordinador de seguridad y salud para marcar la dinámica y desarrollo del procedimiento de coordinación establecido, y las anotaciones efectuadas por la dirección facultativa sobre su aprobación de cada subcontratación excepcional de las previstas en el artículo 5.3 de esta Ley.

Al Libro de Subcontratación tendrán acceso el promotor, la dirección facultativa, el coordinador de seguridad y salud en fase de ejecución de la obra, las empresas y trabajadores autónomos intervinientes en la obra, los técnicos de prevención, los delegados de prevención, la autoridad laboral y los representantes de los trabajadores de las diferentes empresas que intervengan en la ejecución de la obra.

2. Asimismo, cada empresa deberá disponer de la documentación o título que acredite la posesión de la maquinaria que utiliza, y de cuanta documentación sea exigida por las disposiciones legales vigentes.

3. Reglamentariamente se determinarán las condiciones del Libro de Subcontratación al que se refiere el apartado 1, en cuanto a su régimen de habilitación, por la autoridad laboral autonómica competente, así como el contenido y obligaciones y derechos derivados del mismo, al tiempo que se procederá a una revisión de las distintas obligaciones documentales aplicables a las obras de construcción con objeto de lograr su unificación y simplificación.

Véase O [BALEARES] de la Consejera de Trabajo y Formación, 7 octubre 2008, por la que se establecen los criterios para la habilitación del libro de subcontratación en el sector de la construcción («B.O.I.B.» 21 octubre).

Véase O [ANDALUCÍA] 22 noviembre 2007, por la que se desarrolla el procedimiento de habilitación del Libro de Subcontratación, regulado en el Real Decreto 1109/2007, de 24 de agosto, por el que se desarrolla la Ley 32/2006, de 18 de octubre, reguladora de la subcontratación en el sector de la Construcción («B.O.J.A.» 20 diciembre).

Véase Res. [CANARIAS] 21 noviembre 2007, por la que se da publicidad a los lugares de recepción de los Libros de Subcontratación en el sector de la construcción, para su habilitación por la autoridad laboral («B.O.I.C.» 3 diciembre).

Véase Res. [COMUNIDAD DE MADRID] 2/SUB/, 16 noviembre, de la Dirección General de Trabajo, por la que se da publicidad a los centros de recepción de los Libros de Subcontratación para su habilitación por la autoridad laboral («B.O.C.M.» 30 noviembre).

Véase la Res. [CATALUÑA] TRE/3520/2007, 7 noviembre, por la que se da publicidad a la versión catalana y aranesa del Libro de subcontratación («D.O.G.C.» 23 noviembre).

Véase O Foral [COMUNIDAD FORAL DE NAVARRA] 333/2007, 8 noviembre, del Consejero de Innovación, Empresa y Empleo, por la que se establecen normas para la habilitación del Libro de Subcontratación en el sector de la construcción («B.O.N.» 19 noviembre).

Véase Res [GALICIA] 31 octubre 2007, de la Dirección General de Relaciones Laborales, por la que se comunican los lugares de habilitación y se da publicidad a la versión bilingüe do libro de subcontratación regulado en el Real decreto 1109/2007, de 24 de agosto, por el que se desarrolla la Ley 32/2006, de 18 de octubre, reguladora de la subcontratación en el sector de la construcción («D.O.G.» 14 noviembre).

Véase Res [CASTILLA Y LEÓN] 31 octubre 2007, de la Dirección General de Trabajo y Prevención de Riesgos Laborales, por la que se hacen públicos los centros de presentación de los Libros de Subcontratación en el Sector de la Construcción para su habilitación por la Autoridad Laboral («B.O.C.L.» 14 noviembre).

Véase Res [PRINCIPADO DE ASTURIAS] 19 octubre 2007, sobre la habilitación de los Libros de Subcontratación, en el sector de la construcción, por la autoridad laboral («B.O.P.A.» 12 noviembre).

Véase Res [COMUNIDAD VALENCIANA] 2 noviembre 2007, del subsecretario de la Conselleria de Economía, Hacienda y Empleo, por la que se publica la versión bilingüe del modelo del libro de subcontratación del que deberá disponer cada contratista con carácter obligatorio en el ámbito territorial de la Comunitat Valenciana, en virtud de lo dispuesto en la Ley 32/2006, de 18 de octubre, reguladora de la subcontratación en el sector de la construcción («D.O.C.V.» 8 noviembre).

Véase Res [CANTABRIA] 15 octubre 2007, relativa a la recepción de los Libros de Subcontratación para su habilitación por la autoridad laboral («B.O.C.» 2 noviembre).

Véase O [EXTREMADURA] 26 octubre 2007 sobre criterios para la habilitación del Libro de Subcontratación, en el sector de la construcción («D.O.E.» 30 octubre).

Véase Res [PAÍS VASCO] 17 septiembre 2007, del Director de Trabajo y Seguridad Social, por la que se hace público en forma bilingüe el modelo de Libro de Subcontratación regulado en el Real Decreto 1109/2007, de 24 de agosto, por el que se desarrolla la Ley 32/2006, de 18 de octubre, reguladora de la subcontratación en el Sector de la Construcción («B.O.P.V.» 18 octubre).

Véase Res [LA RIOJA] de 4 octubre 2007, de la Dirección General de Trabajo, por la que se aprueba el modelo de Libro de Subcontratación a utilizar en la Comunidad Autónoma de La Rioja por los contratistas que subcontraten con un subcontratista o trabajador autónomo parte de la obra que tenga contratada («B.O.L.R.» 9 octubre).

Artículo 9. *Representantes de los trabajadores.* 1. Los representantes de los trabajadores de las diferentes empresas que intervengan en la ejecución de la obra deberán ser informados de las contrataciones y subcontrataciones que se hagan en la misma.

2. Por convenio colectivo sectorial de ámbito estatal podrán establecerse sistemas o procedimientos de representación de los trabajadores a través de representantes sindicales o de carácter bipartito entre organizaciones empresariales y sindicales, con el fin de promover el cumplimiento de la normativa de prevención de riesgos laborales en las obras de construcción del correspondiente territorio.

Artículo 10. *Acreditación de la formación preventiva de los trabajadores.* 1. Las empresas velarán por que todos los trabajadores que presten servicios en las obras tengan la formación necesaria y adecuada a su puesto de trabajo o función en materia de prevención de riesgos laborales, de forma que conozcan los riesgos y las medidas para prevenirlos.

2. Sin perjuicio de la obligación legal del empresario de garantizar la formación a que se refiere el apartado anterior, en la negociación colectiva estatal del sector se podrán establecer programas formativos y contenidos específicos de carácter sectorial y para los trabajos de cada especialidad.

3. Dadas las características que concurren en el sector de la construcción, reglamentariamente o a través de la negociación colectiva sectorial de ámbito estatal, se regulará la forma de acreditar la formación específica recibida por el trabajador referida a la prevención de riesgos laborales en el sector de la construcción.

El sistema de acreditación que se establezca, que podrá consistir en la expedición de una cartilla o carné profesional para cada trabajador, será único y tendrá validez en el conjunto del sector, pudiendo atribuirse su diseño, ejecución y expedición a organismos paritarios creados en el ámbito de la negociación colectiva sectorial de ámbito estatal, en coordinación con la Fundación adscrita a la Comisión Nacional de Seguridad y Salud en el Trabajo.

Artículo 11. *Infracciones y sanciones.* Las infracciones a lo dispuesto en esta Ley serán sancionadas con arreglo a lo dispuesto en la Ley de Infracciones y Sanciones en el Orden Social, Texto Refundido aprobado por Real Decreto Legislativo 5/2000, de 4 de agosto.

DISPOSICIONES ADICIONALES

Disposición adicional primera. *Modificaciones del Texto Refundido de la Ley de Infracciones y Sanciones en el Orden Social, aprobado por Real Decreto Legislativo 5/2000, de 4 de agosto.* 1. Se introduce un nuevo apartado en el artículo 8 de la Ley de Infracciones y Sanciones en el Orden Social, con la siguiente redacción:

«16. El incumplimiento de la normativa sobre limitación de la proporción mínima de trabajadores contratados con carácter indefinido contenida en la Ley reguladora de la subcontratación en el sector de la construcción y en su reglamento de aplicación.»

2. Se introducen dos nuevos apartados en el artículo 11 de la Ley de Infracciones y Sanciones en el Orden Social con la siguiente redacción:

«6. No disponer el contratista en la obra de construcción del Libro de Subcontratación exigido por el artículo 8 de la Ley Reguladora de la subcontratación en el sector de la construcción.

7. No disponer el contratista o subcontratista de la documentación o título que acredite la posesión de la maquinaria que utiliza, y de cuanta documentación sea exigida por las disposiciones legales vigentes.»

3. Se introducen tres nuevos apartados en el artículo 12 de la Ley de Infracciones y Sanciones en el Orden Social con los números 27, 28 y 29 y la siguiente redacción:

«27. En el ámbito de la Ley Reguladora de la subcontratación en el sector de la construcción, los siguientes incumplimientos del subcontratista:

a) El incumplimiento del deber de acreditar, en la forma establecida legal o reglamentariamente, que dispone de recursos humanos, tanto en su nivel directivo como productivo, que cuentan con la formación necesaria en prevención de riesgos laborales, y que dispone de una organización preventiva adecuada, y la inscripción en el registro correspondiente, o del deber de verificar dicha acreditación y registro por los subcontratistas con los que contrate, salvo que proceda su calificación como infracción muy grave, de acuerdo con el artículo siguiente.

b) No comunicar los datos que permitan al contratista llevar en orden y al día el Libro de Subcontratación exigido en la Ley Reguladora de la subcontratación en el sector de la construcción.

c) Proceder a subcontratar con otro u otros subcontratistas o trabajadores autónomos superando los niveles de subcontratación permitidos legalmente, sin disponer de la expresa aprobación de la dirección facultativa, o permitir que en el ámbito de ejecución de su subcontrato otros subcontratistas o trabajadores autónomos incurran en el supuesto anterior y sin que concurran en este caso las circunstancias previstas en la letra c) del apartado 15 del artículo siguiente, salvo que proceda su calificación como infracción muy grave, de acuerdo con el mismo artículo siguiente.

28. Se consideran infracciones graves del contratista, de conformidad con lo previsto en la Ley Reguladora de la subcontratación en el sector de la construcción:

a) No llevar en orden y al día el Libro de Subcontratación exigido, o no hacerlo en los términos establecidos reglamentariamente.

b) Permitir que, en el ámbito de ejecución de su contrato, intervengan empresas subcontratistas o trabajadores autónomos superando los niveles de subcontratación permitidos legalmente, sin disponer de la expresa aprobación de la dirección facultativa, y sin que concurran las circunstancias previstas en la letra c) del apartado 15 del artículo siguiente, salvo que proceda su calificación como infracción muy grave, de acuerdo con el mismo artículo siguiente.

c) El incumplimiento del deber de acreditar, en la forma establecida legal o reglamentariamente, que dispone de recursos humanos, tanto en su nivel directivo como productivo, que cuentan con la formación necesaria en prevención de riesgos laborales, y que dispone de una organización preventiva adecuada, y la inscripción en el registro correspondiente, o del deber de verificar dicha acreditación y registro por los subcontratistas con los que contrate, y salvo que proceda su calificación como infracción muy grave, de acuerdo con el artículo siguiente.

d) La vulneración de los derechos de información de los representantes de los trabajadores sobre las contrataciones y subcontrataciones que se realicen en la obra, y de acceso al Libro de Subcontratación, en los términos establecidos en la Ley Reguladora de la subcontratación en el sector de la construcción.

29. En el ámbito de la Ley Reguladora de la subcontratación en el sector de la construcción, es infracción grave del promotor de la obra permitir, a través de la actuación de la dirección facultativa, la aprobación de la ampliación excepcional de la cadena de subcontratación cuando manifiestamente no concurran las causas motivadoras de la misma prevista en dicha Ley, salvo que proceda su calificación como infracción muy grave, de acuerdo con el artículo siguiente.»

4. Se introducen tres nuevos apartados en el artículo 13 de la Ley de Infracciones y Sanciones en el Orden Social, con la siguiente redacción:

«15. En el ámbito de la Ley Reguladora de la subcontratación en el sector de la construcción, los siguientes incumplimientos del subcontratista:

a) El incumplimiento del deber de acreditar, en la forma establecida legal o reglamentariamente, que dispone de recursos humanos, tanto en su nivel directivo como productivo, que cuentan con la formación necesaria en prevención de riesgos laborales, y que dispone de una organización preventiva adecuada, y la inscripción en el registro correspondiente, o del deber de verificar dicha acreditación y registro por los subcontratistas con los que contrate, cuando se trate de trabajos con riesgos especiales conforme a la regulación reglamentaria de los mismos para las obras de construcción.

b) Proceder a subcontratar con otro u otros subcontratistas o trabajadores autónomos superando los niveles de subcontratación permitidos legalmente, sin que disponga de la expresa aprobación de la dirección facultativa, o permitir que en el ámbito de ejecución de su subcontrato otros subcontratistas o trabajadores autónomos incurran en el supuesto anterior y sin que concurran en este caso las circunstancias previstas en la letra c) de este apartado, cuando se trate de trabajos con riesgos especiales conforme a la regulación reglamentaria de los mismos para las obras de construcción.

c) El falseamiento en los datos comunicados al contratista o a su subcontratista comitente, que dé lugar al ejercicio de actividades de construcción incumpliendo el régimen de la subcontratación o los requisitos legalmente establecidos.

16. En el ámbito de la Ley Reguladora de la subcontratación en el sector de la construcción, los siguientes incumplimientos del contratista:

a) Permitir que, en el ámbito de ejecución de su contrato, intervengan subcontratistas o trabajadores autónomos superando los niveles de subcontratación permitidos legalmente, sin que se disponga de la expresa aprobación de la dirección facultativa, y sin que concurran las circunstancias previstas en la letra c) del apartado anterior, cuando se trate de trabajos con riesgos especiales conforme a la regulación reglamentaria de los mismos para las obras de construcción.

b) El incumplimiento del deber de acreditar, en la forma establecida legal o reglamentariamente, que dispone de recursos humanos, tanto en su nivel directivo como productivo, que cuentan con la formación necesaria en prevención de riesgos laborales, y que dispone de una organización preventiva adecuada, y la inscripción en el registro correspondiente, o del deber de verificar dicha acreditación y registro por los subcontratistas con los que contrate, cuando se trate de trabajos con riesgos especiales conforme a la regulación reglamentaria de los mismos para las obras de construcción.

17. En el ámbito de la Ley Reguladora de la subcontratación en el sector de la construcción, es infracción muy grave del promotor de la obra permitir, a través de la actuación de la dirección facultativa, la aprobación de la ampliación excepcional de la cadena de subcontratación cuando manifiestamente no concurran las causas motivadoras de la misma previstas en dicha Ley, cuando se trate de trabajos con riesgos especiales conforme a la regulación reglamentaria de los mismos para las obras de construcción.»

Disposición adicional segunda. *Régimen de subcontratación en las obras públicas.* Lo establecido en la presente Ley se aplicará plenamente a las obras de construcción incluidas en el ámbito de aplicación de la Ley de Contratos de las Administraciones Públicas, Texto Refundido, aprobado por Real Decreto Legislativo 2/2000, de 16 de junio, con las especialidades que se deriven de dicha Ley.

Disposición adicional tercera. *Negociación colectiva y calidad en el empleo.* Con el objetivo de mejorar la calidad en el empleo de los trabajadores que concurren en las obras de construcción y, con ello, mejorar su salud y seguridad laborales, la negociación colectiva de ámbito estatal del sector de la construcción podrá adaptar la modalidad contractual del contrato de obra o servicio determinado prevista con carácter general mediante fórmulas que garanticen mayor estabilidad en el empleo de los trabajadores, en términos análogos a los actualmente regulados en dicho ámbito de negociación.

DISPOSICIONES TRANSITORIAS

Disposición transitoria primera. *Aplicación a las obras de construcción en ejecución a la entrada en vigor de la Ley.* Lo dispuesto en los artículos 4 y 5 de esta Ley, en cuanto a los requisitos de los contratistas y subcontratistas y al régimen de subcontratación, respectivamente, no será de aplicación a las obras de construcción cuya ejecución se haya iniciado con anterioridad a la entrada en vigor de la misma.

Disposición transitoria segunda. *Aplicación transitoria de la documentación del régimen de subcontratación.* En tanto no se determinen las condiciones y el modo de habilitación del Libro de Subcontratación regulado en el artículo 8, el régimen de subcontratación previsto en el artículo 5 se documentará mediante la cumplimentación de la ficha que se inserta como Anexo de esta Ley. La forma de utilización de las fichas y el acceso a las mismas se llevará a cabo en los mismos supuestos y condiciones previstos para el Libro de Subcontratación en esta Ley.

DISPOSICIONES FINALES

Disposición final primera. *Carácter básico.* La presente Ley se dicta al amparo de lo previsto en el artículo 149.1.7.ª y en el artículo 149.1.18.ª de la Constitución Española.

Disposición final segunda. *Habilitación reglamentaria.* Se autoriza al Gobierno para dictar cuantas disposiciones sean necesarias para la aplicación y desarrollo de esta Ley.

> *Véase el R.D. 1109/2007, de 24 de agosto, por el que se desarrolla la Ley 32/2006, de 18 de octubre, reguladora de la subcontratación en el Sector de la Construcción («B.O.E.» 25 agosto).*

Disposición final tercera. *Entrada en vigor.* La presente Ley entrará en vigor a los seis meses de su publicación en el «Boletín Oficial del Estado».

Por tanto,
Mando a todos los españoles, particulares y autoridades, que guarden y hagan guardar esta ley.

ANEXO

Ficha del libro de subcontratación

FICHA DEL LIBRO DE SUBCONTRATACIÓN

Hoja n.° _____

A) DATOS IDENTIFICATIVOS DE LA OBRA

Promotor		NIF
Contratista		NIF
Dirección Facultativa		NIF
Coordinador de seg. y salud en fase de ejecución		NIF
Domicilio de la obra		Localidad

B) REGISTRO DE SUBCONTRATACIONES

N.° orden	Empresa subcontratista o trabajador autónomo / NIF	Nivel de subcontratación	N.° orden del comitente (1)	Fecha comienzo trabajos	Objeto del contrato	Responsable de dirección trabajos / Representantes de los trabajadores	Fecha entrega plan de seg. y salud	Referencia de Instrucciones del coordinador (2)	Firma del subcontratista o trabajador autónomo	Aprobación de la Dirección Facultativa (3)

(1) En esta columna se anotará el N.° de orden correspondiente al asiento de la empresa que ha subcontratado los trabajos a la subcontratista de este asiento, dejándose en blanco en caso de que la comitente sea la empresa contratista.

(2) En esta columna se hará constar, en su caso, la referencia de las hojas del Libro de incidencias al plan de seguridad y salud del contratista en las que el Coordinador de seguridad y salud en fase de ejecución haya efectuado anotaciones sobre las instrucciones sobre el desarrollo del procedimiento de coordinación establecido.

(3) Cuando proceda, se hará constar en esta columna la aprobación de la subcontratación a que se refiere el asiento por parte de la Dirección Facultativa, mediante la firma del mismo en esta casilla y la indicación de su fecha.

FIRMA Y SELLO DE LA EMPRESA CONTRATISTA

§ 4. Real Decreto 817/2009, de 8 de mayo, por el que se desarrolla parcialmente la Ley 30/2007, de 30 de octubre, de Contratos del Sector Público

(BOE de 15 de Mayo de 2009; c. e. *BOE* de 18 de Junio de 2009; c. e. *BOE* de 14 de Julio de 2009; c. e. *BOE* de 3 de Octubre de 2009)

R.D. 817/2009, 8 mayo rectificado por Corrección de errores («B.O.E.» 18 junio).

R.D. 817/2009, 8 mayo rectificado por Corrección de errores («B.O.E.» 14 julio).

R.D. 817/2009, 8 mayo rectificado por Correccción de errores («B.O.E.» 3 octubre).

La aprobación de la Ley 30/2007, de 30 de octubre, de Contratos del Sector Público, ha supuesto la incorporación al Derecho Español de importantes novedades en el ámbito de la Contratación Pública. Buena parte de ellas proceden del Derecho Comunitario Europeo, tanto de las Directivas que establecen las normas de armonización de las legislaciones de los Estados miembros con respecto a los procedimientos de adjudicación de los contratos públicos, como de otras iniciativas legislativas o políticas de los órganos de la Unión Europea o incluso de la propia práctica de las legislaciones vigentes en los diferentes Estados europeos.

La introducción de estas novedades, así como las modificaciones de la legislación vigente en el momento de promulgarse la nueva Ley 30/2007, de 30 de octubre, determinan la necesidad de adaptar las normas reglamentarias en vigor al nuevo régimen legal. Buena parte de las nuevas instituciones que se incorporan a nuestro derecho de la contratación pública y de las reformas del derecho vigente que incorpora la Ley pueden ser objeto de desarrollo reglamentario sin necesidad de forzar los plazos exigidos por la elaboración de una norma de tanta complejidad técnica como lo es el Reglamento de desarrollo de la Ley de Contratos del Sector Público.

Tal es el caso de la mayoría de las nuevas figuras procedimentales recogidas en el texto legal, cuya implementación en nuestro Ordenamiento Jurídico o bien no requiere de una especial regulación reglamentaria dada su extensa regulación en la Ley de Contratos del Sector Público, bien su aplicación inmediata no es una exigencia ineludible de la actividad contractual de los distintos poderes de adjudicación, por lo que es recomendable que el desarrollo de las mismas se lleve a cabo mediante la aprobación de una norma reglamentaria completa. Lo mismo puede decirse con respecto a algunas de las modificaciones que la nueva Ley introduce con respecto a la normativa anteriormente vigente.

Ello no obstante, hay materias, entre las reguladas por la Ley 30/2007, de 30 de octubre, cuyo desarrollo reglamentario es claramente aconsejable llevarlo a efecto del modo más inmediato posible con el doble objetivo de posibilitar la puesta en práctica de tales modificaciones y al mismo tiempo permitir el cumplimiento de los objetivos propuestos a través de ellas.

Buen ejemplo de esto es lo que hace referencia a los fines de reducción de la carga administrativa que pesa sobre los órganos de contratación y sobre los propios licitadores en el momento de participar en los procedimientos de adjudicación.

Éste es uno de los fines que se propone de modo expreso en la Ley de Contratos del Sector Público, tal como pone de manifiesto en su Exposición de Motivos al decir «obligadamente, la nueva Ley 30/2007, de 30 de octubre, viene también a efectuar una revisión general de la regulación de la gestión contractual, a fin de avanzar en su simplificación y racionalización, y disminuir los costes y cargas que recaen sobre la entidad contratante y los contratistas particulares».

La Ley 30/2007, de 30 de octubre, trata de lograr esta finalidad a través de diferentes mecanismos; de ellos, los principales se refieren al sistema de clasificación de contratistas, a los modos de acreditación de los requisitos de aptitud y a los procedimientos de adjudicación, en este último caso elevando los límites cuantitativos a partir de los cuales es obligado acudir a los procedimientos ordinarios de adjudicación.

Junto a estas reformas, la Ley 30/2007, de 30 de octubre, contiene algunos preceptos cuya regulación reglamentaria es conveniente efectuar también con la máxima celeridad posible, habida cuenta de la inmediatez de su aplicación en las licitaciones a convocar, así como de las dudas que puede ésta plantear en razón de la novedad que su aplicación supone para la práctica contractual de los organismos públicos.

Como consecuencia de todo ello, el real decreto regula determinados aspectos de la clasificación de las empresas contratistas, el Registro Oficial de Licitadores y Empresas Clasificadas, la valoración de los criterios de apreciación subjetiva, especialmente cuando deba hacerse a través del comité de expertos u organismo independiente a que se refiere el artículo 134.2 de la Ley de Contratos del Sector Público, las Mesas de Contratación a constituir en el ámbito de las Administraciones Públicas y las comunicaciones al Registro Oficial de Contratos.

En su virtud, a propuesta de la Vicepresidenta Segunda del Gobierno y Ministra de Economía y Hacienda, con la aprobación previa de la Ministra de Administraciones Públicas, de acuerdo con el Consejo de Estado, y previa deliberación del Consejo de Ministros en su reunión del día 8 de mayo de 2009,

DISPONGO:

CAPÍTULO I
CLASIFICACIÓN DE EMPRESAS

SECCIÓN 1.ª
SOLVENCIA ECONÓMICO-FINANCIERA PARA LA CLASIFICACIÓN DE EMPRESAS

Artículo 1. *Criterios técnicos de solvencia económica y financiera.* 1. La determinación de la solvencia económica y financiera a efectos de la clasificación se efectuará de la siguiente manera:

a) La de las sociedades como empresas contratistas de obras o como empresas de servicios exigirá que el importe de su patrimonio neto, según el balance de las cuentas anuales aprobadas y presentadas en el Registro Mercantil correspondientes al último ejercicio finalizado, y, en su defecto, de las correspondientes al último ejercicio cuyo período de presentación haya finalizado, supere el importe mínimo establecido en la legislación mercantil para no incurrir en causa de disolución.

b) La determinación de la solvencia económica y financiera de los empresarios que sean personas físicas para su clasificación como empresas contratistas de obras o como empresas de servicios se efectuará con los mismos criterios que para las sociedades, sustituyéndose el criterio de determinación del importe mínimo de su patrimonio neto por el de que éste no sea inferior a la mitad de la cifra establecida por la legislación mercantil como importe mínimo del capital social para las sociedades de responsabilidad limitada, pudiendo sustituirse los datos de sus cuentas anuales presentadas en el Registro Mercantil por las que figuren en su Libro de Inventarios y Cuentas Anuales, debidamente legalizado, cuando el empresario no esté inscrito en dicho Registro Mercantil y no esté obligado a ello.

c) La solvencia económica y financiera de los profesionales que no tengan la condición de empresarios, a los efectos de su clasificación como empresas de servicios en aquellos subgrupos cuyo contenido se ciña al ejercicio de una actividad profesional regulada, se acreditará mediante la disposición de un seguro de indemnización por riesgos profesionales cuya cobertura sea de importe no inferior a la anualidad media de los contratos a los que cada categoría de clasificación permite acceder, o al importe al que por razón de su profesión o actividad esté legalmente obligado, si es superior.

d) La determinación de la solvencia económica y financiera de las entidades no mercantiles que soliciten su clasificación como empresas contratistas de obras o como empresas de servicios se efectuará con los mismos criterios que para las sociedades, sustituyéndose el criterio de determinación del importe mínimo de su patrimonio neto por el de que éste no sea inferior a la mitad de la cifra establecida por la legislación mercantil como importe mínimo del capital social para las sociedades de responsabilidad limitada, o al importe mínimo exigido en sus Estatutos o en la normativa aplicable a la entidad, si alguno de ellos fuese superior. Las referencias al Registro Mercantil se entenderán realizadas al registro público que legalmente les corresponda.

2. En todo caso, las entidades obligadas a auditar sus cuentas, así como las que por cualquier circunstancia las hayan sometido a auditoría, deberán incluir con sus cuentas el correspondiente informe de auditoría, cuyos resultados y manifestaciones serán tenidos en cuenta para la interpretación de las mismas a los efectos de clasificación de la entidad o revisión de la misma.

3. Sin perjuicio de la obligación de remisión de cuentas o libros de contabilidad a que las empresas clasificadas o que solicitan clasificación están sometidas como condición para obtener o mantener su clasificación, los órganos competentes para la tramitación de los expedientes de clasificación podrán, en todo momento, recabar de los correspondientes registros públicos la información relativa a dichas cuentas anuales que resulte necesaria para la comprobación del cumplimiento de los requisitos de clasificación en materia de solvencia económica y financiera de las empresas clasificadas o que soliciten clasificación.

Artículo 2. *Justificación del mantenimiento de la solvencia económica y financiera de las empresas clasificadas.* 1. De conformidad con lo dispuesto en el apartado 2 del artículo 59 de la Ley 30/2007, de 30 de octubre, y a los efectos de acreditar el mantenimiento de la solvencia económica y financiera, los empresarios personas jurídicas deberán presentar, con carácter anual, una declaración responsable, según el modelo que, a tal efecto, apruebe la Junta Consultiva de Contratación Administrativa, y en la que constarán, al menos, los siguientes datos, relativos a las cuentas anuales correspondientes al último ejercicio cuyo período de presentación haya finalizado:

Denominación e identificación de la entidad clasificada.

Nombre, identificación y fecha de nombramiento del Administrador que firma la declaración.

Fechas de cierre, de aprobación y de presentación en el Registro Mercantil o en el registro oficial que corresponda de las cuentas objeto de la declaración.

Identificación del Registro Mercantil o registro oficial que corresponda, en el que se ha efectuado la presentación de las cuentas para su inscripción.

Importes del capital social, del patrimonio neto, del resultado del ejercicio y del total activo de la entidad que figuran en dichas cuentas.

En su caso, mención relativa a su inscripción en el Registro Oficial de Licitadores y Empresas Clasificadas del Estado, o en el de la Comunidad Autónoma que otorgó la clasificación cuyo mantenimiento se pretende.

2. Los empresarios individuales que se encuentren inscritos como tales en el Registro Mercantil deberán cumplimentar la misma declaración y satisfacer los mismos requisitos referidos en el apartado 1 de este artículo. Los que no figuren inscritos en el Registro Mercantil deberán presentar ante el órgano competente para la tramitación de los expedientes de clasificación su Libro de Inventarios y Cuentas Anuales legalizado por el Registro Mercantil, en los mismos plazos señalados para la presentación de la declaración responsable de las personas jurídicas a la que se hace referencia en el apartado 1.

3. Los profesionales que no tengan la condición de empresarios deberán presentar una declaración responsable, según el modelo que, a tal efecto, apruebe la Junta Consultiva de Contratación Administrativa, de que la póliza de seguro de indemnización por riesgos profesionales continúa vigente, haciendo constar sus datos básicos y el importe de la cobertura.

4. La declaración se formulará ante el órgano competente para la tramitación de los expedientes de clasificación antes del día 1 de septiembre de cada año, cuando el ejercicio contable coincida con el año natural, o antes del inicio del noveno mes posterior a la fecha de cierre del ejercicio, en el caso de que el mismo no coincida con el año natural.

Dicho órgano verificará la exactitud y veracidad de los datos aportados, pudiendo requerir a la empresa la aportación de las cuentas anuales o documentos originales completos, o recabarlos de los correspondientes registros públicos.

5. Cumplimentada la declaración a que se refiere el apartado anterior y verificada la exactitud y veracidad de los datos declarados, los empresarios que acrediten el mantenimiento de la solvencia económica y financiera requerida para la obtención de clasificación en los subgrupos y con las categorías ostentadas mantendrán dichas clasificaciones en los términos en que fueron acordadas.

Artículo 3. *Comprobación de los datos de solvencia económica y financiera de las empresas clasificadas.* Los órganos competentes para la tramitación de los expedientes de clasificación podrán requerir, en cualquier momento, a los empresarios clasificados la presentación de sus cuentas anuales, o, en su caso, de sus Libros de Inventarios y Cuentas Anuales debidamente legalizados o de la documentación acreditativa de su seguro de indemnización por riesgos profesionales, al objeto de verificar el mantenimiento de su solvencia económica y financiera. La no aportación en tiempo y forma de los documentos requeridos será equivalente a la no acreditación de su solvencia económica y financiera y dará lugar a la iniciación de expediente de revisión de clasificación.

SECCIÓN 2.ª
REVISIÓN DE CLASIFICACIONES

Artículo 4. *Revisión de oficio de clasificaciones por causas relativas a la solvencia económica y financiera.* 1. El órgano competente para la tramitación de los expedientes de clasificación iniciará expediente de revisión de clasificaciones otorgadas en los siguientes supuestos:

a) Cuando una empresa clasificada no haya presentado en el plazo establecido la declaración a que hace referencia el artículo 2.

b) Cuando habiéndola aportado no quede acreditada la presentación de sus cuentas en el Registro Mercantil o registro oficial correspondiente, o la del seguro de indemnización por riesgos profesionales a que se refiere el apartado 3 del artículo 1.

c) Si los documentos mencionados en los dos supuestos anteriores ponen de manifiesto una solvencia económica y financiera insuficiente de acuerdo con los requisitos mínimos exigidos en dicho artículo.

2. En el caso de que durante la tramitación del expediente la empresa acredite su solvencia en los términos exigidos en el apartado 1 del artículo 1, pero su patrimonio neto no alcance los umbrales exigidos para la obtención de alguna de las categorías que ostenta, la Comisión de Clasificación acordará la revisión de sus clasificaciones, reduciendo sus categorías a las máximas correspondientes al patrimonio neto acreditado por la empresa según lo establecido en los citados artículos, sin que haya lugar al examen o revisión de los factores relativos a su solvencia técnica o profesional.

Las mismas reglas serán de aplicación a los profesionales a los que se refiere el apartado 3 del artículo 1, sustituyéndose las cuentas anuales por la póliza de seguro de indemnización por riesgos profesionales a que se refiere dicho apartado.

3. Del mismo modo se procederá en el caso de que el empresario no presente la documentación a que hace referencia el artículo 3, concretando el requerimiento a que se refiere el apartado 3 del artículo siguiente a los documentos necesarios para acreditar su solvencia económica y financiera.

4. El órgano competente para la tramitación de los expedientes de clasificación podrá iniciar de oficio expediente de revisión de las clasificaciones acordadas en cuanto tenga conocimiento de la existencia de circunstancias que puedan disminuir las condiciones de solvencia que sirvieron de base a la clasificación concedida. A este efecto, los órganos de contratación deberán informar a la Junta de estas circunstancias si tuvieren conocimiento de las mismas.

5. En todo caso, el empresario está obligado a poner en conocimiento del órgano competente en materia de clasificación cualquier variación en las circunstancias que hubiesen sido tenidas en cuenta para concederla que pueda dar lugar a una revisión de la misma. La omisión de esta comunicación hará incurrir al empresario en la prohibición de contratar prevista en la letra e) del apartado 1 del artículo 49 de la Ley 30/2007, de 30 de octubre.

Artículo 5. *Expedientes de revisión de clasificaciones por causas relativas a la solvencia económica y financiera.* Los expedientes de revisión de clasificación por causas relativas a la solvencia económica y financiera se tramitarán de acuerdo con el procedimiento para la obtención de clasificación previsto en el artículo 47 del Reglamento General de la Ley de Contratos de las Administraciones Públicas, aprobado por Real Decreto 1098/2001, de 12 de octubre, con las siguientes particularidades:

1. Los expedientes de revisión de clasificación abarcarán a la totalidad de los subgrupos en los que figuren con clasificación en vigor, tanto de obras como de servicios.

2. Los expedientes de revisión iniciados de oficio por causa de disminución de la solvencia económica y financiera podrán tramitarse teniendo en cuenta, además de los que ya obren en el expediente, los datos adicionales que el órgano instructor considere necesario incorporar.

3. A este efecto, cuando una empresa clasificada no haya presentado en el plazo establecido la declaración a que hace referencia el artículo 2, o cuando habiéndola aportado no quede acreditada la presentación de sus cuentas en el Registro Mercantil o registro oficial correspondiente, con carácter previo a la iniciación del expediente el órgano competente para la tramitación de los expedientes de clasificación formulará requerimiento a fin de que la aporte en un plazo de diez días junto con las cuentas presentadas y el justificante de su presentación en dicho registro, con apercibimiento de que transcurrido el plazo sin cumplimentar dicho requerimiento, se iniciará expediente de revisión de clasificación.

Idéntico requerimiento se practicará cuando el empresario que desarrolle una actividad profesional no presentara la declaración exigida por el artículo 2 o ésta no acreditara todas las menciones exigidas en el mismo.

4. En los expedientes de revisión iniciados de oficio se dará, con carácter previo a la propuesta de resolución del procedimiento, audiencia por plazo de quince días al empresario cuya clasificación se revisa y a cualesquiera otros interesados en el procedimiento, a fin de que puedan formular las alegaciones y presentar las pruebas que estimen pertinentes para la defensa de sus derechos.

Artículo 6. *Informes y propuestas de resolución.* Para la elaboración de las propuestas de resolución de los expedientes de clasificación y revisión de clasificaciones que lo precisen se podrá solicitar informe de los Departamentos ministeriales, organismos y entidades que se considere conveniente. Una vez tramitado el expediente, el órgano competente para la tramitación de los expedientes de clasificación elaborará propuesta de resolución, que someterá a la decisión de la Comisión de Clasificación correspondiente. En el caso de que un expediente afecte a clasificaciones de obras y de servicios de una misma empresa, la resolución deberá ser adoptada conjuntamente por ambas Comisiones de Clasificación.

Artículo 7. *Recursos.* Los acuerdos relativos a la clasificación de las empresas adoptados por las Comisiones de Clasificación de la Junta Consultiva de Contratación Administrativa del Estado podrán ser objeto de recurso de alzada ante el Ministro de Economía y Hacienda. Los adoptados por los órganos competentes de las comunidades autónomas podrán ser objeto de recurso de alzada ante el respectivo órgano superior jerárquico.

La tramitación de dichos recursos se efectuará de acuerdo con lo dispuesto en los artículos 114 y 115 de la Ley 30/1992, de 26 de noviembre, de Régimen Jurídico de las Administraciones Públicas y del Procedimiento Administrativo Común.

CAPÍTULO II
EL REGISTRO OFICIAL DE LICITADORES Y EMPRESAS CLASIFICADAS DEL ESTADO

SECCIÓN 1.ª
NORMAS GENERALES

Artículo 8. *Régimen organizativo.* 1. El Registro Oficial de Licitadores y Empresas Clasificadas del Estado depende del Ministerio de Economía y Hacienda, a través de la Dirección General del Patrimonio del Estado.

2. El Registro Oficial Licitadores y Empresas Clasificadas del Estado estará a cargo de la Subdirección General de Clasificación de Contratistas y Registro de Contratos como órgano de apoyo técnico de la Junta Consultiva de Contratación Administrativa del Estado.

3. El Registro tendrá carácter electrónico, haciéndose constar en formato electrónico los datos que hayan de acceder a él, así como, en su caso, la digitalización de los documentos en soporte papel en que consten, debiendo adoptarse, en este proceso, las medidas necesarias para evitar la alteración de los mismos, así como su manipulación una vez que se hayan incorporado a él.

Artículo 9. *Clases de inscripciones.* 1. Las inscripciones que se practiquen en el Registro podrán ser voluntarias u obligatorias.

2. Será obligatoria la inscripción de la Clasificación de las empresas contratistas y la de las prohibiciones de contratar en los casos especificados en el artículo 50.4 de la Ley de Contratos del Sector Público.

3. En todos los casos no previstos en el apartado anterior la inscripción será voluntaria.

SECCIÓN 2.ª
INSCRIPCIONES OBLIGATORIAS

Artículo 10. *Inscripción de la clasificación.* En el Registro Oficial de Licitadores y Empresas Clasificadas del Estado se inscribirá obligatoriamente:
a) La clasificación otorgada a cada empresario.
b) Las modificaciones de la clasificación tanto si suponen el reconocimiento de nuevos grupos o subgrupos como si implican reducción de éstos. Igualmente se harán constar las modificaciones que consistan en el aumento o reducción de las categorías en que la empresa estuviese clasificada.
c) La revocación de las clasificaciones reconocidas.

Artículo 11. *Práctica de la inscripción de la clasificación.* La inscripción de la clasificación de cada empresa, así como la constancia de cada una de las modificaciones que experimente se hará de oficio por la Junta Consultiva de Contratación Administrativa, como trámite de ejecución de la resolución dictada en el expediente tramitado a tal efecto.
A tal fin, cuando, con respecto a la empresa de cuya clasificación se trate, no constasen inscritas en el Registro Oficial de Licitadores y Empresas Clasificadas del Estado las circunstancias a que se refieren los apartados a) y c) del artículo 15.2, se inscribirán éstas de oficio, tomando como base los documentos adecuados para ello y que se hubiesen aportado al procedimiento de clasificación.

Artículo 12. *Inscripción de las prohibiciones de contratar.* Se inscribirán también en el Registro Oficial de Licitadores y Empresas Clasificadas del Estado las prohibiciones de contratar, referenciadas en el artículo 50.4 de la Ley de Contratos del Sector Público, con expresión de la fecha en que se acordaron, la causa legal que las motiva, su duración y la extensión de sus efectos.

Artículo 13. *Práctica de la inscripción.* 1. Las inscripciones a que se refiere el artículo anterior se practicarán de oficio por la Junta Consultiva de Contratación Administrativa, de la siguiente forma:
a) En los casos en que la prohibición se acuerde por resolución judicial que se pronuncie también sobre su alcance y duración, la inscripción se practicará con base en el testimonio de la resolución que se haya remitido al Registro Oficial de Licitadores y Empresas Clasificadas del Estado.
b) En aquellos casos en que la prohibición, así como su duración y alcance, o éstos dos últimos sólo, se acuerden en virtud de resolución del Ministro de Economía y Hacienda o del órgano competente de otra administración pública, en la misma resolución se ordenará la inscripción en el Registro, que se practicará, sin más trámites.
2. Practicada la inscripción de la prohibición, se dará traslado de la misma a todos los Registros Oficiales de Licitadores establecidos por las comunidades autónomas a fin de que puedan hacerla constar en él.

Artículo 14. *Efectos de la inscripción de las prohibiciones de contratar.* No producirán efectos, hasta su constancia en el Registro Oficial de Licitadores y Empresas Clasificadas del Estado, las prohibiciones de contratar acordadas en los siguientes supuestos:
a) Aquellas que se acuerden mediante resolución administrativa, o por resolución de esta misma naturaleza se establezca su duración y alcance, respecto de las personas que hayan sido condenadas en virtud de sentencia firme por delitos de

asociación ilícita, corrupción en transacciones económicas internacionales, tráfico de influencias, cohecho, fraudes y exacciones ilegales, delitos contra la Hacienda Pública y la Seguridad Social, delitos contra los derechos de los trabajadores, malversación y receptación y conductas afines, delitos relativos a la protección del medio ambiente, o a pena de inhabilitación especial para el ejercicio de profesión, oficio, industria o comercio a que se refiere el apartado a) del artículo 49.1 de la Ley de Contratos del Sector Público.

b) Las que se adopten respecto de empresarios por haber sido sancionados con carácter firme, de conformidad con el artículo 49.1.c) de la Ley 30/2007, de 30 de octubre, por infracción grave en materia de disciplina del mercado, en materia profesional o en materia de integración laboral y de igualdad de oportunidades y no discriminación de las personas con discapacidad o por infracción muy grave en materia social, incluidas las infracciones en materia de prevención de riesgos laborales, de acuerdo con lo dispuesto en el Texto Refundido de la Ley sobre Infracciones y Sanciones en el Orden Social, aprobado por el Real Decreto Legislativo 5/2000, de 4 de agosto, o en materia medioambiental, de acuerdo con lo establecido en las siguientes disposiciones: Real Decreto Legislativo 1/2008, de 11 de enero, por el que se aprueba el Texto Refundido de la Ley de Evaluación de Impacto Ambiental de Proyectos; en la Ley 22/1988, de 28 de julio, de Costas; la Ley 42/2007, de 13 de diciembre, del Patrimonio Natural y de la Biodiversidad; en la Ley 11/1997, de 24 de abril, de Envases y Residuos de Envases; en la Ley 10/1998, de 21 de abril, de Residuos; en el Texto Refundido de la Ley de Aguas, aprobado por Real Decreto Legislativo 1/2001, de 20 de junio, y en la Ley 16/2002, de 1 de julio, de Prevención y Control Integrados de la Contaminación.

c) Las acordadas, a tenor de lo establecido en el artículo 49.1.e) de la Ley 30/2207(sic), de 30 de octubre, por haber incurrido el empresario en falsedad al efectuar la declaración responsable de no estar incurso en prohibición de contratar o al facilitar cualesquiera otros datos relativos a su capacidad y solvencia, o haber incumplido, por causa que le sea imputable, la obligación de comunicar cualquier variación en las circunstancias que hubiesen sido tenidas en cuenta para conceder la clasificación y que pueda dar lugar a una revisión de la misma, así como las que afecten a los datos reflejados en el Registro Oficial de Licitadores y la superveniencia de cualquier circunstancia que determine la concurrencia de una prohibición de contratar.

d) Las acordadas, en virtud de lo dispuesto en el artículo 49.2 de la Ley de Contratos del Sector Público, en los siguientes casos:

1.º Con respecto a los empresarios que hubiesen dado lugar, por causa de la que hubiesen sido declarados culpables, a la resolución firme de cualquier contrato celebrado con una administración pública.

2.º Cuando el empresario licitador haya infringido una prohibición para contratar con cualquiera de las administraciones públicas.

3.º Siempre que se trate de licitadores afectados por una prohibición de contratar impuesta en virtud de sanción administrativa, con arreglo a lo previsto en la Ley 38/2003, de 17 de noviembre, General de Subvenciones, o en la Ley 58/2003, de 17 de diciembre, General Tributaria.

4.º Cuando el licitador afectado hubiese retirado indebidamente su proposición o candidatura en un procedimiento de adjudicación, o hubiese imposibilitado la adjudicación definitiva del contrato a su favor por no presentar la documentación justificativa del cumplimiento de los requisitos a que se refiere el artículo 135.4 de la Ley 30/2007, de 30 de octubre, o no constituir la garantía que, en su caso, sea procedente dentro del plazo señalado mediando dolo, culpa o negligencia.

5.º En aquellos casos en que el empresario hubiera incumplido las condiciones especiales de ejecución del contrato establecidas de acuerdo con lo señalado en el artículo102 de la Ley 30/2007, de 30 de octubre, de Contratos del Sector Público, cuando dicho incumplimiento hubiese sido definido en los pliegos o en el contrato como infracción grave de conformidad con las disposiciones de desarrollo de esta Ley, y concurra dolo, culpa o negligencia en el empresario.

SECCIÓN 3.ª
INSCRIPCIONES VOLUNTARIAS

Artículo 15. *Actos inscribibles voluntariamente.* 1. Podrán solicitar su inscripción en el Registro Oficial de Licitadores y Empresas Clasificadas del Estado tanto las personas físicas que tengan la condición de empresarios o profesionales como las jurídicas, nacionales o extranjeras.

2. Sin perjuicio de la constancia registral de los actos a que se refiere la Sección anterior, las personas indicadas en el apartado anterior podrán solicitar la inscripción de los siguientes actos:

a) Los correspondientes a su personalidad y capacidad de obrar, en el caso de personas jurídicas.

b) Los relativos a la extensión de las facultades de los representantes o apoderados con capacidad para actuar en su nombre y obligarla contractualmente.

c) Los referentes a las autorizaciones o habilitaciones profesionales y a los demás requisitos que resulten necesarios para actuar en su sector de actividad.

d) Los datos relativos a la solvencia económica y financiera que se especifican en el artículo siguiente, que se reflejarán de forma independiente si el empresario carece de clasificación.

Artículo 16. *Circunstancias de las inscripciones voluntarias.* 1. La inscripción de los datos correspondientes a la personalidad y capacidad de obrar del empresario persona jurídica deberá contener las siguientes circunstancias, referidas al momento en que se efectúa la solicitud de inscripción:

1.º Denominación o razón social del empresario.
2.º Nacionalidad.
3.º Registro Mercantil o Registro oficial en que están inscritos.
4.º Tipo de entidad y forma jurídica.
5.º Domicilio Social.
6.º Objeto Social.
7.º Códigos de identificación del empresario. En el caso de empresarios españoles, se incluirá, en todo caso, el número de identificación fiscal como código de identificación. En el caso de empresarios extranjeros, se incluirá el número de identificación fiscal que les sea asignado por la Administración General del Estado en virtud de lo previsto en la disposición adicional sexta de la Ley 58/2003, de 17 de diciembre, General Tributaria, y en sus disposiciones de desarrollo reglamentario, así como el código oficialmente asignado o aceptado para su identificación de acuerdo con la normativa de aplicación en su país de residencia.
8.º Administradores u Órganos de Administración.

2. La inscripción de empresarios individuales deberá contener las siguientes circunstancias, referidas al momento en que se efectúa la solicitud de inscripción:

1.º Nombre del empresario.
2.º Nacionalidad.
3.º País de establecimiento, si fuera distinto del de su nacionalidad.
4.º Registro Mercantil en que está inscrito, en su caso.
5.º Domicilio.
6.º Códigos de identificación del empresario. En el caso de empresarios españoles, se incluirá, en todo caso, el número de identificación fiscal como código de identificación. En el caso de empresarios extranjeros se incluirá el número de identificación fiscal que les sea asignado por la Administración General del Estado en

virtud de lo previsto en la disposición adicional sexta de la Ley 58/2003, de 17 de diciembre, General Tributaria, y en sus disposiciones de desarrollo reglamentario, así como el código oficialmente asignado o aceptado para su identificación de acuerdo con la normativa de aplicación en su país de residencia, y, en su defecto, su número de pasaporte. En el caso de empresarios extranjeros residentes en España se incluirá su Número de Identidad de Extranjero (NIE) como código de identificación de los mismos.

3. Podrán hacerse constar, asimismo, las facultades de los órganos de administración de la persona jurídica cuando no vengan determinadas legalmente, así como los datos de identificación de las personas que los ejerzan, con indicación de la duración del cargo, su carácter solidario o mancomunado cuando los ejerzan varios y las limitaciones cuantitativas, territoriales o de otra índole que puedan afectarles.

4. La inscripción de los poderes otorgados por el empresario, tanto si es empresario individual como persona jurídica, y las delegaciones hechas por los órganos de administración de la persona jurídica en favor de alguno de sus miembros tendrán por objeto hacer constar, además de los datos de identificación del apoderado, las facultades que tenga otorgadas relativas a la contratación, así como el carácter solidario o mancomunado del poder cuando sean varios los apoderados y las limitaciones cuantitativas, territoriales o de otra índole que puedan afectarle.

5. La inscripción de los datos relativos a la solvencia económica y financiera del empresario podrá reflejar, entre otras, las siguientes circunstancias:

a) Cifras de las últimas cuentas anuales de la entidad, aprobadas y presentadas en el Registro Mercantil o en el Registro oficial que corresponda. En el caso de empresarios individuales no inscritos en el Registro Mercantil se podrán inscribir las que figuren en su Libro de Inventarios y Cuentas Anuales debidamente legalizado.

b) Cifra del volumen global de negocios, referido como máximo a los tres últimos ejercicios disponibles en función de la fecha de creación o de inicio de las actividades del empresario. Transcurridos tres años sin que los datos a que se refiere este apartado se hubieran actualizado, podrá cancelarse de oficio y sin más trámites el asiento que los contenga.

c) Póliza o Certificado del Seguro de indemnización por riesgos profesionales, cuando se trate de profesionales que no tengan la condición de empresarios, con expresión de la entidad aseguradora, de los riesgos cubiertos, del límite o límites de responsabilidad de la aseguradora y de la fecha de vencimiento del seguro.

Artículo 17. *Práctica de las inscripciones voluntarias.* 1. La inscripción, cuando sea voluntaria, se solicitará mediante escrito dirigido a la Junta Consultiva de Contratación Administrativa, en el modelo que, a tal efecto, se establezca, en el que se expresarán todas las circunstancias que se quieran hacer constar en el Registro acompañándose los justificantes que las acrediten.

2. A efectos de lo dispuesto en el apartado anterior, las empresas que soliciten la inscripción deberán acompañar, en función de las circunstancias cuya inscripción soliciten, la siguiente documentación:

1.º Cuando se trate de Sociedades Anónimas o de Responsabilidad Limitada, la escritura de constitución y las escrituras de modificación que se hubiesen otorgado con posterioridad y reflejen de modo actualizado las circunstancias cuya inscripción soliciten.

2.º Si se trata de otras personas jurídicas, los documentos constitutivos y los que contengan los estatutos por que se rijan, así como las modificaciones que de los mismos se hubiesen efectuado que reflejen de modo actualizado las circunstancias cuya inscripción soliciten.

3.º Las personas físicas aportarán el Documento Nacional de Identidad o, en el supuesto de extranjeros, la documentación equivalente que acredite la identidad, nacionalidad y domicilio del interesado, junto con el resto de la documentación acreditativa de su capacidad de obrar, que sea necesaria según las circunstancias, en particular la de naturaleza tributaria y la que acredite el alta en el Régimen correspondiente de la Seguridad Social.

4.º Los nombramientos de los administradores, las delegaciones de facultades y los poderes otorgados para contratar con los entes que formen parte del Sector Público.

5.º Las cuentas anuales de su último ejercicio, aprobadas y presentadas en el Registro Mercantil o en el Registro oficial que corresponda. En el caso de empresarios individuales no inscritos en el Registro Mercantil ni obligados a ello, los libros de contabilidad debidamente diligenciados.

3. En todo caso, para la inscripción de los actos previstos en las letras b) y siguientes del artículo 15.2, será preciso que, previa o simultáneamente, se haya practicado la inscripción de los datos correspondientes a su personalidad y capacidad de obrar.

4. Todos los documentos que se aporten o sus copias deberán ser legalmente aptos para acreditar los extremos contenidos en ellos. Cuando los documentos deban estar inscritos, con arreglo a las disposiciones en vigor, en el Registro Mercantil o en cualquier otro registro oficial deberá acreditarse, igualmente, esta circunstancia.

5. Los títulos y documentos referentes a las autorizaciones o habilitaciones profesionales y a los demás requisitos que resulten necesarios para actuar en un sector de actividad de que dispongan las empresas se inscribirán mediante la aportación del documento original o copia autorizada del mismo.

6. Los datos relativos a la personalidad y a la capacidad de obrar de las empresas extranjeras de origen comunitario, así como la designación de los cargos que ejerzan su administración y el otorgamiento de poderes se inscribirán mediante los documentos que acrediten de modo fehaciente su inscripción en el registro procedente, de acuerdo con la legislación del Estado donde están establecidos.

Cuando no sea posible acreditarlos en la forma anteriormente indicada, se podrá inscribir una declaración responsable o un certificado expedido, de conformidad con la legislación interna del país de origen o de la legislación comunitaria, que reúna los requisitos exigidos por las normas que regulan el carácter fehaciente en España de los documentos expedidos en países extranjeros.

En los casos en que la inscripción se solicite por una empresa extranjera no comunitaria deberá ésta aportar la documentación acreditativa de su personalidad y capacidad de obrar, de la designación de los cargos que ejerzan su administración o de los poderes que tengan otorgados, de conformidad con la legislación de sus países de origen, acompañada de certificación expedida por la oficina consular correspondiente en la que se haga constar la adecuación de la documentación presentada al derecho interno del país en cuestión.

7. Si la inscripción solicitada no se practicara en el plazo de tres meses a contar desde su solicitud o desde que se hubiese cumplimentado la totalidad de los requisitos necesarios para practicarla, el solicitante podrá considerarla denegada a los efectos previstos en el artículo 43 de la Ley 30/1992, de 26 de noviembre, de Régimen Jurídico de las Administraciones Públicas y del Procedimiento Administrativo Común.

Artículo 18. *Obligaciones de los empresarios inscritos.* 1. Al objeto de garantizar la veracidad, exactitud, relevancia y actualidad de la información inscrita en el Registro, los empresarios inscritos con carácter voluntario tienen las siguientes obligaciones en relación con sus inscripciones registrales:

a) Proporcionar información veraz, exacta y actualizada, en los modelos y formatos establecidos al efecto, tanto para su inscripción inicial como empresarios como para la de las circunstancias cuya inscripción soliciten.

b) Aportar los documentos acreditativos de los datos y circunstancias cuya inscripción soliciten.

c) Mantener actualizada la información obrante en el Registro relativa a sus circunstancias objeto de inscripción, notificando las modificaciones de las mismas junto con los justificantes que las acreditan.

d) Mantener actualizada la información relativa a su solvencia económica o financiera mediante la presentación de una declaración con el contenido y en los términos previstos en el artículo 2.1 de este real decreto, cuando hubiese promovido y obtenido la inscripción de las circunstancias relativas a la mencionada solvencia.

2. La comunicación al Registro de información incorrecta, inexacta o desactualizada, así como la falta de comunicación de las modificaciones o actualizaciones producidas en la información inscrita en el Registro relativa a un empresario podrá dar lugar a la cancelación de los asientos registrales afectados.

3. El Ministerio de Economía y Hacienda velará por la veracidad y exactitud de los datos e inscripciones del Registro. A tal fin podrá recabar tanto de los empresarios inscritos como de los registros públicos la información necesaria para su verificación, y podrá rectificar o cancelar de oficio los asientos registrales cuando quede acreditada su falta de correspondencia con la realidad.

Artículo 19. *Efectos de la inscripción en el Registro.* 1. La inscripción en el Registro Oficial de Licitadores y Empresas Clasificadas del Estado acreditará frente a todos los órganos de contratación del sector público, a tenor de lo en él reflejado y salvo prueba en contrario, las condiciones de aptitud del empresario en cuanto a su personalidad y capacidad de obrar, representación, habilitación profesional o empresarial, solvencia económica y financiera, y clasificación, así como la concurrencia o no concurrencia de las prohibiciones de contratar que deban constar en el mismo.

2. El contenido del Registro Oficial de Licitadores y Empresas Clasificadas del Estado es público, pudiendo acceder a él todos aquellos que tengan interés legítimo en conocer sus pronunciamientos, en la forma prevista en el artículo 37 de la Ley 30/1992, de 26 de noviembre, de Régimen Jurídico de las Administraciones Públicas y del Procedimiento Administrativo Común.

3. En todo caso, los datos de carácter personal que obren en el Registro estarán sujetos a las limitaciones para su difusión, así como a la tutela y protección de los derechos de los interesados que establece la Ley Orgánica 15/1999, de 13 diciembre, de Protección de Datos de Carácter Personal.

Artículo 20. *Certificaciones relativas a las inscripciones.* 1. La inscripción en el Registro Oficial de Licitadores y Empresas Clasificadas del Estado permitirá sustituir la presentación de las documentaciones a que se refiere el artículo 130.1 de la Ley 30/2007, 30 de octubre, mediante una certificación expedida por él, acompañada de una declaración responsable formulada por el licitador en la que se manifieste que las circunstancias reflejadas en el certificado no han experimentado variación. En todo caso, los órganos y mesas de contratación podrán comprobar que los datos y circunstancias que figuren en la certificación siguen siendo coincidentes con los que recoja el Registro Oficial de Licitadores y Empresas Clasificadas.

2. La certificación que expida el Registro Oficial de Licitadores y Empresas clasificadas del Estado deberá contener todos los datos que obren en él de conformidad con lo establecido en los artículos 10, 12, 15 y 16.

3. El certificado mencionado en el apartado anterior podrá ser expedido electrónicamente, si en los pliegos o en el anuncio del contrato no se dispone lo contrario. Cuando los pliegos o el anuncio del contrato lo prevean, la incorporación del certificado al procedimiento podrá efectuarse de oficio por el órgano de contratación o

por aquél al que corresponda el examen de las proposiciones, solicitándolo directamente al Registro Oficial de Licitadores y Empresas Clasificadas, sin perjuicio de que los licitadores deban presentar, en todo caso, la declaración responsable indicada en el apartado 1 anterior.

CAPÍTULO III
LAS MESAS DE CONTRATACIÓN

Artículo 21. *Composición de las mesas de contratación.* 1. Los órganos de contratación de las administraciones públicas estarán asistidos en los procedimientos de adjudicación abierto, restringido y negociado con publicidad por una mesa de contratación que será competente para la valoración de las ofertas.

2. Las mesas de contratación estarán compuestas por un Presidente, un Secretario y, al menos, cuatro vocales, todos ellos designados por el órgano de contratación. Entre los vocales deberá figurar obligatoriamente un funcionario de los que tengan encomendado el asesoramiento jurídico del órgano de contratación y un Interventor o, a falta de cualquiera de éstos, quien tenga atribuidas las funciones correspondientes al asesoramiento jurídico o al control económico-presupuestario del órgano.

3. El Secretario deberá ser un funcionario que preste sus servicios en el órgano de contratación. Cuando no sea posible designar un funcionario, se hará la designación entre los de otro tipo de personal que dependan del órgano de contratación.

4. La designación de los miembros de la mesa de contratación podrá hacerse con carácter permanente o de manera específica para la adjudicación de cada contrato.

Su composición se publicará en el perfil de contratante del órgano de contratación correspondiente con una antelación mínima de siete días con respecto a la reunión que deba celebrar para la calificación de la documentación referida en el artículo 130.1 de la Ley 30/2007, de 30 de octubre.

Si es una mesa permanente, o se le atribuyen funciones para una pluralidad de contratos, su composición deberá publicarse además en el «Boletín Oficial del Estado», en el de la Comunidad Autónoma o en el de la Provincia, según se trate de la Administración General del Estado, de la Autonómica o de la Local.

5. A las reuniones de la mesa podrán incorporarse los funcionarios o asesores especializados que resulten necesarios, según la naturaleza de los asuntos a tratar, los cuales actuarán con voz pero sin voto.

6. Todos los miembros de la mesa tendrán voz y voto, excepción hecha del secretario que sólo tendrá voz.

7. Para la válida constitución de la mesa deberán estar presentes la mayoría absoluta de sus miembros, y, en todo caso, el Presidente, el Secretario y los dos vocales que tengan atribuidas las funciones correspondientes al asesoramiento jurídico y al control económico-presupuestario del órgano.

8. Las disposiciones contenidas en los apartados anteriores serán aplicables, igualmente, a las mesas de contratación que se constituyan para intervenir en procedimientos de adjudicación en que no sea preceptiva su constitución.

Artículo 22. *Funciones de las mesas de contratación.* 1. Sin perjuicio de las restantes funciones que le atribuyan la Ley de Contratos del Sector Público y sus disposiciones complementarias, la mesa de contratación desempeñará las siguientes funciones en los procedimientos abiertos de licitación:

a) Calificará las documentaciones de carácter general acreditativas de la personalidad jurídica, capacidad de obrar, apoderamiento y solvencia económica financiera, técnica y profesional de los licitadores y demás requisitos a que se refiere el artículo 130.1 de la Ley de Contratos del Sector Público, así como la garantía provisional en los casos en que se haya exigido, comunicando a los interesados los defectos y omisiones subsanables que aprecie en la documentación. A tal fin se reunirá con la antelación suficiente, previa citación de todos sus miembros.

b) Determinará los licitadores que deban ser excluidos del procedimiento por no acreditar el cumplimiento de los requisitos establecidos en el pliego de cláusulas administrativas particulares.

c) Abrirá las proposiciones presentadas dando a conocer su contenido en acto público, salvo en el supuesto contemplado en el artículo 182.4 de la Ley de Contratos del Sector Público.

d) Cuando el procedimiento de valoración se articule en varias fases, determinará los licitadores que hayan de quedar excluidos por no superar el umbral mínimo de puntuación exigido al licitador para continuar en el proceso selectivo.

e) Valorará las distintas proposiciones, en los términos previstos en los artículos 134 y 135 de la Ley 30/2007, de 30 de octubre, clasificándolas en orden decreciente de valoración, a cuyo efecto podrá solicitar los informes técnicos que considere precisos de conformidad con lo previsto en el artículo 144.1 de la Ley de Contratos del Sector Público.

f) Cuando entienda que alguna de las proposiciones podría ser calificada como anormal o desproporcionada, tramitará el procedimiento previsto al efecto por el artículo136.3 de la Ley de Contratos del Sector Público, y en vista de su resultado propondrá al órgano de contratación su aceptación o rechazo, de conformidad con lo previsto en el apartado 4 del mismo artículo.

g) Fuera del caso previsto en la letra anterior propondrá al órgano de contratación la adjudicación provisional a favor del licitador que hubiese presentado la proposición que contuviese la oferta económicamente más ventajosa según proceda de conformidad con el pliego de cláusulas administrativas particulares que rija la licitación. Tratándose de la adjudicación de los acuerdos marco, propondrá la adjudicación a favor de los licitadores que hayan presentado las ofertas económicamente más ventajosas. En aquellos casos en que, de conformidad con los criterios que figuren en el pliego, no resultase admisible ninguna de las ofertas presentadas propondrá que se declare desierta la licitación. De igual modo, si durante su intervención apreciase que se ha cometido alguna infracción de las normas de preparación o reguladoras del procedimiento de adjudicación del contrato, podrá exponerlo justificadamente al órgano de contratación, proponiéndole que se declare el desistimiento.

2. En el procedimiento restringido, la mesa de contratación examinará la documentación administrativa en los mismos términos previstos en el apartado anterior. La selección de los solicitantes corresponderá al órgano de contratación, quien podrá, sin embargo, delegar en la mesa esta función haciéndolo constar en el pliego de cláusulas administrativas particulares. Una vez hecha la selección de candidatos y presentadas las proposiciones, corresponderán a la mesa de contratación las mismas funciones establecidas en los apartados c), d), e), f) y g) del párrafo anterior.

3. En el procedimiento negociado, la mesa, en los casos en que intervenga, calificará la documentación general acreditativa del cumplimiento de los requisitos previos a que se refiere el artículo 130.1 de la Ley de Contratos del Sector Público y, una vez concluida la fase de negociación, valorará las ofertas de los licitadores, a cuyo efecto podrá pedir los informes técnicos que considere precisos, y propondrá al órgano de contratación la adjudicación provisional.

Artículo 23. *Mesa de diálogo competitivo.* 1. La mesa especial constituida para las licitaciones que se lleven a cabo por el procedimiento de diálogo competitivo por los órganos de contratación de la Administración General del Estado estará compuesta por los mismos miembros a que se refiere el artículo21, a los que se incorporarán, como miembros con voz y voto, personas con competencia técnica en la materia a que se refiera el contrato que haya de ser objeto de licitación, designadas por el órgano de contratación. El número de estos miembros no deberá ser inferior a tres ni representar menos de la tercera parte de los miembros de la mesa.

2. La mesa de diálogo competitivo ejercerá las siguientes funciones:

1.ª Con carácter previo a la iniciación de cualquier expediente de contrato de colaboración entre el sector público y el privado, la elaboración del documento de evaluación previa en que se ponga de manifiesto que: a) La Administración, por causa de la complejidad del contrato, no está en condiciones de definir, con carácter previo a la licitación, los medios técnicos necesarios para alcanzar los objetivos proyectados o de establecer los mecanismos jurídicos y financieros para llevar a cabo el contrato; b) Se efectúe un análisis comparativo con formas alternativas de contratación que justifiquen en términos de obtención de mayor valor por precio, de coste global, de eficacia o de imputación de riesgos, los motivos de carácter jurídico, económico, administrativo y financiero que recomienden la adopción de esta fórmula de contratación. El expediente de contratación en el caso a que se refiere este número se iniciará con la designación de los miembros con competencia en la materia sobre que verse el contrato para formar parte de la mesa y el documento de evaluación elaborado por ésta.

2.ª En la fase de selección de candidatos, la mesa de diálogo competitivo examinará la documentación administrativa en los mismos términos previstos en el artículo 22.2 para el procedimiento restringido.

3.ª Durante el diálogo con los licitadores, los miembros de la mesa con competencia técnica en la materia sobre la que versa el contrato podrán asistir al órgano de contratación, a petición de éste.

4.ª Si el procedimiento se articula en varias fases, la mesa determinará el número de soluciones susceptibles de ser examinadas en la siguiente fase, tomando como fundamento el acuerdo que el órgano de contratación haya adoptado en tal sentido mediante la aplicación de los criterios indicados en el anuncio de licitación o en el documento descriptivo.

5.ª Una vez determinada la solución o soluciones que hayan de ser adoptadas para la última fase del proceso de licitación por el órgano de contratación, propondrá que se declare el fin del diálogo, salvo aquellos casos en que tuviera delegada la facultad para declararlo por sí misma.

6.ª Valorará las distintas proposiciones, en los términos previstos en la Ley 30/2007, de 30 de octubre, clasificándolas en orden decreciente de valoración.

7.ª Podrá requerir al licitador cuya oferta se considere económicamente más ventajosa para que aclare determinados aspectos de la misma o ratifique los compromisos que en ella figuran, siempre que con ello no se modifiquen elementos sustanciales de la oferta o de la licitación, se falsee la competencia, o se produzca un efecto discriminatorio.

8.ª Propondrá al órgano de contratación la adjudicación provisional a favor de aquel de los licitadores que hubiese presentado la proposición que contuviese la oferta económicamente más ventajosa según proceda de conformidad con el pliego de condiciones que rija la licitación.

Véase Res. 17 mayo 2011, de la Secretaría General de Infraestructuras, por la que se publica la Resolución del Presidente del Administrador de Infraestructuras Ferroviarias, de 29 de abril de 2011, por la que se establece la composición y funciones de la Mesa especial del diálogo competitivo para los contratos del ámbito de su competencia («B.O.E.» 1 junio).

Artículo 24. *Mesa de contratación del sistema estatal de contratación centralizada.* La mesa de contratación del sistema estatal de contratación centralizada estará presidida por el Director General del Patrimonio del Estado, siendo Vicepresidente el Subdirector General de Compras. Formarán parte de ella como Vocales: un representante del Ministerio de la Presidencia, otro del Ministerio de Economía y Hacienda y otro del Ministerio de Industria, Turismo y Comercio, el Abogado del Estado que tenga encomendado el asesoramiento jurídico de la Dirección General del Patrimonio del Estado, el Interventor Delegado de la Intervención General de la Administración del Estado en el Ministerio de Economía y Hacienda y dos funcionarios de la citada Dirección General nombrados por la Directora General del Patrimonio del Estado. Actuará de Secretario un funcionario de la Subdirección General de Compras.

A las reuniones de la mesa podrán incorporarse los funcionarios o asesores especializados que resulten necesarios, según la naturaleza de los asuntos a tratar, los cuales actuarán con voz pero sin voto.

En función del orden del día a tratar en cada sesión, se incorporarán a la reunión de la mesa representantes de los Departamentos Ministeriales u Organismos interesados quienes actuarán con voz y voto.

CAPÍTULO IV
APLICACIÓN DE CRITERIOS DE ADJUDICACIÓN QUE DEPENDAN DE UN JUICIO DE VALOR

Artículo 25. *Órgano competente para la valoración.* En los procedimientos de adjudicación, abierto o restringido, celebrados por los órganos de las administraciones públicas, la valoración de los criterios cuya cuantificación dependa de un juicio de valor corresponderá, en los casos en que proceda por tener atribuida una ponderación mayor que la correspondiente a los criterios evaluables de forma automática, bien a un comité formado por expertos bien a un organismo técnico especializado.

En los restantes supuestos, la valoración se efectuará por la mesa de contratación, si interviene, o por el órgano de contratación en el caso contrario.

Artículo 26. *Presentación de la documentación relativa a los criterios de adjudicación ponderables en función de un juicio de valor.* La documentación relativa a los criterios cuya ponderación dependa de un juicio de valor debe presentarse, en todo caso, en sobre independiente del resto de la proposición con objeto de evitar el conocimiento de esta última antes de que se haya efectuado la valoración de aquéllos.

Artículo 27. *Apertura de los sobres.* 1. A estos efectos, la apertura de tales documentaciones se llevará a cabo en un acto de carácter público, cuya celebración deberá tener lugar en un plazo no superior a siete días a contar desde la apertura de la documentación administrativa a que se refiere el artículo 130.1 de la Ley de Contratos del Sector Público.

A estos efectos, siempre que resulte precisa la subsanación de errores u omisiones en la documentación mencionada en el párrafo anterior, la mesa concederá para efectuarla un plazo inferior al indicado al objeto de que el acto de apertura pueda celebrarse dentro de él.

2. En este acto sólo se abrirá el sobre correspondiente a los criterios no cuantificables automáticamente entregándose al órgano encargado de su valoración la documentación contenida en el mismo; asimismo, se dejará constancia documental de todo lo actuado.

Artículo 28. *Composición del comité de expertos.* 1. Cuando la evaluación deba efectuarse por un comité formado por expertos, éstos deberán ser como mínimo tres.

2. Siempre que sea posible, los miembros del citado comité habrán de ser personal al servicio del departamento ministerial u organismo contratante. En ningún caso podrán estar integrados en el órgano que proponga la celebración del contrato.
3. Todos los miembros del comité contarán con la cualificación profesional adecuada en razón de la materia sobre la que verse la valoración.

Artículo 29. *Designación de los órganos que deban efectuar la valoración.* 1. La designación de los miembros del comité de expertos a que se refieren los artículos anteriores podrá hacerse directamente en el pliego de cláusulas administrativas particulares o bien establecer en ellos el procedimiento para efectuarla.
2. En los casos en que la valoración deba hacerse por un organismo técnico especializado, la designación de éste deberá figurar igualmente en el pliego de cláusulas administrativas particulares y publicarse en el perfil de contratante.
3. En ambos casos, la designación deberá hacerse y publicarse en el perfil de contratante con carácter previo a la apertura de la documentación mencionada en el artículo 27.

Artículo 30. *Práctica de la valoración.* 1. En los pliegos de cláusulas administrativas particulares deberá constar la identificación del criterio o los criterios concretos que deban someterse a valoración por el comité de expertos o por el organismo especializado, el plazo en que éstos deberán efectuar la valoración y los límites máximo y mínimo en que ésta deberá ser cuantificada.
2. En todo caso, la valoración de los criterios cuantificables de forma automática se efectuará siempre con posterioridad a la de aquellos cuya cuantificación dependa de un juicio de valor.
3. La ponderación asignada a los criterios dependientes de un juicio de valor se dará a conocer en el acto público de apertura del resto de la documentación que integre la proposición, salvo que en los pliegos de cláusulas administrativas particulares se disponga otra cosa en cuanto al acto en que deba hacerse pública.

CAPÍTULO V
COMUNICACIONES AL REGISTRO DE CONTRATOS DEL SECTOR PÚBLICO

Artículo 31. *Contenido de las comunicaciones al Registro de Contratos del Sector Público.* 1. Las comunicaciones al Registro de Contratos del Sector Público a que se refiere el artículo 308 de la Ley 30/2007, de 30 de octubre, contendrán los datos básicos de los contratos adjudicados que se establecen en el anexo I de este real decreto.
2. Los órganos de contratación obligados a efectuar dichas comunicaciones remitirán los datos antes de que finalice el primer trimestre del año siguiente al que corresponda la información de cada ejercicio.
Para los datos relativos a la adjudicación de los contratos, la fecha de referencia para el cómputo de dicho plazo será la de adjudicación definitiva del contrato. Para los datos relativos a las modificaciones, prórrogas, variaciones de plazos o de precio la fecha de referencia será la de la incidencia respectiva, salvo que se acumulen en una sola comunicación todas las referidas a un mismo contrato, en cuyo caso la fecha de referencia será la de la última incidencia comunicada. Para los datos relativos al importe final y extinción del contrato la fecha de referencia será la de ésta.
3. Las comunicaciones se efectuarán por medios electrónicos, informáticos o telemáticos, en la forma que determine el Ministro de Economía y Hacienda de conformidad con las comunidades autónomas.

DISPOSICIÓN ADICIONAL ÚNICA

Uso de medios electrónicos, informáticos y telemáticos. Al objeto de fomentar la agilidad, eficacia y eficiencia de los procedimientos regulados en este real decreto, y de acuerdo con lo previsto en las disposiciones adicionales decimoctava y decimonovena de la Ley 30/2007, de 30 de octubre, las comunicaciones, requerimientos y notificaciones previstos en este real decreto podrán realizarse por medios electrónicos, informáticos o telemáticos.

Las certificaciones de los asientos del Registro Oficial de Licitadores y Empresas Clasificadas del Estado podrán ser proporcionadas por medios electrónicos, informáticos o telemáticos, con igual valor y efectos que las expedidas por medios convencionales.

A tal efecto, y de acuerdo con lo previsto en la disposición final novena de la Ley 30/2007, de 30 de octubre, el Ministro de Economía y Hacienda podrá establecer, mediante Orden, las especificaciones técnicas y modelos necesarios para la plena efectividad de la práctica de dichas comunicaciones, requerimientos, notificaciones y certificaciones por medios electrónicos, informáticos o telemáticos.

DISPOSICIONES TRANSITORIAS

Disposición transitoria primera. *Comunicación de datos al Registro de Contratos del Sector Público.* Los contratos adjudicados a partir del 1 de enero de 2009 que hayan de ser comunicados al Ministerio de Economía y Hacienda para su inscripción en el Registro Público de Contratos utilizarán, en todo caso, para la codificación del objeto del contrato los códigos CPV aprobados por el Reglamento 213/2008/CE, de 28 de noviembre de 2007.

El objeto de los contratos adjudicados antes de dicha fecha podrá ser codificado de acuerdo con dicha CPV o de acuerdo con la CPA, debiendo optar el órgano comunicante de los mismos por uno u otro sistema de codificación para todos los contratos que se comuniquen al Ministerio de Economía y Hacienda a partir de la entrada en vigor del presente real decreto, indicando expresamente la opción elegida con anterioridad o de modo simultáneo a la primera notificación que efectúe.

Los códigos correspondientes a los nuevos tipos de contratos, procedimientos de adjudicación y demás información codificada modificada por la entrada en vigor de la Ley de Contratos del Sector Público se ajustarán a lo establecido en el anexo III. El Ministerio de Economía y Hacienda podrá, mediante Orden, modificar en lo necesario los formatos y especificaciones de comunicación de datos de contratos establecidos por la Orden EHA/1077/2005, de 31 de marzo, para dichas remisiones.

Disposición transitoria segunda. *Régimen Transitorio de las normas relativas al Registro Oficial de Licitadores y Empresas Clasificadas del Estado.* Durante el plazo de seis meses desde la puesta en funcionamiento del Registro Oficial de Licitadores y Empresas Clasificadas del Estado, la capacidad de los empresarios podrá seguir acreditándose ante los órganos de contratación de la Administración General del Estado y sus Organismos públicos mediante los certificados expedidos por los Registros voluntarios de licitadores correspondientes a su ámbito.

El contenido de tales registros podrá ser trasladado al de Licitadores y Empresas Clasificadas del Estado mediante soporte informático que permita garantizar la integridad e inalterabilidad de los datos.

Disposición transitoria tercera. *Mesas de contratación actualmente constituidas.* Las mesas de contratación de carácter permanente o que tengan atribuida competencia respecto de una pluralidad de contratos que se encuentren constituidas en el momento de entrada en vigor de este real decreto subsistirán con las mismas competencias que tengan atribuidas, sin perjuicio de adaptar su actuación a las disposiciones de la Ley de Contratos del Sector Público y a las de este real decreto.

Disposición transitoria cuarta. *Expedientes iniciados con anterioridad a la entrada en vigor de este real decreto.* Los expedientes de contratación iniciados antes de la entrada en vigor de este real decreto se regirán por la normativa anterior. A estos efectos se entenderá que los expedientes de contratación han sido iniciados si se hubiera publicado la correspondiente convocatoria del procedimiento de adjudicación del contrato. En el caso de procedimientos negociados, para determinar el momento de iniciación se tomará en cuenta la fecha de aprobación de los pliegos.

DISPOSICIÓN DEROGATORIA ÚNICA

Quedan derogadas cuantas disposiciones de igual o inferior rango se opongan a lo dispuesto en este real decreto. En particular, quedan derogados los artículos 79, 114 al117 y los Anexos VII, VIII y IX del Reglamento General de la Ley de Contratos de las Administraciones Públicas, aprobado por Real Decreto 1098/2001, de 12 de octubre.

DISPOSICIONES FINALES

Disposición final primera. *Normas de carácter básico y no básico.* Los siguientes preceptos del presente real decreto son normas básicas dictadas al amparo del artículo 149.1.18.ª de la Constitución y en desarrollo del apartado 2 de la disposición final séptima de la Ley 30/2007, de 30 de octubre, y, en consecuencia, son de aplicación general a todas las administraciones públicas comprendidas en el artículo 3 de la misma: El artículo 1, artículo 2, apartados 1 y 2, salvo el último párrafo del apartado 1; artículos 9, 10, 11, 12, 13, 14, 15, 16, 17, 18, 19, 20, 25, 26, 27, 28, 29, 30 y 31; disposición adicional única y disposición final primera.

Disposición final segunda. *Modelos de anuncios.* Se habilita al titular del Ministerio de Economía y Hacienda para modificar los anexos establecidos en este real decreto. Cuando se trate de anexos que recojan datos o menciones exigidos en disposiciones de la Unión Europea, las modificaciones se acomodarán a las que se produzcan en el ámbito de la Unión Europea en las citadas disposiciones.

Los anuncios de información previa, de licitación y de formalización de contratos se ajustarán a los modelos incluidos en el anexo II cuando hayan de publicarse en el "Boletín Oficial del Estado", y a los modelos incluidos en el anexo III cuando vayan a ser objeto de publicación en el "Diario Oficial de la Unión Europea".

> *Disposición final segunda redactada por el apartado uno del artículo único del R.D. 300/2011, de 4 de marzo, por el que se modifica el R.D. 817/2009, de 8 de mayo, por el que se desarrolla parcialmente la Ley 30/2007, de 30 de octubre, de contratos del sector público y se habilita al titular del Ministerio de Economía y Hacienda para modificar sus anexos («B.O.E.» 22 marzo).*
> *Vigencia: 23 marzo 2011*

Disposición final tercera. *Anexos I y II de la Ley 30/2007, de 30 de octubre, de Contratos del Sector Público.* De conformidad con la autorización conferida al Consejo de Ministros por la disposición adicional decimotercera de la Ley 30/2007, de 30 de octubre, de Contratos del Sector Público, se modifican los Anexos I y II de la citada Ley de conformidad con la modificación introducida en la Directiva 2004/18/CE por el artículo 3 del Reglamento (CE) n.º 213/2008 de la Comisión, aprobado en 28 de noviembre de 2007. En su consecuencia, los mencionados anexos quedan redactados en la forma que se recoge en la Sección Primera del Apéndice de este real decreto.

Disposición final cuarta. *Anexos I, II.A y II.B de la Ley 31/2007, de 30 de octubre, sobre procedimientos de contratación en los Sectores del Agua, la Energía, el Transporte y los Servicios Postales.* Las referencias que a los códigos CPV se realizan en los Anexos I, II.A y II.B de la Ley 31/2007, de 30 de octubre, sobre procedimientos de contratación en los Sectores del Agua, la Energía, el Transporte y los Servicios Postales deberán entenderse hechas de conformidad con los nuevos Anexos XII, XVII.A y XVII.B de la Directiva 2004/17/CE modificados por el artículo 2 del Reglamento (CE) n.º 213/2008 de la Comisión, aprobado en 28 de noviembre de 2007. En su consecuencia, las mencionadas referencias deberán entenderse hechas de conformidad con lo establecido en la Sección Segunda del Apéndice de este real decreto.

Disposición final quinta. *Modificación del artículo 179. 1 del Reglamento General de la Ley de Contratos de las Administraciones Públicas.* El artículo 179.1 del Reglamento General de la Ley de Contratos de las Administraciones Públicas, aprobado por Real Decreto 1098/2001, de 12 de octubre, queda redactado de la siguiente forma:

> **«Artículo 179.** *Comprobación, recepción y liquidación de las obras ejecutadas por la Administración.*
>
> 1. Las obras ejecutadas por la Administración serán objeto de reconocimiento y comprobación por el facultativo designado al efecto y distinto del director de ellas. Cuando el importe de la inversión sea igual o superior a 50.000 euros, con exclusión del Impuesto sobre el Valor Añadido, deberá solicitarse a la Intervención General la designación de delegado para su eventual asistencia a la comprobación material de la inversión, con una antelación de veinte días a la fecha prevista para la misma.
>
> Lo anterior será de aplicación a los supuestos de fabricación de bienes muebles por la Administración y ejecución de servicios con la colaboración de empresarios particulares.»

Disposición final sexta. *Modificación del artículo 28. 4 del Real Decreto 2188/1995, de 28 de diciembre.* Se modifica el artículo 28.4 del Real Decreto 2188/1995, de 28 de diciembre, por el que se desarrolla el régimen de control interno ejercido por la Intervención General de la Administración del Estado, y se sustituye por la siguiente redacción:

> «4. Los órganos gestores deberán solicitar de la Intervención General de la Administración del Estado la designación de delegado para su asistencia a la comprobación material de la inversión cuando el importe de ésta sea igual o superior a 50.000 euros, con exclusión del Impuesto sobre el Valor Añadido, con una antelación de veinte días a la fecha prevista para la recepción de la inversión de que se trate.»

Disposición final séptima. *Modificación del Real Decreto 706/1997, de 16 de mayo, por el que se desarrolla el régimen de control interno de la Intervención General de la Seguridad Social.* El apartado 4 del artículo 25 del Real Decreto 706/1997, de 16 de mayo, por el que se desarrolla el régimen de control interno de la Intervención General de la Seguridad Social, queda redactado en los siguientes términos:

«4. Los órganos gestores deberán solicitar de la Intervención General de la Seguridad Social la designación de delegado para su asistencia a la comprobación material de la inversión cuando el importe de ésta sea igual o superior a 50.000 euros, con exclusión del Impuesto sobre el Valor Añadido, con una antelación de veinte días a la fecha prevista para la recepción de la inversión de que se trate.»

Disposición final octava. *Entrada en vigor.* 1. Sin perjuicio de lo establecido en las disposiciones transitorias, el presente real decreto entrará en vigor transcurrido un mes a contar desde el día siguiente al de su publicación en el «Boletín Oficial del Estado».

2. Ello no obstante, las disposiciones de este real decreto reguladoras del Registro Oficial de Licitadores y Empresas Clasificadas del Estado entrarán en vigor a partir de la publicación de la Orden Ministerial que acuerde la puesta en funcionamiento de la aplicación informática desarrollada al efecto. Hasta tal fecha subsistirán los registros voluntarios de licitadores creados en los diferentes órganos de la Administración General del Estado, así como en los organismos dependientes de ésta al amparo de lo dispuesto en la disposición adicional decimoquinta del Texto Refundido de la Ley de Contratos de las Administraciones Públicas, aprobado por el Real Decreto Legislativo 2/2000, de 16 de junio, así como el Registro Oficial de Empresas Clasificadas.

Véase Orden EHA/1490/2010, de 28 de mayo, por la que se regula el funcionamiento del Registro Oficial de Licitadores y Empresas Clasificadas del Estado («B.O.E.» 10 junio).

ANEXO I
COMUNICACIÓN DE DATOS DE CONTRATOS PARA SU INSCRIPCIÓN EN EL REGISTRO DE CONTRATOS DEL SECTOR PÚBLICO

I. *Datos referidos a la adjudicación del contrato.*
a) Comunes para todos los contratos:
Tipo de contrato.
Año del contrato.
Administración contratante.
Órgano contratante.
Código identificador del contrato.
Lugar de ejecución.
Objeto del contrato.
Código CPV del objeto del contrato.
Contratación por lotes (indicación).
Contrato mixto (indicación).
Acuerdo marco (indicación).
Contrato complementario (indicación).
Publicidad: Diarios, boletines o medios empleados, y fechas de publicación.
Tramitación ordinaria, urgente o de emergencia (indicación).
Procedimiento de tramitación.
Importes del contrato (de licitación, de adjudicación, anualidades e importes unitarios, en su caso).
Plazo de ejecución.
Carácter plurianual.
Revisión de precios establecida.
Contratista.
Fecha de adjudicación.
Fecha de formalización.
b) Para los contratos de obras:

Fórmula o fórmulas de revisión de precios.

Clasificación exigida.

c) Para los contratos de concesión de obra pública:

Aportaciones públicas a la construcción.

Plazo de la concesión.

d) Para los contratos de gestión de servicios públicos:

Modalidad de la contratación, según se establecen en el artículo 253 de la Ley.

Duración.

Modalidades que determinan el importe del contrato.

e) Para los contratos de suministro:

Tipo de contrato de suministro.

Precios unitarios (en su caso).

País de origen de los productos adquiridos.

f) Para los contratos de servicios:

Modalidad de determinación del precio.

Clasificación exigida.

g) Para los contratos adjudicados por procedimiento negociado:

Indicación del supuesto de aplicación que amparó el uso del procedimiento.

Número de invitaciones cursadas.

II. *Datos referidos a las modificaciones, prórrogas, variaciones de plazos o de precio del contrato.*

a) Comunes para todos los contratos:

Código identificador del contrato.

Importe de la modificación o modificaciones.

Variación de plazo de ejecución.

b) Para los contratos de concesión de obra pública:

Variación del plazo de la concesión.

c) Para los contratos de gestión de servicios públicos:

Variación del plazo de duración.

III. *Datos referidos al importe final y extinción del contrato:*

Importe final del contrato por todos los conceptos, referido al momento de su conclusión.

Causa de resolución (en su caso).

Fecha de resolución (en su caso).

ANEXO II
MODELOS DE ANUNCIOS DE LICITACIÓN Y FORMALIZACIÓN DE LOS CONTRATOS PARA SU PUBLICACIÓN EN EL "BOLETÍN OFICIAL DEL ESTADO"

Rúbrica del anexo II redactada por el apartado dos del artículo único del R.D. 300/2011, de 4 de marzo, por el que se modifica el R.D. 817/2009, de 8 de mayo, por el que se desarrolla parcialmente la Ley 30/2007, de 30 de octubre, de contratos del sector público y se habilita al titular del Ministerio de Economía y Hacienda para modificar sus anexos («B.O.E.» 22 marzo).
Vigencia: 23 marzo 2011

(Los formularios para inserción de anuncios en el «Boletín Oficial del Estado» se encuentran disponibles en la sede electrónica de la Agencia Estatal Boletín Oficial del Estado: http://www.boe.es)

A. *Modelo de anuncio previo de licitación de contratos*

1. Entidad adjudicadora: Datos generales y datos para la obtención de la información:

a) Organismo.

b) Dependencia que tramita el expediente.

c) Domicilio.

d) Localidad y código postal.
e) Teléfono.
f) Telefax.
g) Correo electrónico.
h) Dirección de Internet del perfil del contratante.
2. Objeto del contrato y fecha prevista de inicio del procedimiento de adjudicación:
a) Tipo.
b) Descripción.
c) División por lotes.
d) Lugar de ejecución.
e) Valor estimado.
f) Fecha prevista inicio proceso de adjudicación (si se conoce).
g) CPV (Referencia de Nomenclatura).
3. Otras informaciones.
4. Fecha de envío del anuncio al «Diario Oficial de la Unión Europea», en su caso.
B. Modelo de anuncio para la licitación de los contratos
1. Entidad adjudicadora: Datos generales y datos para la obtención de la información:
a) Organismo.
b) Dependencia que tramita el expediente.
c) Obtención de documentación e información:
1) Dependencia.
2) Domicilio.
3) Localidad y código postal.
4) Teléfono.
5) Telefax.
6) Correo electrónico.
7) Dirección de Internet del perfil del contratante.
8) Fecha límite de obtención de documentación e información.
d) Número de expediente.
2. Objeto del Contrato:
a) Tipo.
b) Descripción.
c) División por lotes y número de lotes/número de unidades.
d) Lugar de ejecución/entrega:
1) Domicilio.
2) Localidad y código postal.
e) Plazo de ejecución/entrega.
f) Admisión de prórroga.
g) Establecimiento de un acuerdo marco (en su caso).
h) Sistema dinámico de adquisición (en su caso).
i) CPV (Referencia de Nomenclatura).
3. Tramitación y procedimiento:
a) Tramitación.
b) Procedimiento.
c) Subasta electrónica.
d) Criterios de adjudicación.
4. Valor estimado del contrato: .... euros
5. Presupuesto base de licitación:
a) Importe neto .... euros. Importe total .... euros.
6. Garantías exigidas.
Provisional (importe) .... euros.

Definitiva (%) ....
7. Requisitos específicos del contratista:
a) Clasificación (grupo, subgrupo y categoría) (en su caso).
b) Solvencia económica y financiera y solvencia técnica y profesional (en su caso).
c) Otros requisitos específicos.
d) Contratos reservados.
8. Presentación de ofertas o de solicitudes de participación:
a) Fecha límite de presentación.
b) Modalidad de presentación.
c) Lugar de presentación:
1. Dependencia.
2. Domicilio.
3. Localidad y código postal.
4. Dirección electrónica:
d) Número previsto de empresas a las que se pretende invitar a presentar ofertas (procedimiento restringido).
e) Admisión de variantes, si procede.
f) Plazo durante el cual el licitador estará obligado a mantener su oferta.
9. Apertura de ofertas:
a) Descripción.
b) Dirección.
c) Localidad y código postal.
d) Fecha y hora.
10. Gastos de Publicidad.
11. Fecha de envío del anuncio al «Diario Oficial de la Unión Europea» (en su caso).
12. Otras Informaciones.

Apartado B del anexo II redactado por el apartado tres del artículo único del R.D. 300/2011, de 4 de marzo, por el que se modifica el R.D. 817/2009, de 8 de mayo, por el que se desarrolla parcialmente la Ley 30/2007, de 30 de octubre, de contratos del sector público y se habilita al titular del Ministerio de Economía y Hacienda para modificar sus anexos («B.O.E.» 22 marzo).
Vigencia: 23 marzo 2011

C. Modelo de anuncio de formalización de contratos
1. Entidad adjudicadora:
a) Organismo.
b) Dependencia que tramita el expediente.
c) Número de expediente.
d) Dirección de Internet del perfil del contratante.
2. Objeto del contrato:
a) Tipo.
b) Descripción.
c) Lote (en su caso).
d) CPV (Referencia de Nomenclatura).
e) Acuerdo marco (si procede).
f) Sistema dinámico de adquisiciones (si procede).
g) Medio de publicación del anuncio de licitación.
h) Fecha de publicación del anuncio de licitación.
3. Tramitación y procedimiento:
a) Tramitación.
b) Procedimiento.
4. Valor estimado del contrato: .... euros

5. Presupuesto base de licitación. Importe neto .... euros. Importe total .... euros.
6. Formalización del contrato:
   a) Fecha de adjudicación.
   b) Fecha de formalización del contrato.
   c) Contratista.
   d) Importe o canon de adjudicación. Importe neto............. euros. Importe total .... euros.
   e) Ventajas de la oferta adjudicataria.

> *Apartado C del anexo II redactado por el apartado cuatro del artículo único del R.D.*
> *300/2011, de 4 de marzo, por el que se modifica el R.D. 817/2009, de 8 de mayo, por*
> *el que se desarrolla parcialmente la Ley 30/2007, de 30 de octubre, de contratos del*
> *sector público y se habilita al titular del Ministerio de Economía y Hacienda para modi-*
> *ficar sus anexos («B.O.E.» 22 marzo). No obstante, téngase en cuenta la utilización*
> *transitoria del anterior «modelo de anuncio de adjudicación de contrato», conforme es-*
> *tablece su disposición transitoria única.*
> *Vigencia: 23 marzo 2011*

ANEXO III
MODELOS DE ANUNCIOS DE LICITACIÓN Y ADJUDICACIÓN DE LOS CONTRATOS PARA SU PUBLICACIÓN EN EL «DIARIO OFICIAL DE LAS COMUNIDADES EUROPEAS»

(Los formularios que se incluyen a continuación pueden ser descargados en la dirección de Internet: http://simap.europa.eu/buyer/forms-standard_es.html)

1. *Anuncio de información previa aplicable en los contratos de obras, de suminis-*
tro, y de servicios (Directiva 2004/18/CE del Parlamento Europeo y del Consejo, de
31 de marzo de 2004, sobre coordinación de los procedimientos de Adjudicación de
los contratos públicos de obras, de suministro y de servicios).

UNIÓN EUROPEA
Publicación en el Suplemento al Diario Oficial de la Unión Europea
2, rue Mercier, L-2985 Luxemburgo   Fax: (352) 29 29 42 670
E-mail: mp-ojs@opoce.cec.eu.int   Información y formularios en línea: http://simap.eu.int

ANUNCIO DE INFORMACIÓN PREVIA

APARTADO I: PODER ADJUDICADOR

I.1) Nombre, direcciones y puntos de contacto

Nombre oficial:		
Dirección postal:		
Localidad:	Código postal:	País:
Punto(s) de contacto: A la atención de: Correo electrónico:	Teléfono: Fax:	

Direcciones Internet *(en su caso)*
Dirección del poder adjudicador *(URL)*:

Dirección del perfil de comprador *(URL)*:

Puede obtenerse más información en:
☐ Véanse los puntos de contacto mencionados arriba
☐ Otros: *sírvase cumplimentar el anexo A.1*

I.2) Tipo de poder adjudicador y principal(es) actividad(es)

☐ Ministerio o cualquier otra institución nacional o federal, incluidas sus delegaciones regionales o locales ☐ Oficina/entidad nacional o federal ☐ Institución regional o local ☐ Oficina/entidad regional o local ☐ Organismo de derecho público ☐ Institución/organismo descentralizado europeo u organización internacional ☐ Otros *(especifíquese)*: _____	☐ Servicios generales de las administraciones públicas ☐ Defensa ☐ Orden público y seguridad ☐ Medio ambiente ☐ Economía y Hacienda ☐ Salud ☐ Vivienda y servicios para la colectividad ☐ Protección social ☐ Ocio, cultura y religión ☐ Educación ☐ Otros *(especifíquese)*: _____
El poder adjudicador realiza su adquisición en nombre de otros poderes adjudicadores	sí ☐ no ☐

APARTADO II.A: OBJETO DEL CONTRATO *(OBRAS)*

II.1) DENOMINACIÓN DEL CONTRATO ESTABLECIDA POR EL PODER ADJUDICADOR

II.2) TIPO DE CONTRATO Y EMPLAZAMIENTO DE LAS OBRAS

Emplazamiento principal de las obras: _____ Código NUTS: ☐☐☐☐☐

II.3) EL PRESENTE ANUNCIO SE REFIERE A UN ACUERDO MARCO?   sí ☐   no ☐

II.4) BREVE DESCRIPCIÓN DE LA NATURALEZA Y EL ALCANCE DE LAS OBRAS

Si se conoce, coste estimado de las obras IVA excluido *(únicamente cifras):* _____   Moneda: _____

o bien banda comprendida entre _____ y _____   Moneda: _____

División en lotes *(para ofrecer información sobre los mismos, utilícese un ejemplar*   sí ☐   no ☐
del anexo B para cada uno de los lotes)

II.5) CLASIFICACIÓN CPV (VOCABULARIO COMÚN DE CONTRATOS PÚBLICOS)

	Nomenclatura principal	**Nomenclatura complementaria** *(si procede)*
Objeto principal	☐☐.☐☐.☐☐.☐☐-☐	☐☐☐☐-☐ ☐☐☐☐-☐
Objeto(s) adicional(es)	☐☐.☐☐.☐☐.☐☐-☐	☐☐☐☐-☐ ☐☐☐☐-☐
	☐☐.☐☐.☐☐.☐☐-☐	☐☐☐☐-☐ ☐☐☐☐-☐
	☐☐.☐☐.☐☐.☐☐-☐	☐☐☐☐-☐ ☐☐☐☐-☐
	☐☐.☐☐.☐☐.☐☐-☐	☐☐☐☐-☐ ☐☐☐☐-☐

II.6) FECHA PREVISTA PARA EL INICIO DE LOS PROCEDIMIENTOS DE ADJUDICACIÓN Y DURACIÓN DEL CONTRATO

Fecha prevista *(si se conoce)* para

    el inicio de los procedimientos de adjudicación ☐☐/☐☐/☐☐☐☐ *(dd/mm/aaaa)*

Periodo en meses: ☐☐ *o* días: ☐☐☐☐ (a partir de la adjudicación del contrato)

o bien fecha prevista *(si se conoce)* para

    el inicio de las obras ☐☐/☐☐/☐☐☐☐ *(dd/mm/aaaa)*

    la ejecución de las obras ☐☐/☐☐/☐☐☐☐ *(dd/mm/aaaa)*

II.7) CONTRATO CUBIERTO POR EL ACUERDO SOBRE CONTRATACIÓN PÚBLICA (ACP)   sí ☐   no ☐

II.8) INFORMACIÓN ADICIONAL *(si procede)*

APARTADO II.B: OBJETO DEL CONTRATO *(SUMINISTRO O SERVICIOS)*

II.1) DENOMINACIÓN DEL CONTRATO ESTABLECIDA POR EL PODER ADJUDICADOR

_____

II.2) TIPO DE CONTRATO Y LUGAR DE ENTREGA O DE EJECUCIÓN
(Selecciónese una sola categoría —suministro o servicios— que corresponda mejor al objeto específico de su contrato o adquisición)

Suministro ☐   **Servicios** ☐   Categoría de servicio: n° ☐☐

(en el caso de las categorías 1-27, véase el anexo II de la Directiva 2004/18/CE)

Lugar principal de ejecución o entrega: _____   Código NUTS ☐☐☐☐☐

II.3) BREVE DESCRIPCIÓN DE LA NATURALEZA Y LA CANTIDAD O EL VALOR DE LOS SUMINISTROS O SERVICIOS
(en cada una de las categorías de servicios)

_____
_____

Si se conoce, coste estimado IVA excluido *(únicamente cifras):* _____   Moneda: _____

O BIEN banda comprendida entre _____ y _____   Moneda: _____

División en lotes *(para ofrecer información sobre los mismos, utilícese un ejemplar del anexo B para cada uno de los lotes)*   sí ☐   no ☐

II.4) CLASIFICACIÓN CPV (VOCABULARIO COMÚN DE CONTRATOS PÚBLICOS)

	Nomenclatura principal	Nomenclatura complementaria *(si procede)*
Objeto principal	☐☐.☐☐.☐☐.☐☐-☐	☐☐☐☐-☐ ☐☐☐☐-☐
Objeto(s) adicional(es)	☐☐.☐☐.☐☐.☐☐-☐	☐☐☐☐-☐ ☐☐☐☐-☐
	☐☐.☐☐.☐☐.☐☐-☐	☐☐☐☐-☐ ☐☐☐☐-☐
	☐☐.☐☐.☐☐.☐☐-☐	☐☐☐☐-☐ ☐☐☐☐-☐
	☐☐.☐☐.☐☐.☐☐-☐	☐☐☐☐-☐ ☐☐☐☐-☐

II.5) FECHA PREVISTA PARA EL INICIO DE LOS PROCEDIMIENTOS)   ☐☐/☐☐/☐☐☐☐ *(dd/mm/aaaa)*
DE ADJUDICACIÓN *(si se conoce)*

II.6) CONTRATO CUBIERTO POR EL ACUERDO SOBRE CONTRATACIÓN PÚBLICA (ACP)   sí ☐   no ☐

II.7) INFORMACIÓN ADICIONAL *(si procede)*

_____
_____
_____

------------------ (Utilícese el número de ejemplares del presente apartado que sean necesarios) ------------------
—pero no mezclar suministro y servicios en la parte II.2

APARTADO III: INFORMACIÓN DE CARÁCTER JURÍDICO, ECONÓMICO, FINANCIERO Y TÉCNICO

III.1) CONDICIONES RELATIVAS AL CONTRATO

III.1.1) Principales condiciones de financiación y de pago y/o referencia a las disposiciones que las regulan *(si se conocen; ofrézcase información únicamente en el caso de los contratos de obras):*

III.2) CONDICIONES DE PARTICIPACIÓN

III.2.1) Contratos reservados *(en su caso)*   sí ☐   no ☐

El contrato está reservado a talleres protegidos   ☐

La ejecución del contrato está reservada a los programas de empleo protegido   ☐

APARTADO VI: INFORMACIÓN COMPLEMENTARIA

VI.1) SE RELACIONA EL CONTRATO CON UN PROYECTO O PROGRAMA FINANCIADO   sí ☐   no ☐
MEDIANTE FONDOS COMUNITARIOS?

En caso de respuesta afirmativa, referencia de los proyectos o programas:

VI.2) INFORMACIÓN ADICIONAL *(si procede)*

VI.3) INFORMACIÓN SOBRE EL MARCO NORMATIVO GENERAL

Direcciones de Internet de la Administración Pública en las que se puede obtener información

Legislación fiscal: _____

Legislación sobre protección del medio ambiente: _____

Protección del empleo y condiciones de trabajo: _____

Para ofrecer datos suplementarios acerca de los servicios gubernamentales pertinentes en los que se puede obtener información sobre fiscalidad, protección del medio ambiente, protección del empleo y condiciones de trabajo, cumpliméntense los apartados II a IV del anexo A *(si procede)*

VI.4) FECHA DE ENVÍO DEL PRESENTE ANUNCIO: ☐☐/☐☐/☐☐☐☐ *(dd/mm/aaaa)*

ANEXO A

DIRECCIONES Y PUNTOS DE CONTACTO SUPLEMENTARIOS

I) DIRECCIONES Y PUNTOS DE CONTACTO EN LOS QUE PUEDE OBTENERSE MÁS INFORMACIÓN

Nombre oficial:		
Dirección postal:		
Localidad:	Código postal:	País:
Punto(s) de contacto: A la atención de:	Teléfono:	
Correo electrónico:	Fax:	
Dirección Internet (URL):		

II) DIRECCIÓN, PUNTOS DE CONTACTO Y SITIO INTERNET DEL SERVICIO OFICIAL PERTINENTE EN EL QUE PUEDE OBTENERSE INFORMACIÓN SOBRE FISCALIDAD

Nombre oficial:		
Dirección postal:		
Localidad:	Código postal:	País:
Punto(s) de contacto: A la atención de:	Teléfono:	
Correo electrónico:	Fax:	
Dirección Internet (URL):		

III) DIRECCIÓN, PUNTOS DE CONTACTO Y SITIO INTERNET DEL SERVICIO OFICIAL PERTINENTE EN EL QUE PUEDE OBTENERSE INFORMACIÓN SOBRE PROTECCIÓN DEL MEDIO AMBIENTE

Nombre oficial:		
Dirección postal:		
Localidad:	Código postal:	País:
Punto(s) de contacto: A la atención de:	Teléfono:	
Correo electrónico:	Fax:	
Dirección Internet (URL):		

IV) DIRECCIÓN, PUNTOS DE CONTACTO Y SITIO INTERNET DEL SERVICIO OFICIAL PERTINENTE EN EL QUE PUEDE OBTENERSE INFORMACIÓN SOBRE PROTECCIÓN DEL EMPLEO Y CONDICIONES DE TRABAJO

Nombre oficial:		
Dirección postal:		
Localidad:	Código postal:	País:
Punto(s) de contacto:	Teléfono:	
A la atención de:		
Correo electrónico:	Fax:	
Dirección Internet (URL):		

ANEXO B
INFORMACIÓN RELATIVA A LOS LOTES

Lote Nº ☐☐☐   Denominación _____

---

1) BREVE DESCRIPCIÓN

_____
_____
_____

---

2) CLASIFICACIÓN CPV (VOCABULARIO COMÚN DE CONTRATOS PÚBLICOS)

	Nomenclatura principal	Vocabulario complementario *(si procede)*
Objeto principal	☐☐.☐☐.☐☐.☐☐-☐	☐☐☐☐-☐ ☐☐☐☐-☐
Objeto(s) adicional(es)	☐☐.☐☐.☐☐.☐☐-☐	☐☐☐☐-☐ ☐☐☐☐-☐
	☐☐.☐☐.☐☐.☐☐-☐	☐☐☐☐-☐ ☐☐☐☐-☐
	☐☐.☐☐.☐☐.☐☐-☐	☐☐☐☐-☐ ☐☐☐☐-☐
	☐☐.☐☐.☐☐.☐☐-☐	☐☐☐☐-☐ ☐☐☐☐-☐

---

3) CANTIDAD O EXTENSIÓN

_____
_____

Si se conoce, coste estimado IVA excluido *(únicamente cifras):* _____   Moneda: _____
o bien banda comprendida entre _____ y _____   Moneda: _____

---

4) INDICACIÓN SOBRE LA FECHA DISTINTA DE INICIO DE LOS PROCEDIMIENTOS DE ADJUDICACIÓN Y/O LA DURACIÓN DEL CONTRATO *(en su caso)*

Fecha prevista *(si se conoce)* para

     el inicio de los procedimientos de adjudicación ☐☐/☐☐/☐☐☐☐ *(dd/mm/aaaa)*

Período en meses: ☐☐ *o* días: ☐☐☐☐ (a partir de la adjudicación del contrato)

o bien fecha prevista *(si se conoce)* para

     el inicio de las obras   ☐☐/☐☐/☐☐☐☐ *(dd/mm/aaaa)*

     la ejecución de las obras   ☐☐/☐☐/☐☐☐☐ *(dd/mm/aaaa)*

---

5) INFORMACIÓN ADICIONAL SOBRE LOS LOTES

_____
_____
_____

---------------------- *(Utilícese un ejemplar del presente anexo para cada uno de los lotes)* ----------------------

2. *Anuncio de licitación aplicable en los contratos de obras, de suministro, y de servicios (Directiva 2004/18/CE del Parlamento Europeo y del Consejo, de 31 de marzo de 2004, sobre coordinación de los procedimientos de adjudicación de los contratos públicos de obras, de suministro y de servicios).*

UNIÓN EUROPEA
Publicación en el Suplemento al Diario Oficial de la Unión Europea
2, rue Mercier, L-2985 Luxemburgo Fax: (352) 29 29 42 670
E-mail: mp-ojs@opoce.cec.eu.int   Información y formularios en línea: http://simap.eu.int

ANUNCIO DE LICITACIÓN

APARTADO I: PODER ADJUDICADOR

I.1) NOMBRE, DIRECCIONES Y PUNTOS DE CONTACTO

Nombre oficial:		
Dirección postal:		
Localidad:	Código postal:	País:
Punto(s) de contacto:	Teléfono:	
A la atención de:		
Correo electrónico:	Fax:	
Direcciones Internet *(en su caso)* Dirección del poder adjudicador *(URL)*: Dirección del perfil de comprador *(URL)*:		

Puede obtenerse más información en:
☐ Véanse los puntos de contacto mencionados arriba   ☐ Otros: *sírvase cumplimentar el anexo A.I*
El pliego de condiciones y la documentación complementaria (incluidos los documentos destinados a un diálogo competitivo y un Sistema Dinámico de Adquisición) pueden obtenerse en: ☐ Véanse los puntos de contacto mencionados arriba   ☐ Otros: *sírvase cumplimentar el anexo A.II*
Las ofertas o solicitudes de participación deben enviarse a: ☐ Véanse los puntos de contacto mencionados arriba   ☐ Otros: *sírvase cumplimentar el anexo A.III*

I.2) TIPO DE PODER ADJUDICADOR Y PRINCIPAL(ES) ACTIVIDAD(ES)

☐ Ministerio o cualquier otra institución nacional o federal, incluidas sus delegaciones regionales o locales ☐ Oficina/entidad nacional o federal ☐ Institución regional o local ☐ Oficina/entidad regional o local ☐ Organismo de derecho público ☐ Institución/organismo descentralizado europeo u organización internacional ☐ Otros *(especifíquese)*: _____	☐ Servicios generales de las administraciones públicas ☐ Defensa ☐ Orden público y seguridad ☐ Medio ambiente ☐ Economía y Hacienda ☐ Salud ☐ Vivienda y servicios para la colectividad ☐ Protección social ☐ Ocio, cultura y religión ☐ Educación ☐ Otros *(especifíquese)*: _____
El poder adjudicador realiza su adquisición en nombre de otros poderes adjudicadores? sí ☐ no ☐	

APARTADO II: OBJETO DEL CONTRATO

II.1) DESCRIPCIÓN

II.1.1) Denominación del contrato establecida por el poder adjudicador

---

II.1.2) Tipo de contrato y emplazamiento de las obras, lugar de entrega o de ejecución
(Selecciónese una sola categoría —obras, suministro o servicios— que corresponda mejor al objeto específico de su contrato o adquisición)

(a) Obras ☐	**(b) Suministro** ☐	**(c) Servicios** ☐
Ejecución ☐	Adquisición ☐	Categoría de servicio: Nº ☐☐
Proyecto y ejecución ☐	Arrendamiento financiero ☐	*(Para las categorías de servicios*
Realización de la obra, por ☐ cualquier medio, que responda a las exigencias especificadas por el poder adjudicador	Alquiler ☐ Compra a plazos ☐ Combinación de los anteriores ☐	*1-27, véase el anexo II de la Directiva 2004/18/CE)*
Emplazamiento principal de las obras	Principal lugar de entrega	Principal lugar de ejecución
Código NUTS ☐☐☐☐☐	Código NUTS ☐☐☐☐☐	Código NUTS ☐☐☐☐☐

II.1.3) El anuncio se refiere a

Un contrato público ☐   El establecimiento de un sistema dinámico de adquisición ☐

El establecimiento de un acuerdo marco ☐

II.1.4) Información sobre el acuerdo marco *(en su caso)*

Acuerdo marco con varios operadores ☐	Acuerdo marco con un solo operador ☐
Número ☐☐☐ *o, en su caso,* número máximo ☐☐☐ de participantes en el acuerdo marco previsto	

Duración del acuerdo marco: en años: ☐☐ o meses: ☐☐☐

Justificación de un acuerdo marco de duración superior a cuatro años:

Valor estimado total de las adquisiciones durante todo el período de vigencia del acuerdo marco *(en su caso, únicamente cifras)*:

Valor estimado IVA excluido: _____   Moneda: _____

o bien banda comprendida entre _____ y _____ Moneda: _____

Frecuencia y valor de los contratos que se adjudicarán *(si se conocen)*: _____

II.1.5) Breve descripción del contrato o adquisición

_____

_____

_____

II.1.6) CLASIFICACIÓN CPV (VOCABULARIO COMÚN DE CONTRATOS PÚBLICOS)

	Nomenclatura principal	Nomenclatura complementaria *(si procede)*
Objeto principal	☐☐.☐☐.☐☐.☐☐-☐	☐☐☐☐-☐ ☐☐☐☐-☐
Objeto(s) adicional(es)	☐☐.☐☐.☐☐.☐☐-☐	☐☐☐☐-☐ ☐☐☐☐-☐
	☐☐.☐☐.☐☐.☐☐-☐	☐☐☐☐-☐ ☐☐☐☐-☐
	☐☐.☐☐.☐☐.☐☐-☐	☐☐☐☐-☐ ☐☐☐☐-☐
	☐☐.☐☐.☐☐.☐☐-☐	☐☐☐☐-☐ ☐☐☐☐-☐

II.1.7) Contrato cubierto por el Acuerdo sobre Contratación Pública (ACP)   sí ☐   no ☐

II.1.8) División en lotes *(para ofrecer información sobre los mismos, utilícese un ejemplar del anexo B para cada uno de los lotes)*   sí ☐   no ☐

En caso de respuesta afirmativa, las ofertas deberán presentarse para *(márquese una sola casilla)*:

un solo lote	☐	uno o varios lotes	☐	todos los lotes	☐

II.1.9) ¿Se aceptarán variantes?   sí ☐   no ☐

II.2) CANTIDAD O EXTENSIÓN DEL CONTRATO

II.2.1) Extensión o cantidad total del contrato *(incluidos todos los lotes y opciones, si procede)*

_____

_____

Si se conoce, valor estimado IVA excluido *(únicamente cifras)*: _____   Moneda: _____

o bien banda comprendida entre _____ y _____   Moneda: _____

II.2.2) Opciones *(en su caso)*   si ☐   no ☐

En caso de respuesta afirmativa, descripción de tales opciones: _____

_____

_____

Si se conoce, calendario provisional para ejercer dichas opciones:

en meses: ☐☐ *o* días: ☐☐☐☐ (a partir de la adjudicación del contrato)

Número de prórrogas posibles *(en su caso)*: ☐☐☐ o banda comprendida entre ☐☐☐ y ☐☐☐

Si se conoce, en el caso de contratos renovables de suministro o servicios, plazo estimado para los contratos posteriores:

en meses: ☐☐ *o* días: ☐☐☐☐ (a partir de la adjudicación del contrato)

II.3) DURACIÓN DEL CONTRATO O PLAZO DE EJECUCIÓN

Duración en meses: ☐☐ *o* días: ☐☐☐☐ (a partir de la adjudicación del contrato)

o bien Inicio   ☐☐/☐☐/☐☐☐☐   *(dd/mm/aaaa)*

     Ejecución   ☐☐/☐☐/☐☐☐☐   *(dd/mm/aaaa)*

APARTADO III: INFORMACIÓN DE CARÁCTER JURÍDICO, ECONÓMICO, FINANCIERO Y TÉCNICO

III.1) CONDICIONES RELATIVAS AL CONTRATO

III.1.1) Depósitos y garantías exigidos *(si procede)*

III.1.2) Principales condiciones de financiación y de pago y/o referencia a las disposiciones que las regulan

---

III.1.3) Forma jurídica que deberá adoptar la agrupación de operadores económicos adjudicataria del contrato *(si procede)*

III.1.4) Otras condiciones particulares a las que está sujeta la ejecución del contrato   sí ☐   no ☐
(si procede)

En caso de respuesta afirmativa, descripción de las condiciones particulares

---

III.2) CONDICIONES DE PARTICIPACIÓN

III.2.1) Situación personal de los operadores económicos, incluidos los requisitos relativos a la inscripción en un registro profesional o mercantil

Información y trámites necesarios para evaluar si se cumplen los requisitos:

III.2.2) Capacidad económica y financiera

Información y trámites necesarios para evaluar si se cumplen los requisitos:	Nivel o niveles mínimos que pueden exigirse *(en su caso):*

III.2.3) Capacidad técnica

Información y trámites necesarios para evaluar si se cumplen los requisitos:	Nivel o niveles mínimos que pueden exigirse *(en su caso):*

III.2.4) Contratos reservados *(en su caso)*   si ☐   no ☐

El contrato está reservado a talleres protegidos   ☐

La ejecución del contrato está reservada a programas de empleo protegido   ☐

III.3) CONDICIONES ESPECÍFICAS DE LOS CONTRATOS DE SERVICIOS

III.3.1) La prestación del servicio se reserva a una profesión determinada   si ☐   no ☐

En caso de respuesta afirmativa, referencia de la disposición legal, reglamentaria o administrativa correspondiente:

III.3.2) Las personas jurídicas deben indicar los nombres y cualificaciones profesionales del personal encargado de la prestación del servicio   sí ☐   no ☐

APARTADO IV: PROCEDIMIENTO

IV.1) TIPO DE PROCEDIMIENTO

IV.1.1) Tipo de procedimiento		
Abierto	☐	
Restringido	☐	
Restringido acelerado	☐	Justificación de la elección del procedimiento acelerado:
Negociado	☐	Ya han sido seleccionados candidatos　　　　　　　　sí ☐　no ☐
		En caso de respuesta afirmativa, *indique los nombres y direcciones de los operadores económicos ya seleccionados con arreglo al apartado VI.3, Información complementaria*
Negociado acelerado	☐	Justificación de la elección del procedimiento acelerado:
Diálogo competitivo	☐	

IV.1.2) Limitación del número de operadores a los que se invitará a licitar o participar
(procedimientos restringido y negociado, diálogo competitivo)

Número previsto de operadores　☐☐☐

o bien número mínimo previsto　☐☐☐ y, *en su caso*, número máximo ☐☐☐

Criterios objetivos para la selección del número limitado de candidatos:

_____

_____

_____

_____

IV.1.3) Reducción del número de operadores durante la negociación o el diálogo
(procedimiento negociado, diálogo competitivo)

Aplicación del procedimiento en fases sucesivas con el fin de reducir　　　　　　sí ☐　no ☐
gradualmente el número de soluciones que se debatirán o de ofertas que se negociarán

IV.2) CRITERIOS DE ADJUDICACIÓN

IV.2.1) Criterios de adjudicación *(márquese la casilla o casillas que procedan)*

El precio más bajo ☐

o bien

La oferta económicamente más ventajosa teniendo en cuenta: ☐

☐ los criterios enumerados a continuación *(los criterios de adjudicación deben indicarse con su ponderación o bien en orden decreciente de importancia en caso de que no sea posible la ponderación por motivos que puedan demostrarse)*

☐ los criterios que figuren en el pliego de condiciones, en la invitación a licitar o a negociar o en el documento descriptivo

Criterios	Ponderación	Criterios	Ponderación
1 _____	_____	6 _____	_____
2 _____	_____	7 _____	_____
3 _____	_____	8 _____	_____
4 _____	_____	9 _____	_____
5 _____	_____	10 _____	_____

IV.2.2) Se realizará una subasta electrónica? sí ☐ no ☐

En caso de respuesta afirmativa, información complementaria acerca de la subasta electrónica *(en su caso)*

_____

_____

_____

IV.3) INFORMACIÓN ADMINISTRATIVA

IV.3.1) Número de referencia que el poder adjudicador asigna al expediente *(en su caso)*

_____

IV.3.2) Publicaciones anteriores referentes al mismo contrato sí ☐ no ☐

En caso afirmativo:

Anuncio de información previa ☐   Anuncio de perfil de comprador ☐

Número de anuncio del DO: ☐☐☐☐/S ☐☐☐-☐☐☐☐☐☐ de ☐☐/☐☐/☐☐☐☐ *(dd/mm/aaaa)*

Otras publicaciones anteriores *(en su caso)* ☐

Número de anuncio del DO: ☐☐☐☐/S ☐☐☐-☐☐☐☐☐☐ de ☐☐/☐☐/☐☐☐☐ *(dd/mm/aaaa)*

Número de anuncio del DO: ☐☐☐☐/S ☐☐☐-☐☐☐☐☐☐ de ☐☐/☐☐/☐☐☐☐ *(dd/mm/aaaa)*

IV.3.3) Condiciones para la obtención del pliego de condiciones y documentación complementaria *(excepto para un Sistema Dinámico de Adquisición)* **o documento descriptivo** *(en caso de diálogo competitivo)*

Plazo de recepción de solicitudes de documentos o de acceso a los mismos

Fecha: ☐☐/☐☐/☐☐☐☐ *(dd/mm/aaaa)*　　　　　　　　　　　Hora:_____

Documentos sujetos a pago　　　　　　　　　　　　　　　　sí ☐　　no ☐

En caso de respuesta afirmativa, precio *(únicamente cifras)*: _____　Moneda: _____

_____

_____

IV.3.4) Plazo de recepción de ofertas y solicitudes de participación

Fecha: ☐☐/☐☐/☐☐☐☐ *(dd/mm/aaaa)*　　　　　　　　　　　Hora:_____

IV.3.5) Fecha límite de envío a los candidatos seleccionados *(si se conocen)* **de las invitaciones a licitar o a participar** *(en caso de los procedimientos restringido y negociado, y de diálogo competitivo)*

Fecha: ☐☐/☐☐/☐☐☐☐ *(dd/mm/aaaa)*

IV.3.6) Lengua(s) en que puede redactarse la oferta o solicitud de participación

ES　CS　DA　DE　ET　EL　EN　FR　IT　LV　LT　HU　MT　NL　PL　PT　SK　SL　FI　SV

☐　☐　☐　☐　☐　☐　☐　☐　☐　☐　☐　☐　☐　☐　☐　☐　☐　☐　☐　☐

Otras: _____

IV.3.7) Plazo durante el cual el licitador estará obligado a mantener su oferta *(procedimiento abierto)*

Hasta el: ☐☐/☐☐/☐☐☐☐ *(dd/mm/aaaa)*

o bien periodo en meses: ☐☐☐ *o* días: ☐☐☐ (a partir de la fecha declarada de recepción de ofertas)

IV.3.8) Condiciones para la apertura de las ofertas

Fecha: ☐☐/☐☐/☐☐☐☐ *(dd/mm/aaaa)*　　　　　　　　　　　Hora: _____

Lugar *(si procede)*: _____

Personas autorizadas a estar presentes en la apertura de ofertas *(si procede)*　　sí ☐　　no ☐

_____

_____

APARTADO VI: INFORMACIÓN COMPLEMENTARIA

VI.1) SE TRATA DE CONTRATOS PERIÓDICOS? *(en su caso)*   sí ☐   no ☐

En caso de respuesta afirmativa, periodicidad estimada para la publicación de futuros anuncios: _____

VI.2) SE RELACIONA EL CONTRATO CON UN PROYECTO O PROGRAMA FINANCIADO   sí ☐   no ☐
MEDIANTE FONDOS COMUNITARIOS?

En caso de respuesta afirmativa, referencia de los proyectos o programas:

_____

_____

_____

VI.3) INFORMACIÓN ADICIONAL *(en su caso)*

_____

_____

_____

VI.4) PROCEDIMIENTOS DE RECURSO

VI.4.1) Órgano competente para los procedimientos de recurso

Nombre oficial:

Dirección postal:

Localidad:	Código postal:	País:
Correo electrónico:	Teléfono:	
Dirección Internet (URL):	Fax:	

Órgano competente para los procedimientos de mediación *(en su caso)*

Nombre oficial:

Dirección postal:

Localidad:	Código postal:	País:
Correo electrónico:	Teléfono:	
Dirección Internet (URL):	Fax:	

VI.4.2) Presentación de recursos *(cumpliméntese el apartado VI.4.2 O, en caso necesario, el apartado VI.4.3)*

Indicación del plazo o plazos de presentación de recursos:

_____

_____

VI.4.3) Servicio que puede facilitar información sobre la presentación de recursos

Nombre oficial:

Dirección postal:

Localidad:	Código postal:	País:
Correo electrónico:	Teléfono:	
Dirección Internet (URL):	Fax:	

VI.5) FECHA DE ENVÍO DEL PRESENTE ANUNCIO: ☐☐/☐☐/☐☐☐☐ *(dd/mm/aaaa)*

ANEXO A

DIRECCIONES Y PUNTOS DE CONTACTO SUPLEMENTARIOS

I) DIRECCIONES Y PUNTOS DE CONTACTO EN LOS QUE PUEDE OBTENERSE MÁS INFORMACIÓN

Nombre oficial:		
Dirección postal:		
Localidad:	Código postal:	País:
Punto(s) de contacto:		Teléfono:
A la atención de:		
Correo electrónico:		Fax:
Dirección Internet (URL):		

II) DIRECCIONES Y PUNTOS DE CONTACTO EN LOS QUE PUEDEN OBTENERSE LOS PLIEGOS DE CONDICIONES Y LA DOCUMENTACIÓN COMPLEMENTARIA (INCLUIDOS LOS DOCUMENTOS DESTINADOS A UN DIÁLOGO COMPETITIVO Y UN SISTEMA DINÁMICO DE ADQUISICIÓN)

Nombre oficial:		
Dirección postal:		
Localidad:	Código postal:	País:
Punto(s) de contacto:		Teléfono:
A la atención de:		
Correo electrónico:		Fax:
Dirección Internet (URL):		

III) DIRECCIONES Y PUNTOS DE CONTACTO A LOS QUE DEBEN REMITIRSE LAS OFERTAS/SOLICITUDES DE PARTICIPACIÓN

Nombre oficial:		
Dirección postal:		
Localidad:	Código postal:	País:
Punto(s) de contacto:		Teléfono:
A la atención de:		
Correo electrónico:		Fax:
Dirección Internet (URL):		

ANEXO B
INFORMACIÓN RELATIVA A LOS LOTES

LOTE Nº □□□   DENOMINACIÓN _____

1) BREVE DESCRIPCIÓN

_____

_____

_____

2) CLASIFICACIÓN CPV (VOCABULARIO COMÚN DE CONTRATOS PÚBLICOS)

	Nomenclatura principal	Nomenclatura complementaria *(si procede)*
Objeto principal	□□.□□.□□.□□-□	□□□□-□ □□□□-□
Objeto(s) adicional(es)	□□.□□.□□.□□-□	□□□□-□ □□□□-□
	□□.□□.□□.□□-□	□□□□-□ □□□□-□
	□□.□□.□□.□□-□	□□□□-□ □□□□-□
	□□.□□.□□.□□-□	□□□□-□ □□□□-□

3) CANTIDAD O EXTENSIÓN

_____

_____

Si se conoce, coste estimado IVA excluido *(únicamente cifras)*: _____ Moneda: _____

o bien banda comprendida entre _____ y _____ Moneda: _____

4) INDICACIÓN SOBRE EL PERÍODO DISTINTO DE DURACIÓN O EL INICIO/LA EJECUCIÓN DEL CONTRATO *(en su caso)*

Período en meses: □□ *o días:* □□□□ (a partir de la adjudicación del contrato)

o bien Inicio   □□/□□/□□□□ *(dd/mm/aaaa)*

Ejecución   □□/□□/□□□□ *(dd/mm/aaaa)*

5) INFORMATION ADICIONAL SOBRE LOS LOTES

_____

_____

_____

_____

------------------------ *(Utilícese un ejemplar del presente anexo para cada uno de los lotes)* ------------------------

3. *Anuncio de adjudicación aplicable en los contratos de obras, de suministro, y de servicios (Directiva 2004/18/CE del Parlamento Europeo y del Consejo, de 31 de marzo de 2004, sobre coordinación de los procedimientos de adjudicación de los contratos públicos de obras, de suministro y de servicios).*

UNIÓN EUROPEA
Publicación en el Suplemento al Diario Oficial de la Unión Europea
2, rue Mercier, L-2985 Luxemburgo Fax: (352) 29 29 42 670
E-mail: mp-ojs@opoce.cec.eu.int   Información y formularios en línea: http://simap.eu.int

ANUNCIO DE ADJUDICACIÓN DE CONTRATO

APARTADO I: PODER ADJUDICADOR

I.1) NOMBRE, DIRECCIONES Y PUNTOS DE CONTACTO

Nombre oficial:		
Dirección postal:		
Localidad:	Código postal:	País:
Punto(s) de contacto: A la atención de:	Teléfono:	
Correo electrónico:	Fax:	
Direcciones Internet *(en su caso)* Dirección del poder adjudicador *(URL)*: Dirección del perfil de comprador *(URL)*:		

I.2) TIPO DE PODER ADJUDICADOR Y PRINCIPAL(ES) ACTIVIDAD(ES)

☐ Ministerio o cualquier otra institución nacional o federal, incluidas sus delegaciones regionales o locales ☐ Oficina/entidad nacional o federal ☐ Institución regional o local ☐ Oficina/entidad regional o local ☐ Organismo de derecho público ☐ Institución/organismo descentralizado europeo u organización internacional ☐ Otros *(especifíquese):* _____	☐ Servicios generales de las administraciones públicas ☐ Defensa ☐ Orden público y seguridad ☐ Medio ambiente ☐ Economía y Hacienda ☐ Salud ☐ Vivienda y servicios para la colectividad ☐ Protección social ☐ Ocio, cultura y religión ☐ Educación ☐ Otros *(especifíquese):* _____
El poder adjudicador realiza su adquisición en nombre de otros poderes adjudicadores? sí ☐ no ☐	

APARTADO II: OBJETO DEL CONTRATO

II.1) DESCRIPCIÓN

II.1.1) Denominación del contrato establecida por el poder adjudicador

---

II.1.2) Tipo de contrato y emplazamiento de las obras, lugar de entrega o de ejecución *(Selecciónese una sola categoría —obras, suministro o servicios— que corresponda mejor al objeto específico de su contrato o adquisición)*

a) Obras ☐	b) Suministro ☐	c) Servicios ☐
Ejecución ☐	Adquisición ☐	Categoría de servicio: nº ☐☐
Proyecto y ejecución ☐	Arrendamiento financiero ☐	Si se trata de un contrato de las
Realización de la obra, por ☐ cualquier medio, que responda a las exigencias especificadas por el poder adjudicador	Alquiler ☐ Compra a plazos ☐ Combinación de los anteriores ☐	categorías de servicios 1-27 *(véase anexo C)*, acepta que se publique este anuncio? sí ☐ no ☐
Emplazamiento principal de las obras	Principal lugar de entrega	Principal lugar de ejecución
Código NUTS ☐☐☐☐☐	Código NUTS ☐☐☐☐☐	Código NUTS ☐☐☐☐☐

II.1.3) El anuncio se refiere *(en su caso)* **a**

La celebración de un acuerdo marco ☐   Contratos basados en un sistema dinámico de adquisición ☐

II.1.4) Breve descripción del contrato o adquisición

II.1.5) Clasificación CPV (Vocabulario Común de Contratos Públicos)

	Nomenclatura principal	Nomenclatura complementaria *(si procede)*
Objeto principal	☐☐.☐☐.☐☐.☐☐-☐	☐☐☐☐-☐ ☐☐☐☐-☐
Objeto(s) adicional(es)	☐☐.☐☐.☐☐.☐☐-☐	☐☐☐☐-☐ ☐☐☐☐-☐
	☐☐.☐☐.☐☐.☐☐-☐	☐☐☐☐-☐ ☐☐☐☐-☐
	☐☐.☐☐.☐☐.☐☐-☐	☐☐☐☐-☐ ☐☐☐☐-☐
	☐☐.☐☐.☐☐.☐☐-☐	☐☐☐☐-☐ ☐☐☐☐-☐

II.1.6) Contrato cubierto por el Acuerdo sobre Contratación Pública (ACP)   sí ☐   no ☐

II.2) VALOR FINAL TOTAL DEL CONTRATO O CONTRATOS

II.2.1) Valor final total del contrato o contratos (*únicamente cifras*) (*Indíquese únicamente el valor final total, incluidos todos los contratos, lotes y opciones; si se desea facilitar información acerca de cada contrato específico, cumpliméntese el apartado V, Adjudicación del contrato*)	IVA excluido	IVA incluido	Tipo del IVA (%)
Valor: _____ Moneda: _____	☐	☐ al	☐☐,☐
o bien Oferta más baja _____ / oferta más elevada _____ considerada Moneda: _____	☐	☐ al	☐☐,☐

APARTADO IV: PROCEDIMIENTO

IV.1) TIPO DE PROCEDIMIENTO

IV.1.1) Tipo de procedimiento

Abierto	☐	Negociado con convocatoria de licitación	☐
Restringido	☐	Negociado acelerado	☐
Restringido acelerado	☐	Negociado sin convocatoria de licitación	☐
Diálogo competitivo	☐	**Justificación de la elección del procedimiento negociado sin convocatoria de licitación**: *cumpliméntese el anexo D*	

IV.2) CRITERIOS DE ADJUDICACIÓN

IV.2.1) Criterios de adjudicación (*márquese la casilla que proceda*)

El precio más bajo   ☐

o bien

La oferta económicamente más ventajosa teniendo en cuenta: ☐

Criterios	Ponderación	Criterios	Ponderación
1._____	_____	6._____	_____
2._____	_____	7._____	_____
3._____	_____	8._____	_____
4._____	_____	9._____	_____
5._____	_____	10._____	_____

IV.2.2) Se ha realizado una subasta electrónica?   sí ☐   no ☐

IV.3) INFORMACIÓN ADMINISTRATIVA

IV.3.1) Número de referencia que el poder adjudicador asigna al expediente *(en su caso)*

IV.3.2) Publicaciones anteriores referentes al mismo contrato   sí ☐   no ☐

En caso de respuesta afirmativa *(rellénense las casillas que procedan)*:

Anuncio de información previa ☐   *O BIEN*   Anuncio de perfil de comprador   ☐

Número de anuncio del DO: ☐☐☐☐/S☐☐☐-☐☐☐☐☐☐ de ☐☐/☐☐/☐☐☐☐ *(dd/mm/aaaa)*

Anuncio de licitación   ☐   *O BIEN*   Anuncio de licitación simplificado (Sistema Dinámico de Adquisición) ☐

Número de anuncio del DO:☐☐☐☐/S☐☐☐-☐☐☐☐☐☐ de ☐☐/☐☐/☐☐☐☐ *(dd/mm/aaaa)*

Otras publicaciones anteriores ☐

Número de anuncio del DO: ☐☐☐☐/S☐☐☐-☐☐☐☐☐☐ de ☐☐/☐☐/☐☐☐☐ *(dd/mm/aaaa)*

APARTADO V: ADJUDICACIÓN DEL CONTRATO

CONTRATO Nº ☐☐☐   DENOMINACIÓN _____

V.1) FECHA DE ADJUDICACIÓN DEL CONTRATO: ☐☐/☐☐/☐☐☐☐ *(dd/mm/aaaa)*

V.2) NÚMERO DE OFERTAS RECIBIDAS: ☐☐:☐☐

V.3) NOMBRE Y DIRECCIÓN DEL OPERADOR ECONÓMICO AL QUE SE HA ADJUDICADO EL CONTRATO

Nombre oficial:

Dirección postal:

Localidad:	Código postal:	País:
Correo electrónico:	Teléfono:	
Dirección Internet (URL)	Fax:	

V.4) Información sobre el valor del contrato *(únicamente cifras)*

	IVA EXCLUIDO	IVA INCLUIDO	TIPO DEL IVA (%)
Valor total estimado inicial del contrato *(si procede)* Valor: _____ Moneda: ____	☐	☐ al	☐☐,☐
Valor total final del contrato Valor: _____ Moneda: ____	☐	☐ al	☐☐,☐
o bien Oferta más baja _____ / oferta más elevada _____ considerada Moneda: ____	☐	☐ al	☐☐,☐

Si se trata del valor anual o mensual, indíquese: **número de años:** ☐☐   *O BIEN*   **número de meses:** ☐☐

V.5) EL CONTRATO PUEDE SER OBJETO DE SUBCONTRATACIÓN?   sí ☐   no ☐

En caso de respuesta afirmativa, valor o porcentaje del contrato que podrá subcontratarse a terceros *(únicamente cifras)*:

Valor estimado IVA excluido: _____   Moneda: ____   Porcentaje: ☐☐,☐ (%)   Se desconoce ☐

Breve descripción del valor/porcentaje del contrato que se subcontratará *(si se conoce)*

_____
_____
_____

-------------------- *(Utilícese el número de ejemplares del presente apartado que sean necesarios)* --------------------

APARTADO VI: INFORMACIÓN COMPLEMENTARIA

VI.1) SE RELACIONA EL CONTRATO CON UN PROYECTO O PROGRAMA FINANCIADO MEDIANTE FONDOS DE LA UE? sí ☐ no ☐

En caso de respuesta afirmativa, referencia de los proyectos o programas:

_____

_____

_____

VI.2) INFORMACIÓN ADICIONAL *(en su caso)*

_____

_____

VI.3) PROCEDIMIENTOS DE RECURSO

VI.3.1) Órgano competente para los procedimientos de recurso

Nombre oficial:

Dirección postal:

Localidad:	Código postal:	País:
Correo electrónico:	Teléfono:	
Dirección Internet (URL):	Fax:	

Órgano competente para los procedimientos de mediación *(en su caso)*

Nombre oficial:

Dirección postal:

Localidad:	Código postal:	País:
Correo electrónico:	Teléfono:	
Dirección Internet (URL):	Fax:	

VI.3.2) Presentación de recursos *(cumpliméntese el apartado VI.3.2 O, en caso necesario, el apartado VI.3.3)*

Indicación de los plazos de presentación de recursos:

_____

_____

VI.3.3) Servicio que puede facilitar información sobre la presentación de recursos

Nombre oficial:

Dirección postal:

Localidad:	Código postal:	País:
Correo electrónico:	Teléfono:	
Dirección Internet (URL):	Fax:	

VI.4) FECHA DE ENVÍO DEL PRESENTE ANUNCIO: ☐☐/☐☐/☐☐☐☐ *(dd/mm/aaaa)*

ANEXO C

Categorías de servicios mencionadas en el apartado ii: Objeto del contrato

N° de categoría[1]	Descripción
1	Servicios de mantenimiento y reparación
2	Servicios de transporte por vía terrestre[2], incluidos los servicios de furgones blindados y servicios de mensajería, excepto transporte de correo
3	Servicios de transporte aéreo: transporte de pasajeros y carga, excepto transporte de correo
4	Transporte de correo por vía terrestre[3] y por vía aérea
5	Servicios de telecomunicación
6	Servicios financieros: a) servicios de seguros b) servicios bancarios y de inversión[4]
7	Servicios de informática y servicios conexos
8	Servicios de investigación y desarrollo[5]
9	Servicios de contabilidad, auditoría y teneduría de libros
10	Servicios de investigación de estudios y encuestas de la opinión pública
11	Servicios de consultores de dirección[6] y servicios conexos
12	Servicios de arquitectura; servicios de ingeniería y servicios integrados de ingeniería; servicios de planificación urbana y servicios de arquitectura paisajista; servicios conexos de consultores en ciencia y tecnología; servicios de ensayos y análisis técnicos
13	Servicios de publicidad
14	Servicios de limpieza de edificios y servicios de administración de bienes raíces
15	Servicios editoriales y de imprenta, por tarifa o por contrato
16	Servicios de alcantarillado y eliminación de desperdicios; servicios de saneamiento y servicios similares

N° de categoría[7]	Descripción
17	Servicios de hostelería y restaurante
18	Servicios de transporte por ferrocarril
19	Servicios de transporte fluvial y marítimo
20	Servicios de transporte complementarios y auxiliares
21	Servicios jurídicos
22	Servicios de colocación y suministro de personal[8]
23	Servicios de investigación y seguridad, excepto los servicios de furgones blindados
24	Servicios de educación y formación profesional
25	Servicios sociales y de salud
26	Servicios de esparcimiento, culturales y deportivos[9]
27	Otros servicios[8][9]

---

[1] Categorías de servicios a los que se refieren el artículo 1, apartado 2, letra d) y el anexo II A, , de la Directiva 2004/18/CE.
[2] Exceptuando los servicios de transporte por ferrocarril incluidos en la categoría 18.
[3] Excepto los servicios de transporte por ferrocarril incluidos en la categoría 18.
[4] Exceptuando los servicios financieros relativos a la emisión, compra, venta y transferencia de títulos u otros instrumentos financieros, y los servicios financieros prestados por los bancos centrales.
Quedan también excluidos los servicios que consistan en la adquisición o el arrendamiento, independientemente del sistema de financiación, de terrenos, edificios ya existentes u otros bienes inmuebles, o relativos a derechos sobre estos bienes; no obstante, los servicios financieros prestados bien al mismo tiempo, bien con anterioridad o posterioridad al contrato de adquisición o de arrendamiento, en cualquiera de sus formas, se regularán por lo dispuesto en la presente Directiva.
[5] Exceptuando los servicios de investigación y desarrollo distintos de aquéllos cuyos resultados corresponden al poder adjudicador para su uso exclusivo, siempre que éste remunere íntegramente la prestación del servicio.
[6] Exceptuando los servicios de arbitraje y conciliación.
[7] Categorías de servicios a los que se refieren el artículo 1, apartado 2, letra d) y el anexo II B de la Directiva 2004/18/CE.
[8] Exceptuando los contratos de trabajo.
[9] Exceptuando los contratos de adquisición, desarrollo, producción o conducción de programas por organismos de radiodifusión y los contratos relativos al tiempo de difusión.

ANEXO D

anuncio de adjudicación de contrato

justificación de la elección del procedimiento negociado
sin convocatoria de licitación previa

Los motivos de la elección del procedimiento negociado sin publicación previa de un anuncio de licitación se ajustarán a lo dispuesto en los artículos pertinentes de la Directiva 2004/18/CE.

(Márquense las casillas que procedan)

a) No se ha presentado ninguna oferta o ninguna oferta adecuada en respuesta a un:

- Procedimiento abierto, ☐

- Procedimiento restringido ☐

b) Los productos de que se trate se fabrican únicamente con fines de investigación, experimentación, estudio o desarrollo en las condiciones que se establecen en la Directiva *(únicamente en el caso de los suministros).* ☐

c) Las *obras/bienes/servicios* únicamente puede proporcionarlos un determinado licitador por razones:

- Técnicas, ☐

- Artísticas, ☐

- Relacionadas con la protección de derechos exclusivos. ☐

d) Situación de extrema urgencia resultante de hechos imprevisibles para el poder adjudicador y con arreglo a las condiciones estrictas que se establecen en la Directiva. ☐

e) Se solicitan *obras/suministros/servicios* adicionales con arreglo a las condiciones estrictas establecidas en la Directiva. ☐

f) Se trata de nuevas *obras/servicios* que consisten en una repetición de obras/servicios existentes y se solicitan con arreglo a las condiciones estrictas establecidas en la Directiva. ☐

g) Contrato de *servicios* adjudicado al candidato ganador o a uno de los candidatos ganadores de un concurso de proyectos. ☐

h) Se trata de suministros cotizados y comprados en una bolsa de materias primas. ☐

i) Se trata de la compra de suministros en condiciones especialmente ventajosas:

- a un proveedor que cesa definitivamente su actividad comercial, ☐

- a administradores o síndicos de una quiebra, o en virtud de un concordato judicial o un procedimiento similar. ☐

j) Todas las ofertas presentadas en respuesta a un procedimiento abierto, un procedimiento restringido o un diálogo competitivo presentaban irregularidades o eran inaceptables. Únicamente los licitadores que cumplían los criterios cualitativos de selección se han incluido en las negociaciones. ☐

---

4. *Anuncio de perfil del comprador (Directiva 2004/18/CE del Parlamento Europeo y del Consejo, de 31 de marzo de 2004, sobre coordinación de los procedimientos de adjudicación de los contratos públicos de obras, de suministro y de servicios).*

UNIÓN EUROPEA
Publicación en el Suplemento al Diario Oficial de la Unión Europea
2, rue Mercier, L-2985 Luxemburgo   Fax: (352) 29 29 42 670
E-mail: mp-ojs@opoce.cec.eu.int   Información y formularios en línea: http://simap.eu.int

ANUNCIO DE PERFIL DE COMPRADOR

El presente anuncio está relacionado con la publicación de un:

Anuncio de información previa *(ámbito de aplicación de la Directiva 2004/18/CE)* ☐

Anuncio periódico indicativo ☐
—que no sirve de convocatoria de licitación—
(ámbito de aplicación de la Directiva 2004/17/CE«Sectores especiales»)

APARTADO I: PODER ADJUDICADOR / ENTIDAD ADJUDICADORA / DIRECCIONES INTERNET

I.1) Nombre, direcciones y puntos de contacto

Nombre oficial:		
Dirección postal:		
Localidad:	Código postal:	País:
Punto(s) de contacto:	Teléfono:	
A la atención de:		
Correo electrónico:	Fax:	

Direcciones Internet *(en su caso)*
Dirección del poder adjudicador/de la entidad adjudicadora *(URL)*:

Dirección del perfil de comprador *(URL)*:

I.2) Tipo de poder adjudicador y principal(es) actividad(es)
(en el caso de un anuncio de información previa publicado con arreglo a la Directiva 2004/18/CE)

☐ Ministerio o cualquier otra institución nacional o federal, incluidas sus delegaciones regionales o locales ☐ Oficina/entidad nacional o federal ☐ Institución regional o local ☐ Oficina/entidad regional o local ☐ Organismo de derecho público ☐ Institución/organismo descentralizado europeo u organización internacional ☐ Otros *(especifíquese)*: _____	☐ Servicios generales de las administraciones públicas ☐ Defensa ☐ Orden público y seguridad ☐ Medio ambiente ☐ Economía y Hacienda ☐ Salud ☐ Vivienda y servicios para la colectividad ☐ Protección social ☐ Ocio, cultura y religión ☐ Educación ☐ Otros *(especifíquese)*: _____
El poder adjudicador realiza su adquisición en nombre de otros poderes adjudicadores? sí ☐ no ☐	

I.3) ACTIVIDAD(ES) PRINCIPAL(ES) DE LA ENTIDAD ADJUDICADORA *(en el caso de un anuncio de información previa publicado con arreglo a la Directiva 2004/17/CE «Sectores especiales»)*

☐ Producción, transporte y distribución de gas y calefacción
☐ Electricidad
☐ Prospección y extracción de gas y petróleo
☐ Prospección y extracción de carbón y otros combustibles sólidos

☐ Agua
☐ Servicios postales
☐ Servicios de transporte ferroviario
☐ Servicios de ferrocarriles urbanos, tranvías, trolebuses o autobuses
☐ Actividades portuarias
☐ Actividades aeroportuarias

APARTADO II: OBJETO DEL CONTRATO

II.1) DENOMINACIÓN DEL CONTRATO ESTABLECIDA POR EL PODER ADJUDICADOR/LA ENTIDAD ADJUDICADORA

II.2) TIPO DE CONTRATO   Obras ☐   Suministro ☐   Servicios ☐

II.3) BREVE DESCRIPCIÓN DEL CONTRATO O ADQUISICIÓN

II.4) CLASIFICACIÓN CPV (VOCABULARIO COMÚN DE CONTRATOS PÚBLICOS)

	Nomenclatura principal	Nomenclatura complementaria *(si procede)*
Objeto principal	☐☐.☐☐.☐☐.☐☐-☐	☐☐☐☐-☐ ☐☐☐☐-☐
Objeto(s) adicional(es)	☐☐.☐☐.☐☐.☐☐-☐	☐☐☐☐-☐ ☐☐☐☐-☐
	☐☐.☐☐.☐☐.☐☐-☐	☐☐☐☐-☐ ☐☐☐☐-☐
	☐☐.☐☐.☐☐.☐☐-☐	☐☐☐☐-☐ ☐☐☐☐-☐
	☐☐.☐☐.☐☐.☐☐-☐	☐☐☐☐-☐ ☐☐☐☐-☐

---------------- *(Utilícese el número de ejemplares del presente apartado que sean necesarios)* ----------------

APARTADO VI: INFORMACIÓN COMPLEMENTARIA

VI.1) FECHA DE ENVÍO DEL PRESENTE ANUNCIO: ☐☐/☐☐/☐☐☐☐ *(dd/mm/aaaa)*

5. *Anuncio de licitación simplificado en el marco de un sistema dinámico de adquisición (Directiva 2004/18/CE del Parlamento Europeo y del Consejo, de 31 de marzo de 2004, sobre coordinación de los procedimientos de adjudicación de los contratos públicos de obras, de suministro y de servicios).*

UNIÓN EUROPEA
Publicación en el Suplemento al Diario Oficial de la Unión Europea
2, rue Mercier, L-2985 Luxemburgo   Fax: (352) 29 29 42 670
E-mail: mp-ojs@opoce.cec.eu.int   Información y formularios en línea: http://simap.eu.int

ANUNCIO DE LICITACIÓN SIMPLIFICADO EN EL MARCO DE UN SISTEMA DINÁMICO DE ADQUISICIÓN

El presente anuncio pertenece al ámbito de aplicación siguiente:

Directiva 2004/18/CE ☐

Directiva 2004/17/CE («sectores especiales») ☐

APARTADO I: PODER ADJUDICADOR/ENTIDAD ADJUDICADORA

I.1) NOMBRE, DIRECCIONES Y PUNTOS DE CONTACTO

Nombre oficial:		
Dirección postal:		
Localidad:	Código postal:	País:
Punto(s) de contacto:	Teléfono:	
A la atención de:		
Correo electrónico:	Fax:	

Direcciones Internet *(en su caso)*
Dirección del poder adjudicador/de la entidad adjudicadora *(URL)*:

Dirección en la que pueden obtenerse los documentos del contrato y la documentación adicional *(URL)*:

I.2) TIPO DE PODER ADJUDICADOR Y ACTIVIDAD(ES) PRINCIPAL(ES) *(en caso de contrato del ámbito de aplicación de la Directiva 2004/18/CE)*

☐ Ministerio o cualquier otra institución nacional o federal, incluidas sus delegaciones regionales o locales	☐ Servicios generales de las administraciones públicas
☐ Oficina/entidad nacional o federal	☐ Defensa
☐ Institución regional o local	☐ Orden público y seguridad
☐ Oficina/entidad regional o local	☐ Medio ambiente
☐ Organismo de derecho público	☐ Economía y Hacienda
☐ Institución/organismo descentralizado europeo u organización internacional	☐ Salud
☐ Otros *(especifíquese)*: _____	☐ Vivienda y servicios para la colectividad
	☐ Protección social
	☐ Ocio, cultura y religión
	☐ Educación
	☐ Otros *(especifíquese)*: _____
El poder adjudicador realiza su adquisición en nombre de otros poderes adjudicadores?	sí ☐ no ☐

I.3) ACTIVIDAD(ES) PRINCIPAL(ES) DE LA ENTIDAD ADJUDICADORA *(en caso de contrato del ámbito de aplicación de la Directiva 2004/17/CE «sectores especiales»)*

☐ Producción, transporte y distribución de gas y calefacción ☐ Electricidad ☐ Prospección y extracción de gas y petróleo ☐ Prospección y extracción de carbón y otros combustibles sólidos	☐ Agua ☐ Servicios postales ☐ Servicios de transporte ferroviario ☐ Servicios de ferrocarriles urbanos, tranvías, trolebuses o autobuses ☐ Actividades portuarias ☐ Actividades aeroportuarias

APARTADO II: OBJETO DEL CONTRATO

II.1) DENOMINACIÓN DEL CONTRATO ESTABLECIDA POR EL PODER ADJUDICADOR/LA ENTIDAD ADJUDICADORA

_____

II.2) TIPO DE CONTRATO   Obras ☐   Suministro ☐   Servicios ☐

II.3) BREVE DESCRIPCIÓN DEL CONTRATO ESPECÍFICO

_____

_____

II.4) CLASIFICACIÓN CPV (VOCABULARIO COMÚN DE CONTRATOS PÚBLICOS)

	Nomenclatura principal	Nomenclatura complementaria *(si procede)*
Objeto principal	☐☐.☐☐.☐☐.☐☐-☐	☐☐☐☐-☐ ☐☐☐☐-☐
Objeto(s) adicional(es)	☐☐.☐☐.☐☐.☐☐-☐ ☐☐.☐☐.☐☐.☐☐-☐ ☐☐.☐☐.☐☐.☐☐-☐ ☐☐.☐☐.☐☐.☐☐-☐	☐☐☐☐-☐ ☐☐☐☐-☐ ☐☐☐☐-☐ ☐☐☐☐-☐ ☐☐☐☐-☐ ☐☐☐☐-☐ ☐☐☐☐-☐ ☐☐☐☐-☐

II.5) CANTIDAD O EXTENSIÓN DEL CONTRATO ESPECÍFICO

_____

_____

Si se conoce, valor estimado IVA excluido *(únicamente cifras):* _____ Moneda: _____

O BIEN banda comprendida entre _____ y _____ Moneda: _____

APARTADO IV: PROCEDIMIENTO

IV.1) TIPO DE PROCEDIMIENTO

Abierto   ☐

IV.2) INFORMACIÓN ADMINISTRATIVA

IV.2.1) Número de referencia que el poder adjudicador/la entidad adjudicadora asigna al expediente *(en su caso)*

IV.2.2) Publicación previa (anuncio de licitación) en el que se proporciona <u>más información</u> sobre el Sistema Dinámico de Adquisición

Número de anuncio del DO: ☐☐☐☐/S☐☐☐-☐☐☐☐☐☐☐ de ☐☐/☐☐/☐☐☐☐ *(dd/mm/aaaa)*

IV.2.3) Fecha límite de presentación de ofertas indicativas para el contrato específico

Fecha: ☐☐/☐☐/☐☐☐☐ *(dd/mm/aaaa)*   Hora:_____

IV.2.4) Lengua(s) en que puede(n) redactarse las ofertas

ES	CS	DA	DE	ET	EL	EN	FR	IT	LV	LT	HU	MT	NL	PL	PT	SK	SL	FI	SV
☐	☐	☐	☐	☐	☐	☐	☐	☐	☐	☐	☐	☐	☐	☐	☐	☐	☐	☐	☐

Otras: _____

APARTADO VI: INFORMACIÓN COMPLEMENTARIA

VI.1) INFORMACIÓN ADICIONAL *(si procede)*

VI.2) FECHA DE ENVÍO DEL PRESENTE ANUNCIO: ☐☐/☐☐/☐☐☐☐ *(dd/mm/aaaa)*

6. *Anuncio de concesión de obras públicas (Directiva 2004/18/CE del Parlamento Europeo y del Consejo, de 31 de marzo de 2004, sobre coordinación de los procedimientos de adjudicación de los contratos públicos de obras, de suministro y de servicios).*

UNIÓN EUROPEA
Publicación en el Suplemento al Diario Oficial de la Unión Europea
2, rue Mercier, L.-2985 Luxemburgo   Fax: (352) 29 29 42 670
E-mail: mp-ojs@opoce.cec.eu.int   Información y formularios en línea: http://simap.eu.int

CONCESIÓN DE OBRAS PÚBLICAS

APARTADO I: PODER ADJUDICADOR

I.1) NOMBRE, DIRECCIONES Y PUNTO(S) DE CONTACTO

Nombre oficial:		
Dirección postal:		
Localidad:	Código postal:	País:
Punto(s) de contacto: A la atención de:	Teléfono:	
Correo electrónico:	Fax:	
Direcciones Internet *(en su caso)* Dirección del poder adjudicador *(URL):* Dirección del perfil de comprador *(URL):*		

Puede obtenerse más información en:	☐ Véanse los puntos de contacto mencionados arriba ☐ Otros: *sírvase cumplimentar el anexo A.I*
Puede obtenerse más documentación específica en:	☐ Véanse los puntos de contacto mencionados arriba ☐ Otros: *sírvase cumplimentar el anexo A.II*
Las solicitudes deben enviarse a:	☐ Véanse los puntos de contacto mencionados arriba ☐ Otros: *sírvase cumplimentar el anexo A.III*

I.2) TIPO DE PODER ADJUDICADOR Y PRINCIPAL(ES) ACTIVIDAD(ES)

☐ Ministerio o cualquier otra institución nacional o federal, incluidas sus delegaciones regionales o locales ☐ Oficina/entidad nacional o federal ☐ Institución regional o local ☐ Oficina/entidad regional o local ☐ Organismo de derecho público ☐ Institución/organismo descentralizado europeo u organización internacional ☐ Otros *(especifíquese):* _____	☐ Servicios generales de las administraciones públicas ☐ Defensa ☐ Orden público y seguridad ☐ Medio ambiente ☐ Economía y Hacienda ☐ Salud ☐ Vivienda y servicios para la colectividad ☐ Protección social ☐ Ocio, cultura y religión ☐ Educación ☐ Otros *(especifíquese):* _____

APARTADO II: OBJETO DEL CONTRATO

II.1) DESCRIPCIÓN DE LA CONCESIÓN

II.1.1) Denominación del contrato establecida por el poder adjudicador

_____

II.1.2) Tipo de contrato y emplazamiento de las obras

Ejecución ☐	Emplazamiento principal de las obras _____
Proyecto y ejecución ☐	Código NUTS ☐☐☐☐☐
Realización, por cualquier medio, ☐ de una obra que responda a las exigencias especificadas por el poder adjudicador	

II.1.3) Breve descripción del contrato

_____

_____

_____

II.1.4) Clasificación CPV (Vocabulario Común de los Contratos Públicos)

	Nomenclatura principal	Nomenclatura complementaria *(si procede)*
Objeto principal	☐☐.☐☐.☐☐.☐☐-☐	☐☐☐☐-☐ ☐☐☐☐-☐
Objeto(s) adicional(es)	☐☐.☐☐.☐☐.☐☐-☐	☐☐☐☐-☐ ☐☐☐☐-☐
	☐☐.☐☐.☐☐.☐☐-☐	☐☐☐☐-☐ ☐☐☐☐-☐
	☐☐.☐☐.☐☐.☐☐-☐	☐☐☐☐-☐ ☐☐☐☐-☐
	☐☐.☐☐.☐☐.☐☐-☐	☐☐☐☐-☐ ☐☐☐☐-☐

II.2) CANTIDAD O EXTENSIÓN DEL CONTRATO

II.2.1) Cantidad o extensión global del contrato *(incluidos todos los lotes y opciones, si procede)*

_____

_____

Si se conoce, valor estimado IVA excluido *(si procede; únicamente cifras)*: _____ Moneda: _____

o bien banda comprendida entre _____ y _____ Moneda: _____

II.2.2) Porcentaje mínimo de las obras que se concederán a terceros *(en su caso)*

_____

_____

APARTADO III: INFORMACIÓN DE CARÁCTER JURÍDICO, ECONÓMICO, FINANCIERO Y TÉCNICO

III.1) CONDICIONES DE PARTICIPACIÓN

III.1.1) Situación personal de los operadores económicos, incluidas las exigencias relativas a la inscripción en un registro profesional o mercantil
Información y trámites necesarios para evaluar si se cumplen los requisitos:
III.1.2) Capacidad económica y financiera
Información y trámites necesarios para evaluar si se cumplen los requisitos *(si procede)*:
III.1.3) Capacidad técnica
Información y trámites necesarios para evaluar si se cumplen los requisitos *(si procede)*:

APARTADO IV: PROCEDIMIENTO

IV.1) CRITERIOS DE ADJUDICACIÓN
IV.2) INFORMACIÓN ADMINISTRATIVA
IV.2.1) Número de referencia que el poder adjudicador asigna al expediente *(en su caso)*

IV.2.2) Fecha límite de presentación de las candidaturas

Fecha: ☐☐/☐☐/☐☐☐☐ *(dd/mm/aaaa)*   Hora:_____

IV.2.3) Lengua(s) en que puede(n) presentarse las candidaturas

ES	CS	DA	DE	ET	EL	EN	FR	IT	LV	LT	HU	MT	NL	PL	PT	SK	SL	FI	SV
☐	☐	☐	☐	☐	☐	☐	☐	☐	☐	☐	☐	☐	☐	☐	☐	☐	☐	☐	☐

Otras: _____

APARTADO VI: INFORMACIÓN COMPLEMENTARIA

VI.1) SE RELACIONA EL CONTRATO CON UN PROYECTO O PROGRAMA FINANCIADO MEDIANTE FONDOS COMUNITARIOS?   sí ☐   no ☐

En caso de respuesta afirmativa, referencia de los proyectos o programas:

_____

_____

_____

VI.2) INFORMACIÓN ADICIONAL *(en su caso)*

_____

_____

_____

VI.3) PROCEDIMIENTOS DE RECURSO

VI.3.1) Órgano competente para los procedimientos de recurso

Nombre oficial:		
Dirección postal:		
Localidad:	Código postal:	País:
Correo electrónico:	Teléfono:	
Dirección Internet (URL):	Fax:	

Órgano competente para los procedimientos de mediación *(en su caso)*

Nombre oficial:		
Dirección postal:		
Localidad:	Código postal:	País:
Correo electrónico:	Teléfono:	
Dirección Internet (URL):	Fax:	

VI.3.2) Presentación de recursos *(cumpliméntese el apartado VI.3.2 O BIEN, en caso necesario, el VI.3.3)*

Indíquense los plazos de presentación de recursos:

_____
_____

VI.3.3) Servicio que puede facilitar información sobre la presentación de recursos

Nombre oficial:

Dirección postal:

Localidad:	Código postal:	País:
Correo electrónico:	Teléfono:	
Dirección Internet (URL):	Fax:	

VI.4) FECHA DE ENVÍO DEL PRESENTE ANUNCIO: ☐☐/☐☐/☐☐☐☐ *(dd/mm/aaaa)*

ANEXO A

DIRECCIONES Y PUNTOS DE CONTACTO SUPLEMENTARIOS

I) DIRECCIONES Y PUNTOS DE CONTACTO EN LOS QUE PUEDE OBTENERSE MÁS INFORMACIÓN

Nombre oficial:		
Dirección postal:		
Localidad:	Código postal:	País:
Punto(s) de contacto:	Teléfono:	
A la atención de: Correo electrónico:	Fax:	
Dirección Internet (URL):		

II) DIRECCIONES Y PUNTOS DE CONTACTO EN LOS QUE PUEDE OBTENERSE DOCUMENTACIÓN ESPECÍFICA

Nombre oficial:		
Dirección postal:		
Localidad:	Código postal:	País:
Punto(s) de contacto:	Teléfono:	
A la atención de: Correo electrónico:	Fax:	
Dirección Internet (URL):		

III) DIRECCIONES Y PUNTOS DE CONTACTO A LOS QUE DEBEN REMITIRSE LAS CANDIDATURAS

Nombre oficial:		
Dirección postal:		
Localidad:	Código postal:	País:
Punto(s) de contacto:	Teléfono:	
A la atención de: Correo electrónico:	Fax:	
Dirección Internet (URL):		

7. *Anuncio de adjudicación-adjudicación de un contrato por un concesionario que no es un poder adjudicador (Directiva 2004/18/CE del Parlamento Europeo y del Consejo, de 31 de marzo de 2004, sobre coordinación de los procedimientos de adjudicación de los contratos públicos de obras, de suministro y de servicios).*

UNIÓN EUROPEA
Publicación en el Suplemento al Diario Oficial de la Unión Europea
2. rue Mercier, L-2985 Luxemburgo   Fax: (352) 29 29 42 670
E-mail: mp-ojs@opoce.cec.eu.int   Información y formularios en línea: http://simap.eu.int

ANUNCIO DE LICITACIÓN

Adjudicación de contrato por un concesionario que no es un poder adjudicador

APARTADO I: CONCESIONARIO DE OBRAS PÚBLICAS

I.1) Nombre, direcciones y puntos de contacto

Nombre oficial:		
Dirección postal:		
Localidad:	Código postal:	País:
Punto(s) de contacto: A la atención de:	Teléfono:	
Correo electrónico:	Fax:	
Dirección Internet *(en su caso)* Dirección del concesionario *(URL)*:		

Puede obtenerse más información en:
☐ Véanse los puntos de contacto mencionados arriba ☐ Otros: *sírvase cumplimentar el anexo A.I*
El pliego de condiciones y la documentación complementaria pueden obtenerse en:
☐ Véanse los puntos de contacto mencionados arriba ☐ Otros: *sírvase cumplimentar el anexo A.II*
Las ofertas o solicitudes de participación deben enviarse a:
☐ Véanse los puntos de contacto mencionados arriba ☐ Otros: *sírvase cumplimentar el anexo A.III*

APARTADO II: OBJETO DEL CONTRATO

II.1) DESCRIPCIÓN

II.1.1) Denominación del contrato establecida por el concesionario

_____

_____

II.1.2) Tipo de contrato y emplazamiento de las obras

Ejecución	☐	Emplazamiento principal de las obras _____
Proyecto y ejecución	☐	Código NUTS ☐☐☐☐☐
Realización, por cualquier medio, de una obra que responda a las exigencias especificadas por el concesionario	☐	

II.1.3) Breve descripción del contrato

_____

_____

_____

II.1.4) Clasificación CPV (Vocabulario Común de Contratos Públicos)

	Nomenclatura principal	Nomenclatura complementaria *(si procede)*
Objeto principal	☐☐.☐☐.☐☐.☐☐-☐	☐☐☐☐-☐ ☐☐☐☐-☐
Objeto(s) adicional(es)	☐☐.☐☐.☐☐.☐☐-☐	☐☐☐☐-☐ ☐☐☐☐-☐
	☐☐.☐☐.☐☐.☐☐-☐	☐☐☐☐-☐ ☐☐☐☐-☐
	☐☐.☐☐.☐☐.☐☐-☐	☐☐☐☐-☐ ☐☐☐☐-☐
	☐☐.☐☐.☐☐.☐☐-☐	☐☐☐☐-☐ ☐☐☐☐-☐

II.2) CANTIDAD O EXTENSIÓN DEL CONTRATO

II.2.1) Cantidad o extensión total

_____

_____

Si se conoce, valor estimado IVA excluido *(únicamente cifras):* _____   Moneda: _____

o bien banda comprendida entre _____ y _____   Moneda: _____

II.3) DURACIÓN DEL CONTRATO O FECHA LÍMITE DE EJECUCIÓN

Duración en meses: ☐☐ y/o días: ☐☐☐☐ (a partir de la adjudicación del contrato)

o bien Inicio: ☐☐/☐☐/☐☐☐☐ *(dd/mm/aaaa)*

Ejecución: ☐☐/☐☐/☐☐☐☐ *(dd/mm/aaaa)*

APARTADO III: INFORMACIÓN DE CARÁCTER JURÍDICO, ECONÓMICO, FINANCIERO Y TÉCNICO

III.1) CONDICIONES RELATIVAS AL CONTRATO

III.1.1) Depósitos y garantías exigidos *(si procede)*

III.2) CONDICIONES DE PARTICIPACIÓN

III.2.1) Condiciones de tipo económico y técnico que debe reunir el contratista

APARTADO IV: PROCEDIMIENTO

IV.1) CRITERIOS DE ADJUDICACIÓN

IV.2) INFORMACIÓN ADMINISTRATIVA

IV.2.1) Número de referencia asignado al expediente por el concesionario *(en su caso)*

IV.2.2) Fecha límite: para la recepción de ofertas ☐   **para solicitudes de participación** ☐

Fecha: ☐☐/☐☐/☐☐☐☐ *(dd/mm/aaaa)*   Hora:_____

IV.2.3) Fecha de envío de invitaciones a presentar ofertas a los candidatos seleccionados

Fecha estimada: ☐☐/☐☐/☐☐☐☐ *(dd/mm/aaaa)*

IV.2.4) Lengua(s) en que puede(n) redactarse las ofertas o las solicitudes de participación

ES	CS	DA	DE	ET	EL	EN	FR	IT	LV	LT	HU	MT	NL	PL	PT	SK	SL	FI	SV
☐	☐	☐	☐	☐	☐	☐	☐	☐	☐	☐	☐	☐	☐	☐	☐	☐	☐	☐	☐

Other: _____

APARTADO VI: INFORMACIÓN COMPLEMENTARIA

VI.1) ¿SE RELACIONA EL CONTRATO CON UN PROYECTO Y/O PROGRAMA FINANCIADO MEDIANTE FONDOS COMUNITARIOS?   sí ☐   no ☐

En caso de respuesta afirmativa, referencia de los proyectos o programas:

_____
_____
_____

VI.2) INFORMACIÓN ADICIONAL *(si procede)*

_____
_____
_____

VI.3) FECHA DE ENVÍO DEL PRESENTE ANUNCIO: ☐☐/☐☐/☐☐☐☐ *(dd/mm/aaaa)*

ANEXO A

DIRECCIONES Y PUNTOS DE CONTACTO SUPLEMENTARIOS

I) DIRECCIONES Y PUNTOS DE CONTACTO EN LOS QUE PUEDE OBTENERSE MÁS INFORMACIÓN

Denominación oficial:		
Dirección postal:		
Localidad:	Código postal:	País:
Punto(s) de contacto: A la atención de:	Teléfono:	
Correo electrónico:	Fax:	
Dirección Internet (URL):		

II) DIRECCIONES Y PUNTOS DE CONTACTO EN LOS QUE PUEDEN OBTENERSE LOS PLIEGOS DE CONDICIONES Y LA DOCUMENTACIÓN COMPLEMENTARIA

Denominación oficial:		
Dirección postal:		
Localidad:	Código postal:	País:
Punto(s) de contacto: A la atención de:	Teléfono:	
Correo electrónico:	Fax:	
Dirección Internet (URL):		

III) DIRECCIONES Y PUNTOS DE CONTACTO A LOS QUE DEBEN REMITIRSE LAS OFERTAS/SOLICITUDES DE PARTICIPACIÓN

Denominación oficial:		
Dirección postal:		
Localidad:	Código postal:	País:
Punto(s) de contacto: A la atención de:	Teléfono:	
Correo electrónico:	Fax:	
Dirección Internet (URL):		

8. *Anuncio de concurso de proyectos (Directiva 2004/18/CE del Parlamento Europeo y del Consejo, de 31 de marzo de 2004, sobre coordinación de los procedimientos de adjudicación de los contratos públicos de obras, de suministro y de servicios).*

UNIÓN EUROPEA
Publicación en el Suplemento al Diario Oficial de la Unión Europea
2, rue Mercier, L-2985 Luxemburgo   Fax: (352) 29 29 42 670
E-mail: mp-ojs@opoce.cec.eu.int   Información y formularios en línea: http://simap.eu.int

ANUNCIO DE CONCURSO DE PROYECTOS

El presente anuncio pertenece al ámbito de aplicación siguiente:

Directiva 2004/18/CE ☐

Directiva 2004/17/CE (*«sectores especiales»*) ☐

APARTADO I: PODER ADJUDICADOR / ENTIDAD ADJUDICADORA

I.1) NOMBRE, DIRECCIONES Y PUNTOS DE CONTACTO

Nombre oficial:		
Dirección postal:		
Localidad:	Código postal:	País:
Puntos de contacto: A la atención de:	Teléfono:	
Correo electrónico:	Fax:	
Direcciones Internet *(en su caso)*		

Puede obtenerse más información en:	
	☐ Véanse los puntos de contacto mencionados arriba ☐ Otros: *sírvase cumplimentar el anexo A.I*
Puede obtenerse más documentación en:	
	☐ Véanse los puntos de contacto mencionados arriba ☐ Otros: *sírvase cumplimentar el anexo A.II*
Los proyectos o solicitudes de participación deben enviarse a:	
	☐ Véanse los puntos de contacto mencionados arriba ☐ Otros: *sírvase cumplimentar el anexo A.III*

I.2) TIPO DE PODER ADJUDICADOR Y ACTIVIDAD(ES) PRINCIPAL(ES) *(concurso del ámbito de aplicación de la Directiva 2004/18/CE)*

☐ Ministerio o cualquier otra institución nacional o federal, incluidas sus delegaciones regionales o locales ☐ Oficina/entidad nacional o federal ☐ Institución regional o local ☐ Oficina/entidad regional o local ☐ Organismo de derecho público ☐ Institución/organismo descentralizado europeo u organización internacional ☐ Otros *(especifíquese)*: _____	☐ Servicios generales de las administraciones públicas ☐ Defensa ☐ Orden público y seguridad ☐ Medio ambiente ☐ Economía y Hacienda ☐ Salud ☐ Vivienda y servicios para la colectividad ☐ Protección social ☐ Ocio, cultura y religión ☐ Educación ☐ Otros *(especifíquese)*: _____

I.3) ACTIVIDAD(ES) PRINCIPAL(ES) DE LA ENTIDAD ADJUDICADORA *(concurso del ámbito de aplicación de la Directiva 2004/17/CE «sectores especiales»)*

☐ Producción, transporte y distribución de gas y calefacción	☐ Agua
☐ Electricidad	☐ Servicios postales
☐ Prospección y extracción de gas y petróleo	☐ Servicios de transporte ferroviario
☐ Prospección y extracción de carbón y otros combustibles sólidos	☐ Servicios de ferrocarriles urbanos, tranvías, trolebuses o autobuses
	☐ Actividades portuarias
	☐ Actividades aeroportuarias

APARTADO II: OBJETO DEL CONCURSO DE PROYECTOS / DESCRIPCIÓN DEL PROYECTO

II.1) DESCRIPCIÓN

II.1.1) Denominación del concurso de proyectos establecida por el poder adjudicador/la entidad adjudicadora

---

II.1.2) Breve descripción

II.1.3) Clasificación CPV (Vocabulario Común de Contratos Públicos)

	Nomenclatura principal	Nomenclatura complementaria *(si procede)*
Objeto principal	☐☐.☐☐.☐☐.☐☐-☐	☐☐☐☐-☐ ☐☐☐☐-☐
	☐☐.☐☐.☐☐.☐☐-☐	☐☐☐☐-☐ ☐☐☐☐-☐
	☐☐.☐☐.☐☐.☐☐-☐	☐☐☐☐-☐ ☐☐☐☐-☐
Objeto(s) adicional(es)	☐☐.☐☐.☐☐.☐☐-☐	☐☐☐☐-☐ ☐☐☐☐-☐
	☐☐.☐☐.☐☐.☐☐-☐	☐☐☐☐-☐ ☐☐☐☐-☐

APARTADO III: INFORMACIÓN DE CARÁCTER JURÍDICO, ECONÓMICO, FINANCIERO Y TÉCNICO

III.1) CRITERIOS QUE SE APLICARÁN PARA SELECCIONAR A LOS PARTICIPANTES *(si procede)*

_____

_____

_____

III.2) ¿LA PARTICIPACIÓN ESTÁ RESERVADA A UNA DETERMINADA PROFESIÓN? *(si procede)*   sí ☐   no ☐

En caso afirmativo, indíquese qué profesión:

_____

_____

APARTADO IV: PROCEDIMIENTO

IV.1) TIPO DE CONCURSO

Abierto   ☐

Restringido   ☐

Número previsto de participantes ☐☐☐   *O BIEN* número mínimo ☐☐☐ / número máximo ☐☐☐

IV.2) NOMBRE DE LOS PARTICIPANTES YA SELECCIONADOS *(en caso de concurso restringido)*

1. _____	6. _____
2. _____	7. _____
3. _____	8. _____
4. _____	9. _____
5. _____	10. _____

IV.3) CRITERIOS QUE SE APLICARÁN PARA VALORAR LOS PROYECTOS

_____

_____

_____

_____

_____

IV.4) INFORMACIÓN ADMINISTRATIVA

IV.4.1) Número de referencia que el poder adjudicador/la entidad adjudicadora asigna al expediente *(en su caso)*

IV.4.2) Obtención del pliego de condiciones y documentos complementarios

Plazo de recepción de solicitudes de documentos o de acceso a los mismos

Fecha: ☐☐/☐☐/☐☐☐☐ *(dd/mm/aaaa)*   Hora:_____

Documentos sujetos a pago   sí ☐   no ☐

En caso de respuesta afirmativa, precio *(únicamente cifras):* _____   Moneda: _____

Condiciones y forma de pago:

IV.4.3) Fecha límite de recepción de los proyectos o de las solicitudes de participación

Fecha: ☐☐/☐☐/☐☐☐☐ *(dd/mm/aaaa)*   Hora: _____

IV.4.4) Fecha límite de envío de invitaciones a participar a los candidatos seleccionados *(si procede)*

Fecha estimada: ☐☐/☐☐/☐☐☐☐ *(dd/mm/aaaa)*

IV.4.5) Lengua(s) en que puede(n) redactarse los proyectos o las solicitudes de participación

ES	CS	DA	DE	ET	EL	EN	FR	IT	LV	LT	HU	MT	NL	PL	PT	SK	SL	FI	SV
☐	☐	☐	☐	☐	☐	☐	☐	☐	☐	☐	☐	☐	☐	☐	☐	☐	☐	☐	☐

Otras: _____

IV.5) PREMIOS Y JURADO

IV.5.1) Se concederá(n) un premio/premios?   sí ☐   no ☐

En caso de respuesta afirmativa, número y valor del premio/de los premios que se concederá(n) *(si procede)*

IV.5.2) Información sobre posibles pagos a los participantes *(en su caso)*

IV.5.3) Contratos complementarios: Se adjudicarán contratos de servicios subsiguientes al concurso al ganador o ganadores del concurso?   sí ☐   no ☐

IV.5.4) ¿La decisión del jurado es obligatoria para el poder adjudicador/entidad adjudicadora?   sí ☐   no ☐

IV.5.5) Nombres de los miembros del jurado que hayan sido seleccionados *(si procede)*

1._____	6._____
2._____	7._____
3._____	8._____
4._____	9._____
5._____	10._____

APARTADO VI: INFORMACIÓN COMPLEMENTARIA

VI.1) ¿SE RELACIONA EL CONCURSO DE PROYECTOS CON UN PROYECTO Y/O PROGRAMA FINANCIADO MEDIANTE FONDOS COMUNITARIOS?   sí ☐   no ☐

En caso de respuesta afirmativa, referencia de los proyectos o programas:

_____
_____
_____

VI.2) INFORMACIÓN ADICIONAL *(si procede)*

_____
_____

VI.3) PROCEDIMIENTOS DE RECURSO *(proporciónese información sólo en caso de concurso de proyectos relacionado con los sectores especiales)*

VI.3.1) Órgano competente para los procedimientos de recurso

Nombre oficial:		
Dirección postal:		
Localidad:	Código postal:	País:
Correo electrónico:	Teléfono:	
Dirección Internet (URL):	Fax:	

Órgano competente para los procedimientos de mediación *(en su caso)*

Nombre oficial:		
Dirección postal:		
Localidad:	Código postal:	País:
Correo electrónico:	Teléfono:	
Dirección Internet (URL):	Fax:	

VI.3.2) Presentación de recursos *(cumpliméntese el apartado VI.3.2 O BIEN, en caso necesario, el apartado VI.3.3)*

Indíquense los plazos de presentación de recursos:

_____

_____

VI.3.3) Servicio que puede facilitar información sobre la presentación de recursos

Nombre oficial:		
Dirección postal:		
Localidad:	Código postal:	País:
Correo electrónico:	Teléfono:	
Dirección Internet (URL):	Fax:	

VI.4) FECHA DE ENVÍO DEL PRESENTE ANUNCIO: ☐☐/☐☐/☐☐☐☐ *(dd/mm/aaaa)*

ANEXO A

DIRECCIONES Y PUNTOS DE CONTACTO SUPLEMENTARIOS

I) DIRECCIONES Y PUNTOS DE CONTACTO EN LOS QUE PUEDE OBTENERSE MÁS INFORMACIÓN

Nombre oficial:		
Dirección postal:		
Localidad:	Código postal:	País:
Punto(s) de contacto:	Teléfono:	
A la atención de:		
Correo electrónico:	Fax:	
Dirección Internet (URL):		

II) DIRECCIONES Y PUNTOS DE CONTACTO EN LOS QUE PUEDE OBTENERSE MÁS DOCUMENTACIÓN

Nombre oficial:		
Dirección postal:		
Localidad:	Código postal:	País:
Punto(s) de contacto:	Teléfono:	
A la atención de:		
Correo electrónico:	Fax:	
Dirección Internet (URL):		

III) DIRECCIONES Y PUNTOS DE CONTACTO A LOS QUE DEBEN REMITIRSE LOS PROYECTOS/LAS SOLICITUDES DE PARTICIPACIÓN

Nombre oficial:		
Dirección postal:		
Localidad:	Código postal:	País:
Punto(s) de contacto:	Teléfono:	
A la atención de:		
Correo electrónico:	Fax:	
Dirección Internet (URL):		

9. *Anuncio de resultados del concurso de proyectos (Directiva 2004/18/CE del Parlamento Europeo y del Consejo, de 31 de marzo de 2004, sobre coordinación de los procedimientos de adjudicación de los contratos públicos de obras, de suministro y de servicios).*

UNIÓN EUROPEA
Publicación en el Suplemento al Diario Oficial de la Unión Europea
2, rue Mercier, L-2985 Luxemburgo   Fax: (352) 29 29 42 670
E-mail: mp-ojs@opoce.cec.eu.int   Información y formularios en línea: http://simap.eu.int

ANUNCIO DE RESULTADOS DEL CONCURSO DE PROYECTOS

El presente concurso pertenece al ámbito de aplicación siguiente:

Directiva 2004/18/CE ☐

Directiva 2004/17/CE *(«sectores especiales»)* ☐

APARTADO I: PODER ADJUDICADOR/ENTIDAD ADJUDICADORA

I.1) NOMBRE, DIRECCIONES Y PUNTOS DE CONTACTO

Nombre oficial:		
Dirección postal:		
Localidad:	Código postal:	País:
Punto(s) de contacto:	Teléfono:	
A la atención de:		
Correo electrónico:	Fax:	

Direcciones Internet *(en su caso)*

I.2) TIPO DE PODER ADJUDICADOR Y ACTIVIDAD(ES) PRINCIPAL(ES) *[concurso del ámbito de aplicación de la Directiva 2004/18/CE]*

☐ Ministerio o cualquier otra institución nacional o federal, incluidas sus delegaciones regionales o locales	☐ Servicios generales de las administraciones públicas
☐ Oficina/entidad nacional o federal	☐ Defensa
☐ Institución regional o local	☐ Orden público y seguridad
☐ Oficina/entidad regional o local	☐ Medio ambiente
☐ Organismo de derecho público	☐ Economía y Hacienda
☐ Institución/organismo descentralizado europeo u organización internacional	☐ Salud
☐ Otros *(especifíquese):* _____	☐ Vivienda y servicios para la colectividad
	☐ Protección social
	☐ Ocio, cultura y religión
	☐ Educación
	☐ Otros *(especifíquese):* _____

I.3) ACTIVIDAD(ES) PRINCIPAL(ES) DE LA ENTIDAD ADJUDICADORA *[concurso del ámbito de aplicación de la Directiva 2004/17/CE «sectores especiales»]*

☐ Producción, transporte y distribución de gas y calefacción	☐ Agua
☐ Electricidad	☐ Servicios postales
☐ Prospección y extracción de gas y petróleo	☐ Servicios de transporte ferroviario
☐ Prospección y extracción de carbón y otros combustibles sólidos	☐ Servicios de ferrocarriles urbanos, tranvías, trolebuses o autobuses
	☐ Actividades portuarias
	☐ Actividades aeroportuarias

APARTADO II: OBJETO DEL CONCURSO DE PROYECTOS / DESCRIPCIÓN DEL PROYECTO

II.1) DESCRIPCIÓN

II.1.1) Denominación del concurso de proyectos/proyecto establecida por el poder adjudicador/la entidad adjudicadora

II.1.2) Breve descripción

II.1.3) Clasificación CPV (Vocabulario Común de Contratos Públicos)

	Nomenclatura principal	Nomenclatura complementaria *(si procede)*
Objeto principal	□□.□□.□□.□□-□	□□□□-□ □□□□-□
Objeto(s) adicional(es)	□□.□□.□□.□□-□	□□□□-□ □□□□-□
	□□.□□.□□.□□-□	□□□□-□ □□□□-□
	□□.□□.□□.□□-□	□□□□-□ □□□□-□
	□□.□□.□□.□□-□	□□□□-□ □□□□-□

APARTADO IV: PROCEDIMIENTO

IV.1) INFORMACIÓN ADMINISTRATIVA

IV.1.1) Número de referencia que el poder adjudicador asigna al expediente *(en su caso)*

IV.1.2) Se ha publicado anteriormente el mismo concurso?   sí □   no □

En caso afirmativo:

Número de anuncio del DO: □□□□/S□□□-□□□□□□□ de □□/□□/□□□□ *(dd/mm/aaaa)*

APARTADO V: RESULTADOS DEL CONCURSO DE PROYECTOS

Nº: ☐☐☐   DENOMINACIÓN _____

V.1) ADJUDICACIÓN Y PREMIOS *(si procede)*		
V.1.1) Número de participantes: ☐☐☐		
V.1.2) Número de participantes extranjeros: ☐☐☐		
V.1.3) Nombres y direcciones de los ganadores del concurso		
Nombre oficial:		
Dirección postal:		
Localidad:	Código postal:	País:
Correo electrónico:	Teléfono:	
Dirección Internet (URL)	Fax:	
V.2) VALOR DE LOS PREMIOS *(si procede)*		
Valor de los premios concedidos IVA excluido *(únicamente cifras)*: _____ Moneda: _____		

---------------------- *(Utilícese el número de ejemplares del presente apartado que sea necesario)* ----------------------

APARTADO VI: INFORMACIÓN COMPLEMENTARIA

VI.1) ¿SE RELACIONA EL CONCURSO DE PROYECTOS CON UN PROYECTO Y/O PROGRAMA FINANCIADO MEDIANTE FONDOS COMUNITARIOS?   si ☐   no ☐   **En caso de respuesta afirmativa**, referencia de los proyectos y/o programas: _____   _____   _____
VI.2) INFORMACIÓN ADICIONAL *(en su caso)*   _____   _____   _____

VI.3) PROCEDIMIENTOS DE RECURSO *(proporciónese información sólo en caso de concurso de proyectos relacionado con los sectores especiales)*

VI.3.1) Órgano competente para los procedimientos de recurso

Nombre oficial:

Dirección postal:

Localidad:	Código postal:	País:
Correo electrónico:	Teléfono:	
Dirección Internet (URL):	Fax:	

Órgano competente para los procedimientos de mediación *(en su caso)*

Nombre oficial:

Dirección postal:

Localidad:	Código postal:	País:
Correo electrónico:	Teléfono:	
Dirección Internet (URL):	Fax:	

VI.3.2) Presentación de recursos *(cumpliméntese el apartado VI.3.2 O BIEN, en caso necesario, el VI.3.3)*

Indicación de los plazos de presentación de recursos:

_____

_____

VI.3.3) Servicio que puede facilitar información sobre la presentación de recursos

Nombre oficial:

Dirección postal:

Localidad:	Código postal:	País:
Correo electrónico:	Teléfono:	
Dirección Internet (URL):	Fax:	

VI.4) FECHA DE ENVÍO DEL PRESENTE ANUNCIO: ☐☐/☐☐/☐☐☐☐ *(dd/mm/aaaa)*

10. *Anuncio relativo a información adicional, información sobre procedimientos incompletos o rectificativos (Directiva 2004/18/CE del Parlamento Europeo y del Consejo, de 31 de marzo de 2004, sobre coordinación de los procedimientos de adjudicación de los contratos públicos de obras, de suministro y de servicios).*

UNIÓN EUROPEA
Publicación en el Suplemento al Diario Oficial de la Unión Europea
2, rue Mercier, L-2985 Luxemburgo   Fax (352) 29 29 42 670
E-mail: ojs@publications.europa.eu   Licitación en línea: http://simap.europa.eu

ANUNCIO RELATIVO A INFORMACIÓN ADICIONAL, INFORMACIÓN SOBRE PROCEDIMIENTOS INCOMPLETOS O RECTIFICATIVOS

Aviso: En el caso de que cualquier información modificada o añadida supusiera un cambio sustancial en las condiciones previstas en el anuncio de licitación original, especialmente con relación al principio de tratamiento equitativo y a las reglas de competencia, será necesario ampliar los plazos previstos originalmente.

APARTADO I: PODER ADJUDICADOR

I.1) NOMBRE, DIRECCIONES Y PUNTOS DE CONTACTO

Nombre oficial:		
Código postal:		
Localidad:	Código postal:	País:
Punto(s) de contacto: A la atención de:	Teléfono:	
Correo electrónico:	Fax:	
Direcciones Internet *(si procede)* Dirección del poder adjudicador *(URL)*: Dirección del perfil de comprador *(URL)*:		

I.2) TIPO DE ENTIDAD COMPRADORA

Poder adjudicador *(en caso de contrato que entra dentro del ámbito de aplicación de la Directiva 2004/18/CE)*	☐
Entidad adjudicadora *(en caso de contrato que entra dentro del ámbito de aplicación de la Directiva 2004/17/CE «Sectores especiales»)*	☐

APARTADO II: OBJETO DEL CONTRATO

II.1) DESCRIPCIÓN

II.1.1) Denominación del contrato establecida por el poder adjudicador/la entidad adjudicadora *(según figura en el anuncio original)*

II.1.2) Breve descripción del contrato o adquisición *(según figura en el anuncio original)*

II.1.3) Clasificación CPV (Vocabulario Común de Contratos Públicos) *(según figura en el anuncio original)*

	Nomenclatura principal	Nomenclatura complementaria *(si procede)*
Objeto principal	□□.□□.□□.□□-□	□□□□-□ □□□□-□
Objeto(s) adicional(es)	□□.□□.□□.□□-□	□□□□-□ □□□□-□
	□□.□□.□□.□□-□	□□□□-□ □□□□-□
	□□.□□.□□.□□-□	□□□□-□ □□□□-□
	□□.□□.□□.□□-□	□□□□-□ □□□□-□

APARTADO IV: PROCEDIMIENTO

IV.1) TIPO DE PROCEDIMIENTO

IV.1.1) Tipo de procedimiento *(según figura en el anuncio original)*

Abierto	□
Restringido	□
Restringido acelerado	□
Negociado	□
Negociado acelerado	□
Diálogo competitivo	□

IV.2) INFORMACIÓN ADMINISTRATIVA

IV.2.1) Número de referencia que el poder adjudicador/la entidad adjudicadora asigna al expediente *(según figura en el anuncio original, si procede)*

IV.2.2) Referencia del anuncio para anuncios enviados en línea *(si se conoce)*

El anuncio original fue enviado por: SIMAP ☐
OJS eSender ☐

Nombre de usuario: ☐☐☐☐☐☐☐☐☐☐☐☐☐☐☐☐☐☐☐☐☐☐☐

Referencia del anuncio: ☐☐☐☐ - ☐☐☐☐☐☐ *(número y año del documento)*

IV.2.3) Anuncio al que se refiere esta publicación *(si procede)*

Número de anuncio del DO: ☐☐☐☐/S☐☐☐-☐☐☐☐☐☐☐ de ☐☐/☐☐/☐☐☐☐ *(dd/mm/aaaa)*

IV.2.4) Fecha de envío del anuncio original: ☐☐/☐☐/☐☐☐☐ *(dd/mm/aaaa)*

APARTADO VI: INFORMACIÓN COMPLEMENTARIA

VI.1) ESTE ANUNCIO SE REFIERE A *(si procede, seleccione cuantas opciones sea necesario)*

Procedimiento incompleto ☐   Rectificativo ☐   Información adicional ☐

VI.2) INFORMACIÓN RELATIVA A UN PROCEDIMIENTO DE ADJUDICACIÓN INCOMPLETO *(si procede, seleccione cuantas opciones sea necesario)*

El procedimiento de adjudicación no ha sido continuado. ☐

El procedimiento de adjudicación ha sido declarado infructuoso. ☐

El contrato no ha sido adjudicado. ☐

El contrato podrá ser objeto de una nueva publicación. ☐

VI.3) INFORMACIÓN QUE DEBERÁ SER MODIFICADA O AÑADIDA *(si procede; especifique el lugar de texto o las fechas que deben modificarse o añadirse, indique siempre el apartado correspondiente y el número del subapartado del anuncio original)*

VI.3.1) Modificación de la información original enviada por el poder adjudicador	☐	La publicación en Ted no está conforme con la información original proporcionada por el poder adjudicador	☐	Ambos	☐
VI.3.2) En el anuncio original	☐	En el expediente de licitación correspondiente	☐	En ambos	☐
		(si desea más información, consulte los documentos de licitación correspondientes)		*(si desea más información, consulte los documentos de licitación correspondientes)*	

VI.3.3) Texto que se deberá modificar en el anuncio original *(si procede)*

Localización del texto que se deberá modificar:	En lugar de:	Léase:

VI.3.4) Fechas que se deberán modificar en el anuncio original *(si procede)*

Localización de las fechas que se deberán modificar:	En lugar de:		Léase:	
	☐☐/☐☐/☐☐☐☐	*(dd/mm/aaaa)*	☐☐/☐☐/☐☐☐☐	*(dd/mm/aaaa)*
	☐☐:☐☐	*(hora)*	☐☐:☐☐	*(hora)*
	☐☐/☐☐/☐☐☐☐	*(dd/mm/aaaa)*	☐☐/☐☐/☐☐☐☐	*(dd/mm/aaaa)*
	☐☐:☐☐	*(hora)*	☐☐:☐☐	*(hora)*

VI.3.5) Direcciones y puntos de contacto que se deberán modificar *(si procede)*

Localización del texto que se deberá modificar *(si procede)*:

Nombre oficial:

Dirección postal:

Localidad:	Código postal:	País:

Punto(s) de contacto:	Teléfono:
A la atención de:	
Correo electrónico:	Fax:

Direcciones Internet *(si procede)*
Dirección del poder adjudicador *(URL)*:

Dirección del perfil de comprador *(URL)*:

VI.3.6) Texto que se deberá añadir en el anuncio original *(si procede)*

Localización del texto que se deberá añadir:	Texto que se deberá añadir:

VI.4) OTRAS INFORMACIONES ADICIONALES *(si procede)*

------------------------- *(Utilícese el apartado VI cuantas veces sea necesario)* -------------------------

---

VI.5) FECHA DE ENVÍO DEL PRESENTE ANUNCIO: ☐☐/☐☐/☐☐☐☐ *(dd/mm/aaaa)*

APÉNDICE

SECCIÓN PRIMERA

MODIFICACIÓN DE LOS ANEXOS I Y II DE LA LEY 30/2007, DE 30 DE OCTUBRE, DE CONTRATOS DEL SECTOR PÚBLICO

ANEXO I

ACTIVIDADES A QUE SE REFIERE EL APARTADO 1 DEL ARTÍCULO 6 DE LA LEY 30/2007, DE 30 DE OCTUBRE, DE CONTRATOS DEL SECTOR PÚBLICO

				NACE (1)	
Sección F				**Construcción**	**Código CPV**
División	**Grupo**	**Clase**	**Descripción**	**Notas**	
45			Construcción.	Esta división comprende: Las construcciones nuevas, obras de restauración y reparaciones corrientes.	45000000
	45.1		Preparación de obras.		45100000
		45.11	Demolición de inmuebles y movimientos de tierras.	Esta clase comprende: La demolición y derribo de edificios y otras estructuras. La limpieza de escombros. Los trabajos de movimiento de tierras: Excavación, rellenado y nivelación de emplazamientos de obras, excavación de zanjas, despeje de rocas, voladuras, etc. La preparación de explotaciones mineras: Obras subterráneas, despeje de montera y otras actividades de preparación de minas. Esta clase comprende también: El drenaje de emplazamientos de obras. El drenaje de terrenos agrícolas y forestales.	45110000
		45.12	Perforaciones y sondeos.	Esta clase comprende: Las perforaciones, sondeos y muestreos con fines de construcción, geofísicos, geológicos u otros.	45120000

NACE (1)					
Sección F				**Construcción**	**Código CPV**
División	**Grupo**	**Clase**	**Descripción**	**Notas**	
				Esta clase no comprende:	
				La perforación de pozos de producción de petróleo y gas natural (véase 11.20).	
				La perforación de pozos hidráulicos (véase 45.25).	
				La excavación de pozos de minas (véase 45.25).	
				La prospección de yacimientos de petróleo y gas natural y los estudios geofísicos, geológicos o sísmicos (véase 74.20).	

NACE (1)					
Sección F				**Construcción**	**Código CPV**
División	**Grupo**	**Clase**	**Descripción**	**Notas**	
	45.2		Construcción general de inmuebles y obras de ingeniería civil		45200000
		45.21	Construcción general de edificios y obras singulares de ingeniería civil (puentes, túneles, etc.).	Esta clase comprende: La construcción de todo tipo de edificios. La construcción de obras de ingeniería civil: Puentes (incluidos los de carreteras elevadas), viaductos, túneles y pasos subterráneos. Redes de energía, comunicación y conducción de larga distancia. Instalaciones urbanas de tuberías, redes de energía y de comunicaciones. Obras urbanas anejas al montaje in situ de construcciones prefabricadas.	45210000 (Excepto: 45213316 45220000 45231000 45232000

NACE (1)				
Sección F			**Construcción**	**Código CPV**
División	**Grupo**	**Clase**	**Descripción**	**Notas**	

División	Grupo	Clase	Descripción	Notas	Código CPV
				Esta clase no comprende:	
				Los servicios relacionados con la extracción de gas y de petróleo (véase 11.20).	
				El montaje de construcciones prefabricadas completas a partir de piezas de producción propia que no sean de hormigón (véanse las divisiones 20, 26 y 28).	
				La construcción de equipamientos de estadios, piscinas, gimnasios, pistas de tenis, campos de golf y otras instalaciones deportivas, excluidos sus edificios (véase 45.23).	
				Las instalaciones de edificios y obras (véase 45.3).	
				Las actividades de arquitectura e ingeniería (véase 74.20).	
				La dirección de obras de construcción (véase 74.20).	
		45.22	Construcción de cubiertas y estructuras de cerramiento.	Esta clase comprende: La construcción de tejados. La cubierta de tejados. La impermeabilización de edificios y balcones.	45261000
		45.23	Construcción de autopistas, carreteras, campos de aterrizaje, vías férreas y	Esta clase comprende: La construcción de autopistas, calles, carreteras y otras vías de circulación de vehículos y peatones. La construcción de vías férreas.	45212212 y DA03 45230000 Excepto: 45231000 45232000

NACE (1)					
Sección F			**Construcción**		**Código CPV**
Divi-sión	**Gru-po**	**Clase**	**Descripción**	**Notas**	
			centros de-portivos.	La construcción de pistas de aterri-zaje.	45234115

NACE (1)					
Sección F			**Construcción**		**Código CPV**
Divi-sión	**Gru-po**	**Clase**	**Des-crip-ción**	**Notas**	
				La construcción de equipamientos de esta-dios, piscinas, gimnasios, pistas de tenis, campos de golf y otras instalaciones de-portivas, excluidos sus edificios. La pintura de señales en carreteras y apar-camientos. Esta clase no comprende: El movimiento de tierras previo (véase 45.11).	
	45.24		Obras hidráuli-cas.	Esta clase comprende: La construcción de: Vías navegables, instalaciones portuarias y fluviales, puertos deportivos, esclusas, etc. Presas y diques dragados. Obras subterráneas.	45240000
	45.25		Otras cons-truccio-nes es-peciali-zadas.	Esta clase comprende: Las actividades de construcción que se es-pecialicen en un aspecto común a diferen-tes tipos de estructura y que requieran ap-titudes o materiales específicos: Obras de cimentación, incluida la hinca de pilotes construcción y perforación de pozos hidráulicos, excavación de pozos de minas. Montaje de piezas de acero que no sean de producción propia.	45250000 45262000

NACE (1)		
Sección F	**Construcción**	**Código CPV**
Divi-sión · **Gru-po** · **Clase** · **Des-crip-ción**	**Notas**	

Curvado del acero.

Montaje y desmantelamiento de andamios y plataformas de trabajo, incluido su alquiler.

Montaje de chimeneas y hornos industriales.

Esta clase no comprende:

El alquiler de andamios sin montaje ni desmantelamiento (véase 71.32).

NACE (1)				
Sección F			**Construcción**	**Código CPV**
Divi-sión	**Gru-po**	**Clase**	**Descrip-ción** · **Notas**	
	45.3		Instalación de edificios y obras.	45300000
		45.31	Instalación eléctrica.	

Esta clase comprende:

La instalación en edificios y otras obras de construcción de:

Cables y material eléctrico.

Sistemas de telecomunicación.

Instalaciones de calefacción eléctrica.

Antenas de viviendas.

Alarmas contra incendios.

Sistemas de alarma de protección contra robos.

Ascensores y escaleras mecánicas.

Pararrayos, etc.

45213316
45310000
Excepto:
45316000

| | | 45.32 | Aislamiento térmico, acústico y | Esta clase comprende. | 45320000 |

NACE (1)				
Sección F			**Construcción**	**Código CPV**
Divi-sión	**Gru-po**	**Clase**	**Descrip-ción**	**Notas**
			antivibra-torio.	La instalación en edificios y otras obras de construcción de aislamiento térmico, acústico o antivibratorio. Esta clase no comprende: La impermeabilización de edificios y balcones (véase 45.22).	
		45.33	Fontane-ría.	Esta clase comprende: La instalación en edificios y otras obras de construcción de: Fontanería y sanitarios. Aparatos de gas. Aparatos y conducciones de calefac-ción, ventilación, refrigeración o aire acondicionado. La instalación de extintores automáti-cos de incendios. Esta clase no comprende: La instalación y reparación de instala-ciones de calefacción eléctrica (véase 45.31).	45330000

NACE (1)				
Sección F			**Construcción**	**Código CPV**
Divi-sión	**Gru-po**	**Clase**	**Descrip-ción**	**Notas**
		45.34	Otras ins-talaciones de edifi-cios y obras.	Esta clase comprende: La instalación de sistemas de ilumina-ción y señalización de carreteras, puer-tos y aeropuertos. La instalación en edificios y otras obras de construcción de aparatos y dispositi-vos no clasificados en otra parte.	45234115 45316000 45340000
	45.4		Acabado de edifi-		45400000

NACE (1)		
Sección F	**Construcción**	**Código CPV**
Divi-	Gru-	Clase	Descrip-	**Notas**	

División	Grupo	Clase	Descripción	Notas	Código CPV
			cios y obras.		
		45.41	Revocamiento.	Esta clase comprende: La aplicación en edificios y otras obras de construcción de yeso y estuco interior y exterior, incluidos los materiales de listado correspondientes	45410000
		45.42	Instalaciones de carpintería.	Esta clase comprende: La instalación de puertas, ventanas y marcos, cocinas equipadas, escaleras, mobiliario de trabajo y similares de madera u otros materiales, que no sean de producción propia. Los acabados interiores, como techos, revestimientos de madera para paredes, tabiques móviles, etc. Esta clase no comprende: Los revestimientos de parqué y otras maderas para suelos (véase 45.43).	45420000
		45.43	Revestimiento de	Esta clase comprende: La colocación en edificios y otras obras de construcción de: Revestimientos de cerámica, hormigón o piedra tallada para suelos. Revestimientos de parqué y otras maderas para suelos. Revestimientos de moqueta y linóleo para paredes y suelos, incluidos el caucho o los materiales plásticos. Revestimientos de terrazo, mármol, granito o pizarra para paredes y suelos.	45430000

NACE (1)					
Sección F				**Construcción**	**Código CPV**
División	**Grupo**	**Clase**	**Descripción**	**Notas**	
			suelos y paredes.	Papeles pintados.	

NACE (1)					
Sección F				**Construcción**	**Código CPV**
División	**Grupo**	**Clase**	**Descripción**	**Notas**	
		45.44	Pintura y acristalamiento.	Esta clase comprende: La pintura interior y exterior de edificios. La pintura de obras de ingeniería civil. La instalación de cristales, espejos, etc. Esta clase no comprende: La instalación de ventanas (véase 45.42).	45440000
		45.45	Otros acabados de edificios y obras.	Esta clase comprende: La instalación de piscinas particulares. La limpieza al vapor, con chorro de arena o similares, del exterior de los edificios. Otras obras de acabado de edificios no citadas en otra parte. Esta clase no comprende: La limpieza interior de edificios y obras (véase 74.70).	45212212 y DA04 45450000
	45.5		Alquiler de equipo de construcción o demolición dotado de operario.		45500000

NACE (1)					
Sección F			**Construcción**		**Código CPV**
Divi-sión	**Gru-po**	**Clase**	**Descripción**	**Notas**	
		45.50	Alquiler de equipo de construcción o demolición dotado de operario	Esta clase no comprende: El alquiler de equipo y maquinaria de construcción o demolición desprovisto de operario (véase 71.32).	45500000

ANEXO II
SERVICIOS A QUE SE REFIERE EL ARTÍCULO 10 DE LA 30/2007, DE 30 DE OCTUBRE, DE CONTRATOS DEL SECTOR PÚBLICO

Cate-gorías	Descripción	Número de refe-rencia CPC (2)	Número de referencia CPV
1	Servicios de mantenimiento y reparación.	6112, 6122, 633, 886	De 50100000-6 a 50884000-5 (excepto de 50310000-1 a 50324200-4 y 50116510-9, 50190000-3, 50229000-6, 50243000-0) y de 51000000-9 a 51900000-1.
2	Servicios de transporte por vía terrestre (3), incluidos los servicios de furgones blindados y servicios de mensajería, excepto el transporte de correo.	712 (excepto 71235), 7512, 87304	De 60100000-9 a 60183000-4 (excepto 60160000-7, 60161000-4, 60220000-6), y de 64120000-3 a 64121200-2.
3	Servicios de transporte aéreo: Transporte de pasajeros y carga, excepto el transporte de correo.	73 (excepto 7321)	De 60410000-5 a 60424120-3 (excepto 60411000-2, 60421000-5), y 60500000-3. De 60440000-4 a 60445000-9.
4	Transporte de correo por vía terrestre (3) y por vía aérea.	71235, 7321	60160000-7, 60161000-4 60411000-2, 60421000-5.
5	Servicios de telecomunicación.	752	De 64200000-8 a 64228200-2 72318000-7, y de 72700000-7 a 72720000-3.
6	Servicios financieros: a) Servicios de seguros.	ex 81, 812, 814 7	De 66100000-1 a 66720000-3 (4).

Categorías	Descripción	Número de referencia CPC [2]	Número de referencia CPV
	b) Servicios bancarios y de inversión [4].		
7	Servicios de informática y servicios conexos.	84	De 50310000-1 a 50324200-4, de 72000000-5 a 72920000-5 (excepto 72318000-7 y desde 72700000-7 a 72720000-3), 79342410-4.
8	Servicios de investigación y desarrollo [5].	85	De 73000000-2 a 73436000-7 (excepto 73200000-4, 73210000-7, 73220000-0.
9	Servicios de contabilidad, auditoría y teneduría de libros.	862	De 79210000-9 a 79223000-3.
10	Servicios de investigación de estudios y encuestas de la opinión pública.	864	De 79300000-7 a 79330000-6, y 79342310-9, 79342311-6.
11	Servicios de consultores de dirección [6] y servicios conexos.	865, 866	De 73200000-4 a 73220000-0 de 79400000-8 a 79421200-3 y 79342000-3, 79342100-4, 79342300-6, 79342320-2, 79342321-9, 79910000-6, 79991000-7, 98362000-8.
12	Servicios de arquitectura; servicios de ingeniería y servicios integrados de ingeniería; servicios de planificación urbana y servicios de arquitectura paisajista. Servicios conexos de consultores en ciencia y tecnología. Servicios de ensayos y análisis técnicos.	867	De 71000000-8 a 71900000-7 (excepto 71550000-8) y 79994000-8.
13	Servicios de publicidad.	871	De 79341000-6 a 79342200-5 (excepto 79342000-3 y 79342100-4.
14	Servicios de limpieza de edificios y servicios de administración de bienes raíces.	874, 82201 a 82206	De 70300000-4 a 70340000-6, y de 90900000-6 a 90924000-0.
15	Servicios editoriales y de imprenta, por tarifa o por contrato.	88442	De 79800000-2 a 79824000-6. De 79970000-6 a 79980000-7.

Categorías	Descripción	Número de referencia CPC (2)	Número de referencia CPV
16	Servicios de alcantarillado y eliminación de desperdicios: Servicios de saneamiento y servicios similares.	94	De 90400000-1 a 90743200-9 (excepto 90712200-3. De 90910000-9 a 90920000-2 y 50190000-3, 50229000-6, 50243000-0.
17	Servicios de hostelería y restaurante.	64	De 55100000-1 a 55524000-9, y de 98340000-8 a 98341100-6.
18	Servicios de transporte por ferrocarril.	711	De 60200000-0 a 60220000-6.
19	Servicios de transporte fluvial y marítimo.	72	De 60600000-4 a 60653000-0, y de 63727000-1 a 63727200-3.
20	Servicios de transporte complementarios y auxiliares.	74	De 63000000-9 a 63734000-3 (excepto 63711200-8, 63712700-0, 63712710-3, y de 63727000-1 a 63727200-3), y 98361000-1.
21	Servicios jurídicos.	861	De 79100000-5 a 79140000-7.
22	Servicios de colocación y suministro de personal (7).	872	De 79600000-0 a 79635000-4 (excepto 79611000-0, 79632000-3, 79633000-0), y de 98500000-8 a 98514000-9.
23	Servicios de investigación y seguridad, excepto los servicios de furgones blindados.	873 (excepto 87304)	De 79700000-1 a 79723000-8.
24	Servicios de educación y formación profesional.	92	De 80100000-5 a 80660000-8 (excepto 80533000-9, 80533100-0, 80533200-1.
25	Servicios sociales y de salud.	93	79611000-0, y de 85000000-9 a 85323000-9 (excepto 5321000-5 y 85322000-2).
26	Servicios de esparcimiento, culturales y deportivos (8).	96	De 79995000-5 a 79995200-7, y de 92000000-1 a 92700000-8 (excepto 92230000-2, 92231000-9, 92232000-6.
27	Otros servicios.		

SECCIÓN SEGUNDA
ADAPTACIÓN AL REGLAMENTO (CE) N.º 213/2008 DE LA COMISIÓN, DE 28 DE NOVIEMBRE DE 2007 DE LOS ANEXOS I, II.A Y II.B DE LA LEY 30(SIC)/2007, DE 30 DE OCTUBRE SOBRE PROCEDIMIENTOS DE CONTRATACIÓN EN LOS SECTORES DEL AGUA, LA ENERGÍA, LOS TRANSPORTES Y LOS SERVICIOS POSTALES

ANEXO I
LISTA DE ACTIVIDADES CONTEMPLADAS EN LA LETRA B) DEL APARTADO 1 DEL ARTÍCULO 2 DE LA LEY 31/2007, DE 30 DE OCTUBRE SOBRE PROCEDIMIENTOS DE CONTRATACIÓN EN LOS SECTORES DEL AGUA, LA ENERGÍA, LOS TRANSPORTES Y LOS SERVICIOS POSTALES

NACE [2]					
Sección F			Construcción		Código CPV
División	Grupo	Clase	Descripción	Notas	
45			Construcción.	Esta división comprende: Las construcciones nuevas, obras de restauración y reparaciones corrientes.	45000000
	45.1		Preparación de obras.		45100000
		45.11	Demolición de inmuebles y movimientos de tierras.	Esta clase comprende: La demolición y derribo de edificios y otras estructuras. La limpieza de escombros. Los trabajos de movimiento de tierras: excavación, rellenado y nivelación de emplazamientos de obras, excavación de zanjas, despeje de rocas, voladuras, etc. La preparación de explotaciones mineras: Obras subterráneas, despeje de montera y otras actividades de preparación de minas. Esta clase comprende también: El drenaje de emplazamientos de obras. El drenaje de terrenos agrícolas y forestales.	45110000

NACE (2)					
Sección F			**Construcción**		**Código CPV**
División	**Grupo**	**Clase**	**Descripción**	**Notas**	
		45.12	Perforaciones y sondeos.	Esta clase comprende: Las perforaciones, sondeos y muestreos con fines de construcción, geofísicos, geológicos u otros. Esta clase no comprende: La perforación de pozos de producción de petróleo y gas natural (véase 11.20). La perforación de pozos hidráulicos (véase 45.25). La excavación de pozos de minas (véase 45.25). La prospección de yacimientos de petróleo y gas natural y los estudios geofísicos, geológicos o sísmicos (véase 74.20).	45120000

NACE (2)					
Sección F			**Construcción**		**Código CPV**
División	**Grupo**	**Clase**	**Descripción**	**Notas**	
	45.2		Construcción general de inmuebles y obras de ingeniería civil.		45200000
		45.21	Construcción general de edificios y obras singulares de ingeniería civil (puentes, túneles, etc.).	Esta clase comprende: La construcción de todo tipo de edificios. La construcción de obras de ingeniería civil: Puentes (incluidos los de carreteras elevadas), viaductos, túneles y pasos subterráneos Redes de energía, comunicación y conducción de larga distancia.	45210000 (Excepto: 45213316 45220000 45231000 45232000)

NACE (2)					
Sección F			**Construcción**		**Código CPV**
Divi-sión	Gru-po	Clase	Descripción	Notas	
				Instalaciones urbanas de tuberías, redes de energía y de comunicaciones.	
				Obras urbanas anejas el montaje in situ de construcciones prefabricadas.	
				Esta clase no comprende:	
				Los servicios relacionados con la extracción de gas y de petróleo (véase 11.20).	
				El montaje de construcciones prefabricadas completas a partir de piezas de producción propia que no sean de hormigón (véanse las divisiones 20, 26 y 28).	
				La construcción de equipamientos de estadios, piscinas, gimnasios, pistas de tenis, campos de golf y otras instalaciones deportivas, excluidos sus edificios (véase 45.23).	
				Las instalaciones de edificios y obras (véase 45.3)	
				Las actividades de arquitectura e ingeniería (véase 74.20).	
				La dirección de obras de construcción (véase 74.20).	
		45.22	Construcción de cubiertas y estructuras de cerramiento.	Esta clase comprende: La construcción de tejados. La cubierta de tejados. La impermeabilización de edificios y balcones.	45261000
		45.23	Construcción de autopistas, carreteras, campos de aterrizaje, vías férreas y	Esta clase comprende: La construcción de autopistas, calles, carreteras y otras vías de circulación de vehículos y peatones. La construcción de vías férreas.	45212212 y DA03 45230000 Excepto:

NACE (2)		
Sección F	**Construcción**	**Código CPV**
Divi-sión **Gru-po** **Clase** **Descripción**	**Notas**	
centros de-portivos.	La construcción de pistas de aterri-zaje.	45231000 45232000 45234115

NACE (2)		
Sección F	**Construcción**	**Código CPV**
Divi-sión **Gru-po** **Clase** **Des-crip-ción**	**Notas**	
	La construcción de equipamientos de esta-dios, piscinas, gimnasios, pistas de tenis, campos de golf y otras instalaciones de-portivas, excluidos sus edificios. La pintura de señales en carreteras y apar-camientos. Esta clase no comprende: El movimiento de tierras previo (véase 45.11).	
45.24 Obras hidráuli-cas.	Esta clase comprende: La construcción de: Vías navegables, instalaciones portuarias y fluviales, puertos deportivos, esclusas, etc. Presas y diques. Dragados. Obras subterráneas.	45240000
45.25 Otras cons-truccio-nes es-peciali-zadas.	Esta clase comprende: Las actividades de construcción que se es-pecialicen en un aspecto común a diferen-tes tipos de estructura y que requieran ap-titudes o materiales específicos: Obras de cimentación, incluida la hinca de pilotes, construcción y perforación de po-	45250000 45262000

NACE (2)					
Sección F				**Construcción**	**Código CPV**
División	**Grupo**	**Clase**	**Descripción**	**Notas**	
				zos hidráulicos, excavación de pozos de minas.	
				Montaje de piezas de acero que no sean de producción propia.	
				Curvado del acero.	
				Montaje y desmantelamiento de andamios y plataformas de trabajo, incluido su alquiler.	
				Montaje de chimeneas y hornos industriales.	
				Esta clase no comprende:	
				El alquiler de andamios sin montaje ni desmantelamiento (véase 71.32).	

NACE (2)					
Sección F				**Construcción**	**Código CPV**
División	**Grupo**	**Clase**	**Descripción**	**Notas**	
	45.3		Instalación de edificios y obras.		45300000
		45.31	Instalación eléctrica.	Esta clase comprende:	
				La instalación en edificios y otras obras de construcción de:	
				Cables y material eléctrico.	
				Sistemas de telecomunicación.	45213316
				Instalaciones de calefacción eléctrica.	45310000
				Antenas de viviendas.	Excepto:
				Alarmas contra incendios.	45316000
				Sistemas de alarma de protección contra robos.	
				Ascensores y escaleras mecánicas.	
				Pararrayos, etc.	

NACE (2)					
Sección F				**Construcción**	**Código CPV**
Divi-sión	**Gru-po**	**Clase**	**Descrip-ción**	**Notas**	
		45.32	Aislamiento térmico, acústico y antivibratorio.	Esta clase comprende: La instalación en edificios y otras obras de construcción de aislamiento térmico, acústico o antivibratorio. Esta clase no comprende: La impermeabilización de edificios y balcones (véase 45.22).	45320000
		45.33	Fontanería.	Esta clase comprende: La instalación en edificios y otras obras de construcción de: Fontanería y sanitarios. Aparatos de gas. Aparatos y conducciones de calefacción, ventilación, refrigeración o aire acondicionado. La instalación de extintores automáticos de incendios. Esta clase no comprende: La instalación y reparación de instalaciones de calefacción eléctrica (véase 45.31).	45330000

NACE (2)					
Sección F				**Construcción**	**Código CPV**
Divi-sión	**Gru-po**	**Clase**	**Descrip-ción**	**Notas**	
		45.34	Otras instalaciones de edificios y obras.	Esta clase comprende: La instalación de sistemas de iluminación y señalización de carreteras, puertos y aeropuertos. La instalación en edificios y otras obras de construcción de aparatos y dispositivos no clasificados en otra parte.	45234115 45316000 45340000

NACE (2)					
Sección F			**Construcción**		**Código CPV**
División	**Grupo**	**Clase**	**Descripción**	**Notas**	
	45.4		Acabado de edificios y obras.		45400000
		45.41	Revocamiento.	Esta clase comprende: La aplicación en edificios y otras obras de construcción de yeso y estuco interior y exterior, incluidos los materiales de listado correspondientes.	45410000
		45.42	Instalaciones de carpintería.	Esta clase comprende: La instalación de puertas, ventanas y marcos, cocinas equipadas, escaleras, mobiliario de trabajo y similares de madera u otros materiales, que no sean de producción propia. Los acabados interiores, como techos, revestimientos de madera para paredes, tabiques móviles, etc. Esta clase no comprende: Los revestimientos de parqué y otras maderas para suelos (véase 45.43).	45420000
		45.43	Revestimiento de	Esta clase comprende: La colocación en edificios y otras obras de construcción de: Revestimientos de cerámica, hormigón o piedra tallada para suelos. Revestimientos de parqué y otras maderas para suelos. Revestimientos de moqueta y linóleo para paredes y suelos, incluidos el caucho o los materiales plásticos. Revestimientos de terrazo, mármol, granito o pizarra para paredes y suelos.	45430000

NACE (2)		
Sección F	**Construcción**	**Código CPV**
Divi- **Gru-** **Clase** **Descrip-** **sión** **po** **ción**	**Notas**	
suelos y paredes.	Papeles pintados.	

NACE (2)		
Seccion F	**Construcción**	**Código CPV**
Divi- **Gru-** **Clase** **Descripción** **sión** **po**	**Notas**	
45.44 Pintura y acristalamien- to.	Esta clase comprende: La pintura interior y exterior de edificios. La pintura de obras de ingeniería civil. La instalación de cristales, espejos, etc. Esta clase no comprende: La instalación de ventanas (véase 45.42).	45440000
45.45 Otros acaba- dos de edifi- cios y obras.	Esta clase comprende: La instalación de piscinas particulares. La limpieza al vapor, con chorro de arena o similares, del exterior de los edificios. Otras obras de acabado de edificios no citadas en otra parte. Esta clase no comprende: La limpieza interior de edificios y obras (véase 74.70).	45212212 y DA04 45450000
45.5	Alquiler de equipo de construcción o demolición dotado de operario.	45500000

NACE (2)					
Seccion F				**Construcción**	**Código CPV**
División	**Grupo**	**Clase**	**Descripción**	**Notas**	
		45.50	Alquiler de equipo de construcción o demolición dotado de operario.	Esta clase no comprende: El alquiler de equipo y maquinaria de construcción o demolición desprovisto de operario (véase 71.32).	45500000

ANEXO II A
SERVICIOS A QUE SE REFIERE EL ARTÍCULO 15.1 DE LA LEY 31/2007, DE 30 DE OCTUBRE, SOBRE PROCEDIMIENTOS DE CONTRATACIÓN EN LOS SECTORES DEL AGUA, LA ENERGÍA, LOS TRANSPORTES Y LOS SERVICIOS POSTALES

Categorías	Descripción	Número de referencia CPC (9)	Número de referencia CPV
1	Servicios de mantenimiento y reparación.	6112, 6122, 633, 886	De 50100000-6 a 50884000-5 (excepto de 50310000-1 a 50324200-4 y 50116510-9, 50190000-3, 50229000-6, 50243000-0) y de 51000000-9 a 51900000-1.
2	Servicios de transporte por vía terrestre (10), incluidos los servicios de furgones blindados y servicios de mensajería, excepto el transporte de correo.	712 (excepto 71235), 7512, 87304	De 60100000-9 a 60183000-4 (excepto 60160000-7, 60161000-4, 60220000-6), y de 64120000-3 a 64121200-2.
3	Servicios de transporte aéreo: transporte de pasajeros y carga, excepto el transporte de correo.	73 (excepto 7321)	De 60410000-5 a 60424120-3 (excepto 60411000-2, 60421000-5), y 60500000-3. De 60440000-4 a 60445000-9.
4	Transporte de correo por vía terrestre (10) y por vía aérea.	71235, 7321	60160000-7, 60161000-4, 60411000-2, 60421000-5.
5	Servicios de telecomunicación.	752	De 64200000-8 a 64228200-2, 72318000-7, y de 72700000-7 a 72720000-3.
6	Servicios financieros: a) Servicios de seguros.	ex 81, 812, 814 7	De 66100000-1 a 66720000-3.

Ca-tego-rías	Descripción	Número de refe-rencia CPC (9)	Número de referencia CPV
	b) Servicios bancarios y de inversión (11).		
7	Servicios de informática y servicios conexos.	84	De 50310000-1 a 50324200-4, de 72000000-5 a 72920000-5 (excepto 72318000-7 y desde 72700000-7 a 72720000-3), 79342410-4.
8	Servicios de investigación y desarrollo (12).	85	De 73000000-2 a 73436000-7 (excepto 73200000-4, 73210000-7, 73220000-0.
9	Servicios de contabilidad, auditoría y teneduría de libros.	862	De 79210000-9 a 79223000-3.
10	Servicios de investigación de estudios y encuestas de la opinión pública.	864	De 79300000-7 a 79330000-6 y 79342310-9, 79342311-6.
11	Servicios de consultores de dirección (13) y servicios conexos.	865, 866	De 73200000-4 a 73220000-0, de 79400000-8 a 79421200-3 y 79342000-3, 79342100-4, 79342300-6, 79342320-2, 79342321-9, 79910000-6, 79991000-7, 98362000-8.
12	Servicios de arquitectura; servicios de ingeniería y servicios integrados de ingeniería; servicios de planificación urbana y servicios de arquitectura paisajista. Servicios conexos de consultores en ciencia y tecnología. Servicios de ensayos y análisis técnicos.	867	De 71000000-8 a 71900000-7 (excepto 71550000-8) y 79994000-8.
13	Servicios de publicidad.	871	De 79341000-6 a 79342200-5 (excepto 79342000-3 y 79342100-4.
14	Servicios de limpieza de edificios y servicios de administración de bienes raíces.	874, 82201 a 82206	De 70300000-4 a 70340000-6 y de 90900000-6 a 90924000-0.
15	Servicios editoriales y de imprenta, por tarifa o por contrato.	88442	De 79800000-2 a 79824000-6, de 79970000-6 a 79980000-7
16	Servicios de alcantarillado y eliminación de desperdicios: servicios de saneamiento y servicios similares.	94	De 90400000-1 a 90743200-9 (excepto 90712200-3).

Categorías	Descripción	Número de referencia CPC (9)	Número de referencia CPV
			De 90910000-9 a 90920000-2 y 50190000-3, 50229000-6, 50243000-0.

ANEXO II B
SERVICIOS A QUE SE REFIERE EL ARTÍCULO 15.2 DE LA LEY 31/2007, DE 30 DE OCTUBRE, SOBRE PROCEDIMIENTOS DE CONTRATACIÓN EN LOS SECTORES DEL AGUA, LA ENERGÍA, LOS TRANSPORTES Y LOS SERVICIOS POSTALES

Categorías	Descripción	Número de referencia CPC (14)	Número de referencia CPV
17	Servicios de hostelería y restaurante.	64	De 55100000-1 a 55524000-9 y de 98340000-8 a 98341100-6.
18	Servicios de transporte por ferrocarril.	711	De 60200000-0 a 60220000-6.
19	Servicios de transporte fluvial y marítimo.	72	De 60600000-4 a 60653000-0 y de 63727000-1 a 63727200-3.
20	Servicios de transporte complementarios y auxiliares.	74	De 63000000-9 a 63734000-3 (excepto 63711200-8, 63712700-0, 63712710-3 y de 63727000-1 a 63727200- 3) y 98361000-1.
21	Servicios jurídicos.	861	De 79100000-5 a 79140000-7.
22	Servicios de colocación y suministro de personal (15).	872	De 79600000-0 a 79635000-4 (excepto 79611000-0, 79632000-3, 79633000-0) y de 98500000-8 a 98514000-9.
23	Servicios de investigación y seguridad, excepto los servicios de furgones blindados.	873 (excepto 87304)	De 79700000-1 a 79723000-8.
24	Servicios de educación y formación profesional.	92	De 80100000-5 a 80660000-8 (excepto 80533000-9, 80533100-0, 80533200-1.
25	Servicios sociales y de salud.	93	79611000-0 y de 85000000-9 a 85323000-9 (excepto 5321000-5 y 85322000-2).

Cate-gorías	Descripción	Número de refe-rencia CPC (14)	Número de referencia CPV
26	Servicios de esparcimiento, cultura-les y deportivos (16).	96	De 79995000-5 a 79995200-7 y de 92000000-1 a 92700000-8 (excepto 92230000-2, 92231000-9, 92232000-6).
27	Otros servicios.		

(1) Reglamento (CEE) n.º 3037/90 del Consejo, de 9 de octubre de 1990, relativo a la no-menclatura estadística de actividades económicas en la Comunidad Europea (DO L 293 de 24.10.1990, p. 1). Reglamento modificado en último lugar por el Reglamento (CEE) n.º 761/93 de la Comisión (DO L 83 de 3.4.1993, p. 1).

En caso de diferentes interpretaciones entre CPV y NACE, se aplicará la nomenclatura NACE.

(2) Nomenclatura CPC (versión provisional) empleada para definir el ámbito de aplicación de la Directiva 92/50/CEE. En caso de diferentes interpretaciones entre CPV y CPC, se apli-cará la nomenclatura CPC.

(3) Exceptuando los servicios de transporte por ferrocarril incluidos en la categoría 18.

(4) Exceptuando los servicios financieros relativos a la emisión, compra, venta y transferen-cia de títulos u otros instrumentos financieros, y los servicios prestados por los bancos centrales. Quedan también excluidos los servicios que consistan en la adquisición o el arrendamiento, independientemente del sistema de financiación, de terrenos, edificios ya existentes u otros bienes inmuebles, o relativos a derechos sobre estos bienes; no obs-tante, los servicios financieros prestados, bien al mismo tiempo, bien con anterioridad o posterioridad al contrato de adquisición o de arrendamiento, en cualquiera de sus for-mas, se regularán por lo dispuesto en la presente Ley en cuanto se refiere al procedi-miento de adjudicación.

(5) Exceptuando los servicios de investigación y desarrollo distintos de aquellos cuyos resul-tados corresponden al poder adjudicador y/o a la entidad adjudicadora para su uso ex-clusivo, siempre que éste remunere íntegramente la prestación del servicio.

(6) Exceptuando los servicios de arbitraje y conciliación.

(7) Exceptuando los contratos de trabajo.

(8) Exceptuando los contratos para la compra, el desarrollo, la producción o la coproducción de material de programación por parte de los organismos de radiodifusión y los contratos relativos al tiempo de radiodifusión.

(9) Nomenclatura CPC (versión provisional) empleada para definir el ámbito de aplicación de la Directiva 92/50/CEE. En caso de diferentes interpretaciones entre CPV y CPC, se apli-cará la nomenclatura CPC.

(10) Exceptuando los servicios de transporte por ferrocarril incluidos en la categoría 18.

(11) Exceptuando los servicios financieros relativos a la emisión, compra, venta y transferencia de títulos u otros instrumentos financieros, y los servicios prestados por los bancos centrales. Quedan también excluidos los servicios que consistan en la adquisición o el arrendamiento, independientemente del sistema de financiación, de terrenos, edificios ya existentes u otros bienes inmuebles, o relativos a derechos sobre estos bienes; no obstante, los servicios financieros prestados, bien al mismo tiempo, bien con anterioridad o posterioridad al contrato de adquisición o de arrendamiento, en cualquiera de sus formas, se regularán por lo dispuesto en la presente Ley.

(12) Exceptuando los servicios de investigación y desarrollo distintos de aquellos cuyos resultados corresponden al poder adjudicador y/o a la entidad adjudicadora para su uso exclusivo, siempre que éste remunere íntegramente la prestación del servicio.

(13) Exceptuando los servicios de arbitraje y conciliación.

(14) Nomenclatura CPC (versión provisional) empleada para definir el ámbito de aplicación de la Directiva 92/50/CEE. En caso de diferentes interpretaciones entre CPV y CPC, se aplicará la nomenclatura CPC.

(15) Exceptuando los contratos de trabajo.

(16) Exceptuando los contratos para la compra, el desarrollo, la producción o la coproducción de material de programación por parte de los organismos de radiodifusión y los contratos relativos al tiempo de radiodifusión.

§ 5. Real Decreto 1098/2001, de 12 de octubre, por el que se aprueba el Reglamento general de la Ley de Contratos de las Administraciones Públicas

(BOE de 26 de Octubre de 2001; c. e. *BOE* de 19 de Diciembre de 2001; c. e. *BOE* de 8 de Febrero de 2002)

R.D. 1098/2001, 12 octubre, rectificado por Corrección de errores («B.O.E.» 19 diciembre).

R.D. 1098/2001, 12 octubre, rectificado por Corrección de errores y de erratas («B.O.E.» 8 febrero 2002).

1.

La disposición derogatoria única de la Ley 13/1995, de 18 de mayo, de Contratos de las Administraciones Públicas, respecto a las normas reglamentarias existentes, aparte de una cláusula general derogatoria de todas las que se opongan a su contenido y derogar expresamente el Reglamento de Contratación de las Corporaciones Locales, aprobado por Decreto de 9 de enero de 1953, deja subsistentes las citadas normas reglamentarias sólo en cuanto no se opongan al contenido de la Ley, criterio que se aplica, con cita expresa, al Reglamento general de Contratación del Estado, aprobado por Decreto 3410/1975, de 25 de noviembre, al Decreto 1005/1974, de 4 de abril, sobre contratos de asistencia con empresas consultoras o de servicios, al Real Decreto 1465/1985, de 17 de julio, y al Real Decreto 2357/1985, de 20 de noviembre, que regulan los contratos de trabajos específicos y concretos no habituales, respectivamente, en la Administración del Estado, sus Organismos autónomos y la Seguridad Social y en la Administración Local. En cuanto al Decreto-ley 2/1964, de 4 de febrero, sobre revisión de precios y sus disposiciones complementarias aplica idéntico criterio de subsistencia, como normas reglamentarias, en cuanto no se opongan a la Ley.

Resulta así que a la entrada en vigor de la Ley de Contratos de las Administraciones Públicas, como normas reglamentarias o de desarrollo, tuvieron que aplicarse las promulgadas durante la vigencia de la Ley de Contratos del Estado, para evitar un vacío normativo a nivel reglamentario, que impidiera la aplicación de la Ley.

Para atender a los supuestos en que las remisiones de la Ley a normas reglamentarias no podían operar con la aplicación de las de tal carácter vigentes con anterioridad, por tratarse de aspectos de nueva regulación, a la conveniencia de introducir nuevas normas reglamentarias en aspectos concretos y para aclarar ciertos preceptos de la Ley y determinadas normas reglamentarias que podían considerarse vigentes se promulga el Real Decreto 390/1996, de 1 de marzo, de desarrollo parcial de la Ley de Contratos de las Administraciones Públicas, que debe considerarse una solución anticipada y parcial del desarrollo reglamentario de dicha Ley.

La Ley 53/1999, de 28 de diciembre, por la que se modifica la Ley de Contratos de las Administraciones Públicas, vuelve a incidir en la remisión a normas reglamentarias en aspectos concretos no regulados en la legislación anterior, disposiciones que, junto con las de la Ley de Contratos de las Administraciones Públicas no modificadas, se incorporan al texto refundido de la Ley de Contratos de las Administraciones Públicas aprobado por Real Decreto Legislativo 2/2000, de 16 de junio.

Todo ello ha determinado la necesidad de promulgar un Reglamento general de la Ley de Contratos de las Administraciones Públicas que, superando el carácter parcial del Real Decreto 390/1996, de 1 de marzo, permita, como se anticipaba en su preámbulo, la derogación del Reglamento general del año 1975 y de la mayor parte de las disposiciones reglamentarias vigentes, precisamente por su incorporación al nuevo Reglamento.

2.

En cuanto a su estructura el Reglamento sigue la misma sistemática y ordenación de materias de la Ley que desarrolla, si bien no coincide exactamente con ella, dado que existen preceptos legales que no requieren desarrollo reglamentario y por haberse abandonado el anterior sistema del Reglamento de 1975 de reproducir íntegramente en su texto el de la Ley de Contratos del Estado, por los problemas de inseguridad que podría derivar de las dudas sobre el rango normativo de los respectivos preceptos.

Por otra parte mantiene el criterio del Real Decreto 390/1996 de incorporar en sus XII anexos materias tales como la enumeración de Registros de los distintos países comunitarios y signatarios del Acuerdo sobre el Espacio Económico Europeo; determinados aspectos de la clasificación; modelos de garantías, de anuncios de licitación y adjudicación de los contratos; comunicación de datos al Registro Público de Contratos y modelos en materia de revisión de precios y certificaciones de obra. Con ello el Reglamento pretende conseguir, al igual que lo hiciera el Real Decreto 390/1996, de 1 de marzo, que estas materias que integran su contenido se incorporen a su texto, evitando la dispersión normativa en que tales aspectos se encontraban con anterioridad.

3.

Desde el punto de vista de su contenido la exposición general del mismo debe realizarse teniendo en cuenta los criterios seguidos en su elaboración.

En primer lugar trata de desarrollar los preceptos de la Ley de Contratos de las Administraciones Públicas que, tanto en su versión inicial, como en la del texto refundido, contienen una remisión expresa a normas reglamentarias, aunque algunas de ellas ya figuran en el Real Decreto 390/1996, de 1 de marzo, del que se incorporan al presente texto. Así sucede con la composición de las Juntas de Contratación y la contribución a la financiación de los contratos por diversos órganos interesados; con la acreditación del cumplimiento del requisito de hallarse al corriente los empresarios de sus obligaciones fiscales y de Seguridad social; con la apreciación del alcance de la declaración de prohibiciones de contratar; con la materia de clasificación y, en particular, con la composición de las Comisiones de Clasificación, clasificación de uniones temporales de empresarios y producción de efectos generales para las clasificaciones otorgadas por Comunidades Autónomas; con la constitución de garantías tanto provisionales como definitivas; con los casos en que puede prescindirse de la aplicación de prescripciones técnicas; con los requisitos de la factura en contratos menores; con la remisión de datos estadísticos al Registro Público de Contratos y publicidad de éste; con la determinación de vocales de las mesas de contratación; con los criterios objetivos para la apreciación de las bajas temerarias en subastas y con la valoración de proposiciones presentadas por empresas de un mismo grupo, tanto en subastas como en concursos; con el procedimiento para la aplicación de causas de resolución; con la posible simplificación de la documentación de los proyectos de obra; con las obras a tanto alzado; con el régimen y límites de abonos a cuenta por operaciones preparatorias; con la ocupación efectiva de obras sin acto formal de recepción; con el contenido de los proyectos en obras ejecutadas por la propia Administración; con el procedimiento para la adquisición centralizada de bienes, y con la sustitución de Letrados en mesas de contratación.

En segundo lugar incorpora las normas de las disposiciones reglamentarias anteriores a la vigencia de la Ley 13/1995, de 18 de mayo, de Contratos de las Administraciones Públicas que, por efecto de su disposición derogatoria, deben considerarse subsistentes como son las del Reglamento General de Contratación del Estado aprobado por Decreto 3410/1975, de 25 de noviembre, y demás disposiciones que cita la indicada disposición derogatoria, a las que hay que añadir las del Real Decreto 390/1996, de 1 de marzo. La mayor parte del contenido del texto que ahora se promulga está constituida por incorporación de normas de la indicada procedencia, es decir, normas reglamentarias anteriores que por no oponerse a la Ley de Contratos de las Administraciones Públicas o constituir su desarrollo parcial, se considera adecuado conserven su vigencia.

En tercer lugar se incorporan a su contenido determinados preceptos de las Directivas comunitarias sobre contratación pública, dado que, aunque la mayor parte de ellos se incorporaron al texto de la Ley, existen otros como, por ejemplo, los relativos a publicidad potestativa en el «Diario Oficial de las Comunidades Europeas» y cuantía de los contratos de suministro y servicios que, por no exigir norma con rango de Ley, se incorporan ahora al presente Reglamento.

Por último, se incorporan al Reglamento determinadas cláusulas de los pliegos de cláusulas administrativas generales (Decreto 3854/1970, de 31 de diciembre, para contratos de obras. Orden de 8 de marzo de 1972 para contratos de consultoría y de asistencia y Decreto 2572/1973, de 5 de octubre, para equipos y sistemas informáticos) que, por su naturaleza y contenido, se han considerado más propios de un texto reglamentario que de los citados pliegos generales de los que formaban parte, de tal manera que ahora ya no puede eludirse su cumplimiento utilizando el trámite previsto en la Ley de Contratos de las Administraciones Públicas para la introducción en los pliegos particulares de cláusulas contrarias a los pliegos generales.

De lo hasta aquí expuesto se deduce que el Reglamento que se promulga, con las necesarias salvedades, cumple más que una función innovadora en materia de contratación administrativa una función recopiladora de las anteriores disposiciones con las adaptaciones y correcciones que el nuevo marco normativo, a nivel legal, impone. En este sentido el Reglamento se limita a incorporar las normas, reglas y criterios que, recogidos en diversas Órdenes ministeriales y Acuerdos de las Comisiones de Clasificación de la Junta Consultiva de Contratación Administrativa venían aplicándose por esta última, de modo que por esta incorporación, las Comunidades Autónomas en su función de clasificación puedan aplicar las mismas reglas y criterios tal como preceptivamente exige el artículo 29.3 de la Ley. Por el contrario, hay materias como la regulación de bajas temerarias, en las que el carácter innovador del Reglamento se produce al admitir expresamente su apreciación en subastas y concursos y superar los criterios limitados del artículo 109 del Reglamento de 1975, que no admitía la posibilidad de que, en el supuesto de un solo licitador, se apreciara temeridad en su proposición.

En su virtud, a propuesta del Ministro de Hacienda, de acuerdo con el Consejo de Estado y previa deliberación del Consejo de Ministros en su reunión del día 12 de octubre de 2001,
DISPONGO:

Artículo único. *Aprobación del Reglamento general de la Ley de Contratos de las Administraciones Públicas.* Se aprueba el Reglamento general de la Ley de Contratos de las Administraciones Públicas cuyo texto se inserta a continuación.

DISPOSICIÓN DEROGATORIA ÚNICA

Tabla de vigencias y de disposiciones que se derogan. 1. En las materias reguladas por el Reglamento en cuanto no resulten modificadas por el mismo conservarán su vigencia las siguientes disposiciones:

a) El Decreto 3186/1968, de 26 de diciembre, en cuanto a las Juntas de Compras que subsistan, al amparo de la Disposición transitoria séptima de la Ley.

b) El Real Decreto 30/1991, de 18 de enero, sobre régimen orgánico y funcional de la Junta Consultiva de Contratación Administrativa excepto sus artículos 4, 8, 9,10, 11 y 12. Los artículos 6 y 7 del mismo conservan su vigencia sólo en cuanto se refieren a las competencias de la Comisión Permanente y de las Secciones de la Junta Consultiva de Contratación Administrativa.

c) El Real Decreto 533/1992, de 22 de mayo, sobre atribución de determinadas facultades en los procedimientos de contratación de bienes y servicios informáticos.

d) El Decreto 3392/1973, de 21 de diciembre y las Órdenes ministeriales de 28 de diciembre de 1970, de 9 de diciembre de 1975, de 17 de abril de 1984, de 4 de marzo de 1987, de 14 de mayo de 1996 y de 30 de julio de 1998, sobre bienes de adquisición centralizada.

e) El Decreto 3650/1970, de 19 de diciembre, por el que se aprueba el cuadro de fórmulas tipo generales de revisión de precios en los contratos de obras del Estado y Organismos autónomos para el año 1971, así como el Real Decreto 2167/1981, de 20 de agosto, por el que se complementa el anterior, y el Decreto 2341/1975, de 22 de agosto, por el que se establecen las fórmulas polinómicas tipo que habrán de figurar en los contratos de fabricación de suministros y de bienes de equipo del Ministerio del Ejército cuando dichos contratos incluyan cláusulas de revisión de precios, hasta tanto que de conformidad con lo dispuesto en el artículo 104 de la Ley se aprueben las fórmulas tipo de revisión de precios para los contratos de obras y de suministro de fabricación.

f) El Título III del Reglamento de Servicios de las Corporaciones Locales, aprobado por Decreto de 17 de junio de 1955, en cuanto no se oponga a lo establecido en la Ley y en este Reglamento.

g) El Real Decreto 541/2001, de 18 de mayo, por el que se establecen determinadas especialidades para la contratación de servicios de telecomunicación.

h) Las Órdenes de 26 de febrero de 1996 y de 17 de enero de 2001 sobre atribución de competencias para la adquisición de bienes y servicios para el tratamiento de la información.

2. Quedan derogadas las siguientes disposiciones:

a) El Reglamento general de Contratación del Estado aprobado por Decreto 3410/1975, de 25 de noviembre.

b) El Real Decreto 390/1996, de 1 de marzo, de desarrollo parcial de la Ley 13/1995, de 18 de mayo, de Contratos de las Administraciones Públicas.

c) El Decreto 1005/1974, de 4 de abril, por el que se regulan los contratos de asistencia que celebre la Administración del Estado y sus Organismos autónomos con empresas consultoras o de servicios.

d) El Real Decreto 1465/1985, de 17 de julio, sobre contratación para la realización de trabajos específicos y concretos, no habituales, en la Administración del Estado, sus Organismos autónomos y la Seguridad Social.

e) El Real Decreto 2357/1985, de 20 de noviembre, por el que se regulan los contratos para la realización de trabajos específicos y concretos, no habituales, de carácter excepcional, en la Administración Local.

f) El Real Decreto 1770/1994, de 5 de agosto, en cuanto atribuye efectos desestimatorios a la falta de resolución en los procedimientos para la clasificación y revisión de clasificaciones.

g) El Real Decreto 609/1982, de 12 de febrero y la Orden de 24 de noviembre de 1982, relativos a la clasificación de empresas consultoras y de servicios.

h) El Decreto 461/1971, de 11 de marzo, el Real Decreto 1881/1984, de 30 de agosto y la Orden de 5 de diciembre de 1984 sobre revisión de precios y los preceptos del Decreto-ley 2/1964, de 2 de febrero, que hayan conservado su vigencia como normas reglamentarias al amparo de la disposición derogatoria única de la Ley 13/1995, de 18 de mayo.

i) Las Órdenes de 28 de marzo de 1968, completada por la de 16 de noviembre de 1972 y la de 19 de enero de 1993 por las que se dictan normas complementarias para la clasificación de contratistas de obras del Estado.

3. Quedan así mismo derogadas todas las disposiciones de igual o inferior rango en cuanto se opongan a este Reglamento y no lo hayan sido por la Ley.

DISPOSICIÓN FINAL ÚNICA

Entrada en vigor. El Reglamento que se aprueba entrará en vigor a los seis meses de su publicación en el «Boletín Oficial del Estado».

REGLAMENTO GENERAL DE LA LEY DE CONTRATOS DE LAS ADMINISTRACIONES PÚBLICAS

LIBRO I
DE LOS CONTRATOS DE LAS ADMINISTRACIONES PÚBLICAS

TITULO I
DISPOSICIONES GENERALES

CAPITULO I
ÁMBITO DE APLICACIÓN

Artículo 1. *Objeto y ámbito de aplicación.* 1. El presente Reglamento tiene por objeto el desarrollo y ejecución del texto refundido de la Ley de Contratos de las Administraciones Públicas, aprobado por Real Decreto legislativo 2/2000, de 16 de junio.

2. Los contratos que celebren las Administraciones públicas con personas naturales o jurídicas se ajustarán a los preceptos contenidos en la Ley de Contratos de las Administraciones Públicas, en el presente Reglamento y en sus disposiciones complementarias, sin perjuicio de lo establecido en la disposición final primera de la Ley y de este Reglamento.

Artículo 2. *Pluralidad de objeto y prestaciones condicionadas.* 1. Podrán celebrarse contratos con pluralidad de objeto, pero cada una de las prestaciones deberá ser definida con independencia de las demás.

2. No podrán celebrarse contratos en los cuales la prestación del contratista quede condicionada a resoluciones o indicaciones administrativas posteriores a su celebración, salvo lo establecido en los artículos 125 y 172.1, a), de la Ley para los contratos mixtos de redacción de proyecto y ejecución de obra y para el contrato de suministro, respectivamente.

Artículo 3. *Contratos administrativos especiales y contratos privados.* 1. En los contratos administrativos especiales los pliegos de cláusulas administrativas particulares, además de lo establecido en el artículo 8.2 de la Ley y en el apartado 2 del artículo 67 de este Reglamento, contendrán las especificaciones que por la naturaleza y objeto del contrato sean necesarias para definir los pactos y condiciones del mismo.

2. En los contratos privados el órgano de contratación deberá incluir las cláusulas más convenientes al interés público, las cuales surtirán los efectos que determine el Derecho civil o mercantil. En todo caso, se harán constar las especificaciones que, por la naturaleza y objeto del contrato, sean necesarias para definir los pactos y condiciones del mismo, debiendo ser objeto de informe por el Servicio Jurídico previamente a su aprobación por el órgano de contratación.

En los contratos que tengan por objeto los servicios a que hace referencia la categoría 6 del artículo 206 de la Ley el valor del contrato se determinará cuando se trate de contratos de seguros por el importe de las primas y cuando se trate de servicios bancarios y otros servicios financieros por los honorarios o las comisiones a satisfacer.

CAPITULO II
DISPOSICIONES RELATIVAS A LOS ÓRGANOS DE CONTRATACIÓN

Artículo 4. *Delegación y desconcentración.* 1. Sin perjuicio de que la delegación del ejercicio de las facultades contractuales en órganos centrales o territoriales disponga otra cosa, la facultad para celebrar contratos lleva implícita la de aprobación del proyecto, la de aprobación de los pliegos, la de adjudicación del contrato, la de formalización del mismo y la de las restantes facultades que la Ley y este Reglamento atribuyen al órgano de contratación.

La delegación de competencias no conllevará la aprobación del gasto salvo que se incluya de forma expresa.

2. La desconcentración de competencias se entenderá que es completa salvo que el correspondiente Real Decreto establezca limitaciones.

Artículo 5. *Composición de las Juntas de Contratación de los Departamentos ministeriales.* 1. Las Juntas de Contratación de los Departamentos ministeriales dependerán orgánicamente de la Subsecretaría y estarán constituidas por un Presidente y tantos vocales como centros directivos tenga el Ministerio. Los componentes de las Juntas serán nombrados por el Ministro a propuesta del Subsecretario y de los titulares de los centros directivos respectivamente.

2. Además, formarán necesariamente parte de las Juntas de Contratación, como vocales, un funcionario de entre quienes tengan atribuido legal o reglamentariamente el asesoramiento jurídico de los órganos de contratación y un Interventor. Cuando así lo aconseje el objeto de los contratos a celebrar por la Junta, podrán incorporarse a la misma, con carácter de vocales, los funcionarios técnicos pertinentes.

3. Actuará como Secretario un funcionario destinado en el correspondiente Departamento ministerial, designado, asimismo, por el Ministro a propuesta del Subsecretario.

4. Con excepción del Asesor Jurídico y del Interventor, el número de los restantes vocales y sistema de designación así como la dependencia orgánica de las Jun-

tas podrán ser alterados por orden del Ministro correspondiente en atención a la diversa estructura del Ministerio y al número, carácter y cuantía de los contratos cuya celebración atribuya el Ministro a la Junta de Contratación, de conformidad con lo dispuesto en el artículo 12.4 de la Ley.

Véase Orden AEC/3318/2008, de 11 de noviembre, por la que se regula la composición y funciones de la Junta de Contratación y de la Mesa de Contratación del Ministerio de Asuntos Exteriores y de Cooperación («B.O.E.» 19 noviembre).

Artículo 6. *Composición de las Juntas de Contratación de los Organismos autónomos, Entidades gestoras y Servicios comunes de la Seguridad Social y demás entidades de derecho público.* 1. Las Juntas de Contratación de los Organismos autónomos y Entidades gestoras y Servicios comunes de la Seguridad Social estarán compuestas por un Presidente y el número de vocales que se determine por Orden del Ministro correspondiente a propuesta del Presidente o Director del Organismo, teniendo en cuenta la estructura del mismo y sus áreas de actuación, sin que en ningún caso este número pueda ser inferior a dos. La designación de los miembros de la Junta de Contratación corresponderá igualmente al Presidente o Director del Organismo.

2. Además, formarán parte necesariamente de la Junta, como vocales, un funcionario de entre quienes tengan atribuido legal o reglamentariamente el asesoramiento jurídico del órgano de contratación y un interventor. Cuando así lo aconseje el objeto de los contratos a celebrar por la Junta, podrán incorporarse a la misma, con carácter de vocales, los funcionarios técnicos pertinentes.

3. Actuará como Secretario un funcionario de los organismos, entidades o servicios a que se refiere el apartado 1 designado por el Presidente o Director de los mismos.

4. Las normas de los apartados anteriores se aplicarán a las Juntas de Contratación de las entidades de derecho público teniendo en cuenta las propias peculiaridades de su sistema organizativo.

Artículo 7. *Funciones de las Juntas de Contratación.* Además de las funciones señaladas en el artículo 12.4 de la Ley, el Ministro podrá atribuir a las Juntas de Contratación las funciones de programación y estudio de las necesidades de contratos a celebrar y cualesquiera otras que estén relacionadas con la actividad contractual de la Administración del Estado en el ámbito de las competencias del Ministerio. En el desarrollo de esta actividad no será necesario que formen parte de la Junta de Contratación el asesor jurídico y el interventor.

Artículo 8. *Cofinanciación de contratos.* La concurrencia a la financiación de distintos Departamentos ministeriales a que se refiere el artículo 12.5 de la Ley se llevará a cabo poniendo a disposición del órgano de contratación por parte de los Departamentos que participen en dicha financiación la documentación acreditativa de los correspondientes expedientes, de conformidad con los criterios y repartos acordados en los oportunos convenios o protocolos de actuación.

TITULO II
DE LOS REQUISITOS PARA CONTRATAR CON LA ADMINISTRACIÓN
CAPITULO I
DE LA CAPACIDAD Y SOLVENCIA DE LAS EMPRESAS

Artículo 9. *Capacidad de obrar de las empresas no españolas de Estados miembros de la Comunidad Europea.* 1. La capacidad de obrar de las empresas no españolas de Estados miembros de la Comunidad Europea o signatarios del Acuerdo sobre el Espacio Económico Europeo se acreditará mediante la inscripción en los Registros o presentación de las certificaciones que se indican en el anexo I de este Reglamento, en función de los diferentes contratos.

2. Para que estas empresas puedan acogerse a lo dispuesto en el artículo 25.2 de la Ley deberán cumplir el requisito de no hallarse clasificadas, ni con clasificación suspendida o anulada.

Artículo 10. *Capacidad de obrar de las restantes empresas extranjeras.* La capacidad de obrar de las empresas extranjeras no comprendidas en el artículo anterior se acreditará mediante informe expedido por la Misión Diplomática Permanente u Oficina Consular de España del lugar del domicilio de la empresa, en la que se haga constar, previa acreditación por la empresa, que figuran inscritas en el Registro local profesional, comercial o análogo o, en su defecto, que actúan con habitualidad en el tráfico local en el ámbito de las actividades a las que se extiende el objeto del contrato.

En estos supuestos, además, deberá acompañarse informe de la Misión Diplomática Permanente de España o de la Secretaría General de Comercio Exterior del Ministerio de Economía sobre la condición de Estado signatario del Acuerdo sobre Contratación Pública de la Organización Mundial del Comercio, siempre que se trate de contratos de cuantía igual o superior a la prevista en los artículos 135.1, 177.2 y 203.2 de la Ley o, en caso contrario, el informe de reciprocidad a que se refiere el artículo 23.1 de la Ley.

Artículo 11. *Determinación de los criterios de selección de las empresas.* En los contratos de obras y en los de servicios en los que no sea exigible el requisito de clasificación, así como en los contratos de gestión de servicios públicos, en los de suministros, en los de consultoría y asistencia y en los contratos administrativos especiales, el órgano de contratación fijará en el pliego de cláusulas administrativas particulares la referencia a los criterios que, basados en los medios que establecen los artículos 16, 17, 18 y 19 de la Ley, respectivamente, se aplicarán para determinar la selección de las empresas que podrán acceder a la adjudicación del contrato.

En los contratos de obras y en los de servicios en los que sea legalmente obligatorio el requisito de la clasificación, cuando el procedimiento de adjudicación sea el restringido, se indicarán también en los pliegos de cláusulas administrativas particulares los criterios a que hace referencia el párrafo anterior, sin perjuicio de la acreditación del requisito de clasificación.

Artículo 12. *Carácter confidencial de los datos facilitados por el empresario.* El órgano de contratación deberá respetar en todo caso el carácter confidencial de los datos facilitados por los empresarios en cumplimiento de los artículos 16 a 19 de la Ley.

Artículo 13. *Obligaciones tributarias.* 1. A efectos de lo previsto en el artículo 20, párrafo f), de la Ley se considerará que las empresas se encuentran al corriente en el cumplimiento de sus obligaciones tributarias cuando, en su caso, concurran las siguientes circunstancias:

a) Estar dadas de alta en el Impuesto sobre Actividades Económicas, en el epígrafe correspondiente al objeto del contrato, siempre que ejerzan actividades sujetas a este impuesto, en relación con las actividades que vengan realizando a la fecha de presentación de las proposiciones o de las solicitudes de participación en los procedimientos restringidos, que les faculte para su ejercicio en el ámbito territorial en que las ejercen.

b) Haber presentado, si estuvieran obligadas, las declaraciones por el Impuesto sobre la Renta de las Personas Físicas, el Impuesto sobre la Renta de no Residentes o el Impuesto sobre Sociedades, según se trate de personas o entidades sujetas a alguno de estos impuestos, así como las correspondientes declaraciones por pagos fraccionados, ingresos a cuenta y retenciones que en cada caso procedan.

c) Haber presentado, si estuvieran obligadas, las declaraciones periódicas por el Impuesto sobre el Valor Añadido, así como la declaración resumen anual.

d) No tener deudas de naturaleza tributaria con el Estado en período ejecutivo o, en el caso de contribuyentes contra los que no proceda la utilización de la vía apremio, deudas no atendidas en período voluntario.

e) Además, cuando el órgano de contratación dependa de una Comunidad Autónoma o de una Entidad local, que no tengan deudas de naturaleza tributaria con la respectiva Administración autonómica o local, en las mismas condiciones fijadas en el párrafo d).

2. Las circunstancias indicadas en los párrafos b) y c), se refieren a declaraciones cuyo plazo reglamentario de presentación hubiese vencido en los doce meses precedentes al mes inmediatamente anterior a la fecha de solicitud de la certificación a que se refiere el artículo 15 de este Reglamento. El cumplimiento de las circunstancias de los párrafos b) a e) se acreditará mediante la presentación por la empresa ante el órgano de contratación de la certificación positiva regulada en el mismo artículo, con la excepción que el mismo establece.

Asimismo se entenderá acreditado el cumplimiento de estas circunstancias cuando la Administración pública competente ceda a la Administración pública contratante la información que acredite que la empresa cumple las circunstancias de los párrafos b) a e). En este supuesto, la certificación positiva será sustituida por declaración responsable del interesado de que cumple las circunstancias señaladas, así como autorización expresa a la Administración pública contratante para que pueda procederse a la cesión de información.

3. A los efectos de la expedición de las certificaciones reguladas en el artículo 15 de este Reglamento, se considerará que las empresas se encuentran al corriente en el cumplimiento de sus obligaciones tributarias cuando las deudas estén aplazadas, fraccionadas o se hubiera acordado su suspensión con ocasión de la impugnación de las correspondientes liquidaciones.

Véase D [CASTILLA Y LEÓN] 27/2008, 3 abril, por el que se regula la acreditación del cumplimiento de las obligaciones tributarias y frente a la seguridad social, en materia de subvenciones («B.O.C.L.» 9 abril).

Véase O [REGIÓN DE MURCIA] 1 abril 2008, de la Consejería de Hacienda y Administración Pública por la que se regula el procedimiento para la acreditación del cumplimiento de las obligaciones tributarias con la Administración Pública de la Comunidad Autónoma de la Región de Murcia («B.O.R.M.» 8 abril).

Véanse O [CASTILLA-LA MANCHA] 31 enero 2007, de la Consejería de Economía y Hacienda, sobre acreditación del cumplimiento de obligaciones por reintegro de subvenciones, tributarias y con la seguridad social, en materia de subvenciones («D.O.C.M.» 9 febrero) y 26 marzo 2008, de la Consejería de Trabajo y Empleo, por la que se regula la acreditación del cumplimiento de obligaciones relativas a la prevención de riegos laborales, en materia de subvenciones («D.O.C.M.» 8 abril).

Véase O [CANARIAS] 30 junio 2006, por la que se regula el requisito de hallarse al corriente de las obligaciones tributarias con la Administración Pública de la Comunidad Autónoma de Canarias («B.O.I.C.» 14 julio).

Véase O [ANDALUCÍA] 12 septiembre 2003, por la que se regula la acreditación del cumplimiento de las obligaciones fiscales y de otros ingresos públicos y de las obligaciones con la Seguridad Social, en los procedimientos de subvenciones y ayudas públicas y de contratación que se tramiten por la Administración de la Junta de Andalucía y sus Organismos Autónomos («B.O.J.A.» 19 septiembre).

Artículo 14. *Obligaciones de Seguridad Social.* 1. A los mismos efectos de lo previsto en el artículo 20, párrafo f), de la Ley, se considerará que las empresas se encuentran al corriente en el cumplimiento de sus obligaciones con la Seguridad Social, cuando en su caso, concurran las siguientes circunstancias.

a) Estar inscritas en el sistema de la Seguridad Social y, en su caso, si se tratare de un empresario individual, afiliado y en alta en el régimen que corresponda por razón de la actividad.

b) Haber afiliado, en su caso, y haber dado de alta, a los trabajadores que presten servicios a las mismas.

c) Haber presentado los documentos de cotización correspondientes a las cuotas de Seguridad Social y, si procediese, de los conceptos de recaudación conjunta con las mismas, así como de las asimiladas a aquéllas a efectos recaudatorios, correspondientes a los doce meses anteriores a la fecha de solicitud de la certificación.

d) Estar al corriente en el pago de las cuotas o de otras deudas con la Seguridad Social.

2. El cumplimiento de las circunstancias indicadas en el apartado anterior se acreditará mediante la presentación por la empresa ante el órgano de contratación de la certificación positiva regulada en el artículo 15 de este Reglamento.

3. A los efectos de la expedición de las certificaciones reguladas en dicho artículo, se considerará que las empresas se encuentran al corriente en el cumplimiento de sus obligaciones con la Seguridad Social cuando las deudas estén aplazadas, fraccionadas o se hubiera acordado su suspensión con ocasión de la impugnación de tales deudas.

Artículo 15. *Expedición de certificaciones.* 1. Las circunstancias mencionadas en los artículos 13 y 14 de este Reglamento se acreditarán mediante certificación administrativa expedida por el órgano competente, excepto la referida al apartado 1, párrafo a), del artículo 13, cuya acreditación se efectuará mediante la presentación del alta, referida al ejercicio corriente, o del último recibo del Impuesto sobre Actividades Económicas, completado con una declaración responsable de no haberse dado de baja en la matrícula del citado Impuesto. No obstante, cuando la empresa no esté obligada a presentar las declaraciones o documentos a que se refieren dichos artículos, se acreditará esta circunstancia mediante declaración responsable.

2. Las certificaciones expedidas podrán ser positivas o negativas:

a) Serán positivas cuando se cumplan todos los requisitos indicados en los citados artículos 13 y 14 de este Reglamento. En este caso, se indicarán genéricamente los requisitos cumplidos y el carácter positivo de la certificación.

b) Serán negativas en caso contrario, en el que la certificación indicará cuales son las obligaciones incumplidas.

3. Las certificaciones serán expedidas por el órgano competente en un plazo máximo de cuatro días hábiles, quedando en la sede de dicho órgano a disposición del solicitante.

4. Las certificaciones remitidas al órgano de contratación por vía electrónica tendrán los efectos que en cada caso determine la normativa aplicable.

Artículo 16. *Efectos de las certificaciones.* 1. Las certificaciones se expedirán a los efectos exclusivos que en las mismas se hagan constar y no originarán derechos ni expectativas de derechos a favor de los solicitantes ni de terceros, no producirán el efecto de interrumpir o suspender los plazos de prescripción, ni servirán de medio de notificación de los procedimientos a que pudieran hacer referencia.

2. En todo caso su contenido, con el carácter de positivo o negativo, no afecta a lo que pudiera resultar de actuaciones posteriores de comprobación o investigación.

3. Una vez expedida la certificación tendrá validez durante el plazo de seis meses a contar desde la fecha de expedición.

Artículo 17. *Apreciación de la prohibición de contratar.* 1. Las prohibiciones de contratar contenidas en los párrafos a), b), d), e), f), i), j) y k) del artículo 20 de la Ley, siempre que en los supuestos de los párrafos a) y d) las sentencias o resoluciones firmes contengan pronunciamiento sobre el alcance y la duración de la prohibición, se apreciarán de forma automática por los órganos de contratación y subsistirán durante el plazo señalado en la sentencia o resolución o, en los demás supuestos, mientras concurran las circunstancias que en cada caso las determinan.

2. Cuando las sentencias o resoluciones firmes no contengan pronunciamiento sobre la prohibición de contratar o su duración, ésta se apreciará de forma automática por los órganos de contratación, sin perjuicio de que su alcance y duración se determine mediante el procedimiento que se regula en el artículo 19 de este Reglamento.

> *Véase Res. 19 abril 2002, de la Dirección General del Patrimonio del Estado, por la que se hace público el Acuerdo de la Junta Consultiva de Contratación Administrativa sobre criterios interpretativos en la aplicación de la prohibición de contratar prevista en la letra d) del artículo 20 de la Ley de Contratos de las Administraciones Públicas («B.O.E.» 23 abril).*

Artículo 18. *Competencia para la declaración de la prohibición de contratar.*
1. La competencia para la declaración de la prohibición de contratar en los supuestos previstos en los párrafos a) y d) del artículo 20 de la Ley corresponde al Ministro de Hacienda, que dictará resolución a propuesta de la Junta Consultiva de Contratación Administrativa y revestirá carácter general para todas las Administraciones Públicas.

2. En los supuestos previstos en los párrafos c) y g) del mismo artículo la competencia corresponderá a la Administración contratante, entendiéndose por tal, en el supuesto del párrafo g), aquélla ante la que se hubiese incurrido en falsedad, y en el supuesto del párrafo h) la competencia corresponderá a la que hubiese acordado la suspensión de la clasificación o declarado la prohibición infringida con eficacia limitada, en los tres casos, a su propio ámbito. Cuando la prohibición haya de producir efectos generales ante las distintas Administraciones públicas o se imponga en el ámbito de la Administración General del Estado, sus organismos autónomos y entidades de derecho público vinculadas o dependientes de dicha Administración la competencia corresponde al Ministro de Hacienda que dictará resolución a propuesta de la Junta Consultiva de Contratación Administrativa.

3. A los efectos de lo dispuesto en el apartado anterior si el ámbito de la prohibición declarada fuese autonómico o local y se entendiese procedente extender sus efectos con carácter general para todas las Administraciones públicas deberán comunicarse los respectivos acuerdos a la Junta Consultiva de Contratación Administrativa para que formule propuesta en este sentido al Ministro de Hacienda que resolverá, teniendo en cuenta el daño causado a los intereses públicos.

Artículo 19. *Procedimiento para la declaración de la prohibición de contratar.*
1. Corresponde a los órganos de contratación la iniciación del procedimiento para la declaración de la prohibición de contratar en los supuestos en que los hechos que la motivan se pongan de manifiesto con ocasión de la tramitación de un expediente de contratación. En los restantes supuestos corresponde la iniciación a la Junta Consultiva de Contratación Administrativa o a los órganos que correspondan de las Comunidades Autónomas.

Las autoridades y órganos competentes que las acuerden comunicarán las sentencias, sanciones y resoluciones firmes recaídas en los procedimientos correspondientes a la Junta Consultiva de Contratación Administrativa o a los órganos competentes de las Comunidades Autónomas.

En los supuestos del párrafo d) del artículo 20 de la Ley las autoridades y órganos competentes que acuerden sanciones o resoluciones firmes remitirán a la Junta Consultiva de Contratación Administrativa las actuaciones seguidas mediante la tramitación del correspondiente expediente, en el que se cumplirá el trámite de audiencia, acompañando informe sobre las circunstancias concurrentes, a efectos de que por aquélla se pueda apreciar el alcance y la duración de la prohibición de contratar que ha de proponer al Ministro de Hacienda. El trámite de audiencia deberá reiterarse por la Junta Consultiva de Contratación Administrativa antes de elevar propuesta de resolución.

Véase O [PAÍS VASCO] 31 marzo 2006, del Consejero de Justicia, Empleo y Seguridad Social, por la que se dictan instrucciones para la tramitación del expediente previo al de la declaración de la prohibición de contratar con las administraciones públicas a quienes hayan sido sancionados por falta muy grave en materia de prevención de riesgos laborales («B.O.P.V.» 7 junio).

Véase Res. 19 abril 2002, de la Dirección General del Patrimonio del Estado, por la que se hace público el Acuerdo de la Junta Consultiva de Contratación Administrativa sobre criterios interpretativos en la aplicación de la prohibición de contratar prevista en la letra d) del artículo 20 de la Ley de Contratos de las Administraciones Públicas («B.O.E.» 23 abril).

2. Cuando el expediente se inicie por el órgano de contratación se incorporarán al mismo los informes de los servicios técnicos y jurídicos, cumpliéndose posteriormente el trámite de audiencia, remitiéndose el expediente al órgano competente para su resolución o a la Junta Consultiva de Contratación Administrativa cuando a ésta le corresponda formular la propuesta.

3. En los supuestos en que la iniciación y tramitación del expediente corresponda a la Junta Consultiva de Contratación Administrativa o a los órganos competentes de las Comunidades Autónomas, se cumplirá el trámite de audiencia antes de presentar al órgano competente la correspondiente propuesta de resolución.

4. El alcance y duración de la prohibición se determinará atendiendo, en su caso, a la existencia de dolo o manifiesta mala fe del empresario y a la entidad del daño causado a los intereses públicos.

Artículo 20. *Notificación y publicidad de los acuerdos de declaración de la prohibición de contratar.* Los acuerdos adoptados sobre prohibición de contratar se notificarán a los interesados. Si declarasen la prohibición de contratar se inscribirán en los registros oficiales de empresas clasificadas, respecto de las empresas que cumplan tal condición y, en su caso, en los registros oficiales de contratistas o de empresas licitadoras, en los que conste la clasificación a que hace referencia el artículo 34 de la Ley y se publicarán en el «Boletín Oficial del Estado» cuando la prohibición tenga carácter general para todas las Administraciones públicas o afecte a la Administración General del Estado, o en los respectivos diarios o boletines oficiales a cuyo ámbito se circunscriba.

Artículo 21. *Documentos acreditativos de identificación o apoderamiento.* Los empresarios individuales deberán presentar el documento nacional de identidad o, en su caso, el documento que haga sus veces y los que comparezcan o firmen proposiciones en nombre de otro acompañarán también poder bastante al efecto.

Artículo 22. *Aclaraciones y requerimientos de documentos.* A los efectos establecidos en los artículos 15 a 20 de la ley, el órgano y la mesa de contratación podrán recabar del empresario aclaraciones sobre los certificados y documentos presentados o requerirle para la presentación de otros complementarios, lo que deberá cumplimentar en el plazo de cinco días sin que puedan presentarse después de declaradas admitidas las ofertas conforme a lo dispuesto en el artículo 83.6.

Artículo 23. *Traducción de documentos.* Las empresas extranjeras que contraten en España presentarán la documentación traducida de forma oficial al castellano o, en su caso, a la lengua de la respectiva Comunidad Autónoma en cuyo territorio tenga su sede el órgano de contratación.

Artículo 24. *Uniones temporales de empresarios.* 1. En las uniones temporales de empresarios cada uno de los que la componen deberá acreditar su capacidad y solvencia conforme a los artículos 15 a 19 de la Ley y 9 a 16 de este Reglamento, acumulándose a efectos de la determinación de la solvencia de la unión temporal las características acreditadas para cada uno de los integrantes de la misma, sin perjuicio de lo que para la clasificación se establece en el artículo 52 de este Reglamento.

2. Para que en la fase previa a la adjudicación sea eficaz la unión temporal frente a la Administración será necesario que los empresarios que deseen concurrir integrados en ella indiquen los nombres y circunstancias de los que la constituyan, la participación de cada uno de ellos y que asumen el compromiso de constituirse formalmente en unión temporal, caso de resultar adjudicatarios.

CAPITULO II
DE LA CLASIFICACIÓN Y REGISTRO DE EMPRESAS

SECCIÓN 1.ª
CLASIFICACIÓN DE EMPRESAS CONTRATISTAS DE OBRAS

Artículo 25. *Grupos y subgrupos en la clasificación de contratistas de obras.*
1. Los grupos y subgrupos de aplicación para la clasificación de empresas en los contratos de obras, a los efectos previstos en el artículo 25 de la Ley, son los siguientes:
Grupo A) Movimiento de tierras y perforaciones
Subgrupo 1. Desmontes y vaciados.
Subgrupo 2. Explanaciones.
Subgrupo 3. Canteras.
Subgrupo 4. Pozos y galerías.
Subgrupo 5. Túneles.
Grupo B) Puentes, viaductos y grandes estructuras
Subgrupo 1. De fábrica u hormigón en masa.
Subgrupo 2. De hormigón armado.
Subgrupo 3. De hormigón pretensado.
Subgrupo 4. Metálicos.
Grupo C) Edificaciones
Subgrupo 1. Demoliciones.
Subgrupo 2. Estructuras de fábrica u hormigón.
Subgrupo 3. Estructuras metálicas.
Subgrupo 4. Albañilería, revocos y revestidos.
Subgrupo 5. Cantería y marmolería.
Subgrupo 6. Pavimentos, solados y alicatados.
Subgrupo 7. Aislamientos e impermeabilizaciones.
Subgrupo 8. Carpintería de madera.
Subgrupo 9. Carpintería metálica.
Grupo D) Ferrocarriles
Subgrupo 1. Tendido de vías.
Subgrupo 2. Elevados sobre carril o cable.

Subgrupo 3. Señalizaciones y enclavamientos.
Subgrupo 4. Electrificación de ferrocarriles.
Subgrupo 5. Obras de ferrocarriles sin cualificación específica.
Grupo E) Hidráulicas
Subgrupo 1. Abastecimientos y saneamientos.
Subgrupo 2. Presas.
Subgrupo 3. Canales.
Subgrupo 4. Acequias y desagües.
Subgrupo 5. Defensas de márgenes y encauzamientos.
Subgrupo 6. Conducciones con tubería de presión de gran diámetro.
Subgrupo 7. Obras hidráulicas sin cualificación específica.
Grupo F) Marítimas
Subgrupo 1. Dragados.
Subgrupo 2. Escolleras.
Subgrupo 3. Con bloques de hormigón.
Subgrupo 4. Con cajones de hormigón armado.
Subgrupo 5. Con pilotes y tablestacas.
Subgrupo 6. Faros, radiofaros y señalizaciones marítimas.
Subgrupo 7. Obras marítimas sin cualificación específica.
Subgrupo 8. Emisarios submarinos.
Grupo G) Viales y pistas
Subgrupo 1. Autopistas, autovías.
Subgrupo 2. Pistas de aterrizaje.
Subgrupo 3. Con firmes de hormigón hidráulico.
Subgrupo 4. Con firmes de mezclas bituminosas.
Subgrupo 5. Señalizaciones y balizamientos viales.
Subgrupo 6. Obras viales sin cualificación específica.
Grupo H) Transportes de productos petrolíferos y gaseosos
Subgrupo 1. Oleoductos.
Subgrupo 2. Gasoductos.
Grupo I) Instalaciones eléctricas
Subgrupo 1. Alumbrados, iluminaciones y balizamientos luminosos.
Subgrupo 2. Centrales de producción de energía.
Subgrupo 3. Líneas eléctricas de transporte.
Subgrupo 4. Subestaciones.
Subgrupo 5. Centros de transformación y distribución en alta tensión.
Subgrupo 6. Distribución en baja tensión.
Subgrupo 7. Telecomunicaciones e instalaciones radioeléctricas.
Subgrupo 8. Instalaciones electrónicas.
Subgrupo 9. Instalaciones eléctricas sin cualificación específica.
Grupo J) Instalaciones mecánicas
Subgrupo 1. Elevadoras o transportadoras.
Subgrupo 2. De ventilación, calefacción y climatización.
Subgrupo 3. Frigoríficas.
Subgrupo 4. De fontanería y sanitarias.
Subgrupo 5. Instalaciones mecánicas sin cualificación específica.
Grupo K) Especiales
Subgrupo 1. Cimentaciones especiales.
Subgrupo 2. Sondeos, inyecciones y pilotajes.
Subgrupo 3. Tablestacados.
Subgrupo 4. Pinturas y metalizaciones.
Subgrupo 5. Ornamentaciones y decoraciones.
Subgrupo 6. Jardinería y plantaciones.
Subgrupo 7. Restauración de bienes inmuebles histórico-artísticos.

Subgrupo 8. Estaciones de tratamiento de aguas.
Subgrupo 9. Instalaciones contra incendios.

Artículo 26. *Categorías de clasificación en los contratos de obras.* Las categorías de los contratos de obras, determinadas por su anualidad media, a las que se ajustará la clasificación de las empresas serán las siguientes:

De categoría a) cuando su anualidad media no sobrepase la cifra de 60.000 euros.

De categoría b) cuando la citada anualidad media exceda de 60.000 euros y no sobrepase los 120.000 euros.

De categoría c) cuando la citada anualidad media exceda de 120.000 euros y no sobrepase los 360.000 euros.

De categoría d) cuando la citada anualidad media exceda de 360.000 euros y no sobrepase los 840.000 euros.

De categoría e) cuando la anualidad media exceda de 840.000 euros y no sobrepase los 2.400.000 euros.

De categoría f) cuando exceda de 2.400.000 euros.

Las anteriores categorías e) y f) no serán de aplicación en los grupos H, I, J, K y sus subgrupos, cuya máxima categoría será la e) cuando exceda de 840.000 euros.

Artículo 27. *Clasificación en subgrupos.* Para que un contratista pueda ser clasificado en un subgrupo de tipo de obra será preciso que acredite alguna de las circunstancias siguientes:

a) Haber ejecutado obras específicas del subgrupo durante el transcurso de los últimos cinco años.

b) Haber ejecutado en el último quinquenio obras específicas de otros subgrupos afines, del mismo grupo, entendiéndose por subgrupos afines los que presenten analogías en cuanto a ejecución y equipos a emplear.

c) Haber ejecutado, en el mismo período de tiempo señalado en los apartados anteriores, obras específicas de otros subgrupos del mismo grupo que presenten mayor complejidad en cuanto a ejecución y exijan equipos de mayor importancia, por lo que el subgrupo de que se trate pueda considerarse como dependiente de alguno de aquéllos.

d) Cuando, sin haber ejecutado obras específicas del subgrupo en el último quinquenio, se disponga de suficientes medios financieros, de personal experimentado y maquinaria o equipos de especial aplicación al tipo de obra a que se refiere el subgrupo.

Artículo 28. *Clasificación en grupos.* Excepto en los grupos I, J y K, en los que no existirá clasificación en grupo, para que un contratista pueda ser clasificado en un grupo general de tipo de obra será preciso que reúna las condiciones establecidas para su clasificación en aquellos subgrupos del mismo grupo que por su mayor importancia se consideran como básicos, y que son los siguientes:

En el grupo A, los subgrupos A-2, explanaciones, y A-5, túneles.

En el grupo B, los subgrupos B-3, de hormigón pretensado y B-4, metálicos.

En el grupo C, los subgrupos C-2, estructuras de fábrica u hormigón, o C-3, estructuras metálicas, alternativamente, siempre que además acrediten haber ejecutado construcciones de edificios completos con estructura de cualquiera de las dos clases a que se refieren estos subgrupos.

En el grupo D, los subgrupos D-1, tendido de vías; D-3, señalizaciones y enclavamientos, y D-4, electrificación de ferrocarriles.

En el grupo E, los subgrupos E-2, presas; E-3, canales y E-6, conducciones con tubería de presión gran diámetro.

En el grupo F, los subgrupos F-1, dragados; F-2, escolleras, y F-4, con cajones de hormigón armado.

En el grupo G, el subgrupo G-1, autopistas, autovías.

En el grupo H, los subgrupos H-1, oleoductos, o H-2, gasoductos, alternativamente.

Artículo 29. *Clasificación en categorías.* 1. La categoría en un subgrupo será fijada tomando como base el máximo importe anual ejecutado por el contratista en el último quinquenio en una obra correspondiente al subgrupo o, si fuere mayor, el importe máximo anual ejecutado en las obras del subgrupo.

La cifra básica así obtenida podrá ser mejorada en los porcentajes que a continuación se señalan:

a) Un 20 por 100 fijo, de aplicación general a todos los contratistas, en concepto de natural expansión de las empresas.

b) Hasta un 50 por 100 según cual sea el número y categoría profesional de su personal directivo y técnico en su relación con el importe anual medio de obra ejecutada en el último quinquenio. También será tomada en consideración, en su caso, la asistencia técnica contratada.

c) Hasta un 70 por 100 en función del importe actual de su parque de maquinaria relacionado también con el importe anual medio de la obra ejecutada en el último quinquenio. Serán también considerados los importes pagados por el concepto de alquiler de maquinaria.

d) Hasta un 80 por 100 como consecuencia de la relación que exista entre el importe medio anual de los fondos propios en los tres últimos ejercicios y el importe, también medio anual, de la obra ejecutada en el último quinquenio.

e) Hasta un 100 por 100 dependiente del número de años de experiencia constructiva del contratista o de los importes de obra ejecutada en el último quinquenio.

Todos los porcentajes que correspondan aplicar operarán directamente sobre la base, por lo que el mínimo aumento que ésta podrá experimentar será de un 20 por 100 y el máximo de un 320 por 100.

2. En los casos comprendidos en el párrafo d) del artículo 27, se tomará como base para fijar la categoría de las clasificaciones que puedan concederse el importe que estimativamente se considere puede ejecutar anualmente el contratista en obras comprendidas en el subgrupo de que se trate, teniendo en cuenta a este fin sus medios personales, materiales, financieros y organizativos.

3. La categoría obtenida directamente en un subgrupo se hará extensiva a todos los subgrupos afines o dependientes del mismo.

4. La categoría en un grupo será una resultante de las obtenidas en los subgrupos básicos del mismo, deducida en la forma siguiente:

a) Si el número de subgrupos básicos de un grupo no es superior a dos, la categoría en el grupo será la mínima obtenida en aquellos subgrupos.

b) Si el número de subgrupos básicos de un grupo es superior a dos, la categoría en el grupo será la mínima de las obtenidas en los dos subgrupos en los que haya alcanzado las más elevadas.

5. La categoría obtenida en un grupo dará lugar a la clasificación con igual categoría en todos los subgrupos del mismo, salvo que le hubiera correspondido directamente otra mayor en alguno de ellos, en cuyos casos les serán éstas mantenidas.

Artículo 30. *Criterios de clasificación.* A los efectos de lo dispuesto en el artículo anterior la categoría de la clasificación de cada empresa se determinará en función de la experiencia y del índice propio de la empresa que vendrá dado por el va-

lor obtenido en la siguiente fórmula: $I = 1,2 + T + M + F + E$ en la que los símbolos establecidos representan:
I = índice de empresa.
T = término correspondiente a su índice de tecnicidad.
M = término correspondiente a su índice de mecanización.
F = término correspondiente a su índice financiero.
E = término correspondiente a su experiencia constructiva general.

Este índice de empresa (I) tendrá un valor mínimo de 1,2 y máximo de 4,2 siendo el de los distintos términos que lo componen los deducidos en la forma que se establece en los artículos siguientes.

Artículo 31. *Índice de tecnicidad.* 1. El índice de tecnicidad de una empresa es función dependiente del número y categoría de su personal técnico, tanto el que constituye su plantilla como el representado por la asistencia técnica contratada, y del importe de obra ejecutada.

2. A los efectos de su determinación se establece la siguiente escala de puntos:
a) Técnico superior con más de quince años de experiencia profesional, 8 puntos.
b) Técnico superior con menos de quince años y más de cinco años de experiencia profesional, 7 puntos.
c) Técnico superior con menos de cinco años de experiencia profesional, 6 puntos.
d) Técnico medio con más de diez años de experiencia profesional, 5 puntos.
e) Técnico medio con menos de diez años de experiencia profesional, 4 puntos.
f) Técnico no titulado, 3 puntos.
g) Encargado de obras, 2 puntos.

3. Las personas con puesto de Director-Gerente, Director-Técnico o asimilable serán puntuadas como incluidas en la categoría inmediata superior a la que por su propio título y circunstancias le corresponda o, en otro caso, a la mayor profesional que alcance el personal de su empresa. Si alguno de ésta alcanzase la categoría máxima de 8 puntos, los cargos directivos se puntuarán como 10 y, en ningún caso, merecerán menos de 6 puntos.

4. De no existir técnicos superiores o medios en la empresa, el número de encargados y técnicos no titulados que puntúen no podrá ser superior a 5. De existir aquéllos, el número de éstos que puntúen podrá superar la cifra de 5 en la suma del número de técnicos medios multiplicados por dos y del de técnicos superiores multiplicado por tres.

5. La asistencia técnica contratada se computará como un porcentaje de incremento sobre la puntuación total obtenida por el personal de plantilla y será apreciada estimativamente por la Comisión de Clasificación considerando la importancia que esta asistencia puede representar en relación con el personal técnico de que dispone la empresa, con arreglo al siguiente cuadro:

Importancia de la asistencia técnica contratada	Escasa	Media	Elevada
Porcentaje de incremento en la puntuación	5	10	15

6. El índice de tecnicidad (t) vendrá dado por el valor obtenido en la siguiente fórmula: $t = (2 \times 60.101 \times S)/V$
En la que S es el total de puntos obtenidos por la empresa considerando su propio personal técnico y la asistencia técnica contratada, y V el importe anual medio, en euros, de la obra ejecutada en el último quinquenio.

7. El valor del término correspondiente al índice de tecnicidad (T) que debe ser considerado en la fórmula del artículo 30 es el dado por el siguiente cuadro de co-

rrelaciones en el que se establecen cuatro escalas diferentes según cual sea la cuantía del importe anual medio de la obra ejecutada en el último quinquenio (V).

V = <900.000	>t=<	- 1,0	1,0 1,9	1,9 2,8	2,8 3,7	3,7 4,6	4,6 -
900.000 < V =<4.500.000	>t=<	- 1,0	1,0 1,8	1,8 2,6	2,6 3,4	3,4 4,2	4,2 -
4.500.000<V=<15.000.000	>t=<	- 1,0	1,0 1,6	1,6 2,2	2,2 2,8	2,8 3,4	3,4 -
V =>15.000.000	>t=<	- 1,0	1,0 1,4	1,4 1,8	1,8 2,2	2,2 2,6	2,6 -
	T=	0	0,1	0,2	0,3	0,4	0,5

Artículo 32. *Índice de mecanización.* 1. El índice de mecanización de una empresa es una función dependiente del valor actual de su parque de maquinaria, del importe pagado en concepto de alquiler de maquinaria, y del importe de obra ejecutada.

2. El índice de mecanización (m) vendrá dado por el valor obtenido en la siguiente fórmula: m = (P+2xA)/V.

Siendo P, el valor actual del parque de maquinaria propiedad de la empresa y de la que disponga en régimen de arrendamiento financiero,

Siendo A, el importe anual medio pagado por alquiler de maquinaria en el último quinquenio, y

Siendo V, el importe anual medio de obra ejecutada en el último quinquenio.

3. El valor máximo correspondiente al índice de mecanización (M) que debe ser considerado en la fórmula del artículo 30 es el dado por el siguiente cuadro de correlaciones:

>m=<	- 0,10	0,10 0,16	0,16 0,22	0,22 0,28	0,28 0,34	0,34 0,40	0,40 0,46	0,46 -
M=	0,0	0,1	0,2	0,3	0,4	0,5	0,6	0,7

Artículo 33. *Índice financiero.* 1. El índice financiero de una empresa es la relación existente entre el importe anual medio de sus fondos propios en el último trienio (C) y el importe anual medio de la obra ejecutada en el último quinquenio (V), por lo que vendrá dado por el valor obtenido en la siguiente fórmula: f=C/V.

2. El valor del término correspondiente al índice de financiación (F) que debe ser considerado en la fórmula del artículo 30 es el dado por el siguiente cuadro de correlaciones:

>f=<	- 0,20	0,20 0,24	0,24 0,28	0,28 0,32	0,32 0,36	0,36 0,40	0,40 0,44	0,44 0,48	0,48 -
F=	0,0	0,1	0,2	0,3	0,4	0,5	0,6	0,7	0,8

Artículo 34. *Experiencia constructiva general.* El término de la experiencia constructiva general de la empresa (E) que debe ser considerado en la fórmula del artículo 30 será el mayor que corresponda considerando, bien sus años de antigüedad en el trabajo de la construcción, bien el importe total de obra ejecutada en el último quinquenio, con arreglo al siguiente cuadro:

Años de > Experiencia = <	- 2	2 5	5 10	10 15	15 20	20 -
Importe de obra ejecutada > en el último quinquenio = <	- 1.500.000	1.5000.000 4.500.000	4.500.000 7.500.000	7.500.000 10.500.000	10.500.000 13.500.000	13.500.000 -
E =	0	0,2	0,4	0,6	0,8	1

Artículo 35. *Clasificación directa e indirecta en subgrupos.* 1. Para la clasificación directa en subgrupos se tendrán en cuenta las siguientes reglas:

a) Para determinar las posibilidades de ejecución anual de un contratista en obras específicas de un subgrupo de los establecidos en el artículo 25, se hará aplicación de la siguiente fórmula: K = O X I.

En la que los signos establecidos representan:

O, Máximo importe anual que se considera ejecutado por el contratista en una obra del subgrupo.

I, Índice propio de la empresa.

b) El valor I obtenido de acuerdo con los artículos 30, 31, 32, 33 y 34, se transformará para su aplicación en la fórmula citada en el párrafo a) en un valor I' obtenido conforme a la siguiente tabla de correspondencia.

I	I'
1,2	1,2
1,3	1,4
1,4	1,6
1,5	1,7
1,6	1,9
1,7	2,0
1,8	2,1
1,9	2,3
2,0	2,4
2,1	2,5
2,2	2,6
2,3	2,7
2,4	2,8
2,5	2,9
2,6	3,0

2,7	3,1
2,8	3,1
2,9	3,2
3,0	3,3
3,1	3,4
3,2	3,5
3,3	3,6
3,4	3,7
3,5	3,8
3,6	3,9
3,7	4,0
3,8	4,0
3,9	4,1
4,0	4,2
4,1	4,2
4,2	4,2

c) Se considerará como máximo importe anual ejecutado por un contratista en obras de un subgrupo (O), el mayor de los dos valores siguientes:
El máximo importe anual acreditado como ejecutado por el contratista, en el último quinquenio, en una obra correspondiente al subgrupo o, si fuere mayor, el importe máximo anual acreditado como ejecutado en las obras del subgrupo.

d) El valor obtenido en la fórmula del párrafo a) determinará la categoría que, en el subgrupo de que se trate, le corresponde al contratista con arreglo al siguiente cuadro:

> K =<	- 60.000	60.000 120.000	120.000 360.000	360.000 840.000	840.000 2.400.000	2.400.000 -
Categoría	a	b	c	d	e	f

No obstante, en la clasificación que resulte de la comparación con la escala anterior no podrá ser otorgada, en ningún caso, una categoría superior en más de un grado de la referida escala a la que correspondería por la nueva consideración del valor de O multiplicado por 1,2.

e) La aplicación de lo dispuesto en el párrafo a) requerirá que la empresa acredite su solvencia económica y financiera mediante la disponibilidad de fondos propios, según el balance correspondiente al último ejercicio de las cuentas anuales aprobadas, respecto de la fecha en que se solicite la clasificación, que, para cada una de las categorías, alcancen los siguientes importes:
Categoría A, 6.000 euros.
Categoría B, 12.000 euros.
Categoría C, 24.000 euros.
Categoría D, 72.000 euros.
Categoría E, 168.000 euros.

Categoría F, 480.000 euros.

Cuando el valor de los fondos propios no alcancen los importes fijados para cada categoría, se asignará la misma en función de tales valores.

f) Cuando no se acredite experiencia en la ejecución de obras correspondientes al subgrupo la clasificación a otorgar en función de lo establecido en el artículo 27, párrafo d), estará condicionada por la disponibilidad de los fondos propios que se especifican en el apartado anterior.

2. La clasificación obtenida por un contratista con arreglo a las normas establecidas en el apartado 1 dará lugar a que se conceda clasificación, con idéntica categoría en otros subgrupos del mismo grupo considerados afines o dependientes de aquél en el que ha alcanzado clasificación, aun cuando no haya realizado obras específicas de ellos.

Se establecen como subgrupos afines o dependientes los siguientes:

a) Los clasificados en el subgrupo A-2, explanaciones, o en el A-5, túneles, quedarán también clasificados en los subgrupos A-1, A-3 y A-4.

b) Los clasificados en el subgrupo B-2, de hormigón armado, quedarán clasificados en el B-1, de fábrica u hormigón en masa.

c) Los clasificados en el subgrupo B-3, de hormigón pretensado, quedarán clasificados en los subgrupos B-2 y B-1.

d) El subgrupo D-1, tendido de vías, clasifica al subgrupo D-5, obras de ferrocarriles sin cualificación específica.

e) Los clasificados en cualquiera de los subgrupos E-1, abastecimientos y saneamientos, E-4, acequias y desagües, y E-5, defensas de márgenes y encauzamientos, quedarán igualmente clasificados en todos ellos y además clasificarán al subgrupo E-7, obras hidráulicas sin cualificación específica.

f) Los clasificados en algunos de los subgrupos E-2, presas, E-3, canales o E-6, conducciones con tubería de presión de gran diámetro, quedarán automáticamente clasificados en los subgrupos E-1, E-4, E-5 y E-7, especificados en el párrafo anterior.

g) Los clasificados en los subgrupos F-1, dragados, F-2, escolleras y F-4, con cajones de hormigón armado, clasificarán al subgrupo F-7, obras marítimas sin cualificación específica.

h) Los clasificados en el subgrupo F-4, con cajones de hormigón armado, quedarán clasificados igualmente en el subgrupo F-3, con bloques de hormigón.

i) El subgrupo G-1, autopistas, autovías, clasificará a los subgrupos G-2, pistas de aterrizaje, G-3, con firmes de hormigón hidráulico, G-4, con firmes de mezclas bituminosas, G-5, señalizaciones y balizamientos viales, G-6, obras viales sin cualificación específica.

j) El subgrupo G-1, autopistas, autovías, también puede clasificarse si está clasificado en todos los subgrupos siguientes: A-2, explanaciones, A-5, túneles, B-3, de hormigón pretensado, G-3, con firmes de hormigón hidráulico, G-4, con firmes de mezclas bituminosas y K-2, sondeos, inyecciones y pilotajes. La categoría en este subgrupo corresponderá a la menor de las categorías del A-2, A-5, B-3, G-3, G-4 y K-2.

k) El subgrupo G-3, con firmes de hormigón hidráulico y el subgrupo G-4, con firmes de mezclas bituminosas, clasificarán cualquiera de ellos al subgrupo G-6, obras viales sin cualificación específica.

l) El subgrupo H-1, oleoductos, clasificará al subgrupo H-2, gasoductos, y el subgrupo H-2, gasoductos clasificará al subgrupo H-1, oleoductos.

m) La clasificación en cualquier subgrupo de los I-1 al I-8, clasificará automáticamente al subgrupo I-9.

Artículo 36. *Exigencia de clasificación por la Administración.* La clasificación que los órganos de contratación exijan a los licitadores de un contrato de obras será determinada con sujeción a las normas que siguen.

1. En aquellas obras cuya naturaleza se corresponda con algunos de los tipos establecidos como subgrupo y no presenten singularidades diferentes a las normales y generales a su clase, se exigirá solamente la clasificación en el subgrupo genérico correspondiente.

2. Cuando en el caso anterior, las obras presenten singularidades no normales o generales a las de su clase y sí, en cambio, asimilables a tipos de obras correspondientes a otros subgrupos diferentes del principal, la exigencia de clasificación se extenderá también a estos subgrupos con las limitaciones siguientes:

a) El número de subgrupos exigibles, salvo casos excepcionales, no podrá ser superior a cuatro.

b) El importe de la obra parcial que por su singularidad dé lugar a la exigencia de clasificación en el subgrupo correspondiente deberá ser superior al 20 por 100 del precio total del contrato, salvo casos excepcionales.

3. Cuando en el conjunto de las obras se dé la circunstancia de que una parte de ellas tenga que ser realizada por casas especializadas, como es el caso de determinadas instalaciones, podrá establecerse en el pliego de cláusulas administrativas particulares la obligación del contratista, salvo que estuviera clasificado en la especialidad de que se trate, de subcontratar esta parte de la obra con otro u otros clasificados en el subgrupo o subgrupos correspondientes y no le será exigible al principal la clasificación en ellos. El importe de todas las obras sujetas a esta obligación de subcontratar no podrá exceder del 50 por 100 del precio del contrato.

4. Cuando las obras presenten partes fundamentalmente diferenciadas que cada una de ellas corresponda a tipos de obra de distinto subgrupo, será exigida la clasificación en todos ellos con la misma limitación señalada en el apartado 2, en cuanto a su número y con la posibilidad de proceder como se indica en el apartado 3.

5. La clasificación en un grupo solamente podrá ser exigida cuando por la naturaleza de la obra resulte necesario que el contratista se encuentre clasificado en todos los subgrupos básicos del mismo.

6. Cuando solamente se exija la clasificación en un grupo o subgrupo, la categoría exigible será la que corresponda a la anualidad media del contrato, obtenida dividiendo su precio total por el número de meses de su plazo de ejecución y multiplicando por 12 el cociente resultante.

7. En los casos en que sea exigida la clasificación en varios subgrupos se fijará la categoría en cada uno de ellos teniendo en cuenta los importes parciales y los plazos también parciales que correspondan a cada una de las partes de obra originaria de los diversos subgrupos.

8. En los casos en que se imponga la obligación de subcontratar a que se refiere el apartado 3, la categoría exigible al subcontratista será la que corresponda a la vista del importe de la obra a subcontratar y de su plazo parcial de ejecución.

SECCIÓN 2.ª
CLASIFICACIÓN DE EMPRESAS CONTRATISTAS DE SERVICIOS

Artículo 37. *Grupos y subgrupos de clasificación en los contratos de servicios.* 1. Los grupos y subgrupos de actividades por especialidades, de aplicación para la clasificación de empresas en los contratos de servicios, serán los siguientes:

Grupo L) Servicios administrativos

Subgrupo 1. Servicios auxiliares para trabajos administrativos de archivo y similares.

Subgrupo 2. Servicios de gestión de cobros.
Subgrupo 3. Encuestas, toma de datos y servicios análogos.
Subgrupo 4. Lectura de contadores.
Subgrupo 5. Organización y promoción de congresos, ferias y exposiciones.
Subgrupo 6. Servicios de portería, control de accesos e información al público.
Grupo M) Servicios especializados
Subgrupo 1. Higienización, desinfección, desinsectación y desratización.
Subgrupo 2. Servicios de seguridad, custodia y protección.
Subgrupo 3. Atención y manejo de instalaciones de seguridad.
Subgrupo 4. Artes gráficas.
Subgrupo 5. Servicios de bibliotecas, archivos y museos.
Subgrupo 6. Hostelería y servicios de comida.
Subgrupo 7. Prevención de incendios forestales.
Subgrupo 8. Servicios de protección de especies.
Grupo N) Servicios cualificados
Subgrupo 1. Actividades médicas y sanitarias.
Subgrupo 2. Inspección sanitaria de instalaciones.
Subgrupo 3. Servicios veterinarios para la salud.
Subgrupo 4. Servicios de esterilización de material sanitario.
Subgrupo 5. Restauración de obras de arte.
Subgrupo 6. Mantenimiento, conservación y restauración de materiales cinematográficos y audiovisuales.
Grupo O) Servicios de conservación y mantenimiento de bienes inmuebles
Subgrupo 1. Conservación y mantenimiento de edificios.
Subgrupo 2. Conservación y mantenimiento de carreteras, pistas, autopistas, autovías, calzadas y vías férreas.
Subgrupo 3. Conservación y mantenimiento de redes de agua y alcantarillado.
Subgrupo 4. Conservación y mantenimiento integral de estaciones depuradoras.
Subgrupo 5. Conservación y mantenimiento de mobiliario urbano.
Subgrupo 6. Conservación y mantenimiento de montes y jardines.
Subgrupo 7. Conservación y mantenimiento de monumentos y edificios singulares.
Grupo P) Servicios de mantenimiento y reparación de equipos e instalaciones
Subgrupo 1. Mantenimiento y reparación de equipos e instalaciones eléctricas y electrónicas.
Subgrupo 2. Mantenimiento y reparación de equipos e instalaciones de fontanería, conducciones de agua y gas.
Subgrupo 3. Mantenimiento y reparación de equipos e instalaciones de calefacción y aire acondicionado.
Subgrupo 4. Mantenimiento y reparación de equipos e instalaciones de electromedicina.
Subgrupo 5. Mantenimiento y reparación de equipos e instalaciones de seguridad y contra incendios.
Subgrupo 6. Mantenimiento y reparación de equipos y maquinaria de oficina.
Subgrupo 7. Mantenimiento y reparación de equipos e instalaciones de aparatos elevadores y de traslación horizontal.
Grupo Q) Servicios de mantenimiento y reparación de maquinaria
Subgrupo 1. Mantenimiento y reparación de maquinaria.
Subgrupo 2. Mantenimiento y reparación de vehículos automotores, incluidos buques y aeronaves.
Subgrupo 3. Desmontajes de armamento y destrucción de munición.
Subgrupo 4. Desguaces.
Grupo R) Servicios de transportes
Subgrupo 1. Transporte en general.

Subgrupo 2. Traslado de enfermos por cualquier medio de transporte.
Subgrupo 3. Transporte y custodia de fondos.
Subgrupo 4. Transporte de obras de arte.
Subgrupo 5. Recogida y transporte de toda clase de residuos.
Subgrupo 6. Servicios aéreos de fumigación, control, vigilancia aérea y extinción de incendios.
Subgrupo 7. Servicios de grúa.
Subgrupo 8. Remolques de buques.
Subgrupo 9. Servicios de mensajería, correspondencia y distribución.
Grupo S) Servicios de tratamientos de residuos y desechos
Subgrupo 1. Tratamiento e incineración de residuos y desechos urbanos.
Subgrupo 2. Tratamiento de lodos.
Subgrupo 3. Tratamiento de residuos radiactivos y ácidos.
Subgrupo 4. Tratamiento de residuos de centros sanitarios y clínicas veterinarias.
Subgrupo 5. Tratamiento de residuos oleosos.
Grupo T) Servicios de contenido
Subgrupo 1. Servicios de publicidad.
Subgrupo 2. Servicios de radio y televisión.
Subgrupo 3. Agencias de noticias.
Subgrupo 4. Realización de material audiovisual.
Subgrupo 5. Servicios de traductores e intérpretes.
Grupo U) Servicios generales
Subgrupo 1. Servicios de limpieza en general.
Subgrupo 2. Lavandería y tinte.
Subgrupo 3. Almacenaje.
Subgrupo 4. Agencias de viajes.
Subgrupo 5. Guarderías infantiles.
Subgrupo 6. Recogida de carros portaequipajes en estaciones y aeropuertos.
Subgrupo 7. Otros servicios no determinados.
Grupo V) Servicios de Tecnologías de la Información y las Comunicaciones
Subgrupo 1. Servicios de captura de información por medios electrónicos, informáticos y telemáticos.
Subgrupo 2. Servicios de desarrollo y mantenimiento de programas de ordenador.
Subgrupo 3. Servicios de mantenimiento y reparación de equipos e instalaciones informáticos y de telecomunicaciones.
Subgrupo 4. Servicios de telecomunicaciones.
Subgrupo 5. Servicios de explotación y control de sistemas informáticos e infraestructuras telemáticas.
Subgrupo 6. Servicios de certificación electrónica.
Subgrupo 7. Servicios de evaluación y certificación tecnológica.
Subgrupo 8. Otros servicios informáticos o de telecomunicaciones.
2. Las actividades comprendidas en cada uno de los subgrupos reseñados se detallan en el anexo II.

Artículo 38. *Categorías de clasificación en los contratos de servicios.* Las categorías de los contratos de servicios, a las que se ajustará la clasificación de las empresas, serán las que se relacionan a continuación en función de su anualidad media:
Categoría A, cuando la anualidad media sea inferior a 150.000 euros.
Categoría B, cuando la anualidad media sea igual o superior a 150.000 euros e inferior a 300.000 euros.

Categoría C, cuando la anualidad media sea igual o superior a 300.000 euros e inferior a 600.000 euros. Categoría D, cuando la anualidad media sea igual o superior a 600.000 euros.

Artículo 39. *Clasificación en subgrupos, grupos y categorías.* 1. Clasificación en subgrupos. Para que un contratista pueda ser clasificado en un subgrupo del tipo de actividades será preciso que acredite alguna de las siguientes circunstancias:

a) Haber ejecutado contratos de servicios específicos del subgrupo durante el transcurso de los últimos tres años.

b) Cuando sin haber ejecutado contratos de servicio específicos del subgrupo en los últimos tres años se disponga de suficientes medios financieros, de personal técnico experimentado y maquinaria o equipos de especial aplicación al tipo de actividad a que se refiera el subgrupo.

2. Clasificación en grupos. Para que un contratista pueda ser clasificado en un grupo de tipo de actividad será preciso que reúna las condiciones establecidas para su clasificación en todos los subgrupos de aquel grupo.

3. Clasificación en categorías. La categoría en un subgrupo será fijada tomando como base el máximo importe anual que haya sido ejecutado por el contratista en los tres últimos años en un trabajo correspondiente al subgrupo. También habrá de considerarse el importe máximo anual ejecutado en la totalidad de los trabajos del subgrupo, afectado este importe de un coeficiente reductor dependiente del número de ellos.

La mayor cifra de las básicas obtenidas en cualquiera de las dos formas establecidas en el apartado anterior podrá ser mejorada en los tantos por ciento que a continuación se señalan:

a) Un 20 por 100 fijo, de aplicación general a todos los contratistas en concepto de natural expansión de las empresas.

b) Hasta un 50 por 100, según cuál sea el número y categoría profesional de su personal técnico en su relación con el importe anual medio del trabajo ejecutado en los últimos tres años. También será tomada en consideración, en su caso, la asistencia técnica contratada.

c) Hasta un 70 por 100, en función del importe actual de su maquinaria, relacionado también con el importe anual medio de los contratos de servicios ejecutados en los últimos tres años. Serán también considerados los importes pagados por el concepto de alquiler de maquinaria.

d) Hasta un 80 por 100, como consecuencia de la relación que exista entre el importe medio anual de los fondos propios en los últimos tres ejercicios y el importe, también medio anual, de los contratos de servicios ejecutados en el mismo período de tiempo.

e) Hasta un 100 por 100, dependiendo del número de años de experiencia del contratista o de los importes de los contratos de servicios ejecutados en el último trienio.

Todos los tantos por ciento que corresponda aplicar operarán directamente sobre la base, por lo que el mínimo aumento que ésta podrá experimentar será de un 20 por 100, y el máximo de un 320 por 100.

4. En los casos comprendidos en el apartado 1, párrafo b), se tomará como base para fijar la categoría de las clasificaciones que puedan concederse el importe que estimativamente se considere pueda ejecutar anualmente el contratista en contratos de servicios comprendidos en el subgrupo de que se trate, teniendo en cuenta a este fin sus medios personales, reales y económicos.

5. La categoría alcanzada en un grupo será la mínima de las obtenidas en los subgrupos que lo componen.

Artículo 40. *Índice de empresa.* El índice propio de cada empresa que solicite su clasificación vendrá dado por el valor obtenido en la siguiente fórmula: $I = 1,2 + T + M + F + E$, en la que los símbolos establecidos representan:
T = término correspondiente a su índice de tecnicidad.
M = término correspondiente a su índice de mecanización.
F = término correspondiente a su índice financiero.
E = término correspondiente a su experiencia en prestación de servicios.
Este índice de empresa (I) tendrá un valor mínimo de 1,2 y máximo de 4,2, siendo el de los distintos términos que los componen los deducidos en la forma que se establece en los artículos que siguen.

Artículo 41. *Índice de tecnicidad.* 1. El índice de tecnicidad de una empresa es función dependiente del número y categoría de su personal técnico, tanto el que constituye su plantilla como el representado por la asistencia técnica contratada, y del importe de los trabajos de servicios ejecutados.
2. A los efectos de su determinación se establece la siguiente escala de puntos:
a) Técnico superior con más de cinco años de experiencia profesional, ocho puntos.
b) Técnico superior con menos de cinco años de experiencia profesional: seis puntos.
c) Técnico medio: cuatro puntos.
3. La asistencia técnica contratada se computará como un porcentaje de incremento sobre la puntuación total obtenida por el personal de plantilla y será apreciada estimativamente por la Comisión de Clasificación, considerando la importancia que esta asistencia puede representar en relación con el personal técnico de que dispone la empresa, con arreglo al siguiente cuadro:

Importancia de la asistencia técnica contratada	Escasa	Media	Elevada
Porcentaje de incremento en la puntuación	5	10	15

4. El índice de tecnicidad (t) vendrá dado por el valor obtenido en la siguiente fórmula: $t = (2 \times 6010 \times S)/V$.
En la que «S» es el total de puntos obtenidos por la empresa, considerando su propio personal técnico y la asistencia técnica contratada, y «V» el importe anual medio de los trabajos de servicios ejecutados en el último trienio.
5. El valor del término correspondiente al índice de tecnicidad (T), que debe ser considerado en la fórmula del artículo 40, es el dado por el siguiente cuadro de correlaciones, en el que se establecen cuatro escalas diferentes, según cuál sea la cuantía del importe anual medio de los trabajos de servicios ejecutados en el último trienio (V):

V = <90.000	>	-	1,0	1,9	2,8	3,7	4,6
	=<	1,0	1,9	2,8	3,7	4,6	-
90.000 < V =<450.000	>	-	1,0	1,8	2,6	3,4	4,2
	=<	1,0	1,8	2,6	3,4	4,2	-
450.000<V=<1.500.000	>	-	1,0	1,6	2,2	2,8	3,4
	=<	1,0	1,6	2,2	2,8	3,4	-
V >1.500.000	>	-	1,0	1,4	1,8	2,2	2,6

t =<	1,0	1,4	1,8	2,2	2,6	-
T=	0,0	0,1	0,2	0,3	0,4	0,5

Artículo 42. *Índice de mecanización.* 1. El índice de mecanización de una empresa es una función dependiente del valor actual de su parque de maquinaria, del importe pagado en concepto de alquiler de maquinaria y del importe de los trabajos de servicios ejecutados.

2. El índice de mecanización (m) vendrá dado por el valor obtenido en la siguiente fórmula: $m = (P+2 \times A)/V$.

Siendo:

P, el valor actual del parque de maquinaria propiedad de la empresa y de la que disponga en régimen de arrendamiento financiero,

A, el importe anual medio pagado por alquiler de maquinaria en el último trienio, y

V, el importe anual medio de los trabajos de servicios totales ejecutados en el último trienio.

3. El valor máximo correspondiente al índice de mecanización (M), que debe ser considerado en la fórmula del artículo 40, es el dado por el siguiente cuadro de correlaciones:

> =<	- 0,10	0,10 0,16	0,16 0,22	0,22 0,28	0,28 0,34	0,34 0,40	0,40 0,46	0,46 -
M=	0,0	0,1	0,2	0,3	0,4	0,5	0,6	0,7

Artículo 43. *Índice financiero.* 1. El índice financiero de una empresa es la relación existente entre el importe anual medio de sus fondos propios al cierre de sus tres últimos ejercicios financieros (C) y el importe anual medio de los trabajos de servicios totales ejecutados en el mismo período de tiempo (V), por lo que vendrá dado por el valor obtenido en la siguiente fórmula: $f = C/V$.

2. El valor del término correspondiente al índice de financiación (F), que debe ser considerado en la fórmula del artículo 40, es el dado por el siguiente cuadro de correlaciones:

> f =<	- 0,20	0,20 0,24	0,24 0,28	0,28 0,32	0,32 0,36	0,36 0,40	0,40 0,44	0,44 0,48	0,48 -
F=	0,0	0,1	0,2	0,3	0,4	0,5	0,6	0,7	0,8

Artículo 44. *Experiencia en contratos de servicios.* El término de la experiencia en contratos de servicios de la empresa (E), que debe ser considerado en la fórmula del artículo 40, será el mayor que corresponda, considerando, bien sus años de antigüedad en la actividad, bien el importe total de los trabajos de servicios ejecutados en el último trienio, con arreglo al siguiente cuadro:

Años de > Experiencia = <	- 2	2 5	5 10	10 15	15 20	20 -
Importe de trabajos de servicios >	- 150.000	150.000 450.000	450.000 750.000	750.000 1.050.000	1.050.000 1.350.000	1.350.000 -

ejecutados en el último trienio = <						
E =	0,0	0,2	0,4	0,6	0,8	1

Artículo 45. *Clasificación directa en subgrupos y en casos especiales.* A) *Clasificación directa en subgrupos.*

1. Para determinar las posibilidades de ejecución anual de una empresa de servicios de un subgrupo de los establecidos en el artículo 37 se aplicará la siguiente fórmula: K = O x I, en la que los símbolos establecidos representan:
O, máximo importe anual ejecutado por la empresa en un contrato del subgrupo.
I, índice propio de la empresa.

2. Se considerará como máximo importe anual ejecutado por una empresa en un subgrupo (O) el mayor de los dos valores siguientes:
a) El importe de la anualidad máxima ejecutado en un contrato del subgrupo en el último trienio.
b) Máximo valor que resulte en el trienio al multiplicar el importe ejecutado en cada año del mismo en la totalidad de los contratos del subgrupo, por un coeficiente dependiente del número de ellos en ejecución simultánea, dado por el siguiente cuadro:

Número de contratos	1	2	3	4 o más
Coeficiente	1	0,9	0,8	0,7

3. El valor obtenido en la fórmula del apartado A)1 determinará la categoría que, en el subgrupo de que se trate, le corresponda a la empresa de servicios con arreglo al siguiente cuadro:

K =<	- 150.000	150.000 300.000	300.000 600.000	600.000 -
Categoría	a	b	c	d

No obstante la clasificación que resulte de la comparación con la escala anterior, no podrá ser otorgada una categoría superior en más de un grado de la referida escala a la que le correspondería por la mera consideración del valor de O multiplicado por 1,2.

B) *Clasificación en casos especiales.*

1. Se entenderán como casos especiales de clasificación todos aquellos en los que no tenga aplicación directa la fórmula del apartado A)1, por no haber realizado la empresa en el último trienio trabajo alguno del tipo para el que solicita clasificación.

2. En todos los casos especiales la procedencia de la clasificación será el resultado estimativo de las posibilidades que encierra la empresa para la ejecución del tipo de trabajo de que se trate, deducido del examen de los extremos siguientes:
a) Experiencia del personal directivo y técnico en el tipo de trabajo que corresponda al subgrupo solicitado.
b) Maquinaria y equipos de que disponga de especial aplicación al tipo de trabajo de que se trate.

3. Una vez estimada la procedencia de la clasificación en el subgrupo solicitado, se determinará la categoría que le corresponde en el mismo, mediante aplicación de la fórmula del apartado A)1, fijando por apreciación el valor que debe adoptarse

para el factor O representativo del máximo importe anual que se considera que puede actualmente ser ejecutado por la empresa en los trabajos de servicios del subgrupo.

Artículo 46. *Exigencia de la clasificación por la Administración.* La clasificación que los órganos de contratación exijan a los licitadores de un contrato de servicios será determinada con sujeción a lo dispuesto en el artículo 36, con excepción de su apartado 4, y con la salvedad de que el número de subgrupos exigibles, salvo casos excepcionales, a que se refiere su apartado 2, párrafo a), no podrá ser superior a dos.

SECCIÓN 3.ª
DISPOSICIONES COMUNES A LA CLASIFICACIÓN DE EMPRESAS CONTRATISTAS DE OBRAS Y DE SERVICIOS

Artículo 47. *Solicitudes de clasificación y documentación a incorporar al expediente.* El expediente de clasificación de las empresas se iniciará a petición de las mismas, que se presentará en la forma regulada en la Ley 30/1992, de 26 de noviembre, de Régimen Jurídico de las Administraciones Públicas y del Procedimiento Administrativo Común, y mediante formulario tipo, aprobado por la Junta Consultiva de Contratación Administrativa, que estará integrado por los siguientes documentos:

1. Solicitud de clasificación de la empresa, en la que se acreditará la denominación social correspondiente o el nombre de la persona física en supuestos de empresarios individuales, el domicilio, el número de identificación fiscal y los subgrupos en que desea obtener clasificación.

2. Documentos de acreditación de las características jurídicas de la empresa:

a) Acreditación de la personalidad jurídica y de la capacidad de obrar en las personas jurídicas de conformidad con el artículo 15 de la Ley y artículos 9 y 10 de este Reglamento.

El objeto social de las personas jurídicas deberá comprender las actividades incluidas en los subgrupos en que se solicite clasificación.

b) Declaración de no concurrir alguna de las causas de prohibición de contratar establecidas en el artículo 20 de la Ley y acreditación de hallarse al corriente del cumplimiento de las obligaciones tributarias y de Seguridad Social, en los términos establecidos en los artículos 13 a 16 de este Reglamento.

c) En las solicitudes formuladas por personas jurídicas cuyo capital esté dividido en acciones o participaciones de carácter nominativo, declaración del Secretario del Consejo de Administración o Administrador sobre distribución del capital social y titularidad del mismo.

3. Documentos de acreditación de la organización de la empresa:

a) Cuadro de directivos de la empresa. Declaración sobre la composición e integrantes de los órganos de dirección y de administración.

b) Justificación fehaciente de la representación y del apoderamiento.

4. Documentación para acreditar los medios financieros de la empresa:

a) Para las sociedades las cuentas anuales de los dos últimos ejercicios presentados en el Registro Mercantil o en el correspondiente Registro oficial. Para los empresarios individuales, cuentas anuales de los dos últimos ejercicios cerrados; si existe obligación formal, declaraciones del Impuesto sobre el Patrimonio, correspondiente a los tres últimos años, y en defecto de alguna de estas declaraciones, las del Impuesto sobre la Renta de las Personas Físicas.

b) Declaración, respecto de los tres últimos ejercicios, de la cifra global correspondiente al volumen de negocios de la empresa y de la referida exclusivamente a la ejecución de los contratos relacionados con las actividades en que se desea obtener clasificación, expresando las obligaciones contraídas que en tal período han sido cumplidas y las que se encuentran en ejecución, indicando, en este caso, la fecha prevista de conclusión.

5. Documentación para acreditar los medios personales de la empresa:

a) Relación de personal técnico profesional de titulación universitaria vinculado a la ejecución de los contratos.

b) Relación de personal técnico profesional sin titulación universitaria vinculado a la ejecución de los contratos.

c) Declaración de los efectivos personales medios de la empresa en los tres últimos años.

6. Documentación para acreditar los medios materiales de la empresa: relación de maquinaria, material y equipos a disposición de la empresa, en propiedad, en arrendamiento o en arrendamiento financiero, para la ejecución de las actividades de los subgrupos de clasificación solicitados, aportando la justificación documental de tal disponibilidad.

7. Documentación para acreditar la experiencia en la ejecución de trabajos relacionados con las actividades de los subgrupos de clasificación solicitados:

A) Para los contratos de obras: por cada subgrupo que solicite la empresa presentará relación de las obras correspondientes a esa actividad, realizadas durante los últimos cinco años, indicando si los trabajos se han llevado a cabo directamente o mediante subcontratos. La relación se acompañará de los certificados de buena ejecución de las más importantes.

Los certificados cumplirán las siguientes condiciones:

a) Describirán sucintamente los trabajos realizados, con la información relevante sobre las cantidades y valores de aplicación y con expresión de las características que los definen y de los materiales empleados.

b) Incluirán confirmación de que la totalidad de la obra contratada ha sido satisfactoriamente terminada.

c) Los certificados de obras realizadas para las Administraciones públicas se expedirán por el director de la obra y serán refrendados con la conformidad de la entidad contratante.

d) Los certificados de ejecución de obras realizadas para entidades privadas se expedirán por el director de la obra y serán refrendados con la conformidad de la entidad contratante.

e) Los certificados de ejecución de obras realizadas en gestión propia se expedirán por el director de la obra y serán visados por el correspondiente Colegio Oficial.

f) Los certificados a que se refiere este apartado serán redactados de manera que contengan la totalidad de los datos que se exponen en los modelos que figuren en el expediente formulario tipo de tramitación de la clasificación de la empresa.

B) Para los contratos de servicios: por cada subgrupo que solicite, la empresa presentará relación de los servicios correspondientes a esa actividad realizados durante los últimos tres años, indicando si los trabajos se han llevado a cabo directamente o mediante subcontratos. Irán acompañados de los certificados de buena ejecución.

Los certificados cumplirán las condiciones siguientes:

a) Describirán sucintamente los trabajos realizados, con la información relevante sobre los valores de aplicación y los plazos de ejecución correspondientes.

b) Los certificados de ejecución de servicios realizados para las Administraciones públicas se expedirán por persona responsable y serán refrendados con la conformidad de la entidad contratante.

c) Los certificados de ejecución de servicios realizados para entidades privadas se expedirán por persona responsable de su ejecución y serán refrendados con la conformidad de la entidad contratante.

d) Se podrán tener en cuenta los certificados de ejecución de servicios realizados en gestión propia, que sean expedidos por el director responsable.

Los certificados a que se refiere este apartado serán redactados de manera que contengan la totalidad de los datos que se exponen en los modelos que figuren en el expediente formulario de la clasificación de la empresa.

8. Documentación complementaria: al expediente formulario tipo se acompañará la documentación siguiente:

a) Copia del documento nacional de identidad de las personas que firmen la solicitud.

b) Copia de la declaración anual de operaciones con terceros, compras y ventas de los tres últimos ejercicios.

c) Copia de la declaración del cuarto trimestre del año anterior, del resumen anual de los dos últimos años y de las declaraciones parciales del año en curso del Impuesto sobre el Valor Añadido o tributo equivalente en los territorios en que no rige dicho Impuesto.

d) Informe de la vida laboral de la empresa referido al último mes, para cada una de las cuentas de cotización en la actividad de construcción o en la actividad de servicios, emitido por la Tesorería General de la Seguridad Social. En los informes deberán constar los siguientes datos: actividad de la empresa, relación nominal de los trabajadores, grupo de cotización al que están adscritos, fechas de alta y baja, tipo de contrato y número de días cotizados.

e) Certificado emitido por la Tesorería General de la Seguridad Social, en el que se indique el número anual medio de trabajadores empleados por la empresa durante los tres últimos años.

f) La disponibilidad de la autorización o documento habilitante para ejercer la actividad correspondiente a un subgrupo, cuando este requisito proceda legalmente.

Véase Orden EHA/1744/2005, de 3 de junio, por la que se establecen las condiciones generales, formularios y modelos para la presentación y tramitación telemáticas de solicitudes de clasificación de empresas, y se aprueba la aplicación telemática para su tratamiento («B.O.E.» 13 junio).

Artículo 48. *Expedientes de revisión de clasificaciones.* 1. La Junta Consultiva de Contratación Administrativa podrá revisar las clasificaciones acordadas en cuanto tenga conocimiento de la existencia de circunstancias que puedan disminuir las condiciones de solvencia que sirvieron de base a la clasificación concedida, a cuyo efecto los órganos de contratación deberán informar a la Junta de estas circunstancias si tuvieren conocimiento de las mismas.

2. Los empresarios clasificados pueden promover expediente de revisión de las clasificaciones obtenidas tan pronto mejoren sus condiciones de solvencia, quedando obligado a promoverlo si estas condiciones experimentaran una disminución determinante de la variación de sus clasificaciones.

3. Los expedientes de revisión de clasificaciones se tramitarán de igual forma y con los mismos requisitos que los expedientes de clasificación. Si fuesen iniciados por la Junta Consultiva de Contratación Administrativa será preceptivo el trámite de audiencia al interesado en el momento inmediatamente anterior a la propuesta de resolución.

4. Los expedientes de revisión de clasificación de las empresas abarcarán a la totalidad de los subgrupos en los que figuren con clasificación en vigor.

Artículo 49. *Informes y propuestas de resolución.* Los expedientes de clasificación y revisión de clasificaciones podrán remitirse a informe de los Departamentos ministeriales, organismos y entidades que se considere conveniente. Una vez tramitado el expediente, la Secretaría de la Junta Consultiva de Contratación Administrativa elaborará propuesta de resolución que someterá a la Comisión de Clasificación.

Artículo 50. *Extensión de efectos generales de los acuerdos de clasificación adoptados por las Comunidades Autónomas.* 1. A los efectos establecidos en el párrafo segundo del artículo 28.3 y en el párrafo primero del artículo 34.3 de la Ley, las empresas solicitarán al órgano que asigne la clasificación de empresas de su respectiva Comunidad Autónoma, que el acuerdo de clasificación adoptado tenga efectos generales ante cualquier órgano de contratación de las Administraciones públicas distintos de los de la Comunidad Autónoma que le otorgó la clasificación. Recibida la petición de la empresa, el órgano que concedió la clasificación acordará, en el plazo de quince días, la remisión del expediente tramitado, así como del acuerdo adoptado sobre el mismo, tanto respecto de las clasificaciones otorgadas como respecto de aquellas que, en su caso, hayan sido denegadas, a la Secretaría de la Junta Consultiva de Contratación Administrativa, indicando la Comisión de Clasificación que corresponda en función del tipo de actividad objeto de clasificación.

2. Recibido el expediente en la Secretaría de la Junta Consultiva de Contratación Administrativa se ordenará la tramitación del correspondiente procedimiento, que versará únicamente sobre el examen de los acuerdos de clasificación adoptados respecto de la aplicación de los criterios contenidos en la legislación aplicable por las Comisiones de Clasificación de contratistas de obras o de empresas de servicios en relación con las características de la empresa y el cumplimiento de los criterios de valoración determinados en los artículos 30 a 35 y 40 a 45 de este Reglamento.

3. Cuando la Comisión de Clasificación, examinada la documentación recibida, considere que no procede adoptar el acuerdo a que se refiere el apartado anterior, comunicará al órgano de la Comunidad Autónoma que adoptó el acuerdo de clasificación remitido las incidencias que observe respecto de la aplicación de los criterios de valoración a que hace referencia el apartado 2, a fin de que por éste se formulen las observaciones y aporten los justificantes relativos al acuerdo de clasificación adoptado respecto de la valoración de tales criterios, en un plazo de quince días, quedando suspendido el cómputo del plazo de tramitación del expediente desde la fecha de comunicación cursada al órgano que adoptó dicho acuerdo, hasta tanto se reciba el correspondiente informe y justificantes. El cómputo del plazo citado se iniciará nuevamente a partir del momento en que se reciba la citada información.

4. La Comisión de Clasificación correspondiente, en un plazo de tiempo no superior a cuarenta y cinco días, deberá determinar el acuerdo correspondiente, que será notificado a la empresa y al órgano de la Comunidad Autónoma que remitió el expediente, con devolución del mismo, previa su reproducción, debidamente compulsado, que quedará archivado en la Secretaría de la Junta Consultiva de Contratación Administrativa.

5. Los acuerdos que adopten las Comisiones de Clasificación se limitarán a pronunciarse sobre la procedencia de inscripción en el Registro Oficial de Empresas Clasificadas de los acuerdos adoptados por los órganos correspondientes de las Comunidades Autónomas, sin que puedan modificarlos.

6. Transcurrido el plazo para la adopción del acuerdo respecto de la extensión con efectos generales a las restantes Administraciones públicas de las clasificaciones acordadas por el órgano competente de la respectiva Comunidad Autónoma, se producirá la inscripción en el Registro Oficial de Empresas Clasificadas del acuerdo de clasificación adoptado por aquél.

Artículo 51. *Comprobación por las mesas de contratación de las clasificaciones.* Las mesas de contratación, en la calificación previa de la documentación presentada por los licitadores, comprobarán si éstos se encuentran clasificados en los subgrupos exigidos y con categorías en ellos iguales o superiores a las establecidas para los mismos en el pliego de cláusulas administrativas particulares, procediendo a rechazar las que no cumplan este requisito. Cuando concurran empresas no españolas de un Estado miembro de la Comunidad Europea, se estará a lo dispuesto en los artículos 25.2 y 26.2 de la Ley y 9.2 de este Reglamento.

Cuando el licitador sea una unión temporal de empresarios clasificados individualmente, comprobarán si entre todos reúnen la totalidad de los subgrupos exigidos. En cuanto a las categorías en estos subgrupos, la comprobación tendrá lugar de acuerdo con lo establecido en el artículo siguiente.

Artículo 52. *Régimen de la acumulación de las clasificaciones en las uniones temporales de empresas.* 1. A los efectos establecidos en los artículos 24.2 y 31.2 de la Ley, será requisito básico para la acumulación de las características de cada uno de los integrantes en las uniones temporales de empresas, y en concreto para su clasificación por el órgano de contratación, por medio de la mesa de contratación, que todas las empresas que concurran a la licitación del contrato hayan obtenido previamente clasificación como empresas de obras o como empresas de servicios en función del tipo de contrato para el que sea exigible la clasificación, salvo cuando se trate de empresas no españolas de Estados miembros de la Comunidad Europea, en cuyo caso, para la valoración de su solvencia concreta respecto de la unión temporal, se estará a lo dispuesto en los artículos 15.2, 16, 17 y 19 de la Ley.

2. Cuando para una licitación se exija clasificación en un determinado subgrupo y un integrante de la unión temporal esté clasificado en dicho subgrupo con categoría igual o superior a la pedida, la unión temporal alcanzará la clasificación exigida.

3. Cuando para una licitación se exija clasificación en varios subgrupos, y los integrantes de la unión temporal de empresarios estén clasificados individualmente en diferentes subgrupos, la unión de empresarios alcanzará clasificación en la totalidad de ellos con las máximas categorías ostentadas individualmente.

4. Cuando varias de las empresas se encuentren clasificadas en el mismo grupo o subgrupo de los exigidos, la categoría de la unión temporal, en dicho grupo o subgrupo, será la que corresponda a la suma de los valores medios (Vm) de los intervalos de las respectivas categorías ostentadas, en ese grupo o subgrupo, por cada una de las empresas, siempre que en la unión temporal participen con un porcentaje mínimo del 20 por 100.

Para obtener el valor medio (Vm) de las categorías se aplicará la siguiente fórmula:

$$V_m = \frac{\text{Límite inferior} + \text{límite superior}}{2}$$

Cuando alguna de las empresas no participe, al menos, con el mencionado porcentaje del 20 por 100, al valor medio del intervalo de la categoría se le aplicará un coeficiente reductor igual a su porcentaje de participación, en dicha ejecución, dividido por 20. A estos efectos, en el caso de la máxima categoría aplicable al subgrupo, para el cálculo del valor medio de su intervalo, se considerará que el valor máximo del mismo es el doble del valor mínimo.

Artículo 53. *Expedientes de suspensión de clasificaciones y comunicación y publicidad de los acuerdos de suspensión de clasificaciones y de prohibición de contratar.* 1. Los expedientes de suspensión de clasificaciones serán tramitados por la Junta Consultiva de Contratación Administrativa, que acordará su iniciación de oficio, ya sea a iniciativa propia o a petición de cualquier órgano de contratación.

2. En estos expedientes se dará audiencia al interesado en el momento inmediatamente anterior a la redacción de la propuesta de resolución.

3. La Junta Consultiva de Contratación Administrativa comunicará a los órganos que se determinen por las Comunidades Autónomas, a tal efecto, los acuerdos que sobre suspensión de clasificaciones se adopten por el Ministro de Hacienda, indicando los datos de la empresa que corresponda y el plazo de duración de la suspensión de clasificación. Cuando la causa que determine la suspensión de clasificación implique la duración indefinida de la misma, se indicará tal circunstancia en la comunicación que se curse. En tal supuesto, se notificará al mismo órgano de la Comunidad Autónoma la cesación de la causa que motiva el acuerdo de suspensión cuando se acredite tal hecho por la empresa a la citada Junta Consultiva.

4. Los órganos competentes para conceder las clasificaciones en el ámbito de las respectivas Comunidades Autónomas que ejerzan tal competencia notificarán a la Junta Consultiva de Contratación Administrativa de la Administración General del Estado los acuerdos que se adopten sobre suspensión de las clasificaciones concedidas por los mismos, indicando, en su caso, si la causa que lo motiva se corresponde con alguna de las que enumeran en los apartados 3 y 4 del artículo 33 de la Ley.

Cuando se hubiere acordado la extensión de la clasificación concedida al resto de las Administraciones públicas, en función de lo dispuesto en el artículo 34.3 de la Ley, el acuerdo adoptado dará lugar a la extensión de la suspensión de la clasificación a las restantes Administraciones públicas.

5. Los acuerdos de suspensión de las clasificaciones adoptados por las distintas Administraciones públicas serán publicados en el «Boletín Oficial del Estado» y, en su caso, en los diarios o boletines oficiales de la correspondiente Comunidad Autónoma.

La inserción de anuncios en el «Boletín Oficial del Estado», tanto respecto de las suspensiones de clasificación como sobre las declaraciones de la prohibición para contratar y de cuantos procedan efectuar por la tramitación de los correspondientes expedientes, será gratuita.

SECCIÓN 4.ª
REGISTRO OFICIAL DE EMPRESAS CLASIFICADAS

Véase D [LA RIOJA] 49/2000, 29 septiembre, por el que se regula el Registro de Contratistas de la Administración de la Comunidad Autónoma de La Rioja («B.O.L.R.» 5 octubre).

Véase el Capítulo III «Del Registro Oficial de Contratistas y Empresas Clasificadas de la Comunidad Valenciana» del D [COMUNIDAD VALENCIANA] 79/2000, 30 mayo, del Gobierno Valenciano, por el que se crea la Junta Superior de Contratación Administrativa de la Generalitat Valenciana y se regulan los registros oficiales de Contratos y de Contratistas y Empresas Clasificadas de la Comunidad Valenciana y las garantías globales («D.O.G.V.» 8 junio).

Véase D [PAÍS VASCO] 12/1998, 3 febrero, sobre Registro Oficial de Contratistas e implantación de la clasificación («B.O.P.V.» 16 febrero).

Véase el Capítulo II «De los registros de contratos y contratistas» del D [BALEARES] 20/1997, 7 febrero, por el que se crea la Junta Consultiva de Contratación Administrativa de la Comunidad Autónoma de las Islas Baleares, el Registro de Contratos y el Registro de Contratistas («B.O.C.A.I.B.» 25 febrero).

Véase D [CANARIAS] 92/1994, 27 mayo, por el que se crea el Registro de Contratistas en el ámbito de la Comunidad Autónoma de Canarias («B.O.I.C.» 6 julio).

Artículo 54. *Contenido de la inscripción en el Registro Oficial de Empresas Clasificadas.* La inscripción en el Registro Oficial de Empresas Clasificadas contendrá los siguientes datos:

1. Nombre o razón social del empresario.
2. Número de identificación fiscal.
3. Domicilio.
4. Grupos y subgrupos en los que se encuentra clasificado el empresario, con expresión de la categoría obtenida en cada uno de ellos.
5. Fecha del acuerdo de clasificación y plazo de vigencia de la misma.
6. Acuerdos de prohibición de contratar y de suspensión de clasificaciones.

CAPITULO III
DE LAS GARANTÍAS EXIGIBLES EN LOS CONTRATOS CON LAS ADMINISTRACIONES PÚBLICAS

SECCIÓN 1.ª
CLASES DE GARANTÍAS SEGÚN SU OBJETO

Artículo 55. *Garantía constituida en valores.* 1. Se considerarán aptos para servir de garantía provisional o definitiva en la contratación con la Administración los valores señalados en el artículo 35.1, párrafo a), de la Ley, que cumplan las siguientes condiciones:

a) Que tengan la consideración de valores de elevada liquidez, en los términos que establezca el Ministro de Hacienda. A estos efectos, se consideran incluidos en estos últimos, además de la deuda pública, las participaciones en los fondos de inversión que, conforme a su Reglamento de gestión, inviertan exclusivamente en activos del mercado monetario o de renta fija, y

b) Que se encuentren representados en anotaciones en cuenta o, en el caso de participaciones en fondos de inversión, en certificados nominativos.

2. La inmovilización registral de los valores se realizará de conformidad con la normativa reguladora de los mercados en los que se negocien, debiendo inscribirse la garantía en el registro contable en el que figuren anotados dichos valores, conforme a lo dispuesto en el artículo 10 de la Ley 24/1988, de 28 de julio, del Mercado de Valores.

El contratista instará de la entidad encargada de la llevanza del registro contable en el que se encuentren anotados los valores la inmovilización de los mismos. De dicha anotación se expedirá la correspondiente certificación, que será puesta por el interesado a disposición del órgano ante el que se constituya la garantía, de acuerdo con lo establecido en el artículo 61 de este Reglamento.

3. En la fecha de la inmovilización, los valores objeto de garantía deberán:

a) Tener un valor nominal igual o superior a la garantía exigida, y

b) Tener un valor de realización igual o superior al 105 por 100 del valor de la garantía exigida.

4. Los valores afectos a la garantía deberán estar libres de toda carga o gravamen en el momento de constituirse la garantía y, posteriormente, no podrán quedar gravados por ningún otro acto o negocio jurídico que perjudique la garantía durante la vigencia de ésta.

5. Los rendimientos generados por los valores no quedarán afectos a la garantía constituida.

6. La constitución de la garantía en valores se ajustará a los modelos que figuran en los anexos III y IV de este Reglamento.

Artículo 56. *Garantía constituida mediante aval.* 1. Para su admisión como garantía provisional o definitiva en la contratación con la Administración, los avales deberán reunir las siguientes características:

a) El aval debe ser solidario respecto al obligado principal, con renuncia expresa al beneficio de excusión y pagadero al primer requerimiento de la Caja General de Depósitos o establecimientos públicos equivalentes de las Comunidades Autónomas o entidades locales contratantes, y

b) El aval será de duración indefinida, permaneciendo vigente hasta que el órgano a cuya disposición se constituya resuelva expresamente declarar la extinción de la obligación garantizada y la cancelación del aval, sin perjuicio de lo establecido en el artículo 65.1 de este Reglamento. La Administración vendrá obligada a efectuar dicha declaración si concurren los requisitos legalmente establecidos para considerar extinguida la obligación garantizada.

2. Las entidades avalistas habrán de cumplir los siguientes requisitos:

a) No encontrarse en situación de mora frente a la Administración contratante como consecuencia del impago de obligaciones derivadas de la incautación de anteriores avales. A este efecto, la Administración podrá rehusar la admisión de avales provenientes de bancos o entidades que mantuvieren impagados los importes de avales ya ejecutados treinta días naturales después de haberse recibido en la entidad el primer requerimiento de pago.

b) No hallarse en situación de suspensión de pagos o quiebra.

c) No encontrarse suspendida o extinguida la autorización administrativa para el ejercicio de su actividad.

3. El cumplimiento de los requisitos exigidos en el apartado 2 se acreditará por declaración responsable de la entidad avalista según, el modelo que figura en el anexo V de este Reglamento.

Artículo 57. *Garantía constituida mediante contrato de seguro de caución.* 1. La garantía provisional y definitiva para la contratación con la Administración podrá constituirse mediante contrato de seguro de caución, siempre que éste se celebre con entidad aseguradora autorizada para operar en España en el ramo del seguro de caución y que dicha entidad cumpla los siguientes requisitos:

a) No hallarse en situación de mora frente a la Administración contratante como consecuencia del impago de obligaciones derivadas de la incautación de anteriores seguros de caución. A este efecto, la Administración podrá rehusar la admisión de contratos de seguro de caución celebrados con entidades que mantuvieren impagados los importes correspondientes a contratos de seguro ya ejecutados treinta días naturales después de haberse recibido en la entidad el primer requerimiento de pago.

b) No encontrarse en situación de suspensión de pagos o quiebra.

c) No hallarse sometida a medida de control especial o extinguida la autorización administrativa para el ejercicio de su actividad.

El cumplimiento de estos requisitos se acreditará por declaración responsable de la entidad aseguradora según el modelo que figura en el anexo VI de este Reglamento.

2. La garantía surtirá efectos hasta que el asegurado, o quien actúe en su nombre, autorice expresamente su cancelación o devolución.

El plazo de duración del seguro de caución como garantía en el ámbito de la contratación de las Administraciones públicas será el de la obligación u obligaciones garantizadas, sin perjuicio de lo establecido en el artículo 65.1 de este Reglamento. Si la duración de éstas superase los diez años, el contratista vendrá obligado a prestar nueva garantía durante el último mes del plazo indicado, salvo que se acredite debidamente la prórroga del contrato de seguro.

3. El asegurador asume el compromiso de indemnizar al asegurado al primer requerimiento de la Caja General de Depósitos o de las cajas o establecimientos públicos equivalentes de las Comunidades Autónomas o Entidades locales contratantes, en los términos establecidos en la Ley.

4. A efectos de lo establecido en el artículo 61 de este Reglamento, la garantía deberá constituirse en forma de certificado individual de seguro, con la misma extensión y garantías que las resultantes de la póliza. Dicho certificado individual deberá hacer referencia expresa a que la falta de pago de la prima, sea única, primera o siguientes, no dará derecho al asegurador a resolver el contrato, ni éste quedará extinguido, ni la cobertura del asegurador suspendida, ni éste liberado de su obligación, caso de que el asegurador deba hacer efectiva la garantía, así como a que el asegurador no podrá oponer al asegurado las excepciones que puedan corresponderle contra el tomador del seguro.

Artículo 58. *Poderes en avales y seguro de caución.* 1. Los avales y los certificados de seguro de caución que se constituyen como garantías provisionales o definitivas, deberán ser autorizados por apoderados de la entidad avalista o aseguradora que tengan poder suficiente para obligarla.

2. Estos poderes deberán ser bastanteados previamente y por una sola vez por la Asesoría Jurídica de la Caja General de Depósitos o por la Abogacía del Estado de la provincia cuando se trate de sucursales o por los órganos equivalentes de las Comunidades Autónomas o Entidades locales contratantes. No obstante, si el poder se hubiere otorgado para garantizar al interesado en un concreto y singular procedimiento y forma de adjudicación o contrato, el bastanteo se realizará con carácter previo por el órgano que tenga atribuido el asesoramiento jurídico del órgano de contratación.

En el texto del aval o del certificado de seguro de caución se hará referencia al cumplimiento de este requisito.

SECCIÓN 2.ª
GARANTÍAS COMPLEMENTARIAS Y FORMALIZACIÓN DE VARIACIONES DE GARANTÍAS

Artículo 59. *Garantías complementarias.* A los efectos previstos en el artículo 36.3 de la Ley, se considerarán casos especiales aquellos contratos en los que, dado el riesgo que asume el órgano de contratación por su especial naturaleza, régimen de pagos o condiciones del cumplimiento del contrato, resulte aconsejable incrementar el porcentaje de la garantía definitiva, lo que deberá acordarse en resolución motivada.

Artículo 60. *Formalización de las variaciones de las garantías.* Todas las variaciones que experimenten las garantías serán formalizadas en documento administrativo, que se incorporará al expediente, y se ajustarán a los modelos que se establecen en los anexos III, IV, V y VI de este Reglamento, para cada tipo de garantía.

SECCIÓN 3.ª
CONSTITUCIÓN, EJECUCIÓN Y CANCELACIÓN DE GARANTÍAS

Artículo 61. *Constitución de las garantías.* 1. Las garantías provisionales se constituirán:

a) En la Caja General de Depósitos o en sus sucursales, encuadradas en las Delegaciones Provinciales de Hacienda, o en las cajas o establecimientos públicos equivalentes de las Comunidades Autónomas o Entidades locales, cuando se trate de garantías en metálico o valores.

b) Cuando se trate de aval o seguro de caución, ante el órgano de contratación, incorporándose la garantía al expediente de contratación, sin perjuicio de que su ejecución se efectúe por los órganos señalados en el párrafo anterior.

En el caso de uniones temporales de empresarios, las garantías provisionales podrán constituirse por una o varias de las empresas participantes, siempre que en conjunto se alcance la cuantía requerida en el artículo 35 de la Ley y garantice solidariamente a todos los integrantes de la unión temporal.

2. Las garantías definitivas, especiales y complementarias se constituirán en todo caso en la Caja General de Depósitos o en sus sucursales o en las cajas o en los establecimientos públicos equivalentes de las Comunidades Autónomas o Entidades locales contratantes.

3. Cuando las garantías se constituyan ante los establecimientos señalados en el apartado 1, párrafo a), de este artículo, se acreditará su constitución mediante la entrega al órgano de contratación del resguardo expedido por aquéllos.

4. La constitución de garantías se ajustará a los modelos que se indican en los anexos III, IV, V y VI de este Reglamento y en el caso de inmovilización de deuda pública, al certificado que corresponda conforme a su normativa específica.

5. Cuando de conformidad con el artículo 41.3 de la Ley la garantía se constituya mediante retención del precio se llevará a cabo en el primer abono o, en su caso, en el pago del importe total del contrato.

6. En los contratos que se celebren en el extranjero, las garantías de todo tipo que se constituyan para responder del cumplimiento del contrato o de los pagos anticipados que se hicieran al contratista se depositarán en las sedes de la respectiva Misión Diplomática Permanente u Oficina Consular.

Artículo 62. *Efectos de la retirada de la proposición, de la falta de constitución de garantía definitiva o de la falta de formalización del contrato respecto de la garantía provisional.* 1. Si algún licitador retira su proposición injustificadamente antes de la adjudicación o si el adjudicatario no constituye la garantía definitiva o, por causas imputables al mismo, no pudiese formalizarse en plazo el contrato, se procederá a la ejecución de la garantía provisional y a su ingreso en el Tesoro Público o a su transferencia a los organismos o entidades en cuyo favor quedó constituida. A tal efecto, se solicitará la incautación de la garantía a la Caja General de Depósitos o a los órganos equivalentes de las Comunidades Autónomas o Entidades locales donde quedó constituida.

2. A efectos del apartado anterior, la falta de contestación a la solicitud de información a que se refiere el artículo 83.3 de la Ley, o el reconocimiento por parte del licitador de que su proposición adolece de error, o inconsistencia que la hagan inviable, tendrán la consideración de retirada injustificada de la proposición.

Artículo 63. *Ejecución de garantías.* La Caja General de Depósitos, o la caja o establecimiento público equivalente de la Comunidad Autónoma o Entidad local, ejecutará las garantías a instancia del órgano de contratación de acuerdo con los procedimientos establecidos en su normativa reguladora.

Artículo 64. *Cancelación de garantías provisionales.* 1. Una vez constituida la garantía definitiva, deberá ser cancelada la garantía provisional del adjudicatario, cuando se hubiere prestado mediante aval o seguro de caución.

2. Si la misma garantía provisional se hubiese constituido en metálico o valores, será potestativo para el adjudicatario aplicar su importe a la garantía definitiva o proceder a la nueva constitución de esta última. En este supuesto deberá ser cancelada la garantía provisional simultáneamente a la constitución de la garantía definitiva.

Artículo 65. *Devolución y embargo de garantías.* 1. La garantía provisional permanecerá vigente hasta la propuesta de adjudicación en la subasta o hasta que el órgano de contratación adjudique el contrato en el concurso o en el procedimiento negociado. En estos supuestos, la garantía quedará extinguida, acordándose su devolución en la propuesta de adjudicación o en la adjudicación misma, para todos los licitadores, excepto para el empresario incluido en la propuesta de adjudicación o para el adjudicatario, a los que se retendrá la garantía provisional hasta la formalización del contrato. En todo caso, deberá tenerse en cuenta la prevención contenida en el artículo 35.3 de la Ley.

2. El acuerdo del órgano de contratación sobre la cancelación y la devolución de la garantía definitiva será comunicado por el mismo, en su caso, a la Caja General de Depósitos u órgano ante el que se encuentre constituida dicha garantía.

3. La Caja General de Depósitos o sus sucursales u órgano ante el que se encuentren constituidas se abstendrán de devolver las garantías en metálico o en valores, aun cuando resultase procedente por inexistencia de responsabilidades derivadas del contrato, cuando haya mediado providencia de embargo dictada por órgano jurisdiccional o administrativo competente. A estos efectos, las citadas providencias habrán de ser dirigidas directamente al órgano ante el que se encuentren constituidas dichas garantías.

TITULO III
DE LAS ACTUACIONES RELATIVAS A LA CONTRATACIÓN

CAPITULO I
DE LOS PLIEGOS DE CLÁUSULAS ADMINISTRATIVAS Y DE PRESCRIPCIONES TÉCNICAS

Artículo 66. *Pliegos de cláusulas administrativas generales.* 1. Los pliegos de cláusulas administrativas generales contendrán las declaraciones jurídicas, económicas y administrativas, que serán de aplicación, en principio, a todos los contratos de un objeto análogo además de las establecidas en la legislación de contratos de las Administraciones públicas.

2. Los pliegos se referirán a los siguientes aspectos de los efectos del contrato:
a) Ejecución del contrato y sus incidencias.
b) Derechos y obligaciones de las partes, régimen económico.
c) Modificaciones del contrato, supuestos y límites.
d) Resolución del contrato.
e) Extinción del contrato, recepción, plazo de garantía y liquidación.

Artículo 67. *Contenido de los pliegos de cláusulas administrativas particulares.* 1. Los pliegos de cláusulas administrativas particulares contendrán aquellas declaraciones que sean específicas del contrato de que se trate y del procedimiento y forma de adjudicación, las que se considere pertinente incluir y no figuren en el pliego de cláusulas administrativas generales que, en su caso, resulte de aplicación o estén en contradicción con alguna de ellas y las que figurando en el mismo no hayan de regir por causa justificada en el contrato de que se trate.

2. Los pliegos de cláusulas administrativas particulares serán redactados por el servicio competente y deberán contener con carácter general para todos los contratos los siguientes datos:
a) Definición del objeto del contrato, con expresión de la codificación correspondiente de la nomenclatura de la Clasificación Nacional de Productos por Actividades 1996 (CNPA-1996), aprobada por Real Decreto 81/1996, de 26 de enero, y, en su caso, de los lotes. Cuando el contrato sea igual o superior a los importes que se determinan en los artículos 135.1, 177.2 y 203.2 de la Ley deberá indicar, ade-

más, la codificación correspondiente a la nomenclatura Vocabulario Común de Contratos (CPV) de la Comisión Europea, establecida por la Recomendación de la Comisión Europea de 30 de julio de 1996, publicada en el «Diario Oficial de las Comunidades Europeas» L 222 y S 169, ambos de 3 de septiembre de 1996.

b) Necesidades administrativas a satisfacer mediante el contrato y los factores de todo orden a tener en cuenta.

c) Presupuesto base de licitación formulado por la Administración, con la excepción prevista en el artículo 85, párrafo a), de la Ley, y su distribución en anualidades, en su caso.

d) Mención expresa de la existencia de los créditos precisos para atender a las obligaciones que se deriven para la Administración del cumplimiento del contrato hasta su conclusión, excepto en los supuestos a que se refiere el artículo 69.4 de la Ley, en los que se consignará que existe normalmente crédito o bien que está prevista su existencia en los Presupuestos Generales del Estado, o expresión de que el contrato no origina gastos para la Administración.

e) Plazo de ejecución o de duración del contrato, con determinación, en su caso, de las prórrogas de duración que serán acordadas de forma expresa.

f) Procedimiento y forma de adjudicación del contrato.

g) Importe máximo de los gastos de publicidad de licitación del contrato a que se refiere el artículo 78.1 de la Ley, tanto en boletines oficiales, como, en su caso, en otros medios de difusión, que debe abonar el adjudicatario.

h) Documentos a presentar por los licitadores, así como la forma y contenido de las proposiciones.

i) Criterios para la adjudicación del concurso, por orden decreciente de importancia, y su ponderación.

j) Indicación expresa, en su caso, de la autorización de variantes o alternativas, con expresión de sus requisitos, límites, modalidades y aspectos del contrato sobre los que son admitidas.

k) En su caso, cuando el contrato se adjudique mediante forma de concurso los criterios objetivos, entre ellos el precio, que serán valorados para determinar que una proposición no puede ser cumplida por ser considerada temeraria o desproporcionada.

l) Cuando el contrato se adjudique por procedimiento negociado los aspectos económicos y técnicos que serán objeto de negociación.

m) Garantías provisionales y definitivas, así como, en su caso, garantías complementarias.

n) Derechos y obligaciones específicas de las partes del contrato y documentación incorporada al expediente que tiene carácter contractual.

ñ) Referencia al régimen de pagos.

o) Fórmula o índice oficial aplicable a la revisión de precios o indicación expresa de su improcedencia conforme al artículo 103.3 de la Ley.

p) Causas especiales de resolución del contrato.

q) Supuestos en que, en su caso, los incumplimientos de carácter parcial serán causa de resolución del contrato.

r) Especial mención de las penalidades administrativas que sean de aplicación en cumplimiento de lo establecido en el artículo 95 de la Ley.

s) En su caso, plazo especial de recepción del contrato a que se refiere el artículo 110.2 de la Ley.

t) Plazo de garantía del contrato o justificación de su no establecimiento y especificación del momento en que comienza a transcurrir su cómputo.

u) En su caso, parte o tanto por ciento de las prestaciones susceptibles de ser subcontratadas por el contratista.

v) En su caso, obligación del contratista de guardar el sigilo sobre el contenido del contrato adjudicado.

w) Expresa sumisión a la legislación de contratos de las Administraciones públicas y al pliego de cláusulas administrativas generales que sea aplicable, con especial referencia, en su caso, a las estipulaciones contrarias a este último que se incluyan como consecuencia de lo previsto en el artículo 50 de la Ley.

x) Los restantes datos y circunstancias que se exijan para cada caso concreto por otros preceptos de la Ley y de este Reglamento o que el órgano de contratación estime necesario para cada contrato singular.

3. En los contratos de obras los pliegos de cláusulas administrativas particulares, además de los datos expresados en el apartado anterior, contendrán los siguientes:

a) Referencia al proyecto y mención expresa de los documentos del mismo que revistan carácter contractual.

b) Criterios de selección basados en los medios de acreditar la solvencia económica, financiera y técnica conforme a los artículos 16 y 17 de la Ley o clasificación que han de disponer los candidatos cuando el presupuesto base de licitación sea igual o superior al importe determinado en el artículo 25.1 de la Ley.

c) Plazo total de ejecución del contrato e indicación de los plazos parciales correspondientes si la Administración estima oportuno estos últimos o referencia a su fijación en la aprobación del programa de trabajo, señalando, en su caso, cuáles darán motivo a las recepciones parciales a que se refiere el artículo 147.5 de la Ley.

d) Frecuencias de expedición de certificaciones de obras.

e) Condiciones y requisitos para el pago a cuenta de actuaciones preparatorias, acopio de materiales y equipos de maquinaria adscritos a las obras.

f) Expresión de las condiciones de la fiscalización y de la aprobación de gasto en los supuestos previstos en el artículo 125.4 de la Ley.

g) Plazo para determinar la opción de renuncia a la ejecución del contrato por parte del órgano de contratación en los supuestos previstos en el artículo 125.5 de la Ley.

h) Especificación de la dirección de la ejecución del contrato y forma de cursar las instrucciones para el cumplimiento del contrato.

i) En su caso, imputación al órgano de contratación o al contratista de los gastos que se originen como consecuencia de la realización de ensayos y análisis de materiales y unidades de obra o de informes específicos sobre los mismos.

4. En los contratos de gestión de servicios públicos los pliegos de cláusulas administrativas particulares, además de los datos expresados en el apartado 2, contendrán los siguientes:

a) Régimen jurídico básico que determina el carácter de servicio público, con expresión de los reglamentos reguladores del servicio y de los aspectos jurídicos, económicos y administrativos.

b) Criterios de selección basados en los medios de acreditar la solvencia económica, financiera y técnica conforme a los artículos 16 y 19 de la Ley.

c) En su caso, tarifas a abonar por los usuarios y procedimiento para su revisión.

d) Precio o contraprestación económica a abonar por la Administración cuando proceda, especificando la clase, cuantía, plazos y forma de entrega, si procede.

e) Canon o participación a satisfacer a la Administración por el contratista o beneficio mínimo que corresponda a alguna de las partes.

f) Especificación de las obras e instalaciones que hubiera de realizar el contratista para la explotación del servicio público, expresando las que habrán de pasar a la Administración a la terminación del contrato, en su caso.

g) Especificación de las obras e instalaciones, bienes y medios auxiliares que la Administración aporta al contratista para la gestión del servicio público.

h) En los contratos bajo la modalidad de concesión, requisitos y condiciones que, en su caso, deberá cumplir la sociedad que se constituya para la explotación de la concesión.

i) Obligación del contratista de mantener en buen estado las obras, instalaciones, bienes y medios auxiliares aportados por la Administración.

5. En los contratos de suministro los pliegos de cláusulas administrativas particulares, además de los datos expresados en el apartado 2, contendrán los siguientes:

a) Posibilidad de licitar, en su caso, por la totalidad del objeto del contrato o por los lotes que se establezcan.

b) Criterios de selección basados en los medios de acreditar la solvencia económica, financiera y técnica conforme a los artículos 16 y 18 de la Ley.

c) En los contratos comprendidos en el artículo 172.1, párrafo a), de la Ley, límite máximo del gasto que para la Administración pueda suponer el contrato y expresión del modo de ejercer la vigilancia y examen que incumbe al órgano de contratación, respecto a la fase de elaboración. Esta última prevención también se establecerá en los supuestos del párrafo c) del propio artículo 172.1.

d) Condiciones de pago del precio y, en su caso, determinación de la garantía en los pagos que se formalicen con anterioridad a la recepción total de los bienes contratados.

e) Posibilidad de pago del precio por parte de la Administración mediante la entrega de bienes de la misma naturaleza que los que se adquieren.

f) Lugar de entrega de los bienes que se adquieren.

g) Comprobaciones al tiempo de la recepción de las calidades de los bienes que, en su caso, se reserva la Administración.

6. En los contratos de consultoría y asistencia los pliegos de cláusulas administrativas particulares, además de los datos expresados en el apartado 2, contendrán los siguientes:

a) Posibilidad de licitar, en su caso, por la totalidad del objeto del contrato o por los lotes que se establezcan.

b) Criterios de selección basados en los medios de acreditar la solvencia económica, financiera y técnica conforme a los artículos 16 y 19 de la Ley.

c) Sistema de determinación del precio del contrato.

d) En su caso, en los contratos complementarios, expresión del plazo de ejecución vinculado a otro contrato de carácter principal.

e) Lugar de entrega de los informes, estudios, anteproyectos o proyectos objeto del contrato.

f) Comprobaciones al tiempo de recepción de la calidad del objeto del contrato que se recibe que, en su caso, se reserva la Administración.

g) En su caso, excepción de la obligación del contratista de presentar un programa de trabajo para la ejecución del contrato.

h) En los concursos de proyectos con intervención de Jurado, criterios objetivos en virtud de los cuales el Jurado adoptará sus decisiones o dictámenes.

7. En los contratos de servicios los pliegos de cláusulas administrativas particulares, además de los datos expresados en el apartado 2, contendrán los siguientes:

a) Posibilidad de licitar, en su caso, por la totalidad del objeto del contrato o por los lotes que se establezcan.

b) Criterios de selección basados en los medios de acreditar la solvencia económica, financiera y técnica conforme a los artículos 16 y 19 de la Ley o clasificación que han de disponer los candidatos cuando este requisito sea exigible conforme al artículo 25.1 de la Ley.

c) Sistema de determinación del precio del contrato.

d) En su caso, en los contratos complementarios, expresión del plazo de ejecución vinculado a otro contrato de carácter principal.

e) Lugar de entrega, en su caso, del servicio objeto del contrato.

f) Comprobaciones al tiempo de recepción de la calidad del objeto del contrato que se recibe que, en su caso, se reserva la Administración.

g) En su caso, excepción de la obligación del contratista de presentar un programa de trabajo para la ejecución del contrato.

Artículo 68. *Contenido del pliego de prescripciones técnicas particulares.* 1. El pliego de prescripciones técnicas particulares contendrá, al menos, los siguientes extremos:

a) Características técnicas que hayan de reunir los bienes o prestaciones del contrato.

b) Precio de cada una de las unidades en que se descompone el presupuesto y número estimado de las unidades a suministrar.

c) En su caso, requisitos, modalidades y características técnicas de las variantes.

2. En los contratos de obras, a los efectos de regular su ejecución, el pliego de prescripciones técnicas particulares deberá consignar, expresamente o por referencia a los pliegos de prescripciones técnicas generales u otras normas técnicas que resulten de aplicación, las características que hayan de reunir los materiales a emplear, especificando la procedencia de los materiales naturales, cuando ésta defina una característica de los mismos, y ensayos a que deben someterse para comprobación de las condiciones que han de cumplir; las normas para elaboración de las distintas unidades de obra, las instalaciones que hayan de exigirse y las medidas de seguridad y salud comprendidas en el correspondiente estudio a adoptar durante la ejecución del contrato. Igualmente, detallará las formas de medición y valoración de las distintas unidades de obra y las de abono de las partidas alzadas, y especificará las normas y pruebas previstas para la recepción.

3. En ningún caso contendrán estos pliegos declaraciones o cláusulas que deban figurar en el pliego de cláusulas administrativas particulares.

Artículo 69. *Exención de referencias a prescripciones técnicas comunes.* 1. Los órganos de contratación podrán excluir la aplicación de lo dispuesto en el artículo 52.1 de la Ley, indicando, siempre que sea posible, en los pliegos de prescripciones técnicas particulares las causas que justifican tal exclusión, en los siguientes supuestos:

a) Cuando las instrucciones o reglamentos técnicos, normas, documentos de idoneidad técnica europeos o especificaciones técnicas comunes no incluyan disposición alguna relativa al establecimiento de la conformidad de un producto con tales referencias o cuando no se disponga de medios técnicos que permitan determinar satisfactoriamente dicha conformidad.

b) Cuando la aplicación de las referencias técnicas citadas en el párrafo a) obligue al órgano de contratación a adquirir productos incompatibles con el equipo o instalación existente o impliquen que se han de soportar costes o dificultades técnicas desproporcionadas, sin perjuicio de la obligación de adecuarse a aquéllas, en un plazo que será fijado por el órgano de contratación en relación con el objeto del contrato, debiendo justificar en el expediente, en este caso, los motivos apreciados por el órgano de contratación.

c) Cuando la acción que dé lugar al contrato sea realmente innovadora, de tal manera que el recurso a las referencias técnicas señaladas en el párrafo a) no sea apropiado.

d) En los contratos de suministro y en los de consultoría y asistencia y en los de servicios, cuando la definición de las especificaciones técnicas constituya un obstáculo a la aplicación de la Ley 11/1998, de 24 de abril, General de Telecomunicaciones, y sus disposiciones de desarrollo, en relación con los equipos y aparatos a que se refiere el artículo 55 de la misma Ley o de otras disposiciones relativas a productos o a servicios.

2. Las causas que justifican esta exclusión serán comunicadas, previa petición, a la Comisión de las Comunidades Europeas y a los Estados miembros de la misma.

3. Asimismo, quedan excluidos de lo dispuesto en el artículo 52.1 de la Ley los contratos que sean consecuencia del artículo 296 del Tratado Constitutivo de la Comunidad Europea.

Artículo 70. *Excepción a la prohibición de indicar origen, producción, marcas patentes o tipos de bienes.* De conformidad con el artículo 52.2 de la Ley se exceptúan de la prohibición contenida en el mismo los suministros de material para mantenimiento, repuesto o reemplazo de equipos ya existentes.

CAPÍTULO II
DE LA FORMALIZACIÓN DE LOS CONTRATOS

Artículo 71. *Documento de formalización de los contratos.* 1. El documento de formalización de los contratos será suscrito por el órgano de contratación y el contratista. En el supuesto de que el órgano de la Administración actúe en el ejercicio de competencias delegadas deberá indicar tal circunstancia, con referencia expresa a la disposición en virtud de la cual actúa y del boletín o diario oficial en que figura publicada.

2. En la Administración General del Estado, sus organismos autónomos, entidades gestoras y servicios comunes de la Seguridad Social y demás entidades públicas estatales, se requerirá el informe previo del Servicio Jurídico respectivo, salvo cuando se ajuste a un modelo tipo informado favorablemente por aquél, para ser aplicado con carácter general.

3. El documento de formalización contendrá, con carácter general para todos los contratos, las siguientes menciones:

a) Órgano de contratación y adjudicatario del contrato, con referencia a su competencia y capacidad, respectivamente.

b) Los siguientes antecedentes administrativos del contrato:

1.º Fecha e importe de la aprobación y del compromiso del gasto y fecha de su fiscalización previa cuando ésta sea preceptiva.

2.º Referencia al acuerdo por el que se autoriza la celebración del contrato.

3.º Referencia del acuerdo por el que se adjudica el contrato.

c) Precio cierto que ha de abonar la Administración cuando resulte obligada a ello, con expresión del régimen de pagos previsto.

d) Plazos totales o parciales de ejecución del contrato y, en su caso, el plazo de garantía del mismo.

e) Garantía definitiva y, en su caso, complementaria constituida por el contratista.

f) Las cláusulas que sean consecuencia de las variantes válidamente propuestas por el adjudicatario en su oferta y que hayan sido aceptadas por la Administración.

g) En su caso, exclusión de la revisión de precios o fórmula o índice oficial de revisión aplicable.

h) Régimen de penalidades por demora.

i) Conformidad del contratista a los pliegos de cláusulas administrativas particulares y de prescripciones técnicas, de los que se hará constar la oportuna referencia.

j) Expresa sumisión a la legislación de contratos de las Administraciones públicas y al pliego de cláusulas administrativas generales, si lo hubiera, con especial referencia, en su caso, a las estipulaciones contrarias a este último que se incluyan como consecuencia de lo previsto en el artículo 50 de la Ley.

k) Cualquier otra cláusula que la Administración estime conveniente establecer en cada caso, de conformidad con el pliego de cláusulas administrativas particulares.

4. En los contratos de obras el documento de formalización del contrato, además de los datos que se especifican en el apartado anterior, contendrá los siguientes:

a) Definición de la obra que haya de ejecutarse, con referencia al proyecto correspondiente y mención expresa de los documentos del mismo que obligarán al contratista en la ejecución de aquélla.

b) Plazo para la comprobación del replanteo.

c) Conformidad del contratista con el proyecto cuya ejecución ha sido objeto de la licitación, sin perjuicio de las consecuencias que pudieran derivarse de la comprobación del replanteo del mismo.

5. En los contratos de gestión de servicios públicos el documento de formalización del contrato, además de los datos que se especifican en el apartado 3, contendrá los siguientes:

a) Exposición detallada del servicio público que haya de ser prestado por el contratista y definición, en su caso, de las obras que hayan de ejecutarse, con referencia a los respectivos proyectos.

b) Tarifas que hubieren de percibirse de los usuarios, con descomposición de sus factores constitutivos y procedimiento para su revisión.

c) Canon o participación que hubiere de satisfacerse a la Administración o beneficio mínimo que corresponda a alguna de las partes y, en su caso, precio, abono o compensación que la Administración deba pagar al contratista.

d) Cuando en el contrato de gestión de servicios públicos se incluyan entre las prestaciones a realizar para la gestión del servicio público la ejecución de obras, se harán constar, además, los datos que se señalan en el apartado anterior.

6. En los contratos de suministro el documento de formalización del contrato, además de los datos que se especifican en el apartado 3, contendrá los siguientes:

a) Definición de los bienes objeto del suministro, con especial indicación de número de unidades a suministrar y en el caso de suministro de fabricación especial referencia al proyecto o prescripciones técnicas que han de ser observadas en la fabricación.

b) Importe máximo limitativo del compromiso económico de la Administración, cuando se refiera a la adquisición de productos por precios unitarios o en los supuestos establecidos en el artículo 172.1, párrafo a), de la Ley.

c) En los contratos de suministro de fabricación a que se refiere el artículo 172.1, párrafo c), de la Ley, conformidad del contratista con el proyecto aprobado por el órgano de contratación.

d) Si los bienes se hubiesen entregado anticipadamente a la Administración o se entregasen en el momento de la formalización, se hará constar así en el contrato, indicando fecha, lugar y órgano recipiendario.

e) En los contratos de suministro de fabricación, modo de llevar a cabo el órgano de contratación la vigilancia del proceso de fabricación.

7. En los contratos de consultoría y asistencia y en los de servicios el documento de formalización del contrato, además de los datos que se especifican en el apartado 3, contendrá los siguientes:

a) Definición de las prestaciones a ejecutar por el contratista que constituyen el objeto del contrato, con especial indicación de sus características y, en su caso, referencia concreta al proyecto o prescripciones técnicas que han de constituir la prestación.

b) Importe máximo limitativo del compromiso económico de la Administración, cuando se refiera a la realización de estudios, informes secuenciales o servicios retribuidos por precios unitarios.

c) En su caso, referencia concreta al carácter complementario del contrato de otro de distinta clase que condiciona su ejecución.

d) En los contratos que tengan por objeto la dirección de obras, la conformidad del contratista con el proyecto a ejecutar, aprobado por el órgano de contratación que es objeto de la adjudicación del contrato y define la obra a ejecutar, mediante su firma por el mismo.

e) En los contratos de servicios que se concierten con empresas de trabajo temporal en los supuestos establecidos en los artículos 196.3, párrafo e), de la Ley, referencia concreta a que no podrá producirse la consolidación como personal de las Administraciones públicas de las personas que procedentes de las citadas empresas realicen los trabajos que constituyan el objeto del contrato, de conformidad con lo establecido en el citado artículo.

8. Los contratos administrativos especiales se formalizarán haciendo constar los datos que se expresan en el apartado 3, así como aquellos datos que de acuerdo con el objeto del contrato y la naturaleza de la prestación requieran su determinación en el documento correspondiente,

9. El documento de formalización será firmado por el adjudicatario y se unirá al mismo, como anexo, un ejemplar del pliego de cláusulas administrativas particulares y del pliego de prescripciones técnicas. El documento de formalización se incorporará al expediente y cuando sea notarial se unirá una copia autorizada de dichos pliegos.

10. No obstante lo dispuesto en el apartado 6, se formalizarán o acreditarán, en su caso, mediante los documentos ordinarios que el tráfico jurídico tenga establecidos aquellos contratos de suministro cuyo precio esté sometido a tasa, tarifas debidamente aprobadas o haya sido fijado por los órganos administrativos competentes.

Artículo 72. *Contratos menores.* 1. En los contratos menores podrá hacer las veces de documento contractual la factura pertinente, que deberá contener los datos y requisitos establecidos en el Real Decreto 2402/1985, de 18 de diciembre, por el que se regula el deber de expedir y entregar factura que incumbe a los empresarios y profesionales. En todo caso, la factura deberá contener las siguientes menciones:

> *Téngase en cuenta que el R.D. 2402/1985, 18 diciembre, ha sido derogado por disposición derogatoria única de R.D. 1496/2003, 28 noviembre, por el que se aprueba el Reglamento por el que se regulan las obligaciones de facturación, y se modifica el Reglamento del Impuesto sobre el Valor Añadido («B.O.E.» 29 noviembre).*

a) Número y, en su caso, serie. La numeración de las facturas será correlativa.

b) Nombre y apellido o denominación social, número de identificación fiscal y domicilio del expedidor.

c) Órgano que celebra el contrato, con identificación de su dirección y del número de identificación fiscal.

d) Descripción del objeto del contrato, con expresión del servicio a que vaya destinado.

e) Precio del contrato.

f) Lugar y fecha de su emisión.

g) Firma del funcionario que acredite la recepción.

2. Se deberá expedir y entregar factura por las certificaciones de obra o los abonos a cuenta que se tramiten con anterioridad al cumplimiento total del contrato. En estos casos, se hará indicación expresa de esta circunstancia en las facturas correspondientes.

3. Se exceptúan de lo establecido en los apartados anteriores aquellos suministros o servicios cuya prestación se acredite en el tráfico comercial por el correspondiente comprobante o recibo, en el que ha de constar al menos la identidad de la

empresa que lo emite, el objeto de la prestación, la fecha, el importe y la conformidad del servicio competente con la prestación recibida.

4. Podrán celebrarse diversos contratos menores que se identifiquen por el mismo tipo de prestaciones cuando estén referidos a un gasto de carácter genérico aprobado, que en ningún caso podrá superar, respecto de cada tipo de contrato, los importes fijados en los artículos 121, 176 y 201 de la Ley. En tal supuesto, el importe conjunto de los mismos no podrá superar el gasto autorizado.

CAPITULO III
DE LAS ACTUACIONES ADMINISTRATIVAS PREPARATORIAS DE LOS CONTRATOS

Artículo 73. *Actuaciones administrativas preparatorias del contrato.* 1. Los expedientes de contratación se iniciarán por el órgano de contratación determinando la necesidad de la prestación objeto del contrato, bien por figurar ésta en planes previamente aprobados o autorizados, bien por estimarse singularmente necesaria.

2. Se unirá informe razonado del servicio que promueva la contratación, exponiendo la necesidad, características e importe calculado de las prestaciones objeto del contrato.

CAPITULO IV
DE LA ADJUDICACIÓN DE LOS CONTRATOS

SECCIÓN 1.ª
PUBLICIDAD DE LICITACIONES Y ADJUDICACIONES

Artículo 74. *Publicidad potestativa en el «Diario Oficial de las Comunidades Europeas».* Cuando el presupuesto base de licitación sea inferior a los límites señalados en la Ley para la publicidad preceptiva en el «Diario Oficial de las Comunidades Europeas», el órgano de contratación podrá acordar que se lleve a cabo la misma, observándose en este caso las normas y plazos que la propia Ley establece para la publicidad preceptiva en el citado diario.

Téngase en cuenta que el "Diario Oficial de las Comunidades Europeas" ha pasado a denominarse "Diario Oficial de la Unión Europea" conforme establece el apartado 38 del artículo 2 del Tratado de Niza por el que se modifica el artículo 254 del Tratado de la Unión Europea.

Artículo 75. *Gastos de publicidad en boletines o diarios oficiales y aclaración o rectificación de anuncios.* Con excepción de los supuestos regulados en el artículo 15, párrafo b), de la Ley 25/1998, de 13 de julio, de modificación del Régimen Legal de las Tasas Estatales y Locales y de Reordenación de las Prestaciones Patrimoniales de Carácter Público, o en las restantes normas de las distintas Administraciones públicas, en los que la publicidad de los anuncios resulte gratuita, y salvo que otra cosa se indique en el pliego de cláusulas administrativas particulares, únicamente será de cuenta del adjudicatario del contrato la publicación, por una sola vez, de los anuncios de contratos en el «Boletín Oficial del Estado» o en los respectivos diarios o boletines oficiales en los supuestos a que se refiere el artículo 78 de la Ley.

Cualquier aclaración o rectificación de los anuncios de contratos será a cargo del órgano de contratación y se hará pública en igual forma que éstos, debiendo computarse, en su caso, a partir del nuevo anuncio, el plazo establecido para la presentación de proposiciones.

Artículo 76. *Anuncios indicativos y de adjudicación de contratos.* La publicidad en el «Boletín Oficial del Estado» de los anuncios previos indicativos regulada en los artículos 135.1, 177.1 y 203.1 de la Ley y de los anuncios de la adjudicación del contrato prevista en el artículo 93 de la Ley tiene la consideración de publicidad oficial y su inserción será obligatoria.

Artículo 77. *Contenido de los anuncios de los contratos sometidos a publicidad.* 1. Los anuncios indicativos y los de licitación y adjudicación de los contratos a publicar en el «Boletín Oficial del Estado» o en los respectivos diarios o boletines oficiales a que se refieren los artículos 78 y 93 de la Ley y en el «Diario Oficial de las Comunidades Europeas», se ajustarán a los modelos y formularios que se incluyen en los anexos VII y VIII de este Reglamento.

2. Cuando el envío de un anuncio previo indicativo deba producir el efecto de reducción de los plazos de presentación de proposiciones a que se refieren los artículos 137, 138.2, 178, 179.2 y 207, apartados 1 y 2, el anuncio deberá contener toda la información que sea conocida en el momento del envío del anuncio que se detalla en el apartado 1 del anexo VIII de este Reglamento.

Artículo 78. *Informaciones sobre los pliegos y documentación complementaria y prórroga de plazos para presentar proposiciones.* 1. En el procedimiento abierto, cuando los empresarios hayan solicitado con la debida antelación los pliegos de cláusulas administrativas particulares y los documentos complementarios, el órgano de contratación deberá facilitarlos en el plazo de seis días siguientes al de la recepción de la petición.

2. En el procedimiento restringido y negociado con publicidad comunitaria, el órgano de contratación acompañará a la invitación que simultáneamente efectúe a los candidatos seleccionados los pliegos de cláusulas administrativas particulares y documentos complementarios, con indicación del plazo durante el cual deben mantener su oferta.

3. Los órganos de contratación deberán prorrogar los plazos previstos para la presentación de las proposiciones cuando las ofertas no puedan ser formuladas sin inspeccionar previamente los lugares en que ha de ejecutarse la obra o el contrato o sin consultar los documentos anexos al pliego de cláusulas administrativas particulares y éstos no hayan podido ser facilitados, por su volumen, en el plazo señalado en el apartado 1.

4. En los procedimientos restringido y negociado, cuando se aplique el trámite de urgencia, deberá comunicarse la información complementaria sobre los pliegos en el plazo de cuatro días antes de la fecha fijada para la recepción de solicitudes de participación.

SECCIÓN 2.ª
MESA DE CONTRATACIÓN

Artículo 79. *Mesa de contratación.* ...

> *Artículo 79 derogado por la disposición derogatoria única del R.D. 817/2009, de 8 de mayo, por el que se desarrolla parcialmente la Ley 30/2007, de 30 de octubre, de Contratos del Sector Público («B.O.E.» 15 mayo).*
> *Vigencia: 16 junio 2009*

SECCIÓN 3.ª
PROPOSICIONES DE LOS INTERESADOS

Artículo 80. *Forma de presentación de la documentación.* 1. La documentación para las licitaciones se presentará en sobres cerrados, identificados, en su exterior, con indicación de la licitación a la que concurran y firmados por el licitador o la persona que lo represente e indicación del nombre y apellidos o razón social de la empresa. En el interior de cada sobre se hará constar en hoja independiente su contenido, enunciado numéricamente. Uno de los sobres contendrá los documentos a que se refiere el artículo 79.2 de la Ley y el otro la proposición, ajustada al modelo que figure en el pliego de cláusulas administrativas particulares, conteniendo, en los concursos, todos los elementos que la integran, incluidos los aspectos técnicos de la misma.

No obstante, cuando se haga uso de lo dispuesto en el artículo 86.2 de la Ley, en el sentido de concretar la fase de valoración en que operarán los criterios de adjudicación, el sobre de la proposición económica contendrá exclusivamente ésta, y se presentarán, además, tantos sobres como fases de valoración se hayan establecido.

2. Los sobres a que se refiere el apartado anterior habrán de ser entregados en las dependencias u oficinas expresadas en el anuncio o enviados por correo dentro del plazo de admisión señalado en aquél, salvo que el pliego autorice otro procedimiento, respetándose siempre el secreto de la oferta.

3. En el primer caso, las oficinas receptoras darán recibo al presentador, en el que constará el nombre del licitador, la denominación del objeto del contrato y el día y hora de la presentación.

4. Cuando la documentación se envíe por correo, el empresario deberá justificar la fecha de imposición del envío en la oficina de Correos y anunciar al órgano de contratación la remisión de la oferta mediante télex, fax o telegrama en el mismo día. También podrá anunciarse por correo electrónico, si bien en este último caso sólo si se admite en el pliego de cláusulas administrativas particulares. El envío del anuncio por correo electrónico sólo será válido si existe constancia de la transmisión y recepción, de sus fechas y del contenido íntegro de las comunicaciones y se identifica fidedignamente al remitente y al destinatario. En este supuesto, se procederá a la obtención de copia impresa y a su registro, que se incorporará al expediente.

Sin la concurrencia de ambos requisitos no será admitida la documentación si es recibida por el órgano de contratación con posterioridad a la fecha y hora de la terminación del plazo señalado en el anuncio.

Transcurridos, no obstante, diez días siguientes a la indicada fecha sin haberse recibido la documentación, ésta no será admitida en ningún caso.

5. Una vez entregada o remitida la documentación, no puede ser retirada, salvo que la retirada de la proposición sea justificada. Terminado el plazo de recepción, los jefes de las oficinas receptoras expedirán certificación relacionada de la documentación recibida o de la ausencia de licitadores, en su caso, la que juntamente con aquélla remitirán al Secretario de la mesa de contratación o al órgano de contratación cuando ésta no se constituya la misma.

Si se hubiese anunciado la remisión por correo, con los requisitos establecidos en el apartado anterior, tan pronto como sea recibida y, en todo caso, transcurrido el plazo de diez días indicado en el mismo, los jefes de las oficinas receptoras expedirán certificación de la documentación recibida para remitirla, igualmente, al Secretario de la mesa de contratación.

6. En el procedimiento negociado las ofertas se presentarán ante el órgano de contratación en los plazos y en la forma que se determine en el pliego de cláusulas administrativas particulares, sin perjuicio de los plazos previstos en los artículos 140.2, 181.2 y 209.2 de la Ley y en las condiciones establecidas en los artículos 91, 92 y 93 de este Reglamento.

Artículo 81. *Calificación de la documentación y defectos u omisiones subsanables.* 1. A los efectos de la calificación de la documentación presentada, previa la constitución de la mesa de contratación, el Presidente ordenará la apertura de los sobres que contengan la documentación a que se refiere el artículo 79.2 de la Ley, y el Secretario certificará la relación de documentos que figuren en cada uno de ellos.

2. Si la mesa observase defectos u omisiones subsanables en la documentación presentada, lo comunicará verbalmente a los interesados. Sin perjuicio de lo anterior, las circunstancias reseñadas deberán hacerse públicas a través de anuncios del órgano de contratación o, en su caso, del que se fije en el pliego, concediéndose un plazo no superior a tres días hábiles para que los licitadores los corrijan o subsanen ante la propia mesa de contratación.

3. De lo actuado conforme a este artículo se dejará constancia en el acta que necesariamente deberá extenderse.

Artículo 82. *Valoración de los criterios de selección de las empresas.* La mesa, una vez calificada la documentación a que se refiere el artículo 79.2 de la Ley y subsanados, en su caso, los defectos u omisiones de la documentación presentada, procederá a determinar las empresas que se ajustan a los criterios de selección de las mismas, a que hace referencia el artículo 11 de este Reglamento, fijados en el pliego de cláusulas administrativas particulares, con pronunciamiento expreso sobre los admitidos a la licitación, los rechazados y sobre las causas de su rechazo.

Artículo 83. *Apertura de las proposiciones.* 1. Una vez realizadas las actuaciones previstas en los dos artículos anteriores, el acto público de apertura de las proposiciones se celebrará en el lugar y día que previamente se haya señalado.

2. Comenzará el acto de apertura de proposiciones dándose lectura al anuncio del contrato y procediéndose seguidamente al recuento de las proposiciones presentadas y a su confrontación con los datos que figuren en los certificados extendidos por los jefes de las oficinas receptoras de las mismas, hecho lo cual se dará conocimiento al público del número de proposiciones recibidas y nombre de los licitadores, dando ocasión a los interesados para que puedan comprobar que los sobres que contienen las ofertas se encuentran en la mesa y en idénticas condiciones en que fueron entregados.

3. En caso de discrepancias entre las proposiciones que obren en poder de la mesa y las que como presentadas se deduzcan de las certificaciones de que dispone la misma, o que se presenten dudas sobre las condiciones de secreto en que han debido ser custodiadas, se suspenderá el acto y se realizarán urgentemente las investigaciones oportunas sobre lo sucedido, volviéndose a anunciar, en su caso, nuevamente en el tablón de anuncios del órgano de contratación o del que se fije en los pliegos la reanudación del acto público una vez que todo haya quedado aclarado en la debida forma.

4. El Presidente manifestará el resultado de la calificación de los documentos presentados, con expresión de las proposiciones admitidas, de las rechazadas y causa o causas de inadmisión de estas últimas y notificará el resultado de la calificación en los términos previstos en el artículo anterior.

5. Las ofertas que correspondan a proposiciones rechazadas quedarán excluidas del procedimiento de adjudicación del contrato y los sobres que las contengan no podrán ser abiertos.

6. Antes de la apertura de la primera proposición se invitará a los licitadores interesados a que manifiesten las dudas que se les ofrezcan o pidan las explicaciones que estimen necesarias, procediéndose por la mesa a las aclaraciones y contestaciones pertinentes, pero sin que en este momento pueda aquélla hacerse cargo de documentos que no hubiesen sido entregados durante el plazo de admisión de

ofertas, o el de corrección o subsanación de defectos u omisiones a que se refiere el artículo 81.2 de este Reglamento.

Artículo 84. *Rechazo de proposiciones.* Si alguna proposición no guardase concordancia con la documentación examinada y admitida, excediese del presupuesto base de licitación, variara sustancialmente el modelo establecido, o comportase error manifiesto en el importe de la proposición, o existiese reconocimiento por parte del licitador de que adolece de error o inconsistencia que la hagan inviable, será desechada por la mesa, en resolución motivada. Por el contrario, el cambio u omisión de algunas palabras del modelo, con tal que lo uno o la otra no alteren su sentido, no será causa bastante para el rechazo de la proposición.

SECCIÓN 4.ª
PROCEDIMIENTOS ABIERTO, RESTRINGIDO Y NEGOCIADO

Artículo 85. *Criterios para apreciar las ofertas desproporcionadas o temerarias en las subastas.* Se considerarán, en principio, desproporcionadas o temerarias las ofertas que se encuentren en los siguientes supuestos:

1. Cuando, concurriendo un solo licitador, sea inferior al presupuesto base de licitación en más de 25 unidades porcentuales.

2. Cuando concurran dos licitadores, la que sea inferior en más de 20 unidades porcentuales a la otra oferta.

3. Cuando concurran tres licitadores, las que sean inferiores en más de 10 unidades porcentuales a la media aritmética de las ofertas presentadas. No obstante, se excluirá para el cómputo de dicha media la oferta de cuantía más elevada cuando sea superior en más de 10 unidades porcentuales a dicha media. En cualquier caso, se considerará desproporcionada la baja superior a 25 unidades porcentuales.

4. Cuando concurran cuatro o más licitadores, las que sean inferiores en más de 10 unidades porcentuales a la media aritmética de las ofertas presentadas. No obstante, si entre ellas existen ofertas que sean superiores a dicha media en más de 10 unidades porcentuales, se procederá al cálculo de una nueva media sólo con las ofertas que no se encuentren en el supuesto indicado. En todo caso, si el número de las restantes ofertas es inferior a tres, la nueva media se calculará sobre las tres ofertas de menor cuantía.

5. Excepcionalmente, y atendiendo al objeto del contrato y circunstancias del mercado, el órgano de contratación podrá motivadamente reducir en un tercio en el correspondiente pliego de cláusulas administrativas particulares los porcentajes establecidos en los apartados anteriores.

6. Para la valoración de la ofertas como desproporcionadas, la mesa de contratación podrá considerar la relación entre la solvencia de la empresa y la oferta presentada.

Artículo 86. *Valoración de las proposiciones formuladas por distintas empresas pertenecientes a un mismo grupo.* 1. A los efectos de lo dispuesto en el artículo 83.3 de la Ley, cuando empresas pertenecientes a un mismo grupo, entendiéndose por tales las que se encuentren en alguno de los supuestos del artículo 42.1 del Código de Comercio, presenten distintas proposiciones para concurrir individualmente a la adjudicación de un contrato, se tomará únicamente, para aplicar el régimen de apreciación de ofertas desproporcionadas o temerarias, la oferta mas baja, produciéndose la aplicación de los efectos derivados del procedimiento establecido para la apreciación de ofertas desproporcionadas o temerarias, respecto de las restantes ofertas formuladas por las empresas del grupo.

2. Cuando se presenten distintas proposiciones por sociedades en las que concurran alguno de los supuestos alternativos establecidos en el artículo 42.1 del Código de Comercio, respecto de los socios que las integran, se aplicarán respecto de la valoración de la oferta económica las mismas reglas establecidas en el apartado anterior.

3. A los efectos de lo dispuesto en los dos apartados anteriores, las empresas del mismo grupo que concurran a una misma licitación deberán presentar declaración sobre los extremos en los mismos reseñados.

4. A los efectos de lo dispuesto en el artículo 86.4 de la Ley, los pliegos de cláusulas administrativas particulares podrán establecer el criterio o criterios para la valoración de las proposiciones formuladas por empresas pertenecientes a un mismo grupo.

Artículo 87. *Observaciones, igualdad de proposiciones, acta de la mesa y devolución de documentación.* 1. Determinada por la mesa de contratación la proposición de precio más bajo o económicamente más ventajosa, a favor de la cual formulará propuesta de adjudicación, invitará a los licitadores asistentes a que expongan cuantas observaciones o reservas estimen oportunas contra el acto celebrado, las cuales deberán formularse por escrito en el plazo máximo de dos días hábiles siguientes al de aquel acto y se dirigirán al órgano de contratación, el cual, previo informe de la mesa de contratación, resolverá el procedimiento, con pronunciamiento expreso sobre las reclamaciones presentadas, en la adjudicación del contrato.

2. La mesa de contratación concretará expresamente cuál sea la proposición de precio más bajo o económicamente más ventajosa sobre la que formulará propuesta de adjudicación del contrato. En las subastas, si se presentasen dos o más proposiciones iguales que resultasen ser las de precio más bajo, se decidirá la adjudicación de éstas mediante sorteo.

3. Concluido el acto, se levantará acta que refleje fielmente lo sucedido y que será firmada por el Presidente y Secretario de la mesa de contratación y por los que hubiesen hecho presentes sus reclamaciones o reservas.

4. Las proposiciones presentadas, tanto las declaradas admitidas como las rechazadas sin abrir o las desestimadas una vez abiertas, serán archivadas en su expediente. Adjudicado el contrato y transcurridos los plazos para la interposición de recursos sin que se hayan interpuesto, la documentación que acompaña a las proposiciones quedará a disposición de los interesados.

Artículo 88. *Presupuesto no fijado previamente por la Administración en concursos.* En los supuestos de contratos a que se refiere el artículo 85, párrafo a), de la Ley, hasta que se conozca el importe y condiciones del contrato, según la oferta seleccionada, no se procederá a la fiscalización del gasto, a su aprobación, así como a la adquisición del compromiso generado por el mismo, circunstancias que serán recogidas en el correspondiente pliego de cláusulas administrativas particulares.

Artículo 89. *Admisibilidad de variantes en concursos.* Los órganos de contratación no podrán rechazar variantes o alternativas por el único motivo de que contengan especificaciones técnicas definidas por alguna de las referencias contempladas en el artículo 52.1 de la Ley.

Artículo 90. *Inaplicación al concurso de determinadas normas de la subasta.* No serán de aplicación a los concursos los preceptos que para la subasta se establecen en los artículos 85 y 87.2, último inciso, de este Reglamento.

Artículo 91. *Solicitudes de participación e invitación a presentar ofertas en los procedimientos restringidos y negociados.* En los procedimientos restringidos y negociados con publicidad, las solicitudes de participación de los empresarios y las invitaciones a presentar ofertas por el órgano de contratación podrán ser hechas por carta u oficio o por telegrama, télex o telecopia. Cuando las solicitudes de participación sean efectuadas por alguno de los tres últimos medios, deberán ser confirmadas por carta de la misma fecha. También podrá solicitarse la participación por correo electrónico. El envío de la solicitud de participación por correo electrónico sólo será válida si existe constancia de la trasmisión y recepción, de sus fechas y del contenido íntegro de las comunicaciones y se identifique fidedignamente al remitente y al destinatario. En este supuesto se procederá a la obtención de copia impresa y a su registro, que se incorporará al expediente.

Artículo 92. *Contenido de las invitaciones por parte del órgano de contratación a presentar ofertas.* En los procedimientos restringidos y en los negociados con publicidad las invitaciones a presentar ofertas que el órgano de contratación dirija al o a los seleccionados deberán contener, al menos, los siguientes extremos:

1. La dirección del servicio al que se pueda solicitar información complementaria respecto de los pliegos de cláusulas administrativas particulares y de prescripciones técnicas y documentación complementaria; la fecha límite para efectuar esta petición, y el importe y las modalidades de pago de aquel que deba ser, en su caso, satisfecho para obtener dichos documentos.

2. La fecha límite de recepción de las proposiciones, la dirección a la cual deben ser remitidas y la lengua o lenguas en las que deben ser redactadas.

3. Lugar, día y hora de la apertura de proposiciones.

4. Referencia al anuncio del contrato previamente publicado.

Artículo 93. *Solicitud de ofertas y adjudicación en el procedimiento negociado.* 1. La solicitud de ofertas a que se refiere el artículo 92.1 de la Ley puede realizarse, si lo estima conveniente el órgano de contratación, mediante anuncio público o de la forma que se establezca con carácter general por aquél, siempre que no resulte preceptiva la publicidad en el «Diario Oficial de las Comunidades Europeas» y en el «Boletín Oficial del Estado», de conformidad con los artículos 140, 181 y 209 de la Ley.

2. En el procedimiento negociado, la adjudicación no podrá tener lugar, en ningún caso, por importe superior al presupuesto previamente aprobado.

CAPITULO V
DE LA EJECUCIÓN Y MODIFICACIÓN DE LOS CONTRATOS

Artículo 94. *Dirección e inspección de la ejecución.* 1. La ejecución de los contratos se desarrollará, sin perjuicio de las obligaciones que corresponden al contratista, bajo la dirección, inspección y control del órgano de contratación, el cual podrá dictar las instrucciones oportunas para el fiel cumplimiento de lo convenido.

2. Los pliegos de cláusulas administrativas, generales y particulares, contendrán las declaraciones precisas sobre el modo de ejercer esta potestad administrativa.

Artículo 95. *Facultades del órgano de contratación en la ejecución del contrato.* Cuando el contratista, o personas de él dependientes, incurra en actos u omisiones que comprometan o perturben la buena marcha del contrato, el órgano de contratación podrá exigir la adopción de medidas concretas para conseguir o restablecer el buen orden en la ejecución de lo pactado.

Artículo 96. *Reajuste de anualidades.* 1. Cuando por retraso en el comienzo de la ejecución del contrato sobre lo previsto al iniciarse el expediente de contratación, suspensiones autorizadas, prórrogas de los plazos parciales o del total, modificaciones en el proyecto o por cualesquiera otras razones de interés público debidamente justificadas se produjese desajuste entre las anualidades establecidas en el pliego de cláusulas administrativas particulares integrado en el contrato y las necesidades reales en el orden económico que el normal desarrollo de los trabajos exija, el órgano de contratación procederá a reajustar las citadas anualidades siempre que lo permitan los remanentes de los créditos aplicables, y a fijar las compensaciones económicas que, en su caso, procedan.

2. Para efectuar el reajuste de las anualidades será necesaria la conformidad del contratista, salvo que razones excepcionales de interés público determinen la suficiencia del trámite de audiencia del mismo y el informe de la Intervención.

3. En los contratos que cuenten con programa de trabajo, cualquier reajuste de anualidades exigirá su revisión para adaptarlo a los nuevos importes anuales, debiendo ser aprobado por el órgano de contratación el nuevo programa de trabajo resultante.

Artículo 97. *Resolución de incidencias surgidas en la ejecución de los contratos.* Con carácter general, salvo lo establecido en la legislación de contratos de las Administraciones públicas para casos específicos, cuantas incidencias surjan entre la Administración y el contratista en la ejecución de un contrato por diferencias en la interpretación de lo convenido o por la necesidad de modificar las condiciones contractuales, se tramitarán mediante expediente contradictorio, que comprenderá preceptivamente las actuaciones siguientes:

1. Propuesta de la Administración o petición del contratista.

2. Audiencia del contratista e informe del servicio competente a evacuar en ambos casos en un plazo de cinco días hábiles.

3. Informe, en su caso, de la Asesoría Jurídica y de la Intervención, a evacuar en el mismo plazo anterior.

4. Resolución motivada del órgano que haya celebrado el contrato y subsiguiente notificación al contratista.

Salvo que motivos de interés público lo justifiquen o la naturaleza de las incidencias lo requiera, la tramitación de estas últimas no determinará la paralización del contrato.

Artículo 98. *Prórroga del plazo en los supuestos de imposición de penalidades.* Cuando el órgano de contratación, en el supuesto de incumplimiento de los plazos por causas imputables al contratista y conforme al artículo 95.3 de la Ley, opte por la imposición de penalidades y no por la resolución, concederá la ampliación del plazo que estime resulte necesaria para la terminación del contrato.

Artículo 99. *Efectividad de las penalidades e indemnización de daños y perjuicios.* 1. Los importes de las penalidades por demora se harán efectivos mediante deducción de los mismos en las certificaciones de obras o en los documentos de pago al contratista. En todo caso, la garantía responderá de la efectividad de aquéllas, de acuerdo con lo establecido en el artículo 43.2, párrafo a), de la Ley.

2. La aplicación y el pago de estas penalidades no excluye la indemnización a que la Administración pueda tener derecho por daños y perjuicios ocasionados con motivo del retraso imputable al contratista.

Artículo 100. *Petición de prórroga del plazo de ejecución.* 1. La petición de prórroga por parte del contratista deberá tener lugar en un plazo máximo de quince días desde aquél en que se produzca la causa originaria del retraso, alegando las razones por las que estime no le es imputable y señalando el tiempo probable de su duración, a los efectos de que la Administración pueda oportunamente, y siempre antes de la terminación del plazo de ejecución del contrato, resolver sobre la prórroga del mismo, sin perjuicio de que una vez desaparecida la causa se reajuste el plazo prorrogado al tiempo realmente perdido.

Si la petición del contratista se formulara en el último mes de ejecución del contrato, la Administración deberá resolver sobre dicha petición antes de los quince días siguientes a la terminación del mismo. Durante este plazo de quince días, no podrá continuar la ejecución del contrato, el cual se considerará extinguido el día en que expiraba el plazo previsto si la Administración denegara la prórroga solicitada, o no resolviera sobre ella.

2. En el caso de que el contratista no solicitase prórroga en el plazo anteriormente señalado, se entenderá que renuncia a su derecho, quedando facultada la Administración para conceder, dentro del mes último del plazo de ejecución, la prórroga que juzgue conveniente, con imposición, si procede, de las penalidades que establece el artículo 95.3 de la Ley o, en su caso, las que se señalen en el pliego de cláusulas administrativas particulares, salvo que considere más aconsejable esperar a la terminación del plazo para proceder a la resolución del contrato.

Artículo 101. *Supuesto que no tiene carácter de modificación del contrato.* No tendrá carácter de modificación del contrato la alteración del precio por aplicación de cláusulas de revisión, que se regirá por lo dispuesto en los artículos 103 a 108 de la Ley y en los artículos 104 a 106 de este Reglamento.

Artículo 102. *Procedimiento para las modificaciones.* Cuando sea necesario introducir alguna modificación en el contrato, se redactará la oportuna propuesta integrada por los documentos que justifiquen, describan y valoren aquélla. La aprobación por el órgano de contratación requerirá la previa audiencia del contratista y la fiscalización del gasto correspondiente.

Artículo 103. *Acta de suspensión de la ejecución del contrato.* 1. El acta de suspensión a que se refiere el artículo 102 de la Ley será firmada por un representante del órgano de contratación y el contratista y deberá levantarse en el plazo máximo de dos días hábiles, contados desde el día siguiente a aquel en el que se acuerde la suspensión.

2. En el contrato de obras el acta a que se refiere el apartado anterior será también firmada por el director de la obra, debiendo unirse a la misma como anejo, en relación con la parte o partes suspendidas, la medición de la obra ejecutada y los materiales acopiados a pie de obra utilizables exclusivamente en las mismas. Dicho anejo deberá incorporarse en el plazo máximo de diez días hábiles conforme a la regla de cómputo establecida en el apartado anterior, prorrogable excepcionalmente hasta un mes, teniendo en cuenta la complejidad de los trabajos que incluye.

TITULO IV
DISPOSICIONES SOBRE REVISIÓN DE PRECIOS

Artículo 104. *Procedimiento para la revisión de precios.* 1. En los contratos de obras y suministro de fabricación, cuando sea de aplicación la revisión de precios, se llevará a cabo aplicando a las fórmulas tipo aprobadas por el Consejo de Ministros los índices mensuales de precios aprobados por la Comisión Delegada del Gobierno para Asuntos Económicos, con sujeción a lo dispuesto en los artículos 103 a 107 de la Ley.

A los efectos del artículo 103.3 de la Ley, el autor del proyecto propondrá en la memoria, habida cuenta de las características de la obra, la fórmula polinómica que considere más adecuada de entre las correspondientes fórmulas tipo.

Cuando un proyecto comprenda obras de características muy diferentes, a las que no resulte adecuado aplicar una sola fórmula tipo general, podrá considerarse el presupuesto dividido en dos o más parciales, con aplicación independiente de las fórmulas polinómicas adecuadas a cada uno de dichos presupuestos parciales. Si ninguna de las fórmulas tipo generales coincide con las características de la obra, el facultativo autor del proyecto, también a los efectos del artículo 103.3 de la Ley, propondrá la fórmula especial que estime adecuada.

2. En los restantes contratos, cuando resulte procedente la revisión de precios, se llevará a cabo mediante aplicación de los índices o fórmulas de carácter oficial que determine el órgano de contratación en el pliego de cláusulas administrativas particulares, en el que, además, se consignará el método o sistema para la aplicación concreta de los referidos índices o fórmulas de carácter oficial.

Artículo 105. *Cobertura financiera y tramitación de los expedientes de revisión de precios.* 1. Al objeto de proveer la cobertura financiera necesaria para atender las obligaciones derivadas de los abonos por revisión de precios de los contratos con derecho a ella, se efectuará al comienzo de cada ejercicio económico la oportuna retención de los créditos precisos para atender los mayores gastos que se deriven de la revisión de precios de los contratos en curso de ejecución.

2. Los expedientes adicionales de gasto por revisiones de precios, que se ajustarán al modelo previsto en el anexo X, se tramitarán de oficio con la necesaria antelación para que, en todo caso, puedan quedar habilitados los créditos necesarios. Éstos, una vez aprobados, se acumularán al presupuesto vigente de cada contrato y se aplicarán al mismo concepto presupuestario por el importe de la anualidad del propio ejercicio, o, en su caso, de las anualidades posteriores, en función de la prestación pendiente de ejecución en cada una de ellas.

3. En los contratos de obras y suministro de fabricación, para el cálculo del presupuesto adicional por revisión de precios de cada anualidad, deberá tenerse en cuenta en concepto de previsión, el importe líquido por revisión de precios de las obras o de la fabricación pendientes de ejecutar, estimada de acuerdo con la siguiente fórmula:

$$K'_t = K_t * [1 + (0,75 * n) ÎIPC/12]$$

Siendo:

K'_t = coeficiente de actualización para la parte de la anualidad objeto de la previsión.

K_t = coeficiente de revisión, según la fórmula aplicable al contrato, en el mes que se procede a realizar la previsión, aunque la revisión no procediera por no haberse ejecutado el 20 por 100 del presupuesto o no hubiera transcurrido un año desde la fecha de la adjudicación del contrato.

n = número de meses dentro de la anualidad en las que procede la revisión.

ÎIPC = variación en tanto por uno del índice general de precios al consumo previsto para los doce meses siguientes.

La previsión del presupuesto de revisión de precios para cada anualidad se obtendrá aplicando el coeficiente K'_t - 1 a la previsión del importe líquido de las relaciones valoradas con derecho a revisión que se prevea cursar en dicho ejercicio presupuestario.

No procederá la tramitación del presupuesto adicional por revisión de precios en el caso de que el valor obtenido de K'_t - 1 fuera menor que la unidad.

4. En los restantes contratos, para el cálculo del presupuesto adicional por revisión de precios de cada anualidad, deberá tenerse en cuenta en concepto de previsión el importe líquido por revisión de precios de la prestación pendiente de ejecutar, estimada de acuerdo con la previsión de los correspondientes índices oficiales

de precios que resulten de aplicación, según se establezca en el pliego de cláusulas administrativas particulares.

Artículo 106. *Práctica de la revisión de precios en contratos de obras y suministro de fabricación.* 1. La revisión de precios se practicará periódicamente con ocasión de la relación valorada de las obras ejecutadas en cada período, recogiéndose en una sola certificación la obra ejecutada y su revisión, ajustándose al modelo que figura en el anexo XI.

Dicha certificación se tramitará como certificación ordinaria, imputándose a la anualidad contraída para el contrato o tomándose razón para endoso, como certificación anticipada, si dicha anualidad estuviera agotada.

2. Para el cálculo de la revisión de precios del importe líquido de la relación valorada mensual, se tendrán en cuenta los últimos índices de precios publicados, si los correspondientes al mes a que se refiere la relación valorada no hubiesen sido objeto de publicación en el «Boletín Oficial del Estado», procediéndose a la regularización de la revisión con los índices correspondientes en la sucesiva relación valorada mensual inmediata a la publicación de tales índices o, en su caso, en la certificación final de obra.

3. Tendrá lugar la revisión de precios del importe que represente el adicional de liquidación, una vez deducido el 20 por 100 de la variación positiva o negativa experimentada en el presupuesto vigente como consecuencia de la liquidación y haya transcurrido un año desde la adjudicación.

4. El coeficiente de revisión de precios aplicable al adicional de la certificación final y a las obras ejecutadas durante el período de garantía será la media aritmética de los coeficientes de revisión de precios obtenidos para cada uno de los meses correspondientes al período de ejecución en que procediera la revisión y al plazo de garantía, respectivamente.

TITULO V
DE LA EXTINCIÓN DE LOS CONTRATOS

CAPITULO I
DEL CUMPLIMIENTO DE LOS CONTRATOS

Artículo 107. *Incumplimiento del plazo para hacer la recepción.* Si la recepción se efectuase pasado el plazo de un mes, contado a partir de la fecha fijada y la demora fuese imputable a la Administración, el contratista tendrá derecho a ser indemnizado de los daños y perjuicios que la demora le irrogue.

Artículo 108. *Recepciones parciales.* En los casos en que haya lugar a recepciones parciales, el plazo de garantía de las partes recibidas comenzará a contarse desde las fechas de las recepciones respectivas.

CAPITULO II
DE LA RESOLUCIÓN DE LOS CONTRATOS

Artículo 109. *Procedimiento para la resolución de los contratos.* 1. La resolución del contrato se acordará por el órgano de contratación, de oficio o a instancia del contratista, previa autorización, en el caso previsto en el último párrafo del artículo 12.2 de la Ley, del Consejo de Ministros, y cumplimiento de los requisitos siguientes:

a) Audiencia del contratista por plazo de diez días naturales, en el caso de propuesta de oficio.

b) Audiencia, en el mismo plazo anterior, del avalista o asegurador si se propone la incautación de la garantía.

c) Informe del Servicio Jurídico, salvo en los casos previstos en los artículos 41 y 96 de la Ley.

d) Dictamen del Consejo de Estado u órgano consultivo equivalente de la Comunidad Autónoma respectiva, cuando se formule oposición por parte del contratista.

2. Todos los trámites e informes preceptivos de los expedientes de resolución de los contratos se considerarán de urgencia y gozarán de preferencia para su despacho por el órgano correspondiente.

Artículo 110. *Muerte e incapacidad sobrevenida del empresario individual.* 1. En los supuestos establecidos en el artículo 112.3 de la Ley el acuerdo de continuación del contrato será adoptado por el órgano de contratación a petición de los herederos o del representante del incapaz.

2. En los casos de muerte e incapacidad sobrevenida del contratista el acuerdo del órgano de contratación de no continuación del contrato no dará derecho alguno a indemnización por el resto del contrato dejado de ejecutar.

Artículo 111. *Pérdida de la garantía en caso de quiebra.* La quiebra del contratista, cuando sea culpable o fraudulenta, llevará consigo la pérdida de la garantía definitiva.

Artículo 112. *Resolución por causas establecidas en el contrato.* 1. La resolución por causas establecidas expresamente en el contrato tendrá las consecuencias que en éste se establezcan y, en su defecto, se regularán por las normas de la Ley y de este Reglamento sobre efectos de la resolución que sean aplicables por analogía.

2. Se incluirá en el pliego de cláusulas administrativas particulares, a efectos del artículo 111, párrafo h), de la Ley, la obligación del contratista de guardar sigilo respecto a los datos o antecedentes que, no siendo públicos o notorios, estén relacionados con el objeto del contrato, de los que tenga conocimiento con ocasión del mismo, salvo que el órgano de contratación, atendiendo a la naturaleza y circunstancias del contrato, no lo estime aconsejable.

Artículo 113. *Determinación de daños y perjuicios que deba indemnizar el contratista.* En los casos de resolución por incumplimiento culpable del contratista, la determinación de los daños y perjuicios que deba indemnizar éste se llevará a cabo por el órgano de contratación en decisión motivada previa audiencia del mismo, atendiendo, entre otros factores, al retraso que implique para la inversión proyectada y a los mayores gastos que ocasione a la Administración.

TITULO VI
DEL REGISTRO PÚBLICO DE CONTRATOS

Artículo 114. *Contenido del Registro Público de Contratos.* ...

Artículo 114 derogado por la disposición derogatoria única del R.D. 817/2009, de 8 de mayo, por el que se desarrolla parcialmente la Ley 30/2007, de 30 de octubre, de Contratos del Sector Público («B.O.E.» 15 mayo).
Vigencia: 16 junio 2009

Artículo 115. *Forma de remisión de datos al Registro Público de Contratos.* ...

Artículo 115 derogado por la disposición derogatoria única del R.D. 817/2009, de 8 de mayo, por el que se desarrolla parcialmente la Ley 30/2007, de 30 de octubre, de Contratos del Sector Público («B.O.E.» 15 mayo).
Vigencia: 16 junio 2009

Artículo 116. *Remisión de datos al Registro Público de Contratos en contratos derivados de adquisición de bienes o prestación de servicios de utilización común por la Administración.* ...

> *Artículo 116 derogado por la disposición derogatoria única del R.D. 817/2009, de 8 de mayo, por el que se desarrolla parcialmente la Ley 30/2007, de 30 de octubre, de Contratos del Sector Público («B.O.E.» 15 mayo).*
> *Vigencia: 16 junio 2009*

Artículo 117. *Publicidad del Registro Público de Contratos.* ...

> *Artículo 117 derogado por la disposición derogatoria única del R.D. 817/2009, de 8 de mayo, por el que se desarrolla parcialmente la Ley 30/2007, de 30 de octubre, de Contratos del Sector Público («B.O.E.» 15 mayo).*
> *Vigencia: 16 junio 2009*

LIBRO II
DE LOS DISTINTOS TIPOS DE CONTRATOS ADMINISTRATIVOS
TITULO I
DEL CONTRATO DE OBRAS
CAPITULO I
DISPOSICIONES GENERALES

Artículo 118. *Información a las empresas.* Sin perjuicio de lo dispuesto en el artículo 135.1 de la Ley para una mejor información a las empresas interesadas los órganos de contratación publicarán a título indicativo, al comienzo del ejercicio, la relación de los contratos de obras que se proponen celebrar durante el año con una breve reseña de sus características generales y su presupuesto aproximado.

Artículo 119. *Aportación de medios por la Administración.* En los contratos de obras la Administración podrá aportar, total o parcialmente, los materiales, maquinaria, instalaciones u otros medios destinados a su ejecución.

Cuando la Administración facilite al contratista materiales precisos para la obra se considerarán éstos en depósito desde el momento de la entrega, siendo el contratista responsable de su custodia y conservación hasta tanto que la obra sea recibida sin perjuicio de que el órgano de contratación pueda fijar en el pliego de cláusulas administrativas particulares las garantías que estime pertinentes.

Artículo 120. *Obras a tanto alzado.* 1. Excepcionalmente en los contratos de obras podrá utilizarse el sistema de retribución a tanto alzado, previa justificación de su necesidad por el órgano de contratación, cuando no puedan establecerse precios unitarios para partidas que sumen más del 80 por 100 del importe del presupuesto.

2. La retribución de estas obras se realizará mediante un único pago a su recepción, y así se hará constar expresamente en el pliego de cláusulas administrativas particulares. No obstante, y justificándolo en el expediente, podrá preverse en dicho pliego un sistema de abonos a cuenta respecto de la obra ejecutada.

3. En estos contratos el proyecto se ajustará al artículo 124 de la Ley y si el presupuesto fuere inferior a 120.000 euros, además de los documentos a que se refiere el artículo 126 de este Reglamento, deberá contener como mínimo los siguientes:

a) Memoria técnica y planos, si éstos fuesen necesarios, que sirvan de base para proceder a la licitación a tanto alzado.

b) Descripción de la obra con sus referencias y valoración de la misma.

c) Criterios a tener en cuenta para la liquidación en el caso de extinción anormal del contrato.

CAPITULO II
ANTEPROYECTOS, PROYECTOS Y EXPEDIENTES DE CONTRATACIÓN
SECCIÓN 1.ª
DE LOS ANTEPROYECTOS

Artículo 121. *Anteproyectos de obras.* Cuando en una obra concurran especiales circunstancias determinadas por su magnitud, complejidad o largo plazo de ejecución podrá acordarse por el órgano de contratación la redacción de un estudio informativo o un anteproyecto de la misma, con el alcance y contenido que se establezcan en el propio acuerdo, sin perjuicio de lo establecido en el artículo 122 de este Reglamento.

Artículo 122. *Contenido de los anteproyectos.* Los anteproyectos constarán, al menos, de los documentos siguientes:
1. Una memoria en la que se expondrán las necesidades a satisfacer, los factores sociales, técnicos, económicos y administrativos que se tienen en cuenta para plantear el problema a resolver y la justificación de la solución que se propone desde los puntos de vista técnico y económico, así como los datos y cálculos básicos correspondientes. También se justificarán los precios descompuestos adoptados.
Figurará en dicha memoria la manifestación expresa y justificada de que el anteproyecto comprende una obra completa en el sentido exigido por el artículo 125 de este Reglamento.
2. Los planos de situación generales y de conjunto necesarios para la definición de la obra en sus aspectos esenciales y para basar en los mismos las mediciones suficientes para la confección del presupuesto.
3. Un presupuesto formado por un estado de mediciones de elementos compuestos, especificando claramente el contenido de cada uno de ellos; un cuadro de los precios adoptados para los diferentes elementos compuestos y el correspondiente resumen o presupuesto general que comprenda todos los gastos, incluso de expropiaciones a realizar por la Administración.
4. Un estudio relativo a la posible descomposición del anteproyecto en proyectos parciales, con señalamiento de las fracciones del presupuesto que corresponderán a cada uno y de las etapas y plazos previstos para la elaboración, contratación y ejecución de los mismos.
5. Cuando la obra haya de ser objeto de explotación retribuida se acompañarán los estudios económicos y administrativos sobre régimen de utilización y tarifas que hayan de aplicarse.

Artículo 123. *Aprobación de los anteproyectos.* 1. Los anteproyectos y los estudios informativos deberán ser aprobados por el órgano de contratación.
2. Al aprobarse un anteproyecto o un estudio informativo quedará autorizada la redacción del proyecto o proyectos que en el mismo se indiquen que deberán ser objeto de contratación y ejecución independientes.

SECCIÓN 2.ª
DE LOS PROYECTOS

Artículo 124. *Instrucciones para la elaboración de proyectos.* 1. Los Departamentos ministeriales que tengan a su cargo la realización de obras procederán a la redacción de instrucciones para la elaboración de proyectos, en las cuales se fijarán debidamente las normas técnicas a que las mismas deban sujetarse.

2. Los Departamentos ministeriales que no tuviesen establecidas instrucciones para la elaboración de proyectos podrán acordar que se apliquen las de otro Departamento ministerial.

3. Las instrucciones para la elaboración de proyectos, así como las modificaciones que se introduzcan en las mismas, deberán informarse previamente por los servicios técnicos del Departamento correspondiente y, una vez aprobadas, publicarse en el «Boletín Oficial del Estado».

4. La normativa contemplada en esta sección no será de aplicación a los proyectos de obras que se realicen y se ejecuten en el extranjero cuando dicha normativa sea contraria a la legislación local en la materia o las circunstancias económicas o sociales del país en el que se realice la obra hagan inviable su aplicación.

Artículo 125. *Proyectos de obras.* 1. Los proyectos deberán referirse necesariamente a obras completas, entendiéndose por tales las susceptibles de ser entregadas al uso general o al servicio correspondiente, sin perjuicio de las ulteriores ampliaciones de que posteriormente puedan ser objeto y comprenderán todos y cada uno de los elementos que sean precisos para la utilización de la obra.

2. Podrán considerarse elementos comprendidos en los proyectos de obras aquellos bienes de equipo que deben ser empleados en las mismas mediante instalaciones fijas siempre que constituyan complemento natural de la obra y su valor suponga un reducido porcentaje en relación con el presupuesto total del proyecto.

3. Cuando se trata de obras que por su naturaleza o complejidad necesiten de la elaboración de dos o más proyectos específicos y complementarios, la parte de obra a que se refiera cada uno de ellos será susceptible de contratación independiente, siempre que el conjunto de los contratos figure un plan de contratación plurianual.

4. Los proyectos relativos a obras de reforma, reparación o conservación y mantenimiento deberán comprender todas las necesarias para lograr el fin propuesto.

Artículo 126. *Contenido mínimo de los proyectos.* Los proyectos a que se refiere el artículo 124.2 de la Ley deberán contener, como requisitos mínimos, un documento que defina con precisión las obras y sus características técnicas y un presupuesto con expresión de los precios unitarios y descompuestos.

Artículo 127. *Contenido de la memoria.* 1. Serán factores a considerar en la memoria los económicos, sociales, administrativos y estéticos, así como las justificaciones de la solución adoptada en sus aspectos técnico funcional y económico y de las características de todas las unidades de obra proyectadas. Se indicarán en ella los antecedentes y situaciones previas de las obras, métodos de cálculo y ensayos efectuados, cuyos detalles y desarrollo se incluirán en anexos separados. También figurarán en otros anexos: el estudio de los materiales a emplear y los ensayos realizados con los mismos, la justificación del cálculo de los precios adoptados, las bases fijadas para la valoración de las unidades de obra y de las partidas alzadas propuestas y el presupuesto para conocimiento de la Administración obtenido por la suma de los gastos correspondientes al estudio y elaboración del proyecto, cuando procedan, del presupuesto de las obras y del importe previsible de las expropiaciones necesarias y de restablecimiento de servicios, derechos reales y servidumbres afectados, en su caso.

2. Igualmente, en dicha memoria figurará la manifestación expresa y justificada de que el proyecto comprende una obra completa o fraccionada, según el caso, en el sentido permitido o exigido respectivamente por los artículos 68.3 de la Ley y 125 de este Reglamento. De estar comprendido el proyecto en un anteproyecto aprobado, se hará constar esta circunstancia.

Artículo 128. *Aspectos contractuales de la memoria.* La memoria tendrá carácter contractual en todo lo referente a la descripción de los materiales básicos o elementales que forman parte de las unidades de obra.

Artículo 129. *Contenido de los planos.* Los planos deberán ser lo suficientemente descriptivos para que puedan deducirse de ellos las mediciones que sirvan de base para las valoraciones pertinentes y para la exacta realización de la obra.

Artículo 130. *Cálculo de los precios de las distintas unidades de obra.* 1. El cálculo de los precios de las distintas unidades de obra se basará en la determinación de los costes directos e indirectos precisos para su ejecución, sin incorporar, en ningún caso, el importe del Impuesto sobre el Valor Añadido que pueda gravar las entregas de bienes o prestaciones de servicios realizados.

2. Se considerarán costes directos:

a) La mano de obra que interviene directamente en la ejecución de la unidad de obra.

b) Los materiales, a los precios resultantes a pie de obra, que quedan integrados en la unidad de que se trate o que sean necesarios para su ejecución.

c) Los gastos de personal, combustible, energía, etc. que tengan lugar por el accionamiento o funcionamiento de la maquinaria e instalaciones utilizadas en la ejecución de la unidad de obra.

d) Los gastos de amortización y conservación de la maquinaria e instalaciones anteriormente citadas.

3. Se considerarán costes indirectos:

Los gastos de instalación de oficinas a pie de obra, comunicaciones, edificación de almacenes, talleres, pabellones temporales para obreros, laboratorio, etc., los del personal técnico y administrativo adscrito exclusivamente a la obra y los imprevistos. Todos estos gastos, excepto aquéllos que se reflejen en el presupuesto valorados en unidades de obra o en partidas alzadas, se cifrarán en un porcentaje de los costes directos, igual para todas las unidades de obra, que adoptará, en cada caso, el autor del proyecto a la vista de la naturaleza de la obra proyectada, de la importancia de su presupuesto y de su previsible plazo de ejecución.

4. En aquellos casos en que oscilaciones de los precios imprevistas y ulteriores a la aprobación de los proyectos resten actualidad a los cálculos de precios que figuran en sus presupuestos podrán los órganos de contratación, si la obra merece el calificativo de urgente, proceder a su actualización aplicando un porcentaje lineal de aumento, al objeto de ajustar los expresados precios a los vigentes en el mercado al tiempo de la licitación.

5. Los órganos de contratación dictarán las instrucciones complementarias de aplicación al cálculo de los precios unitarios en los distintos proyectos elaborados por sus servicios.

Artículo 131. *Presupuesto de ejecución material y presupuesto base de licitación.* Se denominará presupuesto de ejecución material el resultado obtenido por la suma de los productos del número de cada unidad de obra por su precio unitario y de las partidas alzadas.

El presupuesto base de licitación se obtendrá incrementando el de ejecución material en los siguientes conceptos:

1. Gastos generales de estructura que inciden sobre el contrato, cifrados en los siguientes porcentajes aplicados sobre el presupuesto de ejecución material:

a) Del 13 al 17 por 100, a fijar por cada Departamento ministerial, a la vista de las circunstancias concurrentes, en concepto de gastos generales de la empresa, gastos financieros, cargas fiscales, Impuesto sobre el Valor Añadido excluido, tasas de la Administración legalmente establecidas, que inciden sobre el costo de las obras y demás derivados de las obligaciones del contrato. Se excluirán asimismo los impuestos que graven la renta de las personas físicas o jurídicas.

b) El 6 por 100 en concepto de beneficio industrial del contratista.

Estos porcentajes podrán ser modificados con carácter general por acuerdo de la Comisión Delegada del Gobierno para Asuntos Económicos cuando por variación de los supuestos actuales se considere necesario.

2. El Impuesto sobre el Valor Añadido que grave la ejecución de la obra, cuyo tipo se aplicará sobre la suma del presupuesto de ejecución material y los gastos generales de estructura reseñados en el apartado 1.

Artículo 132. *Contenido del programa de trabajo de los proyectos.* El programa de trabajo a que hace referencia el artículo 124.1, párrafo e), de la Ley, entre otras especificaciones, contendrá, debidamente justificados, la previsible financiación de la obra durante el período de ejecución y los plazos en los que deberán ser ejecutadas las distintas partes fundamentales en que pueda descomponerse la obra, determinándose los importes que corresponderá abonar durante cada uno de ellos.

Artículo 133. *Indicación de la clasificación de las empresas en los contratos de obras en relación con los proyectos.* Si conforme al artículo 25 de la Ley resultase exigible la clasificación, el órgano de contratación, al aprobar los proyectos de obras, fijará los grupos y subgrupos en que deben estar clasificados los contratistas para optar a la adjudicación del contrato, a cuyo efecto, el autor del proyecto acompañará propuesta de clasificación.

Se tendrán en cuenta, además, las siguientes normas:

a) El órgano de contratación hará constar en el pliego de cláusulas administrativas particulares y en el anuncio de la licitación la clasificación exigible a los licitadores.

b) No podrá utilizarse el requisito de la clasificación como uno de los criterios para la adjudicación del contrato a que se refiere el artículo 86 de la Ley.

Artículo 134. *Aprobación del proyecto.* Realizada, en su caso, la correspondiente información pública, supervisado el proyecto, cumplidos los trámites establecidos y solicitados los informes que sean preceptivos o se estime conveniente solicitar para un mayor conocimiento de cuantos factores puedan incidir en la ejecución o explotación de las obras, el órgano de contratación resolverá sobre la aprobación del proyecto.

SECCIÓN 3.ª
DE LA SUPERVISIÓN DE PROYECTOS

Artículo 135. *Oficinas o unidades de supervisión de proyectos.* 1. Los Departamentos ministeriales que tengan a su cargo la realización de obras deberán establecer oficinas o unidades de supervisión de proyectos a los efectos previstos en el artículo 128 de la Ley y en los artículos 136 y 137 de este Reglamento.

2. Cuando por el escaso volumen e importancia de las obras a realizar no se juzgue necesario el establecimiento de oficinas o unidades de supervisión de proyectos el titular del Departamento podrá acordar que las funciones de supervisión sean ejercidas por la oficina o unidad del Departamento que, por razón de la especialidad de su cometido, resulte más idónea a la naturaleza de las obras.

3. Los proyectos de obras que elaboren los Organismos autónomos, Entidades gestoras y Servicios comunes de la Seguridad Social y demás entidades públicas estatales deberán ser supervisados por la oficina o unidad del Departamento mi-

nisterial del que dependan, salvo que tuvieran establecida una oficina o unidad propia de supervisión.

Véase Orden AAA/2314/2012, de 18 de octubre, por la que se atribuyen las funciones de supervisión de proyectos de obras («B.O.E.» 29 octubre).

Artículo 136. *Funciones de las oficinas o unidades de supervisión de proyectos.* 1. Las oficinas o unidades de supervisión de proyectos tendrán las siguientes funciones:

a) Verificar que se han tenido en cuenta las disposiciones generales de carácter legal o reglamentario, así como la normativa técnica, que resulten de aplicación para cada tipo de proyecto.

b) Proponer al órgano de contratación criterios y orientaciones de carácter técnico para su inclusión, en su caso, en la norma o instrucción correspondiente.

c) Examinar que los precios de los materiales y de las unidades de obra son los adecuados para la ejecución del contrato en la previsión establecida en el artículo 14.1 de la Ley.

d) Verificar que el proyecto contiene el estudio de seguridad y salud o, en su caso, el estudio básico de seguridad y salud.

e) Las demás funciones que les encomienden los titulares de los Departamentos ministeriales.

2. Cuando no estén encomendadas a otros órganos administrativos por los titulares de los Departamentos ministeriales, las oficinas de supervisión de proyectos examinarán los estudios informativos, anteproyectos y proyectos de obra de su competencia, así como las modificaciones de los mismos, recabando las aclaraciones, ampliaciones de datos o estudios, o rectificaciones que crean oportunas y exigiendo la subsanación o subsanando por sí mismas los defectos observados.

3. Las oficinas o unidades de supervisión harán declaración expresa en sus informes de que el estudio informativo, anteproyecto o proyecto, cuya aprobación o modificación propone, reúne cuantos requisitos son exigidos por la Ley y por este Reglamento, declaración que será recogida en la resolución de aprobación.

4. El informe que deben emitir las oficinas o unidades de supervisión de proyectos deberá serlo en el plazo máximo de un mes, salvo que por las características del proyecto se requiera otro mayor, contado a partir de la recepción del proyecto, una vez subsanados, en su caso, los defectos advertidos, y habrá de incorporarse al expediente respectivo como documento integrante del mismo.

Artículo 137. *Supervisión de las variantes.* Será preceptivo, antes de la adjudicación del contrato, el informe de la oficina de supervisión de proyectos cuando se admitan variantes propuestas por el posible adjudicatario en relación a los proyectos aprobados por la Administración, cualquiera que sea la cuantía del contrato.

SECCIÓN 4.ª
DEL EXPEDIENTE DE CONTRATACIÓN

Artículo 138. *Expediente de contratación en los contratos de obras.* Por el órgano de contratación, realizado el replanteo previo, se tramitará el expediente de contratación, debiendo incorporarse al mismo antes de su aprobación, como mínimo, los siguientes documentos:

1. Resolución aprobatoria del proyecto e informe de la oficina o unidad de supervisión.

2. Acta de replanteo.

3. Pliego de cláusulas administrativas particulares informado por el servicio jurídico respectivo, en los términos previstos en el artículo 49.4 de la Ley.

4. Certificado de existencia de crédito presupuestario, o documento que legalmente le sustituya, expedido por la oficina de contabilidad competente, excepto en los supuestos a que hace referencia el artículo 125.5 de la Ley.

5. Fiscalización previa en los términos previstos en la Ley General Presupuestaria o en las correspondientes normas presupuestarias de las distintas Administraciones públicas.

CAPITULO III
DE LA EJECUCIÓN Y MODIFICACIÓN DEL CONTRATO DE OBRAS

SECCIÓN 1.ª
EJECUCIÓN DEL CONTRATO DE OBRAS

Artículo 139. *Comprobación del replanteo.* La comprobación del replanteo a que se refiere el artículo 142 de la Ley se sujetará a las siguientes reglas:

1.ª Si el contratista no acudiere, sin causa justificada, al acto de comprobación del replanteo su ausencia se considerará como incumplimiento del contrato con las consecuencias y efectos previstos en la Ley.

2.ª Cuando el resultado de la comprobación del replanteo demuestre, a juicio del director de la obra y sin reserva por parte del contratista, la disponibilidad de los terrenos y la viabilidad del proyecto, se dará por aquél la autorización para iniciarlas, haciéndose constar este extremo explícitamente en el acta que se extienda, de cuya autorización quedará notificado el contratista por el hecho de suscribirla, y empezándose a contar el plazo de ejecución de las obras desde el día siguiente al de la firma del acta.

3.ª Cuando se trate de la realización de alguna de las obras a que se refiere el artículo 129.2 de la Ley se estará a lo dispuesto en el mismo en cuanto a la disponibilidad de terrenos pudiendo comenzarse las obras si estuvieran disponibles los terrenos imprescindibles para ello y completarse la disponibilidad de los restantes según lo exija la ejecución de las mismas.

4.ª Cuando no resulten acreditadas las circunstancias a que se refiere el apartado anterior o el director de la obra considere necesaria la modificación de las obras proyectadas quedará suspendida la iniciación de las mismas, haciéndolo constar en el acta, hasta que el órgano de contratación adopte la resolución procedente dentro de las facultades que le atribuye la legislación de contratos de las Administraciones públicas. En tanto sea dictada esta resolución quedará suspendida la iniciación de las obras desde el día siguiente a la firma del acta, computándose a partir de dicha fecha el plazo de seis meses a que se refiere el artículo 149, párrafo b), de la Ley, sin perjuicio de que, si fueren superadas las causas que impidieron la iniciación de las obras, se dicte acuerdo autorizando el comienzo de las mismas, notificándolo al contratista y computándose el plazo de ejecución desde el día siguiente al de la notificación.

5.ª Lo dispuesto en el apartado anterior se aplicará igualmente cuando el contratista formule reservas en el acto de comprobación del replanteo. No obstante si tales reservas resultasen infundadas, a juicio del órgano de contratación, no quedará suspendida la iniciación de las obras ni, en consecuencia, será necesario dictar nuevo acuerdo para que se produzca la iniciación de las mismas y se modifique el cómputo del plazo para su ejecución.

Artículo 140. *Acta de comprobación del replanteo y sus efectos.* 1. El acta de comprobación del replanteo reflejará la conformidad o disconformidad del mismo respecto de los documentos contractuales del proyecto, con especial y expresa referencia a las características geométricas de la obra, a la autorización para la ocupación de los terrenos necesarios y a cualquier punto que pueda afectar al cumplimiento del contrato.

2. A la vista de sus resultados se procederá en los términos previstos en el artículo anterior. Caso de que el contratista, sin formular reservas sobre la viabilidad del proyecto, hubiera hecho otras observaciones que puedan afectar a la ejecución de la obra, la dirección, consideradas tales observaciones, decidirá iniciar o suspender el comienzo de la obra, justificándolo en la propia acta.

3. Un ejemplar del acta se remitirá al órgano de contratación, otro se entregará al contratista y un tercero a la dirección.

4. El acta de comprobación del replanteo formará parte integrante del contrato a los efectos de su exigibilidad.

Artículo 141. *Modificaciones acordadas como consecuencia de la comprobación del replanteo.* 1. Si como consecuencia de la comprobación del replanteo se deduce la necesidad de introducir modificaciones en el proyecto la dirección redactará en el plazo de quince días, sin perjuicio de la remisión inmediata del acta, una estimación razonada del importe de dichas modificaciones.

2. Si el órgano de contratación decide la modificación del proyecto ésta se tramitará con arreglo a las normas generales de la Ley y de este Reglamento, acordando la suspensión temporal, total o parcial de la obra, ordenando en este último caso la iniciación de los trabajos en aquellas partes no afectadas por las modificaciones previstas en el proyecto.

Artículo 142. *Incidencias en la ejecución y autorizaciones y licencias.* 1. Una vez iniciados los trabajos, cuantas incidencias puedan surgir entre la Administración y el contratista serán tramitadas y resueltas por la primera a la mayor brevedad, adoptando las medidas convenientes para no alterar el ritmo de las obras.

2. A efectos del apartado anterior, el órgano de contratación facilitará las autorizaciones y licencias de su competencia que sean precisas al contratista para la ejecución de la obra y le prestará su apoyo en los demás casos.

Artículo 143. *Ocupación temporal de terrenos a favor del contratista.* Cuando el contratista solicite incoación de expediente de ocupación temporal de terrenos a su favor en los supuestos previstos en el artículo 108 de la Ley de 16 de diciembre de 1954, de Expropiación Forzosa, serán de cuenta del contratista por tal concepto cuantos gastos e indemnizaciones se produzcan.

Artículo 144. *Programa de trabajo a presentar por el contratista.* 1. Cuando se establezca expresamente en el pliego de cláusulas administrativas particulares, y siempre que la total ejecución de la obra esté prevista en más de una anualidad, el contratista estará obligado a presentar un programa de trabajo en el plazo máximo de treinta días, contados desde la formalización del contrato.

2. El órgano de contratación resolverá sobre el programa de trabajo dentro de los quince días siguientes a su presentación, pudiendo imponer la introducción de modificaciones o el cumplimiento de determinadas prescripciones, siempre que no contravengan las cláusulas del contrato.

3. En el programa de trabajo a presentar, en su caso, por el contratista se deberán incluir los siguientes datos:

a) Ordenación en partes o clases de obra de las unidades que integran el proyecto, con expresión de sus mediciones.

b) Determinación de los medios necesarios, tales como personal, instalaciones, equipo y materiales, con expresión de sus rendimientos medios.

c) Estimación en días de los plazos de ejecución de las diversas obras u operaciones preparatorias, equipo e instalaciones y de los de ejecución de las diversas partes o unidades de obra.

d) Valoración mensual y acumulada de la obra programada, sobre la base de las obras u operaciones preparatorias, equipo e instalaciones y partes o unidades de obra a precios unitarios.

e) Diagrama de las diversas actividades o trabajos.

4. El director de la obra podrá acordar no dar curso a las certificaciones hasta que el contratista haya presentado en debida forma el programa de trabajo cuando éste sea obligatorio, sin derecho a intereses de demora, en su caso, por retraso en el pago de estas certificaciones.

Artículo 145. *Ensayos y análisis de los materiales y unidades de obra.* Sin perjuicio de los ensayos y análisis previstos en el pliego de prescripciones técnicas, en los que se estará al contenido del mismo, el director de la obra puede ordenar que se realicen los ensayos y análisis de materiales y unidades de obra y que se recaben los informes específicos que en cada caso resulten pertinentes, siendo de cuenta de la Administración o del contratista, según determine el pliego de cláusulas administrativas particulares, los gastos que se originen.

Artículo 146. *Procedimiento en casos de fuerza mayor.* 1. El contratista que estimare que concurre la aplicación de alguno de los casos de fuerza mayor enumerados en el artículo 144.2 de la Ley presentará la oportuna comunicación al director de la obra en el plazo de veinte días, contados desde la fecha final del acontecimiento, manifestando los fundamentos en que se apoya, los medios que haya empleado para contrarrestar sus efectos y la naturaleza, entidad e importe estimado de los daños sufridos.

2. El director de la obra comprobará seguidamente sobre el terreno la realidad de los hechos, y previa toma de los datos necesarios y de las informaciones pertinentes, procederá a la valoración de los daños causados, efectuando propuesta sobre la existencia de la causa alegada, de su relación con los perjuicios ocasionados y, en definitiva, sobre la procedencia o no de indemnización.

3. La resolución del expediente corresponderá al órgano de contratación, previa audiencia del contratista e informe de la Asesoría Jurídica.

Artículo 147. *Mediciones.* 1. La dirección de la obra realizará mensualmente y en la forma y condiciones que establezca el pliego de prescripciones técnicas particulares, la medición de las unidades de obra ejecutadas durante el período de tiempo anterior.

2. El contratista podrá presenciar la realización de tales mediciones.

3. Para las obras o partes de obra cuyas dimensiones y características hayan de quedar posterior y definitivamente ocultas, el contratista está obligado a avisar a la dirección con la suficiente antelación, a fin de que ésta pueda realizar las correspondientes mediciones y toma de datos, levantando los planos que las definan, cuya conformidad suscribirá el contratista.

4. A falta de aviso anticipado, cuya existencia corresponde probar al contratista, queda éste obligado a aceptar las decisiones de la Administración sobre el particular.

Artículo 148. *Relaciones valoradas.* 1. El director de la obra, tomando como base las mediciones de las unidades de obra ejecutadas a que se refiere el artículo anterior y los precios contratados, redactará mensualmente la correspondiente relación valorada al origen.

2. No podrá omitirse la redacción de dicha relación valorada mensual por el hecho de que, en algún mes, la obra realizada haya sido de pequeño volumen o incluso nula, a menos que la Administración hubiese acordado la suspensión de la obra.

3. La obra ejecutada se valorará a los precios de ejecución material que figuren en el cuadro de precios unitarios del proyecto para cada unidad de obra y a los precios de las nuevas unidades de obra no previstas en el contrato que hayan sido debidamente autorizados y teniendo en cuenta lo prevenido en los correspondientes pliegos para abonos de obras defectuosas, materiales acopiados, partidas alzadas y abonos a cuenta del equipo puesto en obra.

Al resultado de la valoración, obtenido en la forma expresada en el párrafo anterior, se le aumentarán los porcentajes adoptados para formar el presupuesto base de licitación y la cifra que resulte de la operación anterior se multiplicará por el coeficiente de adjudicación, obteniendo así la relación valorada que se aplicará a la certificación de obra correspondiente al período de pago de acuerdo con el contenido en el pliego de cláusulas administrativas particulares del contrato.

Artículo 149. *Audiencia del contratista.* Simultáneamente a la tramitación de la relación valorada la dirección de la obra enviará un ejemplar al contratista a efectos de su conformidad o reparos, pudiendo éste formular las alegaciones que estime oportunas en un plazo máximo de diez días hábiles a partir de la recepción del expresado documento.

Transcurrido este plazo sin formular alegaciones por parte del contratista se considerará otorgada la conformidad a la relación valorada. En caso contrario y de aceptarse en todo o parte las alegaciones del contratista, éstas se tendrán en cuenta a la hora de redactar la próxima relación valorada o, en su caso, en la certificación final o en la liquidación del contrato.

Artículo 150. *Certificaciones de obra.* A los efectos del artículo 99.4 de la Ley, el director, sobre la base de la relación valorada, expedirá la correspondiente certificación de obra en el plazo máximo de diez días siguientes al período a que corresponda.

Artículo 151. *Modelos y numeración de certificaciones.* 1. Las certificaciones se ajustarán al modelo del anexo XI que será de uso obligatorio para la Administración General del Estado, sus Organismos autónomos y restantes entidades públicas estatales sujetas a la Ley.

2. Las certificaciones, aunque concurran varias entidades a la financiación, se numerarán correlativamente para cada contrato.

Artículo 152. *Cómputo del plazo de las certificaciones que excedan de las anualidades previstas.* En las certificaciones que se extiendan excediendo del importe de las anualidades que rijan en el contrato no se contará el plazo previsto en el artículo 99.4 de la Ley desde la fecha de su expedición, sino desde aquella otra posterior en la que con arreglo a las condiciones convenidas y programas de trabajo aprobados deberían producirse.

Artículo 153. *Precios y gastos.* 1. Todos los trabajos, medios auxiliares y materiales que sean necesarios para la correcta ejecución y acabado de cualquier unidad de obra, se considerarán incluidos en el precio de la misma, aunque no figuren todos ellos especificados en la descomposición o descripción de los precios.

2. Todos los gastos que por su concepto sean asimilables a cualquiera de los que, bajo el título genérico de costes indirectos se mencionan en el artículo 130.3 de este Reglamento, se considerarán siempre incluidos en los precios de las unidades de obra del proyecto cuando no figuren en el presupuesto valorados en unidades de obra o en partidas alzadas.

Artículo 154. *Partidas alzadas.* 1. Las partidas alzadas se valorarán conforme se indique en el pliego de prescripciones técnicas particulares. En su defecto se considerarán:

a) Como partidas alzadas a justificar, las susceptibles de ser medidas en todas sus partes en unidades de obra, con precios unitarios, y

b) Como partidas alzadas de abono íntegro, aquéllas que se refieren a trabajos cuya especificación figure en los documentos contractuales del proyecto y no sean susceptibles de medición según el pliego.

2. Las partidas alzadas a justificar se valorarán a los precios de la adjudicación con arreglo a las condiciones del contrato y al resultado de las mediciones correspondientes. Cuando los precios de una o varias unidades de obra no figuren incluidos en los cuadros de precios, se procederá conforme a lo dispuesto en el artículo 146.2 de la Ley, en cuyo caso, para la introducción de los nuevos precios así determinados habrán de cumplirse conjuntamente las dos condiciones siguientes:

a) Que el órgano de contratación haya aprobado, además de los nuevos precios, la justificación y descomposición del presupuesto de la partida alzada, y

b) Que el importe total de dicha partida alzada, teniendo en cuenta en su valoración tanto los precios incluidos en los cuadros de precios como los nuevos precios de aplicación, no exceda del importe de la misma figurado en el proyecto.

3. Las partidas alzadas de abono íntegro se abonarán al contratista en su totalidad, una vez determinados los trabajos u obras a que se refieran, de acuerdo con las condiciones del contrato y sin perjuicio de lo que el pliego de cláusulas administrativas particulares pueda establecer respecto de su abono fraccionado en casos justificados.

Cuando la especificación de los trabajos u obras constitutivos de una partida alzada de abono íntegro no figure en los documentos contractuales del proyecto o figure de modo incompleto, impreciso o insuficiente a los fines de su ejecución, se estará a las instrucciones que a tales efectos dicte por escrito la dirección, a las que podrá oponerse el contratista en caso de disconformidad.

Artículo 155. *Abonos a cuenta por materiales acopiados.* 1. El contratista tendrá derecho a percibir abonos a cuenta hasta el 75 por 100 del valor de los materiales acopiados necesarios para la obra previa autorización del órgano de contratación que tendrá por único objeto controlar que se trata de dichos materiales y que se cumplen los siguientes requisitos:

a) Que exista petición expresa del contratista, acompañando documentación justificativa de la propiedad o posesión de los materiales.

b) Que hayan sido recibidos como útiles y almacenados en la obra o lugares autorizados para ello.

c) Que no exista peligro de que los materiales recibidos sufran deterioro o desaparezcan.

d) Que el contratista preste su conformidad al plan de devolución a que se refiere el apartado 4 de este artículo.

2. Las partidas correspondientes a materiales acopiados podrán incluirse en la relación valorada mensual o en otra independiente.

3. A efectos del cálculo del valor unitario del material se tomará el resultado de aplicar el coeficiente de adjudicación al valor del coste inicial fijado en el correspondiente proyecto, incrementado, en su caso, en los porcentajes de beneficio industrial y gastos generales.

Si la unidad de obra donde se encuentra el material objeto del abono no tuviera la reglamentaria descomposición de precios y no figurara en el proyecto el coste inicial se fijará por la dirección de la obra, no pudiendo sobrepasar el 50 por 100 del precio de dicha unidad de obra.

4. La dirección de la obra acompañará a la relación valorada un plan de devolución de las cantidades anticipadas para deducirlo del importe total de las unidades de obra en que queden incluidos tales materiales.

Cuando circunstancias especiales lo aconsejen el órgano de contratación, a propuesta de la dirección de la obra, podrá acordar que estos reintegros se cancelen anticipadamente en relación con los plazos previstos en el plan de devolución.

5. Solamente procederá el abono de la valoración resultante del apartado 3 cuando exista crédito suficiente con cargo a la anualidad correspondiente en el ejercicio económico vigente. En el caso de que no se pudiera cubrir la totalidad del abono a cuenta reflejado en la relación valorada, se procederá al abono que corresponda al crédito disponible de la anualidad del ejercicio económico de que se trate.

Artículo 156. *Abonos a cuenta por instalaciones y equipos.* 1. También tendrá derecho el contratista a percibir abonos a cuenta por razón de las instalaciones y equipos necesarios para la obra, de acuerdo con las reglas siguientes:

a) El abono vendrá determinado por la parte proporcional de la amortización, calculado de acuerdo con la normativa vigente del Impuesto sobre Sociedades, teniendo en cuenta el tiempo necesario de utilización.

b) En el caso de instalaciones, el abono no podrá superar el 50 por 100 de la partida de gastos generales que resten por certificar hasta la finalización de la obra y en el de equipos el 20 por 100 de las unidades de obra a los precios contratados que resten por ejecutar y para las cuales se haga necesaria la utilización de aquéllos.

c) El cálculo de la cantidad a abonar deberá acompañarse de una memoria explicativa de los resultados obtenidos.

2. En cuanto a los requisitos para estos abonos, tramitación y devolución se estará a lo dispuesto en el artículo anterior.

Artículo 157. *Garantías por abonos a cuenta por materiales acopiados y por instalaciones y equipos.* 1. Las garantías que, conforme a lo dispuesto en el artículo 145.2 de la Ley, deben constituirse para asegurar el importe total de los pagos a cuenta por las operaciones preparatorias realizadas como instalaciones y acopio de materiales o equipos de maquinaria pesada adscritos a la obra, se regirán por lo dispuesto para las garantías, con carácter general, en la Ley y en este Reglamento.

2. El contratista tendrá derecho a la cancelación total o parcial de estas garantías a medida que vayan teniendo lugar las deducciones para el reintegro de los abonos a cuenta percibidos.

SECCIÓN 2.ª
MODIFICACIONES EN EL CONTRATO DE OBRAS

Artículo 158. *Precio de las unidades de obra no previstas en el contrato.* 1. Cuando se juzgue necesario emplear materiales o ejecutar unidades de obra que no figuren en el proyecto, la propuesta del director de la obra sobre los nuevos precios a fijar se basará en cuanto resulte de aplicación, en los costes elementales fijados en la descomposición de los precios unitarios integrados en el contrato y, en cualquier caso, en los costes que correspondiesen a la fecha en que tuvo lugar la adjudicación.

2. Los nuevos precios, una vez aprobados por el órgano de contratación, se considerarán incorporados a todos los efectos a los cuadros de precios del proyecto, sin perjuicio de lo establecido en el artículo 146.2 de la Ley.

Artículo 159. *Variaciones en los plazos de ejecución por modificaciones del proyecto.* 1. Acordada por el órgano de contratación la redacción de modificaciones del proyecto que impliquen la imposibilidad de continuar ejecutando determinadas partes de la obra contratada, deberá acordarse igualmente la suspensión temporal, parcial o total de la obra sin perjuicio de lo dispuesto en el artículo 146.4 de la Ley.

2. En cuanto a la variación en más o en menos de los plazos que se deriven de la ejecución de las modificaciones del proyecto aprobadas, se estará a lo establecido en el artículo 96 de este Reglamento, sin perjuicio de lo que proceda si hubiera habido lugar a la suspensión temporal, parcial o total.

Artículo 160. *Variaciones sobre las unidades de obras ejecutadas.* 1. Sólo podrán introducirse variaciones sin previa aprobación cuando consistan en la alteración en el número de unidades realmente ejecutadas sobre las previstas en las mediciones del proyecto, siempre que no representen un incremento del gasto superior al 10 por 100 del precio primitivo del contrato, Impuesto sobre el Valor Añadido excluido.

2. Las variaciones mencionadas en el apartado anterior, respetando en todo caso el límite previsto en el mismo, se irán incorporando a las relaciones valoradas mensuales y deberán ser recogidas y abonadas en las certificaciones mensuales, conforme a lo prescrito en el artículo 145 de la Ley, o con cargo al crédito adicional del 10 por 100 a que alude la disposición adicional decimocuarta de la Ley, en la certificación final a que se refiere el artículo 147.1 de la Ley, una vez cumplidos los trámites señalados en el artículo 166 de este Reglamento. No obstante, cuando con posterioridad a las mismas hubiere necesidad de introducir en el proyecto modificaciones de las previstas en el artículo 146 de la Ley, habrán de ser recogidas tales variaciones en la propuesta a elaborar, sin necesidad de esperar para hacerlo a la certificación final citada.

Artículo 161. *Modificación de la procedencia de materiales naturales.* Se tramitarán como modificación del contrato los cambios del origen o procedencia de los materiales naturales previstos y exigidos en la memoria o, en su caso, en el pliego de prescripciones técnicas.

Artículo 162. *Reajuste del plazo de ejecución por modificaciones.* 1. Cuando sin introducir nuevas unidades de obra las modificaciones del proyecto provoquen variación en el importe del contrato e impliquen la necesidad de reajustar el plazo de ejecución de la obra, éste no podrá ser aumentado o disminuido en mayor proporción que en la que resulte afectado el citado importe. El plazo se concretará en meses redondeándose al alza el número de días sobrantes que resulte.

2. Cuando sea necesaria la ejecución de unidades nuevas no previstas en el proyecto, el director de las obras elevará al órgano de contratación las propuestas de los precios nuevos y la repercusión sobre el plazo de ejecución del contrato. La conformidad por parte del contratista a los nuevos precios y a la variación del plazo total de la obra será condición necesaria para poder comenzar los trabajos correspondientes a las unidades nuevas.

CAPITULO IV
DE LA EXTINCIÓN DE LOS CONTRATOS DE OBRAS

Artículo 163. *Aviso de terminación de la ejecución del contrato.* 1. El contratista, con una antelación de cuarenta y cinco días hábiles, comunicará por escrito a la dirección de la obra la fecha prevista para la terminación o ejecución del contrato, a efectos de que se pueda realizar su recepción.

2. El director de la obra en caso de conformidad con dicha comunicación, la elevará con su informe al órgano de contratación con un mes de antelación, al menos, respecto de la fecha prevista para la terminación.

A la vista del informe el órgano de contratación adoptará la resolución pertinente procediendo a designar un representante para la recepción y a comunicar dicho acto a la Intervención de la Administración correspondiente, cuando dicha comunicación sea preceptiva, para su asistencia potestativa al mismo en sus funciones de comprobación de la inversión.

La comunicación a la Intervención a la que se refiere el párrafo anterior deberá realizarse con una antelación mínima de veinte días a la fecha fijada para realizar la recepción.

3. En los casos en que la duración del contrato no permita cumplir los plazos reseñados en los apartados anteriores se fijarán en el pliego de cláusulas administrativas particulares los plazos de comunicación que deben ser cumplidos.

Artículo 164. *Acta de recepción.* 1. El representante del órgano de contratación fijará la fecha de la recepción y, a dicho objeto, citará por escrito a la dirección de la obra, al contratista y, en su caso, al representante de la Intervención correspondiente.

El contratista tiene obligación de asistir a la recepción de la obra. Si por causas que le sean imputables no cumple esta obligación el representante de la Administración le remitirá un ejemplar del acta para que en el plazo de diez días formule las alegaciones que considere oportunas, sobre las que resolverá el órgano de contratación.

2. Del resultado de la recepción se levantará un acta que suscribirán todos los asistentes, retirando un ejemplar original cada uno de ellos.

Artículo 165. *Recepciones parciales.* Cuando tengan lugar en un contrato recepciones parciales de partes de obra susceptibles de ser entregadas al uso público de conformidad con el artículo 147.5 de la Ley, deberá expedirse la correspondiente certificación a cuenta.

Artículo 166. *Medición general y certificación final de las obras.* 1. Recibidas las obras se procederá seguidamente a su medición general con asistencia del contratista, formulándose por el director de la obra, en el plazo de un mes desde la recepción, la medición de las realmente ejecutadas de acuerdo con el proyecto. A tal efecto, en el acta de recepción el director de la obra fijará la fecha para el inicio de dicha medición, quedando notificado el contratista para dicho acto. Excepcionalmente, en función de las características de las obras, podrá establecerse un plazo mayor en el pliego de cláusulas administrativas particulares.

2. El contratista tiene la obligación de asistir a la toma de datos y realización de la medición general que efectuará el director de la obra.

3. Para realizar la medición general se utilizarán como datos complementarios la comprobación del replanteo, los replanteos parciales y las mediciones efectuadas desde el inicio de la ejecución de la obra, el libro de incidencias, si lo hubiera, el de órdenes y cuantos otros estimen necesarios el director de la obra y el contratista.

4. De dicho acto se levantará acta en triplicado ejemplar que firmarán el director de la obra y el contratista, retirando un ejemplar cada uno de los firmantes y remitiéndose el tercero por el director de la obra al órgano de contratación. Si el contratista no ha asistido a la medición el ejemplar del acta le será remitido por el director de la obra.

5. El resultado de la medición se notificará al contratista para que en el plazo de cinco días hábiles preste su conformidad o manifieste los reparos que estime oportunos.

6. Las reclamaciones que estime oportuno hacer el contratista contra el resultado de la medición general las dirigirá por escrito en el plazo de cinco días hábiles al órgano de contratación por conducto del director de la obra, el cual las elevará a aquél con su informe en el plazo de diez días hábiles.

7. Sobre la base del resultado de la medición general y dentro del plazo que establece el apartado 1, el director de la obra redactará la correspondiente relación valorada.

8. Dentro de los diez días siguientes al término del plazo que establece el apartado 1, el director de la obra expedirá y tramitará la correspondiente certificación final.

9. Dentro del plazo de dos meses, contados a partir de la recepción de la obra, el órgano de contratación deberá aprobar la certificación final de las obras ejecutadas, que será abonada, en su caso, al contratista dentro del plazo de dos meses a partir de su expedición a cuenta de la liquidación del contrato. En el supuesto de que de conformidad con la excepción prevista en el apartado 1 se fijare un plazo superior a un mes para la medición de las obras, la aprobación de la certificación final no podrá superar el plazo de un mes desde la recepción de la contestación del contratista al trámite de audiencia a que hace referencia el apartado 5.

Artículo 167. *Obligaciones del contratista durante el plazo de garantía.* 1. Durante el plazo de garantía cuidará el contratista en todo caso de la conservación y policía de las obras con arreglo a lo previsto en los pliegos y a las instrucciones que diere el director de la obra.

2. Si descuidase la conservación y diere lugar a que peligre la obra se ejecutarán por la Administración y a costa del contratista los trabajos necesarios para evitar el daño.

Artículo 168. *Ocupación o puesta en servicio de las obras sin recepción formal.* 1. El acuerdo de la ocupación efectiva de las obras o de su puesta en servicio para uso público previstas en el artículo 147.6 de la Ley requerirá del levantamiento de la correspondiente acta de comprobación de las obras, que será suscrita por el representante designado por el órgano de contratación, el director de las mismas y el contratista, debiéndose comunicar a la Intervención de la Administración correspondiente para su asistencia potestativa al mismo. En los supuestos en que la obra vaya a ser gestionada por una Administración o entidad distinta a la Administración contratante el acta también deberá ser suscrita por un representante de la misma.

2. A los efectos del apartado anterior la ocupación efectiva de las obras o su puesta en servicio para uso público producirá los efectos de la recepción si, de acuerdo con el acta de comprobación, las obras estuviesen finalizadas y fueran conformes con las prescripciones previstas en el contrato. Si por el contrario se observaran defectos, deberán detallarse en el acta de comprobación junto con las instrucciones precisas y el plazo fijado para subsanarlos. El órgano de contratación, a la vista de los defectos advertidos, decidirá sobre dicha ocupación efectiva o puesta en servicio para uso público de las obras.

Artículo 169. *Liquidación en el contrato de obras.* 1. Transcurrido el plazo de garantía, si el informe del director de la obra sobre el estado de las mismas fuera favorable o, en caso contrario, una vez reparado lo construido, se formulará por el director en el plazo de un mes la propuesta de liquidación de las realmente ejecutadas, tomando como base para su valoración las condiciones económicas establecidas en el contrato.

2. La propuesta de liquidación se notificará al contratista para que en el plazo de diez días preste su conformidad o manifieste los reparos que estime oportunos.

3. Dentro del plazo de dos meses, contados a partir de la contestación del contratista o del transcurso del plazo establecido para tal fin, el órgano de contratación deberá aprobar la liquidación y abonar, en su caso, el saldo resultante de la misma.

Artículo 170. *Suspensión definitiva de las obras.* La suspensión definitiva de las obras sólo podrá tener lugar por motivo grave y mediante acuerdo del órgano de contratación, a propuesta del funcionario competente de la Administración.

Artículo 171. *Desistimiento y suspensión de las obras.* 1. La suspensión definitiva o por plazo superior a ocho meses de las obras iniciadas, acordada por la Administración e imputable a ésta, dará derecho al contratista al valor de las efectivamente realizadas y al 6 por 100 del precio de las obras dejadas de realizar en concepto de beneficio industrial.

Se considerará obra efectivamente realizada a tales efectos no sólo la que pueda ser objeto de certificación por unidades de obra terminadas, sino también las accesorias llevadas a cabo por el contratista y cuyo importe forma parte del coste indirecto a que se refiere el artículo 130.3 de este Reglamento, así como también los acopios situados a pie de obra.

A los efectos de la aplicación del 6 por 100 del precio de las obras dejadas de realizar en concepto de beneficio industrial se tomará como precio del contrato el presupuesto de ejecución material con deducción de la baja de licitación en su caso.

2. El desistimiento de las obras por parte de la Administración tendrá los mismos efectos que la suspensión definitiva de las mismas.

Artículo 172. *Resolución del contrato, cuando las obras hayan de ser continuadas.* 1. Iniciado el expediente de resolución de un contrato cuyas obras hayan de ser continuadas por otro contratista o por la propia Administración, se preparará seguidamente la propuesta de liquidación de las mismas.

2. La liquidación comprenderá la constatación y medición de las obras ya realizadas, especificando las que sean de recibo y fijando los saldos pertinentes en favor o en contra del contratista.

3. La liquidación se notificará al contratista al mismo tiempo que el acuerdo de resolución.

Artículo 173. *Incorporación de obras al inventario general de bienes y derechos.* La recepción de obras de carácter inventariable y, en su caso, de las de mejora irá seguida de su incorporación al correspondiente inventario general de bienes y derechos.

A estos efectos, la dirección de la obra acompañará al acta de recepción un estado de dimensiones y características de la obra ejecutada que defina con detalle las obras realizadas tal como se encuentran en el momento de la recepción.

CAPITULO V
DE LA EJECUCIÓN DE OBRAS POR LA PROPIA ADMINISTRACIÓN

Artículo 174. *Obras de emergencia ejecutadas por la Administración.* En el supuesto del apartado 1, párrafo d), del artículo 152 de la Ley deberá redactarse la documentación técnica descriptiva de las obras realizadas tan pronto como las circunstancias lo permitan y, en todo caso, con carácter previo al cumplimiento de los trámites a que se refiere el artículo 72.1, párrafo c), de la Ley.

Artículo 175. *Contratos necesarios para la ejecución de obras por la Administración.* Los contratos de suministro, de consultoría y asistencia y de servicios que sean precisos para la ejecución de obras directamente por la Administración se adjudicarán con sujeción a las reglas generales establecidas en la Ley para la adjudicación del respectivo tipo de contrato.

Artículo 176. *Contratos de colaboración con empresarios particulares.* 1. Los contratos de colaboración con empresarios particulares, que de conformidad y con los límites establecidos en los apartados 3 y 4 del artículo 152 de la Ley se adjudican por los procedimientos y formas establecidas en la misma, podrán realizarse con arreglo a las siguientes modalidades:

a) Mediante el sistema de coste y costas fijado con arreglo al artículo 130 de este Reglamento y con derecho del colaborador a una percepción económica determinada que en ningún caso será superior al 5 por 100 del total de aquéllos.

b) Contratando con la empresa colaboradora la ejecución de unidades completas del proyecto, instalaciones o servicios sobre la base de precio a tanto alzado, no superior al previsto en el proyecto.

2. El procedimiento negociado para la adjudicación de los contratos a que se refiere el apartado anterior sólo procederá en los casos de los artículos 140, 141, 181, 182, 209 y 210 de la Ley, según la naturaleza de la prestación contratada.

Artículo 177. *Trabajos de conservación.* Los trabajos ordinarios y permanentes de conservación que se realicen exclusivamente por los propios servicios de la Administración organizados para estas atenciones, no estarán sujetos a los trámites y requisitos establecidos en los artículos precedentes.

Artículo 178. *Presupuesto de ejecución y contenido de los proyectos en ejecución de obras por la Administración.* 1. El presupuesto de la obra que directamente vaya a ejecutarse por la Administración, cuando se prevea la adopción de este sistema, será el obtenido como coste de ejecución material, incrementado en el porcentaje necesario para atender a las percepciones que puedan tener lugar por el trabajo o gestión de empresarios colaboradores a que se refiere el artículo 176 de este Reglamento, incluyendo, como partida independiente, el Impuesto sobre el Valor Añadido que corresponda.

2. Los proyectos de obras que vayan a ser ejecutados por la Administración, fuera de los supuestos de los párrafos d), g) y h) del apartado 1 del artículo 152 la Ley, deberán contener las determinaciones que se recogen en el artículo 124 de la propia Ley. En todo caso, el presupuesto estará descompuesto en tres parciales, de materiales, maquinaria y mano de obra, en los que se detalle de forma unitaria la repercusión de los tres conceptos señalados en cada una de las unidades de obra, todo ello de acuerdo con el cuadro de precios descompuestos de las mismas que, en cualquier caso, deberá contener el proyecto.

3. Los presupuestos descompuestos se tomarán como base cuando se trate de contratar materiales, maquinaria o mano de obra de forma separada. Si esta contratación fuera por unidades de obra, se tomará como base el cuadro de precios que necesariamente deberá figurar en el proyecto sin descomposición de los mismos.

4. En el supuesto del párrafo e) del artículo 152.1 de la Ley, el presupuesto del proyecto será fijado de forma estimativa y en el del párrafo f) tomando como base los precios fijados por la Administración de conformidad con el artículo 146.2 de la Ley.

5. En todo caso, en los proyectos que vayan a servir como base para la modalidad de ejecución de obras por la Administración no se podrá simplificar, refundir ni suprimir ninguno de los documentos que lo integran.

Artículo 179. *Comprobación, recepción y liquidación de las obras ejecutadas por la Administración.* 1. Las obras ejecutadas por la Administración serán objeto de reconocimiento y comprobación por el facultativo designado al efecto y distinto del director de ellas. Cuando el importe de la inversión sea igual o superior a 50.000 euros, con exclusión del Impuesto sobre el Valor Añadido, deberá solicitarse a la Intervención General la designación de delegado para su eventual asistencia a la comprobación material de la inversión, con una antelación de veinte días a la fecha prevista para la misma.

Lo anterior será de aplicación a los supuestos de fabricación de bienes muebles por la Administración y ejecución de servicios con la colaboración de empresarios particulares.

> *Número 1 del artículo 179 redactado por la disposición final quinta del R.D. 817/2009, de 8 de mayo, por el que se desarrolla parcialmente la Ley 30/2007, de 30 de octubre, de Contratos del Sector Público («B.O.E.» 15 mayo; corrección de errores «B.O.E.» 14 julio).*
> *Vigencia: 16 junio 2009*

2. La liquidación de las obras ejecutadas por la Administración y las ejecutadas por colaboradores de acuerdo con el párrafo a) del artículo 176 de este Reglamento, se realizará mediante los oportunos justificantes de los gastos realizados por todos los conceptos.

3. La liquidación de las obras ejecutadas con colaboradores, de acuerdo con el párrafo b) del artículo 176 de este Reglamento, se realizará mediante relaciones valoradas, acompañadas por el correspondiente documento contractual donde figure el precio concertado.

TITULO II
DEL CONTRATO DE GESTIÓN DE SERVICIOS PÚBLICOS

CAPITULO I
DE LAS MODALIDADES DEL CONTRATO

Artículo 180. *Gestión interesada.* Cuando el contrato se verifique bajo la modalidad de gestión interesada, se podrá establecer un ingreso mínimo en favor de cualquiera de las partes asociadas, a abonar por la otra parte, cuando el resultado de la explotación no alcance a cubrir un determinado importe de beneficios.

Artículo 181. *Concierto.* La modalidad de concierto se utilizará en aquellos supuestos en los que para el desempeño o mayor eficacia de un servicio público convenga a la Administración contratar la actividad privada de particulares que tenga análogo contenido al del respectivo servicio.

Artículo 182. *Sociedad de economía mixta.* En los contratos de gestión de servicios públicos la sociedad de economía mixta figurará como contratante con la Administración, correspondiéndole los derechos y obligaciones propios del concesionario de servicios públicos.

CAPITULO II
DE LOS PROYECTOS DE EXPLOTACIÓN, DE LA EJECUCIÓN Y EXTINCIÓN DEL CONTRATO

Artículo 183. *Proyectos de explotación del servicio público y proyectos de obras.* 1. Con excepción de los supuestos a que hace referencia el artículo 158.2 de la Ley los proyectos de explotación deberán referirse a servicios públicos susceptibles de ser organizados con unidad e independencia funcional. Comprenderán un estudio económico-administrativo del servicio, de su régimen de utilización y de las particularidades técnicas que resulten precisas para su definición, que deberá incorporarse por el órgano de contratación al expediente de contratación antes de la aprobación de este último.

2. A los proyectos de obras necesarias para el establecimiento del servicio público les serán de aplicación los artículos 122, 124, 125, 127, 128 y 129 de la Ley y 124 a 132 y 134 de este Reglamento.

3. Cuando el contratista deba redactar el proyecto de las obras necesarias para el establecimiento o explotación del servicio dicho proyecto habrá de ser aprobado por el órgano de contratación.

Artículo 184. *Facultades de policía en la concesión.* 1. En la concesión administrativa de servicios públicos el órgano de contratación podrá atribuir al concesionario determinadas facultades de policía, sin perjuicio de las generales de inspección y vigilancia que incumban a aquél.

2. Contra los actos del concesionario en el ejercicio de tales facultades podrá reclamarse ante la Administración concedente.

Artículo 185. *Recepción de las obras realizadas sin suspensión del servicio.* En los contratos de gestión de servicios públicos la recepción de las obras de conservación, reparación o acondicionamiento que se realicen con interrupciones del servicio público o adopción de medidas temporales de adecuación de su funcionamiento, pero sin suspensión del mismo, se efectuará una vez se haya restablecido la prestación normal del servicio.

Artículo 186. *Actuaciones en la intervención del servicio.* Cuando se acuerde la intervención del servicio, de conformidad con el artículo 166 de la Ley, corresponderá al órgano de contratación que hubiese adjudicado el contrato el nombramiento del funcionario o funcionarios que hayan de desempeñar las funciones interventoras y a cuyas decisiones deberá someterse el contratista durante el período de intervención.

TITULO III
DEL CONTRATO DE SUMINISTRO

CAPITULO I
DISPOSICIONES GENERALES

Artículo 187. *Suministro de fabricación con entrega de materiales.* 1. En los contratos de suministro de fabricación a los que se refiere el artículo 172.1, párrafo c), de la Ley, cuando la Administración aporte total o parcialmente los materiales precisos se considerarán éstos depositados bajo la custodia del adjudicatario, que deberá prestar, además, las garantías especiales que al efecto fijará el pliego de cláusulas administrativas particulares.

2. La responsabilidad del adjudicatario respecto a los materiales a que se refiere el apartado anterior quedará extinguida cuando se reciban de conformidad los bienes objeto del suministro.

Artículo 188. *Bienes semovientes.* Se regirán por las disposiciones de la Ley y de este Reglamento las adquisiciones de semovientes, sin perjuicio de las que, sin contradecir aquéllas, se contengan en normas especiales.

Artículo 189. *Cuantía de los contratos de suministro.* La cuantía de los contratos de suministro se determinará con arreglo a las siguientes reglas:

a) En los contratos de arrendamiento de duración determinada, por el valor total estimado para la duración del contrato, y en los de duración indeterminada o en los que no pueda determinarse, por el valor correspondiente a cuarenta y ocho mensualidades.

b) En los contratos de suministro que tengan carácter de regularidad o que se haya previsto su prórroga por un período de tiempo determinado, o bien por el valor real total de los contratos similares celebrados durante el ejercicio precedente o durante los doce meses previos, ajustado, cuando sea posible, en función de los cambios de cantidad o valor previstos para los doce meses posteriores al contrato inicial, o bien por el valor total estimado de los bienes a entregar durante los doce meses siguientes a la primera entrega o en el transcurso del contrato si su duración fuera superior a doce meses.

c) En los contratos de suministro que puedan adjudicarse por lotes, deberá tomarse el valor estimado del conjunto de los lotes, a efectos de aplicación de las reglas anteriores.

d) En los casos en que el contrato de suministro contemple expresamente la existencia de opciones, la base para calcular el valor estimado del contrato será la del importe total máximo autorizado de la compra o el arrendamiento, incluyendo el ejercicio de la opción.

CAPITULO II
DE LA ADQUISICIÓN DE EQUIPOS Y SISTEMAS PARA EL TRATAMIENTO DE LA INFORMACIÓN Y DE LA ADQUISICIÓN CENTRALIZADA

Artículo 190. *Determinados supuestos de contratación.* 1. En los contratos de suministros que tengan por objeto la adquisición de equipos o sistemas para el tratamiento de la información y que incluyan la prestación de los servicios de conservación, reparaciones, mantenimiento y de formación especializada del personal, tales prestaciones serán objeto de clausulado diferenciado.

2. El adjudicatario de un contrato de suministro para la compra de equipos o sistemas para el tratamiento de la información que incluya la prestación del mantenimiento asumirá frente a la Administración el compromiso de mantenimiento de todos los dispositivos o elementos ofrecidos, aunque no sean de su fabricación o de la empresa por él representada.

A dicho fin, el pliego de cláusulas administrativas establecerá el compromiso del adjudicatario de realizar el mantenimiento de los bienes objeto del suministro, incluidas revisiones preventivas, y reparaciones de averías de las máquinas o dispositivos de las mismas, reposición de piezas, suplencia del equipo averiado mediante otro de reserva y actualización o adaptación de programas.

3. Las prestaciones derivadas del mantenimiento se ajustarán a las especificaciones que, a tal efecto, hubiera establecido el adjudicatario en su oferta referente al contrato de suministro de que se trate.

Artículo 191. *Aprobación de los pliegos de cláusulas administrativas particulares para la adquisición de equipos y sistemas para el tratamiento de la información.* Los pliegos de cláusulas administrativas particulares para la adquisición de equipos y sistemas para el tratamiento de la información, sus elementos complementarios y auxiliares serán aprobados por la Dirección General del Patrimonio del Estado, cuando ésta sea el órgano de contratación, a propuesta del Departamento ministerial, Organismo autónomo o entidad pública interesado y previo informe de la Comisión Interministerial para la Adquisición de Bienes y Servicios Informáticos.

Artículo 192. *Contenido de las proposiciones.* Cuando el suministro de equipos y sistemas para el tratamiento de la información incluya el mantenimiento, en el pliego de cláusulas administrativas particulares se hará constar que los oferentes tendrán que detallar sus prestaciones en lo referente a revisiones preventivas, reparación y sustitución de piezas, suplencia de equipo en caso de averías, mejoras de programación y otras asimilables, expresando el plazo y precio por el que se comprometan al mantenimiento del equipo.

Igualmente, cuando resulte procedente, se hará constar en el pliego que los oferentes detallarán los planes de formación del personal necesario a cualquier nivel, indicando si ha de ser gratuita o mediante retribución, señalando en este último caso su importe. Asimismo, el pliego prescribirá que los oferentes deben precisar el número de personas y horas que se comprometen a prestar como asistencia técnica sin cargo específico y las tarifas que hayan de aplicarse al sobrepasar el mínimo ofrecido o al utilizarla en plazo superior al previsto.

Artículo 193. *Procedimiento para la adquisición centralizada de bienes declarados de utilización común.* 1. La Orden del Ministro de Hacienda que determine los bienes que han de ser adquiridos de forma centralizada producirá efectos desde su entrada en vigor salvo que expresamente disponga que la centralización se produzca a partir de la adjudicación de los respectivos contratos de adopción del tipo.

2. Asimismo, en dicha Orden podrá el Ministro de Hacienda disponer que la declaración de adquisición centralizada de los bienes de todos o alguno de los tipos que no lleguen a ser adjudicados por los procedimientos previstos en el apartado 3 siguiente, o que, habiéndolo sido, no reúnan las características esenciales para satisfacer la concreta necesidad del organismo peticionario, quede sin efecto provisionalmente hasta que sean adjudicados los correspondientes tipos por la Dirección General del Patrimonio del Estado con arreglo a este artículo, a cuyo fin seguirá surtiendo efectos la Orden de centralización. En estos dos casos la adquisición de los respectivos bienes se efectuará con sujeción a las reglas generales de competencia y procedimiento previstas para el contrato de suministro, pero será necesario el previo informe favorable de la Dirección General del Patrimonio del Estado, que versará sobre que el tipo o subtipo correspondiente no ha sido adjudicado o que, habiéndolo sido, no es efectivamente adecuado para satisfacer la concreta necesidad del organismo peticionario.

3. El suministro de bienes de utilización común se realizará a través de dos contratos: uno, que tendrá por objeto la determinación del tipo de cada clase de bienes y, otro, que tendrá por objeto las concretas adquisiciones de bienes del tipo determinado.

No obstante y salvo que en la Orden de centralización se haya hecho uso de lo previsto en el apartado anterior, la contratación del suministro de los bienes de adquisición centralizada que se encuentren en alguno de los dos supuestos a que se refiere el apartado 2 anterior, corresponderá a la Dirección General del Patrimonio del Estado con sujeción a las normas generales previstas para el contrato de suministro. En esos dos casos, el Ministro de Hacienda, a propuesta del citado centro directivo, podrá dejar sin efecto provisionalmente la declaración de centralización de la contratación del suministro de cualesquiera o de algunos de dichos bienes hasta que se adjudique el tipo de éstos con arreglo a lo dispuesto en este artículo. En los procedimientos que se tramiten para la adquisición de los bienes objeto de dicha descentralización provisional regirá lo dispuesto en el último inciso del apartado anterior.

4. La adjudicación de los contratos de adopción del tipo de bienes a que se refiere el artículo 183.1 de la Ley se realizará a través de los procedimientos de adjudicación previstos en el artículo 73 de la misma, mediante concurso.

Excepcionalmente, podrá utilizarse el procedimiento negociado en los supuestos previstos en el artículo 181.1 y 182, párrafos a) y c), de la Ley.

5. El órgano de contratación determinará en el pliego de cláusulas administrativas particulares, además de los que fija el artículo 67.5 de este Reglamento, los

aspectos específicos del contrato de adopción del tipo que constituya su objeto y del procedimiento y forma de adjudicación y, en particular, los siguientes:

a) Determinación del importe de la garantía provisional, que se fijará estimativamente en un tanto alzado.

El importe de la garantía definitiva será el duplo de la provisional. No obstante, cuando la suma de los importes de los contratos derivados de la ejecución del de adopción del tipo exceda del doble de la cantidad resultante de capitalizar al 4 por 100 el importe de la garantía definitiva, ésta deberá ser incrementada en una cuantía equivalente. De la misma forma se procederá en las sucesivas ampliaciones.

b) Plazo de vigencia del contrato de adopción del tipo y la duración y régimen de su posible prórroga, que deberá ser expresa y tendrá efecto hasta la formalización del siguiente contrato de adopción del tipo de los mismos bienes siempre que el correspondiente concurso se convoque dentro del plazo de seis meses a contar desde el inicio de la prórroga.

c) Especificación de que los productos adjudicados de cada tipo, así como que los adjudicatarios podrán ser varios.

d) Mención expresa de que el contrato de adopción del tipo adjudicado no obligará a la Dirección General del Patrimonio del Estado a adquirir un número determinado de unidades.

e) Obligación de los adjudicatarios de aplicar a los bienes durante la vigencia del contrato de adopción del tipo, los precios y condiciones con que concurran en el mercado si mejoran los de la adjudicación, siempre que las circunstancias de la oferta sean similares. Los adjudicatarios vendrán obligados a comunicar al citado centro directivo los nuevos precios y condiciones para su aplicación generalizada a los sucesivos suministros del tipo.

f) Obligación de los adjudicatarios de proponer a la Dirección General del Patrimonio del Estado la sustitución de los bienes adjudicados por otros que incorporen avances o innovaciones tecnológicas que mejoren las prestaciones o características de los adjudicados, siempre que su precio no incremente en más del 20 por 100 el inicial de adjudicación, salvo que el pliego de cláusulas administrativas particulares, hubiese establecido otro límite.

g) Facultad de la Dirección General del Patrimonio del Estado, por propia iniciativa y con la conformidad del suministrador, o a instancia de éste, de incluir nuevos bienes del tipo adjudicado o similares al mismo cuando concurran motivos de interés público o de nueva tecnología o configuración respecto de los adjudicados, cuya comercialización se haya iniciado con posterioridad a la fecha límite de presentación de ofertas, siempre que su precio no exceda del límite que se establece en la letra anterior.

6. Una vez adjudicado y formalizado el contrato de adopción del tipo, los suministros sucesivos derivados del mismo que interesen los órganos u organismos sujetos al sistema de adquisición centralizada, serán contratados por la Dirección General del Patrimonio del Estado por procedimiento negociado sin publicidad conforme a lo dispuesto en el artículo 182, párrafo g), de la Ley mediante la aplicación de las previsiones contenidas en los pliegos de cláusulas administrativas y de prescripciones técnicas que rigen aquel contrato y en las normas procedimentales dictadas por el Ministro de Hacienda. En estos procedimientos negociados, se podrá solicitar a los adjudicatarios de las ofertas de tipo consideradas más idóneas respecto a la singular contratación que se prevé realizar, que indiquen si en relación con la misma mantienen en sus mismos términos las condiciones de aquellas ofertas o si las mejoran mediante la oportuna propuesta en tal sentido dirigida a la Di-

rección General del Patrimonio del Estado conforme establece el apartado 5, párrafo e), de este artículo.

Véase D [CANARIAS] 163/2004, 23 noviembre, por el que se regula el procedimiento para la contratación de bienes y servicios declarados de uso común y uniforme, mediante concurso de adopción de tipo y suscripción de contrato marco («B.O.I.C.» 2 diciembre).

Véase D [EXTREMADURA] 163/2004, 26 octubre, por el que se regulan los procedimientos de contratación centralizada de servicios y suministros y se crea la Comisión de Contratación Centralizada de la Junta de Extremadura («D.O.E.» 2 noviembre).

Véase D [ARAGÓN] 285/2003, 18 noviembre, del Gobierno de Aragón, por el que se crea la Comisión de Contratación Centralizada y se regula la contratación centralizada de suministros y servicios («B.O.A.» 1 diciembre).

Véase D [CASTILLA Y LEÓN] 51/2003, 30 abril, por el que se regula la adquisición centralizada en la Administración de la Comunidad de Castilla y León («B.O.C.L.» 14 mayo).

Véase la Sección 6.ª «De la contratación centralizada de bienes y servicios» del Capítulo I del D [COMUNIDAD DE MADRID] 49/2003, 3 abril, por el que se aprueba el Reglamento General de Contratación Pública de la Comunidad de Madrid («B.O.C.M.» 11 abril).

Véase D [REGIÓN DE MURCIA] 82/2001, 16 noviembre , por el que se regula la contratación centralizada de bienes, servicios y suministros («B.O.R.M.» 20 noviembre).

Véase el Capítulo V «De la competencia para realizar ciertos contratos en inmuebles declarados de gestión centralizada» del D [PAÍS VASCO] 136/1996, 5 junio, sobre régimen de la contratación de la Administración de la Comunidad Autónoma de Euskadi («B.O.P.V.» 12 julio).

CAPITULO III
DE LA FABRICACIÓN DE BIENES MUEBLES POR LA ADMINISTRACIÓN

Artículo 194. *Fabricación de bienes muebles por la Administración.* En los supuestos de fabricación de bienes muebles por parte de la Administración se aplicarán, con las necesarias adaptaciones derivadas de la naturaleza de los bienes, las normas contenidas en los artículos 174 a 178 de este Reglamento y, en particular, la prevención del artículo 176.2 en cuanto a la utilización del procedimiento negociado en los contratos con colaboradores.

TITULO IV
DE LOS CONTRATOS DE CONSULTORÍA Y ASISTENCIA Y DE LOS DE SERVICIOS

CAPITULO I
DISPOSICIONES GENERALES

Artículo 195. *Cuantía de los contratos de consultoría y asistencia y de servicios.* La cuantía de los contratos de consultoría y asistencia y de servicios se determinará con arreglo a las siguientes reglas:

a) Para determinar el valor del contrato se incluirá en todo caso el valor total de la remuneración a percibir por el contratista.

b) En los contratos que supongan algún tipo de planificación el importe lo determinará el de los honorarios o comisiones a abonar.

c) En los contratos en que no se especifique su presupuesto base de licitación su valor estimado se calculará de acuerdo con los siguientes criterios:

1.º Cuando los contratos sean de duración determinada, el valor del contrato será el importe total de las prestaciones durante ese período, incluidas sus posibles prórrogas.

2.º Cuando se trate de contratos de duración indeterminada o superior a cuarenta y ocho meses de conformidad con lo establecido en el artículo 198.2 de la Ley, el valor del contrato será el equivalente a cuarenta y ocho veces el valor mensual de las prestaciones.

d) En los contratos de consultoría y asistencia y en los de servicios que tengan carácter de regularidad o que se deban prorrogar en un período de tiempo determinado el valor del contrato, se determinará aplicando uno de los siguientes criterios:

1.º Por el valor real total de los contratos similares celebrados durante el ejercicio precedente o durante los doce meses previos, ajustado, cuando sea posible, en función de los cambios de cantidad o valor previstos para los doce meses posteriores al contrato inicial.

2.º Por el valor real total estimado de los contratos sobre tales servicios durante los doce meses siguientes a la primera ejecución del servicio o durante la duración del contrato si ésta fuera superior a doce meses.

e) Cuando se trate de contratos que contengan cláusulas sobre opciones se tomará como base para calcular el valor del contrato el importe total máximo previsible y que se autoriza, incluido el ejercicio de las opciones.

Artículo 196. *Procedimiento para la contratación de servicios declarados de contratación centralizada.* 1. En los contratos de servicios declarados de contratación centralizada de conformidad con el artículo 199 de la Ley serán de aplicación las normas contenidas en el artículo 193 de este Reglamento.

2. En los supuestos de que la Administración lleve a cabo el servicio mediante contratos con colaboradores, para la utilización del procedimiento negociado se tendrá en cuenta la prevención del artículo 176.2 de este Reglamento.

Véase D [CANARIAS] 163/2004, 23 noviembre, por el que se regula el procedimiento para la contratación de bienes y servicios declarados de uso común y uniforme, mediante concurso de adopción de tipo y suscripción de contrato marco («B.O.I.C.» 2 diciembre).

Véase D [EXTREMADURA] 163/2004, 26 octubre, por el que se regulan los procedimientos de contratación centralizada de servicios y suministros y se crea la Comisión de Contratación Centralizada de la Junta de Extremadura («D.O.E.» 2 noviembre).

Véase D [ARAGÓN] 285/2003, 18 noviembre, del Gobierno de Aragón, por el que se crea la Comisión de Contratación Centralizada y se regula la contratación centralizada de suministros y servicios («B.O.A.» 1 diciembre).

Véase D [CASTILLA Y LEÓN] 51/2003, 30 abril, por el que se regula la adquisición centralizada en la Administración de la Comunidad de Castilla y León («B.O.C.L.» 14 mayo).

Véase la Sección 6.ª «De la contratación centralizada de bienes y servicios» del Capítulo I del D [COMUNIDAD DE MADRID] 49/2003, 3 abril, por el que se aprueba el Reglamento General de Contratación Pública de la Comunidad de Madrid («B.O.C.M.» 11 abril).

Véase D [REGIÓN DE MURCIA] 82/2001, 16 noviembre, por el que se regula la contratación centralizada de bienes, servicios y suministros («B.O.R.M.» 20 noviembre).

Artículo 197. *Sistemas de determinación del precio.* A efectos de la aplicación del artículo 202.2 de la Ley se entenderá:

a) Por tanto alzado, el precio referido a la totalidad del trabajo o a aquellas partes del mismo que sean susceptibles de entrega parcial por estar así previsto en el pliego de cláusulas administrativas particulares. En estos casos al fijarse el precio de la prestación de forma global, sin utilizarse precios unitarios o descompuestos, las entregas parciales se valorarán en función del porcentaje que representen sobre el precio total.

b) Por precios unitarios, los correspondientes a las unidades en que se descomponga la prestación, de manera que la valoración total se efectúe aplicando los precios de estas unidades al número de las ejecutadas.

c) Por administración, el precio calculado en relación con el coste directo o indirecto de las unidades empleadas, incrementado en un porcentaje o cantidad alzada para atender a los gastos generales y el beneficio industrial del contratista.

d) Por tarifas, la tabla o escala de precios para la valoración de los trabajos.

CAPITULO II
DE LA EJECUCIÓN, MODIFICACIÓN Y EXTINCIÓN DE ESTOS CONTRATOS

Artículo 198. *Programa de trabajo.* En los contratos de consultoría y asistencia y en los de servicios que sean de tracto sucesivo el contratista está obligado a presentar un programa de trabajo que será aprobado por el órgano de contratación, siempre que en el pliego de cláusulas administrativas particulares se haga constar expresamente esta obligación.

Artículo 199. *Valoración de los trabajos y certificaciones.* 1. En los contratos de consultoría y asistencia y en los de servicios que sean de tracto sucesivo el representante del órgano de contratación, a la vista de los trabajos realmente ejecutados y de los precios contratados, redactará las correspondientes valoraciones en los períodos que fije el pliego de cláusulas administrativas particulares o, en su defecto, mensualmente.

Las valoraciones se efectuarán siempre al origen, concretándose los trabajos realizados en el período de tiempo de que se trate.

En cuanto a la audiencia al contratista se observará lo dispuesto en el artículo 149 de este Reglamento.

2. No podrá omitirse la redacción de la valoración por el hecho de que, en algún período, la prestación realizada haya sido de escaso volumen e incluso nula, a menos que se hubiese acordado la suspensión del contrato.

3. Las certificaciones para el abono de los trabajos efectuados se expedirán tomando como base la valoración correspondiente y se tramitarán por el representante del órgano de contratación dentro de los diez días siguientes al período de tiempo a que correspondan.

Artículo 200. *Valoraciones y certificaciones parciales.* Los pliegos de cláusulas administrativas particulares podrán autorizar valoraciones parciales por trabajos efectuados antes de que se produzca la entrega parcial de los mismos. Prevista esta posibilidad, para que las certificaciones consecuencia de dichas valoraciones puedan ser abonadas deberá solicitarse por el contratista y ser autorizadas por el órgano de contratación.

Las certificaciones consecuencia de las valoraciones parciales por trabajos efectuados a que se refiere el párrafo anterior sólo podrán tramitarse cuando el contratista haya garantizado su importe, mediante la prestación de la garantía correspondiente en los términos de los artículos 35 a 47 de la Ley y 55 a 65 de este Reglamento.

Artículo 201. *Abonos a cuenta por operaciones preparatorias.* 1. El adjudicatario tendrá derecho a percibir a la iniciación de la ejecución del contrato hasta un 20 por 100 del importe total del mismo, como abono a cuenta para la financiación de las operaciones preparatorias, debiéndose asegurar el referido pago mediante la prestación de garantía.

2. A los efectos previstos en el apartado anterior el pliego de cláusulas administrativas particulares, además de lo establecido en el artículo 67, apartados 1, 2, 6 y 7 de este Reglamento, especificará:

a) Las operaciones preparatorias, como instalaciones y adquisición de equipo y medios auxiliares, susceptibles de abonos a cuenta.

b) La exigencia, en su caso, de un programa de trabajo.

c) Los criterios y la forma de valoración de las operaciones preparatorias.

d) El plan de amortización de los abonos a cuenta.

3. El representante del órgano de contratación, oído el contratista, propondrá al órgano de contratación el concreto abono que proceda.

Artículo 202. *Valoración de las modificaciones.* Cuando las modificaciones supongan la ejecución de trabajos no valorables por aplicación del sistema establecido en el contrato, se observará lo dispuesto en el artículo 146.2 de la Ley.

Artículo 203. *Entrega de los trabajos y realización de los servicios.* 1. El contratista deberá entregar los trabajos realizados dentro del plazo estipulado, efectuándose por el representante del órgano de contratación, en su caso, un examen de la documentación presentada y si estimase cumplidas las prescripciones técnicas propondrá que se lleve a cabo la recepción.

En el caso de que estimase incumplidas las prescripciones técnicas del contrato, dará por escrito al contratista las instrucciones precisas y detalladas con el fin de remediar las faltas o defectos observados, haciendo constar en dicho escrito el plazo que para ello fije y las observaciones que estime oportunas.

Si existiese reclamación por parte del contratista respecto de las observaciones formuladas por el representante del órgano de contratación, éste la elevará, con su informe, al órgano de contratación que celebró el contrato, que resolverá sobre el particular.

Si el contratista no reclamase por escrito respecto a las observaciones del representante del órgano de contratación se entenderá que se encuentra conforme con las mismas y obligado a corregir o remediar los defectos observados.

2. En los contratos de servicios se determinará en el pliego de cláusulas administrativas particulares la forma de constatación de la correcta ejecución de la prestación.

Artículo 204. *Recepción de los trabajos y servicios.* 1. Una vez cumplidos los trámites señalados en el artículo anterior si se considera que la prestación objeto del contrato reúne las condiciones debidas se procederá a su recepción, levantándose al efecto el acta correspondiente.

2. Si la prestación del contratista no reuniere las condiciones necesarias para proceder a su recepción, se dictarán por escrito las instrucciones oportunas para que subsane los defectos observados y cumpla sus obligaciones en el plazo que para ello se fije, no procediendo la recepción hasta que dichas instrucciones hayan sido cumplimentadas, levantándose entonces el acta correspondiente.

3. En los contratos de servicios se determinará en el pliego de cláusulas administrativas particulares la forma de recepción de los servicios.

DISPOSICIONES ADICIONALES

Disposición adicional primera. *Informe preceptivo de proyectos de disposiciones en materia de contratos.* Los proyectos de disposiciones que se tramiten por los Departamentos ministeriales que tengan por objeto la regulación de materia de contratación administrativa deberán ser informadas previamente a su aprobación por la Junta Consultiva de Contratación Administrativa.

Disposición adicional segunda. *Cómputo de plazos y determinación de cuantías.* Lo dispuesto en los artículos 76 y 77 de la Ley en cuanto a cómputo de plazos e inclusión y exclusión de impuestos a efectos de determinación de cuantías será igualmente aplicable a las normas de este Reglamento.

Disposición adicional tercera. *Duración de los procedimientos y efectos del silencio.* 1. A efectos de lo dispuesto en el artículo 42.2 de la Ley de Régimen Jurídico de las Administraciones Públicas y del Procedimiento Administrativo Común se fija en seis meses la duración máxima de los procedimientos para la clasificación y revisión de clasificaciones, declaración de prohibiciones de contratar y suspensión de clasificaciones.

2. Las solicitudes de clasificación y de revisión de clasificaciones podrán entenderse aceptadas si transcurrido el plazo señalado en el apartado anterior no hubiera sido dictada y notificada a los interesados la resolución expresa sobre las mismas.

Disposición adicional cuarta. *Modificación de las categorías de clasificación de empresas.* Los valores de las categorías correspondientes a la clasificación de empresas para los contratos de obras y para los contratos de servicios podrán ser modificados por el Ministro de Hacienda, a propuesta de la Junta Consultiva de Contratación Administrativa, en función de la coyuntura económica.

Disposición adicional quinta. *Composición de los órganos que integran la Junta Consultiva de Contratación Administrativa.* 1. El Pleno de la Junta Consultiva de Contratación Administrativa estará compuesto por los siguientes miembros:
a) El Presidente, que será el Subsecretario de Hacienda.
b) El Vicepresidente primero que será el Director general del Patrimonio del Estado y el Vicepresidente segundo, que será un Director general del Ministerio de Administraciones Públicas designado por el Ministro.
c) Tres vocales designados por el Presidente del modo que a continuación se expresa:
1.º Un representante de la Abogacía General del Estado-Dirección del Servicio Jurídico del Estado, a propuesta de ésta.
2.º Un representante de la Intervención General de la Administración del Estado, a propuesta de ésta.
3.º Un representante de la Dirección General del Patrimonio del Estado, a propuesta de ésta.
d) Dos vocales en representación de cada uno de los Departamentos ministeriales, a excepción del Ministerio de Hacienda, entre los que tengan rango de Subdirector general.
e) Cuatro vocales designados por el Ministro de Hacienda, a propuesta de las organizaciones empresariales representativas de los sectores afectados por la contratación administrativa.
f) El Secretario de la Junta Consultiva, que pertenecerá al Cuerpo de Abogados del Estado y será nombrado por el Ministro de Hacienda.
2. La Comisión Permanente de la Junta Consultiva de Contratación Administrativa estará formada por los siguientes miembros:
a) El Presidente que será el Director general del Patrimonio del Estado, en su calidad de Vicepresidente primero del Pleno de la Junta.
b) El Vicepresidente que será el Vicepresidente segundo del Pleno de la Junta.
c) Los tres vocales que forman parte del Pleno designados por el Presidente del Pleno en representación de la Intervención General de la Administración del Esta-

do, de la Abogacía General del Estado-Dirección del Servicio Jurídico del Estado y de la Dirección General del Patrimonio del Estado.

d) Un vocal, de los que formen parte del Pleno, en representación, respectivamente, de cada uno de los Ministerios de Justicia, Defensa, Fomento, Educación, Cultura y Deporte, Trabajo y Asuntos Sociales, Agricultura, Pesca y Alimentación, Presidencia, Administraciones Públicas, Sanidad y Consumo, Medio Ambiente, Economía y Ciencia y Tecnología, designados por el Presidente del Pleno a propuesta de los distintos Ministerios.

e) Dos vocales de los representantes de las organizaciones empresariales designados por el Presidente de la Comisión entre los que formen parte del Pleno.

f) El Secretario de la Junta.

Téngase en cuenta la Orden EHA/4314/2004, de 23 de diciembre, por la que se modifica la composición de los órganos colegiados integrados en la Junta Consultiva de Contratación Administrativa («B.O.E.» 3 enero 2005).

3. Las Secciones estarán formadas en la siguiente forma:
a) El Presidente de la Comisión Permanente.
b) Los tres vocales a que se refiere el apartado 1, párrafo c).
c) Los dos vocales representantes del Departamento del que proceda o al que afecte el asunto o expediente de que se trate.
d) Los dos vocales representantes de las organizaciones empresariales en la Comisión Permanente.

4. La Comisión de Clasificación de Contratistas de Obras estará compuesta del siguiente modo:
a) El Presidente que será el Director general del Patrimonio del Estado, en su calidad de Vicepresidente primero del Pleno de la Junta Consultiva de Contratación Administrativa.
b) Un vocal por cada uno de los Ministerios de Defensa, Interior, Fomento, Educación, Cultura y Deporte, Trabajo y Asuntos Sociales, Agricultura, Pesca y Alimentación, Sanidad y Consumo y Medio Ambiente, que serán designados por cada Ministerio entre funcionarios que tengan especial preparación y competencia en materia de contratación administrativa.
c) Dos vocales designados por el Ministerio de Hacienda entre aquéllos que, por la misma designación, forman parte del Pleno de la Junta Consultiva de Contratación Administrativa.
d) Dos vocales en representación de las organizaciones empresariales más representativas de los sectores afectados por la contratación administrativa de obras, designados por el Presidente de la Comisión.
e) El vocal Secretario que será el de la Junta Consultiva de Contratación Administrativa.

Téngase en cuenta la Orden EHA/4314/2004, de 23 de diciembre, por la que se modifica la composición de los órganos colegiados integrados en la Junta Consultiva de Contratación Administrativa («B.O.E.» 3 enero 2005).

5. La Comisión de Clasificación de Empresas de Servicios estará compuesta del siguiente modo:
a) El Presidente que será el Director general del Patrimonio del Estado, en su calidad de Vicepresidente primero del Pleno de la Junta Consultiva de Contratación Administrativa.
b) Un vocal por cada uno de los Ministerios de Defensa, Fomento, Educación, Cultura y Deporte, Trabajo y Asuntos Sociales, Agricultura, Pesca y Alimentación, Sanidad y Consumo y Medio Ambiente, que serán designados por cada Ministerio entre funcionarios que tengan especial preparación y competencia en materia de contratación administrativa

c) Dos vocales designados por el Ministerio de Hacienda entre aquéllos que, por la misma designación, formen parte del Pleno de la Junta Consultiva de Contratación Administrativa.

d) Cuatro vocales en representación de las organizaciones empresariales más representativas de los sectores afectados por la contratación administrativa, designados por el Presidente de la Comisión.

e) El vocal Secretario que será el de la Junta Consultiva de Contratación Administrativa.

Téngase en cuenta la Orden EHA/4314/2004, de 23 de diciembre, por la que se modifica la composición de los integrados en la Junta Consultiva de Contratación Administrativa («B.O.E.» 3 enero 2005).

6. El Comité Superior de Precios de Contratos del Estado, estará presidido por el Presidente de la Junta o, en su defecto, por el Vicepresidente y formarán parte del mismo, como vocales, un representante de los Ministerios de Defensa, Fomento, Educación, Cultura y Deporte, Trabajo y Asuntos Sociales, Agricultura, Pesca y Alimentación, Presidencia, Sanidad y Consumo, Medio Ambiente, Economía y Ciencia y Tecnología, designados por los respectivos Ministros; dos representantes del Ministerio de Hacienda designados por el Presidente de la Junta; un representante del Instituto Nacional de Estadística designado por el Director del referido Instituto; dos representantes de las organizaciones empresariales del sector de la construcción designados por el Presidente de la Junta a propuesta de las asociaciones empresariales de mayor representación en dicho sector, y el Secretario que lo será el de la Junta Consultiva de Contratación Administrativa.

Téngase en cuenta la Orden EHA/4314/2004, de 23 de diciembre, por la que se modifica la composición de los órganos colegiados integrados en la Junta Consultiva de Contratación Administrativa («B.O.E.» 3 enero 2005).

7. El número de vocales y la designación de Ministerios representados en la Comisión Permanente, Comisiones de Clasificación y en el Comité Superior de Precios podrán ser modificados por Orden del Ministro de Hacienda, particularmente con el fin de adecuarlos a las modificaciones estructurales de los distintos Departamentos ministeriales.

8. A los vocales se les designará un suplente, designado del mismo modo que el titular, para que pueda suplirles en casos de ausencia, vacante, enfermedad, abstención y recusación.

9. La Comisión Permanente, las Comisiones de Clasificación y el Comité Superior de Precios se ajustarán, en cuanto a su funcionamiento, a los preceptos que para los órganos colegiados establece la Ley de Régimen Jurídico de las Administraciones Públicas y del Procedimiento Administrativo Común.

Asistirán a sus reuniones, con voz pero sin voto, los asesores técnicos que designe el Secretario.

Disposición adicional sexta. *Modificación de anexos.* 1. Los anexos al presente Reglamento podrán ser modificados por Orden del Ministro de Hacienda.

2. Cuando se trate de anexos que recojan datos o menciones exigidos en disposiciones de la Comunidad Europea, las modificaciones se acomodarán a las que se produzcan en el ámbito comunitario en las citadas disposiciones.

Disposición adicional séptima. *Modelos para la formalización de los contratos.* Se autoriza al Ministro de Hacienda para establecer, previo informe de la Junta Consultiva de Contratación Administrativa, los modelos oficiales a que deben sujetarse los documentos para la formalización de los contratos.

Disposición adicional octava. *Sustitución de Letrados en las mesas de contratación de las Entidades gestoras y Servicios comunes de la Seguridad Social.* 1. A los efectos previstos en la disposición adicional decimotercera de la Ley la sustitución de Letrados en las mesas de contratación de las Entidades gestoras y Servicios comunes de la Seguridad Social únicamente tendrá lugar, con carácter excepcional, en los supuestos de imposibilidad de asistencia de miembros del Cuerpo Superior de Letrados de la Administración de la Seguridad Social.

2. La designación de sustitutos se realizará por el Director general del Instituto Nacional de la Salud o por la Dirección General de la correspondiente Entidad gestora o Servicio común de la Seguridad Social, a propuesta del Director del Servicio Jurídico de la Seguridad Social y deberá recaer en licenciados en Derecho con relación funcionarial o estatutaria al servicio de las Entidades gestoras o Servicios comunes.

Disposición adicional novena. *Normas aplicables a las Entidades locales.* 1. En los supuestos en que, de conformidad con lo dispuesto en los artículos 22.1. párrafo n) y 33.2 párrafo l) de la Ley 7/1985, de 2 de abril, reguladora de las bases del Régimen Local, el órgano de contratación sea el Pleno, las competencias atribuidas a dicho órgano de contratación en los artículos 73.1, 74, 78, apartados 1, 2 y 3, 80.4, 87.1, 94.1, 95, 96.3, 115, apartados 1 y 2, 118, 121, 123.1, 138, 139.4, 142.2, 144.2, 155.4 y 162.2 de este Reglamento podrán ser atribuidas por el mismo a otros órganos de la Corporación.

2. La publicidad de los procedimientos de licitación de las Corporaciones locales, cuando no tenga que realizarse en el «Boletín Oficial del Estado» conforme al artículo 78 de la Ley, habrá de efectuarse conforme a lo dispuesto en el artículo 123.1 del Texto Refundido de las disposiciones legales vigentes en materia de Régimen Local, aprobado por Real Decreto-legislativo 781/1986, de 18 de abril.

3. La supervisión de los proyectos de los Ayuntamientos y demás Entidades locales de ámbito inferior a la provincia, cuando no dispusieran de oficinas de supervisión de proyectos, se llevará a cabo a petición del Ayuntamiento o Entidad, por las correspondientes oficinas o unidades de supervisión de proyectos de las respectivas Diputaciones Provinciales, Cabildos y Consejos Insulares o Comunidades Autónomas, en su caso.

Disposición adicional décima. *Procedimientos de contratación mediante el empleo de medios electrónicos.* Se autoriza al Ministro de Hacienda para que por Orden ministerial establezca las normas que regulen los procedimientos para hacer efectiva la contratación mediante el empleo de medios electrónicos.

Véase Orden EHA/1744/2005, de 3 de junio, por la que se establecen las condiciones generales, formularios y modelos para la presentación y tramitación telemáticas de solicitudes de clasificación de empresas, y se aprueba la aplicación telemática para su tratamiento («B.O.E.» 13 junio).

Véase O.M. EHA/1307/2005, de 29 de abril, por la que se regula el empleo de medios electrónicos en los procedimiento de contratación («B.O.E.» 13 mayo).

Disposición adicional undécima. *Régimen de determinados aspectos de los contratos que se celebren y ejecuten en el extranjero.* En los contratos que se celebren y ejecuten en el extranjero, el precio se abonará al contratista en la cuantía y moneda que ambas partes hubieran acordado, sin perjuicio de lo dispuesto en el artículo 14.1 de la Ley.

DISPOSICIÓN TRANSITORIA ÚNICA

Aplicación transitoria de normas y certificados de clasificación. 1. Los expedientes de contratación iniciados y los contratos adjudicados con anterioridad a la entrada en vigor del presente Reglamento se regirán por la normativa anterior. A estos efectos, se entenderá que los expedientes de contratación han sido iniciados, si se hubiera publicado la correspondiente convocatoria de licitación del contrato. 2. Hasta que caduquen por razón de su plazo los certificados de clasificación para contratos de servicios expedidos con anterioridad a la entrada en vigor del artículo 37 de este Reglamento sobre grupos y subgrupos de clasificación en los mencionados contratos de servicios, los órganos de contratación deberán admitir indistintamente certificados de clasificación expedidos con arreglo a la normativa anterior o con arreglo al citado artículo 37, teniendo en cuenta la tabla de correspondencia que figura en el anexo XII.

Los pliegos de cláusulas administrativas particulares para la adjudicación de contratos en los que resulte exigible el requisito de la clasificación harán mención expresa de la circunstancia consignada en el párrafo anterior especificando los grupos y subgrupos que corresponda exigir con arreglo a la normativa anterior y a la vigente.

DISPOSICIONES FINALES

Disposición final primera. *Normas de carácter básico y no básico.* 1. Las disposiciones del presente Reglamento son normas básicas dictadas al amparo del artículo 149.1.18.a de la Constitución, conforme a lo establecido en la disposición final tercera de la Ley y, en consecuencia, son de aplicación general a todas las Administraciones públicas comprendidas en el artículo 1 de la misma, salvo los siguientes artículos, parte los mismos o disposiciones que se enumeran:

El artículo 4,
El artículo 5,
El artículo 6,
El artículo 7,
El artículo 8,
El artículo 13.1, párrafo e),
El inciso quedando en la sede de dicho órgano a disposición del solicitante del apartado 3, del artículo 15,
El artículo 21,
El artículo 22,
El artículo 23,
El artículo 49,
El plazo de treinta días naturales a que se refieren los artículos 56.2, párrafo a), y 57.1, párrafo a).
El término por una sola vez del artículo 58.2,
El artículo 66,
El artículo 71,
El artículo 72,
El artículo 73,
El artículo 79 y cuantas referencias se hagan a la mesa de contratación en otros artículos,
El artículo 80, apartado 1.
El artículo 81, apartado 2, en cuanto se refiere al plazo superior a tres días hábiles y a la publicidad a través del tablón de anuncios del órgano de contratación,
El artículo 83,
El artículo 84,

El artículo 87,
El artículo 88,
El artículo 93, apartado 1,
El artículo 97,
El artículo 98,
El artículo 99,
El artículo 100,
El artículo 105,
El apartado 1 del artículo 106,
El artículo 110,
El artículo 116, en la referencia que contiene a la Dirección General del Patrimonio del Estado.
El artículo 118,
El artículo 119,
El artículo 120, excepto el apartado 3,
El artículo 121,
El artículo 122,
El artículo 123,
El artículo 124,
El artículo 132,
El artículo 135,
El artículo 136,
El artículo 137,
El artículo 138, apartados 4 y 5,
El artículo 140, apartado 3,
El artículo 141, en cuanto al plazo de quince días, de su apartado 1.
El artículo 142,
El artículo 143,
El artículo 144,
El artículo 145,
El artículo 146, en cuanto al plazo de veinte días, de su apartado 1.
El artículo 147,
El artículo 148,
El artículo 149,
El artículo 151,
El artículo 154,
El artículo 155, apartado 5,
El artículo 158,
El artículo 159,
El artículo 163, en cuanto a los plazos de cuarenta y cinco días hábiles, un mes y veinte días de los apartados 1 y 2 y el apartado 3 y en cuanto a la comunicación a la Intervención a que se refiere el tercer párrafo del apartado 2.
Los plazos a que se refiere el artículo 166, con excepción del plazo de dos meses fijado en el apartado 9 para la aprobación de la certificación final de las obras ejecutadas.
El artículo 168,
El artículo 170,
El artículo 171,
El artículo 173,
El artículo 174,
El artículo 176,
El artículo 177,
El artículo 178, excepto la referencia a los proyectos de obras que vayan a ser ejecutados por la Administración, fuera de los supuestos de los párrafos d), g) y h)

del apartado 1 del artículo 152 de la Ley, deberán recoger las determinaciones que se recogen en el artículo 124 de la propia Ley.

El artículo 179,
El artículo 186,
El artículo 191,
El artículo 192,
El artículo 193,
El artículo 194,
El artículo 196,
El artículo 198,
El artículo 199,
La disposición adicional primera,
La disposición adicional quinta, excepto en cuanto se refiere a la composición del Comité Superior de Precios de Contratos del Estado,
La disposición adicional séptima,
La disposición adicional octava,
El apartado 3 de la disposición final novena,
Los anexos X y XI.

2. Las Comunidades Autónomas podrán elaborar los modelos a que hacen referencia los anexos III, IV, V, VI y VII de este Reglamento, los cuales deberán recoger, al menos, la información y contenido de los mismos.

Véase Ley Foral [COMUNIDAD FORAL DE NAVARRA] 6/2006, 9 junio, de Contratos Públicos («B.O.N.» 16 junio).

Véase D [COMUNIDAD DE MADRID] 49/2003, 3 abril, por el que se aprueba el Reglamento General de Contratación Pública de la Comunidad de Madrid («B.O.C.M.» 11 abril).

Véase D [PAÍS VASCO] 136/1996, 5 junio, sobre régimen de la contratación de la Administración de la Comunidad Autónoma de Euskadi («B.O.P.V.» 12 julio).

Disposición final segunda. *Referencias a órganos de la Administración General del Estado.* Con independencia de lo establecido en la disposición final segunda de la Ley las referencias a órganos de la Administración General del Estado contenidas en este Reglamento deberán entenderse hechas a los que correspondan de las restantes Administraciones públicas, organismos y entidades comprendidas en el ámbito de aplicación de la Ley, salvo las que se hacen:

a) Al Ministro de Hacienda en los artículos 53.3, 55.1.a), 115, apartados 2 y 3, y en la disposición adicional sexta de este Reglamento.

b) Al Ministro de Hacienda y a la Junta Consultiva de Contratación Administrativa en las disposiciones adicionales cuarta y séptima.

c) A la Junta Consultiva de Contratación Administrativa en los artículos 50, apartados 1, 2 y 4, 53, apartados 3 y 4 y en la disposición adicional primera de este Reglamento.

d) Al Comité Superior de Precios de Contratos del Estado en la disposición adicional quinta de este Reglamento.

Disposición final tercera. *Modificación del Real Decreto 2188/1995, de 28 de diciembre.* Se da nueva redacción al apartado 1, párrafo b), del artículo 8 del Real Decreto 2188/1995, de 28 de diciembre, por el que se desarrolla el régimen del control interno ejercido por la Intervención General de la Administración del Estado, que quedará redactado del siguiente modo:

«b) Los Interventores delegados, sin otras excepciones que las enumeradas en el apartado anterior, ejercerán en toda su amplitud la fiscalización e intervención de los actos relativos a gastos, derechos, pagos e ingresos que dicten las autoridades de los Ministerios, Centros, Dependencias u Organismos autónomos. La función se ejercerá por el Interventor delegado cuya competencia orgánica o territorial se corresponda con la de la autoridad que acuerde el acto de gestión. En el supuesto de concurrencia a la financiación de contratos de distintos Departamentos ministeriales a que se refiere el artículo 12.5 de la Ley de Contratos de las Administraciones Públicas, la función se ejercerá por el Interventor delegado cuya competencia orgánica o territorial se corresponda con la del órgano de contratación.»

ANEXO I
REGISTROS DE ESTADOS MIEMBROS DE LA COMUNIDAD EUROPEA Y SIGNATARIOS DEL ACUERDO SOBRE EL ESPACIO ECONÓMICO EUROPEO

1. *En los contratos de obras.*
   a) Para Bélgica: «Registre du Commmerce», «Handelsregister»;
   b) Para Dinamarca «Handelsregister», «Aktieselskabesregistret» y «Erhvervsregistret»,
   c) Para Alemania «Handelsregister» y «Handwerksrolle»;
   d) Para Grecia: «Registro de Empresas Contratantes» (Texto en griego omitido);
   e) Para Francia: «Registre du Commerce» y «Répertoire des Métiers»;
   f) Para Italia: «Registro della Camera di Commercio, Industria, Agricoltura e Artigianato»;
   g) Para Luxemburgo: «Registre aux Firmes» y «Róle de la Chambre des Métiers»;
   h) Para los Países Bajos: «Handelsregister»;
   i) Para Portugal: «Comissao de Alvarás de Empresas de Obras Públicas e Particulares» (CAEOPP);
   j) Para el Reino Unido e Irlanda el contratista podrá ser invitado a presentar un certificado del «Registrar of Companies» o del «Registrar of Friendly Societies» o, si no fuera ese el caso, un certificado que precisará que el interesado ha declarado bajo juramento que ejerce la profesión citada en el país que esté establecido, en un lugar específico y bajo una razón comercial determinada;
   k) Para Austria «Firmenbuch», «Gewerberegister», «Mitgliederverzeichnisse der Landeskammem»;
   l) Para Finlandia: «Kaupparekisteri», «Handelsregistret»;
   m) Para Suecia «Aktiebolagsregistret», «Handlsregistret», «Föreningsregistret»;
   n) Para Islandia «Fírmaskrá»;
   ñ) Para Liechtenstein «Handelsregister», «Gewerberegister»;
   o) Para Noruega: «Foretaksregisteret».
2. *En los contratos de suministro.*
   a) En Bélgica: «Registre du Commerce», «Handelsregister»;
   b) En Dinamarca «Aktieseiskabesregistret», «Foreningsregistret» y «Handelsregistret»;
   c) En Alemania «Handwerksrolle» y «Handelsregister»;
   d) En Grecia (Texto griego omitido);
   e) En Francia: «Registre du Commerce» y «Répertoire des Métiers»,
   f) En Italia: «Registro della Camera di Commercio, Industria, Agricoltura e Artigianato y «Registro delle Commissioni Provinciall per l'artigianato»;
   g) En Luxemburgo: «Registre aux Firmes» y «Róle de la Chambre des Métiers»;
   h) En los Países Bajos: «Handelsregister»,
   i) En Portugal: «Registro Nacional das Pessoas Colectivas»;

j) En el Reino Unido y en Irlanda: podrá solicitarse al proveedor que presente un certificado del «Registrar of Companies» o del «Registrar of Friendly Societies», indicando que el negocio del proveedor está «incorporated» o «registered» o, si no fuere así, una certificación que precise que el interesado ha declarado bajo juramento ejercer la profesión de que se trate en el país en el que esté establecido, en un lugar determinado y bajo una razón comercial determinada;

k) En Austria «Firmenbuch», «Gewerberegister», «Mitgliederverzeichnisse der Landeskammem»;

l) En Finlandia: «Kaupparekisteri», «Handlsregistret»;

m) En Suecia «Aktiebolagsregistret», «Handlsregistret», «Föreningsregistret»;

n) En Islandia «Hlutafélagaskrá, samvinnufélagas krá, firmaskrá»;

ñ) Para Liechtenstein: «Handelsregister», «Gewerberegister»;

o) En Noruega: «Foretaksregisteret».

3. *En los contratos de consultoría y asistencia y en los de servicios.*

a) En Bélgica: «Registre du Commerce», «Handelsregister» y los «Ordres Professionnels-Beroepsorden»;

b) En Dinamarca: «Erhvervs-og Selsskabstyreisen»;

c) En Alemania «Handelsregister», «Handwerksrolle» y «Vereinsregister».

d) En Grecia: podrá solicitarse al prestador de servicios que presente una declaración jurada ante Notario que atestigüe el ejercicio de la profesión de que se trate, en los casos previstos en la legislación nacional vigente para la prestación de los servicios de estudios mencionados en el anexo 1 A de la Directiva 92/50/CEE, el registro profesional «Texto en griego omitido);

e) En Francia «Registre du Commerce» y «Répertoire des Métiers»;

f) En Italia: «Registro della Camera di Commercio, Industria, Agricoltura e Artigianato», «Registro delle Commissioni Provinciall per l'artigianato» o «Consiglio Nazionale degli ordini professionalli»;

g) En Luxemburgo «Registre aux Firmes» y «Róle de la Chambre des Métiers»;

h) En los Países Bajos: «Handelsregister»;

i) En Portugal: «Registro Nacional das Pessoas Colectivas»;

j) En el Reino Unido y en Irlanda: podrá solicitarse al prestador de servicios que presente un certificado del «Registrar of Companies» o del «Registrar of Friendly Societies» o, a falta de ello, un certificado que atestigüe que el interesado ha declarado bajo juramento que ejerce la profesión citada en el país en el que está establecido, en un lugar específico y bajo una razón comercial determinada.

k) En Austria: «Firmenbuch», «Gewerberegister», «Mitgliederverzeichnisse der Landeskammem»;

l) En Finlandia: «Kaupparekisteri», «Handdelsregistret»;

m) En Suecia «Aktiebolagsregistret», «Handlsregistret»; «Föreningsregistret»;

n) En Islandia «Firmaskrá», «Hlutafélagaskrá»;

ñ) Para Liechtenstein: «Handelsregister», «Gewerberegister»;

o) En Noruega: «Foretaksregisteret».

ANEXO II
TRABAJOS INCLUIDOS EN CADA UNO DE LOS SUBGRUPOS DE CLASIFICACIÓN DE CONTRATOS DE SERVICIOS

Los trabajos incluidos, a efectos de clasificación, en cada uno de los subgrupos relacionados en el artículo 37 de este Reglamento son los siguientes:

Grupo L. Servicios administrativos

Subgrupo 1. Servicios auxiliares para trabajos administrativos de archivo y similares. Los trabajos administrativos de distribución y archivo de publicaciones y otros documentos, así como realizaciones de fotocopias, copias de planos, franqueo de correspondencia y otros.

Subgrupo 2. Servicios de gestión de cobros. La gestión de cobros de recibos correspondientes a impuestos o servicios de las Administraciones Públicas.

Subgrupo 3. Encuestas, toma de datos y servicios análogos. Trabajos de campo de toma de datos para estudios de mercado, estados de opinión u otro tipo de encuestas.

Subgrupo 4. Lectura de contadores. La lectura de contadores, a efectos de determinar el consumo de los servicios prestados por las Administraciones Públicas.

Subgrupo 5. Organización y promoción de congresos, ferias y exposiciones. Los trabajos inherentes a la organización y promoción de congresos, ferias y exposiciones, tales como la disposición y distribución de espacios, los servicios de azafatas, información y programación de actos.

Subgrupo 6. Servicios de portería, control de accesos e información al público. Los trabajos de portería, control de accesos, tanto de personas como de vehículos, así como los servicios de información en locales y edificios públicos.

Grupo M. Servicios especializados.

Subgrupo 1. Higienización, desinfección, desinsectación y desratización. Los trabajos de higienización, desinfección, desinsectación y desratización, en edificios, locales, montes y jardines, alcantarillado, redes de agua y estaciones depuradoras.

Subgrupo 2. Servicios de seguridad, custodia y protección. Los trabajos realizados por vigilantes y guardas de seguridad en edificios, locales y espacios públicos, la custodia de bienes y la protección de personas, con los medios adecuados en cada caso.

Subgrupo 3. Atención y manejo de instalaciones de seguridad. Los trabajos de atención y manejo de instalaciones y equipos de seguridad, tales como centrales de alarmas, cámaras y monitores de vídeo, sistemas de control de correspondencia y paquetería, detección de metales y sistemas de control de accesos.

Subgrupo 4. Artes gráficas. Los trabajos editoriales y de imprenta, como los de impresión, encuadernación y acabado de libros, de composición y estereotipia, de reproducción de material grabado y otros trabajos relacionados con la impresión.

Subgrupo 5. Servicios de bibliotecas, archivos y museos. Los trabajos de organización, atención y explotación de bibliotecas, archivos y museos.

Subgrupo 6. Hostelería y servicios de comida. Los servicios relacionados con la hostelería, comidas, banquetes y cócteles.

Subgrupo 7. Prevención de incendios forestales. Los trabajos de vigilancia y control para prevención de incendios forestales.

Subgrupo 8. Servicios de protección de especies. Los trabajos de vigilancia y control para la protección de especies animales, así como sus tratamientos sanitarios.

Grupo N. Servicios cualificados.

Subgrupo 1. Actividades médicas y sanitarias. Los trabajos médicos y sanitarios prestados en hospitales, clínicas, sanatorios, consultorios y balnearios o en centros distintos de los anteriores, campanas preventivas y de vacunación, rehabilitación y fisioterapia.

Subgrupo 2. Inspección sanitaria de instalaciones. Los servicios de inspección de mataderos y granjas, así como la de instalaciones en general.

Subgrupo 3. Servicios veterinarios para la salud. Los trabajos realizados por veterinarios, que tengan como fin la prevención de enfermedades relacionadas con la salud humana.

Subgrupo 4. Servicios de esterilización de material sanitario. Los trabajos para la esterilización de instrumental quirúrgico, aparatos e instrumentos médicos y todo tipo de material y ropa usados por personal sanitario, así como quirófanos y otros locales para fines sanitarios.

Subgrupo 5. Restauración de obras de arte. Los trabajos de restauración de obras de arte, como cuadros, tapices, esculturas, retablos, libros, documentos, mobiliario, joyas y otros elementos artísticos.

Subgrupo 6. Servicios de mantenimiento, conservación y restauración de materiales cinematográficos y audiovisuales. Los trabajos de repaso y visionado de películas y los trabajos de restauración y reproducción de imágenes y sonidos de películas y otro material audiovisual.

Grupo O. Servicios de conservación y mantenimiento de bienes inmuebles Se excluirán de las actividades de este grupo aquellas que sean objeto de un contrato de obras, de conformidad con lo dispuesto en los apartados 1, letra e), y 5 del artículo 123 de la Ley.

Subgrupo 1. Conservación y mantenimiento de edificios. Trabajos de conservación y mantenimiento, tales como albañilería, cristalería, carpintería, pintura y revestimientos con papel, tejidos o plásticos.

Subgrupo 2. Conservación y mantenimiento de carreteras, pistas, autopistas, autovías, calzadas y vías férreas. Trabajos de conservación y mantenimiento de firmes, vías férreas, señalización y balizamiento vial, vallados y barreras acústicas, aceras, arquetas y conductos, cunetas, medianas y terraplenes, así como de estructuras de puentes y túneles.

Subgrupo 3. Conservación y mantenimiento de redes de agua y alcantarillado. Trabajos de conservación y mantenimiento de canalizaciones de aguas, de acequias, desagües, drenajes, alcantarillas, emisarios marítimos, depósitos, cisternas y galerías subterráneas.

Subgrupo 4. Conservación y mantenimiento integral de estaciones depuradoras. Trabajos de conservación y mantenimiento de estaciones depuradoras, incluidas su maquinaria e instalaciones.

Subgrupo 5. Conservación y mantenimiento de mobiliario urbano. Trabajos de conservación y mantenimiento de bancos, mesas, papeleras y cualquier tipo de elemento o construcción que tenga carácter de mobiliario urbano.

Subgrupo 6. Conservación y mantenimiento de montes y jardines. Trabajos de conservación y mantenimiento de montes, jardines, parques y otras zonas verdes, que incluyan poda, reposición, desbroce, riego, abonado, tratamientos fitosanitarios y demás trabajos agrícolas y forestales.

Subgrupo 7. Conservación y mantenimiento de monumentos y edificios singulares. Trabajos tendentes a evitar o detener su deterioro, así como la reposición de los elementos necesarios.

Grupo P. Servicios de mantenimiento y reparación de equipos e instalaciones

Subgrupo 1. Mantenimiento y reparación de equipos e instalaciones eléctricas y electrónicas. Trabajos de mantenimiento y reparación de instalaciones eléctricas de alta y baja tensión, tales como redes en edificios, alumbrado público, redes interurbanas, balización de puertos y aeropuertos, centrales eléctricas, centros de transformación y distribución así como de los componentes electrónicos de dichas instalaciones trabajos de mantenimiento y reparación de motores, generadores y transformadores eléctricos, de equipos electrónicos de señalización, de medida y control, de relojes y de termómetros electrónicos.

Subgrupo 2. Mantenimiento y reparación de equipos e instalaciones de fontanería, conducciones de agua y gas. Trabajos de mantenimiento y reparación de equipos e instalaciones de fontanería que comprendan grifería, válvulas, bombas, compresores, conducciones domésticas de agua y gas y de sus correspondientes contadores.

Subgrupo 3. Mantenimiento y reparación de equipos e instalaciones de calefacción y aire acondicionado. Trabajos de mantenimiento y reparación de instalaciones y equipos de tipo centralizado de frío, calor y acondicionamiento de aire, incluyendo sus respectivos sistemas de conducción y calderas para calefacción, así como los de tipo individualizado.

Subgrupo 4. Mantenimiento y reparación de equipos e instalaciones de electromedicina. Trabajos de mantenimiento y reparación de material y aparatos médicos, quirúrgicos, terapéuticos y ópticos, de tipo eléctrico y electrónico.

Subgrupo 5. Mantenimiento y reparación de equipos e instalaciones de seguridad y contra incendios. Trabajos de mantenimiento y reparación de equipos de control de accesos, de control de intrusión y presencia, de detección de elementos metálicos, de control de correspondencia y paquetería y los de detección y extinción de incendios, así como las instalaciones de alarma de todo tipo.

Subgrupo 6. Mantenimiento y reparación de equipos y maquinaria de oficina. Trabajos de mantenimiento y reparación de equipos y maquinaria de oficina, así como su adaptación a prestaciones de nueva necesidad.

Subgrupo 7. Mantenimiento y reparación de equipos e instalaciones de aparatos elevadores y de traslación horizontal. Trabajos de mantenimiento y reparación de ascensores, montacargas, escaleras mecánicas, cintas y cadenas transportadoras, elevadores mecánicos y neumáticos, tubos neumáticos y mecanismos distribuidores.

Grupo Q. Servicios de mantenimiento y reparación de maquinaria

Subgrupo 1. Mantenimiento y reparación de maquinaria. Trabajos de mantenimiento y reparación de todo tipo de maquinaria utilizada en procesos industriales, en la construcción, en la agricultura, en la minería y en la silvicultura, así como las máquinas, herramientas y utillaje.

Subgrupo 2. Mantenimiento y reparación de vehículos automotores, incluidos buques y aeronaves. Trabajos de mantenimiento y reparación de todo tipo de medios de transporte, tales como automóviles, autocares, camiones, furgonetas, motocicletas, bicicletas, embarcaciones, aeronaves, locomotoras de ferrocarril y tranvía y otro material rodante.

Subgrupo 3. Desmontaje de armamento y destrucción de munición. Trabajos de desmontaje de armamento, así como la destrucción e inutilización de munición y material explosivo.

Subgrupo 4. Desguaces. Trabajos de desguace de barcos, vehículos, aeronaves, equipos y maquinaria.

Grupo R. Servicios de transportes

Subgrupo 1. Transporte en general. Servicio de transporte, por cualquier medio, de personas y mercancías, así como los servicios de mudanzas.

Subgrupo 2. Traslado de enfermos por cualquier medio de transporte. Servicio de traslado de enfermos mediante ambulancias o cualquier otro tipo de transporte terrestre, marítimo o aéreo, convenientemente habilitado para tal efecto.

Subgrupo 3. Transporte y custodia de fondos. Servicio de transporte de fondos mediante vehículos habilitados convenientemente y dotados de vigilantes y guardas de seguridad.

Subgrupo 4. Transporte de obras de arte. Servicio de transporte de obras de arte, tales como pinturas, esculturas y otras análogas.

Subgrupo 5. Recogida y transporte de toda clase de residuos. Servicio de recogida y transporte de basuras, vidrio, papel, metales, trapos y, en general, todo tipo de residuos urbanos e industriales depositados en contenedores o espacios habilitados al efecto, siempre que no sean objeto de un contrato de gestión de servicio público.

Subgrupo 6. Servicios aéreos de fumigación, control, vigilancia aérea y extinción de incendios. Trabajos realizados con aeronaves, para tratamientos fitosanitarios mediante fumigación de explotaciones agrarias y forestales, así como los de control y vigilancia aérea de grandes extensiones, para detectar la aparición de focos de incendio y proceder a su extinción.

Subgrupo 7. Servicios de grúa. Servicios realizados con vehículos grúa para retirada de las vías públicas de contenedores, vehículos o cualquier elemento que dificulte la circulación, así como los que sirvan de auxilio para trabajos de poda de árboles, colocación y retirada de elementos ornamentales y publicitarios, entre otros.

Subgrupo 8. Remolque de buques. Servicio relativo al remolque y recuperación de toda clase de embarcaciones, así como el salvamento de sus tripulaciones y pasajeros.

Subgrupo 9. Servicios de mensajería, correspondencia y distribución. Servicio de recadería, de reparto y manipulación de correspondencia, así como los de distribución de paquetería, publicaciones y material de artes gráficas.

Grupo S. Servicios de tratamientos de residuos y desechos

Subgrupo 1. Tratamiento e incineración de residuos y desechos urbanos. Los trabajos de tratamiento y reconversión de basuras, vidrio, papel y otros residuos y desechos urbanos, así como la eliminación, en su caso, por incineración o cualquier otro método.

Subgrupo 2. Tratamiento de Iodos. Los trabajos de secado y tratamiento de Iodos de cualquier procedencia y su reconversión para utilizarlos como abono u otras finalidades.

Subgrupo 3. Tratamiento de residuos radiactivos y ácidos. Los trabajos de tratamiento y eliminación de pilas baterías, acumuladores, tanto de uso doméstico como industrial, y, en general, de cualquier tipo de residuos radiactivos y ácidos.

Subgrupo 4. Tratamiento de residuos de centros sanitarios y clínicas veterinarias. Los trabajos de tratamiento, incineración y eliminación de residuos humanos y de animales procedentes de operaciones quirúrgicas, extracciones y demás actuaciones médicas y veterinarias, en centros sanitarios y clínicas veterinarias, así como los productos farmacéuticos desechables y demás material usado no reutilizable, como algodones, gasas, compresas, jeringuillas, agujas, envases, vestuario y ropa de cama.

Subgrupo 5. Tratamiento de residuos oleosos. Los trabajos de tratamiento y eliminación de residuos oleosos procedentes de instalaciones industriales y agroalimentarias, de motores de vehículos y de vertidos de toda clase.

Grupo T. Servicios de contenido

Subgrupo 1. Servicios de publicidad. Los servicios de publicidad, mediante anuncios, carteles, folletos, películas publicitarias, entre otros, a través de prensa, radio, televisión, publicidad aérea u otros medios.

Subgrupo 2. Servicios de radio y televisión. Los servicios de radio y televisión, comprendiendo la realización de programas informativos, culturales, recreativos y deportivos para ser emitidos a través de dichos medios, excluyendo la publicidad.

Subgrupo 3. Agencias de noticias. Trabajos de investigación, recopilación, comprobación y análisis de noticias y su distribución.

Subgrupo 4. Realización de material audiovisual. Trabajos de producción de películas, vídeos, discos, casetes, fotos, diapositivas y otros productos audiovisuales.

Subgrupo 5. Servicios de traductores e intérpretes. Los servicios de traducción y los de interpretación simultánea de idiomas para reuniones y conferencias.

Grupo U. Servicios generales

Subgrupo 1. Servicios de limpieza en general. Los trabajos de limpieza de edificios, locales, calles, viales, pistas, montes, jardines, playas y alcantarillas, siempre que no sean objeto de un contrato de gestión de servicio público.

Subgrupo 2. Lavandería y tinte. Los servicios de lavandería y tinte de toda clase de vestuario y ropa, así como la limpieza de cortinas, alfombras y tapices.

Subgrupo 3. Almacenaje. Los servicios de depósito y almacenaje de mercancías, vehículos, muebles, documentos, películas y otros enseres, almacenes especiales, tales como silos y otros almacenes de granos, almacenes frigoríficos y almacenes y depósito de líquidos.

Subgrupo 4. Agencias de viajes. Los servicios de gestión y mediación para el transporte y alojamiento y la organización de servicios turísticos.

Subgrupo 5. Guarderías infantiles. Los servicios de cuidado y custodia de niños en estancias y locales apropiados.

Subgrupo 6. Recogida de carros portaequipajes en estaciones y aeropuertos. Los trabajos de recogida de carros portaequipajes en estaciones y aeropuertos.

Subgrupo 7. Otros servicios no determinados. Este subgrupo no tiene un contenido indeterminado, sino que acoge aquellos trabajos o actividades no asignadas a un subgrupo concreto, pero que sean objeto de un contrato de servicios.

Grupo V. Servicios de Tecnologías de la Información y las Comunicaciones

Subgrupo 1. Servicios de captura de información por medios electrónicos, informáticos y telemáticos. Los trabajos de mecanografía y grabación o captura de datos por medios electrónicos y digitalización o conversión de formatos de documentos mediante el uso de las tecnologías de la información y las comunicaciones.

Subgrupo 2. Servicios de desarrollo y mantenimiento de programas de ordenador. Los trabajos de planificación, análisis, diseño, construcción, pruebas y mantenimiento de sistemas de información (programas y aplicaciones informáticas).

Subgrupo 3. Servicios de mantenimiento y reparación de equipos e instalaciones informáticos y de telecomunicaciones. Trabajos de mantenimiento preventivo, correctivo o perfectivo y de reparación de equipos y sistemas físicos y lógicos para el tratamiento de la información, así como de los equipos emisores y receptores de la misma y sus correspondientes sistemas y medios de transmisión.

Subgrupo 4. Servicios de telecomunicaciones. Servicios de comunicación de voz y/o datos, alquiler de circuitos para la transmisión de voz y/o datos, la provisión de los medios técnicos y humanos necesarios para que los usuarios finales de las redes de telecomunicaciones accedan y tengan presencia en Internet y otros servicios de valor añadido sobre redes de telecomunicaciones.

Subgrupo 5. Servicios de explotación y control de sistemas informáticos e infraestructuras telemáticas. Trabajos asociados a la puesta en funcionamiento, el seguimiento, la gestión y control de equipos y sistemas informáticos y de las infraestructuras telemáticas, necesarias para la adecuada explotación de programas y aplicaciones informáticas.

Subgrupo 6. Servicios de certificación electrónica. Actividades relativas a la generación, expedición y gestión de certificados electrónicos y otros servicios relacionados, tales como los servicios de autoridad de registro y de fechado electrónico, para firma electrónica, autenticación electrónica, confidencialidad y no repudio.

Subgrupo 7. Servicios de evaluación y certificación tecnológica. Trabajos técnicos para diseñar, construir y ejecutar las pruebas que permitan la evaluación de un producto o sistema, respecto de unos criterios y métodos de evaluación, para determinar su comportamiento ante las características y funcionalidades que le son atribuidas y certificar los resultados obtenidos.

Subgrupo 8. Otros servicios informáticos o de telecomunicaciones. Este subgrupo no tiene un contenido indeterminado, sino que acoge aquellos trabajos o actividades no asignadas a un subgrupo concreto, pero que sean objeto de un contrato de servicios.

ANEXO III
MODELO DE GARANTÍA MEDIANTE VALORES ANOTADOS (CON INSCRIPCIÓN)

Don (nombre y apellidos), en representación de, NIF, con domicilio a efectos de notificaciones y requerimientos en la calle / plaza / avenida, código postal, localidad

PIGNORA a favor de: (órgano administrativo, organismo autónomo o entidad de derecho público) los siguientes valores representados mediante anotaciones en cuenta, de los cuales es titular el pignorante y que se identifican como sigue:

Número de valores	Emisión (entidad emisora), clase de valor y fecha de emisión	Código valor	Referencia del Registro	Valor nominal unitario	Valor de realización de los valores a la fecha de inscripción

En virtud de lo dispuesto por: (norma/s y artículo/s que impone/n la constitución de esta garantía), para responder de las obligaciones siguientes: (detallar el objeto del contrato u obligación asumida por el garantizado), contraídas por (contratista o persona física o jurídica garantizada) NIF, con domicilio a efectos de notificaciones y requerimientos en la calle/plaza/avenida, código postal, localidad, por la cantidad de: (en letra y en cifra).

Este contrato se otorga de conformidad y con plena sujeción a lo dispuesto en la legislación de contratos de las Administraciones Públicas, en sus normas de desarrollo y en la normativa reguladora de la Caja General de Depósitos.

(Nombre o razón social del pignorante) (firma/s).

Con mi intervención, el Notario, (firma)

Don ..., con DNI ..., en representación de ... (entidad adherida encargada del registro contable), certifica la inscripción de la prenda,

(fecha) (firma)

ANEXO IV
MODELO DE GARANTÍA MEDIANTE PIGNORACIÓN DE PARTICIPACIONES DE FONDOS DE INVERSIÓN

Don (nombre y apellidos), en representación de, NIF, con domicilio a efectos de notificaciones y requerimientos en la calle /plaza / avenida, código postal, localidad

PIGNORA a favor de: (órgano administrativo, organismo autónomo o entidad de derecho público) las siguientes participaciones, de las cuales es titular el pignorante y que se identifican como sigue:

Número de participación	Identificación del fondo de inversión, nombre y número de registro administrativo de la CNMV	Entidad gestora	Entidad depositaria	Valor liquidativo a la fecha de inscripción	Valor total

En virtud de lo dispuesto por: (norma/s y artículo/s que impone/n la constitución de esta garantía), para responder de las obligaciones siguientes: (detallar el objeto del contrato u obligación asumida por el garantizado), contraídas por (contratista o persona física o jurídica garantizada) NIF, con domicilio a efectos de notificaciones y requerimientos en la calle/plaza/avenida, código postal, localidad, por la cantidad de: (en letra y en cifra).

Este contrato se otorga de conformidad y con plena sujeción a lo dispuesto en la legislación de contratos de las Administraciones Públicas, en sus normas de desarrollo y en la normativa reguladora de la Caja General de Depósitos. La entidad gestora del fondo se compromete a mantener la prenda sobre las participaciones señaladas, no reembolsando, en ningún caso, al partícipe el valor de las participaciones mientras subsista la prenda, así como a proceder al reembolso de las participaciones a favor de la Caja General de Depósitos u órgano equivalente de las restantes Administraciones Públicas a primer requerimiento de los mismos.

(Nombre o razón social del pignorante) (firma/s).

Con mi intervención, el Notario, (firma)
Don..., con DNI...., en representación de (entidad gestora del fondo), certifica la constitución de la prenda sobre las participaciones indicadas.
(fecha) (firma)

ANEXO V
MODELO DE AVAL

La entidad (razón social de la entidad de crédito o sociedad de garantía recíproca), NIF, con domicilio (a efectos de notificaciones y requerimientos) en la calle/plaza/avenida, código postal, localidad, y en su nombre (nombre y apellidos de los apoderados), con poderes suficientes para obligarle en este acto, según resulta del bastanteo de poderes que se reseña en la parte inferior de este documento, AVALA a: (nombre y apellidos o razón social del avalado), NIF, en virtud de lo dispuesto por: (norma/s y artículo/s que impone/n la constitución de esta garantía) para responder de las obligaciones siguientes: (detallar el objeto del contrato u obligación asumida por el garantizado), ante (órgano administrativo, organismo autónomo o ente público), por importe de: (en letra y en cifra).

La entidad avalista declara bajo su responsabilidad, que cumple los requisitos previstos en el artículo 56.2 del Reglamento General de la Ley de Contratos de las Administraciones Públicas. Este aval se otorga solidariamente respecto al obligado principal, con renuncia expresa al beneficio de excusión y con compromiso de pago al primer requerimiento de la Caja General de Depósitos u órgano equivalente de las restantes Administraciones Públicas, con sujeción a los términos previstos en la legislación de contratos de las Administraciones Públicas, en sus normas de desarrollo y en la normativa reguladora de la Caja General de Depósitos.

El presente aval estará en vigor hasta que (indicación del órgano de contratación) o quien en su nombre sea habilitado legalmente para ello autorice su cancelación o devolución de acuerdo con lo establecido en la Ley de Contratos de las Administraciones Públicas y legislación complementaria.

(Lugar y fecha)
(razón social de la entidad)
(firma de los apoderados)

BASTANTEO DE PODERES POR LA ASESORA JURÍDICA DE LA C.G.D. O ABOGACÍA DEL ESTADO		
Provincia	Fecha	Número o código

ANEXO VI
MODELO DE CERTIFICADO DE SEGURO DE CAUCIÓN

Certificado número [1] (en adelante, asegurador), con domicilio en, calle, y NIF, debidamente representado por don [2], con poderes suficientes para obligarle en este acto, según resulta del bastanteo de poderes que se reseña en la parte inferior de este documento,

ASEGURA A [3], NIF, en concepto de tomador del seguro, ante [4], en adelante asegurado, hasta el importe de (en letras y en cifras) [5], en los términos y condiciones establecidos en de la Ley de Contratos de las Administraciones Públicas, normativa de desarrollo y pliego de cláusulas administrativas particulares por la que se rige el contrato [6], en concepto de garantía [7], para responder de las obligaciones, penalidades y demás gastos que se puedan derivar conforme a las normas y demás condiciones administrativas precitadas frente al asegurado.

El asegurado declara, bajo su responsabilidad, que cumple los requisitos exigidos en el artículo 57.1 del Reglamento General de la Ley de Contratos de las Administraciones Públicas.

La falta de pago de la prima, sea única, primera o siguientes, no dará derecho al asegurador a resolver el contrato, ni éste quedará extinguido, ni la cobertura del asegurador suspendida ni éste liberado de su obligación, caso de que el asegurador deba hacer efectiva la garantía.

El asegurador no podrá oponer al asegurado las excepciones que puedan corresponderle contra el tomador del seguro.

El asegurador asume el compromiso de indemnizar al asegurado al primer requerimiento de la Caja General de Depósitos u órgano equivalente de las restantes Administraciones Públicas, en los términos establecidos en la Ley de Contratos de las Administraciones Públicas y normas de desarrollo.

El presente seguro de caución estará en vigor hasta que (4), o quien en su nombre sea habilitado legalmente para ello, autorice su cancelación o devolución, de acuerdo con lo establecido en la Ley de Contratos de las Administraciones Públicas y legislación complementaria.

Lugar y fecha.

Firma:

Asegurador

BASTANTEO DE PODERES POR LA ASESORÍA JURÍDICA DE LA C.G.D. O ABOGACÍA DEL ESTADO		
Provincia	Fecha	Número o código

Instrucciones para la cumplimentación del modelo.

ANEXO VII
MODELOS DE ANUNCIOS DE LICITACIÓN Y ADJUDICACIÓN DE LOS CONTRATOS PARA SU PUBLICACIÓN EN EL «BOLETÍN OFICIAL DEL ESTADO»

...

Anexo VII derogado por la disposición derogatoria única del R.D. 817/2009, de 8 de mayo, por el que se desarrolla parcialmente la Ley 30/2007, de 30 de octubre, de Contratos del Sector Público («B.O.E.» 15 mayo).
Vigencia: 16 junio 2009

ANEXO VIII
MODELOS DE ANUNCIOS DE LICITACIÓN Y ADJUDICACIÓN DE LOS CONTRATOS PARA SU PUBLICACIÓN EN EL «DIARIO OFICIAL DE LAS COMUNIDADES EUROPEAS»

...

Anexo VIII derogado por la disposición derogatoria única del R.D. 817/2009, de 8 de mayo, por el que se desarrolla parcialmente la Ley 30/2007, de 30 de octubre, de Contratos del Sector Público («B.O.E.» 15 mayo).
Vigencia: 16 junio 2009

ANEXO IX
COMUNICACIÓN DE DATOS DE CONTRATOS PARA SU INSCRIPCIÓN EN EL REGISTRO PÚBLICO DE CONTRATOS.

...

Anexo IX derogado por la disposición derogatoria única del R.D. 817/2009, de 8 de mayo, por el que se desarrolla parcialmente la Ley 30/2007, de 30 de octubre, de Contratos del Sector Público («B.O.E.» 15 mayo).
Vigencia: 16 junio 2009

ANEXO X
REVISIÓN DE PRECIOS EN LOS CONTRATOS DE OBRAS Y DE SUMINISTRO CON FABRICACIÓN

| MINISTERIO DE | DIRECCIÓN GENERAL / ORGANISMO AUTONOMO | Expediente: |
| | SERVICIO DE | |

PROYECTO DE OBRAS:

Presupuesto por revisión de precios nº .... formulado al ....

Contratista	Fecha de adjudicación	Coeficiente de baja de adjudicación
Formula (s) polinómica (s) aprobada (s)		
Importe de la revisión de precios en las certificaciones cursadas con derecho a revisión	(1)	
Suma de los presupuestos líquidos aprobados en concepto de revisión de precios	(9)	
Presupuesto líquido por revisión de precios	(1) – (9)	

El presupuesto líquido por revisión, cuya tramitación en su caso se propone en aplicación de la Ley de Contratos de las Administraciones Públicas y disposiciones complementarias asciende a la cantidad de.................

En cumplimiento de las disposiciones citadas se certifica:

a) Que el contrato tiene derecho a revisión de acuerdo con la Ley de Contratos de las Administraciones Públicas.

b) Que en las certificaciones cursadas con revisión se cumplia el requisito de estar ejecutado el 20% del presupuesto de las obras.

c) Que las obras no acusan retraso por causas imputables al contratista, habiéndose cumplido los plazos parciales establecidos en el programa de trabajo.

d) Que ha transcurrido más de un año desde la adjudicación de las obras de acuerdo con lo dispuesto en el artículo 103 de la Ley de Contratos de las Administraciones Públicas.

.... a ..... de .... de 20........

EL DIRECTOR DE LAS OBRAS,

Vº. Bº.

EL ....

.... propone:

1º. La aprobación del presupuesto líquido por importe de ...., en concepto de revisión de precios que resulta de la aplicación de la Ley de Contratos de las Administraciones Públicas y disposiciones complementarias.

2º. Que por .... se tramite el crédito correspondiente al resultado de la revisión de precios.

.... de .... de 20.......

EL

....
Conforme con la propuesta
EL ....
Fecha

IMPORTE LÍQUIDO DE LA REVISIÓN EN LAS CERTIFICACIONES CURSADAS CON DERECHO A REVISIÓN DE PRECIOS ....

Numero de identificación	Importe líquido de la obra certificada sin revisión de precios	Mes al que corresponde la obra certificada	Coeficiente de revisión a aplicar	Importe líquido de la certificada revisada	Importe de la revisión de precios
Certificaciones con derecho a revisión de precios incluidas en los anteriores presupuestos por revisión.					
Certificaciones con derecho a revisión de precios incluidas en este presupuesto.					
TOTALES	(4)			(5)	(1)

IMPORTE LÍQUIDO DE LAS CERTIFICACIONES CURSADAS SIN DERECHO A REVISIÓN DE PRECIOS

Número de certificación .... Mes	Importe líquido de la obras que se certifican
TOTAL	(2)

PRESUPUESTO VIGENTE DE LAS OBRAS.

Fecha de aprobación del gasto	DESIGNACIÓN	Importes líquidos
	Importe de adjudicación	
	Variaciones del presupuesto de las obras por modificaciones de proyecto	(6)
	TOTALES	
	Variaciones por revisión de precios	(9)
	TOTALES	
	PRESUPUESTO TOTAL VIGENTE	

INSTRUCCIONES PARA CUMPLIMENTAR EL MODELO DE PRESUPUESTO ADICIONAL POR REVISIÓN DE PRECIOS

Hoja 1.   Se indican los datos generales de presupuesto, organismo contratante, Dirección General u organismo autónomo, etc., siguiendo las instrucciones de las certificaciones y, en el título, se hará constar el número del presupuesto adicional de revisión de precios que se tramita para las obras. En la casilla II «fórmula(s) polinómica(s) aprobada(s)» figurarán éstas completas, con el tipo de la misma si es de las comprendidas en el cuadro de fórmulas tipo generales vigente. Si se trata de fórmula especial para la obra, se indicará la fecha de aprobación de la misma.
Las cifras (1) y (9) se obtienen en las hojas posteriores.
Hoja 2.   El apartado «Certificaciones con derecho a revisión de precios incluidas en los anteriores presupuestos por revisión» se cumplimentará solamente si se hubiese tramitado antes algún otro presupuesto por revisión, indicando en este apartado los correspondientes importes totales de las certificaciones que figurarán individualmente en los anteriores.
Hoja 3.   En el primer cuadro se indicará la suma de las certificaciones cursadas sin derecho a revisión de precios, con los números de ellas y los meses a que corresponden.
Hoja 4.   En el segundo cuadro se determinan separadamente la suma del presupuesto vigente sin revisión (6) y la correspondiente solamente a las variaciones por revisión debidamente numeradas (9). La suma de ambas cantidades será el presupuesto total vigente de las obras. El importe líquido de las certificaciones cursadas sin derecho a revisión de precios (2), más el importe líquido de la obra certificada revisada (5), es igual al total de lo certificado en las obras hasta la fecha de formulación del presupuesto. La suma de importe líquido (2) y el de la obra certificada sin revisión (4) es el importe total de la obra certificada sin incluir la revisión.

ANEXO XI
CERTIFICACIÓN ORDINARIA, ANTICIPADA O FINAL

Ministerio de (1) Servicio (3)	Crédito presupuestario (2)

Designación de las obras (4)	Fechas de: (9) Licitación: Comienzo: Terminación:
Clave (5)	
Programa presupuestario (6)	Coeficiente de adjudicación: (12) Formula(s) tipo de revisión: (13)
Adjudicatario: (10) N.I.F. (11)	

CONCEPTO		TOTAL	
	(14)		(15)
Presupuesto vigente líquido			
Importe acreditado en certificaciones anteriores			
Obra ejecutada durante el período a que corresponde la certificación	Total (a)	(16)	
	Que no se acredita (b)	(17)	
Importe líquido que se acredita en esta certificación	Obra ejecutada y que se acredita en esta certificación (a) − (b)		
	Obra ejecutada con anterioridad	(18)	
	Revisión de precios (Det. aparte)	(19)	
	Abonos o anticipos a cuenta no revisables (Det. aparte)	(20)	
	Abonos o anticipos a cuenta revisables (Det. aparte)	(21)	
	Deducción (Det. aparte)		
	Total		

EL DIRECTOR de las obras D. (22) ....
CERTIFICO:
1.º Que el importe de las obras ejecutadas en el período a que corresponde esta certificación asciende a la cantidad de
....
2.º Que el importe que se acredita al adjudicatario asciende a la cantidad de

3.º Que se cumplen, si ha lugar, los requisitos previstos en el artículo 103 de la Ley de Contratos de las Administraciones Públicas y en el pliego de cláusulas administrativas particulares del contrato.

.... de .... de 20 ..
EL DIRECTOR DE LAS OBRAS

CONFORME
EL ... (23).............
..... de .... de 20 ....

DETALLE DE LOS PRESUPUESTOS PRIMITIVO Y ADICIONALES CON APROBACIÓN DEL GASTO

Fecha de aprobación del gasto	Designación	Importe líquido
TOTAL		

IMPORTE DE LA REVISIÓN QUE SE ACREDITA

Período natural		Importe líquido (25)	Coeficiente $K_t - 1$ (26)		Importe líquido de la revisión
Actual		A_t		C_t	$A_t \cdot C_t$ (a)
Anteriores	Revisión definitiva (24)	A_i	B_i	C_i	$A_i * (B_i . C_i)$ (b$_i$)
		"	"	"	"
		A_{t-2}	B_{t-2}	C_{t-2}	$A_{t-2} * (B_t . C_t)$ (b$_{t-2}$)
		"	"	"	"
		TOTAL			(27) $t-1$ $B + \Sigma (b_i)$ $i = 1$

DILIGENCIAS COMPLEMENTARIAS

CONTABILIDAD

COMPROBACIÓN	TOMA DE RAZÓN ENDOSO	INTERVENIDO Y CONFORME
Examinada y comprobada por el negociado correspondiente se halla conforme. .... de .... de 20........ El Jefe de	Endosada esta certificación a favor de .... Habiéndose tomado nota del endoso. .... de .... de 20........ El Jefe de	.... de .... de 20........ El Interventor delegado,
		APROBADO .... de .... de 20........ EL ....

INSTRUCCIONES PARA CUMPLIMENTAR EL IMPRESO DE CERTIFICACIÓN, ORDINARIA, ANTICIPADA O DE LIQUIDACIÓN

El impreso de certificación se cumplimentará de acuerdo con las siguientes instrucciones:

(1) Denominación del órgano de contratación.
(2) Número de clasificación orgánica y clasificación económica que figura en el presupuesto.
(3) Nombre del servicio gestor de la obra o proyecto de inversión y código de identificación del mismo o, en su defecto, el que tiene dentro del órgano de contratación.
(4) Nombre completo de las obras o proyecto de inversión que se certifica.
(5) Clave de identificación de la obra o del proyecto de inversión propia del organismo.
(6) Número de programa presupuestario.
(7) Indicar si la certificación es ordinaria, anticipada o final y el número que le corresponde, a partir de la primera.
(8) Indicar el mes o período al que corresponde la certificación.
(9) Indicar las fechas que figuran: licitación, comienzo y terminación prevista de la obra o proyecto de inversión.
(10) Nombre o razón social del adjudicatario.
(11) Número de identificación fiscal (NIF) del adjudicatario.
(12) Indicar el coeficiente de adjudicación.
(13) Indicar el número de la fórmula o fórmulas polinómicas, de revisión de precios, si ha lugar.
(14) y (15) Cuando haya varias entidades que financian las obras o proyecto de inversión se consignarán los importes totales líquidos en la columna (14) que serán la suma de los correspondientes a cada uno de los partícipes, en la financiación (no incluir honorarios, si los hubiere). En el (15) se indicará la denominación y la participación del Ministerio correspondiente, organismo autónomo, beneficiario, etc. Cuando la obra esté financiada por una sola entidad, se rellenarán sólo las casillas de la columna (14) «Total», salvo en el recuadro «Presupuesto vigente líquido», que se repetirá en (14) y (15), quedando así de manifiesto que la obra o proyecto de inversión está financiada por un solo organismo.

(16) y (17) En «Obra ejecutada en el período a que corresponde la certificación» se consignará en «Total (a)» el importe líquido total de la obra ejecutada en dicho período, y en «Que no se acredita (b)», el importe de dicha obra que por cualquier motivo no se acredita en la certificación, indicando las razones en la casilla «Diligencias complementarias», que figuran en otra cara del impreso.
(18) En «Obra ejecutada con anterioridad» deberán figurar aquellos importes que ahora se acreditan y que en su día no se acreditaron, es decir, que figuraron en el apartado (b).
(19) Indicar el importe de la revisión que se acredita, si ha lugar, según detalle aparte.
(20) En este apartado se incluirán los abonos o anticipos por equipos e instalaciones recuperables, que no son objeto de revisión, teniendo en cuenta que la posibilidad de este tipo de abono o anticipo debe figurar en los pliegos de cláusulas administrativas particulares del contrato.
(21) En este apartado se incluirán los abonos o anticipos a cuenta por acopios de materiales, cuando no haya peligro de que en su almacenamiento sufran deterioro (artículo 155 de este Reglamento) y los abonos o anticipos por instalaciones y equipo no recuperables, es decir, aquellos conceptos que son objeto de revisión.
(22) Después del nombre del director de las obras, deberá indicarse el título que le faculta.
(23) Figura en blanco el espacio destinado a la firma del «Conforme», dado que dicha firma ha de corresponder a los órganos que resulten de la peculiar estructura de los órganos contratantes, sin que su variedad pueda recogerse en el modelo una concreta especificación.
(24) En estos espacios se indicarán el mes o los meses a que correspondan los abonos a cuenta por revisión de precios o las regularizaciones de las mismas (revisión provisional o revisión definitiva, respectivamente).
(25) A_i es el importe líquido de la obra ejecutada durante el período de pago al que se refiere la relación. C_i es el valor K_i, calculando K_i en los últimos índices conocidos. A_i son los respectivos importes líquidos de la obra ejecutada para aquellos períodos de pago en que se efectuó la revisión de precios con los últimos índices conocidos.
(26) B_i son los valores de K_{ii} calculados con los índices definitivos correspondientes a los períodos de pago respectivos.
(27) Es el importe líquido de la revisión.

ANEXO XII
TABLA DE CORRESPONDENCIA ENTRE LOS SUBGRUPOS DE CLASIFICACIÓN DE EMPRESAS CORRESPONDIENTES A LOS QUE SE ESTABLECEN EN ESTE REGLAMENTO PARA LOS CONTRATOS DE SERVICIOS Y LOS GRUPOS Y SUBGRUPOS DE CLASIFICACIÓN ESTABLECIDOS EN LA ORDEN DEL MINISTERIO DE HACIENDA DE 24 NOVIEMBRE DE 1982, MODIFICADA POR LA ORDEN DE 30 DE ENERO DE 1991

Grupos y subgrupos establecidos en el artículo 37	Grupos y subgrupos establecidos en la Orden de 24 de noviembre de 1982
Grupo L. Servicios administrativos.	
Subgrupo 1. Servicios auxiliares para trabajos administrativos de archivo y similares.	Grupo III, subgrupo 3. Información, publicidad, administrativos y comunicaciones.
Subgrupo 2. Servicios de gestión de cobros.	Grupo III, subgrupo 3. Información publicidad, administrativos y comunicaciones.
Subgrupo 3. Encuestas, toma de datos y servicios análogos.	Grupo III, subgrupo 3. Información, publicidad, administrativos y comunicaciones.
Subgrupo 4. Lectura de contadores.	Grupo III, subgrupo 8. Otros servicios.
Subgrupo 5. Organización y promoción de congresos, ferias y exposiciones.	Grupo III, subgrupo 3. Información, publicidad, administrativos y comunicaciones.
Subgrupo 6. Servicios de portería, control de accesos e información al público.	Grupo III, subgrupo 8. Otros servicios.
Grupo M. Servicios especializados.	
Subgrupo 1. Higienización, desinfección, desinsectación y desratización.	Grupo III, subgrupo 6. Limpieza e higienización.
Subgrupo 2. Servicios de seguridad, custodia y protección.	Grupo III, subgrupo 2. Seguridad y vigilancia.
Subgrupo 3. Atención y manejo de instalaciones de seguridad.	Grupo III, subgrupo 2. Seguridad y vigilancia.
Subgrupo 4. Artes gráficas.	Grupo III, subgrupo 8. Otros servicios.
Subgrupo 5. Servicios de biblioteca, archivos y museos.	Grupo III, subgrupo 3. información, publicidad, administrativos y comunicaciones.
Subgrupo 6. Hostelería y servicios de comida.	Grupo III, subgrupo 8. Otros servicios.
Subgrupo 7. Prevención de incendios forestales.	Grupo III, subgrupo 8. Otros servicios.
Subgrupo 8. Servicios de protección de especies.	Grupo III, subgrupo 8. Otros servicios.
Grupo N. Servicios cualificados.	
Subgrupo 1. Actividades médicas y sanitarias.	Grupo III, subgrupo 1. Sanitarios.
Subgrupo 2. Inspección sanitaria de instalaciones.	Grupo III, subgrupo 1. Sanitarios.
Subgrupo 3. Servicios veterinarios para la salud.	Grupo III, subgrupo 8. Otros servicios.
Subgrupo 4. Servicios de esterilización de material sanitario.	Grupo III, subgrupo 1. Sanitarios.
Subgrupo 5. Restauración de obras de arte.	Grupo III, subgrupo 8. Otros servicios.
Subgrupo 6. Servicios de mantenimiento, conservación y restauración de materiales cinematográficos y audiovisuales.	Grupo III, subgrupo 8. Otros servicios.
Grupo O. Servicios de conservación y mantenimiento de bienes inmuebles.	
Subgrupo 1. Conservación y mantenimiento de edificios.	Grupo III, subgrupo 5. Conservación y mantenimiento de bienes inmuebles.
Subgrupo 2. Conservación y mantenimiento de carreteras, pistas, autopistas, autovías y calzadas.	Grupo III, subgrupo 5. Conservación y mantenimiento de bienes inmuebles.
Subgrupo 3. Conservación y mantenimiento de redes de agua y alcantarillado.	Grupo III, subgrupo 5. Conservación y mantenimiento de bienes inmuebles.
Subgrupo 4. Conservación y mantenimiento integral de estaciones depuradoras.	Grupo III, subgrupo 5. Conservación y mantenimiento de bienes inmuebles.

Subgrupo 5. Conservación y mantenimiento de mobiliario urbano.	Grupo III, subgrupo 5. Conservación y mantenimiento de bienes inmuebles.
Subgrupo 6. Conservación y mantenimiento de montes y jardines.	Grupo III, subgrupo 5. Conservación y mantenimiento de bienes inmuebles.
Subgrupo 7. Conservación y mantenimiento de monumentos y edificios singulares.	Grupo III, subgrupo 5. Conservación y mantenimiento de bienes inmuebles.
Grupo P. Servicios de mantenimiento y reparación de equipos e instalaciones.	
Subgrupo 1. Mantenimiento y reparación de equipos e instalaciones eléctricas y electrónicas.	Grupo III, subgrupo 7. Mantenimiento de equipos e instalaciones.
Subgrupo 2. Mantenimiento y reparación de equipos e instalaciones de fontanería, conducciones de agua, y gas.	Grupo III, subgrupo 7. Mantenimiento de equipos e instalaciones.
Subgrupo 3. Mantenimiento y reparación de equipos e instalaciones de calefacción y aire acondicionado.	Grupo III, subgrupo 7. Mantenimiento de equipos e instalaciones.
Subgrupo 4. Mantenimiento y reparación de equipos e instalaciones de electromedicina.	Grupo III, subgrupo 7. Mantenimiento de equipos e instalaciones.
Subgrupo 5. Mantenimiento y reparación de equipos e instalaciones de seguridad y contra incendios.	Grupo III, subgrupo 7. Mantenimiento de equipos e instalaciones.
Subgrupo 6. Mantenimiento y reparación de equipos y maquinaria de oficina.	Grupo III, subgrupo 7. Mantenimiento de equipos e instalaciones.
Subgrupo 7. Mantenimiento y reparación de equipos e instalaciones de aparatos elevadores y de traslación horizontal.	Grupo III, subgrupo 7. Mantenimiento de equipos e instalaciones.
Grupo Q. Servicios de mantenimiento y reparación de maquinaria.	
Subgrupo 1. Mantenimiento y reparación de maquinaria	Grupo III, subgrupo 7. Mantenimiento de equipos e instalaciones.
Subgrupo 2. Mantenimiento y reparación de vehículos automotores, incluidos buques y aeronaves.	Grupo III, subgrupo 7. Mantenimiento de equipos e instalaciones.
Subgrupo 3. Desmontajes de armamento y destrucción de munición.	Grupo III, subgrupo 8. Otros servicios.
Subgrupo 4. Desguaces.	Grupo III, subgrupo 8. Otros servicios.
Grupo R. Servicios de transportes.	
Subgrupo 1. Transporte en general.	Grupo III, subgrupo 9. Transportes.
Subgrupo 2. Traslado de enfermos por cualquier medio de transporte.	Grupo III, subgrupo 1. Sanitarios.
Subgrupo 3. Transporte y custodia de fondos.	Grupo III, subgrupo 2. Seguridad y vigilancia.
Subgrupo 4. Transporte de obras de arte.	Grupo III, subgrupo 9. Transportes.
Subgrupo 5. Recogida y transporte de toda clase de residuos.	Grupo III, subgrupo 9. Transportes.
Subgrupo 6. Servicios aéreos de fumigación, control, vigilancia aérea y extinción de incendios.	Grupo III, subgrupo 9. Transportes.
Subgrupo 7. Servicios de grúa.	Grupo III, subgrupo 9. Transportes.
Subgrupo 8. Remolque de buques.	Grupo III, subgrupo 9. Transportes.
Subgrupo 9. Servicios de mensajería, correspondencia y distribución.	Grupo III, subgrupo 3. Información, publicidad, administrativos y comunicaciones.
Grupo S. Servicios de tratamientos de residuos y desechos.	
Subgrupo 1. Tratamiento e incineración de residuos y desechos urbanos.	Grupo III, subgrupo 8. Otros servicios.
Subgrupo 2. Tratamiento de lodos.	Grupo III, subgrupo 8. Otros servicios.
Subgrupo 3. Tratamiento de residuos radiactivos y ácidos.	Grupo III, subgrupo 8. Otros servicios.

Subgrupo 4. Tratamiento de residuos de centros sanitarios y clínicas veterinarias.	Grupo III, subgrupo 8. Otros servicios.
Subgrupo 5. Tratamiento de residuos oleosos.	Grupo III, subgrupo 8. Otros servicios.
Grupo T. Servicios de contenido.	
Subgrupo 1. Servicios de publicidad.	Grupo III, subgrupo 3. Información, publicidad, administrativos y comunicaciones.
Subgrupo 2. Servicios de radio y televisión.	Grupo III, subgrupo 3. Información, publicidad, administrativos y comunicaciones.
Subgrupo 3. Agencias de noticias.	Grupo III, subgrupo 3. Información, publicidad, administrativos y comunicaciones.
Subgrupo 4. Realización de material audiovisual.	Grupo III, subgrupo 3. Información, publicidad, administrativos y comunicaciones.
Subgrupo 5. Servicios de traductores e intérpretes.	Grupo III, subgrupo 8. Otros servicios.
Grupo U. Servicios generales.	
Subgrupo 1. Servicios de limpieza en general.	Grupo III, subgrupo 6. Limpieza e higienización.
Subgrupo 2. Lavandería y tinte.	Grupo III, subgrupo 6. Limpieza e higienización.
Subgrupo 3. Almacenaje.	Grupo III, subgrupo 8. Otros servicios.
Subgrupo 4. Agencias de viajes.	Grupo III, subgrupo 8. Otros servicios.
Subgrupo 5. Guarderías infantiles.	Grupo III, subgrupo 8. Otros servicios.
Subgrupo 6. Recogida de carros portaequipajes en estaciones y aeropuertos.	Grupo III, subgrupo 8. Otros servicios.
Subgrupo 7. Otros servicios no determinados.	Grupo III, subgrupo 8. Otros servicios.
Grupo V. Servicios de tecnologías de la información y las comunicaciones.	
Subgrupo 1. Servicios de captura de información por medios electrónicos, informáticos y telemáticos.	Grupo III, subgrupo 3. Información, publicidad, administrativos y comunicaciones.
Subgrupo 2. Servicios de desarrollo y mantenimiento de programas de ordenador.	Grupo III, subgrupo 3. Información, publicidad, administrativos y comunicaciones.
Subgrupo 3. Servicios de mantenimiento y reparación de equipos e instalaciones informáticos y de telecomunicaciones.	Grupo III, subgrupo 7. Mantenimiento de equipos e instalaciones.
Subgrupo 4. Servicios de telecomunicaciones.	Grupo III, subgrupo 3. Información, publicidad, administrativos y comunicaciones.
Subgrupo 5. Servicios de explotación y control de sistemas informáticos o infraestructuras telemáticas.	Grupo III, subgrupo 3. Información, publicidad, administrativos y comunicaciones.
Subgrupo 6. Servicios de certificación electrónica.	Grupo III, subgrupo 3. Información, publicidad, administrativos y comunicaciones.
Subgrupo 7. Servicios de evaluación y certificación tecnológica.	Grupo III, subgrupo 3. Información, publicidad, administrativos y comunicaciones.
Subgrupo 8. Otros servicios informáticos o de telecomunicaciones.	Grupo III, subgrupo 3. Información, publicidad, administrativos y comunicaciones.

---

(1)   Se expresará la razón social completa de la entidad aseguradora.

(2)   Nombre y apellidos del apoderado o apoderados.

(3)   Nombre de la persona asegurada.

(4)   Órgano de contratación.

(5)   Importe, en letra, por el que se constituye el seguro.

(6)   Identificar individualmente de manera suficiente (naturaleza, clase, etc.) el contrato en virtud del cual se presta la caución.

(7)   Expresar la modalidad de seguro de que se trata, provisional, definitiva, etc.

ÍNDICE ANALÍTICO

A

© El Consultor de los Ayuntamientos

D

F

H

I

M

N

O

P

T

ÍNDICE SISTEMÁTICO

LIBRO PRIMERO

CONFIGURACIÓN GENERAL DE LA CONTRATACIÓN DEL SECTOR PÚBLICO Y ELEMENTOS ESTRUCTURALES DE LOS CONTRATOS

LIBRO II

PREPARACIÓN DE LOS CONTRATOS

LIBRO III

SELECCIÓN DEL CONTRATISTA Y ADJUDICACIÓN DE LOS CONTRATOS

LIBRO IV

EFECTOS, CUMPLIMIENTO Y EXTINCIÓN DE LOS CONTRATOS ADMINISTRATIVOS